L'ANNUEL DE L'AUTOMOBILE 2017

avec RPM

MC LAREN 570 GT 2017

DÉJÀ 16 ANS À VOUS OFFRIR L'INFORMATION AUTOMOBILE LA PLUS COMPLÈTE AU QUÉBEC

16 ANS

CRÉDITS

ÉQUIPES ÉDITORIALE ET DE PRODUCTION

ÉQUIPE DE DIRECTION
Benoit Charette, Éric LeFrançois, Caroline Jamet et Pierre Michaud

ÉDITEURS DÉLÉGUÉS
Benoit Charette et Pierre Michaud

RÉDACTEUR EN CHEF
Benoit Charette

DIRECTEUR DE L'INFORMATION
Éric LeFrançois

AUTEURS
Vincent Aubé, Matt Bubbers, Luc-Olivier Chamberland, Benoit Charette, Alexandre Crépault, Michel Crépault, Luc Gagné, Antoine Joubert, Éric LeFrançois, Alain Raymond, Charles René et Daniel Rufiange

CONCEPTION GRAPHIQUE
Agence Grenade
agencegrenade.ca
Karyne Bradley et Karine Longtin

PAGE COUVERTURE
Simon L'Archevêque

FICHES TECHNIQUES
Gilles Pilon

PHOTOGRAPHIES
Recherche principale : Luc Gagné et Antoine Joubert
Sources : Les constructeurs et les membres de *L'Annuel de l'automobile*

SUPPLÉMENT DES PRIX DES VOITURES NEUVES
Patrice Rivest

SUPPLÉMENT DES PRIX DES VOITURES D'OCCASION
André Chartier et Michel Doyon

RÉVISION
Johanne Hamel

RÉVISION TECHNIQUE
Benoit Charette et Gilles Pilon

COMPTABILITÉ
David Bourdeau

ÉQUIPE DE VENTES
Simon Michaud et Jérôme Landry

LES ÉDITIONS LA PRESSE

PRÉSIDENTE
Caroline Jamet

DIRECTEUR DE L'ÉDITION
Jean-François Bouchard

DIRECTRICE DE LA COMMERCIALISATION
Sandrine Donkers

RESPONSABLE, GESTION DE LA PRODUCTION
Carla Menza

COMMUNICATIONS
Marie-Pierre Hamel

DISTRIBUTION Flammarion/Socadis
IMPRESSION Imprimerie Transcontinental Interglobe

REMERCIEMENTS

AUDI | Cort Nielsen
BMW/MINI | Joanne Bon, Rob Dexter, Terry Grant et Barbara Pitblado
CHRYSLER/FIAT | Daniel Labre et Brad Horne
FERRARI/MASERATI | Umberto Bonfa
FORD | Christine Hollander et Megan Joakim
GENERAL MOTORS | Philippe-André Bisson, Masha Marinkovic et George Saratlic
HONDA/ACURA | Maki Inoue et Justine Plourde
HYUNDAI | Chad Heard et Laurence Myre-Leroux
JAGUAR/LAND ROVER | Barbara Barrett
KIA | Maxime Surette
LAMBORGHINI/LOTUS | Bernard Durand
MAZDA | Rania Guirguis et Sandra Lemaître
MERCEDES-BENZ | JoAnne Caza, Nathalie Gravel et Karine McGown
MITSUBISHI | John Arnone et Sophie Desmarais
NISSAN/INFINITI | Heather Meehan, Jennifer McCarthy et Didier Marsaud
PORSCHE | Patrick Saint-Pierre et Daniel Ponzini
ROLLS-ROYCE | Norman E. Hébert Jr.
SUBARU | Julie Lychak et Sébastien Lajoie
TOYOTA/LEXUS/SCION | Melanie Testani, Romaric Lartilleux et Rose Hasham
VOLKSWAGEN | Thomas Tetzlaff
VOLVO | Kyle Denton

LES AUTEURS TIENNENT ÉGALEMENT À REMERCIER :

Joel Segal et Cheryl Blas, de Décarie Motors; Leeja Murphy, de l'Agence Pink Martini; Steve Spence, de Services Spenco; Corey Royal et Tina Allison, de Royal Automotive Agency; André Gamelin et Nathalie Carrière, de Pièces d'auto Super

Ainsi que tous nos proches qui, pour la 16e année consécutive, nous ont supporté, enduré, encouragé, stimulé… pendant qu'ils discutaient entre eux des meilleures séries sur Netflix !

L'équipe de *L'Annuel de l'automobile* vous invite à lui faire part de vos commentaires. Il est plus que probable que vous, les propriétaires de voitures, remarquiez au quotidien des qualités ou des défauts qui nous auraient échappés. Merci à l'avance. **annuelauto@gmail.com**

Catalogage avant publication de Bibliothèque et Archives nationales du Québec et Bibliothèque et Archives Canada

Vedette principale au titre :

L'Annuel de l'automobile 2017
Comprend un index
ISBN 978-2-89705-457-1 (Éditions La Presse)
ISBN 978-2-9814018-3-0 (3905276 Canada Inc.)
1. Automobiles - Achat - Guides, manuels, etc.
2. Automobiles - Spécifications - Guides, manuels, etc.
TL162.A562 2016 629.222029 C2016-941009-9

L'éditeur bénéficie du soutien de la Société de développement des entreprises culturelles du Québec (SODEC) pour son programme d'édition et pour ses activités de promotion.

L'éditeur remercie le gouvernement du Québec de l'aide financière accordée à l'édition de cet ouvrage par l'entremise du Programme de crédit d'impôt pour l'édition de livres, administré par la SODEC.

Nous reconnaissons l'aide financière du gouvernement du Canada par l'entremise du Fonds du livre du Canada (FLC).

Dépôt légal - 3e trimestre 2016
ISBN 978-2-89705-457-1
Imprimé et relié au Canada

LES ÉDITIONS **LA PRESSE**
Les Éditions La Presse
7, rue Saint-Jacques
Montréal (Québec)
H2Y 1K9

mazda

INDEX DES ESSAIS

INDEX DES ANNONCEURS

TABLE DES MATIÈRES

MERCEDES-BENZ AMG-GT R

QUI EST QUI ?

BENOIT CHARETTE > COPROPRIÉTAIRE, RÉDACTEUR EN CHEF ET AUTEUR

Benoit pratique le journalisme automobile depuis 25 ans. Il est copropriétaire et rédacteur en chef de l'Annuel de l'automobile depuis 2001. On peut aussi le voir dans les émissions *RPM* et *RPM+* avec Antoine sur V Télé. Il co-anime aussi les légendes de la route sur Historia depuis 5 ans. Benoit est aussi expert de l'industrie automobile pour la société Radio-Canada et chroniqueur spécialisé pour le groupe Cogeco partout au Québec. Il est aussi fondateur et rédacteur en chef de l'*Annuel de l'Auto d'occasion* qu'il publie chaque année.

ÉRIC LEFRANÇOIS > DIRECTEUR DE L'INFORMATION ET AUTEUR

Éric a amorcé sa carrière de journaliste automobile en 1981, dans un hebdomadaire régional, avant d'intégrer la rédaction des pages automobiles du journal *Dimanche-Matin*. Au cours des années suivantes, il a été rédacteur en chef de publications spécialisées et d'ouvrages automobiles, tel *Mon auto* des Éditions La Presse. Depuis 15 ans, Éric LeFrançois est l'expert attitré du cahier *L'Auto* du quotidien *La Presse*. Nouveau directeur de l'information de *L'Annuel de l'automobile*, ce journaliste chevronné est également pilote automobile, de sorte qu'Éric occupe ses temps libres à courser et à restaurer des voitures.

ANTOINE JOUBERT > AUTEUR

Amateur de voitures depuis son tout jeune âge, Antoine Joubert s'efforce depuis plus de 10 ans à partager sa passion. Véritable encyclopédie vivante de l'automobile, il ne cesse d'enrichir son savoir et affectionne tout ce qui possède quatre roues. D'abord occupé à tenir le gouvernail du site auto de V-Télé, est co-animateur des émissions *RPM* et *RPM+* (avec Benoit) à V-Télé, ce qui lui laisse quand même du temps pour ses textes *punchés* dans *L'Annuel de l'automobile*.

DANIEL RUFIANGE > AUTEUR

Si Daniel est aujourd'hui un passionné d'automobiles, il le doit en partie à son défunt père. Né en 1919, ce dernier a partagé avec Daniel non seulement sa passion pour l'automobile mais aussi son histoire. En fait, il n'est pas surprenant d'apprendre que Daniel a jusqu'à très récemment enseigné l'histoire. Mais passionné d'écriture, de voitures, de course automobile et de relations humaines, il a décidé de faire de l'automobile le centre de sa carrière car elle est au cœur de ce que nous sommes.

LUC-OLIVIER CHAMBERLAND > AUTEUR

D'aussi loin qu'il se souvienne, l'automobile a toujours été la plus grande passion de Luc-Olivier. Son père l'a tendrement initié à cet univers fantastique en le régalant de ses aventures au volant de sa précieuse Datsun 210 ! Très vite, il fait sienne la fièvre du paternel et il commence plus particulièrement à s'intéresser aux grands classiques de l'automobile (entre autres, il voue un culte aux vieilles M-Benz). Depuis 2008, il contribue à différents médias. Plus actif que jamais dans le monde automobile, il fait son entrée au sein de l'équipe de *L'Annuel* tout en collaborant aux émissions *RPM* et RPM+ et en signant des essais sur *Auto.v.télé.ca*.

ALEXANDRE CRÉPAULT > AUTEUR

Alex baigne dans l'univers automobile depuis sa tendre enfance. Après avoir lancé le magazine *Québec Tuning* et la série de course *Drift Mania*, après avoir contribué à *L'Annuel de l'automobile*, il s'en va faire un tour du « côté obscur » : il rejoint les rangs d'un fabricant automobile via une agence de marketing, à Toronto. Le voilà de retour au Québec, plus que jamais décidé à renouer avec la production de contenu automobile. Ça tombe bien, maintenant qu'il est père de famille, *L'Annuel* se cherchait un amateur de fourgonnettes...

PIERRE MICHAUD > COPROPRIÉTAIRE ET AUTEUR

Depuis plus de 25 ans, Pierre Michaud œuvre dans le domaine automobile. D'abord aux commandes de l'émission *Pare-Chocs* (devenue *Auto-Stop*) à V télé (ancien TQS), Pierre forge immédiatement un lien indéfectible avec des milliers de téléspectateurs. En 2005, il devient producteur de son propre show télé et *Auto-Stop* se transforme en *RPM* (« roulez avec Pierre Michaud »). Au fil des ans, le franc-parler de Pierre a façonné sa marque de commerce. Par la suite, Benoit Charette et Antoine Joubert l'ont rejoint devant les caméras de *RPM* et *RPM+* (toujours à V) pour progressivement en devenir les piliers, alors que Pierre, infatigable entrepreneur, est devenu de son côté copropriétaire de *L'Annuel de l'automobile*.

VINCENT AUBÉ > AUTEUR

Passionné d'automobile depuis sa tendre enfance, Vincent n'a jamais cessé de s'intéresser à la chose, des modèles réduits aux jouets pleine grandeur. Ayant acquis une formation universitaire en journalisme, il a décidé de joindre l'utile à l'agréable en 2007 alors qu'il faisait ses premiers pas à titre de chroniqueur automobile à temps partiel. Mais puisqu'il pratique le meilleur métier du monde, la passion a pris le dessus et il est aujourd'hui plus que jamais impliqué dans toutes les facettes de l'industrie.

CHARLES RENÉ > AUTEUR

Journaliste à la section Auto du quotidien La Presse, Charles René signe des textes dans cette même section depuis 2005, en plus d'être titulaire d'une rubrique d'essais routiers pour *La Presse+* depuis bientôt trois ans. Il a également collaboré à plusieurs éditions de *L'Annuel de l'automobile* et rédigé des papiers dans le défunt guide *Mon Auto* publié aux Éditions La Presse. Passionné d'automobile depuis sa plus tendre enfance, il s'intéresse à tout ce qui touche de près ou de loin à cette fascinante industrie en constante mutation. Sa formation en Communication marketing de l'UQÀM lui permet également d'étoffer ses analyses sur les stratégies de marketing qu'emploient les constructeurs.

LUC GAGNÉ > AUTEUR ET PHOTOGRAPHE

Les parents de Luc racontent que les trois premiers mots qu'il a prononcés ont été : maman, papa et... Volvo. Ils ne précisent toutefois pas dans quel ordre. N'empêche qu'il était sans doute prédestiné à une carrière dans le monde de l'automobile. C'est par les médias qu'il l'a abordée. Depuis les années 80, il a dirigé divers périodiques dont, entre autres, le Magazine de l'auto ancienne du VAQ (son « école »), le magazine bilingue Formula 2000, Le Monde de l'auto, Auto Journal et AutoMag. Au début du 21e siècle, on le lit dans Le Devoir pendant quelques années, mais aussi dans les pages d'Auto123.com, puis d'AutoFocus.ca et, plus récemment, d'Auto.Vtélé.ca. Luc fait partie de l'équipe qui a créé *L'Annuel de l'automobile* en 2001.

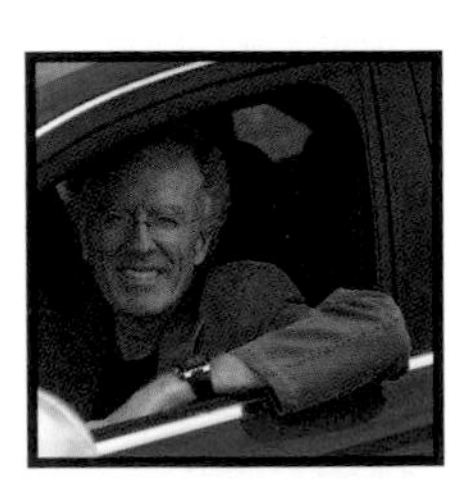

MICHEL CRÉPAULT > AUTEUR

Michel signe son premier texte automobile en 1985 dans *L'Actualité Médicale*. En 1997, il démarre le magazine *Auto Journal* pour les concessionnaires. Suivront ensuite, entre autres, les publications *Auto Passion*, *Québec Tuning* (avec son fils Alexandre), *Auto pour moi* (s'adressant plus particulièrement aux conductrices), et *Driven*, magazine life style basé à Toronto. Le groupe *Auto Journal* compte alors 23 employés à plein temps. En 2001, Benoit Charette et lui fondent *L'Annuel de l'automobile*. Quand, en 2009, le groupe se dissout, *L'Annuel* toutefois demeure plus solide et populaire que jamais. Aujourd'hui éditeur d'*AutoMédia*, le témoin de l'industrie automobile au Québec, Michel a cédé la moitié des rennes de *L'Annuel* au dynamique Pierre Michaud tout en continuant d'y écrire, son autre passion.

UN NOUVEAU CHAPITRE

Le monde de l'automobile vit des moments de grands changements. Par exemple, un nouveau projet de loi au Québec favorisera la diffusion des véhicules à zéro émission. Un autre justement porte sur l'électrification des transports. Les carburants alternatifs attireront de plus en plus les projecteurs sur eux alors que la santé de notre planète et de nos poumons fait réagir des groupes d'individus préoccupés.

La réalité de la voiture autonome se concrétise chaque jour davantage, entrainant dans son sillon des détracteurs (« Ne touchez pas à mon volant ! ») et des admirateurs (« Mieux occuper mon temps quand je dois endurer un bouchon de circulation ? Avec plaisir ! »). Le concept de l'auto-partage rencontre de plus en plus d'adeptes.

Bref, la société, ses tendances et ses impératifs incitent les constructeurs automobiles à multiplier les sessions de remue-méninges afin de répondre aux nombreux défis qui se bousculent à l'horizon.

Or, depuis maintenant 16 ans, *L'Annuel de l'automobile* épouse le rythme de ces trépidantes innovations. Et pour renforcer notre position de leader de l'information automobile, votre outil de référence préféré prend lui aussi un virage déterminant pour 2017 en s'associant officiellement avec *RPM*, l'émission qui entame cette année sa 18e saison au V-Télé.

Avec des partenaires solides et dynamiques comme Les Éditions La Presse et les émissions RPM et RPM+, l'avenir de L'Annuel de l'automobile n'a jamais été aussi excitant. Un futur, en fait, au diapason de ce que l'industrie automobile nous réserve comme surprises !

Le mariage de *L'Annuel de l'automobile* avec *RPM* et *RPM+*, dont la portée dépasse les 800 000 téléspectateurs chaque semaine, s'avère à coup sûr une excellente nouvelle pour les amateurs d'automobile, les férus comme les occasionnels, et renforce la position du livre comme le guide ultime pour vous aider à démêler ce qui se cache sous des centaines de capots. Ce partenariat entre Les Éditions La Presse, *RPM* et *L'Annuel* assure une visibilité sur toutes les plateformes médias les plus populaires, du papier à la Toile en passant désormais par la télévision.

Parce que sous le métal des véhicules modernes se dissimulent tellement de technologies complexes, les auteurs de *L'Annuel*, à la fois experts et vulgarisateurs, prônent sans relâche l'objectivité. Notre but premier restera toujours le même : vous donner l'heure juste, vous qui consacrez une bonne portion de votre budget à l'achat ou à la location d'un véhicule. Et à vous aussi qui souhaitez assouvir votre passion en découvrant les dernières nouveautés de l'industrie et en dégustant les spécifications techniques du *supercar* dont vous rêvez.

Fidèle à son habitude, *L'Annuel de l'automobile 2017* est fin prêt à prendre la place qui lui revient dans votre bibliothèque, voire sur votre table de chevet, afin qu'il demeure le phare qui vous garantira un débarquement sans écueils jusqu'au concessionnaire de votre choix.

Bonne lecture et bonne route !

L'équipe de *L'Annuel de l'automobile*

Voiture autonome moderne

Voiture autonome GM 1940

Autoroute à recharge électrique

MANUEL DU PROPRIÉTAIRE

1 CADILLAC > XT5 www.gm.ca

2 NOUVEAUTÉ $ 45 100 à 68 595 $ t&p 1900 $

XT5 < CADILLAC

LA COTE VERTE

3
MOTEUR V6 DE 3,6 L
CONSOMMATION (100 km) 2RM ville 12,1 L, route 8,6 L
4RM ville 12,9 L, route 8,9 L
CONSOMMATION ANNUELLE 2RM 1 802 L, 2 162 $ **4RM** 1 887 L, 2 264 $
INDICE D'OCTANE 87
ÉMISSIONS POLLUANTES CO_2 2RM 4 145 kg/an **4RM** 4 340 kg/an
(source : Cadillac et L'Annuel)

FICHE D'IDENTITÉ 4
VERSION(S) 2RM Base **2RM/4RM** Luxe, [illegible] Platinum
TRANSMISSION(S) avant, 4
PORTIÈRES 5 **PLACES** 5
PREMIÈRE GÉNÉRATION 2017
GÉNÉRATION ACTUELLE 2017
CONSTRUCTION Spring Hill, Tennesse, É-U.
COUSSINS GONFLABLES 6 (frontaux, latéraux avant, rideaux latéraux)
CONCURRENCE Acura MDX, Audi Q7, BMW X5/X6, Infiniti QX60/QX70, Jaguar F-Pace, Land Rover LR4/Range Rover Sport, Lexus RX, Lincoln MKT/MKX, Maserati Levante, Mercedes-Benz GLE, Porsche Cayenne, Volkswagen Touareg, Volvo XC60

AU QUOTIDIEN 5
COLLISION FRONTALE nm
COLLISION LATÉRALE nm
VENTES DU MODÈLE L'AN DERNIER
AU QUÉBEC 1 111 (+9,1 %) **AU CANADA** 4 886 (+18,2 %) (SRX)
DÉPRÉCIATION (%) 31,3 (3 ans) (SRX)
RAPPELS (2011 à 2016) 10 (SRX)
COTE DE FIABILITÉ nm

GARANTIES... ET PLUS
GARANTIE GÉNÉRALE 4 ans/80 000 km
GROUPE MOTOPROPULSEUR 6 ans/110 000 km
PERFORATION 6 ans/160 000 km
ASSISTANCE ROUTIÈRE 6 ans/110 000 km
NOMBRE DE CONCESIONNAIRES
AU QUÉBEC 21 **AU CANADA** 450

NOUVEAUTÉS EN 2017
Nouveau modèle remplaçant le SRX

192 | L'ANNUEL DE L'AUTOMOBILE 2017

L'ÈRE 2.0 DE CADILLAC

Avec plus de 4700 ventes l'an dernier au Canada, le Cadillac SRX est non seulement le plus vendu des modèles Cadillac, mais il représente pratiquement 50 % des ventes de la division de luxe de GM au pays. À l'image d'autres constructeurs, Cadillac rebaptise ses modèles, ce qui fait que pour 2017, le SRX devient le XT5. Avec la popularité des utilitaires qui ne semble pas ralentir, on peut supposer qu'une telle appellation laisse la porte ouverte à de futurs modèles XT3 ou XT7. Cela fait aussi comprendre que Cadillac vise maintenant la planète comme terrain de jeu et qu'elle cherche, avec les nouveaux modèles comme la CT6 et le XT5, à sortir des frontières de l'Amérique du Nord.

Benoit Charette

TOUR DU PROPRIÉTAIRE > Difficile de parler de révolution au chapitre du style extérieur. Le XT5 conserve la forme en cocheur d'allée du SRX avec un faciès et un dessin de phares qui s'inspirent de la récente CT6. Physiquement, le XT5 possède un empattement 5 centimètres plus long que le SRX avec toutefois une longueur hors tout légèrement plus courte. En situant les roues plus aux extrémités du châssis, les passagers, surtout à l'arrière, gagnent de l'espace. L'utilisation d'acier à haute résistance a permis à la fois de rigidifier la structure et de réduire le poids de 132 kilos. Le style général est plus raffiné que dans le SRX. C'est la version 2.0 du concept Art and Science (lancé avec la CTS en 2003), et même si la route a été longue, Cadillac peut maintenant se targuer d'avoir trouvé une image à la fois distinguée et distinctive. Curieusement, on remarque tout de suite la différence en voyant le XT5 seul. Par contre, si on place un XT5 et un SRX côte à côte, les différences sont plus subtiles.

VIE À BORD > Cela aura pris du temps, mais Cadillac s'est finalement débarrassée de tous les restants de « kitsch » qui avaient survécu dans le SRX. L'ambiance générale et la disposition des commandes s'inspirent directement de la berline CT6. Il n'y a plus ces commandes ésotériques avec manipulation par effleurement qui ont fait rager tant de propriétaires. Le système CUE existe toujours, mais il a été largement modifié. Au centre du véhicule règnent la console centrale et un écran tactile beaucoup plus convivial que les anciennes commandes. La qualité de l'exécution générale est impressionnante, les matériaux, de qualité et doux au toucher. Cadillac peut se targuer de diminuer considérablement le fossé entre elle et les rivaux allemands à ce chapitre. Il y a tout de même deux bémols à signaler. D'abord, l'écran central est un peu petit et gagnerait à prendre, comme l'ont fait la majorité des concurrents, des dimensions plus généreuses. On le voit dans le nouveau Volvo XC90, le Mercedes-Benz GLE et l'Audi Q7. Ce n'est pas dramatique, mais la concurrence immédiate fait mieux. L'autre point concerne l'assise, très haute à l'arrière. Je me suis surpris à frotter mon crâne au plafond. Même si le véhicule gagne en espace intérieur, le plafond plus bas pour répondre à de nouveaux critères esthétiques handicape l'habitabilité et oblige à plier le cou à l'arrière.

TECHNIQUE > Après avoir regardé de près l'extérieur et l'intérieur, il faut maintenant faire passer le test de vérité. Qu'est-ce que ce Cadillac a dans le ventre et est-ce suffisant pour faire lutte égale avec les concurrents allemands et japonais? Disons, pour être poli, que la livrée est un peu mince. Il n'y a qu'un seul moteur disponible. Il s'agit du très répandu V6 3,6 litres qui développe, dans le XT5, 310 chevaux et 271 livres-pieds de couple. Il est associé à une boîte automatique à 8 rapports et offre en prime un système de désactivation des cylindres. En combinant cela avec un poids plus léger, cela nous a permis d'atteindre une moyenne de consommation, lors de notre journée d'essai, de 11,3 litres aux 100 kilomètres, ce qui est presque 2,5 litres de mieux que le SRX. Vous aurez le choix d'une version à 2 ou à 4 roues motrices. L'Europe va recevoir en version de base un moteur 4 cylindres 2 litres turbo qui existe déjà ici dans la petite ATS. Voilà une option qui pourrait s'avérer intéressante. Il serait aussi à propos de considérer le très véloce moteur V6 3 litres biturbo pour déplacer un modèle plus performant et haut de gamme, question de soumettre un choix qui se rapproche de ceux offerts par BMW, Audi ou Mercedes-Benz. Force est d'admettre qu'un seul moteur représente un handicap.

2e OPINION 7 Antoine Joubert

Le moins qu'on puisse dire, c'est que cette nouvelle monture remplaçant le SRX se faisait attendre. Les concessionnaires se rongeaient les ongles jusqu'au sang pour trouver des arguments permettant de vendre un SRX pataud, gourmand et pas très fiable. Aujourd'hui, on remet les pendules à l'heure. Le XT5 est d'abord fort élégant, mais également drôlement mieux ficelé que son prédécesseur. La présentation intérieure est noble et les gadgets technologiques sont aussi nombreux qu'appréciables. Qui plus est, on parvient, grâce à de nombreuses astuces, à ramener la consommation de carburant à un niveau ridiculement bas. Essentiellement, vous consommerez sur route à peu près la même quantité d'essence qu'avec un Equinox AWD à moteur 4 cylindres, tout en bénéficiant de beaucoup plus de puissance et de raffinement. Espérons seulement que la fiabilité sera au rendez-vous, car le produit est à première vue très convaincant.

+ PERTE DE POIDS SALUTAIRE
MEILLEURE ÉCONOMIE DE CARBURANT
INTÉRIEUR RÉUSSI

– UN SEUL MOTEUR DISPONIBLE
PAS DE TROISIÈME BANQUETTE
MOTEUR TIMIDE ET DIRECTION INERTE

MENTIONS

VERDICT 9
PLAISIR AU VOLANT
QUALITÉ DE FINITION
CONSOMMATION
RAPPORT QUALITÉ / PRIX
VALEUR DE REVENTE nm
CONFORT
1 5 10

FICHE TECHNIQUE

MOTEUR(S) 8
(XT5) V6 3,6 L DACT
PUISSANCE 310 ch à 6 700 tr/min
COUPLE 271 lb-pi à 5 000 tr/min
RAPPORT POIDS/PUISSANCE 2RM 5,8 kg/ch **4RM** 6,2 kg/ch
BOÎTE(S) DE VITESSES automatique à 8 rapports avec mode manuel et manettes au volant
PERFROMANCES 0-100 km/h 6,9 s
REPRISE 80-115 km/h 5,0 s
FREINAGE 100-0 km/h 42,8 m
NIVEAU SONORE À 100 km/h Moyen
VITESSE MAXIMALE 209 km/h

AUTRES COMPOSANTS
SÉCURITÉ ACTIVE (certains en option) Freins ABS, assistance au freinage, répartition électronique de la force de freinage, contrôle électronique de la stabilité, antipatinage, assistance en cas de collision imminente avec freinage d'urgence automatique, freinage automatique en cas de collision en reculant à basse vitesse, phares adaptatifs, régulateur de vitesse adaptatif, avertisseur d'obstacle latéral avec aide au maintien de voie, d'obstacle latéral et arrière, rétroviseur par caméra à 300°, caméra 360°, afficheur tête haute
SUSPENSION avant/arrière indépendante (à amortissement adaptatif en option sur 4RM)
FREINS avant/arrière disques
DIRECTION à crémaillère, assistée électriquement
PNEUS P235/65R18 **option** P235/55R20

DIMENSIONS
EMPATTEMENT 2 857 mm
LONGUEUR 4 815 mm
LARGEUR 1 903 mm
HAUTEUR 1 675 mm
POIDS 2RM 1 808 kg **4RM** 1 931kg
RÉPARTITION DU POIDS AV/ARR (%) ND
DIAMÈTRE DE BRAQUAGE 11,8 m (roues de 18 po.) 11,9 m (roues de 19 po.)
COFFRE 849 L, 1 784 L (sièges abaissés)
RÉSERVOIR DE CARBURANT 2RM 72 L **4RM** 83 L
CAPACITÉ DE REMORQUAGE 1 588 kg (avec ensemble remorquage)

L'ANNUEL DE L'AUTOMOBILE 2017 | 193

MARQUE >

Si une marque a pignon sur rue au Québec, *L'Annuel* s'intéresse à elle, garanti !

1 MODÈLE >

Chaque marque comporte ses modèles. La mission de *L'Annuel* consiste à les essayer tous et à vous en faire rapport. Cette édition 2017 comprend 267 essais routiers détaillés.

NOUVEAUTÉ >

2 Il s'agit d'un modèle tout nouveau pour 2017. Cette édition de *L'Annuel* recense 28 nouveautés dont 17 qui ont mérité, qui ont chacune mérité un article de 4 pages, incluant une Galerie de photos et l'Historique du modèle.

ÉVOLUTION >

Il s'agit d'un modèle déjà connu en 2016 et qui n'a subi que quelques retouches pour sa cuvée 2017.

LA COTE VERTE >

3 Cette information vous renseigne immédiatement sur la version du modèle qui affiche le meilleur score énergétique. Nous ciblons la motorisation la plus verte et nous vous en précisons la consommation moyenne et annuelle (en litres et en dollars), l'indice d'octane recommandé et la quantité d'émissions polluantes (CO_2).

FICHE D'IDENTITÉ >

4 Pour vous tracer un portrait général du véhicule en un clin d'œil.

AU QUOTIDIEN >

5 **PROCÉDURES POUR LES RAPPELS :**
Les rappels sont basés sur le registre de Transports Canada et portent sur les 6 dernières années de production des véhicules (2011 à 2016)

ADRESSE POUR LES RAPPELS :
http://wwwapps.tc.gc.ca/saf-sec-sur/7/vrdb-bdrv/search-recherche/menu.aspx?lang=fra

DÉPRÉCIATION : Valeur résiduelle d'un véhicule calculée sur 3 ans (les modèles 2014) Le chiffre indiqué représente le pourcentage de dépréciation : par exemple, « 43 % » signifie que le véhicule aura perdu 43 % de sa valeur au terme des 3 ans.

5 **FIABILITÉ :** L'équipe de *L'Annuel* s'est basée sur des données du CAA, du périodique *Consumer Reports* et du mensuel *Protégez-Vous*, de même que sur le nombre de rappels de véhicules au cours des 6 dernières années.

5/5 Excellente. Pas ou très peu de défauts.
4/5 Bonne. Peu de défauts.
3/5 Moyenne.
2/5 Inférieure à la moyenne ; plusieurs faiblesses, souvent récurrentes.
1/5 Très faible. Nombreux problèmes, véhicule mal assemblé.
nm nouveau modèle
ND non disponible

CADILLAC > XT5

www.gm.ca

XT5 < CADILLAC

A

B

C

D

E

GALERIE

A > Le XT5 présente en primeur un écran de la caméra arrière dans le rétroviseur. Le système améliore de 300 % la visibilité du conducteur à l'arrière du véhicule, en affichant l'image de la caméra arrière dans le rétroviseur intérieur classique.

B > Une nouvelle transmission intégrale à embrayage sera offerte en option. Tout en étant conçue pour donner un solide rendement sur des chaussées mouillées, enneigées ou glacées, elle procure également une stabilité accrue sur revêtement sec.

C > Le XT5 est proposé dans un choix de cinq couleurs et garnitures intérieures, avec des options de garnitures décoratives allant de la fibre de carbone à deux types d'aluminium et à trois types de boiseries authentiques.

D > Comme tous les modèles 2016 de Cadillac, le XT5 offre, de série, la connectivité sans fil 4G avec un point d'accès sans fil intégré et la compatibilité Apple CarPlay et Android Auto pour simplifier l'intégration des téléphones à bord.

E > Le hayon arrière du XT5 comprend une fonction mains libres qui permet de l'ouvrir ou de le fermer par simple commande gestuelle sous le pare-chocs arrière.

194 | L'ANNUEL DE L'AUTOMOBILE 2017

AU VOLANT > C'est sur la route que le XT5 a le plus déçu. Rien à redire sur le confort, l'insonorisation et même la tenue de route à régime normal. Il y a deux points précis à aborder, la transmission et la direction. La première est à la chasse à l'économie de carburant et change toujours de rapport trop tôt pour qu'on puisse éprouve du plaisir et la seconde manque de vie. Bref, on sent une forte inertie qu'il est difficile de secouer. Nous avons réussi, dans les routes en lacets du mont Palomar, en Californie, à réveiller la bête en appelant le mode sport, qui reprogramme le ratio des changements de rapports. Mais vous devez alors faire attention de ne pas trop pousser, car le XT5 n'a rien d'une voiture sport et le centre de gravité élevé, doublé d'une direction sans vie, va rapidement faire apparaître des gouttes de sueurs froides sur votre front. Pour ceux qui roulent sagement, le XT5 va faire de l'excellent boulot. Pour les autres qui aiment de temps en temps pousser la machine, vous n'êtes pas à la bonne adresse. Les Allemands peuvent encore dormir tranquilles. Il serait important pour GM de penser à des solutions plus sportives afin de jouer à armes égales avec la concurrence, spécialement avec les ambitions de mondialisation du modèle. Le XT5 saura certes plaire aux pantouflards américains, mais l'Europe n'en voudra pas. Il faudra mettre plus, beaucoup plus de dynamisme dans la recette.

CONCLUSION > Le XT5 est un grand pas en avant par rapport à son prédécesseur, mais il faut savoir ce que vous allez acheter. Derrière le volant, vous êtes dans le monde confortable et peu inspirant du Lincoln MKX ou d'un Lexus RX 350. Pour un brin d'adrénaline, prière de consulter l'Audi Q5, le BMW X3 ou le Mercedes GLC. Le XT5 est tendance, bien roulé et va plaire à ceux qui aiment le confort enveloppé dans un style contemporain. C'est une clientèle qui s'est chiffrée à plus de 100 000 aux États-Unis en 2015, mais dans un concept de mondialisation, il faudra amener de la variété dans l'offre avec plus de moteurs, une conduite plus sportive et surtout un plaisir de conduire accru. Avec cette unique version, Cadillac améliore son produit, mais reste solidement ancrée dans une niche nord-américaine, et ce n'est pas de cette manière qu'elle va réussir à conquérir de nouveaux marchés. ■

6 HISTORIQUE

C'est le prototype Vizon présenté au Salon de l'auto de Détroit qui a donné vie au premier modèle SRX qui allait suivre en 2004. Pas très populaire, la première génération de SRX (2005 à 2009) avait été jugée le véhicule le plus dangereux par l'IIHS. La deuxième génération arrive en 2010 avec un style complètement différent, mais encore avec des ratés mécaniques et une fiabilité aléatoire. Pour 2017, le SRX devient le XT5. Il affiche un style plus moderne et un niveau de luxe qui franchit de nouvelles frontières.

Cadillac Vizion concept 2002

Esquisse du Cadillac SRX 2006

Cadillac SRX 2006

Cadillac SRX 2011

Cadillac XT5 2017

L'ANNUEL DE L'AUTOMOBILE 2017 | 195

HISTORIQUE >

6 Dès qu'il s'agit d'un nouveau modèle 2017, *L'Annuel* en retrace la genèse en images ou met en relief un point technique qui caractérise le véhicule.

2E OPINION >

7 À l'aide de quelques mots bien sentis, un second chroniqueur appuie ou contredit ce que son collègue vient tout juste d'exposer dans le texte principal.

FICHE TECHNIQUE >

8 Vous trouverez ici les données mesurables d'un véhicule. L'an dernier, nous avions ajouté le niveau sonore à 100km/h, la reprise de 80 à 115 km/h, la distance de freinage de 100 à 0 km/h et le rapport poids/puissance. Cette année, nous détaillons la consommation ville/autoroute, telle que basée sur *l'ÉnerGuide* 2016. La puissance des moteurs repose sur une nouvelle charte de la SAE (*Society of Automotive Engineers*) et explique les différences à la baisse quant à la puissance de certains véhicules.

EN CONCLUSION >

NOS MENTIONS

9

LA CLEF D'OR DE SA CATÉGORIE
Les auteurs de *L'Annuel* ont choisi ce modèle comme le meilleur de sa catégorie.

LE CHOIX VERT
Ce modèle se distingue grâce à ses vertus écologiques.

COUP DE CŒUR
Au diable la raison, c'est l'émotion pure qui nous guide ici !

MODÈLE RECOMMANDÉ
Même s'il n'a pas remporté une *Clef d'or*, ce modèle est vraiment apprécié par l'équipe de *L'Annuel*.

NOTRE VERDICT

À l'aide d'un système de gradation éprouvé, nous quantifions et résumons les aspects importants du véhicule testé.

LA CALLAWAY AEROWAGEN

Paul Deutschman Hon DSc,
Deutschman Design Inc.

La marque américaine Callaway est reconnue depuis près de quatre décennies pour produire le *nec plus ultra* en matière de Corvette sur la route et sur la piste. Depuis plus de 25 ans, je me suis occupé de créer pour Callaway des lignes aussi spectaculaires que les performances.

J'ai couvert pas moins de quatre générations de Corvette, de la simple amélioration aérodynamique à la conception complète d'un châssis comme la C12, la C16 et, plus récemment, la voiture GT3-R pour les courses d'endurance. Lorsque la plus récente Corvette, la C7, a été introduite sur le marché, j'ai voulu concevoir quelque chose d'inédit. La C7 est l'une des plus belles Corvette à ce jour. Refaire un châssis complet n'était pas une priorité. D'un autre côté, de simples ajouts aérodynamiques comme un becquet, des jupes de bas de caisse et des trappes d'air à l'avant n'auraient pas suffi. Je voulais faire différent et original, quelque chose qui propulserait la voiture ailleurs au premier coup d'œil.

UNE PREMIÈRE DISCUSSION

C'est donc avec Reeves Callaway, fondateur de la marque, que j'ai discuté de la possibilité de faire ce que les Anglais appellent un « shooting brake ». Ce nom que les Français ont baptisé break de chasse est apparu au XIXe siècle au Royaume-Uni. Il désignait un véhicule utilisé pour transporter les chasseurs, les armes et leurs chiens. À ses débuts, il ne s'agissait pas de voitures avec moteurs à essence. Cependant, l'expression est restée plus tard pour tout véhicule deux portes familial. Les marques anglaises comme Aston Martin et Jaguar ont créé de célèbres « shooting brake », et plus récemment Ferrari avec la FF. Les quelques premières esquisses démontrent qu'une Corvette familiale offre un bon potentiel en format familial. « En effectuant plus de recherches, nous avons été agréablement surpris de constater que le projet était viable et nous avons décidé d'aller de l'avant. »

DÉTERMINER LE STYLE

La première étape est de donner une orientation au modèle et de mettre les priorités sur la table. Ce « shooting brake » va profiter d'améliorations aérodynamiques et d'un espace cargo supplémentaire. À mesure que le projet progresse, Reeves Callaway baptise le projet AeroWagen. Sur une note historique, il y a eu en 1954 une voiture familiale sur une base de Corvette baptisée Chevrolet Nomad. Plusieurs ont déploré le fait que la voiture n'ait jamais été commercialisée. L'AeroWagen allait devenir ce que pourrait être la Nomad, 70 ans plus tard.

LA TABLE À DESSIN

Une fois que l'orientation est définitive, quelques esquisses sont mises en ligne pour aller chercher des réactions du public. La réponse est très positive, à un point tel que la populaire émission Top Gear l'inclut dans sa liste de breaks de chasse préférés. Nous avons donc pris la décision de

passer de la réalité virtuelle au modèle de production. Pour voir ce que la voiture va donner en trois dimensions, un modèle en argile est sculpté sur la base d'un modèle à l'échelle. Les résultats sont positifs, la silhouette est aussi belle en 3D qu'en 2D. À partir d'un modèle à l'échelle, la modélisation 3d se met en marche. Heureusement, nous avions accès aux dossiers électroniques utilisés pour la nouvelle Corvette. Ils ont servi à jeter les fondations de l'AeroWagen. La première étape est de redessiner la partie extérieure pour que la ligne de toit et les vitres de chaque côté s'harmonisent avec le nouveau dessin. Une fois les surfaces extérieures peaufinées, il fallait définir l'ouverture du hayon, sa structure intérieure avec ses montants de fenêtres. La plus belle qualité de l'AeroWagen réside dans sa simplicité. Elle a été conçue pour pouvoir transformer la C7 familiale avec un simple nécessaire de conversion qui se visse en place sans avoir à modifier la structure du véhicule. En fait, cette conversion est même réversible. Elle utilise les charnières, scellants et loquets originaux du hayon de la C7, assurant ainsi un parfait fonctionnement du système. Du coup, on peut remettre le hayon original et ramener la C7 à son point de départ.

Pour l'essentiel, les ingrédients de cet élément de conversion se composent du panneau de conversion en fibre de carbone, qui est installé dans les mêmes supports que le hayon original de la C7, et d'un nouveau becquet à profil bas vissé sur le panneau. L'AeroWagen arrivera en concession en fin d'année 2016 et l'installation pourra se faire en concession.

CONCLUSION

Nous prévoyons que l'AeroWagen va légèrement améliorer l'aérodynamisme de la voiture et offrir un peu plus d'espace cargo. Mais notre but était d'abord de faire tourner des têtes. Nous ne croyons pas que cette conversion va plaire à tous, mais nous souhaitons que les gens vont apprendre à apprécier le style. Nous voulons surtout que les gens la remarquent et disent à son passage : Wow, c'est une Callaway AeroWagen !

SÉCURITÉ AUTOMOBILE: COMMENT SAVOIR?

Michel Crépault

Votre automobile est-elle sécuritaire?

Pour commencer à avoir un début de réponse, rendez-vous d'abord à www.iihs.org. Vous voilà sur le site de l'*Insurance Institute for Highway Safety*, ou IIHS.

Cette organisation a été fondée en 1959 par trois compagnies d'assurances. Aujourd'hui, ils sont plus d'une centaine d'assureurs à financer les recherches du groupe à la renommée désormais internationale.

« Notre but est de réduire les blessures et les décès sur nos routes », m'a expliqué Raul Arbelaez, vice-président du centre d'essai que j'ai visité (*) au cœur d'une Virginie bucolique. Les plus cyniques ajouteront que si les membres de l'IIHS parviennent à convaincre les consommateurs d'acheter les véhicules que leur institut considère comme les plus sécuritaires, ils auront moins de réclamations à verser à leurs assurés. Des assureurs vont d'ailleurs jusqu'à consentir des rabais aux clients qui choisissent une voiture primée par l'IIHS.

Quoi qu'il en soit, dans d'énormes hangars, Raul et son équipe passent leurs journées à démolir des véhicules pour en tester la solidité.

Les véhicules sont soumis à cinq tests visant des sections distinctes de l'auto et qui se déroulent avec une rigueur scientifique impressionnante. Prenez le test appelé « moderate overlap frontal crash », où 40 % de la façade du véhicule rencontre à 40 mph (64 km/h) un obstacle représentant une autre auto roulant en sens inverse.

Selon les effets de la collision, c'est-à-dire la déformation de la carrosserie, l'intrusion d'éléments dans l'habitacle et les blessures occasionnées aux mannequins sanglés dans les sièges, les chercheurs de l'IIHS décernent les notes « good », « acceptable », « marginal » ou « poor ».

Quand l'IIHS a démarré ce test en 1995, environ la moitié des véhicules examinés ne réussissaient pas à franchir les deux derniers échelons. Vingt ans plus tard, la grande majorité des véhicules vendus en Amérique du Nord passe ce test haut la main.

En constatant la piteuse performance de leurs produits, des résultats montrés au grand public, les constructeurs n'ont eu d'autres choix que de retourner sur la planche à dessin.

Quand l'IIHS a ensuite commencé à défoncer des centaines de portières côté conducteur à partir de 2003 (impact latéral), plusieurs fabricants durent quitter l'institut avec un sac de papier sur la tête. Ici encore, heureusement, les correctifs n'ont pas tardé à être apportés au squelette des autos (meilleurs métaux, meilleur positionnement des longerons, meilleure soudure au laser, etc.).

Et ainsi de suite pour les autres tests concernant la robustesse du toit (en cas de capotage), l'arrière du véhicule (le type de collision qui occasionne au cou des occupants le redoutable « coup de lapin ») et, le p'tit nouveau depuis 2012, le « small overlap front test » où seulement le coin du véhicule percute un obstacle.

Chaque fois que des résultats peu flatteurs ont émergé, le fabricant est retourné faire ses devoirs. Aucun constructeur ne peut se permettre de vendre un véhicule qui serait le cancre de la classe. Voilà pourquoi je vous ai envoyé visiter le site de l'IIHS. Vous y trouverez les notes octroyées à votre véhicule pour chacun des cinq tests. Mais l'IIHS ne s'est pas arrêté en si bon chemin. En plus de déterminer la déformation des véhicules, l'institut s'est mis à vérifier (depuis 2013) l'efficacité des systèmes électroniques censés avertir le conducteur de l'imminence d'une collision et qui vont jusqu'à freiner automatiquement pour éviter l'impact ou, à tout le moins, en réduire les dégâts.

Selon la technologie à laquelle ils font appel et selon leurs performances sur la piste d'essai, ces systèmes électroniques (s'ils sont optionnels, l'IIHS s'assure de les inclure dans le véhicule testé) vaudront au véhicule le score « basic », « advanced » ou « superior »

Les véhicules qui méritent un « good » dans chacun des cinq tests de collision, en plus d'un « basic » aux tests de la prévention/mitigation d'accident, font automatiquement partie du club des *Top Safety Pick* de l'IIHS.

Si en plus de bien performer aux simulations d'impact les systèmes de prévention décrochent l'une des deux meilleures notes, le véhicule devient alors un *Top Safety Pick+*.

Pour les véhicules de tourisme de l'année modèle 2016, j'ai compté pas moins de 80 lauréats TSP+ dans la liste de l'IIHS. Attention, ils sont classés par gabarit (compacts, intermédiaires, fourgonnettes, etc.).

Ce qui amène l'organisation à formuler une loi : « La grosseur et le poids d'un véhicule influencent la protection de l'occupant lors d'un grave accident. Les véhicules plus gros et plus lourds offrent généralement plus de protection que les plus petits et plus légers. Ainsi, un véhicule compact qui obtient la mention *Top Safety Pick+* ou *Top Safety Pick* ne procure pas nécessairement plus de protection qu'un véhicule plus gros qui n'a pas gagné cette récompense. »

Newton serait d'accord avec cette affirmation, et Raul Arbelaez aussi. Il me le confirme alors que nous examinons ensemble deux smart *écrapouties* grâce aux bons soins de ses techniciens. « Nous avons projeté une smart contre une Mercedes-Benz C, une Honda Fit contre une Accord et une Toyota Yaris contre une Camry. Contre nos barrières fixes (un mur), ces minivoitures ont bien réagi. Contre un véhicule en mouvement deux fois plus gros, leur structure a pâti. Notre étude est tombée pile parce que le coût de l'essence grimpait et, du coup, l'intérêt pour les microvoitures. Nous avons voulu rappeler aux gens qu'il y a une relation entre masse et sécurité.

« Le pire, c'est que le 3-cylindres de la smart n'obtient même pas des cotes de consommation extraordinaires. Quand tu compares ses chiffres, le nombre de places (deux) et l'espace cargo restreint avec ceux d'un plus gros véhicule, disons une Honda Civic, à moins que tu ne vives dans une très grosse cité où le stationnement est un problème, à mes yeux, petit comme ça, ça n'a pas de sens. »

PENDANT CE TEMPS À WASHINGTON

L'IIHS n'est pas seul aux États-Unis à essayer de réduire le nombre de morts sur les routes du pays. Depuis 1970, la *National Highway Traffic Safety Administration* s'y emploie aussi mais avec un mandat supplémentaire et crucial : légiférer sur la manière dont les fabricants doivent

Franck Bonny et Claude Sauvageau, respectivement directeur marketing et directeur des essais chez PMG Technologies, à Blainville, savent que leur centre d'essais rend d'inestimables services à toute l'industrie automobile.

L'IIHS possède un vaste hall qui sert de vitrine pour montrer aux visiteurs quelques-uns des véhicules testés au fil des ans. Au-dessus, une Pontiac Trans Sport (1997-2004) qui a lamentablement échoué; en dessous, sa successeure, la Chevrolet Uplander, qui a beaucoup mieux performé. En d'autres mots, General Motors a retenu sa leçon…

assembler leurs véhicules. Car la NHTSA est une créature gouvernementale. L'obligation pour les constructeurs d'équiper de série leurs véhicules d'un contrôle de la stabilité électronique depuis 2012, c'est elle. L'obligation pour ces mêmes constructeurs d'en faire autant avec la caméra arrière à partir de 2018, c'est elle aussi.

En fait, l'influence combinée de la NHTSA et de l'IIHS a tellement crû en importance au fil des ans que les constructeurs n'attendent plus (parfois) que les autorités leur tapent sur les doigts, ils vont au-devant des lois. Ainsi, en mars dernier, pas moins de 20 d'entre eux représentant plus de 99 % du marché automobile américain ont convenu de rendre standard le freinage automatique d'urgence au plus tard d'ici 2022.

Parce que les statistiques proclament à l'évidence que l'AEB (*Automatic Emergency Braking*) sauve des vies et réduit les blessures, les deux organisations avaient défié les constructeurs en septembre 2015 de rendre eux-mêmes standard le système, sans attendre qu'aboutissent les interminables négociations politiques qui encadrent inévitablement la création d'une loi fédérale. Et les fabricants ont relevé le défi.

À l'instar de l'IIHS, la NHTSA pulvérise aussi des autos (principalement au *Vehicle Research & Testing Center*, son laboratoire situé en Ohio, mais aussi en confiant des mandats à des firmes comme PMG Technologies, de Blainville, par le biais de Transports Canada - je reviens plus loin sur ces acteurs importants - pour en déterminer la solidité dans le cadre de son « New Car Assessment Program » (NCAP). Son système de récompenses utilise depuis 1978 de une à cinq étoiles pour évaluer des simulations d'accidents frontaux, latéraux et des capotages, en plus de conclure avec une note globale. Bien entendu, le score des gradués et des recalés est aussi rendu public (www.safercar.gov où vous ferez une recherche par marque, modèle et année). La note du véhicule est de surcroît indiquée depuis 2012 sur l'étiquette Monroney collée dans la fenêtre du véhicule neuf.

À partir de l'année modèle 2018, la NHTSA commencera à décerner des étoiles aux systèmes AEB et autres technologies de prévention/mitigation actives.

La bonne nouvelle, c'est que la NHTSA et l'IIHS ne conduisent pas exactement les mêmes tests. Par exemple, la première organisation mesure l'impact sur toute la calandre du véhicule, alors que la seconde, on l'a vu, ne détruit qu'une portion (petite et moyenne) de l'avant. Vous avez donc intérêt à rechercher les scores octroyés par les deux organisations afin d'en apprendre le plus possible sur le véhicule convoité.

Si les deux groupes collaborent étroitement, ça ne les empêche pas de se livrer à une saine compétition. « Nous avons créé l'accident frontal modéré parce que, en examinant les données du vrai monde, nous avons noté que ce genre de collision causait 50 % des décès et sérieuses blessures, et qu'en conséquence, le test de la NHTSA comporte une lacune. Car une collision de plein fouet avec un mur, ça n'arrive pas tous les jours. Nous avons voulu reproduire une situation qui se rapproche davantage de la réalité », explique Raul en me pointant du doigt deux véhicules accidentés exposés à l'IIHS.

« Celui du haut (voir la photo), une fourgonnette Pontiac Trans Sport construite par GM de 1997 à 2004, c'est un dinosaure. Heureusement, nous n'avons plus de véhicules qui performent aussi mal de nos jours. La cabine n'a pas résisté, il y a eu intrusion majeure du pédalier et du volant, etc. En 2005, GM l'a remplacé par le Chevrolet Uplander et cette fourgonnette a obtenu d'excellentes notes, aussi bonnes qu'une Toyota Sienna de... 1998 ! Sa prédécesseure, la Previa, avait aussi récolté de mauvais résultats. Toyota a averti l'IIHS que la Sienna serait meilleure, et elle l'a été. »

Est-ce que les scores de l'IIHS et de la NHTSA concordent avec ce qui se passe dans la vraie vie ? « Pour un nouveau véhicule qui reçoit aujourd'hui sa note, il faut patienter quelques années avant de le voir apparaître dans les statistiques routières. Cela dit, selon une étude de 2011 sur les collisions latérales, nous avons remarqué une diminution des décès/blessures de l'ordre de 50 % entre les véhicules cotés «poor» et ceux étiquetés «good». Pareil pour les notes concernant la résistance du toit », dit M. Arbelaez.

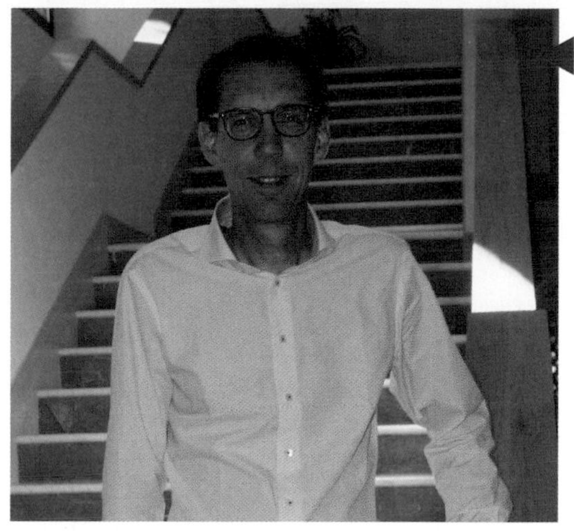

Per Lenhoff, directeur sénior de la sécurité automobile chez Volvo Car Group, travaille avec son groupe à la réalisation de *Vision 2020.*

Raul Arbelaez, vice-président de l'Insurance Institute for Highway Safety (IIHS), photographié devant le tableau d'honneur 2015 des *Top Safety Pick* et *Top Safety Pick+*.

ET CHEZ NOUS...

Notre équivalent de la NHTSA, c'est Transports Canada à Ottawa. Comme son vis-à-vis américain, TC (www.tc.gc.ca) établit des normes de sécurité «pour la conception, la construction et l'importation» des véhicules à moteur qui circulent sur nos routes. C'est elle aussi qui met régulièrement à jour la liste des rappels obligatoires. Les normes canadiennes sont la plupart du temps calquées sur celles de l'Oncle Sam. L'exemple des pare-chocs en fait foi.

Les deux pays partageaient la même norme au sujet des pare-chocs: ils devaient pouvoir encaisser un impact à 8 km/h sans subir de dommages. En pleine crise du pétrole (1972), les USA l'ont abaissée à 4 km/h quand Washington a demandé aux fabricants une solution pour diminuer la consommation de carburant. Réponse des compagnies: «Diminuez la norme des pare-chocs, nous allégerons nos véhicules (lire aussi: nous dépenserons moins) et nous améliorerons ainsi la consommation.»

Des tests de l'IIHS ont démontré que le pare-chocs allégé ne change pour ainsi dire rien à la consommation, mais qu'il augmente les dommages matériels. L'institut a donc recommandé que le gouvernement revienne à 8 km/h. C'est plutôt le Canada qui a imité son voisin (en 2011) parce que des constructeurs menaçaient de ne plus distribuer des modèles chez nous si nous continuions à imposer un standard distinct.

«Au moins peut-on dire que cette décision n'a pas mis en péril la sécurité des gens. C'est seulement une question de tôle. À 8 km/h, tu ne seras pas blessé. Ton véhicule, par contre, le sera», résume Claude Sauvageau, directeur des essais chez PMG Technologies, responsable des tests que ses ingénieurs effectuent en banlieue nord de Montréal.

Ce centre d'essai a été établi et géré par Transports Canada jusqu'à ce que sa gestion soit confiée au secteur privé en 1996. PMG s'est donné une triple vocation: «Travailler de concert avec TC pour s'assurer que les véhicules vendus au Canada respectent les normes de sécurité établies; améliorer les normes de sécurité existantes ou en élaborer de nouvelles; assurer l'accès à toutes les industries innovantes à un centre d'essai d'envergure mondiale», résume Franck Bonny, le bouillant directeur stratégie et marketing de PMG. Lui et son directeur des essais sont fermement convaincus de l'utilité sur terre de la mission qui est la leur et de celle de leurs collègues à l'étranger. «Si Transports Canada et la NHTSA n'existaient pas, les constructeurs auraient la liberté de décider ce qui serait optionnel ou pas pour assurer la sécurité des occupants d'un véhicule», estime M. Bonny.

Le rappel mondial en février dernier de trois millions de RAV4 par Toyota lui donne raison. En effet, à la suite d'un accident survenu en 2011 et où les deux passagers qui prenaient place sur la banquette arrière de l'utilitaire ont péri (alors que les deux en avant ont survécu), TC a demandé à PMG de reconstituer la collision. C'est alors que les Québécois ont découvert que le cadre métallique de l'assise du siège pouvait trancher la ceinture abdominale lors d'un impact.

D'où l'importance pour les gouvernements de maintenir des programmes de recherche pour assurer la sécurité du public. Si on se contente de standardiser à partir de ce que l'industrie automobile propose, les normes risquent la nivellation par le bas. Il faut pousser plus loin que les constructeurs qui, disons-le, veillent aussi sur leurs intérêts financiers. Les plus cyniques de tantôt voient dans leur soupe des actuaires en train de prouver aux gens d'affaires qu'il pourrait leur en coûter moins cher de dédommager la famille d'un mort que d'implanter un nouveau système de prévention à la grandeur de leur gamme de produits. Jusqu'à tant que le scandale les rattrape (les démarreurs de GM, les coussins gonflables de l'équipementier Takata, etc.).

Mais personne ne vient voir PMG pour obtenir une certification. Les étoiles et les qualificatifs, ce sont la NHTSA et l'IIHS qui les décernent. Volvo ne viendra pas chez PMG pour faire valider la supériorité de son capteur d'angles morts parce que le constructeur suédois possède son propre centre d'essais. En fait, tous les constructeurs clament que leur système est le meilleur. Ils testent et valident chez eux. Ils se livrent, c'est le cas de le dire, à de l'autocertification. Ils ne se tournent pas tout naturellement vers une tierce partie indépendante.

«La tierce partie, c'est les gouvernements. C'est Transports Canada et c'est la NHTSA. Si TC ne maintient pas de programmes de recherche pour vérifier les allégations des constructeurs, nos citoyens sont en danger», dit Bonny qui, bien sûr, prêche pour sa paroisse, PMG ne demandant pas mieux que de se voir confier des mandats du fédéral. Mais s'il est pertinent de se référer aux résultats de la NHTSA et de l'IIHS, il est rassurant de savoir que TC et PMG mènent des essais qui renseignent les consommateurs canadiens en tenant compte des spécificités géographiques et climatiques de notre vaste pays.

Qui plus est, la situation actuelle dans l'univers automobile fait que nous avons impérativement besoin de toutes les expertises disponibles pour vérifier la sécurité de nos véhicules parce qu'ils n'ont jamais autant été une source de distractions potentielles, et donc de danger mortel.

Il n'y a pas encore si longtemps, les ingénieurs allemands refusaient d'incorporer des porte-gobelets parce que boire et conduire sur une autobahn sans limites de vitesse, ce n'est pas vraiment une bonne idée. De nos jours, même une voiture compacte économique multiplie les gadgets pour que ses occupants restent constamment connectés à Internet, en plus de sa demi-douzaine de porte-gobelets...

«Le monde est connecté, c'est une réalité avec laquelle il faut désormais vivre, dit Franck. Nous nous sommes battus contre le cellulaire au volant. Échec. Essayez de dire à vos enfants que vous les emmenez passer le weekend dans un chalet sans Internet. C'est la mutinerie garantie ! Et les parents ne sont pas mieux. Si l'hôtel n'a pas de Wi-Fi, je n'y séjourne pas.»

De sorte que pour vendre leurs véhicules, les constructeurs offrent aux clients ce qu'ils demandent. Et même des bébelles auxquelles la clientèle n'avait pas pensé. Si elle aime, les ventes ne s'en porteront que mieux.

Heureusement, au fur et à mesure que les constructeurs farcissent leurs véhicules avec un bouton ici pour gérer une infinie discothèque et un autre là pour écouter un courriel lu par un robot caché sous le capot, ils embarquent à bord des ADAS (*Advanced Driver Assistance System*), des aides à la conduite électroniques.

Vous êtes déjà familiarisé avec les plus populaires : stationnement automatisé, système de précollision, détecteur de somnolence ou d'intrus dans l'angle mort, alerte de sortie de voie, etc.

Les constructeurs n'essaient pas d'en mettre le moins possible. Au contraire, c'est la course à celui qui en embarquera le plus, car voilà un autre moyen de se démarquer commercialement. Retenons toutefois que pour bon nombre de ces bouées de sauvetage, il faut débourser un extra et que tous les ADAS ne naissent pas égaux. Certains sont efficaces, d'autres moins. Tous les fabricants néanmoins se battent pour nous prouver que leur système est le plus sécuritaire. Difficile à croire pourtant qu'une sous-compacte de 10 000 $ ne puisse faire autrement qu'avoir un système inférieur à celui d'une auto qui coûte six fois plus cher. « Vous seriez surpris ! », se sont exclamés en chœur MM. Bonny et Sauvageau.

Ils ne vont pas jusqu'à pointer un constructeur en particulier devant le journaliste, mais ils lui soumettent volontiers un autre coupable : la mise en marché. Imaginez de fait un très bon produit qui souffre d'une mise en marché déficiente et, à l'inverse, un truc moyen mais doté d'une campagne marketing spectaculaire. Sauf que plongez le bidule dans un épais brouillard, disons, et il dérape. Un peu de pluie? Pareil.

Bref, autre cliché à étêter durant votre magasinage : ce n'est pas parce qu'une auto coûte plus cher qu'elle sauve nécessairement plus de vies.

De là à dire que ça prend la NHTSA, l'IIHS, Transports Canada et PMG pour que les gens sachent ce qui est vraiment efficace, il n'y a qu'un pas, que Franck Bonny & Cie franchit à pieds joints.

LES TEMPS CHANGENT

Le constructeur Volvo, l'inventeur de la ceinture de sécurité en 1959 (et, les chiffres le prouvent, encore aujourd'hui la meilleure protection en cas d'accident, bien avant tous les ADAS imaginables), a formulé publiquement une promesse : d'ici 2020, personne ne sera tué ou blessé sérieusement à bord d'une Volvo moderne.

C'est énorme comme engagement. J'en ai discuté avec Per Lenhoff, directeur sénior chez Volvo Car Group, à Götebord (Suède), et un spécialiste de la sécurité automobile : « Pour concrétiser ce que nous appelons notre Vision 2020, nous avons une approche holistique, c'est-à-dire que nous ne nous concentrons pas seulement sur l'accident, mais bien sur tout ce qui l'a précédé. »

Lenhoff et son équipe travaillent sur des systèmes concentrés sur les quatre périodes distinctes propres à tout accident : ceux qui maintiennent le conducteur dans une situation normale, ceux qui l'avertissent que la situation pourrait se dégrader (prévention), ceux qui amortissent l'impact (mitigation) et, enfin, ceux qui protègent carrément les occupants maintenant que le choc s'est produit (comme le déploiement des sacs gonflables et un signal immédiat vers les services de secours).

« Nous sommes des précurseurs (la feuille de route de Volvo en matière de sécurité automobile est en effet plutôt révélatrice à ce sujet). Nous disposons d'une longueur d'avance. Nous étudions les scènes d'accidents depuis le début des années 70. Nous disposons de plus de 42 000 rapports d'accidents dans notre banque de données. Bien souvent, nous nous rendons sur place. Ces cas nous ont énormément aidés à développer des moyens de protection. Maintenant, nous faisons la même chose pour la sécurité active », dit Per Lenhoff.

Volvo va y arriver, prédit Claude Sauvageau. « Ils vont enlever le chauffeur de l'équation. C'est mathématique. Comme 95 % des accidents sont causés par des erreurs humaines, élimine celles-ci et tu atteindras ton objectif. »

Les statisticiens ont établi une typologie des types d'accidents les plus communs. Ainsi, 16 % d'entre eux surviennent quand un véhicule en tamponne un autre par l'arrière. La présence d'un AEB devrait donc (en théorie) éliminer 16 % des collisions. Et ainsi de suite, à chaque cause, son remède, c'est-à-dire un ADAS. L'addition de ces anges gardiens devrait normalement permettre à Volvo de tenir parole d'ici 2020. Et tous les constructeurs sérieux emboîteront le pas, bien sûr.

Dans ce sens, pour sa Fusion 2017, Ford annonce fièrement qu'en plus de réussir un stationnement en parallèle parfait, la berline la plus vendue au Canada peut désormais répéter l'exploit de manière perpendiculaire. La question mérite alors d'être posée : ne sommes-nous pas en train de fabriquer une race de conducteurs incompétents ?

Or des observateurs très sérieux croient que c'est justement le but recherché à long terme. En lui enlevant de plus en plus de responsabilités et en l'ensevelissant sous divers gadgets amusants, le conducteur ne protestera pas - en fait, il poussera un soupir de soulagement - quand on lui retirera son volant pour de bon. On ne peut pas y voir un complot pour assassiner le plaisir de conduire, car bien d'autres ingrédients sont déjà en place pour que cet agrément prenne le chemin du musée : les congestions du matin au soir, les dédales de cônes orange, les nids-de-poule et le manque d'intérêt des jeunes dans le monde entier pour l'automobile en général et pour l'obtention d'un permis de conduire en particulier (un moment dans la vie d'un individu qui était pourtant un rite de passage il n'y a pas si longtemps, alors que, aujourd'hui, essayez de repérer sur Facebook des *selfies* avec son *char*, les chroniqueurs automobiles mis à part...).

« S'il y a un complot, dit Franck, c'est pour qu'il y ait moins de morts sur nos routes! Dans le monde, le nombre de victimes de l'automobile est 30 fois plus élevé que ceux d'une épidémie d'Ebola! Chaque année ! »

On serait, paraît-il, sur le point d'offrir une option qui permettra au conducteur de voir dans sa voiture qui sonne chez lui. Imaginez celui qui aperçoit sa femme ouvrir la porte au facteur en déshabillé vaporeux; ou le prétendant que papa ne veut surtout pas voir rôder autour de sa fille. Sa concentration risque de ressembler à la fumée qui lui sortira par les oreilles.

Une autre rumeur laisse entendre qu'un gouvernement comme celui de la Corée du Sud envisagerait un virage draconien pour venir à bout de l'indiscipline de ses conducteurs. Après les avoir informés, menacés et punis, et avoir malgré tout constaté que ses citoyens continuaient à mourir à force de texter ou de se maquiller au volant, Séoul songerait à imposer d'ici quelques années dans ses rues le règne de la voiture autonome. Par décret officiel, on retirerait aux humains le droit de conduire. Pour les garder en vie malgré eux, le constat étant qu'on a beau améliorer les mesures de sécurité passives et actives à bord des véhicules, elles ont des limites, alors qu'il ne semble pas y en avoir à la bêtise humaine.

Toutefois, une dernière certitude : quand la voiture autonome trônera, la sécurité ne sera pas affaire réglée pour autant, puisqu'il faudra alors affronter, entre autres, les pirates informatiques, les imbroglios légaux et les infrastructures intelligentes rendues bébêtes à cause de ça d'épais de gadoue en février...

(*) La visite au centre d'essais de l'IIHS a été organisée par Subaru Canada, qui n'est pas peu fière de souligner que tous ses véhicules figurent parmi les TSP+ 2016 de l'institut.

SOGHU
SOCIÉTÉ DE GESTION DES HUILES USAGÉES

Mercedes-Benz F015 concept

DESSINER UNE VOITURE SANS CONDUCTEUR

Paul Deutschman, Hon. DSc

Il ne fait aucun doute que nous entrons dans une période de renouveau dans le domaine de la conception automobile. La révolution se déroule sur deux fronts. Il y a d'abord les sources d'énergie alternatives qui vont propulser les véhicules du futur, qu'ils soient électriques, à piles à combustible ou autres. Ensuite, les voitures autonomes qui commencent déjà à se répandre comme une traînée de poudre.

Comment ces nouvelles technologies vont-elles influencer la conception et l'utilisation des voitures dans le futur ?

LES ÉNERGIES ALTERNATIVES

Regardons d'abord les effets des énergies alternatives sur la conception automobile. Depuis que la sécurité est devenue une grande priorité dans la conception, les passagers se sont déplacés vers le centre du véhicule pour être entourés de zones de protection. Cet exemple est probant dans la berline typique, qui est composée d'un capot assez long à l'avant et d'un coffre à l'arrière. Cette configuration offre le mérite de maximiser l'absorption d'énergie à l'avant et à l'arrière. Malheureusement, sur le côté, il y a relativement peu de protection. Lorsque les voitures hybrides et électriques ont fait l'objet de recherches plus poussées, beaucoup croyaient que la morphologie fondamentale des voitures allait changer en raison des différences dans l'emplacement, le format et les configurations des moteurs et des différents emplacements pour les batteries. Pensons aux moteurs-roues, aux batteries plates sous la voiture. Ces diverses approches signifiaient aux yeux de plusieurs un changement fondamental dans le dessin des véhicules. À ce jour, il n'y a eu que très peu de modifications. Un bel exemple est Tesla, qui a voulu révolutionner le monde automobile avec un véhicule entièrement électrique. Le style très réussi demeure toutefois très classique dans son approche et on pourrait croire qu'il s'agit d'une berline de luxe avec moteur thermique.

Je crois que tant qu'il y aura des collisions fréquentes et violentes, les zones de déformation avant et arrière vont continuer d'exister. Lorsque tous les véhicules seront équipés d'un système de prévention des collisions (et ce n'est pas demain la veille), à ce moment seulement, peut-être verrons-nous des reconfigurations majeures dans l'architecture des véhicules.

Mercedes-Benz F015 concept

Tesla Modèle S 2015 avec système Autopilot

PROJECTION VERS L'AVANT

Imaginons un moment que les voitures ne sont plus victimes de collisions et qu'il n'est plus possible de heurter une autre voiture. Il ne serait plus nécessaire d'asseoir les passagers dans un cocon au centre du véhicule et nous pourrions les installer sans problème n'importe où à l'intérieur. Si la technologie se montre quasi infaillible, les ceintures de sécurité et les coussins gonflables pourraient devenir chose du passé. Les passagers pourraient même se déplacer à l'intérieur du véhicule. Nous pourrions placer des sièges face à face pour favoriser un meilleur environnement social ou faire de votre moyen de transport votre bureau mobile avec petite table et chaise. À ce moment, les batteries seront cachées sous le véhicule et le moteur dans la roue. Vous aurez à cet instant un vaste choix de configurations intérieures et plusieurs pour ranger les bagages.

Comment la conduite autonome va-t-elle influencer notre expérience de conduite?

En un mot : complètement

Le plaisir qui découle d'être en contrôle au volant d'une voiture est très gratifiant pour beaucoup de gens. Les risques sont grands que la conduite autonome castre tout le plaisir relié à la conduite automobile. Personnellement, j'aime conduire et j'espère en profiter jusqu'au jour où je déciderai de raccrocher mon volant. Cependant, il y a chaque année près de 36 000 victimes de la route en Amérique du Nord et plus de 1,25 million dans le monde. Des chiffres qui donnent froid dans le dos et qui sont inacceptables dans un monde moderne. Il est envisageable sur le long terme que les voitures conduites par l'homme soient éliminées des voies publiques et que ce genre de voiture se retrouve uniquement sur des circuits routiers. En d'autres termes, la voiture que l'on connaît va prendre le même chemin que le cheval lorsque la voiture est arrivée, et seulement les nostalgiques iront faire un tour de voitures dans des endroits réservés à ce loisir comme les chevaux.

Il existe déjà de forts indices qui révèlent que la voiture autonome est largement acceptée. Les plus de quarante ans attendaient avec impatience de voir le jour où ils pourraient se procurer un permis de conduire et faire l'achat d'une première voiture. C'était un rite de passage d'une grande importance. Aujourd'hui, les jeunes se désintéressent de l'automobile. Plusieurs n'ont pas de permis de conduire ou utilisent le covoiturage lorsqu'ils ont besoin de se déplacer. La liberté ne passe plus à travers une voiture mais par un téléphone intelligent. La voiture n'est, pour plusieurs, rien d'autre qu'un outil dans lequel on peut brancher et utiliser son téléphone. L'acquisition d'une voiture vient plus tard et, dans bien des cas, pas du tout. Or si la voiture devient un outil, le plaisir de la conduire ne revêt que peu d'intérêt. Cet outil servira à vous amener du point A au point B. De plus, si la passion est laissée de côté, le style va probablement suivre la même tendance pour être plus pratique, sans doute plus carré comme une fourgonnette. L'intérieur sera comme le mouvement du jour, c'est-à-dire de plus en plus technologique pour répondre aux attentes des propriétaires branchés.

Si un jour la voiture autonome s'empare de tout le paysage automobile, les modes automobiles ne seront pas très différentes de celles d'aujourd'hui. Il y aurait toujours des voitures de particuliers, des modèles de flotte (location) et des voitures en partage comme Communauto. Là où il y aurait une différence marquée serait dans l'industrie du taxi, qui n'aurait pratiquement plus de chauffeurs à son service. Vous pourriez toujours appeler un taxi pour vos déplacements, mais ce dernier se présenterait à la porte chez vous... sans chauffeur.

QUE VA-T-IL SE PASSER D'ICI LÀ ?

Nous sommes au début d'une longue période de transition durant laquelle la voiture que nous connaissons depuis plus de 100 ans va graduellement devenir autonome. Conduire une voiture aujourd'hui nous demande toute notre concentration pour optimiser notre sécurité. Je crois que les systèmes électroniques d'évitements de collision sont une belle innovation technologique, mais ces systèmes ne devraient pas donner une fausse impression de sécurité aux conducteurs. Il faut se rappeler que c'est le conducteur qui est responsable des accidents, pas le constructeur. Le premier décès d'un conducteur de Tesla qui utilisait le système autopilote a été constaté en mai dernier. Il regardait un film de Harry Potter au volant. Même si la technologie de Tesla est brillante, la baptisée autopilote frise la négligence. Un nom comme « évitement d'accident » serait sans doute plus approprié, même si c'est moins sexy.

Lorsque le jour arrivera où les voitures autonomes deviendront une réalité, les déplacements en auto seront certainement moins plaisants, mais le nombre de victimes sur la route diminuera de beaucoup.

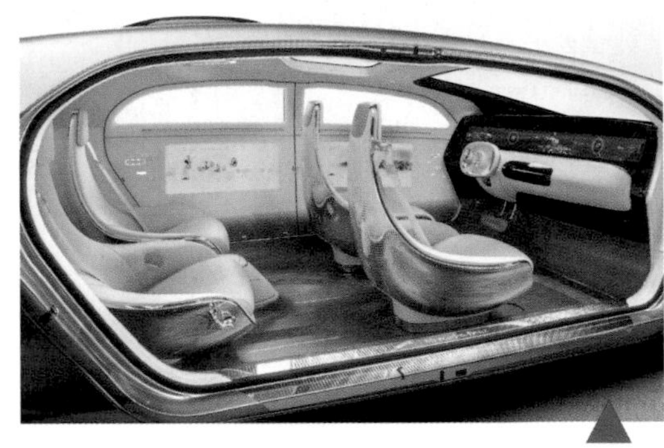

Mercedes-Benz F015 concept

Tesla S 2016

LE GRAND RETOUR

DE LA CAMIONNETTE INTERMÉDIAIRE

Antoine Joubert

Il y dix ans à peine, un peu plus de 50 000 camionnettes compactes et intermédiaires étaient vendues au pays. C'était une époque où on accueillait encore de nouveaux joueurs dans le segment, qui tentaient leur chance afin de détrôner la camionnette Ford Ranger, laquelle s'écoulait encore à près de 20 000 unités annuellement. Hélas, si les ventes demeuraient fleurissantes de notre côté de la frontière, la situation était tout autre aux États-Unis. La flambée des prix du pétrole les avait fait chuter de plus de la moitié en moins de deux ans, se retrouvant à un niveau où la rentabilité devenait difficile.

Conséquemment, mais aussi parce qu'on voulait capitaliser sur des modèles pleine grandeur, Ford et Chrysler (Ranger et Dakota) allaient respectivement abandonner le marché en fin d'année 2011. Mazda, de même que Mitsubishi et Suzuki, qui clonaient leur modèle à partir de produits Ford, Dodge et Nissan existants, allaient aussi quitter à la même période. Puis, un an plus tard, c'était au tour du duo GM Colorado/Canyon de lancer la serviette, laissant ainsi le champ libre à trois marques japonaises. De ce fait, à peine 15 000 camionnettes intermédiaires allaient trouver preneur au pays en 2014, avec une part de 67 % attribuable à Toyota.

Toyota Tacoma 2016 de Marty McFly - Vous vous rappelez la splendide camionnette Toyota de Marty McFly du film *Retour vers le futur*? Toyota a voulu la recréer en préparant une édition 2016 de la camionnette Tacoma. Tout simplement magnifique.

LE CONTEXTE

Pour comprendre l'abandon du segment par les marques américaines, il faut d'abord se replonger dans le contexte de l'époque. Rappelons-nous d'abord de l'importante crise financière de 2009 qui avait mené à la faillite de GM et de Chrysler, alors que Ford se l'était évitée de justesse. Les budgets attribués pour le développement de nouveaux produits étaient alors scrutés à la loupe, et tout marché superflu ou moins populaire était automatiquement écarté.

Qui plus est, les trois camionnettes américaines reposaient sur des châssis vieillissants, particulièrement le Ranger qui étirait la même structure depuis 1983. À l'époque, il n'était donc financièrement pas viable de développer un nouveau châssis qui, de surcroit, n'allait plus pouvoir être partagé avec des utilitaires, transformés en multisegments sur châssis monocoque.

De son côté, GM était forcé d'abandonner son duo de camionnettes, lesquelles dérivaient de l'Izusu D-Max vendue à peu près partout, sauf en Amérique du Nord. La refonte du modèle Isuzu en 2012 forçait donc Chevrolet et GMC à suivre la parade, ou à laisser tomber.

PENDANT CE TEMPS...

Parallèlement, Toyota continuait de faire des affaires d'or, en s'accaparant des parts de marché encore plus importantes que celles que possède FCA dans le segment de la fourgonnette. L'indestructible camionnette Tacoma voyait donc ses ventes remonter à un niveau quasi record en 2013 et 2014. Visiblement, les efforts de mise en marché effectués par le géant japonais pour séduire les chasseurs, les surfeurs et les amateurs de conduite hors route allaient être récompensés. Il faut dire que Nissan faisait à ce moment du sur place avec un camion certes très solide, mais qui n'était aucunement publicisé par le constructeur et les concessionnaires. Rappelons également que 2014 allait constituer le chant du cygne pour le Honda Ridgeline, devenu totalement impopulaire.

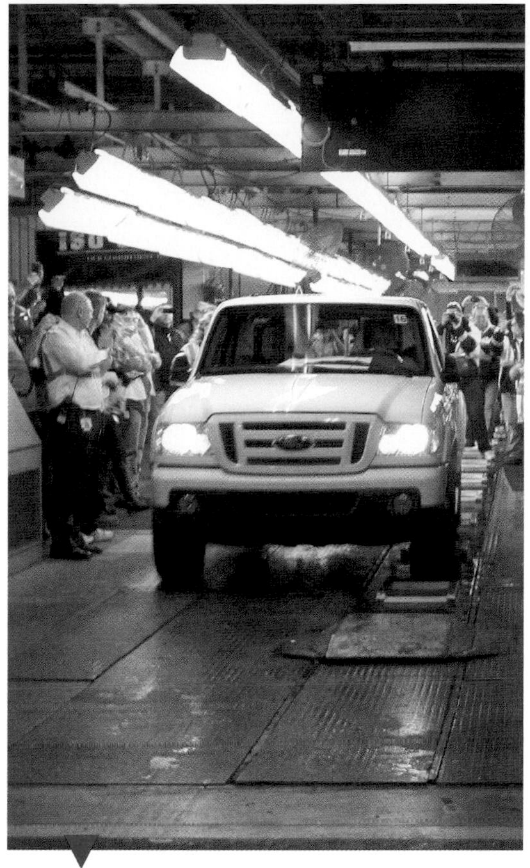

Ford Ranger 2011 - La toute dernière camionnette Ranger nord-américaine sortie de la chaine de montage le 19 décembre 2011.

Toyota Stout 1965 - Première camionnette Toyota commercialisée en Amérique du Nord.

COUP DE THÉÂTRE EN 2015

C'est toutefois en 2014 que GM allait présenter la relance de sa camionnette Colorado/Canyon, laquelle allait être beaucoup mieux adaptée au marché nord-américain. Une fois de plus basée sur la camionnette Isuzu D-Max (de nouvelle génération), elle allait proposer un style beaucoup plus américain, ainsi que des fonctionnalités mieux adaptées aux besoins des acheteurs de chez nous. Le temps de développement de cette camionnette à partir d'un produit Isuzu allait d'ailleurs expliquer l'abandon du marché par Chevrolet et GMC pour une période de près de trois ans.

Le succès instantané des nouvelles camionnettes Colorado/Canyon aura d'ailleurs eu l'effet d'une bombe sur l'usine de Wentzville au Missouri, forcé d'ajouter un troisième quart de travail pour suffire à la demande. Résultat, on écoulait en 2015 pas moins de 125 000 unités de ce duo en Amérique du Nord, et ce dans un contexte où la demande était beaucoup plus forte. D'ailleurs, plusieurs concessionnaires canadiens se seront plaints du nombre infime d'unités leur étant attribué, GM préférant bien sûr vendre ses véhicules au pays de l'Oncle Sam, en raison de la faiblesse de notre dollar.

Mitsubishi Raider 2009 - Camionnette basée sur le Dodge Dakota, uniquement commercialisée aux États-Unis.

Quelques mois plus tard, Toyota effectuait aussi la refonte de sa camionnette Tacoma, laquelle allait être uniquement destinée à notre marché. Un camion développé par les Américains, pour les Américains. Et visiblement, les modifications apportées ont porté fruit, puisque Toyota parvenait en 2015 à vendre 190 000 unités en Amérique du Nord, fracassant ainsi le record du plus grand nombre de Tacoma vendues en une année. La multiplication des versions, les gadgets technos ainsi qu'une bien meilleure économie d'essence auront contribué à séduire une très large clientèle, consciente que ce produit constitue depuis maintenant longtemps la mesure étalon du segment.

C'est également en 2015 qu'Honda allait officiellement annoncer le retour de la camionnette Ridgeline. Ne souhaitant pas abandonner ce segment, le constructeur avait choisi d'œuvrer de prudence en développant un produit moins controversé au chapitre du design. Toutefois, l'esquisse timidement dévoilée au Salon de Chicago n'allait finalement prendre forme qu'au Salon de Detroit 2016, où l'accueil de ce nouveau modèle aura été reçu plutôt froidement.

Ironiquement, l'arrivée de ces nouveaux modèles et l'annonce du retour de Honda dans le segment auront sans aucun doute permis à Nissan de surfer sur la vague. En effet, le constructeur aura réussi en 2014 et 2015 à écouler environ 70 000 unités du Frontier en Amérique du Nord, des chiffres colossaux pour un modèle vieillissant qui ne bénéficie d'aucune publicité. Ne soyez donc pas étonnés si le constructeur étire la sauce en ce moment, en mettant plutôt ses efforts sur la mise en marché de la nouvelle camionnette pleine grandeur Titan.

Cela dit, quelques photos d'espions prises sur le vif aux États-Unis ont démontré que la nouvelle camionnette Navara/NP 300 Frontier, commercialisée depuis 2014 ailleurs dans le monde, faisait l'objet d'une étude approfondie par les gens de Nissan USA. Ceux-ci continuent d'ailleurs de croire fermement au potentiel de ce marché, qui aura ironiquement été le tout premier de la marque (Datsun) aux États-Unis. Verra-t-on cette nouvelle camionnette sur nos routes d'ici quelques années? Assurément. Et y glissera-t-on ce fameux moteur Cummins turbodiesel à quatre cylindres dont tout le monde parle? Mmmm...probablement! Mais ça, on ne vous le dira pas...parce que nos amis de chez Nissan Canada préfèrent nous tenir en haleine. Hein Didier?

SPÉCULATIONS

Ne soyons pas dupes. Le succès des Colorado/Canyon et du nouveau Tacoma fait réagir ardemment les constructeurs rivaux. Pour l'heure, nous savons que Nissan prépare quelque chose. C'est évident. Mais qu'en est-il de Ford, de FCA? Et est-ce d'autres joueurs planifieraient de plonger dans l'aventure?

Chez Ford, on ne confirme rien. Comme chez Nissan. Or, les rumeurs circulent très fortement à l'effet que l'élégante camionnette Ranger, toujours produite pour les marchés internationaux, nous soit éventuellement offerte dans une formule adaptée pour l'Amérique du Nord. Certains médias évoquent le millésime 2018, d'autres 2019. Plusieurs rumeurs font même état d'un problème syndical, relatif à une usine qui serait déjà ciblée pour la fabrication nord-américaine du futur Ranger, dans la région de Detroit. Comme quoi il n'est pas toujours facile d'être réactionnaire face à la compétition.

Bien évidemment, on nous répond chez Ford que la popularité du F-150 est sans cesse grandissante, tout comme le format du véhicule lui-même. Or, plusieurs stratèges ont déjà compris que la camionnette pleine grandeur n'est pas faite pour tous, constituant pour plusieurs un sérieux encombrement.

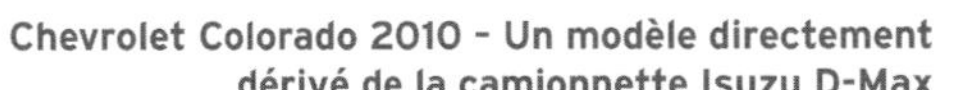

Chevrolet Colorado 2010 - Un modèle directement dérivé de la camionnette Isuzu D-Max

Isuzu D-Max 2016 - Voici la camionnette qui sert aujourd'hui de base aux Chevrolet Colorado et GMC Canyon. Les changements esthétiques sont considérables.

Toyota Tacoma 2015 - Toujours en tête du segment, la nouvelle génération de la camionnette Tacoma a été lancée en 2015, après une carrière de dix ans sans changements.

Fiat Fullback 2016 - Cloné à partir de la camionnette Mitsubishi L200, le Fiat Fullback n'a que peu de chances de toucher le sol nord-américain.

UNE CAMIONNETTE ITALIENNE ?

Du côté de FCA, la stratégie est plus complexe. D'une part, le développement d'une camionnette intermédiaire pour l'Amérique du Nord est financièrement impossible, surtout dans le contexte où Fiat propose un véhicule (le Fullback) destiné à différents marchés européens. Hélas, ce véhicule n'est pas un authentique produit Fiat, mais plutôt une camionnette Mitsubishi L200 bêtement rebadgée. De ce fait, est-ce qu'on adapterait une camionnette Mitsubishi qui serait sans doute renommée Ram en Amérique du Nord, alors que ce constructeur nippon vient tout juste de passer dans les mains de Nissan ? Retrouverait-on à nouveau un logo Ram (ou Dodge) sur une camionnette Mitsubishi, comme c'était le cas avec la camionnette Mighty Max des années 80, transformée en Ram 50 ? Et est-ce que cette nouvelle mouture ferait le poids face à la compétition nord-américaine ? Non. N'y pensez même pas. D'ailleurs, lors d'une récente entrevue, Reid Bigland (autrefois à la tête de Chrysler Canada et maintenant vice-président aux ventes pour FCA USA) demeurait catégorique sur la non-pertinence d'offrir pour Ram un tel produit en Amérique du Nord.

Une camionnette japonaise, disons... très ordinaire, développée pour les marchés internationaux, devenue italienne par la bande, et qui serait destinée au marché nord-américain, c'est impensable. Mais une camionnette coréenne, ça oui ! Hyundai en a fait la preuve en dévoilant en 2014 un véhicule concept baptisé Santa Cruz, lequel a reçu un accueil très positif. Sans le confirmer de façon officielle, la direction de Hyundai USA a tout de même admise vouloir donner le feu vert à la production d'une camionnette dans un avenir rapproché. Quand arrivera-t-elle ? Que nous servira-t-on comme mécanique ? Rien n'est confirmé. Sachez cependant que ce véhicule serait assurément construit sur une plateforme de type monocoque, au même titre que le Honda Ridgeline.

Chevrolet Canyon 2015 - Le nouveau Chevrolet Canyon lancé en 2015 a reçu un excellent accueil de la clientèle.

Honda Ridgeline Concept 2015 - Une esquisse du véhicule qui allait être dévoilé au Salon de Detroit en janvier 2016.

Nissan Frontier 2016 - Lancé en 2005, le Nissan Frontier nous revient encore inchangé pour 2017.

Nissan NP300 Navara 2014 - Nissan présentait en 2014 sa camionnette Navara de nouvelle génération, résolument plus moderne que la génération qui nous est toujours servie.

POURQUOI PAS UNE ALLEMANDE ?

Pensez ici au Volkswagen Amarok. Une camionnette intermédiaire à moteur TDI de 3,0 litres et traction intégrale 4Motion. Un véhicule raffiné, qui aurait certainement pu connaître du succès chez nous, s'il n'avait pas été présenté aux concessionnaires à une époque où l'industrie était en pleine crise. Et puisque Volkswagen se retrouve aujourd'hui dans une tourmente médiatique, dites-vous que les chances que l'Amarok touche le sol nord-américain, surtout avec un moteur TDI, sont à peu près nulles. Dommage.

IL N'Y A QU'AUX ÉTATS-UNIS...

En entrevue au dernier Salon de Detroit, le président et chef de la direction de Renault/Nissan, Carlos Ghosn, laissait entendre qu'il n'y a qu'aux États-Unis (et au Canada) que le marché de la camionnette pleine grandeur est viable. « Ne tentez pas de vendre ce genre de camionnette ailleurs dans le monde. Personne n'en achètera ! » avait-il rétorqué. Cependant, la camionnette intermédiaire connait du succès partout sur la planète. En Australie, en Amérique du Sud, en Europe et en Afrique. Plusieurs constructeurs dont Ford, GM, Mitsubishi et Nissan ont notamment choisi la Thaïlande pour fabriquer leur camionnette respective, un choix stratégique sur le plan financier, mais également au chapitre de la localisation.

Datsun 220 1958 - Cette camionnette Datsun constituait le tout premier véhicule Nissan vendu en Amérique du Nord.

Ford Ranger 2016 - Moderne, élégant et raffiné, le nouveau Ford Ranger aurait assurément beaucoup de succès en Amérique du Nord.

Hyundai Santa Cruz Concept - Tout laisse croire que Hyundai se lancera bientôt dans le marché de la camionnette. Le concept Santa Cruz dévoilé chaudement accueilli à Detroit aura permis aux stratèges de la firme coréenne de capter le message des Américains.

Dans plusieurs pays du monde, la camionnette intermédiaire est également considérée comme un véhicule d'aventure (un peu comme l'est notre Jeep Wrangler), mais aussi comme un véhicule de luxe. Vous apercevrez notamment dans plusieurs grandes villes d'Amérique du Sud des camionnettes Ford Ranger, Nissan Navara et Volkswagen Amarok toutes neuves, vitres teintées et fraichement astiquées, à la porte des plus beaux hôtels, et dans un environnement où les voitures souvent en piteux état ont en moyenne vingt ou trente ans d'âge.

Les constructeurs ayant compris cet intérêt de la clientèle pour des camionnettes plus luxueuses s'efforcent donc aujourd'hui de construire des véhicules plus raffinés et plus cossus, ce qui par conséquent, faciliterait leur intégration sur le marché nord-américain. Car chez nous, une camionnette à boîte manuelle de 120 chevaux, bruyante à souhait et exempte d'accessoires électriques, ne ferait pas long feu. D'accord, c'est pourtant ce que la clientèle nord-américaine se procurait il y vingt-cinq ou trente ans, à l'époque des Chevrolet S-10, Mazda B2000 et Nissan Hustler. Mais les choses ont changé, le marché aussi. Et si celui de la camionnette compacte ou intermédiaire a momentanément glissé, dites-vous qu'il constitue aujourd'hui une opportunité en or pour plusieurs constructeurs. Qui sera le prochain à sauter dans l'aventure ?

Volkswagen Amarok 2017 - Pour 2017, l'Amarok a droit à quelques retouches. Hélas, les chances qu'il ne vienne en Amérique du Nord sont à peu près nulles.

RÉTROVISEUR

UNE RÉTROSPECTIVE DES ÉVÉNEMENTS MARQUANTS DE LA DERNIÈRE ANNÉE

Éric LeFrançois

L'Annuel de l'automobile vous présente cette année une nouvelle rubrique qui se veut le résumé en textes et en images de l'année qui vient de passer. Les faits marquants, les anniversaires et une touche historique. Une rétrospective de ce qu'il y avait d'important durant la dernière saison, présentée par ceux qui ont suivi l'actualité à l'année. On se donne rendez-vous l'an prochain pour voir si d'autres scandales comme celui de Volkswagen auront marqué l'actualité.

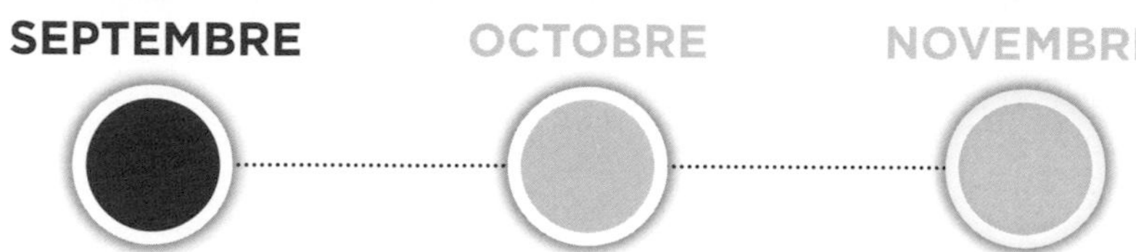

LE MODEL X PREND SON ENVOL

Après deux ans de retard, Tesla révèle la version définitive de son VUS, le Model X. Par rapport au prototype de 4x4 dévoilé en 2012, le trait du designer Franz von Holzhausen s'est affiné, renforçant au passage sa ressemblance avec la BMW X6. Mais les portes papillon à l'arrière sont toujours là.

Cette ouverture verticale a donné beaucoup de mal aux ingénieurs de la marque. Ceux-ci sont arrivés à une solution à la fois pratique et innovante. L'ouverture des portes peut se déclencher à distance ou en bougeant le corps dans l'habitacle lorsque le véhicule est à l'arrêt. Des capteurs empêchent les battants verticaux de toucher d'autres carrosseries dans un parking serré. Il suffit d'avoir une distance libre de 30 centimètres pour qu'ils s'ouvrent sans encombre.

L'autre innovation qui retient l'attention sur ce véhicule : un dispositif « guerre bactériologique » qui isole complètement le Model X de son environnement. Les terroristes sont prévenus.

POMME ROULANTE

Le géant de l'informatique Apple entend faire descendre dans la rue son prototype iCar, une auto électrique à conduite assistée, d'ici 2019. La firme américaine prétend qu'elle peut le concevoir seule, sans l'aide d'un partenaire automobile.

SORTIE CÔTÉ JARDIN

« Volkswagen a besoin d'un nouveau départ, également en ce qui concerne le personnel. Je prépare le terrain à ce nouveau départ avec ma démission. »

- Martin Winterkorn, ancien président du directoire du groupe Volkswagen

LE MONDE À L'ENVERS

Le Néerlandais Max Verstappen (Toro Rosso), débutant en Formule 1, a enfin passé (et réussi) son permis de conduire, le jour de ses 18 ans.

« DIESELGATE »

Une recherche réalisée durant l'hiver 2013-2014 par une équipe de l'Université de Virginie-Occidentale a incité les autorités américaines (EPA) à enquêter sur Volkswagen, un travail sur l'étonnante différence de pollution de ses diesels entre leur homologation sur banc d'essai et leur comportement dans la vie de tous les jours.

À en croire la version de l'affaire servie par l'Agence américaine de l'environnement (EPA), Volkswagen, pressée d'expliquer ce paradoxe, aurait finalement avoué au début de septembre que l'énigme résidait dans la reprogrammation du logiciel pilotant le cœur des moteurs incriminés et leurs catalyseurs. Ce trucage permettait au véhicule de limiter ses rejets d'oxyde d'azote lorsqu'il est utilisé dans les conditions imposées par les mesures officielles.

SALON DE TOKYO

Le Salon de Tokyo retrouve des couleurs. L'édition 2015 offre un regard - parfois très fantaisiste - sur les grandes tendances de l'automobile du Soleil Levant. Parmi les grandes révélations de cette grand messe nippone on trouve la Lexus LF-FC Concept (notre couverture), la Mazda RX-Vision, qui célèbre les 50 ans du moteur à piston rotatif, et la Nissan IDS Concept, qui confirme la volonté de la marque japonaise de proposer une voiture autonome à ses clients.

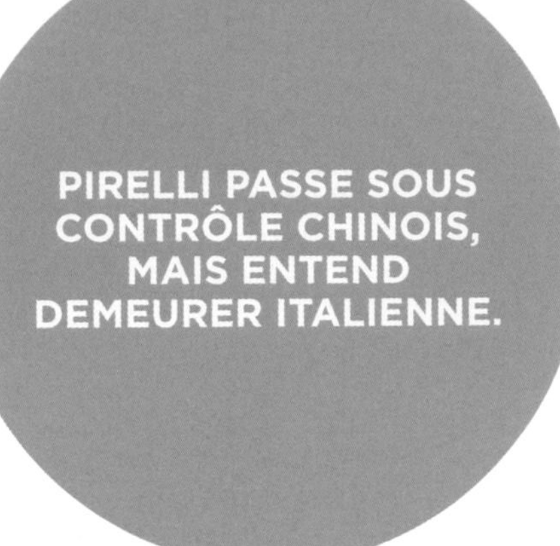

PIRELLI PASSE SOUS CONTRÔLE CHINOIS, MAIS ENTEND DEMEURER ITALIENNE.

CHRONIQUE D'UNE MORT ANNONCÉE

« Tesla a toutes les apparences d'une entreprise dans le pétrin : hémorragie de trésorerie, actifs hypothéqués et stocks en hausse. [...] C'est le tiercé de la mort pour n'importe quel constructeur automobile. »

- Bob Lutz, ancien vice-président de General Motors, dans le blogue qu'il signe sur le site du magazine *Road & Track*.

STATU QUO

Bosch affirme que le scandale Volkswagen n'affaiblira pas les ventes des diesels. Selon l'équipementier allemand, les ventes vont se maintenir.

ANNIVERSAIRE

Le constructeur allemand BMW souffle la trentième bougie de sa technologie quatre roues motrices. Le premier modèle de la firme bavaroise à en bénéficier était la BMW E30 325ix en 1985.

PLUS D'INDÉPENDANCE

Le constructeur automobile japonais Nissan, réuni lundi en conseil d'administration, étudie différentes options pour se doter de droits de vote chez son partenaire Renault et ainsi contrer toute interférence du gouvernement français dans l'alliance. Naturellement, l'État ne partage pas le même point de vue.

RETOUR VERS LE FUTUR

Après 30 années de recherches, Toyota confirme la commercialisation de sa première voiture à hydrogène aux États-Unis, la Mirai. L'annonce a été faite le 21 octobre, jour anniversaire du film-culte « Retour vers le futur ».

ON REMET ÇA

Malgré le succès en demi-teinte de sa gamme i, le président de BMW, Harald Krueger, confirme la venue d'un troisième modèle au sein de cette gamme.

CHANGEMENT DANS LA CONTINUITÉ

La flotte de taxis des « Black Cabs » de la capitale britannique accueillera pour 2017 un nouveau modèle hybride baptisé TX5. Ce dernier, réalisé par le constructeur chinois Geely, remplacera à terme l'actuelle TX4, mais conservera sensiblement les mêmes formes inaugurées à la fin des années 50 par l'Austin FX4.

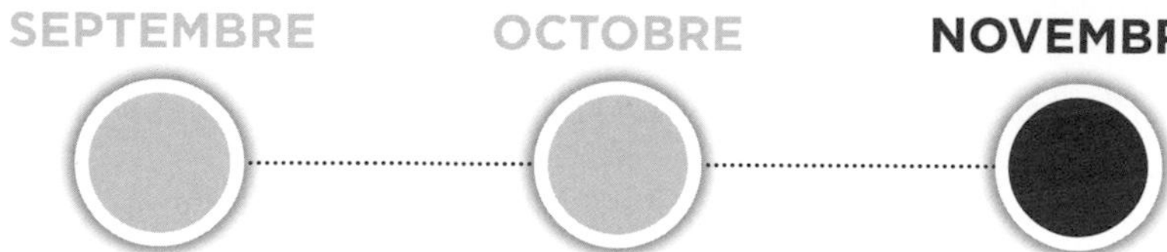

SALON DE LOS ANGELES

La Chevrolet Volt 2016 deuxième génération, une version entièrement refondue et sensiblement améliorée du véhicule électrique innovant à grande autonomie du constructeur automobile qui a fait sa première apparition en 2011, a été sacrée Green Car of the Year 2016 par le *Green Car Journal*. Cette récompense a été annoncée au cours d'une conférence de presse au Salon automobile de Los Angeles. Les autres finalistes pour le prix étaient l'Audi A3 e-tron, la Honda Civic, la Hyundai Sonata et la Toyota Prius.

UNE RÉPARATION DE 30 MINUTES

Plus de deux mois après la révélation du scandale Volkswagen sur les moteurs truqués, le groupe allemand a dévoilé les mesures techniques qui seront appliquées dès le mois de janvier 2016 aux modèles européens visés. Concernant le 2.0 TDI, la solution se résume à une reprogrammation du calculateur moteur, ce qui était déjà évoqué depuis quelques semaines. Une opération effectuée en 30 minutes.

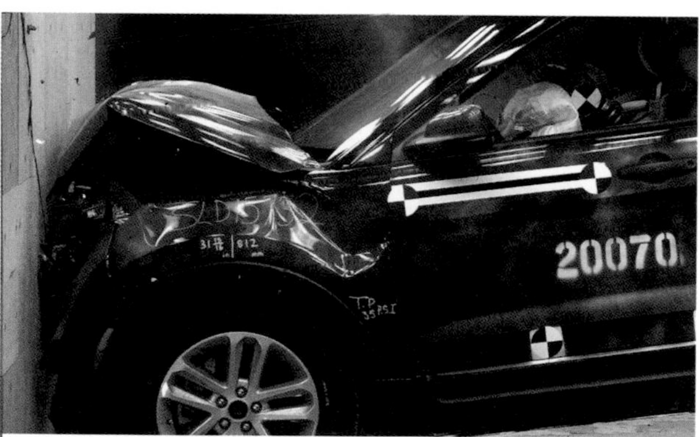

6 ÉTOILES, C'EST MIEUX!

L'organisme indépendant d'évaluation de la sécurité des véhicules, l'Euro NCAP, pense ajouter une sixième étoile à sa feuille de cotes jusqu'ici limitée à 5 étoiles. L'octroi d'une sixième étoile est envisagé pour récompenser les modèles qui détectent automatiquement les piétons et qui interviennent pour éviter ou réduire la collision. Pour l'Euro NCAP, il est en effet essentiel de travailler autour des usagers faibles de la route (piétons, cyclistes...), qui représentent 47 % des 26 000 morts comptabilisés sur les routes européennes chaque année.

DANS LA FOULÉE DU « DIESELGATE », PORSCHE SUSPEND LA VENTE DE SES CAYENNE DIESELS.

EN HOMMAGE À LOUIS

Bugatti confirme le remplacement de la Veyron par la Chiron. Cette dernière sera officiellement présentée au Salon de Genève.

DE SILVA RANGE SES CRAYONS

Le grand patron du style du groupe Volkswagen, Walter de Silva, range ses crayons. Âgé de 64 ans, Walter Maria de Silva avait amorcé sa carrière chez Fiat (1972 à 1999). On lui doit notamment les Alfa Romeo 156 et 147 ainsi que l'Audi R8. Sa plus belle réussite, dit-il, aura été l'actuel coupé A5 d'Audi.

AUCUN INTÉRÊT

« Les supervoitures d'exception ne représentent jamais un bon business pour un constructeur automobile. Et de toute façon, nos équipes sont déjà trop occupées avec notre gamme de GT. »

Le patron d'AMG, Tobias Moers, rejette du revers de la main les intentions de Mercedes de se lancer dans la production d'une voiture hors normes à la manière des Ferrari Enzo et Porsche 918.

LUXE CORÉEN

Hyundai annonce que sa marque de luxe se nommera Genesis. Celle-ci comptera d'ici 2020 pas moins de 6 modèles dans sa gamme. Ces derniers seront dénommés de manière très simple : un nombre correspond à la stature du véhicule précédé par la lettre « G » pour Genesis (G70, G80, G90...).

LA FIN DU MOTEUR À ESSENCE

À l'occasion du COP 21, plusieurs pays et États ont validé un projet commun ambitieux : bannir tout moteur thermique des concessions dès 2050. Certains pays européens ont déjà signé l'accord, tandis qu'aux États-Unis, ce sont sept États qui ont également joint l'alliance (la Californie, le Connecticut, le Maryland, le Massachusetts, l'Oregon, le Rhode Island et le Vermont) et une province canadienne, le Québec.

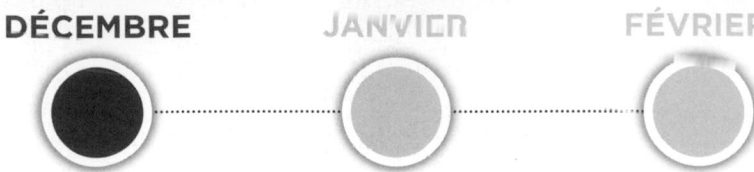

CHINOISERIES

La direction de Buick confirme que son futur utilitaire Envision, qu'elle destine au marché nord-américain, sera produit en Chine... Une nouvelle qui a naturellement fait bondir le tout-puissant UAW (*United Automobile Workers*), qui s'explique mal pourquoi cette marque de General Motors donnera formes et couleurs à ce modèle à l'extérieur de son territoire. Curieusement, très peu de consommateurs ont réagi.

Il y a une dizaine d'années, un sondage réalisé par *La Presse Canadienne* et le Centre de recherche Decima nous apprenait que 21 % des Canadiens souhaiteraient acheter une voiture chinoise pour 10 000 $... À l'époque, faut-il le rappeler, ce coup de sonde visait à tâter le pouls de l'opinion publique à l'égard de la décision de Chrysler d'importer sur nos terres une automobile sous-compacte assemblée en Chine par son partenaire d'alors, Chery. Et de toutes les provinces canadiennes, le Québec était la plus réceptive de toutes avec 43 % des répondants se disant « susceptibles ou certains » de se procurer un véhicule venu de Chine.

Un autre sondage similaire (mené celui-ci par le géant informatique AOL) aux États-Unis indiquait que les consommateurs envisagent à égalité d'acheter ou de boycotter une voiture chinoise. Et, autre perle de ce sondage, les sympathisants de la voiture chinoise disaient alors « qu'elle serait assurément d'aussi bonne qualité - voire meilleure - que les modèles nord-américains ». Une affirmation forte, considérant que personne à cette époque n'avait encore vu une automobile construite en Chine.

Même si le prix de détail n'a pas été communiqué, l'Envision de Buick va coûter beaucoup plus que 10 000 $. D'ailleurs, la marque aux trois boucliers avait déjà fait connaître ses cibles préalablement à la première sortie publique de ce modèle, prévue le mois suivant au Salon automobile de Détroit. Ce véhicule utilitaire animé d'un moteur quatre cylindres 2 litres suralimenté par turbocompresseur vise ces consommateurs aujourd'hui intéressés par les Acura RDX, Lincoln MKC et Audi Q5.

On sait maintenant que le prix de départ de ce modèle dépasse les 40 000 $. Les acheteurs potentiels estimeront-ils que cette Buick leur en donnera encore plus pour leur argent considérant son lieu d'assemblage ? Ou bien sera-t-elle carrément boudée en raison de sa provenance? Des questions auxquelles General Motors n'a pas de réponse.

Chose certaine, si les consommateurs lui tournent le dos, la marque américaine pourrait très bien rapatrier la production de ce véhicule de ce côté-ci du Pacifique d'ici un an ou deux. En effet, l'Envision partage plusieurs composantes mécaniques avec les futurs Chevrolet Equinox et GMC Terrain, qui seront, eux, produits en Amérique du Nord. Ce ne serait pas la première fois que Buick agit de la sorte. La Regal a d'abord été importée d'Europe avant de prendre naissance au Canada...

LE CADRE CALIFORNIEN

La Californie a rendu public un projet de règles pour encadrer l'usage futur de voitures autonomes par le grand public. Le Département des véhicules à moteur (DMV) de Californie veut empêcher pour l'instant que ces voitures soient vraiment « sans conducteur » en imposant qu'une personne avec un permis soit toujours présente dans le véhicule et capable d'en reprendre le contrôle en cas de problème technique ou d'urgence. Cette personne devra en particulier surveiller en permanence que la voiture se déplace de manière sûre, et c'est elle qui sera considérée comme responsable en cas d'infraction au code de la route ou d'accident.

La Californie veut aussi des protections contre de potentielles cyberattaques visant ces voitures hyper connectées, et un encadrement des informations qu'elles collectent.

STYLE INDIEN

Le constructeur indien Mahindra a convenu de prendre une participation majoritaire dans la légendaire firme italienne de carrosserie Pininfarina SpA, fondée en 1930.

POUR TOUS LES GOÛTS

Hyundai donne un avant-goût de l'Ioniq, premier véhicule à proposer trois types de motorisations (électrique, hybride et hybride rechargeable)

PORSCHE DÉPASSE POUR LA PREMIÈRE FOIS DE SON HISTOIRE LA BARRE DES 200 000 VENTES. UN RÉSULTAT LARGEMENT ATTRIBUABLE AU CAYENNE QUI, À LUI SEUL, REPRÉSENTE LE TIERS DES VENTES.

ADIEU

Le dernier exemplaire de la P1 de McLaren voit le jour. Au total, la petite firme britannique en a assemblé 375 en 27 mois. Chaque unité réclamait 800 heures de travail.

ON PASSE À LA CAISSE?

Les autorités américaines décident de traduire en justice le groupe Volkswagen, à qui elles réclament au moins 20 milliards de dollars (américains) de dédommagements. Dans le détail, les deux régulateurs attendent de la justice qu'elle impose une pénalité d'au moins 32 500 $ pour chaque véhicule affecté. À ceci s'ajouteraient au moins 2 750 $ par logiciel installé. Le montant de l'amende peut varier selon le millésime des voitures concernées. Entre-temps, VW n'a toujours pas trouvé la solution technique pour rendre conformes ses moteurs truqués aux normes américaines.

L'ART DE PLAIRE

Au Salon de Détroit, Buick, l'une des marques de General Motors, a créé la surprise en dévoilant son élégant prototype Avista. Une étude de style aujourd'hui gratifiée du prix *EyesOn Design Excellence*, attribué par un jury de designers automobiles.

DES EXCUSES, ENFIN.

« Je suis sincèrement désolé. Je m'excuse pour ce qui a mal tourné chez Volkswagen. »

- Matthias Müller, chef de la direction de VW, qui, enfin, présente ses excuses lors de son passage au Salon de Détroit.

GM VEUT SA PART

On connaît déjà Uber, un peu moins Lyft, son concurrent direct. Cela risque de changer, puisque la General Motors annonce un investissement de quelque 500 millions de dollars dans cette entreprise pour devenir le fournisseur officiel des chauffeurs de Lyft, dans le cadre de locations de courte durée dans plusieurs villes américaines. Aussi, le constructeur américain compte profiter de l'occasion Lyft pour développer son idée de réseau de véhicules autonomes à la demande.

STATION-SERVICE

L'électrification automobile n'empêche personne de dormir à l'Organisation des pays exportateurs de pétrole. L'essence continuera d'être le combustible dominant sur le marché et sera utilisée dans 94 % des véhicules en 2040, selon un rapport récent de l'OPEP.

CORRECTION DE LA VUE

Selon Ford, ses voitures autonomes se débrouillent bien dans 4 ou 5 centimètres de neige fondante. « On a l'habitude des conditions changeantes et en tant qu'humains, on sait comment s'ajuster » à la neige, a dit Greg Stevens, directeur de la recherche en conduite assistée chez Ford, ajoutant que l'auto autonome devra faire pareil. « Des ordinateurs vraiment puissants peuvent planifier toutes sortes de situations hypothétiques, par exemple si et comment une manœuvre d'évitement soudaine doit être faite sur une surface enneigée et glissante. Ça permet d'enseigner à la voiture autonome comment faire ces manœuvres aussi bien qu'un conducteur expert. » L'autre atout est la constitution de cartes 3D comprenant une infinité de repères - arbres, panneaux de signalisation, bâtiments, feux de circulation - toujours visibles au-dessus de la neige.

LE GROS TAUREAU

Lamborghini officialise la mise en marché de l'Urus, un utilitaire, pour 2018. Ce véhicule, qui reprendra en partie l'architecture des Audi Q7 et Bentley Bentayga, devrait permettre à la petite firme italienne de doubler ses ventes. Rappelons pour mémoire que Lamborghini a écoulé 3245 autos en 2015, une hausse de 28 % par rapport à l'année précédente.

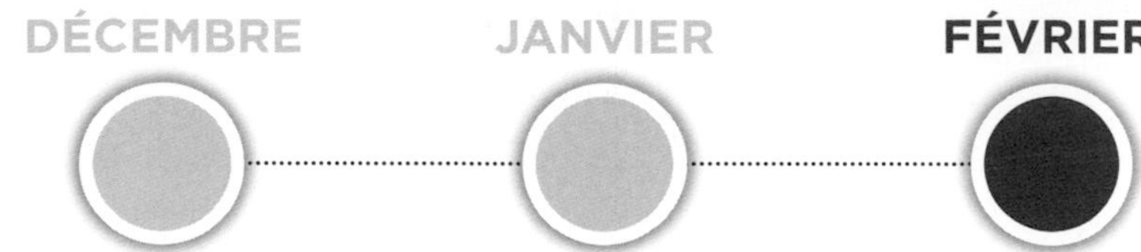

DEVIN ?

« L'électrification, la numérisation et la connectivité seront les trois aspects les plus importants - « the big three » - de la construction automobile du siècle qui démarre. [...] Dans dix ans, les logiciels, l'électronique et les technologies de l'information compteront pour 30 % de la valeur ajoutée d'une voiture. Aujourd'hui, c'est 3 à 5 %. »

Dr Oliver Blume, président et chef de la direction de Porsche

LA CLÉ SOUS LA PORTE

La nouvelle est tombée dans la grisaille de l'hiver. Toyota abandonne sa marque Scion. Créée en 2003, cette filiale « jeune » de Toyota a permis à la marque de connaître sa meilleure année en 2006 avec quelque 173 000 unités vendues. Certains modèles (la FR-S et l'iM) poursuivront leur carrière chez Toyota à l'automne.

UNE ASTON BRANCHÉE

Un prototype avait été assemblé à l'automne 2015, et puis plus rien. Aston Martin revient à la charge (sans jeu de mots) et officialise la mise en production d'une Rapide électrique à compter de 2018.

« IL FAUDRA ME TUER D'ABORD. »

La réponse du grand patron du groupe FCA, l'Italo-Canadien Sergio Marchionne quant à l'éventualité de voir apparaître un utilitaire Ferrari.

LE RETOUR

Après 21 ans de silence, Renault officialise le retour de sa filiale Alpine en présentant la Vision, un prototype « conforme à 80 % au modèle que nous commercialiserons dans le courant de 2017 », de préciser Carlos Ghosn, président de l'Alliance Renault-Nissan. Ce modèle pourrait vraisemblablement s'animer d'une mécanique AMG (Mercedes). Une commercialisation de ce modèle au Canada apparaît peu probable.

HUMILITÉ

Das Auto, on oublie cela. La marque allemande supprime définitivement de ses publicités ce slogan, qui laissait entendre que Volkswagen, c'est LA voiture.

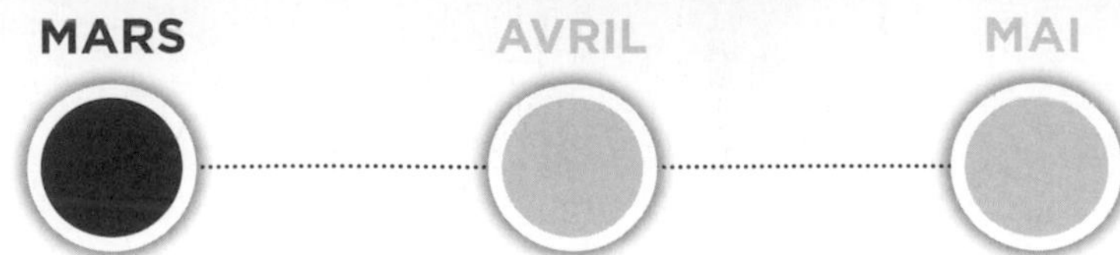

JOYEUX ANNIVERSAIRE

BMW célèbre son centenaire. Pour souligner l'événement, la firme bavaroise dévoile une étude Vision Next 100 chargée de rappeler la force d'innovation de la marque.

PLUS BESOIN DE FREINER

Le système de freinage autonome sera obligatoire aux États-Unis dès 2020. Les autorités américaines et 20 constructeurs ont signé un accord en ce sens.

Le secrétaire américain chargé des Transports, Anthony Foxx, a déclaré que «cette décision permettra d'éviter des milliers d'accidents et de sauver des vies». Il a aussi salué cette décision comme «une victoire pour la sécurité et pour les consommateurs».

LE CHIFFRE DU MOIS 21522000$

C'est le salaire annuel (incluant les primes) versé à Carlos Ghosn, président et chef de la direction de l'Alliance Renault-Nissan.

LE BUZZ DE L'ANNÉE

Le dévoilement de la première voiture électrique «accessible» de Tesla, qui a enregistré 325000 précommandes en seulement une semaine. Le Model 3 possède un atout important. Attendu à la fin de 2017 au prix plancher de 35000$ (américains) hors primes publiques, il est abordable. Reste plus qu'à le produire maintenant.

FAIBLE EN MATHÉMATIQUES

Mitsubishi avoue avoir commis une faute dans l'écriture des chiffres de consommation de plus de 600000 véhicules vendus au Japon. Mitsubishi a admis avoir découvert que des employés avaient falsifié les données relatives aux émissions des véhicules. Et apparemment, la découverte a été rendue possible grâce à Nissan, qui pointait du doigt des «incohérences» dans les tests d'émissions de ces véhicules assemblés par Mitsubishi.

MILLIONNAIRE

La Mazda MX-5, alias Miata, a fêté le 22 avril son millionième exemplaire produit, record absolu dans la catégorie des roadsters.

MARS AVRIL **MAI**

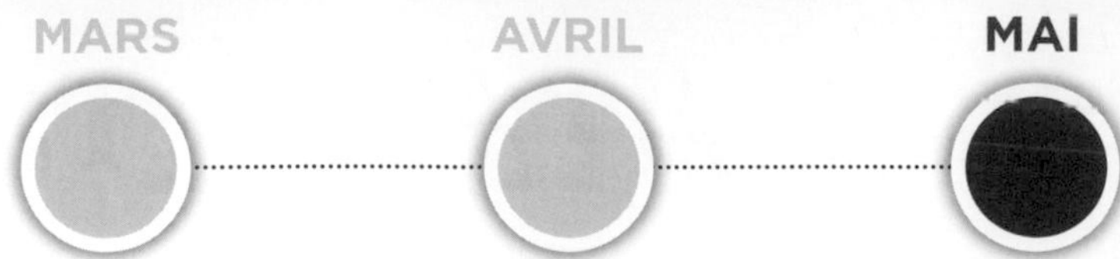

BON COUP

Dans le but de regarnir ses coffres, le groupe Volkswagen cède le contrôle de sa filiale Bugatti à Peugeot-Citroën. «Il s'agit d'un investissement important pour PSA, qui sort tout juste d'une période délicate. Mais Bugatti est un fleuron tricolore qui nous permet de renforcer notre positionnement dans le luxe, un atout sur les marchés asiatiques, où le Groupe a de grandes ambitions. Et nous ne pouvions pas laisser Renault profiter trop longtemps du renouveau d'Alpine et être le seul à préserver le patrimoine automobile tricolore», d'indiquer en entrevue le PDG de PSA, Carlos Tavares.

BON DERNIER

«Nous serons le dernier constructeur au monde à proposer une voiture sport à boîte manuelle.»

- Andy Palmer, président et chef de la direction d'Aston Martin lors de la présentation de la DB11 à la presse.

NISSAN S'OFFRE DES DIAMANTS

Nissan devient le premier actionnaire (34%) de Mitsubishi Motors. Les deux constructeurs devraient demeurer séparés mais alliés. Avec Nissan au centre de la toile, à la fois filiale (à 43%) et actionnaire (à 15%) de Renault, et bientôt actionnaire-clé de Mitsubishi. Au total, le trio, si l'on tient compte de Renault, représente environ 9,5 millions de véhicules vendus chaque année. L'opération rapprocherait ainsi Renault-Nissan des deux champions qui se disputent la première place mondiale, le japonais Toyota (10,1 millions de véhicules) et l'allemand Volkswagen (9,9 millions).

À QUI LA CHANCE

Ford a ouvert les enchères pour sa Ford GT. À la fermeture du carnet de commandes, le constructeur a compté plus de 10 800 demandes, dont 6506 étaient complètes et prêtes à être étudiées.

Seulement 500 acheteurs potentiels seront retenus par Ford et avertis dans les 90 jours. Ils devront ensuite débourser 450 000 $ pour obtenir leur exemplaire. L'attente promet d'être longue, puisque Ford n'est en mesure d'assembler que 250 unités par an.

JUIN JUILLET AOÛT

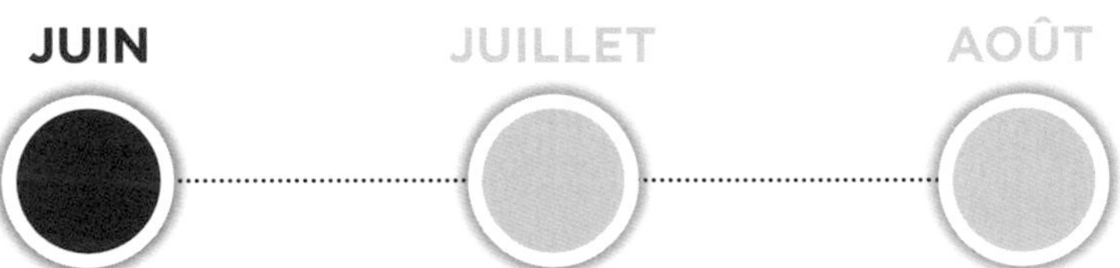

Le constructeur allemand Volkswagen a accepté de verser près de 15 milliards de dollars aux États-Unis dans l'espoir de régler le litige lié au scandale de ses moteurs truqués, qui a fait chuter ses ventes et a écorné sa réputation. Le compromis négocié depuis des mois dans la douleur avec les autorités américaines doit encore être approuvé par la justice, mais il donne une première idée du montant de la facture dont devra s'acquitter le constructeur allemand.

«Ce compromis partiel marque une importante première étape conduisant Volkswagen à rendre des comptes pour ce qui a été une violation de ses obligations légales et de la confiance du public», a déclaré une des responsables du ministère américain de la Justice, Sally Yates, évoquant une des violations «les plus flagrantes» des normes environnementales américaines.

Aux termes de ce plan, qui ne met pas fin complètements aux tracas judiciaires du groupe automobile aux États-Unis, les propriétaires de quelque 480 000 voitures truquées en Amérique auront la possibilité de se faire racheter leurs véhicules ou de les faire réparer aux frais du constructeur allemand. Dans les deux hypothèses, chacun d'entre eux pourra par ailleurs recevoir des indemnités en liquide pouvant aller jusqu'à 10 000 $.

QUÉBEC FORCE LA MAIN

Afin de favoriser l'émergence des véhicules électriques et d'atteindre son objectif ambitieux de 100 000 véhicules du genre sur les routes en 2020, le gouvernement du Québec impose aux constructeurs automobiles une loi «zéro émission». Un projet de loi en ce sens «afin de permettre aux consommateurs québécois d'accéder à un plus large éventail de véhicules branchables» sera soumis à l'Assemblée nationale cet automne. Si celui-ci est adopté, à compter de 2018, les constructeurs automobiles devraient se conformer à une cible de vente de véhicules verts qui serait fixée par le gouvernement. Ce seuil, calculé selon le nombre de véhicules légers vendus au Québec, serait converti en crédits qui varieraient entre les différents constructeurs et en fonction de l'autonomie en mode électrique du véhicule.

À ce jour, quelque 9000 véhicules électriques et hybrides branchables ont été vendus dans la province.

MORTE ET ENTERRÉE

C'est officiel: la marque Saab est définitivement morte et enterrée. Le nouveau propriétaire chinois, NEVS (*National Electric Vehicle Suede*), ne pourra donc plus l'apposer pour des voitures.

DES ANNIVERSAIRES À RETENIR EN 2017

VROOOOIIIN... MALGRÉ SES 60 PRINTEMPS, MICHEL VAILLANT N'A PAS PRIS UNE RIDE

Alain Raymond

C'était bien avant la Formule 1 de Bernie et la diffusion en direct des grandes épreuves sportives. En ce temps-là, pour vivre le sport automobile, il fallait être sur place. Au Mans, à Spa, à Monaco, à Silverstone, à Monza. Ou alors, il fallait lire Michel Vaillant, les albums de bandes dessinées créées par Jean Graton après la parution, en 1957 dans le Journal de Tintin, de quatre pages portant sur la course automobile. Le héros s'appelait Michel Vaillant. Le succès étant au rendez-vous, Graton publie en 1959 le premier tome intitulé *Le grand défi*. Depuis lors, Michel Vaillant court toujours.

Publiées en plusieurs langues, les aventures de Michel Vaillant ont initié d'innombrables jeunes d'ici et d'ailleurs à la saga aussi passionnante que tumultueuse de la course automobile. Parmi ces fidèles lecteurs se trouvent quelques noms célèbres, notamment celui du quadruple champion du monde de Formule 1, Alain Prost. « Ça évoque mon enfance, ma relation avec mon frère, qui était passionné de courses automobiles, alors que je ne l'étais pas. J'ai pu découvrir les dessous des courses et quand il se passe des choses bizarres sur les courses, je fais toujours référence à Michel Vaillant », explique le « Professeur » à RTL. Peut-on imaginer meilleur compliment ?

MICHEL VAILLANT EN BREF :

Personnage et série de bandes dessinées créés en 1957 par Jean Graton, à Bruxelles

Premier tome en 1959, *Le grand défi*

Série 1 (1959 à 2007) : 70 tomes

Série 2 (2012 à 2016) : 5 tomes

20 millions d'albums vendus en 60 ans

AIR CONNU

« Dans ma Camaro, je t'emmènerai... » Le 29 septembre, la Chevrolet Camaro aura 50 ans. Ce coupé a été réalisé en un temps record dans le but de faire concurrence le plus rapidement possible à la Mustang de Ford. Contrairement à une certaine croyance populaire, cette première génération reposait sur une architecture qui lui était propre (code F), et non sur celle de la Chevrolet Nova.

À l'instar de la Mustang, la Camaro était proposée dans deux types de carrosserie : coupé ou cabriolet. L'acheteur devait ensuite faire un choix parmi une série de moteurs comptant six ou huit cylindres. La production de la première série s'est achevée en 1969 pour être immédiatement remplacée par une deuxième génération. Cette dernière demeurera, à l'exception de deux mises à jour importantes sur le plan esthétique, sensiblement la même jusqu'en 1981.

La véritable révolution devait survenir en 1982. Totalement refondue, la Camaro présente une silhouette amincie de quelque 200 kilos. À la surprise générale, le coupé sport de Chevrolet soulève pour la première fois son capot à un moteur quatre cylindres de 2,5 litres. Ce dernier n'entraînera pas les roues arrière de la Camaro bien longtemps, puisqu'il est éjecté au profit d'un V6 de 2,8 litres dès 1985.

La troisième génération de la Camaro sera visible dans les concessions automobiles sur une période de 10 ans. En 1993, Chevrolet revoit sa copie, mais la plate-forme demeure sensiblement la même que celle apparue un quart de siècle plus tôt. C'est sans doute trop. Le public se lasse, les ventes dégringolent et GM annonce que l'année 2002 marque la fin de cette voiture immortalisée par le chanteur Steve Fiset.

La Camaro ne demeurera pas au musée très longtemps. En 2006, Chevrolet présente une étude conceptuelle et, à la demande générale sans doute (air connu dans l'industrie), promet de lui faire connaître de nouveau les joies de la production en série, mais cette fois dans ses installations ontariennes. À noter que la production a ensuite été déplacée aux États-Unis.

D'un style plutôt néorétro, la Camaro 2010 repose sur une architecture issue de sa filiale australienne Holden. Celle-ci ne fera pas long feu, puisque l'actuelle génération (la sixième) reprend sensiblement la même plate-forme élaborée par Cadillac (Alpha), laquelle est reconnue comme l'une des meilleures dans l'industrie.

JE ME SOUVIENS

La quatrième génération de la Camaro a été assemblée au Québec, à l'usine GM de Boisbriand, en compagnie de la Firebird, sa jumelle de Pontiac.

LA MONTRÉAL D'EXPO 67

MON NOM EST UNE VILLE

Alain Raymond

Certains prétendent que l'automobile est presque humaine. Pour leur faire plaisir, nous avons donné la parole à une étrangère qui, en 1967, a pris pour époux le Québec. Voici son histoire.

« *Buon giorno, amici.* C'est vrai que j'ai épousé le Québec, mais mes racines italiennes sont encore profondes. Je suis née d'une idée, celle d'illustrer les aspirations de l'homme en matière d'automobile, cette idée devant meubler le pavillon *L'Homme à l'œuvre* de l'Exposition universelle de 1967... L'Expo 67.

« Une invitation en ce sens est adressée en 1966 à Alfa Romeo, à Milan, en Italie, qui la communique à Carrozzeria Bertone, son carrossier traditionnel.

« Le projet plaît au carrossier turinois, qui y voit l'occasion rêvée d'exposer aux yeux du monde le savoir-faire italien en matière d'automobile et de lancer les bases d'un futur coupé sport. Chez Bertone, Marcello Gandini, le jeune et talentueux designer de la divine Lamborghini Miura, assume la direction du projet. Pour réaliser le prototype, Gandini se sert du châssis modifié de l'Alfa Romeo Giulia Sprint GT animée par le 4-cylindres de 1600 centimètres cubes de la Giulia TI. À l'automne 1966 commence la production de deux prototypes identiques habillés d'une belle robe de couleur perle.

« Ce cher Marcello prévoit un capot long et bas, un habitacle dont le dessin des portes est fortement inspiré de celui de la belle Miura et dont l'arrière reprend la ligne d'un coupé aux flancs marqués par une rangée verticale de sept ouvertures, inspirées du concept de l'Alfa Romeo Canguro et destinées, selon les rumeurs circulant dans la presse spécialisée, à laisser respirer l'éventuel moteur central, une rumeur fermement démentie par les géniteurs du concept. À l'avant, le museau marqué au centre par la traditionnelle calandre triangulaire Alfa se distingue par les deux fines grilles qui surmontent les phares jumelés. L'arrière aux lignes classiques présente un profil tronqué et une grande lunette articulée par le haut donnant accès à l'espace de chargement situé derrière les sièges. Six mois s'écoulent entre l'arrivée de l'invitation à l'Expo et l'expédition par avion des deux prototypes. Ce délai relativement court explique d'ailleurs le recours à un châssis existant pour la réalisation du projet. Quelques observateurs futés remarquent à l'époque la présence des deux sorties d'échappement à l'arrière, un élément difficilement justifiable avec un moteur à une seule rangée de cylindres. Alfa Romeo avait-elle l'intention de donner suite à ce prototype avec une version plus musclée ?

« Terminés à la fin de février 1967, les deux prototypes arrivent donc à l'Expo, qui les abritera pendant six mois, en compagnie de deux motos et deux motoneiges. La réaction du public et de la presse automobile est favorable, ce qui décide Alfa Romeo à poursuivre le développement du prototype après le retour en Italie. Je précise que seul un des deux prototypes servira à ce développement, l'autre étant jalousement conservé au Musée Alfa Romeo, à Arese.

« C'est finalement en 1970, à l'occasion du Salon de Genève, que je suis dévoilée en version définitive animée par mon superbe V8 de 2,6 litres, un moteur noble, à carter sec, comme dans une voiture de course, et entièrement réalisé en alliage léger, coiffé de culasses à deux arbres à cames en tête, le tout alimenté par injection mécanique Spica et l'allumage électronique. Je tiens à préciser que ce moteur est issu directement du V8 qui a fait les beaux jours de l'Alfa Sport Prototype 33 en course automobile. Dans sa version « civile », mon beau V8 développe 200 chevaux, m'autorisant à chatouiller les 220 km/h en vitesse de pointe. Évidemment, l'adoption d'un V8 aux performances relevées a nécessité une sérieuse révision du châssis original, accompagné d'une boîte à cinq vitesses, d'un différentiel autobloquant, de suspensions et de freins à disque à la hauteur de ma mécanique. »

« Si les performances s'en trouvent améliorées, l'adoption du V8 impose à Bertone un défi de taille sur le plan esthétique, un défi qui, de l'avis de certains observateurs n'a pas été entièrement relevé. En effet, on affirme parfois que je suis un peu haute sur pattes pour une voiture sport et que mon museau est trop court. Tous des jaloux... »

RÉSUMÉ

Alfa Romeo Montréal
Année de production : 1970 à 1977
Unités vendues : environ 3 900

Alfa Roméo

LES 50 ANS DU MOTEUR ROTATIF

...ET WANKEL CRÉA LE ROTATIF

Alain Raymond

En septembre 2002, Felix Heinrich Wankel aurait eu 100 ans. Ingénieur allemand né à Lahr, Wankel est l'inventeur du moteur à piston rotatif (1) qui a fait les beaux jours de la marque Mazda et de son séduisant coupé sport RX-7 dans les années 70 et 80. Disparu de nos contrées depuis quelques années, ce moteur nous revient aujourd'hui dans une autre Mazda, la RX-Vision concept. Nous profitons donc de cette occasion pour remonter aux origines de cette mécanique fort ingénieuse, la seule qui a été capable, en plus de cent ans, d'offrir une solution de rechange valable au vénérable moteur à pistons alternatifs.

Résumons. Comme son nom l'indique, le moteur à pistons alternatifs est composé de pistons en forme de « canettes » qui montent et descendent dans des cylindres fermés à une extrémité, le mouvement alternatif étant transformé en mouvement rotatif par une « manivelle » (le vilebrequin), exactement comme sur un vélo, où le mouvement de va-et-vient des jambes du cycliste (les pistons) est transformé en mouvement de rotation par le pédalier. Sur le plan mécanique, un tel moteur est complexe et pesant, comporte beaucoup de pièces en mouvement et se révèle plutôt inefficace sur le plan énergétique. Mais ça marche. Depuis plus de 100 ans.

Arrive le professeur Wankel, en 1954, avec les premiers dessins d'une solution en l'occurrence fort élégante, un piston de forme triangulaire avec côtés légèrement bombés et percé d'un trou en son milieu, le triangle étant logé dans une « chambre » ayant la forme ovale d'une patinoire. Les trois sommets du triangle sont en contact permanent avec les parois de la chambre (les bandes de la patinoire) et le triangle tourne autour de son « trou » central avec un léger mouvement de va-et-vient, créant ainsi entre les parois du triangle et les parois de la chambre des espaces à volume variable permettant de réaliser la compression et la détente. Le mouvement du piston triangulaire est presque parfaitement rotatif et aucune autre pièce importante n'est en mouvement, à part le triangle et l'arbre de sortie comportant un excentrique sur lequel est monté le piston. C'est simple, c'est léger, c'est compact. En un mot, élégant. Mais au début, ça ne marchait pas très bien...

Mazda, l'entêté

N'empêche que le Wankel présente tellement d'avantages que plusieurs constructeurs se procurent une licence leur permettant d'en poursuivre le développement, à commencer par NSU, le constructeur allemand tombé depuis la fin des années 70 sous la houlette de Volkswagen. NSU produit donc la première voiture à moteur Wankel, la petite NSU Prinz, qui est suivie par la révolutionnaire NSU RO80 en 1967. En France, Citroën propose la GS birotor et, en Allemagne, Mercedes produit une superbe voiture expérimentale à moteur rotatif, la C111. Même GM se mêle de la partie en achetant une licence Wankel, qu'elle abandonne cinq ans plus tard. Pourquoi ces échecs ? Parce que la mise au point du Wankel se révèle difficile. Le moteur consomme trop, brûle de l'huile, développe peu de couple à bas régime, pose d'importants problèmes d'usure des arêtes du piston triangulaire. Bref, c'est un véritable défi technique.

Mais heureusement pour Wankel, il reste quand même un constructeur qui croit mordicus à cette solution : le Nippon Toyo Kogyo, propriétaire de Mazda, qui se procure une licence Wankel en 1961. Têtus comme des mules, les ingénieurs Mazda s'acharnent sur le Wankel, réglant un problème après l'autre, jusqu'en 1967, date de sortie de la première Mazda à moteur rotatif, la Cosmo Sport. Animée par un birotor Wankel, la Cosmo est suivie par le coupé R100 Luce et des gammes RX2 et RX3. Mais la véritable consécration du Wankel se produit en 1978, au lancement de la RX-7, un séduisant coupé sport deux places qui reste en production jusqu'en 1986, faisant de très nombreux adeptes, notamment en Amérique du Nord.

Constamment perfectionné, le « rotatif » perd l'un après l'autre ses défauts de jeunesse grâce à la persistance de Mazda. Souple et silencieux à souhait grâce à l'absence de mouvements alternatifs, extrêmement compact pour la puissance qu'il développe, le rotatif convient merveilleusement aux voitures sport, car il est léger et loge au centre de la voiture, favorisant ainsi la répartition du poids. Suralimenté par un turbocompresseur sur la RX-7 de dernière génération, ce moteur est une merveille de performances et d'endurance. Une endurance dont Mazda fait l'ultime et magistrale démonstration en remportant en 1991 les redoutables 24 Heures du Mans, une première encore inégalée pour une marque japonaise.

Puis le rotatif est retiré du marché nord-américain en 1999 pour des raisons de normes anti-pollution et de consommation. Fidèle à sa réputation de « mule entêtée », Mazda a équipé la RX-8 d'un nouveau rotatif, le RENESIS. Revu et corrigé, ce moteur atténue quelques défauts, mais c'est insuffisant pour relancer sa carrière.

Au dernier Salon automobile de Tokyo, Mazda disait songer à réintroduire ce propulseur sur le marché (quand ?) en lui jumelant une motorisation hybride pour gommer son appétit en hydrocarbures et améliorer son couple à bas régime.

Quelle que soit la suite réservée à son moteur, Felix Wankel, à l'instar de ses compatriotes Nikolaus Otto (1832-1891) et Rudolf Diesel (1858-1913), aura marqué l'histoire de l'automobile.

(1) LE MOT JUSTE

Pour être précis, il faut dire moteur à piston rotatif, puisque c'est le piston qui tourne, même si l'expression moteur rotatif est entrée dans l'usage.

Mazda Cosmo 1967

BUICK VERANO

Depuis le retrait de la Skyhawk (les lecteurs plus âgés s'en souviennent encore comme d'un cauchemar), Buick n'avait jamais construit une automobile aussi compacte que la Verano. À l'époque, Buick estimait que ce modèle - très étroitement dérivé de la Cruze de Chevrolet – lui permettrait non seulement de rajeunir sa clientèle, mais aussi d'investir un créneau – les compactes de luxe – dominé par les marques de prestige japonaises et allemandes.

Pour se démarquer, la Verano misait évidemment sur ses nombreuses caractéristiques de confort, dont la technologie Quiet Tuning. Une appellation derrière laquelle se cache une série d'avancées techniques visant à faire de cette Buick la compacte la plus silencieuse du marché, rien de moins. Pour ce faire, les ingénieurs chargés de sa conception ont mis au point des procédés de fabrication exclusifs et des composants spécifiques pour atténuer le nombre de décibels et les vibrations.

CADILLAC ELR

Un coupé magnifique et écologique par-dessus le marché. L'ELR en a fait rêver plus d'un jusqu'au jour ou Cadillac a annoncé le tarif. La clientèle a grimacé et préféré l'admirer dans la vitrine du concessionnaire plutôt que dans son entrée de garage. Après tout, n'était-elle pas « juste » une Volt plus sportive et à peine plus sophistiquée ?

Vrai que l'ELR reprenait le groupe motopropulseur de la Volt de première génération. Mais sa puissance électrique est beaucoup plus élevée (207 chevaux), notamment pour mieux répondre aux attentes de la clientèle, mais aussi afin de compenser les quelque 130 kilos de plus que la Volt.

L'expérience au volant promettait d'être très différente de celle proposée par la Volt, même si les deux voitures partageaient plusieurs composants. L'ELR adoptait en effet des éléments suspenseurs plus sophistiqués. Mais même cet argument ne faisait pas le poids face au prix demandé.

CADILLAC XTS

L'immense carrosserie abritait une architecture à roues avant motrices (laquelle était masquée par une transmission intégrale pas très performante) issue des Chevrolet Impala et Buick LaCrosse. Pas très haut de gamme pour une berline qui prétendait faire jeu égal avec les Audi, BMW et Mercedes-Benz de ce monde. Prière de ne pas rire. Techniquement, la XTS ne réinventait rien. Ou si peu.

En fait, les forces de la XTS se résumaient essentiellement à un habitacle spacieux et confortable, à un volume de coffre impressionnant et à un confort de roulement exceptionnel pour de longues randonnées.

Des atouts qui, tout comme la MKS de Lincoln, lui ont permis de connaître un certain succès auprès des propriétaires de limousines des aéroports nord-américains. On en attend plus de la CT-6, qui prend son relais cette année.

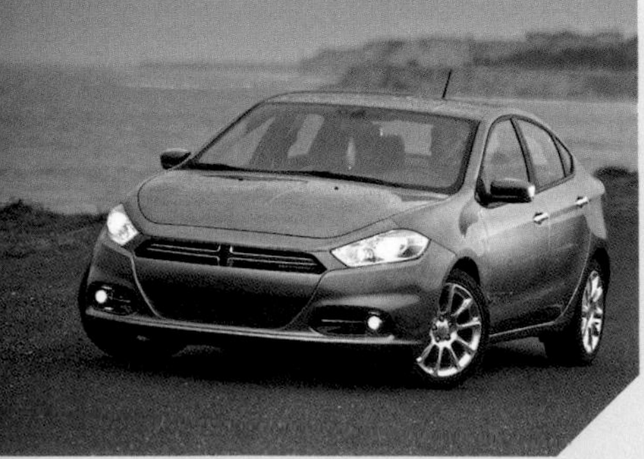

DODGE DART

Quel gâchis! Avant même de prendre la pose derrière les vitrines des concessionnaires, le coloré patron de la marque, l'Italo-Canadien Sergio Marchionne, se plaignait publiquement que cette « voiture [me] coûte très cher à produire ». Et à vendre aussi, à en juger par la pluie de rabais qui s'en est suivie. Présentée comme « l'Alfa Romeo à l'americana », la Dart a connu un très mauvais départ en raison notamment d'une boîte à double embrayage que les consommateurs n'aimaient pas et d'une mécanique un peu trop pointue (1,4 litre). Chrysler corrige le tir, multiplie les déclinaisons, mais le mal était déjà fait. Le groupe FCA n'exclut pas un retour dans le segment, mais seulement en compagnie d'un partenaire. D'ailleurs, on chuchote que FCA songe à renouveler sa collaboration avec Mazda pour obtenir la 3.

HONDA CRZ

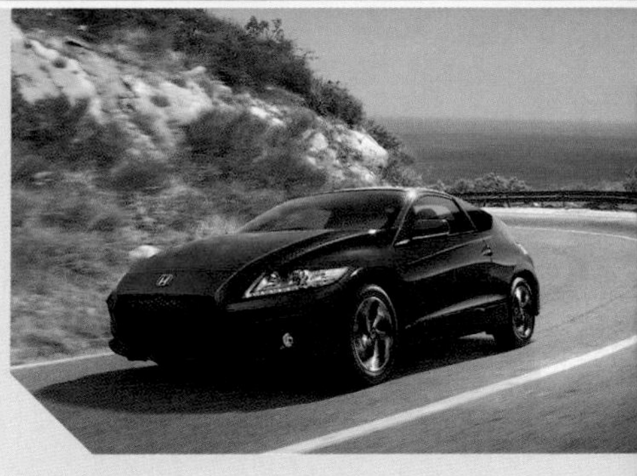

Avec ses deux baquets et sa silhouette ingénieuse, la CR-Z (acronyme pour Compact Renaissance Zero) nous rappelait beaucoup la CRX des années 80. Des lignes tendues, un soupçon d'agressivité dans le regard, cette CR-Z suggérait bien des délices jusqu'à ce que la rétine de nos yeux colle sur le discret insigne apposé sur la fesse droite de son joli carénage : hybrid. Même la jupe dudit carénage masque totalement la sortie d'échappement, donnant ainsi l'illusion que ce véhicule est mû à l'aide d'une nouvelle source d'énergie. Pas du tout. Honda applique ici la même chaîne cinématique implantée à bord de la très peu regrettée Insight. Contrairement à celle-ci, toutefois, la CR-Z adopte un bloc-moteur essence d'une cylindrée supérieure et un petit moteur électrique qui lui permettent de faire parader 122 chevaux, mais jamais de la mouvoir à l'énergie électrique seulement. ZZZZZ...ut.

CHEVROLET SPARK EV

N'eût été la calandre « bouchée », l'absence d'une sortie d'échappement et le sigle EV apposé sur le couvercle du hayon, cette Spark était en tous points identique à la citadine à moteur à essence. Cette dernière maintient sa place au catalogue de la marque, pas sa déclinaison électrique. Cette dernière tire sa révérence au terme d'une très courte carrière. D'abord commercialisée en Californie et en Oregon, la Spark EV a ensuite fait son entrée sur le marché auprès des gestionnaires de parcs automobiles canadiens avant d'offrir ses services aux consommateurs du Québec, de l'Ontario et de la Colombie-Britannique.

La présence du moteur électrique de la Volt fait des étincelles sous le capot de la Spark. C'est la championne des courses d'accélération aux feux rouges. Mais cela a un prix : l'autonomie pouvait descendre à moins de 70 kilomètres par charge, en plein été...

LINCOLN MKS

Lincoln a un temps perdu le contact avec sa clientèle, friande de luxe, de design à l'américaine et de rapport prix-prestations aiguisé. En ne proposant que d'anonymes boîtes à rouler, la marque américaine a perdu son identité. La résurrection, croyait-on, s'appelait MKS. Cette berline « bien portante » devait réhabiliter les valeurs de la marque et son expertise en design. La marque américaine en pleine convalescence comptait aussi sur la MKS pour faire mentir les analystes qui la condamnaient hier.

Encourageantes au début, les ventes se sont rapidement essoufflées. Le sort en était jeté et la MKS est allée rejoindre les RL (Acura), S80 (Volvo), STS et DTS (Cadillac) - dans le ventre mou du peloton des voitures de « luxe ». Sans être aussi longue qu'une Town Car, dont elle assurerait indirectement la descendance, la MKS faisait plus de 5 mètres de long et posait près de deux tonnes sur la chaussée.

TOYOTA VENZA

La Venza n'a jamais grimpé sur le podium des meilleures ventes de sa catégorie. En revanche, elle a eu le mérite de figurer un temps à la tête du palmarès des véhicules les plus vendus au pays. Triste consolation.

Première véritable incursion de Toyota dans le créneau des multisegments, la Venza dérivait étroitement de la Camry et promettait alors une « combinaison exclusive du raffinement d'une berline et de la fonctionnalité d'un véhicule utilitaire sport (VUS) ». La priorité des concepteurs de la Venza était en effet de concevoir une berline élancée à large voie dotée d'un extérieur sportif et d'un intérieur haut de gamme, et dotée de caractéristiques importantes qu'on trouve dans un VUS, comme l'espace de chargement, la capacité de remorquage et les quatre roues motrices. La recette a connu du succès chez d'autres constructeurs (Chrysler notamment), mais curieusement, pas chez le numéro un mondial de l'auto.

Près du neuf ! Loin du prix !

RÊVES ET DÉLIRES

Michel Crépault

Avec les années, nous constatons qu'il est de moins en moins fréquent de tomber sur des prototypes dignes de ce nom durant les salons de l'auto qui émaillent la planète. Le phénomène est particulièrement notable en Amérique du Nord, un peu moins en Europe et en Asie. Pourquoi ? Parce que les constructeurs semblent de plus en plus préférer mettre l'accent sur ce qui s'en vient dans leurs salles d'exposition plutôt que nous concocter une extravagance à quatre roues (parfois plus, parfois moins) purement ludique.

Il flotte dans l'air quelque chose comme la nécessité d'être pratico-pratique au lieu de s'abandonner à la rêverie. L'influence des comptables et des actuaires peut-être... Tant qu'à dépenser pour un proto, qu'il serve au moins de panneau-réclame aux modèles qui s'en viennent «pour de vrai», qu'il jauge la réaction du public. Comme si les oh! et les ah! suscités par des trucs *flyés* importaient moins qu'un «mouais, ça, j'achèterais!».

Heureusement, il y a encore des designers qui en fument du bon! Une fois dissipés les effluves odorants, *L'Annuel de l'automobile* est même parvenu à vous engranger une récolte, ma foi, quasiment hallucinante...

Crédits photos : netcarshow.com / carnewschina.com / google images.

ACURA PRECISION

Le studio de design californien d'Acura a pondu le concept Precision pour pointer la direction stylistique vers laquelle les futures berlines de la division luxe de Honda comptaient se diriger. Le prototype signale l'apparition d'une nouvelle grille baptisée « Diamond

Pentagon ». Les muscles des flancs rejoignent des ailes prononcées au-dessus de roues de 22 pouces qui complètent la présence athlétique de l'auto. L'absence de pilier B supporte un thème pour sa part appelé « Quantum Continuum » où les formes extérieures se déversent dans la cabine. Le tableau de bord comporte deux strates d'instruments (à la Honda), les places arrière semblent flotter, tandis que les grilles des haut-parleurs ont été ciselées dans du bois rare. Les chefs d'équipe derrière la Precision, Michelle Christensen et John Norman, ont aussi joué un rôle primordial dans la création de la spectaculaire NSX.

ALPINE VISION

Alpine, la division haute performance de Renault, a imaginé à quoi pourrait bien ressembler le successeur moderne de l'A110 des années 60, une icône française. Le nouveau coupé à moteur central a été dessiné par Anthony Villan, le designer en chef d'Alpine. Le monsieur a réussi à honorer l'ancêtre tout en projetant la coque du prototype au XXIe siècle. Ainsi, on retrouve sur le capot l'arête médiane qui file ensuite cajoler les quadruples phares couchés, une autre signature du modèle classique. L'auto en entier reflète cette constante recherche d'équilibre entre héritage et modernité. Même le logo original brille sur le portillon du réservoir de carburant et au centre des jantes. À l'intérieur, la structure de l'auto est visible et un chronographe d'une autre époque a été greffé à un écran d'affichage contemporain. Bien que plus petite qu'une Porsche Cayman, l'Alpine Vision offre une cabine satisfaisante pour un conducteur de grande taille. Renault dit plancher sur une version commerciale et il n'est pas exclu qu'elle traverse l'Atlantique. Nos prières vont dans ce sens.

AUDI H-TRON QUATTRO

Pendant que l'actualité s'emballe régulièrement au sujet des véhicules électriques, des constructeurs ne négligent pas pour autant l'hydrogène, et avec raison ! Ainsi, à Détroit, Audi a présenté son concept h-tron Quattro. L'une des forces d'une auto mue par piles à combustible, c'est la rapidité de sa recharge. Quand l'utilitaire h-tron est sur le point d'épuiser son autonomie de 592 kilomètres, le plein d'hydrogène ne prend que quatre minutes. D'accord, pour le moment, les bornes à travers le pays sont encore plus rares que des billets de 6/49 gagnants. Mais l'infrastructure un jour sera en place, car la technologie « fuel cell » est trop prometteuse pour être reléguée aux oubliettes. Le proto h-tron Quattro peut atteindre 200 km/h et le 0-100 km/h en moins de 7 secondes. Son groupe motopropulseur dérive de celui utilisé dans l'A7 h-tron de 2014 : un moteur électrique de 121 chevaux pour l'essieu avant et un autre de 188 chevaux pour les roues arrière, sans oublier l'énergie des piles à combustible assistées d'une batterie lithium-ion pour les accélérations vraiment urgentes. Audi a également pris soin de tapisser le pavillon de panneaux solaires. Enfin, les dimensions et le look du proto préfigurent ce que nous réservent l'imminent Q6 et ses dérivés.

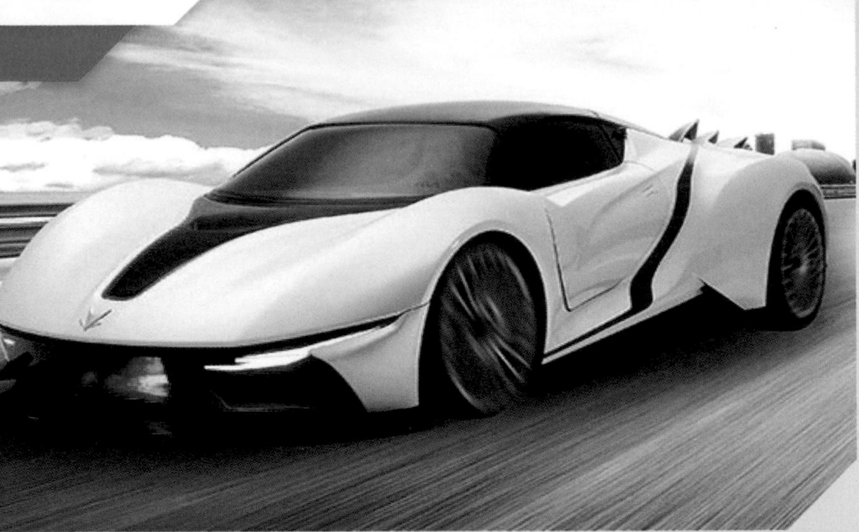

BEIJING AUTO ARCFOX-7

Ce *supercar* électrique a été imaginé par le studio de Barcelone du constructeur chinois BAIC (*Beijing Auto Industrial Corporation*) en partenariat avec l'écurie de course espagnole Campos Racing. Le petit renard blanc qui gambade dans les froidures de l'Arctique a légué son nom au bolide et sa tête stylisée orne le bout du capot et les énormes seuils de portes, lesquelles s'ouvrent en ciseau. Les specs sont prodigieuses : moteur électrique de 603 chevaux, autonomie de 298 kilomètres, 0-100 km/h de 2,8 secondes, vitesse maxi de 260 km/h, transmission intégrale et trois gardes au sol correspondant à autant de modes de conduite : *Racing*, *Comfort* et *Economy*. Dans le cockpit, on se croirait aux commandes d'un vaisseau de Star Wars.

BUICK AVISTA

Ce n'est pas encore demain matin que les « enfants du millénaire » pointeront du doigt une Buick en clamant « Hé ! Voici la voiture de mes rêves ! », mais il est bien possible aussi que les gens de Buick ne ciblent pas en priorité cette génération Y née entre 1980 et 1995. Ils savent d'emblée que leur clientèle est plus âgée. Cela dit, il faut être de mauvaise foi pour ne pas voir chez Buick un design de moins en moins arthritique. À preuve : le superbe coupé Avista exhibé à Détroit ! Difficile de trouver une seule ligne qui ne soit pas à sa place dans cette automobile longiligne à la grille aristocratique (bye-bye la chute d'eau des dernières années) et dont le pavillon arqué et les flancs sculptés trahissent un net penchant pour l'athlétisme. Sous le capot, GM a glissé le V6 3 litres biturbo de Cadillac, fort de 400 chevaux harnachés à une boîte automatique à 8 rapports qui motivent les roues arrière. L'intérieur bon pour quatre personnes s'avère tout aussi attrayant et non traditionnel. Si jamais une version grand public voit le jour, on peut supposer qu'elle utilisera la plateforme Alpha des Camaro et Cadillac ATS. Sinon, espérons au moins que les meilleurs coups de crayon de l'Avista se fraieront un chemin jusqu'aux rafraîchissements déjà prévus pour la Regal et l'Enclave, entre autres.

DS E-TENSE

DS, la division de luxe du groupe PSA Peugeot Citroën, a présenté à Genève le prototype électrique e-Tense, lui-même dérivé du concept Divine montré à Paris en 2014. Certains y ont vu une Audi R8, d'autres une Lexus LC 500, mais personne n'a pu s'empêcher de passer du temps devant cette aguichante GT pour en examiner les détails futuristes. Étant donné que sa croupe se passe de lunette, la visibilité arrière a été confiée à des caméras. Ses phares à DEL pivotent. Qui plus est, l'e-Tense n'est pas une tortue (enfin, sur papier) : ses deux moteurs électriques cumulent une puissance de 402 chevaux et promettent une accélération 0-100 km/h en 4,5 secondes et une vitesse maxi de 250 km/h. Pour l'habitacle, Citroën s'est tournée vers des spécialistes du luxe pour l'agrémenter : Moynat (les cuirs), BRM (l'horloge) et Focal (la sono à 9 haut-parleurs). Verra-t-on un jour l'e-Tense sur nos routes ? Malgré son châssis monocoque en fibre de carbone, son poids considérable de 1,8 tonne nous dit qu'elle aurait besoin d'une diète pour nous prouver le réalisme de son autonomie annoncée de 360 kilomètres.

ELIO MOTORS P5

Elio, une compagnie californienne fondée en 2009 par le passionné d'automobile Paul Elio, s'est donné comme mission de mettre au point un véhicule économique à l'achat et très peu énergivore pour délivrer ses compatriotes de leur dépendance au pétrole. Le P5, la dernière version du prototype à 3 roues, a donc été aperçu à Los Angeles, plus aérodynamique que le P4 qui l'avait précédé à New York en avril 2015. Le 3-cylindres de 0,9 litre est fourni par le fabricant IAV alors qu'Elio lui-même signe le design. L'objectif : 2,8 litres d'essence aux 100 kilomètres sur l'autoroute. Or le P5 s'en approche drôlement avec 2,9 ! Elio promet aussi le 0-100 km/h en moins de 10 secondes et une vitesse maxi supérieure à 100 km/h. On s'attend à voir le produit final d'ici la fin de 2016, au grand bonheur des quelque 47 000 personnes qui ont déjà réservé un exemplaire à un prix de détail suggéré de 6 800 $ US.

ITALDESIGN GIUGIARO GTZERO

C'est toute une chaloupe qu'a dévoilée le studio Italdesign Giugiaro à Genève! La GTZero est ce que les Anglais appellent un « shooting brake », ou un break de chasse, c'est-à-dire le croisement entre un coupé et une familiale. Filippo Perini, qui a dirigé l'équipe de stylistes, a auparavant travaillé chez Lamborghini (une division du groupe Volkswagen qui, incidemment, contrôle aussi Italdesign), et ça paraît dans les nombreuses arêtes de ce prototype au châssis en carbone et aux quatre roues directrices (jantes de 22 et 23 pouces). Mais le designer, humble, avoue qu'il s'est également inspiré de la Bucrane, un concept avancé en 1995 par - vous ne le devinerez jamais -... Daewoo ! Véhicule zéro émission, cette GT à l'allure de fer de lance (mais dont la croupe ressemble à l'embout d'un aspirateur portatif) embarque trois moteurs électriques qui totalisent 489 chevaux afin d'atteindre une vitesse maximale bridée à 250 km/h. Selon son concepteur, l'autonomie serait de 500 kilomètres et il ne faudrait que 30 minutes pour recharger les batteries à 80 %. Les deux portières se soulèvent vers le ciel pour dévoiler un habitacle épuré où dominent quatre écrans et un seul bouton, celui du frein de stationnement.

KIA TELLURIDE

À Détroit, les gens de Kia nous ont servi un exercice de style capable de transporter 7 personnes réparties sur 3 rangées de sièges. À la base, ils ont utilisé un utilitaire Sorento mais dont toutes les mensurations ont gonflé, que ce soit l'empattement (302 mm de plus), la longueur (+ 241 mm), la largeur (+ 119 mm) et la hauteur (+ 112 mm). En d'autres termes, si le Sorento appartient à la catégorie des intermédiaires, le Telluride lorgne du côté des VUS pleine grandeur. Les deux rangées principales se farcissent des fauteuils capitaine, les passagers du centre disposant même d'un repose-pied amovible. Ces quatre places sont dotées de capteurs qui analysent les signes vitaux des occupants affichés sur les portières (à ouverture inversée pour celles du fond). Ainsi, les gens en manque d'énergie peuvent se *booster* le Canadien à l'aide d'un jeu de lumières basé sur la luminothérapie. Sous le capot : V6 de 3,6 litres de 270 chevaux associé à un moteur électrique de 130 chevaux pour obtenir 7,8 litres aux 100 kilomètres sur l'autoroute en transmission intégrale. Est-ce à dire que Kia nous prépare un successeur au défunt et mal-aimé Borrego (2008-2011), lui-même issu du prototype Mesa ?

LINGYUN TWO-SEATER

Un biplace électrique et qui ne compte aussi que 2 roues... Un projet de la Beijing Lingyun Intelligent Technology. Comme c'est déjà parfois assez difficile de conserver son équilibre sur son vélo, comment faire quand la bécane est recouverte d'une carapace en forme de suppositoire ? Réponse : des gyroscopes mécaniques s'en occupent. La direction est influencée autant par la roue avant que par celle d'en arrière. Dans les virages, toutes deux s'inclinent afin que la cabine, elle, demeure parallèle au sol. Les ingénieurs prétendent que puisque leur création prône la légèreté (seulement 600 kilos), son autonomie vaut deux fois celle d'une Tesla. Le moteur électrique de 60 chevaux peut atteindre la vitesse de 120 km/h (quand même plus rapide qu'un vélo) et le temps de recharge sur 220 volts est estimé à trois heures. Le fabricant espère que son proto donnera naissance à une version grand public en 2019. Ou alors en 2020. Ou peut-être en...

MICROLINO

La BMW Isetta des années 50 s'est réincarnée en Microlino à Genève. Toutefois, ce n'est pas le constructeur bavarois qui s'est amusé mais bien Micro Mobility Systems, un fabricant suisse de trottinettes électriques (dont un exemplaire s'accroche d'ailleurs facilement à l'arrière du quadricycle). Comme l'original, la seule portière s'avère la façade de l'auto qui pivote sur ses charnières, volant inclus. Quant au 2-cylindres à essence de 1955, il a cédé sa place à un moteur électrique de 12 kilowatts et 16 chevaux nourri par une batterie de 11 kWh (à titre de comparaison, celle de la Renault Twizy, une rivale directe, fait 6 kWh). Ainsi équipée, la Microlino s'engage à nous offrir une autonomie de 130 kilomètres et une vitesse maxi de 90 km/h. Son constructeur entend la mettre en vente dès 2017 à un prix de 9 950 euros (14 000 $), sacs gonflables non inclus.

NISSAN TITAN WARRIOR

Nissan ne pouvait relancer sa camionnette pleine grandeur Titan sans tenter une incursion du côté des excursions extrêmes, question de montrer à Ford que sa version Raptor du F-150 ne pouvait accaparer tous les projecteurs. Donc, à partir du Titan XD nanti de son V8 Cummins de 5 litres turbodiesel et de sa boîte automatique à 6 rapports, les designers du studio de La Jolla, en Californie, ont d'abord modifié la suspension pour la rendre agressive et passe-partout, peu importe le terrain. La hauteur a gagné 76 millimètres (3 pouces) pour accepter des pneus de 37 pouces ! Ceci fait, on a habillé le Titan Warrior avec une armure digne du Moyen Âge mais apprêtée avec un modernisme indéniable. La grille et les phares menacent, les ailes ont été gavées de stéroïdes et les trappes d'air sur le capot sont fonctionnelles. Dans le fond, de la part du géniteur de la GT-R, le Titan Warrior ne surprend guère. Reste à voir si une version si vindicative de la camionnette prendra réellement le chemin de l'usine...

OPEL GT

Le nom Opel GT ne nous est pas étranger. Dans les années 60 et 70, cette filiale allemande de GM a commercialisé une voiture du même nom surnommée la « Corvette du pauvre » par les plus cyniques. Ou alors, rappelez-vous les Pontiac Solstice et Saturn Sky. En France, elles ont roulé sous l'appellation Opel GT de 2007 à 2009. Mais greffez-y la mention « prototype » comme l'a fait Opel à Genève en mars dernier et un nouveau chapitre du modèle s'ouvre. L'étrange petit coupé était affublé de glaces noires tandis que les rétroviseurs et les poignées de porte brillaient par leur absence. Des caméras, bien sûr, remplacent les premiers, et des capteurs tactiles, les seconds. Les pneus de couleur accrochent décidément l'œil, tout comme les jantes ouvertes comme une fleur ou un bouchon de bière écrapouti, c'est selon... Les roues arrière sont entraînées par un 3-cylindres 1 litre de 145 chevaux qui, malgré tout (et grâce au modeste poids), peut livrer une vitesse de pointe de 215 km/h. Tout ça, paraît-il, en vue d'un modèle de série prévu pour 2018.

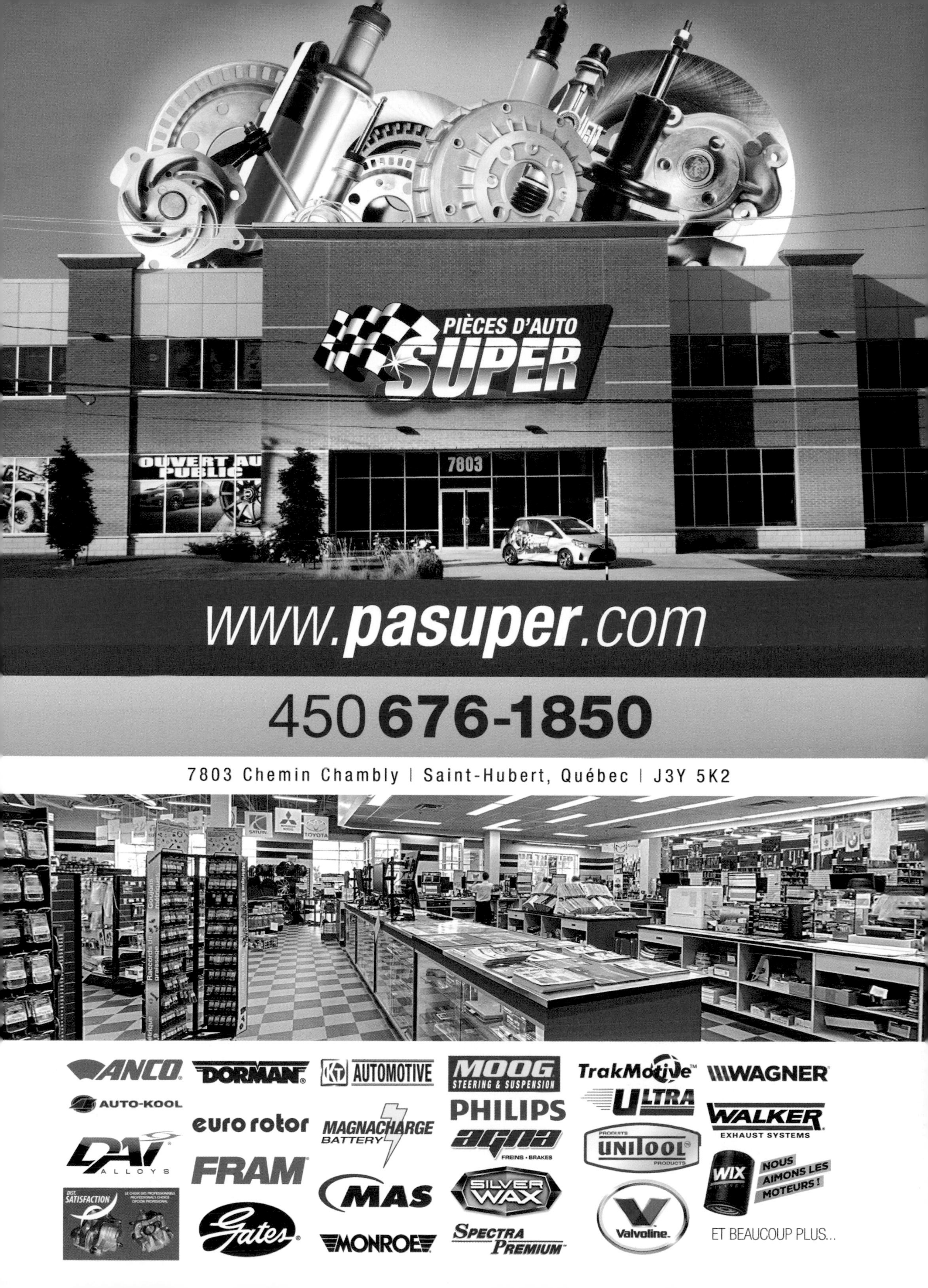

PININFARINA H2 SPEED

Puissance de 503 chevaux, 0-100 km/h en 3,4 secondes et pas une goutte d'essence: cette merveille immaculée exploite l'hydrogène des piles à combustible. Son seul rejet: de l'eau. Et le silence (ce qui peut paraître un brin contradictoire pour un *supercar*). Le studio italien précise que la pleine recharge ne dépasse pas trois minutes. Dans le fond, la même technologie que la Toyota Mirai mais dans un emballage légèrement plus débile. La crête qui surplombe la H2 Speed croise un magistral aileron dont le jaune rime à merveille avec celui des étriers de frein. Et il faut savoir que la bande orangée du nez pointu rend hommage à celui de la Sigma Grand Prix de 1969.

QIANTU K50 ROADSTER

Je dois confesser que celle-là, avec ses lignes sensuelles drapées de gris bleuté et accentuées de lames noir piano (oui, d'accord, un peu à la Bugatti Veyron mais en moins outrancier), me donne grandement envie de m'y asseoir et d'aller gambader en rase campagne. Le roadster est la version à ciel ouvert du coupé K50 et le constructeur Qiantu Qiche (qui signifie «auto du futur») promet que les deux verront bientôt de l'activité dans des salles d'exposition à un prix avoisinant les 100 000 $ US, donc très proche de la facture d'une Tesla S. Le coupé et le cabrio partageront le même groupe motopropulseur: deux moteurs électriques pour une puissance combinée de 408 chevaux, une vitesse maximale de 200 km/h, le 0-100 km/h en moins de 5 secondes et une autonomie de 300 kilomètres. L'aluminium compose le châssis et la fibre de carbone, la carrosserie. Le capot concave lisse comme une patinoire laisse percer deux phares à peine plus gros que les fentes d'un saurien à l'affût. Autant nous avons déjà vu des chinoiseries grotesques, autant celle-ci mérite notre respect.

SCION CH-R

Nous avons admiré le concept CH-R à Paris en 2014 puis à Francfort avant de le voir réapparaître à Los Angeles, et là, la nouvelle est tombée, confirmée, certaine: le prototype donnera naissance à un *funky* petit utilitaire qui viendra se mesurer notamment au Juke de Nissan. Sauf qu'il déménagera de l'agonisante division Scion pour venir loger dans l'écurie Toyota. Le CH-R grand public laissera sûrement tomber les jantes tourbillonnantes du concept et le métal de la croupe n'aura pas l'air du masque de Darth Vader fondu au soleil. Mais sa plateforme sera la « New Global Architecture » déjà mise au service de la nouvelle Prius, la première à expérimenter la TNGA. Au moment d'écrire ce paragraphe, on ignorait encore ce qui se terrera sous le capot du CH-R, mais on peut au moins ajouter que l'acronyme signifie «compact» et «high ride» et que la version commerciale devrait se pointer d'ici la fin de l'année. Le segment des utilitaires compacts est tellement «hot» par les temps qui courent que personne ne veut rater sa part de gâteau.

TECHRULES AT96 / GT96 TREV

Le fabricant chinois s'est servi de Genève pour dévoiler un duo de fusées électriques, l'AT96 et la GT96, coiffées toutes deux de l'acronyme TREV pour « Turbine-Recharging Electric Vehicle ». Elles utilisent un prolongateur d'autonomie hybride qui, selon la compagnie, pourrait parcourir plus de 2 000 kilomètres par gallon d'essence. Heu, oui, c'est beaucoup! Pour y arriver, les ingénieurs ont disposé rien de moins que six moteurs électriques, c'est-à-dire un dans chaque roue avant et une paire dans chaque roue arrière. La puissance prévue atteindrait 1 030 chevaux et un couple de 6 372 livres-pieds, le strict nécessaire, quoi, pour boucler le 0-100 km/h en 2,5 secondes (comme la Bugatti Chiron !!) alors qu'une bride électronique gèlerait la vitesse maxi à 350 km/h. Comment est-ce possible? Une micro-turbine révolutionne à 96 000 tours/minute et la majeure partie des 36 kilowatts nourrit le générateur. L'AT96, conçue pour une piste de course, boit du kérosène utilisé en aviation, alors que la GT96, prévue pour la route, préfère le gaz naturel. Le plan est de sortir des versions commerciales d'ici quelques années. Une dernière chose: j'ai vérifié la date de sortie du communiqué de presse officiel et, non, ce n'était pas un 1er avril...

THUNDER POWER

Les constructeurs asiatiques ont réellement Tesla dans leur mire! Les berlines et coupés électriques sortent des tables à dessin à un rythme effarant. Voici donc la Thunder Power EV dessinée par le studio italien Zagato. De profil, on dirait que l'auto sommeille encore dans son bloc d'argile. Où sont les poignées? J'espère que les phares et les feux éclairent aussi bien que leurs formes sont excentriques. La grille regroupe plusieurs ovales, comme si une pierre jetée au centre modulait des ronds dans l'eau. Est-ce beau? La discussion est ouverte. Les acheteurs éventuels auront à choisir entre des versions à 308 et 428 chevaux, et la Tesla. L'autonomie annoncée de 650 kilomètres semble trop belle pour être vraie, surtout si on multiplie à profusion les accélérations de 0 à 100 km/h promises en 5 secondes. L'intérieur est plutôt joli avec un mariage chrome, bois (beaucoup de bois!) et cuir qui nous transporte dans un salon scandinave du futur. Les passagers de la banquette disposent de leur propre écran d'affichage. La compagnie de Taiwan entend réaliser la Thunder Power dans une usine chinoise et la vendre autour de 80 000 $, moins les subsides gouvernementaux pour un VÉ.

TOYOTA FV2

Trois roues, un seul occupant (qui pilote debout) et une silhouette qui rappelle le casque d'un cycliste. Le prototype FV2 date déjà de trois ans, mais il continue de sillonner les salons en raison de sa remarquable fiche technique inusitée. Ainsi, sa manipulation s'inspire librement de celle d'un Segway. En effet, il n'y a pas de volant. À la place, le conducteur bouge son corps vers l'avant ou l'arrière, à gauche ou à droite pour imprimer les mêmes mouvements au véhicule. Une connexion entre l'homme et la machine comparable à celle entre un cavalier et sa monture. Mieux encore, le véhicule « lit » l'humeur de son conducteur et en avertit les passants en modifiant la couleur de la coque. Ainsi, si elle vire au rouge, ça signifie que Roger est pressé et tasse-toi, mon oncle!

VOLKSWAGEN BUDD-e

Même si l'histoire moderne a désormais tendance à associer la fourgonnette avec l'AutoBeaucoup de Chrysler des années 80, les vrais férus d'annales automobiles savent qu'il faut créditer Volkswagen pour son Microbus des années 50 et 60. Et c'est au *Consumer Electronics Show* de Las Vegas que le fabricant a cru bon de malaxer notre nostalgie avec une version moderne de la célèbre « van » aussi jolie qu'entièrement électrique. Une grosse batterie lithium-ion et deux moteurs électriques liés aux quatre roues fournissent une autonomie de quelque 368 kilomètres, une vitesse maxi de 150 km/h et une recharge à 80 % en 15 minutes. L'architecture MEB, exclusive aux véhicules verts de VW, fait en sorte que le BUDD-e est à peine plus long qu'une Golf familiale. Oubliez donc les trois rangées de sièges. En revanche, la section arrière ressemble à un minivestiaire avec sa banquette qui épouse le contour de l'habitacle. Le passager avant peut pivoter sur son siège pour lui aussi avoir du fun. Pendant ce temps, le conducteur concentre son attention sur les trois beaux écrans qui constituent l'ensemble du tableau de bord. Malheureusement, au lieu de nous promettre que le BUDD-e verra un jour les robots d'une chaîne de montage, VW se contente de dire que des éléments de l'adorable fourgon finiront dans d'autres modèles d'ici 2020.

VOLVO CONCEPT 26

À Los Angeles, plutôt que de nous exhiber une auto du futur, Volvo nous a montré un intérieur du futur. D'aucuns diront « gang de cheaps ! » et, pourtant, quelle belle manière de nous expliquer de façon parfaitement claire ce qui attend le conducteur de la voiture autonome ! Au fait, pourquoi 26 ? Ce chiffre fait référence aux minutes que dure en moyenne le trajet d'un Américain. Bon, l'habitacle dispose de trois modes : *Drive*, *Create* et *Relax*. Le premier convient quand vous insistez pour contrôler le véhicule. En mode *Create*, l'auto comprend qu'elle doit s'occuper de la conduite pendant que vous faites autre chose de vos 10 doigts. Ainsi, le volant s'escamote, une tablette de travail jaillit de la portière et le tableau de bord pivote pour céder sa place à un super écran de 26 pouces sur lequel visionner les derniers épisodes de votre série préférée. Enfin, en mode *Relax*, le siège se transforme en La-Z-Boy afin de vous entraîner dans l'univers de Morphée. Une p'tite vidéo valant bien des mots, allez visiter YouTube pour mieux piger.

WINDBOOSTER TITAN

Ce supercar électrique « made in China » a été montré au show de tuning de Shenzhen. Commençons avec le pot : le designer s'est sans doute un peu trop inspiré de la McLaren P1. Ce n'est pas un cas de clone flagrant, comme la Youxia One qui a copié sans vergogne les lignes de la Tesla S, mais si l'imitation est une forme de flatterie, McLaren (et Lotus) ont de quoi rougir. Cela dit, la Titan est le premier-né de la Windbooster Car Corporaton, elle-même une filiale de Cammus, un manufacturier de pièces d'après-marché. L'auto verrait d'abord une production destinée à la piste, puis vers les cités. Deux moteurs électriques, un par roue arrière, et une puissante batterie Panasonic au lithium logée à l'avant fournissent 500 chevaux pour une vitesse maxi de 260 km/h et un 0-100 km/h en 3,9 secondes. Une fois à sec l'autonomie de 400 kilomètres (dixit le constructeur), il faut 7 heures pour recharger le bolide sur du 220 volts. Un gros aileron arrière situé tout droit d'un jeu de mécano empêche l'auto de s'envoler.

ZHICHE AUTO SUV

Zhiche Auto, une compagnie de Pékin (Beijing) fondée en 2014 et spécialisée dans les véhicules branchés, a levé le voile en Chine sur un multisegment/coupé à quatre places 100 % électrique qui ressemble un peu à une baignoire montée sur le squelette d'un Transformer. La bestiole est l'œuvre du designer chinois Du Baonan, à qui l'on doit la Citroën C4L. L'utilisateur peut afficher du texte au centre de la grille et des pare-chocs (nous avons vu « Hello » à l'avant et « Stop » à l'arrière, mais il me viendrait facilement à l'esprit d'autres mots quand je pense à certains conducteurs croisés ici et là...). La force de l'auto, c'est son interaction avec le reste de l'univers. Par exemple, l'ordi du véhicule ordonne à celui du domicile de monter le chauffage quand le système de navigation détecte un retour imminent vers la maison. Les portes papillon s'ouvrent sur un habitacle dont l'éclairage bleuté rivalise avec celui d'une discothèque. Selon le géniteur, une voiture de production émergera dès 2017.

BOULE DE CRISTAL

Vincent Aubé

Il est toujours intéressant de jouer au jeu des prédictions dans le monde de l'automobile. Certains modèles sont à prévoir pour leur importance ou tout simplement par les nouvelles tendances de l'industrie, tandis que d'autres sont de pures surprises autant pour les connaisseurs que pour les consommateurs qui s'intéressent de près ou de loin à l'automobile. Cette année, un beau mélange de bolides de performance et de véhicules à propulsion électrique est illustré dans cette section de *l'Annuel*. Est-ce que ces prédictions vont toutes se réaliser? La réponse: dans quelques années.

AUDI RS3

Au sommet de la gamme européenne de l'A3 se trouve la RS3, une version plus pratique de l'Audi TT RS si vous voulez. Munie de la même mécanique 5 cylindres turbo utilisée à quelques reprises au fil des années, la bête allemande a un problème majeur : sa carrosserie. Voyez-vous, les consommateurs américains préfèrent les berlines. Et c'est là qu'entre en scène la future berline RS3, qui devrait reprendre plusieurs éléments visuels de ce prototype présenté pour la première fois à l'exposition 2014 de Wörthersee, en Autriche. Le constructeur aura enfin une berline pour rivaliser avec les compactes de performance de Mercedes-Benz et BMW, notamment.

AUDI Q6

La présentation de ce prototype tout électrique au Salon de Francfort avait une deuxième mission, soit celle de montrer les lignes du futur multisegment à la silhouette plus racée. Déjà, BMW et Mercedes-Benz ont trouvé le moyen de rentabiliser des VUS coupés, alors pourquoi pas Audi ? Lors de cette introduction mondiale, les bonzes de la division allemande parlaient de l'arrivée d'un VUS électrique pour 2018, mais il ne serait pas impossible qu'une variante hybride rechargeable soit aussi dans les plans. Il faudra suivre ce dossier de près, compte tenu de l'importance d'un tel véhicule pour Audi et sa technologie e-tron.

AUDI TT-RS

C'est à un endroit inhabituel au Salon de l'auto de Pékin qu'Audi a dévoilé la TT extrême en version RS qui arrivera chez nous l'an prochain. Les inconditionnels du moteur 5-cylindres turbo vont jubiler à la seule idée de pouvoir renouer avec le moteur 2,5-litres de cylindrée qui profitera d'un bloc en aluminium au lieu de l'ancien qui était réalisé en fonte, un changement qui enlève 10 kg à la masse totale du véhicule. Mais ce n'est pas tout, puisque la puissance de l'engin passe à 400 chevaux-vapeur, tandis que le couple optimal n'est pas en reste, lui qui atteint désormais 354 lb-pi. Si l'ancienne livrée était disponible avec une boîte manuelle à six rapports, la nouvelle passe à l'autre niveau en proposant plutôt une boîte à double embrayage à sept rapports.

CADILLAC CT8

Le constructeur américain a assez attendu. Il est temps de s'immiscer dans la catégorie des grandes berlines de luxe. La CT6 est déjà un bel essai, il faut maintenant s'attaquer aux Mercedes-Benz Classe S et BMW Série 7 de ce monde. Cette nouvelle venue empruntera le squelette de la CT6, plateforme conçue pour accueillir une configuration à roues arrière motrices ou intégrale. Cadillac ne dérogera pas de la tradition de la catégorie : la CT8 pourra compter sur des motorisations à 6 et 8 cylindres, vraisemblablement turbocompressées dans les deux cas.

FORD RANGER

Le géant américain doit encore se mordre les doigts d'avoir quitté le segment des camionnettes intermédiaires. Son vieillissant Ford Ranger à l'époque ne tenait plus la route, mais tout de même, un coup d'œil en Asie n'aurait pas fait de tort. Le Ford Ranger vendu ailleurs sur le globe n'a rien à voir avec celui qui fut commercialisé en Amérique pendant une trentaine d'années. Avec le retour remarqué de GM dans cette catégorie et Toyota qui, sans même révolutionner son véhicule, réussit à dominer le segment, il est évident que les consommateurs s'intéressent davantage à ce type de camionnette. Ford va capitaliser là-dessus, c'est certain, d'ici 2019 assurément !

GENESIS G70

Avec son superbe prototype New York présenté en 2016, le nouveau joueur dans le domaine du luxe, Genesis, a décidé de s'attaquer à une certaine BMW Série 3, rien de moins. Les Genesis G80 et G90 sont déjà un bon début, mais pour acquérir une certaine crédibilité et du volume, il faut s'attaquer à une catégorie plus accessible, soit celle des berlines sport de luxe. La ligne de cette berline coréenne est fort réussie, tandis que ses organes mécaniques sont modernes. En effet, avec un 4-cylindres turbocompressé accouplé à un moteur électrique, cette berline de luxe sera non seulement amusante à conduire, mais la facture à la pompe ne sera pas trop salée.

HONDA CIVIC TYPE R

L'attente est enfin terminée. Les amateurs du modèle phare de Honda (si on exclut l'exotique NSX) vont enfin pouvoir mettre la main sur ce hot rod à moteur 4 cylindres. La Civic Type R sera vraisemblablement offerte chez nous avec la carrosserie à hayon illustrée par le prototype présenté au courant de l'année 2016. Au menu, bas de caisse élargis, ailerons arrière, échappements rauques, freins et roues surdimensionnées. Toutefois, contrairement à ses nouvelles rivales (Ford Focus RS, Volkswagen Golf R et Subaru WRX STi), la Civic Type R ne pourra compter que sur ses deux roues avant motrices. Avec 306 chevaux et 295 livres-pieds de couple issus de son moteur 4 cylindres turbo, cette bombe aura ce qu'il faut pour faire la vie dure à ses nouvelles concurrentes.

HYUNDAI SANTA CRUZ

Le fameux prototype de camionnette de loisir a fait couler beaucoup d'encre depuis sa présentation. Bien que l'annonce officielle n'ait pas encore eu lieu, cette camionnette basée sur une plate-forme empruntée au Tucson viendra s'ajouter à l'alignement nord-américain du géant coréen, un peu après 2020. Hyundai ne vise pas les camionnettes traditionnelles avec ce véhicule, mais plutôt le créneau du Honda Ridgeline, une camionnette associée aux loisirs avant tout. La capacité de remorquage ne sera donc pas sa force tout comme son espace de chargement. La recrudescence du marché des camionnettes intermédiaires est certainement à l'origine de cette offensive.

INFINITI QX50

La division luxueuse de Nissan a bien essayé de renouveler son vieillissant véhicule, mais même avec quelques centimètres en plus, le QX50 (anciennement EX35) commence sérieusement à montrer des signes de vieillesse. Ce prototype montré plus tôt en 2016 est sans contredit une indication de ce qui s'en vient. Pour le moment, le constructeur refuse de dire de quel futur modèle il s'agit, mais avec des dimensions un brin plus courtes que celles de l'actuel QX50, il y a fort à parier que ce sera ce dernier. Après tout, Infiniti se doit d'être plus compétitive dans cette catégorie. Quant aux motorisations prévues pour ce VUS, il faut s'attendre à celles déjà utilisées sous le capot de la berline Q50.

JAGUAR XE SVR

Avec l'arrivée de la plus abordable des Jaguar sur notre marché, le constructeur d'origine britannique voudrait dorénavant une part du gâteau dans la catégorie des berlines de performance. La BMW M3 sera directement visée par cette offensive de l'aile de performance SVR de Jaguar. Contrairement aux versions plus civilisées de la XE, cette livrée fera confiance au moteur V8 du constructeur, ce dernier oscillant entre 450 et 500 chevaux-vapeur en matière de puissance. En berline de performance qui se respecte, la XE SVR passera assurément par une diète obligée pour améliorer sa prestation sur la route.

KIA GT

Jusqu'ici, le penchant soi-disant «plus sportif» de Kia n'a pas vraiment donné grand-chose, même que le partenaire Hyundai a eu le dessus à ce niveau avec son coupé Genesis. Tout ceci pourrait bien changer d'ici peu, puisque la berline GT inspirée du prototype présenté pour la première fois en 2011 a été aperçue à maintes reprises sur les routes de l'Amérique du Nord. Bien entendu, il s'agissait d'exemplaires fortement camouflés, mais le développement est bel et bien entamé. Il faut s'attendre à une mécanique 4 cylindres turbo en entrée de gamme et à un V6 turbocompressé également pour le modèle supérieur. Reste maintenant à espérer un choix varié de transmissions. Kia osera-t-elle proposer une bonne vieille manuelle ?

LAND ROVER DISCOVERY

Le constructeur de véhicules utilitaires a déjà son Discovery Sport, mais pour attirer une clientèle plus familiale en plus de devoir remplacer son vieillissant LR4, Land Rover doit bonifier sa gamme Discovery. Reposant sur la plate-forme allégée du récent Range Rover Sport, le futur Discovery, dont l'arrivée est prévue en 2017 en tant que modèle 2018, devrait faire appel à une motorisation comptant 6 cylindres. Attendez-vous à un nouveau moteur 6 en ligne sous le capot de cet utilitaire, Jaguar et Land Rover étant sur le point de dévoiler une telle mécanique.

LAMBORGHINI URUS

Ce n'est plus un secret pour personne: Lamborghini désire aussi sa part du gâteau dans le lucratif marché des véhicules utilitaires. Bien entendu, celui concocté par la firme de Sant'Agata aura des prétentions sportives. En fait, le but avoué de Lamborghini est de donner à son utilitaire assez de puissance pour arriver à suivre une authentique voiture sport. Sous le capot, l'Urus sera muni d'un nouveau V8 biturbo de 4 litres. L'ajout d'une version SuperVeloce n'est pas impossible, tandis qu'une variante hybride est à prévoir pour abaisser la moyenne de consommation de la marque italienne.

LEXUS LS

Il commence à y avoir du choix dans le segment des grandes berlines de luxe. Avec l'ajout de la Kia K900 et l'arrivée du constructeur Genesis récemment, le consommateur a une liste plus longue à évaluer. La Lexus LS, introduite en 2007 sous cette forme, devra être révisée de fond en comble pour être capable de suivre la parade. Le prototype présenté au Salon de Tokyo de 2015 illustrait les dernières avancées du constructeur en matière de piles à combustible. Verra-t-on une Lexus LS carburant à l'hydrogène d'ici quelques années ? Probablement pas avant un certain temps, mais cette silhouette est un bon aperçu de la prochaine LS.

LINCOLN NAVIGATOR

La catégorie des gros VUS n'est plus ce qu'elle était au début du siècle. Malgré ce déclin, ces gros pachydermes de la route intéressent encore un public bien précis qui apprécie l'espace généreux à bord, le confort certain ainsi que les capacités de remorquage supérieures. Le Lincoln Navigator a peut-être reçu quelques améliorations au fil des ans, mais il faut l'avouer, il est dû pour une métamorphose. Le prototype montré pour la première fois à New York a pris tout le monde par surprise au printemps 2016. Si le principe ne change pas, la silhouette du gros utilitaire se fait beaucoup plus dynamique en plus d'adopter la plus récente signature des produits Lincoln. Prévoyez le retour de la mécanique V6 EcoBoost et assurément une économie de poids.

LES INDISPENSABLES

MASERATI ALFIERI

La marque au trident n'a plus le choix : elle doit absolument revigorer son côté sportif. L'ajout du VUS et des deux berlines est une bonne décision pour la rentabilité de Maserati, mais il faut reconquérir les puristes. Ce prototype a fait l'unanimité lors de sa présentation. Le constructeur travaille actuellement sur une nouvelle plate-forme qui servira à la fois de base à la prochaine Gran Turismo et à cette future Alfieri. Sur le plan mécanique, il faut s'attendre à un mélange de V6 et de V8, Maserati étant déjà bien nantie de ce côté.

MAZDA RX-9

Chaque fois qu'une question est lancée à un haut placé de Mazda au sujet du prochain moteur rotatif, la réponse est la même : le développement continue. La présentation de ce prototype RX-Vision au Salon de Tokyo à la fin de 2015 a certainement ravivé les passions auprès des amateurs. Si Mazda peut réussir à rendre sa mécanique plus écoénergétique à l'aide de la turbocompression, de l'injection directe et, pourquoi pas, d'un système hybride, la descendante de la RX-7 verra probablement le jour d'ici 2020, année très importante pour la marque, puisqu'elle célébrera son centenaire.

MERCEDES-BENZ G 550 4X4²

Le modèle existe déjà en Europe sous l'appellation G 500. Chez nous, la super Classe G s'appellera plutôt G 550 pour suivre la nomenclature locale. Du reste, cette Classe G surélevée a tout ce qu'il faut pour aller s'amuser très loin des sentiers battus. En plus de la garde au sol et des voies élargies, le G 550 4x4² reçoit une suspension retravaillée, trois différentiels autobloquants, des ponts portiques et des roues de 22 pouces. Quant à la mécanique, elle est identique à celle du G 550 « normal ». Il faut applaudir l'audace du constructeur de vouloir commercialiser un tel mastodonte chez nous.

TESLA MODEL 3

S'il y a une présentation automobile qui a fait couler beaucoup d'encre l'an dernier, c'est assurément celle-ci. Tesla Motors a procédé au lancement du prototype de sa première berline « abordable », ce coup médiatique ayant pour effet de lancer un raz-de-marée de réservations, la Model 3 n'étant prévue que pour la fin de 2017 ou le début de 2018. Voyez-vous, le constructeur californien n'a pas encore l'expertise pour assembler 500 000 unités par an d'ici la fin de 2018. Arrivera-t-il à honorer ses dates de livraison ? Cela reste à voir. Au-delà de ce détail, la berline va au moins respecter son prix d'entrée de 35 000 $ US aux États-Unis en plus de pouvoir parcourir une distance de 345 kilomètres entre les recharges.

VOLVO SÉRIE 40

La revitalisation de la marque suédoise va bien, mais il manque un modèle plus abordable au sein de la gamme nord-américaine. La solution est simple : il faut ramener la Série 40. Présentés plus tôt en 2016, les prototypes 40.2 (berline) et 40.1 (multisegment) montrent ce à quoi il faut s'attendre de cette nouvelle addition compacte à prévoir du côté de Volvo. Prévoyez le même genre de stratégie en ce qui a trait à la motorisation utilisée, de la T5 à la T8. Il est permis d'espérer la venue d'une motorisation à 3 cylindres chez nous, ce type de motorisation ayant effectué un retour ces dernières années. Si Volvo peut accoucher d'une Série 40 attrayante, l'avenir de la marque sera plus rose.

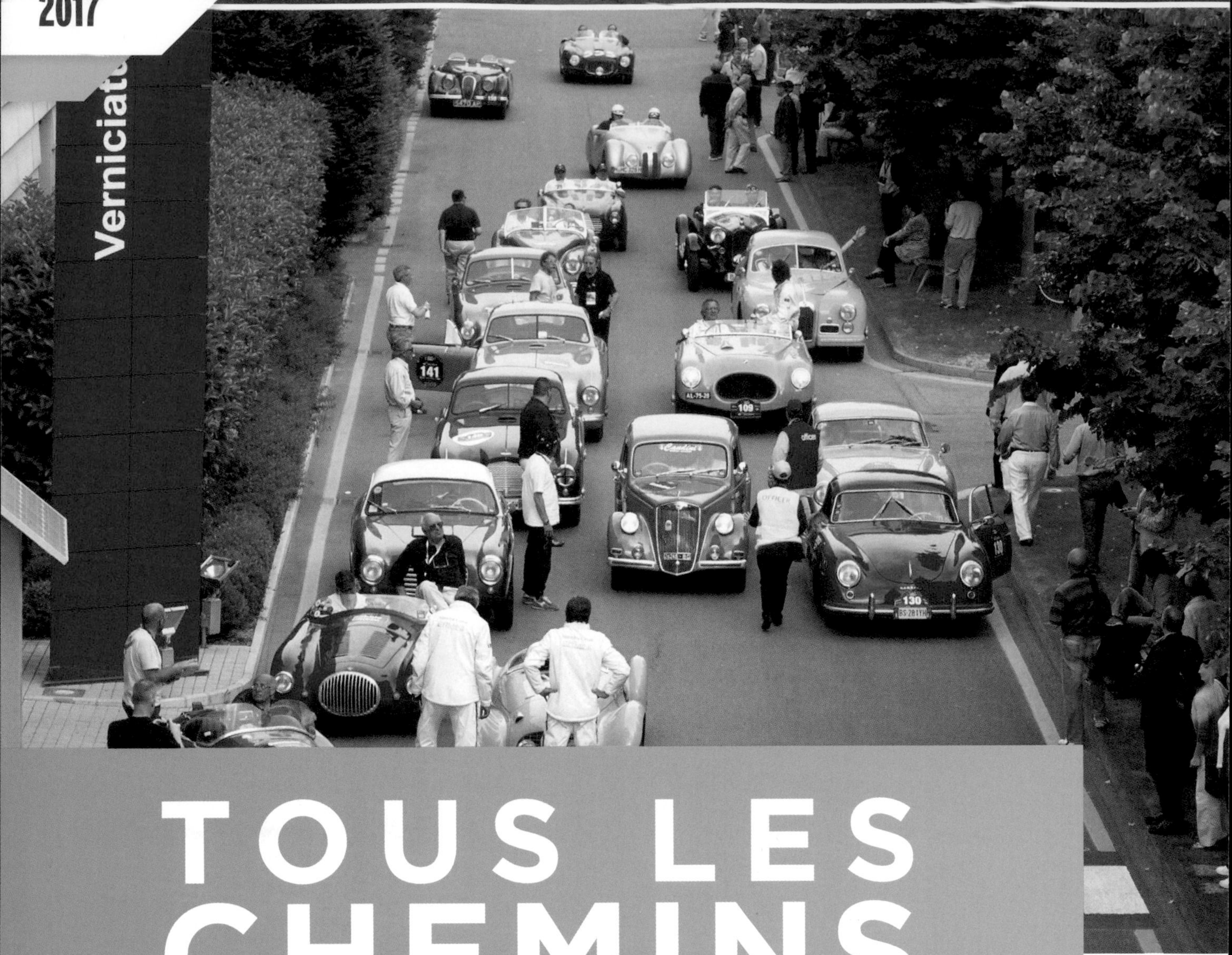

TOUS LES CHEMINS MÈNENT À BRESCIA

Alain Raymond

Je vous raconte ici ce que j'ai vécu il y a quelques années lors de ma première rencontre avec les légendaires Mille Miglia. J'avais prévu un voyage en Italie et j'ai eu la très grande chance d'être invité par le Groupe Fiat à suivre les Mille Miglia Storica, une reconstitution de cette épreuve mythique.

Photos Alain Raymond

UN PEU D'HISTOIRE

Mais remontons dans le temps pour vous raconter ce que furent les Mille Miglia, ces 1000 milles de la Rome antique, le mille romain étant la distance couverte par mille pas, ou *mille passuum*. Avec le temps, le mille romain est devenu le mille anglais.

En 1927, à la naissance des Mille Miglia, la course couvrait près de 1600 kilomètres parcourus sur routes publiques, à travers villes et villages, par monts et par vaux, avec départ à Brescia, jusqu'à Rome par le côté est de la « botte italienne », puis retour à Brescia par le centre.

Cette course contre la montre où les voitures inscrites partaient à une minute d'intervalle fut, pendant 30 ans, une des épreuves maîtresses du sport automobile européen, une épreuve particulièrement éprouvante pour les machines et les équipages, qui devaient rouler à pleine vitesse, ne s'arrêtant que pour le ravitaillement. Une « course folle », s'écrièrent les uns et les autres à la suite des nombreux désastres qui coûtèrent la vie à des pilotes et copilotes et à des spectateurs longeant les routes.

La course fut donc définitivement annulée en 1957. Mais on se souviendra longtemps de l'incroyable exploit du célébrissime Sterling Moss et de son courageux copilote Denis Jenkinson qui, en 1955, remportent l'épreuve à bord de la redoutable Mercedes 300SLR en couvrant les 1597 kilomètres en 10 heures, 7 minutes et 48 secondes, à 157,65 km/h de moyenne. Sur routes publiques ! Un record qui restera à jamais dans les annales du sport automobile.

L'AUTOMOBILE EN FÊTE

Mais revenons à Brescia où les beautés mobiles sont regroupées au parc d'exposition pour l'inspection de rigueur. Les voitures se dirigent ensuite vers la Piazza della Logia, en plein cœur de Brescia, et c'est là que la fête commence au milieu d'une foule très dense. Soudain, les applaudissements noient le bruit des moteurs : c'est David Coulthard au volant de la superbe Mercedes 300SLR, celle-là même que Moss et Jenkinson ont menée à la victoire en 1955.

Outre les grandes vedettes, ce sont les voitures les plus modestes qui semblent retenir l'attention de la foule. Devant une Fiat 500C Belvedere 1954 ou une Lancia Aprilia 1948 « comme celle de ton Nonno », explique un père attendri à son jeune aux yeux écarquillés.

David Coulthard au volant de la mythique Mercedes 300SLR 1955, ex-Moss. S'il a l'air frais et dispos avant le départ, il fallait le voir aux points de contrôle...

L'imposante Alfa Romeo 6C 2300 Mille Miglia 1938 sortie du Musée Alfa Romeo et confiée à l'équipage féminin Grimaldi/Cafalonieri qui a remporté la Coupe des Dames.

Sur Via Ferrari, à Maranello, les concurrents attendent le moment exact pour se présenter au point de contrôle. Quel bel embouteillage!

Passage à « l'urgence »: la Fiat Abarth Zagato 750 1957 de l'équipage Magnusson/Frattini sera bientôt prête à reprendre la route.

LE DÉPART

Avec le coucher du soleil, la piazza et ses ruelles avoisinantes se vident graduellement de leurs trésors automobiles qui se préparent au départ sur Viale Venezia. À 19 h 45 précises, la première voiture - une OM 665 SS 1930 - se hisse sur le podium et repart presque aussitôt, suivie d'un petit nuage de fumée.

Aussitôt la dernière voiture partie, je retrouve « ma » MiTo et confie à mon fidèle navigateur Garmin le soin de me guider vers le premier arrêt à Ferrara. En route, je retrouve le convoi, qui file à vive allure sur les routes de Lombardie à destination de l'Émilie-Romagne. Tout le long du chemin, des spectateurs, dont certains en pyjama, attendent le passage des voitures jusque très tard dans la nuit.

Après quelques heures de sommeil, c'est un déjeuner rapide et le nouveau départ sur Corso Giovecca, à destination de Rome. À présent bien à l'aise au volant de l'Alfa MiTo, je zigzague dans la circulation du matin pour suivre les concurrents, qui ne se gênent pas pour créer une troisième voie « virtuelle » entre les deux voies existantes. Certes, les automobilistes se tassent souvent sur la droite pour nous laisser passer, surtout lorsque nous sommes précédés d'un motard éclaireur, tous gyrophares clignotants.

Confortablement installé dans le siège baquet de l'Alfa, je ne peux m'empêcher de penser à ces équipages qui roulent sans capote ni pare-brise à bord de voitures venant d'un autre siècle. Et moi qui croyais que ces Mille Miglia seraient en quelque sorte un rallye pépère se déroulant sur des routes tranquilles de la campagne italienne. « Attendez d'arriver aux montagnes », me lance un collègue de l'équipe Fiat.

PATRIMOINE CULTUREL

Mais auparavant, je décide de faire un arrêt à un point de contrôle et de me mêler à la foule où se pressent une centaine d'enfants d'âge scolaire. Nous sommes pourtant vendredi. « Mais pour les Mille Miglia, Signor, les enfants sortent des écoles pour saluer les voitures. Ça fait partie de notre patrimoine culturel », m'explique la pâtissière qui me sert une chocolatine et un *espresso lungo*. J'aime l'Italie.

L'équipage russe au volant de la Bandini 750 S 1953 affiche clairement ses couleurs sur la route qui grimpe en lacets vers le sommet, où la neige fondante attend les concurrents.

Trêve de flâneries. Je reprends la route jusqu'à Sansepolcro, entre San Marino et Assise. À la sortie de la ville, la petite Fiat Abarth Zagato 750 1957 que j'avais admirée à l'arrêt précédent est immobilisée sur le bord de la route. « Avez-vous besoin d'aide ? » « Oui, je crois que c'est l'embrayage. » Une petite foule encercle rapidement l'Abarth rouge et, du troisième étage, une *mamma* crie à son fiston de téléphoner au garage du coin. Quelques instants plus tard arrivent deux mécaniciens qui constatent la défaillance du joint flexible de l'arbre de roue droit. La panne classique pour qui connaît la Fiat 600.

Illico presto, l'Abarth est remorquée au garage, où l'un des mécanos commence le démontage tandis que l'autre se lance à la recherche du joint maudit. Dix minutes plus tard, il revient triomphant avec non pas un mais deux joints, « au cas où le côté gauche ferait aussi défaut ». En moins de 90 minutes, le New-Yorkais Carl Magnusson et son copilote italien reprennent la route. Pour un instant, c'est comme si je revivais la Fiat 600 de mes 20 ans.

LES MONTAGNES

Enfin, les montagnes en direction de Terminillo. Une succession de virages et de montées abruptes qui font peiner les vieux chevaux des petites cylindrées et ceux des plus grosses *berlina* mieux adaptées aux routes de rase campagne. Par contre, c'est le terrain privilégié des agiles spiders et coupés Porsche, qui se jouent des épingles bordées de neige fondante. Au sommet, à près de 1800 mètres d'altitude, les foulards et les gros manteaux sortent pour protéger les équipages qui prennent le temps de siroter un café fumant.

Puis, c'est la descente vers Rome par une succession interminable de lacets. Une fois de plus, je pense aux Bugatti et Alfa Romeo des années 20 et à leurs freins à tambour commandés par câbles. Quel courage !

Vers 23 heures, j'entre enfin dans la Ville éternelle, qui brille de ses mille feux. Au chic Hôtel La Griffe m'attend un buffet dressé sur la terrasse à l'intention des équipages et équipes de soutien du Groupe Fiat. Musique douce sous les étoiles, repas léger mais néanmoins savoureux. Je vous dis, j'aime l'Italie.

Il faut bien s'entendre pour accepter de rouler pendant trois jours par monts et par vaux à bord de cette minuscule Giannini 750 Sport 1948.

EN PASSANT PAR MARANELLO

Samedi aux aurores, je quitte les Mille Miglia à destination de Maranello pour assister à la vente aux enchères organisée par RM Auctions au royaume de Ferrari. Mais mes Mille Miglia ne sont pas pour autant terminées, puisque la folle cavalcade doit faire escale à Maranello en fin d'après-midi. Au point de contrôle sur Via Enzo Ferrari, les rescapés des deux jours défilent les uns après les autres devant le chronomètre électronique (ô sacrilège), tandis que les voitures arrivées en avance sur l'horaire se garent pêle-mêle en un joyeux embouteillage. Une belle occasion de photographier autant de voitures de légende.

La célèbre flèche rouge, symbole des Mille Miglia, qui jalonne le parcours de 1600 km.

De Maranello, les Mille Miglia remontent vers Brescia via Parme, Crémone et Monza. Et c'est précisément sur ce circuit historique que je les retrouve en mai dernier, à l'occasion de mon plus récent voyage en Italie. Parmi les voitures qui retiennent mon attention, la magnifique berlinette Fiat 8V Zagato 1952 de l'équipage japonais Yoichi Sato et Mitsui Kakiya. « Tout va bien pour notre quatrième Mille Miglia », m'explique la charmante Mitsui, « mais il fait très chaud à l'arrêt sous le soleil. Nous avons hâte de redémarrer. »

Monza étant à moins de 100 kilomètres de Brescia, les concurrents qui ont survécu aux trois jours commencent à arriver au centre-ville en début d'après-midi sous les applaudissements de la foule qui longe la route et des chanceux qui ont réussi à trouver une table sur une terrasse d'où ils admirent le passage de ce musée vivant, fumant et pétaradant.

« *La corsa più bella del mondo* », avait déclaré Enzo Ferrari. Il avait sans doute raison : c'est la plus belle course au monde. Et cette reconstitution moderne qui attire nostalgiques et passionnés représente une occasion à ne pas manquer de vivre in situ l'histoire vivante de l'automobile dans un décor et des paysages à nul autre pareils. Un beau projet de vacances.

Sur la Plaza della Logia, à Brescia, une des voitures les plus marquantes du XXe siècle, la Lancia Lambda 1930, de l'équipage canadien Bigioni/Bigioni.

LES CLEFS D'OR

Plus ça change, plus c'est la même chose. Les années passent, les modèles évoluent, mais la question qui brûle toujours les lèvres est la même. Vous hésitez entre deux ou trois modèles et vous aimeriez bien avoir l'avis d'un expert. C'est la raison d'être d'un livre comme l'Annuel de l'automobile. Encore une fois cette année, notre équipe s'est penchée sur tous les modèles disponibles sur le marché pour tenter de jeter un peu de lumière sur les plus intéressants.

Nous sommes passés de 25 à 28 catégories pour mieux répondre à vos demandes. La catégorie des sports compacts renaît de ses cendres avec la venue de plusieurs nouveautés dans ce segment. Les modèles hybrides et électriques sont de plus en plus populaires. Nous avons créé une catégorie voitures hybride et multisegments hybride pour ceux qui considèrent un choix plus écologique.

Comme chaque année, les modèles en rouge sont des nouveautés qui n'ont pas encore pris la route, ils sont présents à titre indicatif, mais ne participent pas à notre tour de table. Les modèles en jaune sont des nouveautés qui ont fait l'objet d'un essai routier pour la plupart des membres de l'équipe. À vous de vous faire une idée.

LÉGENDES

- Nouveautés qui n'avaient pas encore pris la route au moment d'aller sous presse.
- Renouvellements de modèles existants ou des nouveaux modèles qui ont été essayés par quelques auteurs.

CITADINES

	Sécurité	Confort	Rapport valeur / prix	Total sur 15
Chevrolet Spark	4,5	3,5	4,5	12,5
Fiat 500	2,5	3	3	8,5
Mitsubishi Mirage	2	2,5	2,5	7
Nissan Micra	4	3,5	4	11,5
smart fortwo	4	3	3	10

GAGNANT : CHEVROLET SPARK

FINALISTE : NISSAN MICRA

SOUS-COMPACTES

GAGNANT : HONDA FIT

FINALISTES : KIA RIO/HYUNDAI ACCENT

	Sécurité	Confort	Rapport valeur / prix	Total sur 15
Chevrolet Sonic	4	3	3	10
Ford Fiesta	4	3	3	10
Honda Fit	4	4	4	12
Hyundai Accent	3,5	4	4	11,5
Kia Rio	3,5	4	4	11,5
Nissan Versa Note	4	3	3,5	10,5
Toyota Yaris	3	2	3	8
Toyota Yaris berline	3,5	3	3	9,5

COMPACTES

GAGNANT : HONDA CIVIC

FINALISTE : VOLKSWAGEN GOLF

	Habitabilité	Fiabilité	Rapport valeur / prix	Total sur 15
Chevrolet Cruze				
Ford Focus	3,5	3,5	3	10
Honda Civic	4,5	4	4	12,5
Hyundai Elantra	4	3	3	10
Kia Forte	4	3	3	10
Mazda3	4	2,5	3,5	10
Mitsubishi Lancer	4	4	3,5	11,5
Nissan Sentra	3	3	3	9
Subaru Impreza	3	4	4	11
Toyota Corolla	3	4	4	11
Toyota iM	3	4	3,5	10,5
Volkswagen Beetle	3	3	3	9
Volkswagen Golf	4	4	4	12
Volkswagen Jetta	4	3	4	11

SPORT COMPACTES

GAGNANT : VOLKSWAGEN GOLF GTI/R

FINALISTE : SUBARU WRX/STI

	Habitabilité	Plaisir de conduire	Rapport valeur/prix	Total sur 15
Fiat 500 Abarth	3	4	3	10
Ford Focus ST/RS	3,5	4,5	2,5	10,5
Honda Civic Si/Type R				
Hyundai Veloster	3	2	4	9
Kia Forte5/Koup SX	3	3	4	10
Mini Cooper	3	3	3	9
Subaru WRX/Sti	4	4,5	3	11,5
Golf Gti/R	4	5	4	13

LES INDISPENSABLES

INTERMÉDIAIRES

	Qualités dynamiques	Volume intérieur	Rapport valeur/prix	Total sur 15
Chrysler 200	3	3	3	9
Ford Fusion	4	4	3,5	11,5
Chevrolet Malibu	3	4,5	3,5	11
Honda Accord	3	4	4	11
Hyundai Sonata	3	3,5	3,5	10
Kia Optima	4	4	4	12
Mazda6	4	4	3	11
Nissan Altima	3	4	4	11
Subaru Legacy	3,5	3	4	10,5
Toyota Camry	3	3,5	4	10,5
Volkswagen Passat	4	4	3	11

GAGNANT : KIA OPTIMA

FINALISTE : FORD FUSION

BERLINES PLEINES GRANDEURS

	Confort	Volume intérieur	Rapport valeur/prix	Total sur 15
Buick LaCrosse				
Chevrolet Impala	4	4	3,5	11,5
Chrysler 300	3	4	2	9
Dodge Charger	3	4	2	9
Ford Taurus	3,5	4	3	10,5
Genesis G80				
Kia Cadenza				
Lexus ES	4,5	4	3,5	12
Nissan Maxima	3	4	3	10
Toyota Avalon	4	4	4	12

GAGNANTS : LEXUS ES/ TOYOTA AVALON

FINALISTE : CHEVROLET IMPALA

COUPÉS ET CABRIOLETS SPORT (MOINS DE 50 000 $)

	Habitabilité	Fiabilité	Rapport valeur/prix	Total sur 15
Dodge Challenger	4	3	3,5	10,5
Ford Mustang	4	4	4	12
Chevrolet Camaro	3,5	3,5	4	11
Hyundai Genesis Coupe	3	3	3	9
Nissan 370Z	3,5	3	4,5	11
Subaru BRZ/ Toyota 86	2,5	4	4	10,5

GAGNANT : FORD MUSTANG

FINALISTE : CHEVROLET CAMARO

SOUS COMPACTES DE LUXES

GAGNANT : AUDI A3

FINALISTE : BMW SÉRIE 2

	Habitabilité	Confort général	Rapport valeur/prix	Total sur 15
Acura ILX	3	3,5	3,5	10
Audi A3	3	4,5	3,5	11
BMW Série 2	3	4	3,5	10,5
Mercedes-Benz Classe B	4	3	3	10
Mercedes-Benz CLA	3,5	3	3	9,5
Mini Cooper Clubman	3	3	3	9

LUXE MODÈLE D'ENTRÉE

GAGNANT : AUDI A4

FINALISTE : MERCEDES-BENZ CLASSE C

	Qualité dynamiques	Confort général	Valeur résiduelle	Total sur 15
Acura TLX	3,5	3,5	4	11
Audi A4 / Allroad	5	4,5	4	13,5
BMW Série 3	5	3,5	3	11,5
Buick Regal	2,5	3,5	3,5	9,5
Cadillac ATS	3,5	3	4	10,5
Infiniti Q50	4	4	3,5	11,5
Jaguar XE				
Lexus IS	3	4	5	12
Mercedes-Benz Classe C	4	4	4	12
Volvo S60 / V60	3,5	4	2,5	10
Volkswagen CC	4	3,5	3	10,5

LUXE INTERMÉDIAIRES

GAGNANT : MERCEDES BENZ CLASSE E

FINALISTE : AUDI A6

	Technologies	Performances routières	Valeur résiduelle	Total sur 15
Acura RLX	5	3,5	4	12,5
Audi A6	4	5	4	13
Audi A7	4	5	3	12
BMW Série 5	5	5	3	13
Cadillac CTS	4	4	4	12
Infiniti Q70	4	3,5	3	10,5
Jaguar XF	3,5	4	2	9,5
Lexus GS	4	3,5	4	11,5
Maserati Ghibli	3,5	4	3	10,5
Mercedes-Benz Classe E	5	5	4	14
Volvo S90/90				

LES INDISPENSABLES

COUPÉS ET CABRIOLETS DE LUXE (PLUS DE 50 000 $)

	Agrément de conduite	Aspect pratique	Rapport valeur / prix	Total sur 15
Audi A5	4	4	3	11
BMW Série 4	5	3	3,5	11,5
Cadillac ATS coupe	4	4	3	11
Infiniti Q60				
Lexus RC	4	3	4	11
Mercedes-Benz Classe C	4,5	3,5	4	12

GAGNANT : MERCEDES-BENZ CLASSE C

FINALISTE : BMW SÉRIE 4

BERLINES DE PRESTIGE

	Contenu technologique	Confort	Valeur résiduelle	Total sur 15
Audi A8	4	5	3	12
BMW Série 6 GranCoupe	4	4,5	3	11,5
BMW Série 7	5	5	3	13
Cadillac CT6				
Hyundai G90				
Jaguar XJ	4	4	2	10
Kia K900	3,5	4	2	9,5
Lincoln Continental				
Lexus LS	4	4,5	3	11,5
Maserati Quattroporte	3,5	5	3	11,5
Mercedes-Benz Classe S	5	5	4	14
Mercedes-Benz CLS	4	4	4	12
Porsche Panamera				

GAGNANT : MERCEDES CLASSE S

FINALISTE : BMW SÉRIE 7

COUPÉS ET CABRIOLETS SPORT (PLUS DE 50 000 $)

	Performances pures	Agrément de conduite	Rapport valeur/prix	Total sur 15
Alfa Romeo 4C	4	3	3	10
Audi TT	4	5	3	12
Chevrolet Corvette	5	4	3,5	12,5
Jaguar F-Type	4	4	3	11
Lotus Evora 400	4,5	4	2,5	11
Mercedes -Benz SLC	3,5	4	3	10,5
Nissan GT-R	5	3,5	3,5	12
Porsche 911	5	5	4	14
Porsche 718 Boxster/Cayman				

GAGNANT : PORSCHE 911

FINALISTE : CHEVROLET CORVETTE

MULTISEGMENTS URBAINS

GAGNANT: HONDA HR-V

FINALISTE: KIA SOUL

	Polyvalence	Agrément de conduite	Rapport valeur/prix	Total sur 15
Chevrolet Trax	4	3,5	3	10,5
Fiat 500L	3	3	3	9
Fiat 500X	3,5	2	2,5	8
Honda HR-V	5	3,5	4	12,5
Jeep Compass/Patriot	3	3	4	10
Jeep Renegade	4	3,5	3,5	11
Kia Soul	4	4	4	12
Mazda CX-3	3	4	4	11
Mitsubishi RVR	3,5	3	4	10,5
Nissan Juke	3	4	4	11
Subaru XV Crosstrek	4	3	4	11

MULTISEGMENTS COMPACTS

GAGNANT: SUBARU OUTBACK

FINALISTE: HONDA CR-V

	Polyvalence	Agrément de conduite	Rapport valeur/prix	Total sur 15
Chevrolet Equinox	4	3	3	10
Ford Escape	3,5	3,5	3	10
Dodge Journey	4	3	2	9
GMC Terrain	4	3	3	10
Honda CR-V	3,5	4	4	11,5
Hyundai Tucson	3,5	3,5	3,5	10,5
Kia Sportage	3,5	3,5	3,5	10,5
Jeep Cherokee	4	4	3	11
Mazda CX-5	3	4	3	10
Mitsubishi Outlander	3,5	3,5	3,5	10,5
Nissan Rogue	3,5	3,5	4	11
Subaru Forester	3,5	3,5	4	11
Subaru Outback	4,5	4	3,5	12
Toyota RAV4	4	3	4	11
Volkswagen Tiguan	3	4	3	10

MULTISEGMENTS INTERMÉDIAIRES

GAGNANT: HONDA PILOT

FINALISTE: KIA SORENTO

	Polyvalence	Habitabilité et rangement	Confort	Total sur 15
Chevrolet Traverse	4	5	3	12
Dodge Durango	4	4	4	12
Ford Edge	3,5	3,5	4	11
Ford Explorer	4	3,5	3,5	11
Ford Flex	4	4	3	11
GMC Acadia / Classique	4	5	3	12
Honda Pilot	5	5	4	14
Hyundai Santa Fe (Sport et XL)	4	4	3,5	11,5
Jeep Grand Cherokee	3	3,5	4	10,5
Kia Sorento	5	4	4	13
Mazda CX-9	3,5	3,5	4	11
Nissan Murano	3	3	3,5	9,5
Nissan Pathfinder	4	4	3,5	11,5
Toyota Highlander	4	4	3	11

LES INDISPENSABLES

MONOSPACE

	Polyvalence et confort	Agrément de conduite	Coût d'utilisation	Total sur 15
Ford C-Max	3	4	3	10
Ford Transit Connect	4	2,5	3	9,5
Kia Rondo	3,5	3,5	4	11
Mazda 5	4	3	3	10
Mercedes-BenzClasse B	3,5	4	3	10,5
Toyota Prius V	3,5	3,5	4,5	11,5

GAGNANT : TOYOTA PRIUS V

FINALISTE : KIA RONDO

FOURGONNETTES

	Habilité et confort	Rangement et coffre	Rapport valeur/prix	Total sur 15
Chrysler Pacifica	4	5	3	12
Dodge Grand Caravan	3	4	2	9
Honda Odyssey	4	4	4,5	12,5
Kia Sedona	4	4	2	10
Toyota Sienna	3	4	4	11

GAGNANT : HONDA ODYSSEY

FINALISTE : CHRYSLER PACIFICA

UTILITAIRES GRAND FORMAT (7 À 9 PLACES)

	Habitabilité et confort	Capacités de charge/polyvalence	Rapport valeur/prix	Total sur 15
Ford Expedition	3,5	4	3	10,5
Chevrolet Tahoe/ Suburban/GMC Yukon/XL	4	4	3	11
Nissan Armada	3	4	3	10
Toyota Sequoia	3,5	3,5	3	10

GAGNANT : CHEVROLET TAHOE

FINALISTE : FORD EXPEDITION

GAGNANT : BMW X1

FINALISTE : MERCEDES-BENZ GLA

MULTISEGMENTS URBAINS DE LUXE

	Agrément de conduite	Qualités hivernales	Rapport qualité/prix	Total sur 15
Audi Q3	3	4	3	10
Buick Encore	3	3	3	9
BMW X1	4	4	3	11
Infiniti QX30				
Mini Countryman	4	3,5	2	9,5
Mercedes-Benz GLA	3,5	4	3	10,5

UTILITAIRES DE LUXE COMPACTS

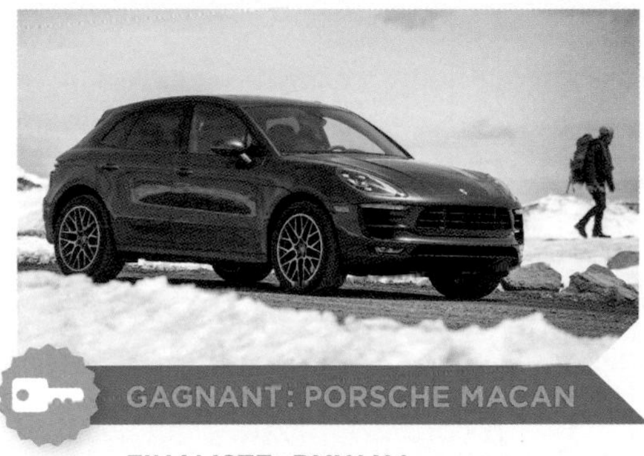

GAGNANT : PORSCHE MACAN

FINALISTE : BMW X4

	Agrément de conduite	Qualités hivernales	Rapport qualité/prix	Total sur 15
Acura RDX	4	4	3,5	11,5
Audi Q5	4	4	3,5	11,5
BMW X3	4	4	3	11
BMW X4	4	4	4	12
Buick Envision				
Infiniti QX50	4	3,5	3,5	11
Jaguar F-Pace				
Land Rover Discovery Sport	3,5	4	3,5	11
Land Rover Range Rover Evoque	4	4	3	11
Lexus NX	3,5	3,5	4	11
Lincoln MKC	4	3	3	10
Mercedes-Benz GLC	3	3,5	3,5	10
Porsche Macan	5	4	3,5	12,5
Volvo XC60	4	4	3	11

UTILITAIRES DE LUXE INTERMÉDIAIRES

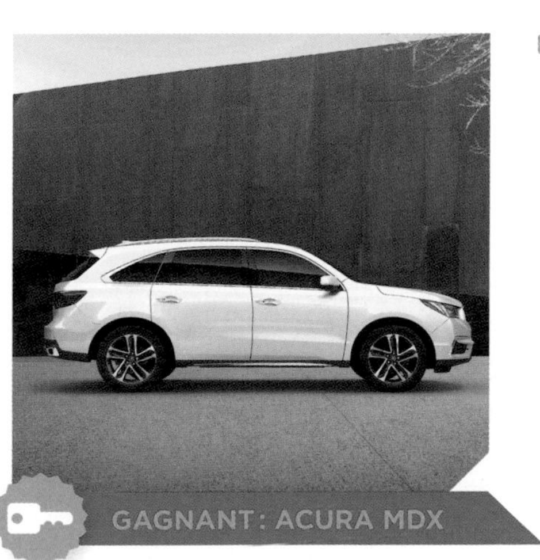

GAGNANT : ACURA MDX

FINALISTE : AUDI Q7

	Habitabilité et confort	Capacités de charge/polyvalence	Rapport valeur/prix	Total sur 15
Acura MDX	4	4	4	12
Audi Q7	4	4	3,5	11,5
BMW X5	4	3,5	3	10,5
BMW X6	4	3	3	10
Buick Enclave	3	3,5	3	9,5
Cadillac XT5	3	3,5	3,5	10
Infiniti QX60	3,5	3,5	3,5	10,5
Land Rover LR4	4	4	3	11
Land Rover Range Rover Sport	4	4	3	11
Lincoln MKT	3	3	3	9
Lincoln MKX	3,5	3	3	9,5
Lexus GX	3	3,5	3	9,5
Lexus RX	3,5	3	4	10,5
Maserati Levante				
Mercedes-Benz GLE	4	3	3,5	10,5
Porsche Cayenne	4	4	3	11
Volkswagen Touareg	4	4	3	11
Volvo XC90	4	3	3,5	10,5

LES INDISPENSABLES

UTILITAIRES GRAND FORMAT DE LUXE

	Habitabilité et confort	Agrément	Rapport valeur/prix	Total sur 15
Bentley Bentayga				
Cadillac Escalade	5	3,5	3,5	12
Infiniti QX80	4	3,5	3,5	11
Lexus LX	4	3	3	10
Land Rover Range Rover	5	3	3	11
Lincoln Navigator	4	3	3,5	10,5
Mercedes-Benz GLS	5	4	4	13

GAGNANT : MERCEDES-BENZ GLS

FINALISTE : CADILLAC ESCALADE

CABRIOLETS D'ENTRÉE DE GAMME

	Et l'hiver ?	Elle vieillit bien ?	Plaisirs de conduire	Total sur 15
Chevrolet Camaro	2	4	3,5	9,5
Fiat 124				
Fiat 500c	3	4	3	10
Ford Mustang	2	5	4	11
Mazda MX-5	3	5	5	13
Mini Cooper	3	3	4	10
Volkswagen Beetle	4	3	3	10

GAGNANT : MAZDA MX-5

FINALISTE : FORD MUSTANG

CAMIONNETTES INTERMÉDIAIRES

	Configuration / polyvalence	Capacité de remorquage	Agrément de conduite	Total sur 15
Chevrolet Colorado/ GMC Canyon	4	3,5	3	10,5
Honda Ridgeline	4,5	4	4	12,5
Nissan Frontier	3	3,5	3	9,5
Toyota Tacoma	4	4	3,5	11,5

GAGNANT : HONDA RIDGELINE

FINALISTE : CHEVROLET COLORADO/GMC CANYON

CAMIONNETTES PLEINES GRANDEURS

GAGNANT : FORD SÉRIE F

FINALISTES : CHEVROLET SILVERADO/ GMC SIERRA ET RAM 1500

	Configuration / polyvalence	Capacité de remorquage	Agrément de conduite	Total sur 15
Chevrolet Silverado/ GMC Sierra	5	5	3	13
Ford Série F	5	5	3,5	13,5
Nissan Titan	3	4	3,5	10,5
Ram 1500	5	5	3	13
Toyota Tundra	3	4	4	11

VOITURES HYBRIDES

GAGNANT : TOYOTA PRIUS/PRIME

FINALISTE : FORD FUSION HYBRIDE

	Polyvalence	Consommation/ autonomie	Rapport qualité/ prix	Total sur 15
Acura RLX Sport Hybrid	3	3	3	9
Audi A3 e-tron	3	3	3	9
BMW 330e	3	3	3	9
BMW 740Le xDrive	3	3	2,5	8,5
Buick Regal eAssist	3	3	3,5	9,5
Chevrolet Malibu Hybride				
Ford C-Max / Energi	3	3,5	3	9,5
Ford Fusion hybride/ Energi	3,5	4,5	3,5	11,5
Honda Accord Hybride	3,5	4	3,5	11
Hyundai Ioniq				
Hyundai Sonata Hybrid / Plug-In	3,5	4	3,5	11
Infiniti Q50 Hybrid	3	4	3	10
Kia Optima Hybrid / Plug-In	3,5	4	3,5	11
Kia Niro				
Lexus CT200h	3	4	3,5	10,5
Lexus ES300h	3,5	3,5	3	10
Lexus GS450h	3	3	3	9
Lexus LS600h	3	3	2,5	8,5
Lincoln MKZ Hybrid	3	3	3	9
Mercedes-Benz S 550e	3	3	3	9
Subaru Crosstrek Hybrid	3	2,5	3	8,5
Toyota Camry Hybrid	3,5	4	3,5	11
Toyota Prius/Prius Prime	4	4,5	3,5	12
Toyota Prius V	3,5	4	3,5	11
Toyota Prius C	3	4	4	11

LES INDISPENSABLES

MULTISEGMENTS HYBRIDES

	Conduite	Autonomie/ recharge	Rapport qualité/prix	Total sur 15
Acura MDX Sport Hybrid	3	3	3,5	9,5
Audi Q7 e-tron	3,5	3	3	9,5
BMW X5 xDrive40e	4	3	3	10
Chrysler Pacifica Plug-In Hybrid	3,5	3	3	9,5
Infiniti QX60 Hybrid	3	3	3	9
Lexus RX450h	3	3	3	9
Porsche Cayenne e-Hybrid	4	3	2,5	9,5
Toyota Highlander Hybrid	3	3	3,5	9,5
Volvo XC90 T8 Twin Engine	4	3	3,5	10,5

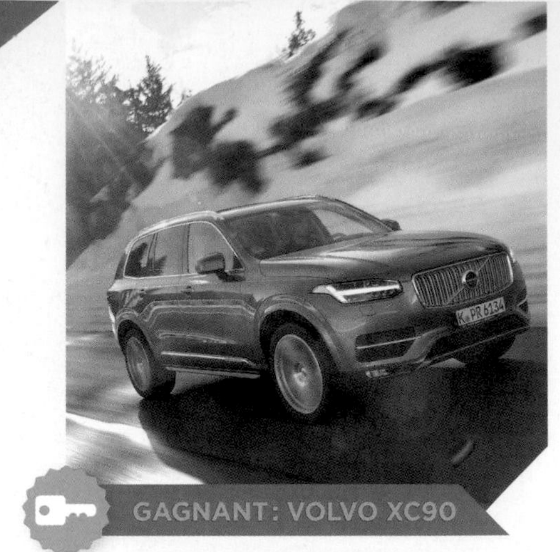

GAGNANT : VOLVO XC90

FINALISTE : BMW X5

VOITURES ÉLECTRIQUES

	Polyvalence	Autonomie/ recharge	Rapport qualité/prix	Total sur 15
BMW i3	3,5	3	3	9,5
BMW i8	3	2	3	8
Chevrolet Bolt				
Chevrolet Volt	4	4	4	12
Ford Focus électrique	3	2	2	7
Kia Soul EV	4	3,5	3,5	11
Mitsubishi i-MiEV	3	3	4	10
Nissan Leaf	4	3,5	4	11,5
Tesla Model S	4	5	3	12
Tesla Model X				
Toyota Mirai				

GAGNANT : CHEVROLET VOLT

FINALISTE : NISSAN LEAF

LA VOITURE DE L'ANNÉE

GAGNANT : HONDA CIVIC

LA COTE VERTE

MOTEUR L4 DE 2,4 L
CONSOMMATION (100 km) ville 9,3 L, route 6,6 L
CONSOMMATION ANNUELLE 1 377 L, 1 859 $
INDICE D'OCTANE 91
ÉMISSIONS POLLUANTES CO_2 3 167 kg/an
(source : ÉnerGuide)

FICHE D'IDENTITÉ

VERSION(S) Base, Premium, Tech, A-Spec
TRANSMISSION(S) Avant
PORTIÈRES 4 **PLACES** 5
PREMIÈRE GÉNÉRATION 2013
GÉNÉRATION ACTUELLE 2013
CONSTRUCTION Alliston ,Ontario, Canada
COUSSINS GONFLABLES 6 (frontaux, latéraux avant, rideaux latéraux)
CONCURRENCE Audi A3, BMW Série 2, Lexus CT 200h, Mercedes-Benz Classe CLA

AU QUOTIDIEN

COLLISION FRONTALE 5/5
COLLISION LATÉRALE 5/5
VENTES DU MODÈLE L'AN DERNIER
AU QUÉBEC 702 (-13,9 %) **AU CANADA** 2 551 (-7,3 %)
DÉPRÉCIATION (%) 34,4 (3 ans)
RAPPELS (2011 à 2016) 3
COTE DE FIABILITÉ 4/5

GARANTIES... ET PLUS

GARANTIE GÉNÉRALE 4 ans/80 000 km
GROUPE MOTOPROPULSEUR 5 ans/100 000 km
PERFORATION 5 ans/kilométrage illimité
ASSISTANCE ROUTIÈRE 4 ans /kilométrage illimité
NOMBRE DE CONCESIONNAIRES
AU QUÉBEC 13 **AU CANADA** 50

NOUVEAUTÉS EN 2017

Nouvelle palette de couleurs

LA CARTE CACHÉE DU SEGMENT

Depuis quelques années, l'industrie automobile s'intéresse davantage aux petits gabarits. Jadis réservée aux marques grand public, la catégorie des voitures compactes peut désormais être habillée d'écussons griffés comme Mercedes-Benz ou même BMW, comme s'il s'agissait de la dernière tendance mode du moment. Les consommateurs ont plus de choix, et c'est tant mieux ainsi! L'un de ces constructeurs n'a pas le prestige des deux marques mentionnées plus haut, mais en matière de longévité, l'Acura ILX est sans contredit l'une des pionnières du segment. Vous vous rappelez l'Acura CSX ainsi que sa devancière, l'Acura EL, n'est-ce pas ?

Vincent Aubé

TOUR DU PROPRIÉTAIRE > Légèrement redessinée pour l'année modèle 2016, l'ILX revient inchangée ou presque pour 2017. Contrairement à la berline Honda Civic remaniée de fond en comble l'an dernier, l'équivalente plus luxueuse doit poursuivre sa carrière encore un peu avec le squelette de l'ancienne génération. Il n'y a rien de mal à prolonger la vie d'une plateforme, surtout lorsque celle-ci est excellente, mais de nos jours, les consommateurs préfèrent le dernier cri, inutile de vous le rappeler. Heureusement, l'ILX a su se démarquer davantage de sa cousine Civic depuis son apparition dans l'alignement d'Acura en 2013. La silhouette est unique au modèle et respecte en même temps le caractère des autres produits de la marque. Reste maintenant à savoir si la grille de

+
- AGRÉMENT DE CONDUITE
- UN MOTEUR TYPIQUEMENT HONDA
- FIABILITÉ SUPÉRIEURE

–
- UNE SEULE COMBINAISON MÉCANIQUE
- PAS DE TRANSMISSION INTÉGRALE

MENTIONS

CLÉ D'OR | CHOIX VERT | **COUP DE CŒUR** | RECOMMANDÉ

VERDICT

PLAISIR AU VOLANT
QUALITÉ DE FINITION
CONSOMMATION
RAPPORT QUALITÉ / PRIX
VALEUR DE REVENTE
CONFORT

1 5 10

calandre en forme de bouclier va demeurer, le nouveau MDX ayant introduit une nouvelle saveur au Salon de New York 2016. Gageons un « p'tit deux » que non.

VIE À BORD > Un autre aspect que la division design a su différencier - par rapport à l'ancienne Civic, du moins - se trouve dans la planche de bord. L'affichage à deux niveaux de l'ancienne Civic n'a pas été reconduit dans la berline d'Acura, tandis que la qualité des matériaux reflète davantage ce à quoi les consommateurs de voitures luxueuses sont en droit de s'attendre. Les sièges de la première rangée s'avèrent très confortables et donnent suffisamment de support aux occupants dans les courbes prononcées, alors qu'à l'arrière, c'est un peu plus serré, et ce, malgré la présence d'un plancher entièrement plat. Autre fait à noter : le système de divertissement à deux écrans a été implanté en plein centre de la planche de bord, un élément qui fera plaisir aux conducteurs avides de technologie et de connectivité.

TECHNIQUE > Les premières années du modèle n'ont certainement pas été aussi florissantes que l'espéraient les stratèges d'Acura. Voyez-vous, l'obstination du constructeur à ne pas offrir une boîte automatique avec son moteur le plus performant n'a pas aidé la cause de cette berline compacte. Heureusement, cette situation a été corrigée en 2016 avec un nouveau moteur 4 cylindres de 2,4 litres d'une puissance de 201 chevaux et d'un couple optimal de 180 livres-pieds. Accouplée à ce moteur, une boîte à double embrayage à 8 rapports ajoute un brin de modernité à l'ILX, celle-ci permettant aussi le changement manuel des rapports au moyen de palettes montées derrière le volant. Évidemment, les puristes de l'excellente boîte manuelle à 6 rapports manifestent encore devant le quartier général de la marque pour son retour, mais malheureusement pour eux, ce retour en arrière n'arrivera pas, surtout considérant l'efficacité de la nouvelle boîte. Quant aux deux autres motorisations jadis boulonnées sous le capot de l'ILX, elles ne figurent plus au catalogue.

AU VOLANT > Avant la révision de 2016, l'ILX avait toujours été considérée comme une solution plus habillée de la berline Honda Civic Si. Bien entendu, il est impossible de cacher le fait que l'ancienne version de la Si et l'ILX partagent la même plateforme, tandis que les similitudes sur le plan de la mécanique ont certainement nui au rayonnement de la berline Acura. Avec un nouveau bloc et une transmission plus « accessible » pour le commun des mortels, l'ILX peut enfin aspirer à une carrière plus valorisante. Cette transmission accomplit du bon boulot et ce 4-cylindres est à l'image de la réputation de la marque en matière de motorisation. Les accélérations sont franches et la tenue de route un brin plus affirmée que par le passé. À force de réviser les paramètres de la compacte, Acura a réussi à s'éloigner de la formule Civic Si. Une excellente décision si vous voulez mon avis.

CONCLUSION > La partie n'est pas gagnée d'avance pour l'ILX. La concurrence revêt des écussons assez prestigieux et lorsqu'il est question de luxe, le nom l'emporte souvent sur la raison. Pourtant, la plus petite des Acura n'a jamais été aussi bien ficelée et sa fiabilité est encore l'une de ses plus grandes qualités. ■

2e OPINION

Luc-Olivier Chamberland

Avec le lancement de la nouvelle génération de la Civic, surtout en version Touring, on comprend difficilement l'acheteur d'une ILX. Accusant un certain retard, la petite Acura bénéficiera seulement l'année prochaine des plus récentes innovations de la Civic. Elle demeure intéressante pour son style affirmé, mais la Civic se présente comme une meilleure option. Mécaniquement, on revient avec l'ancienne génération du 2,4-litres de la Civic Si. D'ailleurs, après des essais et beaucoup d'erreurs, c'est la seule motorisation restante dans l'ILX. Forte de ses 201 chevaux et d'une transmission à double embrayage, elle livre des performances qui sont les bonnes. Intéressante, il lui manque encore ce quelque chose qui lui permettrait de s'imposer devant des véhicules comme la Mercedes-Benz CLA.

FICHE TECHNIQUE

MOTEUR(S)

(ILX) L4 2,4 L DACT
PUISSANCE 201 ch à 6 800 tr/min
COUPLE 180 lb-pi à 3 600 tr/min
RAPPORT POIDS/PUISSANCE 6,9 à 7,1 kg/ch
BOÎTE(S) DE VITESSES manuelle robotisée à 8 rapports
PERFORMANCES 0-100 km/h 6,9 s
NIVEAU SONORE Bon
VITESSE MAXIMALE 230 km/h

AUTRES COMPOSANTS

SÉCURITÉ ACTIVE (certains en option) Freins ABS, assistance au freinage, répartition électronique de la force de freinage, contrôle de la stabilité électronique, antipatinage, aide au départ en pente, avertisseur d'impact imminent, assistance en cas de sortie de voie
SUSPENSION avant/arrière indépendante
FREINS avant/arrière Disques
DIRECTION à crémaillère, assistée électriquement
PNEUS P215/45R17 **A-Spec** P225/40R18

DIMENSIONS

EMPATTEMENT 2 670 mm
LONGUEUR 4 620 mm
LARGEUR 1 794 mm
HAUTEUR 1 412 mm
POIDS 1 397 kg **Premium/Tech** 1 415 kg **A-Spec** 1 424 kg
RÉPARTITION DU POIDS AV/ARR (%) 60/40
DIAMÈTRE DE BRAQUAGE 11,5 m
COFFRE 348 L **Base** 350 L
RÉSERVOIR DE CARBURANT 50 L

LA COTE VERTE

MOTEUR V6 DE 3,0 L HYBRIDE
CONSOMMATION (100 km) ville 9,4 L, route 9,0 L
CONSOMMATION ANNUELLE 1 564 L, 2 111 $
INDICE D'OCTANE 91
ÉMISSIONS POLLUANTES CO_2 3 597 kg/an
(source : Acura)

FICHE D'IDENTITÉ

VERSION(S) Base, Navi, Tech, Elite, Sport Hybrid
TRANSMISSION(S) 4
PORTIÈRES 5 **PLACES** 7
PREMIÈRE GÉNÉRATION 2001
GÉNÉRATION ACTUELLE 2014
CONSTRUCTION Lincoln, Alabama et East-Liberty, Ohio, É-U.
COUSSINS GONFLABLES 7 (frontaux, genoux conducteur, latéraux avant, rideaux latéraux)
CONCURRENCE Audi Q7, BMW X5/X6, Buick Enclave, Cadillac XT5, Infiniti QX60, Jeep Grand Cherokee, Land Rover LR4/Range Rover Sport, Lexus GX/RX, Lincoln MKT/MKX, Maserati Levante, Mercedes Benz GLE, Porsche Cayenne, Volkswagen Touareg, Volvo XC90

AU QUOTIDIEN

COLLISION FRONTALE 5/5
COLLISION LATÉRALE 5/5
VENTES DU MODÈLE L'AN DERNIER
AU QUÉBEC 931 (-8,4 %) **AU CANADA** 5 814 (-7,3 %)
DÉPRÉCIATION (%) 26,5 (3 ans)
RAPPELS (2011 à 2016) 7
COTE DE FIABILITÉ 4/5

GARANTIES... ET PLUS

GARANTIE GÉNÉRALE 4 ans/80 000 km
GROUPE MOTOPROPULSEUR 5 ans/100 000 km
PERFORATION 5 ans/kilométrage illimité
ASSISTANCE ROUTIÈRE 4 ans /kilométrage illimité
NOMBRE DE CONCESIONNAIRES
AU QUÉBEC 13 **AU CANADA** 50

NOUVEAUTÉS EN 2017

Version hybride à 3 moteurs électriques (1 avant, 2 arrière). Retouches esthétiques, nouvelles jantes de 20 po., phares adaptatifs, assistance en cas de collision imminente, aide au maintien de voie de série. L'ensemble Elite bonifié et maintenant disponible avec nouvelle finition de bois noir et sièges capitaine à la 2è rangée, nouvelle palette de couleurs.

DISCRET, MAIS EFFICACE

Grosso modo, il se vend au Canada autant de voitures que de VUS/Camion, n'en déplaise aux environnementalistes. Même qu'en décembre dernier, on battait un record au Québec; jamais il ne s'était vendu autant de VUS. Le MDX, qui fut l'un des pionniers dans le genre, est toujours au poste et même si on a l'impression qu'il a perdu de sa superbe au fil des années, il demeure fort populaire. L'an dernier, 931 consommateurs québécois lui ont été fidèles, 5814 au Canada. C'est la preuve qu'il séduit toujours.

Daniel Rufiange

TOUR DU PROPRIÉTAIRE > Lorsqu'elle a redessiné son MDX pour l'année 2014, Acura a raté une occasion en or de le doter d'un design qui aurait fait saliver ceux qui ne rêvent qu'aux produits allemands. Comprenons-nous bien. Le MDX n'est pas hideux, mais en matière de style, si c'est tout ce qu'on pouvait faire, il y a des questions à poser. Si vous aimez la discrétion, c'est pour vous ! S'il faut trouver une qualité à ce design, c'est qu'il va bien vieillir.

Pour les versions, elles se comptent au nombre de cinq : Base, Navi, Tech, Elite et Sport Hybrid, la nouveauté cette année. S'il y a une bonne nouvelle, c'est qu'il en offre plus aujourd'hui qu'hier; son prix est comparable à celui d'il y a 10 ans.

+
- GRAND NIVEAU DE CONFORT
- BON RAPPORT QUALITÉ-PRIX
- HISTORIQUE DE FIABILITÉ
- QUALITÉ DE CONSTRUCTION

−
- LIGNES BIEN TROP DISCRÈTES
- BOÎTE À 9 RAPPORTS PARFOIS HÉSITANTE
- POIDS

MENTIONS

CLÉ D'OR | CHOIX VERT | COUP DE CŒUR | RECOMMANDÉ

VERDICT

PLAISIR AU VOLANT
QUALITÉ DE FINITION
CONSOMMATION
RAPPORT QUALITÉ / PRIX
VALEUR DE REVENTE
CONFORT

1 5 10

VIE À BORD > Là où la critique est plus difficile, c'est lorsqu'on monte à bord. On y découvre un environnement de grande qualité, agrémenté d'une présentation qui plaît à l'œil. Le système à double écran de la console centrale demande une période d'adaptation, mais une fois qu'on en maîtrise les rudiments, on s'y retrouve. Plus on monte en grade, plus la liste d'équipement s'enrichit, mais il conviendra de bien évaluer ses besoins; le modèle de base propose une liste de commodités qui suffira à plusieurs. Un bon mot pour la chaîne audio, qui nous permet de savourer à fond nos pièces préférées.

À la deuxième rangée, l'espace est fort généreux, peut-être même un peu trop au détriment de la troisième, qu'on doit réserver aux papooses seulement. En matière de rangement, vous y trouverez votre compte alors qu'Acura a rendu accessible le moindre recoin.

TECHNIQUE > Pour déplacer les quelque 2 000 kilos du MDX, deux options. D'abord, le valeureux V6 de 3,5 litres à injection directe de carburant, un bloc proposant 290 chevaux et 267 livres-pieds de couple. Puis un moteur V6 de 3 litres doté d'un système de désactivation des cylindres est quant à lui marié aux trois moteurs électriques de la version hybride. Des boîtes automatiques à 9 et à 7 rapports, respectivement, servent les deux approches. Il sera intéressant de découvrir le travail de la deuxième, car le rendement de la première laisse sur l'appétit. Certains changements de rapports sont brusques. Puis à vitesse stable, à 60-70 km, la boîte est parfois hésitante. Trop de rapports, c'est comme pas assez. Enfin, pour en revenir à la version hybride, mentionnons que sa configuration a été calquée sur celle de la RLX Sport Hybride.

AU VOLANT > Même si le MDX est doté d'un moteur pimpant, et même s'il se montre solide sur la route, il est davantage apprécié lorsqu'il est conduit avec délicatesse. Il ne faut pas oublier son poids, un handicap évident quand vient le temps d'enfiler des virages plus serrés. Ainsi, l'idéal est de se laisser bercer par le grand niveau de confort de ce produit, bien insonorisé, de surcroît. Mieux, lorsque piloté avec sagesse, on s'en tire fort bien à la pompe, comme en témoigne la moyenne de 9,8 litres aux 100 kilomètres maintenue lors de mon essai, avec 80 % du trajet réalisé sur la grande route. Ce qui pourra être retranché à cette cote avec la version hybride, qui propose de surcroît plus de puissance, représentera un gain non négligeable.

CONCLUSION > À défaut d'offrir une gueule irrésistible, le MDX se démarque de bien d'autres façons et c'est pour l'ensemble de son œuvre qu'il doit être inscrit au sommet de vos priorités si vous reluquez un VUS dans cette catégorie. ■

2e OPINION

Michel Crépault

J'examine les ventes de 2015 au Québec dans le segment des *Utilitaires sport intermédiaires de luxe* et je découvre que le MDX s'est fait déloger de sa première place habituelle par le Cadillac SRX (devenu XT5) et s'est drôlement fait chauffer le pare-chocs par le Mercedes-Benz M (devenu GLE). Il reste donc apprécié mais défié par la concurrence. Parmi ses plus belles qualités : l'aménagement de son habitacle bon pour sept passagers, son V6 fluide qui autorise la désactivation partielle des cylindres en croisière, l'excellente transmission intégrale SH-AWD et l'ergonomie soignée du poste de commande. Mais il lui manque maintenant un petit quelque chose pour transcender la catégorie. À commencer par une enveloppe moins générique (à sa défense, toutefois, cette silhouette vieillit bien). Honda peut faire mieux...

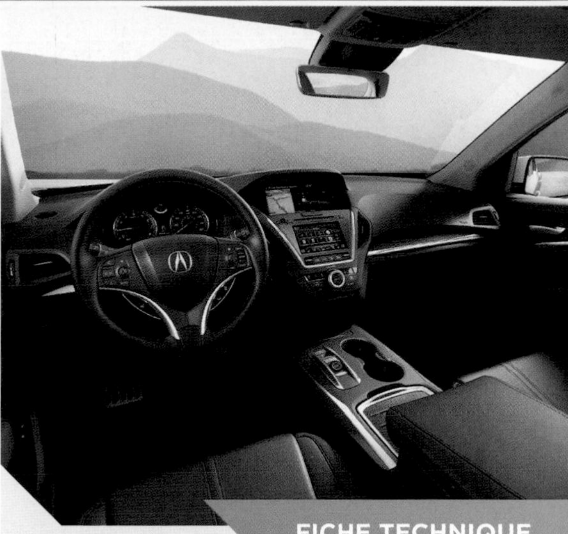

FICHE TECHNIQUE

MOTEUR(S)

(MDX) V6 3,5 L SACT
PUISSANCE 290 ch à 6 200 tr/min
COUPLE 267 lb-pi à 4 500 tr/min
RAPPORT POIDS/PUISSANCE 6,6 à 6,7 kg/ch
BOITE(S) DE VITESSES automatique à 9 rapports avec mode manuel et manettes au volant
PERFORMANCES 0-100 km/h 6,5 s
REPRISE 80-115 km/h 4,6 s
FREINAGE 100-0 km/h 45,7 m
NIVEAU SONORE À 100 km/h Bon
VITESSE MAXIMALE 200 km/h
CONSOMMATION (100 km) ville 12,7 L, route 9,1 L (octane 91)
ANNUELLE 1 819 L, 2 456 $
ÉMISSIONS POLLUANTES CO_2 4 184 kg/an

(Hybride) V6 3,0 L SACT + 3 moteurs électriques
PUISSANCE 325 ch total combiné
COUPLE ND
RAPPORT POIDS/PUISSANCE 6,6 kg/ch (est.)
BOITE(S) DE VITESSES robotisée à 7 rapports
PERFORMANCES 0-100 km/h 6,5 s (est.)
REPRISE 80-115 km/h 4,5 s (est.)
FREINAGE 100-0 km/h ND
NIVEAU SONORE À 100 km/h ND
VITESSE MAXIMALE 200 km/h (est.)

AUTRES COMPOSANTS

SÉCURITÉ ACTIVE (certains en option) Freins ABS, assistance au freinage, répartition électronique de la force de freinage, contrôle électronique de la stabilité, antipatinage, aide au départ en pente, régulateur de vitesse adaptatif, avertisseur et assistance en cas de collision imminente, avertisseur de sortie de voie et aide au maintien de voie, contrôle de louvoiement de la remorque, phares adaptatifs, caméra 360°
SUSPENSION avant/arrière indépendante
FREINS avant/arrière disques
DIRECTION à crémaillère, assistée électriquement
PNEUS Base P245/60R18 **Navi, Tech, Elite** P245/50R20

DIMENSIONS

EMPATTEMENT 2 820 mm
LONGUEUR 4 917 mm
LARGEUR 1 962 mm
HAUTEUR 1 716 mm (antenne incl.)
POIDS base 1 907 kg **Navi** 1 913 kg **Tech** 1 915 kg **Elite** 1 954 kg **Hybride** 2 155 kg (est.)
RÉPARTITION DU POIDS AV/ARR (%) 58/42
DIAMÈTRE DE BRAQUAGE 11,8 m
COFFRE 447 L, 1 277 L (3e rangée abaissée), 2 575 L (sièges abaissés) **Hybride** ND
RÉSERVOIR DE CARBURANT 74 L **Hybride** ND
CAPACITÉ DE REMORQUAGE 1 588 kg, 2 268 kg (ensemble remorquage)

LA COTE VERTE

MOTEUR V6 DE 3,5 L
CONSOMMATION (100 km) ville 12,8 L, route 9,6 L
CONSOMMATION ANNUELLE 1 904 L, 2 570 $
INDICE D'OCTANE 91
ÉMISSIONS POLLUANTES CO_2 4 379 kg/an
(source : L'Annuel)

FICHE D'IDENTITÉ

VERSION(S) NSX
TRANSMISSION(S) 4
PORTIÈRES 2 **PLACES** 2
PREMIÈRE GÉNÉRATION 1990
GÉNÉRATION ACTUELLE 2016
CONSTRUCTION Marysville, Ohio, É-U.
COUSSINS GONFLABLES 6 (frontaux, latéraux, rideaux latéraux)
CONCURRENCE Audi R8, Chevrolet Corvette, Ford GT, Jaguar F-Type, Lexus LC, Mercedes-Benz-AMG GT, Nissan GT-R, Porsche 911

AU QUOTIDIEN

COLLISION FRONTALE nm
COLLISION LATÉRALE nm
VENTES DU MODÈLE L'AN DERNIER
AU QUÉBEC nm **AU CANADA** nm
DÉPRÉCIATION (%) nm
RAPPELS (2011 à 2016) nm
COTE DE FIABILITÉ nm

GARANTIES... ET PLUS

GARANTIE GÉNÉRALE 4 ans/80 000 km
GROUPE MOTOPROPULSEUR 5 ans/100 000 km
PERFORATION 5 ans/kilométrage illimité
ASSISTANCE ROUTIÈRE 4 ans /kilométrage illimité
NOMBRE DE CONCESIONNAIRES
AU QUÉBEC 13 **AU CANADA** 50

NOUVEAUTÉS EN 2017

Nouveau modèle

LA RAISON SANS LA PASSION

Acura a créé une petite révolution lorsqu'elle a présenté la première génération de la NSX. À cette époque, les voitures exotiques étaient plus près de l'artisanat que de la réelle précision industrielle. Acura a donné un grand coup de pied dans le derrière des Ferrari, Lamborghini et compagnie en amenant une voiture qui était non seulement performante, mais aussi confortable, facile à conduire et surtout fiable, une rareté à cette époque. Vingt-cinq ans plus tard, c'est en se basant sur les mêmes prémisses qu'Acura nous dévoile sa deuxième génération de NSX.

Benoit Charette

TOUR DU PROPRIÉTAIRE > Ce n'est nul autre que le légendaire Pininfarina qui avait été mandaté pour faire le dessin de la première NSX. Cela transpirait l'élégance italienne. Pour 2017, l'efficacité a primé sur l'élégance. La voiture, conçue par Honda aux États-Unis, regorge de trappes d'air pour refroidir les turbos, les freins, canaliser le flux d'air pour améliorer l'aérodynamique ou encore augmenter l'appui au sol à haute vitesse. Alors que la première génération favorisait la forme sur la fonction, c'est l'inverse qui a dicté l'expression visuelle du modèle 2017. L'équipe de concepteurs s'est ensuite contentée d'ajouter quelques angles bien sentis, et voilà. Elle n'a pas le style ludique d'une Lamborghini ou l'exubérance d'une Ferrari. Elle se place plutôt dans le style plus rationnel d'une allemande comme l'Audi R8.

\+ TENUE DE ROUTE REMARQUABLE
CONFORT SURPRENANT
FACILITÉ DE CONDUIRE REMARQUABLE

– MANQUE D'ÉMOTION DANS LA CONDUITE
DIRECTION SANS VIE
TRÈS PEU DE RANGEMENTS ET PRATIQUEMENT PAS DE COFFRE

MENTIONS

CLÉ D'OR | CHOIX VERT | COUP DE CŒUR | RECOMMANDÉ

VERDICT

PLAISIR AU VOLANT
QUALITÉ DE FINITION
CONSOMMATION
RAPPORT QUALITÉ / PRIX
VALEUR DE REVENTE nm
CONFORT

1 5 10

VIE À BORD > Même si l'habitacle est limité à deux passagers, l'espace est généreux. Vous avez le choix de sièges de série plus rembourrés ou de sièges sport en option. Pour une conduite de tous les jours, je vous conseille la première solution. La console centrale est dominée par une mollette qui se trouve normalement là où se trouve le contrôle du volume de la radio. Cette mollette active quatre différents modes de conduite qui changent la configuration et la couleur de l'écran TFT situé devant le conducteur. La transmission se commande par bouton et vous pouvez conduire en mode complètement automatique ou en mode manuel avec palettes au volant. Le sentiment de grand espace de la première génération est toujours aussi présent, et Acura a travaillé très fort à construire un pilier A mince qui n'obstrue en rien l'excellente visibilité.

TECHNIQUE > La NSX, à l'image de la Porsche 918, de la McLaren P1 ou de la Ferrari LaFrerrari, est une voiture hybride. Elle utilise la puissance de l'électricité pour apporter un surplus de puissance au moteur V6 biturbo placé en position centrale. Les moteurs électriques n'ont donc ici aucune autre fonction que celle d'ajouter de la puissance, pas de vertu écologique. Et pour ceux qui se demandent si cette NSX peut se conduire en mode tout électrique, la réponse est oui, mais pour à peine un kilomètre. Derrière le conducteur, en position centrale, repose le moteur V6 3,5 litres biturbo de 500 chevaux et 406 livres-pied de couple. Il s'agit en fait d'un tout nouveau moteur placé de manière longitudinale et non transversale. Cette particularité est redevable aux deux turbos ajoutés au moteur qui ne trouvaient pas d'espace suffisant dans une position transversale, ce qui a forcé Acura à fabriquer un moteur longitudinal. À la puissance du moteur thermique s'ajoutent 3 moteurs électriques. Le premier se trouve à l'arrière, pris en sandwich entre la boîte à double embrayage à 9 rapports et le moteur à essence. Les deux autres sont placés à l'avant, un moteur par roue, et ils agissent indépendamment l'un de l'autre. Vous avez en fait un véhicule 4 roues motrices avec gestion active du couple qui donne une tenue de route surréaliste à la NSX. La puissance combinée du moteur à essence et des moteurs électriques donne 573 chevaux et 476 livres-pieds de couple.

AU VOLANT > Même avec une coque entièrement en aluminium et l'utilisation de fibre de carbone, la NSX doit composer avec des moteurs électriques et des batteries très lourdes, qui ramènent le poids à 1725 kilos. Il faut toutefois admettre que ce poids n'est pas un facteur négatif dans le comportement routier. La monte d'origine prend la forme des pneus Continental SuperContact, choisis pour un heureux mélange de performance et de confort. Moyennant supplément, vous pouvez opter pour des Pirelli P Zero ou des Michelin Pilot Cup 2, qui se caractérisent dans les deux cas par une adhérence supérieure et une espérance de vie plus courte. Première constatation, toutes les qualités de la première génération se retrouvent dans la nouvelle. On expérimente le même confort, cette grande docilité, une facilité de conduire qui est déconcertante. La puissance a fait un sérieux bond en avant. Vous avez le choix de 4 modes de conduite : Sport, Sport +, Track et Quiet. En mode Track, vous avez droit à un mode de lancement, un Lauch Control comme disent les Anglais. Facile à utiliser, il vous permet de faire un 0-100 km/h en 3 secondes, mais les ingénieurs nous ont avoué que le système est calibré pour environ 400 départs canon. Ce n'est donc pas recommandé de l'utiliser à outrance, cela risque de vous coûter une transmission et un embrayage. Le mode Quiet limite le moteur à 4 000 tours/minute et diminue le bruit de 25 décibels pour ne pas réveiller le voisinage si vous rentrez un peu tard. Le plus étonnant, outre sa puissance, est l'extraordinaire linéarité de la puissance combinée de tous les moteurs et la tenue de route sidérante. Contrairement à bien des moteurs turbo, qui souffrent de temps mort, les moteurs électriques prennent la relève dans tous les petits trous de régime et donnent une poussée en continu jusqu'à 7500 tours/minute. Wow.

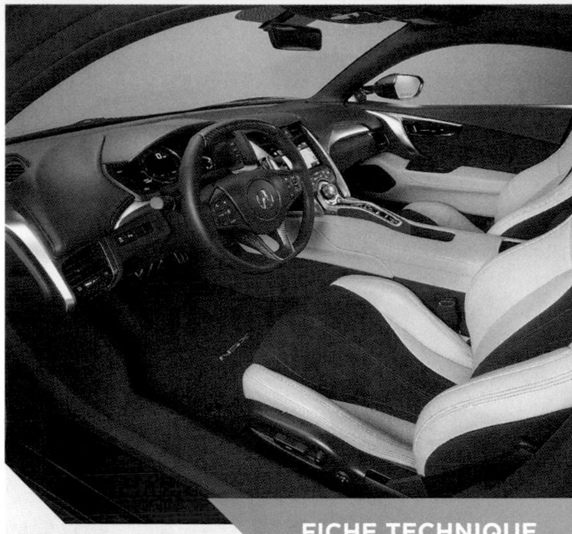

FICHE TECHNIQUE

MOTEUR(S)

(NSX) V6 3,5 L DACT biturbo + 3 moteurs électriques
PUISSANCE 500 ch de 6 500 à 7 500 tr/min + moteurs électriques : arrière 47 ch, avant (2) 36 ch chacun à 4 000 tr/min, 573 ch total combiné
COUPLE 406 lb-pi de 2 000 à 6 000 tr/min + moteurs électriques : arrière 109 lb-pi de 500 à 2 000 tr/min, avant (2) 54 lb-pi de 0 à 2 000 tr/min chacun, 476 lb-pi total disponible
RAPPORT POIDS/PUISSANCE 3,0 kg/ch
BOITE(S) DE VITESSES manuelle robotisée à 9 rapports, avant : automatique à 1 rapport
PERFORMANCES 0-100 km/h 3,2 s
REPRISE 80-115 km/h 3,0 s (est.)
FREINAGE 100-0 km/h ND
NIVEAU SONORE À 100 km/h bon
VITESSE MAXIMALE 307 km/h

AUTRES COMPOSANTS

SÉCURITÉ ACTIVE freins ABS, assistance au freinage, répartition électronique de la force de freinage, contrôle électronique de la stabilité, antipatinage, phares adaptatif, avertisseur d'obstacle latéral et arrière
SUSPENSION avant/arrière indépendante
FREINS avant/arrière disques
DIRECTION à crémaillère, assistée électriquement
PNEUS P245/35R19 (av.), P305/30R20 (arr.)

DIMENSIONS

EMPATTEMENT 2 629 mm
LONGUEUR 4 470 mm
LARGEUR 2 217 mm
HAUTEUR 1 214 mm
POIDS 1 725 kg
RÉPARTITION DU POIDS AV/ARR (%) 42/58
DIAMÈTRE DE BRAQUAGE 12,1 m
COFFRE 110 L
RÉSERVOIR DE CARBURANT 59 L

A

B

C

D

E

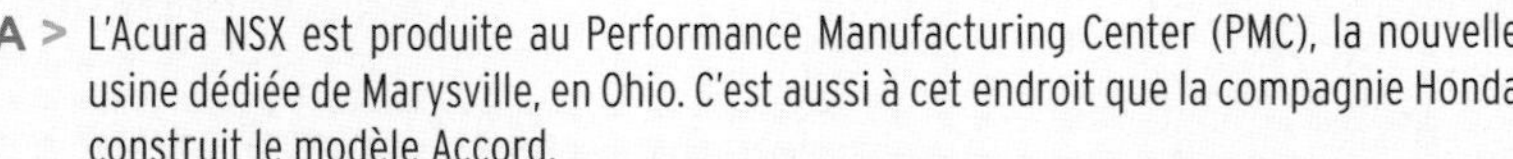

GALERIE

A > L'Acura NSX est produite au Performance Manufacturing Center (PMC), la nouvelle usine dédiée de Marysville, en Ohio. C'est aussi à cet endroit que la compagnie Honda construit le modèle Accord.

B > Le moteur V6 de 3,5 litres à deux turbocompresseurs et carter sec est assemblé à la main par des maîtres assembleurs de l'usine de moteurs toute proche d'Anna, en Ohio. Chaque moteur prend plus de six heures à assembler et il est équilibré à la machine.

C > Un vortex très important se crée sous la voiture et s'échappe à travers les ailettes méticuleusement optimisées du diffuseur arrière, permettant d'ancrer encore davantage la NSX au sol. Détail exclusif, ces ailettes ne sont pas parallèles l'une par rapport à l'autre. Elles sont plus rapprochées à l'avant et plus espacées à l'arrière. Ce design crée une faible pression et maximise davantage l'appui aérodynamique.

D > La supermaniabilité est portée à son sommet dans la NSX, dans laquelle la force des moteurs électriques à l'avant procure une accélération à retard nul. Cela permet à la NSX d'offrir un guidage dynamique du couple, même quand le véhicule et le moteur fonctionnent à basse vitesse.

E > Le poste de conduite vous fait vivre une expérience privilégiée. Vous êtes connecté à l'un des quatre modes de conduite et entouré de matériaux nobles.

HISTORIQUE

Présentée pour la première fois au Salon de l'auto de Chicago en 1989, la NSX, conçue par le pilote de F1 Ayrton Senna, voulait faire la lutte aux Porsche et Ferrari de ce monde. En plus d'être une des premières voitures avec un châssis entièrement en aluminium, Honda proposait aussi le calage variable du moteur. La première génération a pris fin en 2005 avec des ventes totalisant près de 19 000 unités. La seconde génération a été présentée au Salon de l'auto de Genève en 2015.

Acura NSX Chicago 1989

Acura NSX 1992

Acura NSX 2005

Acura NSX 2 Concept

Acura NSX 2017

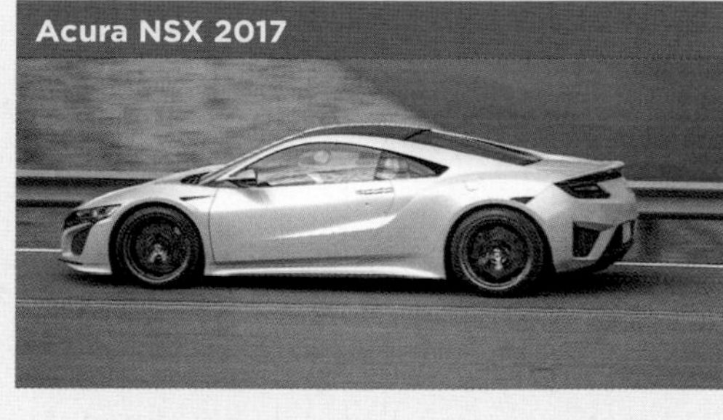

Sur circuit routier, grâce à la gestion active du couple qui permet de contrôler individuellement chaque roue à l'avant, vous arrivez à défier les lois de la gravité. Vous pouvez accélérer avant la fin d'une courbe et le système va faire tourner la roue intérieure plus lentement et la roue extérieure plus rapidement en vous relançant sur la ligne droite sans aucune forme de roulis. Une efficacité redoutable et une facilité de conduire qui rendront le pilote moyen plus compétent, trop peut-être. Pour plus de performance, vous pouvez choisir des freins en carbone-céramique à 12 900 $, ajouter un becquet et un toit en fibre de carbone pour 11 000 $.

CONCLUSION > Si le choix d'une voiture exotique faisait uniquement appel à la logique, vous iriez de ce pas vous procurer une NSX. Cette voiture est non seulement puissante et rapide, mais elle est aussi fiable, agréable à conduire et durable. Toutefois, l'émotion si importante pour une voiture exotique fait défaut. Tout est bien mesuré, dosé, réfléchi, un peu trop peut-être. Il manque cette touche de folie qui caractérise si bien les supervoitures. Avec un prix de base à 189 900 $ et une version tout équipée à 250 000 $, il n'en manque pas beaucoup pour arriver dans le territoire de Ferrari et de Lamborghini, et l'aura d'Acura n'a pas encore atteint le statut des italiennes. ■

LA COTE VERTE

MOTEUR V6 DE 3,5 L
CONSOMMATION (100 km) ville 12,4 L, route 8,6 L
CONSOMMATION ANNUELLE 1 836 L, 2 479 $
INDICE D'OCTANE 91
ÉMISSIONS POLLUANTES CO_2 4 223 kg/an
(source : ÉnerGuide)

FICHE D'IDENTITÉ

VERSION(S) Base, Tech, Elite
TRANSMISSION(S) 4
PORTIÈRES 5 **PLACES** 5
PREMIÈRE GÉNÉRATION 2007
GÉNÉRATION ACTUELLE 2013
CONSTRUCTION Marysville, Ohio, É-U.
COUSSINS GONFLABLES 7 (frontaux, genoux conducteur, latéraux avant, rideaux latéraux)
CONCURRENCE Audi Q5, BMW X3/X4, Buick Envision, Infiniti QX50, Range Rover Evoque/Land Rover Discovery Sport, Lexus NX, Lincoln MKC, Mercedes Benz Classe GLC, Volvo XC60

AU QUOTIDIEN

COLLISION FRONTALE 5/5
COLLISION LATÉRALE 5/5
VENTES DU MODÈLE L'AN DERNIER
AU QUÉBEC 1 548 (+13,1 %) **AU CANADA** 7 380 (+12,6 %)
DÉPRÉCIATION (%) 27,2 (3 ans)
RAPPELS (2011 à 2016) 2
COTE DE FIABILITÉ 4/5

GARANTIES... ET PLUS

GARANTIE GÉNÉRALE 4 ans/80 000 km
GROUPE MOTOPROPULSEUR 5 ans/100 000 km
PERFORATION 5 ans/kilométrage illimité
ASSISTANCE ROUTIÈRE 5 ans /kilométrage illimité
NOMBRE DE CONCESIONNAIRES
AU QUÉBEC 13 **AU CANADA** 50

NOUVEAUTÉS EN 2017

Nouvelle palette de couleurs.

LE JUSTE MILIEU

Acura se cherche depuis déjà de nombreuses années. Le constructeur de luxe est en quête d'identité, d'un élément différenciateur solide qui lui permettrait une réelle émancipation. S'inscrivant dans un segment clé, le RDX n'a certes pas la prétention de pouvoir porter sur ses épaules cette grande réforme attendue. C'est toutefois probablement l'un des modèles du constructeur qui est le plus en phase avec son mandat.

Charles René

TOUR DU PROPRIÉTAIRE > Côté visuel, le RDX ne gagnera certainement pas des prix pour son originalité. Le multisegment se contente d'une présentation plutôt générique à laquelle on a intégré l'identité visuelle du constructeur. On retrouve donc à l'avant les Jewel Eyes, ces phares à diodes électroluminescentes qui ajoutent un élément de luxe au dessin. La calandre en hexagone avec sa large bande imitant l'aluminium brossé se charge également de compléter le portrait à l'avant. De côté, le RDX adopte un format classique de multisegment compact, avec une garde au sol légèrement surélevée et des porte-à-faux pas trop longs. Contrairement à bien des concurrents, Acura a par ailleurs choisi de chausser le RDX de pneus à flanc plutôt épais, un élément qui peut rebuter certains sur le plan esthétique, mais qui améliore le confort du véhicule.

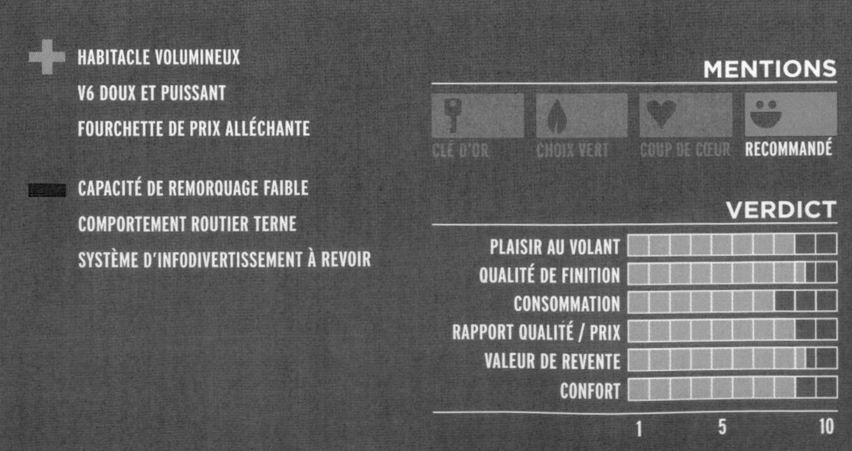

+ HABITACLE VOLUMINEUX
V6 DOUX ET PUISSANT
FOURCHETTE DE PRIX ALLÉCHANTE
– CAPACITÉ DE REMORQUAGE FAIBLE
COMPORTEMENT ROUTIER TERNE
SYSTÈME D'INFODIVERTISSEMENT À REVOIR
MENTIONS
CLÉ D'OR
CHOIX VERT
COUP DE CŒUR
RECOMMANDÉ
VERDICT
PLAISIR AU VOLANT
QUALITÉ DE FINITION
CONSOMMATION
RAPPORT QUALITÉ / PRIX
VALEUR DE REVENTE
CONFORT
1
5
10

VIE À BORD > L'habitacle du RDX est particulièrement vaste. Jamais on ne se sent à l'étroit, peu importe où l'on prend place. Tout comme sa robe extérieure, la planche de bord n'a pas un très grand panache, mais n'est pas pour autant dépourvue de qualités esthétiques. Les moulures à plastique souple noir convergeant vers le centre rendent l'allure plutôt moderne. La qualité de la finition, pour sa part, s'avère très bonne. Le véhicule essayé ne faisait entendre aucun bruit de craquement malgré ses 19 000 kilomètres. Les espaces de rangement sont également volumineux, une caractéristique que l'on recherche dans un véhicule à vocation familiale. À 739 litres, le volume de chargement est aussi généreux, pouvant passer à 2178 litres à l'aide d'un ingénieux système à deux poignées rabattant rapidement la banquette arrière. Sur la facette technologique, Acura a adopté depuis quelques années un système d'infodivertissement à deux écrans. Il n'est pas vraiment intuitif et sa présentation est vieillotte.

TECHNIQUE > L'offre mécanique du RDX se résume à un seul moteur, un V6 de 3,5 litres de 279 chevaux. Contrairement au moulin de même cylindrée employé dans le MDX, il n'est pas doté de l'injection directe. Qu'à cela ne tienne, il reste l'un des bons moteurs de sa catégorie. Sa courbe de puissance est linéaire, son tempérament, onctueux. Grâce au système de désactivation de la cylindrée à vitesse de croisière, il ne consomme pas trop non plus, non loin des 10 litres aux 100 kilomètres en conduite modérée. La boîte de vitesse qui lui est assignée, une automatique classique à 6 rapports, épouse bien ce V6 à défaut d'être particulièrement rapide, surtout en mode manuel. Elle fait un travail honnête, mais accuse un retard technologique devant une concurrence qui a depuis longtemps adopté des boîtes à 7, à 8, voire à 9 rapports.

AU VOLANT > Le RDX est dans les faits construit sur le châssis du Honda CR-V. Il ne dispose donc pas d'une plate-forme conçue pour prendre les courbes à bras le corps. De concert avec des suspensions plutôt relâchées, le véhicule n'a pas un comportement particulièrement affûté, qui n'est d'ailleurs pas ajustable, autant du côté des suspensions et de la direction que du comportement de l'accélérateur. De toute manière, personne ne va aller sur le Nürburgring avec son multisegment compact, alors aussi bien le rendre le plus agréable possible au quotidien. C'est exactement la philosophie derrière ce RDX. Sur cet aspect, il y a très peu à redire. Le confort est bien présent, l'insonorisation, bonne. Cette simplicité lui permet d'ailleurs d'être l'un des véhicules les plus fiables de sa catégorie.

CONCLUSION > Pas particulièrement séduisante aux premiers abords, la simplicité RDX s'apprécie à l'usage quotidien. On découvre alors un véhicule pratique, doté d'un excellent moteur et qui ne tente pas de se déguiser en sportive. Son rapport prix-équipement alléchant l'aide également à marquer de nombreux points. Un véhicule qui mérite considération. ■

2e OPINION

Vincent Aubé

Dans un segment où les motorisations 4 cylindres dominent de plus en plus, l'Acura RDX fait bande à part avec son unique moteur V6. Force est d'admettre que depuis le changement de philosophie - le 4-cylindres turbo ayant été troqué pour le V6 de 3,5 litres -, les ventes de l'utilitaire se portent beaucoup mieux. Plus linéaire, ce bloc a fait ses preuves et s'avère justement très bien adapté à ce châssis. Agréable à conduire, bien ficelé et doté d'une fiabilité exemplaire, le RDX représente un choix à inscrire à votre liste de magasinage.

FICHE TECHNIQUE

MOTEUR(S)

(BASE, TECH, ELITE) V6 3,5 L SACT
PUISSANCE 279 ch à 6 200 tr/min
COUPLE 252 lb-pi à 4 900 tr/min
RAPPORT POIDS/PUISSANCE 6,4 kg/ch
BOITE(S) DE VITESSES automatique à 6 rapports avec mode manuel et manettes au volant
PERFORMANCES 0-100 km/h 8,2 s
REPRISE 80-115 km/h 5,4 sec
FREINAGE 100-0 km/h 37,6 m
NIVEAU SONORE À 100 km/h Moyen
VITESSE MAXIMALE 200 km/h

AUTRES COMPOSANTS

SÉCURITÉ ACTIVE freins ABS, assistance au freinage, répartition électronique de la force de freinage, contrôle électronique de la stabilité, antipatinage, aide au démarrage en pente, capteur anti-retournement
SUSPENSION avant/arrière indépendante
FREINS avant/arrière disques
DIRECTION à crémaillère, adaptative, assistée électriquement
PNEUS P235/60R18

DIMENSIONS

EMPATTEMENT 2 685 mm
LONGUEUR 4 685 mm
LARGEUR 1 872 mm
HAUTEUR 1 678 mm
POIDS base 1 781 kg **Tech** 1 793 kg **Elite** 1 797 kg
RÉPARTITION DU POIDS AV/ARR (%) 57/43
DIAMÈTRE DE BRAQUAGE 11,9 m
COFFRE 739 L, 2 178 L (sièges abaissés)
RÉSERVOIR DE CARBURANT 60 L
CAPACITÉ DE REMORQUAGE 680 kg

LA COTE VERTE

MOTEUR V6 DE 3,5 L HYBRIDE
CONSOMMATION (100 km) ville 8,0 L, route 7,5 L
CONSOMMATION ANNUELLE 1 309 L, 1 767 $
INDICE D'OCTANE 91
ÉMISSIONS POLLUANTES CO_2 3 011 kg/an
(source : ÉnerGuide)

FICHE D'IDENTITÉ

VERSION(S) SportHybrid Technologie, Elite
TRANSMISSION(S) 4
PORTIÈRES 4 **PLACES** 5
PREMIÈRE GÉNÉRATION 1987 (Legend)
GÉNÉRATION ACTUELLE 2014
CONSTRUCTION Sayama, Japon
COUSSINS GONFLABLES 7 (frontaux, latéraux, genoux conducteur, rideaux latéraux)
CONCURRENCE Audi A6/A7, BMW Série 5, Cadillac CTS, Infiniti Q70, Jaguar XF, Lexus GS, Maserati Ghibli, Mercedes-Benz Classe E, Volvo S90

AU QUOTIDIEN

COLLISION FRONTALE 5/5
COLLISION LATÉRALE 5/5
VENTES DU MODÈLE L'AN DERNIER
AU QUÉBEC 38 (-19,1 %) **AU CANADA** 182 (-25,1 %)
DÉPRÉCIATION (%) 43,7 (3 ans)
RAPPELS (2011 à 2016) 4
COTE DE FIABILITÉ 4/5

GARANTIES... ET PLUS

GARANTIE GÉNÉRALE 4 ans/80 000 km
GROUPE MOTOPROPULSEUR 5 ans/100 000 km
PERFORATION 5 ans/kilométrage illimité
ASSISTANCE ROUTIÈRE 4 ans/ kilométrage illimité
NOMBRE DE CONCESIONNAIRES
AU QUÉBEC 13 **AU CANADA** 48

NOUVEAUTÉS EN 2017

Seule la version 4RM hybride subsiste.

SOUS LE RADAR

Si vous ajoutez trois voyelles à la RLX, vous obtenez le mot relaxe, qui traduit bien le corps et l'esprit de cette voiture qui représente bien la « zénitude » au volant. Acura, qui a toujours cultivé la discrétion, demeure une parenthèse dans le monde des berlines de luxe. Elle ne possède pas l'aura des allemandes ni le clinquant des américaines. Cela ne veut pas dire que la RLX est sans intérêt. La RLX est comme une personne très compétente qui ne fait pas connaître son talent, il faut le découvrir.

Benoit Charette

TOUR DU PROPRIÉTAIRE > Soyons honnête, elle ne paye pas mine, cette RLX. Il y a bien quelques traits de caractère qui lui donnent un brin de personnalité, comme une ligne de carrosserie assez haute et des phares DEL distinctifs Jewel-Eye™. Il faut aussi noter le travail fait à l'aérodynamique, qui offre le plus bas cx de sa catégorie. Parmi les autres caractéristiques, on trouve des roues de 19 pouces en alliage d'aluminium, des feux arrière DEL, des détecteurs de stationnement du véhicule avant et arrière. La RLX n'est pas laide, elle est seulement anonyme et ressemble encore trop à une grosse Accord.

+ EXCELLENTE FINITION
TENUE DE ROUTE SANS REPROCHE
FIABILITÉ LÉGENDAIRE

– MANQUE DE CHARISME
LIGNE TROP GÉNÉRIQUE
PROBLÈME D'IMAGE

MENTIONS

CLÉ D'OR · CHOIX VERT · COUP DE CŒUR · **RECOMMANDÉ**

VERDICT

PLAISIR AU VOLANT
QUALITÉ DE FINITION
CONSOMMATION
RAPPORT QUALITÉ / PRIX
VALEUR DE REVENTE
CONFORT

1 5 10

VIE À BORD > L'Acura se distingue par la qualité des matériaux, qui sont doux au toucher. Les touches d'aluminium et de bois véritable sont aussi un plus. Comme il se doit, la console centrale et le volant sont recouverts de cuir piqué de même que les sièges perforés Milano, possibles en option et qui montrent un haut niveau en ce qui concerne la qualité de fabrication et le luxe dans la RLX. Vous avez en option un écran de 8 pouces et un afficheur multiusage sur demande à écran tactile (On-Demand Multi-Use Display). Ce dernier permet un accès direct aux fonctions essentielles dont les commandes audio, de climatisation, de navigation et les messages texte SMS à conversion texte parole. Comme toute voiture haut de gamme qui se respecte, l'Acura RLX propose son lot de gadgets et d'aides à la conduite. Ainsi, vous pouvez obtenir un régulateur de vitesse adaptatif avec suivi à basse vitesse, le système d'alerte de collision avant (en option), l'avertissement de sortie de voie (LDW) et une caméra arrière multiangle à lignes directrices dynamiques montrant sur l'afficheur les mouvements du volant, ce qui facilite les manœuvres en marche arrière.

TECHNIQUE > Pour 2017 Acura ne commercialisera que la version SportHybrid au Canada. Son moteur V6 de 3,5 litres bon pour 310 chevaux est jumelé à trois moteurs électriques (deux à l'arrière, un à l'avant). Cette version 4 roues motrices produit 377 chevaux grâce à l'apport des moteurs électriques. Ce rouage prive la RLX du système P-AWS (*Precision All-Wheel Steering*[MC]) dont bénéficiait la version à essence à traction. Qu'importe, le système à quatre roues motrices SH-AWD (*Super-Handling All Wheel Drive*) se charge de répartir le couple individuellement aux roues par la gestion du couple des moteurs électriques.

AU VOLANT > Grâce à l'utilisation exhaustive de l'aluminium, Acura a réussi à contenir le poids de la RLX à 1960 kilos, un poids relativement bas pour une berline hybride de cette taille. Au volant, Acura joue la carte du confort. Une berline idéale pour les longs trajets autoroutiers. Le volant transmet peu de sensations au conducteur, mais la direction est précise et rapide. La boîte double embrayage à 7 rapports est vive, la tenue de route plus expressive et le contrôle actif du couple entre les roues motrices réduit à néant le sous-virage tout en assurant une traction presque surréaliste sur la route. Une idée reprise sur la très sportive NSX.

CONCLUSION > Acura a fait du bon travail pour améliorer son modèle phare. Il manque ce petit brin de folie qui fait qu'une voiture passe de bonne à exceptionnelle, mais si vous aimez la discrétion efficace, la RLX est le bon produit. ■

FICHE TECHNIQUE

MOTEUR(S)

(SportHybrid SH-AWD) V6 3,5 L SACT + 3 moteurs électriques (1 av., 2 arr.)
PUISSANCE 310 ch à 6 500 tr/min + moteurs électriques : 47 ch (av.), 2 X 36 ch (arr.), 377 ch total maximum
COUPLE 272 lb-pi à 4 500 tr/min + moteurs électriques : 109 lb-pi (av.), 108 lb-pi (arr.), 377 lb-pi total maximum
RAPPORT POIDS/PUISSANCE 5,2 kg/ch
BOITE(S) DE VITESSES manuelle robotisée à 7 rapports
PERFORMANCES 0 à 100 km/h 5,6 s
VITESSE MAXIMALE 210 km/h

AUTRES COMPOSANTS

SÉCURITÉ ACTIVE (certains en option)Freins ABS, assistance au freinage, répartition électronique de la force de freinage, aide au démarrage en pente, contrôle électronique de la stabilité, antipatinage, quatre roues directionnelles, régulateur de vitesse adaptatif, freinage automatique en cas de détection de collision imminente, alerte de franchissement de voie
SUSPENSION avant/arrière indépendante
FREINS avant/arrière disques
DIRECTION à crémaillère, assistée électriquement
PNEUS P245/40R19

DIMENSIONS

EMPATTEMENT 2 850 mm
LONGUEUR 4 982 mm
LARGEUR 1 890 mm
HAUTEUR 1 465 mm
POIDS 1 960 kg **Elite** 1 980 kg
RÉPARTITION DU POIDS AV/ARR (%) 61/39
DIAMÈTRE DE BRAQUAGE 12,3 m
COFFRE 423 L **Elite** 417 L
RÉSERVOIR DE CARBURANT 57 L

2e OPINION

Luc-Olivier Chamberland

Quelle extraordinaire voiture que cette RLX! Sur le plan mécanique, il s'agit de l'une des plus avancées du segment technologiquement parlant. La version SportHybrid, la seule qui demeure cette année, était de toute façon la plus pertinente, en ces temps de réduction de consommation de carburant. Acura nous prouve hors de tout doute que l'on peut obtenir des performances relevées tout en étant écolo. L'apport de sa transmission intégrale SH-AWD rehausse le rendement général de la berline, sa sportivité est réelle. Évidemment, côté luxe, il n'y a aucune concession, on reçoit la crème de la crème. Un bémol, et il est de taille : son design excite autant qu'un sermon.

LA COTE VERTE

MOTEUR L4 DE 2,4 L
CONSOMMATION (100km) ville 9,6 L route 6,6 L
CONSOMMATION ANNUELLE 1 411 L, 1 905 $
INDICE D'OCTANE 91
ÉMISSIONS POLLUANTES CO_2 3 245 kg/an
(source : ÉnerGuide)

FICHE D'IDENTITÉ

VERSION(S) 2RM Base, Tech, V6 Élite **4RM V6** SH-AWD, Tech, Élite
TRANSMISSION(S) avant, 4
PORTIÈRES 4 **PLACES** 5
PREMIÈRE GÉNÉRATION 2015
GÉNÉRATION ACTUELLE 2015
CONSTRUCTION Marysville, Ohio, É-U.
COUSSINS GONFLABLES 7 (frontaux, latéraux avant, genoux conducteur, rideaux latéraux)
CONCURRENCE Alfa Romeo Giulia, Audi A4, BMW Série 3/Série 4 Grand Coupé, Buick Regal, Cadillac ATS, Infiniti Q50, Jaguar XE, Lexus ES/IS, Lincoln MKZ, Mercedes-Benz Classe C, Volkswagen CC, Volvo S60

AU QUOTIDIEN

COLLISION FRONTALE 5/5
COLLISION LATÉRALE 5/5
VENTES DU MODÈLE L'AN DERNIER
AU QUÉBEC 1 320 (+56,4 %) **AU CANADA** 5 075 (+45,1 %)
DÉPRÉCIATION (%) 17,5 (2 ans)
RAPPELS (2011 à 2016) 2
COTE DE FIABILITÉ 4/5

GARANTIES... ET PLUS

GARANTIE GÉNÉRALE 4 ans/80 000 km
GROUPE MOTOPROPULSEUR 5 ans/100 000 km
PERFORATION 5 ans/kilométrage illimité
ASSISTANCE ROUTIÈRE 4 ans/kilométrage illimité
NOMBRE DE CONCESSIONNAIRES
AU QUÉBEC 13 **AU CANADA** 50

NOUVEAUTÉS EN 2017

Nouvelle palette de couleurs

BONSOIR TRISTESSE

Hormis la NSX, chacun des modèles récemment revisités par la firme nippone s'installe dans le ventre mou des catalogues automobiles. Les RDX, RLX et MDX représentent toutes d'honnêtes propositions. Elles sont fiables, sérieuses, mais désespérément classiques, pour ne pas écrire ennuyeuses à plus d'un titre. Et la TLX l'est aussi.

Éric LeFrançois

TOUR DU PROPRIÉTAIRE > La TLX coupe la poire en deux. Elle est plus étroite que ne l'était la TL, mais plus large que ne l'a jamais été une TSX. Ses courts porte-à-faux donnent l'impression qu'elle est plutôt ramassée et, pourtant, son empattement est comparable à celui de la « grosse » TL. Sur le plan du style, la TLX reprend la « nouvelle » signature d'Acura, qui se résume à une calandre aux accents plus sobres et à des phares taillés comme de petits bijoux. C'est tout ? Plutôt mince, n'est-ce pas? Par rapport à l'audace affichée, disons, par une Infiniti Q50 ou encore une Lexus IS, la TLX apparaît impersonnelle et moyenne dans tous les sens du terme. Alors pourquoi une marque cherchant à retrouver son dynamisme d'antan s'enferme-t-elle dans pareil conformisme ? Avant de se glisser à l'intérieur, un bref survol sur la nomenclature de la gamme, qui se compose de trois versions distinctes. De ce nombre, une seule compte sur un moteur 4 cylindres. Les deux autres sont dotés d'un V6.

VIE À BORD > Le dégagement ne manque pas à bord pour faire voyager quatre personnes confortablement. À l'exception sans doute du dégagement pour la tête à l'arrière, rien à redire sur l'es-

+
- HABITACLE SPACIEUX
- COMPORTEMENT SANS HISTOIRE
- PROMESSE D'UN 4-CYLINDRES TURBO EN COURS D'ANNÉE

−
- DIAMÈTRE DE BRAQUAGE
- TRANSMISSION INTÉGRALE LIMITÉE AU V6
- QUALITÉ DE CERTAINS PLASTIQUES (INTÉRIEUR)

MENTIONS

CLÉ D'OR | CHOIX VERT | COUP DE CŒUR | **RECOMMANDÉ**

VERDICT

PLAISIR AU VOLANT
QUALITÉ DE FINITION
CONSOMMATION
RAPPORT QUALITÉ / PRIX
VALEUR DE REVENTE
CONFORT

1 5 10

pace disponible. Attribuons également de bons points aux baquets avant. Ceux-ci offrent un confort au-dessus de la moyenne dans la catégorie. Les dossiers sont parfaitement sculptés, mais les commandes gagneraient à être plus accessibles et à se retrouver sur la paroi des contre-portes pour faciliter les réglages. Quant au coffre, son volume impressionne peu. Mentionnons qu'il existe une cache pratique sous le plancher de certaines versions, mais celle-ci n'est offerte qu'avec un ensemble livré en option. Dans le but d'innover (?) et, surtout, de « nettoyer » la console centrale, Acura abandonne le traditionnel levier de vitesses au profit d'une interface apparemment plus conviviale : des boutons poussoirs. Hélas, ceux-ci ne sont pas aussi intuitifs qu'ils en ont l'air et, qui plus est, ne permettent pas de réaliser un réel gain d'espace. La solution optimale demeure celle de Lincoln, qui consiste à étaler le sélecteur contre une paroi verticale du tableau de bord. Le sérieux de la construction ne fait aucun doute, mais les matériaux utilisés ne respirent pas tous la qualité. Certains plastiques sonnent creux. En revanche, l'insonorisation de la cabine a beaucoup progressé, notamment grâce à la présence d'un sophistiqué dispositif d'annulation active du bruit.

TECHNIQUE > À l'heure actuelle, Acura se trouve à la remorque de ses concurrents en matière de respectabilité et de reconnaissance, notamment au chapitre des groupes motopropulseurs. Mais cette situation va bientôt changer si l'on prête foi à la rumeur voulant qu'un 4-cylindres suralimenté par turbocompresseur s'installe sous le capot de la TLX d'ici l'été 2017.

AU VOLANT > Des deux mécaniques offertes, le 2,4-litres nous apparaît comme la plus homogène et la plus en adéquation avec les objectifs d'Acura. Plus légère, plus vivante à conduire, cette TLX est aussi – de loin – la plus économe des deux. De plus, considérant la taille du réservoir, elle assure une bien meilleure autonomie. Hélas, sans doute en raison de son poids – pourtant abaissé de 25 %, selon ses concepteurs –, la version 4 cylindres se voit privée de l'excellent système à 4 roues motrices (SH-AWD), qui apparaît souhaitable avec le V6 pour éliminer totalement l'effet de couple ressenti lors de fortes accélérations. En revanche, toutes les TLX – attention avec les acronymes – bénéficient du dispositif P-AWS (*Precision All-Wheel Steering*), lequel consiste à diriger les quatre roues pour offrir une plus grande agilité dans les virages. Étonnamment, pas dans les parcs de stationnement, où le fort diamètre de braquage de la TLX ne facilite en rien les manœuvres. Sur une route ouverte, la TLX s'apprécie pour la qualité de son amortissement et sa précision de conduite. Pour ceux et celles qui aiment encore conduire, le modèle équipé du 4-cylindres est plus vif et plus entraînant à conduire.

CONCLUSION > On résume ? À trop vouloir plaire aux actuels propriétaires de ses TL et TSX, Acura propose un produit édulcoré qui déçoit plus qu'il n'enthousiasme et qui peine à embrasser les dernières tendances de l'heure (réduction de la cylindrée et disponibilité, à tous les niveaux de gamme, de la transmission intégrale) dans le segment des berlines sport de luxe. ■

2e OPINION

Antoine Joubert

Mais diantre ! Est-ce que les têtes dirigeantes d'Acura auraient osé écouter quelques-unes des requêtes de la clientèle ? C'est du moins ce qu'il faut croire en constatant la venue d'une version Type-S de la TLX, qui pourra enfin rivaliser avec les livrées plus sportives de la concurrence. Hélas, la TLX souffre malgré cela d'une mauvaise planification de mise en marché. En effet, alors que l'ensemble de la compétition propose le mariage de la transmission intégrale avec un 4-cylindres, Acura s'entête à ne l'offrir qu'avec le V6. Cette mauvaise stratégie est d'autant plus dommage lorsqu'on connaît le savoir-faire des motoristes, qui ont su développer des mécaniques ultra-performantes ainsi qu'une boîte séquentielle particulièrement efficace avec le 4-cylindres. Pourrait-on donc espérer la venue prochaine d'une TLX SH-AWD à moteur 4 cylindres ? Hélas non, puisqu'en posant la question aux stratèges de la marque, on ne comprenait même pas la pertinence d'offrir une telle combinaison. *Tsé, dormir au gaz...*

FICHE TECHNIQUE

MOTEUR(S)

(2.4) L4 2,4 L DACT
PUISSANCE 206 ch à 6 800 tr/min
COUPLE 182 lb-pi à 4 500 tr/min
RAPPORT POIDS/PUISSANCE 7,6 kg/ch
BOÎTE(S) DE VITESSES robotisée à 8 rapports
PERFORMANCES 0-100 km/h 8,9 s
VITESSE MAXIMALE 215 km/h (bridée)

(3.5) V6 3,5 L SACT
PUISSANCE 290 ch à 6 200 tr/min
COUPLE 267 lb-pi à 4 500 tr/min
RAPPORT POIDS/PUISSANCE 2RM 5,6 kg/ch **4RM** 5,9 kg/ch
BOÎTE(S) DE VITESSES automatique à 9 rapports avec mode manuel
PERFORMANCES 0-100 km/h 6,2 s
REPRISE 80-115 km/h 3,7 s
FREINAGE 100-0 km/h 44,8 m
NIVEAU SONORE À 100 km/h bon
VITESSE MAXIMALE 215 km/h (bridée)
CONSOMMATION (100 km) ville 11,2 L route 7,5 L (octane 91)
ANNUELLE 1 632 L, 2 203
ÉMISSION DE CO_2 3 754 kg/an

AUTRES COMPOSANTS

SÉCURITÉ ACTIVE (certains en option) Freins ABS, assistance au freinage, répartition électronique de la force de freinage, contrôle de la stabilité électronique, antipatinage, freinage d'urgence automatique, avertisseur de sortie de voie, assistance au maintien de voie, régulateur de vitesse adaptatif, avertisseur d'obstacle latéral et arrière, phares adaptatifs, essuie-glaces adaptatifs, aide au départ en pente
SUSPENSION avant/arrière indépendante, à amortissement ajustable
FREINS avant/arrière disques
DIRECTION à crémaillère, assistée électriquement
2RM à 4 roues directionnelles
PNEUS P225/55R17 **V6** P225/50R18

DIMENSIONS

EMPATTEMENT 2 775 mm
LONGUEUR 4 832 mm
LARGEUR 1 853 mm, 2 091 mm (incl. rétro.)
HAUTEUR 1 447 mm
POIDS 4 cyl 1 579 kg **V6 2RM** 1 628 kg **4RM** 1 700 à 1 717 kg
RÉPARTITION DU POIDS AV/ARR (%) 60/40
DIAMÈTRE DE BRAQUAGE 11,95 m **2RM** V6 11,6 m
COFFRE 405 L
RÉSERVOIR DE CARBURANT 65 L

LA COTE VERTE

MOTEUR L4 DE 1,7 L TURBO
CONSOMMATION (100 km) ville 9,7 L, route 6,9 L
CONSOMMATION ANNUELLE 1 428 L, 1 928 $
INDICE D'OCTANE 91
ÉMISSIONS POLLUANTES CO_2 3 284 kg/an
(source : ÉnerGuide)

FICHE D'IDENTITÉ

VERSION(S) Coupé, Spider
TRANSMISSION(S) arrière
PORTIÈRES 2 **PLACES** 2
PREMIÈRE GÉNÉRATION 2015
GÉNÉRATION ACTUELLE 2015
CONSTRUCTION Modène, Italie
COUSSINS GONFLABLES 5 (frontaux, genoux conducteur, latéraux tête)
CONCURRENCE Audi TT, Chevrolet Corvette, Jaguar F-Type, Mercedes-Benz SLC, Nissan 370Z, Porsche 718 Boxster/Cayman

AU QUOTIDIEN

COLLISION FRONTALE ND
COLLISION LATÉRALE ND
VENTES DU MODÈLE L'AN DERNIER
AU QUÉBEC 30 (nm) **AU CANADA** 122 (nm)
DÉPRÉCIATION (%) nm
RAPPELS (2011 à 2016) aucun à ce jour
COTE DE FIABILITÉ 4/5

GARANTIES... ET PLUS

GARANTIE GÉNÉRALE 4 ans/80 000 km
GROUPE MOTOPROPULSEUR 4 ans/80 000 km
PERFORATION 5 ans/kilométrage illimité
ASSISTANCE ROUTIÈRE 5 ans/100 000 km
NOMBRE DE CONCESSIONNAIRES
AU QUÉBEC 2 **AU CANADA** 7

NOUVEAUTÉS EN 2017

Aucun changement majeur

DÉCOIFFANTE

L'histoire de cette petite sportive italienne a commencé au Salon de l'auto de Genève en 2011 et il aura fallu attendre 2015 pour sa commercialisation chez nous, deux ans après l'Europe.

Benoit Charette

TOUR DU PROPRIÉTAIRE > Le style se trouve à mi-chemin entre la Porsche Cayman et la Lotus Élise (toujours vendue en Europe). Le poids étant l'ennemi de la performance, Alfa Romeo a donc fabriqué une coque en fibre de carbone qui ne fait que 65 kilos, des structures déformables avant et arrière en aluminium et des panneaux en composite limitant le poids total à environ 900 kilos à vide en Europe, alors que les normes de sécurité de l'Amérique ajoutent plus de 100 kilos supplémentaires, portant le poids en ordre de marche à un tout de même léger 1 118 kilos. Le style est sans doute le plus gros atout de vente. Alfa Romeo est synonyme de beauté, de classe. Son style racé séduit au premier coup d'œil, mais cette beauté extérieure connaît aussi des revers de fortune quand vient le temps de parler du côté pratique. La 4C est courte (3,99 m) mais large (1,86 m). Posée au sol, elle paraît musclée, menaçante, une vraie petite Ferrari.

VIE À BORD > Si la 4C séduit à l'extérieur, elle punit à l'intérieur. Pour éliminer le plus de poids possible, Alfa Romeo s'est débarrassée de la boîte à gants, de la climatisation, de la radio (disponible en option sans frais) et du système de navigation. Prendre place à bord relève de

+
- RIGIDITÉ STRUCTURELLE
- TENUE DE ROUTE REMARQUABLE
- FAIBLE POIDS
- CAPOTE FACILE À ENLEVER (DÉCAPOTABLE)

−
- PRIX ÉLEVÉ
- MANQUE D'INSONORISATION
- AUCUN ESPACE DE RANGEMENT
- COURTE LISTE D'ÉQUIPEMENT DE SÉRIE

MENTIONS

CLÉ D'OR | CHOIX VERT | **COUP DE CŒUR** | RECOMMANDÉ

VERDICT

PLAISIR AU VOLANT
QUALITÉ DE FINITION
CONSOMMATION
RAPPORT QUALITÉ / PRIX
VALEUR DE REVENTE nm
CONFORT

1 5 10

la gymnastique olympique. L'espace est compté et l'assise des sièges est un peu haute pour les personnes de grande taille. Il faut ajouter que la visibilité arrière est nulle. L'habitacle est tapissé de fibre de carbone apparent et toujours pour gagner sur le poids, les matériaux insonorisants sont pour ainsi dire absents. C'est donc assez bruyant. Ajoutez à cela que les espaces de rangement sont inexistants et que pour tout espace de coffre, vous avez un très maigre 110 litres derrière le moteur central.

TECHNIQUE > Derrière le conducteur, on retrouve en position centrale arrière un 4-cylindres 1,7 litre turbo de 237 chevaux permettant à la 4C de revendiquer un rapport poids-puissance comparable à celui d'une 911 Carrera 4 S. Ce poids plume associé à un moteur turbo fringant et à une boîte à double embrayage à 6 rapports ne manque pas de mordant. Il faut aussi souligner une position de conduite très basse et l'absence de direction assistée qui oblige le conducteur à s'impliquer à fond dans la conduite. Elle donne l'impression de posséder beaucoup plus que 237 chevaux et la voiture laisse échapper des bruits de crachotements, de retour de flammes et de turbo qui vous font croire que vous êtes dans une voiture de course.

AU VOLANT > La 4C est à consommer à petites doses. C'est le genre de voiture que l'on sort pour une balade de deux heures et qu'il faut ramener dans le garage ensuite. Plus énergisante qu'une douzaine d'espressos bien tassés, la 4C fera monter à coup sûr votre niveau d'adrénaline. Le 4-cylindres produit une sonorité rauque et caverneuse. La boîte de vitesse à double embrayage avec palettes au volant est ultrarapide et chaque changement de rapport est marqué par une petite explosion qui fait monter le taux de testostérone. Le châssis en carbone offre une rigidité incomparable. Vous avez aussi le choix de trois modes de conduite baptisés DNA (Dynamic, Normal et All Weather). Sur la piste, nous avons aussi fait l'essai du mode Race. Ce dernier permet de déconnecter toutes les aides à la conduite. En conduite sportive, vous ferez sans problème grimper la consommation à 16 litres aux 100 kilomètres, alors que vous serez plus près des 9 litres aux 100 à vitesse légale sur l'autoroute. Peu importe la situation, vous aurez vite fait de brûler les 40 litres du réservoir de carburant, qui est trop petit. Aucune voiture n'est venue à ce jour aussi près de la conduite d'un kart. En revanche, tout n'est pas parfait. Il faudra composer avec une suspension très ferme qui vous fera blasphémer sur nos routes en mauvais état. Le moindre trou donne mal au dos et l'absence de direction assistée vous obligera à une utilisation excessive d'huile de bras au moment de stationner la voiture.

CONCLUSION > Expression ultime de la conduite sportive, l'Alfa Romeo 4C vous fera découvrir ce que signifie avoir des sensations au volant. Véritable sportive, elle a aussi mis de côté tout le reste au prix d'une conduite d'exception. Si vous êtes prêt à en payer le prix tant sur le plan physique que sur le plan financier, vous allez avoir le sourire aux lèvres. ■

2e OPINION

Antoine Joubert

Je garde un excellent souvenir des quelques jours passés au volant de cette sportive, qui fait tourner les têtes comme le ferait la plus éclatée des Ferrari. Quand on est installé à quelques pouces du sol, impossible de ne pas apprécier sa conduite radicalement sportive, sa puissance étonnante et sa sonorité à faire dresser les poils sur les bras. Pas de doute, cette voiture est un fantasme. Maintenant, débourserais-je 75 000 $ pour un bolide totalement inconfortable, à la finition sommaire et qui, visiblement, colle dans la cour des deux seuls concessionnaires qui ont bien voulu accepter de les vendre dans la Belle Province ? Bien sûr que non. En fait, cette voiture fait face au même problème que la défunte Lotus Elise. Un bolide de puriste, ultra-charmant et extrêmement agile, mais qui s'appuie sur son écusson soi-disant prestigieux pour afficher un prix de vente 20 000 $ trop élevés.

FICHE TECHNIQUE

MOTEUR(S)

(4C, 4 C SPIDER) L4 1,7 L DACT Turbo
PUISSANCE 237 ch à 6 000 tr/min
COUPLE 258 lb-pi de 2 200 à 4 250 tr/min
RAPPORT POIDS/PUISSANCE 4,7 kg/ch
BOÎTE(S) DE VITESSES robotisée à 6 rapports avec manettes au volant
PERFORMANCES 0-100 km/h 4,1 s
REPRISE 80-115 km/h ND
FREINAGE 100-0 km/h 36,0 m
NIVEAU SONORE À 100 km/h Élevé
VITESSE MAXIMALE 258 km/h

AUTRES COMPOSANTS

SÉCURITÉ ACTIVE Freins ABS, assistance au freinage, répartition électronique de la force de freinage, contrôle de la stabilité électronique, antipatinage, aide au démarrage en pente
SUSPENSION avant/arrière indépendante
FREINS avant/arrière disques
DIRECTION à crémaillère, non assistée
PNEUS P205/45R17 (av.) P235/40R18 (arr.)

DIMENSIONS

EMPATTEMENT 2 380 mm
LONGUEUR 3 989 mm
LARGEUR 1 868 mm, 2 090 mm (incl. rétro.)
HAUTEUR 1 183 mm **Spider** 1 186 mm
POIDS 1 118 kg **Spider** 1 129 kg
RÉPARTITION DU POIDS AV/ARR (%) 41/59
DIAMÈTRE DE BRAQUAGE 12,1 m
COFFRE 110 L
RÉSERVOIR DE CARBURANT 40 L

LA COTE VERTE

MOTEUR L4 DE 2,0 L TURBO
CONSOMMATION (100 km) ville 10,3 L route 6,8 L (est.)
CONSOMMATION ANNUELLE 1 479 L, 1 997 $
INDICE D'OCTANE 91
ÉMISSIONS POLLUANTES CO_2 3 402 kg/an
(source : L'Annuel)

FICHE D'IDENTITÉ

VERSION(S) Base, Quadrifoglio Verde
TRANSMISSION(S) arrière, 4
PORTIÈRES 4 **PLACES** 5
PREMIÈRE GÉNÉRATION 2016 (originale 1962)
GÉNÉRATION ACTUELLE 2016
CONSTRUCTION Cassino, Italie
COUSSINS GONFLABLES 8 (frontaux, genoux avant, latéraux avant, rideaux latéraux)
CONCURRENCE Acura TLX, Audi A4, BMW Série 3, Buick Regal, Cadillac ATS, Infiniti Q50, Jaguar XE, Lexus IS, Lincoln MKZ, Mercedes-Benz Classe C/CLA, Volkswagen CC, Volvo S60

AU QUOTIDIEN

COLLISION FRONTALE 5/5
COLLISION LATÉRALE 5/5
VENTES DU MODÈLE L'AN DERNIER
AU QUÉBEC nm **AU CANADA** nm
DÉPRÉCIATION (%) nm
RAPPELS (2011 à 2016) nm
COTE DE FIABILITÉ nm

GARANTIES... ET PLUS

GARANTIE GÉNÉRALE 4 ans/80 000 km
GROUPE MOTOPROPULSEUR 4 ans/80 000 km
PERFORATION 5 ans/kilométrage illimité
ASSISTANCE ROUTIÈRE 5 ans/100 000 km
NOMBRE DE CONCESSIONNAIRES
AU QUÉBEC 2 **AU CANADA** 7

NOUVEAUTÉS EN 2017

Arrivée de la version de base.

TOUJOURS EN ATTENTE

Le lancement de presse a eu lieu en 2015 et à ce moment, nous annoncions aux journalistes que la nouvelle Alfa Romeo Giulia serait un modèle 2015 pour l'Europe et 2016 pour l'Amérique du Nord. C'est finalement en 2016 qu'elle a fait ses premiers tours de roues en Europe, et nous attendons encore une fois cette belle italienne chez nous.

Benoit Charette

TOUR DU PROPRIÉTAIRE > Il faut reconnaître que les Italiens ont l'art du chic. La Giulia, qui vise le marché des berlines de luxe comme la BMW de Série 3, est elle aussi une propulsion et propose plusieurs saveurs. Vous pouvez y aller avec le modèle de base qui revêt une robe plus sobre avec des proportions très proches de celles de la Série 3 de BMW. Dans le style plus remarqué, il y a la version Quadrifoglio avec ses appendices aérodynamiques pour faire respirer le moteur de 505 chevaux. Comme tous les produits Alfa, la Giulia dégage une présence bien sentie par sa silhouette et ses roues bien agencées de 17, 18 ou 19 pouces.

VIE À BORD > L'intérieur n'est pas comme celui de beaucoup de modèles allemands, soit ensevelis sous les boutons et les commandes. L'approche est assez simple et gravite autour d'un écran central qui varie de taille selon la version choisie. Les versions haut de gamme offrent le Connect Nav 3D de 8,8 pouces (en option). Les sièges sont classiques dans leur approche et

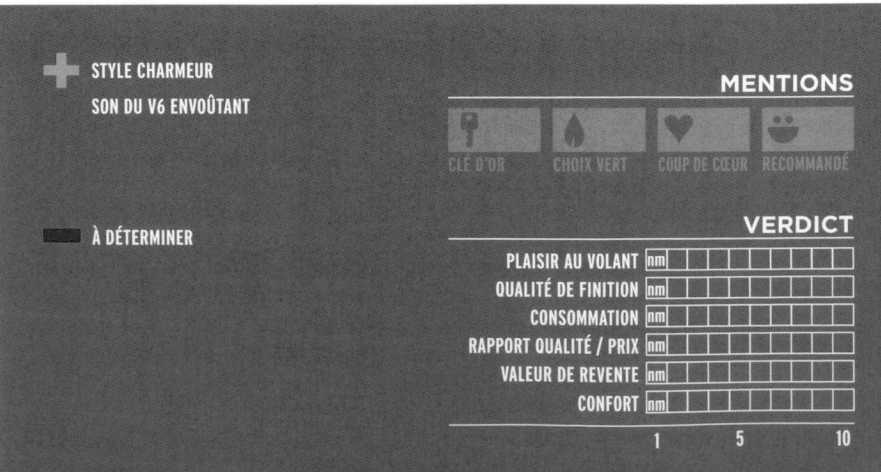

\+ STYLE CHARMEUR
SON DU V6 ENVOÛTANT

– À DÉTERMINER

MENTIONS

CLÉ D'OR | CHOIX VERT | COUP DE CŒUR | RECOMMANDÉ

VERDICT

PLAISIR AU VOLANT	nm
QUALITÉ DE FINITION	nm
CONSOMMATION	nm
RAPPORT QUALITÉ / PRIX	nm
VALEUR DE REVENTE	nm
CONFORT	nm

1 5 10

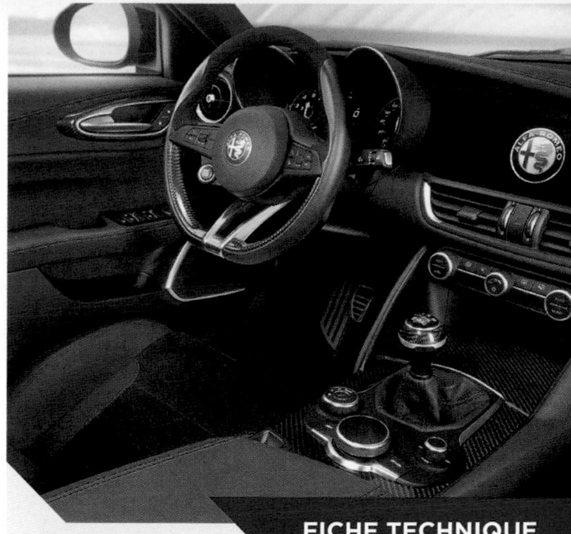

se mesurent bien à la concurrence. Le modèle Quadrifoglio installe, moyennant supplément, des sièges Sparco en cuir avec coquille en fibre de carbone. En plus d'être très jolis, ils offrent une assise parfaite si vous allez brasser votre voiture sur un circuit, mais pour aller au bureau, les sièges de série sont plus confortables. La qualité générale est à la hauteur de ce qui se fait de meilleur chez les Italiens. Les places arrière sont correctes, sans plus, et le coffre compte 480 litres de volume de chargement.

TECHNIQUE > Alfa annonce deux modèles pour le Canada. Le premier est le modèle de base qui arrive en version 2 ou 4 roues motrices (en option) et avec un moteur 4 cylindres 2 litres de 276 chevaux et 295 livres-pieds de couple. Ce moteur est capable, selon Alfa, d'accélérer de 0 à 100 km/h en 5,5 secondes avec la complicité d'une boîte automatique à 8 rapports. Le moteur le plus médiatisé est celui de la version Quadrifoglio: un V6 d'origine Ferrari fixé à 2,9 litres et produisant pas moins de 505 chevaux et 443 livres-pieds de couple. La puissance passe par les seules roues arrière au moyen d'une boîte manuelle à 6 rapports. La vitesse maximale est annoncée à 307 km/h et vous aurez besoin de seulement 3,8 secondes pour franchir les 100 km/h.

AU VOLANT > La version Quadrifoglio, en plus d'utiliser un moteur qui en redemande, regorge d'équipements de pointe pour la conduite. Il y a une suspension à amortissement actif qui s'ajuste en temps réel en fonction des conditions routières et du mode de conduite sélectionné. La Giulia Quadrifoglio est aussi la seule berline au monde à recevoir un séparateur d'air avant actif. Ce séparateur réglable en fibre de carbone est intégré au bas du bouclier avant. Une commande électronique favorise et règle la déportance à haute vitesse. En ligne droite, le séparateur se ferme pour minimiser la résistance de l'air et la traînée. En virage et au freinage, le séparateur se déploie et exerce une déportance maximale de 220 livres pour optimiser l'équilibre comme on le fait en F1. Inutile de dire que le son du moteur est proprement envoûtant. Sur la console centrale, une molette sert à sélectionner 4 modes de conduite: Dynamic, Natural, Advanced Efficiency et Race. Ils adoptent chacun un comportement distinct en modifiant les réactions de l'accélérateur, la pression du turbo, les réglages de suspension et le son de l'échappement.

CONCLUSION > Alfa Romeo, comme toutes les Italiennes, joue de son charme et sait mieux que quiconque comment séduire les amateurs de conduite. Mais elle a démontré qu'elle était une maîtresse exigeante et capricieuse dans le passé. Une chose est certaine, si vous voulez sortir du monde un peu froid des berlines d'outre-Rhin et entrer dans le monde du sang chaud des Latins, vous serez comblé. ■

FICHE TECHNIQUE

MOTEUR(S)

(BASE) L4 2,0 L SACT turbo
PUISSANCE 276 ch à 5 250 tr/min
COUPLE 295 lb-pi de 2 250 à 4 500 tr/min
RAPPORT POIDS/PUISSANCE 5,4 kg/ch (est.)
BOITE(S) DE VITESSES manuelle à 6 rapports, automatique à 8 rapports (option)
PERFORMANCES 0-100 km/h 5,5 s
VITESSE MAXIMALE 240 km/h

(QV) V6 2,9 L DACT biturbo
PUISSANCE 505 ch à 6 500 tr/min
COUPLE 443 lb-pi de 2 500 à 5 500 tr/min
RAPPORT POIDS/PUISSANCE 3,1 kg/ch (est.)
BOITE(S) DE VITESSES manuelle à 6 rapports, automatique à 8 rapports (option)
PERFORMANCES 0-100 km/h 3,8 s
REPRISE 80-115 km/h ND
FREINAGE 100-0 km/h 32 m (avec freins carbone-céramique)
NIVEAU SONORE À 100 km/h ND
VITESSE MAXIMALE 307 km/h
CONSOMMATION (100 km) ville 11,0 L route 7,7 L (est.) (octane 91)
ANNUELLE 1 615 L, 2 180 $
ÉMISSIONS POLLUANTES (CO_2) 3 714 kg/an

AUTRES COMPOSANTS

SÉCURITÉ ACTIVE Freins ABS, assistance au freinage, répartition électronique de la force de freinage, contrôle électronique de la stabilité, antipatinage, avertissement d'impact imminent avec freinage d'urgence autonome, régulateur de vitesse adaptatif, avertisseurs d'obstacle latéral et arrière et de sortie de voie
SUSPENSION avant/arrière indépendante
FREINS avant/arrière disques
DIRECTION à crémaillère, assistée électriquement
PNEUS Base 17 po, 18 po **QV** P245/35R19 (av.). P285/30R19 (arr.)

DIMENSIONS

EMPATTEMENT 2 820 mm
LONGUEUR 4 643 mm
LARGEUR 1 860 mm
HAUTEUR 1 436 mm **4RM** 1 450 mm **QV** 1 426 mm
POIDS 1 500 kg (est.) **QV** 1 550 kg (est.)
RÉPARTITION DU POIDS AV/ARR (%) 50/50
DIAMÈTRE DE BRAQUAGE 480 L
COFFRE ND
RÉSERVOIR DE CARBURANT 58 L

LA COTE VERTE

MOTEUR V12 DE 5,2 L BITURBO
CONSOMMATION (100 km) ville 17,0 L route 12,0 L (est.)
CONSOMMATION ANNUELLE 2 465 L, 3 328 $
INDICE D'OCTANE 91
ÉMISSIONS POLLUANTES CO_2 5 669 kg/an
(source: L'Annuel)

FICHE D'IDENTITÉ

VERSION(S) DB11
TRANSMISSION(S) arrière
PORTIÈRES 2 **PLACES** 2+2
PREMIÈRE GÉNÉRATION 2017
GÉNÉRATION ACTUELLE 2017
CONSTRUCTION Gaydon, Angleterre
COUSSINS GONFLABLES 8 (frontaux avant, latéraux avant, genoux avant, rideaux latéraux)
CONCURRENCE Audi R8 V10, Bentley Continental GT, Chevrolet Corvette Z06, Ferrari F488/California T, Lamborghini Huracan, Maserati GT, McLaren 540C/570S, Mercedes-Benz-AMG GT, Porsche 911

AU QUOTIDIEN

COLLISION FRONTALE nm
COLLISION LATÉRALE nm
VENTES DU MODÈLE L'AN DERNIER
AU QUÉBEC nm **AU CANADA** nm
DÉPRÉCIATION (%) nm
RAPPELS (2011 à 2016) nm
COTE DE FIABILITÉ nm

GARANTIES... ET PLUS

GARANTIE GÉNÉRALE 3 ans/kilométrage illimité
GROUPE MOTOPROPULSEUR 3 ans/kilométrage illimité
PERFORATION 10 ans/kilométrage illimité
ASSISTANCE ROUTIÈRE 3 ans/kilométrage illimité
NOMBRE DE CONCESSIONNAIRES
AU QUÉBEC 1 **AU CANADA** 3

NOUVEAUTÉS EN 2017

Nouveau modèle

COMMENT FAIRE DE LA SAUCISSE

Il est très rare que les constructeurs automobiles accordent la permission aux journalistes de faire l'essai d'un prototype. Je peux comprendre pourquoi: ce n'est pas beau! Aston Martin prépare pour la fin de l'année la nouvelle DB11 qui prendra la place de la vieillissante DB9. Sans doute un des modèles les plus importants de l'histoire de la marque, la DB11 a de gros souliers à remplir. Et le processus de commercialisation est un éternel processus de recommencement, une usine à saucisse, mais certaines ont un meilleur goût que d'autres.

Matt Bubbers

TOUR DU PROPRIÉTAIRE > Difficile de voir sous l'habit de camouflage qui enrobe complètement la voiture de quoi elle aura l'air, surtout qu'elle est couverte de boue et de moustiques. Notre prototype a eu la vie dure. Il est quand même possible de deviner qu'elle sera une digne héritière de la DB9 dans son approche, dans le style général et dans la prestance. Ses ailes plus larges laissent deviner des angles plus complexes que sur la DB9, qui cultivait les rondeurs.

VIE À BORD > Un prototype ne ressemble en rien à une voiture de production. À proprement parler, il n'y a pas de décorum. Il y a devant moi un gros bouton rouge relié à un extincteur en cas d'incendie.

+
- PUISSANCE DU MOTEUR
- TENUE DE ROUTE
- STYLE PROMETTEUR

−
- SON DU MOTEUR MOINS MÉCHANT
- PRIX ÉLEVÉ (BIEN SÛR)
- DISPONIBILITÉ LIMITÉE

MENTIONS

CLÉ D'OR | CHOIX VERT | **COUP DE CŒUR** | RECOMMANDÉ

VERDICT

PLAISIR AU VOLANT
QUALITÉ DE FINITION
CONSOMMATION
RAPPORT QUALITÉ / PRIX
VALEUR DE REVENTE nm
CONFORT

1 5 10

Sous l'accoudoir dans la console centrale, il y a une boîte de fusibles et plein de fils qui traversent le plancher. Des languettes de velcro tiennent temporairement les appareils de mesure en place sur la planche de bord. Naturellement, tout cela relève de la fabrication maison. Les futurs clients qui allongeront près de 250 000 $ pour cette voiture ne toléreraient pas un tel bordel. Bien sûr, une fois les tests terminés, tout l'habitacle sera recouvert de cuir et de bois nobles et les fils seront dissimulés sous d'épais tapis. Aucune trace de la fabrique à saucisse. Dommage, il y a un côté cool à cet environnement. Nous savons que Mercedes a participé à certains développements technologiques et on trouvera un nouvel écran TFT central.

TECHNIQUE > Noblesse oblige, les rares exotiques qui continuent de meubler notre paysage automobile offrent toujours un V12. Dans le cas de la DB11, ce sera un nouveau V12 que la compagnie développe depuis cinq ans. Il est plus petit avec 5,2 litres de cylindrée, il produit 600 chevaux et surtout 516 livres-pieds de couple à seulement 1500 tours/minute. La puissance arrive donc très tôt et pousse fort au-delà de 6 000 tours/minute.

AU VOLANT > C'est sur la piste d'essai de Bridgestone à Adria, en Italie, que nous avons fait connaissance avec la DB11. Le nom de notre modèle, la VP50 (VP pour Verification Prototype), le seul prototype roulant de la marque, a reçu un large éventail de tests d'endurance et de tortures au cours des derniers mois. Elle a tourné des journées entières sur le Nurburgring, en Allemagne, franchi les plus hauts cols des Pyrénées en Espagne et de nombreuses heures de conduite sur piste chez Bridgestone. Matt Becker, le professeur Dumbledore des essais dynamiques chez Aston Martin, nous accompagne dans la voiture. Son travail est de peaufiner la conduite de la voiture. Il me dit naturellement d'être prudent avant de prendre la piste et de mettre le mode de conduite à Track sur une piste mouillée. Cela me semble une mauvaise idée. « C'est le seul exemplaire de cette voiture, elle doit valoir 500 000 livres. » Voilà qui est rassurant, me dis-je. Première constatation, si vous éternuez en direction de l'accélérateur sans les aides électroniques embarquées, vous allez faire un 360. La puissance arrive beaucoup plus tôt que sur la DB9 et pousse plus fort. Le son n'est toutefois pas aussi rauque, les turbos ont cette tendance à assourdir le son naturel des moteurs, mais ça pousse, croyez-moi. Matt Becker m'a donné une leçon de dérapage contrôlé pour faire la preuve que la tenue de route ne posait pas problème dans une rivière improvisée sur le circuit. Selon lui, la VP50 est à 85 % prête. « Elle sera aussi confortable qu'une Bentley Continental et aussi rapide qu'une Ferrari. » Ça promet. « On veut que cette traditionnelle GT offre un peu plus de mordant », souligne-t-il en prenant un virage en dérapage.

CONCLUSION > Si Aston est capable de ce délicat mariage entre une GT et une pure sportive, ce sera à mon avis une première dans le monde des exotiques. Il est encore trop tôt pour le dire avec ce prototype, mais les ingrédients sont là. Les sensations au volant sont plus directes et sur le circuit, la voiture est plus joueuse et moins statutaire que ce à quoi Aston nous a habitués. Les palettes de changements de vitesses ont encore besoin d'ajustement, mais les 600 personnes qui travaillent sur ce projet nous donneront un produit final vers la fin de l'année qui promet d'être une saucisse succulente. ■

FICHE TECHNIQUE

MOTEUR(S)

(DB11) V12 5,2 L DACT biturbo
PUISSANCE 600 ch à 6 500 tr/min
COUPLE 516 lb-pi dès 1 500 tr/min
RAPPORT POIDS/PUISSANCE 2,95 kg/ch
BOÎTE(S) DE VITESSES manuelle robotisée à 8 rapports
PERFORMANCES 0-100 km/h 3,9 s
NIVEAU SONORE Moyen
VITESSE MAXIMALE 322 km/h

AUTRES COMPOSANTS

SÉCURITÉ ACTIVE (certains en option) Freins ABS, assistance au freinage, répartition électronique de la force de freinage, contrôle de la stabilité électronique, antipatinage, caméra 360°
SUSPENSION avant/arrière indépendante adaptative
FREINS avant/arrière disques
DIRECTION à crémaillère, assistée électriquement
PNEUS P255/40R20 (av.) P295/35R20 (arr.)

DIMENSIONS

EMPATTEMENT 2 805 mm
LONGUEUR 4 739 mm
LARGEUR 1 940 mm, 2 060 mm (incl. rétro.)
HAUTEUR 1 279 mm
POIDS 1 770 kg
RÉPARTITION DU POIDS AV/ARR (%) 51/49
DIAMÈTRE DE BRAQUAGE 11,5 m
COFFRE ND
RÉSERVOIR DE CARBURANT 78 L

LA COTE VERTE

MOTEUR V12 DE 6,0 L
CONSOMMATION (100 km) ville 16,8 L, route 10,9 L
CONSOMMATION ANNUELLE 2 414 L, 3 259 $
INDICE D'OCTANE 91
ÉMISSIONS POLLUANTES CO_2 5 552 kg/an
(source : ÉnerGuide)

FICHE D'IDENTITÉ

VERSION(S) S
TRANSMISSION(S) arrière
PORTIÈRES 4 **PLACES** 4
PREMIÈRE GÉNÉRATION 2010
GÉNÉRATION ACTUELLE 2014
CONSTRUCTION Gaydon, Angleterre
COUSSINS GONFLABLES 6 (frontaux, latéraux avant, rideaux latéraux)
CONCURRENCE Audi S8, BMW Alpina B7, Ferrari GTC4 Lusso, Jaguar XJ-R, Maserati Quattroporte, Mercedes-Benz CLS/S63/S65, Porsche Panamera Turbo, Rolls-Royce Wraith, Tesla S

AU QUOTIDIEN

COLLISION FRONTALE ND
COLLISION LATÉRALE ND
VENTES DU MODÈLE L'AN DERNIER
AU QUÉBEC ND **AU CANADA** ND
DÉPRÉCIATION (%) 24,2 (3 ans)
RAPPELS (2011 à 2016) 4
COTE DE FIABILITÉ 4/5

GARANTIES... ET PLUS

GARANTIE GÉNÉRALE 3 ans/kilométrage illimité
GROUPE MOTOPROPULSEUR 3 ans/kilométrage illimité
PERFORATION 10 ans/kilométrage illimité
ASSISTANCE ROUTIÈRE 3 ans/kilométrage illimité
NOMBRE DE CONCESSIONNAIRES
AU QUÉBEC 1 **AU CANADA** 3

NOUVEAUTÉS EN 2017

Aucun changement majeur.

POUR SE DÉMARQUER DU «1%»

On dit que seulement 1% de la population est considérée comme riche, une affirmation évidemment bien relative. Néanmoins, beaucoup de gens sur cette planète ont accès à des bolides d'exception. Classe S, Quattroporte, Panamera, les banlieues cossues en sont remplies. Et depuis peu s'est ajoutée la Tesla. Les Bentley Continental/Flying Spur méritent même aujourd'hui le surnom de *West Palm Beach Buick*, comme quoi ces voitures de 300 000 $ sont devenues beaucoup trop communes. Heureusement, il est encore possible à Beverly Hills de se démarquer de son voisin en se tournant vers une voiture aussi originale que pouvait l'être sa descendante, l'Aston Martin Lagonda.

Antoine Joubert

TOUR DU PROPRIÉTAIRE > Oui, la Lagonda. Une berline lancée en 1976, certes très originale, mais qui ne faisait pas l'unanimité en matière de design. En diriez-vous autant de la Rapide ? Sans doute que non. Aston Martin, qui ne fait pas dans la modestie, évoque même l'idée qu'il s'agit de la plus belle berline au monde. Et vous savez quoi ? Elle a raison. Fougueuse, spectaculaire, élancée et d'une grâce sans égale, elle vous fige sur place, tel ce mannequin de 6 pieds 3 pouces aux jambes interminables, revêtant une robe plus onéreuse que votre voyage de noces, que vous auriez bêtement croisée par hasard à la pharmacie alors que vous achetiez ce produit un peu gênant...

+
- SILHOUETTE SEXY
- PUISSANCE ET SONORITÉ DU V12
- FINITION DE TRÈS HAUT NIVEAU
- COMPORTEMENT RÉELLEMENT SPORTIF

−
- PAS LA PLUS SPACIEUSE DES BERLINES
- ABSENCE DE TRANSMISSION INTÉGRALE (POUR LE QUÉBEC)
- PUISSANTE, MAIS TRÈS GOURMANDE

MENTIONS

CLÉ D'OR | CHOIX VERT | **COUP DE CŒUR** | RECOMMANDÉ

VERDICT

	Note (1 à 10)
PLAISIR AU VOLANT	9
QUALITÉ DE FINITION	10
CONSOMMATION	7
RAPPORT QUALITÉ / PRIX	8
VALEUR DE REVENTE	8
CONFORT	10

VIE À BORD > Sans complexe aucun, cette splendide automobile vous donne accès à bord au moyen des portières qui s'ouvrent en s'inclinant de 12 degrés vers le haut. Juste assez pour piquer la curiosité, sans toutefois attirer l'attention de la plèbe, comme le font les Lamborghini. Accueillant quatre adultes, cette berline n'est certes pas aussi spacieuse qu'une Rolls-Royce Ghost, mais elle charme ses passagers à coups de cuirs sélects et de garnitures de luxe égayant les cinq sens. Croyez-moi, un tel niveau de luxe et de finition se fait rare dans l'industrie automobile. Et pour une expérience sensorielle de la sorte, les Anglais sont imbattables...

TECHNIQUE > Premier constat, pas de transmission intégrale. Voilà pourquoi certains acheteurs la repoussent du revers de la main, préférant se tourner vers une Panamera Turbo S plus efficace en hiver. Cela dit, l'expérience Aston Martin diffère grandement de celle de Porsche, ne serait-ce que parce qu'on boulonne à la Rapide un splendide moteur V12 de 6 litres. De la puissance, elle en a à revendre. Elle la livre avec une douceur telle qu'on ne soupçonne pas ce dont elle est capable. Appuyez de façon modérée, et vous bénéficierez d'une accélération douillette et feutrée, façon limousine. Mais lâchez votre fou, et la bête s'éveillera en laissant s'exprimer les 552 chevaux, qui ne se gêneront pas pour sortir le voisinage de son sommeil. À propos, quel son ! Tout simplement enivrant.

AU VOLANT > Depuis peu, la Rapide profite d'une nouvelle boîte automatique à 8 rapports, laquelle est bien sûr adaptative. La sélection tactile de l'un des trois modes de conduite aura d'ailleurs un impact direct sur son rendement, tout comme sur celui de l'amortissement et du potentiomètre de pédale. Aston Martin insiste également sur le fait que la Rapide est aussi à l'aise sur un circuit que les coupés de même famille malgré ses deux portières supplémentaires. Certes, elle est un brin plus lourde, mais le châssis d'aluminium sur lequel se fixe une suspension à double levier triangulé affiche une étonnante rigidité. Autre aspect considérable, la distribution des masses, quasi optimale à 49-51. Et le confort? Royal, dans la mesure où vous prenez place devant. Sélectionnez le mode « normal », syntonisez votre chaîne favorite et profitez du confort et du raffinement d'une berline qui transpire le luxe de façon bien différente d'une allemande. Est-ce toutefois réellement mieux qu'une Benz ou qu'une Porsche? Non. Seulement différent. Et c'est ce qui fait son charme.

CONCLUSION > On peut passer des heures à configurer virtuellement la Rapide de ses rêves sur le site Web de l'entreprise. Des dizaines de couleurs, de cuirs, de boiseries, sans compter les roues, les appliqués de fibre de carbone et d'aluminium qui s'y ajoutent. Des surpiqûres, des broderies ? Pourquoi pas. Ne suffit ensuite que d'ajouter 250 000 $ à l'équation, puis de patienter quelques mois pour que ce rêve devienne réalité. ■

FICHE TECHNIQUE

MOTEUR(S)

(S) V12 6,0 L DACT
PUISSANCE 552 ch à 6 750 tr/min
COUPLE 465 lb-pi à 5 500 tr/min
RAPPORT POIDS/PUISSANCE 3,6 kg/ch
BOITE(S) DE VITESSES automatique à 8 rapports avec mode manuel et manettes au volant
PERFORMANCES 0 à 100 km/h 4,4 s
REPRISE 80-115 km/h 3,5 s
FREINAGE 100-0 km/h 32,8 m
VITESSE MAXIMALE 327 km/h

AUTRES COMPOSANTS

SÉCURITÉ ACTIVE Freins ABS, assistance au freinage, répartition électronique de la force de freinage, contrôle électronique de la stabilité, antipatinage
SUSPENSION avant/arrière indépendante, à amortissement adaptatif
FREINS avant/arrière disques
DIRECTION à crémaillère, assistée
PNEUS P245/40R20 (av.) P295/35R20 (arr.)

DIMENSIONS

EMPATTEMENT 2 989 mm
LONGUEUR 5 019 mm
LARGEUR 1 920 mm, 2 140 mm (incl. rétro.)
HAUTEUR 1 360 mm
POIDS 1 990 kg
RÉPARTITION DU POIDS AV/ARR (%) 49/51
DIAMÈTRE DE BRAQUAGE 12,5 m
COFFRE 312 L, 878 L (sièges abaissés)
RÉSERVOIR DE CARBURANT 90 L

2e OPINION

Luc-Olivier Chamberland

Avec la Rapide S, comme avec toutes les Aston Martin, on ne réfléchit pas avec sa raison, mais bien avec sa passion. On n'achète pas une technologie de pointe, mais bien la plus séduisante berline sur le marché. Bien qu'elle ait quatre portes, on peut la décrire comme une 2+2 tant l'espace arrière est contraint par les dimensions et la taille de la console centrale. Il n'en demeure pas moins que pour l'unique plaisir d'entendre son V12 gronder, on s'enivre à chaque démarrage ou accélération. La Rapide S telle qu'on la connaît va bientôt laisser sa place à une autre voiture, qui sera cette fois plus moderne notamment avec un système hybride.

LA COTE VERTE

MOTEUR V12 DE 6,0 L
CONSOMMATION (100 km) ville 17,6 L, route 11,4 L
CONSOMMATION ANNUELLE 2 516 L, 3 019 $
INDICE D'OCTANE 91
ÉMISSIONS POLLUANTES CO_2 5 787 kg/an
(source : ÉnerGuide)

FICHE D'IDENTITÉ

VERSION(S) Coupé, Coupé Carbon Edition, Volante, Volante Carbon Edition, Zagato
TRANSMISSION(S) arrière
PORTIÈRES 2 **PLACES** 2, 2+2 (option)
PREMIÈRE GÉNÉRATION 2001
GÉNÉRATION ACTUELLE 2014
CONSTRUCTION Gaydon, Angleterre
COUSSINS GONFLABLES 6 (frontaux, latéraux, rideaux latéraux)
CONCURRENCE Audi R8, Bentley Continental GT3-R, Chevrolet Corvette Z06, Dodge Viper, Ferrari F12, Ford GT, Lamborghini Aventador, Maserati GTS, Mclaren 650S/675LT, Mercedes-Benz SL 65, Porsche 911 GT3 RS

AU QUOTIDIEN

COLLISION FRONTALE ND
COLLISION LATÉRALE ND
VENTES DU MODÈLE L'AN DERNIER
AU QUÉBEC ND **AU CANADA** ND
DÉPRÉCIATION (%) 28,5 (3 ans)
RAPPELS (2011 à 2016) aucun à ce jour
COTE DE FIABILITÉ 5/5

GARANTIES... ET PLUS

GARANTIE GÉNÉRALE 3 ans/kilométrage illimité
GROUPE MOTOPROPULSEUR 3 ans/kilométrage illimité
PERFORATION 10 ans/kilométrage illimité
ASSISTANCE ROUTIÈRE 3 ans/kilométrage illimité
NOMBRE DE CONCESSIONNAIRES
AU QUÉBEC 1 **AU CANADA** 3

NOUVEAUTÉS EN 2017

Édition limitée Zagato (99 exemplaires)

LA JOCONDE

Prendre le volant d'une Aston Martin Vanquish n'est rien de moins qu'un privilège. Que ce soit le temps d'un instant, comme nous, pauvres journalistes, ou tous les jours pour un riche millionnaire, cette voiture envoûte. Dire qu'elle est sublime est un euphémisme, spectaculaire lui sied mieux et là encore, ce n'est pas assez. Telle la Joconde, on la regarde patiemment avec une certaine extase, un mystère de beauté que l'on doit percer. Étant dans la stratosphère automobile, elle arrive avec une facture exorbitante et quelques incompréhensions.

Luc-Olivier Chamberland

TOUR DU PROPRIÉTAIRE > Rester critique et objectif pour décrire l'une des plus admirables choses sur laquelle on pose notre regard est un défi. La Vanquish nous observe avec un œil perçant surplombé de DEL. Au bouclier, le raffinement se manifeste une fois de plus avec un esprit sportif où la fibre de carbone se dévoile tout en supportant d'imposantes prises d'air. Au profil, on découvre des courbes voluptueuses avec une ouïe latérale flanquée d'une bande faite de la précieuse fibre. Le galbe des hanches soulève le coffre pour une prestance unique. On marque le pas pour une poupe distinctive avec son aileron intégré à même la carrosserie et des feux reprenant l'esprit de l'exclusive One-77.

+
- DESIGN PARFAIT
- MOTEUR PUISSANT ET DOUX
- AGRÉMENT DE CONDUITE RELEVÉ

−
- MANQUE D'ÉQUIPEMENT
- FIABILITÉ QUESTIONNABLE
- PRIX INDÉCENT, MALGRÉ L'EXCLUSIVITÉ

MENTIONS

CLÉ D'OR | CHOIX VERT | **COUP DE CŒUR** | RECOMMANDÉ

VERDICT

PLAISIR AU VOLANT
QUALITÉ DE FINITION
CONSOMMATION
RAPPORT QUALITÉ / PRIX
VALEUR DE REVENTE
CONFORT

1 5 10

VIE À BORD > De toute évidence, les designers d'Aston Martin ont mis un peu moins d'énergie dans la conception de l'habitacle que dans celle de la carrosserie. Datant de 2012, il commence à révéler les signes de son âge. Le point le plus irritant : l'applique centrale en noir lustré qui se transforme en imprimante à empreintes digitales et où la moindre particule de poussière est mise en valeur. Traînez-vous une lingette pour l'entretien! De plus, on réalise vite que l'équipement est loin d'être aussi ostentatoire que son prix le suggère. En fait, c'est même décevant, considérant la facture excédant les 300 000 $. Le meilleur exemple est le système de navigation, probablement d'origine TomTom, dont l'ergonomie date d'une époque lointaine. Les sièges, quant à eux, offrent le parfait soutien pour une voiture de Grand Tourisme. Les supports sont parfaitement ajustés pour nous cintrer et nous tenir en place dès que l'on réveille la bête.

TECHNIQUE > La tradition chez Aston Martin est très importante et elle se manifeste partout, notamment sous le capot. On retrouve le V12 AM29 de 5,9 litres sous l'interminable bonnet de la Vanquish. Avec sa puissance de 568 chevaux et un couple de 465 livres-pieds, on ne voit pas la limite. La vélocité ? Exceptionnelle avec une phénoménale accélération en 3,8 secondes au 0-100 km/h pour le coupé et un tout petit 0,2 de plus pour le cabriolet Volante. On doit une bonne partie de ce rendement à la boîte automatique ZF à 8 rapports et ses changements souples et subtils. À la fine pointe de la technologie, Aston Martin fait un effort réel avec une conception essentiellement en aluminium au châssis et l'utilisation intensive de la fibre de carbone à la carrosserie. Débridée, la Vanquish se propulsera aisément jusqu'à 324 km/h.

AU VOLANT > Dès le démarrage du moteur avec la clef poussoir, on s'enivre de la sonorité des 12 cylindres, la table est mise pour une expérience unique. La Vanquish se présente non pas comme une sportive, mais bien comme une Grand Tourisme, pour les balades. Elle nous permet de passer d'une rassurante quiétude à la brutalité d'une bête simplement en effleurant l'accélérateur. L'ensemble de ses composantes s'ajuste à la pression du mode Sport au volant. Tout se raffermit et son dynamisme prend un nouveau sens. Bien que ce soit une machine techniquement presque parfaite, on revient à la vieille école avec le manque d'aide à la conduite de sécurité comme le régulateur de vitesse adaptatif. À ce prix, on s'attend malgré tout à quelques gadgets, qui malheureusement brillent par leur absence.

CONCLUSION > Derrière le volant d'un tel bolide, on se sent comme le maître absolu de l'univers. À moins de vivre à Beverly Hills ou à Monte-Carlo, vous détiendrez la voiture la plus onéreuse à des milles à la ronde, et tout le monde vous regardera avec envie. Impossible de rendre cet achat raisonnable. Si votre portefeuille n'a pas de fond, c'est une pure beauté à posséder, et comme la Joconde, on l'admire, hypnotisé. ■

FICHE TECHNIQUE

MOTEUR(S)

(VANQUISH) V12 5,9 L DACT
PUISSANCE 568 ch à 6 750 tr/min
COUPLE 465 lb-pi à 5 500 tr/min
RAPPORT POIDS/PUISSANCE 3,1 kg/ch **Volante** 3,2 kg/ch
BOITE(S) DE VITESSES automatique à 8 rapports avec mode manuel et manettes au volant
PERFORMANCES 0-100 km/h 3,8 s **Volante** 4,0 s
REPRISE 80-115 km/h 2,1 s
FREINAGE 100-0 km/h 33,0 m
VITESSE MAXIMALE 324 km/h **Volante** 317 km/h

AUTRES COMPOSANTS

SÉCURITÉ ACTIVE Freins ABS, assistance au freinage, répartition électronique de la force de freinage, contrôle électronique de la stabilité, antipatinage
SUSPENSION avant/arrière indépendante, à amortissement adaptatif
FREINS avant/arrière disques
DIRECTION à crémaillère, assistée électriquement
PNEUS P255/35R20 (av.) P305/30R20 (arr.)

DIMENSIONS

EMPATTEMENT 2 740 mm
LONGUEUR 4 728 mm
LARGEUR 1 912 mm, 2 067 mm (incl. rétro.)
HAUTEUR 1 290 mm **Volante** 1 294 mm
POIDS 1 739 kg **Volante** 1 844 kg
RÉPARTITION DU POIDS AV/ARR (%) 51/49
DIAMÈTRE DE BRAQUAGE ND
COFFRE 190 L
RÉSERVOIR DE CARBURANT 78 L

2e OPINION

Antoine Joubert

Il y a de ces vêtements que l'on se procure seulement pour la griffe, parce qu'ils sont à la mode et très tendance. Même chose pour les accessoires et sacs à main. Mais il existe aussi des stylistes capables de vous concocter une robe ou un complet d'une rare élégance et si unique que la griffe devient inutile. Ce parallèle s'applique à merveille à Aston Martin, qui construit des voitures si magnifiques que l'étiquette devient accessoire. Et bien sûr, la Vanquish constitue le summum de l'élégance de la marque, particulièrement si vous osez adhérer au programme Q, qui permet de la personnaliser esthétiquement selon vos goûts les plus personnels. Vous avez goûté à Bentley, Ferrari et Porsche ? C'est bien. Mais l'expérience Aston Martin est autre, et tout simplement divine.

LA COTE VERTE

MOTEUR V12 DE 5,9 LITRES
CONSOMMATION (100 km) ville 23,5 L, route 15,7 L
CONSOMMATION ANNUELLE 3 400 L, 4 930 $
INDICE D'OCTANE 91
ÉMISSIONS DE CO_2 7 820 kg/an
(source : ÉnerGuide)

FICHE D'IDENTITÉ

VERSION(S) Coupé/Cabriolet V12 S
TRANSMISSION(S) arrière
PORTIÈRES 2 **PLACES** 2
PREMIÈRE GÉNÉRATION 2006
GÉNÉRATION ACTUELLE 2006
CONSTRUCTION Gaydon, Angleterre
COUSSINS GONFLABLES 4 (frontaux, latéraux)
CONCURRENCE Audi R8, Chevrolet Corvette, Dodge Viper, Ferrari 488 GTB/California, Jaguar F-Type R, Lamborghini Huracan, Maserati GT, Mclaren 540C/570S, Mercedes-Benz-AMG GT/SL, Nissan GT-R, Porsche 911

AU QUOTIDIEN

COLLISION FRONTALE ND
COLLISION LATÉRALE ND
VENTES DU MODÈLE L'AN DERNIER
AU QUÉBEC ND **AU CANADA** ND
DÉPRÉCIATION (%) 28,6 (3 ans)
RAPPELS (2011 à 2016) 4
COTE DE FIABILITÉ 4/5

GARANTIES... ET PLUS

GARANTIE GÉNÉRALE 3 ans/kilométrage illimité
GROUPE MOTOPROPULSEUR 3 ans/kilométrage illimité
PERFORATION 10 ans/kilométrage illimité
ASSISTANCE ROUTIÈRE 3 ans/kilométrage illimité
NOMBRE DE CONCESIONNAIRES
AU QUÉBEC 1 **AU CANADA** 3

NOUVEAUTÉS EN 2017

Uniquement un moteur V12 pour 2017

RATIONALISATION

La Vantage ne possède pas la même aura que ses grandes sœurs, les Vanquish et les DB, mais elle vient avec l'esprit de « Grand Tourisme » qui a fait la réputation de la marque au fil des décennies. La petite Vantage est presque au terme de sa vie active après une carrière de plus de dix ans. On découvre d'autres signes avant-coureurs qu'elle trépassera bientôt, puisqu'Aston Martin ne conserve en 2017 que le moteur V12 sous son capot, bye-bye le V8.

Luc-Olivier Chamberland

TOUR DU PROPRIÉTAIRE > Il n'y a pas une seule Aston Martin dans l'histoire qui ne fut pas un succès monumental sur le plan esthétique. Ce constructeur anglais a proposé, dès le début, des coupés aux lignes voluptueuses, élégantes, presque sensuelles. La Vantage a beau être le « bébé » de la famille, l'effort est le même. Depuis son apparition en 2003 sous la forme du prototype AMV8 Vantage à Détroit, elle ne cesse de séduire. Quatorze ans plus tard, on se retourne toujours sur son passage. Il faut dire que la personne derrière ces lignes n'est pas un amateur, c'est le controversé Henrik Fisker. Il est un des plus grands designers de sa génération à qui l'on doit aussi la DB9. Indéniablement, la Vantage restera un classique et deviendra une voiture de collection.

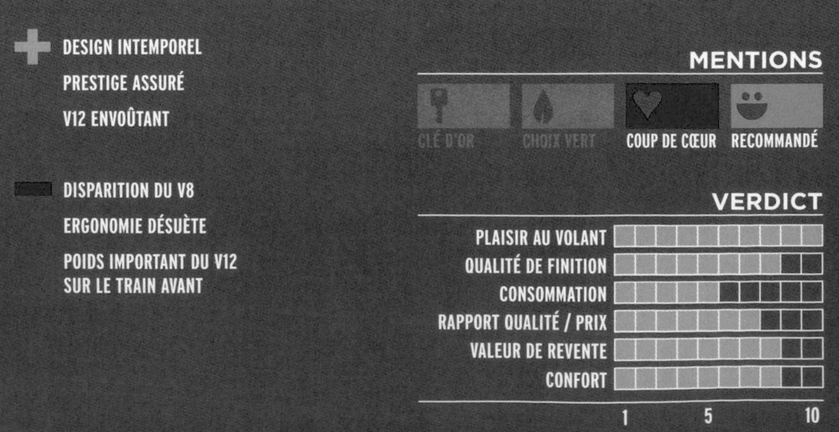

+ DESIGN INTEMPOREL
PRESTIGE ASSURÉ
V12 ENVOÛTANT
MENTIONS
CLÉ D'OR
CHOIX VERT
COUP DE CŒUR
RECOMMANDÉ
− DISPARITION DU V8
ERGONOMIE DÉSUÈTE
POIDS IMPORTANT DU V12 SUR LE TRAIN AVANT
VERDICT
PLAISIR AU VOLANT
QUALITÉ DE FINITION
CONSOMMATION
RAPPORT QUALITÉ / PRIX
VALEUR DE REVENTE
CONFORT
1
5
10

VIE À BORD > Au premier coup d'œil, la présentation intérieure de la Vantage est un coup de cœur. Le design est sublime et n'a pas encore pris une ride. Comme il se doit, les matériaux sont de première qualité et engendrent un environnement cossu. L'instrumentation, avec ses cadrans argentés, vaut le détour à elle seule. Le summum dans cette voiture : le charme du bouton-poussoir avec la clef que l'on insère dans la planche de bord pour donner vie au V12. Frissons garantis. Malheureusement, le quotidien avec la Vantage nous fait déchanter un peu. L'ergonomie suit les standards périmés des années 2000. On se cherche constamment. Les boutons sont microscopiques, l'écran de navigation est flou et l'équipement ne se veut pas des plus généreux. L'acheteur fait nécessairement des concessions.

TECHNIQUE > Aston Martin fait un gros ménage dans la gamme de la Vantage en 2017. Les deux versions V8, S et GT, disparaissent pour ne laisser la place qu'au tonitruant V12. D'une cylindrée de 5,9 litres, le moteur produit une écurie tout entière avec 565 chevaux et un couple de 457 livres-pieds. En 2015, Aston Martin a intégré une nouvelle boîte séquentielle à 7 rapports qui fait un travail merveilleux dans la gestion de la puissance. Elle fouette les régimes pour maximiser le couple en virage. Un tour de force que l'on ne peut utiliser que trop rarement sur la route.

AU VOLANT > Peu de voitures offrent une telle impression. Elle n'a jamais fait partie de la distribution d'un « James Bond », mais on peut facilement se prendre pour l'agent secret de Sa Majesté chaque fois que l'on est à son volant. Le sentiment d'exclusivité se manifeste dès le démarrage des 12 cylindres qui grondent à leur réveil. Sur la route, c'est évidemment sportif comme comportement. La direction mériterait un resserrement, mais les suspensions marient très bien le confort et la fermeté. Le poids du V12 ajoute une importante masse au train avant qui se manifeste lors des virages, mais la puissance compense amplement le surplus de kilos.

CONCLUSION > L'achat de la Vantage n'est pas un choix rationnel. À prix égal, une Porsche 911 Turbo offrira une expérience complètement différente et nettement plus moderne. Toutefois, cette Aston Martin propose une forte dose d'exclusivité sans faire de compromis sur le plan des performances. Bien sûr, l'attrait du V12, du prestige de la marque, de son histoire et de son look n'est certainement pas dans les éléments à négliger. ■

FICHE TECHNIQUE

MOTEUR(S)

(V12 S) V12 5,9 L DACT
PUISSANCE 565 ch à 6 750 tr/min
COUPLE 457 lb-pi à 5 750 tr/min
RAPPORT POIDS/PUISSANCE coupé 2,9 kg/ch **cabrio** 3,1 kg/ch
BOITE(S) DE VITESSES manuelle à 6 rapports, manuelle robotisée à 7 rapports
PERFORMANCES 0-100 km/h 3,9 s
REPRISE 80-115 km/h 2,1 s **FREINAGE 100-0 km/h** 34,5 m
VITESSE MAXIMALE coupé 328 km/h **cabrio.** 323 km/h

AUTRES COMPOSANTS

SÉCURITÉ ACTIVE Freins ABS, assistance au freinage, répartition électronique de la force de freinage, contrôle électronique de la stabilité, antipatinage
SUSPENSION avant/arrière indépendante
FREINS avant/arrière disques
DIRECTION à crémaillère, assistée
PNEUS V8 S P245/40R19 (av.) P285/35R19 (arr.)
V12 P255/35R19 (av.) P295/30R19 (arr.)

DIMENSIONS

EMPATTEMENT 2 600 mm
LONGUEUR 4 385 mm
LARGEUR 1 866 mm, 2 022 mm (incl. rétro.)
HAUTEUR V8 1 260 mm **V12** 1 250 mm
POIDS coupé 1 665 kg **cabrio.** 1 745 kg
RÉPARTITION DU POIDS AV/ARR (%) V8 49/51 **V12** 51/49
DIAMÈTRE DE BRAQUAGE V8 11,4 m **V12** 11,8 m
COFFRE 300 L **cabrio.** 144 L
RÉSERVOIR DE CARBURANT 80 L

2e OPINION

Benoit Charette

Conduire une Aston Martin relève presque de l'expérience spirituelle. Dès que vous mettez les pieds à bord, vous savez que vous êtes dans quelque chose de spécial. Cette année, pour célébrer dix ans de carrière, les V8 vont disparaître au profit d'un V12 de 5,9 litres. Mais faites ça vite, car dès 2018, la Vantage changera de style pour se rapprocher de la DB 11 et va emprunter les mécaniques V8 turbo, la transmission double embrayage et une partie des commandes de la Mercedes AMG GT. Aston Martin espère ainsi ventiler ses finances, qui ont eu la vie dure au cours des dernières années. L'avenir est donc prometteur pour cette britannique qui va prendre un peu l'accent allemand.

LA COTE VERTE

L4 DE 2,0 L TURBO
CONSOMMATION (100 km) ville 10,0 L, route 7,1 L
CONSOMMATION ANNUELLE 1 479 L, 1 997 $
INDICE D'OCTANE 91 **ÉMISSIONS POLLUANTES CO_2** 3 402 kg/an
(source : ÉnerGuide)

FICHE D'IDENTITÉ

VERSION(S) Berline 2RM Komfort, Progressiv **Berline et cabriolet 4RM/S3** Komfort, Progressiv, Technik **e-tron à hayon** Progressiv, Technik
TRANSMISSION(S) avant, 4
PORTIÈRES 2, 4, 5 **PLACES** 5
PREMIÈRE GÉNÉRATION 2006
GÉNÉRATION ACTUELLE 2014
CONSTRUCTION Györ, Hongrie
COUSSINS GONFLABLES 7 (Frontaux, genoux conducteur, latéraux avant, rideaux latéraux)
CONCURRENCE Berline Acura ILX, BMW Série 2, Infiniti QX30, Mercedes-Benz CLA **e-tron** Ford C-Max, Lexus CT200h, Mercedes-Benz Classe B, MINI Clubman

AU QUOTIDIEN

COLLISION FRONTALE 5/5
COLLISION LATÉRALE 5/5
VENTES DU MODÈLE L'AN DERNIER
AU QUÉBEC 1 361 (+62,8 %) **AU CANADA** 3 788 (+54,5 %)
DÉPRÉCIATION (%) 18,1 (2 ans)
RAPPELS (2011 à 2016) 4
COTE DE FIABILITÉ 3,5/5

GARANTIES... ET PLUS

GARANTIE GÉNÉRALE 4 ans/80 000 km
GROUPE MOTOPROPULSEUR 4 ans/80 000 km
PERFORATION 12 ans/kilométrage illimité
ASSISTANCE ROUTIÈRE 4 ans/80 000 km
NOMBRE DE CONCESSIONNAIRES
AU QUÉBEC 9 **AU CANADA** 35

NOUVEAUTÉS EN 2017

4 nouvelles couleurs, nouvelle grille avant, nouvelles jantes, arrêt/départ, phares au xénon, feux à DEL, interface téléphone intelligent, moteur 2-litres et boîte à 7 rapports remplacent le 1,8-litres à boîte 6 rapports sur modèle à 2RM, caméra de recul sur Progressiv, sur Technik : cockpit virtuel, phares à DEL, feux adaptatifs, volant chauffant.

LA BERLINE A PARLÉ

Apparue en 2014, la deuxième version nord-américaine de l'Audi A3 débarquait sur nos routes avec une stratégie entièrement repensée... par nos voisins du Sud, bien évidemment ! Aux États-Unis, la berline fait foi de tout et cette loi non écrite, le constructeur aux quatre anneaux l'a appliquée à la lettre pour sa deuxième tentative dans la catégorie des compactes. Force est d'admettre qu'ils avaient raison, les stratèges au sud du 49e parallèle. Du moins, c'est le constat qui en ressort à la vue des chiffres de vente depuis ce changement de la garde.

Vincent Aubé

TOUR DU PROPRIÉTAIRE > Bien qu'il soit encore possible de mettre la main sur une version Sportback comme par le passé, ce type de carrosserie est limité à la version hybride rechargeable, mieux connue sous son diminutif e-tron. Les autres A3 profitent toutes d'une carrosserie de berline. Le constructeur se veut plus combatif dans sa stratégie de vente, puisqu'il propose aussi une A3 Cabriolet, en plus d'une S3 uniquement disponible en format à 4 portières. Sans surprise, la silhouette de l'une ou l'autre respecte la ligne de pensée du constructeur. On y retrouve donc une grille de calandre proéminente à l'avant entourée de blocs optiques dotés d'une signature aux diodes électroluminescentes unique au modèle. Malgré ce trait de caractère d'une ressemblance trop évidente, les proportions de cette petite sont très réussies.

+
- PLAISIR DE CONDUITE
- PLUS GRAND CHOIX DE CONFIGURATIONS
- QUALITÉ GÉNÉRALE

−
- PAS DE BOÎTE MANUELLE
- VISIBILITÉ RÉDUITE
- ROULIS PRONONCÉ DANS LES VERSIONS DE BASE

MENTIONS

CLÉ D'OR | CHOIX VERT | COUP DE CŒUR | RECOMMANDÉ

VERDICT

PLAISIR AU VOLANT
QUALITÉ DE FINITION
CONSOMMATION
RAPPORT QUALITÉ / PRIX
VALEUR DE REVENTE
CONFORT

1 5 10

VIE À BORD > Un simple coup d'œil à l'intérieur confirme l'appartenance au reste de la famille. Le poste de contrôle adopte un style plus juvénile avec ces buses de ventilation circulaires, et la qualité des matériaux est à souligner. La sellerie est typique des produits de la marque, c'est-à-dire un peu dure. Toutefois, en matière de soutien latéral, les baquets de la première rangée n'ont rien à envier à ceux de la concurrence. L'accès aux places arrière n'est pas la plus grande qualité de cette compacte voiture, un irritant que l'on trouve aussi chez la concurrence. Pour rouler à bord d'une automobile au design si réussi, il faut parfois accepter certains compromis. Quant au volume du coffre, disons seulement qu'il est proportionnel à l'espace réservé aux occupants des places arrière. Comme voiture pratique, on a déjà vu mieux!

TECHNIQUE > Contrairement à la génération précédente, l'A3 propose une variété de motorisations plus étoffée, en commençant par le moteur 4 cylindres 2.0T livrant 186 chevaux dans la version à traction. Celui-ci s'adresse aux conducteurs qui ne recherchent pas nécessairement une voiture énergique à l'accélération. À pareille date l'an dernier, nous vous écrivions qu'il était possible de jumeler la technologie TDI au châssis de la petite A3, mais depuis plusieurs mois, le scandale «Dieselgate» a stoppé les ventes de cette variante. Heureusement pour Audi, l'A3 est possible avec deux autres saveurs. Le 4-cylindres 2.0T, un bloc présent sur presque tous les modèles de la gamme, poussé à 220 chevaux, constitue le choix plus dynamique, celui-ci étant livré d'office avec la transmission intégrale quattro. Et pour ceux qui en veulent vraiment plus, la S3 est tout indiquée avec sa cavalerie turbocompressée. Côté boîte de vitesse, Audi fait confiance à son unité à double embrayage comptant 6 rapports dans les versions à traction intégrale, 7 dans la version à traction. L'e-tron quant à elle reçoit une boîte automatique à 6 rapports.

AU VOLANT > D'une version à l'autre, la douceur de roulement change. Dans la S3, il faut accepter de vivre avec une voiture «tape-cul» en ville, mais lorsque la route sinueuse apparaît, cette bombe se charge d'accrocher un large sourire à votre visage. La berline A3 munie de l'ensemble S-Line (en option) est en position médiane, son comportement étant plus civilisé au quotidien, tandis que dans la version moins cossue, disons que l'influence du marché américain est mise en valeur, la voiture accusant un peu plus de roulis.

CONCLUSION > Il ne fait aucun doute que ce changement de forme a été bénéfique pour la petite A3. L'élargissement de la gamme n'est pas mauvais non plus, surtout considérant le mandat de cette compacte, soit celui d'attirer une nouvelle clientèle dans les salles de montre nord-américaines. Extrêmement bien ficelée, amusante à piloter et raisonnable à la pompe, l'Audi A3 n'est pas parfaite. Sa configuration de berline la rend moins pratique et la réputation de la marque en matière de fiabilité s'avère encore un obstacle pour certains. Et puisque la catégorie n'a jamais été aussi vaste, il serait judicieux de jeter un coup d'œil ailleurs, ne serait-ce que pour comparer. ■

2e OPINION

Benoit Charette

L'Audi A3 possède l'assurance tranquille de quelqu'un qui est en plein contrôle de la situation. Sans être une sportive au sens le plus strict du terme, elle est rassurante. La version e-tron vous traîne sur un filet d'essence et le 2-litres même dans sa version de 300 chevaux se montre aussi très raisonnable. La voiture, qui privilégie la traction pour obtenir de si bonnes cotes, passe en intégrale au besoin et sans jamais que le conducteur s'en rende compte. Plus équilibrée que la CLA et plus confortable que la Série 2, l'A3 constitue sans doute le meilleur choix chez les allemandes dans cette catégorie. L'Europe renouvelle la gamme cette année. Ce sera à notre tour l'an prochain.

FICHE TECHNIQUE

MOTEUR(S)

(Berline 2RM) L4 2,0 L DACT turbo
PUISSANCE 186 ch de 2 400 à 6 000 tr/min
COUPLE 215 lb-pi à nd tr/min (est.)
RAPPORT POIDS/PUISSANCE 8,5 kg/ch
BOÎTE(S) DE VITESSES robotisée 7 rapports avec mode manuel
PERFORMANCES 0-100 km/h 7,5 s (est.)
FREINAGE 100-0 km/h 39,5 m **NIVEAU SONORE À 100 km/h** Bon
VITESSE MAXIMALE 209 km/h

(Berline/cabriolet 4RM, S3) L4 2,0 L DACT Turbo
PUISSANCE 220 ch de 4 500 à 6 200 tr/min
S3 292 ch de 5 400 à 6 200 tr/min
COUPLE 258 lb-pi 1 600 à 4 000 tr/min
S3 280 lb-pi de 1 900 à 5 300 tr/min
RAPPORT POIDS/PUISSANCE 6,9 kg/ch **Cabriolet** 7,4 kg/ch **S3** 5,4 kg/ch
BOÎTE(S) DE VITESSES robotisée 6 rapports avec mode manuel
PERFORMANCES 0-100 km/h 6,2 s **Cabriolet** 6,3 s **S3** 4,9 s
REPRISE 80-115 km/h 4,0 s
FREINAGE 100-0 km/h Cabriolet 42,5 m
VITESSE MAXIMALE 209 km/h **S3** 250 km/h
CONSOMMATION (100 km) ville 9,8 L, route 7,2 L
Cabriolet ville 10,1 L route 7,5 L **S3** ville 10,1 L route 7,7 L (octane 91)
ANNUELLE Berline 1 462 L, 1 974 $ **Cabriolet** 1 513 L, 2 043$ **S3** 1 530 L, 2 066 $
ÉMISSIONS DE CO_2 Berline 3 363 kg/an **Cabriolet** 3 480 kg/an **S3** 3 519 kg/an

(e-tron) L4 1,4 L DACT turbo + moteur élctrique
PUISSANCE 150 ch + moteur élect. 102 ch, 204 ch total maximum
COUPLE 184 lb-pi + moteur élect. 258 lb-pi
RAPPORT POIDS/PUISSANCE 8,0 kg/ch
BOÎTE DE VITESSES automatique à 6 rapports avec mode manuel
PERFORMANCES 0-100 km/h 7,6 s), 11,0 s (est. mode électr. seul)
VITESSE MAXIMALE 210 km/h **AUTONOMIE MOYENNE** en mode électrique 45 km
CONSOMMATION (100 km) tout électrique équivalant 2,8 L,
combiné élect./ess. ville 6,4 L, route 5,7 L
ANNUELLE 1 020 L, 1 377 $ **ÉMISSIONS DE CO_2** 2 346 kg/an

AUTRES COMPOSANTS

SÉCURITÉ ACTIVE (certains en option) Freins ABS, assistance au freinage, répartition électronique de la force de freinage, contrôle de la stabilité électronique, antipatinage, freinage d'urgence automatique, avertisseur de sortie de voie, assistance au maintien de voie, régulateur de vitesse adaptatif, avertisseur d'obstacle latéral et arrière, phares adaptatifs, essuie-glaces adaptatifs
SUSPENSION avant/arrière indépendante
FREINS avant/arrière disques
DIRECTION à crémaillère, assistée électriquement
PNEUS P225/45R17 **Cabriolet/S3/option A3 berline** P225/40R18, P235/35R19

DIMENSIONS

EMPATTEMENT 2 637 mm **e-tron** 2 630 mm
LONGUEUR 4 456 mm **e-tron** 4 312 mm
LARGEUR 1 960 mm **e-tron** 1 966 mm **HAUTEUR** 1 416 mm **e-tron** 1 426 mm
POIDS Berline 2RM 1 440 kg **4RM** 1 525 kg **S3** 1 565 kg
Cabriolet 1 625 kg **e-tron** 1 640 kg
RÉPARTITION DU POIDS AV/ARR (%) ND
DIAMÈTRE DE BRAQUAGE 11,0 m **e-tron** 10,9 m
COFFRE Berline 348 L **Cabrio** 320 L **e-tron** 386 L, 955 L (sièges abaissés)
RÉSERVOIR DE CARBURANT 55 L **e-tron** 40 L
BATTERIE (e-tron) 8,8 kWh lithium-ion

LA COTE VERTE

MOTEUR L4 DE 2,0 L TURBO
CONSOMMATION (100 km) ville 9,8 L, route 7,6 L (est.)
Allroad ville 11,2 L, route 8,4 L (est.)
CONSOMMATION ANNUELLE 1 479 L, 1 997 $ **Allroad** 1 666 L, 2 249 $
INDICE D'OCTANE 91
ÉMISSIONS POLLUANTES CO_2 auto. 3 402 kg/an **Allroad** 3 832 kg/an
(source : L'Annuel)

FICHE D'IDENTITÉ

VERSION(S) 2.0T quattro/2.0T quattro allroad Komfort, Progressiv, Technik, **S4 (2016)** Progressiv plus, Technik
TRANSMISSION(S) 4
PORTIÈRES 4, 5 **PLACES** 5
PREMIÈRE GÉNÉRATION 1996
GÉNÉRATION ACTUELLE 2017
CONSTRUCTION Ingolstadt, Allemagne
COUSSINS GONFLABLES 6 (frontaux, latéraux avant, rideaux latéraux) **option** 8 (ajout de latéraux arrière)
CONCURRENCE Acura TLX, Alfa Romeo Giulia, BMW Série 3/Série 4 Gran Coupé, Buick Regal, Cadillac ATS, Infiniti Q50, Jaguar XE, Lexus IS, Lincoln MKZ, Mercedes-Benz Classe C/ CLA, MINI Clubman S, Subaru Outback, Volkswagen CC, Volvo S60/V60/XC70

AU QUOTIDIEN

COLLISION FRONTALE 5/5
COLLISION LATÉRALE 5/5
VENTES DU MODÈLE L'AN DERNIER
AU QUÉBEC 1 653 (-5,5 %) **AU CANADA** 5 461 (-6,6 %)
DÉPRÉCIATION (%) 28,9 (3 ans)
RAPPELS (2011 à 2016) 1
COTE DE FIABILITÉ 4/5

GARANTIES... ET PLUS

GARANTIE GÉNÉRALE 4 ans/80 000 km
GROUPE MOTOPROPULSEUR 4 ans/80 000 km
PERFORATION 12 ans/kilométrage illimité
ASSISTANCE ROUTIÈRE 4 ans/kilométrage illimité
NOMBRE DE CONCESSIONNAIRES
AU QUÉBEC 9 **AU CANADA** 35

NOUVEAUTÉS EN 2017

Nouvelle génération

RAPIDE ET SILENCIEUSE

On dit que le silence est d'or. Dans le cas d'une berline de luxe, cette affirmation prend toute son importance. La nouvelle A4 affiche à peine 63 décibels à 120 km/h. C'est moins que dans une Classe S de Mercedes ou une LS de Lexus. Audi a resserré tous les boulons pour 2017 en abaissant entre autres le coefficient de traînée à 0,27, contribuant à faire glisser la berline dans le vent.

Benoit Charette

TOUR DU PROPRIÉTAIRE > C'est sans doute le style qui constitue le talon d'Achille de cette nouvelle A4. Beaucoup de gens ne verront que très peu de différence avec la précédente génération. Cette neuvième génération d'A4, qui a commencé il y a quelques décennies sous le nom d'Audi 80, évolue selon la théorie des petits pas. Visuellement, la berline sport conserve les mêmes dimensions, mais repose sur un nouveaux châssis baptisé MLB, et non, ce n'est pas la Major League Baseball mais plutôt la Modularer Längsbaukasten Evolution, une plateforme modulaire qui, sous peu, va servir de base unique pour plusieurs produits Audi, Volkswagen, Bentley et Lamborghini. Si la dernière génération jouait sur les rondeurs, la version 2017 réintègre des lignes plus affûtées et plus carrées, à l'image des plus récentes réalisations de la marque. Même constat à l'avant avec des phares plus menaçants et double chevron allongé face au modèle actuel. La calandre s'est également mise au goût du jour. L'arrière demeure assez générique.

+
- MOTEUR EXTRÊMEMENT DOUX ET SOUPLE
- AGRÉMENT ET CONFORT DE CONDUITE
- COMPORTEMENT SÛR ET PLAISANT
- BOÎTE S TRONIC

−
- OPTIONS CHÈRES FAISANT VITE EXPLOSER LA FACTURE
- LIGNE UN PEU TERNE
- ÉQUIPEMENT DE BASE PLUTÔT PINGRE

MENTIONS

CLÉ D'OR · CHOIX VERT · COUP DE CŒUR · RECOMMANDÉ

VERDICT

PLAISIR AU VOLANT
QUALITÉ DE FINITION
CONSOMMATION
RAPPORT QUALITÉ / PRIX
VALEUR DE REVENTE
CONFORT

1 5 10

VIE À BORD > Fidèle à elle-même, Audi n'a pas lésiné sur la qualité d'exécution de son habitacle. Les sièges électriques chauffants et climatisés offrent un confort sans faille. L'empattement un peu plus long donne un peu d'espace supplémentaire aux passagers à l'arrière. Mais le grand pas en avant est au chapitre de l'électronique embarquée. Un peu à la traîne face à ses concurrents allemands (BMW et Mercedes-Benz) depuis quelques années, Audi se rattrape de belle manière. En plus du large cadran numérique devant le conducteur, qui fait 31 centimètres et se transforme au gré de l'information demandée par le conducteur, vous avez aussi un écran central MMI. Il permet d'afficher toutes les informations et paramètres du véhicule, l'Audi Connect, le GPS, la téléphonie et l'audio. Il se commande à l'aide d'une large molette qui, à notre avis, devrait laisser sa place à un écran tactile. Audi a raté la chance de se mettre au niveau des plus récents écrans à ce chapitre. Au-delà des habituelles aides à la conduite électroniques comme la détection de changement de voie, l'anti-louvoiement, le détecteur d'angles morts et autres traction asservie et contrôle de stabilité, Audi apporte quelques innovations. Vous avez par exemple le système d'assistance-circulation. Entre 0 et 60 km/h, le système d'assistance-circulation combine l'assistance à l'accélération, au freinage et au braquage pour aider le conducteur à naviguer dans la circulation dense en toute sécurité. À des vitesses supérieures à 60 km/h, le régulateur de vitesse adaptatif avec fonction Stop-&-go prend la relève pour maintenir une distance programmée entre le véhicule et celui qui le précède. Vous avez aussi le système « pre sense », qui détecte un piéton ou autres obstacles à 100 mètres grâce à une caméra dans le pare-brise qui balaye l'horizon devant le véhicule. Le coffre contient 480 litres de rangement et 965 litres avec les sièges rabattus.

TECHNIQUE > Depuis son lancement, une seule mécanique est possible avec la nouvelle A4. Il s'agit à la base du même moteur 2 litres turbo que dans la précédente génération. Audi a tout de même retravaillé le tout pour faire passer la puissance de 220 à 252 chevaux et le couple de 258 à 273 livres-pieds. Jumelée à ce fringant moteur, une transmission S tronic double embrayage à 7 rapports (qui remplace l'automatique à 8 rapports) d'une précision et d'une rapidité remarquables. Audi annonce un 0-100 km/h en seulement 6 secondes. Nous avons réussi à le faire en 6,2 secondes, ce qui est très près de la vérité. Audi a laissé entendre qu'une boîte manuelle serait sans doute disponible en 2017. Elle a aussi mentionné un moteur diesel dans un futur proche, et ce, malgré le scandale du « dieselgate » qui a touché ce modèle à l'automne 2015. Il y aura également une nouvelle version S4 qui aura perdu plus de 130 kilos et conservera son moteur 3 litres turbo, qui passera de 333 à 354 chevaux et le couple de 325 à 369 livres-pieds.

2e OPINION

Antoine Joubert

Même si au premier coup d'œil vous pourriez croire que l'A4 est une évolution, 90 % des pièces qui composent la voiture sont neuves. Audi a voulu garder le lien avec l'ancienne en raison de la popularité du modèle. En quelques coups de crayons, les concepteurs ont remis la berline au goût du jour en conservant les mêmes proportions. La voiture gagne en tenue de route, en agilité, en puissance et en confort. Les trains roulants ont été optimisés, la direction rendue plus douce et plus précise. De plus, un effort a été fait sur le poids de l'auto, une réduction de l'ordre de 110 kg. Si vous regardez pour une berline de luxe d'entrée de gamme, n'aller pas plus loin. La nouvelle A4 offre le plus bel équilibre entre performances, tenue de route et confort général sans parler de la finition qui est toujours l'exemple à suivre sur le marché.

FICHE TECHNIQUE

MOTEUR(S)

(2.0T, 2.0T Allroad) L4 2,0 L DACT turbo
PUISSANCE 252 ch de 5 000 à 6 000 tr/min
COUPLE 273 lb-pi de 1 600 à 4 500 tr/min
RAPPORT POIDS/PUISSANCE 6,2 kg/ch
BOÎTE(S) DE VITESSES manuelle robotisée à 7 rapports
PERFORMANCES 0-100 km/h Berline 6,0 s **Allroad** 6,1 s
REPRISE 80-115 km/h 3,9 s
FREINAGE 100-0 km/h 35,5 m
NIVEAU SONORE À 100 km/h Très bon
VITESSE MAXIMALE 209 km/h (bridée)

(S4) V6 3,0 L DACT turbo
PUISSANCE 354 ch de 5 500 à 6 500 tr/min
COUPLE 369 lb-pi de 1 370 à 4 500 tr/min
RAPPORT POIDS/PUISSANCE 4,6 kg/ch
BOÎTE(S) DE VITESSES automatique à 8 rapports avec mode manuel
PERFORMANCES 0-100 km/h 4,7 s
REPRISE 80-115 km/h 3,4 s
FREINAGE 100-0 km/h 34,0 m
NIVEAU SONORE À 100 km/h Très bon
VITESSE MAXIMALE 250 km/h (bridée)
CONSOMMATION (100 km) ND (octane 91)
ANNUELLE ND
ÉMISSIONS DE CO_2 ND

AUTRES COMPOSANTS

SÉCURITÉ ACTIVE (certains en option) Freins ABS, assistance au freinage, répartition électronique de la force de freinage, contrôle électronique de la stabilité, antipatinage, phares adaptatifs, avertisseur d'obstacle latéral et arrière, régulateur de vitesse adaptatif, détecteur d'impact imminent, détection de piétons, antilouvoiement
SUSPENSION avant/arrière indépendante
FREINS avant/arrière disques
DIRECTION à crémaillère, assistée électriquement
PNEUS 2.0T Berline Komfort P225/50R17
autres berlines 2.0T/S4 P245/40R18 **option** P245/35R19
Allroad P245/45R18 **option** P245/40R19

DIMENSIONS

EMPATTEMENT 2 818 mm
LONGUEUR 4 730 mm **Allroad** 4 750 mm
LARGEUR 1 826 mm **Allroad** 1 842 mm
HAUTEUR 1 427 mm **Allroad** 1 493 mm **S4** 1 404 mm
POIDS 1 570 kg **Allroad** 1 580 kg **S4** 1 630 kg
DIAMÈTRE DE BRAQUAGE 11,5 m
COFFRE ber. 480 L, 965 L (sièges abaissés)
Allroad 505 L, 1 510 L (sièges abaissés)
RÉSERVOIR DE CARBURANT 58 L

A

B

C

D

E

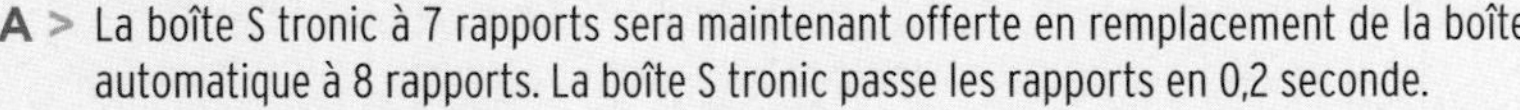

GALERIE

A > La boîte S tronic à 7 rapports sera maintenant offerte en remplacement de la boîte automatique à 8 rapports. La boîte S tronic passe les rapports en 0,2 seconde.

B > Parmi les nouvelles caractéristiques, on trouve l'interface pour téléphone intelligent d'Audi, une chaîne audio Bang & Olufsen avec son à trois dimensions, le chargement sans fil pour cellulaire et l'affichage tête haute. Les modèles équipés du système de navigation MMI plus comprennent la technologie sans fil LTE haute vitesse, qui permet aux passagers de se connecter à Internet pendant qu'ils sont sur la route.

C > Grâce à un empattement un peu plus long, les passagers à l'arrière profitent d'un espace un peu plus généreux pour les genoux, comblant ainsi une lacune de l'ancienne génération, qui en donnait peu aux passagers arrière.

D > Avec le système Audi Drive Select, qui permet de choisir entre 5 modes de conduite (Efficiency, Comfort, Dynamic, Auto et Individual), il est possible de décider du tempérament de la voiture selon nos goûts personnels.

E > Le cockpit virtuel en option d'Audi est équipé d'un écran à cristaux liquides de 31 centimètres qui affiche des informations importantes sur le véhicule et fait office de principal élément de contrôle. Ce bloc-instruments entièrement numérique avait d'abord été présenté dans la TT et fait graduellement le tour des produits Audi.

HISTORIQUE

Au milieu des années 90, la marque Audi décide de modifier l'appellation de ses autos. L'Audi 80 devient alors l'Audi A4 (A pour Audi et 4 pour le modèle), ce qui se rapproche alors un peu plus de la logique des BMW et Mercedes. La première A4 porte le nom de code B5. Avec ce modèle, Audi concrétise un nouveau style qui fera exploser sa notoriété. En effet, cette A4 ne marchera pas uniquement en Europe mais partout dans le monde. La nouvelle génération porte le nom de B9 et l'A4 est toujours le modèle le plus vendu de la marque.

AU VOLANT > Une invitation au bonheur sur 4 roues, c'est ce qui vous attend dans l'A4. Une position de conduite très confortable avec une vision 360 sans tache. Le moteur sait se faire discret lorsqu'il roule à vitesse d'autoroute et peut montrer des dents si vous avez à dépasser. Mais cela se fait toujours avec un plein contrôle de la situation et dans un environnement feutré, toujours bien insonorisé. Le moteur 2 litres turbo est à la fois dynamique, confortable et reposant, une équation difficile à réaliser. Ajoutons que le mode Audi Select, qui permet de choisir entre un mode confort, normal, dynamique ou individuel, adapte la conduite à votre humeur. La rigidité de la caisse, combinée à une perte de poids qui peut atteindre 120 kilos selon le modèle sélectionné, donne des ailes à cette nouvelle génération, qui attaque la route avec assurance. Je me suis surpris à conduire sur de mauvaises routes en mode confort en réalisant à quel point la voiture absorbe bien toutes les imperfections de la route. Peut-on souligner un petit défaut dans la conduite? Je dois dire que oui. La direction n'a pas un aussi bon ressenti que sa rivale de la Série 3 ou 4 chez Mercedes. Mais franchement, la rigidité de la caisse et le silence de roulement souverain font rapidement oublier ce problème sans intérêt.

CONCLUSION > Avec cette nouvelle A4, Audi a revu chaque détail, revisité chaque élément pour faire d'un excellent véhicule une berline d'exception. Dans un monde de plus en plus concurrentiel qui oppose non seulement les trois Allemands mais aussi les marques de luxe japonaises, il faut placer la barre de plus en plus haute pour plaire à une clientèle qui a l'embarras du choix. L'A4 est la plus vendue de la famille Audi et la division de luxe de Volkswagen s'est assurée de mettre les nouvelles normes à un niveau supérieur. Cette nouvelle A4 domine au chapitre du raffinement, du silence de roulement et a rattrapé Mercedes dans le domaine de la technologie. Audi a réussi un compromis difficile, celui d'offrir une voiture à la fois sportive, confortable et silencieuse. Plus qu'une valeur sûre, l'A4 est la nouvelle mesure étalon dans les berlines de luxe d'entrée de gamme. ■

Audi A4 1994

Audi A4 2003

Audi A4 2006

Audi A4 2010

Audi A4 2017

La nouvelle Audi A5 arrivera au Canada en 2017

LA COTE VERTE

L4 DE 2,0 L TURBO
CONSOMMATION (100 km) man. ville 10,6 L, route 7,3 L
auto. 11,0 L, route 7,8 L **cabrio. auto.** ville 11,3 L route 8,0 L
CONSOMMATION ANNUELLE man. 1 547 L, 2 088 $
auto. 1 632 L, 2 203 $ **cabrio. auto.** 1 666 L, 2 249 $
INDICE D'OCTANE 91
ÉMISSIONS POLLUANTES CO_2 man. 3 558 kg/an **auto.** 3 754 kg/an
cabrio. auto. 3 832 kg/an
(source : ÉnerGuide)

FICHE D'IDENTITÉ

VERSION(S) A5 coupé Komfort, Progressiv, Technik **A5 cabriolet, S5 coupé/cabriolet** Progressiv, Technik **S5 coupé** Dynamic Edition
TRANSMISSION(S) 4
PORTIÈRES 2 **PLACES** 4
PREMIÈRE GÉNÉRATION 2008
GÉNÉRATION ACTUELLE 2013
CONSTRUCTION Ingolstadt, Allemagne
COUSSINS GONFABLES 6 (frontaux, latéraux avant, rideaux latéraux)
cabrio. 4 (frontaux, latéraux avant)
CONCURRENCE BMW Série 4, Cadillac ATS Coupé, Infiniti Q60, Lexus RC, Mercedes-Benz Classe C Coupé

AU QUOTIDIEN

COLLISION FRONTALE 5/5
COLLISION LATÉRALE 5/5
VENTES DU MODÈLE L'AN DERNIER
AU QUÉBEC 416 (-23,1 %) **AU CANADA** 1 693 (-21,8 %)
DÉPRÉCIATION (%) 20,2 (3 ans)
RAPPELS (2011 à 2016) 1
COTE DE FIABILITÉ 4/5

GARANTIES... ET PLUS

GARANTIE GÉNÉRALE 4 ans/80 000 km
GROUPE MOTOPROPULSEUR 4 ans/80 000 km
PERFORATION 12 ans/kilométrage illimité
ASSISTANCE ROUTIÈRE 4 ans/80 000 km
NOMBRE DE CONCESIONNAIRES
AU QUÉBEC 9 **AU CANADA** 35

NOUVEAUTÉS EN 2017

Nouvelles options de jantes. Sur S5 : caméra de recul et senseur arrière de stationnement de série, nouvelle édition *Dynamic* avec roues de 20 po., suspension adaptative, différentiel sport, sièges sport et optiques noires.

DERNIER DROIT

La plus belle auto jamais dessinée par Walter Da Silva – c'est lui qui le dit – prend la direction du Musée. La nouvelle mouture circule déjà en Europe et promet de débarquer en Amérique dans les prochains mois. D'ici là, la direction canadienne d'Audi Canada rempile avec le modèle actuel, lequel a atteint un stade de mise au point difficile à surpasser.

Éric LeFrançois

TOUR DU PROPRIÉTAIRE > Toute la famille y est pour ce dernier tour de piste : le coupé comme le cabriolet ainsi que tous leurs dérivés. Avec la disparition de la très exclusive RS5, la version cabriolet représente sans doute la belle occasion à saisir. Capoté comme un coupé sans l'effet toile de tente (la manœuvre est entièrement automatique, sans verrouillage manuel), ce cabriolet en impose aussi une fois décoiffé. Le cadre du pare-brise, le haut des portières et le caisson de la capote sont recouverts d'un aluminium anodisé du plus bel effet.

VIE À BORD > Comme le coupé, le cabriolet provoque l'envie d'en prendre le volant (réglable dans les deux sens) et de s'installer dans ses baquets de cuir. Leurs contours latéraux sont peu généreux, sans doute, mais ces sièges sont dotés de petits aérateurs destinés à nous souffler un peu d'air chaud dans le cou dans nos balades sous les étoiles (système inauguré par Mercedes à bord du coupé-cabriolet SLC qui, à l'époque, se faisait appeler SLK). Dommage

+
- CONFORT ACOUSTIQUE
- SOUPLESSE DU 4-CYLINDRES ET EFFICACITÉ DE LA BOÎTE AUTOMATIQUE
- FINITION SOIGNÉE

–
- LES PROMESSES QUI NE TRAVERSERONT PAS L'OCÉAN (VOIR TEXTE)
- MODÈLE EN FIN DE CARRIÈRE
- DIAMÈTRE DE BRAQUAGE

MENTIONS

CLÉ D'OR | CHOIX VERT | COUP DE CŒUR | RECOMMANDÉ

VERDICT

PLAISIR AU VOLANT
QUALITÉ DE FINITION
CONSOMMATION
RAPPORT QUALITÉ / PRIX
VALEUR DE REVENTE
CONFORT

1 5 10

que les passagers à l'arrière ne profitent pas d'une aussi délicate et coûteuse attention. En revanche, ils se réjouiront de monter à bord, puisque les places sont suffisamment spacieuses pour voyager confortablement. Seul hic, et il est de taille : les courants d'air ébouriffent les cheveux des occupants dès que la vitesse grimpe; cela incite à rouler avec le pare-vent (en option aussi) relevé, condamnant ainsi les places arrière. Ce faisant, il est possible de basculer en tout, ou en partie, les sièges pour allonger la surface de chargement du coffre.

Plus latine qu'à bord d'une Mercedes et plus valorisante dans le détail que dans une BMW, la vie à bord de cette Audi fait toujours figure de référence dans l'industrie.

TECHNIQUE > Suave et raffiné, le cabriolet Audi n'est ni le plus rapide ni le plus économe. Mais c'est celui qui correspond le mieux à ce concept de « voiture à vivre ».

La tenue de route est tout à fait satisfaisante même si, en virage très serré, on ressent le travail du train avant. Le quattro soulage avantageusement la sollicitation des pneus en répartissant au mieux l'effort. À la demande, silencieux ou mélodieux, le moteur de 2 litres permet la balade au pas sur la rue Sainte-Catherine ou le galop sur les petites routes de l'Estrie. Il se dégage de cette voiture un parfum subtil de luxe et d'insouciance, de plaisir fugace mais réel.

AU VOLANT > Souple et « coupleux », le 2-litre se révèle parfaitement adapté au caractère de cette auto. Sur la route, la première impression est celle de se retrouver aux commandes d'un cabriolet chic et exclusif destiné au grand tourisme, mais qui a perdu le caractère sportif du coupé au profit de la souplesse et du confort.

Le revêtement de bitume aléatoire du réseau routier local a mis en valeur l'excellente rigidité de la caisse, élément-clé pour la réussite d'un cabriolet. Sur ce point, les ingénieurs d'Ingolstadt ont su s'inspirer de la concurrence. Le châssis est très homogène et rassurant, mais un peu pataud dans les enchaînements de virages. Autre point décevant, le freinage. Efficace dans des conditions normales, il résiste mal à l'échauffement à la suite d'un usage plus sportif.

CONCLUSION > Absence de vibrations remontant de la route, insonorisation poussée, comportement sécurisant, confort moelleux sur tout parcours, l'A5 brille, à condition de ne pas y mettre toute la gomme... ■

2e OPINION

Daniel Rufiange

J'en étais encore à mes premières années dans le milieu journalistique lorsque j'ai eu l'occasion de voir les esquisses d'un nouveau coupé sur lequel planchait Audi. La future A5 m'avait scié les jambes, littéralement. Ses lignes, fluides au possible, sa gueule, inspirante, et ses organes, générateurs de passions, composaient la base d'une recette certaine de plaire. En fait, elle a tellement plu qu'il a fallu attendre près de 10 ans avant de voir poindre le modèle de deuxième génération, qui se pointera plus tard cette année ou au début du prochain millésime. On a ajouté quelques épices à la recette, manifestement, mais soyez assuré qu'Audi n'a pas trop brassé la sauce. La plus récente A4 a servi d'inspiration à cette nouvelle A5 et si l'expérience au volant est aussi concluante, la nouvelle venue va poursuivre sur son irrésistible lancée.

Nouvelle Audi A5

FICHE TECHNIQUE

MOTEUR(S)

(Coupé, Cabriolet) L4 2,0 L turbo DACT
PUISSANCE 220 ch de 4 450 à 6 000 tr/min
COUPLE 258 lb-pi de 1 500 à 4 300 tr/min
RAPPORT POIDS/PUISSANCE Coupé 7,4 kg/ch **Cabrio** 8,3 kg/ch
BOÎTE(S) DE VITESSES manuelle à 6 rapports, automatique à 8 rapports avec mode manuel
PERFORMANCES 0-100 km/h man. 6,5 s **auto. Coupé** 6,3 s **Cabrio.** 6,8 s
REPRISE 80-115 km/h 4,8 sec
FREINAGE 100-0 km/h 38 m
NIVEAU SONORE À 100 km/h Moyen
VITESSE MAXIMALE 209 km/h (bridée)

(S5) V6 3,0 L DACT à compresseur volumétrique
PUISSANCE 333 ch de 5 500 à 6 500 tr/min
COUPLE 325 lb-pi de 2 900 à 5 300 tr/min
RAPPORT POIDS/PUISSANCE Coupé 5,2 kg/ch **Cabrio** 5,9 kg/ch
BOÎTE(S) DE VITESSES manuelle à 6 rapports, automatique à 7 rapports avec mode manuel
PERFORMANCES 0-100 km/h Coupé 5,1 s **Cabrio** 5,5 s
REPRISE 80-115 km/h 3,3 sec
FREINAGE 100-0 km/h 36 m
VITESSE MAXIMALE 250 km/h (bridée)
CONSOMMATION (100 km) man. ville 13,8 L, route 9,0 L **auto. Coupé** ville 13,0 L, route 8,5 L **Cabrio** ville 13,3 L, route 9,1 L (octane 91)
ANNUELLE man. 1 989 L, 2 685 $ **auto. Coupé** 1 870 L, 2 524 $ **Cabrio** 1 938 L, 2 616 $
ÉMISSIONS DE CO_2 man. 4 575 kg/an **auto. Coupé** 4 301 kg/an **Cabrio** 4 457 kg/an

AUTRES COMPOSANTS

SÉCURITÉ ACTIVE (certains en option) Freins ABS, assistance au freinage, répartition électronique de la force de freinage, contrôle électronique de la stabilité, antipatinage, régulateur de vitesse adaptatif, avertisseur d'obstacle latéral, phares adaptatifs
SUSPENSION avant/arrière indépendante
FREINS avant/arrière disques
DIRECTION à crémaillère, assistée électriquement
PNEUS A5/S5 P245/40R18 **S5/option A5 Progressiv** P255/35R19 **option S5** P265/30R20 **RS5** P275/30R20

DIMENSIONS

EMPATTEMENT 2 751 mm
LONGUEUR 4 626 mm
LARGEUR 1 854 mm
HAUTEUR 1 372 mm
POIDS A5 1 670 à 1 835 kg **S5** 1 750 à 1 955 kg **RS5** 1 820 kg
RÉPARTITION DU POIDS AV/ARR (%) A5 50/50 **S5** 51/49
DIAMÈTRE DE BRAQUAGE 11,4 m
COFFRE berline 345 L **cabrio** 288 L
RÉSERVOIR DE CARBURANT 61 L

LA COTE VERTE

MOTEUR L4 DE 2,0L TURBO
CONSOMMATION (100 km) ville 10,8 L, route 7,3 L
CONSOMMATION ANNUELLE 1 564 L, 2 111 $
INDICE D'OCTANE 91
ÉMISSIONS POLLUANTES CO_2 3 597 kg/an
(source : ÉnerGuide)

FICHE D'IDENTITÉ

VERSION(S) Progressiv, Technik, A6 Competition, S6
TRANSMISSION(S) 4
PORTIÈRES 4 **PLACES** 5
PREMIÈRE GÉNÉRATION 1995
GÉNÉRATION ACTUELLE 2012
CONSTRUCTION Neckarsulm, Allemagne
COUISSINS GONFLABLES 8 (frontaux, latéraux avant, genoux conducteur et passager, rideaux latéraux) option 10 (plus latéraux arrière)
CONCURRENCE Acura RLX, BMW Série 5, Cadillac CTS, Infiniti Q70, Jaguar XF, Lexus GS, Lincoln MKS, Mercedes-Benz Classe E, Volvo S90

AU QUOTIDIEN

COLLISION FRONTALE 5/5
COLLISION LATÉRALE 5/5
VENTES DU MODÈLE L'AN DERNIER
AU QUÉBEC 217 (-14,2 %) **AU CANADA** 990 (-11,1%)
DÉPRÉCIATION (%) 25,0 (3 ans)
RAPPELS (2011 à 2016) 2
COTE DE FIABILITÉ 4/5

GARANTIES... ET PLUS

GARANTIE GÉNÉRALE 4 ans/80 000 km
GROUPE MOTOPROPULSEUR 4 ans/80 000 km
PERFORATION 12 ans/kilométrage illimité
ASSISTANCE ROUTIÈRE 4 ans/kilométrage illimité
NOMBRE DE CONCESIONNAIRES
AU QUÉBEC 9 **AU CANADA** 35

NOUVEAUTÉS EN 2017

Nouvelle édition A6 Competition, version diesel non disponible jusqu'à nouvel ordre.

PROFIL BAS

Avec la nouvelle Classe E qui vient tout juste de faire son apparition sur le marché et la BMW de Série 5 qui sera nouvelle pour 2017, Audi ne pourra pas rester longtemps les bras croisés, surtout que c'est la moins populaire des trois Allemandes dans ce segment dominé par Mercedes. Selon ce que l'on nous annonce, la prochaine A6 puisera son inspiration dans le prototype Prologue, aux angles plus prononcés.

Benoit Charette

TOUR DU PROPRIÉTAIRE > Arrivée en 2011 comme modèle 2012, la plus récente A6 a eu droit à une première mise à niveau fin 2014. Pour ne pas perdre trop de terrain face à ses concurrents allemands, Audi procède à une petite refonte visuelle. Les modifications vont dans le sens des autres modèles avec des angles un peu plus carrés, une grille à l'aspect noir brillant sur les prises d'air du bouclier avant, un arrière qui paraît plus anguleux avec des seuils de bouclier modifiés. Il risque d'y avoir quelques nouvelles couleurs de carrosserie comme le rouge matador et le brun java, tandis que deux nouveaux modèles de roues sont possibles. La nouvelle A6 est prévue pour 2018.

\+ GRAND CHOIX DE MODÈLES
HABITACLE DE GRANDE QUALITÉ
TENUE DE ROUTE SANS FAILLE

\- STYLE À TRAVAILLER
COMME TOUTES LES ALLEMANDES, TROP D'OPTIONS
CHÈRE

MENTIONS

CLÉ D'OR | CHOIX VERT | COUP DE CŒUR | RECOMMANDÉ

VERDICT

PLAISIR AU VOLANT
QUALITÉ DE FINITION
CONSOMMATION
RAPPORT QUALITÉ / PRIX
VALEUR DE REVENTE
CONFORT

1 5 10

VIE À BORD > On profite aussi de l'occasion pour refaire une mise à jour technologique dans le véhicule. On notera un éclairage à DEL ainsi que de nouveaux inserts en aluminium Ellipse argenté ou en bouleau naturel gris agate, en option. Vous pouvez aussi intégrer à l'interface MMI les fonctionnalités Apple CarPlay et Android Auto. Il sera de plus possible de recharger un téléphone intelligent par induction grâce à l'Audi phone box en option. Sur les modèles S, des tablettes Audi dédiées aux passagers arrière font leur apparition. Au chapitre de l'aménagement général, de la qualité des matériaux et du confort, Audi demeure la référence en la matière.

TECHNIQUE > Avec la suspension des ventes de la version diesel pour l'instant, l'offre débute avec le moteur 4 cylindres turbo 2 litres de 252 chevaux. Vous avez ensuite le choix du 6-cylindres à essence de 3 litres turbocompressés et ses 333 chevaux qui augmente à 340 dans la nouvelle version Compétition. Pour ceux qui aiment un peu plus de mordant, le V8 de 4 litres turbo de la S6 déménage sérieusement avec ses 450 chevaux. Mais dans tous les cas, l'A6 demeure avant tout confortable et statutaire. La boîte à 8 rapports forme un couple idéal avec tous les moteurs alors que la S6 en contient 7 qui agissent aussi avec brio.

AU VOLANT > C'est derrière le volant que l'A6 brille de tous ses feux. Vous avez d'abord un confort souverain, une insonorisation de grande qualité et une impression d'invulnérabilité. La transmission intégrale fonctionne à merveille, peu importe le climat et le moment de l'année. Vous avez ensuite l'Audi Drive Select, qui se présente de série avec toutes les versions et vous permet de choisir votre type de conduite selon la route et votre humeur. Avec son 4-cylindres qui produit 252 chevaux, le modèle d'entrée de gamme est sans doute le plus pertinent si vous recherchez le meilleur rapport qualité-prix. Je ne vous parle pas de la S6, qui livre certes beaucoup de performance (trop peut-être pour nos routes à basse vitesse), mais quelle belle machine! Une A6, c'est d'abord une ambiance et une expérience de conduite. Vous risquez fort de tomber amoureux après quelques kilomètres d'essai.

CONCLUSION > Avec BMW et Mercedes qui cherchent à hausser la barre dans la catégorie, Audi devra réagir dans un court laps de temps et sortir un peu le modèle de sa torpeur visuelle. Elle a beaucoup à offrir, cette berline, mais elle doit apprendre à s'extravertir un peu plus pour aller chercher une nouvelle clientèle. ■

2e OPINION

Antoine Joubert

Au moment d'écrire ces lignes, je n'avais pas encore eu la chance de prendre le volant de la nouvelle Classe E de Mercedes-Benz, sa plus proche rivale. Néanmoins, l'A6 demeure pour moi l'une des meilleures berlines de luxe de la planète. Pourquoi, parce qu'elle allie tout ce dont les acheteurs de ce type de véhicules sont friands. Un luxe de haut niveau, des belles performances routières, un superbe agrément de conduite, une finition haut de gamme et contemporaine, ainsi qu'une image de prestige justifiant de débourser une telle somme. Maintenant, je me permets aussi d'ajouter que le moteur 3.0 TFSI est une mécanique extraordinaire qui permet d'obtenir avec l'A6 un équilibre parfait entre puissance, confort et dynamisme. Une version que je choisirais sans hésiter avant la S6, inutilement puissante et enrageante à conduire sur les routes du Québec.

FICHE TECHNIQUE

MOTEUR(S)

(2.0T) L4 2,0 L DACT turbo
PUISSANCE 252 ch de 5 000 à 6 000 tr/min
COUPLE 273 lb-pi de 1 600 à 4 500 tr/min
RAPPORT POIDS/PUISSANCE 6,8 kg/ch
BOÎTE(S) DE VITESSES automatique à 8 rapports avec mode manuel
PERFORMANCES 0-100 km/h 6,7 s
REPRISE 80-115 km/h 5,5 sec **FREINAGE 100-0 km/h** 38,0 m
NIVEAU SONORE À 100 km/h Bon
VITESSE MAXIMALE 209 km/h (bridée)

(3.0 T, 3.0T Compettition) V6 3,0 L DACT à compresseur volumétrique
PUISSANCE 333 ch de 5 500 à 6 500 tr/min **Competition** 340 ch
COUPLE 326 lb-pi de 2 900 à 5 300 tr/min
RAPPORT POIDS/PUISSANCE 5,7 kg/ch
BOÎTE(S) DE VITESSES automatique à 8 rapports avec mode manuel
PERFORMANCES 0-100 km/h 5,3 s
REPRISE 80-115 km/h 4,1 sec **FREINAGE 100-0 km/h** 38,0 m
VITESSE MAXIMALE 209 km/h (bridée)
CONSOMMATION (100 km) ville 11,6 L, route 7,9 L (octane 91)
ANNUELLE 1 683 L, 2 272 $ **ÉMISSIONS DE CO_2** 3 871 kg/an

(S6) V8 4,0 L DACT biturbo
PUISSANCE 450 ch de 5 800 à 6 400 tr/min
COUPLE 406 lb-pi de 1 400 à 5 700 tr/min
RAPPORT POIDS/PUISSANCE 4,5 kg/ch
BOÎTE(S) DE VITESSES automatique à 7 rapports avec mode manuel
PERFORMANCES 0-100 km/h 4,7 s
REPRISE 80-115 km/h 3,9 sec **FREINAGE 100-0 km/h** 38,0 m
VITESSE MAXIMALE 250 km/h (bridée)
CONSOMMATION (100 km) ville 13,3 L route 8,8 L (octane 91)
ANNUELLE 1 921 L, 2 593 $ **ÉMISSIONS DE CO_2** 4 418 kg/an

AUTRES COMPOSANTS

SÉCURITÉ ACTIVE (certains en option) Freins ABS, assistance au freinage, répartition électronique de la force de freinage, contrôle électronique de la stabilité, antipatinage, phares adaptatifs, régulateur de vitesse adaptatif, avertisseurs d'obstacle latéral et de sortie de voie, affichage tête haute, système d'aide à la vision nocturne
SUSPENSION avant/arrière indépendante
S6 avec amortissement pneumatique adaptatif
FREINS avant/arrière disques
DIRECTION à crémaillère, assistée électriquement
PNEUS A6 Progressiv P245/45R18 **A6 Technik/option A6 Progressiv** P255/40R19 **A6 Competition/S6/option A6 Technik** P255/35R20

DIMENSIONS

EMPATTEMENT 2 911 mm **S6** 2916 mm
LONGUEUR 4 933 mm **S6** 4 938 mm
LARGEUR 1 874 mm, 2 085 mm (incl. rétro.)
HAUTEUR 1 468 mm **S6** 1 443 mm
POIDS 2.0 L 1725 kg **3.0 L** 1 895 kg **S6** 2 035 kg
DIAMÈTRE DE BRAQUAGE 11,9 m
COFFRE 399 L
RÉSERVOIR DE CARBURANT 75 L

LA COTE VERTE

MOTEUR V6 DE 3,0 L TURBO
CONSOMMATION (100 km) ville 11,6 L, route 7,9 L
CONSOMMATION ANNUELLE 1 683 L, 2 272 $
INDICE D'OCTANE 91
ÉMISSIONS POLLUANTES CO_2 3 871 kg/an
(source : ÉnerGuide)

FICHE D'IDENTITÉ

VERSION(S) A7 3.0T Progressiv, Technik, Competition
S7, RS7 base, Performance
TRANSMISSION(S) 4
PORTIÈRES 5 **PLACES** 5, 4 (S7, RS7)
PREMIÈRE GÉNÉRATION 2012
GÉNÉRATION ACTUELLE 2012
CONSTRUCTION Neckarsulm, Allemagne
COUISSINS GONFLABLES 8 (frontaux, genoux, latéraux avant, rideaux latéraux) **option** 10 (+ latéraux arrière)
CONCURRENCE Acura RLX, Bentley Continental GT, BMW Série 6 Gran Coupé, Cadillac CTS, Infiniti Q70, Jaguar XF, Maserati Ghibli, Mercedes-Benz CLS/Classe E coupé, Tesla S, Volvo S90

AU QUOTIDIEN

COLLISION FRONTALE 5/5
COLLISION LATÉRALE 5/5
VENTES DU MODÈLE L'AN DERNIER
AU QUÉBEC 134 (-26,0 %) **AU CANADA** 787 (-10,2 %)
DÉPRÉCIATION (%) 26,6 (3 ans)
RAPPELS (2011 à 2016) 2
COTE DE FIABILITÉ 3/5

GARANTIES... ET PLUS

GARANTIE GÉNÉRALE 4 ans/80 000 km
GROUPE MOTOPROPULSEUR 4 ans/80 000 km
PERFORATION 12 ans/kilométrage illimité
ASSISTANCE ROUTIÈRE 4 ans/80 000 km
NOMBRE DE CONCESSIONNAIRES
AU QUÉBEC 9 **AU CANADA** 35

NOUVEAUTÉS EN 2017

Édition A7 Competititon, édition RS7 Performance. Version diesel non disponible jusqu'à nouvel ordre.

LE VENT DE FRAÎCHEUR

Parfois, il faut rendre à César ce qui lui appartient, mais il faut aussi savoir lui lancer le pot et les fleurs qui l'accompagnent lorsqu'il le mérite. Il y a 20 ans, les observateurs étaient peu nombreux à prédire à Audi un avenir rose et prospère. Feuilletez la section Audi de l'*Annuel* et vous réaliserez tout le chemin parcouru par la firme d'Ingolstadt. Seulement, la multiplication de ses produits a pris, honteusement, les allures d'une opération massive de clonage. Outre sur le plan des formats et des prix, une A3 et une A4, une A6 et une A8, merde que ça se ressemble. L'A7, à travers tout ça, c'est l'exception qui confirme la règle, le vent de fraîcheur qui fait qu'on se dit qu'il y a peut-être de l'espoir.

Daniel Rufiange

TOUR DU PROPRIÉTAIRE > L'expression « tour du propriétaire » prend tout son sens ici, car ce n'est pas en regardant l'A7 de front qu'on va la trouver distincte. À 500 mètres, essayez de la différencier d'une A6 ou d'une A8. Cependant, lorsqu'on fait le tour, on découvre une partie arrière qui ne ressemble à rien d'autre au sein de la gamme. Le vent de fraîcheur, il est là, qu'on aime ou non le traitement réservé à la ligne de toit et à la lunette qui viennent se fondre avec la poupe. Après des indications qui laissaient croire qu'Audi adoucirait les lignes pour la prochaine génération, les dernières rumeurs vont à contresens; on pousserait la note

+
- STYLE DIFFÉRENT
- QUALITÉ ET FINITION INTÉRIEURE
- VERSION RS7 DÉMENTE
- NIVEAU DE CONFORT
- FIABILITÉ DE 30 % SUPÉRIEURE À LA MOYENNE, SELON CONSUMER REPORTS

−
- PRIX UNE FOIS BIEN ÉQUIPÉ
- VISIBILITÉ ARRIÈRE ET TROIS QUARTS ARRIÈRE PLUS LIMITÉE
- FRAIS D'ENTRETIEN

MENTIONS

CLÉ D'OR | CHOIX VERT | COUP DE CŒUR | **RECOMMANDÉ**

VERDICT

PLAISIR AU VOLANT
QUALITÉ DE FINITION
CONSOMMATION
RAPPORT QUALITÉ / PRIX
VALEUR DE REVENTE
CONFORT

1 5 10

encore plus loin pour la suite des choses, prévue quelque part à l'horizon 2018-2019. Autrement, on note des différences d'une variante à l'autre, qu'on parle de la docile A7, de la rebelle S7 ou de la criminelle RS7.

VIE À BORD > S'il y a un domaine où Audi est sans reproche, c'est bien dans la confection d'habitacles. Si les matériaux qui drapent des modèles d'entrée comme l'A3 ou le Q3 sont de facture moyenne, la qualité, elle, croît lorsqu'on monte en grade. À bord de l'A7, les surfaces respirent la qualité. Mieux, la présentation, quoique classique, est fort jolie et l'ergonomie est sans faille. Une fois les rudiments du système multimédia MMI maîtrisés, il ne vous reste qu'à apprécier le grand confort des sièges, l'insonorité et la chaîne audio Bang & Olufsen que vous aurez eu la bonne idée de sélectionner en option. À l'arrière, si vous n'êtes pas trop grand, le confort vous attend aussi.

TECHNIQUE > Trois mécaniques équipent les différentes moutures de l'A7. Un V6 de 3 litres anime les modèles A7. Lorsqu'on passe à la S7 et la RS7, on fait appel à un V8 de 4 litres. Configuré pour servir la première, il offre 450 chevaux et 406 livres-pieds de couple. Programmé pour obéir à la deuxième, il libère 560 chevaux enragés et 516 livres-pieds de couple. Sauf pour la S7 qui possède une boîte automatique à 7 rapports, une boîte automatique à 8 rapports, palettes au volant incluses, est là pour gérer le transfert de la puissance aux roues. On ajoute à ces guerriers une kyrielle d'aides à la conduite, une suspension adaptative de l'intérieur et une transmission intégrale qui n'a plus besoin de présentation, et on prend la route, le couteau entre les dents.

AU VOLANT > Trois modèles, trois comportements routiers distincts. Si l'équilibre se trouve dans la S7, il est clair que certains préféreront le rendement plus civilisé de l'A7. En revanche, d'autres aux pulsions plus sadiques auront envie d'agripper le volant d'une version RS7 afin d'en exploiter tout le potentiel. Cette brute, il n'y a pas d'autres mots, vous garantit une dose de frissons que bien peu de voitures peuvent vous proposer. L'accélération, violente, le son, jouissif, et le comportement routier, incisif, sont autant d'éléments séducteurs.

CONCLUSION > L'A7 est une voiture à considérer si vous souhaitez quelque chose de différent. Chez Audi, elle est la seule à se démarquer, outre le biplace R8. Sortez vos bidous, toutefois, car qu'importe la version, la facture grimpe rapidement. Si rien ne presse, la prochaine A7, qui sera, souhaitons-le, fortement inspirée du prototype Prologue, pourrait être encore plus intéressante. ■

2e OPINION

Benoit Charette

Il arrive très rarement dans notre métier que nous ayons la chance de repousser une voiture sport dans ses derniers retranchements. Sur les circuits routiers, la ligne droite est trop courte et, très souvent, nous ne sommes pas familiarisés avec le circuit, donc nous levons le pied. Sur les routes publiques, impossible de rouler à fond, sauf à quelques endroits choisis hors des heures de trafic en Allemagne. C'est précisément dans ces conditions que nous avons eu la chance de pousser une RS7 à plus de 300 km/h. Je sais, vous allez me traiter de fou furieux. Mais croyez-moi, si vous voulez savoir si une voiture est construite solide et de manière sécuritaire, c'est un vrai test. Cela dit, cette RS7, tout comme la S7 et l'A7, est un exemple à suivre au chapitre de la motricité, de la finition et du plaisir de conduire.

FICHE TECHNIQUE

MOTEUR(S)

(A7, A7 Competition) V6 3,0 L DACT à compresseur volumétrique
PUISSANCE 333 ch de 5 500 à 6 500 tr/min **Competititon** 340 ch
COUPLE 326 lb-pi de 2 900 à 5 300 tr/min
RAPPORT POIDS/PUISSANCE 5,7 kg/ch
BOÎTE(S) DE VITESSES automatique à 8 rapports avec mode manuel
PERFORMANCES 0-100 km/h 5,6 s
REPRISE 80-115 km/h 4,5 s **FREINAGE 100-0 km/h** 38,0 m
NIVEAU SONORE À 100 km/h Bon
VITESSE MAXIMALE 209 km/h (bridée)

(S7) V8 4,0 L DACT biturbo
PUISSANCE 450 ch de 5 800 à 6 400 tr/min
COUPLE 406 lb-pi de 1 400 à 5 700 tr/min
RAPPORT POIDS/PUISSANCE 4,5 kg/ch
BOITE(S) DE VITESSES automatique à 7 rapports avec mode manuel
PERFORMANCES 0-100 km/h 4,7 s
REPRISE 80-115 km/h 3,9 s **FREINAGE 100-0 km/h** 38,0 m
NIVEAU SONORE À 100 km/h Bon
VITESSE MAXIMALE 280 km/h (bridée)
CONSOMMATION (100 km) ville 13,4 L route 8,8 L (octane 91)
ANNUELLE 1 938 L, 2 616 $ **ÉMISSIONS DE CO_2** 4 457 kg/an

(RS7, RS7 Performance) V8 4,0 L DACT biturbo
PUISSANCE 560 ch à 5 700 tr/min **Performance** 605 ch à 5 700 tr/min
COUPLE 516 lb-pi à 1 750 tr/min **Performance** 553 lb-pi à 2 500 tr/min
RAPPORT POIDS/PUISSANCE 3,6 kg/ch **Performance** 3,4 kg/ch
BOITE(S) DE VITESSES automatique à 8 rapports avec mode manuel
PERFORMANCES 0-100 km/h 3,9 s **Performance** 3,5 s
REPRISE 80-115 km/h 3,5 s **FREINAGE 100-0 km/h** 38,0 m
NIVEAU SONORE À 100 km/h Bon
VITESSE MAXIMALE 305 km/h
CONSOMMATION (100 km) 16,2 L route 9,3 L (octane 91)
ANNUELLE 2 227 L, 3 006 $ **ÉMISSIONS DE CO_2** 5 122 kg/an

AUTRES COMPOSANTS

SÉCURITÉ ACTIVE (certains en option) Freins ABS, assistance au freinage, répartition électronique de la force de freinage, contrôle électronique de la stabilité, antipatinage, régulateur de vitesse adaptatif, affichage tête haute, ensemble vision nocturne, avertisseurs de sortie de voie et d'obstacle latéral
SUSPENSION avant/arrière indépendante
FREINS avant/arrière disques
DIRECTION à crémaillère, assistée électriquement
PNEUS P255/40R19 **A7 Competition/S7/option A7** P265/35R20 **RS7** P275/30R21 **option RS7** P275/35R20

DIMENSIONS

EMPATTEMENT 2 912 mm **RS7** 2 915 mm
LONGUEUR 4 968 mm **RS7** 5 012 mm
LARGEUR 2 139 mm (incl. rétro.) **HAUTEUR** 1 420 mm
POIDS A7 1 905 kg **S7** 2 045 kg **RS7** 2 030 kg
RÉPARTITION DU POIDS AV/ARR (%) A7 54/46 **S7** 55/45
DIAMÈTRE DE BRAQUAGE 11,9 m
COFFRE 535 L, 1 390 L (sièges abaissés) **RÉSERVOIR DE CARBURANT** 75 L

LA COTE VERTE

MOTEUR V6 DE 3,0 L TURBO
CONSOMMATION (100 km) ville 12,6 L, route 8,0 L
CONSOMMATION ANNUELLE 1 785 L, 2 410 $
INDICE D'OCTANE 91
ÉMISSIONS POLLUANTES CO_2 4 105 kg/an
(source : ÉnerGuide)

FICHE D'IDENTITÉ

VERSION(S) A8/A8L 3.0T, 4.0T **S8** plus
TRANSMISSION(S) 4
PORTIÈRES 4 **PLACES** 5
PREMIÈRE GÉNÉRATION 1995
GÉNÉRATION ACTUELLE 2011
CONSTRUCTION Neckarsulm, Allemagne
COUSSINS GONFLABLES 10 (frontaux, latéraux avant et arrière, genoux passager et conducteur, rideaux latéraux)
CONCURRENCE BMW Série 7, Bentley Continental, Cadillac CT6, Genesis G90, Jaguar XJ, Lexus LS, Maserati Quattroporte, Mercedes-Benz CLS/ Classe S, Porsche Panamera

AU QUOTIDIEN

COLLISION FRONTALE 5/5
COLLISION LATÉRALE 5/5
VENTES DU MODÈLE L'AN DERNIER
AU QUÉBEC 57 (-8,1 %) **AU CANADA** 238 (-10,5 %)
DÉPRÉCIATION (%) 30,4 (3 ans)
RAPPELS (2011 à 2016) 1
COTE DE FIABILITÉ 4/5

AU QUOTIDIEN

GARANTIE GÉNÉRALE 4 ans/80 000 km
GROUPE MOTOPROPULSEUR 4 ans/80 000 km
PERFORATION 12 ans/kilométrage illimité
ASSISTANCE ROUTIÈRE 4 ans/ kilométrage illimité
NOMBRE DE CONCESIONNAIRES
AU QUÉBEC 9 **AU CANADA** 35

NOUVEAUTÉS EN 2017

Abandon du W12, moteur 4 litres plus puissant, nouvelle édition S8 plus

LEÇON DE PEAUFINAGE

Vous savez à quel point les constructeurs allemands s'épient de près dans tous les aspects de leurs voitures. Avec BMW qui s'est pointée avec une nouvelle Série 7 l'an dernier, Audi ne pouvait pas rester immobile. La firme aux anneaux présente donc cette année une version S8 Plus qui pourrait tout aussi bien porter le nom de RS8, car elle a en elle le même moteur que l'Audi RS7. De plus, on prépare pour l'an prochain une toute nouvelle génération d'A8 qui utilisera un compresseur électrique pour aller chercher son surplus de puissance.

Benoit Charette

TOUR DU PROPRIÉTAIRE > Le style demeure très sobre. La version S8 ajoute un certain nombre d'éléments en fibre de carbone comme le discret aileron sur le coffre arrière, le becquet à l'avant et les rétroviseurs extérieurs. Vous trouverez également un échappement sport peint en noir unique à la version S8 Plus et des roues de 21 pouces coiffées d'énormes freins en carbone-céramique pour stopper ce mastodonte. Le châssis demeure le même, mais la version S8 + profite d'une suspension pneumatique recalibrée qui donne des jambes de coureurs de 100 mètres à ce lutteur de Sumo.

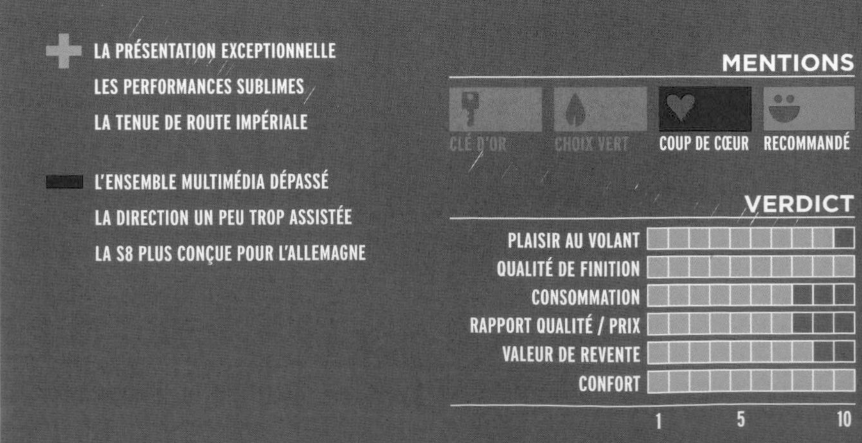

+ LA PRÉSENTATION EXCEPTIONNELLE
LES PERFORMANCES SUBLIMES
LA TENUE DE ROUTE IMPÉRIALE
– L'ENSEMBLE MULTIMÉDIA DÉPASSÉ
LA DIRECTION UN PEU TROP ASSISTÉE
LA S8 PLUS CONÇUE POUR L'ALLEMAGNE
MENTIONS
CLÉ D'OR
CHOIX VERT
COUP DE CŒUR
RECOMMANDÉ
VERDICT
PLAISIR AU VOLANT
QUALITÉ DE FINITION
CONSOMMATION
RAPPORT QUALITÉ / PRIX
VALEUR DE REVENTE
CONFORT
1
5
10

VIE À BORD > Nous l'avons souvent dit dans le passé et nous le répéterons cette année, l'A8 est la référence automobile en matière de finition intérieure, et les concepteurs en ont ajouté une couche dans la S8 Plus. Vous avez un habillage en alcantara dans le pavillon et la partie supérieure du tableau de bord ainsi que des sièges de cuir perforés avec surpiqûres aussi jolis que confortables. Les passagers arrière profitent exactement des mêmes sièges qu'à l'avant avec commandes pour une climatisation et un chauffage individuels. Vous avez un système audio Bose de très bonne qualité ou, si vous allez dans la liste des options, qui est très longue, vous pouvez, moyennant 8 000 $ supplémentaires, vous offrir la chaîne audio Bang & Olufsen de 1400 watts. Wow ! Seul bémol à bord, l'A8 ne contient pas encore d'écran tactile (ce qui viendra l'an prochain). Il y a bien le pavé tactile, mais la technologie a franchi un pas de plus depuis cette innovation qui a déjà quelques années. Les nombreux boutons ne sont pas aussi simples à utiliser qu'un écran tactile.

TECHNIQUE > Les berlines de luxe allemandes nagent de coutume dans l'abondance lorsqu'il s'agit de motorisations. Audi a cependant élagué son offre cette année. En effet, on a suspendu la vente de la version diesel pour l'instant et une seule version de la S8 n'est désormais disponible. Le moteur d'entrée de gamme est donc le V6 de 3 litres et 333 chevaux. Sont possibles ensuite deux différentes versions du moteur V8 de 4 litres. La version «soft» comprend 450 chevaux, qui sont plus que suffisants pour avoir beaucoup e plaisir. Vous avez ensuite la version plus pimentée. La S8 plus catapulte en effet la puissance à 605 chevaux. C'est la plus puissante des A8. Peu importe le modèle choisi, vous aurez droit à une boîte de transmission automatique à 8 rapports qui offre une symbiose parfaite avec les mécaniques disponibles.

AU VOLANT > Tous les modèles d'A8 dépassent les deux tonnes métriques, ce qui, en général, représente un handicap certain au chapitre du comportement. Mais avec un système quattro toujours efficace, une suspension pneumatique disponible et des pneus assez collants, vous êtes en mesure de transformer ce pachyderme en ballerine sur la route. Si vous optez pour la version S8, vous obtiendrez en plus un système quattro sport optimisé pour une tenue de route avec plus de mordant. La plus grande frustration d'un tel modèle est de ne pas avoir accès à l'autobahn. Imaginez, la S8 plus ne possède pas de limiteur de vitesse. Vous pouvez donc passer directement en prison si vous osez exploiter sa puissance, qui vous mènera au-delà des 300 km/h. À vitesse légale, l'Audi *Drive Select* vous permet de modifier les paramètres de conduite dans la direction, la réponse de l'accélérateur, la fermeté du châssis et la gestion de la boîte à 8 rapports.

CONCLUSION > Coûteuse, élégante, facile à conduire et merveilleuse à conduire 12 mois par année, l'Audi A8 demeure ma berline de luxe préférée. La S8 + est toutefois à son aise sur une route allemande. Chez nous, c'est un exercice de frustration contrôlé. ■

2e OPINION

Daniel Rufiange

Le navire amiral d'Audi, l'A8, commence à prendre de l'âge. Sa dernière grande refonte, elle l'a subie pour 2011. On l'a améliorée depuis, mais le temps fait son œuvre. Ce n'est pas tant sur le plan de la conduite que l'on ressent la différence que sur le plan de la technologie, où la voiture n'en offre pas autant que la nouvelle BMW de Série 7 ou Mercedes-Benz Classe S, les deux grandes éternelles rivales. L'année 2017 verra apparaître la prochaine mouture, qui sera fortement inspirée du concept Prologue, présenté un peu partout dans les salons automobiles au cours de la dernière année. Audi, reconnue pour son traditionalisme en matière de design, pourrait faire un tabac si elle n'adoucit pas trop les lignes du concept. À suivre.

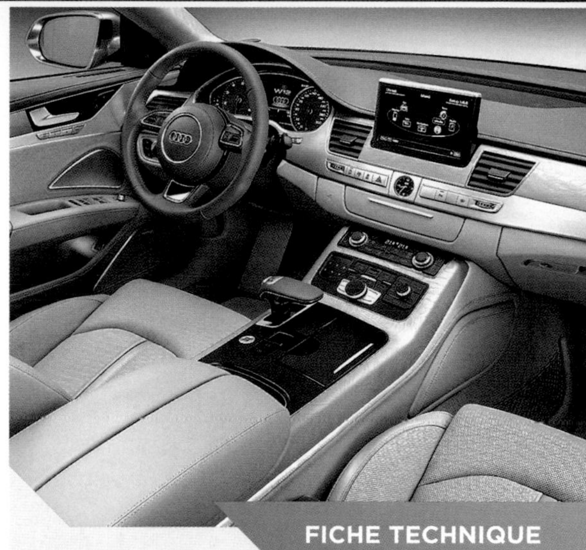

FICHE TECHNIQUE

MOTEUR(S)

(3.0) V6 3,0 L DACT suralimenté par compresseur volumétrique
PUISSANCE 333 ch de 5 300 à 6 500 tr/min
COUPLE 326 lb-pi de 2 900 à 5 300 tr/min
RAPPORT POIDS/PUISSANCE 6,0 kg/ch
BOÎTE(S) DE VITESSES automatique à 8 rapports avec mode manuel
PERFORMANCE 0-100 km/h 5,7 s
REPRISE 80-115 km/h 4,8 s
VITESSE MAXIMALE 209 km/h (bridée)

(4.0T/S8) V8 4.0 L DACT turbo
PUISSANCE 450 ch à 5 100 tr/min **S8** 605 ch à 6 800 tr/min
COUPLE 444 lb-pi à 1 500 tr/min **S8** 553 lb-pi à 2 500 tr/min
RAPPORT POIDS/PUISSANCE 4.0T 4,6 kg/ch **S8** 3,4 kg/ch
BOÎTE(S) DE VITESSES automatique à 8 rapports avec mode manuel
PERFORMANCES 0-100 km/h 4,1 s **S8** 3,6 s
REPRISE 80-115 km/h 4.0T 4,0 s **S8** 2,7 s
FREINAGE 100-0 km/h 35,0 m **S8** 34,0 m
VITESSE MAXIMALE 209 km/h (bridée) **S8** 300 km/h
CONSOMMATION (100 km) A8 ville 12,9 L, route 8,0 L
A8L 13,1 L, route 8,3 L **S8** route 14,8 L, route 9,1 L (octane 91)
ANNUELLE A8 1 819 L, 2 456 $ **A8L** 1 853 L, 2 502 $ **S8** 2 074 L, 2 800 $
ÉMISSIONS DE CO_2 A8 4 184 kg/an **A8L** 4 262 kg/an **S8** 4 770 kg/an

AUTRES COMPOSANTS

SÉCURITÉ ACTIVE (certains en option) Freins ABS, assistance au freinage, répartition électronique de la force de freinage, contrôle électronique de la stabilité, antipatinage, régulateur de vitesse adaptatif, ensemble vision nocturne, avertisseurs d'obstacle latéral, assistance au maintien de voie, affichage tête haute
SUSPENSION avant/arrière indépendante, à amortissement pneumatique réglable
FREINS avant/arrière disques
DIRECTION à crémaillère, assistée électriquement
PNEUS 3.0 P255/45R19 **4.0/option 3.0** P265/40R20 **S8** P275/35R21

DIMENSIONS

EMPATTEMENT 2 992 mm **LWB** 3 122 mm
LONGUEUR 5 137 mm **LWB** 5 267 mm
LARGEUR 1 949 mm, 2 111 mm (incl. rétro.)
HAUTEUR 1 460 mm **LWB** 1 471 mm **S8** 1 458 mm
POIDS 3.0 1 985 kg **3.0 LWB** 2 000 kg **4.0** 2 055 kg
4.0 LWB 2 085 kg **S8** 2 075 kg
RÉPARTITION DU POIDS AV/ARR (%) 52/48
DIAMÈTRE DE BRAQUAGE 12,3 m **LWB** 12,7 m
COFFRE 374 L
RÉSERVOIR DE CARBURANT 90 L

LA COTE VERTE

MOTEUR L4 DE 2,0 L TURBO
CONSOMMATION (100 km) 2RM ville 12,0 L, route 8,2 L
4RM ville 11,9 L, route 8,4 L
CONSOMMATION ANNUELLE 1 751 L, 2 364 $
INDICE D'OCTANE 91
ÉMISSIONS POLLUANTES CO_2 4 027 kg/an
(source : ÉnerGuide)

FICHE D'IDENTITÉ

VERSION(S) Komfort, Progressiv, Technik
TRANSMISSION(S) avant, 4
PORTIÈRES 5 **PLACES** 5
PREMIÈRE GÉNÉRATION 2015
GÉNÉRATION ACTUELLE 2015
CONSTRUCTION Martorell, Espagne
COUSSINS GONFLABLES 6 (frontaux, latéraux avant, rideaux latéraux)
option 8 (+ latéraux arrière)
CONCURRENCE BMW X1, Buick Encore, Honda HR-V, Lexus NX, Mercedes-Benz Classe GLA, MINI Countryman, Nissan Juke, Volkswagen Tiguan

AU QUOTIDIEN

COLLISION FRONTALE 5/5
COLLISION LATÉRALE 5/5
VENTES DU MODÈLE L'AN DERNIER
AU QUÉBEC 1 127 (+150 %) **AU CANADA** 3 596 (+130 %)
DÉPRÉCIATION (%) 20,4 (2 ans)
RAPPELS (2011 à 2016) 1
COTE DE FIABILITÉ 4/5

GARANTIES... ET PLUS

GARANTIE GÉNÉRALE 4 ans/80 000 km
GROUPE MOTOPROPULSEUR 4 ans/80 000 km
PERFORATION 12 ans/kilométrage illimité
ASSISTANCE ROUTIÈRE 4 ans/80 000 km
NOMBRE DE CONCESSIONNAIRES
AU QUÉBEC 9 **AU CANADA** 35

NOUVEAUTÉS EN 2017

Couleur brun toundra abandonnée, version Komfort, hayon électrique, clé intelligente et aide au stationnement avec caméra de recul sur Progressiv et Technik, MMI navigation plus sur Technik, groupe sport et optiques noires disponibles sur Progressive

IL MANQUE QUELQUE CHOSE

La catégorie des pseudo-VUS basés sur des plateformes de voitures compactes ne cesse de s'agrandir, que ce soit du côté des marques grand public ou de celui du luxe. Chez Audi, les bonzes du continent nord-américain auront attendu un bon moment avant d'approuver la venue du petit utilitaire de ce côté-ci de l'Atlantique. La division allemande aurait pu profiter de la manne dès le début du mouvement et s'approprier des parts de marché, mais non, Audi a laissé le champ libre aux autres joueurs alors que son Q3 roulait déjà en Europe.

Vincent Aubé

TOUR DU PROPRIÉTAIRE > C'est donc dire que le Q3 n'est pas exactement une nouveauté au point de vue technique. Bon, d'accord, la livrée 2016 aura bénéficié de quelques modifications mineures, mais rien pour écrire à sa mère. Par rapport aux quelques exemplaires du Q3 2015 qui roulent sur nos routes, la version remaniée l'an dernier revêt un bouclier plus moderne avec ces insertions de chrome sur les flancs de la grille de calandre. Il faut l'avouer, malgré son âge, le Q3 est un véhicule qui vieillit très bien. Étant donné son statut de véhicule légèrement révisé, les autres changements esthétiques ont été concentrés à l'arrière, les feux de position arborant une nouvelle signature aux diodes électroluminescentes, notamment. Du reste, le Q3 conserve sa silhouette particulière.

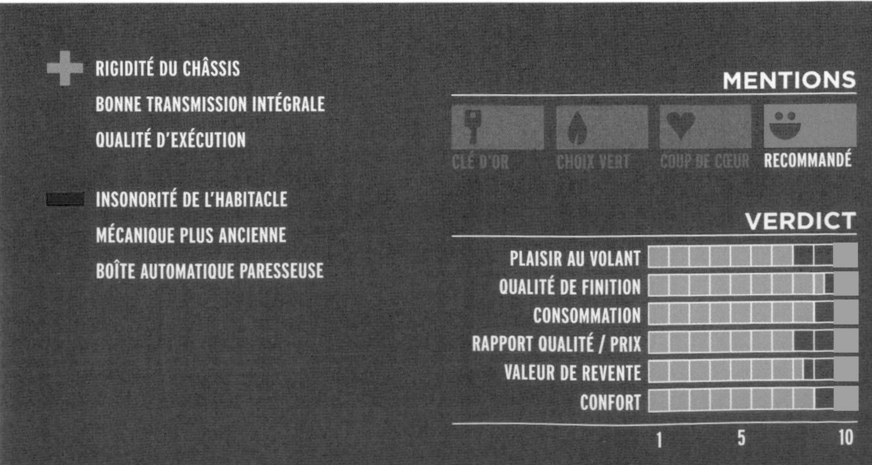

RIGIDITÉ DU CHÂSSIS
BONNE TRANSMISSION INTÉGRALE
QUALITÉ D'EXÉCUTION
INSONORITÉ DE L'HABITACLE
MÉCANIQUE PLUS ANCIENNE
BOÎTE AUTOMATIQUE PARESSEUSE
MENTIONS
CLÉ D'OR
CHOIX VERT
COUP DE CŒUR
RECOMMANDÉ
VERDICT
PLAISIR AU VOLANT
QUALITÉ DE FINITION
CONSOMMATION
RAPPORT QUALITÉ / PRIX
VALEUR DE REVENTE
CONFORT
1
5
10

VIE À BORD > La refonte de mi-parcours effectuée entre les millésimes 2015 et 2016 n'aura pas changé grand-chose à l'ambiance qui règne dans le Q3. Outre quelques nouvelles colorations disponibles ici et là, l'habitacle demeure fidèle au concept original. L'accès à bord est d'une facilité déconcertante, une caractéristique qu'apprécieront ceux et celles qui ne veulent plus grimper dans leur véhicule ou en descendre. La planche de bord revêt un design plus fonctionnel qu'expressif, mais en revanche, cet arrangement aura l'avantage de bien vieillir au fil du temps. Les concepteurs ont bien fait de séparer l'écran du système de divertissement des autres boutons utilisés fréquemment. Toutefois, la molette, placée à la verticale, qui permet de naviguer à travers ces pages d'informations n'est pas aussi intuitive que dans d'autres véhicules de la marque.

TECHNIQUE > Contrairement au modèle européen, qui peut être livré avec une multitude de groupes motopropulseurs, le nôtre n'a droit qu'à une seule combinaison. Sous le capot de l'utilitaire se cache une énième application du fameux 4-cylindres 2.0T, un moteur qui n'a plus besoin de présentation auprès des amateurs du groupe Volkswagen. Le hic, c'est qu'il est possible de mettre la main sur une évolution passablement plus dynamique de ce bloc en Amérique du Nord, et également ailleurs sur le globe. Mais non, Audi préfère nous envoyer sa quincaillerie un peu plus ancienne, ce qui est bien dommage. Qui plus est, la boîte de vitesse boulonnée à ce moteur est une automatique à 6 rapports qui est loin d'être aussi dynamique que l'excellente unité à double embrayage proposée ailleurs dans l'alignement. La transmission intégrale quattro, quant à elle, peut être ajoutée à l'équipement du Q3, selon la version choisie, bien évidemment.

AU VOLANT > Malgré sa finition supérieure et son look urbain, il manque un petit quelque chose à ce véhicule : l'agrément de conduite. Il est vrai que les acheteurs ne sont pas nécessairement à la recherche d'un bolide lorsqu'ils lorgnent du côté du Q3, mais lorsqu'il y a quatre anneaux à l'avant d'un véhicule, un consommateur est en droit de s'attendre à plus de dynamisme. La boîte automatique est selon moi son principal défaut. Elle privilégie l'économie de carburant aux accélérations à l'emporte-pièce, car malgré son âge de conception, ce 4-cylindres turbo est capable de beaucoup plus ! La pédale d'accélérateur ne suit pas ce que le pied droit lui ordonne, et ce, surtout en conduite urbaine. Les départs à l'arrêt sont donc précédés d'un petit délai qui, à la longue, devient irritant. C'est dommage, car le châssis du Q3 est capable d'en prendre et l'option à 4 roues motrices rend ce petit véhicule fort intéressant pour nos hivers rigoureux.

CONCLUSION > Souhaitons que la deuxième génération du modèle sera mieux nantie pour notre marché. Si on se fie à la refonte de la berline A3, il est permis d'espérer de plus grandes choses pour le prochain Q3. Pour l'instant, on a l'impression d'assister à une timide introduction, et pourtant, le Q3 pourrait connaître bien plus de succès. ■

2e OPINION

Daniel Rufiange

Mettre la main sur un véhicule arborant un logo associé au prestige représente le rêve de bien des consommateurs. Les bannières de luxe, bien conscientes de cette réalité, proposent désormais des produits d'entrée de gamme à des prix qui rendent le rêve accessible. Chez Audi, les modèles A3 et Q3 jouent ce rôle. Il faut toutefois faire attention. Si le design garantit la reconnaissance et que l'expérience de conduite est souvent un cran supérieur, vous n'avez pas droit à tout le côté ostentatoire livré par une A6 ou un Q7, par exemple. En fait, l'intérieur est passablement dénudé et pour le garnir, il faut piger dans ses poches. Puis, il y a les frais d'entretien qui doivent être assumés. Un produit intéressant, mais pas nécessairement accessible à tous.

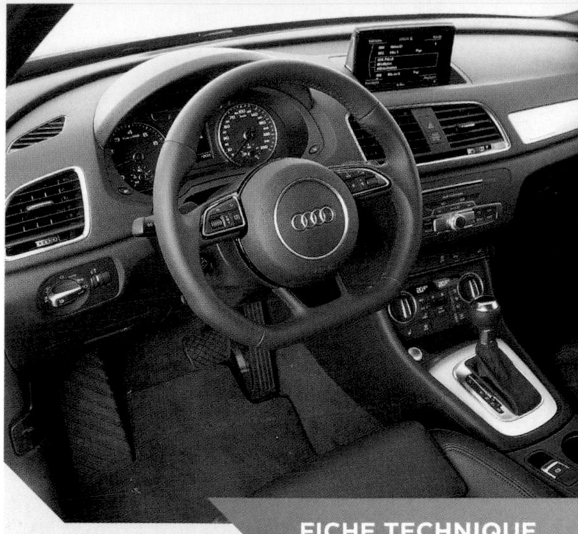

FICHE TECHNIQUE

MOTEUR(S)

(Q3) L4 2,0 L DACT turbo
PUISSANCE 200 ch de 5 100 à 6 000 tr/min
COUPLE 207 lb-pi de 1 700 à 5 000 tr/min
RAPPORT POIDS/PUISSANCE 2RM 7,9 kg/ch **4RM** 8,3 kg/ch
BOÎTE(S) DE VITESSES automatique à 6 rapports avec mode manuel
PERFORMANCES 0-100 km/h 2RM 7,8 s **4RM** 8,0 s
REPRISE 80-115 km/h 5,5 s
FREINAGE 100-0 km/h 43,6 m
NIVEAU SONORE À 100 km/h Bon
VITESSE MAXIMALE 210 km/h

AUTRES COMPOSANTS

SÉCURITÉ ACTIVE (certains en option) Freins ABS, assistance au freinage, répartition électronique de la force de freinage, contrôle de la stabilité électronique, antipatinage, freinage d'urgence automatique, avertisseur de sortie de voie, assistance au maintien de voie, régulateur de vitesse adaptatif, avertisseur d'obstacle latéral et arrière, phares adaptatifs, assistance à la descente de pentes
SUSPENSION avant/arrière indépendante
FREINS avant/arrière disques
DIRECTION à crémaillère, assistée électriquement
PNEUS Komfort P235/50R18 **Progressiv, Technik** P255/40R19
option Progressiv, Technik P255/35R20

DIMENSIONS

EMPATTEMENT 2 603 mm
LONGUEUR 4 385 mm
LARGEUR 1 831 mm, 2 019 mm (incl. rétro.)
HAUTEUR 1 608 mm
POIDS 2RM 1 585 kg **4RM** 1 670 kg
RÉPARTITION DU POIDS AV/ARR (%) ND
DIAMÈTRE DE BRAQUAGE 11,8 m
COFFRE 420 L, 1 325 L (sièges abaissés)
RÉSERVOIR DE CARBURANT 64 L
CAPACITÉ DE REMORQUAGE 750 kg, 1 800 kg (remorques avec freins)

LA COTE VERTE

MOTEUR L4 DE 2,0L TURBO
CONSOMMATION (100 km) ville 12,0 L, route 8,5 L
CONSOMMATION ANNUELLE 1 768 L, 2 387 $
INDICE D'OCTANE 91
ÉMISSIONS POLLUANTES CO_2 4 066kg/an
(source: ÉnerGuide)

FICHE D'IDENTITÉ

VERSION(S) 2.0T Komfort **2.0T/3.0T/SQ5** Progressiv, Technik **SQ5** Dynamic
TRANSMISSION(S) 4
PORTIÈRES 5 **PLACES** 5
PREMIÈRE GÉNÉRATION 2009
GÉNÉRATION ACTUELLE 2009
CONSTRUCTION Ingolstadt, Allemagne
COUSSINS GONFLABLES 8 (frontaux, latéraux avant et arrière, rideaux latéraux)
CONCURRENCE Acura RDX, BMW X3/X4, Buick Envision, Infiniti QX50, Jaguar F-Pace, Land Rover Range Rover Evoque/Discovery Sport, Lexus NX, Lincoln MKC, Mercedes-Benz GLC, Porsche Macan, Volvo XC60

AU QUOTIDIEN

COLLISION FRONTALE 5/5
COLLISION LATÉRALE 5/5
VENTES DU MODÈLE L'AN DERNIER
AU QUÉBEC 1 927 (+2,0 %) **AU CANADA** 8 203 (+4,3 %)
DÉPRÉCIATION (%) 17,8 (3ans)
RAPPELS (2011 à 2016) 4
COTE DE FIABILITÉ 3,5/5

GARANTIES... ET PLUS

GARANTIE GÉNÉRALE 4 ans/80 000 km
GROUPE MOTOPROPULSEUR 4 ans/80 000 km
PERFORATION 12 ans/kilométrage illimité
ASSISTANCE ROUTIÈRE 4 ans/80 000 km
NOMBRE DE CONCESIONNAIRES
AU QUÉBEC 9 **AU CANADA** 35

NOUVEAUTÉS EN 2017

Toit ouvrant de série sur versions Komfort et Progressiv, nouvelles jantes sur SQ5, nouvelle édition SQ5 Dynamic, abandon de la version hybride

DES AFFAIRES D'OR

Une belle gueule, un beau format, un grand choix de motorisations et une finition quasi sans égale. Voilà ce qui a fait le succès du Q5. Aujourd'hui, ce populaire VUS entame toutefois une neuvième année de carrière sans refonte, alors que la concurrence se renouvelle tour à tour. Possède-t-on toujours ce qu'il faut pour rivaliser avec la douzaine de véhicules concurrents présentement offerts sur le marché?

Antoine Joubert

TOUR DU PROPRIÉTAIRE > Bien sûr, la ligne totalement réussie de ce modèle est en grande partie responsable de son succès. D'ailleurs, malgré son âge vénérable, le Q5 n'affiche aucune ride, ce qui est d'autant plus impressionnant lorsqu'on sait que les changements esthétiques apportés au fil des ans ne sont que symboliques. Toutefois, les acheteurs qui ont soif de caractère apprécieront davantage le style du SQ5, dont les artifices esthétiques apportent plus de muscle à l'ensemble. Roues de 20 pouces, pots d'échappement quadruples, diffuseur métallique et rétroviseurs argentés sont au nombre de ces petites touches qui font toute la différence.

VIE À BORD > Une superbe position de conduite et une finition exceptionnelle. Voilà les éléments clés qui caractérisent l'habitacle du Q5, lequel montre davantage de signes de

+
- PLAISIR AU VOLANT
- STYLE INDÉMODABLE
- PERFORMANCES ROUTIÈRES (SQ5)
- QUALITÉ DE FINITION

−
- OPTIONS PARFOIS INSULTANTES
- SIGNES DE VIEILLESSE PLUS ÉVIDENTS À BORD
- MODÈLE EN FIN DE CARRIÈRE

MENTIONS

CLÉ D'OR | CHOIX VERT | COUP DE CŒUR | **RECOMMANDÉ**

VERDICT

PLAISIR AU VOLANT
QUALITÉ DE FINITION
CONSOMMATION
RAPPORT QUALITÉ / PRIX
VALEUR DE REVENTE
CONFORT

1 5 10

vieillesse. Enfin, personne ne pourrait être brimé par cet aspect, n'eût été l'exercice de comparaison avec le cockpit des plus récentes créations de la marque. Il suffit donc de prendre place au volant de la nouvelle A4 pour réaliser que l'habitacle du Q5 a vieilli. Cela dit, ce dernier se montre toujours aussi efficace et confortable. Les sièges sont bien dessinés, l'espace est généreux et la visibilité est excellente de tous les côtés. Sachez cependant qu'il vous faudra avoir les poches profondes pour bénéficier de certains gadgets, aujourd'hui pourtant démocratisés. À titre d'exemple, le SQ5 mis à l'essai aux fins de cet article était dépourvu d'un système de navigation, de la radio satellite et de la caméra de recul, malgré une facture de 62 000 $.

TECHNIQUE > Signe que l'actuel Q5 est en fin de carrière, on simplifie cette année la gamme en éliminant la version 3.0 TDI ainsi que l'onéreuse version hybride. Ne restent donc au menu que trois mécaniques, proposant une puissance variant de 220 à 354 chevaux. Et il est important de savoir que même le 2-litres tire très bien son épingle du jeu, donnant l'impression d'être plus puissant qu'il ne l'est en réalité. Cela dit, la verve et le muscle du V6 suralimenté sont exceptionnels, surtout avec la version SQ5. À mon sens, une des plus belles mécaniques jamais produites par Audi, surtout conjuguée avec l'excellent système de transmission intégrale quattro.

AU VOLANT > Utilisant un châssis solide, une suspension bien calibrée (parfois réglable) ainsi qu'une direction d'une très grande précision, le Q5 affiche un agrément de conduite tout simplement supérieur à la moyenne. Là aussi, les rides brillent par leur absence. On prend donc plaisir à sillonner les routes au volant de ce véhicule, qui se montre tout aussi compétent en milieu urbain. Même la boîte automatique impressionne, étant adaptative selon le type de conduite désiré. En fait, seul le délai causé par un potentiomètre de pédale électrique mal réglé devient irritant, surtout dans le cadre d'une circulation urbaine avec arrêts répétés. Mais une fois lancé, le Q5 est génial. Mentionnons également que la fiabilité du Q5 s'est beaucoup améliorée. Les problèmes de jeunesse sont évidemment loin derrière. Aurez-vous droit à la tranquillité d'esprit d'une Lexus ? Sans doute que non. Mais le manque de fiabilité du Q5 ne devrait pas vous ralentir, du moins en 2017.

CONCLUSION > Règle générale, la nouveauté d'un segment a toujours l'avantage sur les modèles qui stagnent depuis des années sans changement. Toutefois, Audi prouve que le contraire est également possible, puisque malgré le fait qu'on commercialise en 2017 le VUS compact de luxe le plus âgé, les ventes demeurent supérieures à celles de la concurrence. Supérieures à celles du BMW X3, du Lexus NX, même du nouveau M-Benz GLC. Ne soyez donc pas surpris si Audi prend tout son temps pour renouveler le Q5... qui le sera toutefois dans un avenir rapproché. ■

2e OPINION

Benoît Charette

Même s'il est encore un des véhicules les plus populaires de la gamme Audi, le Q5 souffle 8 chandelles en 2016. C'est vieux pour un véhicule de nos jours. Mais du renfort arrive. Le nouveau modèle plus carré, dans la mouvance des plus récents modèles de la famille, est présenté au Mondial de l'automobile à Paris. Ce sera un 2017 en Europe, mais un 2018 chez nous. Si vous aimez le style actuel, c'est donc le moment d'agir. Tant du point de vue dynamique que du point de vue finition, le Q5 tient le haut du pavé et cette qualité de construction est sans doute une des clés du succès de ce modèle. Il n'est pas parfait, mais c'est l'équilibre général qui en fait un utilitaire aussi attrayant.

FICHE TECHNIQUE

MOTEUR(S)

(2.0T) L4 2,0 L DACT turbo
PUISSANCE 220 ch de 4 450 à 6 000 tr/min
COUPLE 258 lb-pi à 1 500 tr/min
RAPPORT POIDS/PUISSANCE 8,4 kg/ch
BOÎTE(S) DE VITESSES automatique à 8 rapports avec mode manuel
PERFORMANCES 0-100 km/h 7,3 s
REPRISE 80-115 km/h 5,8 sec **FREINAGE 100-0 km/h** 38,0 m
NIVEAU SONORE À 100 km/h Bon
VITESSE MAXIMALE 209 km/h (bridée)
CONSOMMATION (100 km) ville 12,0 L, route 8,0 L (octane 91)
ANNUELLE 1 734 L, 2 514 $ **ÉMISSIONS DE CO_2** 3 988 kg/an

(3.0T) V6 3,0 L DACT à compresseur volumétrique
PUISSANCE 272 ch à 4 780 tr/min
COUPLE 295 lb-pi à 2 150 tr/min
RAPPORT POIDS/PUISSANCE 7,3 kg/ch
BOÎTE(S) DE VITESSES automatique à 8 rapports avec mode manuel
PERFORMANCES 0-100 km/h 6,3 s
VITESSE MAXIMALE 209 km/h (bridée) **REPRISE 80-115 km/h** 4,1 sec
CONSOMMATION (100 km) ville 13,2 L, route 9,2 L (octane 91)
ANNUELLE 1 938 L, 2 616 $ **ÉMISSIONS DE CO_2** 4 457 kg/an

(SQ5) V6 3,0 L DACT à compresseur volumétrique
PUISSANCE 354 ch de 6 000 à 6 500 tr/min
COUPLE 347 lb-pi de 4 000 à 4 500 tr/min
RAPPORT POIDS/PUISSANCE 5,6 kg/ch
BOÎTE(S) DE VITESSES automatique à 8 rapports avec mode manuel
PERFORMANCES 0-100 km/h 5,4 s
VITESSE MAXIMALE 250 km/h (bridée)
CONSOMMATION (100 km) ville 14,1 L, route 9,9 L (octane 91)
ANNUELLE 2 074 L, 2 800$ **ÉMISSIONS DE CO_2** 4 770 kg/an

AUTRES COMPOSANTS

SÉCURITÉ ACTIVE Freins ABS, assistance au freinage, répartition électronique de la force de freinage, contrôle électronique de la stabilité, antipatinage, régulateur de vitesse adaptatif, avertisseur d'obstacle latéral et arrière
SUSPENSION avant/arrière indépendante, adaptative en option
FREINS avant/arrière disques
DIRECTION à crémaillère, assistée électriquement
PNEUS 2.0T/3.0T Progressiv P235/60R18
3.0T Technik/option 2.0T P235/55R19
SQ5/options 2.0T Competition/3.0T Technik P255/45R20
SQ5 Dynamic/option SQ5 P255/40R21

DIMENSIONS

EMPATTEMENT 2 807 mm
LONGUEUR 4 639 mm **SQ5** 4 647 mm
LARGEUR 1 898 mm **SQ5** 1 911 mm
HAUTEUR 1 655 mm **SQ5** 1 658 mm
POIDS 2.0T 1 850 kg **3.0** 1 975 kg **SQ5** 2 000 kg
DIAMÈTRE DE BRAQUAGE 11,6 m
COFFRE 540 L, 1 560 L (sièges abaissés)
RÉSERVOIR DE CARBURANT 75 L **CAPACITÉ DE REMORQUAGE** 2 000 kg

LA COTE VERTE

MOTEUR V6 DE 3,0 L TURBODIESEL HYBRIDE
CONSOMMATION (100 km) 4,5 L (est.)
CONSOMMATION ANNUELLE 765 L, 880 $
INDICE D'OCTANE Diesel
ÉMISSIONS POLLUANTES CO_2 2 058 kg/an
AUTONOMIE MOYENNE en mode électrique 56 km
(source : Audi)

FICHE D'IDENTITÉ

VERSION(S) 3.0T Komfort, Progressiv, Technik, e-tron, SQ7
TRANSMISSIONS(S) 4
PORTIÈRES 5 **PLACES** 7
PREMIÈRE GÉNÉRATION 2007
GÉNÉRATION ACTUELLE 2016
CONSTRUCTION Bratislava, Slovaquie
COUSSINS GONFLABLES 6 (frontaux, latéraux avant, rideaux latéraux) **option** 8 (plus latéraux arrière)
CONCURRENCE Acura MDX, BMW X5, Buick Enclave, Cadillac XT5, Infiniti QX60, Land Rover LR4/Range Rover Sport, Lexus GX/RX, Lincoln MKT/MKX, Maserati Levante, Mercedes-Benz GLE, Porsche Cayenne, Volkswagen Touareg, Volvo XC90

AU QUOTIDIEN

COLLISION FRONTALE 5/5
COLLISION LATÉRALE 5/5
VENTES DU MODÈLE L'AN DERNIER
AU QUÉBEC 306 (-16,8 %) **AU CANADA** 1 658 (-15,4 %)
DÉPRÉCIATION (%) 24,2 (3 ans)
RAPPELS (2011 à 2016) 2
COTE DE FIABILITÉ 4/5

GARANTIES... ET PLUS

GARANTIE GÉNÉRALE 4 ans/80 000 km
GROUPE MOTOPROPULSEUR 4 ans/80 000 km
PERFORATION 12 ans/kilométrage illimité
ASSISTANCE ROUTIÈRE 4 ans/ kilométrage illimité
NOMBRE DE CONCESIONNAIRES
AU QUÉBEC 9 **AU CANADA** 35

NOUVEAUTÉS EN 2017

Versions hybride e-tron et version SQ7 arriveront en cours d'année.

LE DIESEL N'A PAS DIT SON DERNIER MOT

Le scandale Volkswagen non seulement a fait du mal au constructeur allemand, mais il a aussi ébranlé la confiance des consommateurs envers les motorisations diesels. La filiale Audi espère renverser la tendance avec le luxueux et puissant SQ7, mais se garde une porte ouverte avec un hybride diesel....

Éric LeFrançois

TOUR DU PROPRIÉTAIRE > Oublions le rarissime SQ7 (voir seconde opinion) pour nous concentrer sur la version e-tron attendue en cours d'année. Cette dernière relève aussi un défi technologique important, puisque cet hybride à prise rechargeable marie diesel et électricité. L'idée n'est pas nouvelle. En effet, le groupe français PSA a été le premier à l'inaugurer il y a de cela quatre ans et, en Europe à tout le moins, cette technologie présente, en théorie, des gains de consommation supérieurs à ceux obtenus grâce à une motorisation hybride traditionnelle. En revanche, elle est beaucoup plus complexe et coûteuse à produire. Ce propulseur encore inédit en Amérique du Nord se glissera sous le capot du nouveau Q7 e-tron d'Audi. Le constructeur allemand annonce une puissance combinée de l'ordre de 373 chevaux et un couple de 516 livres-pieds. Une batterie lithium-ion de 17,3 kWh fournira une autonomie en mode électrique pur de 56 kilomètres et compte en prime une prise rechargeable.

+
- COUPLE TITANESQUE
- COMPORTEMENT SOLIDE ET SPORTIF
- FINITION CINQ ÉTOILES

−
- PHYSIQUE BANAL
- COMPORTEMENT EFFACÉ (SAUF SQ7)
- IMAGE DU DIESEL À RESTAURER

MENTIONS

CLÉ D'OR | CHOIX VERT | COUP DE CŒUR | **RECOMMANDÉ**

VERDICT

PLAISIR AU VOLANT
QUALITÉ DE FINITION
CONSOMMATION
RAPPORT QUALITÉ / PRIX
VALEUR DE REVENTE
CONFORT

1 5 10

VIE À BORD > Le physique extérieur est banal, mais la beauté du Q7 est intérieure. En effet, on oublie rapidement le faux pas des stylistes une fois installé à bord, où tout est remarquablement coordonné. Plutôt ramassé, le SQ7 offre un volume intérieur compétitif, quoique l'accès à la troisième rangée de sièges demeure acrobatique. De plus, ces places « du fond » se révèlent destinées à l'usage de personnes de petite taille. Quant au coffre, il demeure ténu lorsque toutes les places sont occupées. Mais en rabattant les sièges des rangées arrière et médiane, le Q7 contient un volume supérieur à 2 000 litres.

TECHNIQUE > Décalé et élitiste, le SQ7 ? Sans l'ombre d'un doute, mais il comporte une innovation qui fera école : le passage à 48 volts de son réseau électrique interne. Ce dernier est, depuis des lunes, fixé à 12 volts. Cette innovation est rendue nécessaire pour répondre aux normes antipollution de plus en plus contraignantes, mais également pour alimenter des équipements électriques de plus en plus nombreux. Pour le SQ7, par exemple, les turbos et les barres stabilisatrices fonctionnent à l'électricité. D'où cette nécessité d'adopter un réseau d'une tension de 48 volts.

AU VOLANT > Pour son Q7 e-tron, Audi annonce une consommation de 1,7 litre aux 100 kilomètres (preuve que le processus d'homologation européen est complètement obsolète) et des rejets de 46 g/km de CO_2. À titre de comparaison, selon les normes européennes toujours, une Yaris hybride consomme 3,2 litres aux 100 kilomètres et émet 76 g/km de CO_2. En clair, il faut prendre ces chiffres « officiels » avec un (gros) grain de sel. Ce groupe motopropulseur hybride s'accouple à une boîte automatique à 8 rapports. Le conducteur a le loisir aussi de paramétrer le véhicule selon ses objectifs d'économie. Quatre modes se trouvent au programme : EV, Hybrid, Battery Charge et Battery Hold. De toutes ces configurations, retenons la plus intéressante : la possibilité de charger la batterie en roulant (Battery Charge). Grâce à son réservoir de 72 litres, ce Q7 est, dit-on, en mesure de parcourir 1400 kilomètres ou, si vous préférez, de rallier Myrtle Beach à partir de Montréal sans s'arrêter. Sur le plan dynamique cependant, cette version est la moins intéressante. Aussi confortable que les autres Q7 (oubliez le très fermement suspendu SQ7), cette version e-tron a fort à faire pour contenir les mouvements d'un châssis, lesté des quelque 400 kilos de son système hybride. Et ce, d'autant plus que le Q7 e-tron n'a pas droit aux 4 roues directrices proposées sur les autres modèles de la gamme. Dommage. Donc, à moins de vouloir établir des consommations records, la version essence demeure la plus homogène du groupe. Plus encore que la version diesel dont le poids plus élevé sur le train avant combiné à son extraordinaire force de couple rend la conduite plus pointue, surtout sur une chaussée à faible coefficient d'adhérence.

CONCLUSION > Le Q7 e-tron qualtro fera son entrée dans les salles d'exposition dans un an. Son prix n'a pas encore été officialisé au Canada, mais sachez qu'en Allemagne, le véhicule commande une dépense de 80 500 euros. À titre indicatif, c'est financièrement plus accessible qu'un SQ7. ■

2e OPINION

Benoit Charette

Laissez-moi vous parler du véhicule qui m'a le plus impressionné cette année, l'Audi SQ7, un gros utilitaire de près de 2300 kilos avec un moteur V8 diesel de 435 chevaux et 664 livres-pieds de couple qui vous donnera une consommation moyenne sous la barre des 10 litres aux 100 kilomètres. Il est laid, je vous l'accorde, mais Audi démontre que malgré le scandale des voitures diesel, cette technologie peut encore surprendre. Les deux turbos associés à une turbine électrique qui fonctionne sur un système de 48 volts (au lieu des 12 habituels) offrent la souplesse de fonctionnement et le temps de réaction d'une voiture sport, et jamais vous ne serez en mesure de savoir que vous êtes au volant d'un diesel, même en ouvrant le capot. Il y aura quelques rares exemplaires le printemps prochain qui vont partir pour plus de 100 000 $.

FICHE TECHNIQUE

MOTEUR(S)

(3.0T) V6 3,0 L DACT à compresseur volumétique
PUISSANCE 333 ch de 5 500 à 6 500 tr/min
COUPLE 325 lb-pi de 2 900 à 5 300 tr/min
RAPPORT POIDS/PUISSANCE 6,5 kg/ch
BOÎTE(S) DE VITESSES automatique à 8 rapports avec mode manuel
PERFORMANCE 0-100 km/h 5,7 s
NIVEAU SONORE À 100 km/h Très bon
VITESSE MAXIMALE 209 km/h (bridée)
CONSOMMATION (100 km) ville 12,4 L route 9,4 L (octane 91)
ANNUELLE 1 853 L, 2 502 $ **ÉMISSIONS POLLUANTES (CO_2)** 4 262 kg/an

(e-tron) V6 3,0 L DACT turbodiesel + moteur électrique
PUISSANCE 373 ch total maximum disponible
COUPLE 516 lb-pi total maximum disponible
RAPPORT POIDS/PUISSANCE 6,8 kg/ch (est.)
BOÎTE(S) DE VITESSES automatique à 8 rapports avec mode manuel
PERFORMANCE 0-100 km/h 6,0 s
NIVEAU SONORE À 100 km/h Très bon
VITESSE MAXIMALE 209 km/h (bridée)

(SQ7) V8 4,0 L DACT turbodiesel
PUISSANCE 435 ch de 3 750 à 5 000 tr/min
COUPLE 664 lb-pi de 1 000 à 3 250 tr/min
RAPPORT POIDS/PUISSANCE 5,2 kg/ch
BOÎTE(S) DE VITESSES automatique à 8 rapports avec mode manuel
PERFORMANCE 0-100 km/h 5,0 s (est.)
NIVEAU SONORE À 100 km/h Très bon
VITESSE MAXIMALE 225 km/h (bridée) (est.)
CONSOMMATION (100 km) 10,0 L (est) (diesel)
ANNUELLE 1 700 L, 1 955 $ **ÉMISSIONS POLLUANTES (CO_2)** 4 573 kg/an

AUTRES COMPOSANTS

SÉCURITÉ ACTIVE (certains en option) Freins ABS, assistance au freinage, répartition électronique de la force de freinage, contrôle électronique de la stabilité, antipatinage, régulateur de vitesse adaptatif avec freinage autonome et fonction arrêt/départ en circulation, avertisseur d'obstacle latéral et de sortie de voie avec assistance au maintien de voie, assistance au remorquage
SUSPENSION avant/arrière indépendante, pneumatique adaptative en option
FREINS avant/arrière disques, à récupération d'énergie sur e-tron
DIRECTION à crémaillère, assistée, à 4 roues directionnelles en option (sauf non disponible sur e-tron)
PNEUS P255/55R19 **Technik/SQ7/options Komfort et Progressiv** P285/45R20 **option Technik** P285/40R21

DIMENSIONS

EMPATTEMENT 2 994 mm
LONGUEUR 5 052 mm
LARGEUR 1 968 mm, 2 212 mm (incl. rétro.)
HAUTEUR 1 740 mm
POIDS 2 165 kg **e-tron** 2 550 kg (est.) **SQ7** 2 270 kg
DIAMÈTRE DE BRAQUAGE 12,4 m
COFFRE 419 L, 890 L, 2 075 L (sièges abaissés)
RÉSERVOIR DE CARBURANT 85 L **e-tron** 72 L
CAPACITÉ DE REMORQUAGE 3 500 kg
BATTERIES (e-tron) lithium-ion 17,3 kWh

LA COTE VERTE

MOTEUR V10 DE 5,2 L
CONSOMMATION (100 km) ville 16,7 L, route 10,7 L
CONSOMMATION ANNUELLE 2 431L, 3 282 $
INDICE D'OCTANE 91
ÉMISSIONS POLLUANTES CO_2 5 591 kg/an
(source: Audi et L'Annuel)

FICHE D'IDENTITÉ

VERSION(S) Coupé V10, Coupé V10 Plus, Spyder V10
TRANSMISSION(S) 4
PORTIÈRES 2 **PLACES** 2
PREMIÈRE GÉNÉRATION 2008
GÉNÉRATION ACTUELLE 2016
CONSTRUCTION Neckarsulm, Allemagne
COUSSINS GONFLABLES 4 (frontaux, latéraux avant)
CONCURRENCE Acura NSX, Aston Martin DB9/Vanquish/Vantage, Chevrolet Corvette, Dodge Viper, Ferrari 488 GTB/California, Ford GT, Jaguar F-Type R, Lamborghini Huracan, Maserati GT, McLaren 570C, Mercedes-Benz-AMG GT, Nissan GT-R, Porsche 911

AU QUOTIDIEN

COLLISION FRONTALE 5/5
COLLISION LATÉRALE 5/5
VENTES DU MODÈLE L'AN DERNIER
AU QUÉBEC 14 (-36,4 %) **AU CANADA** 89 (-23,3 %)
DÉPRÉCIATION (%) 16,1 (3 ans)
RAPPELS (2011 à 2016) 1
COTE DE FIABILITÉ 4/5

GARANTIES... ET PLUS

GARANTIE GÉNÉRALE 4 ans/80 000 km
GROUPE MOTOPROPULSEUR 4 ans/80 000 km
PERFORATION 12 ans/kilométrage illimité
ASSISTANCE ROUTIÈRE 4 ans/kilométrage illimité
NOMBRE DE CONCESSIONNAIRES
AU QUÉBEC 9 **AU CANADA** 35

NOUVEAUTÉS EN 2017

Version Spyder V10. Groupe optique noir, interface smartphone et chargeur sans fil disponibles.

SUPERCAR MAGIQUE

Dès sa naissance, la R8 a suscité les louanges, l'ajout d'une version Spyder a pimenté sa force d'attraction et la deuxième génération a affûté sa personnalité. Mais pourquoi devriez-vous mieux pactiser avec une bagnole de 200 000 $? D'abord parce que rêver ne coûte rien. Ensuite parce que je vais vous dévoiler les dessous d'un tour de prestidigitateur. Comment, en effet, Audi a rendu angélique une machine diabolique.

Michel Crépault

TOUR DU PROPRIÉTAIRE > Comme dans n'importe quel tour de magie, il y a le visible et l'invisible. L'enveloppe de la R8 est composée d'éléments attractifs forts. Le nez plat et bas (et accessoirement l'accès au coffre à bagages) sert de prélude à une grille dessinée pour sucer l'asphalte et flanquée de phares menaçants dont les lasers à la lumière irréelle peuvent découper une vache en côtelettes si l'on en croit les rumeurs. Au cas où vous auriez mal compris le message, quand l'auto surgit dans votre rétroviseur, l'arrière vous rappelle que vous n'étiez pas de taille lors du dépassement. Les flancs sont en réalité des poumons qui supportent un pavillon fuyant. Puis, soustrait aux regards, il y a le châssis en treillis (*space frame*) amélioré grâce à l'aluminium, le plastique et la fibre de carbone afin de gruger 200 kilos à la précédente version. En fait, on a transposé dans la R8 de rue la science de la R8 LMS de course. La Spyder? Même formule, plus lourde, une poussière de seconde plus lente, un toit en toile (ouvert en 20 secondes) et quelque 30 000 $ (estimation) plus chère.

+
- LOOK CAPTIVANT, AVEC OU SANS TOIT
- ERGONOMIE INTÉRIEURE À LA F1
- GANT DE FER, MAIN DE VELOURS

−
- COFFRE À BAGAGES À CAPACITÉ TRÈS LIMITÉE
- FUTUR DU V10 DANS LES LIMBES
- ACQUISITION PROBLÉMATIQUE

MENTIONS

CLÉ D'OR · CHOIX VERT · **COUP DE CŒUR** · **RECOMMANDÉ**

VERDICT

PLAISIR AU VOLANT
QUALITÉ DE FINITION
CONSOMMATION
RAPPORT QUALITÉ / PRIX
VALEUR DE REVENTE
CONFORT

1 5 10

VIE À BORD > Ici, on commence à saisir le truc. Une mission, un but : piloter. L'ergonomie a donc été développée en conséquence. Prenez les sièges : dans la V10 Plus, le baquet sport appelle un conducteur filiforme; sinon, il faut commander les fauteuils plus généreux. Prenez le tableau de bord. En fait, où est-il ? Là où au centre de la planche se trouverait normalement un écran quelconque se dressent plutôt des crochets de douche posés à l'envers pour contrôler des fonctions secondaires comme la ventilation. Prenez le volant : d'habitude, on a un boudin plus ou moins tapissé d'interrupteurs. Là, c'est l'inverse : une constellation de boutons qui se trouvent par hasard reliés par un cercle. Et derrière, le fameux écran qu'on n'a pas trouvé au centre de l'auto. Toute l'information est là dans un affichage programmable et d'une clarté impeccable. Introduite d'abord dans la TT, cette manière de permettre au conducteur de tout savoir en inclinant à peine le menton devrait être obligatoire.

TECHNIQUE > Le V8 est parti, reste le V10 de 5,2 litres de la Lamborghini Huracan, de 540 chevaux pour le coupé de « base » et le roadster ou de 610 pour la Plus, désactivation de la moitié des cylindres en prime en mode croisière. Bye-bye aussi la boîte manuelle, métal contre métal, clac et clac nostalgiques. Et la transmission R tronic à simple embrayage a été remplacée par la S tronic 7 rapports à double embrayage. Freins normaux ou en céramique, peu importe, ils immobiliseraient un taureau en rut.

AU VOLANT > Ne fermez pas les yeux, c'est maintenant que le tour de magie triomphe. Pour la mise à feu, enfoncez le bouton rouge du volant. Non mais quel son! Il fait de l'ombre au système Bang & Olufsen en option. Vous voulez le moduler ? Il vous faut la Plus, dont le bouton sous le démarreur gère la symphonie rauque. À neuf heures, indispensable, le bouton *Drive Select* pour choisir entre les modes *Comfort, Auto, Dynamic ou Individual.* La suspension magnétique travaillera alors selon votre humeur; la direction et les grosses palettes aussi. La Plus reçoit en extra le bouton *Performance,* qui optimise les réactions selon la chaussée sèche, mouillée ou enneigée. Cela fait, peu importe le cocktail comportemental coché, la R8, Plus ou pas, se conduit comme une Lexus, ou presque. Elle a beau être rigide comme une tige de fer et programmée au coton, elle nous enrobe de ouate. Je prends la courbe à un train d'enfer et je pense aux voitures miniatures Scalextric aimantées dans la rainure de leur piste en plastique. Le volant distille une gentille férocité, les forces G chatouillent, les freins mordent en s'excusant et même les départs en mode catapulte vous propulsent vers le nirvana en vous prenant par la main.

CONCLUSION > C'est justement cette douceur qui tombe sur les rognons des cascadeurs dans l'âme qui ont besoin de frayeurs pour copiner avec le bonheur. À chacun sa drogue. Sinon, pour les rêveurs (souvenez-vous, c'est gratuit) et les entrepreneurs, l'Audi R8 sera le dragon domestiqué qui transformera votre quotidien en un monde merveilleux où Alice est pompiste. ■

2e OPINION

Antoine Joubert

Au printemps 2015, Audi me confiait une R8 V8 à boîte manuelle, sans doute l'une des dernières construites pour le Canada. Magnifique, cette voiture souffrait bien sûr d'un sérieux retard technologique en matière de présentation intérieure, mais demeurait néanmoins très passionnante à conduire (évidemment !). N'étant pas un adepte de l'ancienne boîte R tronic, et préférant généralement les manuelles, je pleurais donc la disparition d'une R8 à trois pédales. Du moins, jusqu'à ce que je prenne le volant de cette spectaculaire R8 V10 Plus 2016, avec boîte séquentielle robotisée. Ouch! La puissance, le raffinement et la parfaite symbiose mécanique de ce bolide m'ont réconcilié avec l'absence d'une pédale d'embrayage, mais également avec un bolide qui avait quelque peu vieilli. Vous direz peut-être que de critiquer une R8 est impensable, ce à quoi je répondrai ceci : jusqu'à l'an dernier, je lui préférais la Porsche 911 sans hésiter. Aujourd'hui, la réflexion est drôlement plus complexe...

FICHE TECHNIQUE

MOTEUR(S)

(V10) V10 5,2 L DACT
PUISSANCE 540 ch à 7 800 tr/min
COUPLE 398 lb-pi à 6 500 tr/min
RAPPORT POIDS/PUISSANCE 3,1 kg/ch **Spyder** 3,2 kg/ch
BOÎTE(S) DE VITESSES robotisée à 7 rapports avec manettes au volant
PERFORMANCE 0-100 km/h 3,5 s **Spyder** 3,6 s
REPRISE 80-115 km/h 2,6 s
VITESSE MAXIMALE 320 km/h

(V10 PLUS) V10 5,2 L DACT
PUISSANCE 610 ch à 8 250 tr/min
COUPLE 413 lb-pi à 6 500 tr/min
RAPPORT POIDS/PUISSANCE 2,7 kg/ch
BOÎTE(S) DE VITESSES robotisée à 7 rapports avec manettes au volant
PERFORMANCES 0-100 km/h 3,2 s
REPRISE 80-115 km/h 2,4 s
VITESSE MAXIMALE 330 km/h
CONSOMMATION (100 km) ville 16,7 L, route 10,7 L (octane 91)
ANNUELLE 2 431 L, 3 282 $
ÉMISSIONS POLLUANTES CO_2 5 591 kg/an

AUTRES COMPOSANTS

SÉCURITÉ ACTIVE Freins ABS, assistance au freinage, répartition électronique de la force de freinage, contrôle électronique de la stabilité, antipatinage, aide au départ en pente
SUSPENSION avant/arrière indépendante, à amortisseurs magnétorhéologiques en option
FREINS avant/arrière disques
DIRECTION à crémaillère, assistée électriquement, adaptative en option
PNEUS V10/option V10 Plus P245/35R19 (av.) P295/35R19 (arr.)
V10 Plus/option V10 P245/30R20 (av.) P305/30R20 (arr.)

DIMENSIONS

EMPATTEMENT 2 650 mm
LONGUEUR 4 426 mm
LARGEUR 1 940 mm
HAUTEUR 1 240 mm
POIDS 1 655 kg **V10 Plus** 1 620 kg **Spyder** 1 720 kg
RÉPARTITION DU POIDS AV/ARR (%) ND
DIAMÈTRE DE BRAQUAGE 11,2 m
COFFRE 112 L (avant), 226 L (arrière)
RÉSERVOIR DE CARBURANT 73 L, option 83 L

LA COTE VERTE

MOTEUR L4 DE 2,0 L TURBO
CONSOMMATION (100 km) ville 10,1 L, route 7,8 L
CONSOMMATION ANNUELLE 1 547 L, 2 088 $
INDICE D'OCTANE 91
ÉMISSIONS POLLUANTES CO_2 3 558 kg/an
(source : ÉnerGuide)

FICHE D'IDENTITÉ

VERSION(S) Coupé/Roadster TT **Coupé** TTS
TRANSMISSION(S) 4
PORTIÈRES 2 **PLACES Coupé** 2+2 **Roadster** 2
PREMIÈRE GÉNÉRATION 2000
GÉNÉRATION ACTUELLE 2016
CONSTRUCTION Györ, Hongrie
COUSSINS GONFLABLES 4 (frontaux, latéraux)
CONCURRENCE Alfa Romeo 4C, Chevrolet Corvette, Jaguar F-Type, Mercedes-Benz SLC, Nissan 370Z, Porsche 718 Boxster/Cayman

AU QUOTIDIEN

COLLISION FRONTALE ND
COLLISION LATÉRALE ND
VENTES DU MODÈLE L'AN DERNIER
AU QUÉBEC 72 (-26,5 %) **AU CANADA** 251 (-13,1 %)
DÉPRÉCIATION (%) 18,5 (3 ans)
RAPPELS (2011 à 2016) aucun à ce jour
COTE DE FIABILITÉ 4/5

GARANTIES... ET PLUS

GARANTIE GÉNÉRALE 4 ans/80 000 km
GROUPE MOTOPROPULSEUR 4 ans/80 000 km
PERFORATION 12 ans/kilométrage illimité
ASSISTANCE ROUTIÈRE 4 ans/80 000 km
NOMBRE DE CONCESSIONNAIRES
AU QUÉBEC 9 **AU CANADA** 35

NOUVEAUTÉS EN 2017

Interface smartphone dans l'ensemble Navigation, nouvel ensemble couleur intérieure (brun Murillo), le bleu Ara remplace le bleu Sepang (TTS)

LA TROISIÈME EST LA BONNE

Remaniée de fond en comble l'an dernier, la TT est passée à un autre niveau avec l'arrivée de cette troisième génération. Malgré la disponibilité exponentielle de variantes sportives au sein de la gamme du constructeur, la division aux quatre anneaux persiste à vouloir demeurer dans le créneau des authentiques sportives, celles qui ont été conçues uniquement pour faire rêver. Le problème avec la TT, c'est qu'elle fait partie de ces icônes indémodables dans l'industrie. Pas facile de revoir un modèle aussi connu. Parlez-en à Volkswagen avec sa Beetle.

Vincent Aubé

TOUR DU PROPRIÉTAIRE > Pourtant, contrairement à la populaire Coccinelle, l'Audi TT semble faire l'unanimité au sein des amateurs de la chose automobile. Sans surprise, la troisième du nom adopte une robe ciselée, à l'instar de la récente R8, du Q7 et de tous ces produits de nouvelle facture chez Audi. Certains trouveront à redire sur le postérieur de la voiture, jugeant que la division design n'a pas été aussi audacieuse que par le passé. Il y a du vrai là-dedans, mais à la défense de cette division, le bouclier présente une bouille résolument plus convaincante, la grille de calandre découpée au couteau étant surplombée par les quatre anneaux, un peu à la manière de la R8. Et que dire du profil intemporel de cette TT ? La forme arrondie est toujours là, mais cette fenêtre arrière à la forme coupée transforme juste assez l'image du bolide. Et puisque Audi est un constructeur qui pense fortement à ceux et celles qui adorent rouler les cheveux au vent, la TT Roadster est encore au catalogue avec un toit souple.

\+ QUALITÉ DE FINITION
COMPORTEMENT PLUS SPORTIF
PLUS CONFORTABLE

− SUSPENSION SÈCHE
FREINAGE À AMÉLIORER
BOÎTE MANUELLE LIMITÉE À L'EUROPE

MENTIONS

CLÉ D'OR | CHOIX VERT | COUP DE CŒUR | RECOMMANDÉ

VERDICT

PLAISIR AU VOLANT
QUALITÉ DE FINITION
CONSOMMATION
RAPPORT QUALITÉ / PRIX
VALEUR DE REVENTE
CONFORT

1 5 10

VIE À BORD > Si vous trouvez que la voiture est superbe à l'extérieur, attendez de voir ce spectaculaire habitacle. La planche de bord est bien entendu le plat de résistance avec son bloc d'instrumentation entièrement numérique. Terminé l'écran de navigation entre les deux occupants. La TT est une voiture de passionné, c'est donc à lui que revient la tâche de naviguer à travers son système de divertissement. Ce qui impressionne sans doute le plus, c'est cette carte à vol d'oiseau qui remplit entièrement l'écran. Il y a également les touches insérées en plein centre des buses de ventilation, qui sauront capter l'attention du beau-frère. Comme prévu, Audi a placé une molette entre les deux occupants qui permet de passer d'un menu à l'autre. Les sièges des places avant sont confortables et très enveloppants, mais ceux de la deuxième rangée ne le sont pas autant. En fait, il s'agit vraiment d'une solution de rechange ici. Heureusement, cette banquette se replie entièrement à plat, ce qui transforme le coffre de la voiture en un espace fort utile.

TECHNIQUE > Mécaniquement, l'offre du constructeur s'est grandement simplifiée avec la refonte. La boîte manuelle est une affaire exclusivement européenne, tandis que pour l'instant, les consommateurs nord-américains doivent choisir entre un moteur 4 cylindres turbo de 2 litres et... un moteur 4 cylindres turbo de 2 litres. Évidemment, les chiffres concernant la puissance changent entre les deux, le premier étant destiné à la TT, tandis que le deuxième prend place sous le capot de la TTS. Le constructeur élague ici encore en n'offrant que la transmission intégrale, de toute façon impérative, ne serait-ce que pour affronter la saison froide.

AU VOLANT > La deuxième TT avait grandement rehaussé la barre et on peut dire la même chose de ce troisième opus. Elle avait déjà la silhouette, mais à partir de maintenant, une Audi TT a tout ce qu'il faut (ou presque) pour faire sourire un amateur de conduite dynamique. La rigidité du châssis est à la base de cette tenue de route exceptionnelle, les éléments de suspension pouvant être réglés selon l'humeur de celui ou celle qui tient le volant dans la livrée TTS. La direction est elle aussi plus précise que par le passé, tandis que la sonorité des motorisations a pris du galon. Et que dire de l'efficacité de la boîte à double embrayage ? Un pur délice que de changer les rapports à la moindre occasion. S'il y a un bémol à apporter à la TT, c'est la fermeté de sa suspension, surtout au Québec avec nos routes usées par le temps, et le freinage, qui a failli surprendre l'auteur de ces lignes.

CONCLUSION > Elle ne court pas les rues, la TT, mais lorsqu'elle montre son joli minois, elle prouve une fois de plus que les voitures sport ont encore une raison d'être sur cette planète. Au sein de sa catégorie, elle offre une expérience de conduite bien différente de celle de la plupart des concurrentes, qui privilégient la propulsion. Disons seulement qu'elle s'avère le choix le plus réfléchi dans ce groupe pour rouler à l'année. ■

2e OPINION

Benoit Charette

On m'a souvent demandé si j'avais à choisir entre une Audi TT et une Porsche Boxster quel serait mon choix ? Pour le pur plaisir de conduire, il y a peu de modèles qui approchent la Boxster. Le moteur central, la tenue de route, la montée en régime du moteur, c'est difficile à battre. Toutefois, la TT offre un avantage de taille : elle peut se conduire à l'année et elle est très amusante l'hiver. Tout comme la Boxster, vous avez le choix d'une version de base ou S qui produit 290 chevaux. L'Europe va recevoir la RS cette année avec près de 400 chevaux. Ouf! Pour un peu plus de polyvalence, la version Coupé contient plus de rangements à l'arrière, car l'espace pour un passager est symbolique. Toutefois, si vous privilégiez le plaisir de conduire, le roadster va à coup sûr vous accrocher un sourire au visage.

FICHE TECHNIQUE

MOTEUR(S)

(TT) L4 2,0 L DACT turbo
PUISSANCE 220 ch de 4 500 à 6 200 tr/min
COUPLE 258 lb-pi de 1 600 à 4 400 tr/min
RAPPORT POIDS/PUISSANCE coupé 6,5 kg/ch **cabrio.** 6,9 kg/ch
BOÎTE(S) DE VITESSES robotisée à 6 rapports et manettes au volant
PERFORMANCES 0-100 km/h Coupé 5,6 s **Roadster** 5,9 s
REPRISE 80-115 km/h 4,7 s
FREINAGE 100-0 km/h 35,0 m
NIVEAU SONORE À 100 km/h Passable
VITESSE MAXIMALE 209 km/h (bridée)

(TTS) L4 2,0 L DACT turbo
PUISSANCE 290 ch de 5 400 à 6 200 tr/min
COUPLE 280 lb-pi de 1 950 à 5 300 tr/min
RAPPORT POIDS/PUISSANCE 5,1 kg/ch
BOÎTE(S) DE VITESSES robotisée à 6 rapports et manettes au volant
PERFORMANCES 0-100 km/h 4,8 s
REPRISE 80-115 km/h 3,5 s
VITESSE MAXIMALE 250 km/h (bridée)
CONSOMMATION (100 km) ville 10,3 L, route 8,6 L (octane 91)
ANNUELLE 1 615 L, 2 180 $
ÉMISSIONS POLLUANTES CO_2 3 714 kg/an

AUTRES COMPOSANTS

SÉCURITÉ ACTIVE (certains en option) Freins ABS, assistance au freinage, répartition électronique de la force de freinage, contrôle de la stabilité électronique, antipatinage, assistance au maintien de voie
SUSPENSION avant/arrière indépendante
TTS/option TT avec amortisseurs magnétorhéologiques
FREINS avant/arrière disques
DIRECTION à crémaillère, assistée électriquement
PNEUS TT P245/40R18 **TTS/option TT** P245/35R19
option TTS P255/30R20

DIMENSIONS

EMPATTEMENT 2 505 mm
LONGUEUR 4 180 mm
LARGEUR 1 832 mm
HAUTEUR Coupé TT 1 353 mm **TTS** 1 343 mm
POIDS Coupé TT 1 435 kg **cabriolet** 1 530 kg **TTS** 1 470 kg
RÉPARTITION DU POIDS AV/ARR (%) ND
DIAMÈTRE DE BRAQUAGE 11,0 m
COFFRE Coupé 305 L **Cabriolet** ND
RÉSERVOIR DE CARBURANT 60 L

LA COTE VERTE

MOTEUR W12 DE 6,0 L BITURBO
CONSOMMATION (100 km) ville 21,0 L, route 10,8 L (est.)
CONSOMMATION ANNUELLE 2 771 L, 3 741 $
INDICE D'OCTANE 91
ÉMISSIONS POLLUANTES CO_2 6 373 kg/an
(source : L'Annuel)

FICHE D'IDENTITÉ

VERSION(S) unique... mais très personnalisable
TRANSMISSION(S) 4
PORTIÈRES 5 **PLACES** 5, 4
PREMIÈRE GÉNÉRATION 2017
GÉNÉRATION ACTUELLE 2017
CONSTRUCTION Crewe, Angleterre
COUSSINS GONFLABLES 8 (frontaux, latéraux avant et arrière, rideaux latéraux)
CONCURRENCE Land Rover Range Rover, Mercedes-Benz Classe G

AU QUOTIDIEN

COLLISION FRONTALE nm
COLLISION LATÉRALE nm
VENTES DU MODÈLE L'AN DERNIER
AU QUÉBEC nm **AU CANADA** nm
DÉPRÉCIATION (%) nm
RAPPELS (2011 à 2016) nm
COTE DE FIABILITÉ nm

GARANTIES... ET PLUS

GARANTIE GÉNÉRALE 3 ans/kilométrage illimité
GROUPE MOTOPROPULSEUR 3 ans/kilométrage illimité
PERFORATION 3 ans/kilométrage illimité
ASSISTANCE ROUTIÈRE 3 ans/kilométrage illimité
NOMBRE DE CONCESIONNAIRES
AU QUÉBEC 1 **AU CANADA** 3

NOUVEAUTÉS EN 2017

Nouveau modèle

LE VUS LE PLUS CHER AU MONDE

C'est au tour de Bentley de pencher vers le côté obscur de l'automobile, celui des VUS. Selon la division de luxe de Volkswagen, cette transition est cruciale pour la survie à long terme de la marque. Bentley a l'intention d'augmenter son chiffre de ventes de 50 % avec l'arrivée du Bentayga. Et Bentley ne compte pas s'arrêter là. Les ventes annuelles, qui tournent à 10 000 unités dans le monde, passeraient à 15 000 avec le Bentayga et, pour demeurer rentable, devraient se situer autour de 20 000 en 2025. Il y aura donc un coupé et un autre utilitaire un peu plus petit dans les cartons d'ici les prochaines années.

Matt Bubbers

TOUR DU PROPRIÉTAIRE > Nous le dirons sans détour, le Bentayga n'est pas beau. Trop ramassé et mal proportionné, il n'a pas la prestance d'une Continental GT ou d'une Mulsanne. Il faudrait qu'il bénéficie d'un empattement plus long pour pouvoir afficher les bonnes proportions. Mais voilà, le problème est là, le Bentayga partage la même plate-forme que l'Audi Q7 et le Porsche Cayenne. Il est donc pris avec les mêmes dimensions. C'est comme faire l'achat d'un magnifique habit Hugo Boss deux points trop petits. Dans les faits, cela ne revêt que peu

+
- LES PERFORMANCES INCROYABLES
- LA PRÉSENTATION ULTRA-LUXUEUSE
- LA QUALITÉ DES MATÉRIAUX
- LE MOTEUR W12

−
- LES ROUES DE 22 POUCES
- LE FREINAGE UN PEU JUSTE
- LES PRIX SURRÉALISTES

MENTIONS

CLÉ D'OR · CHOIX VERT · COUP DE CŒUR · RECOMMANDÉ

VERDICT

Critère	Note (1 à 10)
PLAISIR AU VOLANT	8
QUALITÉ DE FINITION	10
CONSOMMATION	5
RAPPORT QUALITÉ / PRIX	6
VALEUR DE REVENTE	nm
CONFORT	10

d'importance, car le simple fait de coller le mot Bentley à un véhicule utilitaire sport vous donne carte blanche pour attaquer les chéquiers des conducteurs les plus riches du monde. Avec ce véhicule, Bentley veut s'ouvrir au monde et aller chercher des clients partout. À vrai dire, le style n'était pas la plus grande priorité de ce véhicule, mais le sentiment d'être en plein contrôle et impérativement à l'aise dans n'importe quelle circonstance prime sur tout le reste. C'est pourquoi Bentley a fait le tour du monde pour aller voir des acheteurs russes, chinois, norvégiens. Bentley construit des nouvelles concessions au Maroc, à Dubaï et au Vietnam.

VIE À BORD > Quand l'argent n'est plus un facteur, rien n'est trop beau. La liste des options est interminable. Les gens de Bentley sur place au lancement en Californie nous soulignent au passage qu'il y a plus de lignes d'options dans le Bentayga que dans un Boeing 787 Dreamliner. C'est quelque chose. Nous passerons sous silence le troupeau de vaches nécessaire pour habiller l'habitacle qui côtoie une forêt de bois rares et odorants. Pour vous donner une petite idée de la différence entre les gens à l'aise financièrement et les gens riches, voici quelques options qui se lisent un peu comme le catalogue à la vente d'art Bonhams. Vous avez par exemple un système audio Naïm avec ses 18 haut-parleurs et 1800 watts qui sonne comme une salle de concert pour 5 860 $. Vous pouvez aussi choisir un nécessaire à pique-nique, une populaire activité de famille en Angleterre avec verres en cristal pour 33 000 $. Pour 34 000 $, vous avez droit à une peinture fini satiné. Pour donner un peu plus de prestance à votre Bentley, les roues de 22 pouces s'imposent pour 7000 maigres dollars. Mais la pièce de résistance et qui va ravir ceux qui ont de l'argent à jeter par les fenêtres est une horloge tourbillon montée sur le tableau de bord fabriquée par Breitling pour Bentley. Cette entreprise ne fait que quatre de ces horloges par année, et en cochant cette case d'option, vous ajouterez 150 000 euros (les prix sont uniquement en euros) au coût final de votre Bentayga. Vous pouvez recevoir l'horloge en or ou en platine ou toute autre chose brillante qui vous plaît le plus. Avec une telle liste d'options, on ne peut se permettre le moindre écart dans l'exécution. On tutoie partout la perfection autant dans les cuirs choisis par des spécialistes de la marque que dans les différentes essences de bois. En passant, vous avez besoin de 12 à 14 peaux de vaches pour recouvrir de cuir l'intérieur d'un Bentayga. Tout est bien disposé, les sièges sont très confortables. Un seul reproche, les commandes proviennent de l'Audi Q7 et le jupon dépasse un peu trop. Un petit effort pour fabriquer des pièces spécifiques aurait été apprécié.

TECHNIQUE > Aussi lourd qu'un autobus Prévost, ce mastodonte doit mettre une puissance redoutable pour bien bouger. Bentley est donc allée avec la noblesse du W12 de 6 litres turbocompressé qui développe 600 chevaux. Son énorme couple arrive à seulement 1350 tours/minute et la puissance passe par une onctueuse boîte à 8 rapports capable d'amener cette bête de plus de deux tonnes à 100 km/h en 4,1 secondes. Bentley a fixé la vitesse maximale à 301 km/h. Les Porsche Cayenne Turbo, Range Rover Supercharged ou encore Mercedes AMG ne sont pas de taille. Sur la route, il faut faire très attention, car l'habitacle est si bien isolé et la tenue si bonne que vous roulez toujours bien au-delà des limites permises. Et pour ceux qui croient que l'on peut faire mieux, Bentley prépare une version Speed de la Bentayga.

FICHE TECHNIQUE

MOTEUR(S)

(BENTAYGA) W12 6,0 L DACT biturbo
PUISSANCE 600 ch de 5 000 à 6 000 tr/min
COUPLE 664 lb-pi de 1 350 à 4 500 tr/min
RAPPORT POIDS/PUISSANCE 4,1 kg/ch
BOÎTE(S) DE VITESSES automatique à 8 rapports avec mode manuel et manettes au volant
PERFORMANCES 0-100 km/h 4,1 s
REPRISE 80-115 km/h 3,0 s
FREINAGE 100-0 km/h 44,5 m
VITESSE MAXIMALE 301 km/h
NIVEAU SONORE à 100 km/h Excellent

AUTRES COMPOSANTS

SÉCURITÉ ACTIVE freins ABS, assistance au freinage, répartition électronique de la force de freinage, contrôle électronique de la stabilité, antipatinage, aide au départ en pente
SUSPENSION avant/arrière indépendante adaptative, pneumatique à autonivellement
FREINS avant/arrière disques
DIRECTION à crémaillère, assistée
PNEUS P275/50R20 **options** P285/45R21, P285/40R22

DIMENSIONS

EMPATTEMENT 2 995 mm
LONGUEUR 5 140 mm
LARGEUR 1 998 mm, 2 224 mm (incl. rétro.)
HAUTEUR 1 742 mm
POIDS 2 440 kg
RÉPARTITION DU POIDS AV/ARR (%) 57,5/42,5
DIAMÈTRE DE BRAQUAGE 12,6 m
COFFRE 4 passagers 431 L **5 passagers** 484 L
RÉSERVOIR DE CARBURANT 85 L

A

B

C

D

E

GALERIE

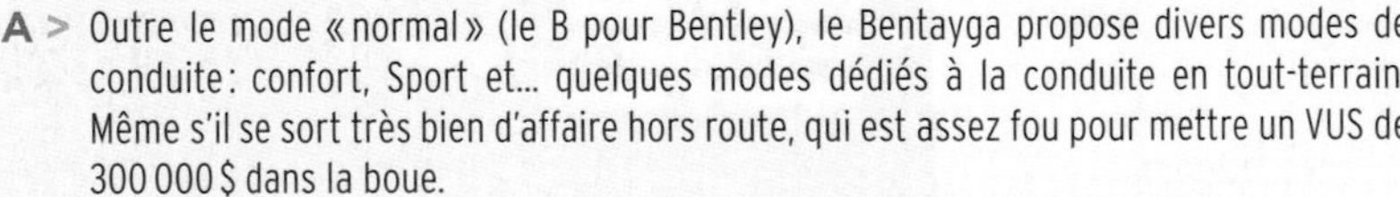

A > Outre le mode « normal » (le B pour Bentley), le Bentayga propose divers modes de conduite : confort, Sport et... quelques modes dédiés à la conduite en tout-terrain! Même s'il se sort très bien d'affaire hors route, qui est assez fou pour mettre un VUS de 300 000 $ dans la boue.

B > L'habitacle est tapissé de cuir du sol au plafond, et profite de moquettes épaisses et d'une finition irréprochable alternant de splendides essences de bois avec du chrome et quelques touches métalliques.

C > Quoi de plus agréable qu'un petit pique-nique en famille le dimanche. Bentley vous propose dans son interminable liste d'options un nécessaire grand luxe pour le pique-nique avec flûtes à champagne en cristal, argenterie pour la famille, le tout dans des boîtiers spécialement conçus pour le Bentayga pour la modique somme de 33 000 $.

D > C'est bien connu, les amateurs de voitures sont aussi des amateurs de montres. Pour ceux qui veulent assouvir deux passions en même temps, Bentley propose une montre tourbillon unique réalisée pour la Bentayga qui se retire de son socle. Il faudra tout de même allonger 150 000 euros pour avoir le privilège de lire l'heure sur une œuvre d'art.

E > Même si la voiture revêt un côté cossu, la technologie n'a pas été mise de côté. En plus de l'écran central qui regroupe la majorité de l'information, tous les passagers arrière ont droit à des écrans en plus de la connexion Internet.

AU VOLANT > Comme le disait si bien Winston Churchill : « J'ai des goûts très simples, je n'aime que le meilleur. » C'est exactement dans cette optique que Bentley a conçu la conduite du Bentayga. Ce véhicule peut littéralement affronter n'importe quoi et faire face à tous les climats, des plus froids aux plus chauds, toujours en vous dorlotant dans un environnement feutré. C'est pourquoi Bentley nous a fait connaître la descente de dunes au lancement du véhicule. Le Moyen-Orient est friand de cette activité et les riches propriétaires de Dubaï, d'Oman et des Émirats arabes unis vont régulièrement descendre des dunes de 300 pieds en laissant « surfer » le véhicule sur le sable. Une activité intimidante au départ, mais le Bentayga s'en est très bien sorti. Sur l'autoroute, avec la suspension pilotée pneumatique et la quantité d'aides électroniques à la conduite, vous n'avez jamais l'impression de conduire un véhicule lourd et encombrant. L'électronique fait des miracles et vous êtes capable de conduire cette bête comme une voiture sport. Les accélérations vous repoussent dans le siège et les sorties de virage sont comme un boulet de canon. Tout cela sans jamais perdre le contrôle, vous demeurez serein au volant, il n'y a pas de coups ou de soubresauts dans l'habitacle. Vous êtes confortablement assis dans votre siège chauffant/ventilé/massant et vous prenez place dans l'action avec l'impression d'être un peu détaché de tout cela tellement la voiture fait le travail pour vous. Au sujet de la conduite, une recommandation. Si vous faites l'achat de cet utilitaire, ne prenez pas l'option des roues de 22 pouces. Elles handicapent sérieusement le confort. Les roues de 20 ou 21 pouces sont plus confortables au quotidien.

CONCLUSION > Si vous faites partie du 1 % de gens très riches et que vous recherchez ce qui se fait de meilleur en matière de véhicule en ce moment, ne cherchez pas plus loin. Aucun VUS ne peut rivaliser pour le moment avec le Bentayga, de la présentation intérieure exceptionnelle à ses prestations sur route hors norme. Vous allez chèrement payer pour cette exclusivité, mais vous ne serez pas déçu. Reste maintenant à voir ce que Lamborghini et éventuellement Rolls-Royce auront à nous présenter. ■

HISTORIQUE

L'idée du Bentayga a pris forme avec le prototype EXP 9F présenté au Salon de l'auto de Genève en 2012. L'utilitaire construit sur la plate-forme MLB de Volkswagen (Audi Q7 et Porsche Cayenne) arrivait déjà avec le moteur W12, qui a été conservé. Toutefois, le style controversé du prototype a forcé les dirigeants à repenser la silhouette pour le modèle de production, qui a finalement été annoncé en juillet 2013. Le premier Bentayga a été dévoilé au Salon de l'auto de Francfort en 2015. Il semble maintenant que tous les constructeurs de véhicules de luxe se dirigent dans le monde des VUS.

Dessin du concept EXP 9F (2011)

Bentley-exp-9-2012

Concept Bentayga 2013

Audi Q7 2017

Bentley Bentayga 2017

LA COTE VERTE

MOTEUR V8 DE 4,0 L BITURBO
CONSOMMATION (100 km) ville 17,0 L route 9,9 L
CONSOMMATION ANNUELLE 2 346 L, 3 167 $
INDICE D'OCTANE 91
ÉMISSIONS POLLUANTES CO_2 5 396 kg/an
(source : ÉnerGuide)

FICHE D'IDENTITÉ

VERSION(S) Coupé /Cabriolet GT, GT V8, GT V8 S, GT Speed, GT Speed Black Edition **Coupé** GT3-R
TRANSMISSION(S) 4
PORTIÈRES 2 **PLACES** 2+2, 2 (GT3-R)
PREMIÈRE GÉNÉRATION 2004
GÉNÉRATION ACTUELLE 2012
CONSTRUCTION Crewe, Angleterre
COUSSINS GONFLABLES 9 (frontaux, latéraux avant et arrière, rideaux latéraux, genoux conducteur)
CONCURRENCE Aston Martin DB11/Vanquish, Audi RS7, Ferrari California/GTC4 Lusso, Mercedes-Benz CLS/SL, Rolls-Royce Ghost/Wraith

AU QUOTIDIEN

COLLISION FRONTALE 5/5
COLLISION LATÉRALE 5/5
VENTES DU MODÈLE L'AN DERNIER
AU QUÉBEC ND **AU CANADA** ND
DÉPRÉCIATION (%) 29,7 (3ans)
RAPPELS (2011 à 2016) 3
COTE DE FIABILITÉ 3,5/5

GARANTIES... ET PLUS

GARANTIE GÉNÉRALE 3 ans/kilométrage illimité
GROUPE MOTOPROPULSEUR 3 ans/kilométrage illimité
PERFORATION 3 ans/kilométrage illimité
ASSISTANCE ROUTIÈRE 3 ans/kilométrage illimité
NOMBRE DE CONCESSIONNAIRES
AU QUÉBEC 1 **AU CANADA** 3

NOUVEAUTÉS EN 2017

Versions GT Speed et GT Speed Black Edition à moteur plus puissant.

LA REINE DES V12

Bentley est le plus important producteur de moteur à douze cylindres de toute l'industrie automobile. Chaque année, il sort plus de V12 des murs de Crewe, en Angleterre, que n'importe où ailleurs dans le monde et cette réalité vient de l'unique succès de la gamme Continental. Comme toujours, ce duo de grands coupés et somptueux cabriolets conserve son incroyable pouvoir d'attraction auprès de la clientèle fortunée. En constante amélioration, il séduit une fois de plus en 2017 avec l'ajout d'une collection d'éditions spéciales et toujours plus de raffinement.

Luc-Olivier Chamberland

TOUR DU PROPRIÉTAIRE > Sur le plan esthétique, certains diront que la Continental n'a pas changé d'un iota depuis son introduction en 2003. Bien que les ressemblances soient réelles, on a transformé complètement la voiture en 2011. On assure son succès avec la continuité. Tout juste l'an dernier, en 2016, on a apporté une fois de plus quelques menues améliorations, notamment au bouclier. De la GT « ordinaire » à la Speed, chacune peut être configurée selon les moindres caprices de l'acheteur. On découvre des éditions spéciales comme la Black Edition inspirée par les exclusives Continental GT Speed Breitling Jet Team Series produites en 7 exemplaires. Seule exception au catalogue, Bentley réserve le « blanc et vert » et le « noir et vert » à la GT3-R.

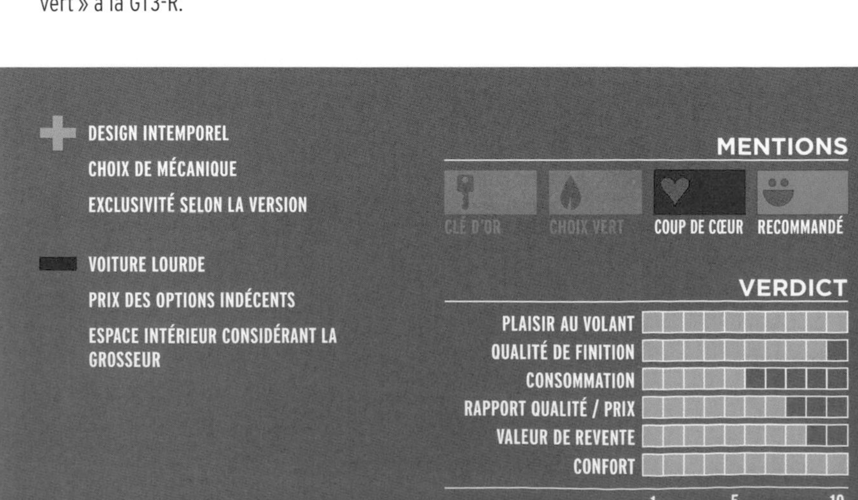

+
DESIGN INTEMPOREL
CHOIX DE MÉCANIQUE
EXCLUSIVITÉ SELON LA VERSION
VOITURE LOURDE
PRIX DES OPTIONS INDÉCENTS
ESPACE INTÉRIEUR CONSIDÉRANT LA GROSSEUR
MENTIONS
CLÉ D'OR
CHOIX VERT
COUP DE CŒUR
RECOMMANDÉ
VERDICT
PLAISIR AU VOLANT
QUALITÉ DE FINITION
CONSOMMATION
RAPPORT QUALITÉ / PRIX
VALEUR DE REVENTE
CONFORT
1
5
10

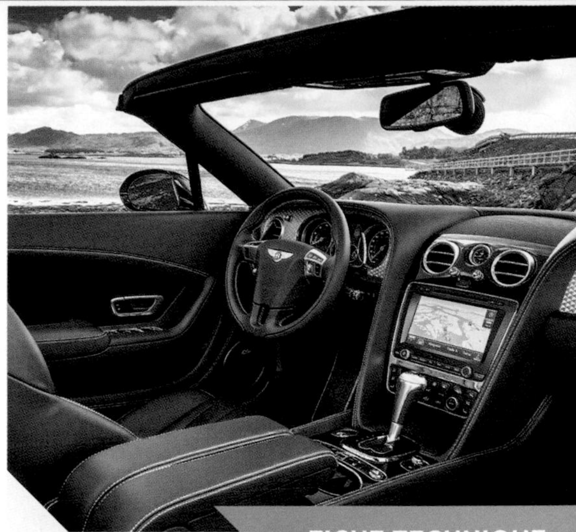

VIE À BORD > La tradition fait partie de Bentley. Devant les assauts de la modernité, la gamme se devait d'être mise à jour pour être de son temps. Jusqu'à récemment, une simple prise USB était une option. Depuis 2016, l'ensemble des commandes est revu pour plus de fonctionnalités et d'accessoires. La liste des options demeure longue, mais on a du choix. La présentation classique revient avec ses deux grandes arches recouvertes de cuir finement taillé et de boiseries ou de fibre de carbone en abondance. La finition mériterait d'être resserrée, mais c'est l'adage de la confection à la main. Des sièges princiers nous enveloppent comme les bras d'une mère avec son nouveau-né. À l'arrière, des défis se pointent quant à l'accès et aux dégagements. Dans ce cas, si vous voulez quatre vraies places, optez pour la Flying Spur.

TECHNIQUE > Sur la base du V8 de 4 litres, ce n'est pas le choix qui manque avec des puissances passant de 500 chevaux dans la GT V8 à 521 chevaux dans la GT V8 S et culminant à 572 chevaux dans la bestiale GT3-R. Ceux qui voudront le prestige de la motorisation W12 de 6 litres, il revient inchangé avec une cavalerie de 582 chevaux et un couple de 531 livres-pieds. Au sommet, car nous n'y sommes pas encore, la Speed s'invite avec des améliorations mécaniques qui propulsent sa puissance de 626 à 633 chevaux et le couple fait un bond de 605 à 620 livres-pieds. Toutes les versions se présentent de série avec une excellente boîte automatique à mode manuel à 8 rapports de conception ZF. Fait important pour un monde plus vert, les W12 jouissent de la désactivation des cylindres, leur permettant de réduire un tant soit peu la consommation éhontée.

AU VOLANT > La Continental est tout sauf un poids plume. En fait, on peut même la qualifier de baleine. Heureusement, l'indécence de la puissance permet de contrer la masse. L'apport de sa transmission intégrale donne des accélérations impressionnantes. Dans la tradition des voitures de tourisme, ce n'est pas dans un virage en épingle qu'elle sera mise en valeur, mais l'on jouit d'un dynamisme relevé dans la conduite. Pas aussi pointues que celles d'une italienne rouge, ses limites sont malgré tout au-delà du raisonnable pour nos routes. La Continental se veut l'incarnation même de la boulevardière.

CONCLUSION > La Continental est une machine exceptionnelle à tous les points de vue. L'apport du V8 permet de diminuer un peu plus la consommation de carburant sans faire de concession quant aux performances. De plus, les éditions spéciales rendent leur rareté encore plus attirante. Évidemment, il faut juste être en mesure de mettre plus d'un quart de million sur la table. ■

2e OPINION

Benoit Charette

Belle, rapide, cossue et indémodable sont tous des mots qui peuvent décrire la Continental GT. Bentley prépare déjà une nouvelle mouture pour 2018. Avec le même châssis que dans l'actuelle Audi Q7 et la Panamera chez Porsche, la prochaine Continental va donc être plus légère. On travaille sur un style qui va rassembler plusieurs éléments du prototype EXP 10 avec ses grands yeux et sa silhouette plus sculptée. On dit que le mélange des genres n'est pas toujours heureux, mais dans le cas de Bentley, qui a imposé la rigueur allemande au faste anglais, il n'y a que des gagnants dans cette équation. Comme dans toutes les anglaises, on se sent important dans une Bentley.

FICHE TECHNIQUE

MOTEUR(S)

(GT V8, GTC V8 , GT V8 S, GTC V8 S, GT3-R) V8 4,0 L DACT biturbo
PUISSANCE 500 ch **S** 521 ch **GT3-R** 572 ch à 6 000 tr/min
COUPLE 487 lb-pi **S** 502 lb-pi **GT3-R** 518 lb-pi à 1 700 tr/min
RAPPORT POIDS/PUISSANCE 4,6 à 4,9 kg/ch
cabrio 4,7 à 4,9 kg/ch **GT3-R** 3,8 kg/ch
BOÎTE(S) DE VITESSES automatique à 8 rapports avec mode manuel et manettes au volant
PERFORMANCES 0-100 km/h Coupé 4,8 s **S** 4,5 s
GT3-R 3,7 s **Cabriolet** 5,0 s **S** 4,7 s
REPRISE 80-115 km/h 3,9 s
VITESSE MAXIMALE Coupé 303 km/h **S** 309 km/h
Cabriolet 301 km/h **S** 308 km/h

(GT, GTC, SPEED) W12 6,0 L DACT biturbo
PUISSANCE 582 ch à 6 000 tr/min **Speed** 633 ch à 6 000 tr/min
COUPLE 531 lb-pi à 1 700 tr/min **Speed** 620 lb-pi de 2 000 à 5 000 tr/min
RAPPORT POIDS/PUISSANCE 3,7 à 4,4 kg/ch
BOÎTE(S) DE VITESSES automatique à 8 rapports avec mode manuel et manettes au volant
PERFOMANCES 0-100 km/h Coupé 4,5 s **Cabriolet** 4,7 s
Speed Coupé 4,1 s **Cabriolet** 4,3 s
REPRISE 80-115 km/h 3,5 s **Speed** 3,1 s
VITESSE MAXIMALE Coupé 318 km/h **Cabriolet** 314 km/h
Speed Coupé 331 km/h **Cabriolet** 327 km/h
CONSOMMATION (100 km) Coupé ville 18,9 L route 11,2 L
Cabriolet ville 19,6 L route 11,7 L
ANNUELLE Coupé 2 618 L, 3 534 $ **Cabriolet** 2 720 L, 3 672 $
ÉMISSIONS DE CO_2 Coupé 6 020 kg/an **Cabriolet** 6 256 kg/an

AUTRES COMPOSANTS

SÉCURITÉ ACTIVE freins ABS, assistance au freinage, répartition électronique de la force de freinage, contrôle électronique de la stabilité, antipatinage, aide au départ en pente
SUSPENSION avant/arrière indépendante
FREINS avant/arrière disques
DIRECTION à crémaillère, assistée
PNEUS P275/40R20 **Speed /option GT** P275/35R21 **GT3-R** P275/40R21

DIMENSIONS

EMPATTEMENT 2 746 mm
LONGUEUR 4 806 mm
LARGEUR 1 944 mm (rétro. repliés), 2 227 mm (incl. rétro.)
HAUTEUR 1 404 mm **Speed/GT3-C** 1 394 mm
POIDS V8 Coupé 2 295 kg **GT3-C** 2 195 kg
Cabriolet 2 470 kg **W12 Coupé** 2 320 kg **Cabriolet** 2 495 kg
RÉPARTITION DU POIDS AV/ARR (%) V8 57/43 **W12** 58/42
DIAMÈTRE DE BRAQUAGE 11,3 m
COFFRE coupé 358 L **Cabriolet** 260 L
RÉSERVOIR DE CARBURANT 90 L

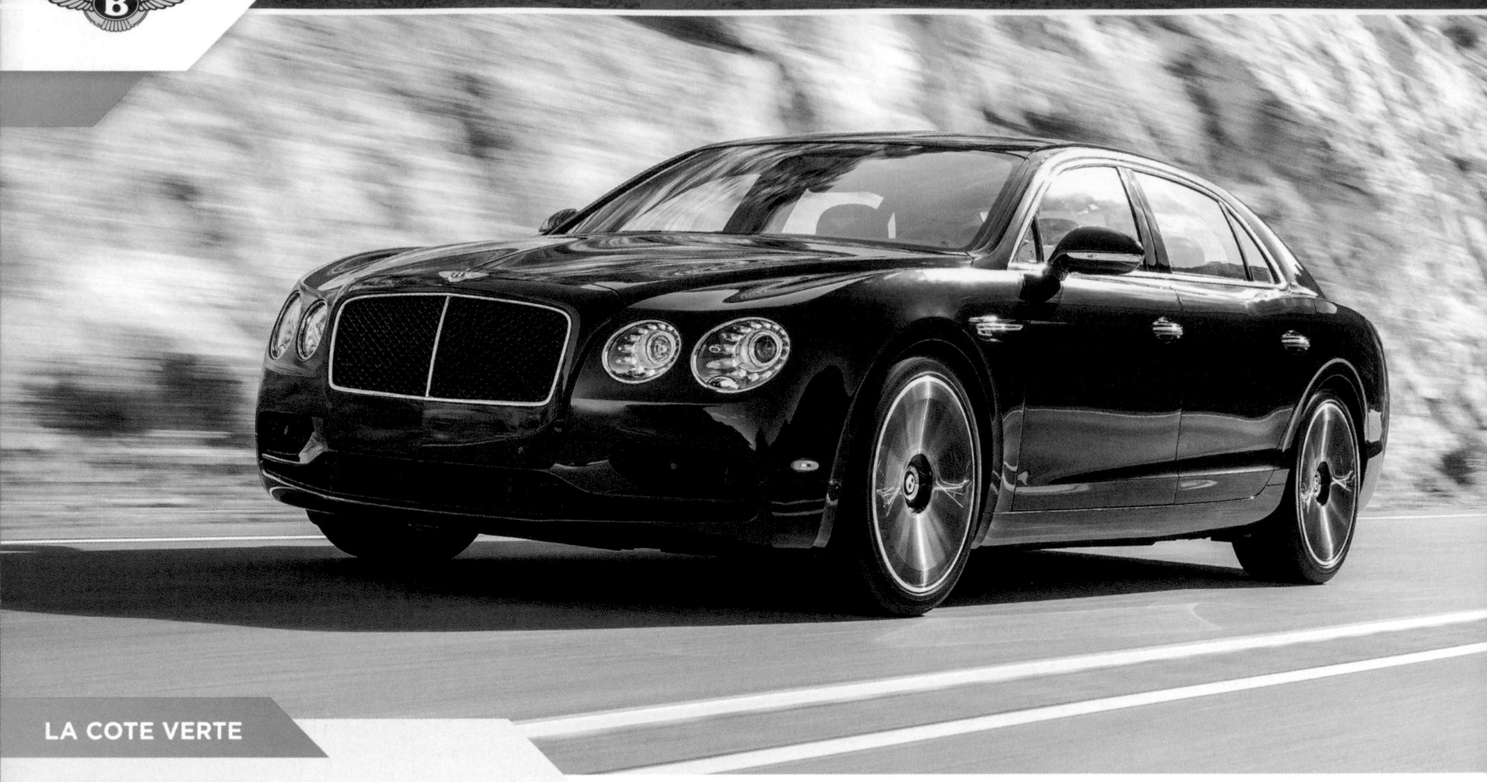

LA COTE VERTE

MOTEUR V8 DE 4,0 L BITURBO
CONSOMMATION (100 km) ville 17,7 L route 9,9 L
CONSOMMATION ANNUELLE 2 346 L, 3 167 $
INDICE D'OCTANE 91
ÉMISSIONS POLLUANTES CO_2 5 396 kg/an
(source : ÉnerGuide)

FICHE D'IDENTITÉ

VERSION(S) V8, V8 Mulliner, V8 Beluga, V8 S, W12, W12 Mulliner
TRANSMISSION(S) 4
PORTIÈRES 4 **PLACES** 4, 5
PREMIÈRE GÉNÉRATION 2005
GÉNÉRATION ACTUELLE 2014
CONSTRUCTION Crewe, Angleterre
COUSSINS GONFLABLES 9 (frontaux, genoux conducteur, latéraux avant et arrière, rideaux latéraux)
CONCURRENCE Aston Martin Rapide S, Audi S8, BMW 760, Jaguar XJR, Maserati Quattroporte, Mercedes-Benz Classe S Maybach, Porsche Panamera, Rolls-Royce Ghost

AU QUOTIDIEN

COLLISION FRONTALE ND
COLLISION LATÉRALE ND
VENTES DU MODÈLE L'AN DERNIER AU QUÉBEC ND **AU CANADA** ND
DÉPRÉCIATION (%) 29,7 (3 ans)
RAPPELS (2011 à 2016) 1
COTE DE FIABILITÉ 4/5

GARANTIES... ET PLUS

GARANTIE GÉNÉRALE 3 ans/kilométrage illimité
GROUPE MOTOPROPULSEUR 3 ans/kilométrage illimité
PERFORATION 3 ans/kilométrage illimité
ASSISTANCE ROUTIÈRE 3 ans/kilométrage illimité
NOMBRE DE CONCESIONNAIRES AU QUÉBEC 1 **AU CANADA** 3

NOUVEAUTÉS EN 2017

Nouvelle version V8 S à moteur plus puissant, suspension révisée, retouches esthétiques et couleurs dédiées.

PATAUGER AVEC L'ÉLITE MONDIALE

Un tout petit quart de million de dollars, c'est le prix de l'offre « de base » du côté des berlines chez Bentley. Mettre la main sur une Flying Spur signifie que l'on se retrouve dans les plus hautes sphères de la société, c'est une voiture au sang bleu. Elle n'est pas au sommet de la gamme, mais il ne reste plus qu'un pas à franchir avant d'atteindre la Mulsanne. À son volant, on flirte avec l'élite mondiale, rien de moins.

Luc-Olivier Chamberland

TOUR DU PROPRIÉTAIRE > Depuis 2014, la Spur, pour les intimes, s'est émancipée de la gamme Continental. Les similitudes demeurent importantes entre le coupé, le cabriolet et la berline, mais ses lignes sont plus classiques, moins flamboyantes. On reconnaît toujours une Bentley grâce aux quatre grands ronds formant les éléments éclairants. D'ailleurs, il faut prendre quelques secondes pour observer les détails qui sont incrustés aux blocs optiques, une véritable merveille. La silhouette demeure l'une des caractéristiques les plus distinctives de la Flying Spur. On découvre une ceinture de caisse haute cadrée de chrome, des hanches bombées et une collection de roues dont les plus petites sont de 19 pouces. À cette adresse, vos désirs sont des ordres. Les ateliers d'artisans Mulliner se feront un plaisir de configurer votre carrosse

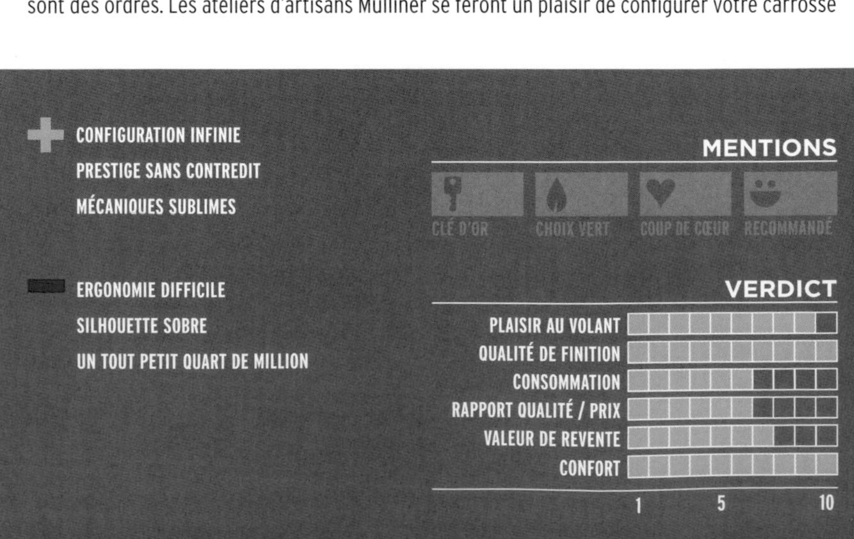

selon vos moindres caprices. Votre femme veut agencer la couleur de sa Bentley à ses souliers Prada ? Elle l'aura, mais soyez prêt à mettre le prix ! Pour plus d'exclusivité, restez à l'affût. Bentley dévoile fréquemment des éditions spéciales produites à très peu d'exemplaires.

VIE À BORD > Peu de voitures offrent une expérience sensorielle aussi puissante. Dès l'ouverture de la portière, on sent l'odeur des cuirs coupés au laser pour une plus grande précision. Nos yeux sont émerveillés par la beauté de la présentation et par l'esthétique de la finition des matériaux. Vient ensuite le toucher; on se surprend à effleurer la voiture, les surpiqûres ou les broderies des appuie-têtes. Les oreilles se régalent d'un système audio Naim à 11 haut-parleurs possédant presque la même qualité sonore que la salle de l'OSM. La liste d'équipement n'a aucune limite. Elle paraît parfaite, mais ce n'est pas le cas. Son ergonomie pose plusieurs défis quant à la disposition des commandes et le système de navigation date d'une autre époque. Étant de la même famille qu'Audi, Bentley devrait aller piger dans les composantes de cette dernière. Personne ne s'en plaindrait !

TECHNIQUE > Depuis 2016, la Spur s'est dotée d'une deuxième version sur la base de son V8 de 4 litres. La magie des ingénieurs porte la puissance à 521 chevaux sur la variante S, soit 21 de plus que dans le « simple » V8. Au sommet de la gamme, le W12 de 6 litres revient inchangé avec sa cavalerie de 616 chevaux et son monstrueux couple de 590 livres-pieds. Toutes les versions arrivent avec une boîte de vitesse à 8 rapports. La force ne manque jamais un rendez-vous et sa distribution se fait avec vélocité. Même si elle figure sur la liste des berlines les plus puissantes au monde, elle ne brusque jamais ses passagers. La vitesse se prend de manière linéaire et avec une ferme poigne. Il importe de souligner que cette grande dame aime jouer dans la neige grâce à son exceptionnelle transmission intégrale.

AU VOLANT > Voluptueux est le premier mot qui nous vient à l'esprit. La conduite est ferme avec des suspensions qui absorbent toutes les imperfections. Sur nos routes, on les entend constamment travailler, ce qui devient agaçant à la longue. La direction permet un contact direct avec le pavé. On jouit d'une belle lourdeur qui s'allège à vitesses plus élevées. L'agrément est indéniable. Comme dans de très rares voitures, on se prend pour le roi du monde à son volant et pour un chef d'État si l'on a le privilège d'être conduit !

CONCLUSION > À l'image de toutes les Bentley, la Flying Spur s'adresse à un faible pourcentage de la population. On doit faire partie de l'élite financière pour mettre la main dessus. Pour ces quelques privilégiés, elle offre une expérience à la hauteur de sa valeur. ■

2e OPINION

Daniel Rufiange

Il existe de nombreuses bannières de luxe sur le marché. Puis il y a l'univers servi par des marques comme Rolls-Royce et Bentley. Dans ces cas, on pénètre dans un autre monde, celui de la magnificence. La Flying Spur est une voiture qui nous transporte ailleurs à bien des niveaux. Son habitacle est drapé de matériaux d'une qualité exceptionnelle et, au volant, l'expérience nous fait redéfinir le mot confort. Tout semble sans effort pour cette berline capable de nous dorloter ou de nous faire vivre des émotions fortes lorsqu'on la malmène. Discrète, elle s'adresse aux gens fortunés qui ne cherchent pas à étaler leur succès au grand jour. Il s'agit là, peut-être, de sa principale qualité à leurs yeux. Lorsqu'une facture de 250 000 $ est secondaire, ça vous donne une idée.

FICHE TECHNIQUE

MOTEUR(S)

(V8, V8 MULLINER, V8 BELUGA, V8S) V8 4,0 L DACT biturbo
PUISSANCE 500 ch à 6 000 tr/min **S** 521 ch
COUPLE 486 lb-pi à 1 700 tr/min **S** 502 lb-pi
RAPPORT POIDS/PUISSANCE 4,8 kg/ch **S** 4,6 kg/ch
BOITE(S) DE VITESSES automatique à 8 rapports avec mode manuel et manettes au volant
PERFORMANCES 0-100 km/h 5,2 s **S** 4,9 s
REPRISE 80-115 km/h ND
FREINAGE 100-0 km/h 37,0 m
VITESSE MAXIMALE 295 km/h **S** 306 km/h

(W12, W12 MULLINER) W12 6,0 L DACT biturbo
PUISSANCE 616 ch à 6 000 tr/min
COUPLE 590 lb-pi à 1 700 tr/min
RAPPORT POIDS/PUISSANCE 4,0 kg/ch
BOITE(S) DE VITESSES automatique à 8 rapports avec mode manuel et manettes au volant
PERFORMANCES 0-100 km/h 4,6 s
REPRISE 80-115 km/h 3,1 sec
FREINAGE 100-0 km/h 37,0 m
VITESSE MAXIMALE 320 km/h
CONSOMMATION (100 km) ville 19,6 L route 11,7 L (octane 91)
ANNUELLE 2 720 L, 3 672 $
ÉMISSIONS DE CO_2 6 256 kg/an

AUTRES COMPOSANTS

SÉCURITÉ ACTIVE Freins ABS, assistance au freinage, répartition électronique de la force de freinage, contrôle électronique de la stabilité, antipatinage, aide au départ en pente, phares et essuie-glaces automatiques, régulateur de vitesse adaptatif
SUSPENSION avant/arrière indépendante, amortisseurs pneumatiques à autonivellement
FREINS avant/arrière disques
DIRECTION à crémaillère, à assistance assujettie à la vitesse
PNEUS P275/45R19 **V8 Mulliner/Beluga/S** P275/40R20 **W12 Mulliner/option V8** P275/35R21

DIMENSIONS

EMPATTEMENT 3 066 mm
LONGUEUR 5 299 mm
LARGEUR 1 984 mm (rétro. repliés), 2 207 mm (rétro. déployés)
HAUTEUR 1 488 mm
POIDS V8 2 417 kg **W12** 2 475 kg
DIAMÈTRE DE BRAQUAGE 11,7 m
COFFRE 442 L
RÉSERVOIR DE CARBURANT 90 L

LA COTE VERTE

MOTEUR V8 DE 6,75 L
CONSOMMATION (100 km) ville 21,0 L, route 13,1 L
CONSOMMATION ANNUELLE 2 975 L, 4 016 $
INDICE D'OCTANE 91
ÉMISSIONS POLLUANTES CO_2 6 842 kg/an
(source : ÉnerGuide)

FICHE D'IDENTITÉ

VERSION(S) Mulsanne, Mulsanne Speed, Mulsanne EWB
TRANSMISSION(S) arrière
PORTIÈRES 4 **PLACES** 5
PREMIÈRE GÉNÉRATION 2011
GÉNÉRATION ACTUELLE 2011
CONSTRUCTION Crewe, Angleterre
COUSSINS GONFLABLES 6 (frontaux, latéraux avant et arrière)
CONCURRENCE Mercedes-Maybach S600, Rolls-Royce Phantom

AU QUOTIDIEN

COLLISION FRONTALE ND
COLLISION LATÉRALE ND
VENTES DU MODÈLE L'AN DERNIER
AU QUÉBEC ND **AU CANADA** ND
DÉPRÉCIATION (%) 29,6 (3 ans)
RAPPELS (2011 à 2016) aucun à ce jour
COTE DE FIABILITÉ 5/5

GARANTIES... ET PLUS

GARANTIE GÉNÉRALE 3 ans/kilométrage illimité
GROUPE MOTOPROPULSEUR 3 ans/kilométrage illimité
PERFORATION 3 ans/kilométrage illimité
ASSISTANCE ROUTIÈRE 3 ans/kilométrage illimité
NOMBRE DE CONCESIONNAIRES
AU QUÉBEC 1 **AU CANADA** 3

NOUVEAUTÉS EN 2017

Mulsanne extended wheelbase (à empattement allongé) avec, à l'arrière, 250 mm d'espace supplémentaires pour les jambes et des sièges à repose jambe inclinable. Retouches esthétiques extérieures et intérieures, phares à DEL adaptatifs, châssis amélioré

EN HAUT DE LA PYRAMIDE

La marque Bentley n'est pas exactement synonyme de popularité sur nos routes. Par rapport à la Honda Civic, la « voiture » la plus vendue au pays, la division d'origine britannique se trouve à l'autre bout du spectre automobile. Le prestige, ça se paye, surtout lorsqu'il est question de l'échelon suprême. La Mulsanne n'a que deux rivales, la première étant d'origine britannique – la Rolls-Royce Phantom pour ne pas la nommer –, tandis que la deuxième vient d'Allemagne, en l'occurrence la Classe S de Mercedes-Maybach.

Vincent Aubé

TOUR DU PROPRIÉTAIRE > Le fait qu'on ne l'aperçoit pas trop souvent sur nos routes rend difficile l'exercice de déceler les différences apportées à la livrée 2017. Oui, pour rester dans le coup, Bentley a décidé de peaufiner sa grande limousine cette année. Tout ce qui se trouve devant le pilier A par exemple est de nouvelle facture. De la grille de calandre massive aux phares arrondis, sans oublier les ailes, le capot, le pare-chocs et tout le reste, tout a été redessiné avec le souci du détail de ne pas trop altérer la ligne. La Mulsanne n'est pas aussi racée que la Continental GT, mais il faut l'avouer, ce nouveau faciès lui donne un soupçon de sportivité. Sur les flancs, les petites trappes de ventilation en forme de « B » se poursuivent jusqu'à l'arrière avec cette large bande chromée qui entoure le pare-chocs arrière, également redessiné pour 2017. Quant aux feux de position, ils adoptent à leur tour le design en « B » comme sur les plus récents modèles de la marque.

\+ DOUCEUR
AGRÉMENT DE CONDUITE
QUALITÉ GÉNÉRALE

– CONSOMMATION EN VILLE EXAGÉRÉE

MENTIONS

CLÉ D'OR | CHOIX VERT | COUP DE CŒUR | RECOMMANDÉ

VERDICT

PLAISIR AU VOLANT
QUALITÉ DE FINITION
CONSOMMATION
RAPPORT QUALITÉ / PRIX
VALEUR DE REVENTE
CONFORT

1 5 10

VIE À BORD > La Mulsanne impressionne peut-être par sa silhouette, mais une fois à l'intérieur, c'est une tout autre expérience. Les organismes pour la protection des animaux ne doivent pas apprécier cette abondance de cuir d'une souplesse peu commune. En revanche, les quelques consommateurs de la limousine anglaise qui nagent dans ce luxe « fait à la main » ne s'en plaindront assurément pas. N'ayez crainte, le bois qui se retrouve un peu partout dans cet univers feutré au possible est véritable. La qualité d'assemblage est sans faille, tandis que l'ambiance est plus classique que moderne. Dans les grandes berlines allemandes dernier cri, l'accent est mis sur les technologies de connectivité ou sur la manipulation par les gestes comme dans une certaine Série 7 de BMW. Pas dans la Bentley, qui n'en a que pour le confort suprême de ses occupants. Quant à l'espace à l'arrière, il n'en manque tout simplement pas, même à bord de la version ordinaire, la nouvelle édition allongée n'étant pas prévue pour notre marché.

TECHNIQUE > Ne vous fiez pas aux apparences, cette grande dame a beau avoir une ligne classique, ses performances étonneront toujours. Malgré un poids de 2685 kilos (!), la Mulsanne ne souffre pas en accélération grâce à son V8 de 6,75 litres secondé par deux turbocompresseurs. La version de base développe tout de même la bagatelle de 505 chevaux-vapeur et un couple des plus généreux à 752 livres-pieds. Vous en voulez plus ? La Mulsanne Speed a droit à 25 chevaux additionnels et à 59 livres-pieds de plus. Résultat : le 0-100 km/h annoncé est de 5,3 secondes pour la Mulsanne et de 4,9 secondes pour la version Speed. Pas mal pour un paquebot de cette taille, n'est-ce pas ? Notez que les deux versions sont munies d'une boîte de vitesses à 8 rapports.

AU VOLANT > Impossible de comparer la Mulsanne à une authentique sportive. Les lois de la physique l'emportent encore malgré toutes les aides à la conduite montées à bord. Pourtant, à ma dernière escapade, j'ai été subjugué par son agilité sur un chemin des plus tortueux. Oui, il est vrai que la lourdeur handicape la tenue de route en virage, mais en ligne droite, la Mulsanne fait office de train tellement le couple gargantuesque semble infini. La direction assistée se raffermit à mesure que la vitesse augmente, la boîte de vitesse est d'une discrétion inébranlable lors des changements de rapports et le silence de roulement, digne des limousines anglaises.

CONCLUSION > À une époque où tout devient informatisé et où chaque fonction d'un véhicule est calculée au millimètre près, il est agréable de constater que la vieille école a encore pignon sur rue. Non pas que la Mulsanne est une voiture ancienne, mais cette attention aux détails et ce classicisme britannique nous ramènent à une époque où l'automobile était encore... une automobile et pas nécessairement un cellulaire sur quatre roues ! ■

FICHE TECHNIQUE

MOTEUR(S)

(Mulsanne, Speed, EWB) V8 6,75 L ACC biturbo
PUISSANCE 505 ch à 4 200 tr/min **Speed** 530 ch
COUPLE 752 lb-pi à 1 750 tr/min **Speed** 811 lb-pi
RAPPORT POIDS/PUISSANCE 5,4 kg/ch **Speed** 5,1 kg/ch **EWB** 5,5 kg/ch
BOÎTE(S) DE VITESSES automatique à 8 rapports avec mode manuel et manettes au volant
PERFORMANCES 0-100 km/h 5,3 s **Speed** 4,9 s
REPRISE 80-115 km/h 3,1 s
FREINAGE 100-0 km/h 35,5 m
NIVEAU SONORE À 100 km/h Impérial
VITESSE MAXIMALE 296 km/h **Speed** 305 km/h

AUTRES COMPOSANTS

SÉCURITÉ ACTIVE freins ABS, assistance au freinage, répartition électronique de la force de freinage, contrôle électronique de la stabilité, antipatinage, aide au départ en pente
SUSPENSION avant/arrière indépendante
FREINS avant/arrière disques
DIRECTION à crémaillère, assistée
PNEUS P265/45R20 **EWB/option** P265/40R21

DIMENSIONS

EMPATTEMENT 3 266 mm **EWB** 3 516 mm
LONGUEUR 5 575 mm **EWB** 5 824 mm
LARGEUR 1 926 mm (rétro. repliés) 2 208 mm (incl. rétro.)
HAUTEUR 1 521 mm **EWB** 1 542 mm
POIDS 2 685 kg **EWB** 2 790 kg (est.)
DIAMÈTRE DE BRAQUAGE 12,6 m
COFFRE 443 L
RÉSERVOIR DE CARBURANT 96 L

2e OPINION

Luc-Olivier Chamberland

2017 marque une année de transformation pour la grande berline de Crewe. Non seulement elle reçoit un rafraîchissement dans le design avec une présentation plus relevée, elle arrive également avec une collection de nouvelles versions. Déjà ostentatoire à souhait, elle accueille une variante « Extented Wheelbase » encore plus longue. On parle du sommet du monde automobile surtout que la Rolls-Royce Phantom de deuxième génération n'arrivera que l'an prochain. Pour ceux qui voudront conduire, on introduit aussi une première gamme Speed sur la Mulsanne. Elle accorde une vélocité démesurée pour un produit de cette taille avec un V8 de 530 chevaux et un couple pharaonique de 811 livres-pieds. Une chose est certaine, peu importe le modèle choisi, l'exclusivité sera au rendez-vous.

LA COTE VERTE

MOTEUR ÉLECTRIQUE + L2 DE 0,65 L (GÉNÉRATRICE)
CONSOMMATION (100 km) ville 5,7 L, route 6,3 L,
mode électrique équiv. 1,9 L
CONSOMMATION ANNUELLE 1 020 L, 1 224 $
INDICE D'OCTANE 91
ÉMISSIONS POLLUANTES CO_2 2 346 kg/an
AUTONOMIE EN MODE ÉLECTRIQUE 200 km
TEMPS DE RECHARGE 240V 4,5 h
chargeur rapide 40 minutes pour 80 % de la charge
(source : ÉnerGuide et L'Annuel)

FICHE D'IDENTITÉ

VERSION(S) i3, i3 autonomie étendue
TRANSMISSION(S) arrière
PORTIÈRES 5 **PLACES** 4
PREMIÈRE GÉNÉRATION 2014
GÉNÉRATION ACTUELLE 2014
CONSTRUCTION Leipzig, Allemagne
COUSSINS GONFLABLES 8 (frontaux, genoux avant, latéraux avant, rideaux latéraux)
CONCURRENCE Chevrolet Bolt/Volt, Ford Focus électrique, Kia Soul EV, Mitsubishi I-Miev, Nissan Leaf,

AU QUOTIDIEN

COLLISION FRONTALE ND **COLLISION LATÉRALE** ND
VENTES DU MODÈLE L'AN DERNIER
AU QUÉBEC 108 (+116 %) **AU CANADA** 531 (+134 %) (incl. i8)
DÉPRÉCIATION (%) 27,5 (3 ans)
RAPPELS (2011 à 2016) 2 **COTE DE FIABILITÉ** 4/5

GARANTIES... ET PLUS

GARANTIE GÉNÉRALE 4 ans/80 000 km
GROUPE MOTOPROPULSEUR 4 ans/80 000 Km
BATTERIE 4 ans/80 000 km
PERFORATION 12 ans/kilométrage illimité
ASSISTANCE ROUTIÈRE 4ans/kilométrage illimité
NOMBRE DE CONCESSIONNAIRES AU QUÉBEC 1 **AU CANADA** 7

NOUVEAUTÉS EN 2017

Autonomie en mode électrique améliorée à 200 km, réservoir d'essence de la version autonomie étendue portée de 7 à 9 litres, nouvelle finition intérieure, nouvel équipement de série : compatibilité aux chargeurs rapides, contrôle d'ouverture de porte de garage, accès et démarrage sans clé, aide au stationnement et navigation. Toit ouvrant et couleur bleu Protonic de l'i8 maintenant disponibles.

L'ÉLECTRIQUE MARGINALE

En service depuis 2014, la citadine électrique du constructeur à l'hélice continue son bonhomme de chemin en 2017 sans grands changements. Après tout, elle suscite encore de vives réactions à chacun de ses passages dans la rue. La curieuse i3 est ce genre de voiture qui ne laisse personne indifférent, que ce soit du point de vue de la silhouette ou de celui des gadgets embarqués. Véritable icône technologique, la plus écolo des BMW entend changer la mentalité des conducteurs qui croient que l'électricité n'est bonne que pour le séchoir à cheveux ou recharger le téléphone intelligent.

Vincent Aubé

TOUR DU PROPRIÉTAIRE > La bonne nouvelle, c'est que cette voiture de ville est unique à tous les points de vue. Sa silhouette, plus verticale qu'horizontale, est amplifiée par l'utilisation de ces pneumatiques étroits montés sur des roues imposantes. L'élément qui ne fait pas encore l'unanimité auprès des puristes, c'est cette fenêtre latérale arrière qui semble avoir été installée de force tellement sa forme est irrégulière. Pour atténuer cet effet plutôt original, il est préférable d'opter pour une i3 noire, mais on y perd justement ce côté futuriste de la voiture. Le bouclier avant porte fièrement sa grille de calandre typique, celle-ci délimitant le capot noir qui donne l'impression, grâce à la fenestration latérale, de se prolonger jusqu'au coffre à l'arrière. Et ne cherchez surtout pas la poignée de la porte arrière. Celle-ci est de type inversé.

+
- DESIGN UNIQUE
- HABITACLE ORIGINAL
- MANIABILITÉ SURPRENANTE

−
- L'ANGOISSE DE LA PILE À PLAT
- SUSPENSION FERME
- UNE CITADINE ONÉREUSE

MENTIONS

CLÉ D'OR | **CHOIX VERT** | COUP DE CŒUR | **RECOMMANDÉ**

VERDICT

PLAISIR AU VOLANT
QUALITÉ DE FINITION
CONSOMMATION
RAPPORT QUALITÉ / PRIX
VALEUR DE REVENTE
CONFORT

1 5 10

VIE À BORD > Il est permis d'avoir sa propre opinion sur le design extérieur. Toutefois, l'ambiance qui règne à bord est tout autre. La division design s'est réellement surpassée à ce niveau. La planche de bord est tout, sauf triste à regarder. Cette abondance de bois véritable et courbé étonne, tout comme cette simplicité d'affichage, les deux écrans ayant été déposés là, ni plus ni moins. Bon d'accord, le constructeur a conservé quelques boutons plus classiques, question de ne pas effrayer ses fidèles, quoique le levier de vitesses monté à même la colonne de direction demande quelques minutes d'adaptation. La sellerie, quelle que soit la coloration retenue, est réalisée entièrement de fibres recyclées, tandis que 25 % des plastiques qui tapissent l'habitacle proviennent du monde de la récupération. Cette attention aux détails se poursuit dans les panneaux de portières en fibres KENAF, un autre exemple du côté « environnemental » de la voiture. Finalement, si le coffre s'avère petit, il faut tout de même applaudir l'accès un brin plus facile à bord grâce à l'absence d'un pilier B et de ces portières arrière à ouverture inversée.

TECHNIQUE > La BMW i3 est une voiture électrique pure, mais il est également possible de l'abreuver en essence. Pour ce faire, il faut cocher l'option REX (Range EXtender). Ce supplément financier peut s'avérer une sorte de garantie si le bloc de batteries venait à perdre entièrement son énergie. BMW a implanté un petit moteur bicylindre de 0,65 litre afin que ce dernier puisse alimenter les batteries et, du même coup, la mécanique électrique pour se rendre à bon port, à condition que cette destination ne soit qu'à une centaine de kilomètres plus loin. Notez que pour 2017, BMW a implanté un bloc de batteries au lithium-ion plus puissant et utilise un réservoir d'essence de 9 litres plutôt que 7 auparavant, ce qui bonifie l'autonomie de la voiture. Cette distance s'allonge si le conducteur accepte de rouler en mode Eco ou, mieux, Eco Pro+, mais il faut accepter de rouler sans chauffage en plus d'être limité à une vitesse maximale de 90 km/h.

AU VOLANT > La BMW i3, à l'instar de ces petites voitures électriques, est plus confortable en ville. Les accélérations directes et les décélérations générées par le frein moteur sont typiques pour une électrique. La direction relativement précise, le centre de gravité bas en plus de la suspension plus ferme que molle sont des attributs généralement associés aux véhicules de la marque. La petite i3 est donc plaisante à conduire, à condition que le bitume ne soit pas trop craquelé. C'est le premier constat lorsqu'on roule sur une chaussée usée par les années : la citadine se transforme en festival du sautillement, si je peux m'exprimer ainsi. C'est dommage, car outre ce détail non négligeable, la conduite au quotidien est fort agréable, surtout avec le silence qui règne à bord.

CONCLUSION > BMW a bien fait de proposer son i3 en deux saveurs (électrique pure ou avec REX), la deuxième étant bien entendu une béquille intéressante le cas échéant. Les ventes demeurent toutefois marginales, compte tenu du prix demandé, mais pour l'image de marque, cette citadine fait son travail à merveille. ■

2e OPINION

Antoine Joubert

De la Mitsubishi i-Miev à la Tesla Model X, il existe aujourd'hui plusieurs façons de rouler électrique. Pour cela, dites merci aux lois zéro émission de certains États américains, qui seront prochainement adoptées au Québec. Cela dit, les constructeurs ont compris qu'il s'agissait non seulement d'un créneau en voie d'être très lucratif, mais également d'une façon unique de s'illustrer dans un marché où les possibilités sont exponentielles. La naissance de la gamme « i » découle donc directement de cette philosophie et se charge de séduire une clientèle aussi extravertie que soucieuse de l'environnement. Et la bonne nouvelle, c'est que l'i3 ne vous limite pas à une autonomie ridicule, puisqu'elle a aussi recours à un petit moteur bicylindre à essence faisant office de générateur. Originale, amusante à conduire et pratique, on ne peut lui reprocher que son prix salé, qui dépasse les 50 000 $ avec l'option du moteur à essence.

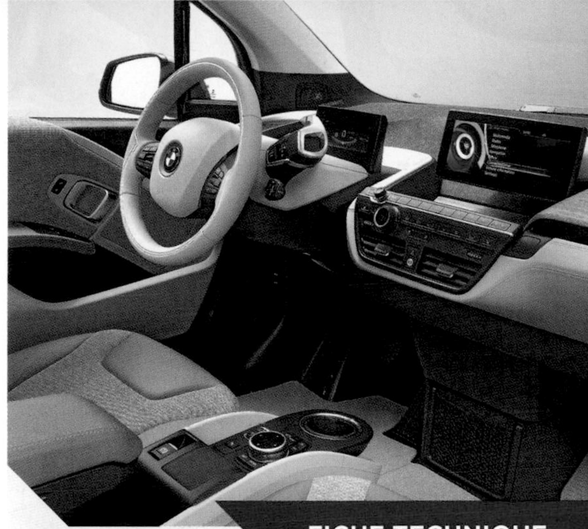

FICHE TECHNIQUE

MOTEUR(S)

(i3) Moteur électrique
PUISSANCE 170 ch à 4 800 tr/min
COUPLE 184 lb-pi
RAPPORT POIDS/PUISSANCE 7,9 kg/ch
BOÎTE(S) DE VITESSES automatique à 1 rapport
PERFORMANCES 0-100 km/h 7,3 s
REPRISE 80-115 km/h 4,8 s
FREINAGE 100-0 km/h 34,5 m
NIVEAU SONORE À 100 km/h Bon
VITESSE MAXIMALE 150 km/h

(i3 aut. étendue) Moteur électrique + L2 0,65 L (génératrice)
PUISSANCE moteur électrique 170 ch, moteur 38 ch à 5 000 tr/min
COUPLE moteur électrique 184 lb-pi, moteur 41 lb-pi à 4 500 tr/min
RAPPORT POIDS/PUISSANCE 8,7 kg/ch
BOÎTE(S) DE VITESSES automatique à 1 rapport
PERFORMANCES 0-100 km/h 8,1 s
REPRISE 80-115 km/h 5,5 s
VITESSE MAXIMALE 150 km/h

AUTRES COMPOSANTS

SÉCURITÉ ACTIVE (certains en option) Freins ABS, assistance au freinage, répartition électronique de la force de freinage, contrôle de la stabilité électronique, antipatinage, freinage d'urgence automatique, régulateur de vitesse adaptatif, essuie-glaces adaptatifs
SUSPENSION avant/arrière indépendante
FREINS avant/arrière disques + récupération d'énergie
DIRECTION à crémaillère, assistée électriquement
PNEUS P155/70R19 **i3 aut. étendue/option i3** P155/70R19 (av.) P175/60R19 (arr.) **option** P155/60R20 (av.) P175/55R20 (arr.)

DIMENSIONS

EMPATTEMENT 2 570 mm
LONGUEUR 4 008 mm
LARGEUR 1 775 mm, 2 039 mm (incl. rétro.)
HAUTEUR 1 578 mm
POIDS i3 1 343 kg **i3 aut. étendue** 1 466 kg
RÉPARTITION DU POIDS AV/ARR (%) i3 48/52 **i3 aut. étendue** 45/55
DIAMÈTRE DE BRAQUAGE 9,9 m
COFFRE 260 L, 1 100 L (sièges abaissés)
RÉSERVOIR DE CARBURANT i3 aut. étendue 9 L
BATTERIE Lithium-ion 33 kWh

LA COTE VERTE

MOTEUR L3 DE 1,5 L
CONSOMMATION (100 km) ville 8,4 L, route 8,1 L, mode électrique équiv. 3,0 L
CONSOMMATION ANNUELLE 1 411 L, 1 905 $
INDICE D'OCTANE 91
ÉMISSIONS POLLUANTES CO_2 3 245 kg/an
AUTONOMIE EN MODE ÉLECTRIQUE 24 km
(source : ÉnerGuide)

FICHE D'IDENTITÉ

VERSION(S) Neso, Carpo, Halo
TRANSMISSION(S) 4 (moteur thermique aux roues arrière, moteur électrique aux roues avant)
PORTIÈRES 2 **PLACES** 2+2
PREMIÈRE GÉNÉRATION 2015
GÉNÉRATION ACTUELLE 2015
CONSTRUCTION Leipzig, Allemagne
COUSSINS GONFLABLES 6 (frontaux, latéraux avant et rideaux latéraux)
CONCURRENCE Acura NSX, Cadillac ELR, Lexus LC, Tesla Model S

AU QUOTIDIEN

COLLISION FRONTALE ND
COLLISION LATÉRALE ND
VENTES DU MODÈLE L'AN DERNIER
AU QUÉBEC 108 (+116 %) **AU CANADA** 531 (+134 %) (incl. i3)
DÉPRÉCIATION (%) 10,1 (1 ans)
RAPPELS (2011 à 2016) 2
COTE DE FIABILITÉ 4/5

GARANTIES... ET PLUS

GARANTIE GÉNÉRALE 4 ans/80 000 km
GROUPE MOTOPROPULSEUR 4 ans/80 000 km
PERFORATION 12 ans/kilométrage illimité
ASSISTANCE ROUTIÈRE 4 ans/kilométrage illimité
NOMBRE DE CONCESSIONNAIRES
AU QUÉBEC 1 **AU CANADA** 7

NOUVEAUTÉS EN 2017

Édition spéciale Protonic Red (15 exemplaires pour le Canada), phares au laser en option.

VOITURE DU FUTUR

Le monde des voitures exotiques a peu bougé au fil des ans. Pour être capable de répondre aux nouvelles normes environnementales, certaines exotiques comme la McLaren P1, la Porsche 918 ou la Ferrari ont choisi de mettre l'électricité au service de la puissance. Chez BMW, on fait exactement l'inverse, c'est l'électricité qui domine avec l'apport d'un petit 3-cylindres pour en faire une hybride sportive. Bienvenue dans une nouvelle ère de voitures sport.

Benoit Charette

TOUR DU PROPRIÉTAIRE > Jamais autant de gens n'ont dévié de leur trajet sur l'autoroute pour prendre une photo de la voiture. Elle a créé une commotion partout où elle est passée. On voit habituellement ce genre de voiture dans un film, pas sur la rue. Les portes en élytre et le style futuriste mystifient les gens. On s'informe sur la puissance, le prix, les matériaux. La cage de protection est fabriquée en fibre de carbone. Le châssis est un mélange d'aluminium et de plastique renforcé de fibre de carbone. BMW a réussi à développer un processus de fabrication en série qui ne prend que quelques minutes. Combinés avec des matériaux thermoplastiques, les coûts de construction diminuent encore. Cette nouvelle forme de fibre de carbone ne s'avère pas aussi légère que celle utilisée pour les véhicules exotiques, mais elle l'est beaucoup plus que l'acier ou l'aluminium. Et toute cette technologie va éventuellement s'appliquer à une vaste gamme de produits BMW. Au total, la voiture ne fait que 1485 kilos.

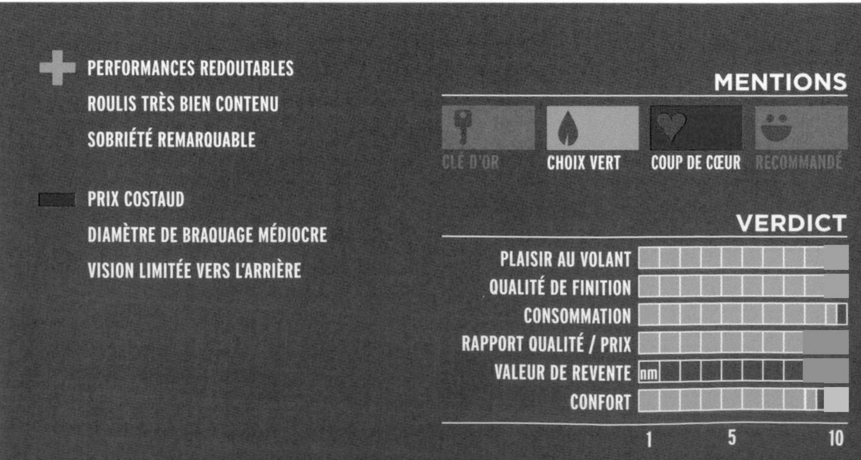

+
PERFORMANCES REDOUTABLES
ROULIS TRÈS BIEN CONTENU
SOBRIÉTÉ REMARQUABLE
PRIX COSTAUD
DIAMÈTRE DE BRAQUAGE MÉDIOCRE
VISION LIMITÉE VERS L'ARRIÈRE
MENTIONS
CLÉ D'OR
CHOIX VERT
COUP DE CŒUR
RECOMMANDÉ
VERDICT
PLAISIR AU VOLANT
QUALITÉ DE FINITION
CONSOMMATION
RAPPORT QUALITÉ / PRIX
VALEUR DE REVENTE
nm
CONFORT
1
5
10

VIE À BORD > Prendre place à bord commence par une gymnastique bien sentie. Les portes en élytre sont sans doute spectaculaires mais peu pratiques. Il faut littéralement se glisser sous la porte, la jambe gauche en premier pour entrer avec une certaine élégance dans la voiture. Les places arrière sont plus symboliques qu'utiles et vont surtout servir pour un petit surplus de bagages. La finition est correcte, mais pas aussi cossue que dans les berlines de Série 5, 6 et 7 de la gamme. Une fois qu'on s'assoit à bord, les sièges offrent un bon soutien, mais ne disposent pas de la même quantité de réglages que d'autres BMW sport.

TECHNIQUE > Le plus intéressant de cette i8 est d'être capable de concilier la conduite sportive et le rendement écologique. Tout cela est possible grâce à deux moteurs. Le premier, situé à l'arrière du véhicule, fonctionne à l'essence. Il s'agit d'un 3-cylindres 1,5 litre turbo de 231 chevaux. L'autre, électrique, se trouve à l'avant et produit l'équivalent de 131 chevaux. Chaque moteur fait avancer son train de roues respectif, offrant ainsi une traction intégrale, et la puissance combinée permet de faire cavaler 362 chevaux en maintenant une consommation sous la barre des 8 litres aux 100 kilomètres. Vous avez le choix d'un mode de conduite 100 % électrique sur une distance maximale de 37 kilomètres (nous n'avons pas fait mieux que 27). Vous pouvez choisir le mode hybride, qui préconise une conduite électrique avec l'aide du moteur à essence, ou le mode sport, qui fait sortir la pleine puissance des deux moteurs.

AU VOLANT > Vous aurez compris que le mode sport est celui qui a tout de suite attiré notre attention. Même si le bruit du 3-cylindres est créé artificiellement, il est agréable et rappelle plus le son d'une Porsche que celui d'une BMW. Un 0-100 km/h se boucle en 4,4 secondes et la conduite est digne d'une sportive. Les freins contiennent aisément la masse allégée de la voiture et s'affranchissent de leur double tâche de ralentir et de récupérer de l'énergie sans que ça se sente à la pédale. Parmi les quelques bémols, soulignons la direction qui est précise mais pas assez communicative et la boîte de vitesse un peu récalcitrante lorsque vous rétrogradez. Il faut voir l'i8 comme une GT orientée vers le confort et les longs trajets. Ce n'est pas une spécialiste de la piste comme une M.

CONCLUSION > L'i8 n'est pas une exotique dans le sens traditionnel du terme. Elle ne souffre pas de la consommation démesurée d'un V12 et il vous sera impossible de laisser des traces de pneus sur la route. Pour le reste, tout y est. Un style spectaculaire, un réel plaisir de conduire, un habitacle étriqué et difficile d'accès, des performances convaincantes et un prix élevé. L'i8 représente très bien ce que va être une sportive écolo. ■

2e OPINION

Daniel Rufiange

Avec l'i8 de BMW, on a l'impression que le futur est à nos portes. Lors de la première médiatique de la version de production, au Salon de Francfort de 2013, on croyait voir un produit des années 2030. Or le constructeur bavarois en a surpris plus d'un avec ce modèle qui a vu la route à la fin de 2014. Deuxième invitée dans la gamme i après l'i3, l'i8 est une voiture d'exception qui réussit à capter l'attention non seulement avec ses lignes extravagantes, mais surtout en raison de son mode de propulsion hybride, qui nous laisse voir de quelle façon BMW entend s'attaquer aux problèmes environnementaux au cours des prochaines années. Oh, un plaisir à conduire, soit dit en passant.

FICHE TECHNIQUE

MOTEUR(S)

(i8) L3 1,5 L biturbo + moteur électrique
PUISSANCE 228 ch à 5 800 tr/min + moteur électrique 128 ch à 4 800 tr/min, 357 ch total
COUPLE 236 lb-pi à 3 700 tr/min + moteur électrique 184 lb-pi à 0 tr/min
RAPPORT POIDS/PUISSANCE 4,4 kg/ch
BOÎTE(S) DE VITESSES robotisée à 6 rapports (roues arrière) automatique à 2 rapports (roues avant)
PERFORMANCES 0-100 km/h 4,4 s, 9,2 s en mode électrique
REPRISE 80-120 km/h 2,6 s
FREINAGE 100-0 km/h 40,8 m
NIVEAU SONORE À 100 km/h ND
VITESSE MAXIMALE 250 km/h (bridée), 120 km/h (tout électrique)

AUTRES COMPOSANTS

SÉCURITÉ ACTIVE (certains en option) Freins ABS, assistance au freinage, répartition électronique de la force de freinage, contrôle du freinage en courbe, contrôle de la stabilité électronique, antipatinage, affichage tête haute, freinage d'urgence automatique, avertisseur de sortie de voie, régulateur de vitesse adaptatif, avertisseur d'obstacle latéral et arrière, phares adaptatifs
SUSPENSION avant/arrière indépendante à amortissement variable
FREINS avant/arrière disques + récupération de 60 kW du moteur électrique
DIRECTION à crémaillère, assistée électriquement
PNEUS P195/50R20 (av.) P215/45R20 (arr.)
option P215/45R20 (av.) P245/45R20 (arr.)

DIMENSIONS

EMPATTEMENT 2 800 mm
LONGUEUR 4 697 mm
LARGEUR 1 942 mm, 2 218 mm (incl. rétro.)
HAUTEUR 1 291 mm
POIDS 1 567 kg
RÉPARTITION DU POIDS AV/ARR (%) 49/51
DIAMÈTRE DE BRAQUAGE 12,3 m
COFFRE 154 L
RÉSERVOIR DE CARBURANT 42 L
BATTERIE lithium-ion 7,1 kWhw
TEMPS DE RECHARGE 240 V 2 h

LA COTE VERTE

MOTEUR L4 DE 2,0 L TURBO
CONSOMMATION (100 km) 2RM coupé man. ville 10,2, route 6,7 L **auto.** ville 9,4 L, route 6,2 L **4RM coupé auto.** ville 9,9 L, route 6,5 L **cabrio. auto.** ville 10,0 L, route 6,6 L (est.)
CONSOMMATION ANNUELLE 2RM coupé man. 1 462 L, 1 974 $ **auto.** 1 360 L, 1 836 $ **4RM coupé auto.** 1 428 L, 1 928 $ **cabrio. auto.** 1 445 L, 1 951 $
INDICE D'OCTANE 91
ÉMISSIONS POLLUANTES CO_2 2RM coupé man. 3 363 kg/an **auto.** 3 128 kg/an **4RM coupé auto.** 3 284 kg/an **cabrio. auto.** 3 323 kg/an
(source: BMW et L'Annuel)

FICHE D'IDENTITÉ

VERSION(S) Coupé 230i, M240i xDrive, M2 **Coupé/Cabriolet** 230i xDrive, M240i
TRANSMISSION(S) arrière, 4
PORTIÈRES 2 **PLACES** 4
PREMIÈRE GÉNÉRATION 2015
GÉNÉRATION ACTUELLE 2015, 2017 (M2)
CONSTRUCTION Leipzig, Allemagne
COUSSINS GONFLABLES 6 (frontaux, latéraux avant, rideaux latéraux)
CONCURRENCE Acura ILX, Audi A3, Ford Focus ST/RS, Lexus IS, Mercedes-Benz Classe CLA, Nissan 370Z, Volkswagen Golf R

AU QUOTIDIEN

COLLISION FRONTALE 5/5
COLLISION LATÉRALE 5/5
VENTES DU MODÈLE L'AN DERNIER
AU QUÉBEC 462 (+189 %) **AU CANADA** 1 703 (+92,9 %)
DÉPRÉCIATION (%) 17,6 (2 ans)
RAPPELS (2011 à 2016) 2
COTE DE FIABILITÉ 4/5

GARANTIES... ET PLUS

GARANTIE GÉNÉRALE 4 ans/80 000 km
GROUPE MOTOPROPULSEUR 4 ans/80 000 km
PERFORATION 12 ans/kilométrage illimité
ASSISTANCE ROUTIÈRE 4ans/kilométrage illimité
NOMBRE DE CONCESSIONNAIRES
AU QUÉBEC 8 **AU CANADA** 44

NOUVEAUTÉS EN 2017

Version M2. Les appellations 228i et 235i deviennent 230i et 240i et reçoivent des nouveaux moteurs un peu plus puissants et moins polluants.

UNE *BÉHÈME* COMME JE LES AIME!

Mon initiation à la marque BMW a débuté au volant d'une 325e, simple, efficace et, surtout, agréable à conduire. S'en sont suivies des balades avec les 325iS, Z3, M3, 540i, et bien d'autres. Pour moi, BMW symbolise donc le plaisir de conduire avant toute chose. Hélas, l'embourgeoisement des modèles et le changement de direction de la marque pour atteindre une clientèle souvent un peu trop soucieuse de son image m'ont fait tranquillement déchanter. Heureusement, BMW persiste à offrir des modèles comme la Série 2 qui demeurent fidèles à la vocation primaire de la marque.

Antoine Joubert

TOUR DU PROPRIÉTAIRE > Compacte, sexy et un peu plus élégante que sa devancière (la Série 1), notre sujet séduit de façon instantanée. Et attention, BMW ne choisit pas ici la formule facile (et payante) en nous proposant un multisegment ou une berline soi-disant sport. Ne sont donc au menu pour la Série 2 qu'un coupé et un cabriolet à toit souple. Cette année, la firme bavaroise repoussait toutefois l'audace en présentant une nouvelle version de haute performance baptisée M2. Outrageusement agressive dans ses lignes, elle se distingue notam-

+
- AGRÉMENT DE CONDUITE, QU'IMPORTE LA VERSION
- PERFORMANCES HALLUCINANTES (M2)
- POSITION DE CONDUITE
- FAIBLE DÉPRÉCIATION

−
- PLACES ARRIÈRE ÉTRIQUÉES
- COÛT DE CERTAINES OPTIONS
- FIABILITÉ ENCORE INÉGALE

MENTIONS

CLÉ D'OR | CHOIX VERT | COUP DE CŒUR | RECOMMANDÉ

VERDICT

PLAISIR AU VOLANT
QUALITÉ DE FINITION
CONSOMMATION
RAPPORT QUALITÉ / PRIX
VALEUR DE REVENTE
CONFORT

1 5 10

ment par un carénage avant très mordant, de plus larges épaules et un pot d'échappement quadruple. Comme seule option esthétique, un choix de quatre teintes. C'est tout!

VIE À BORD > Qu'importe la version pour laquelle vous optez, vous aurez droit à la même simplicité à bord. Bien sûr, les baquets de la M2 sont plus fermes et conçus pour la conduite sportive, mais l'ergonomie générale demeure identique. Cela signifie donc qu'on obtient une excellente position de conduite et un aménagement très efficace. Maintenant, ne vous attendez pas à y trouver beaucoup d'espace. Cette voiture, surtout en cabriolet, n'a rien d'une familiale, si bien qu'on pourrait comparer la banquette arrière au banc des condamnés.

TECHNIQUE > Des trois mécaniques offertes, le 4-cylindres est très certainement le plus populaire. On le jumelle au choix avec la boîte manuelle ou automatique, ainsi qu'aux roues motrices arrière ou à la transmission intégrale. Et il en va de même pour le puissant 6-cylindres de la version M240i, lequel produit un impressionnant 335 chevaux de puissance. Évidemment, l'automatique est souvent la plus convoitée, mais les amoureux de la manuelle ont aussi droit à une boîte exceptionnellement bien calibrée et d'une grande précision. Évidemment, la M2 nous garde comme dessert un 6-cylindres en ligne ultra-performant (365 chevaux), bien sûr livré avec la manuelle, mais qui pourra aussi être associé, pour 3900 $, à une boîte séquentielle à double embrayage.

AU VOLANT > Passer d'un coupé M2 à une 228i xDrive cabriolet en une semaine, voilà ce que j'ai pu expérimenter cette année. À ma grande surprise, le plaisir était autant au rendez-vous avec la seconde voiture. Il faut savoir que l'agrément de conduite de la Série 2 réside d'abord dans un parfait équilibre des masses et dans une direction ultra-précise, qui permet de toujours garder une pleine maîtrise tout en faisant corps avec le véhicule. La rigidité structurelle impressionnante permet aussi d'obtenir un sentiment de solidité fort agréable. Maintenant, difficile de passer sous silence les performances incroyables de la M2, qui rappellent bien sûr celles de la Série 1 M de 2011. Un pur délice de performance, pas seulement pour la puissance, mais parce qu'il s'agit d'un bolide aussi à l'aise sur un circuit que sur la route. Si vous êtes un puriste des voitures sport de la marque, voici sans doute la voiture à se procurer cette année.

CONCLUSION > On nous la propose à compter de 36 700 $, un prix qui semble alléchant à première vue. Évidemment, ajoutez quelques options et la facture grimpe rapidement. Toutefois, la Série 2 conserve une valeur de revente si élevée que le prix à la base exorbitant devient finalement très raisonnable. Si vous songiez à la M2, sachez qu'elle pourrait vous faire faire du profit d'ici quelques années. Il suffit d'observer la valeur actuelle d'un coupé de Série 1 M pour réaliser que 63 000 $, c'est un *bon deal!* ■

2e OPINION

Benoit Charette

J'aimerais vous parler de la M2, pour laquelle j'avais de grandes attentes. Les chiffres parlent d'eux-mêmes : 365 chevaux avec boîte manuelle à 6 rapports ou double embrayage à 7 rapports à un prix franchement honnête. Sur papier, les ingrédients sont là. L'assise est excellente et la prise en main sans faute. J'ai tout de même trouvé le moteur un peu trop linéaire. Bien sûr, sur une piste, vous aurez du plaisir, mais vous passerez 99 % de votre temps sur une route. J'ai trouvé sa conduite trop ferme, le confort en souffre, et elle manque au final d'un peu de charisme. Pour une conduite de tous les jours, j'irais faire un tour du côté de la S3 chez Audi et ensuite de la M2 et de la Mercedes CLA 45 AMG pour la fin.

FICHE TECHNIQUE

MOTEUR(S)

(230i) L4 2,0 L DACT turbo
PUISSANCE 248 ch de 5 200 à 6 500 tr/min
COUPLE 258 lb-pi de 1 450 à 4 800 tr/min
RAPPORT POIDS/PUISSANCE Coupé 6,5 à 6,6 kg/ch
BOÎTE(S) DE VITESSES manuelle à 6 rapports, automatique à 8 rapports avec mode manuel et manettes au volant (en option)
PERFORMANCES 0-100 km/h man. 5,9 s **auto.** 5,6 s
REPRISE 80-115 km/h 5,5 s
FREINAGE 100-0 km/h 39,5 m
NIVEAU SONORE À 100 km/h Moyen
VITESSE MAXIMALE 210 km/h, option 240 km/h (bridées)

(240i, M2) L6 3,0 L DACT turbo
PUISSANCE 335 ch à ND tr/min **M2** 365 ch à 6 500 tr/min
COUPLE 369 lb-pi à ND tr/min
M2 343 lb-pi de 1 400 à 5 560 tr/min
RAPPORT POIDS/PUISSANCE 4,9 à 5,2 kg/ch **M2** 4,3 kg/ch
BOÎTE(S) DE VITESSES manuelle à 6 rapports, automatique à 8 rapports avec mode manuel et manettes au volant, manuelle robotisée à 7 rapports (option M2)
PERFORMANCES 0-100 km/h 4,6 s **cabrio. man** 5,2 s, **auto.** 5,0 s **M2 man.** 4,4 s **auto.** 4,3 s
REPRISE 80-115 km/h 5,1 s
VITESSE MAXIMALE 210 km/h, option 250 km/h (bridées) **M2** 250 km/h
CONSOMMATION (100 km) 2RM coupé man. ville 11,0 L, route 7,9 L **auto.** 10,7 L, route 7,1 L **4RM auto.** ville 11,0 L, route 7,3 L **M2** ville 11,8 L route 8,8 L (octane 91)
ANNUELLE 2RM coupé man. 1 632 L, 2 203 $ **auto.** 1 547 L, 2 088 $ **4RM auto.** 1 496 L, 2 020 $ **M2** 1 768 L, 2 387 $
ÉMISSIONS DE CO_2 coupé man. 3 754 kg/an **auto.** 3 558 kg/an **4RM auto.** 3 441 kg/an **M2** 4 066 kg/an

AUTRES COMPOSANTS

SÉCURITÉ ACTIVE (certains en option) Freins ABS, assistance au freinage, répartition électronique de la force de freinage, contrôle de la stabilité électronique, antipatinage, freinage d'urgence automatique, avertisseur de sortie de voie, phares adaptatifs
SUSPENSION avant/arrière indépendante
FREINS avant/arrière disques, à récupération d'énergie
DIRECTION à crémaillère, assistée électriquement
PNEUS P225/40R18 (av.) P245/35R18 (arr.)
M2 P245/35R19 (av.), P265/35R19 (arr.)

DIMENSIONS

EMPATTEMENT 2 690 mm
LONGUEUR 228i 4 432 mm **235i** 4 454 mm **M2** 4 468 mm
LARGEUR 1 774 mm **M2** 1 984 mm
HAUTEUR 228i 1 418 mm **235i** 1 408 mm **M2** 1 414 mm
POIDS 228i man. 1 579 kg **auto.** 1 592 kg **235i man.** 1 590 kg **auto.** 1 603 kg **235i xDrive** 1 676 kg **M2 man.** 1 590 kg **auto.** 1 565 kg
RÉPARTITION DU POIDS AV/ARR (%) 50/50
DIAMÈTRE DE BRAQUAGE 10,9 m
COFFRE 390 L
RÉSERVOIR DE CARBURANT 52 L
CAPACITÉ DE REMORQUAGE 700 kg, 1 200 kg (remorque avec freins)

LA COTE VERTE

MOTEUR L4 DE 2,0 L TURBODIESEL
CONSOMMATION (100 km) ville 7,7 L, route 5,7 L
CONSOMMATION ANNUELLE 1 156 L, 1 329 $
INDICE D'OCTANE Diesel
ÉMISSIONS POLLUANTES CO_2 3 111 kg/an
(source: BMW et L'Annuel)

FICHE D'IDENTITÉ

VERSION(S) Berline 320i xDrive, 330i xDrive, 328d xDrive, 340i/xDrive, 330e PHEV, M3 **Touring** 330i xDrive, 328d xDrive
Gran Turismo 330i xDrive, 340i xDrive
TRANSMISSION(S) arrière, 4
PORTIÈRES 4,5 **PLACES** 5
PREMIÈRE GÉNÉRATION 1977
GÉNÉRATION ACTUELLE 2013
CONSTRUCTION Dingolfing, Allemagne
COUSSINS GONFLABLES 8 (frontaux, genoux avant, latéraux avant, rideaux latéraux)
CONCURRENCE Acura TLX, Alfa Romeo Giulia, Audi A4/Allroad, Buick Regal, Cadillac ATS, Infiniti Q50, Jaguar XE, Lexus IS, Lincoln MKZ, Mercedes-Benz Classe C/CLA, Volkswagen CC, Volvo S60

AU QUOTIDIEN

COLLISION FRONTALE 4/5
COLLISION LATÉRALE 5/5
VENTES DU MODÈLE L'AN DERNIER
AU QUÉBEC 2 422 (-2,2 %) **AU CANADA** 9 590 (-4,9 %)
DÉPRÉCIATION (%) 21,2 (3 ans)
RAPPELS (2011 à 2016) 11
COTE DE FIABILITÉ 3/5

GARANTIES... ET PLUS

GARANTIE GÉNÉRALE 4 ans/80 000 km
GROUPE MOTOPROPULSEUR 4 ans/80 000 km
COMPOSANTS système hybride ND
PERFORATION 12 ans/kilométrage illimité
ASSISTANCE ROUTIÈRE 4 ans/kilométrage illimité
NOMBRE DE CONCESSIONNAIRES AU QUÉBEC 8 **AU CANADA** 44

NOUVEAUTÉS EN 2017

La 328i devient 330i à moteur 4 cylindres turbo plus puissant. Phares à DEL et système de son supérieur de série sur 320i. L'Activehybrid 3 devient la 330e PHEV iPerformance. Baisse de prix pour la 328d avec diminution d'équipement de série. Système iDrive 5.0 de série sur 330i xDrive, 340i et 340 i xDrive. Édition spéciale «30 ans M3» limitée à 500 exemplaires.

UNE ANNÉE PLUS CALME

Révisée l'an dernier, la berline la plus vendue du constructeur bavarois demeure dans son coin cette année. Non pas qu'elle est devenue triste et sans histoire, loin de là même, mais avec les correctifs apportés il y a un an, la Série 3 poursuit sa route sans changement pour 2017.

Vincent Aubé

TOUR DU PROPRIÉTAIRE > La berline demeure fidèle au design introduit en 2013. Toujours disponible en trois versions (berline, Touring et GT), la 3 n'a pas beaucoup changé, à l'exception d'un pare-chocs revu en 2016 - lire plus aéré et doté d'un capteur de régulateur de vitesse mieux intégré -, tandis qu'à l'arrière, le design du pare-chocs diffère de celui des années antérieures à 2016. Idem pour le dessin des feux de position. Les plus fins sauront déceler les différences entre la signature visuelle des phares, qui a elle aussi changé l'an dernier. Au sommet de la gamme, la désirable M3 continue de faire saliver les puristes de la marque avec sa carrosserie élargie, ses roues surdimensionnées enveloppées par des gommes de performance, ses quelques écussons M ici et là, sans oublier les quatre tuyaux d'échappement à l'arrière, qui rappellent à votre voisinage que votre Série 3 n'est pas le modèle d'entrée de gamme.

VIE À BORD > Les correctifs de l'an passé n'ont pas métamorphosé l'ambiance qui règne à bord. La planche de bord conserve sa forme particulière, un dessin aperçu sur plusieurs autres

+
- BEAUCOUP DE CHOIX
- AGRÉMENT DE CONDUITE
- MOTORISATIONS MODERNES

−
- FIABILITÉ ALÉATOIRE
- BOÎTE MANUELLE EN DÉCLIN

MENTIONS
CLÉ D'OR | CHOIX VERT | **COUP DE CŒUR** | RECOMMANDÉ

VERDICT (échelle 1 – 5 – 10)
PLAISIR AU VOLANT
QUALITÉ DE FINITION
CONSOMMATION
RAPPORT QUALITÉ / PRIX
VALEUR DE REVENTE
CONFORT

modèles de la marque d'ailleurs. Comme c'est la coutume chez BMW, la portion centrale de celle-ci est légèrement orientée vers le conducteur, un commentaire qui s'applique aussi à l'écran du système de divertissement qui surplombe le tableau de bord. Le constructeur est reconnu pour le confort de ses sièges, et la Série 3 ne déçoit pas à ce niveau. De plus, la position de conduite, un concept cher aux concepteurs de la marque à l'hélice, est excellente. Le volant - avec ou sans écusson M - est agréable à tenir et le levier de vitesse est également au bon endroit pour une conduite inspirée. À l'arrière, les occupants ne souffrent plus comme il y a plusieurs années, tandis que le coffre est de bonne dimension, surtout dans la version Touring, vous l'aurez deviné.

TECHNIQUE > Modèle populaire oblige, le nombre de motorisations possibles sous le capot de la Série 3 est élevé. BMW peut ainsi courtiser une vaste clientèle qui aspire à ce modèle tout aussi connu qu'abordable. En entrée de gamme, les versions 320i et 330i conservent leurs moteurs 4 cylindres turbo de 2 litres de cylindrée, qui peuvent livrer 180 ou 240 chevaux, selon l'écusson retenu. Nul besoin de vous expliquer que dans la 320i, l'agrément de conduite n'est pas aussi relevé que dans une M3. L'échelon supérieur baptisé 340i est le seul disponible avec 2 ou 4 roues motrices, les deux premières étant automatiquement reliées au système de transmission intégrale xDrive. En ce qui concerne la 340i, disons seulement qu'avec son moteur 6 en ligne biturbo puissant à souhait, les puristes du modèle devraient trouver leur compte, que ce soit avec une boîte de vitesse manuelle à 6 rapports ou l'unité automatique (en option), qui en compte huit. Quant au hot rod de la gamme, la M3 s'adresse à une clientèle plus aiguisée qui ne déteste pas la conduite d'une voiture nerveuse, envoûtante et un brin plus racée que la moyenne. N'oublions surtout pas l'option turbodiesel qui, pour certains, s'avère encore la meilleure avenue pour les très longues balades.

AU VOLANT > Des quatre variantes ordinaires, c'est la 340i qui impressionne le plus, que ce soit du côté portefeuille ou du côté prestation sur route. C'est d'ailleurs celle-ci qui a subi le plus grand nombre de modifications l'an dernier. Au fil des années, on avait pu observer un embourgeoisement de la 335i, la concurrence ayant réussi à réduire l'écart. C'est pourquoi la nouvelle 340i est si importante auprès de ceux qui apprécient encore une authentique berline sport. Avec sa motorisation 6 en ligne un peu plus puissante que sa devancière, son châssis révisé (lire plus rigide) et une suspension revue, la nouvelle 340i est revenue à l'avant-plan de la catégorie avec un agrément de conduite plus relevé, ce qui, à mon avis, est une excellente nouvelle.

CONCLUSION > Le constructeur a bien fait de revoir quelques éléments de sa Série 3. Avec ces ajustements, le constructeur peut souffler en attendant la venue de la prochaine génération du modèle. ■

2e OPINION

Daniel Rufiange

On l'a toujours décrite comme la référence de son segment. Encore cette année, il faut reconnaître qu'en matière d'agrément de conduite pur, elle détient toujours une longueur d'avance. Si un seul mot nous était alloué pour la décrire, il faudrait choisir ÉQUILIBRE. Puissante, confortable, agile, elle a toutes les qualités. En prime, il y a suffisamment de versions pour satisfaire tout le monde, du jeune professionnel à celui qui a les moyens d'installer la délirante M3 sur une remorque pour une séance de défoulement sur circuit fermé. Et qu'en est-il du piètre historique de fiabilité du modèle? Eh bien, selon *Consumer Reports*, les progrès des dernières années le classent tout juste au-dessus de la moyenne. Voilà qui devient intéressant, mais pour être prudent, j'irais toujours avec une location.

FICHE TECHNIQUE

MOTEUR(S)

(320i, 330i) L4 2,0 L DACT turbo
PUISSANCE 320i 181 ch de 5 000 à 6 250 tr/min **330i** 248 ch
COUPLE 320i 200 lb-pi de 1 250 à 4 500 tr/min **330i** 258 lb-pi
RAPPORT POIDS/PUISSANCE 320i 8,1 à 8,3 kg/ch **330i** 6,3 à 7,1 kg/ch
BOÎTE(S) DE VITESSES manuelle à 6 rapports, automatique à 8 rapports avec mode manuel (en option)
PERFORMANCES 0-100 km/h man. 7,5 s **auto.** 6,4 s
FREINAGE 100-0 km/h 38,2 m **NIVEAU SONORE À 100 km/h** Moyen
VITESSE MAXIMALE 210 km/h, option 240 km/h (bridées)
CONSOMMATION (100 km) 2RM ville de 9,9 à 10,7 L, route de 6,5 à 7,0 L
4RM ville de 10,4 à 10,5 L, route de 6,8 à 6,9 L (octane 91)
ANNUELLE 2RM 1 428 à 1 530 L, 1 928 à 2 066 $
4RM 1 496 à 1 513 L, 2 020 à 2 043 $
ÉMISSIONS DE CO_2 2RM 3 284 à 3 519 kg/an **4RM** 3 441 à 3 480 kg/an

(328d) L4 2,0 L DACT turbodiesel
PUISSANCE 181 ch à 4 000 tr/min **COUPLE** 280 lb-pi de 1 750 à 2 750 tr/min
RAPPORT POIDS/PUISSANCE 9,1 kg/ch
TRANSMISSION manuelle robotisée à 8 rapports avec manettes au volant
PERFORMANCES 0-100 km/h ND
VITESSE MAXIMALE 210 km/h (bridée)

(340i, M3) L6 3,0 L biturbo DACT
PUISSANCE 320 ch à 5 800 tr/min **M3** 425 ch à 5 500 tr/min
COUPLE 330 lb-pi à 1 300 tr/min **M3** 406 lb-pi à 1 850 tr/min
RAPPORT POIDS/PUISSANCE 5,4 à 5,6 kg/ch **M3** 3,8 kg/ch
BOÎTE DE VITESSE(S) manuelle à 6 rapports, option automatique à 8 rapports (M3 robo. à 7 rapports)
PERFORMANCES 0-100 km/h man. 5,7 s **auto.** 5,4 s **M3 man.** 4,3 s **robo.** 4,1 s
VITESSE MAXIMALE 210 km/h, option 250 km/h (GT 240 km/h) **M3** 250 km/h (bridées)
CONSOMMATION (100 km) 2RM ville 10,9 à 14,1 L, route 7,2 à 9,7 L
4RM ville 10,9 à 11,9 L, route 7,3 à 8,3 L (octane 91)
ANNUELLE 2RM 1 581 à 2 057 L, 2 134 à 2 777 $
4RM 1 581 à 1 751 L, 2 134 à 2 364 $
ÉMISSIONS DE CO_2 2RM 3 636 à 4 770 kg/an **4RM** 3 636 à 4 027 kg/an

(330e iPerformance) L6 3,0 L DACT turbo + moteur électrique
PUISSANCE 300 ch à 5 800 tr/min + moteur électrique 35 ch, 335 ch total
COUPLE 300 lb-pi à 1 300 tr/min + moteur électrique 155 lb-pi, 330 lb-pi total
RAPPORT POIDS/PUISSANCE 5,2 kg/ch
BOÎTE(S) DE VITESSES automatique à 8 rapports
PERFORMANCES 0-100 km/h 5,8 s
VITESSE MAXIMALE 250 km/h (bridée) mode électrique 75 km/h
CONSOMMATION (100 km) ville 9,7 L, route 7,5 L (octane 91)
ANNUELLE 1 479 L, 1 997 $ **ÉMISSIONS DE CO_2** 3 402 kg/an

AUTRES COMPOSANTS

SÉCURITÉ ACTIVE (certains en option) Freins ABS, assistance au freinage, répartition électronique de la force de freinage, contrôle électronique de la stabilité, antipatinage, régulateur de vitesse adaptatif, avertisseur de sortie de voie, avertisseur d'impact imminent avec fonction de freinage automatique, phares adaptatifs, affichage tête haute
SUSPENSION avant/arrière indépendante
FREINS avant/arrière disques, à récupération d'énergie
DIRECTION à crémaillère, assistée électriquement
PNEUS Berline 320i/Touring 330i/328d P225/50R17
330e iPerformnce/Touring/GT 330i P225/45R18 340i P225/40R19 (av.)/P255/35R19 (arr.) **M3** P255/40R18 (av.)/P275/40R18 (arr.)
GT 340i P225/45R19 (av.)/P255/40R19 (arr.) **options** P225/50R18, P225/50R18 (av.)/P255/45R18 (arr.), P245/45R19 (av.)/P255/40R19 (arr.)

DIMENSIONS

EMPATTEMENT 2 810 mm **M3** 2 812 mm **GT** 2 920 mm
LONGUEUR 4 624 mm **M3** 4 687 mm **GT** 4 824 mm
LARGEUR 1 811 mm, 2 031 mm (incl. rétro.) **M3** 1 877 mm **GT** 1 828 mm
HAUTEUR 1 429 mm **M3** 1 424 mm **GT** 1 508 mm
POIDS Berline 320i 1 475 à 1 565 kg **330i** 1 524 à 1 631 kg **328d** 1 642 kg
340i 1 620 à 1 683 kg **Touring** 1 715 kg **GT** 1 785 à 1 820 kg
iPerformance 1 735 kg **M3 man.** 1 606 kg **robo.** 1 631 kg
RÉPARTITION DU POIDS AV/ARR (%) M3 52/48
DIAMÈTRE DE BRAQUAGE 11,3 m **M3** 12,0 m **GT** 12,3 m
COFFRE 480 L **Touring** 495 L, 1 500 L (sièges abaissés)
iPerformance 390 L **GT** 520 L, 1 600 L (sièges abaissés)
RÉSERVOIR DE CARBURANT 60 L **328d/ iPerformance /GT** 57 L

BMW SÉRIE 4/GRAN COUPÉ

www.bmw.ca

LA COTE VERTE

MOTEUR L4 DE 2,0 L TURBO
CONSOMMATION (100 km) 2RM coupé/Gran coupé man. ville 10,7 L, route 7,0 L **auto.** ville 9,9 L, route 6,5 L **cabrio./Gran coupé auto.** ville 10,8 L, route 6,7 L **4RM coupé/Gran coupé** ville 10,5 L, route 6,9 L **cabrio.** ville 11,3 L, route 7,1 L
CONSOMMATION ANNUELLE 2RM coupé/Gran coupé man. 1 530 L, 2 066 $ **coupé auto.** 1 428 L, 1 928 $ **cabrio./Gran coupé auto.** 1 513 L, 2 043 $ **4RM coupé/Gran coupé** 1 513 L, 2 043 $ **cabrio.** 1 598 L, 2 157 $
INDICE D'OCTANE 91
ÉMISSIONS POLLUANTES CO_2 2RM coupé/Gran coupé man. 3 519 kg/an **coupé auto.** 3 284 kg/an **cabrio./Gran coupé auto.** 3 480 kg/an **4RM coupé/Gran coupé** 3 480 kg/an **cabrio.** 3 675 kg/an
(source : ÉnerGuide)

FICHE D'IDENTITÉ

VERSION(S) Coupé/Cabriolet/Gran Coupé 430i xDrive, 440i, 440i xDrive **Coupé/Cabriolet** M4
TRANSMISSION(S) arrière, 4
PORTIÈRES 2, 4 **PLACES** 5
PREMIÈRE GÉNÉRATION Coupé/Cabriolet 2014 **Gran Coupé** 2015
GÉNÉRATION ACTUELLE Coupé/Cabriolet 2014 **Gran Coupé** 2015
CONSTRUCTION Munich, Allemagne
COUSSINS GONFLABLES 8 (frontaux, genoux avant, latéraux avant, rideaux latéraux)
CONCURRENCE Acura TLX, Audi A4, Buick Regal, Cadillac ATS, Infiniti Q50, Jaguar XE, Lexus IS, Mercedes CLA, Mercedes-Benz Classe C, Volvo S60, Volkswagen CC

AU QUOTIDIEN

COLLISION FRONTALE 4/5
COLLISION LATÉRALE 5/5
VENTES DU MODÈLE L'AN DERNIER
AU QUÉBEC 946 (+39,1 %) **AU CANADA** 4 942 (+42,5 %)
DÉPRÉCIATION (%) 20,6 (Coupé/cabrio Série 3)
RAPPELS (2011 à 2016) 5 **COTE DE FIABILITÉ** 3,5/5

GARANTIES… ET PLUS

GARANTIE GÉNÉRALE 4 ans/80 000 km
GROUPE MOTOPROPULSEUR 4 ans/80 000 km
PERFORATION 12 ans/kilométrage illimité
ASSISTANCE ROUTIÈRE 4ans/kilométrage illimité
NOMBRE DE CONCESSIONNAIRES AU QUÉBEC 8 **AU CANADA** 44

NOUVEAUTÉS EN 2017

La 428i disparait et la 428i xDrive devient la 430i xDrive avec moteur 4 cylindres plus puissant et la 435i devient la 440i avec nouveau moteur 6 cylindres plus puissant.

HISTOIRE DE CHIFFRES

Qu'on se le dise, la BMW Série 4 pourrait très bien porter le nom de Série 3 en version Coupé, cabriolet ou Gran Coupé comme ce fut le cas depuis les années 1970. La magie de la réorganisation de BMW a séparé ses gammes avec des types de carrosseries et un désir ardent de segmenter ses produits. Pour 2017, la Série 4, qui est un dérivé de la 3, obtient, avec un an de retard, les mêmes améliorations mécaniques. On gagne en puissance et l'on change encore une fois des chiffres sur le coffre !

Luc-Olivier Chamberland

TOUR DU PROPRIÉTAIRE > Que l'on pense au coupé, au cabriolet ou encore au Gran Coupé, élancé est le premier qualificatif qui nous vient en tête. Comme toutes les BMW portant cette configuration, on intègre des lignes dont l'équilibre frôle la perfection. Le capot s'étire, le toit est bas et l'arrière s'allonge. Contrairement à la Série 3, qui a bénéficié d'améliorations esthétiques en 2016, la Série 4 passe son tour en 2017. Puisqu'il s'agit d'une division de prestige, les acheteurs jouissent d'une interminable liste d'options et de groupes d'apparats qui permettent de définir leur voiture. La magie de M Performance donne un regard plus sportif alors que les plus conservateurs pourront piger dans les accessoires de la maison de personnalisation « Individual ».

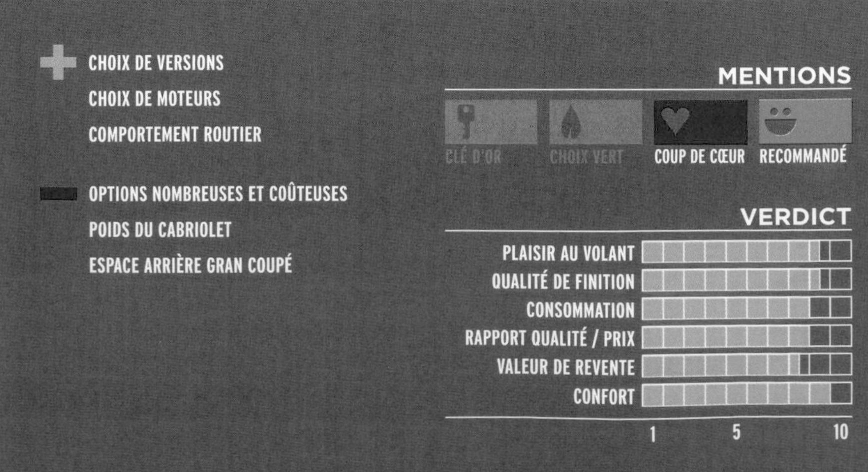

+ CHOIX DE VERSIONS
CHOIX DE MOTEURS
COMPORTEMENT ROUTIER
– OPTIONS NOMBREUSES ET COÛTEUSES
POIDS DU CABRIOLET
ESPACE ARRIÈRE GRAN COUPÉ
MENTIONS
CLÉ D'OR
CHOIX VERT
COUP DE CŒUR
RECOMMANDÉ
VERDICT
PLAISIR AU VOLANT
QUALITÉ DE FINITION
CONSOMMATION
RAPPORT QUALITÉ / PRIX
VALEUR DE REVENTE
CONFORT
1
5
10

VIE À BORD > Pas moins de six coloris de cuir sont offerts en plus de neuf finitions en ce qui a trait aux appliques. On va d'une collection de boiseries à l'aluminium en passant par la fibre de carbone; bref, il y en a pour tous les goûts. La qualité des sièges permet un confort princier à l'avant avec d'amples dégagements, des supports adéquats et une infinité de possibilités d'ajustements. Cela est sans compter les assises Sport, en option, qui nous agrippent littéralement. Considérant la configuration de la Série 4, les places arrière sont restreintes en espace, et ce, même dans le « coupé quatre portes ».

L'ergonomie s'améliore, mais quelques défis demeurent dans la gestion du système i-Drive, qui demande une période d'adaptation. La liste des options est longue et peut faire grimper la facture vers des sommets vertigineux. On réalise vite que pour avoir la BMW de ses rêves avec tous les gadgets, on doit mettre la main dans sa poche.

TECHNIQUE > Les plus importantes avancées technologiques se pointent dans ce chapitre. On continue le jeu des chiffres avec le changement de deux nomenclatures. Tout comme la Série 3, on propose maintenant la 430i en remplacement de la 428i. Le 4-cylindres de 2 litres majore sa cavalerie de 241 à 248 chevaux. Puissant et souple, il représente une mécanique de choix. BMW annonce une diminution tant des émissions que de la consommation. Adieu 435i, on revient avec un 6-cylindres dans les 440i. Maintenant à 320 chevaux sur la version ordinaire, avec l'ensemble M Performance II, la note va jusqu'à 355 chevaux. Pour ce qui est des M4 livrables en coupé et cabriolet, la brute revient avec ses 425 chevaux. Le rendement reste démesuré grâce à son 0-100 km/h en 4,1 secondes.

AU VOLANT > L'équilibre général se veut sans faille. La direction se caractérise par une précision chirurgicale alors que les suspensions marient très bien les notions de confort et de fermeté. Notez également que l'on peut mettre la Série 4 à sa main avec les différents paramètres Eco, Confort, Sport, Sport+ et Individual. BMW maîtrise mieux que quiconque l'art de la conduite et ce trio en est possiblement la plus concrète incarnation.

CONCLUSION > Déjà, la Série 4, sous toutes ses formes, est exceptionnelle. Les améliorations mécaniques de 2017 lui donnent un zeste de plus qui rend ce trio encore plus désirable. L'ingénierie allemande à son meilleur ! ■

2e OPINION

Daniel Rufiange

On assiste, depuis quelques années, à une incroyable multiplication de produits du côté des constructeurs allemands, notamment BMW et Mercedes-Benz. On s'ennuie de l'époque où Munich n'offrait que la 3, la 5 et la 7. Toujours est-il que la Série 4, introduite il y a deux ans, devait permettre de séparer plus clairement les modèles coupés et à quatre portes; la 4 proposerait des coupés, la 3 des berlines. D'accord. Ça s'est cependant vite compliqué avec l'apparition d'autres modèles, notamment la Grand Coupe au sein de la Série 4, une berline à quatre portes aux allures de coupé. Du reste, Série 3 ou 4, on parle toujours d'une référence en matière de conduite dans le segment et la quantité de versions proposées devraient vous permettre de trouver chaussure à votre pied.

FICHE TECHNIQUE

MOTEUR(S)

(430i xDrive) L4 2,0 L DACT turbo
PUISSANCE 248 ch de 5 200 à 6 500 tr/min
COUPLE 258 lb-pi dès 1 450 tr/min
RAPPORT POIDS/PUISSANCE Coupé 6,5 à 6,9 kg/ch **Cabrio.** 7,1 à 7,8 kg/ch **Gran coupé** 6,8 à 7,1 kg/ch
BOÎTE(S) DE VITESSES 430i manuelle à 6 rapports
430i xDrive/option 430i automatique à 8 rapports
PERFORMANCES 0-100 km/h Coupé 5,9 s **Cabrio.** 6,5 s **Gran coupé** 6,0 s
FREINAGE 100-0 km/h 40,0 m
VITESSE MAXIMALE 210 km/h, option 240 km/h (bridées)

(440i, 440i xDrive) L6 3,0 L DACT turbo
PUISSANCE 320 ch de 5 800 à 6 000 tr/min **Ens. Perf. II** 355 ch
COUPLE 330 lb-pi de 1 300 à 5 000 tr/min **Ens. Perf. II** 370 lb-pi
RAPPORT POIDS/PUISSANCE Coupé 5,1 à 5,3 kg/ch **Cabrio.** 5,7 à 6,0 kg/ch **Gran coupé** 5,1 à 5,5 kg/ch
BOÎTE(S) DE VITESSES manuelle à 6 rapports, automatique à 8 rapports avec mode manuel (en option)
PERFORMANCES 0-100 km/h Coupé man. 5,5 s **auto.** 5,2 s **xDrive man.** 5,2 s **auto.** 4,9 s **Cabrio.** 5,5 s **Gran coupé** 5,2 s
REPRISE 80-115 km/h 6,9 s
VITESSE MAXIMALE 210 km/h, option 250 km/h (bridées)
CONSOMMATION (100 km) 2RM coupé man. ville 12,1 L, route 8,4 L **auto.** ville 11,6 L, route 7,7 L **cabrio. auto.** ville 11,8 L, route 7,6 L **4RM coupé man.** ville 12,3 L, route 8,4 L **auto./Gran coupé** ville 12,0 L, route 7,9 L **cabrio.** ville 11,9 L, route 8,1 L (octane 91)
ANNUELLE 2RM coupé man. 1 785 L, 2 410 $ **L auto./cabrio/Gran coupé** 1 683 L, 2 272 $ **4RM coupé man.** 1 785 L, 2 410 $ **auto./cabrio./Gran coupé** 1 734 L, 2 341 $
ÉMISSIONS DE CO_2 2RM coupé man. 4 105 kg/an **auto./cabrio./Gran coupé** 3 871 kg/an **4RM coupé man.** 4 105 kg/an **auto./cabrio./Gran coupé** 3 988 kg/an

(M4) L6 3,0 L DACT biturbo
PUISSANCE 425 ch de 5 500 à 7 300 tr/min
COUPLE 406 lb-pi de 1 850 à 5 500 tr/min
RAPPORT POIDS/PUISSANCE 3,8 kg/ch
BOÎTE(S) DE VITESSES manuelle à 6 rapports, robotisée à 7 rapports
PERFORMANCES 0-100 km/h man. 4,1 s **robo.** 3,9 s
VITESSE MAXIMALE 250 km/h
CONSOMMATION (100 km) coupé man. ville 13,7 L, route 9,0 L **robo.** ville 14,1 L, route 9,7 L **cabrio. man.** ville 14,1 L, route 9,0 L **robo.** ville 14,2 L, route 9,6 L (octane 91)
ANNUELLE coupé man. 1 972 L, 2 662 $ **robo./cabrio. robo.** 2 057 L, 2 777 $ **cabrio. man.** 2 006 L, 2 708 $
ÉMISSIONS DE CO_2 coupé man. 4 536 kg/an **robo./cabrio. robo.** 4 731 kg/an **cabrio. man.** 4 614 kg/an

AUTRES COMPOSANTS

SÉCURITÉ ACTIVE (selon version ou certains en option) Freins ABS, assistance au freinage, répartition électronique de la force de freinage, contrôle de la stabilité électronique, antipatinage, avertisseur d'impact imminent et freinage d'urgence automatique, avertisseur de sortie de voie, assistance au maintien de voie, détecteur de somnolence, régulateur de vitesse adaptatif, avertisseurs d'obstacle latéral et arrière, phares adaptatifs, afficheur tête haute
SUSPENSION avant/arrière indépendante
FREINS avant/arrière disques
DIRECTION à crémaillère, assistée électriquement
PNEUS 430i P225/45R18 **440i** P225/40R19 (av.) P255/35R19 (arr.)

DIMENSIONS

EMPATTEMENT 2 810 mm **LONGUEUR** 4 638 mm
LARGEUR 1 825 mm, 2 017 mm (incl. rétro.)
HAUTEUR Coupé/Cabrio. 1 377 mm **Gran Coupé** 1 404 mm
POIDS 430i Coupé man. 1 565 kg **auto.** 1 585 kg **Cabrio.** 1 812 kg **Gran Coupé** 1 637 kg **430i xDrive auto.** 1 653 kg **Cabrio.** 1 887 kg **Gran Coupé** 1 696 kg **440ii Coupé man.** 1 633 kg **auto.** 1 649 kg **Cabrio.** 1 864 kg **Gran Coupé** 1 696 kg **440ii xDrive Coupé man.** 1 694 kg **auto.** 1 703 kg **Cabrio.** 1 937 kg **Gran Coupé** 1 762 kg **M4 Coupé man.** 1 601 kg **robo.** 1 626 kg
RÉPARTITION DU POIDS AV/ARR (%) M4 52/48
DIAMÈTRE DE BRAQUAGE 11,3 m **Gran Coupé** 11,8 m **M4** 12,2 m
COFFRE Coupé 445 L **Cabrio.** ND **Gran Coupé** 480 L, 1 300 L (sièges abaissés)
RÉSERVOIR DE CARBURANT 60 L

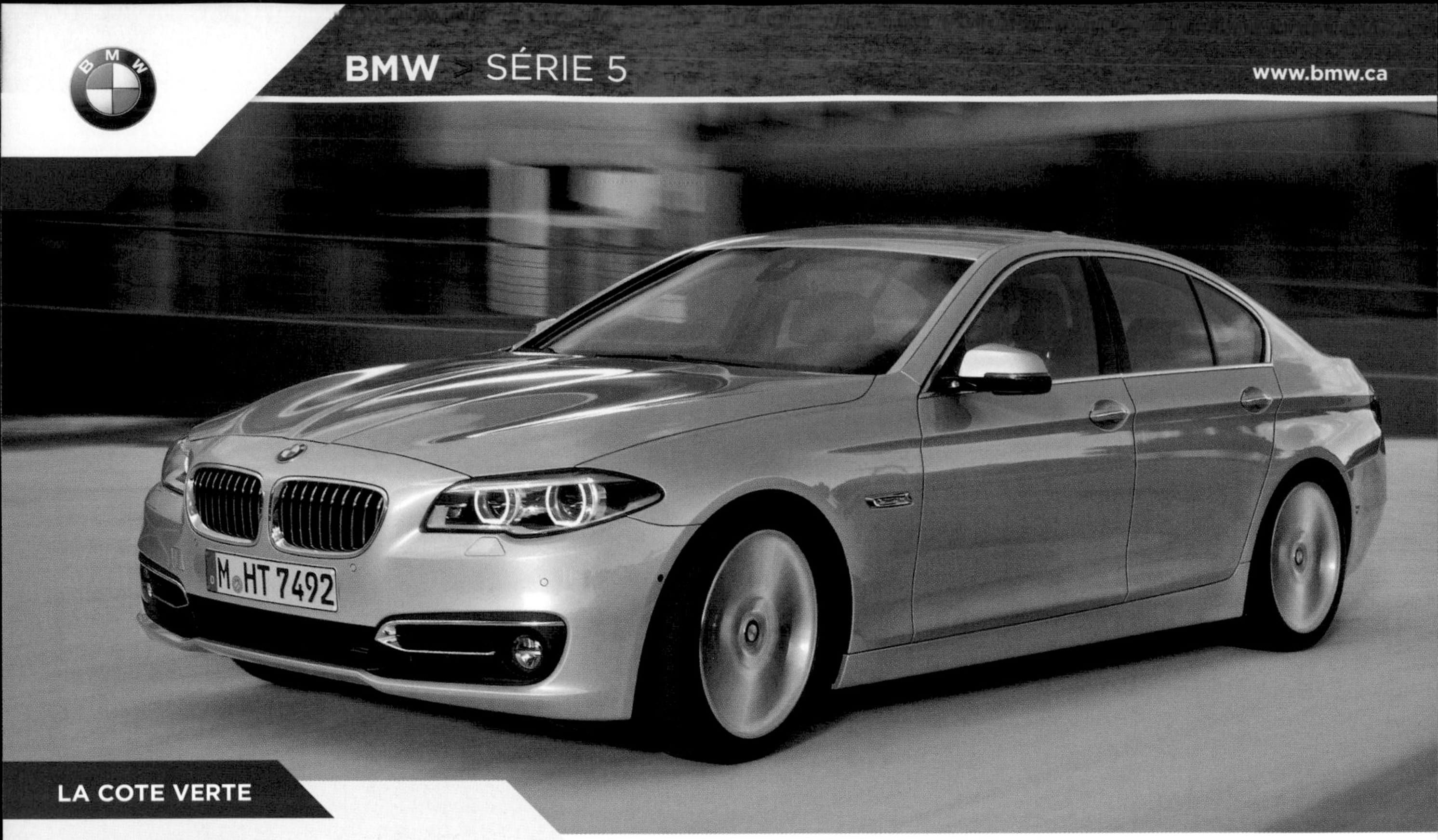

LA COTE VERTE

MOTEUR L6 3,0 L TURBODIESEL
CONSOMMATION (100km) ville 9,2 L, route 6,3 L
CONSOMMATION ANNUELLE 1 343 L, 1 813 $
INDICE D'OCTANE Diesel
ÉMISSIONS POLLUANTES CO_2 3 604 kg/an
(source : ÉnerGuide)

FICHE D'IDENTITÉ

VERSION(S) 528i xDrive, 535i xDrive, 535d xDrive, 550i xDrive, M5
TRANSMISSION(S) arrière, 4
PORTIÈRES 4 **PLACES** 5
PREMIÈRE GÉNÉRATION 1972
GÉNÉRATION ACTUELLE 2011
CONSTRUCTION Dingolfing, Allemagne
COUSSINS GONFLABLES 6 (frontaux, latéraux avant, rideaux latéraux)
CONCURRENCE Acura RLX, Audi A6/A7, Cadillac CTS, Genesis G90, Infiniti Q70, Jaguar XF, Lexus GS, Lincoln MKS, Maserati Ghibli, Mercedes-Benz Classe E, Tesla S, Volvo S90

AU QUOTIDIEN

COLLISION FRONTALE 5/5
COLLISION LATÉRALE 5/5
VENTES DU MODÈLE L'AN DERNIER
AU QUÉBEC 331 (-20,6 %) **AU CANADA** 1 996 (-14,6 %)
DÉPRÉCIATION (%) 21,8 (3 ans)
RAPPELS (2011 à 2016) 9
COTE DE FIABILITÉ 2,5/5

GARANTIES... ET PLUS

GARANTIE GÉNÉRALE 4 ans/80 000 km
GROUPE MOTOPROPULSEUR 4 ans/80 000 km
PERFORATION 12 ans/kilométrage illimité
ASSISTANCE ROUTIÈRE 4 ans/kilométrage illimité
NOMBRE DE CONCESSIONNAIRES
AU QUÉBEC 8 **AU CANADA** 44

NOUVEAUTÉS EN 2017

Aucun changement majeur, nouvelle génération attendue.

SECRET OPAQUE

Rien de plus excitant pour un journaliste automobile que ce moment de l'année où il tente de découvrir les nouveautés qui guettent un prochain modèle. Comme les constructeurs protègent ce genre de renseignements comme s'il s'agissait d'un code d'attaque nucléaire, nous sortons notre arsenal de trucs pour déjouer leur mutisme. Dans le cas de la Série 5 2017, toutefois, je me suis heurté à un mur…

Michel Crépault

TOUR DU PROPRIÉTAIRE > « La production de la Série 5 2016 se terminera en octobre. Malheureusement, nous avons zéro information sur son présumé successeur. Munich conserve ses cartes très collées sur sa poitrine. » Voici textuellement les mots de l'attaché de presse de BMW Canada que *L'Annuel* a joint. Rien de plus excitant, disais-je en introduction ? Parfois aussi rien d'aussi frustrant… J'écris ces mots à la mi-juillet. On peut penser que la nouvelle 5 sera dévoilée au Salon de Paris en octobre ou à celui de Détroit en janvier prochain. En attendant, j'ai envie de vous référer à mon texte publié dans notre édition 2016. Après tout, rien ne change… tant que tout changera ! Mais supposons qu'il existe des gens qui ne possèdent pas ce livre. Oui, je sais, c'est inconcevable, mais il y a aussi des personnes qui n'écoutent pas Céline Dion. Donc, pour vous, mes incultes amis, reprenons l'essentiel : les variantes actuelles sont nombreuses (cinq), seule la M5 se passe de la transmission intégrale xDrive. Mais BMW est en train d'introduire une nouvelle famille de moteurs modulaires à 3, 4 et 6 cylindres, ce

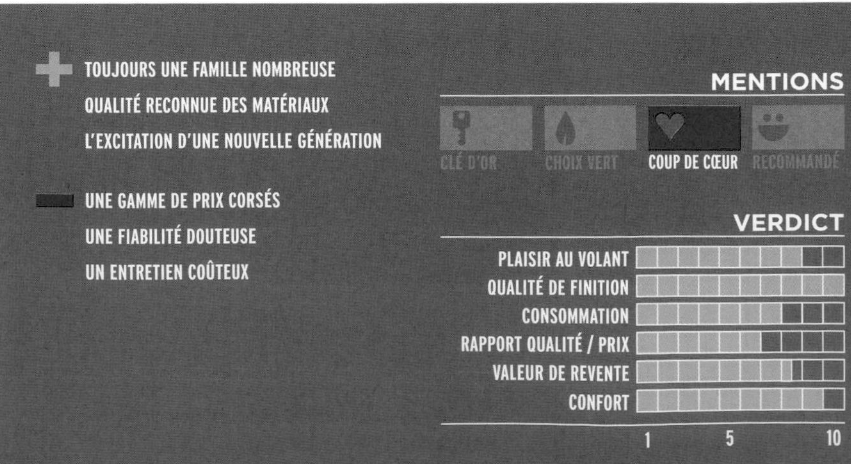

qui affecte le patronyme des modèles (la cylindrée se reflétant dans le nom). Ainsi, la 528i deviendra sans doute une 530i. La Série 5 comportait aussi une version ActiveHydrid 5 et deux Gran Turismo, trois modèles exclus de la gamme canadienne en 2016. L'hybride reviendra mais en mode enfichable, puisque c'est déjà la tendance chez BMW (i8, X5 xDrive 40e et 330e et la prochaine 740Le xDrive 2017). Dans le cas des GT, le retour de ces drôles de berlines à hayon est loin d'être assuré. Par contre, il y aura une nouvelle M5, sauf que, historiquement, elle n'apparaît qu'un an, voire deux, après l'arrivée des « hors-d'œuvre ». Enfin, à ce moment-ci, personne ne veut parier sur un diesel (l'actuelle 535d). Le scandale VW refroidira-t-il les ardeurs à ce point ?

VIE À BORD > L'habitacle d'une 5 s'avérant déjà à la fois très confortable et très technologique, ça ne peut que s'améliorer, à l'image du contrôleur central iDrive qui est passé, au fil des ans, d'irritant à pertinent. Si j'ai un souhait pour la prochaine Série, il est double : que l'ambiance sévère s'égaye un peu et que le coffre gagne en capacité.

TECHNIQUE > Examinez les superbes fiches mises au point avec minutie par notre ami Gilles et vous saurez tout sur le 4-cylindres biturbo, le 6 en ligne à essence ou diesel, la paire de V8, la boîte de vitesse Steptronic à 8 rapports qui module toute cette puissance, sauf chez la M5, qui préfère une manuelle ou une séquentielle. Et dites-vous que tout ça sera bouleversé d'ici quelques mois...

AU VOLANT > Selon des puristes, l'actuelle 5 s'est embourgeoisée. En même temps qu'elle a grossi, sa personnalité se serait assagie. Je crois plutôt que le constructeur a élargi sa palette afin de combler un maximum de besoins. Mine de rien, le 4-cylindres biturbo déplace tous ces kilos avec brio. La motorisation diesel réduit les émissions grâce à l'injection d'une solution d'urée AdBlue. Sur toutes les 5, chaque fois que vous freinez ou levez le pied, un système récupère l'énergie générée par inertie et la refile à la batterie du véhicule, pendant qu'un autre bidule s'occupe de l'arrêt-démarrage automatique (une fonction qui se désactive si elle vous agace). Et il n'y a rien de bourgeois ou de contemplatif dans la manière dont les V8 décoiffent. Bref, l'acuité de la 5 demeure mais enrobée de plus de finesse.

CONCLUSION > Quand une nouvelle édition de L'Annuel se met en branle, une saine compétition en fait autant entre nous, les auteurs, pour savoir qui aura la chance de s'épancher sur tel ou tel modèle. Or pouvez-vous croire que la Série 5 n'a été choisie par personne ! Ça dit quoi ? Que celle qui fut la référence ne l'est plus autant? Que les plus âgés l'ont suffisamment commentée (la 5 roule depuis 1972) et que les plus jeunes sont attirés par autre chose ? Chose certaine, fallait que BMW fasse quelque chose et ça sera fait. Reste à voir pour le meilleur ou pour le pire... ■

2e OPINION

Luc-Olivier Chamberland

L'année 2017 marque une étape importante dans la vie de la BMW Série 5. En cours d'année, nous allons découvrir une septième génération de la populaire berline allemande, fer de lance de l'entreprise. BMW ne se permet aucune erreur avec cette voiture. En matière de design, on suivra la tendance imposée par la Série 7, la mère de toutes les berlines BMW. Techniquement, on arrive avec une nouvelle plate-forme CLAR, qui intègre l'aluminium et, pour la première fois dans ce segment, la fibre de carbone. Sous le capot, la révolution verte se perpétue avec des moulins encore plus frugaux et le retour d'une version hybride en plus de la gamme enfichable.

FICHE TECHNIQUE

MOTEUR(S)

(528i xDRIVE) L4 2,0 L DACT biturbo
PUISSANCE 241 ch à 5 000 tr/min
COUPLE 258 lb-pi de 1 450 à 4 800 tr/min
RAPPORT POIDS/PUISSANCE 7,2 kg/ch **xDrive** 7,5 kg/ch
BOÎTE(S) DE VITESSES automatique à 8 rapports avec mode manuel
PERFORMANCES 0-100 km/h 6,5 s
VITESSE MAXIMALE 210 km/h, option 240 km/h (bridées)
CONSOMMATION (100 km) ville 10,5 L, route 6,9 L
ANNUELLE 1 513 L, 2 043 $ (octane 91)
ÉMISSIONS POLLUANTES (CO_2) 3 480 kg/an

(535d xDrive) L6 3,0 L DACT turbodiesel
PUISSANCE 255 ch à 4 000 tr/min **COUPLE** 413 lb-pi de 1 500 à 3 000 tr/min
RAPPORT POIDS/PUISSANCE 7,6 kg/ch
BOÎTE(S) DE VITESSES automatique à 8 rapports avec mode manuel
PERFORMANCES 0-100 km/h 6,0 s
REPRISE 80-115 km/h 4,2 s **FREINAGE 100-0 km/h** 38,1 m
VITESSE MAXIMALE 210 km/h, option 240 km/h (bridées)

(535i xDRIVE) L6 3,0 L DACT turbo
PUISSANCE 300 ch de 5 800 à 6 000 tr/min
COUPLE 300 lb-pi de 1 300 à 5 000 tr/min
RAPPORT POIDS/PUISSANCE 6,3 kg/ch
BOÎTES) DE VITESSES automatique à 8 rapports avec mode manuel
PERFORMANCES 0-100 km/h 5,7 s
REPRISE 80-115 km/h 4,1 s
FREINAGE 100-0 km/h 37,5 m
VITESSE MAXIMALE 210 km/h, option 240 km/h (bridées)
CONSOMMATION (100 km) ville 11,9 L, route 8,1 L (octane 91)
ANNUELLE 1 734 L, 2 341 $ **ÉMISSIONS DE CO_2** 3 988 kg/an

(550i xDRIVE) V8 4,4 L DACT biturbo
PUISSANCE 445 ch de 5 500 à 6 000 tr/min
COUPLE 479 lb-pi de 2 000 à 4 500 tr/min
RAPPORT POIDS/PUISSANCE 4,5 kg/ch
BOÎTE(S) DE VITESSES automatique à 8 rapports avec mode manuel
PERFORMANCES 0-100 km/h 4,5 s
VITESSE MAXIMALE 210 km/h (bridée)
CONSOMMATION (100 km) ville 14,4 L, route 9,6 L (octane 91)
ANNUELLE 2 091 L, 3 823 $ **ÉMISSIONS DE CO_2** 4 809 kg/an

(M5) V8 4,4 L DACT biturbo
PUISSANCE 560 ch de 6 000 à 7 000 tr/min (option Compétition 600 ch)
COUPLE 500 lb-pi à de 1 500 à 6 000 tr/min
RAPPORT POIDS/PUISSANCE 3,4 à 3 5 kg/ch Competition 3,3 kg/ch
BOÎTE(S) DE VITESSES manuelle è 6 rapports, manuelle robotisée à 7 rapports
PERFORMANCES 0-100 km/h 4,3 s, 4,2 s (option Compétition)
VITESSE MAXIMALE 250 km/h (bridée)
CONSOMMATION (100 km) man. ville 16,1 L, route 10,9 L
robo. ville 17,3 L, route 11,5 L (octane 91)
ANNUELLE man. 2 329 L, 3 144 $ **robo.** 2 499 L, 3 374 $
ÉMISSIONS DE CO2 man. 5 357 kg/an **robo.** 5 748 kg/an

AUTRES COMPOSANTS

SÉCURITÉ ACTIVE (certains en option) Freins ABS, assistance au freinage, répartition électronique de la force de freinage, contrôle électronique de la stabilité, antipatinage, assistance au départ en pente, séchage des freins, régulateur de vitesse adaptatif, avertisseurs de collision imminente et de sortie de voie, phares automatiques et adaptatifs, affichage tête haute, vision nocturne avec détection de piétons
SUSPENSION avant/arrière indépendante
FREINS avant/arrière disques **DIRECTION** à crémaillère, assistée
PNEUS 528i P245/45R18 **535i** P245/45R19
535d/550i xDrive P245/40R19 **M5** P265/35R20 (av.) P295/30R20 (arr.)

DIMENSIONS

EMPATTEMENT 2 968 mm **M5** 2 964 mm
LONGUEUR 4 899 mm **M5** 4 910 mm
LARGEUR 1 860 mm **M5** 1 891 mm
HAUTEUR 1 464 mm **M5** 1 467 mm
POIDS 528i xDrive 1 815 kg **535i xDrive** 1 885 kg
535d 1 930 kg **550i xDrive** 2 010 kg **M5 man.** 1 975 kg **robo.** 1 990 kg
RÉPARTITION DU POIDS AV/ARR (%) 535i xDrive 53/47 **550i xDrive** 54/46
DIAMÈTRE DE BRAQUAGE 12,0 m
COFFRE 520 L **RÉSERVOIR DE CARBURANT** 70 L

LA COTE VERTE

MOTEUR L6 DE 3,0 L TURBO
CONSOMMATION (100 km) ville 11,9 L, route 8,1 L
CONSOMMATION ANNUELLE 1 734 L, 2 341 $
INDICE D'OCTANE 91
ÉMISSIONS DE CO_2 3 988 kg/an
(source : ÉnerGuide)

FICHE D'IDENTITÉ

VERSION(S) Coupé/Cabriolet 650i xDrive, M6
Gran Coupé 640i xDrive, 650i xDrive, M6, Alpina B6
TRANSMISSION(S) 4, arrière (M6)
PORTIÈRES 2,4 **PLACES** 2+2, 5
PREMIÈRE GÉNÉRATION 2004, 2013 (Gran Coupé), 2015 (Alpina B6)
GÉNÉRATION ACTUELLE 2012, 2013 (M6 et Gran Coupé), 2015 (Alpina B6)
CONSTRUCTION Dingolfing, Allemagne
COUSSINS GONFLABLES 6 (frontaux, latéraux avant, rideaux latéraux)
CONCURRENCE Coupé/Cabrio Chevrolet Corvette, Dodge Viper, Jaguar F-Type, Lexus LC, Maserati GT, Mercedes-Benz-AMG GT/SL, Porsche 911 **Gran Coupé** Audi A7, Cadillac CT6, Genesis G90, Jaguar XJ, Kia K900, Lincoln Continental, Lexus LS, Maserati Ghibli, Mercedes-Benz CLS, Porsche Panamera

AU QUOTIDIEN

COLLISION FRONTALE 5/5
COLLISION LATÉRALE 5/5
VENTES DU MODÈLE L'AN DERNIER
AU QUÉBEC 71 (-15, 5%) **AU CANADA** 490 (+10,6 %)
DÉPRÉCIATION (%) 27,9 (3 ans)
RAPPELS (2011 à 2016) 3
COTE DE FIABILITÉ 4/5

GARANTIES... ET PLUS

GARANTIE GÉNÉRALE 4 ans/80 000 km
GROUPE MOTOPROPULSEUR 4 ans/80 000 km
PERFORATION 12 ans/kilométrage illimité
ASSISTANCE ROUTIÈRE 4 ans/kilométrage illimité
NOMBRE DE CONCESSIONNAIRES
AU QUÉBEC 8 **AU CANADA** 44

NOUVEAUTÉS EN 2017

Aucun changement majeur.

COUP DE CŒUR

Aussi bien vous livrer le punch tout de suite, l'année modèle 2017 n'apporte rien de neuf à la Série 6 de BMW, hormis peut-être un inoffensif jonglage avec les ensembles optionnels qu'une visite à www.bmw.ca prendra soin de démêler. Cette « stagnation » n'est pas surprenante, puisque les automobiles de ce prix héritent toujours d'un cycle de vie plus long que celles destinées à la plèbe. Ce qui n'enlève strictement rien au plaisir d'essayer de nouveau cette famille de véhicules plutôt remarquables, merci.

Michel Crépault

TOUR DU PROPRIÉTAIRE > En voulez-vous un bel exemple de multiplication des pains à partir de la même miche, en voici un ! En effet, la Série 6, c'est un coupé à deux portes (650i), deux coupés à quatre portes (Gran Coupé 640i et 650i) et un cabriolet (650i), puis on passe tout ça dans le tamis M pour obtenir trois versions supplémentaires hyper performantes, sans oublier l'ultime B6 Alpina Gran Coupé (démarrée à l'usine de Dingolfing de BMW, puis peaufinée à la main durant deux semaines à l'atelier du préparateur à Buchloe, en Allemagne toujours). Peu importe le nombre de portières ou le type de toit, la gueule est splendide, la silhouette athlétique, et à chaque configuration correspond une tentante variété d'artifices esthétiques pour démarquer son carrosse des autres.

\+ SILHOUETTE APHRODISIAQUE
MOTEURS INSPIRANTS
LUXE MODERNE

\- UNE LOURDEUR DANS LA DIRECTION
PLACES ARRIÈRE PERDUES (SAUF GRAN COUPÉ)
DES M (SANS XDRIVE) À RESPECTER

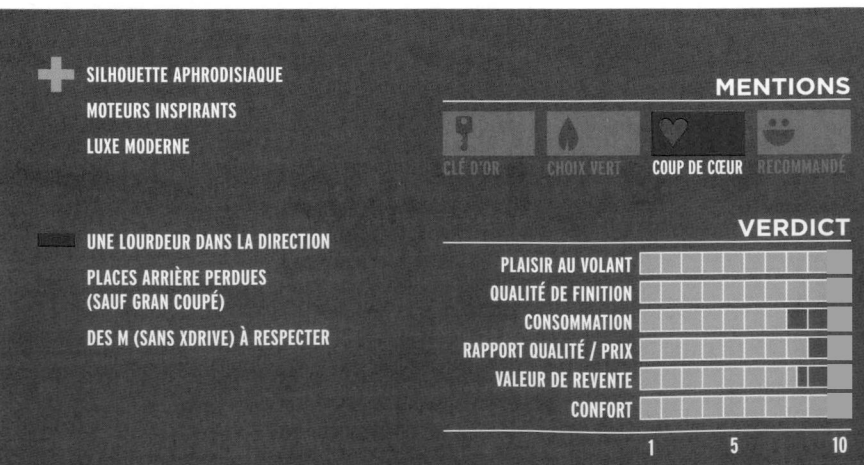

MENTIONS

CLÉ D'OR | CHOIX VERT | **COUP DE CŒUR** | RECOMMANDÉ

VERDICT

PLAISIR AU VOLANT
QUALITÉ DE FINITION
CONSOMMATION
RAPPORT QUALITÉ / PRIX
VALEUR DE REVENTE
CONFORT

1 5 10

VIE À BORD > Du cuir nappa bicolore, des boiseries et de l'aluminium, des surpiqûres de moins en moins discrètes à mesure que la puissance augmente, l'intérieur d'une Série 6 respire le luxe de bon goût. Les affichages du système ConnectedDrive au bout du contrôleur iDrive logent dans un large écran à la résolution cristalline qui trône au-dessus du tableau de bord. La sono Bang & Olufsen et ses 16 haut-parleurs confirment que nous sommes assis dans un environnement particulier, surtout quand l'une des enceintes se soulève sous le pare-brise en guise de prélude au concert.

Vos passagers arrière vous seront reconnaissants des quelque 11 centimètres supplémentaires que compte le Gran Coupé, mais ils ne vous parleront plus jamais après un séjour même court dans les cuvettes (pourtant invitantes) du coupé et du cabrio.

TECHNIQUE > Les points communs sont nombreux, c'est-à-dire double turbo pour tout le monde, boîte de vitesse automatique Steptronic à 8 rapports doublée de palettes au volant, mais à double embrayage et 7 vitesses pour les M, transmission intégrale xDrive incluant la B6 mais pas les M (motricité arrière). Seul le Gran Coupé 640i abaisse facture et consommation avec le V6 3 litres de 315 chevaux, les autres préférant le V8 4,4 litres qui développe 445 chevaux, ou bedon 560 dans les M, ou bedon 600 pour l'Alpina!

AU VOLANT > Les roues motrices arrière catapultent la flèche de métal, la répartition 50/50 de la masse sur les deux essieux facilite l'équilibre, mais la poussée est telle qu'il faut se méfier des décrochages des M privées du xDrive. D'un autre côté, les 6 sont tellement bardées d'aides à la conduite que les assureurs et les croque-morts risquent le chômage. Cette GT adore les longs trajets et vous aussi, calé dans un fauteuil généreux mais seyant, dorloté dans un habitacle où il ne manque rien. Vrai que la direction frôle l'aseptisation, mais vous en aurez tellement plein les bras avec les M et l'Alpina que ça sera le cadet de vos soucis.

Des clapets à position variable dans l'échappement modulent la sonorité: feutrée en modes Eco Pro et Confort, tempétueuse en Sport et Sport+. En plus du protocole arrêt-redémarrage automatique (qui se désactive si ça vous agace), fiez-vous à l'ordinateur de bord. Il calculera le pourcentage de carburant que vous économiserez si vous suivez son itinéraire calculé en fonction du trafic et de votre style de conduite. À l'opposé de ce comportement très posé, il faut essayer une fois dans sa vie le « launch control »: le plaisir de maintenir à fond simultanément la pédale de frein et l'accélérateur, puis d'être propulsé vers l'extase (sans effet de couple) dès qu'on relâche le frein!

CONCLUSION > La Série 6 est l'une de mes préférées de par le vaste monde, et tant pis pour les rotules de mes passagers arrière! ■

2e OPINION

Benoit Charette

On dit que dans la vie, tout est une question de dosage. C'est aussi vrai dans le monde automobile. Et comme dans la vie, il faut trouver le bon équilibre pour avoir le bon produit. La BMW de Série 6 est un bel exemple de dosage. Sous le capot se remarquent des mécaniques qui vont de 315 à 600 chevaux et pour tous les modèles, l'échappement distille une symphonie très agréable. La puissance arrive progressivement, sans heurt, et la tenue de route est toujours en contrôle. Même avec les très puissants modèles M, toutes les opérations se font en contrôle. BMW a trouvé la bonne façon de livrer chaque aspect de la conduite en pleine maîtrise de la situation. C'est sans doute pour cela que le sentiment de sécurité est aussi élevé.

FICHE TECHNIQUE

MOTEUR(S)

(GRAN COUPÉ 640i xDRIVE) L6 3,0 L DACT turbo
PUISSANCE 315 ch de 5 800 à 6 000 tr/min
COUPLE 332 lb-pi de 1 300 à 4 500 tr/min
RAPPORT POIDS/PUISSANCE 6,2 kg/ch
BOÎTE(S) DE VITESSES automatique à 8 rapports
PERFORMANCES 0-100 km/h 5,4 s
REPRISE 80-115 km/h 3,2 s **FREINAGE 100-0 km/h** 35,7 m
VITESSE MAXIMALE 210 km/h, option 240 km/h (bridées)

(650i xDRIVE, GRAN COUPÉ 650i xDRIVE) V8 4,4 L DACT biturbo
PUISSANCE 445 ch de 5 500 à 6 000 tr/min
COUPLE 480 lb-pi de 2 000 à 4 500 tr/min
RAPPORT POIDS/PUISSANCE Coupé 4,4 kg/ch
Cabrio 4,8 kg/ch **Gran Coupé** 4,7 kg/ch
BOÎTE(S) DE VITESSES automatique à 8 rapports
PERFORMANCES 0-100 km/h Coupé 4,5 s **Cabrio** 4,6 s
REPRISE 80-115 km/h 3,7 s **FREINAGE 100-0 km/h** 33,0 m
NIVEAU SONORE À 100 km/h Bon
VITESSE MAXIMALE 210 km/h, option 240 km/h (bridées)
CONSOMMATION (100 km) Coupé ville 14,4 L, route 9,6 L
Cabrio./ Grand Coupé ville 14,3 L route 9,3 L
ANNUELLE Coupé 2 091 L, 2 823 $
Cabrio./Grand Coupé 2 057 L, 2 777 $ **INDICE D'OCTANE** 91
ÉMISSIONS POLLUANTES (CO_2) Coupé 4 809 kg/an
Cabrio./Grand Coupé 4 731 kg/an

(M6, M6 GRAN COUPÉ) V8 4,4 L DACT biturbo
PUISSANCE 560 ch de 6 000 à 7 000 tr/min (option 575 ch)
COUPLE 500 lb-pi à de 1 500 à 5 750 tr/min
RAPPORT POIDS/PUISSANCE Coupé 3,5 kg/ch
Cabrio 3,7 kg/ch **Gran Coupé** 3,6 kg/ch
BOÎTE(S) DE VITESSES manuelle robotisée à 7 rapports avec manettes au volant
PERFORMANCES 0-100 km/h coupé 4,2 s **cabriolet** 4,3 s
VITESSE MAXIMALE 250 km/h (bridée) **REPRISE 80-115 km/h** 3,2 s
CONSOMMATION (100 km) man. ville 16,1 L, route 10,9 L
robo. ville 17,3 L, route 11,5 L (octane 91)
ANNUELLE man. 2 329 L, 3 144 $ **robo.** 2 499 L, 3 374 $
ÉMISSIONS DE CO_2 man. 5 357 kg/an **robo.** 5 748 kg/an

(ALPINA B6 GRAN COUPÉ) V8 4,4 L DACT biturbo
PUISSANCE 600 ch à 6 000 tr/min **COUPLE** 590 lb-pi à 3 500 tr/min
RAPPORT POIDS/PUISSANCE 3,4 kg/ch
BOÎTE(S) DE VITESSES automatique à 8 rapports avec mode manuel et manettes au volant
PERFORMANCES 0-100 km/h coupé 3,8 s **VITESSE MAXIMALE** 322 km/h (bridée)
CONSOMMATION (100 km) ville 15,2 L, route 9,8 L (octane 91)
ANNUELLE 2 176 L, 2 938 $ **ÉMISSIONS DE CO_2** 5 005 kg/an

AUTRES COMPOSANTS

SÉCURITÉ ACTIVE (certains en option) Freins ABS, assistance au freinage, répartition électronique de la force de freinage, séchage des freins, contrôle électronique de la stabilité, antipatinage, phares adaptatifs, aide au départ en pente, avertisseur de changement de voie, vision nocturne avec reconnaissance de piétons
SUSPENSION avant/arrière indépendante
FREINS avant/arrière disques **DIRECTION** à crémaillère, assistée
PNEUS Gran Coupé 640/option Coupé/Cabrio P245/45R18
Coupé/Cabrio./Gran Coupé 650 P245/40R19
option Coupé/Cabrio P245/40R19 (av.) P275/35R19 (arr.)
Gran Coupé 650/option Coupé/Cabrio P245/35R20 (av.) P275/30R20 (arr.) **M6** P265/40R19 (av.) P295/35R19 (arr.) **option M6** P265/35R20 (av.) P295/30R20 (arr.) **Alpina B6** P255/35R20 (av.) P295/30R20 (arr.)

DIMENSIONS

EMPATTEMENT 650 2 855 mm **M6** 2 851 mm **Gran Coupé** 2 968 mm **M6** 2 964 mm
LONGUEUR 4 896 mm **M6** 4 903 mm **Gran Coupé** 5 009 mm **M6** 5 016 mm
LARGEUR 1 894 mm, 2 090 mm (incl. rétro.) **M6** 1 899 mm, 2 106 mm (incl. rétro.)
HAUTEUR Coupé 650 1 369 mm **M6** 1 374 mm **Cabrio 650** 1 365 mm **M6** 1 368 mm **Gran Coupé** 1 392 mm **M6** 1 395 mm
POIDS Coupé 650 2 003 kg **M6** 1 928 kg **Cabrio 650** 2 105 kg **M6** 2 048 kg
Gran Coupé 640 1 964 kg **650** 2 073 kg **M6** 2 009 kg **B6 Alpina** 2 030 kg
RÉPARTITION DU POIDS AV/ARR (%) Coupé 54/46 **M6** 53/47 **Cabrio.** 52/48 **M6** 51/49 **Gran Coupé 640/M6** 52/48 **650** 53/47
DIAMÈTRE DE BRAQUAGE 11,7 m **M6** 12,1 m **Gran Coupé** 12,0 m **M6** 12,5 m
COFFRE 650 Coupé/M6 460 L **650 Cabrio/M6** 350 L, 300 L (toit abaissé)
Gran Coupé 460 L, 1 265 L (sièges abaissés)
RÉSERVOIR DE CARBURANT 70 L **M6** 80 L

LA COTE VERTE

MOTEUR L4 DE 2,0 L TURBO HYBRIDE
CONSOMMATION (100 km) 8,9 L (est.), autonomie moyenne en mode électrique 37 km
CONSOMMATION ANNUELLE 1 513 L, 2 043 $ (est.)
INDICE D'OCTANE 91
ÉMISSIONS POLLUANTES CO_2 3 468 kg/an (est.)
(source : BMW et L'Annuel)

FICHE D'IDENTITÉ

VERSION(S) 750i xDrive, 750Li xDrive, 740Le xDrive iPerformance, M760Li xDrive, Alpina B7
TRANSMISSION(S) 4
PORTIÈRES 4 **PLACES** 5
PREMIÈRE GÉNÉRATION 1977
GÉNÉRATION ACTUELLE 2016
CONSTRUCTION Munich, Allemagne
COUSSINS GONFLABLES 8 (frontaux, latéraux avant, genoux conducteur et passager, rideaux latéraux)
CONCURRENCE Audi A8, Cadillac CT6, Genesis G90, Jaguar XJ, Kia K900, Lexus LS, Lincoln Continental, Maserati Quattroporte, Mercedes-Benz Classe S, Porsche Panamera, Tesla S

AU QUOTIDIEN

COLLISION FRONTALE 5/5
COLLISION LATÉRALE 5/5
VENTES DU MODÈLE L'AN DERNIER
AU QUÉBEC 70 (-6,7 %) **AU CANADA** 358 (-4,3 %)
DÉPRÉCIATION (%) 36,2 (3 ans)
RAPPELS (2011 à 2016) 3
COTE DE FIABILITÉ 4/5

GARANTIES... ET PLUS

GARANTIE GÉNÉRALE 4 ans/80 000 km
GROUPE MOTOPROPULSEUR 4 ans/80 000 km
PERFORATION 12 ans/kilométrage illimité
ASSISTANCE ROUTIÈRE 4 ans/kilométrage illimité
NOMBRE DE CONCESSIONNAIRES
AU QUÉBEC 8 **AU CANADA** 44

NOUVEAUTÉS EN 2017

Version 760Li xDrive, version hybride enfichable 740Le xDrive iPerformance, édition du centennaire (100 exemplaires seulement), version Alpina B7 avec moteur V8 biturbo de 600 ch.

QUAND TOUT NE SUFFIT PAS

Les marques de prestige offrent toutes un modèle qui repousse les limites du luxe. Ce produit les définit et leur permet d'étaler leur savoir-faire. Celle qui domine le créneau depuis des lunes est sans contredit la Classe S, la princesse de Mercedes-Benz. BMW, avec sa Série 7, rêve aux grands honneurs et nous propose une nouvelle génération depuis l'an dernier. Cette dernière a-t-elle les outils pour lui permettre de se hisser au sommet? Oui et non. Dans cet univers élitiste, il ne suffit pas d'offrir tout. Il faut se démarquer, être IN. Et en ce moment, il y a une bannière qui l'est dans cette catégorie. Êtes-vous suffisamment branché pour l'identifier ?

Daniel Rufiange

TOUR DU PROPRIÉTAIRE > En 2009, la cinquième génération de la Série 7 prenait forme grâce au crayon de Karim Habib, un Montréalais d'origine libanaise. Après s'être exilé chez l'ennemi (M-Benz) pendant quelques années, il est revenu au bercail à temps pour concevoir les lignes de cette dernière évolution. Voilà qui aide à comprendre la ressemblance d'une génération à l'autre. Si le design est réussi, il demeure discret, comme l'acheteur type dans ce monde; il veut tout sans trop le montrer. Au moment d'écrire ces lignes, une seule mouture figure au menu, soit la 750, offerte avec l'empattement court ou allongé. D'autres variantes sont attendues et considérant l'identité du nouveau joueur à abattre dans le segment, Tesla, la version hybride enfichable est certes celle qui fera le plus jaser.

+
- IMAGE DE PRESTIGE TRÈS FORTE
- CONFORT DIVIN
- NOUVELLES TECHNOLOGIES IMPRESSIONNANTES

−
- FIABILITÉ ALÉATOIRE
- CONCURRENTS PLUS À LA MODE DANS LE CRÉNEAU
- LIGNES TROP DISCRÈTES ?

MENTIONS

CLÉ D'OR | CHOIX VERT | COUP DE CŒUR | **RECOMMANDÉ**

VERDICT

PLAISIR AU VOLANT
QUALITÉ DE FINITION
CONSOMMATION
RAPPORT QUALITÉ / PRIX
VALEUR DE REVENTE
CONFORT

1 5 10

VIE À BORD > Se glisser dans un cocon qui se définit par le luxe est une expérience peu commune. Cela nous permet de découvrir des commodités inédites, de jeter un regard sur le futur. La différence, c'est que l'écart entre les berlines prestigieuses et la voiture du peuple n'est plus aussi important qu'il l'a déjà été. En 2000, on trouvait des sièges chauffants seulement dans les premières. Aujourd'hui, ils sont partout. Ainsi, pour demeurer au sommet, une marque comme BMW doit innover. Elle l'a fait avec des gadgets comme la reconnaissance gestuelle pour l'exploitation de la radio, une clef intelligente dotée d'un écran renfermant des informations sur le véhicule et par ce système d'aération qui parfume l'habitacle, notamment. Le niveau de confort est divin, tant à l'avant qu'à l'arrière. En fait, la Série 7 est l'une des rares voitures où l'on souhaite, ne serait-ce qu'une seule fois, prendre place à l'arrière, bien évaché dans le siège exécutif de la version allongée. Un autre monde, littéralement.

TECHNIQUE > Un V8 de 4,4 litres biturbo, dont les capacités se chiffrent à 445 chevaux et 480 livres-pieds de couple, œuvre à l'avant. La boîte automatique compte 8 rapports et la transmission intégrale xDrive est d'office. Dans tous les cas, du travail impeccable. Pour ceux qui aiment les aides à la conduite, la Série 7 les collectionne. On a même droit à l'embryon d'un pilote automatique alors que la correction de trajectoire sur une route banalisée se fait, et ce, sans l'intervention du conducteur. Embryonnaire, oui, car les rectifications sont brusques et le système nous invite fortement à reprendre le contrôle.

AU VOLANT > La conduite autonome s'en vient, qu'à cela ne tienne. En attendant, heureusement, il est encore possible de se faire plaisir au volant d'une voiture comme la Série 7 qui demeure aussi pensée pour celui qui en prend les commandes. Grâce aux différents modes de conduite qui peuvent être choisis, il est possible de rendre très civilisé ce Titanic du XXIe siècle, tout comme on peut le transformer en hors-bord en sélectionnant le mode Sport +.

La puissance, le confort, l'insonorisation, la tenue de route, tout y est.

CONCLUSION > La grande question : est-ce suffisant? Oui et non. Oui si on recherche plus la discrétion que la reconnaissance et si l'effet de brûler du pétrole ne contrevient pas trop à vos valeurs ou à celles de votre entreprise. Non si l'image, notamment celle de Mercedes-Benz, est plus attrayante ou s'il importe de donner l'exemple écologiquement avec une Tesla. BMW a du pain sur la planche. Sa berline parfaite ne l'est peut-être plus dans les standards actuels. ■

2e OPINION

Antoine Joubert

740Le xDrive iPerformance et B7 Alpina s'ajoutent cette année à la gamme de la Série 7, laquelle doit en 2017 rivaliser avec un nombre record de modèles, incluant la toute nouvelle Porsche Panamera. Il faut dire que le modèle lancé en fin d'année 2016 a permis de remettre les pendules à l'heure, non seulement en proposant plus de technologies et d'innovations, mais en ramenant aussi un élément qui s'était perdu au fil des ans, le plaisir de conduire. Évidemment, la B7 Alpina saura satisfaire les amateurs de performances peut-être en quête d'une S8 ou d'une S63 AMG. Personnellement, la qualité de la finition et le souci du détail de cette Série 7 m'ont jeté par terre, surtout si l'on prend place derrière un modèle avec Executive Lounge. Dans ce cas, le plaisir est aussi relevé comme conducteur que comme passager.

FICHE TECHNIQUE

MOTEUR(S)

(740Le iPerformance) L4 2,0 L DACT turbo + moteur électrique
PUISSANCE 255 ch + moteur électrique de 111 ch, 309 ch total maximum, 322 ch (iPerformance)
COUPLE 295 lb-pi de 1 300 à 1 500 tr/min, 369 lb-pi total maximum
RAPPORT POIDS/PUISSANCE ND
BOITE(S) DE VITESSES automatique à 8 rapports avec mode manuel
PERFORMANCES 0-100 KM/H 5,4 s **Le** 5,5 s
NIVEAU SONORE À 100 km/h Excellent
VITESSE MAXIMALE 250 km/h, 140 km/h en mode électrique seul

(750i xDrive, 750Li xDrive, Alpina B7) V8 4,4 L DACT biturbo
PUISSANCE 445 ch à 5 500 tr/min **Alpina B7** 600 ch
COUPLE 480 lb-pi à 2 000 tr/min **Alpina B7** 590 lb-pi
RAPPORT POIDS/PUISSANCE 4,6 kg/ch 750 **Li** 4,7 kg/ch **Alpina B7** 3,7 s
BOITE(S) DE VITESSES automatique à 8 rapports avec mode manuel
PERFORMANCES 0-100 km/h 4,5 s
VITESSE MAXIMALE 240 km/h (bridée)
CONSOMMATION (100 km) ville 14,3 L route 9,3 L (octane 91)
ANNUELLE 2 057 L, 2 777 $
ÉMISSIONS DE CO_2 4 731 kg/an

(M760Li xDrive) V12 6,6 L DACT biturbo
PUISSANCE 600 ch à 5 500 tr/min **COUPLE** 590 lb-pi à 1 500 tr/min
RAPPORT POIDS/PUISSANCE ND
BOITE(S) DE VITESSES automatique à 8 rapports avec mode manuel
PERFORMANCES 0-100 km/h 3,7 s
VITESSE MAXIMALE 250 km/h, 305 km/h avec ensemble M Driver (bridées)
CONSOMMATION (100 km) 12,6 L (est.) (octane 91)
ANNUELLE 2 142 L, 2 892 $
ÉMISSIONS DE CO_2 4 927 kg/an

AUTRES COMPOSANTS

SÉCURITÉ ACTIVE (certains en option) Freins ABS, assistance au freinage, répartition électronique de la force de freinage, contrôle électronique de la stabilité, antipatinage, régulateur de vitesse adaptatif, assistance au maintien de voie, détection d'obstacles latéraux, caméra 360 degrés, affichage tête haute, vision nocturne avec détection de piétons, avertisseur d'obstacle arrière
SUSPENSION avant/arrière indépendante à amortissement pneumatique sélectionnable et barres antiroulis adaptatives
FREINS avant/arrière disques
DIRECTION à crémaillère, assistée, disponible à 4 roues directionnelles
PNEUS P245/45R19 **740Le** P255/60R17 **760Li** P245/40R20 (av.) P275/35R20 (arr.) **option** P245/35R21 (av.), P275/30R21 (arr.)

DIMENSIONS

EMPATTEMENT 3 070 mm **L** 3 210 mm
LONGUEUR 5 098 mm **L** 5 238 mm
LARGEUR 1 902 mm
HAUTEUR 750i 1 478 mm **750Li** 1 480 mm **740Le** 1 479 mm
POIDS 750i 2 066 kg **750Li** 2 091 kg **740Le** 2 015 kg **760Li** ND
RÉPARTITION DU POIDS AV/ARR (%) 50/50
DIAMÈTRE DE BRAQUAGE 12,9 m
COFFRE 515 L **740Le** 420L
RÉSERVOIR DE CARBURANT 78 L **740Le** 46 L
BATTERIES 740Le lithium-ion 9,2 kWh

LA COTE VERTE

MOTEUR L4 DE 2,0 L TURBO
CONSOMMATION (100 km) ville 10,7 L, route 7,4 L
CONSOMMATION ANNUELLE 1 564 L, 2 111 $
INDICE D'OCTANE 91
ÉMISSIONS POLLUANTES CO_2 3 597 kg/an
(source : ÉnerGuide)

FICHE D'IDENTITÉ

VERSION(S) xDrive28i
TRANSMISSION(S) 4
PORTIÈRES 5 **PLACES** 5
PREMIÈRE GÉNÉRATION 2012
GÉNÉRATION ACTUELLE 2017
CONSTRUCTION Leipzig, Allemagne
COUSSINS GONFLABLES 6 (frontaux, latéraux avant, rideaux latéraux)
CONCURRENCE Audi Q3, Infiniti QX30, Mercedes-Benz GLA, MINI Countryman

AU QUOTIDIEN

COLLISION FRONTALE 5/5
COLLISION LATÉRALE 5/5
VENTES DU MODÈLE L'AN DERNIER
AU QUÉBEC 792 (+8,0 %) **AU CANADA** 2 942 (+7,6 %)
DÉPRÉCIATION (%) 18,6 (3 ans)
RAPPELS (2011 à 2016) 6
COTE DE FIABILITÉ 3/5

GARANTIES... ET PLUS

GARANTIE GÉNÉRALE 4 ans/80 000 km
GROUPE MOTOPROPULSEUR 4 ans/80 000 km
PERFORATION 12 ans/kilométrage illimité
ASSISTANCE ROUTIÈRE 4 ans/kilométrage illimité
NOMBRE DE CONCESSIONNAIRES
AU QUÉBEC 8 **AU CANADA** 44

NOUVEAUTÉS EN 2017

Nouvelle génération (2016 1/2) et déjà révision aux ensembles d'options.

UNE LONGUEUR D'AVANCE

C'est en 2012 que BMW inaugurait chez nous le X1, lequel allait ouvrir la voie à un nouveau segment de marché. Son succès immédiat a évidemment fait réagir la compétition, qui s'est empressée de répliquer en développant des modèles comme l'Audi Q3 et le Mercedes-Benz GLA. Aujourd'hui, alors que la concurrence fraîchement débarquée tente de se tailler une place, BMW relance les dés avec une seconde génération nettement plus mature.

Antoine Joubert

TOUR DU PROPRIÉTAIRE > À mi-chemin entre une voiture et un utilitaire, le X1 proposait dans le passé un look qui n'a pas fait l'unanimité. Son long museau, sa silhouette antipathique et sa qualité de finition plutôt ordinaire ont fait déchanter plusieurs adeptes de la marque, qui voyaient en ce modèle une option à la familiale traditionnelle. Malgré cela, le véhicule a connu du succès. Mais aujourd'hui, BMW corrige le tir en créant des lignes plus costaudes et contemporaines qu'avec son prédécesseur. De série, les pourtours d'ailes et bas de caisse contrastants, ainsi que les garnitures argentées, apportent une touche aventurière à la robe. Il est toutefois possible d'obtenir un look plus sportif grâce à l'ensemble M, lequel donne accès à une carrosserie monochrome ainsi qu'à un carénage avant beaucoup plus agressif.

+
- STYLE TOTALEMENT RÉUSSI
- ESPACE INTÉRIEUR PLUS GÉNÉREUX
- FINITION EN HAUSSE
- AGRÉMENT DE CONDUITE ASSURÉ

−
- GROUPES D'OPTIONS COÛTEUX
- PUISSANCE À LA BAISSE
- FIABILITÉ À PROUVER

MENTIONS

CLÉ D'OR | CHOIX VERT | COUP DE CŒUR | RECOMMANDÉ

VERDICT

PLAISIR AU VOLANT
QUALITÉ DE FINITION
CONSOMMATION
RAPPORT QUALITÉ / PRIX
VALEUR DE REVENTE
CONFORT

1 5 10

VIE À BORD > À bord aussi, la présentation est plus cossue. Orientée vers le conducteur, la planche de bord adopte un style plus riche et une présentation graphique nettement plus moderne. La position de conduite est également géniale, avec un siège donnant beaucoup de latitude pour accommoder les gens de toute taille. Retenez également que BMW a fait de gros efforts pour améliorer la qualité de finition générale, éliminant les plastiques et garnitures bon marché jadis indignes du constructeur. Les ingénieurs se sont aussi retroussé les manches afin d'offrir un habitacle plus spacieux, notamment au chapitre des places arrière. Hélas, l'incontournable stratégie du constructeur vous forçant à céder au jeu des options demeure au menu. Le véhicule mis à l'essai était garni de plus de 11 000 $ d'options, ce qui portait la facture à 50 000 $ tout rond.

TECHNIQUE > Le X1 2.0 repose sur une architecture toute nouvelle partagée avec la Série 2 Active Tourer, ainsi qu'avec la récente MINI Cooper. On fait donc appel, pour la première fois en Amérique du Nord, à une plate-forme de véhicule à traction (nom de code ULK) pour un produit BMW. Maintenant, tous les X1 sont livrés avec la transmission intégrale xDrive, un système réactif qui redistribue jusqu'à 50 % du couple aux roues arrière, en conduite normale. Cependant, jusqu'à 100 % du couple peut être acheminé à l'arrière en cas de patinage des roues avant. Comme seule motorisation, le X1 utilise un 4-cylindres turbocompressé affichant une puissance réduite de 13 chevaux par rapport à son devancier. Bien sûr, les performances demeurent honnêtes, mais BMW joue également la carte de l'économie de carburant, ce qui explique cette réduction de la puissance. Jumelé à une boîte automatique Aisan positionnée de façon transversale, ce moteur permet de maintenir une moyenne de consommation combinée d'à peine 9 litres aux 100 kilomètres.

AU VOLANT > Les différents modes de conduite permettent d'obtenir une conduite soit très sportive, soit plus feutrée. En mode Eco, on affirme pouvoir réduire la consommation d'essence de près de 20 %, mais au prix d'une castration de puissance qui devient vite enrageante. Dynamiquement, le X1 impressionne par sa vivacité, sa tenue de route, sa grande rigidité structurelle et par la puissance de son freinage. Et bien sûr, difficile de passer sous silence l'extraordinaire précision de la direction, laquelle se montre également communicative. Il en résulte un véhicule amusant à conduire, dynamique, mais également très raffiné, et qui démontre une avancée technologique à faire rougir l'Audi Q3, son plus proche rival.

CONCLUSION > Le X1 aura été le premier d'une longue série de véhicules à intégrer un segment aujourd'hui très en vogue. Et parce que la firme bavaroise à l'écoute de sa clientèle a pu apprendre de ses erreurs avec la première mouture, on parvient avec la seconde à distancer efficacement la compétition. ■

2e OPINION

Daniel Rufiange

Il y a 10 ans, le portfolio de BMW contenait sept modèles. Aujourd'hui, on en dénombre 14, sans compter les variantes, plus nombreuses aujourd'hui qu'hier. Le X1, ajouté à l'index en 2012, s'est voulu une belle addition à la gamme. Un format pratique, un 4-cylindres turbo très animé et une conduite comme seule BMW sait nous en proposer. Seulement, le design n'a pas fait l'unanimité et le succès n'a pas été celui escompté. Un X1 repensé est arrivé en 2016 et là, franchement, on commence à parler. Oui, l'architecture des versions de base est à traction, mais considérant que tous les modèles qui seront écoulés ici profiteront du système xDrive, on ne s'en offusquera pas trop. Du reste, on a droit à des prestations relevées et, cette fois, les lignes ont tout pour faire taire les critiques.

FICHE TECHNIQUE

MOTEUR(S)

(xDrive28i) L4 2,0 L DACT turbo
PUISSANCE 228 ch à 5 000 tr/min
COUPLE 258 lb-pi à 1 250 tr/min
RAPPORT POIDS/PUISSANCE 7,4 kg/ch
BOÎTE(S) DE VITESSES automatique à 8 rapports avec mode manuel
PERFORMANCES 0-100 km/h 6,5 s
REPRISE 80-115 km/h 5,0 s
FREINAGE 100-0 km/h 44,4 m
NIVEAU SONORE À 100 km/h Moyen
VITESSE MAXIMALE 210 km/h, 230 km/h en option (bridées)

AUTRES COMPOSANTS

SÉCURITÉ ACTIVE Freins ABS, assistance au freinage, répartition électronique de la force de freinage, contrôle électronique de la stabilité, antipatinage, contrôle logique en pente, affichage tête haute, avertisseurs de sortie de voie, d'impact imminent et de détection de piéton, avec freinage d'urgence autonome
SUSPENSION avant/arrière indépendante
FREINS avant/arrière disques
DIRECTION à crémaillère, assistée
PNEUS P225/50R18

DIMENSIONS

EMPATTEMENT 2 670 mm
LONGUEUR 4 455 mm
LARGEUR 1 821 mm, 2 060 mm (incl. rétro.)
HAUTEUR 1 598 mm
POIDS 1 677 kg
RÉPARTITION DU POIDS AV/ARR (%) 57/43
DIAMÈTRE DE BRAQUAGE 11,4 m
COFFRE 765 L, 1 662 L (sièges abaissés)
RÉSERVOIR DE CARBURANT 61 L
CAPACITÉ DE REMORQUAGE ND

LA COTE VERTE

MOTEUR L4 DE 2,0 L TURBODIESEL
CONSOMMATION (100 km) ville 8,6 L route 6,9 L
CONSOMMATION ANNUELLE 1 343 L, 1 544 $
INDICE D'OCTANE Diesel
ÉMISSIONS POLLUANTES CO_2 3 621 kg/an
(source : BMW)

FICHE D'IDENTITÉ

VERSION(S) xDrive28i, xDrive35i, xDrive28d
TRANSMISSION(S) 4
PORTIÈRES 5 **PLACES** 5
PREMIÈRE GÉNÉRATION 2000
GÉNÉRATION ACTUELLE 2011
CONSTRUCTION Spartanburg, Caroline du Sud, É.-U.
COUSSINS GONFLABLES 6 (frontaux, latéraux, rideaux latéraux)
CONCURRENCE Acura RDX, Audi Q5, Buick Envision, Infiniti QX50, Jaguar F-Pace, Land Rover Discovery Sport, Lexus NX, Lincoln MKC, Mercedes-Benz GLC, Porsche Macan, Range Rover Evoque, Volvo XC60

AU QUOTIDIEN

COLLISION FRONTALE 5/5
COLLISION LATÉRALE 5/5
VENTES DU MODÈLE L'AN DERNIER
AU QUÉBEC 716 (-27,5 %) **AU CANADA** 4 527 (-13,3 %)
DÉPRÉCIATION (%) 24,1 (3 ans)
RAPPELS (2011 à 2016) 9
COTE DE FIABILITÉ 3/5

GARANTIES... ET PLUS

GARANTIE GÉNÉRALE 4 ans/80 000 km
GROUPE MOTOPROPULSEUR 4 ans/80 000 km
PERFORATION 12 ans/kilométrage illimité
ASSISTANCE ROUTIÈRE 4 ans/kilométrage illimité
NOMBRE DE CONCESSIONNAIRES
AU QUÉBEC 8 **AU CANADA** 44

NOUVEAUTÉS EN 2017

Aucun changement majeur

PATIENCE ET LONGUEUR DE TEMPS

BMW a finalement décidé de présenter son nouveau X3 au printemps 2017. Nous aurons donc droit à un nouveau modèle en 2018. Les premiers modèles camouflés roulent depuis quelques mois. BMW a laissé savoir à mots couverts que la prochaine génération offrira une version hybride rechargeable et, l'année suivante, une version M40i avec 360 chevaux.

Benoit Charette

TOUR DU PROPRIÉTAIRE > La génération présentement sur la route est arrivée en 2011 et a été l'objet de quelques retouches esthétiques en 2014, notamment la calandre, les phares plus effilés et les deux haricots un peu plus larges à l'avant. Les pare-chocs ont aussi bombé le torse pour donner un peu de volume à ce X3 qui n'est pas tellement plus grand que le nouveau X1, qui a pris du volume. C'est sans doute pour cela que le X3 va reposer sur une nouvelle plateforme plus grande l'an prochain pour redonner de l'espace entre le X1 et le X3.

VIE À BORD > On se sent tout de suite dans un produit haut de gamme en prenant place à bord. La qualité des matériaux est sans reproche et les quelques retouches apportées lors de la mise à niveau en 2015 permettent au X3 de rester dans la lutte face à ses adversaires allemands.

+
- ACCORD MOTEUR/TRANSMISSION
- QUALITÉ DE FINITION
- COMPORTEMENT SAIN

–
- ÉQUIPEMENT DE SÉRIE PINGRE
- PRIX DES OPTIONS
- CONFORT UN PEU FERME SUR MAUVAIS REVÊTEMENT

MENTIONS

CLÉ D'OR | CHOIX VERT | COUP DE CŒUR | **RECOMMANDÉ**

VERDICT

PLAISIR AU VOLANT
QUALITÉ DE FINITION
CONSOMMATION
RAPPORT QUALITÉ / PRIX
VALEUR DE REVENTE
CONFORT

1 5 10

BMW a précisément peaufiné la qualité des matériaux et facilité l'utilisation du système i-Drive. Les sièges sont encore parmi les plus confortables de l'industrie et l'insonorisation poussée améliore l'expérience générale derrière le volant.

TECHNIQUE > Les constructeurs automobiles ont compris depuis longtemps que le petit utilitaire est beaucoup plus une démonstration de votre statut social que votre intention d'aller salir vos roues dans la boue. C'est pourquoi vous avez toujours pour notre climat les 4 roues motrices, mais fini l'époque des modèles qui mettaient l'accent sur le remorquage et les capacités hors route. Le X3 de base arrive avec un très frugal moteur diesel 4 cylindres de 2 litres qui offre 180 chevaux et 280 livres-pieds de couple. Puissant et peu gourmand, il vous fera faire environ 8 à 8,5 litres aux 100 kilomètres en moyenne. Vous pouvez aussi choisir un 4-cylindres turbo à essence de 248 chevaux et 258 livres-pieds de couple. Finalement, pour ceux qui veulent un peu plus de nerfs, il y a le 6-cylindres 3 litres turbo de 320 chevaux qui décoiffe avec élégance. Tous les modèles utilisent la transmission intégrale avec une boîte de vitesses automatique à 8 rapports.

AU VOLANT > Comme toutes les compagnies allemandes, le plaisir au volant passe trop souvent par une petite visite dans la liste des options. BMW est particulièrement chiche en équipement de série. Ainsi, pour rehausser l'expérience au volant, il est fortement conseillé de choisir la direction variable sport, qui améliore le ressenti de la route dans la direction. Autre option intéressante, le châssis M Sport, qui offre une suspension mieux calibrée, des barres antiroulis plus costaudes et un mode Sport + qui s'ajoute aux 3 autres modes de conduite (Eco Pro, Confort et Dynamic) qui, eux, arrivent de série. Si vous ne recherchez pas la tenue de route ultime, comme le dit si bien la compagnie, le X3 reste très composé sur la route et, à l'exception du Porsche Macan, qui est la référence ultime au chapitre de la tenue de route dans ce segment, le X3 arrive au deuxième rang sur le podium. Il est seulement dommage qu'il faille toujours mettre la main dans sa poche pour avoir droit aux choses les plus intéressantes sur le véhicule.

CONCLUSION > Bien équipé ou non, le X3 est d'abord confortable et très statutaire si la chose vous plaît. Certains diront que le X3 est peut-être un peu trop bien élevé, qu'il a perdu son petit côté délinquant qui a si bien servi la marque, qui célèbre en 2016 ses 100 ans. On nous promet le retour de cette étincelle avec la prochaine génération et surtout la version M-Performance, qui promet de faire la lutte au Porsche Macan de plus près. Bien hâte de voir ça.

2e OPINION

Luc-Olivier Chamberland

BMW a défriché le segment des utilitaires sport de prestige en 2003 avec la première génération du X3. Depuis, il s'impose comme un incontournable de la catégorie. Sa constante évolution le maintient au goût du jour notamment avec ses transformations esthétiques et l'intégration de nouvelles motorisations. Pour 2017, sa dernière année sous sa forme actuelle, on propose des majorations mécaniques au 4-cylindres qui atteint les 248 chevaux et au 6-en-ligne qui passe à 320 chevaux. Une part de mystère reste bien présente quant aux intentions de BMW d'introduire une gamme plus puissante à 360 chevaux avec le X3 M40i tel que l'on peut le voir sur son jumeau technique le X4.

FICHE TECHNIQUE

MOTEUR(S)

(xDrive 28d) L4 2,0L DACT turbodiesel
PUISSANCE 180 ch à 4 000 tr/min
COUPLE 280 lb-pi de 1 750 à 2 750 tr/min
RAPPORT POIDS/PUISSANCE 10,7 kg/ch
BOITE(S) DE VITESSES automatique à 8 rapports avec mode manuel
PERFORMANCES 0 à 100 km/h 8,3 s
REPRISE 80-115 km/h 4,7 s **FREINAGE 100-0 km/h** 46,1 m
VITESSE MAXIMALE 204 km/h

(xDrive 28i) L4 2,0L DACT turbo
PUISSANCE 248 ch de 5 000 à 6 500 tr/min
COUPLE 258 lb-pi de 1 450 à 4 800 tr/min
RAPPORT POIDS/PUISSANCE 7,8 kg/ch
BOITE(S) DE VITESSES automatique à 8 rapports avec mode manuel
PERFORMANCES 0 à 100 km/h 6,5 s
VITESSE MAXIMALE 210 km/h, 230 km/h optionnel (bridées)
CONSOMMATION (100 km) ville 11,1 L route 8,4 L (octane 91)
ANNUELLE 1 683 L, 2 272 $
ÉMISSIONS DE CO_2 3 871 kg/an

(xDrive35i) L6 3,0 L DACT turbo
PUISSANCE 320 ch de 5 800 à 6 400 tr/min
COUPLE 300 lb-pi de 1 300 à 5 000 tr/min
RAPPORT POIDS/PUISSANCE 6,4 kg/ch
BOÎTE(S) DE VITESSES automatique à 8 rapports avec mode manuel
PERFORMANCES 0-100 km/h 5,6 s
REPRISE 80-115 km/h 4,2 s **FREINAGE 100-0 km/h** 36,5 m
NIVEAU SONORE À 100 km/h Moyen
VITESSE MAXIMALE 210 km/h (bridée)
CONSOMMATION (100 km) ville 12,7 L, route 8,8 L (octane 91)
ANNUELLE 1 853 L, 2 502 $
ÉMISSIONS DE CO_2 4 262 kg/an

AUTRES COMPOSANTS

SÉCURITÉ ACTIVE (certains en option) Freins ABS, assistance au freinage, répartition électronique de la force de freinage, contrôle électronique de la stabilité, antipatinage, affichage tête haute, avertisseur de changement de voie, phares adaptatifs, aide au départ en pente et assistance en descente
SUSPENSION avant/arrière indépendante, amortissement sélectionnable
FREINS avant/arrière disques, à récupération d'énergie
DIRECTION à crémaillère, assistée électriquement
PNEUS P245/50R18 **option xDrive35i** P245/45R19

DIMENSIONS

EMPATTEMENT 2 810 mm
LONGUEUR 4 657 mm
LARGEUR 1 881 mm, 2 089 mm (incl. rétro.)
HAUTEUR 1 678 mm
POIDS xDrive28i 1 882 kg **xDrive35i/xDrive28d** 1 919 kg
RÉPARTITION DU POIDS AV/ARR (%) 50/50
DIAMÈTRE DE BRAQUAGE 11,9 m
COFFRE 550 L, 1 600 L (sièges abaissés)
RÉSERVOIR DE CARBURANT 67 L
CAPACITÉ DE REMORQUAGE 1 360 kg

LA COTE VERTE

MOTEUR L4 DE 2,0 L TURBO
CONSOMMATION (100 km) ville 11,7 L, route 8,4 L
CONSOMMATION ANNUELLE 1 734 L, 2 341 $
INDICE D'OCTANE 91
ÉMISSIONS DE CO_2 3 988 kg/an
(source : ÉnerGuide)

FICHE D'IDENTITÉ

VERSION(S) xDrive28i, M40i
TRANSMISSION(S) 4
PORTIÈRES 5 **PLACES** 5
PREMIÈRE GÉNÉRATION 2015
GÉNÉRATION ACTUELLE 2015
CONSTRUCTION Spartanburg, Caroline du Sud, É-U.
COUSSINS GONFLABLES 6 (frontaux, latéraux avant, rideaux latéraux)
CONCURRENCE Acura RDX, Audi Q5, Buick Envision, Infiniti QX50, Jaguar F-Pace, Land Rover Discovery Sport/Range Rover Evoque, Lexus NX, Lincoln MKC, Mercedes-Benz GLC, Porsche Macan, Volvo XC60

AU QUOTIDIEN

COLLISION FRONTALE 5/5
COLLISION LATÉRALE 5/5
VENTES DU MODÈLE L'AN DERNIER
AU QUÉBEC 202 (+71,2 %) **AU CANADA** 1 144 (+133 %)
DÉPRÉCIATION (%) 12,5 (2 ans)
RAPPELS (2011 à 2016) 1
COTE DE FIABILITÉ 4/5

GARANTIES... ET PLUS

GARANTIE GÉNÉRALE 4 ans/80 000 km
GROUPE MOTOPROPULSEUR 4 ans/80 000 km
PERFORATION 12 ans/kilométrage illimité
ASSISTANCE ROUTIÈRE 4ans/kilométrage illimité
NOMBRE DE CONCESSIONNAIRES
AU QUÉBEC 8 **AU CANADA** 44

NOUVEAUTÉS EN 2017

Version M40i remplace la xDrive35i

X6 - 2 = X4

Le constructeur bavarois n'a pas toujours connu du succès avec ses différents modèles au fil des années, mais lorsqu'il y a un X dans l'équation, BMW semble maîtriser la recette de main de maître. Même cette idée farfelue qu'était le X6 à l'époque a fait école dans l'industrie. Avec la gamme X qui grossit chaque année, la venue d'un X4 pour l'année modèle 2015 était presque inévitable, et depuis ce temps, les ventes se portent bien pour cette copie à l'échelle du X6. Encore une fois, la division allemande prouve qu'elle peut vendre n'importe quel type de véhicule - ou presque - à sa loyale clientèle, à condition qu'il soit tatoué d'un écusson arborant une hélice.

Vincent Aubé

TOUR DU PROPRIÉTAIRE > L'idée est assez simple : prendre un BMW X3 et lui ajouter un hayon de type « fastback » à l'arrière en s'assurant du dynamisme de la ligne. Ce qui fonctionne pour le X6 doit aussi s'appliquer pour le p'tit frère, n'est-ce pas ? Si le modèle xDrive28i d'entrée de gamme muni du moteur 4 cylindres se montre moins agressif à l'extérieur, c'est une autre histoire en ce qui a trait au nouveau hot rod de la gamme, qui prend la place de l'édition xDrive35i en 2017. En effet, ce nouveau xDrive M40i est en quelque sorte l'alter ego de la berline 340i, qui a elle aussi reçu de l'aide sous le capot l'an dernier. Sa robe est plus convaincante grâce à l'ensemble M livré de série et à ses roues de 20 pouces.

\+ DESIGN PLUS RÉUSSI QUE SUR LE X6
TENUE DE ROUTE EXEMPLAIRE
LA MAGIE DU 6-EN-LIGNE

\- COFFRE AMPUTÉ
MÊME AMBIANCE QUE DANS LE X3
PRIX DE CERTAINES OPTIONS

MENTIONS

CLÉ D'OR | CHOIX VERT | COUP DE CŒUR | **RECOMMANDÉ**

VERDICT

PLAISIR AU VOLANT
QUALITÉ DE FINITION
CONSOMMATION
RAPPORT QUALITÉ / PRIX
VALEUR DE REVENTE nm
CONFORT

1 5 10

VIE À BORD > À ce niveau, c'est du pareil au même. L'ambiance qu'on trouve à bord du X4 est identique à celle du X3, à l'exception de la ligne de toit fuyante bien sûr. La planche de bord présente toujours sa portion centrale dans un angle favorable au conducteur, une idée généralisée à toute la gamme du constructeur d'ailleurs. Si certaines commandes sont petites, l'ensemble de cette planche de bord est ergonomique. La position de conduite, un brin plus basse que dans le X3, est excellente pour ceux et celles qui aiment conduire. Le seul hic dans ce X4, c'est son côté pratique. Malheureusement, ce toit incliné à l'arrière handicape le volume du coffre. L'auteur de ces lignes a d'ailleurs pu le constater lors d'une expédition en famille le week-end venu.

TECHNIQUE > BMW n'a toujours pas cédé à la pression d'offrir une véritable version M de son utilitaire à caractère sport. En attendant ce modèle qui pourrait ne jamais s'ajouter à l'alignement nord-américain, le constructeur fait confiance au modèle xDrive M40i, qui remplace définitivement l'édition xDrive35i en 2017. Sous le capot de cette variante se cache un bloc 6 en ligne turbocompressé de 3 litres de cylindrée. Il extirpe une puissance de 355 chevaux et un couple de 343 livres-pieds. Non pas que l'ancien X4 était une tortue, mais avec respectivement 55 chevaux et 43 livres-pieds additionnels, les accélérations sont plus franches, puisqu'elles sont bien entendu secondées par la boîte automatique à 8 rapports. Quant à l'autre X4, plus accessible celui-là, il profite de la mécanique 4 cylindres turbo de 2 litres implantée dans les véhicules BMW il y a quelques années. Sans être aussi guttural, le « petit » moteur se montre tout de même à la hauteur en matière d'agrément de conduite.

AU VOLANT > Sans surprise, le plus affûté des deux - par rapport au X3 évidemment - est plus agile que l'autre. De beaucoup? Non, la différence est minime. En fait, si le X4 vous intéresse mais que vous avez absolument besoin d'espace, optez pour le X3. Il saura accrocher un sourire à vos lèvres et vous pourrez transporter plus de matériel à l'arrière. Toutefois, la nouvelle mécanique du X4 n'est pas encore offerte dans le X3. Voilà assurément LA grosse différence entre les deux cousins de plateforme. Au moment d'écrire ces lignes, le constructeur n'avait toujours pas pu nous fournir cette nouvelle variante plus pimentée. Il faut donc se fier à notre expérience ressentie au volant du modèle xDrive35i.

CONCLUSION > À constater les chiffres de ventes du X4, ce n'est pas demain la veille que le constructeur retirera le plus récent membre de la famille X. En fait, cette gamme de véhicules utilitaires ne peut que gonfler au fil des années. ■

2e OPINION

Antoine Joubert

La performance est à l'honneur chez les VUS compacts de luxe. D'abord, l'Audi SQ5 et le Porsche Macan, puis le Jaguar F-Pace et... le BMW X4 M40i xDrive. Une gueule d'enfer, une puissance infernale de 355 chevaux et un agrément de conduite réellement surprenant. On le sait, l'image de la performance vend plus que jamais, et ce, en dépit du fait qu'on ne cesse d'ajouter des radars photo sur nos routes. BMW profite donc de sa notoriété en la matière pour appliquer la lettre « M » à toutes ses recettes. Et dans la plupart des cas, ça fonctionne. Cela dit, rares sont les VUS qui vous donneront autant de plaisir au volant et, surtout, l'impression de conduire une authentique sportive. Oserais-je dire qu'on fait ici mieux que le Macan? Mmmm... non. Mais disons que le plaisir au volant est directement comparable.

FICHE TECHNIQUE

MOTEUR(S)

(28i) L4 2,0 L DACT turbo
PUISSANCE 241 ch de 5 000 à 6 500 tr/min
COUPLE 258 lb-pi de 1 450 à 4 800 tr/min
RAPPORT POIDS/PUISSANCE 7,5 kg/ch
BOÎTE(S) DE VITESSES automatique à 8 rapports
PERFORMANCES 0-100 km/h 6,4 s
REPRISE 80-115 km/h 3,9 s
FREINAGE 100-0 km/h 43,3 m
VITESSE MAXIMALE 210 km/h, option 232 km/h (bridées)

(M40i) L6 3,0 L DACT turbo
PUISSANCE 355 ch de 5 800 à 6 000 tr/min
COUPLE 343 lb-pi de 1 350 à 5 250 tr/min
RAPPORT POIDS/PUISSANCE 5,4 kg/ch
BOÎTE(S) DE VITESSES automatique à 8 rapports
PERFORMANCES 0-100 km/h 4,9 s
REPRISE 80-115 km/h 3,5 s
FREINAGE 100-0 km/h 47,2 m
NIVEAU SONORE À 100 km/h ND
VITESSE MAXIMALE 210 km/h, option 240 km/h (bridées)
CONSOMMATION (100 km) ville 12,8 L route 9,5 L (octane 91)
ANNUELLE 1 921 L, 2 593 $
ÉMISSIONS DE CO_2 4 418 kg/an

AUTRES COMPOSANTS

SÉCURITÉ ACTIVE (certains en option) Freins ABS, assistance au freinage, répartition électronique de la force de freinage, contrôle de la stabilité électronique, antipatinage, freinage d'urgence automatique, avertisseur de sortie de voie, assistance au maintien de voie, régulateur de vitesse adaptatif, avertisseurs d'obstacle latéral et arrière, phares adaptatifs
SUSPENSION avant/arrière indépendante
FREINS avant/arrière disques
DIRECTION à crémaillère, assistée électriquement
PNEUS 28i/option M40i P245/45R19
M40i P245/40R20 (av.) P275/35R20 (arr.)

DIMENSIONS

EMPATTEMENT 2 810 mm
LONGUEUR 4 686 mm **M40i** 4 680 mm
LARGEUR 1 881 mm, 2 089 mm (incl. rétro.)
M40i 1 901 mm, 2 089 mm (incl. rétro.)
HAUTEUR 1 624 mm
POIDS 28i 1 873 kg **M40i** 1 921 kg
RÉPARTITION DU POIDS AV/ARR (%) 28i 49/51 **M40i** 51/49
DIAMÈTRE DE BRAQUAGE 11,9 m
COFFRE 500 L, 1 400 L (sièges abaissés)
RÉSERVOIR DE CARBURANT 67 L
CAPACITÉ DE REMORQUAGE 750kg, 2 400 kg (remorque avec freins)

LA COTE VERTE

MOTEUR L6 DE 3,0 L TURBODIESEL
CONSOMMATION (100 km) ville 10,0 L route 7,6 L
CONSOMMATION ANNUELLE 1 513 L, 1 740 $
INDICE D'OCTANE Diesel
ÉMISSIONS POLLUANTES CO_2 3 961 kg/an
(source: ÉnerGuide)

FICHE D'IDENTITÉ

VERSION(S) xDrive35i, xDrive50i, M, xDrive35d, xDrive40e
TRANSMISSION(S) 4
PORTIÈRES 5 **PLACES** 7, 5 (40e)
PREMIÈRE GÉNÉRATION 2000
GÉNÉRATION ACTUELLE 2015
CONSTRUCTION Spartanburg, Caroline du Sud, É.-U.
COUSSINS GONFLABLES 6 (frontaux, latéraux avant, rideaux latéraux)
CONCURRENCE Acura MDX, Audi Q7, Buick Enclave, Cadillac XT5, Infiniti QX60/QX70, Jeep Grand Cherokee SRT, Land Rover LR4/ Range Rover Sport, Lexus GX460/RX, Lincoln MKT/MKX, Maserati Levante, Mercedes-Benz GLE, Porsche Cayenne, Volkswagen Touareg, Volvo XC90

AU QUOTIDIEN

COLLISION FRONTALE4/5
COLLISION LATÉRALE 5/5
VENTES DU MODÈLE L'AN DERNIER
AU QUÉBEC 680 (-14,7 %) **AU CANADA** 5 381 (-1,6 %)
DÉPRÉCIATION (%) 21,8 (3 ans)
RAPPELS (2011 à 2016) 12
COTE DE FIABILITÉ 2,5/5

GARANTIES... ET PLUS

GARANTIE GÉNÉRALE 4 ans/80 000 km
GROUPE MOTOPROPULSEUR 4 ans/80 000 km
PERFORATION 12 ans/kilométrage illimité
ASSISTANCE ROUTIÈRE 4 ans/kilométrage illimité
NOMBRE DE CONCESSIONNAIRES
AU QUÉBEC 8 **AU CANADA** 44

NOUVEAUTÉS EN 2017

Phares adaptatifs à DEL et système iDrive avec écran tactile de série, remaniement des groupes d'options, ensemble fibre de carbone disponible sur X5 50i.

À L'AUBE D'UN RENOUVEAU

Même si le X5 a fait l'objet de retouches l'an dernier, la prochaine génération approche déjà à grands pas. Selon des sources internes chez BMW, la génération suivante de X5 arrivera l'an prochain. Cette nouvelle mouture reposera sur la plate-forme Cluster Architecture (CLAR) inaugurée avec la BMW Série 7. Cette accélération dans la présentation de la prochaine cuvée de X5 permet d'ouvrir grande la porte au BMW X7, qui se tiendra sur le même châssis et offrira une gamme de moteurs semblables à ceux de la Série 7 (incluant le V12 de 6 litres).

Benoit Charette

TOUR DU PROPRIÉTAIRE > Une retouche a donné plus de style et a permis au X5 de demeurer dans le top 3 des ventes de sa catégorie au Canada. On sent des influences du modèle X3 passé sous le bistouri peu avant le X5. On crée des angles pour insuffler plus de caractère et éliminer un peu l'effet de lourdaud et des trompe-l'œil pour apporter une certaine « minceur » à l'ensemble. Pour 2017, les modèles 50i sont maintenant offerts de série avec les phares adaptatifs aux DEL.

VIE À BORD > Peu importe la version choisie, le X5 respire l'élégance et la qualité de construction. Un seul petit reproche pourrait aller du côté de la quantité de plastique, un peu

+
CONDUITE DYNAMIQUE
CABINE SILENCIEUSE
CONFORT GÉNÉRAL

−
FIABILITÉ
POIDS
LISTE DES OPTIONS INTERMINABLE

MENTIONS

CLÉ D'OR | CHOIX VERT | COUP DE CŒUR | RECOMMANDÉ

VERDICT

PLAISIR AU VOLANT
QUALITÉ DE FINITION
CONSOMMATION
RAPPORT QUALITÉ / PRIX
VALEUR DE REVENTE
CONFORT

1 5 10

élevée pour un véhicule de ce prix, mais c'est somme toute mineur. Les sièges, toujours aussi bien dessinés, supportent de manière exemplaire et vous laissent savoir que vous êtes au volant de quelque chose de spécial. BMW, comme bien d'autres, a intégré les systèmes Apple CarPlay® et Androïd Auto® à sa liste de disponibilité. Le système i-Drive, après plusieurs années de raffinement, est devenu plus facile à utiliser. En dépit de son format imposant, le X5 ne contient pas beaucoup d'espace à l'arrière. C'est adéquat, mais sans plus, comme l'espace cargo qui laisse un peu à désirer.

TECHNIQUE > Sous le compartiment moteur, vous avez l'embarras du choix. Le modèle le plus écologique est le X5 40e PHEV, un nom plus près de l'expérience de laboratoire que de l'automobile. Son 4-cylindres 2 litres est celui utilisé dans d'autres modèles de la gamme comme le X1. À lui seul, ce moteur développe 241 chevaux. BMW ajoute un moteur électrique qui fait 111 chevaux pour une puissance maximum utilisable de 308 chevaux. Vous pouvez, selon BMW, rouler 31 kilomètres en mode 100 % électrique ou atteindre une moyenne de 9,9 litres aux 100 kilomètres. Les autres mécaniques sont toujours au rendez-vous : du 6-cylindres diesel en passant par la même cylindrée en version essence et le V8 de 4,4 litres qui expose une bande de puissance de 445 à 575 chevaux dans la version M.

AU VOLANT > Il y a des traits de caractère communs à tous les modèles X5. Le silence de roulement et l'excellente insonorisation augmentent à la fois le sentiment de sécurité, la sérénité et le plaisir de conduire. La position de conduite frise la perfection et BMW a toujours pris soin de tenir compte du mot « sport » dans le nom « utilitaire sport ». Votre expérience de conduite est plus dynamique et le conducteur se sent récompensé. Dans tous les modèles (sauf la version diesel), la boîte ZF à 8 rapports seconde les moteurs à merveille. Pas de temps mort ni de perte de motricité; les passages se font avec grande facilité. Même chose pour la transmission intégrale xDrive, qui se moque des saisons et restitue fidèlement le comportement dynamique des motorisations. Un mot pour dire que les 31 kilomètres annoncés en mode 100 % électrique sur la version 40e PHEV par BMW sont un peu optimistes. Nous avons réussi tout juste 20 kilomètres sans abuser de l'accélérateur.

CONCLUSION > Assis entre deux catégories, le X5 va maintenant faire son nid dans le monde des intermédiaires, car le X7 va prendre la relève dans le plus gros et le plus logeable. Fidèles à eux-mêmes, les Allemands rivalisent sur tous les fronts, et bientôt Audi va présenter son Q9. ■

2e OPINION

Charles René

Le BMW X5 est certainement l'un des modèles les plus pertinents que BMW offre à l'heure actuelle. Celui qui a été en quelque sorte l'un des instigateurs du segment des VUS intermédiaires de luxe combine l'aspect pratique d'un véhicule de ce gabarit avec l'ambiance feutrée et luxueuse d'une grande berline de luxe. Le bouquet de moteurs proposés est aussi très complet, allant de l'hybride rechargeable jusqu'aux V8 biturbo explosifs. L'agrément de conduite est aussi présent dans l'équation, surtout si vous optez pour le X5 M, coûteux certes, mais combien impressionnant dans ses aptitudes dynamiques. Pour mériter l'approbation totale, ce X5 devra toutefois relever son jeu sur le plan de la fiabilité, encore problématique selon le magazine *Consumer Reports.*

FICHE TECHNIQUE

MOTEUR(S)

(xDrive35d) L6 3,0 L DACT biturbo diesel
PUISSANCE 258 ch de 5 800 à 6 000 tr/min
COUPLE 413 lb-pi de 1 300 à 5 000 tr/min
RAPPORT POIDS/PUISSANCE 8,4 kg/ch
BOÎTE(S) DE VITESSES automatique à 6 rapports avec mode manuel
PERFORMANCES 0-100 km/h 7,0 s
VITESSE MAXIMALE 210 km/h, option 230 km/h (bridées)

(xDrive40e) L4 2,0 L DACT turbo + moteur électrique
PUISSANCE 241 ch + moteur électrique de 111 ch, 308 ch total maximum
COUPLE 258 lb-pi + mot. élect. 184 lb-pi, 332 lb-pi total maximum
RAPPORT POIDS/PUISSANCE 7,5 kg/ch
BOÎTE(S) DE VITESSES automatique à 8 rapports avec mode manuel
PERFORMANCES 0-100 km/h 6,8 s
VITESSE MAXIMALE 210 km/h (bridée)
CONSOMMATION (100 km) ville 10,2 L route 9,5 L (octane 91) équivalent en mode électrique 4,1 Le
ANNUELLE 1 683 L, 2 272 $
ÉMISSIONS DE CO_2 3 871 kg/an
AUTONOMIE EN MODE ÉLECTRIQUE 31 km

(xDrive35i) L6 3,0 L DACT turbo
PUISSANCE 300 ch de 5 800 à 6 400 tr/min, 320 ch avec ensemble M
COUPLE 300 lb-pi de 1 200 à 1 500 tr/min, 332 lb-pi avec ensemble M
RAPPORT POIDS/PUISSANCE 7,2 kg/ch, 6,8 kg/ch avec ensemble M
BOÎTE(S) DE VITESSES automatique à 8 rapports avec mode manuel
PERFORMANCES 0-100 km/h 6,5 s, 6,1 s avec ensemble M
VITESSE MAXIMALE 210 km/h, option 235 km/h (bridées)
NIVEAU SONORE À 100 km/h Bon
CONSOMMATION (100 km) ville 13,0 L route 9,7 L (octane 91)
ANNUELLE 1 955 L, 2 248 $
ÉMISSIONS DE CO_2 4 496 kg/an

(xDrive50i, M) V8 4,4 L DACT biturbo
PUISSANCE 445 ch de 5 500 à 6 000 tr/min
M 567 ch de 6 000 à 6 500 tr/min
COUPLE 479 lb-pi de 2 000 à 4 500 tr/min
M 553 lb-pi de 2 200 à 5 000 tr/min
RAPPORT POIDS/PUISSANCE 5,2 kg/ch **M** 4,1 kg/ch
BOÎTE(S) DE VITESSES automatique à 8 rapports avec mode manuel
PERFORMANCES 0-100 km/h 5,6 s **M** 4,2 s
VITESSE MAXIMALE 210 km/h **M/option 50i** 250 km/h (bridées)
CONSOMMATION (100 km) ville 15,7 L route 11,4 L
M ville 16,6 L route 12,1 L (octane 91)
ANNUELLE 2 346 L, 3 167 $ **M** 2 482 L, 3 351 $
ÉMISSIONS DE CO_2 5 396 kg/an **M** 5 709 kg/an

AUTRES COMPOSANTS

SÉCURITÉ ACTIVE (certains en option) Freins ABS, assistance au freinage, répartition électronique de la force de freinage, contrôle électronique de la stabilité, antipatinage, assistance au départ en pente, régulateur de vitesse adaptatif, avertisseurs de collision imminente et de sortie de voie, phares automatiques et adaptatifs, affichage tête haute
SUSPENSION avant/arrière indépendante
FREINS avant/arrière disques
DIRECTION à crémaillère, assistée
PNEUS 35i/50i/35d P255/50R19 **40e/option 35i et 50i** P275/40R20 (av.) P315/35R20 (arr.) **M** P285/40R20 (av.) P325/35R20 (arr.) **option M** P285/35R21 (av.) P325/30R21 (arr.)

DIMENSIONS

EMPATTEMENT 2 933 mm
LONGUEUR 4 908 mm **M** 4 894 mm
LARGEUR 1 938 mm **M** 1 985 mm, 2 184 mm (incl. rétro.)
HAUTEUR 1 762 mm **M** 1 717 mm
POIDS 35i 2 173 kg **50i** 2 336 kg **35d** 2 236 kg **40e** 2 368 kg **M** 2 386 kg
RÉPARTITION DU POIDS (av/arr) 50/50 **40e** 46/54 **M** 51/49
DIAMÈTRE DE BRAQUAGE 12,7 m
COFFRE 650 L, 1 870 L (sièges abaissés) **40e** 968L, 2 053 L (sièges abaissés)
RÉSERVOIR DE CARBURANT 85 L
BATTERIE 40e 9,0 kWh
CAPACITÉ DE REMORQUAGE 2 721 kg

LA COTE VERTE

MOTEUR L6 DE 3,0 L TURBO
CONSOMMATION (100 km) ville 13,0 L, route 9,7 L
CONSOMMATION ANNUELLE 1 955 L, 2 639 $
INDICE D'OCTANE 91
ÉMISSIONS POLLUANTES CO_2 4 496 kg/an
(source : ÉnerGuide)

FICHE D'IDENTITÉ

VERSION(S) xDrive35i, xDrive50i, M
TRANSMISSION(S) 4
PORTIÈRES 5 **PLACES** 5, 4 (option)
PREMIÈRE GÉNÉRATION 2009
GÉNÉRATION ACTUELLE 2015
CONSTRUCTION Spartanburg, Caroline du Sud, É.-U.
COUSSINS GONFLABLES 6 (frontaux, latéraux avant, rideaux latéraux)
CONCURRENCE Acura MDX, Audi Q7, Buick Enclave, Cadillac XT5, Infiniti QX60, Land Rover LR4, Land Rover Range Rover Sport, Lincoln MKT, Lincoln MKX, Lexus GX, Lexus RX, Maserati Levante, Mercedes-Benz GLE, Porsche Cayenne, Volkswagen Touareg

AU QUOTIDIEN

COLLISION FRONTALE 5/5
COLLISION LATÉRALE 5/5
VENTES DU MODÈLE L'AN DERNIER
AU QUÉBEC 179 (+10,5 %) **AU CANADA** 1 274 (+42,0 %)
DÉPRÉCIATION (%) 14,4 (3 ans)
RAPPELS (2011 à 2016) 8
COTE DE FIABILITÉ 3/5

GARANTIES... ET PLUS

GARANTIE GÉNÉRALE 4 ans/80 000 km
GROUPE MOTOPROPULSEUR 4 ans/80 000 km
PERFORATION 12 ans/kilométrage illimité
ASSISTANCE ROUTIÈRE 4 ans/kilométrage illimité
NOMBRE DE CONCESSIONNAIRES
AU QUÉBEC 8 **AU CANADA** 44

NOUVEAUTÉS EN 2017

Phares adaptatifs à DEL et système iDrive avec écran tactile de série, remaniement des groupes d'options, ensemble fibre de carbone disponible sur X6 50i.

STÉRÉOTYPÉ

Sur la route, certains véhicules sont associés immédiatement à un type de stéréotypes. Dans le cas du BMW X6 d'occasion, ce sera un « douche bag »; s'il est flambant neuf, ce sera un architecte ou un designer très tendance, tiré à quatre épingles, en complet Armani et à la coiffure impeccable. Le X6 est une affirmation de son style, de l'image que l'on veut projeter, une question de paraître.

Luc-Olivier Chamberland

TOUR DU PROPRIÉTAIRE > Flamboyant est le premier mot qui nous vient à l'esprit. Que l'on aime ou pas la configuration Coupé d'un VUS, les designers ont joué d'audace, et le public a bien répondu. Pour illustrer sa popularité, pas moins de 250 000 unités de la première génération ont trouvé preneur. Le X6 dérive de son frère, le X5. On doit se déplacer au pilier B pour voir les premières différences. Le toit s'effondre pour inclure l'imposant hayon. Distinctifs, les feux sont plus élevés, à la base de la lunette. En complément, il utilise une sélection de roues de 19 et 20 pouces toutes plus originales les unes que les autres. En matière de dynamisme, les ensembles M Sport et M Performance s'invitent. Le X6 M repousse l'indécence avec des extrémités plus agressives et des roues de 21 pouces. Impossible de passer inaperçu à son volant.

+
- DESIGN EXCEPTIONNEL
- QUALITÉ DE L'HABITACLE
- CHOIX DE MOTORISATIONS

–
- FIABILITÉ TOUJOURS PROBLÉMATIQUE
- COÛTS DES OPTIONS INDÉCENTS
- ENTRETIEN DISPENDIEUX

MENTIONS

CLÉ D'OR · CHOIX VERT · COUP DE CŒUR · RECOMMANDÉ

VERDICT

PLAISIR AU VOLANT
QUALITÉ DE FINITION
CONSOMMATION
RAPPORT QUALITÉ / PRIX
VALEUR DE REVENTE
CONFORT

1 5 10

VIE À BORD > Si flamboyant définit l'extérieur, alors somptueuse définit la présentation intérieure. Identiques au X5, les formes voluptueuses s'entremêlent. Les matériaux de première facture se juxtaposent pour donner une allure moderne et prestigieuse. À l'instrumentation, on obtient un écran supplémentaire pour la diffusion d'informations. L'équipement est plus que complet, notamment avec le moniteur de 10,25 pouces. L'ergonomie pose quelques défis, plusieurs interfaces sont compliquées. Les boutons restants sont de taille réduite, ce qui rend leur manipulation difficile. Le confort est appréciable, mais il y a des variations selon notre place. À l'avant, on jouit d'un siège exceptionnel. Les supports sont parfaits et l'on peut les ajuster à l'infini. À l'arrière, les choses se compliquent un peu. L'accès pose problème en raison de la forte inclinaison du toit. Une fois assis, ce n'est pas vilain, mais les adultes s'y sentiront à l'étroit. Bien que le hayon soit un obstacle, il offre une aire de 580 à 1 525 litres.

TECHNIQUE > Ne pensez pas hybride ou motorisations alternatives. Pour être poli, un V6 turbo de 3 litres de 300 chevaux fait office d'ouverture pour la gamme. Même s'il s'agit du petit moteur du X6, les accélérations n'ont rien de gênant : 6,4 secondes pour le 0-100 km/h. Au centre, on passe directement au V8 biturbo de 4,4 litres et 445 chevaux. Oubliez la permanente, les 4,8 secondes du 0-100 km/h vous défriseront ! Les puristes vont instinctivement se tourner vers la « bête », le X6 M. Il récupère le même bloc de 4,4 litres, mais les ingénieurs de BMW ont réussi à extirper 567 chevaux et un couple suffisant pour causer un tremblement de terre. Idéal pour la fuite, on atteint les 100 km/h en 4,2 secondes. Toutes les versions arrivent avec une exceptionnelle boîte automatique à 8 rapports avec mode manuel. La transmission intégrale xDrive s'invite partout.

AU VOLANT > Le X6 pèse, à quelques livres près, le poids d'un rhinocéros, c'est-à-dire 2 155 kilos. Toutefois, avec sa puissance et sa vélocité, on a l'impression de danser avec une ballerine ! Agile, les composantes électroniques nous aident constamment. BMW se fait un point d'honneur d'intégrer différents modes de conduite. ECO PRO permet une « saine » gestion des paramètres pour réduire la consommation de 20 %... Bonne chance ! Au volant d'un tel bolide, on s'amourache des configurations Sport et Sport + qui débrident le X6. Les composantes mécaniques adoptent leurs programmations dynamiques maximales. C'est à ce moment que l'on comprend pourquoi il y a le mot Sport dans « Sport Activity Vehicle ».

CONCLUSION > Le X6 se veut un produit qui repousse les limites à l'extrême et qui affiche à la fois le style de vie et le statut social de son conducteur. Sur ces deux points, il est difficile de trouver mieux, quoique Mercedes-Benz a introduit une parfaite réplique avec le GLE Coupé. À vous de choisir entre l'hélice et l'étoile ! ■

2e OPINION

Daniel Rufiange

Lorsque le X6 a été présenté, de nombreux observateurs ne se sont pas gênés pour annoncer sa mort prochaine. Ses formes rondouillardes, son allure quelque peu bouffonne, son côté peu pratique et son appétit pour le pétrole étaient autant d'éléments servant à appuyer les prédictions les plus pessimistes. L'an dernier, au moment où on présentait le modèle de deuxième génération, on apprenait que le 250 000e exemplaire avait été produit, et le modèle se dirige, lentement mais sûrement, vers le demi-million d'unités. Le X6 n'est pas plus pratique aujourd'hui qu'hier, mais au volant, il nous permet de vivre une expérience peu commune, soit celle de conduire un char d'assaut. Voilà, en partie du moins, une des raisons qui explique son succès. Car, sur le simple plan de la rationalité, c'est non.

FICHE TECHNIQUE

MOTEUR(S)

(xDrive35i) L6 3,0 L DACT turbo
PUISSANCE 300 ch de 5 800 à 6 250 tr/min
COUPLE 300 lb-pi de 1 300 à 1 500 tr/min
RAPPORT POIDS/PUISSANCE 7,2 kg/ch
BOÎTE(S) DE VITESSES automatique à 8 rapports avec mode manuel et manettes au volant
PERFORMANCES 0-100 km/h 6,4 s
VITESSE MAXIMALE 210 km/h, option 235 km/h (bridées)

(xDrive50i) V8 4,4 L DACT biturbo
PUISSANCE 445 ch de 5 500 à 6 000 tr/min
COUPLE 479 lb-pi de 2 000 à 4 500 tr/min
RAPPORT POIDS/PUISSANCE 5,3 kg/ch
BOÎTE(S) DE VITESSES automatique à 8 rapports avec mode manuel et manettes au volant
PERFORMANCES 0-100 km/h 4,8 s
REPRISE 80-115 km/h 3,3 s
FREINAGE 100-0 km/h 38,5 m
NIVEAU SONORE À 100 km/h Moyen
VITESSE MAXIMALE 210 km/h, option 250 km/h (bridées)
CONSOMMATION (100 km) ville 15,7 L, route 11,4 L (octane 91)
ANNUELLE 2 346 L, 3 167 $
ÉMISSIONS DE CO_2 5 396 kg/an

(M) V8 4,4 L DACT biturbo
PUISSANCE 567 ch de 6 000 à 6 500 tr/min
COUPLE 553 lb-pi de 2 200 à 5 000 tr/min
RAPPORT POIDS/PUISSANCE 4,1 kg/ch
BOÎTE(S) DE VITESSES automatique à 8 rapports avec mode manuel et manettes au volant
PERFORMANCES 0-100 km/h 4,2 s
REPRISE 80-115 km/h 3,3 s
FREINAGE 100-0 km/h 38,5 m
NIVEAU SONORE À 100 km/h Moyen
VITESSE MAXIMALE 250 km/h (bridée)
CONSOMMATION (100 km) ville 16,6 L, route 12,1 L (octane 91)
ANNUELLE 2 482 L, 3 351 $
ÉMISSIONS DE CO_2 5 709 kg/an

AUTRES COMPOSANTS

SÉCURITÉ ACTIVE (certains en option) Freins ABS, assistance au freinage, répartition électronique de la force de freinage, contrôle électronique de la stabilité, antipatinage, assistance au départ en pente et assistance en descente, régulateur de vitesse adaptatif, avertisseur de sortie de voie, phares automatiques et adaptatifs, affichage tête haute
SUSPENSION avant/arrière indépendante, pneumatique adaptative en option
FREINS avant/arrière disques
DIRECTION à crémaillère, assistée électriquement
PNEUS P275/40R20 (av.) P315/35R20 (arr.) **option 35i/50i** P255/50R19
M P285/40R20 (av.) P325/35R20 (arr.) **option** P285/35R21 (av.) P325/30R21 (arr.)

DIMENSIONS

EMPATTEMENT 2 933 mm **LONGUEUR** 4 909 mm
LARGEUR 1 989 mm, 2 170 mm (incl. rétro.) **HAUTEUR** 1 702 mm
POIDS xDrive35i 2 155 kg **xDrive50i** 2 345 kg **M** 2 352 kg
RÉPARTITION DU POIDS AV/ARR (%) 50/50
DIAMÈTRE DE BRAQUAGE 12,8 m **COFFRE** 580 L, 1 525 L (sièges abaissés)
RÉSERVOIR DE CARBURANT 85 L
CAPACITÉ DE REMORQUAGE 750 kg, 2 700 kg (remorque avec freins)

LA COTE VERTE

MOTEUR W16 DE 8,0 L QUADRUPLE TURBO
CONSOMMATION (100 km) 23,0 L (est.)
CONSOMMATION ANNUELLE 3 910 L, 5 279 $
INDICE D'OCTANE 91
ÉMISSIONS POLLUANTES CO_2 8 993 kg/an
(source : L'Annuel)

FICHE D'IDENTITÉ

VERSION(S) unique
TRANSMISSION(S) 4
PORTIÈRES 2 **PLACES** 2
PREMIÈRE GÉNÉRATION 2017
GÉNÉRATION ACTUELLE 2017
CONSTRUCTION Molsheim, France
COUSSINS GONFLABLES ND
CONCURRENCE Ferrari LaFerrari, Pagani Huayra

AU QUOTIDIEN

COLLISION FRONTALE nm
COLLISION LATÉRALE nm
VENTES DU MODÈLE L'AN DERNIER
AU QUÉBEC nm **AU CANADA** nm
DÉPRÉCIATION (%) nm
RAPPELS (2011 à 2016) nm
COTE DE FIABILITÉ nm

GARANTIES... ET PLUS

GARANTIE GÉNÉRALE ND
GROUPE MOTOPROPULSEUR ND
PERFORATION ND
ASSISTANCE ROUTIÈRE ND
NOMBRE DE CONCESSIONNAIRES
AU QUÉBEC ND **AU CANADA** ND

NOUVEAUTÉS EN 2017

Nouveau modèle, production limitée à 500 exemplaires.

DÉJÀ UNE AUTRE LÉGENDE

Louis Alexandre Chiron, voilà d'où vient le nom. Ce Monégasque, né en 1899, fut l'un des plus mémorables pilotes de sa génération. Il se distingua au Grand Prix de France de 1926, ce qui lui permit d'obtenir l'attention de nul autre qu'Ettore. Dès lors, il devint le conducteur principal de l'écurie de Molsheim. Même s'il quitta l'entreprise en 1933 pour Mercedes-Benz et Ferrari par la suite, il demeura une figure marquante de Bugatti en course. Déjà, en 1999, sous l'emprise de Volkswagen, on baptisa un prototype en son honneur, l'EB 18/3 Chiron. Dix-huit ans plus tard, on lui accorda l'ultime reconnaissance avec une voiture de production portant son nom.

Luc-Olivier Chamberland

TOUR DU PROPRIÉTAIRE > Après les dix années de la Veyron, les attentes étaient élevées. Spectaculaire, Bugatti offre une prémisse de la Chiron lors de la présentation du Concept Vision GT 2015, créé de toutes pièces pour le jeu vidéo du même nom. Les designers en sont restés extrêmement proches. On la reconnaît comme la succession de la Veyron et plus particulièrement de la Type 57SC Atlantic 1938. Les détails se multiplient

\+ **TOUR DE FORCE TECHNOLOGIQUE**
DESIGN INTEMPOREL
PUISSANCE IRRÉELLE

\- **PRIX INIMAGINABLE**
ASPECT PRATIQUE NUL
CONSOMMATION ÉHONTÉE

MENTIONS

CLÉ D'OR | CHOIX VERT | COUP DE CŒUR | RECOMMANDÉ

VERDICT

PLAISIR AU VOLANT
QUALITÉ DE FINITION
CONSOMMATION
RAPPORT QUALITÉ / PRIX
VALEUR DE REVENTE
CONFORT

1 5 10

comme les blocs optiques intégrant chacun quatre rectangles à DEL. Un grand cadre métallique encercle les portières et la custode, puis se projette vers l'avant. À l'arrière, à la façon « Kamm Tail », un feu s'étire sur la largeur grillagée permettant l'aération de la mécanique. Chacune sera unique, Bugatti refuse de produire deux Chiron identiques.

VIE À BORD > On obtient une planche de bord scindée en deux par une vaste pièce de fibre de carbone à nu. Elle intègre deux arches recouvertes de cuir devant les passagers. Les appliques en aluminium s'y mélangent avec leur fini soyeux. On prend le soin de mettre un arceau au plafond qui copie ceux de la carrosserie. Contrairement à la Veyron, la Chiron offre un environnement fonctionnel et truffé de technologies. La nacelle d'instrumentation joue d'ingéniosité avec son cadran central flanqué de chaque côté par des écrans servant notamment à la diffusion de la navigation et d'une collection de gadgets. Exiguë, la Chiron accorde peu d'espace et un coffre restreint à 44 litres. Heureusement, Bugatti s'est associée au couturier Giorgio Armani pour la confection de valises en croco sur mesure.

TECHNIQUE > Né de la démesure, le W16 de 8 litres de l'ancienne Veyron s'impose. Bugatti affirme que chacune des pièces et composantes du moteur a été revue et améliorée. Avec les chiffres obtenus, on y croit. La cavalerie passe de 1200 chevaux à 1479 chevaux, une hausse de 25 %. On doit cette orgie de pur-sang à l'apport de 4 turbocompresseurs avec une suralimentation étagée. Le couple atteint 1180 livres-pieds dès 2000 tours/minute, et ce, jusqu'à 6 000 tours/minute. La vélocité ne prend pas de pause. Bugatti affirme que l'on « commence » à voir une « baisse » du rendement uniquement lorsque l'on excède les 400 km/h... Pour maximiser l'adhérence, la Chiron adopte une transmission intégrale juxtaposée à une boîte de vitesse à 7 rapports à double embrayage.

AU VOLANT > On arrive une fois de plus à dépasser l'entendement. Quelques chiffres pour comprendre : 0-100 km/h : 2,5 secondes; 0-200 km/h : 6,5 secondes; 0-300 km/h : 13,6 secondes. Étonnamment, Bugatti n'a pas encore exécuté les tests de vitesse maximale. Tout ce que l'on sait : elle sera limitée à 420 km/h pour des raisons de sécurité... Des rumeurs soutiennent que le patron de la marque Wolfgang Dürheimer aurait enregistré une pointe à 467 km/h, sans l'officialiser. Au freinage, on invite la science pour mettre un terme aux élans de la Chiron. Comme sur l'ancienne génération, la notion d'aérodynamisme reste d'actualité avec le déploiement d'un aileron qui sert de stabilisateur et de pression négative lorsque l'on veut ralentir la voiture.

CONCLUSION > Voiture de tous les records, la Chiron sera assemblée à 500 unités au terme de sa production. Évidemment, dans ce chiffre, on inclut la panoplie d'éditions spéciales, le cabriolet et une autre série hommage. Le prix d'entrée ? 2,4 millions d'euros. Dépêchez-vous, le tiers est vendu ! ■

FICHE TECHNIQUE

MOTEUR(S)

(CHIRON) W16 8,0 L DACT quadruple turbo
PUISSANCE 1 479 ch à 8 250 tr/min
COUPLE 1 180 lb-pi de 2 000 à 6 000 tr/min
RAPPORT POIDS/PUISSANCE 1,35 kg/ch
BOITE(S) DE VITESSES manuelle robotisée à 7 rapports
PERFORMANCES 0 à 100 km/h 2,5 s
REPRISE 80-115 km/h 1,2 s
FREINAGE 100-0 km/h ND
VITESSE MAXIMALE 420 km/h

AUTRES COMPOSANTS

SÉCURITÉ ACTIVE Freins ABS, assistance au freinage, répartition électronique de la force de freinage, contrôle électronique de la stabilité, antipatinage
SUSPENSION avant/arrière indépendante, adaptative
FREINS avant/arrière disques
DIRECTION à crémaillère, assistée
PNEUS P285/30R20 (av.) P355/25R21 (arr.)

DIMENSIONS

EMPATTEMENT 2 710 mm
LONGUEUR 4 463 mm
LARGEUR 2 012 mm
HAUTEUR 1 210 mm
POIDS 1 995 kg
RÉPARTITION DU POIDS AV/ARR (%) ND
DIAMÈTRE DE BRAQUAGE ND
COFFRE 44 L
RÉSERVOIR DE CARBURANT ND

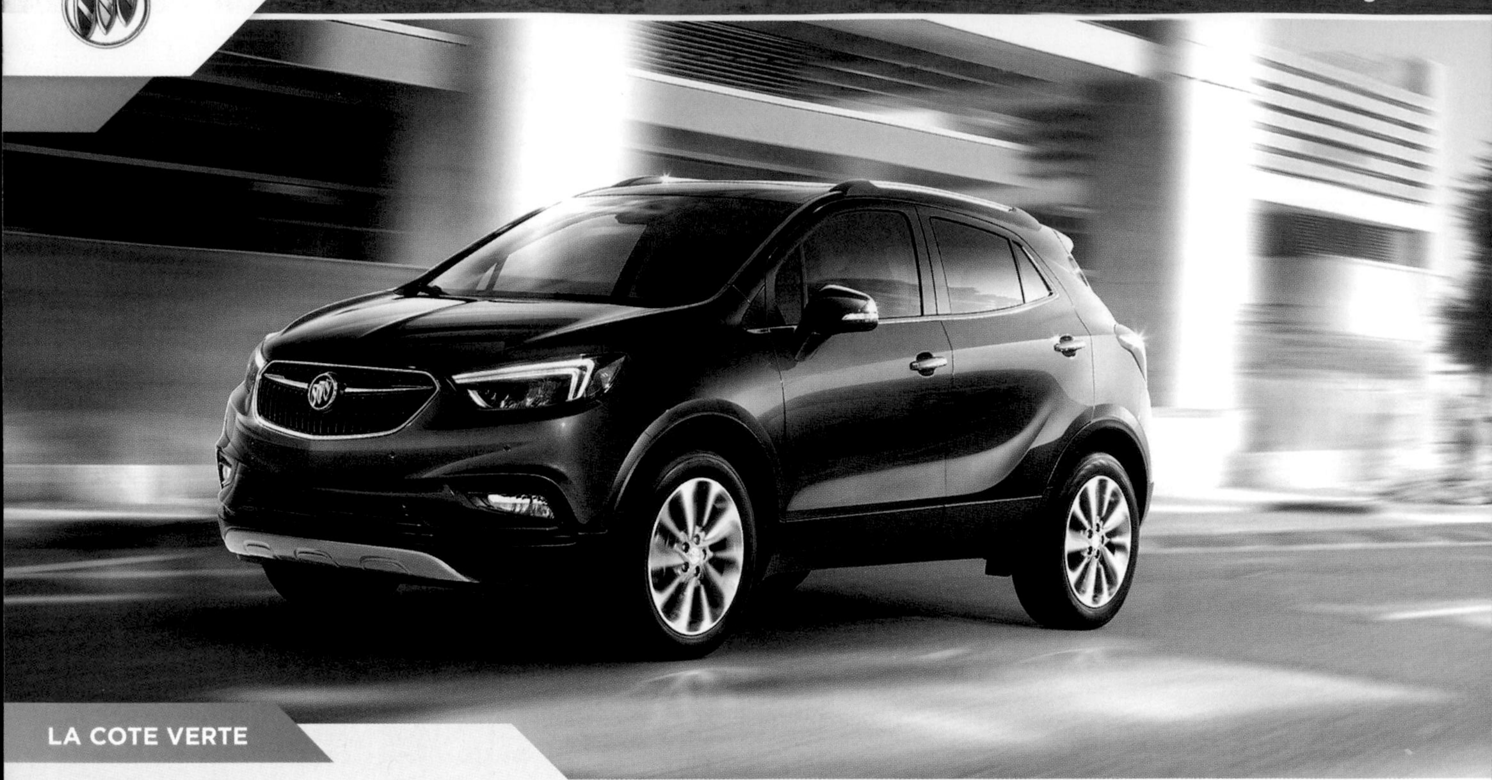

LA COTE VERTE

MOTEUR L4 DE 1,4 L TURBO
CONSOMMATION (100 km) 2RM ville 9,5L route 7,2 L
2RM Sport Touring ville 8,5 L route 6,9 L **4RM** ville 10,2 L route 8,0 L
4RM port Touring ville 8,9 L route 7,4 L
CONSOMMATION ANNUELLE 2RM 1 445 L, 1 734 $ **2RM ST** 1 326 L, 1 591 $
4RM 1 564 L, 1 877 $ **4RM ST** 1 394 L, 1 673 $
INDICE D'OCTANE 87
ÉMISSIONS POLLUANTES CO_2 2RM 3 323 kg/an
2RM ST 3 050 kg/an **4RM** 3 597 kg/an **4RM ST** 3 206 kg/an
(source : ÉnerGuide)

FICHE D'IDENTITÉ

VERSION(S) Base, Sport Touring, Commodité, Cuir, Haut de gamme
TRANSMISSION(S) avant, 4
PORTIÈRES 5 **PLACES** 5
PREMIÈRE GÉNÉRATION 2013
GÉNÉRATION ACTUELLE 2013
CONSTRUCTION Bupyeong, Corée du Sud
COUSSINS GONFLABLES 10 (frontaux, latéraux avant et arrière, genoux conducteur et passager avant, rideaux latéraux)
CONCURRENCE Audi Q3, BMW X1, Infiniti QX30, Mercedes-Benz GLA, MINI Countryman

AU QUOTIDIEN

COLLISION FRONTALE 5/5
COLLISION LATÉRALE 5/5
VENTES DU MODÈLE L'AN DERNIER
AU QUÉBEC 1 184 (-5,1 %) **AU CANADA** 4 915 (-13,5 %)
DÉPRÉCIATION (%) 27,6 (3 ans)
RAPPELS (2011 à 2016) 7
COTE DE FIABILITÉ 3/5

GARANTIES… ET PLUS

GARANTIE GÉNÉRALE 4 ans/80 000 km
GROUPE MOTOPROPULSEUR 6 ans/110 000 km
PERFORATION 6 ans/kilométrage illimité
ASSISTANCE ROUTIÈRE 6 ans/110 000 km
NOMBRE DE CONCESIONNAIRES AU QUÉBEC 53 **AU CANADA** 450

NOUVEAUTÉS EN 2017

Nouvelle version Sport Touring. Retouches esthétiques extérieures et intérieures, Apple CarPlay® et Android Auto®, écran de 8 po., déverrouillage des portes et démarrage sans clé, nouvelles jantes 18 po., 3 nouvelles couleurs: cerise noire métallique, ébène métallique et blanc frimas métallique.

DANS LE COUP DEPUIS LE DÉBUT

Quatre ans après ses premiers tours de roues sur nos routes, le plus petit des véhicules Buick vendus chez nous reçoit de l'aide amplement méritée. Si certains doutaient du succès de ce multisegment de poche au début, les chiffres de ventes parlent d'eux-mêmes, surtout aux États-Unis, où le cousin du Chevrolet Trax réussit même à prendre la pôle au sein de la gamme Buick. Chez nous, il n'est devancé que par la berline Verano, mais on peut aisément parler d'une réussite au nord du 49e parallèle.

Vincent Aubé

TOUR DU PROPRIÉTAIRE > Force est d'admettre que la division design avait réussi un coup de maître en remodelant la silhouette de l'Opel Mokka pour l'adapter à la sauce Buick en 2013. Mais étant donné le nombre de nouveaux véhicules au sein de la catégorie, une refonte de mi-parcours s'imposait. C'est ce qui explique ce nouveau bouclier inspiré entre autres de la nouvelle LaCrosse mais également des plus récents prototypes de la marque américaine. Sans révolutionner le micro-VUS, cette grille de calandre redessinée réussit presque à masquer le fait qu'il s'agit d'un léger réajustement. Qui plus est, ces phares de nouvelle facture sont franchement jolis avec cette signature aux feux à diodes électroluminescentes. Le reste de la robe demeure fidèle au design original, même si, dans les faits, les feux de position présentent un nouveau dessin. Idem pour le pare-chocs et les roues.

+
- DESIGN AMÉLIORÉ
- BELLE FINITION INTÉRIEURE
- AGILITÉ URBAINE

−
- MÉCANIQUE POUSSIVE
- TRANSMISSION HÉSITANTE
- PAS AUSSI UTILITAIRE QU'IL EN A L'AIR

MENTIONS

CLÉ D'OR | CHOIX VERT | COUP DE CŒUR | **RECOMMANDÉ**

VERDICT

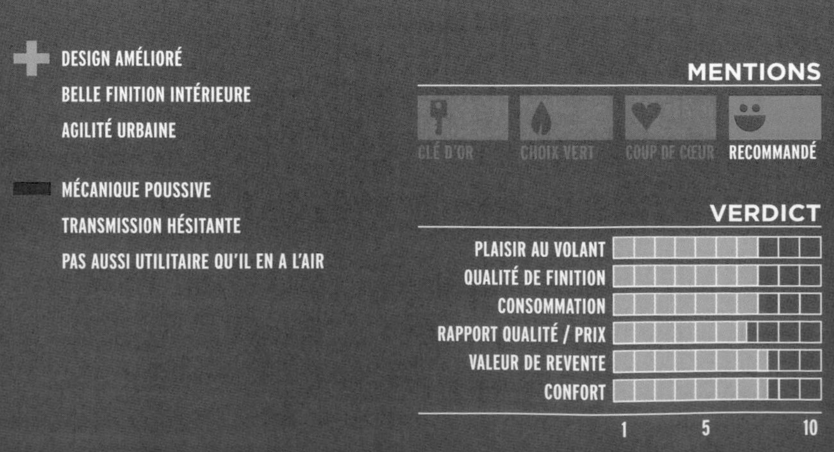

VIE À BORD > Avec cette concurrence de plus en plus féroce, Buick se devait de revoir l'habitacle de son populaire véhicule, à l'instar du Trax, qui change aussi en 2017. La planche de bord change entièrement de forme. À l'intérieur de celle-ci se cache un nouveau bloc d'instrumentation doté d'un écran de 4,2 pouces servant à illustrer une panoplie d'informations utiles au conducteur. L'écran principal, celui qui se trouve au centre du tableau de bord, a quant à lui une grandeur de 8 pouces et abrite l'excellent système de General Motors, appelé *Intellilink* chez Buick. Sans surprise, la connexion sans fil 4G LTE s'ajoute à la longue liste d'équipement monté à bord, même s'il est permis de discuter de l'utilité d'un tel dispositif. De plus, les systèmes de connectivité Apple CarPlay® et Android Auto® sont également offerts de série, tout comme le bouton-poussoir du démarreur et la clé intelligente. Le constructeur a également cherché à améliorer la perception de qualité, les matériaux étant de meilleure qualité à bord.

TECHNIQUE > Si la coquille et ce qu'elle contient changent cette année, ce qui la propulse demeure en poste sans aucun changement. En effet, le moteur 4 cylindres turbo à injection directe de 1,4 litre de cylindrée répond toujours présent, sa puissance et son couple n'ayant pas augmenté ou diminué au passage. Accouplée à ce moulin, la boîte de transmission automatique à 6 rapports s'occupe d'acheminer la puissance aux roues avant ou, dans certains cas, aux quatre roues. Notez que le moteur de 1,4 litre ajouté l'an dernier dans la livrée Sport Touring revient lui aussi. Il s'avère un brin plus puissant à 155 chevaux-vapeur de puissance et 177 livres-pieds de couple.

AU VOLANT > Malgré sa robe utilitaire, le Buick Encore a surtout été élaboré pour survivre aux obstacles de la ville. Sa position de conduite légèrement surélevée par rapport à une sous-compacte séduit les consommateurs, tout comme le silence de roulement à bord d'ailleurs. Ses dimensions réduites sont également un gage de succès lorsqu'il est question de manœuvrer en ville. La direction de ce diminutif véhicule est fortement assistée, tandis que la suspension se fait plus molle que celle du Trax. La mécanique calibrée pour économiser un maximum de carburant n'est pas exactement synonyme de dynamisme, la boîte automatique cherchant constamment à trouver le rapport approprié. À la défense du Buick Encore, disons seulement que la clientèle n'est pas nécessairement à la recherche d'un bolide non plus.

CONCLUSION > Le géant américain a parfois dû essuyer des critiques en ce qui a trait à son manque de vision. Dans le cas du Buick Encore, GM était prête pour profiter de cette nouvelle vague de micromultisegments. Le produit n'est pas parfait, mais au moins, il est connu du public. C'est déjà un accomplissement pour la marque américaine! Joli, agile et même relativement bien ficelé, le Buick Encore mériterait une mécanique plus pimentée. Du moins, c'est ce que l'on croit! ■

2e OPINION

Antoine Joubert

La clientèle craque pour le Buick Encore. Pourquoi? Pour son style très aguichant, bien sûr, mais également parce que le format pratique et la position de conduite élevée font de lui un véhicule maniable en milieu urbain, et procurant un fort sentiment de sécurité. Les nombreuses caractéristiques de luxe proposées ainsi que le confort général de l'habitacle figurent également parmi les points positifs de ce modèle, qui peut hélas monter rapidement en prix lorsqu'on l'équipe de façon marquée. Retenez donc que l'Encore est un Chevrolet Trax endimanché, plus joli et plus cossu, mais qui ne peut se comparer à des modèles comme l'Audi Q3 ou l'Infiniti QX30. Ainsi, débourser 28 000 $ ou 30 000 $ pour l'Encore peut être raisonnable, mais en le fardant d'options, vous pourriez frôler les 40 000 $. Et ça, c'est impensable...

FICHE TECHNIQUE

MOTEUR(S)

(ENCORE) L4 1,4 L DACT turbo
PUISSANCE 138 ch à 4 900 tr/min
COUPLE 148 lb-pi à 1 850 tr/min
RAPPORT POIDS/PUISSANCE 2RM 10,0 kg/ch **4RM** 10,7 kg/ch
BOITE(S) DE VITESSES automatique à 6 rapports avec mode manuel
PERFORMANCES 0 à 100 km/h 10,5 s
REPRISE 80-115 km/h 7,3 s
FREINAGE 100-0 km/h 43,5 m
NIVEAU SONORE À 100 km/h Bon
VITESSE MAXIMALE 185 km/h

(Sport Touring) L4 1,4 L DACT turbo
PUISSANCE 155 ch à 5 600 tr/min
COUPLE 177 lb-pi de 2 000 à 4 000 tr/min
RAPPORT POIDS/PUISSANCE 2RM 9,0 kg/ch **4RM** 9,6 kg/ch
BOITE(S) DE VITESSES automatique à 6 rapports avec mode manuel
PERFORMANCES 0 à 100 km/h 9,5 s
REPRISE 80-115 km/h 7,0 s
FREINAGE 100-0 km/h 43,5 m
NIVEAU SONORE À 100 km/h Bon
VITESSE MAXIMALE 195 km/h

AUTRES COMPOSANTS

SÉCURITÉ ACTIVE (certains en option) Freins ABS, assistance au freinage, répartition électronique de la force de freinage, contrôle électronique de la stabilité, aide au démarrage en pente, antipatinage, avertisseurs de sortie de voie, d'obstacle latéral et arrière et de collision imminente, essuie-glaces automatiques
SUSPENSION avant/arrière indépendante/semi-indépendante
FREINS avant/arrière **2RM** disques/tambours **4RM** disques
DIRECTION à crémaillère, assistée électriquement
PNEUS P215/55R18

DIMENSIONS

EMPATTEMENT 2 555 mm
LONGUEUR 4 278 mm
LARGEUR 1 774 mm
HAUTEUR 1 658 mm
POIDS 2RM 1 382 kg **4RM** 1 476 kg
DIAMÈTRE DE BRAQUAGE 11,2 m
COFFRE 533 L, 1 371 L (sièges abaissés)
RÉSERVOIR DE CARBURANT 53 L
CAPACITÉ DE REMORQUAGE Non recommandé

LA COTE VERTE

MOTEUR L4 DE 2,0 L TURBO
CONSOMMATION (100 km) ville 11,8 L, route 9,1 L
CONSOMMATION ANNUELLE 1 802 L, 2 433 $
INDICE D'OCTANE 91
ÉMISSIONS POLLUANTES CO_2 4 145 kg/an
(source : ÉnerGuide)

FICHE D'IDENTITÉ

VERSION(S) Haut de gamme I, Haut de gamme II
TRANSMISSION(S) 4
PORTIÈRES 5 **PLACES** 5
PREMIÈRE GÉNÉRATION 2016
GÉNÉRATION ACTUELLE 2016
CONSTRUCTION Yantai, Chine
COUSSINS GONFLABLES 10 (frontaux, genoux, latéraux avant et arrière, rideaux latéraux)
CONCURRENCE Acura RDX, Audi Q5, BMW X3, Infiniti QX50, Jaguar F-Pace, Land Rover Dicovery Sport/Range Rover Evoque, Lexus NX, Lincoln MKC, Mercedes-Benz GLC, Porsche Macan, Volvo XC60

AU QUOTIDIEN

COLLISION FRONTALE nm
COLLISION LATÉRALE nm
VENTES DU MODÈLE L'AN DERNIER
AU QUÉBEC nm **AU CANADA** nm
DÉPRÉCIATION (%) nm
RAPPELS (2011 à 2016) nm
COTE DE FIABILITÉ nm

GARANTIES... ET PLUS

GARANTIE GÉNÉRALE 4 ans/80 000 km
GROUPE MOTOPROPULSEUR 5 ans/160 000 km
PERFORATION 6 ans/kilométrage illimité
ASSISTANCE ROUTIÈRE 5 ans/160 000 km
NOMBRE DE CONCESIONNAIRES
AU QUÉBEC 53 **AU CANADA** 450

NOUVEAUTÉS EN 2017

Nouveau modèle

LE CHAÎNON MANQUANT EST CHINOIS

Avant que ne commence le déferlement des marques d'autos et de camions chinois en Amérique du Nord (ce à quoi nous assisterons bientôt, soyez-en sûr) et que vous ayez à choisir entre une Geely, une Honda, une Chevrolet ou une Chery, vous aurez eu l'occasion d'acheter un utilitaire construit dans l'Empire du Milieu qui a toutefois une origine « étatsunienne ». Ce véhicule arbore d'ailleurs l'écusson d'une marque centenaire connue. C'est le Buick Envision.

Luc Gagné

TOUR DU PROPRIÉTAIRE > Par l'esthétique élégante de sa silhouette, l'Envision s'harmonise parfaitement aux Buick Encore et Enclave. Ses dimensions généreuses en font aussi un rival intéressant dans sa catégorie. L'acheteur typique de l'Audi Q5 ou de l'Acura RDX, qui la dominent, pourrait être tenté. Pour qu'il soit dans le ton des tendances actuelles, GM l'a donc doté d'un toit vitré panoramique (en option), de feux diurnes et de feux arrière à DEL, et d'un hayon à ouverture assistée. Les phares se contentent cependant d'ampoules halogènes, sauf pour la version haut de gamme, qui bénéficie de projecteurs à décharge à haute intensité.

+
- **SILHOUETTE ÉLÉGANTE**
- **DOTATION ATTRAYANTE**
- **FORMAT RECHERCHÉ**

–
- **VOLUME DU COFFRE MOYEN**
- **GAMME PEU DIVERSIFIÉE**

MENTIONS

CLÉ D'OR | CHOIX VERT | COUP DE CŒUR | RECOMMANDÉ

VERDICT

	Note (1 à 10)
PLAISIR AU VOLANT	nm
QUALITÉ DE FINITION	nm
CONSOMMATION	nm
RAPPORT QUALITÉ / PRIX	nm
VALEUR DE REVENTE	nm
CONFORT	nm

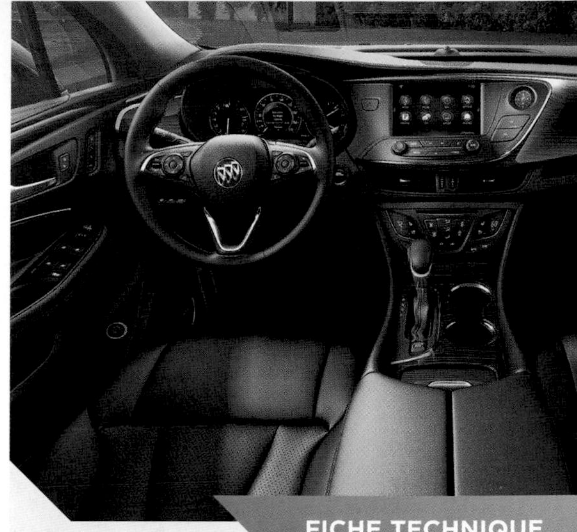

VIE À BORD > L'intérieur peut accueillir confortablement quatre adultes de taille moyenne avec presque autant d'espace que dans un RDX. On dénote un peu plus de dégagement à la tête devant comme derrière et un tantinet moins d'espace pour les genoux. La dotation comprend, entre autres, des sièges chauffants (avant et arrière), un volant chauffant de même qu'un système de climatisation à triple zone. Il y a aussi un système d'infodivertissement IntelliLink avec écran tactile de 8 pouces, quatre connexions USB et l'incontournable service OnStar, en option, capable de transformer ce véhicule en base Wi-Fi avec le service 4G LTE. Bien que l'Envision ait une carrosserie à peine plus courte que celle de l'Acura (-19 mm), les cotes de volume utile de son coffre révèlent une différence. Avec les dossiers rabattables asymétriques de la banquette arrière en place, le volume utile est comparable et généreux. Par contre, lorsque les dossiers sont repliés, le volume utile est 26 % inférieur à celui de l'utilitaire nippon. Ce dernier sera donc peut-être plus pratique si vous êtes un adepte des tournées d'antiquaires!

TECHNIQUE > Le 4-cylindres de 2 litres à turbocompresseur est une variante d'un moteur Ecotec à injection directe utilisé pour la Verano. Il développe une puissance et un couple comparables à ce que produit le V6 de 3,5 litres atmosphérique du RDX. Doté d'un dispositif d'arrêt-démarrage automatique au ralenti, il partage une boîte de vitesse automatique Hydra-Matic à 6 rapports avec mode manuel utilisée pour la Buick Regal avec le même moteur. Seul le rapport final est supérieur. Dans le cas de l'Envision, elle entraîne les quatre roues motrices par l'intermédiaire d'une transmission intégrale à double embrayage, une nouveauté de la marque. La consommation moyenne de carburant est comparable à celle du RDX à un dixième de litre aux 100 kilomètres près. Le constructeur recommande d'utiliser du carburant super sans toutefois l'imposer, un carburant que le V6 du RDX devrait également employer, selon Honda. GM offre également un 4-cylindres atmosphérique de 2,5 litres pour les Envision plus abordables. Les versions à deux roues motrices (avant) munies de ce moteur demeurent cependant exclusives aux États-Unis.

AU VOLANT > Au moment d'écrire ces lignes, la presse nord-américaine n'avait pas été conviée à faire l'essai de l'Envision – pas même avec des modèles 2016, qui étaient pourtant sur le marché dès le mois de juin. En revanche, les chiffres publiés par GM permettent de croire que ce véhicule livrera des performances semblables à celles de ses rivaux. Quant à ses prestations routières, elles feront l'objet de commentaires plus tard. Il est intéressant de noter que GM met beaucoup d'accent sur le fait que l'Envision a été conçu aux États-Unis. En effet, certains voisins du Sud apprécient peu qu'il soit assemblé en Chine. C'est pourtant logique. En 2015, les Chinois ont acheté 80 % de la production mondiale de la marque, soit près d'un million de véhicules Buick. C'est tout dire.

CONCLUSION > L'arrivée des premiers Envision chez les concessionnaires canadiens a dû faire saliver d'envie les partisans locaux de la marque. Buick dispose enfin d'un véhicule recherché sur le marché : un utilitaire de luxe compact capable de rivaliser avec les Q5, RDX et autres du genre. Ce chaînon manquant, nécessaire pour compléter une gamme d'utilitaires écartelée entre le minuscule Encore et l'imposant Enclave, les férus de Buick l'auront attendu longtemps, mais comme le dit l'adage : mieux vaut tard que jamais. ■

FICHE TECHNIQUE

MOTEUR(S)

(ENVISION) L4 2,0 L DACT turbo
PUISSANCE 252 ch à 5 500 tr/min
COUPLE 260 lb-pi de 3 000 à 4 000 tr/min
RAPPORT POIDS/PUISSANCE 7,3 kg/ch
BOITE(S) DE VITESSES automatique à 6 rapports
PERFORMANCES 0-100 km/h 7,5 s (est.)
REPRISE 80-115 km/h 6,5 s (est.)
FREINAGE 100-0 km/h ND
NIVEAU SONORE À 100 km/h Bon
VITESSE MAXIMALE 210 km/h

AUTRES COMPOSANTS

SÉCURITÉ ACTIVE Freins ABS, assistance au freinage, répartition électronique de la force de freinage, contrôle électronique de la stabilité, antipatinage, régulateur de vitesse adaptatif, avertisseurs d'obstacle arrière et latéral, de sortie de voie et de collision imminente avec freinage d'urgence automatique, assistance en cas de vent de travers, caméra 360°
SUSPENSION avant/arrière indépendante
FREINS avant/arrière disques
DIRECTION à crémaillère, assistée
PNEUS P235/50R19

DIMENSIONS

EMPATTEMENT 2 740 mm
LONGUEUR 4 666 mm
LARGEUR 1 839mm
HAUTEUR 1 697 mm
POIDS 1 835 kg
DIAMÈTRE DE BRAQUAGE 12,0 m
COFFRE 761 L, 1 622 L (sièges abaissés)
RÉSERVOIR DE CARBURANT 65,5 L
CAPACITÉ DE REMORQUAGE 680 kg

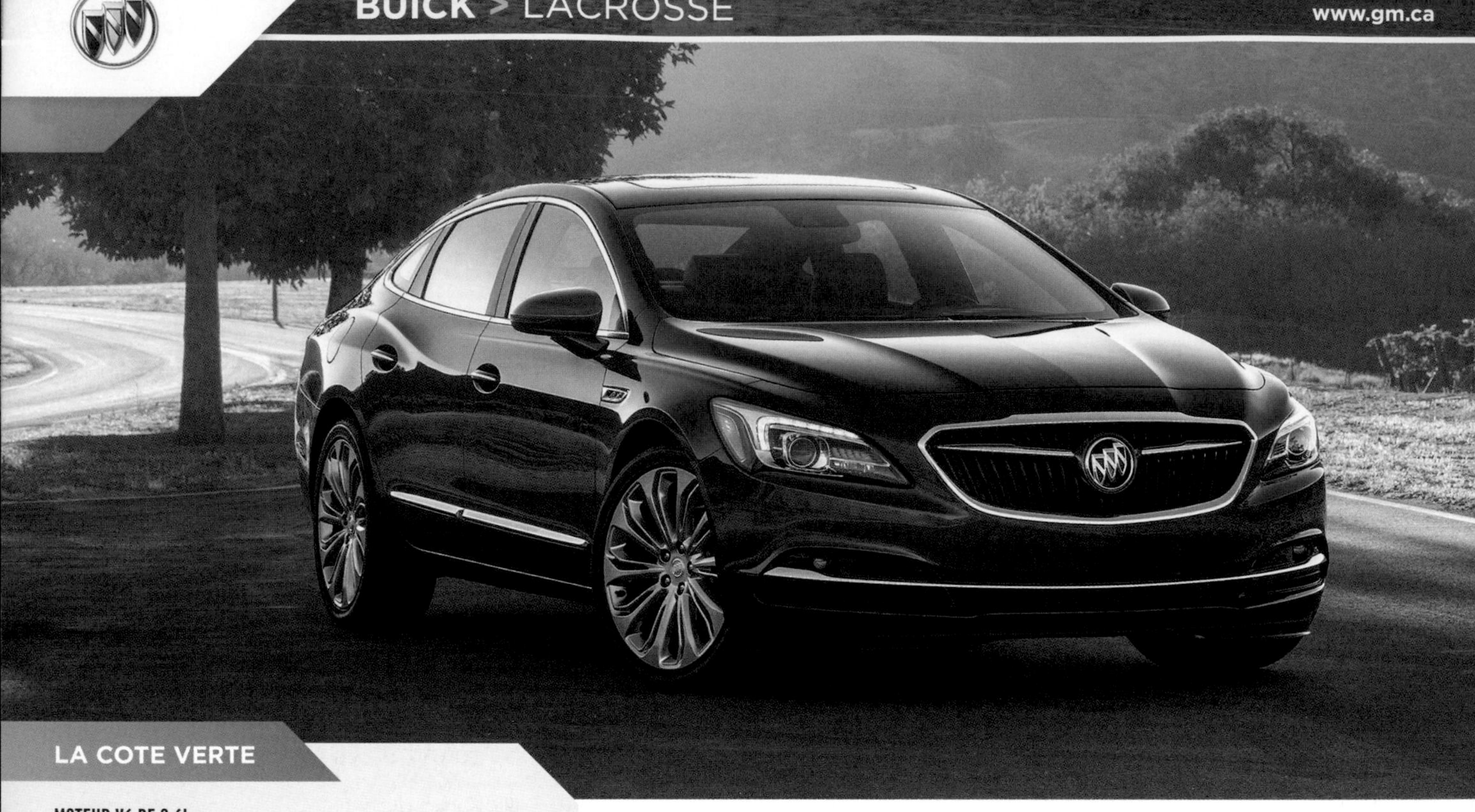

LA COTE VERTE

MOTEUR V6 DE 3,6L
CONSOMMATION (100km) 2RM ville 11,2 L route 7,5 L
4RM ville 11,6 L route 8,1 L
CONSOMMATION ANNUELLE 2RM 1 615 L, 1 938 $ **4RM** 1 700 L, 2 040 $
INDICE D'OCTANE 87
ÉMISSIONS POLLUANTES (CO_2) 2RM 3 714 kg/an **4RM** 3 910 kg/an
(source : Buick et L'Annuel)

FICHE D'IDENTITÉ

VERSION(S) 2RM Base, Luxe 2 **2RM/4RM** Cuir, Luxe 1
TRANSMISSION(S) avant, 4
PORTIÈRES 4 **PLACES** 5
PREMIÈRE GÉNÉRATION 2005 (Allure)
GÉNÉRATION ACTUELLE 2017
CONSTRUCTION Kansas City, Missouri, États-Unis
COUSSINS GONFLABLES 10 (frontaux, genoux avant, latéraux avant et arrière, rideaux latéraux)
CONCURRENCE Chevrolet Impala, Chrysler 300, Dodge Charger, Ford Taurus, Genesis G80, Kia Cadenza, Lexus ES, Lincoln MKZ, Nissan Maxima, Toyota Avalon

AU QUOTIDIEN

COLLISION FRONTALE 5/5
COLLISION LATÉRALE 5/5
VENTES DU MODÈLE L'AN DERNIER
AU QUÉBEC 136 (-39,8 %) **AU CANADA** 990 (-36,4 %)
DÉPRÉCIATION (%) 43,7 (3 ans)
RAPPELS (2011 à 2016) 7
COTE DE FIABILITÉ 3/5

GARANTIES... ET PLUS

GARANTIE GÉNÉRALE 4 ans/80 000 km
GROUPE MOTOPROPULSEUR 6 ans/110 000 km
PERFORATION 6 ans/kilométrage illimité
ASSISTANCE ROUTIÈRE 5 ans/160 000 km
NOMBRE DE CONCESIONNAIRES
AU QUÉBEC 53 **AU CANADA** 450

NOUVEAUTÉS EN 2017

Nouvelle génération

BOUCHÉES DOUBLES

Cette année, GM élimine la Verano, modèle le plus populaire de toute la gamme Buick au Canada. Parallèlement, on renouvelle complètement la berline LaCrosse, laquelle ne réussissait même pas à rejoindre 1 000 acheteurs canadiens l'an dernier. Vous aurez donc compris qu'en prenant cette décision, le constructeur n'a pas réellement tenu compte du marché canadien, d'abord marginal pour la marque, et qui diffère grandement de celui de nos voisins du Sud.

Antoine Joubert

TOUR DU PROPRIÉTAIRE > Il faut dire que le marché de la grande berline traditionnelle est aujourd'hui symbolique au Canada. Les Chevrolet Impala, Chrysler 300, Lexus ES et Lincoln MKZ se vendent au compte-goutte, la clientèle préférant souvent opter pour des berlines sport à transmission intégrale ou encore pour des multisegments de luxe. Au sud de nos frontières, les choses diffèrent. Environ 50 000 unités de la LaCrosse sont vendues annuellement, ce qui signifie qu'on doit mettre les bouchées doubles pour maintenir le succès d'un modèle commercialement très lucratif. Voilà pourquoi GM relance la voiture en mettant beaucoup d'accent sur l'élégance des lignes, celles-ci laissant croire à une voiture beaucoup plus cossue. Plus imposante, la LaCrosse s'allonge d'ailleurs de 16 millimètres par rapport à sa devancière et voit également son empattement allongé de 68 millimètres.

+
- LIGNES MAGNIFIQUES
- HABITACLE COSSU ET ÉLÉGANT
- CONFORT ASSURÉ
- HISTORIQUE DE FIABILITÉ

−
- FACTURE CONSIDÉRABLE
- CONSOLE CENTRALE MASSIVE
- DÉPRÉCIATION CONSIDÉRABLE À PRÉVOIR

MENTIONS

CLÉ D'OR | CHOIX VERT | COUP DE CŒUR | **RECOMMANDÉ**

VERDICT

PLAISIR AU VOLANT
QUALITÉ DE FINITION
CONSOMMATION
RAPPORT QUALITÉ / PRIX
VALEUR DE REVENTE
CONFORT

1 5 10

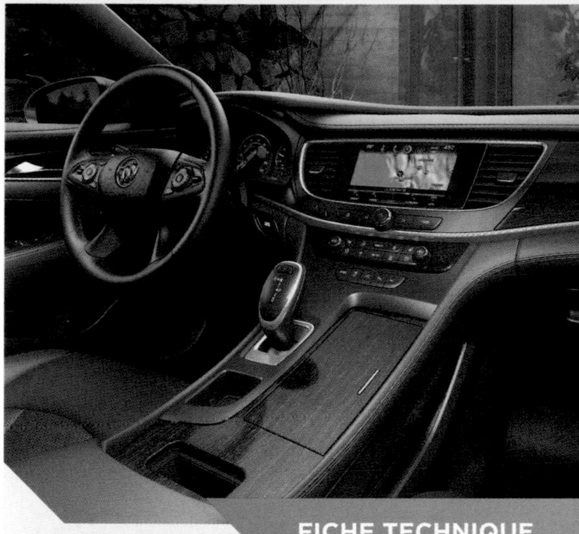

VIE À BORD > Plus spacieuse, cette nouvelle berline propose à son conducteur un confort inégalé dans le segment. Les sièges redessinés offrent donc une assise extrêmement ouatée et incluent une surface de cuir perforé et une fonction de massage. Évidemment, l'attention aux détails comprend une finition de haut niveau avec surpiqûres, boiseries, appliqués d'aluminium, ainsi que des cuirs et plastiques feutrés à tous les endroits. Ceux-ci prennent forme sur une planche de bord magnifiquement sculptée, où les mouvements sont à la fois modernes et très élégants. Concurrence oblige, on intègre également plusieurs technologies en matière de connectivité, notamment l'accès Wi-Fi, la recharge d'appareil mobile par induction et l'écran central tactile de 8 pouces, auquel s'intègrent les applications Apple CarPlay® et Android Auto®.

TECHNIQUE > Vous ne serez pas surpris d'apprendre que le 4-cylindres contenu dans le modèle eAssist de précédente génération ne revient pas cette année. Inefficace, ce dernier laisse donc place au V6 de 3,6 litres, évolutif par rapport à celui qui était utilisé l'an dernier, puisque celui-ci intègre la cylindrée variable, l'injection directe de carburant ainsi que la technologie démarrage-arrêt. Développant 305 chevaux, il s'accompagne également d'une nouvelle boîte automatique à 8 rapports, ce qui devrait au final permettre de ramener la consommation moyenne à 9,5 litres aux 100 kilomètres, et à peine plus avec le modèle à transmission intégrale.

AU VOLANT > Alors que la Regal joue la carte de la sportivité, la LaCrosse se charge de séduire les conducteurs en quête d'une conduite beaucoup plus feutrée. Son arrivée tardive sur le marché nous empêche malheureusement de vous donner nos impressions de conduite, mais GM évoque comme principal argument un comportement plus raffiné et une insonorisation exceptionnelle. La visibilité périphérique aurait également été améliorée grâce à une réduction de l'épaisseur des piliers de toit, jadis gênante. La LaCrosse se veut également plus sécuritaire que jamais, d'abord parce que pourvue de 10 sacs gonflables, mais aussi parce qu'on y intègre tous les éléments les plus poussés en matière d'assistance à la conduite. Pensez à la détection d'obstacle, au freinage d'urgence et à l'alerte de changement de voie. On obtient même l'assistance au stationnement, autant parallèle que perpendiculaire.

CONCLUSION > Notre collègue Vincent Aubé évoquait l'an dernier l'idée que la LaCrosse constituait désormais la seule voiture de la marque uniquement développée pour le marché nord-américain. Une constatation étonnante compte tenu du statut traditionnel de cette division. Hélas, la survie de Buick s'explique aujourd'hui par sa popularité sur le marché chinois, où cette marque est perçue de façon égale à Mercedes-Benz. En proposant une LaCrosse plus cossue, plus élégante et surtout plus raffinée, on risque cependant de regagner des parts de marché en Amérique du Nord, tout en rejoignant une clientèle qui aurait peut-être fait le saut chez les Allemands, ou même chez Cadillac, réalisant ensuite que la conduite sportive ne leur convenait pas. Magnifique, cette berline pourrait même raviver le marché pour la compétition, qui ne fait aucun effort de promotion. À suivre... ■

2e OPINION

Benoit Charette

Voici une catégorie de voitures vouée à l'extinction. Les acheteurs de ces modèles se font de plus en plus rares; seulement 136 ventes au Québec l'an dernier et moins de 1000 pour tout le Canada. Même si GM a repensé le modèle, retravaillé les lignes et ajouté plein de nouvelles technologies, je vous le dis tout de suite, cela ne donnera rien. Les grandes berlines d'une autre époque sont l'apanage d'une génération d'acheteurs qui n'existe plus. Oui, elle se vend encore aux États-Unis, mais le problème est exactement le même. Il y a simplement dix fois plus d'Américains. Il faudra se faire à l'idée de retirer en permanence ces paquebots d'autoroute qui ne répondent plus à la réalité automobile d'aujourd'hui, mais si vous êtes accroché à une autre époque, la LaCrosse vous donnera beaucoup de confort.

FICHE TECHNIQUE

MOTEUR(S)

(LACROSSE) V6 3,6 L DACT
PUISSANCE 305 ch à 6 800 tr/min
COUPLE 268 lb-pi à 5 200 tr/min
RAPPORT POIDS/PUISSANCE 5,4 à 5,7 kg/ch (est.)
BOÎTE(S) DE VITESSES automatique à 8 rapports avec mode manuel
PERFORMANCES 0-100 km/h 6,5 s (est.)
REPRISE 80-115 km/h 5,5 s (est.)
FREINAGE 100-0 km/h ND
NIVEAU SONORE À 100 km/h ND
VITESSE MAXIMALE 210 km/h (est.)

AUTRES COMPOSANTS

SÉCURITÉ ACTIVE certains en option) Freins ABS, assistance au freinage, répartition électronique de la force de freinage, contrôle électronique de la stabilité, antipatinage, avertisseurs d'obstacle arrière et latéral et de changement de voie, assistance au maintien de voie, détection de piétons et alerte de collision imminente avec freinage d'urgence autonome, régulateur de vitesse adaptatif, phares adaptatifs, visualisation tête haute
SUSPENSION avant/arrière indépendante (à amortissement réglable, en option)
FREINS avant/arrière disques
DIRECTION à crémaillère, assistée électriquement
PNEUS 2RM P235/50R18 **4RM** P245/40R20

DIMENSIONS

EMPATTEMENT 2 905 mm
LONGUEUR 5 017 mm
LARGEUR 1 859 mm
HAUTEUR 1 460 mm
POIDS 2RM 1 640 kg (est.) **4RM** 1 742 kg (est.)
DIAMÈTRE DE BRAQUAGE 11,6 m
COFFRE 472 L
RÉSERVOIR DE CARBURANT 60 L
CAPACITÉ DE REMORQUAGE 454 kg

LA COTE VERTE

MOTEUR L4 DE 2,4 L AVEC eASSIST
CONSOMMATION (100 km) ville 9,6 L route 6,5 L
CONSOMMATION ANNUELLE 1 394, 1 673 $
INDICE D'OCTANE 87
ÉMISSIONS POLLUANTES CO_2 3 206 kg/an
(source : ÉnerGuide)

FICHE D'IDENTITÉ

VERSION(S) 2RM/4RM Base, Haut de gamme I, Haut de gamme II, GS **2RM** Sport Touring
TRANSMISSION(S) avant, 4
PORTIÈRES 4 **PLACES** 5
PREMIÈRE GÉNÉRATION 1973
GÉNÉRATION ACTUELLE 2011
CONSTRUCTION Oshawa, Ontario, Canada
COUSSINS GONFLABLES 6 (frontaux, latéraux avant, rideaux latéraux) option 8 (+latéraux arrière)
CONCURRENCE Acura TLX, Audi A4, BMW Série 3, Cadillac ATS, Infiniti Q50, Jaguar XE, Lexus IS, Mercedes-Benz CLA/Classe C, Volkswagen CC, Volvo S60

AU QUOTIDIEN

COLLISION FRONTALE 5/5
COLLISION LATÉRALE 4/5
VENTES DU MODÈLE L'AN DERNIER
AU QUÉBEC 164 (+32,3 %) **AU CANADA** 968 (+18,6 %)
DÉPRÉCIATION (%) 41,2 (3 ans)
RAPPELS (2011 à 2016) 7
COTE DE FIABILITÉ 3/5

GARANTIES... ET PLUS

GARANTIE GÉNÉRALE4 ans/80 000 km
GROUPE MOTOPROPULSEUR 6 ans/110 000 km
COMPOSANTS système hybride 8 ans/160 000 km
PERFORATION 6 ans/kilométrage illimité
ASSISTANCE ROUTIÈRE 5 ans/160 000 km
NOMBRE DE CONCESIONNAIRES
AU QUÉBEC 53 **AU CANADA** 450

NOUVEAUTÉS EN 2017

Aucun changement majeur

VICTIME D'UNE IMAGE

S'il y a un modèle dans toutes les gammes de GM qui passe complètement sous le radar des acheteurs, c'est bien la Buick Regal. Bien que ce soit un produit tout à fait pertinent, les consommateurs la boudent ou ne savent même pas qu'elle existe. C'est un gros problème pour cette berline qui, pourtant, est loin d'être dépourvue d'intérêt. 2017 marque la dernière année sous cette forme. Nous verrons en 2018 si GM lui donnera enfin la place qu'elle mérite.

Luc-Olivier Chamberland

TOUR DU PROPRIÉTAIRE > Buick offre à la Regal une certaine sobriété qui peine à se démarquer des propositions allemandes qui dominent complètement le segment. Pour de l'action, l'acheteur doit se tourner vers la GS à la personnalité nettement plus définie. Dans son cas, on retient les traits fins et élégants de la Regal. On lui accorde quelques accents de chrome supplémentaires aux pare-chocs; le ton est donné pour une berline sportive. Bien que l'effort y soit, on ne rejoint pas le tempérament des concurrentes comme les BMW Série 3 ou Audi A4. L'avantage de cette tranquillité : la Regal n'a pas pris une seule ride depuis son introduction sous cette forme en 2011.

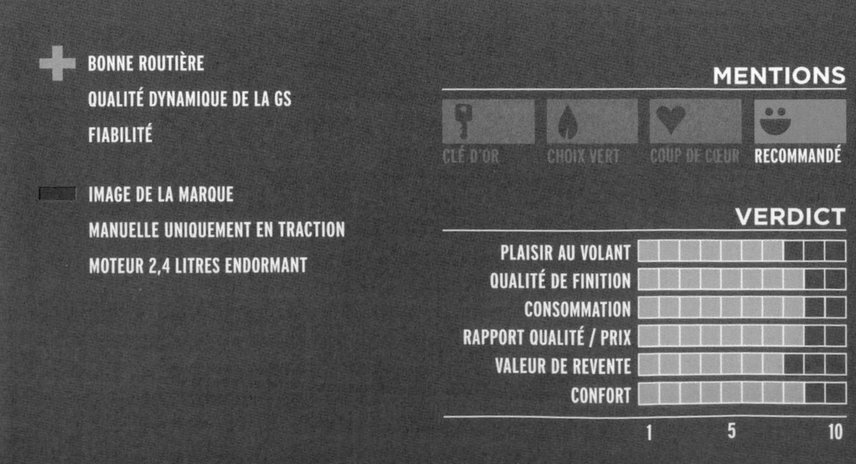

BONNE ROUTIÈRE
QUALITÉ DYNAMIQUE DE LA GS
FIABILITÉ
IMAGE DE LA MARQUE
MANUELLE UNIQUEMENT EN TRACTION
MOTEUR 2,4 LITRES ENDORMANT
MENTIONS
CLÉ D'OR
CHOIX VERT
COUP DE CŒUR
RECOMMANDÉ
VERDICT
PLAISIR AU VOLANT
QUALITÉ DE FINITION
CONSOMMATION
RAPPORT QUALITÉ / PRIX
VALEUR DE REVENTE
CONFORT
1
5
10

VIE À BORD > Contrairement à l'extérieur, la présentation intérieure se veut relevée. Venant directement de l'Europe sous la bannière Opel, un esprit propre aux berlines sportives se fait remarquer. Ici, la Regal n'a rien à envier aux saintes allemandes. On obtient une finition sans reproche avec une très belle qualité de matériaux. Il manque un peu de piment et de possibilités de personnalisation. Seulement trois options de cuir sont offertes. À la jonction entre la compacte et l'intermédiaire, l'espace intérieur devient un avantage tout particulièrement pour les jambes des passagers arrière. Pour la tête, en raison de l'inclinaison du toit, c'est un peu plus juste, mais on s'y fait. Mentionnons également que les assises procurent un confort princier avec une belle fermeté. Là encore, on reconnaît les origines européennes de la Regal. Et l'équipement y est très généreux. Buick intègre une collection d'accessoires comme la connectivité 4G LTE, la possibilité d'avoir des moniteurs dans les appuie-têtes et même une application qui vous garde en contact constant avec votre voiture grâce à une multitude de paramètres. Le tout se fait de manière ergonomique et sans devoir passer par 812 000 interfaces. Les boutons existent encore dans la Regal.

TECHNIQUE > Deux motorisations. Le premier 4-cylindres, un 2,4-litres, favorise l'économie grâce à l'assistance électrique. On ne parle pas d'un hybride, mais bien d'un soutien électrique. Dans ce cas, les 182 chevaux livrent une puissance sans excitation et dans un calme on ne peut plus plat. Pour jouir des qualités dynamiques de cette Buick, on doit se tourner vers la GS. Son 2-litres turbocompressé comprend une cavalerie de 259 chevaux et un couple de 295 livres-pieds. C'est suffisant pour retrouver le sourire, d'autant plus qu'il est possible avec une bonne boîte manuelle à 6 rapports. Le seul bémol, cette dernière ne se présente qu'avec la traction. Toutes les autres adoptent une automatique à 6 embranchements et la possibilité d'une transmission intégrale.

AU VOLANT > Elle étonne sur la route. On se laisse surprendre par la qualité de son rouage, la grande solidité de son châssis et la vitalité du 2-litres. Bien plantée, l'intégrale y joue pour beaucoup, d'autant plus que l'on peut appuyer sur le bouton GS, qui resserre l'ensemble en modifiant certaines composantes, notamment la direction. Ce n'est pas une voiture de course, mais on frôle la sportivité. Là encore, on est légèrement en retrait par rapport aux allemandes, mais pour plusieurs, il s'agit d'un excellent compromis.

CONCLUSION > La Regal fait ses derniers tours de roue sous cette forme en 2017. Déjà, elle impressionne par son équilibre. On ne peut qu'espérer la suite. Par contre, l'éternelle question sur la perception de la marque Buick subsiste, et ce, seul l'acheteur peut y répondre. ■

2e OPINION

Benoit Charette

Si vous aimez la Regal actuelle, il faut en profiter, car 2017 sera la dernière année de cette édition. Buick prépare pour 2018 un nouveau modèle basé sur la plate-forme du plus récent Chevrolet Malibu. La voiture sera donc plus longue et plus spacieuse avec de nouvelles motorisations qui pourraient inclure un 4-cylindres de 1,5 litre turbo avec le même 2-litres en option que dans la Malibu pour la version GS. Buick a même évoqué la possibilité de mettre en marché une version familiale quelques mois après la mise en marché de la berline. Est-ce à dire que les Américains commencent à s'ouvrir à des versions familiales ? C'est à souhaiter. Une chose est certaine, la Regal est un secret bien gardé chez GM et il va y avoir liquidation des modèles courants avant la nouvelle cuvée. Profitez-en pour aller voir, vous ferez une bonne affaire.

FICHE TECHNIQUE

MOTEUR(S)

(eAssist) L4 2,4 L DACT + moteur électrique
PUISSANCE 182 ch à 6 700 tr/min + moteur électrique de 15 ch de 1 000 à 2 200 tr/min
COUPLE 172 lb-pi à 4 900 tr/min + moteur électrique de 79 lb-pi à 1 000 tr/min
RAPPORT POIDS/PUISSANCE 8,3 kg/ch
BOÎTE(S) DE VITESSES automatique à 6 rapports avec mode manuel
PERFORMANCE 0-100 km/h 8,6 s
REPRISE 80-115 km/h 7,9 s
FREINAGE 100-0 km/h 38,0 m
VITESSE MAXIMALE 185 km/h

(TURBO, GS) L4 2,0 L DACT turbo
PUISSANCE 259 ch à 5 300 tr/min
COUPLE 295 lb-pi de 3 000 à 4 000 tr/min (de 2 500 à 4 000 tr/min sur GS)
RAPPORT POIDS/PUISSANCE 6,4 kg/ch
BOÎTE(S) DE VITESSES automatique à 6 rapports avec mode manuel, manuelle à 6 rapports (option GS 2RM)
PERFORMANCES 0-100 km/h GS 2RM man. 6,2 s **auto.** 6,5 s **4RM** 6,8 s
REPRISE 80-115 km/h 4,3 s
FREINAGE 100-0 km/h 38,0 m
NIVEAU SONORE À 100 km/h Bon
VITESSE MAXIMALE 242 km/h
CONSOMMATION (100 km) 2RM ville 11,4 L route 7,9 L **4RM** ville 12,4 L route 8,7 L (octane 91)
ANNUELLE 2RM 1 666 L, 2 249 $ **4RM** 1 819 L, 2 456 $
ÉMISSIONS DE CO_2 2RM 3 832 kg/an **4RM** 4 184 kg/an

AUTRES COMPOSANTS

SÉCURITÉ ACTIVE (certains en option) Freins ABS, assistance au freinage, répartition électronique de la force de freinage, contrôle électronique de la stabilité, antipatinage, avertissement d'obstacle, arrière et latéral, de sortie de voie et de collision imminente, régulateur de vitesse adaptatif
SUSPENSION avant/arrière indépendante
FREINS avant/arrière disques
DIRECTION à crémaillère, assistée électriquement
PNEUS P235/50R18 **GS** P245/40R19 **option GS** P255/35R20

DIMENSIONS

EMPATTEMENT 2 738 mm
LONGUEUR 4 831 mm
LARGEUR 1 857 mm
HAUTEUR 1 483 mm
POIDS 2RM 1 665 kg **4RM** 1 796 kg **GS 2RM** 1 683 kg **4RM** 1 806 kg **eAssist** 1 633 kg
DIAMÈTRE DE BRAQUAGE 11,6 m
COFFRE 402 L **eAssist** 314 L
RÉSERVOIR DE CARBURANT 70 L **eAssist** 59 L

LA COTE VERTE

MOTEUR L4 DE 2,0 L TURBO
CONSOMMATION (100 km) 2RM man. ville 12,0 L, route 8,1 L **auto** ville 10,5 L, route 7,6 L **4RM auto** ville 10,8 L, route 7,8 L (octane 91, 87 utilisable)
CONSOMMATION ANNUELLE 2RM man. 1 751 L, 2 364 $ **auto** 1 564 L, 2 111 $ **4RM auto** 1 598 L, 2 157 $
ÉMISSIONS DE CO_2 2RM man. 4 027 kg/an **auto.** 3 597 kg/an **4RM** 3 675 kg/an
(source: ÉnerGuide)

FICHE D'IDENTITÉ

VERSION(S) Berline et coupé 2,0L Turbo 2RM et 4RM Base, Luxe, Luxe Premium, Luxe Performance **3,6L 2RM et 4RM** Luxe, Performance, Premium, ATS-V
TRANSMISSION(S) arrière, 4
PORTIÈRES 2, 4 **PLACES** 4, 5
PREMIÈRE GÉNÉRATION 2013
GÉNÉRATION ACTUELLE 2013, 2015 (coupé)
CONSTRUCTION Lansing, Michigan, É-U
COUSSINS GONFLABLES 6 (frontaux, latéraux avant, rideaux latéraux) option 8 (+latéraux arrière)
CONCURRENCE Acura TLX, Alfa Romeo Giulia, Audi A4/A5, BMW Série 3/Série 4, Buick Regal, Infiniti Q50/Q60, Jaguar XE, Lexus IS, Lincoln MKZ, Mercedes-Benz CLA/Classe C, Volkswagen CC, Volvo S60

AU QUOTIDIEN

COLLISION FRONTALE 5/5
COLLISION LATÉRALE 5/5
VENTES DU MODÈLE L'AN DERNIER
AU QUÉBEC 1 153 (-10,7 %) **AU CANADA** 3 493 (-6,0 %)
DÉPRÉCIATION (%) 31,5 (2 ans)
RAPPELS (2011 à 2016) 9
COTE DE FIABILITÉ 3/5

GARANTIES... ET PLUS

GARANTIE GÉNÉRALE 4 ans/80 000 km
GROUPE MOTOPROPULSEUR 6ans/110 000 km
PERFORATION 6 ans/kilométrage illimité
ASSISTANCE ROUTIÈRE 6 ans/110 000 km
NOMBRE DE CONCESSIONNAIRES AU QUÉBEC 21 **AU CANADA** 450

NOUVEAUTÉS EN 2017

Rationalisation de la gamme: abandon des versions 2,5 litres, 2.0T Premium, 3.6 Luxe, et 3.6 Premium 4RM. Édition Carbon Black, nouvelles jantes, nouvelle palette de couleurs. Le système CUE avec Apple Play® et Android Auto® est maintenant de série sur toutes les versions, la caméra arrière ajoutée à la version de base, le système de navigation et une prise 110 V aux versions Luxe, de même que le toit ouvrant aux versions 3.6.

DÉJÀ CINQ ANS?

Il me semble que c'était hier que j'entendais le président de General Motors affirmer en conférence que l'ATS, sur laquelle on venait tout juste de lever la couverte, était désormais la meilleure berline sport du marché. Une affirmation certes audacieuse, mais sortant de la bouche d'un Mark Reuss fier et visiblement convaincu. Cinq ans plus tard, on réalise deux choses. D'abord, que le produit est effectivement très sérieux et finalement compétitif, mais aussi que ses efforts n'ont pas été suffisants pour égaler les ventes de l'indétrônable trio de berlines sport allemandes.

- Antoine Joubert

TOUR DU PROPRIÉTAIRE > Qu'à cela ne tienne, l'ATS demeure aujourd'hui une voiture splendide. Ses lignes n'ont pris aucune ride, et l'arrivée du distingué coupé en 2015 a permis d'élargir la clientèle cible. S'ajoutait également à la gamme l'an dernier une version ATS-V de haute performance visant à rivaliser avec les M3, IS F et C63 AMG de ce monde. Un dosage parfait d'élégance et de muscle qui se traduit par une voiture tout simplement fantastique. Ne manque donc que le cabriolet dans l'équation, qu'on imagine lui aussi très élégant à partir des lignes du coupé. Mais à cette question, GM nous répond qu'il ne figure actuellement pas dans les plans.

VIE À BORD > Cette compacte aux lignes fuyantes renferme un habitacle très bien ficelé et hautement moderne. Les ingénieurs ont d'ailleurs finement étudié la position de conduite

+
- COMPORTEMENT ROUTIER IMPRESSIONNANT
- CONSTRUCTION SOLIDE
- MOTEUR 2 LITRES + TRANSMISSION INTÉGRALE EFFICACE
- ATS-V TRÈS PERFORMANTE

−
- ESPACE INTÉRIEUR COMPTÉ
- CONFORT INFÉRIEUR À LA MOYENNE
- BOÎTE AUTOMATIQUE (ATS-V)
- SYSTÈME CUE À REVOIR

MENTIONS

CLÉ D'OR | CHOIX VERT | COUP DE CŒUR | **RECOMMANDÉ**

VERDICT

PLAISIR AU VOLANT
QUALITÉ DE FINITION
CONSOMMATION
RAPPORT QUALITÉ / PRIX
VALEUR DE REVENTE
CONFORT

1 5 10

afin que celle-ci permette au conducteur d'exploiter au maximum les performances de la voiture. Malheureusement, les sièges demeurent étroits, trop fermes au goût de certains et manquent de support sur les modèles d'entrée de gamme. Vous aurez également compris que le dégagement à bord est plutôt limité et que les places arrière, surtout dans le coupé, demeurent symboliques. En matière d'équipement, Cadillac bonifie cette année son offre afin de rester compétitive. Et bonne nouvelle, les groupes d'options se font plus accessibles que chez la concurrence, où il faut souvent allonger 10 000 $ supplémentaires pour être satisfait. Cependant, le système CUE demeure l'irritant du poste de conduite, la sensibilité tactile faisant rager les utilisateurs.

TECHNIQUE > Avec des ventes inférieures à 15 %, Cadillac a compris que le modèle d'entrée de gamme à moteur 2,5 litres était impertinent. On élimine donc cette version pour se concentrer davantage sur les modèles à moteur 2 litres turbocompressé, qui constituent la majorité des ventes. Ce dernier se marie parfaitement à la boîte automatique comme à la transmission intégrale, pouvant de surcroît conserver une moyenne de consommation de carburant raisonnable. Autrement, l'option du V6 de 3,6 litres est au menu, tout comme celle du V6 biturbo de la version ATS-V, laquelle est évidemment propulsée. D'ailleurs, Cadillac persiste à offrir chez nous des versions à roues motrices arrière pour l'ensemble de sa gamme, alors que certaines rivales proposent la transmission intégrale de série.

AU VOLANT > À 82 000 $, l'ATS-V mise à l'essai se devait d'être réellement convaincante. Et franchement, elle nous a impressionnés. En fait, elle nous décroche la mâchoire dès la première accélération. Rapide, foudroyante, incroyablement agile et capable de freiner sur un dix sous, elle n'a que peu de choses à envier à la compétition. Enfin si, une chose, la boîte automatique, très agréable en conduite normale, mais avec laquelle les passages de vitesses quasi instantanés n'existent pas. Une boîte séquentielle à double embrayage serait donc tout indiquée. À l'opposé, un modèle ordinaire à moteur 2 litres impressionne tout autant, peut-être même plus qu'un modèle 3,6 litres au museau plus lourd. Retenez donc que le 2-litres tire son épingle du jeu parce qu'il est responsable d'un meilleur équilibre des masses et d'un agrément de conduite étonnant. Sachez cependant que l'ATS n'est pas une voiture aussi confortable que certaines rivales, ce qui pourrait déranger particulièrement les acheteurs plus traditionnels de la marque, qui seraient finalement mieux servis par une Buick LaCrosse ou une Lincoln MKZ.

CONCLUSION > En réduisant cette année son prix d'achat, en ajoutant plus d'équipement et en éliminant les modèles impopulaires, Cadillac améliore son offre. Certes, la concurrence demeure féroce, mais l'ATS s'avère un produit de haute qualité qui mérite toujours considération. Pour moi, le premier vrai symbole de la renaissance de la marque. ■

2e OPINION

Charles René

La Cadillac ATS, c'est la réponse bien sentie du constructeur de luxe américain à la BMW Série 3. Basée sur un châssis qui n'a certes pas à rougir sur le plan de la rigidité devant la bavaroise, la compacte cultive une approche très européenne. Incisive à ses heures, elle peut également être très docile, surtout si vous optez pour l'amortissement réglable, soit d'excellents amortisseurs électromagnétiques. Côté motorisations, l'ATS ne dispose cependant pas d'arguments aussi convaincants. Le rendement des 4-cylindres turbo et du V6 atmosphérique n'atteint pas le degré d'achèvement des moteurs de la Série 3. L'ATS-V, quant à elle, s'émancipe au moyen d'un moteur biturbo ayant une souplesse indéniable, mais pas très vocal une fois l'accélérateur enfoncé.

FICHE TECHNIQUE

MOTEUR(S)

(2.0) L4 2,0 L DACT turbo
PUISSANCE 272 ch à 5 500 tr/min
COUPLE 295 lb-pi de 3 000 à 5 500 tr/min
RAPPORT POIDS/PUISSANCE 5,6 à 5,9 kg/ch
BOITE(S) DE VITESSES Base, luxe automatique à 6 rapports, manuelle à 6 rapports (option sur 2RM)
Perf., Premium automatique à 6 rapports avec mode manuel, manuelle à 6 rapports (option sur 2RM) **Coupé** manuelle à 6 rapports
PERFORMANCES 0-100 km/h 6,3 s
REPRISE 80-115 km/h 4,0 s
FREINAGE 100-0 km/h 35,4 m
NIVEAU SONORE À 100 km/h Moyen
VITESSE MAXIMALE 230 km/h

(3.6) V6 3,6 L DACT
PUISSANCE 321ch à 6 800 tr/min
COUPLE 274 lb-pi à 4 800 tr/min
RAPPORT POIDS/PUISSANCE 4,9 à 5,1 kg/ch
BOITE(S) DE VITESSES Base, luxe automatique à 6 rapports **Perf., Premium** automatique à 6 rapports avec mode manuel et manettes au volant
PERFORMANCES 0-100 km/h 6,1 s
REPRISE 80-115 km/h 3,8 s
VITESSE MAXIMALE 250 km/h
CONSOMMATION (100 km) 2RM ville 11,6 L, route 7,9 L
4RM ville 12,2 L, route 8,5 L (octane 87)
ANNUELLE 2RM 1 683 L, 2 272 $ **4RM** 1 785 L, 2 410 $
ÉMISSIONS DE CO_2 2RM 3 871 kg/an **4RM** 4 105 kg/an

(ATS-V) V6 3,6 L DACT biturbo
PUISSANCE 464 ch à 5 850 tr/min
COUPLE 445 lb-pi à 3 500 tr/min
RAPPORT POIDS/PUISSANCE 3,7 kg/ch
BOITE(S) DE VITESSES manuelle à 6 rapports, automatique à 8 rapports avec mode manuel et manettes au volant
PERFORMANCES 0-100 km/h man. 4,5 s **auto.** 4,2 s
REPRISE 80-115 km/h 3,2 s
FREINAGE 100-0 km/h 38,1 m
NIVEAU SONORE À 100 km/h Moyen
VITESSE MAXIMALE 304 km/h
CONSOMMATION (100 km) man. ville 14,2 L route 10,2 L
auto. ville 14,7 L, route 9,8 L (octane 91)
ANNUELLE man. 2 108 L, 2 846 $ **auto.** 2 125 L, 2 869 $
ÉMISSIONS DE CO2 man. 4 848 kg/an **auto.** 4 887 kg/an

AUTRES COMPOSANTS

SÉCURITÉ ACTIVE (certains en option) Freins ABS, assistance au freinage, répartition électronique de la force de freinage, contrôle électronique de la stabilité, antipatinage, régulateur de vitesse adaptatif, détecteur de collision imminente avec freinage automatique, systèmes d'avertissement de changement de voie, d'obstacle transversal arrière et de côté, visualisation tête haute
SUSPENSION avant/arrière indépendante, à amortisseurs magnétorhéologiques
FREINS avant/arrière disques
DIRECTION à crémaillère, assistée électriquement
PNEUS P225/45R17 **Coupé/option berline Perf.** P225/40R18 **option coupé et berline Premium** P225/40R18 (av.) P255/35R18 (arr.) **ATS-V** P255/35R18 (av.) P275/35R18 (arr.)

DIMENSIONS

EMPATTEMENT 2 775 mm
LONGUEUR 4 643 mm **ATS-V** 4 673 mm **Coupé** 4 663 mm **ATS-V** 4 691 mm
LARGEUR 1 805 mm **ATS-V** 1 811 mm **Coupé** 1 841 mm
HAUTEUR 1 421 mm **ATS-V** 1 415 mm **Coupé** 1 392 mm **ATS-V** 1 384 mm
POIDS 2.0 2RM man. 1 543 kg **auto** 1 530 kg **4RM** 1 607 kg
3.6 2RM 1 570 kg **4RM** 1 646 kg **ATS-V** 1 725 kg **Coupé** 1 550 kg
RÉPARTITION DU POIDS AV/ARR (%) 50/50 **Coupé** 51/49
DIAMÈTRE DE BRAQUAGE 2RM 11,1 m **4RM** 11,6 m **ATS-V** 11,7 m
COFFRE 290 L **Coupé** 295 L
RÉSERVOIR DE CARBURANT 60,5 L
CAPACITÉ DE REMORQUAGE 3.6 454 kg

LA COTE VERTE

MOTEUR L4 DE 2,0 L TURBO
CONSOMMATION (100 km) ville 11,0 L route 7,6 L
CONSOMMATION ANNUELLE 1 615 L, 2 180 $
INDICE D'OCTANE 91
ÉMISSIONS POLLUANTES CO_2 3 714 kg/an
(source : ÉnerGuide)

FICHE D'IDENTITÉ

VERSION(S) 2.0T 2RM Base et Luxe, 3.6 4RM, 3.0T 4RM
TRANSMISSION(S) arrière, 4
PORTIÈRES 4 **PLACES** 5
PREMIÈRE GÉNÉRATION 2016
GÉNÉRATION ACTUELLE 2016
CONSTRUCTION Detroit-Hamtramck, Michigan, É.-U.
COUSSINS GONFLABLES 8(frontaux, genoux avant, latéraux, rideaux latéraux)
CONCURRENCE Audi A8, BMW Série 6 Gran Coupé/Série 7, Genesis G90, Infiniti Q70L, Jaguar XJ, Kia K900, Lexus LS, Lincoln Continental, Maserati Quattroporte, Mercedes-Benz Classe S, Porsche Panamera, Tesla S

AU QUOTIDIEN

COLLISION FRONTALE ND
COLLISION LATÉRALE ND
VENTES DU MODÈLE L'AN DERNIER
AU QUÉBEC ND **AU CANADA** ND
DÉPRÉCIATION (%) nm
RAPPELS (2011 à 2016) aucun à ce jour
COTE DE FIABILITÉ ND

GARANTIES... ET PLUS

GARANTIE GÉNÉRALE 4 ans/80 000 km
GROUPE MOTOPROPULSEUR 5 ans/160 000 km
PERFORATION 6 ans/kilométrage illimité
ASSISTANCE ROUTIÈRE 5 ans/160 000 km
NOMBRE DE CONCESSIONNAIRES
AU QUÉBEC 21 **AU CANADA** 450

NOUVEAUTÉS EN 2017

Version hybride enfichable

PERSISTE ET SIGNE

Nous ne pouvons pas dire que Cadillac a eu la main heureuse avec ses grandes berlines de luxe depuis quelques décennies. Ce n'est pas faute d'avoir essayé. La marque qui dominait le monde du luxe il y a quarante ou cinquante ans passe un très long passage à vide et tente avec chaque nouveau modèle de percer une petite brèche dans l'armure impénétrable des berlines allemandes. La CT6 est envoyée au front avec l'espoir de ramener quelques parts de marché.

Benoit Charette

TOUR DU PROPRIÉTAIRE > La CT6, qui remplace la XTS qui nous a quittés en 2016, reprend le style créé sur la CTS avec des angles plus prononcés et un style général plus contemporain. Cadillac nous confirme que la CT6 n'est pas le vaisseau amiral de la marque et qu'il y aura un plus grand modèle dans un avenir proche. La CT6 est un peu plus grande que les intermédiaires de luxe comme l'Audi A6 ou la Classe E de Mercedes, mais plus petite qu'une A8 ou une Série 7 de BMW. Le châssis est construit de matériaux mixtes et de panneaux de carrosserie entièrement en aluminium. Les ingénieurs ont exécuté 50 millions d'heures d'analyse informatique, y compris 200 000 simulations structurales lors de la conception, ce qui a donné lieu à 21 nouveaux brevets.

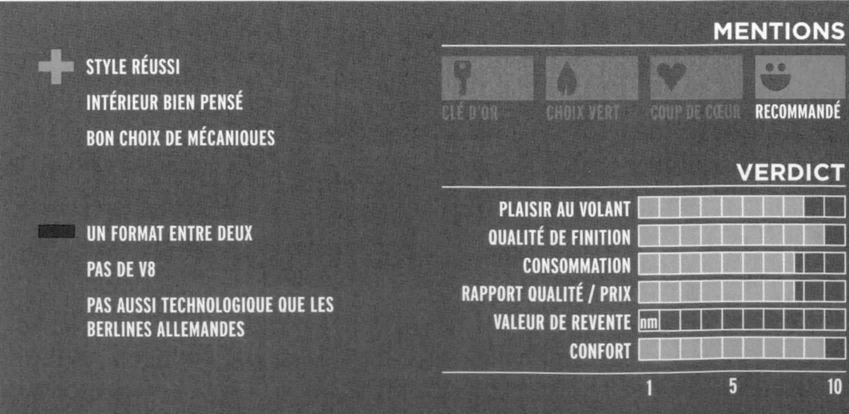

+
STYLE RÉUSSI
INTÉRIEUR BIEN PENSÉ
BON CHOIX DE MÉCANIQUES
UN FORMAT ENTRE DEUX
PAS DE V8
PAS AUSSI TECHNOLOGIQUE QUE LES BERLINES ALLEMANDES
MENTIONS
CLÉ D'OR
CHOIX VERT
COUP DE CŒUR
RECOMMANDÉ
VERDICT
PLAISIR AU VOLANT
QUALITÉ DE FINITION
CONSOMMATION
RAPPORT QUALITÉ / PRIX
VALEUR DE REVENTE
nm
CONFORT
1
5
10

VIE À BORD > Authentique et technologique seraient les mots d'ordre à l'intérieur. Le cuir est véritable, le bois aussi. La CT6 est l'orgueil de Cadillac et l'ambiance est un mélange de luxe et de modernité. Si Audi ou BMW représente le côté statutaire des vice-présidents sexagénaires des grandes entreprises qui aiment le classique et les Renoir, le propriétaire d'une CT6 écoute du rock et préfère le Musée d'art contemporain et le Festival du film de Sundance. On ose être différent à ce chapitre, et c'est tout à l'honneur de GM. Ce n'est pas aussi ostentatoire, mais c'est authentique, et la technologie a aussi une large place dans l'habitacle avec la technologie Wi-Fi et 4G LTE ainsi que l'Apple CarPlay® et l'Android Auto®. L'écran de caméra arrière dans le rétroviseur constitue la première application de cette technologie d'affichage dans l'industrie, combinant une caméra avec le rétroviseur intérieur pour projeter une vue dégagée dans le rétroviseur. La technologie anticollision avec les piétons fournit des indications de détection des piétons, des alertes et assure un freinage automatique pour éviter les collisions. Il faut aussi mentionner l'écran d'interface CUE de 10,2 pouces à haute résolution et pavé tactile monté dans la console centrale, ainsi qu'un système audio Bose de 34 haut-parleurs en option.

TECHNIQUE > Il faut le mentionner au départ, Cadillac n'a pas un arsenal aussi lourd que ses concurrents allemands. Il y a tout de même trois moteurs possibles. Comme ses rivaux, Cadillac débute avec un 4-cylindres 2 litres turbo emprunté aux entrailles de la Camaro. Il offre 265 chevaux et 295 livres-pieds de couple. Autre moteur connu : le V6 de 3,6 litres qui se trouve dans tous les produits Cadillac. Il produit 335 chevaux et 284 livres-pieds de couple. Le trio se termine avec une nouveauté, un V6 biturbo à injection directe comme les deux autres. La puissance monte à 404 chevaux et le couple, à 400 livres-pieds. Tous les moteurs sont jumelés à une boîte de vitesse automatique à 8 rapports. Le moteur 4 cylindres est disponible en version 2 roues motrices avant alors que les deux modèles V6 arrivent en version à traction de série dans les versions de base (avec option de l'intégrale) et en version intégrale dans les modèles de luxe haut de gamme et platinum.

AU VOLANT > À l'image de beaucoup de berlines germaniques, la CT6 se fait plus petite au volant. Sa conduite est engageante et son poids, beaucoup plus léger que la concurrence, donne une agilité nouvelle. Grâce à un système de châssis haute performance et à l'utilisation de la direction arrière active, de la suspension magnétique et des modes de conduite sélectionnables, vous avez une conduite à la carte qui allie confort et parfait contrôle.

CONCLUSION > Au final, Cadillac marque beaucoup de points avec cette CT6. Mais ce n'est pas la première fois. Le travail de terrain reste le même : aller récupérer une clientèle qui a tourné le dos aux américaines depuis très longtemps. Pour ce faire, il faut un appât très, très attirant. Nous verrons bien. ■

FICHE TECHNIQUE

MOTEUR(S)

(2.0T) L4 2,0L DACT turbo
PUISSANCE 265 ch à 5 500 tr/min
COUPLE 295 lb-pi à 3 000 tr/min
RAPPORT POIDS/PUISSANCE 6,2 kg/ch
BOÎTE(S) DE VITESSES automatique à 8 rapports
PERFORMANCES 0-100 km/h 6,4 s
REPRISE 80-115 km/h 4,8 s
FREINAGE 100-0 km/h 40,5 m
VITESSE MAXIMALE 240 km/h (bridée)

(3.6) V6 3,6 L DACT
PUISSANCE 335 ch à 6 800 tr/min
COUPLE 284 lb-pi à 5 300 tr/min
RAPPORT POIDS/PUISSANCE 5,0 kg/ch
BOÎTE(S) DE VITESSES automatique à 8 rapports
PERFORMANCES 0-100 km/h 5,5 s (est.)
VITESSE MAXIMALE 240 km/h (bridée)
CONSOMMATION (100 km) ville 12,8 L, route 8,7 L (octane 87)
ANNUELLE 1 870 L, 2 244 $
ÉMISSIONS DE CO_2 4 301 kg/an

(3.0T) V6 3,0 L DACT biturbo
PUISSANCE 404 ch à 5 700 tr/min
COUPLE 400 lb-pi à 2 500 tr/min
RAPPORT POIDS/PUISSANCE 4,6 kg/ch
BOÎTE(S) DE VITESSES automatique à 8 rapports
PERFORMANCES 0-100 km/h 4,5 s (est.)
VITESSE MAXIMALE 240 km/h (bridée)
CONSOMMATION (100 km) ville 13,0 L, route 9,0 L (octane 91)
ANNUELLE 1 904 L, 2 570 $
ÉMISSIONS DE CO_2 4 379 kg/an

(HYBRIDE) L4 2,0 L turbo + 2 moteurs électriques
PUISSANCE ND ch + 2 moteurs électriques de 100 ch chacun, 335 ch total disponible
COUPLE 432 lb-pi total disponible
RAPPORT POIDS/PUISSANCE 5,5 kg/ch (est.)
BOÎTE(S) DE VITESSES automatique à 8 rapports
PERFORMANCES 0-100 km/h 5,5 s (est.)
VITESSE MAXIMALE 240 km/h (bridée), 120 km/h en mode électrique seul
AUTONOMIE en mode électrique seul 48 km
TEMPS DE RECHARGE 5 h

AUTRES COMPOSANTS

SÉCURITÉ ACTIVE (certains en option) Freins ABS, assistance au freinage, répartition électronique de la force de freinage, contrôle électronique de la stabilité, antipatinage, régulateur de vitesse adaptatif, avertisseurs d'obstacle latéral et arrière, et de sortie de voie, avertisseur de collision imminente et détecteur de piéton avec freinage autonome, assistance vision nocturne
SUSPENSION avant/arrière indépendante adaptative à amortisseur magnétorhéologiques
FREINS avant/arrière disques
DIRECTION à crémaillère, assistée électriquement, 4 roues directionnelles
PNEUS 2.0T P235/50R18 **3.6/3.0T** P245/45R19

DIMENSIONS

EMPATTEMENT 3 106 mm
LONGUEUR 5 184 mm
LARGEUR 1 879 mm
HAUTEUR 1 472 mm
POIDS 2.0T 1 654 kg **3.6** 1 780 kg **3.0T** 1 853 kg **Hybride** 1 860 kg (est.)
RÉPARTITION DU POIDS AV/ARR (%) ND
DIAMÈTRE DE BRAQUAGE 11,4 m
COFFRE 433 L
RÉSERVOIR DE CARBURANT 74 L
BATTERIES système hybride lithium-ion 18,4 kWh

LA COTE VERTE

MOTEUR L4 DE 2,0 L TURBO
CONSOMMATION (100 km) 2RM ville 11,0 L, route 7,6 L
4RM ville 11,2 L, route 8,1 L
CONSOMMATION ANNUELLE 2RM 1 615 L, 2 180 $ **4RM** 1 666 L, 2 249 $
INDICE D'OCTANE 91
ÉMISSIONS POLLUANTES CO_2 2RM 3 714/an **4RM** 3 832 kg/an
(source : ÉnerGuide)

FICHE D'IDENTITÉ

VERSION(S) 2RM/4RM 2.0T Base, Luxe, Luxe Premium **3.6** Luxe, Luxe Premium, **2RM** V-Sport, V-Sport Premium, CTS-V
TRANSMISSION(S) arrière, 4
PORTIÈRES 4 **PLACES** 5
PREMIÈRE GÉNÉRATION 2003
GÉNÉRATION ACTUELLE 2014
CONSTRUCTION Lansing, Michigan, É.-U.
COUSSINS GONFLABLES 10 (frontaux, genoux avant, latéraux avant et arrière, rideaux latéraux)
CONCURRENCE Acura RLX, Audi A6/A7, BMW Série 4 Gran Coupé/Série 5, Infiniti Q70, Jaguar XF, Lexus GS, Lincoln MKZ, Maserati Ghibli, Mercedes-Benz Classe E, Volvo S90

AU QUOTIDIEN

COLLISION FRONTALE 5/5
COLLISION LATÉRALE 5/5
VENTES DU MODÈLE L'AN DERNIER
AU QUÉBEC 180 (-14,3 %) **AU CANADA** 921 (-14,4 %)
DÉPRÉCIATION (%) 30,8 (3 ans)
RAPPELS (2011 à 2016) 8
COTE DE FIABILITÉ 3/5

GARANTIES... ET PLUS

GARANTIE GÉNÉRALE 4 ans/80 000 km
GROUPE MOTOPROPULSEUR 6 ans/110 000 km
PERFORATION 6 ans/kilométrage illimité
ASSISTANCE ROUTIÈRE 6 ans/110 000 km
NOMBRE DE CONCESIONNAIRES
AU QUÉBEC 21 **AU CANADA** 450

NOUVEAUTÉS EN 2017

Retouches esthétiques, nouvelles appellations des versions, édition Carbon Black, nouvelles jantes, nouvelle palette de couleurs, système CUE amélioré, rétroviseur par caméra disponible.

ATTEINDRE LA CIBLE, PAS LES CLIENTS

Depuis le début du millénaire, on assiste à une amélioration constante des produits Cadillac, en plus d'une vaste diversification de la gamme. La division arrive enfin à se mesurer à ce qu'il y a de mieux dans l'industrie. Pour la CTS, le défi est de taille, car elle rivalise avec les meilleures berlines au monde. Techniquement, elle atteint son objectif, mais les clients continuent de préférer les Allemandes. Le problème : une mauvaise perception de la marque.

Luc-Olivier Chamberland

TOUR DU PROPRIÉTAIRE > Toutes les Cadillac depuis les années 2000 se définissent par le puissant langage stylistique Arts & Sciences. Après quelques tâtonnements, on obtient un produit possédant une belle maturité. On retient toujours les arêtes aiguisées, mais le tout est moins polarisant. Pour Cadillac, Arts & Sciences est plus qu'une question de design, c'est aussi un état d'esprit et une expérience que l'on veut offrir aux consommateurs.

Si l'ensemble de la carrosserie est assez conservateur, c'est à l'avant que l'on découvre sa véritable expression. Les longues tiges de DEL s'illuminent pour ne laisser aucun doute quant au véhicule à l'approche. Pour ne pas tomber dans l'excès, on évite les accents de chrome au profit

\+ QUALITÉ DE FABRICATION
VASTE SÉLECTION DE MOTEURS
COMPORTEMENT ROUTIER

− ESPACE ARRIÈRE
ERGONOMIE DIFFICILE
DESIGN SOBRE

MENTIONS

CLÉ D'OR | CHOIX VERT | COUP DE CŒUR | **RECOMMANDÉ**

VERDICT

PLAISIR AU VOLANT
QUALITÉ DE FINITION
CONSOMMATION
RAPPORT QUALITÉ / PRIX
VALEUR DE REVENTE
CONFORT

1 5 10

d'applique au fini satiné. Ceux qui voudront l'expérience complète en matière de dynamisme, la CTS-V met le paquet. Indéniablement sportive, elle se sert d'une ouverture de capot béante, de jupes latérales, de roues de 19 pouces et d'un faciès agrémenté d'une calandre en grillage.

VIE À BORD > La cabine se voit recouverte de matériaux nobles comme des cuirs agrémentés de surpiqûres, d'aluminium, d'alcantara et de boiseries fines. Un grand V fait office de console regroupant l'ensemble des commandes. Ces dernières sont difficiles à manipuler, car on utilise une approche uniquement tactile. Le problème se résume à un temps de réaction trop long et à l'absence de prise réelle de contact avec les touches. Le système multimédia CUE représente toujours un défi d'ergonomie à cause de ses interfaces compliquées. La CTS se place dans la catégorie des intermédiaires, mais l'espace est restreint. La cabine donne un sentiment de petitesse en raison de la hauteur de la ceinture de caisse et de la largeur de la console centrale. À l'arrière, on compte les centimètres de l'ouverture de la portière, et une fois en place, on se frotte les genoux aux dossiers et la tête au plafond.

TECHNIQUE > La CTS arrive avec un choix de moteurs tous très bien adaptés. Le consommateur peut choisir entre un 4-cylindres, deux V6 et un tonitruant V8. Les deux premiers, le 2.0T et le «petit» V6 livrent des performances agréables. Ces variantes utilisent toutes la transmission intégrale (4). Pour plus de piment, on doit se tourner vers les versions portant un V. Le V-Sport développe une impressionnante cavalerie de 420 chevaux. La CTS-V va encore plus loin en utilisant pas moins de 640 chevaux accompagnés d'un couple de 630 livres-pieds. Les V-Sport et CTS-V demandent plus de doigté, puisque ce sont de strictes propulsions. Toutes comprennent une boîte automatique à 8 rapports.

AU VOLANT > Si votre dernière image de la conduite d'une Cadillac remonte à l'époque des Fleetwood ou des Eldorado, il est grand temps de rafraîchir votre perception. La CTS s'inscrit dans le monde des berlines au tempérament sportif. Les ingénieurs ont tout mis en place pour que l'expérience soit relevée, et elle l'est. La direction se montre assez lourde, mais demeure très communicative. L'équilibre de ses proportions et de ses masses fait qu'elle est agile sur la route. Il ne faut pas négliger que ses suspensions magnétiques sont tout simplement superbes. Elle passe de la tranquillité à la sportivité avec aisance. On sourit derrière le volant de cette américaine. Évidemment, le sourire devient béat dans la CTS-V, une véritable brute qui se nourrit du bitume.

CONCLUSION > La CTS est l'un des meilleurs produits de l'histoire de Cadillac. Maintenant que le véhicule a tout ce qu'il faut pour s'imposer, il ne lui reste qu'à séduire les consommateurs, ce qu'elle peine à faire. Une chose est certaine, il n'y a aucune honte à choisir cette voiture face aux allemandes. ■

2e OPINION

Daniel Rufiange

Lorsqu'on écrira sur l'histoire de Cadillac au XXIe siècle, il faudra pointer l'arrivée de la CTS, en 2003, comme un moment marquant pour l'avenir de la marque. Même si l'Escalade contribuait depuis quelques années à remplir les coffres de la division, c'est la CTS qui a donné l'élan dont avait besoin la bannière pour rejoindre un public plus vaste. Depuis, les générations se sont succédé et le modèle a enfin trouvé sa niche depuis qu'on a identifié l'ATS comme celle ayant pour mission de s'attaquer aux berlines de luxe d'entrée de gamme. La CTS, en gros, donne tout ce qu'une berline de luxe intermédiaire doit donner, et encore. Seulement, la concurrence est très forte dans le créneau et, pour l'instant, la proposition de Cadillac semble œuvrer dans l'ombre. Dommage, car le modèle n'est pas sans intérêt.

FICHE TECHNIQUE

MOTEUR(S)

(2.0T) L4 2,0 L DACT turbo
PUISSANCE 272 ch à 5 500 tr/min
COUPLE 295 lb-pi de 3 000 à 4 500 tr/min
RAPPORT POIDS/PUISSANCE 2RM 6,0 kg/ch **4RM** 6,3 kg/ch
BOITE(S) DE VITESSES automatique à 6 rapports avec mode manuel, automatique à 8 rapports avec mode manuel et manettes au volant (option)
PERFORMANCES 0 à 100 km/h 6,5 s
VITESSE MAXIMALE ND

(3.6) V6 3,6 L DACT
PUISSANCE 321 ch à 6 800 tr/min
COUPLE 275 lb-pi à 4 800 tr/min
RAPPORT POIDS/PUISSANCE 2RM 5,3 kg/ch **4RM** 5,5 kg/ch
BOÎTE(S) DE VITESSES automatique à 6 rapports avec mode manuel
PERFORMANCE 0-100 km/h 6,2 s
VITESSE MAXIMALE 250 km/h
CONSOMMATION (100 km) 2RM ville 11,6 L, route 7,9 L **4RM** ville 12,2 L, route 8,5 L (octane 87)
ANNUELLE 2RM 1 683 L, 2 020 $ **4RM** 1 785 L, 2 142 $
ÉMISSIONS DE CO_2 2RM 3 871 kg/an **4RM** 4 105 kg/an

(3.6 Vsport) V6 3,6 L DACT biturbo
PUISSANCE 420 ch à 5 750 tr/min
COUPLE 430 lb-pi de 3 500 à 4 500 tr/min
RAPPORT POIDS/PUISSANCE 4,3 kg/ch
BOÎTE(S) DE VITESSES automatique à 8 rapports avec mode manuel et manettes au volant
PERFORMANCE 0-100 km/h 5,2 s
VITESSE MAXIMALE 250 km/h
CONSOMMATION (100 km) ville 14,7 L, route 9,8 L (octane 91)
ANNUELLE 2 125 L, 2 869 $
ÉMISSIONS DE CO_2 4 887 kg/an

(CTS-V) V8 6,2 L ACC à compresseur volumétrique
PUISSANCE 640 ch à 6 400 tr/min
COUPLE 630 lb-pi à 3 600 tr/min
RAPPORT POIDS/PUISSANCE 2,9 kg/ch
BOÎTE(S) DE VITESSES automatique à 8 rapports avec mode manuel et manettes au volant
PERFORMANCES 0-100 km/h 4,3 s
VITESSE MAXIMALE 307 km/h
CONSOMMATION (100 km) ville 16,6 L, route 11,1 L (octane 91)
ANNUELLE 2 397 L, 3 236 $
ÉMISSIONS DE CO_2 5 513 kg/an

AUTRES COMPOSANTS

SÉCURITÉ ACTIVE Freins ABS, assistance au freinage, répartition électronique de la force de freinage, contrôle électronique de la stabilité, antipatinage, régulateur de vitesse adaptatif, avertisseur d'obstacle latéral et arrière et d'impact imminent avec freinage autonome, assistance au maintien de voie, affichage tête haute
SUSPENSION avant/arrière indépendante (amortisseurs magnétorhéologiques)
FREINS avant/arrière disques
DIRECTION à crémaillère, assistée électriquement
PNEUS 2.0 T P245/45R17 **3.6/option 2.0T** P245/40R18
Vsport P245/40R18 (av.) P275/35R18 (arr.)
CTS-V P265/35R19 (av.) P295/30R19 (arr.)

DIMENSIONS

EMPATTEMENT 2 910 mm
LONGUEUR 4 966 mm **CTS-V** 5 021 mm
LARGEUR 1 833 mm
HAUTEUR 1 454 mm
POIDS 2.0T 2RM 1 642 kg **4RM** 1 713 kg **3.6 2RM** 1 703 kg **4RM** 1 763 kg **Vsport** 1 807 kg **CTS-V** 1 880 kg
RÉPARTITION DU POIDS AV/ARR (%) 53/47
DIAMÈTRE DE BRAQUAGE 2.0T 11,3 m **3.6** 4RM 11,9 m **Vsport** 11,5 m **CTS-V** 12,3 m
COFFRE 388 L
RÉSERVOIR DE CARBURANT 72 L
CAPACITÉ DE REMORQUAGE 3.6 454 kg

CADILLAC > ESCALADE

www.gm.ca

LA COTE VERTE

MOTEUR V8 DE 6,2 L
CONSOMMATION (100 km) ville 16,1 L, route 11,7 L
CONSOMMATION ANNUELLE 2 397 L, 3 236 $
INDICE D'OCTANE 91 (87 utilisable)
ÉMISSIONS POLLUANTES CO_2 5 513 kg/an
(source : Cadillac et L'Annuel)

FICHE D'IDENTITÉ

VERSION(S) Escalade/Escalade ESV Base, Luxe, Luxe Premium, Platinum
TRANSMISSION(S) 4
PORTIÈRES 5 **PLACES** 7, 8 (option)
PREMIÈRE GÉNÉRATION 1999
GÉNÉRATION ACTUELLE 2015
CONSTRUCTION Arlington, Texas, É-U.
COUSSINS GONFLABLES 7 (frontaux, central avant, latéraux avant, rideaux latéraux)
CONCURRENCE Infiniti QX80, Land Rover Range Rover, Lexus LX, Lincoln Navigator, Mercedes-Benz GLS/Classe G

AU QUOTIDIEN

COLLISION FRONTALE 5/5
COLLISION LATÉRALE 5/5
VENTES DU MODÈLE L'AN DERNIER
AU QUÉBEC 227 (+211 %) **AU CANADA** 2 085 (+154 %)
DÉPRÉCIATION (%) 32,8 (3 ans)
RAPPELS (2011 à 2016) 10
COTE DE FIABILITÉ 2,5/5

GARANTIES... ET PLUS

GARANTIE GÉNÉRALE 4 ans/80 000 km
GROUPE MOTOPROPULSEUR 6 ans/110 000 km
PERFORATION 6 ans/kilométrage illimité
ASSISTANCE ROUTIÈRE 6 ans/110 000 km
NOMBRE DE CONCESSIONNAIRES
AU QUÉBEC 21 **AU CANADA** 450

NOUVEAUTÉS EN 2017

Changements aux fonctionnalités du système infodivertissement CUE, retouches aux contrôles et icônes, rappel pour siège arrière, nouvelle palette de couleurs, stationnement autonome, nouvelles jantes 22 po, marchepied électrique de série sur Platinum, changement d'appellation des versions.

VOUS PENSIEZ QU'ILS ÉTAIENT MORTS ?

Ils sont gargantuesques, ultra-luxueux, puissants à souhait, fardés de chrome et décorés d'une grille de calandre plus massive que le hayon d'une smart. Je parle bien sûr de ces VUS de luxe pleine grandeur qui, l'an dernier, voyaient leurs ventes grimper en flèche, et ce, peu importe le constructeur. Dans un monde où les gens sont généralement plus rationnels et plus soucieux de l'environnement, ces monstres mécaniques détonnent. Et pourtant...

Antoine Joubert

TOUR DU PROPRIÉTAIRE > Il faut dire que les VUS du genre se sont énormément raffinés. Plus question de rouler à 22 litres aux 100 kilomètres comme on le faisait il y a dix ans. Aujourd'hui, ces mastodontes ont un but en tête : offrir à leurs occupants une expérience de luxe et de confort ultime. Évidemment, l'Escalade réussit très bien ce mandat. Que l'on opte pour un modèle à empattement court ou long, ce camion projette une image de luxe à l'américaine qui n'a pas d'égal. Ne soyez donc pas étonné si Cadillac a réussi à en vendre plus de 38 000 l'an dernier en Amérique du Nord, un chiffre presque quatre fois plus élevé que celui de son plus proche rival, le Lincoln Navigator. Bien sûr, GM en écoule une bonne quantité auprès des entreprises de limousines aéroportuaires ou hôtelières. Toutefois, la majorité des ventes

+

- LUXE ET CONFORT INCOMPARABLES
- QUALITÉ DE CONSTRUCTION
- PUISSANCE ET PERFORMANCES VS CONSOMMATION
- SUSPENSION MAGNETICRIDE IMPRESSIONNANTE

−

- SEUIL DE COFFRE TROP ÉLEVÉ
- EFFICACITÉ DU SYSTÈME CUE
- CONFORT DE LA BANQUETTE ARRIÈRE (3e RANGÉE)
- DANS LES SIX CHIFFRES...

MENTIONS

CLÉ D'OR | CHOIX VERT | COUP DE CŒUR | **RECOMMANDÉ**

VERDICT

PLAISIR AU VOLANT
QUALITÉ DE FINITION
CONSOMMATION
RAPPORT QUALITÉ / PRIX
VALEUR DE REVENTE
CONFORT

1 5 10

demeurent attribuables à des particuliers qui craquent pour cette surenchère de feux à DEL, d'accents métalliques ainsi que pour ces roues de 22 pouces au fini chromé, pour lesquelles la plupart des acheteurs accepteront de débourser un petit 2 000 $ de plus.

VIE À BORD > Ce n'est un secret pour personne, l'Escalade dérive directement des Chevrolet Tahoe/GMC Yukon. GM a cependant pris soin de créer un plus grand écart entre ces modèles afin de distinguer davantage l'Escalade, évidemment plus coûteux. Voilà pourquoi ce dernier hérite d'une planche de bord distincte, de sièges retravaillés et d'une sellerie unique nettement plus riche. Inutile d'énumérer la très longue liste de caractéristiques de luxe, mais sachez que le prix de base de l'Escalade peut être majoré d'au moins 25 000 $ en y ajoutant la totalité des options. Parmi les irritants, notons un levier de vitesses à la colonne un brin disgracieux ainsi qu'un plancher de coffre surélevé causé par la présence d'un essieu rigide arrière. Notez également que cette configuration de suspension nuit aussi au confort de la banquette arrière, incomparable avec celui des sièges des rangées précédentes.

TECHNIQUE > Pourriez-vous croire que ce mastodonte est capable de maintenir sur route une consommation d'à peine 11 litres aux 100 kilomètres ? C'est pourtant ce que j'ai pu enregistrer comme moyenne lors d'un trajet majoritairement composé de conduite sur autoroute. Pour y parvenir, Cadillac a recours à un V8 de 6,2 litres qui fait appel à plusieurs technologies de pointe et qui fait équipe avec une boîte automatique à 8 rapports, d'une grande efficacité. Maintenant, sachez que votre moyenne en milieu urbain se tiendra davantage autour de 16 litres aux 100 kilomètres, ce qui est bien sûr moins attrayant.

AU VOLANT > C'est avec l'impression d'être installé sur un trône royal que vous circulerez au volant de l'Escalade, dans un confort et un luxe certains. Pas de doute, GM a mis le paquet pour que l'expérience au volant soit incomparable. Qui plus est, notre essai de l'an dernier diffusé à RPM a démontré que l'Escalade était capable d'offrir un comportement aussi raffiné que sécuritaire en dépit de son poids et de son centre de gravité élevé. Vous ne prendrez évidemment pas une courbe avec ce monstre de la même façon qu'avec une Corvette. Cependant, la maniabilité, la tenue de route et la puissance de freinage sont aujourd'hui des éléments qui impressionnent, surtout lorsqu'on effectue l'exercice de comparaison avec un modèle de précédente génération. Vous avez une option à considérer ? Songez à la suspension MagneticRide. Elle permet d'obtenir une conduite à la carte et un comportement beaucoup plus dynamique.

CONCLUSION > À 100 000 $ l'exemplaire, ce Cadillac est évidemment très lucratif pour la firme de Détroit. Ne pensez donc pas que l'Escalade est un concept dépassé, en voie de disparition. GM continuera à développer des Bolt et des Volt, notamment pour pouvoir continuer de vendre ce genre de camion hyper lucratif et qui rejoint vraisemblablement encore beaucoup d'adeptes au portefeuille bien garni. ■

2e OPINION

Benoit Charette

Si pour vous un Chevrolet Tahoe n'exprime pas assez bien votre état d'esprit et que vous avez 100 000$ à mettre sur un gros utilitaire, le Cadillac Escalade saura flatter votre égo. Cette icône de la culture pop a été bénéfique pour le trésor de GM. Oui, son gros V8 peut remorquer plus de 8 000 livres et vous avez de l'espace pour 7 ou 8 passagers. Toutefois, il ne faut pas oublier que les origines de ce cube de chrome sont modeste. L'escalade partage sa plateforme avec la camionnette Silverado et vous pouvez avoir le même environnement pour beaucoup moins dans un Tahoe ou un GMC Yukon dans les versions moyen de gamme. Chose certaine, vous ne ferez pas le bonheur de vos voisins écolos.

FICHE TECHNIQUE

MOTEUR(S)

(ESCALADE) V8 6,2 L
PUISSANCE 420 ch à 5 600 tr/min
COUPLE 460 lb-pi à 4 100 tr/min
RAPPORT POIDS/PUISSANCE 6,3 kg/ch **ESV** 6,6 kg/ch
BOÎTE(S) DE VITESSES automatique à 8 rapports avec mode manuel
PERFORMANCES 0-100 km/h 5,9 s
REPRISE 80-115 km/h 4,2 s
FREINAGE 100-0 km/h 46,3 m
NIVEAU SONORE À 100 km/h bon
VITESSE MAXIMALE 180 km/h

AUTRES COMPOSANTS

SÉCURITÉ ACTIVE (certains en option) Freins ABS, assistance au freinage, répartition électronique de la force de freinage, contrôle de la stabilité électronique, antipatinage, détecteur d'impact imminent avec freinage d'urgence automatique, régulateur de vitesse adaptatif, assistance au mainien de voie, avertisseur d'obstacle latéral et arrière, aide au départ en pente
SUSPENSION avant/arrière indépendante/essieu rigide à amortisseurs magnétorhéologiques
FREINS avant/arrière disques
DIRECTION à crémaillère, assistée électriquement
PNEUS Base P275/55R20 **Luxe, Premium** P285/45R22

DIMENSIONS

EMPATTEMENT 2 946 mm **ESV** 3 302 mm
LONGUEUR 5 179 mm **ESV** 5 697 mm
LARGEUR 2 044 mm
HAUTEUR 1 889 mm **ESV** 1 880 mm
POIDS 2 649 kg **ESV** 2 739 kg
RÉPARTITION DU POIDS AV/ARR (%) 52/48 **ESV** 51/49
DIAMÈTRE DE BRAQUAGE 11,9 m **ESV** 13,1 m
COFFRE 430 L, 1 461 L, 2 667 L (sièges abaissés)
ESV 1 113 L, 2 172 L, 3 424 L (sièges abaissés) L
RÉSERVOIR DE CARBURANT 98,4 L **ESV** 117,3 L
CAPACITÉ DE REMORQUAGE 3 674 kg **ESV** 3 583 kg

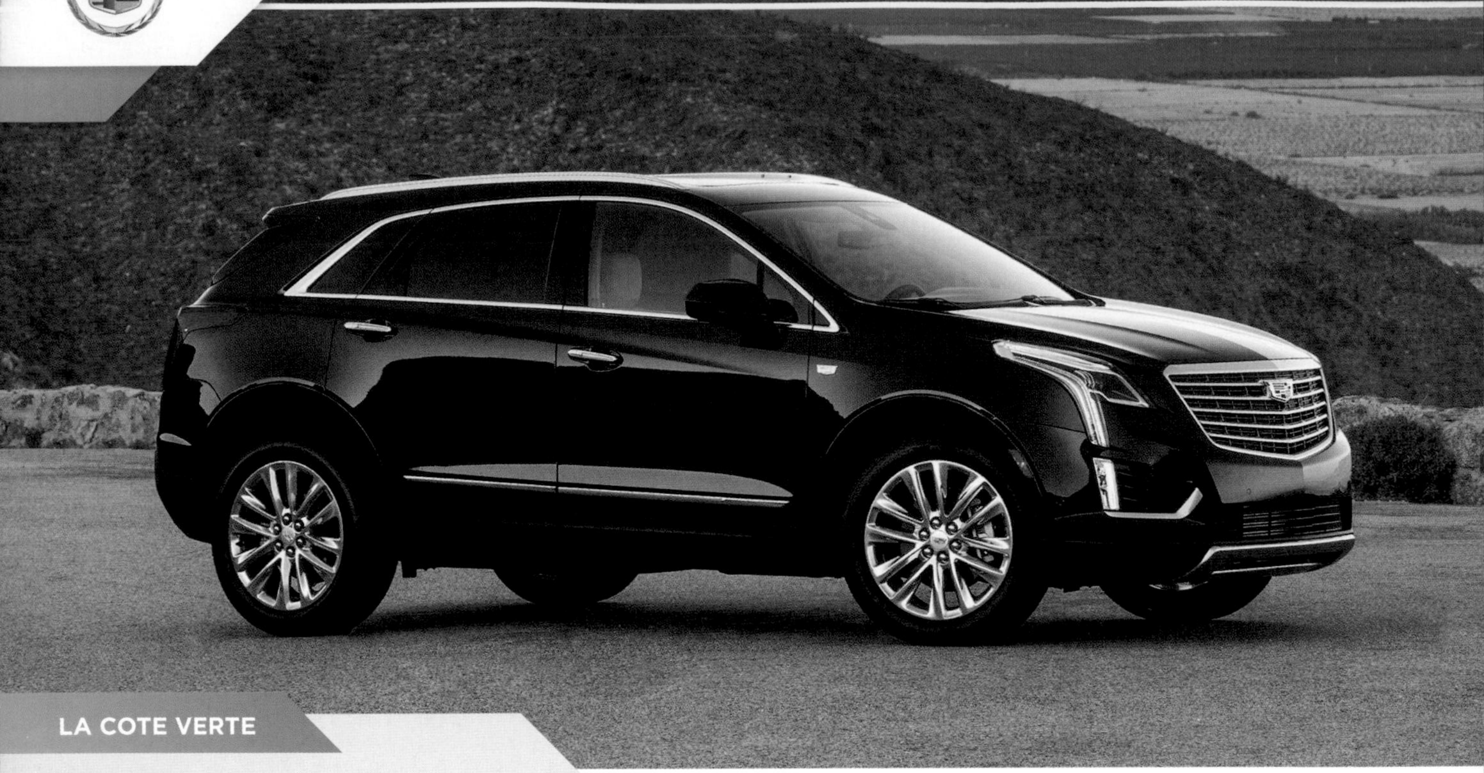

LA COTE VERTE

MOTEUR V6 DE 3,6 L
CONSOMMATION (100 km) 2RM ville 12,1 L, route 8,6 L
4RM ville 12,9 L, route 8,9 L
CONSOMMATION ANNUELLE 2RM 1 802 L, 2 162 $ **4RM** 1 887 L, 2 264 $
INDICE D'OCTANE 87
ÉMISSIONS POLLUANTES CO_2 2RM 4 145 kg/an **4RM** 4 340 kg/an
(source : Cadillac et L'Annuel)

FICHE D'IDENTITÉ

VERSION(S) 2RM Base **2RM/4RM** Luxe, Premium, Platinum
TRANSMISSION(S) avant, 4
PORTIÈRES 5 **PLACES** 5
PREMIÈRE GÉNÉRATION 2017
GÉNÉRATION ACTUELLE 2017
CONSTRUCTION Spring Hill, Tennesse, É-U.
COUSSINS GONFLABLES 6 (frontaux, latéraux avant, rideaux latéraux)
CONCURRENCE Acura MDX, Audi Q7, BMW X5/X6, Infiniti QX60/QX70, Jaguar F-Pace, Land Rover LR4/Range Rover Sport, Lexus RX, Lincoln MKT/MKX, Maserati Levante, Mercedes-Benz GLE, Porsche Cayenne, Volkswagen Touareg, Volvo XC60

AU QUOTIDIEN

COLLISION FRONTALE nm
COLLISION LATÉRALE nm
VENTES DU MODÈLE L'AN DERNIER
AU QUÉBEC 1 111 (+9,1 %) **AU CANADA** 4 886 (+18,2 %) (SRX)
DÉPRÉCIATION (%) 31,3 (3 ans) (SRX)
RAPPELS (2011 à 2016) 10 (SRX)
COTE DE FIABILITÉ nm

GARANTIES... ET PLUS

GARANTIE GÉNÉRALE 4 ans/80 000 km
GROUPE MOTOPROPULSEUR 6 ans/110 000 km
PERFORATION 6 ans/160 000 km
ASSISTANCE ROUTIÈRE 6 ans/110 000 km
NOMBRE DE CONCESIONNAIRES
AU QUÉBEC 21 **AU CANADA** 450

NOUVEAUTÉS EN 2017

Nouveau modèle remplaçant le SRX

L'ÈRE 2.0 DE CADILLAC

Avec plus de 4700 ventes l'an dernier au Canada, le Cadillac SRX est non seulement le plus vendu des modèles Cadillac, mais il représente pratiquement 50 % des ventes de la division de luxe de GM au pays. À l'image d'autres constructeurs, Cadillac rebaptise ses modèles, ce qui fait que pour 2017, le SRX devient le XT5. Avec la popularité des utilitaires qui ne semble pas ralentir, on peut supposer qu'une telle appellation laisse la porte ouverte à de futurs modèles XT3 ou XT7. Cela fait aussi comprendre que Cadillac vise maintenant la planète comme terrain de jeu et qu'elle cherche, avec les nouveaux modèles comme la CT6 et le XT5, à sortir des frontières de l'Amérique du Nord.

Benoit Charette

TOUR DU PROPRIÉTAIRE > Difficile de parler de révolution au chapitre du style extérieur. Le XT5 conserve la forme en cocheur d'allée du SRX avec un faciès et un dessin de phares qui s'inspirent de la récente CT6. Physiquement, le XT5 possède un empattement 5 centimètres plus long que le SRX avec toutefois une longueur hors tout légèrement plus courte. En situant les roues plus aux extrémités du châssis, les passagers, surtout à l'arrière, gagnent de l'espace. L'utilisation d'acier à haute résistance a permis à la fois de rigidifier la structure et de réduire le poids de 132 kilos. Le style général est plus raffiné que dans le SRX. C'est la version

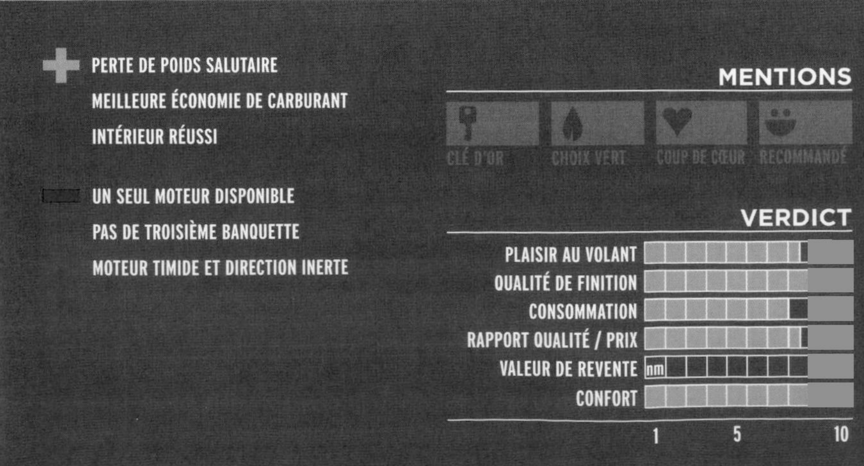

2.0 du concept Art and Science (lancé avec la CTS en 2003), et même si la route a été longue, Cadillac peut maintenant se targuer d'avoir trouvé une image à la fois distinguée et distinctive. Curieusement, on remarque tout de suite la différence en voyant le XT5 seul. Par contre, si on place un XT5 et un SRX côte à côte, les différences sont plus subtiles.

VIE À BORD > Cela aura pris du temps, mais Cadillac s'est finalement débarrassée de tous les restants de « kitsch » qui avaient survécu dans le SRX. L'ambiance générale et la disposition des commandes s'inspirent directement de la berline CT6. Il n'y a plus ces commandes ésotériques avec manipulation par effleurement qui ont fait rager tant de propriétaires. Le système CUE existe toujours, mais il a été largement modifié. Au centre du véhicule règnent la console centrale et un écran tactile beaucoup plus convivial que les anciennes commandes. La qualité de l'exécution générale est impressionnante, les matériaux, de qualité et doux au toucher. Cadillac peut se targuer de diminuer considérablement le fossé entre elle et les rivaux allemands à ce chapitre. Il y a tout de même deux bémols à signaler. D'abord, l'écran central est un peu petit et gagnerait à prendre, comme l'ont fait la majorité des concurrents, des dimensions plus généreuses. On le voit dans le nouveau Volvo XC90, le Mercedes-Benz GLE et l'Audi Q7. Ce n'est pas dramatique, mais la concurrence immédiate fait mieux. L'autre point concerne l'assise, très haute à l'arrière. Je me suis surpris à frotter mon crâne au plafond. Même si le véhicule gagne en espace intérieur, le plafond plus bas pour répondre à de nouveaux critères esthétiques handicape l'habitabilité et oblige à plier le cou à l'arrière.

TECHNIQUE > Après avoir regardé de près l'extérieur et l'intérieur, il faut maintenant faire passer le test de vérité. Qu'est-ce que ce Cadillac a dans le ventre et est-ce suffisant pour faire lutte égale avec les concurrents allemands et japonais? Disons, pour être poli, que la livrée est un peu mince. Il n'y a qu'un seul moteur disponible. Il s'agit du très répandu V6 3,6 litres qui développe, dans le XT5, 310 chevaux et 271 livres-pieds de couple. Il est associé à une boîte automatique à 8 rapports et offre en prime un système de désactivation des cylindres. En combinant cela avec un poids plus léger, cela nous a permis d'atteindre une moyenne de consommation, lors de notre journée d'essai, de 11,3 litres aux 100 kilomètres, ce qui est presque 2,5 litres de mieux que le SRX. Vous aurez le choix d'une version à 2 ou à 4 roues motrices. L'Europe va recevoir en version de base un moteur 4 cylindres 2 litres turbo qui existe déjà ici dans la petite ATS. Voilà une option qui pourrait s'avérer intéressante. Il serait aussi à propos de considérer le très véloce moteur V6 3 litres biturbo pour déplacer un modèle plus performant et haut de gamme, question de soumettre un choix qui se rapproche de ceux offerts par BMW, Audi ou Mercedes-Benz. Force est d'admettre qu'un seul moteur représente un handicap.

2e OPINION

Antoine Joubert

Le moins qu'on puisse dire, c'est que cette nouvelle mouture remplaçant le SRX se faisait attendre. Les concessionnaires se rongeaient les ongles jusqu'au sang pour trouver des arguments permettant de vendre un SRX pataud, gourmand et pas très fiable. Aujourd'hui, on remet les pendules à l'heure. Le XT5 est d'abord fort élégant, mais également drôlement mieux ficelé que son prédécesseur. La présentation intérieure est noble et les gadgets technologiques sont aussi nombreux qu'appréciables. Qui plus est, on parvient, grâce à de nombreuses astuces, à ramener la consommation de carburant à un niveau ridiculement bas. Essentiellement, vous consommerez sur route à peu près la même quantité d'essence qu'avec un Equinox AWD à moteur 4 cylindres, tout en bénéficiant de beaucoup plus de puissance et de raffinement. Espérons seulement que la fiabilité sera au rendez-vous, car le produit est à première vue très convaincant.

FICHE TECHNIQUE

MOTEUR(S)

(XT5) V6 3,6 L DACT
PUISSANCE 310 ch à 6 700 tr/min
COUPLE 271 lb-pi à 5 000 tr/min
RAPPORT POIDS/PUISSANCE 2RM 5,8 kg/ch **4RM** 6,2 kg/ch
BOÎTE(S) DE VITESSES automatique à 8 rapports avec mode manuel et manettes au volant
PERFROMANCES 0-100 km/h 6,9 s
REPRISE 80-115 km/h 5,0 s
FREINAGE 100-0 km/h 42,8 m
NIVEAU SONORE À 100 km/h Moyen
VITESSE MAXIMALE 209 km/h

AUTRES COMPOSANTS

SÉCURITÉ ACTIVE (certains en option) Freins ABS, assistance au freinage, répartition électronique de la force de freinage, contrôle électronique de la stabilité, antipatinage, assistance en cas de collision imminente avec freinage d'urgence automatique, freinage automatique en cas de collision en reculant à basse vitesse, phares adaptatifs, régulateur de vitesse adaptatif, avertisseur d'obstacle latéral avec aide au maintien de voie, d'obstacle latéral et arrière, rétroviseur par caméra à 300°, caméra 360°, afficheur tête haute
SUSPENSION avant/arrière indépendante (à amortissement adaptatif en option sur 4RM)
FREINS avant/arrière disques
DIRECTION à crémaillère, assistée électriquement
PNEUS P235/65R18 **option** P235/55R20

DIMENSIONS

EMPATTEMENT 2 857 mm
LONGUEUR 4 815 mm
LARGEUR 1 903 mm
HAUTEUR 1 675 mm
POIDS 2RM 1 808 kg **4RM** 1 931kg
RÉPARTITION DU POIDS AV/ARR (%) ND
DIAMÈTRE DE BRAQUAGE 11,8 m (roues de 18 po.) 11,9 m (roues de 19 po.)
COFFRE 849 L, 1 784 L (sièges abaissés)
RÉSERVOIR DE CARBURANT 2RM 72 L **4RM** 83 L
CAPACITÉ DE REMORQUAGE 1 588 kg (avec ensemble remorquage)

A

B

C

D

E

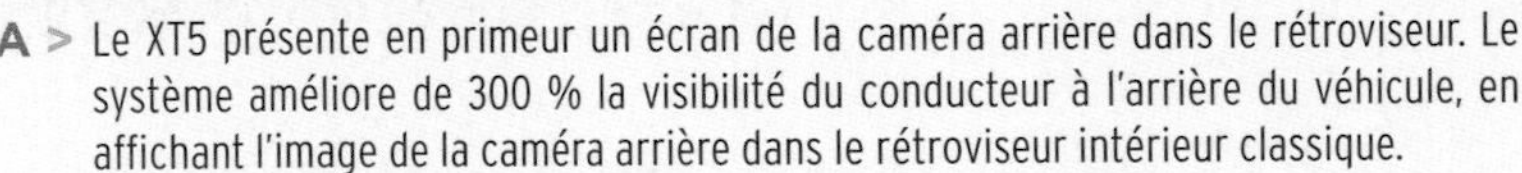

GALERIE

A > Le XT5 présente en primeur un écran de la caméra arrière dans le rétroviseur. Le système améliore de 300 % la visibilité du conducteur à l'arrière du véhicule, en affichant l'image de la caméra arrière dans le rétroviseur intérieur classique.

B > Une nouvelle transmission intégrale à embrayage sera offerte en option. Tout en étant conçue pour donner un solide rendement sur des chaussées mouillées, enneigées ou glacées, elle procure également une stabilité accrue sur revêtement sec.

C > Le XT5 est proposé dans un choix de cinq couleurs et garnitures intérieures, avec des options de garnitures décoratives allant de la fibre de carbone à deux types d'aluminium et à trois types de boiseries authentiques.

D > Comme tous les modèles 2016 de Cadillac, le XT5 offre, de série, la connectivité sans fil 4G avec un point d'accès sans fil intégré et la compatibilité Apple CarPlay et Android Auto pour simplifier l'intégration des téléphones à bord.

E > Le hayon arrière du XT5 comprend une fonction mains libres qui permet de l'ouvrir ou de le fermer par simple commande gestuelle sous le pare-chocs arrière.

AU VOLANT > C'est sur la route que le XT5 a le plus déçu. Rien à redire sur le confort, l'insonorisation et même la tenue de route à régime normal. Il y a deux points précis à aborder, la transmission et la direction. La première est à la chasse à l'économie de carburant et change toujours de rapport trop tôt pour qu'on puisse éprouve du plaisir et la seconde manque de vie. Bref, on sent une forte inertie qu'il est difficile de secouer. Nous avons réussi, dans les routes en lacets du mont Palomar, en Californie, à réveiller la bête en appelant le mode sport, qui reprogramme le ratio des changements de rapports. Mais vous devez alors faire attention de ne pas trop pousser, car le XT5 n'a rien d'une voiture sport et le centre de gravité élevé, doublé d'une direction sans vie, va rapidement faire apparaître des gouttes de sueurs froides sur votre front. Pour ceux qui roulent sagement, le XT5 va faire de l'excellent boulot. Pour les autres qui aiment de temps en temps pousser la machine, vous n'êtes pas à la bonne adresse. Les Allemands peuvent encore dormir tranquilles. Il serait important pour GM de penser à des solutions plus sportives afin de jouer à armes égales avec la concurrence, spécialement avec les ambitions de mondialisation du modèle. Le XT5 saura certes plaire aux pantouflards américains, mais l'Europe n'en voudra pas. Il faudra mettre plus, beaucoup plus de dynamisme dans la recette.

CONCLUSION > Le XT5 est un grand pas en avant par rapport à son prédécesseur, mais il faut savoir ce que vous allez acheter. Derrière le volant, vous êtes dans le monde confortable et peu inspirant du Lincoln MKX ou d'un Lexus RX 350. Pour un brin d'adrénaline, prière de consulter l'Audi Q5, le BMW X3 ou le Mercedes GLC. Le XT5 est tendance, bien roulé et va plaire à ceux qui aiment le confort enveloppé dans un style contemporain. C'est une clientèle qui s'est chiffrée à plus de 100 000 aux États-Unis en 2015, mais dans un concept de mondialisation, il faudra amener de la variété dans l'offre avec plus de moteurs, une conduite plus sportive et surtout un plaisir de conduire accru. Avec cette unique version, Cadillac améliore son produit, mais reste solidement ancrée dans une niche nord-américaine, et ce n'est pas de cette manière qu'elle va réussir à conquérir de nouveaux marchés. ■

HISTORIQUE

C'est le prototype Vizon présenté au Salon de l'auto de Détroit qui a donné vie au premier modèle SRX qui allait suivre en 2004. Pas très populaire, la première génération de SRX (2005 à 2009) avait été jugée le véhicule le plus dangereux par l'IIHS. La deuxième génération arrive en 2010 avec un style complètement différent, mais encore avec des ratés mécaniques et une fiabilité aléatoire. Pour 2017, le SRX devient le XT5. Il affiche un style plus moderne et un niveau de luxe qui franchit de nouvelles frontières.

Cadillac Vizion concept 2002

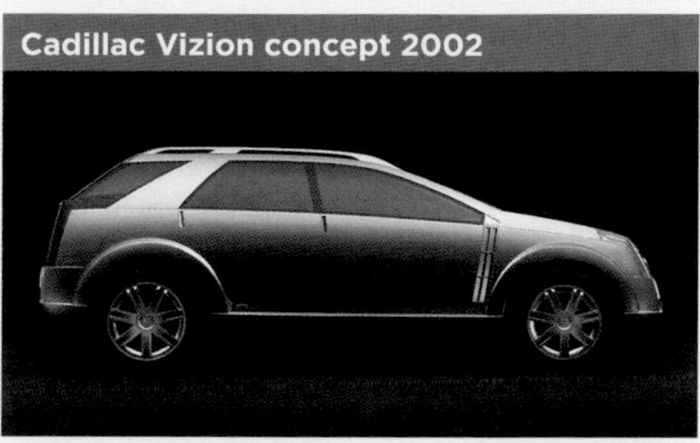

Esquisse du Cadillac SRX 2006

Cadillac SRX 2006

Cadillac SRX 2011

Cadillac XT5 2017

LA COTE VERTE

MOTEUR ÉLECTRIQUE À AIMANT PERMANENT
AUTONOMIE MOYENNE 320 km
CONSOMMATION ÉQUIVALENTE (100 km) 2,2 L (est.)
CONSOMMATION ÉQUIVALENTE ANNUELLE 374 L
INDICE D'OCTANE NA
ÉMISSIONS POLLUANTES CO_2 0 kg/an
Temps de recharge 240 V : 9h, 40 km d'autonomie par heure
Chargeur rapide : 30 min pour 145 km d'autonomie
(source : Chevrolet et L'Annuel)

FICHE D'IDENTITÉ

VERSION(S) unique
TRANSMISSION(S) avant
PORTIÈRES 5 **PLACES** 5
PREMIÈRE GÉNÉRATION 2017
GÉNÉRATION ACTUELLE 2017
CONSTRUCTION Orion Township, Michigan, É.-U.
COUSSINS GONFLABLES 10 (frontaux, latéraux avant et arrière, genoux conducteur et passager, rideaux latéraux)
CONCURRENCE BMW i3, Ford Focus Électrique, Hyundai Ionic, Kia Soul EV, Mitsubishi i-MiEV, Nissan Leaf

AU QUOTIDIEN

COLLISION FRONTALE nm
COLLISION LATÉRALE nm
VENTES DU MODÈLE L'AN DERNIER
AU QUÉBEC nm **AU CANADA** nm
DÉPRÉCIATION (%) nm
RAPPELS (2011 à 2016) nm
COTE DE FIABILITÉ nm

GARANTIES... ET PLUS

GARANTIE GÉNÉRALE 3 ans/60 000 km
GROUPE MOTOPROPULSEUR 5 ans/160 000 km
BATTERIES 8 ans/160 000 km
PERFORATION 6 ans/160 000 km
ASSISTANCE ROUTIÈRE 5 ans/160 000 km
NOMBRE DE CONCESSIONNAIRES
AU QUÉBEC 67 **AU CANADA** 450

NOUVEAUTÉS EN 2017

Nouveau modèle

PRENDRE LE TAUREAU PAR LES CORNES

Pour ceux qui doutaient encore de la viabilité de la voiture électrique, une guerre est maintenant engagée sur plusieurs fronts, et General Motors ne veut pas laisser passer cette occasion. Chevrolet a mis son poing sur la table en annonçant au Salon de Détroit en janvier 2016 qu'elle arriverait avant la fin de l'année avec une voiture électrique abordable capable de parcourir 320 kilomètres sur une seule charge. Du coup, la Bolt change les règles du jeu en damant le pion à la Nissan Leaf, qui offre au même prix 175 maigres kilomètres. Tesla a réagi avec le Model 3, mais ce modèle arrivera sur nos routes au printemps 2018 si le calendrier de production est respecté, chose que Tesla n'a pas réussi à faire pour aucun modèle à ce jour.

Benoit Charette

TOUR DU PROPRIÉTAIRE> Comme GM a l'intention de conquérir les marchés internationaux avec la Bolt, elle lui donne une allure à la fois futuriste et passe-partout, un format à hayon à l'européenne où elle sera vendue sous le nom d'Opel Ampera dans le vieux continent. Les deux modèles sont identiques, sauf pour la calandre à l'image d'Opel. Plus compacte que la Volt, la Bolt se donne

+ À DÉTERMINER

– À DÉTERMINER

MENTIONS

CLÉ D'OR | CHOIX VERT | COUP DE CŒUR | RECOMMANDÉ

VERDICT

PLAISIR AU VOLANT	nm
QUALITÉ DE FINITION	nm
CONSOMMATION	nm
RAPPORT QUALITÉ / PRIX	nm
VALEUR DE REVENTE	nm
CONFORT	nm

1 5 10

des airs de BMW i3. Une coïncidence ou une approche calculée de GM qui va affronter BMW dans ce marché ? Pour abaisser le centre de gravité, GM a placé les batteries dans le plancher sous le véhicule.

VIE À BORD > Si les matériaux et leur agencement ne révolutionnent pas le genre, dites-vous que l'intérêt de la Bolt est ailleurs. Son format pratique avec un toit élevé donne un bel espace pour 4 adultes et un enfant au milieu en arrière si vous n'allez pas loin. C'est du côté de la connectivité qu'il faut regarder pour voir où la voiture jette son dévolu. L'habitacle est dominé par un écran tactile de 10,2 pouces qui est le centre des opérations. Vous pourrez par exemple obtenir une projection d'autonomie de conduite précise en fonction du moment de la journée, de la topographie, des conditions météorologiques et des habitudes de conduite du propriétaire. La technologie Bluetooth à faible consommation énergétique a été conçue spécialement pour la Bolt afin de minimiser la dépense d'énergie. Vous avez comme bien d'autres produits GM un point d'accès Wi-Fi, permettant ainsi aux propriétaires d'accéder facilement à des applications et à des services à l'aide d'une connexion sans fil haute vitesse. Vous avez aussi une caméra arrière qui offre une vue grand-angle de l'environnement derrière le véhicule, une vision périphérique pour voir ce qui entoure la voiture et la toute nouvelle application MyChevrolet, qui combine les fonctions et des renseignements importants sur le propriétaire et le véhicule (état de charge du véhicule, démarreur à distance, préréglage de la température de l'habitacle). Vous avez aussi un système de navigation spécialement adapté qui crée des itinéraires maximisant l'autonomie et qui indique l'emplacement du poste de recharge le plus proche en cas de besoin.

TECHNIQUE > La puissance provient d'une batterie de 60 kWh fabriquée par LG. Située sur toute la longueur du plancher sous le véhicule, cette batterie a aussi des vertus aérodynamiques, car elle forme un plancher plat et canalise l'air sous le véhicule pour améliorer la tenue de route. La puissance est de 200 chevaux et de 266 livres-pieds de couple. Les responsables de GM annoncent un 0-100 km/h autour de 7,3 secondes, mais franchement, pour ce genre de véhicule, cela n'a aucune importance. Pour recharger les batteries, toutes les solutions sont bonnes. Une prise phase 3 vous donnera environ 140 kilomètres d'autonomie en 30 minutes. GM annonce qu'il faudra 9 heures sur une prise 240 pour une pleine charge. Il n'est pas recommandé d'utiliser les 110 volts, à moins d'avoir beaucoup de temps devant soi.

AU VOLANT > Un peu plus grande que la Sonic dans son format, la Bolt traîne un lourd fardeau en batteries et fait pencher la balance à 1 623 kilos, un poids important pour un véhicule de cette taille. Il est certain que cela va se ressentir dans la conduite. Pour maximiser votre autonomie, il y a le mode conduite régénératif qui va pratiquement éliminer l'utilisation des freins, mais ce mode peut parfois être frustrant, car il élimine tout plaisir de conduire.

CONCLUSION > Tout comme avec la Volt avant elle, GM marque un grand coup avec la Bolt, qui va rapidement devenir la mesure étalon dans ce segment. Parions que la concurrence va réagir très rapidement, comme Nissan, qui travaille déjà sur une Leaf à plus de 500 kilomètres d'autonomie. GM va forcer la concurrence à faire mieux, et c'est nous qui allons en profiter. ■

FICHE TECHNIQUE

MOTEUR(S)

(BOLT) Électrique à aimant permanent
PUISSANCE 200 ch
COUPLE 266 lb-pi
RAPPORT POIDS/PUISSANCE 9,1 à 9,2 kg/ch
BOÎTE(S) DE VITESSES automatique à 1 rapport
PERFORMANCES 0-100 km/h 7,3 s
VITESSE MAXIMALE 145 km/h

AUTRES COMPOSANTS

SÉCURITÉ ACTIVE Freins ABS, assistance au freinage, répartition électronique de la force de freinage, contrôle électronique de la stabilité, antipatinage, caméra 360°
SUSPENSION avant/arrière indépendante/semi-indépendante
FREINS avant/arrière disques, à récupération d'énergie
DIRECTION à crémaillère, assistée électriquement
PNEUS P215/50R17

DIMENSIONS

EMPATTEMENT 2 600 mm
LONGUEUR 4 166 mm
LARGEUR 1 765 mm
HAUTEUR 1 594 mm
POIDS 1 623 kg
DIAMÈTRE DE BRAQUAGE 10,8 m
COFFRE 478 L
CAPACITÉ DES BATTERIES 60 kWh, lithium-ion

LA COTE VERTE

MOTEUR L4 DE 2,0 L TURBO
CONSOMMATION (100 km) man. ville 11,4 L route 7,9 L
auto. ville 10,9 L route 7,5 L
CONSOMMATION ANNUELLE man. 1 666 L, 2 249 $ **auto.** 1 581 L, 2 134 $
INDICE D'OCTANE 91
ÉMISSIONS POLLUANTES CO_2 man. 3 832 kg/an **auto.** 3 636 kg/an
(source : Chevrolet)

FICHE D'IDENTITÉ

VERSION(S) coupé/cabriolet LT, RS, SS, ZL1
TRANSMISSION(S) arrière
PORTIÈRES 2 **PLACES** 4
PREMIÈRE GÉNÉRATION 1967
GÉNÉRATION ACTUELLE 2016
CONSTRUCTION Lansing, Michigan, É-U.
COUSSINS GONFLABLES 8 (frontaux, genoux, latéraux avant, rideaux latéraux)
CONCURRENCE Dodge Challenger, Ford Mustang, Hyundai Genesis Coupe, Nissan 370Z, Subaru BRZ/Toyota 86

AU QUOTIDIEN

COLLISION FRONTALE 5/5
COLLISION LATÉRALE 5/5
VENTES DU MODÈLE L'AN DERNIER
AU QUÉBEC 298 (+3,1 %) **AU CANADA** 2 668 (-7,4 %)
DÉPRÉCIATION (%) 28,3 (3 ans)
RAPPELS (2011 à 2016) 7
COTE DE FIABILITÉ 3,5/5

GARANTIES... ET PLUS

GARANTIE GÉNÉRALE 3 ans/60 000 km
GROUPE MOTOPROPULSEUR 5 ans/160 000 km
PERFORATION 6 ans/160 000 km
ASSISTANCE ROUTIÈRE 3 ans/60 000 km
NOMBRE DE CONCESSIONNAIRES
AU QUÉBEC 67 **AU CANADA** 450

NOUVEAUTÉS EN 2017

Nouvelle version ZL1 à moteur V8 de 6,2 litres suralimenté par compresseur volumétrique de 640 ch avec transmission manuelle 6 rapports ou automatique à 10 rapports et différentiel autobloquant.

CINQUANTENAIRE

C'est en 1967, l'année de l'expo à Montréal, que la Camaro a vu le jour. Présentée à l'époque pour concurrencer la Ford Mustang, elle est aussi passée à travers toutes les époques. Construite au Québec pour sa quatrième génération – de 1993 à 2002 –, la Camaro et la Firebird disparaissent du marché pour revenir fin 2009 pour la cinquième génération, fabriquée à Oshawa. C'est l'an dernier, pour la sixième génération, que la production est retournée aux États-Unis, plus précisément à Lansing, au Michigan.

Benoit Charette

TOUR DU PROPRIÉTAIRE> La cinquième génération, qui reposait sur la plateforme de la Pontiac G8, est maintenant soutenue par la plateforme Alpha, conçue pour les Cadillac ATS et CTS. Elle conserve les traits caractéristiques de la cinquième génération, mais avec un style encore plus sportif et menaçant. Il faut aussi mentionner une perte de poids de 90 kilos en raison de l'utilisation plus extensive de l'aluminium. Au chapitre des dimensions, avec l'empattement raccourci de 41 millimètres et la longueur hors tout de 57 millimètres, il faut également compter 20 millimètres de moins en largeur et 28 millimètres de moins en hauteur. Le style général est encore plus affûté et les fenêtres très petites contribuent au style « gangster » de la voiture.

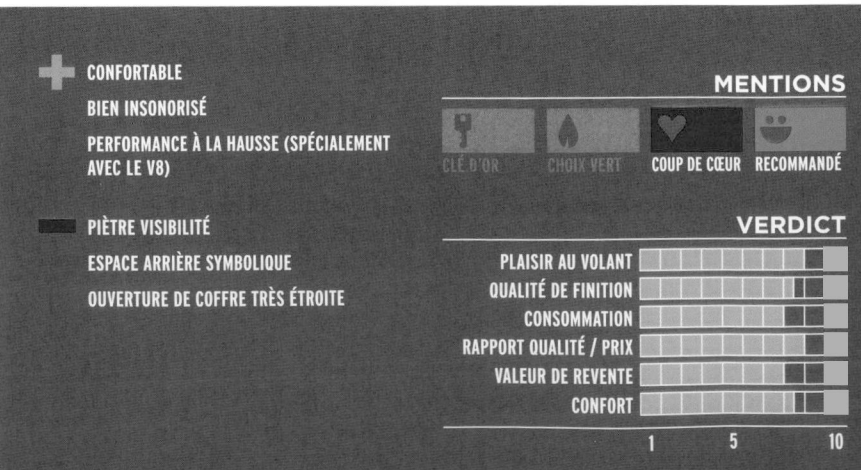

+
- CONFORTABLE
- BIEN INSONORISÉ
- PERFORMANCE À LA HAUSSE (SPÉCIALEMENT AVEC LE V8)

–
- PIÈTRE VISIBILITÉ
- ESPACE ARRIÈRE SYMBOLIQUE
- OUVERTURE DE COFFRE TRÈS ÉTROITE

MENTIONS

CLÉ D'OR | CHOIX VERT | **COUP DE CŒUR** | **RECOMMANDÉ**

VERDICT

PLAISIR AU VOLANT
QUALITÉ DE FINITION
CONSOMMATION
RAPPORT QUALITÉ / PRIX
VALEUR DE REVENTE
CONFORT

1 5 10

VIE À BORD > Chevrolet a prix un virage contemporain dans l'habitacle. Fini le clin d'œil nostalgique aux anciens modèles avec des cadrans analogiques inutiles dans le bas de la console centrale. Tout comme la Mustang, vous avez maintenant le choix de 24 couleurs d'ambiance qui permettent de personnaliser votre intérieur. Le frein à main a disparu au profit d'un frein de stationnement électronique - une autre première pour la Camaro. Un nouveau sélecteur de modes de conduite permettra d'adapter la voiture selon les conditions routières. Le tableau de bord est plus moderne et élégant, la lecture des instruments est simple, les sièges sont confortables, mais la visibilité est encore le point faible. Le peu d'espace vitré qui donne son air menaçant à la voiture entraîne en revanche peu de visibilité. Vous avez l'impression d'être dans un sous-marin.

TECHNIQUE > La chose était prévisible avec la Mustang, qui a introduit un 4-cylindres dans son modèle 2015. Camaro fait de même avec un moteur 2 litres turbo provenant de la Cadillac ATS. Il fait 275 chevaux et 295 livres-pieds de couple. Son couple est très généreux, ce qui lui permet de boucler le 0-100 km/h en moins de 6 secondes. La version la plus économique de la Camaro en sera munie. La RS est pour sa part propulsée par un V6 de 3,6 litres de 335 chevaux et 284 livres-pieds de couple. Celui-ci est doté de l'injection directe, de la désactivation des cylindres et du calage variable des soupapes. Enfin, la Camaro SS est livrée avec un V8 LT1 de 6,2 litres d'une puissance de 455 chevaux et 455 livres-pieds de couple. Il est identique à celui de la Corvette. Peu importe la version désirée, l'acheteur a le choix entre deux boîtes de vitesse : une boîte manuelle à 6 rapports ou une boîte automatique à 8 rapports.

AU VOLANT > Confortable, silencieuse et performante résument en trois mots le sentiment au volant. Le 4-cylindres s'adresse à ceux qui veulent l'air sans la chanson, le V6 est un heureux compromis entre performance adéquate et bonne économie de carburant et le V8 loge à l'adresse des enthousiastes. La version SS offre en option une suspension à réglage magnétique, et vous avez un sélecteur de conduite avec les modes neige/glace, Tour, sport et Track pour la version V8 SS. Nous avons fait connaissance avec la Camaro sur un long trajet d'autoroute entre la Louisiane et le Texas. Cinq heures de route sans arrêt et aucune fatigue, beaucoup de plaisir et assez de puissance dans le V6 pour prendre un réel plaisir à conduire.

CONCLUSION > Si Camaro domine les chiffres de vente chez nos voisins américains, au Canada, la Mustang est loin devant ses adversaires américains avec plus de 6900 ventes en 2015 contre 2668 pour la Camaro. L'arrivée d'un 4-cylindres plus économique et d'un V8 digne de ce nom donne de l'espoir à GM pour livrer une meilleure bataille. Une sixième génération qui fait mieux à tous les chapitres, sauf pour les places arrière et la visibilité, qui sont encore le talon d'Achille de la Camaro. ■

2e OPINION

Vincent Aubé

Elle ressemble beaucoup au modèle précédent, et pourtant, la Camaro n'a rien à voir avec sa devancière, à l'exception de cette exécrable vision arrière. La nouvelle plateforme a énormément transformé le comportement du modèle, même qu'il est permis de parler de sportive dans le cas de la Camaro. De plus, la qualité décevante de l'ancienne a été corrigée avec cette sixième génération du ponycar et il est désormais possible d'opter pour une mécanique 4 cylindres turbo. L'année 2017 sera également celle du retour de la ZL1, un nom qui fait saliver les mordus du modèle. Mais au final, c'est cette nouvelle agilité qui rend la Camaro tellement plus alléchante. Un essai pourrait même vous convaincre !

FICHE TECHNIQUE

MOTEUR(S)

(LT) L4 2,0 L DACT turbo
PUISSANCE 275 ch à 5 500 tr/min
COUPLE 295 lb-pi de 3 000 à 4 500 tr/min
RAPPORT POIDS/PUISSANCE Coupé 5,8 kg/ch (est.) **Cabrio** 6,3 kg/ch
BOÎTE(S) DE VITESSES manuelle à 6 rapports, automatique à 8 rapports avec mode manuel en option
PERFORMANCES 0-100 km/h 5,9 s
REPRISE 80-115 km/h ND **VITESSE MAXIMALE** ND

(RS) V6 3,6 L DACT
PUISSANCE 335 ch à 6 800 tr/min
COUPLE 284 lb-pi à 4 800 tr/min
RAPPORT POIDS/PUISSANCE Coupé 4,8 kg/ch (est.) **Cabrio** 5,2 kg/ch (est.)
BOÎTE(S) DE VITESSES manuelle à 6 rapports, automatique à 8 rapports avec mode manuel en option
PERFORMANCES 0-100 km/h 5,5 s (est.)
REPRISE 80-115 km/h ND **FREINAGE 100-0 km/h** ND
VITESSE MAXIMALE ND
CONSOMMATION (100 km) man. ville 13,2 L route 8,7 L **auto.** ville 12,3 L route 8,5 L (octane 87)
ANNUELLE man. 1 904 L, 2 285 $ **auto.** 1 802 L, 2 162 $
ÉMISSIONS POLLUANTES (CO_2) man. 4 379 kg/an **auto.** 4 145 kg/an

(SS) V8 6,2 L ACC
PUISSANCE 455 ch à 6 000 tr/min
COUPLE 455 lb-pi à 4 600 tr/min
RAPPORT POIDS/PUISSANCE Coupé 3,6 kg/ch (est.) **Cabrio** 3,9 kg/ch (est.)
BOÎTE(S) DE VITESSES manuelle à 6 rapports, automatique à 8 rapports avec mode manuel en option
PERFORMANCES 0-100 km/h 4,3 s
REPRISE 80-115 km/h 3,0 s **FREINAGE 100-0 km/h** 37,5 m
VITESSE MAXIMALE 250 km/h (bridée)
CONSOMMATION (100 km) man. ville 14,3 L route 9,4 L **auto.** ville 14,2 L route 8,4 L (octane 91)
ANNUELLE man. 2 057 L, 2 777 $ **auto.** 1 972 L, 2 662 $
ÉMISSIONS POLLUANTES (CO_2) man. 4 731 kg/an **auto.** 4 536 kg/an

(ZL1) V8 6,2 L ACC à compresseur volumétrique
PUISSANCE 640 ch à ND tr/min
COUPLE 640 lb-pi à ND tr/min
RAPPORT POIDS/PUISSANCE 2,9 kg/ch
BOÎTE(S) DE VITESSES manuelle à 6 rapports, automatique à 10 rapports avec mode manuel et manettes au volant
PERFORMANCES 0-100 km/h 4,1 s (est.)
REPRISE 80-115 km/h ND **FREINAGE 100-0 km/h** ND
VITESSE MAXIMALE ND
CONSOMMATION (100 km) ND (octane 91)

AUTRES COMPOSANTS

SÉCURITÉ ACTIVE Freins ABS, assistance au freinage, répartition électronique de la force de freinage, contrôle électronique de la stabilité, antipatinage, avertisseurs d'obstacle latéral arrière, assistance au maintien de voie,
SUSPENSION avant/arrière indépendante, ajustable (avec amortisseurs magnétorhéologiques disponibles sur SS)
FREINS avant/arrière disques
DIRECTION à crémaillère, assistée électriquement
PNEUS LT P245/55R18 **SS** P245/45R20 (av.) P275/40R20 (arr.) **ZL1** P285/30R20 (av.) P305/30R20 (arr.)

DIMENSIONS

EMPATTEMENT 2 812 mm
LONGUEUR 4 783 mm
LARGEUR 1 897 mm
HAUTEUR 1 349 mm
POIDS Coupé LT man. 1 600 kg (est.) **auto** 1 610 kg (est.) **SS man.** 1 660 kg (est.) **auto.** 1 680 kg (est.) **ZL1** 1 849 kg **Cabrio LT man.** 1 725 kg (est.) **auto.** 1 735 kg (est.) **SS man.** 1 799 kg **auto.** 1 810 kg (est.) **ZL1** 1 876 kg
RÉPARTITION DU POIDS AV/ARR (%) ND
DIAMÈTRE DE BRAQUAGE ND
COFFRE 258 L
RÉSERVOIR DE CARBURANT ND

LA COTE VERTE

MOTEUR L4 2,8 L TURBODIESEL
CONSOMMATION (100 km) 2RM ville 10,8 L route 7,7 L
4RM ville 12,0 L route 8,2 L
CONSOMMATION ANNUELLE 2RM 1 598 L, 1 838 $ **4RM** 1 751 L, 2 014 $
INDICE D'OCTANE Diesel
ÉMISSIONS POLLUANTES CO_2 2RM 4 299 kg/an **4RM** 4 710 kg/an
(source : ÉnerGuide)

FICHE D'IDENTITÉ

VERSION(S) 2RM/4RM cabines allongées et multiplaces Colorado Base, WT, LT, Z71 - Canyon SL, Base, SLE, SLT, Denali
TRANSMISSION(S) arrière, 4
PORTIÈRES 4 **PLACES** 4, 5
PREMIÈRE GÉNÉRATION 2004
GÉNÉRATION ACTUELLE 2015
CONSTRUCTION Wentzville, Missouri, É-U.
COUSSINS GONFLABLES 6 (frontaux, latéraux avant, rideaux latéraux)
CONCURRENCE Honda Ridgeline, Nissan Frontier, Toyota Tacoma

AU QUOTIDIEN

COLLISION FRONTALE 4/5
COLLISION LATÉRALE 5/5
VENTES DU MODÈLE L'AN DERNIER
AU QUÉBEC Colorado 772 (+1 413 %) **Canyon** 888 (+1 332 %)
AU CANADA Colorado 5 095 (+1 759 %) **Canyon** 4 635 (+1 476 %)
DÉPRÉCIATION (%) 26,2 (2 ans)
RAPPELS (2011 à 2016) 13
COTE DE FIABILITÉ 2,5/5

GARANTIES... ET PLUS

GARANTIE GÉNÉRALE 3 ans/60 000 km
GROUPE MOTOPROPULSEUR 5 ans/160 000 km
PERFORATION 6 ans/160 000 km
ASSISTANCE ROUTIÈRE 5 ans/160 000 km
NOMBRE DE CONCESSIONNAIRES
AU QUÉBEC 67 **AU CANADA** 450

NOUVEAUTÉS EN 2017

Version Canyon Denali.

UNE NICHE SUR MESURE

L'arrivée du duo Colorado/Canyon en 2015 a épicé un segment qui se mourait d'ennui. Avec quatre joueurs (cinq en incluant le Honda Ridgeline), ce n'est pas encore la cohue, mais au moins la paire de GM est venue ébranler l'assurance de Toyota (Tacoma), inciter Nissan à dépoussiérer son Frontier et profiter de l'indifférence, feinte ou pas, de Ford et Ram pour le marché des camionnettes intermédiaires.

Michel Crépault

TOUR DU PROPRIÉTAIRE> Ils sont jumeaux mais pas tout à fait. Le Chevrolet présente presque les flancs lisses d'une berline, alors que le GMC ne peut s'empêcher de bander ses muscles autour des ailes et des bas de caisse. Vous cherchez un camion élégant, le modèle au nœud papillon est tout indiqué; vous préférez un Tonka grandeur nature, c'est le petit frère du Sierra qu'il vous faut. Question configuration, le choix est classique : cabine allongée (avec strapontins à l'arrière) ou double (avec vraie banquette), caisse courte (5,2 pi) ou longue (6,2 pi). Le système GearOn, en option, permet de subdiviser la boîte en hauteur et de glisser ainsi des feuilles de contre-plaqué de 4x8 par-dessus l'arche des roues. Pour 2017, les deux camions sont trop récents pour espérer des changements. On note quand même l'addition d'une version haut de gamme Denali au Canyon. Outre les badges, on le reconnaîtra surtout à sa grille distinctive, à son marchepied chromé comme les embouts d'échappement et aux nouvelles roues de 20 pouces (au lieu de 16, 17 et 18).

+
- ROBUSTESSE DE BON ALOI
- SILHOUETTE MODERNE
- MOTEUR TURBO-DIESEL
- CONFORT DE LA CABINE

−
- PLACES ARRIÈRE PERFECTIBLES
- V6 GLOUTON
- FACTURE ASCENDANTE (OPTIONS)

MENTIONS

CLÉ D'OR | CHOIX VERT | COUP DE CŒUR | RECOMMANDÉ

VERDICT

PLAISIR AU VOLANT
QUALITÉ DE FINITION
CONSOMMATION
RAPPORT QUALITÉ / PRIX
VALEUR DE REVENTE
CONFORT

1 5 10

VIE À BORD > Vous le savez, les nouvelles camionnettes promettent d'abattre un solide boulot mais dans un environnement feutré comme votre salon. Le duo confirme cette tendance avec une ergonomie simple mais nette et un assemblage soigné de matériaux de qualité. Qui plus est, à l'instar des automobiles GM, les Colorado/Canyon proposent une connexion tous azimuts. On peut les transformer en borne mobile Wi-Fi grâce à la technologie 4G LTE, tandis que le système MyLink et CarPlay® transfère l'écran de votre iPhone sur celui de 8 pouces (4,2 sur les versions moins équipées) de la planche de bord. Et pour nous protéger des distractions que ces gadgets occasionnent, des alertes retentiront si une menace d'accident survient. Les places arrière dissimulent sous elles un espace de chargement, mais elles devraient également se plaquer contre la cloison.

TECHNIQUE > L'engin de base demeure un 4-cylindres 2,5 litres de 200 chevaux coté à 8,9 litres aux 100 kilomètres sur l'autoroute et assez fort pour tirer 3500 livres. Le V6 de 3,6 litres de 305 chevaux, en option, double cette capacité de remorquage. Boîte de vitesse Hydra-Matic à 6 rapports, mais si vous avez envie d'une boîte manuelle, optez pour le 2,5-litres WT 2WD à cabine allongée et votre budget vous dira merci. La vraie vedette, toutefois, s'avère le nouveau 2,8-litres Duramax turbo-diesel de 181 chevaux doté d'un impressionnant couple de 369 livres-pieds (mieux que le V6), en mesure de tracter 3493 kilos (7700 livres). Le système 4x4 utilise une boîte de transfert électronique qui permet au conducteur de choisir lui-même le moment idéal pour quitter la motricité arrière en faveur d'un 4WD Hi ou Lo.

AU VOLANT > Vous me direz qu'avec si peu de concurrents dans l'arène, la donne n'était pas très grosse à changer au départ, mais n'empêche, les Colorado/Canyon soufflent un vent nouveau sur la catégorie. Leur comportement très sain, incluant la direction électrique (une première dans le segment), et les gâteries (facultatives) dans la cabine nous incitent à n'avoir que ce genre de camionnette comme unique véhicule familial. Dans le cadre de l'EcoRun, un événement organisé par l'Association des journalistes automobile du Canada pour améliorer si possible les cotes de consommation de plusieurs véhicules censés nous épater à ce chapitre, le Colorado diesel a agréablement surpris. Alors que Ressources naturelles Canada annonce une moyenne ville/autoroute de 10,3 litres aux 100 kilomètres, plusieurs scribes ont réalisé 7 litres ! De surcroît, le silence à bord est impressionnant. Même la transmission semble préférer le Duramax, car elle chasse moins ses rapports qu'avec les modèles à essence.

CONCLUSION > Le titre de « Camion de l'année 2015 » décerné par le magazine *Motor Trend* sied bien aux Colorado/Canyon. Le choix turbo-diesel est fort invitant, et le constructeur le sait et vous le fait payer avant de quitter le concessionnaire. Ce sera en parcourant tous ces kilomètres et en tirant d'imposantes charges que votre retour sur l'investissement se manifestera. ■

2e OPINION

Antoine Joubert

Le succès du Colorado/Canyon prouve que l'adage d'Elvis Gratton ne s'applique pas à tous. Inutile de « penser gros » si les besoins n'y sont pas. En relançant sa camionnette intermédiaire, GM a donc répondu à l'appel d'une clientèle qui, faute de choix, se tournait vers un modèle pleine grandeur. C'est donc avec l'offre d'une gamme étoffée, incluant même un moteur diesel, qu'on a relancé le produit et même l'intérêt pour le segment en général. À preuve, les ventes du vieillissant Nissan Frontier ont considérablement grimpé, tout comme celles de la camionnette Tacoma, elle aussi renouvelée. Est-ce que GM possède aujourd'hui le meilleur camion du segment ? Tout dépend de la définition que vous en faites. Mais il n'a certainement plus à rougir devant la compétition, se démarquant par sa qualité de construction, ses capacités et son moteur diesel franchement convaincant. Pour moi, un produit efficace et parfaitement adapté aux besoins réels des acheteurs.

FICHE TECHNIQUE

MOTEUR(S)

(2.5) L4 2,5 L DACT
PUISSANCE 200 ch à 6 300 tr/min **COUPLE** 191 lb-pi à 4 400 tr/min
RAPPORT POIDS/PUISSANCE 8,9 à 9,3 kg/ch
BOÎTE(S) DE VITESSES automatique à 6 rapports, manuelle à 6 rapports en option sur 2RM
PERFORMANCES 0-100 km/h 10,5 s (est.)
VITESSE MAXIMALE 158 km/h (bridée)
CONSOMMATION (100 km) 2RM man. ville 12,2 L, route 9,1 L **auto.** ville 11,9 L, route 8,9 L **4RM auto.** ville 12,7 L, route 9,6 L (octane 87)
ANNUELLE 2RM man. 1 836 L, 2 203 $ **auto.** 1 785 L, 2 142 $ **4RM auto.** 1 921 L, 2 305 $
ÉMISSIONS DE CO_2 2RM man. 4 223 kg/an **auto.** 4 105 kg/an **4RM auto.** 4 418 kg/an

(3.6) V6 3,6 L DACT
PUISSANCE 305 ch à 6 950 tr/min **COUPLE** 269 lb-pi à 4 000 tr/min
RAPPORT POIDS/PUISSANCE 6,1 à 6,6 kg/ch
BOÎTE(S) DE VITESSES automatique à 6 rapports avec mode manuel
PERFORMANCES 0-100 km/h 7,4 s
REPRISE 80-115 km/h 4,6 s
FREINAGE 100-0 km/h 43,0 m
VITESSE MAXIMALE 158 km/h (bridée)
CONSOMMATION (100 km) 2RM ville 13,0 L, route 9,2 L **4RM** ville 13,6 L, route 9,9 L (octane 87)
ANNUELLE 2RM 1 921 L, 2 305 $ **4RM** 2 023 L, 2 428 $
ÉMISSIONS DE CO_2 2RM 4 418 kg/an **4RM** 4 653 kg/an

(DIESEL) L4 2,8 L DACT turbodiesel
PUISSANCE 181 ch à 3 400 tr/min **COUPLE** 369 lb-pi à 2 000 tr/min
RAPPORT POIDS/PUISSANCE 11,1 kg/ch
BOÎTE(S) DE VITESSES automatique à 6 rapports avec mode manuel
PERFORMANCES 0-100 km/h 9,4 s
REPRISE 80-115 km/h 7,5 s
FREINAGE 100-0 km/h 45,1 m
VITESSE MAXIMALE 160 km/h (bridée)

AUTRES COMPOSANTS

SÉCURITÉ ACTIVE (certains en option) Freins ABS, assistance au freinage, répartition électronique de la force de freinage, contrôle de la stabilité électronique, antipatinage, avertisseur d'impact imminent, avertisseur de sortie de voie, contrôle anti-louvoiement, aide en descente
SUSPENSION avant/arrière indépendante/essieu rigide
FREINS avant/arrière disques
DIRECTION à crémaillère, assistée électriquement
PNEUS Base, WT P265/70R16 **LT, Z71** P255/65R17 **option LT** P265/60R18 **Denali** 20 po.

DIMENSIONS

EMPATTEMENT 3 258 mm **Cab. multi. boîte longue** 3 569 mm
LONGUEUR 5 403 mm **Cab. multi. boîte longue** 5 713 mm
LARGEUR 1 886 mm
HAUTEUR 1 788 à 1 795 mm
POIDS Cab. all. boîte longue 2RM 1 778 à 1 855 kg **4RM** 1 878 à 1 955 kg **Cab. multi. boîte courte 2RM** 1 819 à 1 896 kg **4RM** 1 987 kg **Cab. multi. boîte longue 2RM** 1 919 kg **4RM** 2 019 kg
RÉPARTITION DU POIDS AV/ARR (%) de 58/42 à 55/45 selon la configuration
DIAMÈTRE DE BRAQUAGE 12,6 m **Cab multi. boîte longue** 13,6 m
RÉSERVOIR DE CARBURANT 79,5 L
CAPACITÉ DE REMORQUAGE 2RM 2.5 1 588 kg **3.6** de 1 588 à 3 175 kg **2.8** 3 493 kg **4RM 2.5** 1 588 kg **3.6** 3 175 kg **2.8** 3 447 kg

LA COTE VERTE

MOTEUR V8 DE 6,2 L
CONSOMMATION (100 km) man. ville 13,7 L, route 8,2 L
auto. ville 14,6 L, route 8,1 L
CONSOMMATION ANNUELLE man. 1 921 L, 2 593 $ **auto.** 1 989 L, 2 685 $
INDICE D'OCTANE 91
ÉMISSIONS POLLUANTES CO_2 man. 4 418 kg/an **auto.** 4 575 kg/an
(source : ÉnerGuide)

FICHE D'IDENTITÉ

VERSION(S) Coupé et décapotable Stingray, Z51, Z06, Grand Sport
TRANSMISSION(S) arrière
PORTIÈRES 2 **PLACES** 2
PREMIÈRE GÉNÉRATION 1953
GÉNÉRATION ACTUELLE 2014
CONSTRUCTION Bowling Green, Kentucky, É-U.
COUSSINS GONFLABLES 4 (frontaux, latéraux)
CONCURRENCE Acura NSX, Aston Martin V8/V12 Vantage, Audi R8, BMW Série 6, Ferrari California, Jaguar F-Type, M-Benz SL, Nissan GT-R, Porsche 911/718 Boxster/Cayman

AU QUOTIDIEN

COLLISION FRONTALE ND
COLLISION LATÉRALE ND
VENTES DU MODÈLE L'AN DERNIER
AU QUÉBEC 317 (+55,4 %) **AU CANADA** 1 715 (+45,2 %)
DÉPRÉCIATION (%) 10,1 (3 ans)
RAPPELS (2011 à 2016) 7
COTE DE FIABILITÉ 3,5/5

GARANTIES... ET PLUS

GARANTIE GÉNÉRALE 3 ans/60 000 km
GROUPE MOTOPROPULSEUR 5 ans/160 000 km
PERFORATION 6 ans/160 000 km
ASSISTANCE ROUTIÈRE 5 ans/160 000 km
NOMBRE DE CONCESSIONNAIRES
AU QUÉBEC 67 **AU CANADA** 450

NOUVEAUTÉS EN 2017

Version Grand Sport

ÉPIQUE

On peut reprocher à General Motors de parfois mettre la quantité devant la qualité et d'être négligente au chapitre de la rigueur. Dans le cas de la Corvette, la septième génération est sans doute la meilleure voiture sport au monde et démontre que lorsque le géant américain prend le temps de bien faire les choses, il obtient des résultats stupéfiants.

Benoit Charette

TOUR DU PROPRIÉTAIRE> Vous avez le choix d'un modèle coupé avec toit dur amovible qui se place dans le coffre arrière ou d'une version décapotable à toit souple qui monte ou descend tout en roulant à un maximum de 50 km/h. En plus des versions Stingray, Z51 et Z06, Chevrolet annonce le retour du modèle Grand Sport pour 2017. Visuellement, ce dernier emprunte les éléments de la Z06 comme la calandre, le pare-chocs plus large à l'arrière, les roues 19 pouces à l'avant et 20 pouces à l'arrière, la suspension Magnetic Ride et des barres antiroulis de plus grandes dimensions. La GS se place entre la Z51 et la Z06.

VIE À BORD > L'intérieur a toujours été le talon d'Achille des Corvette, même les plus onéreuses. Les détracteurs concédaient que la puissance était au rendez-vous, mais que l'intérieur provenait d'une Chevrolet Cavalier. Ils n'avaient pas tort. GM a pris bonne note et corrigé ce problème. La sixième génération faisait déjà mieux et la septième offre une qualité de niveau

+
- TENUE DE ROUTE EXCEPTIONNELLE
- PUISSANTE À TOUS LES RÉGIMES
- DOCILE ET FACILE À CONDUIRE
- UNE FINITION MAINTENANT À LA HAUTEUR

−
- L'ÉCRAN TACTILE UN PEU CAPRICIEUX
- LE MODE MANUEL DE LA BOÎTE AUTOMATIQUE EST UN PEU LENT À RÉAGIR

MENTIONS

CLÉ D'OR | CHOIX VERT | COUP DE CŒUR | RECOMMANDÉ

VERDICT

PLAISIR AU VOLANT
QUALITÉ DE FINITION
CONSOMMATION
RAPPORT QUALITÉ / PRIX
VALEUR DE REVENTE
CONFORT

1 5 10

international. Le poste de pilotage orienté vers le conducteur l'enveloppe tel un cockpit d'avion. La qualité des matériaux n'a plus rien à voir avec le côté bon marché des anciennes générations. Il y a un écran tactile de 8 pouces avec les derniers gadgets comme l'Apple CarPlay et l'enregistreur de données de performance, qui se présente en option avec le système de navigation. La Corvette Z06 se démarque de la Corvette Stingray par des couleurs exclusives qui mettent plus en évidence le cockpit axé sur le conducteur et un volant exclusif à jante inférieure plate. Vous avez aussi le choix d'un siège GT plus confortable ou d'un siège sport pour la piste.

TECHNIQUE > La puissance a toujours été le mot d'ordre avec la Corvette. Tous les modèles utilisent un moteur V8 6,2 litres en différents parfums. La version Stingray livre 455 chevaux pour 460 livres-pieds de couple. Vous ajoutez 5 chevaux et autant de couple avec l'échappement performance, que la version Grand Sport offre de série. La version Z06 ajoute un généreux compresseur à cette mécanique déjà très véloce pour pousser la puissance à 650 chevaux avec autant de couple. Ceci fait de la Z06 la voiture la plus puissante à ce jour chez Chevrolet. Peu importe le modèle, vous avez le choix d'une boîte manuelle à 7 rapports avec un talon-pointe automatique au rétrogradage ou d'une très belle boîte automatique à 8 rapports. Les deux boîtes comprennent un mode de lancement qui vous donnera un chrono d'environ 4,4 secondes pour la Stingray et de 3,5 pour la Z06.

AU VOLANT > Ce qu'il faut retenir de l'expérience au volant est la grande docilité de cette bête. Si vous ne la brusquez pas, elle sera une boulevardière exemplaire et tirera le maximum d'une belle balade, spécialement dans la version cabriolet. Si vous avez envie de pousser, la ligne rouge vient très vite et notre version automatique passe les rapports si rapidement que vous avez l'impression d'une accélération en continu. La Z06 passe de puissante à démoniaque, le bruit assez discret du compresseur est enterré par le rugissement du V8, qui sort les trompettes de l'enfer lorsque vous écrasez l'accélérateur; une véritable machine de guerre qui effraye autant par sa puissance que par son tempérament extraverti. Malgré toute cette puissance, nous avons réussi à nous maintenir autour de 10 litres aux 100 kilomètres sur l'autoroute grâce à un dernier rapport qui endort le moteur, diminue le niveau des décibels et fait économiser du carburant.

CONCLUSION > Sportive de classe mondiale, la Corvette n'a plus rien à envier à ses concurrents, peu importe leur provenance, et même si une version Z06 vous coûtera plus de 100 000 $, c'est encore une aubaine pour tout ce que vous allez obtenir. ■

2e OPINION

Antoine Joubert

Je l'admets, je voue un amour inconditionnel à la Corvette, surtout depuis sa refonte de 2005. Cette icône américaine brille de tous ses feux partout où elle passe, à faire rougir de honte des bolides coûtant parfois le double, voire le triple du prix lorsqu'il est question de performances. Maintenant, le prix n'est plus aussi attrayant qu'il ne l'était à une certaine époque, alors que la force de notre dollar était plus intéressante. Aujourd'hui, les Américains nous font payer plus cher l'accès à une Corvette, comme en faisait foi la hausse de 5500 $ du prix de base face au modèle 2015.

FICHE TECHNIQUE

MOTEUR(S)

(STINGRAY) V8 6,2 L ACC
PUISSANCE 455 ch à 6 000 tr/min (460 ch Grand Sport)
COUPLE 460 lb-pi à 4 600 tr//min (465 lb-pi Grand Sport)
RAPPORT POIDS/PUISSANCE 3,3 kg/ch
BOITE(S) DE VITESSES manuelle à 7 rapports, automatique à 8 rapports avec mode manuel et manettes au volant
PERFORMANCES 0 à 100 km/h 4,4 s **Grand Sport** 4,2 s
REPRISE 80-115 km/h 2,9 s
FREINAGE 100-0 km/h 36,0 m
NIVEAU SONORE À 100 km/h Passable
VITESSE MAXIMALE 305 km/h

(Z06) V8 6,2 L ACC à compresseur volumétrique
PUISSANCE 650 ch à 6 400 tr/min
COUPLE 650 lb-pi à 3 600 tr/min
RAPPORT POIDS/PUISSANCE 2,5 kg/ch
BOITE(S) DE VITESSES manuelle à 7 rapports, automatique à 8 rapports avec mode manuel et manettes au volant
PERFORMANCES 0 à 100 km/h 3,5 s
VITESSE MAXIMALE ND
CONSOMMATION (100km) man. ville 15,7 L, route 10,6 L **auto.** ville 17,7 L, route 10,2 L
CONSOMMATION ANNUELLE man. 2 278 L, 3 303 $ **auto.** 2 431 L, 3 525 $
ÉMISSIONS POLLUANTES (CO_2) man. 5 239 kg/an **auto.** 5 591 kg/an

AUTRES COMPOSANTS

SÉCURITÉ ACTIVE Freins ABS, assistance au freinage, répartition électronique de la force de freinage, contrôle électronique de la stabilité, antipatinage
SUSPENSION avant/arrière indépendante, à amortisseurs magnétorhéologiques en option, de série sur Z06
FREINS avant/arrière disques
DIRECTION à crémaillère, assistée électriquement
PNEUS P245/40R18 (av.) P285/35R19 (arr.) **Z51** P245/35R19 (av.) P285/30R20 (arr.) **Z06/Grand Sport** P285/30R19 (av.) P335/25R20 (arr.)

DIMENSIONS

EMPATTEMENT 2 710 mm
LONGUEUR 4 493 mm
LARGEUR 1 877 mm **Z06/Grand Sport** 1 929 mm
HAUTEUR 1 235 mm
POIDS Coupé 1 499 kg **Cabrio.** 1 529 kg
Z06 Coupé 1 598 kg **Cabrio.** 1 625 kg
RÉPARTITION DU POIDS AV/ARR (%) 50/50
DIAMÈTRE DE BRAQUAGE 11,5 m
COFFRE Coupé 425 L **Cabrio.** 283 L
RÉSERVOIR DE CARBURANT 70 L

LA COTE VERTE

MOTEUR L4 DE 1,4 L TURBO
CONSOMMATION (100 km) man. ville 8,2 L route 5,8 L
auto. ville 7,8 L route 5,6 L
CONSOMMATION ANNUELLE man. 1 207 L, 1 448 $ **auto.** 1 156 L, 1 387 $
INDICE D'OCTANE 87
ÉMISSIONS POLLUANTES CO_2 man. 2 776 kg/an **auto.** 2 659 kg/an
(source : Chevrolet et L'Annuel)

FICHE D'IDENTITÉ

VERSION(S) Berline L, LS, LT, Premier, RS **5 portes** LT, Premier, RS
TRANSMISSION(S) avant
PORTIÈRES 4, 5 **PLACES** 5
PREMIÈRE GÉNÉRATION 2011
GÉNÉRATION ACTUELLE 2016, 2017 (hayon)
CONSTRUCTION Lordstown, Ohio, É.-U.
COUSSINS GONFLABLES 10 (frontaux, genoux conducteur et passager avant, latéraux avant et arrière, rideaux latéraux)
CONCURRENCE Ford Focus, Honda Civic, Hyundai Elantra, Kia Forte, Mazda3, Mitsubishi Lancer, Nissan Sentra, Subaru Impreza, Toyota Corolla/iM, Volkswagen Golf/Jetta

AU QUOTIDIEN

COLLISION FRONTALE 5/5
COLLISION LATÉRALE 5/5
VENTES DU MODÈLE L'AN DERNIER
AU QUÉBEC 6 981 (+1,4 %) **AU CANADA** 31 958 (-7,2 %)
DÉPRÉCIATION (%) 38,4 (3 ans)
RAPPELS (2011 à 2016) 20
COTE DE FIABILITÉ nm

GARANTIES... ET PLUS

GARANTIE GÉNÉRALE 3 ans/60 000 km
GROUPE MOTOPROPULSEUR 5 ans/160 000 km
PERFORATION 6 ans/160 000 km
ASSISTANCE ROUTIÈRE 3 ans/60 000 km
NOMBRE DE CONCESSIONNAIRES
AU QUÉBEC 67 **AU CANADA** 450

NOUVEAUTÉS EN 2017

Version diesel, version à hayon.

INSTRUCTION CIVIQUE

Le plaisir de parfois s'amuser avec la langue française nous permet quelques belles mises en scène. Dans le cas de la nouvelle Chevrolet Cruze, nous pouvons dire qu'elle a mis de côté le style rondouillard et anonyme de l'ancien modèle pour arriver avec une nouvelle version qui s'inspire largement d'un concurrent japonais. Il faut dire que General Motors n'y va pas de main morte dans les nouveautés. Depuis la fin de 2015, nous avons eu droit aux nouvelles Volt, Malibu, Camaro, Spark et Bolt, ainsi qu'à des retouches à la Sonic et au Trax, en plus de la nouvelle Cruze. L'Impala, qui a été refaite en 2014, est maintenant le plus vieux modèle de la flotte Chevrolet.

Benoit Charette

TOUR DU PROPRIÉTAIRE> Pour 2016, Chevrolet a abandonné les lignes génériques de l'actuelle génération de la Cruze pour les remplacer par un modèle plus effilé aux angles mieux définis. En fait, si vous preniez le temps d'enlever les logos d'une Honda Civic et de la Cruze, puis de mettre ces voitures côte à côte, vous seriez surpris de la ressemblance. Cela dit, cette Cruze est beaucoup plus jolie que la version 2015. Son Cx de 0,28 montre le sérieux de la démarche dans le style. L'empattement est plus long de 2,5 centimètres et la longueur totale, de presque 7 centimètres avec des voies un peu plus larges. Il faut aussi noter l'utilisation d'acier léger en plus grande quantité, qui a permis de maigrir de plus de 110 kilos selon les versions.

+
- EXCELLENTE INSONORISATION
- FAIBLE CONSOMMATION
- INTÉRIEUR PLUS MODERNE

−
- FIABILITÉ INCONNUE
- LIGNE PEU DISTINCTIVE
- UN SEUL MOTEUR (POUR LE MOMENT)

MENTIONS

CLÉ D'OR | CHOIX VERT | COUP DE CŒUR | RECOMMANDÉ

VERDICT

PLAISIR AU VOLANT
QUALITÉ DE FINITION
CONSOMMATION
RAPPORT QUALITÉ / PRIX
VALEUR DE REVENTE
nm
CONFORT
1
5
10

Au chapitre des versions, il y a la version L de base (qui va représenter environ 2 % des ventes) avec des roues de 15 pouces et une boîte manuelle à 6 rapports de série. Elle se fait aussi la plus abordable à 15 995 $. Se remarque ensuite le modèle LS (13 % des ventes), la plus populaire LT (70 % des ventes) et la plus équipée Premier, qui débute à 24 000 $. Avec des groupes d'options comme la version RS et des groupes technologiques d'aides à la conduite, vous pourrez faire grimper le prix jusqu'à 28 000 $. Une version à hayon se joint à la famille dès l'automne et une version diesel va aussi s'ajouter au printemps 2017.

VIE À BORD > Tout comme l'extérieur, la présentation intérieure est plus inspirée. Les matériaux sont de meilleure qualité et on voit un peu partout des éléments de nouvelle technologie. Tous les modèles arrivent de série avec l'air climatisé, un volant réglable en hauteur et en profondeur, un système audio à 4 haut-parleurs, une caméra de recul et soit l'Apple *CarPlay*® ou l'Android Auto®. Vous obtenez aussi, comme plusieurs modèles chez GM, le système *OnStar* 4G LTE avec point d'accès sans fil intégré en option, qui s'allie au système *MyLink* pour améliorer la connectivité de la Cruze. L'écran de 7 pouces dans la console centrale est de série (8 pouces en option). Il faut aller dans la version LT pour les pneus de 16 pouces et la possibilité de commander (avec le modèle Premier) le groupe RS, qui donne un style plus sportif à la Cruze. Pour équiper votre voiture comme un modèle de luxe, c'est la version Premier qui sera le modèle de choix. Il possède une série d'aides à la conduite électronique offerte dans deux groupes d'options différents. Vous avez aussi droit à certaines caractéristiques de luxe en option telles que les sièges chauffants en cuir à l'arrière et la recharge sans fil pour cellulaire qui confèrent à l'habitacle une atmosphère haut de gamme. L'empattement et la longueur plus généreux profitent aux passagers arrière, qui ont plus d'espace pour les jambes.

TECHNIQUE > Sous le capot, GM a simplifié les choses en présentant une seule mécanique sous la forme d'un 4-cylindres 1,4 litre turbo. Ce n'est pas le même moteur qui était offert en option dans la version 2015. Cette version du nouveau moteur 1,4 litre produit 15 chevaux de plus, pour un total de 153, et 29 livres-pieds de couple supplémentaires, pour un total de 177. Le bloc-moteur est en aluminium, alors que l'autre était en acier. Il fait 20 kilos de moins. La boîte de vitesse automatique est plus légère de 10 kilos. La version Premier de notre essai était plus légère de 120 kilos que la version LTZ 2015. Ajoutez à cela la puissance et le couple supplémentaires et vous avez une Cruze capable de faire un 0-100 km/h en 7,9 secondes, une grosse seconde de moins que l'ancien moteur 1,4 litre turbo. Il faut aussi noter que la puissance arrive plus tôt, ce qui augmente l'impression de performance.

AU VOLANT > Je me servirai d'une petite analogie pour faire comprendre le sentiment derrière le volant. Ceux qui ont déjà vu travailler un ébéniste vont bien comprendre. Lorsque vous sablez le bois, vous utilisez un papier de plus en plus fin pour rendre le bois aussi doux

2e OPINION

Luc-Olivier Chamberland

GM ne pouvait pas se permettre encore une fois d'arriver avec une compacte plus proche de la catastrophe que de la voiture. Il suffit de nommer les ancêtres de la Cruze pour saisir son pitoyable historique : Cavalier, Cobalt et même la première génération de la Cruze. Entièrement renouvelée en 2016, cette fois, la Cruze se révèle un produit nettement plus sérieux et à jour tant en matière de style qu'en matière de technologies. À l'ère des communications, GM insiste particulièrement sur les connectivités à bord, dont le Wi-Fi, le 4G LTE et bien sûr les applications Apple CarPlay® et Android Auto®. L'ensemble se montre plus compétent sur tous les points. Reste à voir comment elle va vieillir.

FICHE TECHNIQUE

MOTEUR(S)

(CRUZE) L4 1,4 L DACT turbo
PUISSANCE 153 ch à 5 600 tr/min
COUPLE 177 lb-pi de 2 000 à 4 000 tr/min
RAPPORT POIDS/PUISSANCE 8,4 à 8,9 kg/ch
BOÎTE(S) DE VITESSES manuelle à 6 rapports, automatique à 6 rapports avec mode manuel en option
PERFORMANCES 0-100 km/h 7,9 s
REPRISE 80-115 km/h 5,5 s
FREINAGE 100-0 km/h 41,4 m
NIVEAU SONORE À 100 km/h Moyen
VITESSE MAXIMALE 210 km/h (bridée)

(CRUZE DIESEL) L4 1,6 L DACT turbodiesel (est.)
PUISSANCE 108 ch (est.)
COUPLE 220 lb-pi (est.)
RAPPORT POIDS/PUISSANCE 12,5 kg/ch (est.)
BOITE(S) DE VITESSES automatique à 6 rapports avec mode manuel
PERFORMANCES 0 à 100 km/h 10,0 s (est.)
VITESSE MAXIMALE ND
CONSOMMATION (100 km) ville 7,0 L route 4,8 L (est.) (diesel)
ANNUELLE 1 020 L, 1 173 $
ÉMISSIONS POLLUANTES (CO_2) 2 744 kg/an

AUTRES COMPOSANTS

SÉCURITÉ ACTIVE (certains en option) Freins ABS, assistance au freinage, répartition électronique de la force de freinage, contrôle électronique de la stabilité avec fonction antiretournement, antipatinage, avertisseurs d'obstacle transversal et arrière et de collision imminente, aide au maintien de voie
SUSPENSION avant/arrière indépendante / semi-indépendante **Premier** indépendante
FREINS avant/arrière disques
DIRECTION à crémaillère, assistée électriquement
PNEUS L P195/65R15 **LS/LT** P215/60R16
Premier P225/45R17 **RS** P225/40R18

DIMENSIONS

EMPATTEMENT 2 700 mm
LONGUEUR 4 666 mm
LARGEUR 1 791 mm
HAUTEUR 1 458 mm
POIDS L 1 275 kg (est.) **LS** 1 286 kg **LT** 1 312 kg
Premier 1 361 kg **Diesel** 1 350 kg (est.)
RÉPARTITION DU POIDS AV/ARR (%) ND
DIAMÈTRE DE BRAQUAGE 10,5 m
COFFRE Berline 419 L **LT/Premier** 393 L
5portes 524 L, 1 336 L (sièges abaissés)
RÉSERVOIR DE CARBURANT 46 L

A

B

C

D

E

GALERIE

A > Le système MyLink de Chevrolet de est compatible avec Android Auto® et CarPlay d'Apple® incluant un écran de 7 po en diagonale de série et de 8 po en diagonale en option.

B > La liste des options comprend la recharge sans fil pour cellulaire, une caractéristique de plus en plus populaire pour ceux qui oublient toujours leur fil à la maison.

C > En plus d'avoir des sièges chauffants à l'avant, il est maintenant possible d'avoir des sièges chauffants en option pour les passagers arrière.

D > En faisant peau neuve, Chevrolet a pensé offrir un plus grand dégagement aux jambes (917 mm/36,1 po) et 51 mm (2 po) de dégagement aux genoux de plus pour ceux qui prennent place à l'arrière

E > Le conducteur est toujours au courant de ce qui se passe dans la voiture grâce au centralisateur informatique de bord à écran haute résolution de 4,2 po qui se trouve juste sous ses yeux.

HISTORIQUE

La Cruze fait parti d'une longue lignée de voiture compacte qui a commencé en 1982 avec la Cavalier qui à l'époque remplaçait la Monza. Sans être particulièrement fiable, la Cavalier, comme la Monza, fut très populaire en raison de son prix abordable. Vint ensuite en 2005 la première génération de Cobalt qui fit son petit bonhomme de chemin jusqu'en 2009 au moment où arrive la première Cruze qui connu toutes sortes de problèmes de fiabilité. Finalement avec l'année 2016, Chevrolet nous présente une compacte plus mature, plus jolie et plus intéressante à conduire qui va continuer de se vendre. Souhaitons simplement qu'elle aura réglé ses nombreux bobos de la première génération.

Chevrolet Cavalier 1982

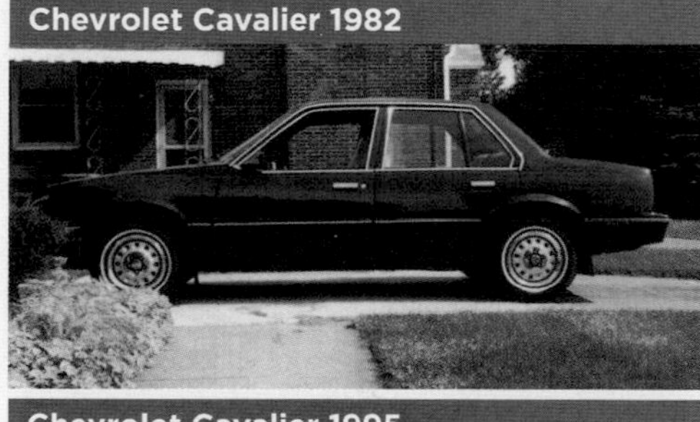

Chevrolet Cavalier 1995

Chevrolet Cobalt 2005

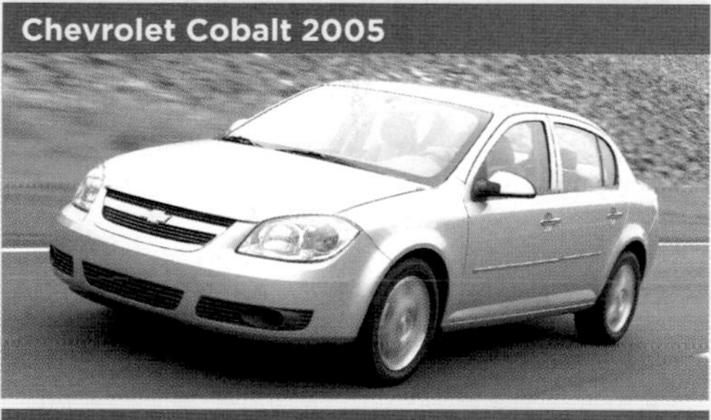

Chevrolet Cruze 2010

Chevrolet Cruze 2016

qu'une caresse céleste. Si vous suivez ce raisonnement, l'ébéniste qui avait poli la conduite de l'ancienne Cruze avait mis fin à son polissage avec du papier 120. La finition de cette nouvelle génération a été polie au papier 400. On sent une plus grande douceur ou, en termes automobiles, un plus grand raffinement dans tous les éléments de la conduite. De l'insonorisation de meilleure qualité à la suspension plus confortable, en passant par une direction mieux calibrée, on se sent dans un véhicule plus mature. GM a également pris soin de peaufiner certains petits détails comme la porte qui ferme avec un oumpf bien senti et des pneus de bonne qualité, même dans les 16 pouces. Derrière le volant, on perçoit un meilleur entrain du moteur, qui demeure silencieux à tous les régimes avec une boîte de vitesse qui change de rapport sans faire de bruit. Autre bonne nouvelle, la consommation moyenne, qui est annoncée à 5,6 litres aux 100 kilomètres pour les versions LS et LT automatique, et 5,9 litres aux 100 kilomètres pour la version Premier. Nous avons réussi à respecter ces chiffres lors de notre première rencontre de plus de 200 kilomètres avec la voiture.

CONCLUSION > Je me souviens d'avoir aimé l'ancienne génération de Cruze lors de notre première rencontre. Malheureusement, une fiabilité aléatoire et un nombre incalculable de rappels en ont fait une voiture peu recommandable. Ma première impression est encore meilleure avec cette nouvelle génération, mais cette fois, je serai prudent. Prenez une grande inspiration et attendez. Laissez mijoter tout cela et voyons ensemble l'an prochain. Si cette nouvelle Cruze n'a pas fait l'objet de 12 rappels dans sa première année de commercialisation, j'oserai peut-être faire une recommandation. Mais pour le moment, à l'image de la piètre performance de l'actuel modèle, je me garde une petite gêne. Je dois admettre cependant que les plus récentes générations des produits GM sont à prendre au sérieux, et il semble que la concurrence qui lui pousse dans le dos ait forcé GM à se surpasser. Souhaitons-le. ■

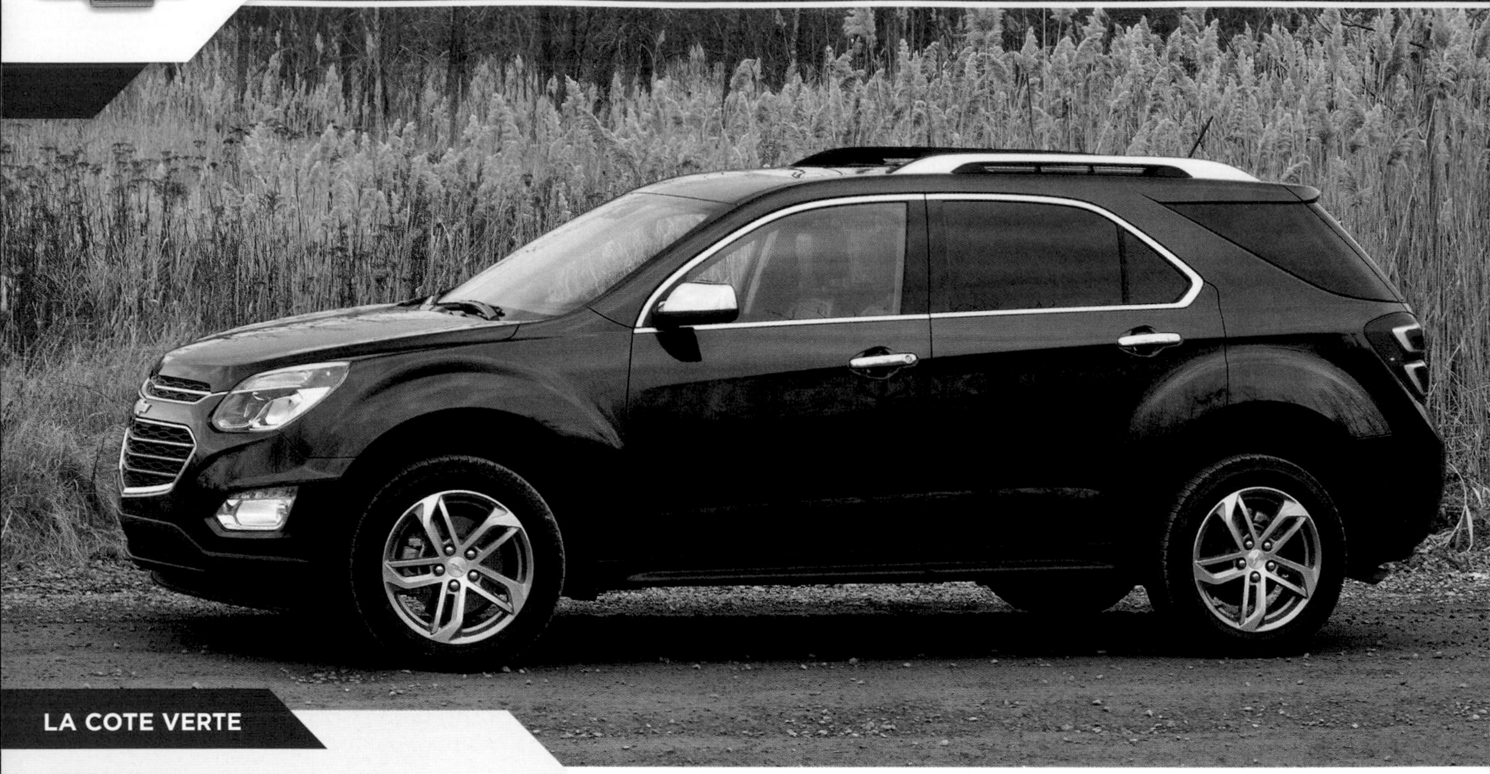

CHEVROLET EQUINOX/ GMC TERRAIN

www.gm.ca

LA COTE VERTE

MOTEUR L4 DE 2,4 L
CONSOMMATION (100 km) 2RM ville 11,0 L route 7,5 L
4RM ville 11,5 L route 8,3 L
CONSOMMATION ANNUELLE 2RM 1 598 L, 1 918 $ **4RM** 1 717 L, 2 060 $
INDICE D'OCTANE 87
ÉMISSIONS POLLUANTES CO_2 2RM 3 675 kg/an **4RM** 3 949 kg/an
(source : Chevrolet et L'Annuel)

FICHE D'IDENTITÉ

VERSION(S) Equinox LS, LT, LTZ **Terrain** SLE, SLT, Denali
TRANSMISSION(S) avant, 4
PORTIÈRES 5 **PLACES** 5
PREMIÈRE GÉNÉRATION 2005
GÉNÉRATION ACTUELLE 2010
CONSTRUCTION Ingersoll, Ontario, Canada
COUSSINS GONFLABLES 6 (frontaux, latéraux avant, rideaux latéraux)
CONCURRENCE Ford Escape, Dodge Journey, Honda CR-V, Hyundai Tucson, Kia Sportage, Jeep Cherokee, Mazda CX-5, Mitsubishi Outlander, Nissan Rogue, Subaru Forester, Subaru Outback, Toyota RAV4, Volkswagen Tiguan

AU QUOTIDIEN

COLLISION FRONTALE 5/5
COLLISION LATÉRALE 5/5
VENTES DU MODÈLE L'AN DERNIER
AU QUÉBEC Equinox 2 192 (-7,4 %) **Terrain** 1 222 (+2,9 %)
AU CANADA Equinox 19 766 (+1,1 %) **Terrain** 10 844 (-5,9 %)
DÉPRÉCIATION (%) 38,7 (3 ans)
RAPPELS (2011 à 2016) 6
COTE DE FIABILITÉ 3/5

GARANTIES... ET PLUS

GARANTIE GÉNÉRALE 3 ans/60 000 km
GROUPE MOTOPROPULSEUR 5 ans/160 000 km
PERFORATION 6 ans/160 000 km
ASSISTANCE ROUTIÈRE 3 ans/60 000 km
NOMBRE DE CONCESSIONNAIRES
AU QUÉBEC 67 **AU CANADA** 450

NOUVEAUTÉS EN 2017

Aucun changement majeur

DU NOUVEAU EN 2018

Le tandem de VUS compacts populaires a été légèrement révisé l'an dernier. Rien de majeur, seulement des ajustements dans l'apparence ici et là, question de masquer le fait que les deux protagonistes sont en service depuis 2010. Inscrits au sein d'une catégorie aussi primordiale, le Chevrolet Equinox et son comparse, le GMC Terrain, continuent de se vendre relativement bien pour des produits qui doivent composer avec une concurrence des plus compétitives. En fait, des deux côtés de la frontière, le duo assemblé à Ingersoll, en Ontario, a enregistré de légères hausses en 2015. La maturité leur va bien.

Vincent Aubé

TOUR DU PROPRIÉTAIRE> À ce sujet, les deux VUS n'ont pas été dramatiquement modifiés lors de cette refonte de mi-parcours du modèle 2016. D'un côté, le Chevrolet Equinox affiche une mine plus aérodynamique avec son bouclier toujours traversé d'une grille de calandre double, grille qui a changé de forme au passage, tandis que les blocs optiques présentent eux aussi une signature en harmonie avec certains des plus récents produits Chevrolet. Son équivalent GMC adopte un look plus « camionnesque » avec ce museau composé d'une grille de calandre plus verticale et de phares carrés au possible, sans oublier ces ailes élargies. Si les deux arborent un large pilier C, encore une fois, la division design réussit à différencier les deux

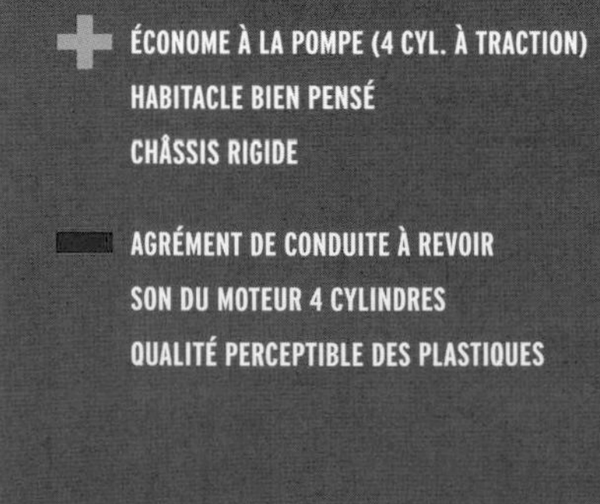

véhicules à ce niveau pour semer le doute au sein du public. Au final, il semble que la silhouette du Chevrolet soit préférée des consommateurs nord-américains, puisqu'il se vend deux Equinox pour un Terrain.

VIE À BORD > Les changements au 2016 ont également eu des répercussions dans l'habitacle. Dans l'un ou l'autre des VUS GM, la planche de bord a perdu ce compartiment caché sur le dessus, une ouverture qui trahissait la piètre qualité du plastique retenu pour l'habiller. Du reste, cette portion de la cabine conserve ce trapèze argenté situé entre les deux occupants, elle qui abrite les principales fonctions de la ventilation en plus du système de divertissement qui, je dois l'admettre, est facile à manipuler au quotidien. Les plus fins auront peut-être remarqué la disparition du lecteur de disques compacts. Quant au confort des passagers, il est dans la bonne moyenne du segment, le tandem Chevrolet/GMC se distinguant par sa banquette de deuxième rangée qui peut avancer de l'avant vers l'arrière au besoin. On peut donc augmenter l'espace pour les passagers ou le volume du coffre.

TECHNIQUE > Malgré les pressions exercées sur l'industrie au sujet de la cylindrée des mécaniques, GM persiste à offrir deux choix à sa clientèle. Le modèle d'entrée de gamme est équipé d'un moteur 4 cylindres de 2,4 litres livrant une puissance acceptable face aux autres véhicules du segment. Pour plus de vélocité - et de capacité de remorquage -, le V6 de 3,6 litres s'avère une alternative plus musclée. Les deux moulins sont accouplés à une boîte de transmission automatique à 6 rapports, celle-ci permettant le changement manuel des vitesses. Et comme tout bon VUS compact, les deux utilitaires GM sont disponibles avec une transmission intégrale en option, les modèles moins onéreux envoyant la puissance aux roues avant.

AU VOLANT > L'un des problèmes criants de ces deux VUS se situe chez la concurrence. Depuis 2010, il s'en est passé des choses dans la catégorie. Les ténors du groupe ont peaufiné leur offre, et force est d'admettre que l'aspect conduite n'est pas la plus grande force de ces deux représentants. Le 4-cylindres exprime haut et fort sa musicalité lors des accélérations, tandis que la transmission est loin d'être la plus homogène de l'industrie. Les nombreux changements de rapports ressentis deviennent agaçants à la longue, puisque cette boîte cherche constamment à économiser le précieux carburant. À ce chapitre, le V6 est plus énergique, mais la facture d'essence se fait plus salée. Heureusement, le châssis rigide inspire confiance, malgré une direction floue.

CONCLUSION > Il faut s'attendre à un changement de modèle en 2018, que ce soit du côté de Chevrolet ou de GMC. L'arrivée du Buick Envision donne des indices sur ce à quoi il faut s'attendre dans les prochaines années. D'ici là, les petits utilitaires de GM vont poursuivre leur route en continuant de dégager des chiffres de ventes étonnants malgré des signes de vieillesse évidents. ■

2e OPINION

Luc-Olivier Chamberland

Ce duo de GM prend sérieusement de l'âge malgré les modifications esthétiques de 2016. Ce n'est pas que les véhicules sont entièrement mauvais, bien au contraire, mais on constate que la majorité de la concurrence est ailleurs et beaucoup plus loin. Bien que le tout ne soit plus une petite jeunesse, on découvre un lot d'innovations technologiques qui sauront séduire les consommateurs comme un festival d'accessoires pour la connectivité et le maintien de sa vie virtuelle. La bonne nouvelle, on sait que 2017 marque la fin de cette deuxième génération d'Equinox et de Terrain. Si l'on se fie aux plus récents véhicules produits par GM, ils seront nettement supérieurs. Pour le moment, il y a mieux ailleurs.

FICHE TECHNIQUE

MOTEUR(S)

(Tous) L4 2,4 L DACT
PUISSANCE 182 ch à 6 700 tr/min
COUPLE 172 lb-pi à 4 900 tr/min
RAPPORT POIDS/PUISSANCE 9,4 kg/ch à 9,8 kg/ch
BOÎTE(S) DE VITESSES automatique à 6 rapports avec mode manuel
PERFORMANCES 0-100 km/h 8,7 s
REPRISE 80-115 km/h 6,7 s
FREINAGE 100-0 km/h 39,5 m
NIVEAU SONORE À 100 km/h Moyen
VITESSE MAXIMALE 185 km/h

(OPTION LT, LTZ, SLT, DENALI) V6 3,6 L DACT
PUISSANCE 301 ch à 6 500 tr/min
COUPLE 272 lb-pi à 4 800 tr/min
RAPPORT POIDS/PUISSANCE 6,1 kg/ch à 6,2 kg/ch
BOÎTE(S) DE VITESSES automatique à 6 rapports avec mode manuel
PERFORMANCES 0-100 km/h 7,3 s
REPRISE 80-115 km/h 5,1 s
VITESSE MAXIMALE 200 km/h
CONSOMMATION (100 km) 2RM ville 14,1 L route 9,7 L
4RM ville 15,0 L route 10,4 L (octane 87)
ANNUELLE 2RM 2 312 L, 2 774 $ **4RM** 2 193 L, 2 632 $
EMISSIONS POLLUANTES CO_2 2RM 5 318 kg/an **4RM** 5 044 kg/an

AUTRES COMPOSANTS

SÉCURITÉ ACTIVE (certains en option) Freins ABS, assistance au freinage, répartition électronique de la force de freinage, contrôle électronique de la stabilité et dispositif antilouvoiement, antipatinage, avertisseurs d'obstacle latéral et arrière, de collision imminente et de sortie de voie
SUSPENSION avant/arrière indépendante
FREINS avant/arrière disques
DIRECTION 3.6 à crémaillère, assistée **2.4** assistée électriquement
PNEUS LS/LT/SLE/SLT P225/65R17
LTZ/Denali/option LT/SLT P235/55R18
option LTZ/SLT/Denali P235/55R19

DIMENSIONS

EMPATTEMENT 2 857 mm
LONGUEUR Equinox 4 771 mm **Terrain** 4 707 mm
LARGEUR Equinox 1 842 mm **Terrain** 1 850 mm
HAUTEUR 1 684 mm, 1760 mm (incl. galerie)
POIDS Equinox LS 2.4 2RM 1 713 kg **4RM** 1 781 kg
3.6 2RM 1 823 kg **4RM** 1 863 kg
Terrain SLE 2.4 2RM 1 748 kg **4RM** 1 823 kg
RÉPARTITION DU POIDS AV/ARR (%) 58/42
DIAMÈTRE DE BRAQUAGE 12,2 m (roues de 17,18 po), 13,0 m (roues de 19 po)
COFFRE Equinox 892 L, 1 803 L (sièges abaissées)
Terrain 895 L, 1 809 L (sièges abaissés)
RÉSERVOIR DE CARBURANT Equinox 2.4 71 L
3.6 79 L **Terrain 2.4** 68 L **3.6** 76 L
CAPACITÉ DE REMORQUAGE 2.4 680 kg **3.6** 1 588 kg

LA COTE VERTE

MOTEUR V8 DE 6,6 L TURBODIESEL
CONSOMMATION (100 km) ville 16,3 L, route 11,6 L (est.)
CONSOMMATION ANNUELLE 2 414 L, 2 776 $
INDICE D'OCTANE diesel
ÉMISSIONS POLLUANTES CO_2 6 494 kg/an
(source : L'Annuel)

FICHE D'IDENTITÉ

VERSION(S) Express Utilitaire 2500/3500 WT, LT **Tourisme** LS, LT **Savana Utilitaire** 2500 1WT, 1SD **Tourisme** 2500 1LS, 1LT
TRANSMISSION(S) arrière
PORTIÈRES 5, 6 **PLACES** 1 à 15
PREMIÈRE GÉNÉRATION 1971
GÉNÉRATION ACTUELLE 1996
CONSTRUCTION Wentzville, Missouri, É.-U.
COUSSINS GONFLABLES 6 (frontaux, latéraux, rideaux latéraux)
CONCURRENCE Ford Transit, Mercedes-Benz Metris/Sprinter, Nissan NV, Ram Promaster

AU QUOTIDIEN

COLLISION FRONTALE 5/5
COLLISION LATÉRALE 4/5
VENTES DU MODÈLE L'AN DERNIER
AU QUÉBEC Express 637 (-28,3 %) **Savana** 2 015 (-11,1 %)
AU CANADA Express 3 337 (-28,6 %) **Savana** 6 809 (+2,5 %)
DÉPRÉCIATION (%) 38,8 (3 ans)
RAPPELS (2011 à 2016) 12
COTE DE FIABILITÉ 3/5

GARANTIES... ET PLUS

GARANTIE GÉNÉRALE 3 ans/60 000 km
GROUPE MOTOPROPULSEUR 5 ans/160 000 km
PERFORATION 6 ans/160 000 km
ASSISTANCE ROUTIÈRE 5 ans/160 000 km
NOMBRE DE CONCESSIONNAIRES
AU QUÉBEC 67 **AU CANADA** 450

NOUVEAUTÉS EN 2017

Aucun changement majeur

DEUX HEURES PAR ANNÉE...

Chaque année, lors de la distribution des textes, les différents auteurs de cet ouvrage choisissent en début de mandat une dizaine de textes à rédiger. Une fois la tâche terminée, on passe à dix autres, et ainsi de suite. Je vous laisse donc deviner quel sujet demeure disponible jusqu'à la toute fin, année après année, même cinq jours avant d'aller sous presse...

Antoine Joubert

TOUR DU PROPRIÉTAIRE> Cette année, j'ai dû me sacrifier. Après la rédaction d'un article sur McLaren, me voilà donc à chercher quoi dire sur un véhicule inchangé depuis l'obtention de mon diplôme du secondaire, et qui refuse systématiquement de se moderniser, ne serait-ce que sur le plan mécanique. Même d'un point de vue esthétique, on fait du surplace. C'en est à ce point ridicule que GM utilise la même image média depuis des années pour la promotion de son produit, ne se contentant que de modifier de temps à autre la couleur du véhicule dans *Photoshop*. Je me permettrai tout de même de mentionner que ce fourgon d'une autre époque propose deux longueurs d'empattement et demeure livrable autant en version cargo que passagers. La série 1500 n'est toutefois plus au catalogue, celle-ci étant devenue moins pertinente depuis l'arrivée de la fourgonnette Chevrolet City Express, conçue par Nissan.

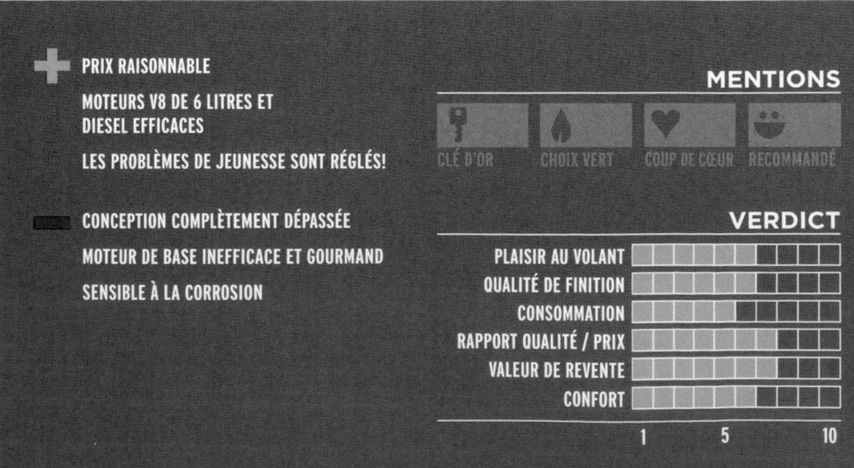

+ PRIX RAISONNABLE
MOTEURS V8 DE 6 LITRES ET DIESEL EFFICACES
LES PROBLÈMES DE JEUNESSE SONT RÉGLÉS!
– CONCEPTION COMPLÈTEMENT DÉPASSÉE
MOTEUR DE BASE INEFFICACE ET GOURMAND
SENSIBLE À LA CORROSION
MENTIONS
CLÉ D'OR
CHOIX VERT
COUP DE CŒUR
RECOMMANDÉ
VERDICT
PLAISIR AU VOLANT
QUALITÉ DE FINITION
CONSOMMATION
RAPPORT QUALITÉ / PRIX
VALEUR DE REVENTE
CONFORT
1
5
10

VIE À BORD > Vous vous rappelez la magnifique finition des produits Chevrolet des années 90 ? Alors voilà. C'est ce qu'on vous sert à bord de ce fourgon. Des plastiques bon marché, des sièges qui passent difficilement l'épreuve du temps et, bien sûr, une présentation digne d'une autre époque. Cela n'empêche évidemment pas le véhicule d'être fonctionnel, mais disons qu'en le comparant avec un Ram ProMaster ou au récent Ford Transit, l'Express/Savana fait figure de parent pauvre. Cela dit, GM s'est tout de même amusée à y intégrer l'an dernier la connectivité 4G avec accès Wi-Fi ainsi qu'un système MyLink avec radionavigation.

TECHNIQUE > Le Wi-Fi, c'est bien beau, mais qu'en est-il de la mécanique ? En fait, il faudrait plutôt demander aux acheteurs ce qu'ils préfèrent. Du Wi-Fi ou une nouvelle mécanique plus efficace et moins gourmande ? Car entre vous et moi, ce V8 de 4,8 litres qui n'a jamais impressionné personne, même lors de son arrivée, est aujourd'hui complètement dépassé. On pourrait très certainement le remplacer par le V6 de 4,3 litres présent dans les récentes camionnettes Silverado/Sierra ou même par le V8 de 5,3 litres, plus puissant et nettement moins gourmand. Mais bon, GM rétorque que les deux autres motorisations offertes peuvent s'acquitter des tâches plus ardues, ce qui ne justifie pas d'utiliser une mécanique de base plus puissante. Certes, mais ne serait-ce que pour obtenir une meilleure économie de carburant ou un rendement plus agréable, un nouveau moteur de base serait le bienvenu.

AU VOLANT > Vous seriez étonné de ce qu'un V8 de 6 litres dans un fourgon commercial complètement vide peut vous donner comme performances. Une fois, c'est drôle; deux fois, on rit encore, puis on réalise que... ça demeure un fourgon ! Maintenant, inutile de vous dire que son comportement routier est à l'image de sa carrosserie, donc d'une autre époque. Face à un ProMaster qui impressionne par son diamètre de braquage ou encore à un Transit qui propose une surprenante douceur de roulement, l'Express/Savana ne fait pas le poids. À une certaine époque, l'option de la transmission intégrale constituait un atout, mais GM a choisi de l'abandonner.

CONCLUSION > Deux petites heures par année sont nécessaires pour vous parler de ce fourgon, que j'utilise à l'occasion comme navette de stationnement aéroportuaire ou encore comme véhicule de fonction lors des tournages de l'émission RPM. S'agit-il d'un fourgon dépassé ? Complètement. Hélas, les stratèges de GM n'ont que faire de mes commentaires, constatant que les ventes sont aujourd'hui deux fois plus importantes qu'elles ne l'étaient il y a deux ou trois ans. Est-ce que la disparition de la Série E de Ford (Econoline) aurait contribué au nouveau succès des Express/Savana ? Vous pouvez en être certain. Mais en attendant, sachez seulement une chose : je ne serai pas celui qui rédigera cet article l'an prochain, à moins que GM nous arrive comme par magie avec un nouveau modèle. ■

2e OPINION

Luc-Olivier Chamberland

Le monde des fourgons est en pleine mutation, mais comme dans toute chose, il y a toujours des éléments de résistance. Dans cet univers, ce sont les Chevrolet Express et GMC Savana qui tiennent le rôle de vieilleries. Présents sur le marché depuis plus de 20 ans, ils ne brillent pas par leur modernisme! Alors que de tous les grands joueurs et quelques autres mineurs arrivent des innovations et des mécaniques actuelles, chez GM on ne propose que des V8. Heureusement pour l'acheteur, il y a du choix. Peu importe l'option, la consommation sera éhontée. Une réalité décevante : les possibilités de configurations réduites à la base alors que les autres multiplient les versions.

FICHE TECHNIQUE

MOTEUR(S)

(4,8) V8 4,8 L ACC
PUISSANCE 285 ch à 5 400 tr/min
COUPLE 295 lb-pi à 4 600 tr/min
RAPPORT POIDS/PUISSANCE 8,6 kg/ch
BOÎTE(S) DE VITESSES automatique à 6 rapports
PERFORMANCES 0-100 km/h 10,3 s
VITESSE MAXIMALE 200 km/h
CONSOMMATION (100 km) ville 21,0 L, route 14,2 L (octane 87)
ANNUELLE 3 060 L, 3 672 $
ÉMISSIONS DE CO_2 7 038 kg/an

(6,0) V8 6,0 L ACC
PUISSANCE 329 ch à 5 400 tr/min
COUPLE 373 lb-pi à 4 400 tr/min
RAPPORT POIDS/PUISSANCE 7,6 kg/ch
BOÎTE(S) DE VITESSES automatique à 6 rapports
PERFORMANCES 0-100 km/h 8,5 s
VITESSE MAXIMALE 220 km/h
CONSOMMATION (100 km) ville 22,0 L, route 14,9 L (octane 87)
ANNUELLE 3 196 L , 3 835 $
ÉMISSIONS DE CO_2 7 351 kg/an

(6,6) V8 6,6 L ACC turbodiesel
PUISSANCE 260 ch à 3 100 tr/min
COUPLE 525 lb-pi à 1 600 tr/min
RAPPORT POIDS/PUISSANCE 9,7 kg/ch
BOÎTE(S) DE VITESSES automatique à 6 rapports
PERFORMANCES 0-100 km/h 9,0 s
VITESSE MAXIMALE 185 km/h

AUTRES COMPOSANTS

SÉCURITÉ ACTIVE Freins ABS, assistance au freinage, répartition électronique de la force de freinage, contrôle électronique de la stabilité, antipatinage
SUSPENSION avant/arrière indépendante /pont rigide
FREINS avant/arrière disques
DIRECTION à crémaillère, assistée
PNEUS LT245/75R16

DIMENSIONS

EMPATTEMENT 5 696 mm **emp. long** 6 188 mm
LARGEUR 2 012 mm
HAUTEUR 2 136 à 2 148 mm
POIDS Utilitaire 2 418 à 2 576 kg **tourisme** 2 765 à 2 919 kg
DIAMÈTRE DE BRAQUAGE 15,0 m **emp. long** 16,6 m
COFFRE Utilitaire 6 787 L **emp. long** 8 054 L **tourisme** 1 452 L, 2 264 L, 3 205 L (sièges relevés) 6 122 L(sièges enlevés)
emp. long 342 L, 1 143 L, 1 957 L, 2 769 L, 3 710 L (sièges abaissés) 7 159 L (sièges enlevés)
RÉSERVOIR DE CARBURANT 117 L
CAPACITÉ DE REMORQUAGE Utilitaire 4 218 à 4 538 kg
tourisme 2 812 à 4 536 kg

LA COTE VERTE

MOTEUR L4 DE 2,5 L
CONSOMMATION (100 km) ville 10,6 L, route 7,5 L
CONSOMMATION ANNUELLE 1 564 L, 1 877 $
INDICE D'OCTANE 87
ÉMISSIONS POLLUANTES CO_2 3 597 kg/an
(source : ÉnerGuide)

FICHE D'IDENTITÉ

VERSION(S) LS, LT, Premier
TRANSMISSION(S) avant
PORTIÈRES 4 **PLACES** 5
PREMIÈRE GÉNÉRATION 1958
GÉNÉRATION ACTUELLE 2014
CONSTRUCTION Oshawa, Ontario, Canada et Detroit-Hamtramck, Michigan, É-U
COUSSINS GONFLABLES 10 (frontaux, genoux conducteur et passager, latéraux avant et arrière, rideaux latéraux)
CONCURRENCE Buick LaCrosse, Chrysler 300, Dodge Charger, Ford Taurus, Genesis G80, Kia Cadenza, Nissan Maxima, Toyota Avalon, Volkswagen Passat

AU QUOTIDIEN

COLLISION FRONTALE 5/5
COLLISION LATÉRALE 5/5
VENTES DU MODÈLE L'AN DERNIER
AU QUÉBEC 342 (-8,3 %) **AU CANADA** 2 938 (-13,7 %)
DÉPRÉCIATION (%) 50,4 (3 ans)
RAPPELS (2011 à 2016) 11
COTE DE FIABILITÉ 3/5

GARANTIES... ET PLUS

GARANTIE GÉNÉRALE 3 ans/60 000 km
GROUPE MOTOPROPULSEUR 5 ans/160 000 km
PERFORATION 6 ans/160 000 km
ASSISTANCE ROUTIÈRE 3 ans/60 000 km
NOMBRE DE CONCESSIONNAIRES
AU QUÉBEC 67 **AU CANADA** 450

NOUVEAUTÉS EN 2017

La version LTZ devient Premier, nouvelle palette de couleurs.

À REDÉCOUVRIR

Même si l'Impala a été complètement refaite en 2014, elle est la plus vieille voiture dans la gamme des produits Chevrolet. C'est vous dire à quel point cette division a multiplié les nouveautés depuis les deux dernières années. Mais son tout nouveau style ne semble pas avoir accompli de miracle au chapitre des ventes. Il faut dire que les berlines pleine grandeur n'ont pas un indice élevé de popularité chez nous.

Benoit Charette

TOUR DU PROPRIÉTAIRE> Si vous avez oublié de quoi avait l'air l'Impala au cours des dernières années, vous êtes excusé. Au cours des dix dernières années, sa silhouette était on ne peut plus anonyme. On la retrouvait comme voiture de patrouille ou de location. Les concepteurs ont tout refait en 2014 avec un style qui rappelle les grandes années de l'Impala dans les décennies 60 et 70. Une voiture avec de la classe, un vaste choix de couleurs et des lignes inspirées... Bref, nous sommes loin de l'amas de métal beige de l'ancienne génération. On retrouve des touches de la Buick LaCrosse ou encore de la Cadillac XTS, mais en gardant l'ADN de Chevrolet. GM n'a pas toujours su faire quand venait le temps de bien distinguer les divisions à partir d'une plateforme commune, mais dans ce cas-ci, c'est une note parfaite.

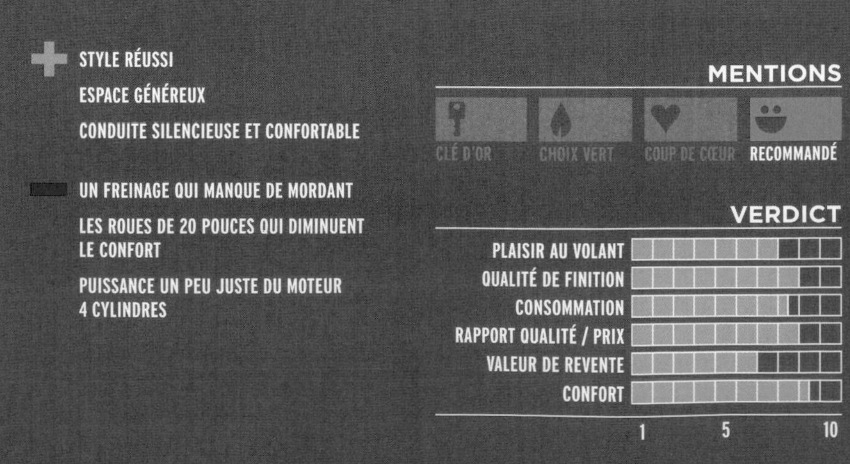

+
STYLE RÉUSSI
ESPACE GÉNÉREUX
CONDUITE SILENCIEUSE ET CONFORTABLE
–
UN FREINAGE QUI MANQUE DE MORDANT
LES ROUES DE 20 POUCES QUI DIMINUENT LE CONFORT
PUISSANCE UN PEU JUSTE DU MOTEUR 4 CYLINDRES
MENTIONS
CLÉ D'OR
CHOIX VERT
COUP DE CŒUR
RECOMMANDÉ
VERDICT
PLAISIR AU VOLANT
QUALITÉ DE FINITION
CONSOMMATION
RAPPORT QUALITÉ / PRIX
VALEUR DE REVENTE
CONFORT
1
5
10

VIE À BORD > Le mot d'ordre à l'intérieur est confort, avec une insistance particulière sur l'espace habitable. J'ai visité des bases de plein air plus petites que l'habitacle de l'Impala. Vous avez un vaste choix de sièges. Ceux du modèle LS sont recouverts de tissu tandis que ceux du LT sont recouverts, de série, de vinyle et de tissu. Les surfaces des sièges en cuir sont offertes en option sur la version LT avec moteur V6 et de série sur la version Premier. L'assise est confortable et cinq adultes seront très à l'aise dans la voiture. Le groupe d'instruments comporte les commandes de la température ainsi que le système MyLink de Chevrolet, qui comprend la navigation et la lecture audio en continu Bluetooth, entre autres nombreuses fonctions, et qui est commandé au moyen d'un écran tactile de 8 pouces livrable en option pour les modèles LT et Premier. Depuis l'an dernier, vous pouvez aussi ajouter le système Apple CarPlay dans la liste des options.

TECHNIQUE > Vous avez le choix d'un 4-cylindres ou d'un 6-cylindres sous le capot. L'Impala arrive de base avec un 4-cylindres 2,5 litres qui offre 196 chevaux. Le V6 de 3,6 litres est le moteur que l'on retrouve aussi dans la Cadillac XTS et la Buick LaCrosse. Il fait 305 chevaux. Les deux moteurs se présentent avec une boîte de vitesses automatique à 6 rapports. L'Impala, comme de plus en plus de voitures sur le marché, profite d'un système d'arrêt et de démarrage automatique. Le moteur coupe quand le véhicule s'immobilise et redémarre quand le conducteur relâche la pédale de frein.

AU VOLANT > Même si l'Impala rappelle les paquebots d'autoroute des années 70, sa conduite est tout ce qu'il y a de plus moderne. Malgré son format généreux, vous n'aurez pas le mal de mer à bord. La suspension est assez souple pour donner un grand confort, mais assez ferme pour assurer une excellente maîtrise. Un berceau de moteur et de transmission isolé ainsi qu'un coussinet hydraulique contribuent à une conduite plus souple et plus silencieuse. À l'arrière, une suspension à 4 bras avec supports de montage isolés contribue également à la conduite souple et silencieuse de la voiture. Une surprenante et agréable expérience de conduite. Il est évident que le moteur V6 sied mieux à la voiture que le 4-cylindres, mais si vous visez l'économie autant à l'achat que dans la consommation, il y a le 4-cylindres.

CONCLUSION > Pour ceux qui recherchent confort, espace, conduite silencieuse avec un très bon agrément de conduite, dans le monde des berlines pleine grandeur, il y a la Toyota Avalon et la Chevrolet Impala qui trônent sur les deux premiers échelons du podium. Les voitures pleine grandeur ne sont certes pas les plus populaires, mais cette Impala vaut le détour.

2e OPINION

Vincent Aubé

Jadis la voiture la plus populaire d'Amérique, la Chevrolet Impala a malheureusement perdu son titre il y a de cela fort longtemps. Par les temps qui courent, la mode est aux utilitaires. Une grande berline a un petit côté pratique, mais pas autant que ces VUS fourre-tout. Et puis, il y a le prix qui entre en ligne de compte. La Chevrolet Impala a mûri au fil des années. Contrairement à l'ancienne génération, qui était plus souvent considérée comme une option de voiture de flotte, le modèle actuel a plus de points en commun avec ses rivales que sont la Toyota Avalon et la Ford Taurus, notamment. Un beau produit, mais un peu cher!

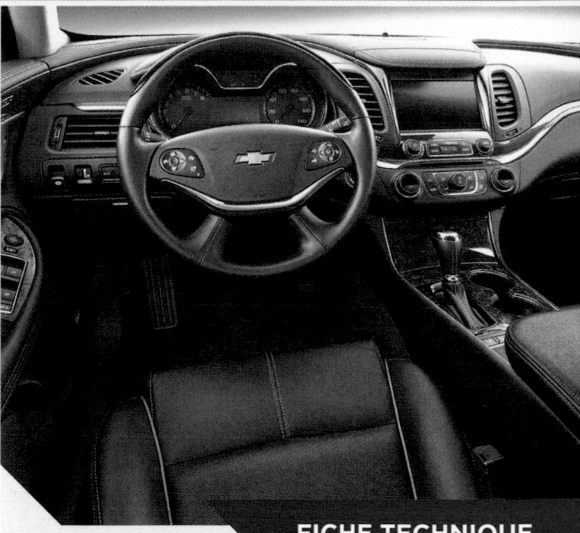

FICHE TECHNIQUE

MOTEUR(S)

(LS, LT) L4 2,5 L DACT
PUISSANCE 196 ch à 6 300 tr/min
COUPLE 186 lb-pi à 4 400 tr/min
RAPPORT POIDS/PUISSANCE 8,5 à 8,8 kg/ch
BOITE(S) DE VITESSES automatique à 6 rapports avec mode manuel
PERFORMANCES 0-100 km/h 8,5 s
VITESSE MAXIMALE 210 km/h

(Premier, option LT) V6 3,6 L DACT
PUISSANCE 305 ch à 6 800 tr/min
COUPLE 264 lb-pi à 5 300 tr/min
RAPPORT POIDS/PUISSANCE 5,6 à 5,7 kg/ch
BOITE(S) DE VITESSES automatique à 6 rapports avec mode manuel
PERFORMANCES 0-100 km/h 7,0 s
REPRISE 80-115 km/h 5,3 s
FREINAGE 100-0 km/h 40,0 m
NIVEAU SONORE À 100 km/h Bon
VITESSE MAXIMALE 230 km/h
CONSOMMATION (100 km) ville 12,5 L, route 8,2 L (octane 87)
ANNUELLE 1 802 L, 2 162 $
ÉMISSIONS DE CO_2 4 145 kg/an

AUTRES COMPOSANTS

SÉCURITÉ ACTIVE (certains en option) Freins ABS, assistance au freinage, répartition électronique de la force de freinage, contrôle électronique de la stabilité, antipatinage, régulateur de vitesse adaptatif, avertisseurs de sortie de voie, d'obstacle arrière et latéral, alerte de prévention de collision
SUSPENSION avant/arrière indépendante
FREINS avant/arrière disques
DIRECTION à crémaillère, assistée électriquement
PNEUS LS, LT P235/50R18 **Premier/option LT** P245/45R19 **option Premier** P245/40R20

DIMENSIONS

EMPATTEMENT 2 837 mm
LONGUEUR 5 113 mm
LARGEUR 1 854 mm
HAUTEUR 1 496 mm
POIDS LS 1 661 kg **LT** 1 670 à 1 717 kg **Premier** 1 722 à 1 754 kg
DIAMÈTRE DE BRAQUAGE 11,8 m
COFFRE 532 L **Bi-Fuel** 283 L
RÉSERVOIR DE CARBURANT 70L
CAPACITÉ DE REMORQUAGE 454 kg

LA COTE VERTE

MOTEUR L4 DE 1,8 L HYBRIDE
CONSOMMATION (100 km) ville 5,0 L, route 5,1 L
CONSOMMATION ANNUELLE 867 L, 1 040 $
INDICE D'OCTANE 87
ÉMISSIONS POLLUANTES CO_2 1 994 kg/an
(source : ÉnerGuide)

FICHE D'IDENTITÉ

VERSION(S) L, LS, LT, Premier, Hybride
TRANSMISSION(S) avant
PORTIÈRES 4 **PLACES** 5
PREMIÈRE GÉNÉRATION 1997
GÉNÉRATION ACTUELLE 2016
CONSTRUCTION Fairfax, Kansas, É-U
COUSSINS GONFLABLES 10 (frontaux, latéraux avant et arrière, genoux conducteur et passager, rideaux latéraux)
CONCURRENCE Chrysler 200, Ford Fusion, Honda Accord, Hyundai Sonata, Kia Optima, Mazda6, Nissan Altima, Subaru Legacy, Toyota Camry, Volkswagen Passat

AU QUOTIDIEN

COLLISION FRONTALE 5/5
COLLISION LATÉRALE 5/5
VENTES DU MODÈLE L'AN DERNIER
AU QUÉBEC 1 242 (+0,6 %) **AU CANADA** 9 203 (+11,6 %)
DÉPRÉCIATION (%) 47,0% (3 ans)
RAPPELS (2011 à 2016) 16
COTE DE FIABILITÉ 2,5/5

GARANTIES... ET PLUS

GARANTIE GÉNÉRALE 3 ans/60 000 km
GROUPE MOTOPROPULSEUR 5 ans/160 000 km
PERFORATION 6 ans/160 000 km
ASSISTANCE ROUTIÈRE 5 ans/160 000 km
NOMBRE DE CONCESIONNAIRES
AU QUÉBEC 67 **AU CANADA** 450

NOUVEAUTÉS EN 2017

L'appellation LTZ devient Premier

BARRIÈRE CULTURELLE

La Malibu est un bel exemple de ce qui sépare les cultures dans le monde automobile. Alors qu'elle occupe le haut du pavé dans les chiffres de vente aux États-Unis et se classe parmi les quatre plus vendues dans sa catégorie au Canada, elle traîne de la patte au Québec. Il se vend trois fois plus de Honda Accord et de Sonata. Même la Subaru Legacy fait aussi bien que la Malibu. Mais GM ne baisse pas les bras, on revient année après année, depuis plus de cinquante ans, avec une Malibu dans l'espoir de faire sa marque.

Benoit Charette

TOUR DU PROPRIÉTAIRE> Après dix ans de petits changements esthétiques, la Malibu a eu droit à une vraie refonte l'an dernier. Les concepteurs ont utilisé la recette de la grande Impala, qu'ils ont appliquée sur un modèle un peu plus petit. On retrouve le même style assez musclé, un faciès plus audacieux avec une calandre séparée comme sur l'Impala. L'empattement s'allonge de 9 centimètres face à l'ancienne version et la longueur hors tout de 5 centimètres. Comme c'est la norme maintenant, l'acier plus léger et l'ajout d'aluminium ont permis de réduire le poids de près de 136 kilos par rapport au modèle actuel.

VIE À BORD > GM veut s'éloigner des intérieurs bon marché qui ont si longtemps été le quotidien de la marque, et de sérieux efforts sont apportés à ce chapitre. GM met aussi beaucoup l'accent sur la technologie. En plus du régulateur de vitesse adaptatif, l'aide au suivi de

\+ CONTENU TECHNOLOGIQUE
MODÈLE HYBRIDE INTÉRESSANT
PLUS D'ESPACE

− PAS DE MOTEUR V6
STYLE TRÈS PROCHE DE L'IMPALA
PAS DE VERSION INTÉGRALE

MENTIONS

CLÉ D'OR | CHOIX VERT | COUP DE CŒUR | **RECOMMANDÉ**

VERDICT

PLAISIR AU VOLANT
QUALITÉ DE FINITION
CONSOMMATION
RAPPORT QUALITÉ / PRIX
VALEUR DE REVENTE
CONFORT

1 5 10

voie, le système de surveillance des angles morts et l'alerte de prévention de collision, GM introduit dans la Malibu la fonction «jeune conducteur», qui permet aux parents, avec l'aide d'un NIP, de superviser la conduite de leurs adolescents. Pour utiliser cette fonction, un parent doit l'activer en entrant un NIP dans le menu des paramètres de son système MyLink, lui permettant ainsi d'inscrire la clé de son adolescent. Les paramètres du système sont activés uniquement pour les clés inscrites. Ce mode ado va par exemple mettre hors fonction le système audio tant que les ceintures de sécurité ne sont pas attachées. Elle émet également une alarme sonore et visuelle lorsque le véhicule dépasse la vitesse prédéterminée, et les parents ont droit à un rapport de conduite qui s'affiche après chaque utilisation sur le système *MyLink*. Vous pouvez aussi opter pour un forfait Wi-Fi, l'Apple CarPlay® ou l'Android Auto® pour compléter.

TECHNIQUE > Vous avez le choix de trois moteurs sous le capot. La version d'entrée de gamme utilise un 4-cylindres turbo de 1,5 litre qui fait 163 chevaux. Il s'agit à la base du moteur conçu pour la Volt avec un turbo en prime. Ce moteur vient remplacer le 4-cylindres 2,5 litres qui a été retiré du marché. Arrive ensuite le moteur 2 litres turbo qui provient de la Cadillac ATS. Il produit avec la Malibu 250 chevaux et 258 livres-pieds de couple. Finalement, une version hybride équipée du moteur Ecotec 1,8 litre de 122 chevaux combiné avec un moteur électrique donne en tout 182 chevaux. Une boîte à 6 rapports vient avec le moteur 1,5 litre, à 8 rapports pour le 2-litres et CVT pour l'hybride. Le moteur 6 cylindres, à l'image d'autres constructeurs, a disparu.

AU VOLANT > Un poids plus faible, un châssis plus rigide et des suspensions mieux calibrées procurent un comportement général et une tenue de route de meilleure qualité. Au chapitre du dynamisme, le modèle de base avec moteur 1,5 litre fonctionne à l'économie, le moteur un peu anémique cherche son souffle et ne semble jamais donner son plein potentiel même en poussant fort sur l'accélérateur. Le moteur 2 litres fait mieux et devient le meilleur choix avec cette berline. Il ne pousse pas aussi fort que certains V6 de la concurrence, mais vous obtenez une puissance adéquate. La version hybride est maintenant digne de ce nom. Ce n'est plus l'hybridation légère de la dernière génération mais un véritable moteur hybride créé à partir de la technologie de la Volt. Un bloc-batterie au lithium-ion à 80 cellules de 1,5 kWh assure l'alimentation électrique du système hybride

CONCLUSION > Difficile dans une catégorie de véhicules qui ressemble au pain blanc tranché d'éprouver un fort sentiment d'appartenance. Soulignons simplement que la Malibu est à la hauteur de la concurrence et offre les mêmes innovations technologiques. Est-ce que cela sera suffisant pour relancer les ventes? Il faudra attendre, mais la côte à remonter est assez importante. ■

2e OPINION

Antoine Joubert

Le marché de la berline intermédiaire est en baisse. Pourtant, il n'existe à peu près aucun segment où la compétition est aussi féroce. Tout le monde y est, exception faite de Mitsubishi. La Chevrolet Malibu, qui a connu un certain succès lors de son renouvellement en 2008, a malheureusement dû faire face à cette concurrence féroce, la reléguant injustement au statut de voiture de location. Et malgré tous les efforts effectués par Chevrolet au cours des dernières années, la Malibu ne s'est pas démarquée. Avec l'édition 2016, les choses ont heureusement changé. Certes, l'intérêt pour ce genre de produit a chuté, mais la Malibu possède aujourd'hui ce qu'il faut pour bien rivaliser avec les Fusion, Accord, Sonata et Camry de ce monde. Vous n'êtes pas convaincu? Alors, osez en faire l'essai. La qualité générale du produit ainsi que le comportement routier vous jetteront par terre.

FICHE TECHNIQUE

MOTEUR(S)

(L, LS, LT, Premier) L4 1,5 L DACT turbo
PUISSANCE 163 ch à 5 600 tr/min
COUPLE 184 lb-pi de 2 000 à 4 000 tr/min
RAPPORT POIDS/PUISSANCE 8,7 à 9,6 kg/ch
BOITE(S) DE VITESSES automatique à 6 rapports avec mode manuel
PERFORMANCES 0-100 km/h 8,4 s
REPRISE 80-115 km/h 4,4 s **FREINAGE 100-0 km/h** 42,0 m
NIVEAU SONORE À 100 km/h ND
VITESSE MAXIMALE 210 km/h (bridée)
CONSOMMATION (100 km) ville 8,7 L, route 6,3 L (octane 87)
ANNUELLE 1 292 L, 1 550 $ **ÉMISSIONS DE CO_2** 2 972 kg/an

(option LT/Premier) L4 2,0 L DACT turbo
PUISSANCE 250 ch à 5 300 tr/min
COUPLE 258 lb-pi à 1 700 tr/min
RAPPORT POIDS/PUISSANCE 5,7 à 6,1 kg/ch
BOITE(S) DE VITESSES automatique à 8 rapports avec mode manuel
PERFORMANCES 0-100 km/h 6,3 s (est.)
VITESSE MAXIMALE 210 km/h (bridée)
CONSOMMATION (100 km) ville 10,6 L, route 7,1 L (octane 91)
ANNUELLE 1 530 L, 1 836 $ **ÉMISSIONS DE CO_2** 3 519 kg/an

(HYBRIDE) L4 1,8 L DACT + moteur électrique
PUISSANCE 122 ch à 5 000 tr/min + 102 ch moteur électrique, 182 ch total maximum
COUPLE 129 lb-pi à 4 750 tr/min + moteur électrique, 375 lb-pi total maximum
RAPPORT POIDS/PUISSANCE 8,6 kg/ch
BOITE(S) DE VITESSES automatique à variation continue
PERFORMANCES 0-100 km/h 8,5 s
REPRISE 80-115 km/h ND **FREINAGE 100-0 km/h** ND
NIVEAU SONORE À 100 km/h bon
VITESSE MAXIMALE ND 85 km/h en mode électrique

AUTRES COMPOSANTS

SÉCURITÉ ACTIVE (certains en option) Freins ABS, assistance au freinage, répartition électronique de la force de freinage, contrôle électronique de la stabilité, antipatinage, régulateur de vitesse adaptatif, avertisseur de collision imminente avec freinage autonome, avertisseurs d'obstacle latéral et arrière et de sortie de voie, assistance au maintien de voie, phares adaptatifs
SUSPENSION avant/arrière indépendante
FREINS avant/arrière disques, à récupération d'énergie sur Hybride
DIRECTION à crémaillère, assistée électriquement
PNEUS L P205/60R16 **LS/Hybride** P225/55R17 **LT** P245/45R18 **Premier** P245/40R19

DIMENSIONS

EMPATTEMENT 2 829 mm **LONGUEUR** 4 922 mm
LARGEUR 1 854 mm **HAUTEUR** 1 465 mm
POIDS L 1 400 kg **LS** 1 404 kg **LT** 1 418 kg **Premier** 1 536 kg **Hybride** 1 568 kg
DIAMÈTRE DE BRAQUAGE 11,5 m
COFFRE 447 L **Hybride** 328 L
RÉSERVOIR DE CARBURANT 49 L **Premier** 60 L
BATTERIE (HYBRIDE) lithium-ion 1,5 kWh
CAPACITÉ DE REMORQUAGE ND

CHEVROLET SILVERADO/GMC SIERRA

www.gm.ca

LA COTE VERTE

MOTEUR V6 DE 4,3 L
CONSOMMATION (100 km) 2RM ville 13,4 L, route 10,0 L
4RM ville 14,1 L, route 10,6 L
CONSOMMATION ANNUELLE 2RM 2 023 L, 2 428 $ **4RM** 2 125 L, 2 550 $
INDICE D'OCTANE 87
ÉMISSIONS POLLUANTES CO_2 2RM 4 653 kg/an **4RM** 4 887 kg/an
(source : GM et L'Annuel)

FICHE D'IDENTITÉ

VERSION(S) 2RM/4RM Silverado WT, LS, LT, LTZ, High Country - Sierra Base, SLE, SLT, Denali
TRANSMISSION(S) arrière, 4
PORTIÈRES 2,4 **PLACES** 2 à 6
PREMIÈRE GÉNÉRATION 1936
GÉNÉRATION ACTUELLE 2014
CONSTRUCTION Flint, Michigan, É.-U., Fort Wayne, Indiana, É.-U.
COUSSINS GONFLABLES 6 (frontaux, latéraux avant, rideaux latéraux)
CONCURRENCE Ford F-150, Nissan Titan, Ram 1500, Toyota Tundra

AU QUOTIDIEN

COLLISION FRONTALE 5/5
COLLISION LATÉRALE 5/5
VENTES DU MODÈLE L'AN DERNIER
AU QUÉBEC Silverado 4 506 (+37,4 %) **Sierra** 9 919 (+50,5 %) (incl. HD)
AU CANADA Silverado 46 407 (+10 %) **Sierra** 53 727 (+11,8 %) (incl. HD)
DÉPRÉCIATION (%) 41,5 (3 ans)
RAPPELS (2011 à 2016) 25
COTE DE FIABILITÉ 2/5

GARANTIES... ET PLUS

GARANTIE GÉNÉRALE 3 ans/60 000 km
GROUPE MOTOPROPULSEUR 5 ans/160 000 km
PERFORATION 6 ans/160 000 km
ASSISTANCE ROUTIÈRE 5 ans/160 000 km
NOMBRE DE CONCESSIONNAIRES
AU QUÉBEC 67 **AU CANADA** 450

NOUVEAUTÉS EN 2017

Une foule d'éditions spéciales, retouches à l'instrumentation et au système d'infodivertissement.

LE P.K. SUBBAN DE GM

GM se porte bien. Les chiffres de ventes impressionnent et la qualité des produits, de façon marquée. Toutefois, aucun produit n'est plus important pour le constructeur que son duo Silverado/Sierra, lequel recevait l'an dernier des retouches qui lui ont permis de s'illustrer davantage face à la très féroce compétition. Inutile de vous dire que la star de l'entreprise refuse de faire du surplace et continue plutôt d'innover afin de se démarquer de la concurrence, qui en fait tout autant.

Antoine Joubert

TOUR DU PROPRIÉTAIRE> Cette année, GM a pour objectif avec son camion de fidéliser davantage sa clientèle, d'augmenter les ventes des modèles à cabine double et de rejoindre une clientèle plus importante dans les milieux urbains. On ne prend d'ailleurs pas à la légère l'arrivée des camionnettes Titan 1500 et même du Ridgeline, qui pourrait attirer cette clientèle des grands centres. Voilà pourquoi on propose cette année une pléiade de modèles « édition spéciale » qui, uniquement du côté de Chevrolet, se comptent au nombre de six. Blackout, True North, Rally, Special Ops, Midnight et Real Tree s'ajoutent en effet au catalogue des modèles déjà très nombreux chez Chevrolet, ce qui permettra à la clientèle de dénicher une camionnette plus aguichante et personnalisée que chez n'importe quel autre constructeur. Et bien sûr, la même chose s'applique au GMC Sierra, qui affiche à mon avis un look plus agressif mais aussi plus cossu depuis l'arrivée de ce nouveau museau en 2016.

+
- CAMION ROBUSTE
- POLYVALENCE DANS L'UTILISATION
- MARIAGE 5,3 L + 8 VITESSES IMPRESSIONNANT
- AMÉNAGEMENT INTÉRIEUR
- GARANTIE SUPÉRIEURE À CELLE DE LA CONCURRENCE

−
- OPTIONS NOMBREUSES ET COÛTEUSES
- PAS DE RIVAUX DES FORD RAPTOR ET RAM REBEL
- TAXES D'IMMATRICULATION SUR LA CYLINDRÉE VS À LA CONCURRENCE

MENTIONS

CLÉ D'OR | CHOIX VERT | COUP DE CŒUR | RECOMMANDÉ

VERDICT

PLAISIR AU VOLANT
QUALITÉ DE FINITION
CONSOMMATION
RAPPORT QUALITÉ / PRIX
VALEUR DE REVENTE
CONFORT

1 5 10

VIE À BORD > Les éditions High Country et Denali sont à considérer si vous recherchez le nec plus ultra en matière de luxe et de finition. Maintenant, tous les modèles proposent un habitacle pratique et ergonomique. Certains se plaindront de la présence de ce levier de vitesses à la colonne, certes un peu vieillot mais toujours efficace. Personnellement, je conteste plutôt ce levier des clignotants, qui intègre également celui des essuie-glaces de façon maladroite, ce dernier nous obligeant à lâcher le volant pour en faire usage. Pour 2017, quelques changements mineurs sont apportés à l'instrumentation et au système d'infodivertissement, lequel est d'ailleurs à prendre en exemple pour sa facilité d'utilisation.

TECHNIQUE > Les stratégies mécaniques diffèrent beaucoup d'un constructeur à l'autre. Ford joue la carte de la turbocompression, alors que Ram met beaucoup d'accent sur son moteur EcoDiesel et son puissant HEMI. Chez GM, on conserve comme motorisation vedette un V8 de 5,3 litres à culbuteurs, auquel se greffent plusieurs technologies modernes, comme le calage variable des soupapes, la cylindrée variable et l'injection directe de carburant. Les performances sont donc surprenantes, tout comme la consommation de carburant, qui sera encore davantage optimisée avec l'option de la boîte automatique à 8 rapports. Besoin de plus de puissance ? Le V8 de 6,2 litres en a à revendre. Ce dernier est d'ailleurs le plus puissant de tous les moteurs du segment (exception faite du moteur EcoBoost du F-150 Raptor), pour une consommation comparable à celle du V8 HEMI du Ram.

AU VOLANT > Dans un monde idéal, vaut mieux opter pour le duo V8 de 5,3 litres et boîte à 8 rapports, qui s'avère pour ma part le mariage mécanique le plus efficace du segment. Cela dit, de nombreux tests ont démontré que les Silverado/Sierra affichaient une très grande rigidité structurelle, résultant notamment d'une structure entièrement caissonnée. Le sentiment de solidité et de robustesse est donc toujours présent, et ce, autant en conduite normale que lorsqu'on remorque de lourdes charges. Très agréables à conduire, confortables et se servant d'une suspension efficace en toute situation, les Silverado/Sierra (avec le F-150) demeurent par conséquent les camions les plus polyvalents du segment, tant pour une utilisation commerciale que pour une utilisation personnelle.

CONCLUSION > GM écoulait l'an dernier 100 134 camionnettes Silverado/Sierra au pays. Une augmentation de plus de 10 000 unités par rapport à 2014, alors que les ventes de Ford (toujours supérieures) étaient en baisse. Inutile de vous dire que GM ne lancera pas la serviette, préférant plutôt mettre des efforts là où c'est payant. Après tout, on ne laisse pas tomber une formule gagnante, quoi qu'en pensent certains dirigeants des Canadiens. N'est-ce pas, M. Bergevin ? ■

2e OPINION

Daniel Rufiange

En 2015, il s'est écoulé plus de camionnettes qu'en 2014, une tendance observable depuis quelques années déjà. C'est certes dû, en partie, à la stabilisation des prix du pétrole, mais aussi à la qualité des produits qui nous sont proposés. Plus que jamais, les camionnettes deviennent des véhicules multifonctions pour les familles et ne sont plus que réservées aux entrepreneurs. Elles allient capacités et grand luxe. À ce titre, les propositions en provenance de GM ont effectué un rattrapage monstre ces dernières années. Le choix de modèles est varié, les moteurs plus « économes » que jamais (tout étant relatif) et lorsque vient le temps d'arrêter de façon impromptue chez IKEA, on ne se pose pas la question à savoir si ça « entre » dans l'auto. De toutes les propositions sur le marché, celle de GM est probablement la plus équilibrée.

FICHE TECHNIQUE

MOTEUR(S)

(WT, LT) V6 4,3 L ACC
PUISSANCE 285 ch à 5 300 tr/min
COUPLE 305 lb-pi à 3 900 tr/min
RAPPORT POIDS/PUISSANCE 7,0 à 8,4 kg/ch
BOÎTE(S) DE VITESSES automatique à 6 rapports
PERFORMANCES 0-100 km/h ND
VITESSE MAXIMALE ND

(LTZ, High Country) V8 5,3 L ACC
PUISSANCE 355 ch à 5 600 tr/min
COUPLE 383 lb-pi à 4 100 tr/min
RAPPORT POIDS/PUISSANCE 5,9 à 6,8 kg/ch
BOÎTE(S) DE VITESSES automatique à 6 rapports, automatique à 8 rapports en option
PERFORMANCES 0-100 km/h 7,0 s **REPRISE 80-115 km/h** 6,2 s
NIVEAU SONORE À 100 km/h Moyen
VITESSE MAXIMALE ND
CONSOMMATION (100 km) 2RM ville 14,6 L, route 10,4 L
4RM ville 15,0 L, route 10,7 L (octane 87)
ANNUELLE 2RM 2 159 L, 2 591 $ **4RM** 2 227 L, 2 672 $
ÉMISSIONS DE CO_2 2RM 4 966 kg/an **4RM** 5 122 kg/an

(option LTZ/High Country) V8 6,2 L ACC
PUISSANCE 420 ch à 5 600 tr/min
COUPLE 460 lb-pi à 4 100 tr/min
RAPPORT POIDS/PUISSANCE 5,7 à 6,1 kg/ch
BOÎTE(S) DE VITESSES automatique à 6 rapports, automatique à 8 rapports en option
PERFORMANCES 0-100 km/h ND **VITESSE MAXIMALE** ND
CONSOMMATION (100 km) 2RM ville 16,1 L, route 11,4 L
4RM ville 16,3 L, route 11,6 L (octane 87)
ANNUELLE 2RM 2 380 L, 2 876 $ **4RM** 2 414 L, 2 897 $
ÉMISSIONS DE CO_2 2RM 5 474 kg/an **4RM** 5 552 kg/an

AUTRES COMPOSANTS

SÉCURITÉ ACTIVE certains en option) Freins ABS, assistance au freinage, répartition électronique de la force de freinage, contrôle électronique de la stabilité, antipatinage, avertisseurs de collision imminente et de sortie de voie, contrôle de louvoiement de la remorque, assistance au départ en pente
SUSPENSION avant/arrière indépendante/essieu rigide
FREINS avant/arrière disques
DIRECTION à crémaillère, assistée électriquement
PNEUS P245/70R17 **options** P265/70R17, LT265/70R17, P265/65R18, P275/55R20

DIMENSIONS

EMPATTEMENT boîte courte 3 023 mm **boîte longue** 3 378 mm **cabine double** 3 645 mm **cabine allongée boîte courte** 3 645 mm **boîte longue** 3 886 mm
LONGUEUR b.c. 5 221 mm **b.l.** 5 701 mm
cab. dbl./ cab. all. b.c. 5 843 mm **cab. all. b.l.** 6 085 mm
LARGEUR 2 032 mm
HAUTEUR 1 867 à 1 884 mm
POIDS Cabine rég. 2RM 1 990 à 2 119 kg **4RM** 2 080 à 2 232 kg
Cabine dbl. 2RM 2 204 à 2 301 kg **4RM** 2 315 à 2 408 kg
Cabine all. 2RM 2 241 à 2 372 kg **4RM** 2 331 à 2 460 kg
DIAMÈTRE DE BRAQUAGE boîte courte 12,2 m **boîte longue** 13,4 m **cabine allongée** 14,4 à 14,8 m **cabine double** 14,3 m
RÉSERVOIR DE CARBURANT boîte courte 98 L **boîte longue** 128 L
CAPACITÉ DE REMORQUAGE Cabine rég. V6 2RM 2 857 à 2 903 kg **4RM** 3 175 à 3 266 kg **V8 2RM** 4 218 à 4 626 kg **4RM** 4 127 à 4 490 kg **Cabine dbl. V6 2RM** 2 721 kg **4RM** 3 039 kg **V8 2RM** 4 490 à 5 443 kg **4RM** 4 354 à 5 352 kg **Cabine all. V6 2RM** 2 630 à 2 676 kg **4RM** 2 994 à 3 039 kg **V8 2RM** 4 400 à 5 171 kg **4RM** 4 309 à 5 080 kg

CHEVROLET SILVERADO HD GMC SIERRA HD

www.gm.ca

LA COTE VERTE

MOTEUR V8 6,6 L TURBODIESEL
CONSOMMATION (100 km) ville 19,0 L, route 11,6 L (est.)
CONSOMMATION ANNUELLE 2 669 L, 3 069 $
INDICE D'OCTANE Diesel
ÉMISSIONS POLLUANTES CO_2 7 180 kg/an
(source : L'Annuel)

FICHE D'IDENTITÉ

VERSION(S) 2500/3500, 2RM/4RM Silverado HD WT, LT, LTZ, High Country - Sierra HD WT, SLE, SLT, Denali
TRANSMISSION(S) arrière, 4
PORTIÈRES 2, 4 **PLACES** 2 à 6
PREMIÈRE GÉNÉRATION 1936
GÉNÉRATION ACTUELLE 2014
CONSTRUCTION Flint, Michigan, É.-U., Fort Wayne, Indiana, É.-U.
COUSSINS GONFLABLES 6 (frontaux, latéraux avant, rideaux latéraux)
CONCURRENCE Ford Super Duty, Nissan Titan XD, Ram 2500/3500

AU QUOTIDIEN

COLLISION FRONTALE 3/5
COLLISION LATÉRALE 5/5
VENTES DU MODÈLE L'AN DERNIER
AU QUÉBEC Silverado 4 506 (+37,4 %) **Sierra** 9 919 (+50,5 %) (incl. 1500)
AU CANADA Silverado 46 407 (+10,6 %) **Sierra** 53 727 (+11,8 %) (incl. 1500)
DÉPRÉCIATION (%) 34,3 (3 ans)
RAPPELS (2011 à 2016) 25
COTE DE FIABILITÉ 2/5

GARANTIES... ET PLUS

GARANTIE GÉNÉRALE 3 ans/60 000 km
GROUPE MOTOPROPULSEUR 5 ans/160 000 km
PERFORATION 6 ans/160 000 km
ASSISTANCE ROUTIÈRE 5 ans/160 000 km
NOMBRE DE CONCESSIONNAIRES
AU QUÉBEC 67 **AU CANADA** 450

NOUVEAUTÉS EN 2017

Retouches esthétiques aux modèles équipés du moteur diesel, nouvelle palette de couleurs, nouvelles jantes.

TOUJOURS LE MEILLEUR?

On vous présentait l'an dernier dans ce même ouvrage un combat ultime dans lequel s'affrontaient notre sujet, le Ram 2500 HD et le Ford F-250 Super Duty. Le GMC Sierra HD était sorti grand gagnant de l'épreuve, en grande partie grâce à sa rigidité structurelle et à la grande efficacité de son groupe motopropulseur. Or si le Ram HD se défendait lui aussi très bien, le Ford demeurait le véritable perdant. Mais les choses pourraient changer cette année avec la venue d'un tout nouveau Ford Super Duty.

Antoine Joubert

TOUR DU PROPRIÉTAIRE> Chose certaine, le duo Silverado/Sierra HD demeure très populaire. Et même s'il s'agit d'un camion conçu pour le travail, une large partie de la clientèle opte pour des modèles cossus, notamment l'opulent Sierra Denali. D'ailleurs, le GMC Sierra conserve sur le Chevrolet Silverado une longueur d'avance en matière de ventes au Canada, alors que du côté de nos voisins américains, le Chevrolet est de loin le plus populaire. Pour 2017, les changements esthétiques se limitent à de petits détails comme les teintes et les roues. Toujours pas de modifications esthétiques majeures comme celles apportées aux modèles 1500 en 2016. Par contre, les modèles équipés du moteur diesel Duramax reçoivent cette année un nouveau capot avec prise d'air fonctionnelle, qui donne une allure encore plus musculeuse au camion.

+
- DURAMAX + ALLISON = EXEMPLAIRE
- POLYVALENCE DANS L'UTILISATION
- AMÉNAGEMENT INTÉRIEUR
- COMPORTEMENT ROUTIER, MÊME LORSQUE CHARGÉ

−
- COÛT DES OPTIONS, INCLUANT LE MOTEUR DIESEL
- MOTEUR V8 À ESSENCE MOINS COMPÉTITIF
- DESIGN QUI MANQUE DE CARACTÈRE

MENTIONS

CLÉ D'OR | CHOIX VERT | COUP DE CŒUR | **RECOMMANDÉ**

VERDICT

PLAISIR AU VOLANT
QUALITÉ DE FINITION
CONSOMMATION
RAPPORT QUALITÉ / PRIX
VALEUR DE REVENTE
CONFORT

1 5 10

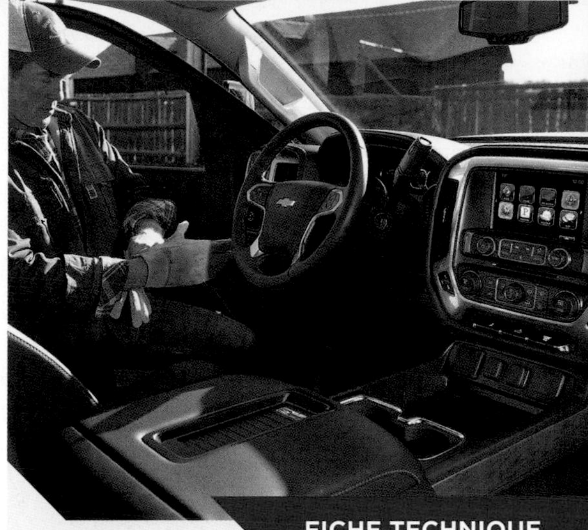

VIE À BORD > L'impression de prendre place à bord d'un outil de travail n'a pas ici lieu d'être. En fait, la présentation et l'aménagement sont identiques à ceux des modèles 1500. On profite donc d'un habitacle ergonomique, fonctionnel et extrêmement polyvalent. La finition est remarquable à tous les niveaux, et ce, même sur les versions moins cossues. Évidemment, le luxe est poussé à l'extrême sur les versions High Country et Denali, lesquelles sont fardées de gadgets et décorées de façon somptueuse. Un bon mot également pour le système d'infodivertissement, très bien conçu et que GM étend sur un nombre grandissant de modèles.

TECHNIQUE > Le moteur le plus intéressant du Silverado/Sierra HD est sans contredit le V8 turbodiesel Duramax de 6,6 litres. Un monstre mécanique qui n'est peut-être pas aussi costaud sur papier que les moteurs diesel rivaux, mais qui démontre une remarquable efficacité. Ce dernier est également jumelé avec la meilleure transmission du marché, une boîte Allison à 6 rapports qui permet d'exploiter avec plus de précision tout le couple offert. Cette année, l'arrivée d'un plus grand débit d'air au moteur grâce à l'adoption d'une prise de capot permettrait aussi d'améliorer le rendement général. Un test que nous n'avons malheureusement pu effectuer à temps pour la sortie de cet ouvrage. Autrement, GM conserve comme moteur de base un V8 de 6 litres encore une fois très puissant, mais immensément plus gourmand que le diesel.

AU VOLANT > La comparaison avec le nouveau Ford Super Duty sera intéressante à faire cette année, puisque jusque-là, le Silverado/Sierra était de loin le meilleur parti pour jumeler utilisation personnelle et utilisation commerciale. Non seulement ce camion a prouvé sa grande rigidité structurelle et sa capacité de charge et de remorquage, mais il démontre aussi un confort et une maniabilité supérieurs à ceux de ses rivaux. Sur route, même lorsque chargé, il fait preuve d'une grande stabilité, notamment grâce à une suspension parfaitement adaptée. Et bonne nouvelle, l'insonorisation poussée de la cabine permet d'amenuiser les chants mécaniques lorsque le camion travaille de façon ardue. Je souligne de nouveau l'extraordinaire efficacité du duo Duramax/Allison, qui demeure pour moi et jusqu'à preuve du contraire la meilleure combinaison mécanique du segment. Toutefois, cette option engendre un coût supplémentaire de plus ou moins 11 000 $ par rapport au moteur à essence, et ce, sans compter les coûts d'entretien plus élevés.

CONCLUSION > 87 230 $. Voilà le prix du tout dernier Silverado HD que j'ai pu conduire, un modèle High Country à moteur diesel muni d'une foule d'options. Un véritable salon roulant, hyper luxueux, sur lequel était attelée une remorque à sellette qui, avec son contenu, dépassait les 21 000 livres. Un camion certes coûteux mais solide, aussi agréable pour aller faire les courses que pour aller aux courses avec sa remorque... de course. Bref, le camion le plus polyvalent du marché, jusqu'à ce que Ford réussisse à me convaincre du contraire. Rendez-vous l'an prochain pour la suite de ce bilan... ■

2e OPINION

Luc-Olivier Chamberland

Si vous êtes à la recherche d'une bête de somme capable de déplacer un immeuble de 10 étages sans forcer, vous êtes sur la bonne page. Les camions pour travaux lourds de GM n'ont pratiquement pas de limites tant ils sont puissants. Ce fait s'avère d'autant plus flagrant avec les configurations équipées du V8 diesel Duramax de 6,6 litres, dont l'écurie contient 397 chevaux et un couple monstrueux de 795 livres-pieds. Dans la gamme 3500, pas moins de 23 000 livres pourront être tractées sans essoufflement. Pour gérer toute cette capacité, on fait appel à une transmission à toute épreuve, et c'est ce que GM fait grâce à son partenariat avec Allison.

FICHE TECHNIQUE

MOTEUR(S)

(6,0) V8 6,0 L ACC
PUISSANCE 2500 360 ch à 5 400 tr/min **3500** 322 ch à 4 400 tr/min
COUPLE 380 lb-pi à 4 200 tr/min
BOÎTE(S) DE VITESSES automatique à 6 rapports
PERFORMANCES 0-100 km/h 9,8 s
VITESSE MAXIMALE 180 km/h
CONSOMMATION (100 km) 20,0 L (est.) (octane 87)
ANNUELLE 3 400 L, 4 420 $
ÉMISSIONS DE CO_2 7 820 kg/an

(6,6) V8 6,6 L ACC turbodiesel
PUISSANCE 397 ch à 3 000 tr/min
COUPLE 765-pi à 1 600 tr/min
BOÎTE(S) DE VITESSES automatique à 6 rapports
PERFORMANCES 0-100 km/h 8,3 s
VITESSE MAXIMALE 185 km/h

AUTRES COMPOSANTS

SÉCURITÉ ACTIVE Freins ABS, assistance au freinage, répartition électronique de la force de freinage, contrôle électronique de la stabilité, antipatinage, dispositif antilouvoiement de la remorque, assistance au départ en pente
SUSPENSION avant/arrière indépendante/pont rigide
FREINS avant/arrière disques
DIRECTION à billes, assistée
PNEUS 2500 LT245/75R17 **3500** LT235/80R17
option 2500 LT265/70R17, LT265/70R18, LT265/60R20
option 3500 LT265/70R18

DIMENSIONS

EMPATTEMENT 3 393 à 4 259 mm
LONGUEUR 5 699 à 6 563 mm
LARGEUR 2 035 à 2 436 mm
HAUTEUR 1 976 à 1 988 mm
POIDS 2 616 à 3 511 kg
DIAMÈTRE DE BRAQUAGE 13,7 à 16,9 m
RÉSERVOIR DE CARBURANT 136 L
CAPACITÉ DE REMORQUAGE Attelage à rotule 3 946 à 8 165 kg
Attelage à sellette 4 355 à 10 478 kg

LA COTE VERTE

MOTEUR L4 DE 1,4 L TURBO
CONSOMMATION (100 km) man. ville 8,4 L, route 6,3 L
auto. ville 8,8 L, route 6,6 L
CONSOMMATION ANNUELLE man. 1 275 L, 1 530 $ **auto.** 1 326 L, 1 591 $
INDICE D'OCTANE 87
ÉMISSIONS POLLUANTES CO_2 man. 2 933 kg/an **auto.** 3 050 kg/an
(source : Chevrolet et L'Annuel)

FICHE D'IDENTITÉ

VERSION(S) Berline LS, LT, Premier, RS **5 portes** RS, LT, Premier
TRANSMISSION(S) avant
PORTIÈRES 4/5 **PLACES** 5
PREMIÈRE GÉNÉRATION 2012
GÉNÉRATION ACTUELLE 2012
CONSTRUCTION Orion Township, Michigan, É.-U.
COUSSINS GONFLABLES 10 (frontaux, latéraux avant et arrière, genoux conducteur et passager, rideaux latéraux)
CONCURRENCE Ford Fiesta, Honda Fit, Hyundai Accent, Kia Rio, Nissan Versa Note, Toyota Yaris

AU QUOTIDIEN

COLLISION FRONTALE 5/5
COLLISION LATÉRALE 5/5
VENTES DU MODÈLE L'AN DERNIER
AU QUÉBEC 1 510 (-34,0 %) **AU CANADA** 5 763 (-28,3 %)
DÉPRÉCIATION (%) 46,7 (3 ans)
RAPPELS (2011 à 2016) 14
COTE DE FIABILITÉ 3/5

GARANTIES... ET PLUS

GARANTIE GÉNÉRALE 3 ans/60 000 km
GROUPE MOTOPROPULSEUR 5 ans/160 000 km
PERFORATION 6 ans/160 000 km
ASSISTANCE ROUTIÈRE 5 ans/160 000 km
NOMBRE DE CONCESSIONNAIRES
AU QUÉBEC 67 **AU CANADA** 450

NOUVEAUTÉS EN 2017

Retouches esthétiques extérieures et intérieures, nouveau système MyLink à écran tactile de 7 po. avec Apple CarPlay® et Android Auto® et 4G LTE, ouverture des portes sans clé, caméra de recul, nouvelles jantes, nouvelle palette de couleurs. Disponibles : éclairage à DEL, sièges et volant chauffants, aide au stationnement (arrière)

ELLE SIGNE ET PERSISTE

Pour tirer son épingle du jeu au Québec dans la catégorie brasse-camarade des sous-compactes, le constructeur doit compter sur un sac à malices séduisant. Honda, par exemple, mise sur l'espace généreux et polyvalent de sa Fit; Kia et Hyundai parient simultanément sur l'équipement et la garantie de leurs Rio et Accent; Ford n'a pas négligé la consommation et le plaisir au volant de sa Fiesta. Alors, qu'est-ce que GM a pu apporter de convaincant à sa Sonic 2017 ?

Michel Crépault

TOUR DU PROPRIÉTAIRE> La coque (capot, grille, croupe) a été rafraîchie afin de lui insuffler un soupçon de sportivité, dont notamment des phares aux DEL facultatifs à la signature plus distinctive. En fait, quand on y pense, la gamme entière de Chevrolet tend vers une image plus dynamique. Songez à la nouvelle Cruze Hatchback, à l'utilitaire Trax ou à la très attendue Bolt électrique. L'empattement (140 mm de plus que la Spark, 175 mm de moins que la Cruze) est mis en valeur par l'éloignement des roues de 15, 16 ou 17 pouces. Les finitions ont été modifiées : LS, LT et Premier dans le cas de la berline, seulement les deux dernières pour la 5-portes, laquelle revêt d'entrée de jeu une robe RS (artifices extérieurs, logo au plancher et au cœur du volant à fond aplati, accents de laque piano noir), un kit esthétique également disponible pour la berline.

+
- SILHOUETTE SYMPATHIQUE
- ÉQUIPEMENT ENRICHI
- HABITACLE POINT ÉTRIQUÉ
- COMPORTEMENT AGRÉABLE

−
- CONSOMMATION PERFECTIBLE (1,8-L)
- DÉLAI DE RÉACTION (1,4-L)
- BEAUCOUP DE PLASTIQUE
- COINCÉE ENTRE LES MEMBRES DU CLAN

MENTIONS

CLÉ D'OR | CHOIX VERT | COUP DE CŒUR | RECOMMANDÉ

VERDICT

PLAISIR AU VOLANT
QUALITÉ DE FINITION
CONSOMMATION
RAPPORT QUALITÉ / PRIX
VALEUR DE REVENTE
CONFORT

1 5 10

VIE À BORD > Le dégagement pour quatre étonne agréablement mais un cinquième occupant sur la banquette 60/40 vient un peu gâter la sauce. Pour compenser l'abondance de plastique, l'équipement a été rehaussé. Ainsi, la planche de bord incorpore un nouvel indicateur de vitesses analogique. Le système MyLink, nanti de série d'un écran tactile en couleurs d'une diagonale de 7 pouces, est désormais compatible avec Apple CarPlay® et Android Auto®. Bien entendu, fidèle à la tendance actuelle chez GM, la voiture se transforme en borne Wi-Fi mobile grâce à la technologie 4G LTE (et tant que vous acceptez de payer un forfait mensuel) bonne pour la connexion simultanée de sept bébelles électroniques. Comble de gâteries, vous pouvez maintenant commander un volant chauffant pour accompagner vos sièges en tissu également calorifiques et un baquet de conducteur à réglages électriques, une primeur dans le segment.

TECHNIQUE > D'entrée de jeu, le 4-cylindres Ecotec 1,8 litre à essence revient avec ses 138 chevaux et sa consommation moyenne oscillant autour de 7,5 litres aux 100 kilomètres avec la boîte manuelle à 5 rapports. Pour davantage de sensations au volant (je n'écris pas « fortes »), on optera pour l'autre Ecotec de 1,4 litre mais turbocompressé. Cavalerie identique mais meilleur couple, une manuelle dotée d'un rapport supplémentaire (ou alors l'automatique à 6 vitesses), une consommation un poil plus ruineuse et un 0-100 km/h d'environ 8 secondes. Qui dit petit véhicule compact nourrit parfois des craintes sur le plan de la sécurité. GM répond à ces inquiétudes avec une pléiade de mesures actives (certaines facultatives), incluant l'alerte de collision frontale ou de louvoiement erratique, le contrôle de la traction StabiliTrak, l'ABS et jusqu'à dix coussins gonflables, une autre exclusivité du créneau (en cas d'accident, ils ne se déploient pas tous forcément en même temps - sinon, on pourrait mourir asphyxié -, laissant plutôt le soin à des capteurs de déclencher les plus utiles).

AU VOLANT > Outre la plaisante surprise d'un intérieur spacieux, la Sonic propose un comportement sain et solide. Il met en confiance. Le 1,8-litre fait la job sans se tuer au boulot. Le 1,4-litre vitaminé procure évidemment des poussées plus énergiques mais pas tant que ça quand un dépassement brusque est nécessaire, le turbo accusant une torpeur avant d'agir. Au-delà des manières de l'auto comme telles, GM applique à la Sonic la même stratégie qu'à la Spark : donner l'impression aux jeunes utilisateurs qu'ils conduisent non pas un véhicule mais bel et bien un appareil électronique intelligent qui s'adonne à avoir quatre roues et un volant!

CONCLUSION > La Sonic 2017, en vente cet automne, s'adresse en priorité aux citadins vu son format passe-partout et aux premiers acheteurs compte tenu de son budget. Mais elle court le risque de mourir étouffée entre la Spark et la Cruze, surtout quand on sort la calculatrice. Les qualificatifs de vivante, efficace et branchée, qui résument bien la Sonic, collent malheureusement tout aussi bien à ses deux sœurs, l'une moins cher, l'autre plus spacieuse. ■

2e OPINION

Antoine Joubert

Des retouches pour 2017 ? Et après ? Les stratèges de Chevrolet Canada l'avouent eux-mêmes, ils préfèrent mettre leurs énergies sur la nouvelle Spark et sur la Cruze plutôt que sur une Sonic assise entre deux chaises. Et pour cause, on persiste à offrir au Canada le bois mort auquel les Américains n'ont même jamais eu droit, c'est-à-dire ce vieillissant (et très gourmand) 4-cylindres de 1,8 litre qui va à l'encontre même de la vocation du produit. Bien sûr, on propose l'autre 4-cylindres turbo dans les versions plus cossues, mais celles-ci sont tellement chères que la Cruze (offrant ce même moteur de série!) devient vite plus alléchante. Pour les concessionnaires, la Sonic constitue donc une solution pour une clientèle indécise n'ayant pas fait ses devoirs et qui pourrait se faire embarquer avec un petit paiement. Bref, vaut mieux éviter et passer à la Cruze, ou aller voir ailleurs.

FICHE TECHNIQUE

MOTEUR(S)

(LS, LT) L4 1,8 L DACT
PUISSANCE 138 ch à 6 300 tr/min
COUPLE 125 lb-pi à 3 800 tr/min
RAPPORT POIDS/PUISSANCE 8,8 à 9,0 kg/ch
BOÎTE(S) DE VITESSES manuelle à 5 rapports, automatique à 6 rapports (en option)
PERFORMANCES 0-100 km/h 9,5 s
REPRISE 80-115 km/h 7,1 s
FREINAGE 100-0 km/h 39,4 m
NIVEAU SONORE À 100 km/h Moyen
VITESSE MAXIMALE 201 km/h
CONSOMMATION (100 km) man. ville 9,2 L, route 7,1 L
auto. ville 9,7 L, route 6,9 L (octane 87)
ANNUELLE man. 1 411 L, 1 693 $ **auto.** 1 445 L, 1 734 $
ÉMISSIONS POLLUANTES CO_2 man. 3 245 kg/an **auto.** 3 323 kg/an

(Premier/RS) L4 1,4 L DACT turbo
PUISSANCE 138 ch à 4 900 tr/min
COUPLE 148 lb-pi à 1 850 tr/min (boîte auto.) à 2 500 tr/min (boîte man.)
RAPPORT POIDS/PUISSANCE 9,1 à 9,2 kg/ch
BOÎTE(S) DE VITESSES manuelle à 6 rapports, automatique à 6 rapports (en option)
PERFORMANCES 0-100 km/h 8,4 s
VITESSE MAXIMALE 204 km/h

AUTRES COMPOSANTS

SÉCURITÉ ACTIVE Freins ABS, assistance au freinage, répartition électronique de la force de freinage, contrôle électronique de la stabilité, antipatinage, avertisseur d'impact imminent, avertisseur d'obstacle latéral
SUSPENSION avant/arrière indépendante/semi-indépendante
FREINS avant/arrière disques/tambours **RS** disques
DIRECTION à crémaillère, assistée électriquement
PNEUS LS, LT P195/65R15 **option LT** P205/55R16
Premier, RS P205/50R17

DIMENSIONS

EMPATTEMENT 2 525 mm
LONGUEUR berline 4 399 mm **5 portes** 4 039 mm
LARGEUR 1 735 mm
HAUTEUR 1 517 mm **RS** 1 506 mm
POIDS berline LS 1 237 kg **LT** 1 245 kg **Premier** 1 273 kg
5 portes LT 1 230 kg **Premier** 1 259 kg **RS** 1 275 kg
DIAMÈTRE DE BRAQUAGE 15 po/16 po 10,5 m **17 po** 11,0 m
COFFRE berline 422 L **5 portes** 539 L, 1 351 L (sièges abaissés)
RÉSERVOIR DE CARBURANT 46 L

LA COTE VERTE

MOTEUR L4 1,4 L
CONSOMMATION (100 km) man. ville 7,8 L route 5,8 L
auto. ville 7,6 L, route 5,7 L
CONSOMMATION ANNUELLE man. 1 173 L, 1 408 $ **auto.** 1 139 L, 1 367 $
INDICE D'OCTANE 87
ÉMISSIONS POLLUANTES CO_2 man. 2 698 kg/an **auto.** 2 620 kg/an
(source : ÉnerGuide)

FICHE D'IDENTITÉ

VERSION(S) LS, 1LT, 2LT
TRANSMISSION(S) avant
PORTIÈRES 5 **PLACES** 4
PREMIÈRE GÉNÉRATION 2012
GÉNÉRATION ACTUELLE 2016
CONSTRUCTION Changwon, Corée du Sud
COUSSINS GONFLABLES 10 (frontaux, latéraux avant et arrière, genoux avant, rideaux latéraux)
CONCURRENCE Fiat 500, Mitsubishi Mirage, Nissan Micra, smart fortwo

AU QUOTIDIEN

COLLISION FRONTALE 4/5
COLLISION LATÉRALE 5/5
VENTES DU MODÈLE L'AN DERNIER
AU QUÉBEC 235 (-24,7 %) **AU CANADA** 1 561 (-1,0 %)
DÉPRÉCIATION (%) 35,9 (3 ans)
RAPPELS (2011 à 2016) 6
COTE DE FIABILITÉ 3/5

GARANTIES... ET PLUS

GARANTIE GÉNÉRALE 3 ans/60 000 km
GROUPE MOTOPROPULSEUR 5 ans/160 000 km
PERFORATION 6 ans/160 000 km
ASSISTANCE ROUTIÈRE 5 ans/160 000 km
NOMBRE DE CONCESSIONNAIRES
AU QUÉBEC 67 **AU CANADA** 450

NOUVEAUTÉS EN 2017

Aucun changement majeur

RÉACTION À LA MICRA

Même s'ils sont pour la plupart inexistants en Amérique du Nord, les modèles sous-compacts produits par Chevrolet sont très nombreux ailleurs dans le monde. La Spark est donc loin d'être la plus petite et la moins chère des Chevrolet de la planète, ce qui n'est cependant pas le cas chez nous. En effet, Chevrolet jouait d'audace cette année en la proposant sous la barre des 10 000 $, faisant d'elle la voiture la moins chère au pays, après la Nissan Micra... par 7 $!

Antoine Joubert

TOUR DU PROPRIÉTAIRE> Jusqu'ici, les ventes de la Spark étaient symboliques. Les concessionnaires pas plus que le constructeur n'en faisaient la promotion, préférant diriger les clients vers une Sonic ou une Cruze à rabais. Or, pour 2016, les choses ont changé. D'une part, le modèle s'est complètement renouvelé; d'autre part, on a compris qu'on pouvait réaliser de bonnes affaires dans ce segment en observant la Micra se vendre chez nous à près de 12 000 unités. La stratégie est donc claire : on souhaite damer le pion à Nissan avec une voiture tout simplement plus compétitive. L'est-elle vraiment ? Chose certaine, elle est jolie comme tout, offerte en plusieurs teintes aguichantes, et disponible en trois niveaux de finition pour plaire au plus grand nombre d'acheteurs possible.

+
- CONSTRUCTION SÉRIEUSE
- RAPPORT ÉQUIPEMENT-PRIX TRÈS ALLÉCHANT (LS MANUELLE)
- COMPORTEMENT ROUTIER SURPRENANT
- FAIBLE CONSOMMATION DE CARBURANT

−
- CLIMATISEUR + BOÎTE AUTOMATIQUE = 4 000 $
- PRIX MOINS ALLÉCHANT (1LT, 2LT)
- PUISSANCE ENCORE UN PEU JUSTE

MENTIONS

CLÉ D'OR | CHOIX VERT | COUP DE CŒUR | RECOMMANDÉ

VERDICT

PLAISIR AU VOLANT
QUALITÉ DE FINITION
CONSOMMATION
RAPPORT QUALITÉ / PRIX
VALEUR DE REVENTE
CONFORT

1 5 10

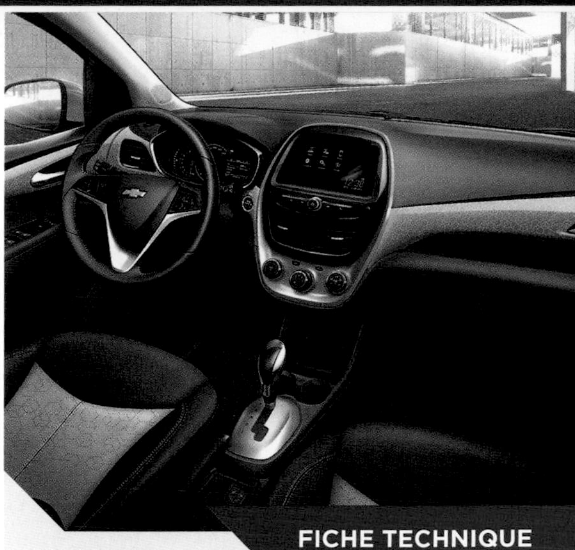

VIE À BORD > Pour quatre personnes, la Spark offre un confort honnête. En fait, l'espace y est surprenant, compte tenu de son gabarit. Le conducteur bénéficie d'un siège confortable, agrémenté d'un accoudoir rabattable, même sur le modèle LS de base. Au final, la position de conduite est excellente, et donc appropriée, même pour de longs trajets. Maintenant, GM souhaite surtout convaincre l'acheteur à coup de gadgets techno. Voilà pourquoi on propose de série, donc à moins de 10 000 $, des gadgets comme la caméra de recul, la téléphonie *Bluetooth*, l'application Apple CarPlay/Android Auto et même l'accès à Internet au moyen d'un abonnement. Parallèlement, la Spark de base n'aura ni glaces, ni rétroviseurs électriques, ni même de climatiseur. Et pour obtenir ce dernier, il vous faudra aussi sélectionner la boîte automatique, ce qui, croyez-le ou non, fera grimper le prix total de la voiture de 40 % (de 10 000 $ à 14 000 $) !

TECHNIQUE > Avec un rapport poids-puissance plus intéressant que celui de sa devancière, la nouvelle Spark se défend un peu mieux au chapitre de la performance. Son moteur 4 cylindres est également moins gourmand, vous permettant de conserver une moyenne de consommation de 7 litres aux 100 kilomètres (lire 5,7-5,8 litres sur route). Voilà qui est nettement plus impressionnant qu'avec la Nissan Micra, plus gourmande, mais qui propose en revanche un peu plus de verve sous le pied droit.

AU VOLANT > Une si petite voiture peut-elle offrir un comportement honorable ? Bien sûr, comme toute sous-compacte, elle se défend bien en ville et affiche comme il se doit un très faible diamètre de braquage. Sa maniabilité est telle qu'on se faufile dans la circulation presque comme avec un vélo, mais avec un sentiment de sécurité supérieur. Il faut dire que la voiture nous sert de série pas moins de dix sacs gonflables. La Spark peut même recevoir comme gadget la détection de changement de voie et l'avertisseur d'obstacle en marche avant, à condition bien sûr d'y mettre le prix. Cela dit, la voiture impressionne surtout sur autoroute, non seulement par son confort et sa stabilité, mais aussi par son niveau sonore, nettement amélioré par rapport au modèle précédent. Et pour un peu de plaisir, vivement la boîte manuelle, bien étagée et plus efficace pour exploiter ces maigres 98 chevaux.

CONCLUSION > Soyons francs, la Spark est amusante, mais pas aussi dynamique et nerveuse que la Micra. En revanche, Chevrolet en donne tout simplement plus pour l'argent dépensé, surtout si vous optez pour le modèle le plus dénudé, qui constituerait selon GM environ 25 % des ventes. Ajoutez à cela une garantie plus convaincante ainsi qu'un plan d'entretien inclus pour une période de deux ans, et vous avez là beaucoup d'arguments pour convaincre. Reste à voir si la fiabilité sera au rendez-vous, mais la qualité de construction générale inspire franchement confiance... ■

2e OPINION

Luc-Olivier Chamberland

Avec la Spark, l'approche de GM est inédite. On ne vend pas nécessairement une voiture, mais bien un environnement technologique sur roues concentré sur les connectivités. Pour attirer les jeunes, GM a compris que l'on doit obligatoirement proposer tout ce qu'il faut pour rester branché sur son monde. Vive la vie virtuelle avec le 4G LTE, Apple CarPlay et Android Auto. GM fait aussi un sérieux pied de nez à Nissan avec sa Micra en offrant maintenant la voiture la moins chère au Canada. La table est mise pour que les ados se jettent sur la Spark. Il faudra toutefois faire attention, car en équipant sa Spark le moindrement, on tombe en territoire des compactes.

FICHE TECHNIQUE

MOTEUR(S)

(LS, LT) L4 1,4 L DACT
PUISSANCE 98 ch à 6 200 tr/min
COUPLE 94 lb-pi à 4 400 tr/min
RAPPORT POIDS/PUISSANCE man. 10,4 kg/ch **CVT** 10,5 kg/ch
BOÎTE(S) DE VITESSES manuelle à 5 rapports, automatique à variation continue (en option)
PERFORMANCES 0-100 km/h 10,0 s (est.)
REPRISE 80-115 km/h ND
FREINAGE 100-0 km/h ND
NIVEAU SONORE À 100 km/h Moyen
VITESSE MAXIMALE 155 km/h (est.)

AUTRES COMPOSANTS

SÉCURITÉ ACTIVE (certains en option) Freins ABS, assistance au freinage, répartition électronique de la force de freinage, contrôle électronique de la stabilité, antipatinage, aide au démarrage en pente, avertisseurs d'impact imminent, d'obstacle latéral et de sortie de voie
SUSPENSION avant/arrière indépendante/semi-indépendante
FREINS avant/arrière disques/tambours
DIRECTION à crémaillère, assistée électriquement
PNEUS P185/55R15

DIMENSIONS

EMPATTEMENT 2 385 mm
LONGUEUR 3 636 mm
LARGEUR 1 595 mm
HAUTEUR 1 483 mm
POIDS man. 1 019 kg **CVT** 1 033 kg
DIAMÈTRE DE BRAQUAGE 10,5 m
COFFRE 313 L, 771 L (sièges abaissés)
RÉSERVOIR DE CARBURANT 35 L

LA COTE VERTE

MOTEUR V8 DE 5,3 L
CONSOMMATION (100 km) 2RM ville 15,1 L route 10,4 L
4RM ville 15,2 L route 10,8 L **XL 4RM** ville 15,4 L route 10,8 L
CONSOMMATION ANNUELLE 2RM 2 210 L, 2 652 $
4RM 2 244 L, 2 693 $ **XL 4RM** 2 261 L, 2 713 $
INDICE D'OCTANE 87
ÉMISSIONS POLLUANTES CO_2 2RM 5 083 kg/an
4RM 5 161 kg/an **XL 4RM** 5 200 kg/an
(source : ÉnerGuide)

FICHE D'IDENTITÉ

VERSION(S) 2RM/4RM Tahoe/Suburban LS, LT, Yukon/Yukon XL SLE, SLT
4RM Tahoe/Suburban Premier, Yukon/Yukon XL Denali
TRANSMISSION(S) arrière, 4
PORTIÈRES 4 **PLACES** 5 à 9
PREMIÈRE GÉNÉRATION 1970
GÉNÉRATION ACTUELLE 2015
CONSTRUCTION Arlington, Texas, É.-U.
COUSSINS GONFLABLES 7 (frontaux, latéraux avant, central avant, rideaux latéraux)
CONCURRENCE Ford Expedition, Nissan Armada, Toyota Sequoia

AU QUOTIDIEN

COLLISION FRONTALE 5/5
COLLISION LATÉRALE 5/5
VENTES DU MODÈLE L'AN DERNIER
AU QUÉBEC Tahoe 134 (+54,0 %) **Yukon** 176 (+29,4 %)
Suburban 185 (+33,1 %) **Yukon XL** 172 (-11,8 %)
AU CANADA Tahoe 2 364 (+32,9 %) **Yukon** 1 711 (-14,7 %)
Suburban 1 354 (+40,2 %) **Yukon XL** 1 579 (-10,3 %)
DÉPRÉCIATION (%) 41,3 (3 ans)
RAPPELS (2011 à 2016) **Tahoe** 11 **Suburban/Yukon/Yukon XL** 12
COTE DE FIABILITÉ 3/5

GARANTIES... ET PLUS

GARANTIE GÉNÉRALE 3 ans/60 000 km
GROUPE MOTOPROPULSEUR 5 ans/160 000 km
PERFORATION 6 ans/160 000 km
ASSISTANCE ROUTIÈRE 5 ans/160 000 km
NOMBRE DE CONCESSIONNAIRES
AU QUÉBEC 67 **AU CANADA** 450

NOUVEAUTÉS EN 2017

L'appellation LTZ devient Premier. Ajout de clapets à la grille avant pour améliorer l'aérodynamisme.

AU DIABLE LA RAISON !

Dans un monde où les véhicules verts prennent une place de plus en plus importante, des mastodontes tels que le Tahoe et le Yukon se montrent aussi discrets qu'un éléphant en balade dans une boutique de cristal. Et pourtant, malgré les scrupules et la culpabilité, les utilitaires pleine grandeur parviennent à se préserver une part de marché qui prouve leur inaltérable popularité, en particulier chez nos voisins du Sud.

Alexandre Crépault

TOUR DU PROPRIÉTAIRE> Cette année, le Tahoe est livrable en versions LS, LT et Premier, tandis qu'aux dernières nouvelles, le Yukon conserve ses trois déclinaisons usuelles, soit SLE, SLT et Denali. On peut aussi s'attendre à voir apparaître une nouvelle édition spéciale baptisée *Midnight*. Pour la démesure, le modèle Suburban, l'équivalent du Yukon XL chez GMC, ajoute 36 centimètres à l'empattement. Le plus surprenant, c'est que ces deux monstrueuses livrées accaparent environ 50 % des ventes de Tahoe/Yukon au Québec. Parmi les autres nouveautés à souligner pour 2017, notons les clapets intégrés à la grille pour favoriser l'aérodynamisme à haute vitesse.

VIE À BORD > Le Suburban LS est l'un des derniers utilitaires sport sur le marché à proposer, quoiqu'en option, une banquette avant à trois places divisée 40-20-40. Le véhicule peut alors accueillir jusqu'à 9 occupants ! Je ne connais pas beaucoup de fourgonnettes capables d'un tel

+
- CONFORT ABSOLU
- JUSQU'À NEUF PLACES
- CONDUITE FACILE
- CAPACITÉ DE REMORQUAGE

−
- TRAIN ARRIÈRE QUI SAUTILLE
- CAPACITÉ DE CHARGEMENT RELATIVEMENT FAIBLE
- CONSOMMATION DE CARBURANT
- FACTURE QUI GRIMPE VITE

MENTIONS

CLÉ D'OR | CHOIX VERT | COUP DE CŒUR | RECOMMANDÉ

VERDICT

PLAISIR AU VOLANT
QUALITÉ DE FINITION
CONSOMMATION
RAPPORT QUALITÉ / PRIX
VALEUR DE REVENTE
CONFORT

1 5 10

exploit. Tous les autres modèles font appel à deux fauteuils capitaine d'un confort majestueux, séparés par une immense console centrale qui interdit tout contact entre les humains vautrés à l'avant. Cinq ou six autres places sont possibles à l'arrière selon la configuration choisie. Malgré l'imposant gabarit du camion, l'espace de cargaison au naturel déçoit un peu. Le problème est attribuable à la hauteur du plancher, qui résulte de l'utilisation d'un châssis à échelle. La situation nuit aussi au dégagement pour les genoux des passagers de la troisième rangée, particulièrement sur les modèles à empattement court. À notre grande surprise, le Chevrolet Traverse (GMC Acadia) offre plus de capacité cargo que le duo Tahoe/Yukon. Comme vous vous en doutez, l'écart de 25 000 $ entre un Tahoe de base et un Yukon Denali a un effet majeur sur le luxe et la technologie qui équiperont votre véhicule en quittant le concessionnaire.

TECHNIQUE > À un V8 EcoTec3 de 5,3 litres incombe la responsabilité de mouvoir nos deux colosses. Ses 355 chevaux sont expédiés à un système à 4 roues motrices AutoTrac au moyen d'une boîte de vitesse à 6 rapports. Une version à 2 roues motrices répond présente au catalogue et possède comme seul réel avantage la meilleure capacité de remorquage du lot (3 855 kg). Enfin, un V8 Vortec de 6,2 litres jumelé à une boîte automatique à 8 rapports, le même qu'utilise le Cadillac Escalade, équipe exclusivement le Yukon Denali. La puissance grimpe alors à 420 chevaux et 460 livres-pieds de couple, ce qui permet au Denali de parcourir le 0-100 km/h en moins de 6 secondes ! Nouveau cette année, tous les modèles Tahoe et Yukon comprennent le système *Teen Driver* de GM, qui fournit un paquet d'outils aux parents pour réglementer et superviser la conduite des plus jeunes conducteurs de la famille.

AU VOLANT > Avec des dimensions titanesques, plus de 2500 kilos à déplacer, un haut centre de gravité et un essieu rigide à l'arrière, un conducteur n'ayant pas d'expérience avec ce genre de véhicule aura besoin de quelque temps pour s'adapter à sa conduite. Par contre, grâce à une myriade d'aides électroniques, à une direction docile et à des suspensions bien calibrées, le paquebot navigue aisément sur la route. Parfois, sur les tronçons de route délabrés, le train arrière se met à sautiller. Autrement, le confort à bord du Tahoe/Yukon est sans reproches, notamment avec l'aide d'une insonorisation digne d'un studio d'enregistrement. Enfin, en écrasant l'accélérateur, surtout sur le modèle Denali, on ne peut s'empêcher de laisser échapper un petit sourire en coin, lequel est immédiatement suivi du remords d'avoir gaspillé en quelques secondes le carburant suffisant à alimenter une smart durant un mois...

CONCLUSION > La seule excuse raisonnable pour faire l'achat d'un Tahoe ou d'un Yukon est la nécessité de tirer de lourdes charges. Or soyons honnête, c'est rarement le cas. Mais l'achat d'un véhicule n'est pas toujours que rationnel, et heureusement ne l'est pas. L'espace, le confort et le sentiment de dominer la route se révèlent d'autres incitatifs qui motiveront plusieurs d'entre nous à se laisser tenter par pareille acquisition. Et je nous comprends... ■

2e OPINION

Luc-Olivier Chamberland

Dans le renouvellement de 2015, on a récupéré l'excellente architecture de leur penchant en camionnette tant du côté de Chevrolet que de GMC. On parle de véritables camions, capables d'en prendre et d'en donner. Sans contestation, il s'agit de la meilleure option dans cette catégorie, considérant que toutes les autres offres datent de Mathusalem. On aimerait bien un peu plus de choix sous le capot que le seul V8 de 5,3 litres, même s'il fait un bon travail. Comme les clients sont de plus en plus exigeants, GM multiplie les versions toutes plus cossues les unes que les autres. Attention, toutefois, complètement équipées, elles tombent dans les prix de leur cousin, le Cadillac Escalade.

FICHE TECHNIQUE

MOTEUR(S)

(TAHOE, SUBURBAN, YUKON) V8 5,3 L ACC
PUISSANCE 355 ch à 5 600 tr/min
COUPLE 383 lb-pi à 4 100 tr/min
RAPPORT POIDS/PUISSANCE 6,8 à 7,4 kg/ch
BOÎTE(S) DE VITESSES automatique à 6 rapports avec mode manuel
PERFORMANCES 0-100 km/h 7,5 s
REPRISE 80-115 km/h 5,2 s
NIVEAU SONORE à 100 km/h Très bon
FREINAGE 43,5 m
VITESSE MAXIMALE 175 km/h

(YUKON XL DENALI) V8 6,2 L ACC
PUISSANCE 420 ch à 5 600 tr/min
COUPLE 460 lb-pi à 4 100 tr/min
RAPPORT POIDS/PUISSANCE 6,5 kg/ch
BOÎTE(S) DE VITESSES automatique à 8 rapports avec mode manuel
PERFORMANCES 0-100 km/h 5,9 s
REPRISE 80-115 km/h 4,1 s
FREINAGE 46,5 m
VITESSE MAXIMALE 175 km/h
CONSOMMATION (100 km) ville 16,4 L route 11,7 L (octane 91, 87 utilisable)
ANNUELLE 2 431 L, 3 282 $
ÉMISSIONS DE CO_2 5 591 kg/an

AUTRES COMPOSANTS

SÉCURITÉ ACTIVE (certains en option) Freins ABS, assistance au freinage, répartition électronique de la force de freinage, contrôle électronique de la stabilité, antipatinage, régulateur de vitesse adaptatif, avertisseurs d'impact imminent, d'obstacle latéral et arrière et de sortie de voie, assistance au freinage en descente
SUSPENSION avant/arrière indépendante/pont rigide
LTZ/Denali à amortisseurs magnétorhéologiques
FREINS avant/arrière disques
DIRECTION à crémaillère, assistée électriquement
PNEUS P265/65R18 **options** P275/55R20, P285/45R22

DIMENSIONS

EMPATTEMENT Tahoe/Yukon 2 946 mm **Suburban/Yukon XL** 3 302 mm
LONGUEUR Tahoe/Yukon 5 181/5 179 mm
Suburban/Yukon XL 5 699/5 697 mm
LARGEUR 2 044 mm
HAUTEUR 1 889 mm
POIDS Tahoe/Yukon 2RM 2 426 à 2 509 kg **4RM** 2 533 à 2 623 kg
Suburban/Yukon XL 2RM 2 529 à 2 607 kg **4RM** 2 637 à 2 725 kg
DIAMÈTRE DE BRAQUAGE Tahoe/Yukon 11,9 m
Suburban/Yukon XL 13,1 m
COFFRE Tahoe/Yukon 433 L, 1 464 L, 2 681 L (sièges abaissés)
Suburban/Yukon XL 1 098 L/1 113 L, 2 163 L/2 173 L, 3 429/3 429 L (sièges abaissés)
RÉSERVOIR DE CARBURANT Tahoe/Yukon 98,4 L
Suburban/Yukon XL 117 L
CAPACITÉ DE REMORQUAGE Tahoe 2RM 3 855 kg **4RM** 3 765 kg
Suburban 2RM 3 765 kg **4RM** 3 628 kg

LA COTE VERTE

MOTEUR V6 DE 3,6 L
CONSOMMATION (100 km) 2RM ville 15,8 L, route 10,6 L,
4RM ville 16,1 L, route 10,8 L
CONSOMMATION ANNUELLE 2RM 2 278 L, 2 734 $ **4RM** 2 329 L 2 795 $
INDICE D'OCTANE 87
ÉMISSIONS POLLUANTES CO_2 2RM 5 239kg/an **4RM** 5 357 kg/an
(source : ÉnerGuide)

FICHE D'IDENTITÉ

VERSION(S) Traverse 2RM/4RM LS, 1LT, 2LT **4RM** LTZ **Enclave** Base, Cuir, Haut de gamme, Édition Sport Touring, Édition bronze **Acadia Classic**
TRANSMISSION(S) avant, 4 **PORTIÈRES** 5 **PLACES** 7, 8
PREMIÈRE GÉNÉRATION 2009 **GÉNÉRATION ACTUELLE** 2009
CONSTRUCTION Lansing, Michigan, É.-U.
COUSSINS GONFLABLES 7 (frontaux, central avant, latéraux avant, rideaux latéraux)
CONCURRENCE Traverse Dodge Durango, Ford Edge/Explorer/Flex, Honda Pilot, Hyundai Santa Fe XL, Jeep Grand Cherokee, Kia Sorento, Mazda CX-9, Nissan Murano/Pathfinder, Toyota Highlander **Enclave/Acadia** (+) Acura MDX, Audi Q7, BMW X5, Infiniti QX60, Lexus RX, Lincoln MKT/MKX, Volkswagen Touareg

AU QUOTIDIEN

COLLISION FRONTALE 5/5
COLLISION LATÉRALE 5/5
VENTES DU MODÈLE L'AN DERNIER
AU QUÉBEC Traverse 320 (-14,2 %) **Enclave** 299 (+11,2 %)
AU CANADA Traverse 3 998 (+2,9 %) **Enclave** 3 361 (-4,7 %)
DÉPRÉCIATION (%) 29,5(3 ans)
RAPPELS (2011 à 2016) **Traverse** 9 **Enclave** 8
COTE DE FIABILITÉ 3/5

GARANTIES... ET PLUS

GARANTIE GÉNÉRALE 3 ans/60 000 km
GROUPE MOTOPROPULSEUR 5 ans/160 000 km
PERFORATION 6 ans/160 000 km
ASSISTANCE ROUTIÈRE 5 ans/160 000 km
NOMBRE DE CONCESSIONNAIRES AU QUÉBEC 67 **AU CANADA** 450

NOUVEAUTÉS EN 2017

Chevrolet Traverse : aucun changement majeur
Buick Enclave : Édition Sport Touring avec calandre noire, édition Bronze avec calandre bronze, toutes deux avec roues de 20 po. chromées, et en trois couleurs, blanc frimas, rouge cramoisie métallique et ébène métallique. Acadia: avec l'arrivée de l'Acadia renouvelé, la génération précédente demeure sous l'appellation Acadia Classic.

DERNIERS MILLES

On dit souvent qu'il n'existe plus de mauvais véhicules. C'est un fait, mais on doit admettre qu'il y en a qui sont moins intéressants, et c'est le cas du trio suivant : le Chevrolet Traverse, le GMC Acadia Classic et le Buick Enclave. Comme ils évoluent dans une catégorie compétitive, avec des vedettes comme le Honda Pilot ou le Ford Explorer, il est difficile de comprendre que GM ait attendu 10 ans avant de commencer à les renouveler. Heureusement, on sait que ça achève avec le dévoilement prochain d'une nouvelle génération du GMC Acadia en 2017. Malgré cette introduction, le « vieux » reste dans l'alignement sous le nom « Classic ».

Luc-Olivier Chamberland

TOUR DU PROPRIÉTAIRE> Trois personnalités différentes s'affrontent. Chez Chevrolet, on joue la carte plus « populaire » avec des lignes génériques; avec GMC, c'est un peu plus « sportif », notamment avec les grands C en DEL dans les optiques; pour Buick, on adopte une allure plus « classique » presque « baroque » avec la collection d'appliques de chrome qui meublent la carrosserie. Bien que tous soient vieillissants, la qualité originale des lignes leur permet de bien prendre de l'âge, et ce, même si l'Enclave est arrivé il y a 10 ans.

+
VOLUME INTÉRIEUR
DIVERSITÉ DES MODÈLES
FAMILIALE AGUERRIE

−
TECHNIQUEMENT DÉPASSÉ
CONSOMMATION HONTEUSE
CRAQUEMENTS NOMBREUX

MENTIONS

CLÉ D'OR | CHOIX VERT | COUP DE CŒUR | RECOMMANDÉ

VERDICT

PLAISIR AU VOLANT
QUALITÉ DE FINITION
CONSOMMATION
RAPPORT QUALITÉ / PRIX
VALEUR DE REVENTE
CONFORT

1 5 10

VIE À BORD > Alors que l'extérieur a légèrement évolué dans le temps, le statu quo est à l'honneur dans les cabines. Il y a bien eu quelques actualisations des équipements qui se sont manifestées au fil des années, mais l'ensemble demeure. Là encore, le style reste d'actualité. La qualité des matériaux a un urgent besoin d'être revue. Comme on le sait, 2017 marquera leur fin, il suffit d'être patient. La finition est décevante et l'abondance de plastiques entraîne hâtivement un orchestre de craquements.

Sans l'ombre d'un doute, ceux qui ont imaginé ces habitacles avaient des enfants. Dans les trois cas, on parle de cavernes. On peut installer assez confortablement 7 ou 8 personnes à bord. Les deux premières lignes sont enviables, alors que la troisième a l'avantage d'exister, à défaut d'être facilement accessible. Selon le modèle et le niveau d'équipement choisis, on se fait dorloter dans ces véhicules. Moyennant une somme substantielle, on peut se retrouver dans un salon roulant parfait pour les vacances en Gaspésie. L'espace intérieur ne fait pas défaut dans la mesure où l'on oublie la troisième rangée de sièges. On va de 682 à 3 293 litres selon le nombre de personnes en place. C'est impressionnant.

TECHNIQUE > Tous les trois utilisent le même bloc moteur, soit un V6 de 3,6 litres de 281 ou 288 chevaux selon la présence ou non d'une double sortie d'échappement. On comprend que les modèles les plus cossus comme le Denali ou l'Enclave en bénéficient. La puissance est bonne, le couple suffisant et les capacités de tire et de chargement exemplaires. Le tout se fait dans une constante douceur grâce à l'apport de l'étagement de la boîte de vitesse à 6 rapports. Le gros problème, et il coûte cher, la consommation de carburant éhontée. On excède les 15 litres aux 100 kilomètres juste à regarder l'accélérateur. Pour passer sous cette barre, on doit jouer de prudence et orienter sa trajectoire en fonction des vents dominants.

AU VOLANT > On dit souvent que les VUS ont remplacé les monospaces. Ici, c'est exactement le cas. Tous sont livrables avec une transmission intégrale, mais ils ont davantage le comportement d'un autobus que celui d'un VUS. On ne reçoit aucune communication de leur part, la direction est calibrée avec de la gomme et les suspensions se font permissives à souhait. Au final, on obtient un produit qui se contente d'avaler les kilomètres sans histoire et sans saveur.

CONCLUSION > Ce trio n'est pas mauvais, mais son temps est fait. GM passe à autre chose. C'est exactement ce qui se produira avec un premier jalon lors du lancement du nouveau GMC Acadia 2017. À la recherche d'un véhicule dans ce segment ? Si vous ne voulez pas regretter votre achat, allez voir ailleurs ou choisissez l'Acadia avec ses nombreuses promesses. ■

FICHE TECHNIQUE

MOTEUR(S)

(Acadia Classic, Enclave, Traverse) V6 3,6 L DACT
PUISSANCE 281 ch à 6 300 tr/min **Denali/Enclave/LTZ** 288 ch
COUPLE 266 lb-pi à 3 400 tr/min **Denali/Enclave/LTZ** 270 lb-pi
RAPPORT POIDS/PUISSANCE 2RM 7,5 kg/ch **4RM** 7,8 kg/ch
BOÎTE(S) DE VITESSES automatique à 6 rapports
PERFORMANCES 0-100 km/h 8,2 s
REPRISE 80-115 km/h 5,9 s
FREINAGE 100-0 km/h 40,1 m
NIVEAU SONORE À 100 km/h Moyen
VITESSE MAXIMALE 210 km/h

AUTRES COMPOSANTS

SÉCURITÉ ACTIVE (certains en option) Freins ABS, assistance au freinage, répartition électronique de la force de freinage, contrôle électronique de la stabilité, antipatinage, avertisseurs d'obstacle latéral et arrière
SUSPENSION avant/arrière indépendante
FREINS avant/arrière disques
DIRECTION à crémaillère, assistée
PNEUS Traverse LS P245/70R17 **LT** P255/65R18 **LTZ** P255/55R20 **Acadia/Enclave** P225/65R18 **SLT/Cuir/HDG** P255/60R19 **option Cuir/HDG** P255/55R20

DIMENSIONS

EMPATTEMENT 3 021 mm
LONGUEUR Acadia 5 100 mm **Enclave** 5 128 mm **Traverse** 5 173 mm
LARGEUR Acadia 2 004 mm **Enclave** 2 002 mm **Traverse** 1 993 mm
HAUTEUR (sans/avec rails de toit) **Acadia** 1 788 mm, 1 844 mm **Enclave** 1 785 mm, 1 821 mm **Traverse** 1 775 mm, 1 792 mm
POIDS Acadia 2RM 2 112 kg **4RM** 2 200 kg **Enclave 2RM** 2 143 kg **4RM** 2 233 kg **Traverse 2RM** 2 128 kg **4RM** 2 216 kg
DIAMÈTRE DE BRAQUAGE 12,3 m
COFFRE (derrière 3è, 2è, 1ère rangée de sièges) **Acadia** 682 L, 1 985 L, 3 288 L **Enclave** 660 L, 1 951 L, 3 263 L **Traverse** 691 L, 1 991 L, 3 293 L
RÉSERVOIR DE CARBURANT 83 L
CAPACITÉ DE REMORQUAGE 2 359 kg **Enclave** 907 kg, 2 041 kg (avec ensemble remorquage)

2e OPINION

Daniel Rufiange

L'année 2017 serait la dernière pour le Traverse sous sa forme actuelle et il en serait de même pour son cousin, le Buick Enclave. Quant à l'Acadia, le troisième mousquetaire, le modèle de deuxième génération a déjà été présenté, et on sait qu'il a fondu comme neige au soleil. Il ne faudrait pas s'attendre à la même chose avec le produit de Chevrolet, toutefois. Le constructeur conserverait le Traverse dans le segment des gros VUS, se laissant ainsi de l'espace pour éventuellement proposer un véhicule qui viendrait se positionner entre lui et l'Equinox. Depuis 2009, le Traverse et ses imitations servent quantité de familles. Si la fourgonnette a été abandonnée chez GM, on n'a pas laissé de côté la famille. Pour son côté pratique, un véhicule à considérer.

LA COTE VERTE

MOTEUR L4 DE 1,4 L
CONSOMMATION (100 km) 2RM man. ville 9,1 L route 6,9 L **auto. ville** 9,2 L route 7,0 L **4RM auto.** ville 9,7 L route 7,6 L
CONSOMMATION ANNUELLE 2RM man. 1 377 L, 1 652 $ **auto.** 1 394 L, 1 673 $ **4RM auto.** 1 479 L, 1 775 $
INDICE D'OCTANE 87
ÉMISSIONS POLLUANTES CO_2 2RM man. 3 167 kg/an **auto.** 3 206 kg/an **4RM auto.** 3 402 kg/an
(source : ÉnerGuide)

FICHE D'IDENTITÉ

VERSION(S) 2RM LS **2RM/4RM** LT, Premier
TRANSMISSION(S) avant, 4
PORTIÈRES 5 **PLACES** 5
PREMIÈRE GÉNÉRATION 2014
GÉNÉRATION ACTUELLE 2014
CONSTRUCTION San Luis Potosi, Mexique
COUSSINS GONFLABLES 10 (frontaux, latéraux avant intérieur et extérieur, genoux conducteur et passager avant, rideaux latéraux)
CONCURRENCE Fiat 500L, Fiat 500X, Honda HR-V, Jeep Compass/Patriot/Renegade, Kia Soul, Mazda CX-3, Mitsubishi RVR, Nissan Juke, Subaru Crosstrek

AU QUOTIDIEN

COLLISION FRONTALE 5/5
COLLISION LATÉRALE 5/5
VENTES DU MODÈLE L'AN DERNIER
AU QUÉBEC 1 572 (-8,6 %) **AU CANADA** 8 156 (-4,4 %)
DÉPRÉCIATION (%) 35,8 (3 ans)
RAPPELS (2011 à 2016) 6
COTE DE FIABILITÉ 3/5

GARANTIES... ET PLUS

GARANTIE GÉNÉRALE 3 ans/60 000 km
GROUPE MOTOPROPULSEUR 5 ans/160 000 km
PERFORATION 6 ans/160 000 km
ASSISTANCE ROUTIÈRE 5 ans/160 000 km
NOMBRE DE CONCESIONNAIRES
AU QUÉBEC 67 **AU CANADA** 450

NOUVEAUTÉS EN 2017

Retouches esthétiques, intérieur plus haut de gamme, connectivité améliorée avec Apple CarPlay® et Android Auto®, nouvelles aide à la conduite.

CONNECTÉ SUR SON MONDE

La perception des jeunes acheteurs n'est plus ce qu'elle était face à l'automobile. On ne désire plus la puissance et l'agrément de conduite, mais bien un outil de plus pour rester connecté avec notre univers. Le Trax s'adresse à cette génération de consommateurs plus préoccupés par leurs notifications Facebook et la quantité de « J'aime » sur leurs publications. Pour satisfaire cette vie virtuelle, GM réplique en 2017 avec un paquet de technologies en vogue. Et tant qu'à faire des améliorations, on en profite pour revoir les lignes extérieures du plus petit VUS de Chevrolet.

Luc-Olivier Chamberland

TOUR DU PROPRIÉTAIRE> Lancé en 2014, le Chevrolet Trax est arrivé sur le continent américain en exclusivité canadienne. Dessiné en Corée, il proposait des lignes joviales, un peu joufflues. Pour 2017, on maintient l'essentiel, mais on lui ajoute des formes plus matures, moins caricaturales. Les changements les plus apparents se trouvent à l'avant du véhicule. Pour assurer une similitude avec les autres produits sous-compacts de la famille Chevrolet, il y a une forte ressemblance avec la Spark 2016 et la Sonic, aussi redessinée en 2017. Pour une dose de distinction supplémentaire, on découvre sur les versions LT et Premier des DEL aux blocs optiques. Plus subtilement, les feux sont reconfigurés pour s'harmoniser à l'apparence de son frère, l'Equinox. Seule la version Premier obtient des DEL à l'arrière. GM intègre aussi de nouvelles roues de 16 et 18 pouces.

\+ DESIGN MODERNE
ESPACE INTÉRIEUR
COLLECTION DE CONNECTIVITÉS

− ENCORE BEAUCOUP DE PLASTIQUE
PRIX DES VERSIONS HAUT DE GAMME
MOTEUR BRUYANT

MENTIONS

CLÉ D'OR · CHOIX VERT · COUP DE CŒUR · **RECOMMANDÉ**

VERDICT

PLAISIR AU VOLANT
QUALITÉ DE FINITION
CONSOMMATION
RAPPORT QUALITÉ / PRIX
VALEUR DE REVENTE
CONFORT

1 5 10

VIE À BORD > C'est dans l'aire de vie que les améliorations de 2017 se manifestent le plus. La planche de bord adopte une nouvelle présentation; plus moderne et une meilleure finition que précédemment. Pour rehausser l'image du Trax, des matériaux de meilleure qualité sont utilisés dans la cabine. Pensant à la génération techno, GM met l'accent sur l'écran central de 7 pouces qui regroupe les commandes. Sa principale fonction est évidemment l'intégration et la diffusion des informations transmises par les applications MyLink, Apple CarPlay et Android Auto. Les plus « branchés » seront contents de savoir que la connexion 4G LTE et le Wi-Fi sont de série dans le Trax. Profitant d'une nouvelle configuration, l'instrumentation adopte une présentation plus sobre et plus lisible qu'auparavant. L'un des avantages indéniables du Trax est son espace intérieur. On jouit d'amples dégagements, c'est particulièrement impressionnant pour la tête! Le coffre est dans la moyenne avec une aire de 532 à 1 371 litres.

TECHNIQUE > Chevrolet reconduit intégralement le 4-cylindres turbo de 1,4 litre de la Sonic. D'une cavalerie de 138 chevaux et d'un couple de 148 livres-pieds, il se montre bien adapté et assez vif pour être agréable. Dans la LS de base, on obtient une boîte manuelle à 6 rapports, alors que les autres passent à l'automatique avec le même nombre d'embranchements. Dans les deux cas, le travail est bien fait, mais les performances sont orientées vers l'économie de carburant, c'est un peu moins excitant à conduire. Il faut souligner que le moteur aime bien se faire entendre en accélération. Les trois modèles, LS, LT et Premier sont livrables en traction, l'intégrale arrive en option dans les LT et Premier.

AU VOLANT > Le Trax se débrouille bien sur la route. Ce fait est d'autant plus vrai en ville où l'on jouit d'un diamètre de braquage réduit; il se faufile partout avec aisance. C'est aussi l'occasion de bénéficier de la vivacité du turbo. Sur l'autoroute, il s'en tire sans histoire, mais sa configuration le rend sensible aux vents latéraux. Par contre, la direction offre un bon niveau de précision. Aux suspensions, on insiste plus sur le confort que sur le dynamisme. D'ailleurs, en virage, les mouvements de caisse se font bien sentir, encore une fois en raison de son centre de gravité élevé. Pour 2017, GM ajoute des éléments de sécurité qui ne sont pas négligeables, comme un système anti-louvoiement, des radars pour le trafic transversal et les détections de collision avant et d'angles morts.

CONCLUSION > Le Trax se place en bonne position dans son segment et les améliorations de 2017 renforcent cette réalité. Ce n'est d'ailleurs pas un hasard s'il est l'un des plus populaires de la catégorie. Le seul bémol, il est facilement possible de faire grimper la facture, le prix de base étant sous la barre des 20 000 $, à plus de 33 000 $ en passant d'une version à l'autre ! ■

2e OPINION

Antoine Joubert

Il n'est pas aussi spacieux que le Honda HR-V, pas aussi amusant à conduire que le Mazda CX-3, pas aussi bien garanti que le Mitsubishi RVR et loin d'être aussi efficace en conduite hors route que la Subaru Crosstrek. Toutefois, le Trax n'a pas de réels défauts. Il est confortable, joli, correctement motorisé et extrêmement agréable pour se faufiler en milieu urbain. Sa consommation de carburant est raisonnable et le fait qu'on y propose plusieurs gadgets technos, comme la connectivité 4G, fait craquer plusieurs acheteurs. En fait, son seul réel défaut réside dans son prix d'achat, parfois élevé, et carrément indécent si vous optez pour une version LTZ AWD. Bref, allez-y, mais faites gaffe aux options !

FICHE TECHNIQUE

MOTEUR(S)

(LS, LT, Premier) L4 1,4 L DACT turbo
PUISSANCE 138 ch. à 4 900 tr/min
COUPLE 148 lb-pi à 1 850 tr/min
RAPPORT POIDS/PUISSANCE 2RM 9,9 kg/ch **4RM** 10,7 kg/ch
BOITE(S) DE VITESSES LS manuelle à 6 rapports
LT Premier/option LS automatique à 6 rapports avec mode manuel
PERFORMANCES 0 à 100 km/h 10,1 s
REPRISE 80-115 km/h 6,1 s
FREINAGE 100-0 km/h 39,0 m
NIVEAU SONORE À 100 km/h Passable
VITESSE MAXIMALE 185 km/h

AUTRES COMPOSANTS

SÉCURITÉ ACTIVE Freins ABS, assistance au freinage, répartition électronique de la force de freinage, contrôle électronique de la stabilité, antipatinage, assistance au départ en pente, avertisseurs d'obstacle latéral et arrière, de sortie de voie et d'impact imminent
SUSPENSION avant indépendante, arrière semi-indépendante
FREINS avant/arrière disques
DIRECTION à crémaillère, assistée électriquement
PNEUS LS, LT P205/70R16 **Premier** P215/55R18

DIMENSIONS

EMPATTEMENT 2 555 mm
LONGUEUR 4 280 mm
LARGEUR 1 775 mm
HAUTEUR 1 674 mm
POIDS 2RM man. 1 363 kg **auto.** 1 382 kg **4RM** 1 476 kg
DIAMÈTRE DE BRAQUAGE 11,2 m
COFFRE 532 L, 1 371 L (siège abaissés)
RÉSERVOIR DE CARBURANT 53 L
CAPACITÉ DE REMORQUAGE non recommandé

LA COTE VERTE

MOTEUR L4 DE 1,5 L (génératrice), 2 moteurs électriques
AUTONOMIE MOYENNE EN MODE ÉLECTRIQUE 85 km
CONSOMMATION (100 km) mode mixte ville 5,5 L route 5,6 L
CONSOMMATION ANNUELLE mode mixte 952 L, 1 142 $
INDICE D'OCTANE 87
ÉMISSIONS POLLUANTES CO_2 mode mixte 2 190 kg/an
CONSOMMATION ÉQUIVALENTE mode électrique ville 1,9 L, route 2,4 L
CONSOMMATION ÉQUIVALENTE ANNUELLE 374 L
ÉMISSIONS POLLUANTES CO_2 0 kg/an
Temps de recharge 240 V : 4,5 heures **120 V :** 13 heures à 12 ampères
(source : ÉnerGuide)

FICHE D'IDENTITÉ

VERSION(S) unique
TRANSMISSION(S) avant
PORTIÈRES 5 **PLACES** 5
PREMIÈRE GÉNÉRATION 2012
GÉNÉRATION ACTUELLE 2016
CONSTRUCTION Detroit-Hamtramck, États-Unis
COUSSINS GONFLABLES 10 (frontaux, genoux avant, latéraux avant et arrière, rideaux latéraux)
CONCURRENCE BMW i3, Ford Fusion Energi, Honda Accord hybride enfichable, Hyundai Ionic, Toyota Prius Prime

AU QUOTIDIEN

COLLISION FRONTALE ND
COLLISION LATÉRALE ND
VENTES DU MODÈLE L'AN DERNIER
AU QUÉBEC 1 084 (-0,7 %) **AU CANADA** 1 463 (-3,8 %)
DÉPRÉCIATION (%) 40,4 (3 ans)
RAPPELS (2011 à 2016) 4
COTE DE FIABILITÉ 4/5

GARANTIES... ET PLUS

GARANTIE GÉNÉRALE 3 ans/60 000 km
GROUPE MOTOPROPULSEUR 5 ans/160 000 km (moteur à essence)
PERFORATION 6 ans/160 000 km
BATTERIES 8 ans/160 000 km
ASSISTANCE ROUTIÈRE 3 ans/60 000 km
NOMBRE DE CONCESSIONNAIRES
AU QUÉBEC 67 **AU CANADA** 450

NOUVEAUTÉS EN 2017

Aucun changement majeur

LA SOLUTION DE L'HEURE

Cette chère Volt! Que n'a-t-on pas dit à ton sujet, parfois dans le mille, très souvent dans le champ. Tu es née en 2011 des suites d'un éclair de génie. Alors que la voiture électrique balbutiait et que dans son sillon se multipliaient les histoires d'horreur où le brave proprio avait manqué de jus ou avait frôlé la syncope de peur d'en manquer, voilà que GM propose un VÉ, certes, mais qui dispose aussi d'un moteur à essence, au cas où. Puis ta deuxième génération millésimée 2016 se pointe avec de nettes améliorations.

Michel Crépault

TOUR DU PROPRIÉTAIRE> Il n'y a pas si longtemps, quand une voiture hybride émergeait, il fallait qu'elle ne passe pas inaperçue. Je suis hors norme, donc j'affiche fièrement ma différence. La nouvelle Volt n'est plus là. Autant la première jouait un peu la carte de la science-fiction, autant la seconde se veut une jolie automobile compacte - format Cruze, même plateforme - qui rentre dans les rangs.

VIE À BORD > Deux gros changements notables. D'abord, les stylistes se sont débarrassés de la console centrale à l'aspect cool mais à l'utilisation tactile couci-couça en faveur d'une planche où l'on retrouve avec soulagement boutons et interrupteurs familiers. La deuxième

\+ UN COMPROMIS SÉDUISANT
JOLIE DEHORS ET DEDANS
CONDUITE SAINE ET RELAXANTE

\- BANQUETTE ARRIÈRE ÉTRIQUÉE
PRIX ÉLEVÉ
FIABILITÉ PERFECTIBLE

MENTIONS

CLÉ D'OR | CHOIX VERT | COUP DE CŒUR | RECOMMANDÉ

VERDICT

PLAISIR AU VOLANT
QUALITÉ DE FINITION
CONSOMMATION
RAPPORT QUALITÉ / PRIX
VALEUR DE REVENTE
CONFORT

1 5 10

nette amélioration est que la Volt peut désormais transporter cinq personnes au lieu de quatre. On a réussi à installer une banquette 60/40 normale en aménageant mieux le bloc de batteries lui-même allégé. Cela dit, l'espace reste compté et cette cinquième place surtout dépanne. Sous le hayon, les dossiers relevés, comptez quelque 300 litres de chargement, soit moins que la moitié de la capacité d'une Prius. Et tant qu'à grogner : beaucoup de plastique et pas moyen d'obtenir des réglages électriques pour son siège.

TECHNIQUE > Dans le fond, la Volt est une hybride enfichable. Elle parcourt d'abord un certain nombre de kilomètres sans une goutte d'essence grâce à ses deux moteurs électriques (149 chevaux), puis avant que la batterie ne soit complètement épuisée, un 4-cylindres prend le relais. La confusion est née de la croyance que cet engin propulse l'auto, alors qu'en réalité, il génère de l'électricité. Cet ingénieux principe est resté le même d'une génération à l'autre, mais les ingénieurs l'ont peaufiné. De un, l'autonomie 100 % électrique est passée sur papier de 60 à 80 kilomètres grâce notamment à une pile au lithium-ion de meilleure capacité (18,4 kWh au lieu de 16,5); de deux, le bloc à injection directe a vu sa cylindrée passer de 1,4 à 1,5 litre, sa puissance de 84 à 101 chevaux et son alimentation en essence de premium à ordinaire. Côté recharge : 120 volts (13 heures, trop long) ou 240 (4,5 heures, beaucoup mieux). Après avoir parcouru les quelque 675 kilomètres auxquels donnent droit une batterie et un réservoir pleins, vous pouvez espérer moins de 6 litres aux 100 kilomètres.

AU VOLANT > La Volt est agréable à conduire. Son calme, son assurance repose du stress quotidien. Quand le moteur à essence entre en jeu, c'est à peine si on le remarque. Les électrons fournissent des accélérations relativement vives. Quant à l'autonomie tout électrique, elle ne sera jamais, l'hiver, celle annoncée par le constructeur. À chaque fois, par grand froid, j'ai vu le compteur de l'autonomie décroître plus rapidement que le nombre de kilomètres réellement parcourus. Mais, au moins, pas de souci : quand le jus déserte, l'essence rapplique. Zéro angoisse. Et quand enfin la pratique rejoint la théorie, par une belle journée d'été où en plus le freinage en ville enrichit notre dépôt électrique, c'est le bonheur ! Et comme il est prouvé que l'homo americanus ne roule pas souvent plus de 80 kilomètres par jour de semaine, il vaque à son boulot-dodo en se foutant des caprices du prix de l'essence.

CONCLUSION > La Chevrolet Volt est une solution intéressante pour ceux qui a) veulent diminuer leur dépendance au pétrole; b) seraient trop nerveux au volant d'une auto tout électrique; c) n'ont pas le budget pour Tesla; d) et préféreraient conduire un réfrigérateur plutôt qu'une Prius. La volonté de rouler plus vert doit compter aussi, car il existe plusieurs compactes moins chères, plus spacieuses et plus puissantes sur le marché. Enfin, tous ces beaux calculs seront chambardés quand Chevrolet elle-même jettera sa Bolt dans la mêlée. ■

2e OPINION

Antoine Joubert

Quatre-vingts kilomètres d'autonomie réelle en mode 100 % électrique sur une voiture pratique et raffinée qui propose une technologie de pointe et un agrément de conduite surprenant. Cette équation convient à une majorité d'acheteurs pour qui les besoins de déplacement quotidien sont limités. Mais la bonne nouvelle, c'est que l'autonomie ne se limite pas qu'à 80 kilomètres. Par la suite, le moteur thermique peut entrer en fonction pour faire office de génératrice. Donc pas de crainte de tomber en panne si les possibilités de recharge sont inexistantes ou si un autre propriétaire de VÉ se charge sur la seule borne environnante que vous aviez ciblée. Bref, les possibilités sont infinies avec la Volt. De savoir que vous roulez quotidiennement avec une voiture qui ne pollue pas, en ayant également la tranquillité d'esprit d'une autonomie illimitée, voilà pour moi la meilleure des solutions.

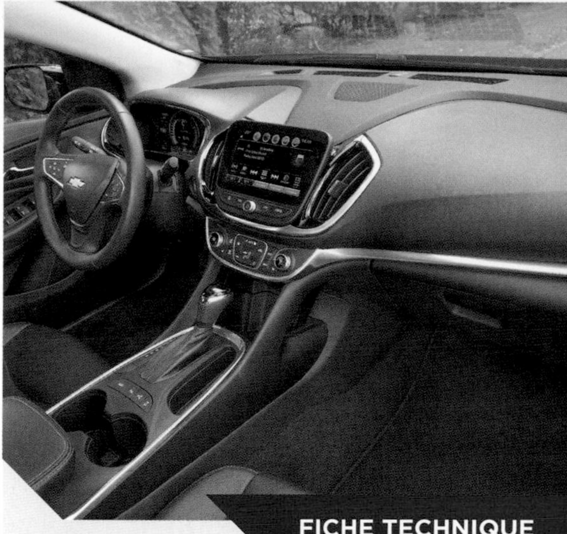

FICHE TECHNIQUE

MOTEUR(S)

(VOLT) 2 moteurs électriques + L4 1,5 L DACT (actionne la génératrice)
PUISSANCE moteurs électriques 149 ch (111 kW) total; génératrice 45kW (60 ch) entraînée par moteur à essence 101 ch à 5 600 tr/min
COUPLE 294 lb-pi
RAPPORT POIDS/PUISSANCE 10,8 kg/ch
BOÎTE(S) DE VITESSES automatique à variation continue
PERFORMANCES 0-100 km/h 8,8 s
REPRISE 80-115 km/h ND
FREINAGE 100-0 km/h ND
NIVEAU SONORE À 100 km/h Bon
VITESSE MAXIMALE 160 km/h

AUTRES COMPOSANTS

SÉCURITÉ ACTIVE Freins ABS, assistance au freinage, répartition électronique de la force de freinage, contrôle électronique de la stabilité, antipatinage, avertisseurs d'obstacle latéral et arrière, et de collision imminente avec freinage autonome, assistance au maintien de voie
SUSPENSION avant/arrière indépendante/semi-indépendante
FREINS avant/arrière disques, avec récupération d'énergie
DIRECTION à crémaillère, assistée électriquement
PNEUS P215/50R17

DIMENSIONS

EMPATTEMENT 2 694 mm
LONGUEUR 4 582 mm
LARGEUR 1 809 mm
HAUTEUR 1 432 mm
POIDS 1 607 kg
DIAMÈTRE DE BRAQUAGE 11,1 m
COFFRE 301 L
RÉSERVOIR DE CARBURANT 33,7 L
BATTERIE lithium-ion 18,4 kWh
CAPACITÉ DE REMORQUAGE non recommandé

LA COTE VERTE

MOTEUR L4 DE 2,4 L
CONSOMMATION (100 km) ville 10,2 L, route 6,4 L
CONSOMMATION ANNUELLE 1 445 L, 1 734 $
INDICE D'OCTANE 87
ÉMISSIONS POLLUANTES CO_2 3 323 kg/an
(source : ÉnerGuide)

FICHE D'IDENTITÉ

VERSION(S) 2RM LX, LIMITED **2RM/4RM** S, C
TRANSMISSION(S) avant, 4
PORTIÈRES 4 **PLACES** 5
PREMIÈRE GÉNÉRATION 2011
GÉNÉRATION ACTUELLE 2015
CONSTRUCTION Sterling Heights, Michigan, É-U
COUSSINS GONFLABLES 8 (Frontaux, genoux avant, latéraux avant, rideaux latéraux)
CONCURRENCE Chevrolet Malibu, Ford Fusion, Honda Accord, Hyundai Sonata, Kia Optima, Mazda6, Nissan Altima, Subaru Legacy, Toyota Camry, Volkswagen Passat

AU QUOTIDIEN

COLLISION FRONTALE 5/5
COLLISION LATÉRALE 5/5
VENTES DU MODÈLE L'AN DERNIER
AU QUÉBEC 1 772 (+5,2 %) **AU CANADA** 10 961 (-5,8 %)
DÉPRÉCIATION (%) 44,2 (3 ans)
RAPPELS (2011 à 2016) 10
COTE DE FIABILITÉ 3/5

GARANTIES... ET PLUS

GARANTIE GÉNÉRALE 3 ans/60 000 km
GROUPE MOTOPROPULSEUR 5 ans/100 000 km
PERFORATION 5 ans/160 000 km
ASSISTANCE ROUTIÈRE 5 ans/100 000 km
NOMBRE DE CONCESSIONNAIRES
AU QUÉBEC 93 **AU CANADA** 445

NOUVEAUTÉS EN 2017

Sièges de cuir de série sur Limited, système de son bonifié sur 200C, édition Alliage disponible sur 200S, 3 couleurs discontinuées.

RECETTE INCOMPLÈTE

Depuis que Chrysler a refait les lignes de la 200 en 2015, nous pouvons affirmer que la voiture a fière allure. Même si les ventes se trouvent dans le haut du palmarès dans sa catégorie (surtout en raison de larges rabais), il manque encore quelques ingrédients à la 200 pour jouer à armes égales avec la concurrence.

Benoit Charette

TOUR DU PROPRIÉTAIRE > C'est l'aspect extérieur qui est le meilleur argument de vente de la 200. Le côté beige et effacé de la Sebring a heureusement été laissé de côté pour une berline intermédiaire aux lignes matures. Il y a une richesse dans le style de la 200 qui la rend attrayante. Le style est à la fois moderne dans le dessin des phares et la ligne plongeante et classique dans les proportions générales bien dosées. Elle se distingue de la concurrence et ajoute une petite touche à l'européenne qui lui va bien.

VIE À BORD > Au chapitre de l'équipement, la 200 n'a rien à envier à ses rivales. Vous pouvez obtenir contre supplément un écran central U-Connect de 8,4 pouces très technologique et un des systèmes les plus faciles, performants et agréables à utiliser. Sinon, vous avez droit à l'écran de 5 pouces moins technologique. Le revêtement des sièges va du tissu au cuir selon les versions et, depuis l'an dernier, Chrysler a amélioré la fermeté des sièges avant pour un meil-

\+ BELLE AMBIANCE INTÉRIEURE
MOTEUR V6 INTÉRESSANT
SYSTÈME U-CONNECT

\- ESPACE ARRIÈRE UN PEU JUSTE
MOTEUR 4 CYLINDRES MAL ADAPTÉ
DIRECTION SURASSISTÉE

MENTIONS

CLÉ D'OR | CHOIX VERT | COUP DE CŒUR | **RECOMMANDÉ**

VERDICT

PLAISIR AU VOLANT
QUALITÉ DE FINITION
CONSOMMATION
RAPPORT QUALITÉ / PRIX
VALEUR DE REVENTE
CONFORT

1 5 10

leur confort. Vous avez même droit à des insertions de bois véritable sur la liste des options. L'espace du coffre est assez généreux. Parmi les quelques ingrédients manquants : l'espace pour les passagers est moindre que chez les meneurs de classe dans cette catégorie comme l'Accord, la Camry, la Sonata et la Fusion. L'espace à l'arrière sera restreint si vous faites plus de 1,80 mètre et comme la voiture est moins large et un peu plus basse, il y a ce sentiment général d'être un peu plus à l'étroit. En contrepartie, l'espace cargo avec ses 453 litres est très généreux.

TECHNIQUE > Pour poursuivre sur le thème de la recette incomplète dans le département mécanique, la lacune revient au moteur 4 cylindres. Ce moteur Fiat TigerShark de 2,4 litres offre en théorie tout ce dont vous avez besoin. Mais face à ses concurrents, il manque de raffinement, sa boîte à 9 rapports est saccadée et l'économie de carburant est bien loin de celle des 4-cylindres de chez Honda ou de la Mazda6. Le moteur le plus intéressant demeure le V6 Pentastar de 3,6 litres et ses 295 chevaux. C'est aussi le seul moteur qui peut être jumelé à une transmission intégrale, offerte en option. Il faut donc délier les cordons de la bourse pour avoir droit à un modèle attirant.

AU VOLANT > Nous avons dû attendre de prendre le volant d'une voiture dotée d'un V6 pour trouver une expérience de conduite intéressante. Nous ne voulons pas ici déprécier le 4-cylindres, mais ce dernier, devant les ténors japonais comme l'Accord et la Camry et même la Sonata, ne fait pas le poids. La mécanique est plus bruyante, consomme plus, la boîte à 9 rapports n'est pas un exemple de douceur et le moteur grogne en accélération. Si vous avez envie d'une expérience positive dans une 200, il vous faut aller vers le moteur V6 et, de préférence, vers la version 200S, qui a une suspension plus sportive et une ambiance fort réussie. Dans sa version 4 roues motrices, cette 200S offre une conduite de qualité qui, encore une fois, n'est pas aussi lissée que chez Honda ou Toyota, mais qui tient assez bien la comparaison. Si le silence de roulement est bon, la 200 souffre d'un mal qui afflige les voitures américaines depuis très longtemps : j'ai nommé la « surdirectionnite » ou, si vous préférez, la maladie de la direction surassistée qui ne transmet que peu de sensations de la route.

CONCLUSION > Pour évaluer la qualité d'un produit, on doit pouvoir le mettre en contexte. Dans le cas de la 200, le produit n'est pas mauvais. C'est simplement qu'elle évolue dans une catégorie où se trouvent les meilleures berlines de l'industrie automobile et qu'elle ne fait pas encore le poids face aux monuments que sont l'Accord, la Camry et même la laissée-pour-compte Mazda6. Une version 200S ou 200C demeure le meilleur choix si vous avez ce modèle dans votre liste d'achat potentiel. ■

2e OPINION

Antoine Joubert

Une belle voiture, audacieuse et pleine d'innovations, qui se heurte au mur des réputations. Voilà la situation dans laquelle se trouve la Chrysler 200, introduite en 2015 et qui n'a malheureusement pas su séduire la clientèle visée. On a beau offrir un design magnifique, un habitacle noble et finement étudié, une motorisation efficace (V6) et même l'option de la transmission intégrale, on en revient toujours à la réputation. Elle s'incline donc devant les Fusion, Accord, Sonata et Camry, en plus de devoir faire face à de nouvelles rivales fraîchement débarquées, comme la Chevrolet Malibu et la Kia Optima. Ainsi, la 200 ne devient intéressante que si elle s'accompagne d'un gros rabais, conséquence d'une foudroyante dépréciation. Une bonne voiture ? Oui. Mais un fiasco sur le plan financier.

FICHE TECHNIQUE

MOTEUR(S)

(LX, LIMITED, S, C) L4 2,4 L SACT
PUISSANCE 184 ch à 6 250 tr/min
COUPLE 173 lb-pi à 4 600 tr/min
RAPPORT POIDS/PUISSANCE 8,6 kg/ch
BOÎTE(S) DE VITESSES automatique à 9 rapports avec mode manuel et manettes au volant
PERFORMANCES 0-100 km/h 8,8 s
REPRISE 80-115 km/h 6,0 s
FREINAGE 100-0 km/h 44,2 m
NIVEAU SONORE À 100 km/h Passable
VITESSE MAXIMALE 180 km/h

(OPTION LIMITED, S et C) V6 3,6 L DACT
PUISSANCE 295 ch à 6 350 tr/min
COUPLE 262 lb-pi à 4 250 tr/min
RAPPORT POIDS/PUISSANCE 5,3 kg/ch
BOÎTE(S) DE VITESSES automatique à 9 rapports avec mode manuel et manettes au volant
PERFORMANCES 0-100 km/h 6,2 s
VITESSE MAXIMALE 210 km/h
CONSOMMATION (100 km) 2RM ville 12,4 L, route 7,5 L **4RM** ville 12,8 L, route 8,1 L (octane 87)
ANNUELLE 2RM 1 734 L, 2 341 $ **4RM** 1 819 L, 2 456 $
ÉMISSIONS DE CO_2 2RM 3 988 kg/an **4RM** 4 184 kg/an

AUTRES COMPOSANTS

SÉCURITÉ ACTIVE (certains en option) Freins ABS, assistance au freinage, répartition électronique de la force de freinage, contrôle de la stabilité électronique, antipatinage, freinage d'urgence automatique, régulateur de vitesse adaptatif avec arrêt-départ, avertisseurs d'obstacle latéral et arrière
SUSPENSION avant/arrière indépendante
FREINS avant/arrière disques
DIRECTION à crémaillère, assistée électriquement
PNEUS LX, Limited, C P215/55R17 **S, option Limited et C** P235/45R18 **option C et S** P235/40R19

DIMENSIONS

EMPATTEMENT 2 742 mm
LONGUEUR 4 885 mm
LARGEUR 1 871 mm
HAUTEUR 1 491 mm
POIDS 1 575 kg
DIAMÈTRE DE BRAQUAGE 12,1 m
COFFRE 453 L
RÉSERVOIR DE CARBURANT 60 L
CAPACITÉ DE REMORQUAGE non recommandé

LA COTE VERTE

MOTEUR V6 DE 3,6 L
CONSOMMATION (100 km) 2RM ville 12,4 L, route 7,7 L
4RM ville 12,8 L, route 8,6 L
CONSOMMATION ANNUELLE 2RM 1 751 L, 2 101 $ **4RM** 1 853 L, 2 224 $
INDICE D'OCTANE 87
ÉMISSIONS POLLUANTES CO_2 2RM 4 027 kg/an **4RM** 4 262 kg/an
(source : ÉnerGuide)

FICHE D'IDENTITÉ

VERSION(S) 2RM/4RM Touring, Limited, S, C, C Platinum
TRANSMISSION(S) arrière, 4
PORTIÈRES 4 **PLACES** 5
PREMIÈRE GÉNÉRATION 2005
GÉNÉRATION ACTUELLE 2011
CONSTRUCTION Brampton, Ontario, Canada
COUSSINS GONFLABLES 6 (frontaux, latéraux avant, rideaux latéraux)
CONCURRENCE Acura TLX, Buick LaCrosse, Chevrolet Impala, Dodge Charger, Ford Taurus, Genesis G80, Kia Cadenza, Lincoln MKZ, Nissan Maxima, Toyota Avalon, Volkswagen CC

AU QUOTIDIEN

COLLISION FRONTALE 5/5
COLLISION LATÉRALE 5/5
VENTES DU MODÈLE L'AN DERNIER
AU QUÉBEC 79 (-41,5 %) **AU CANADA** 4 443 (+7,9 %)
DÉPRÉCIATION (%) 43,6 (3 ans)
RAPPELS (2011 à 2016) 6
COTE DE FIABILITÉ 2,5/5

GARANTIES... ET PLUS

GARANTIE GÉNÉRALE 3 ans/60 000 km
GROUPE MOTOPROPULSEUR 5 ans/100 000 km
PERFORATION 5 ans/160 000 km
ASSISTANCE ROUTIÈRE 5 ans/100 000 km
NOMBRE DE CONCESSIONNAIRES
AU QUÉBEC 93 **AU CANADA** 445

NOUVEAUTÉS EN 2017

300S Nouvelle édition Alliage, phares bi-xénon inclus dans le groupe Premium, groupe Apparence, nouvel intérieur cuir et Alcantara, une nouvelle couleur (gris céramique) **300 Touring 2RM** roues de 17 po. changées à 18 po., une couleur discontinuée (ivoire)

OCCASION À SAISIR ?

À quelques reprises cette année, j'apercevais des gens de mon entourage au volant d'une splendide Chrysler 300S flambant neuve. Coup sur coup, je leur demandais s'ils avaient changé de voiture, mais je recevais chaque fois la même réponse : « Non, j'ai eu un accident, ma voiture est au garage et il s'agit de la voiture prêtée par la compagnie d'assurance. » Conséquemment, la plaque d'immatriculation « F » et l'autocollant de type code à barre dans la fenêtre latérale me confirmaient bel et bien qu'il s'agissait d'une voiture de location. Un bien triste bilan lorsqu'on sait qu'il y a dix ans à peine, la Chrysler 300 volait la vedette partout où elle passait.

Antoine Joubert

TOUR DU PROPRIÉTAIRE > Chose certaine, la 300 n'a rien perdu de son caractère. Les lignes sont toujours aussi fabuleuses et gracieuses, si bien qu'on la compare souvent à des voitures de luxe d'exception. Particulièrement en version S, on apprécie le côté racé issu des roues surdimensionnées au design magnifique, ainsi que des garnitures de couleur noir lustré. Pour 2017, Chrysler en rajoute même avec un ensemble de garnitures couleur bronze, uniquement offert sur la version S. Sur le plan esthétique, elle n'a donc rien d'une vulgaire berline de location. Et pourtant...

+
- PERSONNALITÉ UNIQUE
- COMPORTEMENT ROUTIER AGRÉABLE
- PRÉSENTATION INTÉRIEURE SOIGNÉE
- PUISSANCE DU MOTEUR HEMI

−
- DÉPRÉCIATION ALARMANTE
- PRIX PARFOIS CORSÉ
- HISTORIQUE DE FIABILITÉ

MENTIONS

CLÉ D'OR | CHOIX VERT | COUP DE CŒUR | RECOMMANDÉ

VERDICT

PLAISIR AU VOLANT
QUALITÉ DE FINITION
CONSOMMATION
RAPPORT QUALITÉ / PRIX
VALEUR DE REVENTE
CONFORT

1 5 10

VIE À BORD > À bord, le mariage des teintes, des garnitures et des surpiqûres donne directement l'impression d'une Jaguar, d'une Bentley ou de n'importe laquelle de ces voitures de luxe anglaises au cachet magnifique. Bien sûr, la qualité des matériaux n'est pas de même facture, mais l'effort esthétique est louable. Pourrait-on aussi y reconnaître une influence italienne (lire influence Marchionne)? Vous pouvez en être certain! Chrysler a aussi trimé dur pour améliorer l'assemblage, aujourd'hui plus sérieux, ainsi que l'ergonomie générale à bord. La disposition des divers accessoires est donc excellente, tout comme l'interface de cet écran tactile de 8,4 pouces, à prendre en exemple.

TECHNIQUE > La version SRT étant éliminée du catalogue depuis deux ans, ne restent donc au menu que le V8 HEMI de 5,7 litres et le V6 Pentastar de 3,6 litres, lequel peut être jumelé à la transmission intégrale. Reposant toujours sur la vieillissante plateforme W211 de la Mercedes-Benz de Classe E (2003-2009), la 300 à transmission intégrale voit donc sa carrosserie légèrement surélevée par rapport à un modèle à propulsion. Cela dit, le mariage du V6 à la boîte à 8 rapports et à la transmission intégrale demeure pour nous l'option mécanique la plus convaincante. On obtient ainsi une puissance honnête, une consommation raisonnable et une motricité optimale.

AU VOLANT > Confortable, bien insonorisée et très agréable à conduire, la 300 laisse encore paraître quelques signes de faiblesse sur le plan des suspensions. Un nid de poule de bon format vous confirmera que l'amortissement a ses limites, particulièrement avec les roues de 20 pouces. Cela dit, aucune rivale américaine ne peut prétendre offrir une expérience de conduite aussi agréable. Une Taurus? Une Impala? Ou même une Buick LaCrosse? Non. Pour le plaisir au volant et l'expérience d'une vraie grande berline américaine, vivement la 300. Et avec le V8, c'est encore mieux. Sauf que là, votre voisin environnementaliste risque de vous fusiller du regard, à l'inverse de votre pompiste, qui risque de devenir votre meilleur nouvel ami.

CONCLUSION > Aussi intéressante la 300 puisse-t-elle être, elle trouve de moins en moins preneur. Le marché de la grande berline est en baisse, certes, mais son prix d'achat élevé et son historique de fiabilité décevant expliquent en partie l'insuccès du modèle auprès des particuliers. Voilà pourquoi Chrysler n'a d'autre choix que de faire du « dumping » auprès des agences de location, qui les revendent à l'encan pour 50 % du prix, quelques mois plus tard. Et bien sûr, cela affecte encore davantage la dépréciation. Acheter cette voiture neuve, à gros prix, constitue donc une erreur massive pour monsieur Tout-le-Monde, qui perdra dès les premiers kilomètres une somme faramineuse en valeur marchande. Pour l'amoureux de la 300, un modèle presque neuf et déjà déprécié demeure donc la meilleure option, à moins que vous soyez en mesure d'obtenir 12 000 $ de rabais sur un démo. Mais autrement, l'occasion à saisir, c'est un modèle d'occasion!

2e OPINION

Benoit Charette

Les ventes de Chrysler 300 sont passées de 135 en 2014 à 79 modèles vendus au Québec en 2015. Cette vieillissante grande berline commence sérieusement à montrer son âge. Sa plateforme qui remonte aux années 90 et son format qui correspond de moins en moins à ce que recherchent les automobilistes transforment rapidement cette berline en dinosaure, et Chrysler n'a pas de solution de rechange. Elle ne possède pas de plate-forme moderne et n'a pas d'argent pour en concevoir. Il faudra donc trouver un partenaire sans tarder pour fonder un partage de technologie. Côté conduite, la voiture est intéressante, confortable et offerte à bon prix, mais elle perdra 45 % de sa valeur initiale après trois ans. Mieux vaut être averti.

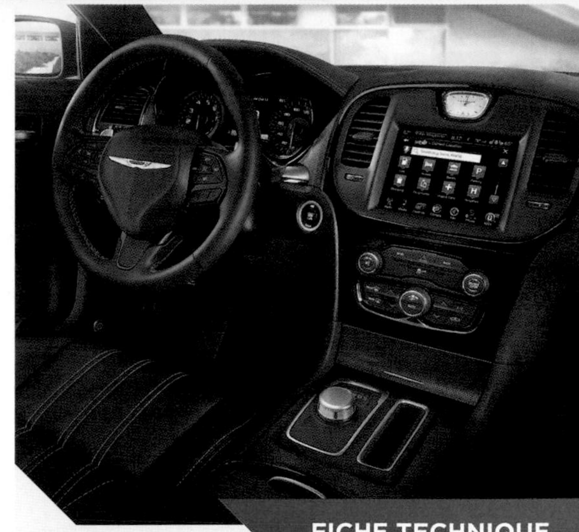

FICHE TECHNIQUE

MOTEUR(S)

(300) V6 3,6 L DACT
PUISSANCE 292 ch à 6 350 tr/min **S** 300 ch
COUPLE 260 lb-pi à 4 800 tr/min **S** 264 lb-pi
RAPPORT POIDS/PUISSANCE 2RM 6,3 kg/ch **4RM** 6,6 kg/ch
BOÎTE(S) DE VITESSES automatique à 8 rapports avec mode manuel **S/Platinum** avec manettes au volant
PERFORMANCES 0-100 km/h 7,4s **4RM** 7,6s
REPRISE 80-115 km/h 4,9 s
FREINAGE 100-0 km/h 40,0 m
VITESSE MAXIMALE 210 km/h

(option 300) V8 5,7 L ACC
PUISSANCE 363 ch à 5 200 tr/min
COUPLE 394 lb-pi à 4 200 tr/min
RAPPORT POIDS/PUISSANCE 5,4 kg/ch
BOÎTE(S) DE VITESSES automatique à 8 rapports avec mode manuel **S/Platinum** avec manettes au volant
PERFORMANCES 0-100 km/h 6,3s
REPRISE 80-115 km/h 4,4 s
FREINAGE 100-0 km/h ND
NIVEAU SONORE À 100 km/h Bon
VITESSE MAXIMALE 240 km/h
CONSOMMATION (100 km) ville 14,8 L, route 9,3 L (octane 89)
ANNUELLE 2 091 L, 2 509 $
ÉMISSIONS DE CO_2 4 809 kg/an

AUTRES COMPOSANTS

SÉCURITÉ ACTIVE (certains en option) Freins ABS, assistance au freinage, répartition électronique de la force de freinage, contrôle électronique de la stabilité, antipatinage, assistance au départ en pente, phares adaptatifs, régulateur de vitesse adaptatif, assistance en cas d'impact imminent, avertisseur d'obstacle latéral et arrière
SUSPENSION avant/arrière indépendante
FREINS avant/arrière disques
DIRECTION à crémaillère, assistée
PNEUS P225/60R18 **S/C/Platinum** P245/45R20 **4RM** P235/55R19

DIMENSIONS

EMPATTEMENT 3 052 mm
LONGUEUR 5 044 mm
LARGEUR 1 902 mm
HAUTEUR 2RM 17 po. 1 484 mm **18 po.** 1 485 mm **20 po.** 1 492 mm **4RM** 1 504 mm
POIDS V6 2RM 1 828 kg **V6 4RM** 1 921 kg **V8 2RM** 1 962 kg
RÉPARTITION DU POIDS AV/ARR (%) V6 2RM 52/48 **V6 4RM** 53/47 **V8 2RM** 55/45
DIAMÈTRE DE BRAQUAGE 12,0 m
COFFRE 500 L
RÉSERVOIR DE CARBURANT 70 L
CAPACITÉ DE REMORQUAGE 454 kg

LA COTE VERTE

MOTEUR V6 DE 3,6 L HYBRIDE
CONSOMMATION (100 km) ville équiv. 2,9 L
CONSOMMATION ANNUELLE 493 L, 592 $
INDICE D'OCTANE 89
ÉMISSIONS POLLUANTES CO_2 1 134 kg/an
AUTONOMIE MOYENNE en mode électrique 48 km
(source : FCA Canada et L'Annuel)

FICHE D'IDENTITÉ

VERSION(S) Touring-L, Touring-L Plus, Limited, Hybride
TRANSMISSION(S) Avant
PORTIÈRES 5 **PLACES** 7, 8
PREMIÈRE GÉNÉRATION 2004
GÉNÉRATION ACTUELLE 2017
CONSTRUCTION Windsor, Ontario, Canada
COUSSINS GONFLABLES 8 (frontaux, genoux, latéraux, rideaux latéraux)
CONCURRENCE Honda Odyssey, Kia Sedona, Toyota Sienna

AU QUOTIDIEN

COLLISION FRONTALE 5/5
COLLISION LATÉRALE 5/5
VENTES DU MODÈLE L'AN DERNIER
AU QUÉBEC 719 (-14,5 %) **AU CANADA** 9 001 (+0,6 %) (Town & Country)
DÉPRÉCIATION (%) nm
RAPPELS (2011 à 2016) nm
COTE DE FIABILITÉ nm

GARANTIES... ET PLUS

GARANTIE GÉNÉRALE 4 ans/80 000 km
GROUPE MOTOPROPULSEUR 5 ans/100 000 km
PERFORATION 5 ans/kilométrage illimité
ASSISTANCE ROUTIÈRE 4 ans /kilométrage illimité
NOMBRE DE CONCESIONNAIRES
AU QUÉBEC 93 **AU CANADA** 445

NOUVEAUTÉS EN 2017

Nouveau modèle

DÉFI DE TAILLE

Fourgonnette, minifourgonnette, Autobeaucoup? Qu'importe le nom que vous lui donnez, ce concept revient à Chrysler, qui l'introduisait en 1983 avec ses Caravan et Voyager. Les années 80 et 90 auront véritablement été celles de la fourgonnette, que l'on se procurait alors même si les besoins n'y étaient pas. À cette époque, rouler en Caravan était un concept aussi branché que celui de prendre aujourd'hui le volant d'un Mercedes-Benz GLC. Les trois grands Américains faisaient ainsi des affaires d'or avec les Autobeaucoup, Astro/Safari et Aerostar. Hélas, cet engouement pour la fourgonnette a commencé à s'estomper à la fin des années 90, au moment où les Japonais ont sauté dans l'aventure plus sérieusement. Cela dit, après avoir vendu tout près de deux millions de fourgonnettes au pays, Chrysler tente de redorer son image en éliminant la Town & Country et en ramenant sur la sellette le nom Pacifica. Une opération audacieuse, considérant que le précédent véhicule du même nom (vendu de 2004 à 2008) n'est pourtant pas synonyme de succès. À cette question, les stratèges de Chrysler évoquent le fait que ce nom est synonyme de raffinement et d'une image plus contemporaine, selon les études effectuées.

Antoine Joubert

+
- CONFORT EXCEPTIONNEL
- PRÉSENTATION INTÉRIEURE
- INNOVATIONS TECHNIQUES DANS L'HABITACLE
- COMPORTEMENT ROUTIER SURPRENANT

−
- BOÎTE AUTOMATIQUE DÉSAGRÉABLE
- FIABILITÉ À PROUVER
- FORTE DÉPRÉCIATION À PRÉVOIR

MENTIONS

CLÉ D'OR · CHOIX VERT · COUP DE CŒUR · **RECOMMANDÉ**

VERDICT

Critère	Note (1–10)
PLAISIR AU VOLANT	7
QUALITÉ DE FINITION	8
CONSOMMATION	8
RAPPORT QUALITÉ / PRIX	7
VALEUR DE REVENTE	nm
CONFORT	9

TOUR DU PROPRIÉTAIRE > En 2016, personne ne se procure une fourgonnette par passion. On l'achète pour des besoins pragmatiques, souvent à l'annonce de l'arrivée d'un troisième ou d'un quatrième rejeton. Chrysler souhaite évidemment changer cette image en proposant un véhicule aux lignes plus audacieuses. Et à ce compte, j'oserais dire que l'objectif est atteint. Non seulement la Pacifica a fière allure, mais elle pourrait, par son style, réussir à convaincre l'actuel acheteur des Explorer, Pathfinder et Highlander, qui se les procure souvent pour justement éviter d'être vu au volant d'une fourgonnette! Comme seule ombre au tableau, remarquez toutefois que chacune des versions de la Pacifica joue la carte traditionnelle américaine, avec cette surenchère de garnitures chromées sur la carrosserie. Pour une approche plus contemporaine, pourquoi ne pas offrir une version S avec garnitures noir piano et des roues surdimensionnées, comme on le fait justement avec les modèles 200 et 300 ? Chrysler répond à cela que d'autres déclinaisons pourraient prochainement voir le jour, ce qui signifie en termes de « relations publiques » qu'une version S verra probablement le jour d'ici 2018.

VIE À BORD > Ergonomique, l'habitacle de la plus cossue des Town & Country affichait esthétiquement de sérieuses rides et péchait par une présentation tout de même bon marché. Les stylistes de Chrysler ont donc voulu tourner la page et créer un environnement à la fois élégant et fort chaleureux. Ainsi, on propose cinq combinaisons de teintes intérieures, lesquelles s'accompagnent chacune de contrastes magnifiques et de garnitures des plus riches. La présentation de la planche de bord est également très moderne et brille par son ergonomie, notamment en raison de cet écran tactile de 8,4 pouces, mais aussi par l'intégration d'une simple roulette qui fait office de levier de vitesses. Évidemment, inutile de mentionner que les commodités à bord sont innombrables, Chrysler multipliant les espaces de rangement et les prises USB un peu partout à bord. Vous pourrez même occuper vos enfants grâce au nouveau système d'infodivertissement Uconnect Theatre, lequel propose deux écrans tactiles de 10 pouces, où s'intègrent des jeux ainsi qu'une foule d'applications amusantes. Cela dit, hormis la surenchère de gadgets proposés, hélas souvent en option, la plus belle innovation de la Pacifica réside dans l'amélioration du système Stow'n Go. Ce concept visant à dissimuler les deux rangées de sièges arrière sous le plancher de l'espace utilitaire demeure unique à Chrysler, mais comportait jusqu'ici quelques lacunes. Parmi elles, l'inconfort des sièges en raison de l'épaisseur des coussins. Pour régler ce problème, les ingénieurs placent désormais les mécanismes de sièges de façon externe. Le processus de rangement est grandement amélioré. Un bouton fera coulisser le baquet avant, créant le dégagement nécessaire. Au simple déclanchement du levier du siège, celui-ci de repliera et pivotera de lui-même vous permettant de le glisser dans la cuve prévue à cet effet. C'est simple, efficace.

TECHNIQUE > Bonne nouvelle, la Pacifica profite d'une toute nouvelle plateforme, 100 % plus rigide que celle de la Town & Country. Pour son renforcement, les ingénieurs ont notamment tiré avantage de la structure des cuves du système Stow'n Go. L'empattement, à peine 10 millimètres plus long que celui de sa devancière, a également été reculé pour une question de rigidité struc-

2ᵉ OPINION

Benoit Charette

Ma première réaction lorsque j'ai appris que Chrysler ramenait la Pacifica en fut une d'incrédulité. Pourquoi reprendre un véhicule qui a été un flop dans tous les sens du mot ? J'ai ensuite fait l'essai du remplaçant du Town and Country pour me rendre compte que Chrysler a modernisé de belle manière le véhicule qu'il a inventé en gardant ce qui a fait sa popularité comme les sièges Stow and Go et en introduisant des technologies modernes et encore plus de divertissement pour la famille. Il ne faut pas oublier le style qui donne enfin un peu de modernisme à ce segment de marché qui en a bien besoin. Bref, ne vous fiez pas au nom qui souhaitons le ne portera pas malheur à cette limousine familiale.

FICHE TECHNIQUE

MOTEUR(S)

(Touring, Touring Plus, Limited) V6 3,6 L DACT
PUISSANCE 287 ch à 6 400 tr/min
COUPLE 262 lb-pi à 4 000 tr/min
RAPPORT POIDS/PUISSANCE 6,8 kg/ch
BOÎTE(S) DE VITESSES automatique à 9 rapports
PERFORMANCES 0-100 km/h 7,5 s (est.)
NIVEAU SONORE Bon
VITESSE MAXIMALE 190 km/h
CONSOMMATION (100 km) ville 12,9 L, route 8,4 L
CONSOMMATION ANNUELLE 1 853 L, 2 224 $ (Octane 89)
ÉMISSIONS POLLUANTES CO_2 4 262 kg/an

(Hybride) V6 3,6 L DACT + 2 moteurs électriques
PUISSANCE 260 ch total
COUPLE ND lb-pi
RAPPORT POIDS/PUISSANCE 8,6 kg/ch
BOÎTE(S) DE VITESSES automatique à 9 rapports
PERFORMANCES 0-100 km/h 8,0 s (est.)
NIVEAU SONORE Bon
VITESSE MAXIMALE 190 km/h

AUTRES COMPOSANTS

SÉCURITÉ ACTIVE (certains en option) Freins ABS, assistance au freinage, répartition électronique de la force de freinage, contrôle de la stabilité électronique, antipatinage, aide au départ en pente, avertisseur d'obstacle latéral et arrière, caméra 360°
SUSPENSION avant/arrière indépendante
FREINS avant/arrière disques **Hybride** à récupération d'énergie
DIRECTION à crémaillère, assistée électriquement
PNEUS P235/65R17 **Limited** P235/60R18

DIMENSIONS

EMPATTEMENT 3 089 mm
LONGUEUR 5 171 mm
LARGEUR 2 022 mm
HAUTEUR 1 775 mm
POIDS 1 965 kg **Hybride** 2 250 kg (est.)
RÉPARTITION DU POIDS AV/ARR (%) ND
DIAMÈTRE DE BRAQUAGE 12,1 m
COFFRE 914 L, 2 477 L, 3 978 L (sièges abaissés)
RÉSERVOIR DE CARBURANT 72 L **Hybride** 64 L
BATTERIE Hybride 16 kWh
TEMPS DE RECHARGE 2h
CAPACITÉ DE REMORQUAGE 1 633 kg

A

B

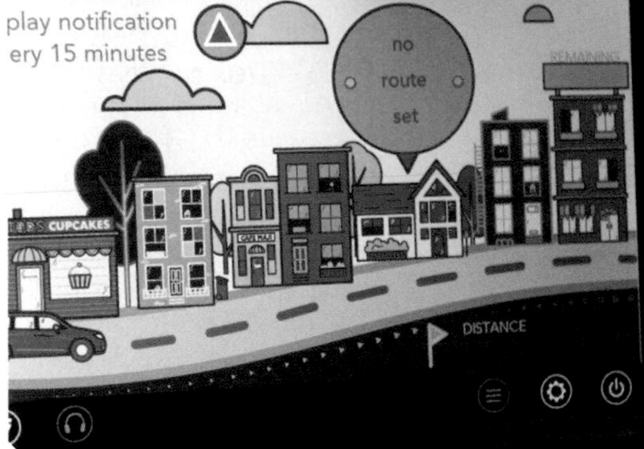

C

D

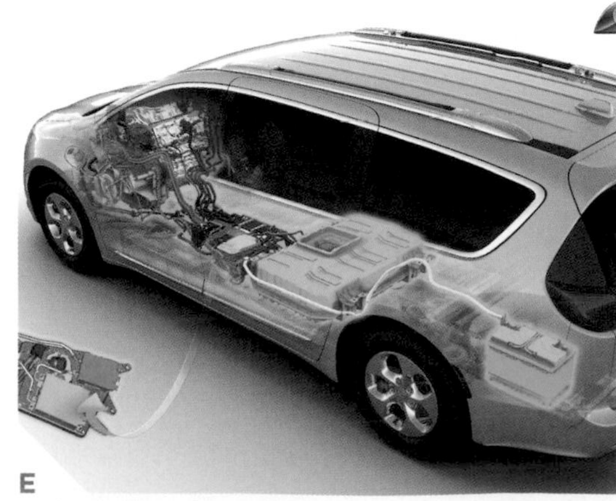

E

GALERIE

A > Le système Stow'N Go qui permet de glisser les baquets sous le plancher du véhicule a été optimisé afin de faciliter l'exécution. Un bouton placé dans la paroi intérieure de chaque côté du véhicule permet de glisser le siège avant de façon automatique pour ensuite replier et dissimuler le siège dans la cuve en un tournemain.

B > Le V6 Pentastar de 3,6 litres passe cette année à 287 chevaux, grâce à l'amélioration du système de calage variable des soupapes. Toujours dépourvu de l'injection directe de carburant, il fait cependant équipe avec une nouvelle boîte automatique à neuf rapports.

C > En option, on obtient à l'arrière deux écrans tactiles pour le divertissement de vos tout-petits. On y intègre une foule d'applications incluant une navigation animée indiquant le temps restant avant d'arriver à destination.

D > Comme dans la Chrysler 200, la Pacifica voit son levier de vitesse remplacé par une molette circulaire qui permet notamment d'améliorer l'élégance du poste de conduite, tout en maximisant l'espace utilisé.

E > Une version hybride enfichable fera son apparition dès l'automne, proposant une autonomie 100% électrique annoncée à 48 kilomètres. Cette technologie qui pourrait se retrouver ultérieurement sur d'autres véhicules de la famille FCA engendre malheureusement une masse supplémentaire de 300 kilos au véhicule.

turelle. Bien que non disponible sur la Pacifica, cette plateforme peut accueillir la transmission intégrale. Attendez-vous ainsi à ce qu'elle soit utilisée sur certains futurs VUS de la famille FCA (Fiat Chrysler Automobiles). Sous le capot, le V6 Pentastar emeure, bien qu'avec un maigre gain de 4 chevaux. Ayant aussi connu de nombreux problèmes mécaniques par le passé, Chrysler propose aujourd'hui de nouveaux éléments, notamment des disques de frein de 13 pouces aux quatre roues, une toute nouvelle suspension ainsi qu'une direction à assistance électrique. Puis, sans surprise, le constructeur nous sert cette nouvelle boîte automatique à 9 rapports, en partie responsable d'une diminution de la consommation de carburant de 12 %. Parce qu'il le fallait, Chrysler fait aussi le saut dans l'électrification, en proposant pour la première fois un modèle hybride enfichable, promettant une autonomie de 48 kilomètres de sa batterie 16 kWh. Après quoi, le V6 Pentastar prend le relais en association avec le moteur électrique. Selon l'utilisation moyenne, et dans un monde idéal, la cote de consommation pourrait alors se situer à 2,9 litres aux 100 kilomètres, en considérant que le véhicule est constamment branché. Désavantage: un gain en poids de près de 300 kilos, une masse importante considérant que ce type de véhicule est souvent chargé à bloc..

AU VOLANT > Soyons honnête, la boîte automatique à 9 rapports, conçue par ZF, est un désastre. Depuis son intégration à bord du Cherokee, elle n'a jamais su démontrer un rendement adéquat. Les passages de vitesses sont donc saccadés, sans compter une forte hésitation lors de la rétrogradation. En milieu urbain, cette hésitation devient fort agaçante. Heureusement, le reste du bilan est positif. La Pacifica est non seulement confortable, mais drôlement plus inspirante à conduire. La suspension est parfaitement calibrée, le freinage contient plus de mordant, la rigidité structurelle permet de gagner en confiance et le V6 montre toujours un couple généreux. Mentionnons également une très bonne note au chapitre de l'insonorisation, même sur les modèles équipés de ce gigantesque toit ouvrant panoramique.

CONCLUSION > Pour 2017, la Grand Caravan demeure au catalogue, inchangée. Une chance, car avec un prix d'entrée à 43 995 $, la Pacifica n'est pas offerte à toutes les bourses. Allez-y pour la totale, et vous débourserez avec les options au-delà des 55 000 $, en excluant bien sûr les rabais promotionnels. Le voilà donc, le plus grand défi de Chrysler. Persuader la clientèle de débourser pour une fourgonnette « premium » qui n'a pas la réputation des japonaises. Somme toute, un produit très convaincant, mais qui doit hélas faire ses preuves... ■

HISTORIQUE

Celle qu'on surnommait jadis l'Autobeaucoup a fait son apparition en 1983, sous le nom de Dodge Caravan et Plymouth Voyager. Chrysler a pour sa part fait renaître le nom Town & Country en 1990 sur une version plus cossue de sa fourgonnette. Cette année, la Town & Country laisse place à la Pacifica, une nomenclature qui avait été aussi utilisée de 2004 à 2008 sur un véhicule multisegment.

Chrysler Town & Country 1990

Chrysler Town & Country 1994

Chrysler Town & Country 1999

Chrysler Town & Country 2015

Chrysler Pacifica 2004

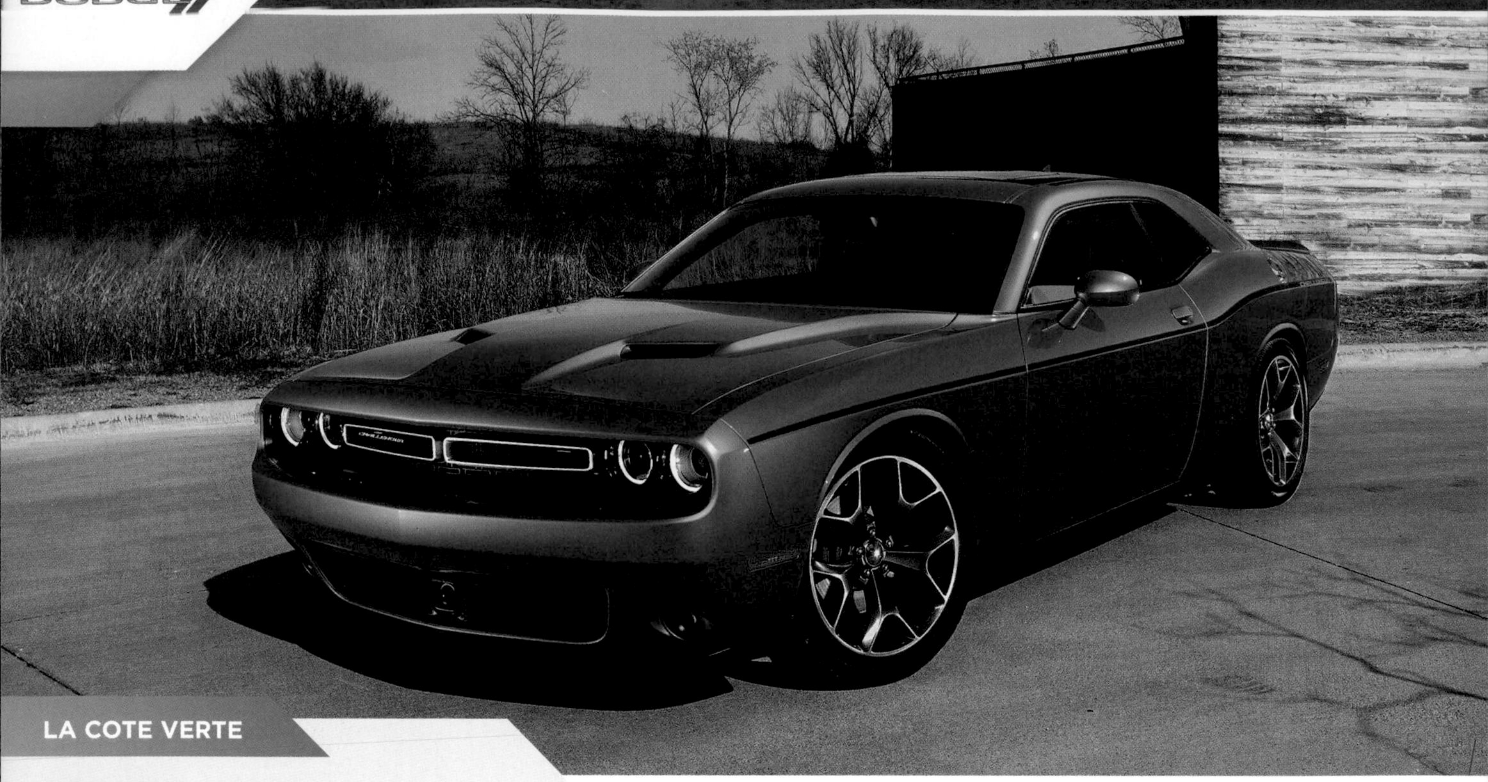

LA COTE VERTE

MOTEUR V6 DE 3,6 L
CONSOMMATION (100 km) ville 12,4 L, route 7,8 L
CONSOMMATION ANNUELLE 1 751 L, 2 101 $
INDICE D'OCTANE 87
ÉMISSIONS POLLUANTES CO_2 4 027 kg/an
(source : ÉnerGuide)

FICHE D'IDENTITÉ

VERSION(S) SXT, SXT Plus, R/T, R/T Shaker, Scat Pack Shaker, SRT 392, SRT Hellcat
TRANSMISSION(S) arrière
PORTIÈRES 2 **PLACES** 5
PREMIÈRE GÉNÉRATION 2008
GÉNÉRATION ACTUELLE 2015
CONSTRUCTION Brampton, Ontario, Canada
COUSSINS GONFLABLES 6 (frontaux, latéraux avant et rideaux latéraux)
CONCURRENCE Chevrolet Camaro, Ford Mustang, Hyundai Genesis Coupe, Infiniti Q60, Nissan 370 Z

AU QUOTIDIEN

COLLISION FRONTALE 5/5
COLLISION LATÉRALE 5/5
VENTES DU MODÈLE L'AN DERNIER
AU QUÉBEC 259 (+104 %) **AU CANADA** 2 669 (+64,4 %)
DÉPRÉCIATION (%) 20,3 (3 ans)
RAPPELS (2011 à 2016) 7
COTE DE FIABILITÉ 3/5

GARANTIES... ET PLUS

GARANTIE GÉNÉRALE 3 ans/60 000 km
GROUPE MOTOPROPULSEUR 5 ans/100 000 km
PERFORATION 5 ans/160 000 km
ASSISTANCE ROUTIÈRE 5 ans/100 000 km
NOMBRE DE CONCESSIONNAIRES
AU QUÉBEC 93 **AU CANADA** 440

NOUVEAUTÉS EN 2017

La version R/T Scat Pack devient R/T 392, nouvelles jantes, sièges de cuir spécifiques sur SRT Hellcat, nouvelle palette de couleurs

DE 7 À 77 ANS

L'aventure ne devait durer que quelques années. Du moins, c'est ce qu'on a entendu à maintes reprises à propos du parcours de la Dodge Challenger. Puis on se réveille une dizaine d'années plus tard et elle est toujours au carnet de commandes du groupe FCA. Mieux que ça. Non seulement y figure-t-elle toujours, mais elle se décline en tellement de variantes que faire un choix rapide et éclairé relève de la folie. Un des acheteurs types a déjà possédé une édition 1970 munie d'un tonitruant V8 et souhaite, avant qu'il ne soit trop tard, revivre une époque qui l'a marqué. Car la Challenger, c'est aussi ça; un achat guidé par l'émotion. Que réserve l'avenir à ce modèle ? Nous verrons bien, mais ça importe peu; ce qui compte avec une Challenger, c'est le moment présent.

Daniel Rufiange

TOUR DU PROPRIÉTAIRE > En raison de son style rétro, d'abord emprunté au modèle 1970, Dodge a les mains liées lorsque vient le temps de jouer avec l'enveloppe de son muscle car. Heureusement, les lignes de la Challenger sont encore belles, et ce, malgré les années.

Lorsqu'on a osé les retoucher, en 2015, on s'est amusé avec des détails, surtout en incorporant au design des éléments de la cuvée 1971. D'ailleurs, l'année 2017 est marquée par un hommage

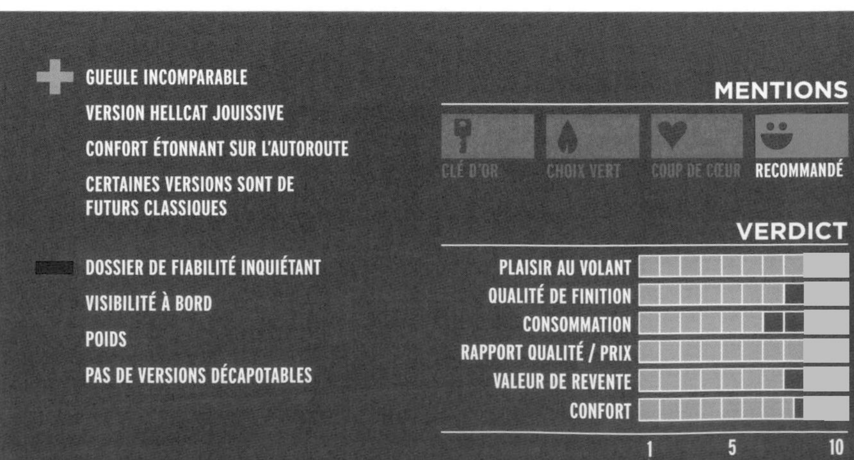

à ce millésime alors qu'on retrouve de nouvelles couleurs et bandes contrastantes qui étaient disponibles il y a 46 ans. Pour ceux qui rêvent d'une Challenger Plum Crazy (le fameux mauve), cette teinte s'efface pour 2017. Du reste, les variantes sont les mêmes. Le seul changement : la Scat Pack devient la R/T 392.

VIE À BORD > Si l'accent est mis sur le rétro à l'extérieur, c'est tout le contraire à bord alors qu'on nous propose un environnement très moderne. Plus on grimpe dans la gamme, plus les matériaux gagnent en noblesse. La présentation plaît à l'œil et les cadrans peuvent adopter différents styles selon la configuration choisie. Au centre de la console peuvent reposer deux tailles d'écran de 8,4 et 7 pouces, encore là, selon le modèle retenu. Le centre nerveux est assuré par le système Uconnect, l'un des plus simples d'utilisation à travers l'industrie.

Quant au confort, il est assuré par des baquets fort confortables. Sur les versions plus musclées, c'est encore mieux alors que le degré de soutien est supérieur.

TECHNIQUE > Sous le capot, on peut y perdre son latin. D'entrée de jeu, on vous propose le V6 de 3,6 litres, lequel avance 305 chevaux. On pourrait s'arrêter, car il sert très bien la Challenger. Mais avec le V8 HEMI de 5,7 litres, on jouit d'un surplus de puissance intéressant et d'une musique séduisante à chaque sollicitation des gaz. On atteint la démence en optant pour toute autre version, que ce soit la R/T 392 et son moteur HEMI de 6,4 litres ou celle qui reçoit le bloc V8 de 6,2 litres surcomprimé, l'incomparable version SRT Hellcat, capable de 707 chevaux. Une boîte automatique à 8 rapports est d'office sur les livrées à moteur V6, alors qu'elle est en option ailleurs. Dodge équipe ses Challenger à moteur V8 d'une boîte de vitesse manuelle à 6 rapports.

AU VOLANT > Au cours des 18 derniers mois, j'ai eu l'occasion de piloter chacune des variantes de la Challenger. Dans tous les cas, deux constats : le confort est celui d'une grande routière et la puissance est, selon la version, suffisante, pétillante, décapante ou démente. En toute honnêteté, le moteur V6, c'est assez. Cependant, si vous avez la possibilité de monter en grade pour vous offrir une des versions à moteur V8, écoutez votre voix intérieure qui vous invite à succomber à la tentation. On ne s'ennuie jamais au volant de la Challenger, même si elle fait de l'embonpoint et que la Mustang peut lui faire la barbe sur un circuit.

CONCLUSION > Le choix d'une voiture comme la Challenger est davantage une affaire d'émotion que de raison. Il y a toutefois un hic majeur : le bilan de fiabilité qu'en fait Consumer Reports est peu reluisant. Voilà qui rend le choix déchirant. ■

2e OPINION

Vincent Aubé

Toujours rien à signaler du côté du *muscle car* de FCA. La silhouette est toujours aussi rétro - il n'y a rien de mal là-dedans -, tandis que les motorisations offertes font passer le coupé assemblé en Ontario d'une vulgaire option de voiture de location (avec le V6) à un monstre surpuissant de 707 chevaux. Le meilleur compromis se situe entre les deux, la version SRT étant très bien nantie sous le long capot avec son V8 HEMI. Des trois muscle cars de Détroit, la Challenger est la plus confortable, mais son poids handicape quelque peu sa tenue de route. Disons seulement qu'elle ne peut pas tenir la cadence imposée par les deux autres sur une route sinueuse.

FICHE TECHNIQUE

MOTEUR(S)

(SXT) V6 3,6 L DACT
PUISSANCE 305 ch. à 6 350 tr/min **COUPLE** 268 lb-pi à 4 800 tr/min
RAPPORT POIDS/PUISSANCE 5,7 kg/ch
BOÎTE(S) DE VITESSES automatique à 8 rapports avec mode manuel et manettes au volant
PERFORMANCES 0-100 km/h 6,5 s **VITESSE MAXIMALE** 210 km/h

(R/T) V8 5,7 L ACC
PUISSANCE auto. 372 ch à 5 200 tr/min **man.** 375 ch à 5 150 tr/min
COUPLE auto. 400 lb-pi à 4 400 tr/min **man.** 410 lb-pi à 4 300 tr/min
RAPPORT POIDS/PUISSANCE 5,0 kg/ch
BOÎTE(S) DE VITESSES automatique à 8 rapports avec mode manuel et manettes au volant, manuelle à 6 rapports (option)
PERFORMANCES 0-100 km/h 5,6 s **REPRISE 80-115 km/h** 3,7 s
FREINAGE 100-0 km/h 38,6 m **NIVEAU SONORE À 100 km/h** Moyen
VITESSE MAXIMALE 235 km/h
CONSOMMATION (100 km) man. ville 15,6 L, route 10,0 L
auto. ville 14,8 L, route 9,3 L (octane 89, 87 utilisable)
ANNUELLE man. 2 227 L, 2 672 $ **auto.** 2 091 L, 2 509 $
ÉMISSIONS DE CO_2 man. 5 122 kg/an **auto.** 4 809 kg/an

(R/T 392, SRT) V8 6,4 L ACC
PUISSANCE 485 ch à 6 000 tr/min **COUPLE** 475 lb-pi à 4 200 tr/min
RAPPORT POIDS/PUISSANCE 4,0 kg/ch
BOÎTE(S) DE VITESSES automatique à 8 rapports avec mode manuel et manettes au volant, manuelle à 6 rapports (option)
PERFORMANCES 0-100 km/h 4,6 s
REPRISE 80-115 km/h 2,9 s
FREINAGE 100-0 km/h 35,7 m
VITESSE MAXIMALE man. 291 km/h **auto.** 282 km/h
CONSOMMATION (100 km) man. ville 16,8 L, route 10,4 L
auto. ville 15,7 L, route 9,5 L (octane 91)
ANNUELLE man. 2 363 L, 3 190 $ **auto.** 2 193 L, 2 961$
ÉMISSIONS DE CO_2 man. 5 435 kg/an **auto.** 5 044 kg/an

(SRT Hellcat) V8 6,2 L ACC à compresseur volumétrique
PUISSANCE 707 ch à 6 000 tr/min **COUPLE** 650 lb-pi à 4 000 tr/min
RAPPORT POIDS/PUISSANCE 2,8 kg/ch
BOÎTE(S) DE VITESSES automatique à 8 rapports avec mode manuel et manettes au volant, manuelle à 6 rapports (option)
PERFORMANCES 0-100 km/h 3,9 s **VITESSE MAXIMALE** 320 km/h
CONSOMMATION (100 km) man. ville 18,1 L, route 11,4 L
auto. ville 17,6 L, route 10,7 L (octane 91)
ANNUELLE man. 2 567 L, 3 465 $ **auto.** 2 465 L, 3 328 $
ÉMISSIONS DE CO_2 man. 5 904 kg/an **auto.** 5 669 kg/an

AUTRES COMPOSANTS

SÉCURITÉ ACTIVE Freins ABS, assistance au freinage, répartition électronique de la force de freinage, contrôle électronique de la stabilité, antipatinage, régulateur de vitesse adaptatif, avertisseurs d'impact imminent, d'obstacle latéral et arrière, assistance au freinage en cas d'utilisation simultanée des freins et de l'accélérateur, aide au départ en pente
SUSPENSION avant/arrière indépendante **FREINS** avant/arrière disques
DIRECTION à crémaillère, assistée électriquement **SRT Hellcat** assistée
PNEUS SXT P235/55R18 **SXT Plus/R/T/SRT/option SXT** P245/45R20
SRT Hellcat/option SRT P275/40R20

DIMENSIONS

EMPATTEMENT 2 946 mm **SRT Hellcat** 2 951 mm
LONGUEUR 5 023 mm **SRT** 5 028 mm **SRT Hellcat** 5 018 mm
LARGEUR 1 923 mm
HAUTEUR 1 449 mm **SRT** 1 419 mm **SRT Hellcat** 1 416 mm
POIDS SXT 1 735 kg **R/T** 1 852 kg **SRT** 1 923 kg **SRT Hellcat** 2 018 kg
RÉPARTITION DU POIDS AV/ARR (%) SXT 52/48 **R/T** 53/47 **SRT** 55/45 **SRT Hellcat** 57/43
DIAMÈTRE DE BRAQUAGE 11,4 m **SRT Hellcat** 11,7 m
COFFRE 459 L **RÉSERVOIR DE CARBURANT** 72,2 L **SRT** 70 L
CAPACITÉ DE REMORQUAGE 3.6, 5.7 454 kg **SRT** non recommandé

LA COTE VERTE

MOTEUR V6 DE 3,6 L
CONSOMMATION (100 km) 2RM ville 12,4 L, route 7,7 L
4RM ville 12,8 L, route 8,6 L
CONSOMMATION ANNUELLE 2RM 1 751 L, 2 101 $ **4RM** 1 853 L, 2 224 $
INDICE D'OCTANE 87
ÉMISSIONS POLLUANTES CO_2 2RM 4 027 kg/an 4RM 4 262 kg/an
(source: ÉnerGuide)

FICHE D'IDENTITÉ

VERSION(S) 2RM SE, SXT, SXT Plus, R/T, R/T 392, SRT 392, SRT Hellcat
4RM SE, SXT, SXT Plus
TRANSMISSION(S) arrière, 4
PORTIÈRES 4 **PLACES** 5
PREMIÈRE GÉNÉRATION 2006
GÉNÉRATION ACTUELLE 2011
CONSTRUCTION Brampton, Ontario, Canada
COUSSINS GONFLABLES 7 (frontaux, latéraux avant, genoux conducteur, rideaux latéraux)
CONCURRENCE Buick LaCrosse, Chevrolet Impala, Chrysler 300, Ford Taurus, Genesis G80, Kia Cadenza, Lexus ES, Nissan Maxima, Toyota Avalon

AU QUOTIDIEN

COLLISION FRONTALE 5/5
COLLISION LATÉRALE 5/5
VENTES DU MODÈLE L'AN DERNIER
AU QUÉBEC 400 (+3,9 %) **AU CANADA** 4 518 (+22,0 %)
DÉPRÉCIATION (%) 44,3 (3 ans)
RAPPELS (2011 à 2016) 13
COTE DE FIABILITÉ 2,5/5

GARANTIES... ET PLUS

GARANTIE GÉNÉRALE 3 ans/60 000 km
GROUPE MOTOPROPULSEUR 5 ans/100 000 km
PERFORATION 5 ans/160 000 km
ASSISTANCE ROUTIÈRE 5 ans/100 000 km
NOMBRE DE CONCESSIONNAIRES
AU QUÉBEC 93 **AU CANADA** 440

NOUVEAUTÉS EN 2017

Disponibilité de version Blacktop sur SE, SXT et R/T, options de jantes et d'ensembles simplifiées, version R/T Scat Pack devient R/T 392, abandon de la version R/T Road & Track, sièges de cuir spécifiques sur la SRT Hellcat, nouvelle palette de couleurs

BERLINE CULTURISTE

Un jeune de 26 ans propriétaire d'une Taurus toute neuve, vous avez déjà vu ? Et d'une Impala ? Bien sûr que non. Pourtant, il n'est pas rare de voir de jeunes conducteurs au volant d'une Charger, signe que cette voiture rejoint une clientèle bien différente de ses rivales les plus proches. Il faut dire que le nom Charger évoque la passion automobile plus efficacement que toute compétition, et ce, même si les performances d'une Taurus SHO peuvent être louables.

Antoine Joubert

TOUR DU PROPRIÉTAIRE > La culture du muscle attribuable à la Charger n'est pas un hasard. Plus que jamais, Dodge exploite ce filon en proposant des versions non seulement de très haute performance, mais aussi modifiant chaque année quelques petits éléments qui nourrissent les discussions des amateurs de bolides Mopar. Cette année, l'expansion de l'ensemble BlackTop sur les versions SE, SXT et R/T plaira notamment à ceux qui ont le chrome en horreur. On renomme également la version R/T Scat Pack par R/T 392, puis on ramène aussi au catalogue une teinte du passé pour le moins voyante, baptisée Yellow Jacket. Évidemment, le style affirmé de cette berline est à la base très aguichant. Merci d'ailleurs aux stylistes d'avoir concocté ce qui constitue l'une des plus belles voitures de police de tous les temps, laquelle est par le fait même facilement reconnaissable (*yeah*!) grâce à ses phares et ses feux arrière uniques.

+
- BELLE, QU'IMPORTE LA VERSION
- COMPORTEMENT ROUTIER AGRÉABLE
- PERFORMANCES HALLUCINANTES (SRT ET HELLCAT)
- POSTE DE CONDUITE BIEN CONÇU

−
- DÉPRÉCIATION ÉPOUVANTABLE (SE/SXT)
- CONSOMMATION TRÈS ÉLEVÉE, SAUF SUR ROUTE (V8)
- FIABILITÉ INÉGALE
- CONCEPTION VIEILLISSANTE

MENTIONS

CLÉ D'OR | CHOIX VERT | COUP DE CŒUR | RECOMMANDÉ

VERDICT

PLAISIR AU VOLANT
QUALITÉ DE FINITION
CONSOMMATION
RAPPORT QUALITÉ / PRIX
VALEUR DE REVENTE
CONFORT

1 5 10

Maintenant, le look hyper agressif des versions SRT 392 et Hellcat nous emmène dans une autre dimension, avec un museau massif, un capot outrageux et de gigantesques roues de 20 pouces.

VIE À BORD > Bien dessinée, la planche de bord arbore un écran central tactile de 8,4 pouces (en option) ainsi qu'un bloc d'instruments très moderne. La présentation est soignée et le souci du détail est remarquable. Encore une fois, les amateurs de la marque sont servis à souhait. Hélas, l'habitacle respire malheureusement la coupe budgétaire à quelques endroits, comme en témoignent certains plastiques bon marché. Même la version Hellcat, qui nous sert une sellerie mi-cuir, mi-alcantara, déçoit par endroits.

TECHNIQUE > Ce n'est un secret pour personne, la Charger repose sur une vieillissante plate-forme qui a été empruntée à Mercedes-Benz lors de l'association entre Daimler et Chrysler. Cette architecture n'est pas dépassée, mais oblige aujourd'hui le constructeur à se faire anticonformiste, alors que l'ensemble de la concurrence propose des berlines à traction. Voilà pourquoi Dodge met l'accent sur la transmission intégrale, particulièrement appréciée au nord de la frontière canado-américaine et qui permet à la Charger de bien se débrouiller toute l'année durant. Hélas, on ne la trouve qu'avec les versions à 6 cylindres, lesquelles constituent évidemment la majorité des ventes. Autrement, on pourra opter pour des versions propulsées à moteur V8, dont la puissance varie pratiquement du simple au double.

AU VOLANT > La Charger nous fait sentir son poids, surtout lorsque dotée d'un V8. Hélas, les freins ne sont pas à la hauteur des performances de la voiture, qu'importe la version. Vous songez au 6-cylindres ? Vous faites un très bon choix. Ce moteur est fiable, raisonnable en matière de consommation et très agréable au quotidien. Maintenant, l'amateur de performances ne peut que rêver du moteur suralimenté de la version Hellcat, laquelle développe 707 chevaux. Une puissance époustouflante bonne pour un quart de mille en 12,2 secondes. C'est du moins le meilleur résultat que j'ai pu obtenir, avec un minimum de patinage des roues arrière. Puissante, voire violente, la Hellcat n'est pas pour autant inconfortable. Elle peut même se montrer raisonnable en matière de consommation de carburant, avec une moyenne sur route oscillant autour des 10 litres aux 100 kilomètres. Maintenant, ne pensez pas suivre avec elle une Porsche sur un circuit. Cette berline est puissante et musclée, mais loin d'être agile comme une authentique sportive.

CONCLUSION > En excluant les versions sportives, la dépréciation demeure le seul gros obstacle de la Charger. Les parcs de location qui revendent rapidement leurs véhicules en sont remplis, et la demande pour les grosses berlines traditionnelles est aujourd'hui minime. Acheter d'occasion ou négocier de façon très ardue se veulent donc les deux solutions pour vous en sortir de façon raisonnable. Cela dit, une bagnole différente, aguichante, et malheureusement une race appelée à disparaître. ■

2e OPINION

Daniel Rufiange

Dodge a beau traîner une mauvaise réputation en matière de fiabilité, elle offre des produits qui génèrent de l'émotion. Ça, dans l'univers automobile, c'est très vendeur. Si la Challenger est peut-être celle qui titille davantage les tripes, la Charger n'est pas en reste avec sa mine agressive et son choix de moteurs qui nous rappelle la glorieuse époque des muscle car. En fait, personnellement, je ne vois pas pourquoi, comme acheteur, je choisirais le modèle de base équipé du moteur V6 Pentastar. Tant qu'à me payer une Charger, j'irais pour la totale avec un modèle Hellcat ou, du moins, une version SRT garnie d'un V8 aussi capable de faire chanter le bitume. Du moins, avec une de ces dernières, vous profiterez d'une certaine valeur de revente... à condition de faire attention à votre monture.

FICHE TECHNIQUE

MOTEUR(S)

(SE, SXT) V6 3,6 L DACT
PUISSANCE 292 ch à 6 350 tr/min, 300 ch (groupe Rallye)
COUPLE 260 lb-pi à 4 800 tr/min, 264 lb-pi (groupe Rallye)
RAPPORT POIDS/PUISSANCE 6,1 à 6,5 kg/ch
BOÎTE(S) DE VITESSES automatique à 8 rapports avec mode manuel
PERFROMANCES 0-100 km/h 7,0 s **REPRISE 80-115 km/h** 5,5 s
NIVEAU SONORE À 100 km/h Moyen **VITESSE MAXIMALE** 210 km/h

(R/T) V8 5,7 L ACC
PUISSANCE 370 ch à 5 250 tr/min **COUPLE** 395 lb-pi à 4 200 tr/min
RAPPORT POIDS/PUISSANCE 5,2 kg/ch
BOÎTE(S) DE VITESSES automatique à 8 rapports avec mode manuel
PERFORMANCES 0-100 km/h 5,9 s
REPRISE 80-115 km/h 3,8 s **FREINAGE 100-0 km/h** 40,0 m
VITESSE MAXIMALE 250 km/h
CONSOMMATION (100 km) ville 14,8 L, route 9,3 L (octane 87)
ANNUELLE 2 091 L, 2 509 $ **ÉMISSIONS DE CO_2** 4 809 kg/an

(R/T 392, SRT 392) V8 6,4 L ACC
PUISSANCE 485 ch à 6 000 tr/min
COUPLE 475 lb-pi à 4 200 tr/min
RAPPORT POIDS/PUISSANCE 4,1 kg/ch
BOÎTE(S) DE VITESSES automatique à 8 rapports avec mode manuel
PERFORMANCES 0-100 km/h 4,5 s
REPRISE 80-115 km/h 3,3 s **FREINAGE 100-0 km/h** 39,0 m
VITESSE MAXIMALE 280 km/h
CONSOMMATION (100 km) ville 15,7 L, route 9,5 L (octane 91)
ANNUELLE 2 193 L, 2 961 $ **ÉMISSIONS DE CO_2** 5 044 kg/an

(SRT HELLCAT) V8 6,2 L ACC à compresseur volumétrique
PUISSANCE 707 ch à 6 000 tr/min **COUPLE** 650 lb-pi à 4 800 tr/min
RAPPORT POIDS/PUISSANCE 2,9 kg/ch
BOÎTE(S) DE VITESSES automatique à 8 rapports avec mode manuel
PERFORMANCES 0-100 km/h 3,6 s
REPRISE 80-115 km/h 2,3 s **FREINAGE 100-0 km/h** 37,8 m
VITESSE MAXIMALE 328 km/h
CONSOMMATION (100 km) ville 17,6 L, route 10,7 L (octane 91)
ANNUELLE 2 465 L, 3 328 $ **ÉMISSIONS DE CO_2** 5 669 kg/an

AUTRES COMPOSANTS

SÉCURITÉ ACTIVE (certains en option) Freins ABS, assistance au freinage, répartition électronique de la force de freinage, contrôle électronique de la stabilité, antipatinage, régulateur de vitesse adaptatif, avertisseurs de collision imminente avec freinage autonome, avertisseurs d'obstacle latéral et arrière, assistance en cas de sortie de voie, aide au départ en pente
SUSPENSION avant/arrière indépendante
FREINS avant/arrière disques
DIRECTION à crémaillère, assistée électriquement
PNEUS SE P215/65R17 **SXT/option SE** P235/55R18 **SE 4RM/SXT 4RM** P235/55R19 **Blacktop/R/T/option SXT** P245/45R20 **SRT 392/Hellcat** P275/40R20

DIMENSIONS

EMPATTEMENT 3 052 mm **SRT** 3 058 mm
LONGUEUR 5 040 mm **R/T 392/SRT** 5 100 mm
LARGEUR 1 905 mm **HAUTEUR** 1 479 mm
POIDS SE 1 785 kg **SE 4RM** 1 886 kg **SXT** 1 799 kg **SXT 4RM** 1 900 kg **R/T** 1 934 kg **R/T 392** 1 996 kg **SRT 392** 2 000 kg **Hellcat** 2 075 kg
RÉPARTITION DU POIDS AV/ARR (%) 52/48
DIAMÈTRE DE BRAQUAGE 11,5 m **4RM** 11,8 m **R/T 392** 11,4 m **SRT 392** 11,6 m **Hellcat** 11,7 m
COFFRE 467 L **RÉSERVOIR DE CARBURANT** 70 L
CAPACITÉ DE REMORQUAGE 454 kg

LA COTE VERTE

MOTEUR V6 DE 3,6 L
CONSOMMATION (100 km) ville 12,8 L, route 9,5 L
CONSOMMATION ANNUELLE 1 921 L, 2 305 $
INDICE D'OCTANE 87
ÉMISSIONS POLLUANTES CO_2 4 418 kg/an
(source : ÉnerGuide)

FICHE D'IDENTITÉ

VERSION(S) SXT, GT, R/T, Citadel
TRANSMISSION(S) 4
PORTIÈRES 5 **PLACES** 7, 6 (option)
PREMIÈRE GÉNÉRATION 1998
GÉNÉRATION ACTUELLE 2011
CONSTRUCTION Detroit, Michigan, É-U
COUSSINS GONFLABLES 7 (frontaux, genoux conducteur, latéraux avant, rideaux latéraux)
CONCURRENCE Chevrolet Traverse/GMC Acadia, Ford Explorer, Hyundai Santa Fe XL, Jeep Grand Cherokee, Kia Sorento, Nissan Pathfinder, Toyota 4Runner/Highlander

AU QUOTIDIEN

COLLISION FRONTALE 4/5
COLLISION LATÉRALE 5/5
VENTES DU MODÈLE L'AN DERNIER
AU QUÉBEC 212 (+8,2 %) **AU CANADA** 3 659 (+22,9 %)
DÉPRÉCIATION (%) 37,3 (3 ans)
RAPPELS (2011 à 2016) 16
COTE DE FIABILITÉ 2/5

GARANTIES... ET PLUS

GARANTIE GÉNÉRALE 3 ans/60 000 km
GROUPE MOTOPROPULSEUR 5 ans/100 000 km
PERFORATION 5 ans/160 000 km
ASSISTANCE ROUTIÈRE 5 ans/100 000 km
NOMBRE DE CONCESSIONNAIRES
AU QUÉBEC 93 **AU CANADA** 440

NOUVEAUTÉS EN 2017

Version Limited remplacée par GT avec phares à DEL, roues de 20 po. à fini « hyper black », échappement double, sièges de cuir. Intérieur Citadel Platinum siège cuir noir et sépia, avec accents métalliques platine. Nouvelles jantes « Blacktop » disponibles (noir luisant), avertisseur de sortie de voie et assistance au maintien de voie ajouté au groupe Technologie, rails de toit noir luisant disponibles sur R/T, nouvelle caméra arrière, nouveau rétroviseur adaptatif. 2 nouvelles couleurs.

L'A-T-ON OUBLIÉ ?

Lorsqu'il est question de multisegment intermédiaire, la clientèle québécoise pense systématiquement aux Pilot, Explorer, Pathfinder et Highlander, modèles de référence dans le segment. Ajoutez à cela GM, qui s'est toujours bien défendue dans le créneau, ainsi que le duo coréen qui, chaque année, accapare des parts de marché, et vous avez là un segment où la compétition est très forte. Mais qu'en est-il de FCA ? Jeep ne propose toujours pas de véhicule à sept passagers (ça viendra sous peu) tandis que le Dodge Durango, aussi convaincant puisse-t-il être, semble être carrément oublié par la clientèle. Pour un constructeur qui garde sa tête hors de l'eau uniquement grâce aux camions, avouez que c'est curieux !

Antoine Joubert

TOUR DU PROPRIÉTAIRE > Lancé en 1998, le Durango était à l'époque basé sur la camionnette Dakota, faisant appel à un châssis autonome. Comme ses rivaux (Explorer, Pathfinder), le véhicule s'est aujourd'hui transformé en multisegment. On propose donc désormais un produit beaucoup plus raffiné que jadis, mais toujours aussi macho, et qui a su vieillir en beauté. Il faut dire que la dernière refonte majeure remonte à 2011, les retouches esthétiques apportées au fil des ans l'ayant aidé à conserver un look aussi moderne qu'agressif. Depuis l'an

\+
- LIGNE TOTALEMENT RÉUSSIE
- COMPORTEMENT ROUTIER SURPRENANT
- MOTEUR V6 EFFICACE
- PRÉSENTATION INTÉRIEURE ET ERGONOMIE D'ENSEMBLE

\-
- DÉPRÉCIATION ÉPOUVANTABLE
- PRIX ÉLEVÉS
- CONSOMMATION ÉLEVÉE (V8)
- MOTEUR ECODIESEL NON DISPONIBLE

MENTIONS

CLÉ D'OR CHOIX VERT COUP DE CŒUR RECOMMANDÉ

VERDICT

PLAISIR AU VOLANT
QUALITÉ DE FINITION
CONSOMMATION
RAPPORT QUALITÉ / PRIX
VALEUR DE REVENTE
CONFORT
1
5
10

dernier, l'option la plus populaire réside dans l'ensemble Blacktop, lequel consiste à éliminer toute forme de chrome sur le véhicule pour laisser place au noir lustré. Pour 2017, on le retrouve sur les modèles GT et R/T.

VIE À BORD > Spacieux, le Durango accueille jusqu'à 7 occupants, 6 si vous optez pour les sièges capitaines à la seconde rangée. On peut évidemment abaisser ces sièges afin d'obtenir un excellent volume cargo et un plancher plat, mais vous réaliserez que le seuil élevé handicape légèrement le dégagement en hauteur. Les occupants pourraient aussi être déçus par le confort sommaire des sièges arrière, qui n'a rien à voir avec celui des baquets avant. Ceux-ci impressionnent d'ailleurs autant par leur confort que par leur maintien. Quant au conducteur, il profite d'un environnement finement étudié sur le plan ergonomique, élégant et de belle facture. Bien sûr, les modèles plus cossus proposent une finition plus noble, mais même la version SXT se présente bien. Il n'y a en fait que l'écran tactile de 8,4 pouces qui, dans cette version, brille par son absence. Ce dernier est d'une grande efficacité et facilite la gestion de pratiquement tous les équipements à bord du véhicule.

TECHNIQUE > De série, le V6 Pentastar effectue un boulot formidable. Généreux en couple, performant et raisonnable en matière de consommation de carburant (environ 12 L aux 100 km), il constitue un choix beaucoup plus sensé que le V8 HEMI, gourmand à souhait, mais capable de remorquer des charges atteignant 7 200 livres. Dommage que le moteur EcoDiesel ne soit pas offert, puisque ce dernier attirerait sans doute beaucoup d'acheteurs.

AU VOLANT > Avec une répartition des masses idéale à près de 50/50, le Durango propose une conduite non seulement agréable, mais également plus dynamique que la moyenne de ses rivaux. La direction précise et la suspension bien calibrée laissent transparaître un sentiment de confiance souvent difficile à trouver dans ce genre de véhicule. Même en milieu urbain, le véhicule est maniable, malgré un certain encombrement. Et malgré tout, le confort demeure exceptionnel. Comme seule ombre au tableau, mentionnons les secousses occasionnelles issues de la boîte automatique à 8 rapports ainsi que l'épaisseur des piliers A qui gêne la visibilité.

CONCLUSION > Méconnu et visiblement mal publicisé, le Durango mérite un bien meilleur sort. Certes, la fiabilité n'est pas aussi impressionnante qu'avec un Toyota Highlander, mais celle-ci s'est beaucoup améliorée depuis 2011. Hélas, parce que FCA en produit en grande quantité et que ceux-ci sont souvent dirigés vers des agences de location, l'offre sur le marché de l'occasion est aujourd'hui nettement supérieure à la demande. Résultat, la dépréciation est très forte, ce qui vous obligera à négocier fort et à exiger un gros rabais. Car le prix d'achat tel qu'indiqué sur l'étiquette de vitre est tout simplement trop élevé... ■

2e OPINION

Daniel Rufiange

Bien que le Durango soit le frère de sang du Jeep Grand Cherokee, la proportion des ventes du premier par rapport au deuxième est d'environ 1 sur 10 au Québec. Deux raisons expliquent cet état des choses. D'abord, la réputation du deuxième fait de l'ombrage au premier; le Grand Cherokee est un monument sur le marché. Cependant, c'est dans le choix de motorisation que l'écart entre les deux se fait le plus sentir. Si une livrée démoniaque nommée SRT est livrable uniquement du côté de Jeep, la marque aux sept barres verticales est aussi la seule des deux à proposer une motorisation diesel, très prisée historiquement par les amateurs de ce produit. Voilà pour la logique, mais pour les émotions, tant l'un que l'autre sont capables de vous soulever. Un superbe produit.

FICHE TECHNIQUE

MOTEUR(S)

(SXT, GT, Citadel) V6 3,6 L DACT
PUISSANCE 290 ch à 6 400 tr/min
COUPLE 260 lb-pi à 4 800 tr/min
RAPPORT POIDS/PUISSANCE 7,7 à 8,0 kg/ch
BOÎTE(S) DE VITESSES automatique à 8 rapports avec mode manuel et manettes au volant
PERFORMANCES 0-100 km/h 7,3 s
REPRISE 80-115 km/h 6,3 s
FREINAGE 100-0 km/h 37,9 m
VITESSE MAXIMALE 210 km/h

(R/T, option GT et Citadel) V8 5,7 L ACC
PUISSANCE 360 ch à 5 150 tr/min
COUPLE 390 lb-pi à 4 250 tr/min
RAPPORT POIDS/PUISSANCE 6,7 à 6,8 kg/ch
BOÎTE(S) DE VITESSES automatique à 8 rapports avec mode manuel et manettes au volant
PERFROMANCES 0-100 km/h 6,4 s
VITESSE MAXIMALE 240 km/h
CONSOMMATION (100 km) ville 16,7 L route 10,7 L (octane 87)
ANNUELLE 2 380 L, 2 856 $
ÉMISSIONS DE CO_2 5 474 kg/an

AUTRES COMPOSANTS

SÉCURITÉ ACTIVE (certains en option) Freins ABS, assistance au freinage, répartition électronique de la force de freinage, contrôle électronique de la stabilité, antipatinage, régulateur de vitesse adaptatif, avertisseur d'impact imminent, fonction freinage d'urgence, avertisseurs d'obstacle latéral et arrière
SUSPENSION avant/arrière indépendante
FREINS avant/arrière disques
DIRECTION à crémaillère, assistée électriquement
PNEUS SXT, GT P265/60R18 **R/T, Citadel/option SXT et GT** P265/50R20

DIMENSIONS

EMPATTEMENT 3 042 mm
LONGUEUR 5 110 mm
LARGEUR 1 924 mm, 2 172 mm (incl. rétro.)
HAUTEUR 1 801 mm
POIDS V6 SXT 2 229 kg **GT** 2 262 kg **Citadel** 2 312 kg **V8 GT** 2 418 kg **Citadel** 2 448 kg **R/T** 2 418 kg
RÉPARTITION DU POIDS AV/ARR (%) V6 49/51 **V8** 51/49
DIAMÈTRE DE BRAQUAGE 11,3 m
COFFRE 490 L, 1 350 L, 2 390 L (sièges abaissés)
RÉSERVOIR DE CARBURANT 93 L
CAPACITÉ DE REMORQUAGE V6 2 812 kg **V8** 3 265 kg

LA COTE VERTE

MOTEUR V6 DE 3,6 L
CONSOMMATION (100 km) ville 14,1 L, route 9,5 L
CONSOMMATION ANNUELLE 2 040 L, 2 652 $
INDICE D'OCTANE 87
ÉMISSIONS POLLUANTES CO_2 4 692 kg/an
(source : ÉnerGuide)

FICHE D'IDENTITÉ

VERSION(S) Valeur Plus, SXT, SXT Premium Plus, Crew, Crew Plus, GT
TRANSMISSION(S) avant
PORTIÈRES 5 **PLACES** 7
PREMIÈRE GÉNÉRATION 1984
GÉNÉRATION ACTUELLE 2008
CONSTRUCTION Windsor, Ontario, Canada
COUSSINS GONFLABLES 8 (frontaux, latéraux/genoux avant, rideaux latéraux)
CONCURRENCE Honda Odyssey, Kia Sedona, Mercedes-Benz Metris, Toyota Sienna

AU QUOTIDIEN

COLLISION FRONTALE 4/5
COLLISION LATÉRALE 5/5
VENTES DU MODÈLE L'AN DERNIER
AU QUÉBEC 9 940 (+3,1 %) **AU CANADA** 46 927 (-9,3 %)
DÉPRÉCIATION (%) 53,1 (3 ans)
RAPPELS (2011 à 2016) 13
COTE DE FIABILITÉ 3/5

GARANTIES... ET PLUS

GARANTIE GÉNÉRALE 3 ans/60 000 km
GROUPE MOTOPROPULSEUR 5 ans/100 000 km
PERFORATION 5 ans/160 000 km
ASSISTANCE ROUTIÈRE 5 ans/100 000 km
NOMBRE DE CONCESSIONNAIRES
AU QUÉBEC 93 **AU CANADA** 440

NOUVEAUTÉS EN 2017

Abandon des certaines caractéristiques : système Blu-ray®/DVD, toit ouvrant, troisième rangée de sièges motorisée; essuie-glaces automatiques retirés du groupe Sécurité, modèle R/T renommé GT avec sièges et volant chauffants, stores aux 2è et 3è rangées et communication Bluetooth®, nouvelle palette de couleurs.

QUAND VOTRE PORTEFEUILLE PARLE

Cette année, on dit adieu à la Chrysler Town & Country. Essentiellement, une Dodge Grand Caravan à laquelle on avait greffé un peu plus de chrome. Cette dernière se voit remplacée par la Pacifica, nettement plus moderne et qui compte rivaliser plus sérieusement avec les Odyssey et Sienna de ce monde. Et la Grand Caravan, elle ? Eh bien... rien. Elle ne change pas. Elle poursuit sa carrière le plus simplement du monde en continuant de faire ce qu'elle fait de mieux, soit offrir aux familles un moyen de transport efficace au prix le plus alléchant qui soit.

Antoine Joubert

TOUR DU PROPRIÉTAIRE > Ne soyez donc pas étonné si la ligne de ce modèle vous semble vieillotte. En fait, elle entame en 2017 sa dixième année sans changement, un bilan qu'on attribuerait aussi au Jeep Patriot et à la Mitsubishi Lancer. Il faut dire que les ventes canadiennes de ce modèle continuent d'impressionner, ayant totalisé 56 000 unités en 2015 (Gd Caravan + Town & Country). FCA serait donc folle de l'abandonner, alors qu'elle ne coûte plus grand-chose à produire. Pour 2017, les changements sont donc minimes. On élimine l'option du toit ouvrant, on modifie quelques teintes de carrosserie et on remplace la version R/T par l'acronyme GT. Oui, une Grand Caravan GT ! Vous pouvez rire, c'est permis !

+
- COMMODITÉS ET POLYVALENCE DE L'HABITACLE
- PRIX INTÉRESSANT
- MOTEUR V6 EFFICACE

–
- FIABILITÉ AMÉLIORÉE, MAIS TOUJOURS INÉGALE
- CONFORT DES SIÈGES ARRIÈRE
- RENDEMENT DE LA BOÎTE AUTOMATIQUE
- DÉPRÉCIATION IMPORTANTE

MENTIONS

CLÉ D'OR | CHOIX VERT | COUP DE CŒUR | **RECOMMANDÉ**

VERDICT

PLAISIR AU VOLANT
QUALITÉ DE FINITION
CONSOMMATION
RAPPORT QUALITÉ / PRIX
VALEUR DE REVENTE
CONFORT

1 5 10

VIE À BORD > Il existe un monde entre le prix affiché et le prix réel de la Grand Caravan. Par exemple, on nous servait cet été le véhicule à 19 995 $... après un rabais de 8 000 $! Soyez sans crainte, les rabais seront toujours là cette année. Cela dit, les modèles plus intéressants demeurent selon moi les versions SXT et Crew. L'équipement est décent, le prix aussi, et on profite du système de sièges Stow N' Go, si cher à Chrysler. Évidemment, la Grand Caravan ne propose pas un environnement très moderne. Cela dit, la position de conduite est excellente et le confort demeure sans contredit un de ses points forts. Du moins, à l'avant. Car les sièges arrière, très minces, vous relèguent immédiatement au rang de la classe économique. En revanche, vous apprécierez leur modularité lorsque viendra le temps de les glisser sous le plancher, pour ainsi profiter d'un volume de charge de plus de 4 000 litres !

TECHNIQUE > Depuis 2011, la Grand Caravan nous sert le V6 Pentastar, un moteur fiable, puissant et généreux en couple. Et heureusement, ce dernier montre une bien meilleure économie de carburant que le précédent V6 de 4 litres, avec une moyenne combinée d'environ 12 litres aux 100 kilomètres. Conscients des problèmes répétés de freins, de suspension et de direction, les ingénieurs de Chrysler ont modifié au cours des dernières années plusieurs pièces de la Grand Caravan pour les rendre plus résistantes. Certains éléments de suspension ont notamment été renforcés alors que le diamètre des disques a été augmenté, ce qui explique la présence de roues de 17 pouces de série. On a donc réussi à corriger quelques problèmes majeurs de ce modèle pour conséquemment améliorer sa fiabilité.

AU VOLANT > Plus stable et mieux ancrée au sol que par le passé, la Grand Caravan propose aujourd'hui une conduite plus sécuritaire. Le freinage est plus efficace et la réaction de la suspension, sans être impressionnante, est plus rassurante. En fait, l'impression de valser au milieu de la route comme avec un modèle 2008 n'est plus. Parallèlement, le confort est remarquable et uniquement affecté par les passages de vitesse parfois saccadés de cette vieillissante boîte automatique à 6 rapports. Quant au V6, on apprécie son couple, sa vivacité, mais aussi sa facilité à remorquer des charges pouvant atteindre 3 600 livres.

CONCLUSION > S'agit-il de la meilleure fourgonnette du marché ? Non. Mais à ce prix, personne ne peut battre la Grand Caravan. Et la bonne nouvelle, c'est que la fiabilité, sans être exemplaire, s'est tout de même beaucoup améliorée. En fait, la seule erreur à ne pas faire est de choisir un modèle plus cossu, qui engendrerait une facture aussi élevée que celle de la concurrence. Alors non à un modèle GT, mais oui à la SXT. Et, de grâce, mollo avec les options! ■

2e OPINION

Luc-Olivier Chamberland

Lorsque Chrysler a annoncé le renouvellement de son monospace, nous étions loin de nous douter que la Grand Caravan resterait sur le marché encore pour une période indéterminée. Vieille et désuète, elle demeure malgré tout la meilleure option pour les familles avec un budget plus serré. Malgré ses défauts, et ils sont nombreux, elle continue de rendre de valeureux services à bien des familles qui n'ont pas 50 000 $ ou 60 000 $ à mettre sur la table pour trimbaler les enfants au soccer le dimanche matin. Sa cabine polyvalente demeure un modèle de fonctionnalité grâce à l'ingénieux système Stow N' Go. Le seul problème reste encore et toujours une fiabilité désolante.

FICHE TECHNIQUE

MOTEUR(S)

(GRAND CARAVAN) V6 3,6 L DACT
PUISSANCE 283 ch à 6 400 tr/min
COUPLE 260 lb-pi à 4 400 tr/min
RAPPORT POIDS/PUISSANCE 7,5 kg/ch
BOÎTE(S) DE VITESSES automatique à 6 rapports avec mode manuel
PERFORMANCES 0-100 km/h 7,5 s
REPRISE 80-115 km/h 5,5 s
FREINAGE 100-0 km/h 40,0 m
NIVEAU SONORE À 100 km/h Moyen
VITESSE MAXIMALE 200 km/h

AUTRES COMPOSANTS

SÉCURITÉ ACTIVE Freins ABS, assistance au freinage, répartition électronique de la force de freinage, contrôle électronique de la stabilité, antipatinage
SUSPENSION avant/arrière indépendante/semi-indépendante avec amortisseurs auto-nivelants en option
FREINS avant/arrière disques
DIRECTION à crémaillère, assistée
PNEUS P225/65R17

DIMENSIONS

EMPATTEMENT 3 078 mm
LONGUEUR 5 151 mm
LARGEUR 1 998 mm, 2 248 mm (incl. rétro.)
HAUTEUR 1 750 mm
POIDS 2 050 kg
RÉPARTITION DU POIDS AV/ARR (%) 56/44
DIAMÈTRE DE BRAQUAGE 11,9 m
COFFRE 934 L, 2 359 L, 4 072 L (sièges abaissés)
RÉSERVOIR DE CARBURANT 76 L
CAPACITÉ DE REMORQUAGE 1 633 kg (avec ensemble remorquage)

LA COTE VERTE

MOTEUR L4 DE 2,4 L
CONSOMMATION (100 km) ville 12,7 L, route 9,1 L
CONSOMMATION ANNUELLE 1 887 L, 2 264 $
INDICE D'OCTANE 87
ÉMISSIONS POLLUANTES CO_2 4 340 kg/an
(source : ÉnerGuide)

FICHE D'IDENTITÉ

VERSION(S) 2RM Valeur Plus, SXT V6 **2RM/4RM** Crossroad **4RM** GT
TRANSMISSION(S) avant, 4
PORTIÈRES 5 **PLACES** 5, 7
PREMIÈRE GÉNÉRATION 2009
GÉNÉRATION ACTUELLE 2009
CONSTRUCTION Toluca, Mexique
COUSSINS GONFLABLES 7 (frontaux, latéraux avant, genoux conducteur, rideaux latéraux)
CONCURRENCE Chevrolet Equinox/GMC Terrain, Ford Escape, Honda CR-V, Hyundai Santa Fe Sport, Jeep Cherokee, Kia Sorento, Mazda CX-5, Mitsubishi Outlander, Nissan Rogue, Subaru Forester, Toyota RAV4, Volkswagen Tiguan.

AU QUOTIDIEN

COLLISION FRONTALE 4/5
COLLISION LATÉRALE 5/5
VENTES DU MODÈLE L'AN DERNIER
AU QUÉBEC 3 525 (+5,0 %) **AU CANADA** 25 646 (+3,8 %)
DÉPRÉCIATION (%) 42,2 (3 ans)
RAPPELS (2011 à 2016) 6
COTE DE FIABILITÉ 3/5

GARANTIES... ET PLUS

GARANTIE GÉNÉRALE 3 ans/60 000 km
GROUPE MOTOPROPULSEUR 5 ans/100 000 km
PERFORATION 5 ans/160 000 km
ASSISTANCE ROUTIÈRE 5 ans/100 000 km
NOMBRE DE CONCESSIONNAIRES
AU QUÉBEC 93 **AU CANADA** 440

NOUVEAUTÉS EN 2017

Refonte des versions : SXT/Limited deviennent SXT V6, R/T AWD et R/T Rallye AWD deviennent GT. 3 nouvelles couleurs, orange sanguine, gris foncé, vert olive.

UN SUCCÈS INESPÉRÉ

Le Dodge Journey entreprend une neuvième année sous sa forme actuelle. Oui, une neuvième! Généralement, ce constat n'annoncerait rien de bon. Il fait souvent référence à un produit oublié qui ne se vend pas et qui est appelé à disparaître. Or c'est tout le contraire. Chaque année, les concessions Dodge reçoivent des Journey à la tonne et ces derniers prennent tous le chemin d'un domicile... ou d'une entreprise de location. Qu'importe, car, dans les deux cas, le véhicule est choisi pour ses qualités pratiques et son coût d'acquisition, relativement abordable. Le prochain modèle, prévu pour 2019, profiterait d'un ADN Alfa Romeo et serait produit sur le Vieux Continent. C'est à suivre. En attendant, retour sur une recette à succès.

Daniel Rufiange

TOUR DU PROPRIÉTAIRE > Si le Dodge Journey est toujours de la partie, presque inchangé depuis 2009, c'est parce que son style traverse bien le temps. Dodge a su le peaufiner au fil des années, que ce soit par de petites améliorations à la grille, au design des roues ou par l'introduction de variantes esthétiquement plus affirmées. Pour 2017, on a revu la nomenclature, et les déclinaisons passent de cinq à quatre. Le nouvel index vous fera découvrir les modèles SE CVP (pour Canada Value Plus), SXT V6, Crossroad et GT. Dans le cas de ce dernier, il remplace tout simplement les livrées R/T, présentes depuis quelques années.

+
- PRATIQUE ET POLYVALENT
- PRIX DE LA VERSION DE BASE
- NIVEAU DE CONFORT

−
- DOSSIER DE FIABILITÉ CATASTROPHIQUE
- RAPPORT QUALITÉ-PRIX DES VERSIONS BIEN GARNIES
- MOTEUR 4 CYLINDRES À LA TRAÎNE

MENTIONS

CLÉ D'OR · CHOIX VERT · COUP DE CŒUR · RECOMMANDÉ

VERDICT

PLAISIR AU VOLANT
QUALITÉ DE FINITION
CONSOMMATION
RAPPORT QUALITÉ / PRIX
VALEUR DE REVENTE
CONFORT

1 5 10

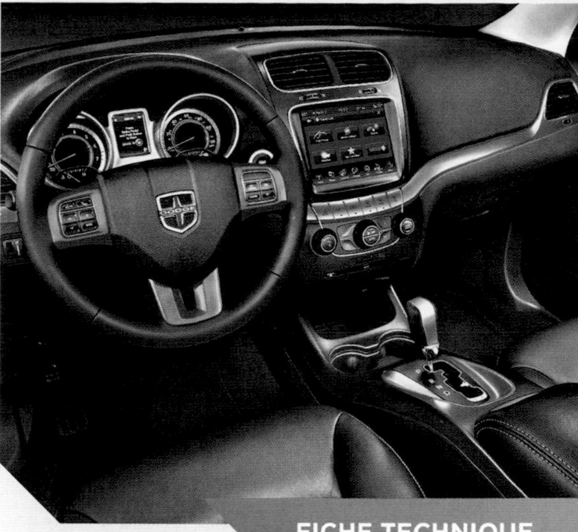

VIE À BORD > S'il y a un élément qui a progressé depuis 2009, c'est bien la qualité à bord. On est passé de la préhistoire au XXIe siècle, littéralement. Ce n'est pas parfait, il faut bien se comprendre, le Journey n'est pas un produit de luxe. Néanmoins, la plupart des surfaces choisies sont de bonne facture et la présentation a fait l'objet d'un souci esthétique. La principale faiblesse se situe dans la qualité d'assemblage, inégale. On sent qu'à long terme, ce sera plus périlleux. Le niveau de confort, quant à lui, est très décent. Les places à la deuxième rangée offrent un bon dégagement. On le devine, c'est plus restreint à l'arrière aux places six et sept. La carte de visite du Journey, bien sûr, c'est le volume de chargement qui peut être libéré lorsqu'on rabat quelques sièges. On parle de 1000 litres avec les sièges de la troisième rangée à plat; près de 2000 avec la disparition de ceux de la deuxième rangée.

TECHNIQUE > Deux moteurs peuvent équiper le Journey, soit un 4-cylindres de 2,4 litres et 173 chevaux ainsi qu'un V6 de 3,6 litres et 283 chevaux. Règle générale, nous aurions tendance à vous diriger vers le plus petit des deux. Seulement, c'est comme si on comparait une tondeuse de marque Sears avec un tracteur John Deere. Le deuxième met le premier dans sa petite poche sur le plan du rendement et du raffinement. Puis avec le 4-cylindres, il faut oublier la transmission intégrale. Autre hic : pour en profiter, il faut opter pour une version plus garnie et plus chère. Or c'est le prix des versions de base qui est intéressant. Un Dodge Journey payé trop cher, c'est un achat désastreux.

AU VOLANT > Avant toute chose, c'est le confort qui définit le mieux l'expérience au volant. On ne s'attend à rien d'autre d'un véhicule à vocation familiale. Cela dit, le châssis est solide et on se sent rassuré aux commandes. On y revient, le moteur V6 est celui qui assure les déplacements les plus souples. Enfin, un mot sur l'atroce dossier de fiabilité du Journey. Il importe de préciser que le bilan ne touche pas les moteurs ni les boîtes automatiques qui lui sont jumelés. Plutôt, ce sont les composantes audio, l'électronique et la qualité d'assemblage qui sont à l'origine de quantité de problèmes. Ajoutez à cela des faiblesses dans la suspension et les freins et vous avez entre les mains un véhicule qui va vous faire sacrer.

CONCLUSION > Malgré de petits défauts et un dossier de fiabilité épeurant, le Journey continue de bien se vendre, la preuve que lorsqu'un produit est pratique, plusieurs sont prêts à faire des sacrifices. Imaginez seulement si, un jour, on nous proposait un produit fiable.

2e OPINION

Antoine Joubert

On se moque souvent du Journey. Pourquoi ? Parce qu'il ne possède pas la qualité de finition d'un Ford Edge, la tranquillité d'esprit d'un Toyota Highlander ou le raffinement d'un Kia Sorento. Nous sommes tous d'accord sur ce point. Maintenant, avez-vous, ne serait-ce qu'une minute, comparé les prix ? Croyez-moi, la facture du Journey permet à l'acheteur de lui pardonner plusieurs petites lacunes. Car un véhicule offrant 7 places assises et beaucoup d'espace, un puissant moteur V6, un équipement généreux et un confort plus qu'honnête, présenté à si bas prix, il n'y en a pas d'autres. Voilà pourquoi tant de gens le choisissent chaque année. Et bonne nouvelle, sa fiabilité s'est améliorée. Alors, pratico-pratique pour budget serré, il n'existe pas meilleure aubaine. Maintenant, évitez la transmission intégrale, inefficace, et qui fait grimper la consommation de façon majeure.

FICHE TECHNIQUE

MOTEUR(S)

(Valeur Plus, Crossroad) L4 2,4 L DACT
PUISSANCE 173 ch à 6 000 tr/min
COUPLE 166 lb-pi à 4 000 tr/min
RAPPORT POIDS/PUISSANCE 10,0 kg/ch
BOÎTE(S) DE VITESSES automatique à 4 rapports
PERFORMANCES 0-100 km/h 10,1 s
REPRISE 80-115 km/h 9,2 s
FREINAGE 100-0 km/h 40,0 m
NIVEAU SONORE À 100 km/h Moyen
VITESSE MAXIMALE 190 km/h

(SXT, GT, option Crossroad) V6 3,6 L DACT
PUISSANCE 283 ch à 6 350 tr/min
COUPLE 260 lb-pi à 4 400 tr/min
RAPPORT POIDS/PUISSANCE 2RM 6,5 kg/ch **4RM** 6,8 kg/ch
BOÎTE(S) DE VITESSES automatique à 6 rapports avec mode manuel
PERFROMANCES 0-100 km/h 7,2 s
REPRISE 80-115 km/h 6,1 s
FREINAGE 100-0 km/h 40,0 m
VITESSE MAXIMALE 205 km/h
CONSOMMATION (100 km) 2RM ville 14,2 L, route 9,4 L **4RM** ville 14,5 L, route 9,9 L (octane 87)
ANNUELLE 2RM 2 057 L, 2 468 $ **4RM** 2 108 L, 2 530 $
ÉMISSIONS DE CO_2 2RM 4 726 kg/an **4RM** 4 848 kg/an

AUTRES COMPOSANTS

SÉCURITÉ ACTIVE Freins ABS, assistance au freinage, répartition électronique de la force de freinage, contrôle électronique de la stabilité, antipatinage
SUSPENSION avant/arrière indépendante
FREINS avant/arrière disques
DIRECTION à crémaillère, assistée
PNEUS Valeur P225/65R17 **Crossroad / SXT/ GT** P225/55R19

DIMENSIONS

EMPATTEMENT 2 890 mm
LONGUEUR 4 888 mm
LARGEUR 1 835 mm, 2 127 mm (incl. rétro.)
HAUTEUR 1 693 mm, 1 765 mm (incl. rail de toit)
POIDS L4 1 735 kg **V6 2RM** 1 843 kg **V6 4RM** 1 926 kg
DIAMÈTRE DE BRAQUAGE 17 po 11,7 m **19 po** 11,9 m
COFFRE 300 L, 1 000 L, 1 915 L (sièges abaissés)
RÉSERVOIR DE CARBURANT 2RM 77,6 L **4RM** 79,9 L
CAPACITÉ DE REMORQUAGE L4 450 kg **V6** 1 135 kg

LA COTE VERTE

MOTEUR V10 DE 8,4 L
CONSOMMATION (100 km) ville 19,2 L, route 11,3 L
CONSOMMATION ANNUELLE 2 652 L, 3 580 $
INDICE D'OCTANE 91
ÉMISSIONS POLLUANTES CO_2 6 100 kg/an
(source : ÉnerGuide)

FICHE D'IDENTITÉ

VERSION(S) GTC, GTS, ACR
TRANSMISSION(S) arrière
PORTIÈRES 2 **PLACES** 2
PREMIÈRE GÉNÉRATION 1992
GÉNÉRATION ACTUELLE 2013
CONSTRUCTION Conner Avenue, Detroit, Michigan, É-U.
COUSSINS GONFLABLES 4 (frontaux, latéraux)
CONCURRENCE Acura NSX, Aston Martin Vanquish/Vantage, Audi R8, BMW M6, Chevrolet Corvette, Ferrari F12, Ford GT, Jaguar F-Type SVR, Lamborghini Huracan, Lexus LC, Maserati GT, Mercedes-Benz-AMG GT, Nissan GT-R, Porsche 911

AU QUOTIDIEN

COLLISION FRONTALE ND
COLLISION LATÉRALE ND
VENTES DU MODÈLE L'AN DERNIER
AU QUÉBEC 12 (0,0 %) **AU CANADA** 110 (+2,8 %)
DÉPRÉCIATION (%) 28,0 % (2 ans)
RAPPELS (2011 à 2016) 2
COTE DE FIABILITÉ 4/5

GARANTIES... ET PLUS

GARANTIE GÉNÉRALE 3 ans/60 000 km
GROUPE MOTOPROPULSEUR 5 ans/100 000 km
PERFORATION 5 ans/160 000 km
ASSISTANCE ROUTIÈRE 5 ans/100 000 km
NOMBRE DE CONCESIONNAIRES
AU QUÉBEC ND **AU CANADA** ND

NOUVEAUTÉS EN 2017

25è et dernière année de production célébrée avec des éditions spéciales : ACR édition 1:28, ACR édition GTS-R, ACR édition VoooDoo II, GTC édition Snakeskin, toutes avec plaque personnalisée au tableau de bord.

DANS LES LIMBES

Cela fait maintenant sept ou huit ans que l'on repose la même question à Chrysler. Est-ce que la Viper reviendra sur le marché l'an prochain? Et chaque fois, on nous dit que oui. Toutefois, FCA a fait savoir par le biais d'un communiqué à ses employés syndiqués que 2017 serait la dernière année de production et le grand patron, Sergio Marchionne, a clairement indiqué qu'il n'était pas question d'investir dans une nouvelle génération de Viper.

Benoit Charette

TOUR DU PROPRIÉTAIRE > Dévoilée comme prototype au Salon de l'auto de Détroit en 1989, la Viper a suscité une réaction du public si positive que Chrysler a décidé d'aller de l'avant et de faire de cette sportive une réalité. Bob Lutz, alors maître d'œuvre du projet, voulait faire de la Viper une Cobra moderne. C'est donc avec l'aide de Carroll Shelby, le père de la Cobra, qu'une petite équipe se met à l'ouvrage. Après quatre générations, la production cesse en 2010 (il n'y avait pas eu de Viper en 2007) pour revenir en 2013. Malgré une belle évolution et un plus grand raffinement, la Viper reste une brute qu'il est difficile de contenir et surtout difficile à justifier dans le virage automobile actuel.

VIE À BORD > De son allure spartiate de la première génération, qui se voulait aussi inconfortable et dépouillée que la Cobra, la Viper s'est raffinée avec le temps. Par exemple, les

+
- STYLE UNIQUE
- GRANDE RÉSERVE DE PUISSANCE
- CONDUITE PLUS SÉCURITAIRE

−
- ELLE BOIT COMME UNE ÉPONGE
- L'HABITACLE ASSEZ SIMPLISTE
- LA FAIBLE VISIBILITÉ

MENTIONS

CLÉ D'OR | CHOIX VERT | COUP DE CŒUR | RECOMMANDÉ

VERDICT

Critère	Note (1–10)
PLAISIR AU VOLANT	9
QUALITÉ DE FINITION	8
CONSOMMATION	5
RAPPORT QUALITÉ / PRIX	7
VALEUR DE REVENTE	8
CONFORT	7

sièges proviennent maintenant du même fournisseur que Ferrari et sont très confortables, et les vaches qui ont fait don de leur peau étaient particulièrement odorantes. Vous avez aussi des pédales réglables pour accommoder diverses grandeurs de conducteur. L'écran tactile est le très convivial système U-Connect, encore un des meilleurs systèmes de divertissement sur le marché. Les modèles haut de gamme, comme notre modèle d'essai, profitent en plus d'insertions de fibre de carbone qui s'ajoutent au cuir qui habille très bien l'habitacle. Évidemment, l'espace est calculé serré, tant pour les passagers, qui se sentent comme dans un cocon, que pour les rangements, qui sont peu nombreux, mais cela fait partie du charme de la Viper.

TECHNIQUE > La légende de la Viper tourne autour de sa mécanique gros format. Un V10 à l'origine conçu par Lamborghini et qui s'est transformé et pris du muscle au fil des générations. Il fait aujourd'hui 8,4 litres avec 645 chevaux et 600 livres-pieds de couple. La seule boîte disponible est une Tremec manuelle à 6 rapports. Une mécanique plus civilisée depuis quelques années épaulée dans cette tâche par quelques aides à la conduite électronique fait de la Viper une voiture agréable à plus bas régime. Si vous souhaitez enfoncer l'accélérateur, ce monstre vous amènera à 100 km/h en 3,6 secondes. Pour ceux qui veulent tester le potentiel sur piste, la version ACR arrive avec des amortisseurs Bilstein réglables en 10 positions, des freins en carbone-céramique de 15 pouces et des pneus Kumho Ecsta très collants. Vous pouvez ajouter le disgracieux becquet arrière et le diffuseur d'air à l'avant.

AU VOLANT > C'est sans doute au volant que la Viper a le plus évolué depuis ses débuts. De brutale et difficilement contrôlable, la plus récente version est devenue plus docile. Le couple est léger à bas régime, ce qui permet de suivre le trafic et de rouler à basse vitesse sans avoir l'impression que la voiture veut sauter à la gorge du premier venu. L'arrivée des aides à la conduite électronique a rehaussé l'expérience de conduite. Il était pratiquement impossible de pousser la Viper si vous n'étiez pas un pilote professionnel, alors que maintenant, la voiture est équilibrée et pardonne plus les écarts de conduite. Si l'envie vous prend de tester ses limites, il vous faudra une sérieuse dose de courage, car elle possède encore son côté débridé, et le Dr Jekyll devient rapidement le Mr Hyde. Comme toutes sportives qui se respectent, la Viper est puissante (très puissante), équilibrée et freine bien. Elle possède toujours son côté extrême, mais se montre plus docile en conduite de tous les jours.

CONCLUSION > La Viper est la dernière brute de la route qui n'a pas le raffinement technologique d'une Corvette ni la finition plus distinctive de la Porsche 911. C'est un dinosaure du monde automobile qui va sans doute disparaître à jamais d'ici 2017, mais pour ceux qui veulent détenir une parcelle de l'histoire automobile, c'est un modèle qui représente bien l'époque moderne du « muscle car » américain. ■

2e OPINION

Luc-Olivier Chamberland

C'est le « last call ». Voilà les propos qu'a dû tenir Sergio Marchionne quant à l'insuccès de la Viper. Pour fermer le dossier de la Viper en beauté, il y a certainement un ou deux passionnés dans la salle qui ont souligné que 2017 marquerait les 25 ans de la mythique brute américaine. Pour l'histoire, on étire la sauce une année de plus avec une collection d'éditions spéciales, au compte de cinq, qui illustrent des moments importants de la vie de la Viper. Au total, pas plus de 206 unités de ces versions seront produites et toutes sont déjà vendues. Il ne reste donc plus que les variantes « ordinaires » GT, GTS et ACR au catalogue.

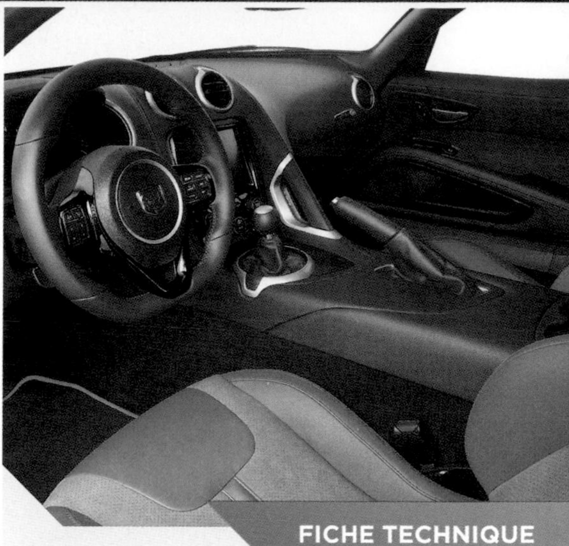

FICHE TECHNIQUE

MOTEUR(S)

(VIPER) V10 8,4 L ACC
PUISSANCE 645 ch à 6 150 tr/min
COUPLE 600 lb-pi à 4 950 tr/min
RAPPORT POIDS/PUISSANCE 2,4 kg/ch
BOITE(S) DE VITESSES manuelle à 6 rapports
PERFORMANCES 0 à 100 km/h 3,6 s
REPRISE 80-115 km/h 1,9 s
FREINAGE 100-0 km/h 29,7 m
NIVEAU SONORE À 100 km/h Passable
VITESSE MAXIMALE 331 km/h

AUTRES COMPOSANTS

SÉCURITÉ ACTIVE Freins ABS, assistance au freinage, répartition électronique de la force de freinage, contrôle électronique de la stabilité, antipatinage
SUSPENSION avant/arrière indépendante
FREINS avant/arrière disques
DIRECTION à crémaillère, assistée
PNEUS P295/30R18 (av.) P355/30R19 (arr.)

DIMENSIONS

EMPATTEMENT 2 510 mm
LONGUEUR 4 463 mm
LARGEUR 1 941 mm
HAUTEUR 1 246 mm
POIDS 1 521 kg **GTS** 1 556 kg **TA** 1 519 kg
RÉPARTITION DU POIDS AV/ARR (%) 50/50
COFFRE 414 L
RÉSERVOIR DE CARBURANT 70 L

LA COTE VERTE

MOTEUR V8 DE 3,9 L TURBO
CONSOMMATION (100 km) 14,5 L (est.)
CONSOMMATION ANNUELLE 2 465 L, 3 328 $
INDICE D'OCTANE 91
ÉMISSIONS POLLUANTES CO_2 5 669 kg/an
(source: L'Annuel)

FICHE D'IDENTITÉ

VERSION(S) GTB, Spider
TRANSMISSION(S) arrière
PORTIÈRES 2 **PLACES** 2
PREMIÈRE GÉNÉRATION 2016
GÉNÉRATION ACTUELLE 2016
CONSTRUCTION Maranello, Italie
COUSSINS GONFLABLES 4 (frontaux et latéraux)
CONCURRENCE Aston Martin DB11/Vantage, Audi R8, Chevrolet Corvette Z06, Ford GT, Lamborghini Huracan, Mclaren 570S, Porsche 911 Turbo S/GT3 RS

AU QUOTIDIEN

COLLISION FRONTALE ND
COLLISION LATÉRALE ND
VENTES DU MODÈLE L'AN DERNIER
AU QUÉBEC ND **AU CANADA** ND
DÉPRÉCIATION (%) 23,7 (3 ans) (F458)
RAPPELS (2011 à 2016) 1
COTE DE FIABILITÉ 4/5

GARANTIES... ET PLUS

GARANTIE GÉNÉRALE 3 ans/kilométrage illimité
GROUPE MOTOPROPULSEUR 3 ans/kilométrage ill.
PERFORATION 3 ans/kilométrage illimité
ASSISTANCE ROUTIÈRE 3 ans/kilométrage illimité
NOMBRE DE CONCESSIONNAIRES
AU QUÉBEC 1 **AU CANADA** 3

NOUVEAUTÉS EN 2017

Aucun changement majeur

NIRVANA

Le génie des ingénieurs et les avancées technologiques ont permis de concilier des qualités apparemment incompatibles il y a peu de temps encore. La Ferrari 488 est un bel exemple. Les ingénieurs ont réussi à extraire 100 chevaux de plus d'une mécanique plus modeste gavée de turbo en respectant des normes de plus en plus sévères d'émission tout en étant en mesure d'en faire un véhicule très facile à conduire au quotidien.

Benoit Charette

TOUR DU PROPRIÉTAIRE > La 488, c'est la semaine de la mode à Paris. Un style unique, une beauté racée qui fait tourner les têtes partout où elle se présente. Même si la 488 montre un air de famille évident avec la 458, elle ne reprend que 15 % de cette dernière. Elle est plus longue de 4 centimètres et 1 centimètre plus large. En raison de la présence des turbos, les prises d'air avant et latérales sont plus grandes. Le coefficient de traînée est aussi meilleur grâce au soubassement retravaillé qui améliore le flux d'air. Les pots d'échappement sont également relevés pour laisser plus d'espace au diffuseur arrière qui colle la voiture au sol en intégrant des volets actifs. Ouverts en ligne droite, ils réduisent la traînée; fermés en virage et au freinage, ils augmentent l'appui, qui dépasse de 50 % celui de la 458 pour atteindre l'équivalent d'une charge de 325 kilos à 250 km/h. On se croirait en F1.

VIE À BORD > D'ailleurs, la ressemblance avec la F1 se poursuit à l'intérieur, où la majorité des commandes se retrouvent sur le volant à la manière d'une F1. Si cela peut sembler intuitif au

+
- PERFORMANCES DE F1
- BOÎTE DOUBLE EMBRAYAGE TRÈS INTELLIGENTE
- GRANDE FACILITÉ À CONDUIRE

−
- TENUE DE CAP PERFECTIBLE SUR MAUVAISE ROUTE
- VISIBILITÉ ARRIÈRE QUASI NULLE
- POSITION DE CONDUITE QUI DEMANDE DES AJUSTEMENTS

MENTIONS

CLÉ D'OR | CHOIX VERT | COUP DE CŒUR | RECOMMANDÉ

VERDICT

PLAISIR AU VOLANT
QUALITÉ DE FINITION
CONSOMMATION
RAPPORT QUALITÉ / PRIX
VALEUR DE REVENTE
CONFORT

1 5 10

départ, la chose est loin d'être évidente. Hormis le bouton rouge de démarrage, vous y trouverez les commandes des clignotants, de l'essuie-glace, du passage code/phare, de la position confort de l'amortissement piloté et, bien sûr, le désormais célèbre « Manettino » pour choisir entre les modes Wet, Sport, Race, Off et ESC Off interagissant sur la réponse du moteur, de la boîte double embrayage, de l'amortissement piloté, de l'antipatinage et du contrôle de trajectoire... Le problème réside dans le fait que le volant bouge et les commandes aussi. J'ai à plusieurs reprises mis les essuie-glaces en marche en voulant tourner à droite. L'habitacle est à la hauteur des attentes : coloré et juste assez exubérant. Le cheval cabré trône au centre du volant avec un grand tachymètre sous les yeux. Ça respire la performance par tous les orifices.

TECHNIQUE > Le degré de complexité de cette voiture se remarque à tous les chapitres, même dans la manière d'amener la turbocompression. Le moteur est toujours un V8. Il fait 3,9 litres (4,5 pour la 458) et offre 661 chevaux, 100 de plus que la 458. Mais la réelle beauté de la chose réside dans la manière d'amener cette puissance. Ferrari, qui utilise un moteur à vilebrequin plat (qui permet au moteur de tourner plus haut en régime) a placé un turbo à double entrée par rangée de cylindres. Cette astuce permet un temps de réponse instantané, et avec une double entrée, la pression de la suralimentation est déterminée en fonction du rapport engagé – faible dans les premiers rapport et maximal en 7e vitesse. Vous avez une accélération rapide et constante, sans temps mort, et une ligne rouge à 8 000 tours/minute. Seulement 1000 de moins que dans le moteur atmosphérique de la 458.

AU VOLANT > Les puristes vous diront que le son d'un moteur turbo n'a pas la noblesse de celui d'un moteur atmosphérique, et ils ont raison. Le bruit est plus ramassé, moins extraverti, mais Ferrari a fait un beau travail pour faire ressortir le caractère du V8. Ce qui surprend le plus est sa grande facilité à conduire. Cette sportive est très docile. Toutefois, pour deviner sa vraie nature, il vous faut de l'espace, beaucoup d'espace, idéalement un circuit routier. Je vous promets alors que vous allez crier de bonheur. La puissance est tellement élevée que vous allez toucher au rupteur à chaque changement de rapports tellement le régime moteur monte vite. Les aides à la conduite électronique font d'un conducteur moyen un génie du volant. C'est un peu trompeur, mais vous vous sentez le roi du monde. Vous avez dans les mains autant de puissance que dans une formule 1. Une fois que vous avez appris à utiliser les petites lumières à DEL rouges sur le dessus du volant, votre plaisir sera sans fin. L'équilibre du châssis est remarquable, les freins en carbone-céramique indestructibles, mais il vous faut absolument vous inscrire comme membre sur un circuit. Sur une autoroute, vous n'exploitez pas 10 % du potentiel de cet animal qui est vraiment heureux seulement sur un circuit.

CONCLUSION > À la fois docile, performante et sauvage au besoin, cette 488 est la plus polyvalente des Ferrari. Elle peut sans problème rouler dans le trafic, vous mener en tout confort au travail et se transformer en voiture de course la fin de semaine. Si j'étais assez riche, il y aurait une 488 dans mon garage, garanti. ■

2e OPINION

Luc-Olivier Chamberland

Après 40 ans de moteur V8 en position centrale arrière, Ferrari nous surprend encore. D'une fois à l'autre, on se dit que le paroxysme, la perfection existe, mais non. L'italienne réussit toujours à faire mieux. Déjà, la 458 Italia se voulait une machine sans pareil. Son évolution, la 488 GTB, se pointe avec une collection d'améliorations qui rend ce coupé et son Spider encore plus stupéfiants. Résolument moderne, le look se transforme tout en restant ravageur. L'action se passe toutefois sous la lunette arrière avec un V8 de 3,9 litres d'une puissance indécente de 661 *cavallos* en furie. Le résultat sur route impressionne avec un 0-100 km/h de seulement 3 secondes.

FICHE TECHNIQUE

MOTEUR(S)

(488) V8 3,9 L DACT biturbo
PUISSANCE 661 ch à 8 000 tr/min
COUPLE 560 lb-pi à 3 000 tr/min
RAPPORT POIDS/PUISSANCE 2,2 kg/ch **Spider** 2,3 kg/ch
BOÎTE(S) DE VITESSES manuelle robotisée à 7 rapports avec manettes au volant
PERFORMANCES 0-100 km/h 3,0 s
REPRISE 80-115 km/h ND
FREINAGE 100-0 km/h ND
VITESSE MAXIMALE 330 km/h

AUTRES COMPOSANTS

SÉCURITÉ ACTIVE Freins ABS, assistance au freinage, répartition électronique de la force de freinage, contrôle électronique de la stabilité, antipatinage, contrôle de l'angle de glisse
SUSPENSION avant/arrière indépendante à amortisseurs magnétorhéologiques
FREINS avant/arrière disques
DIRECTION à crémaillère, assistée
PNEUS P245/35R20 (av.) P305/30R20 (arr.)

DIMENSIONS

EMPATTEMENT 2 650 mm
LONGUEUR 4 568 mm
LARGEUR 1 952 mm
HAUTEUR 1 213 mm **Spider** 1 211 mm
POIDS 1 475 kg **Spider** 1 525 kg
RÉPARTITION DU POIDS AV/ARR (%) 42/58
DIAMÈTRE DE BRAQUAGE ND
COFFRE 230 L
RÉSERVOIR DE CARBURANT 78 L

LA COTE VERTE

MOTEUR V8 DE 3,8 L TURBO
CONSOMMATION (100 km) 10,5 L
CONSOMMATION ANNUELLE 1 785 L, 2 410 $
INDICE D'OCTANE 94
ÉMISSIONS POLLUANTES CO_2 4 105 kg/an
(source : Ferrari et L'Annuel)

FICHE D'IDENTITÉ

VERSION(S) California T
TRANSMISSION(S) arrière
PORTIÈRES 2 **PLACES** 2 + 2
PREMIÈRE GÉNÉRATION 2010 (originale 1957)
GÉNÉRATION ACTUELLE 2010
CONSTRUCTION Maranello, Italie
COUSSINS GONFLABLES 4 (frontaux et latéraux)
CONCURRENCE Aston Martin DB11/Vantage, Audi R8 Spyder, Bentley Continental GT, Chevrolet Corvette Z06, Lamborghini Huracan, Mercedes-Benz-AMG GT/Classe SL, Porsche 911 Turbo S

AU QUOTIDIEN

COLLISION FRONTALE5/5
COLLISION LATÉRALE 5/5
VENTES DU MODÈLE L'AN DERNIER
AU QUÉBEC ND **AU CANADA** ND
DÉPRÉCIATION (%) 22,7 (3 ans)
RAPPELS (2011 à 2016) 2
COTE DE FIABILITÉ 4/5

GARANTIES... ET PLUS

GARANTIE GÉNÉRALE 4 ans/kilométrage illimité
GROUPE MOTOPROPULSEUR 4 ans/kilométrage ill.
PERFORATION 4 ans/kilométrage illimité
ASSISTANCE ROUTIÈRE 4 ans/kilométrage illimité
NOMBRE DE CONCESSIONNAIRES
AU QUÉBEC 1 **AU CANADA** 3

NOUVEAUTÉS EN 2017

Version Handling Speciale

LA CLEF DU PARADIS

Si un jour vous aspirez, comme bien des enthousiastes, à accéder au monde de Ferrari, la California est le modèle par où votre histoire va débuter. Et ça fonctionne plutôt bien pour la firme de Maranello, qui continue de multiplier les nouveaux clients à travers ce modèle qui avait été spécifiquement étudié pour aller faire la conquête de ces nouveaux clients, ceux qui n'étaient pas les grands puristes de la marque, mais qui vouaient un intérêt pour le cheval cabré.

Benoit Charette

TOUR DU PROPRIÉTAIRE > Physiquement, il n'y a pas de changement pour 2017. Même si cela s'est fait de manière subtile, nous avons constaté une évolution du modèle. Conçu avec le concours de Michael Schumacher en 2009, le style était plus simple. En 2014, on remarque des lignes plus musclées inspirées de la FF, maintenant la Gran Lusso, et quelques ajouts d'arêtes et une partie avant librement inspirée de la légendaire Testa Rossa 250 avec des flancs savamment travaillés. Pour citer Lafontaine avec un ramage qui se rapporte à son plumage, la California est le phénix des hôtes de ces bois.

VIE À BORD > Plus simpliste à ses débuts, l'intérieur s'est progressivement inspiré de celui de la 458 d'abord et de la 488 ensuite. Vous trouvez par exemple le volant avec com-

+
- GT TOUJOURS TRÈS HOMOGÈNE
- COMPORTEMENT PLUS VIF
- FACILITÉ DE CONDUITE, UTILISABLE AU QUOTIDIEN

−
- PLACES ARRIÈRE INUTILISABLES
- PRIX DU GROUPE HANDLING SPECIALE
- PAS DE COFFRE QUAND LE TOIT EST BAISSÉ

MENTIONS

CLÉ D'OR | CHOIX VERT | **COUP DE CŒUR** | RECOMMANDÉ

VERDICT

PLAISIR AU VOLANT
QUALITÉ DE FINITION
CONSOMMATION
RAPPORT QUALITÉ / PRIX
VALEUR DE REVENTE
CONFORT

1 5 10

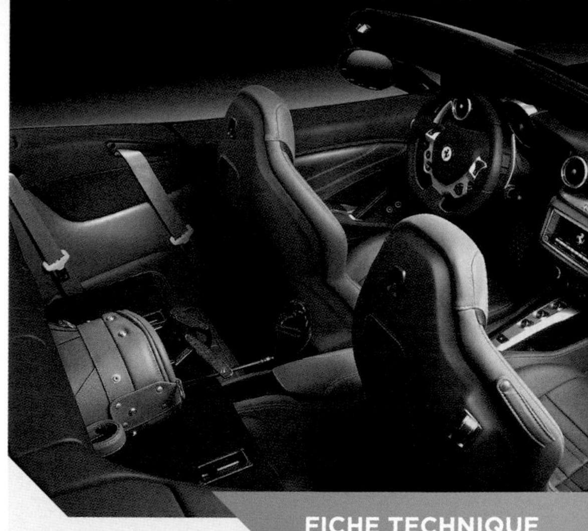

mandes intégrées. On relève aussi une console centrale avec un écran tactile aux fonctionnalités étendues mais aux commandes simplifiées. Au sommet de cette console, un indicateur a pris place entre les deux aérateurs pour indiquer l'état de fonctionnement du turbo (pression, réponse, efficience). Il y a bien encore quelques irritants comme certains habillages qui font encore bon marché pour une voiture de ce prix, mais globalement, il y a peu à redire.

TECHNIQUE > Le V8 turbo est toujours en place. Il livre ses 552 chevaux en passant par la très rapide boîte double séquentielle à 7 rapports. Conscient de l'importance cruciale de la mécanique, qui fait foi de tout au sein de la compagnie, Ferrari avait décidé, lors du passage d'un moteur atmosphérique à la turbocompression, de soigner la sonorité du moteur, qui perd souvent de son charisme avec des turbos qui étouffent les envolées lyriques. Il faut préciser que le moteur culmine toujours à 7 500 tours/minute et que Ferrari a pris la décision d'investir dans des collecteurs d'échappement en acier forgé dotés de tubulures de longueur égale, un luxe habituellement réservé aux moteurs de course. Vous avez de cette manière une mécanique qui chante encore très bien.

AU VOLANT > Seule nouveauté notoire pour 2017, une version Handling Speciale qui avait déjà fait son apparition avec le modèle à moteur atmosphérique il y a quelques années. C'est une option pour ceux qui trouvent que le comportement de la version ordinaire n'est peut-être pas assez tranchant. Les modifications concernent le tarage des ressorts (plus rigides de 16 % à l'avant et de 19 % à l'arrière). Ferrari a aussi retouché la boîte à 7 rapports pour un peu plus de réactivité et un contrôle de la stabilité qui laisse un peu plus d'espace de manœuvre au conducteur. Il faut également noter la présence d'un résonateur intégré à la ligne d'échappement pour une sonorité plus agressive. Ces modifications au châssis rendent le train avant plus précis et la conduite peut se faire de manière encore plus enthousiaste. Les évolutions apportées au contrôle de la traction améliorent la motricité en sortie de virage. Ferrari a tout de même pris le soin de ne pas compromettre le confort, donc ce n'est pas trop radical. Les accélérations sont toujours aussi impressionnantes. L'usine annonce un 0 à 100 km/h en 3,6 secondes. De plus, la réponse du moteur est immédiate : nul besoin d'attendre que les turbos se mettent au travail.

CONCLUSION > Avec cette offre de California plus sportive, les conducteurs qui en veulent un peu plus de leur California seront bien servis. Nous ne sommes pas encore dans le monde des voitures de course, mais vous aurez besoin d'une licence de pilote pour trouver les limites de la version Handling Speciale. ■

FICHE TECHNIQUE

MOTEUR(S)

(California T) V8 3,8 L DACT turbo
PUISSANCE 552 ch à 7 500 tr/min
COUPLE 557 lb-pi à 4 750 tr/min
RAPPORT POIDS/PUISSANCE 3,1 kg/ch
BOÎTE(S) DE VITESSES manuelle robotisée à 7 rapports avec manettes au volant
PERFORMANCES 0-100 km/h 3,6 s
REPRISE 80-115 km/h 1,9 s
FREINAGE 100-0 km/h 32,5 m
VITESSE MAXIMALE 316 km/h

AUTRES COMPOSANTS

SÉCURITÉ ACTIVE Freins ABS, assistance au freinage, répartition électronique de la force de freinage, contrôle électronique de la stabilité, antipatinage
SUSPENSION avant/arrière indépendante
FREINS avant/arrière disques
DIRECTION à crémaillère, assistée
PNEUS P245/40R19 (av.) P285/40R19 (arr.)
option P245/35R20 (av.) P285/35R20 (arr.)

DIMENSIONS

EMPATTEMENT 2 670 mm
LONGUEUR 4 570 mm
LARGEUR 1 910 mm
HAUTEUR 1 322 mm
POIDS 1 730 kg
RÉPARTITION DU POIDS AV/ARR (%) 47/53
DIAMÈTRE DE BRAQUAGE ND
COFFRE 340 L (240 L toit abaissé)
RÉSERVOIR DE CARBURANT 78 L

2e OPINION

Luc-Olivier Chamberland

C'est fou ce que l'ajout d'une simple lettre peut faire sur une Ferrari. Dans le cas de la California, le suffixe T transporte ce premier cabriolet à toit rigide rétractable dans le futur. T résume l'intégration d'un turbo qui fait passer la puissance à 552 chevaux, un couple 49 % supérieur et une consommation de carburant réduite de 15 % par rapport au moulin qu'il remplace. C'est ce que l'on appelle la magie de Ferrari. Pour 2017, on reconduit l'essentiel de cette sublime machine qui sert d'entrée de gamme chez le constructeur. Moins pointue, la California T s'impose comme une véritable GT que l'on peut utiliser comme n'importe quelle autre voiture.

LA COTE VERTE

MOTEUR V12 DE 6,3 L
CONSOMMATION (100 km) 15,0 L **tdf** 15,4 L
CONSOMMATION ANNUELLE 2 550 L, 3 442 $ **tdf** 2 618 L, 3 534 $
INDICE D'OCTANE 91
ÉMISSIONS POLLUANTES CO_2 5 865 kg/an **tdf** 6 021 kg/an
(source : Ferrari et L'Annuel)

FICHE D'IDENTITÉ

VERSION(S) F12, F12 tdf
TRANSMISSION(S) arrière
PORTIÈRES 2 **PLACES** 2
PREMIÈRE GÉNÉRATION 2013
GÉNÉRATION ACTUELLE 2013
CONSTRUCTION Maranello, Italie
COUSSINS GONFLABLES 4 (frontaux, latéraux)
CONCURRENCE Aston Martin Vanquish, Bentley Continental GT/ Speed, Dodge Viper, Lamborghini Aventador, Mclaren 675LT

AU QUOTIDIEN

COLLISION FRONTALE ND
COLLISION LATÉRALE ND
VENTES DU MODÈLE L'AN DERNIER
AU QUÉBEC ND **AU CANADA** ND
DÉPRÉCIATION (%) 17,0 (3 ans)
RAPPELS (2011 à 2016) 1
COTE DE FIABILITÉ 3/5

GARANTIES... ET PLUS

GARANTIE GÉNÉRALE 4 ans/kilométrage illimité
GROUPE MOTOPROPULSEUR 4 ans/kilométrage ill.
PERFORATION 4 ans/kilométrage illimité
ASSISTANCE ROUTIÈRE 4 ans/kilométrage illimité
NOMBRE DE CONCESSIONNAIRES
AU QUÉBEC 1 **AU CANADA** 3

NOUVEAUTÉS EN 2017

Édition spéciale limitée F12 tdf (tour de France) avec aéro redessinée, fibre de carbone, moteur plus puissant, quatre roues directionnelles.

LA FUSÉE DE MARANELLO

J'ai finalement eu l'occasion de faire l'essai d'une F12 en circuit fermé pour voir ce que le V12 de 730 chevaux a véritablement dans le ventre. Je suis encore estomaqué par la puissance, mais surtout par la grande facilité de conduire ce cheval de race.

Benoit Charette

TOUR DU PROPRIÉTAIRE > La ligne signée Pininfarina est au service de la performance. Pour éviter les ailerons et becquets souvent disgracieux, Ferrari a travaillé le style et les formes en soufflerie. Par exemple, l'Aerobridge, qui se caractérise par deux nervures de chaque côté du capot et de la voiture, canalise l'air pour un meilleur appui aérodynamique, qui passe aussi par les soubassements pour ainsi maintenir la voiture bien au sol. La F12 offre le double d'appui aérodynamique (à 200 km/h) de la 599 qui la précédait. Ces efforts en soufflerie se traduisent par une ligne sobre, efficace et qui vieillit bien. Notons cette année une version tdf (tour de France) qui n'a rien à voir avec la célèbre épreuve de vélo mais avec une course mythique automobile. En plus d'une ligne distincte et d'un appui aérodynamique 100 % supérieur, la F12tdf offrira 769 chevaux.

VIE À BORD > Il semble que l'histoire se répète. Plus le prix de base d'une voiture est élevé, plus la liste d'options est longue. Avec un prix de départ à plus de 400 000 $, vous avez

+
- LES PERFORMANCES SURRÉALISTES
- LE CONFORT GÉNÉRAL
- LE SON DU V12
- LA FACILITÉ DE CONDUITE

−
- LE PRIX, BIEN SÛR
- LA LISTE DES OPTIONS PARFOIS INJUSTIFIÉE POUR LE PRIX DEMANDÉ

MENTIONS

CLÉ D'OR | CHOIX VERT | COUP DE CŒUR | RECOMMANDÉ

VERDICT

PLAISIR AU VOLANT
QUALITÉ DE FINITION
CONSOMMATION
RAPPORT QUALITÉ / PRIX
VALEUR DE REVENTE
CONFORT

1 5 10

droit à une magnifique sellerie de cuir mais pas aux sièges électriques, qui coûteront près de 6 000 $. Le régulateur de vitesse ajoute plus de 1000 $. Les petites lumières aux DEL, qui indiquent le surrégime du moteur sur le volant, près de 5 000 $. Je n'ai pas encore parlé des sièges en carbone ni des différents cuirs en option. Bref, vous aurez vite fait de mettre 30 000 $ d'options dans la voiture sans même aller dans le programme de personnalisation, qui videra ce qui vous reste de budget.

TECHNIQUE > En appuyant sur le gros bouton rouge, vous mettez en marche un V12 de 6,3 litres et 730 chevaux produisant la symphonie unique d'une mécanique haut perchée à l'italienne. Ce moteur est capable de tourner à 8 250 tours/minute avec en appui une boîte double embrayage à 7 rapports inspirée de la F1. Cette combinaison à elle seule justifie le montant de la voiture. Toute cette puissance passe par les seules roues arrière et est contenue au sol par de très collants pneus 20 pouces (255/35 ZR 20 à l'avant, 315/35 ZR 20 à l'arrière).

AU VOLANT > On s'attend à ce qu'une telle bête vous en donne plein les bras au volant. Or il n'en est rien. La chose la plus remarquable est sa grande docilité. Aussi facile à conduire qu'une Honda Civic, la F12 est aussi surprenante de confort. Il y a même un mode de conduite « bumpy roads », sans doute pensé pour le Québec, qui rend un excellent niveau de confort. Dans la conduite de tous les jours, le mode sport est le plus intéressant. Vous avez aussi un mode « race » pour les pilotes aguerris et un mode où toute l'électronique est annulée pour les pilotes de F1. Sur le circuit de Saint-Eustache, nous avons pu constater que la mécanique fait crier de joie. Le son d'un V12 qui tourne en régime est indescriptible. En plus de franchir la ligne rouge en hurlant de bonheur, la boîte à double embrayage à 7 rapports spécialement adaptée de la Formule 1 réagit avec une rapidité qui laisse sans mot en montant le moteur en régime à chaque changement pour ne pas perdre un gramme de puissance. Le comportement routier est irréprochable. Mes talents de pilote ne sont pas assez élevés pour prendre la voiture en défaut. Même en arrivant trop vite dans une courbe, l'électronique veille au grain. La direction est chirurgicale, les freins en carbone-céramique sont sans faille et l'équilibre du moteur central avant apporte une assurance au volant que j'ai rarement vécue dans une sportive de ce gabarit. Une supersportive qui s'avère aussi à l'aise dans le trafic à bas régime que sur un circuit à tombeau ouvert.

CONCLUSION > L'électronique permet de réaliser des miracles en conduite automobile et de rendre dociles des monstres de puissance. C'est le client qui sort gagnant de cette nouvelle réalité. Peu de voitures m'ont donné autant d'émotion et de plaisir. Difficile de trouver un seul défaut à cette Ferrari. ■

2e OPINION

Luc-Olivier Chamberland

La F12 Berlinetta illustre toute la démesure que l'Italienne est capable de mettre dans une voiture. Déjà, le design de Pininfarina se montre exceptionnel, la puissance, sinon la vélocité de son V12, peut effrayer. Avec 730 chevaux sous le capot, on ne parle plus de cavalerie, mais bien d'une armada de pur-sang. Fidèle à l'histoire de Ferrari, on découvre une variation sur le thème avec la tdf (Tour de France), dont la carrosserie repousse une fois de plus les limites de la beauté automobile. Le seul problème, et il est de taille, toutes les tdf sont vendues et le modèle de base excède les 380 000 $.

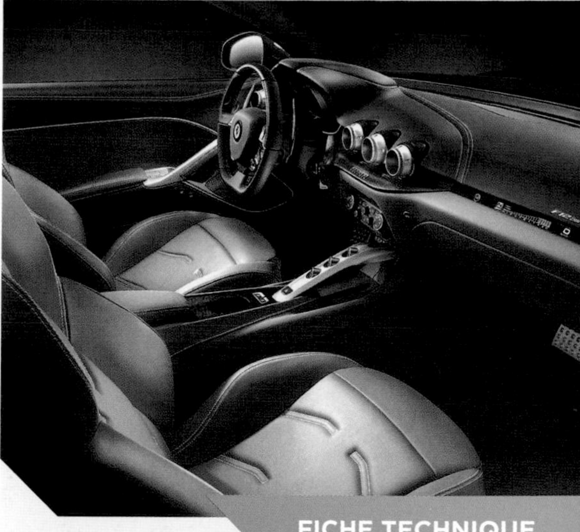

FICHE TECHNIQUE

MOTEUR(S)

(F12, F12 TDF) V12 6,3 L DACT
PUISSANCE 730 ch à 8 250 tr/min **tdf** 769 ch à 8 500 tr/min
COUPLE 509 lb-pi à 6 000 tr/min **tdf** 520 lb-pi à 6 750 tr/min
RAPPORT POIDS/PUISSANCE 2,2 kg/ch **tdf** 1,9 à 2,0 kg/ch
BOÎTE(S) DE VITESSES manuelle robotisée à 7 rapports avec manettes au volant
PERFROMANCES0-100 km/h 3,1s **tdf** 2,9 s
REPRISE 80-115 km/h 1,7 s
FREINAGE 100-0 km/h 31,5 m **tdf** 30,5 m
VITESSE MAXIMALE 340 km/h

AUTRES COMPOSANTS

SÉCURITÉ ACTIVE Freins ABS, assistance au freinage, répartition électronique de la force de freinage, contrôle électronique de la stabilité, antipatinage
SUSPENSION avant/arrière indépendante à amortisseurs magnétorhéologiques
FREINS avant/arrière disques
DIRECTION à crémaillère, assistée
PNEUS P255/35R20 (av.) P315/35R20 (arr.)
tdf P275/35R20 (av.) P315/35R20 (arr.)

DIMENSIONS

EMPATTEMENT 2 720 mm
LONGUEUR 4 618 mm **tdf** 4 656 mm
LARGEUR 1 942 mm **tdf** 1 961 mm
HAUTEUR 1 273 mm
POIDS 1 630 kg **tdf** 1 475 à 1 520 kg
RÉPARTITION DU POIDS AV/ARR (%) 46/54
DIAMÈTRE DE BRAQUAGE ND
COFFRE 320 L, 501 L (banquette de bagages abaissée)
RÉSERVOIR DE CARBURANT 92 L

LA COTE VERTE

MOTEUR V12 DE 6,3 L
CONSOMMATION (100 km) 15,3 L
CONSOMMATION ANNUELLE 2 601 L, 3 511 $
INDICE D'OCTANE 91
ÉMISSIONS POLLUANTES CO_2 5 982 kg/an
(source : Ferrari et L'Annuel)

FICHE D'IDENTITÉ

VERSION(S) unique
TRANSMISSION(S) 4
PORTIÈRES 2 **PLACES** 2+2
PREMIÈRE GÉNÉRATION 2012
GÉNÉRATION ACTUELLE 2012 (FF)
CONSTRUCTION Maranello, Italie
COUSSINS GONFLABLES 4 (frontaux et latéraux avant)
CONCURRENCE Aston Martin Rapide S, Bentley Continental GT Speed, Jaguar XJR, Mercedes-Benz S65, Porsche Panamera Turbo S

AU QUOTIDIEN

COLLISION FRONTALE 5/5
COLLISION LATÉRALE 5/5
VENTES DU MODÈLE L'AN DERNIER
AU QUÉBEC ND **AU CANADA** ND
DÉPRÉCIATION (%) 31,0 (3 ans) (FF)
RAPPELS (2011 à 2016) 1 (FF)
COTE DE FIABILITÉ 4/5

GARANTIES... ET PLUS

GARANTIE GÉNÉRALE 4 ans/kilométrage illimité
GROUPE MOTOPROPULSEUR 4 ans/kilométrage ill.
PERFORATION 4 ans/kilométrage illimité
ASSISTANCE ROUTIÈRE 4 ans/kilométrage illimité
NOMBRE DE CONCESSIONNAIRES
AU QUÉBEC 1 **AU CANADA** 3

NOUVEAUTÉS EN 2017

La Ferrari FF devient GTC4Lusso. Retouches esthétiques extérieures et intérieures, plus légère, moteur plus puissant, 4 roues directionnelles.

LA FERRARI PRATIQUE

Pour vous mettre dans l'état d'esprit de Ferrari, il faut oublier tout sens de la normalité et croire que l'irréel devient la norme. Ferrari nous parle de la succession de la FF comme d'une Ferrari pratique. C'est un peu comme dire que vous avez un jet privé abordable ou un mégayacht que vous avez négocié à bon prix. Alors pour qualifier une Ferrari de pratique, il faut partir sur d'autres bases de valeurs.

Matt Bubbers

TOUR DU PROPRIÉTAIRE > Ce sont les Britanniques qui ont inventé la mode des « shooting brake », mode qui remonte à l'époque où les chasseurs apportaient dans un seul véhicule les armes et les chiens pour la chasse. Le terme est demeuré pour désigner tout véhicule deux portes familial. En général, il y a une relation d'amour-haine avec ce genre de véhicule. On aime ou on déteste, mais Ferrari a pris le soin de raffiner les lignes de la FF pour les rendre plus musculaires et abouties. Le toit couvre mieux la partie arrière du véhicule et offre une meilleure harmonie tout en améliorant l'évacuation d'air. Les concepteurs ont aussi travaillé le profil de la voiture, qui montre un style plus graphique accentuant le côté plus sportif. Pour ma part, c'est la Ferrari la plus décalée à sortir des usines de Maranello depuis 10 ans.

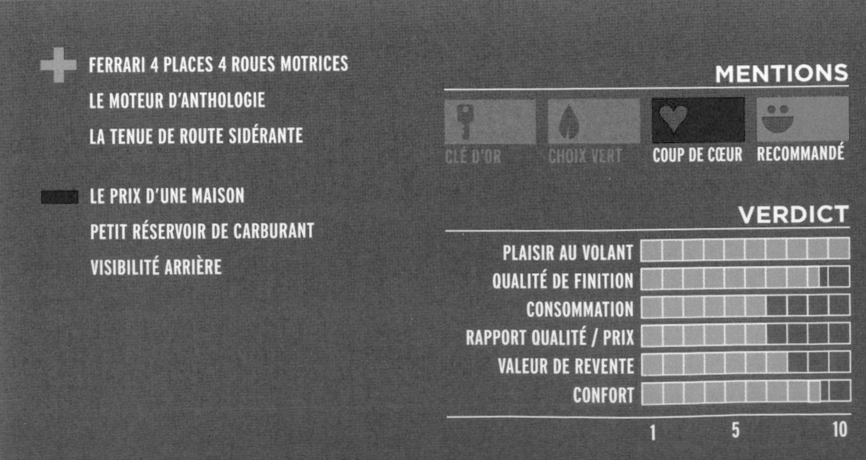

VIE À BORD > Comme il s'agit du modèle pratique de la famille, j'ai demandé si c'était possible de mettre un siège d'enfant à l'arrière. Ferrari n'en avait pas sous la main, mais m'a souligné qu'un siège d'enfant peut être installé à l'arrière. En fait, le GTC4Lusso contient de l'espace pour quatre adultes et Ferrari a pris la peine de bonifier un peu l'espace à l'arrière par rapport à la FF. Ce qui impressionne au-delà du cuir qui embaume tout l'habitacle est le toit panoramique construit dans un seul bloc de verre de près de deux mètres carré. Vous avez l'impression d'être assis sous un puits de lumière. En plus des quatre adultes et du siège de bébé, vous allez avoir de l'espace dans le coffre pour votre épicerie hebdomadaire ou quelques centaines d'œufs Fabergé, c'est selon. C'est donc une voiture à hayon pratique comme les aiment les Québécois. Il faut simplement garder en tête que cette voiture à hayon a le même prix qu'un condo au centre-ville.

TECHNIQUE > Peu de gens auront la chance de conduire une voiture à moteur V12. Il est donc difficile de comprendre ce qui rend un V12 si spécial lorsque vous n'avez pas eu le grand bonheur de vous bercer au son d'une telle mécanique. La majorité des voitures pratiques se contentent de 4 ou 6 cylindres. Un V12 est plus velouté que la crème 35 %, plus onctueux que du miel. Faire tourner un V12, c'est comme mettre ses orteils dans un tapis moelleux. La symphonie qui se dégage du moteur et de l'échappement à l'approche des 8250 tours/minute est indescriptible, à la fois effrayante, stimulante et jouissive. Le genre de son qui traverse la colonne vertébrale et donne des frissons. Ce V12 de 6,26 litres n'utilise aucun artifice, pas de turbo, pas de compresseur, seulement un moteur atmosphérique de 680 chevaux et une boîte de vitesse double embrayage à 7 rapports qui distille merveilleusement toute la sonorité de cette mécanique. Au-delà du son, il y a une profondeur qui vous enveloppe. Il n'existe presque plus de constructeurs qui produisent une telle mécanique, et avec les nouvelles règlementations sur l'environnement, ils se feront encore plus rares.

AU VOLANT > Il y a un sentiment de sérénité lorsque vous prenez la route au volant d'une GTC4Lusso. Est-ce que cela provient du poids de 1920 kilos, qui vous donne une impression d'invulnérabilité ? D'ailleurs, la GTC4Lusso cache très bien ce surplus de poids. La direction est directe et Ferrari a gardé intact le système 4 roues motrices de la FF. Le toucher de la route est exceptionnel. Ferrari a révisé sa suspension et amélioré le système de gestion électronique pour rendre la conduite encore plus précise. Le petit rayon de braquage permet de se sortir d'un stationnement en parallèle comme un champion et de faire demi-tour dans une ruelle sans avoir l'air fou. Vous aurez autant de plaisir sur les longues bandes d'autoroute que dans un chemin de campagne en lacets. Pour ceux que cela intéresse, les 30 chevaux de plus abaissent le 0-100 km/h de 3,7 secondes de la FF à 3,4 secondes avec la GTC4Lusso.

CONCLUSION > La GTC4Lusso est une offre inhabituelle dans le monde des voitures exotiques. Tout aussi pratique qu'inutile, elle nous surprend quand on devient tout à fait en harmonie avec ce paradigme au bout de quelques minutes de conduite. La Lusso vous amène inexorablement dans un monde de zénitude où vous aurez l'impression que tous vos besoins sont comblés. Vous ne saviez pas que vous aviez besoin de ce genre de véhicule avant d'en conduire un. Une fois le test de conduite passé, vous aurez le sentiment d'en avoir besoin, c'est ça l'absurdité de la chose. Une voiture incroyable. ■

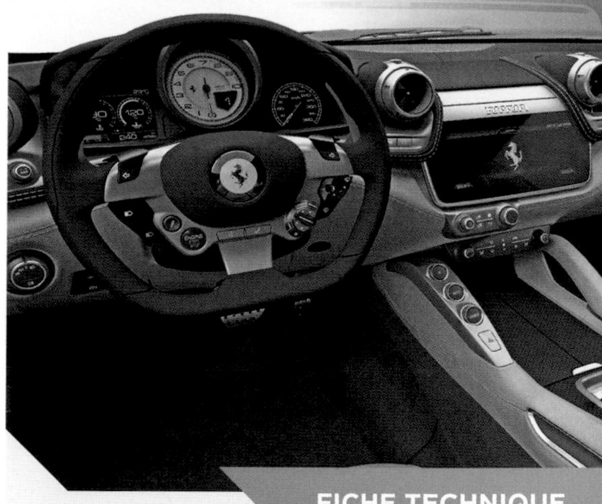

FICHE TECHNIQUE

MOTEUR(S)

(GTC4LUSSO) V12 6,3 L DACT
PUISSANCE 680 ch à 8 000 tr/min
COUPLE 514 lb-pi à 5 750 tr/min
RAPPORT POIDS/PUISSANCE 2,6 kg/ch
BOÎTE(S) DE VITESSES manuelle robotisée à 7 rapports
PERFROMANCES 0-100 km/h 3,4 s
REPRISE 80-115 km/h 2,2 s
FREINAGE 100-0 km/h 34,0 m
VITESSE MAXIMALE 335 km/h

AUTRES COMPOSANTS

SÉCURITÉ ACTIVE Freins ABS, assistance au freinage, répartition électronique de la force de freinage, contrôle électronique de la stabilité, antipatinage
SUSPENSION avant/arrière indépendante, à amortissement magnétique variable
FREINS avant/arrière disques
DIRECTION à crémaillère, assistée, 4 roues directionnelles
PNEUS P245/35R20 (av.), P295/35R20 (arr.)

DIMENSIONS

EMPATTEMENT 2 990 mm
LONGUEUR 4 922 mm
LARGEUR 1 980 mm
HAUTEUR 1 383 mm
POIDS 1 920 kg (1 790 kg à vide)
RÉPARTITION DU POIDS AV/ARR (%) 47/53
DIAMÈTRE DE BRAQUAGE ND
COFFRE 450 L, 800 L (sièges abaissés)
RÉSERVOIR DE CARBURANT 91 L

LA COTE VERTE

MOTEUR L4 DE 1,4 L TURBO
CONSOMMATION (100 km) man. ville 9,0 L route 6,7 L
auto. ville 9,3 L route 8,0 L
CONSOMMATION ANNUELLE man. 1 343 L, 1 813 $ **auto.** 1 360 L, 1 836 $
INDICE D'OCTANE 91 (87 utilisable)
ÉMISSIONS POLLUANTES CO_2 man. 3 089 kg/an auto. 3 128 kg/an
(source : ÉnerGuide)

FICHE D'IDENTITÉ

VERSION(S) Classica, Lusso, Abarth, Prima Edizione
TRANSMISSION(S) Arrière
PORTIÈRES 2 **PLACES** 2
PREMIÈRE GÉNÉRATION 2017 (originale 1966)
GÉNÉRATION ACTUELLE 2017
CONSTRUCTION Hiroshima, Japon
COUSSINS GONFLABLES 4 (frontaux, latéraux)
CONCURRENCE Mazda MX-5, MINI Cooper/S Cabrio, Toyota 86/Subaru BRZ

AU QUOTIDIEN

COLLISION FRONTALE nm
COLLISION LATÉRALE nm
VENTES DU MODÈLE L'AN DERNIER
AU QUÉBEC nm **AU CANADA** nm
DÉPRÉCIATION (%) nm
RAPPELS (2011 à 2016) nm
COTE DE FIABILITÉ nm

GARANTIES... ET PLUS

GARANTIE GÉNÉRALE 3 ans/60 000 km
GARANTIE MOTOPROPULSEUR 5 ans/100 000 km
PERFORATION 5 ans/100 000 km
ASSISTANCE ROUTIÈRE 5 ans/100 000 km
NOMBRE DE CONCESSIONNAIRES
AU QUÉBEC 21 **AU CANADA** 58

NOUVEAUTÉS EN 2017

Nouveau modèle. Prima Edizione offerte en édition limitée pour les 124 premières voitures en Bronzo Magnetico (bronze métallique) avec intérieur cuir brun.

LES PARFAITES ÉPICES DE LA MAMA

Qu'on se le dise, la Fiat 124 Spider est tellement plus qu'une simple Mazda MX-5 enveloppée d'une robe à l'italienne. Oui, les deux roadsters partagent les mêmes plate-forme et présentation intérieure, mais sur le plan technique, on bénéficie de la sauce italienne. Tous avaient de sérieux doutes quant aux résultats de l'utilisation des moteurs Fiat, mais force est d'admettre que les épices de la MAMA donnent une toute autre perspective. C'est franchement réussi, même plus que la MX-5... L'impensable est dit!

Luc-Olivier Chamberland

TOUR DU PROPRIÉTAIRE > Si la MX-5 a remporté le titre du Design mondial de l'année 2016, il sera difficile pour la Fiat 124 de reproduire l'exploit. On voit la volonté des designers du centro Style de Turin de lui donner une touche rétro avec son long capot, ses phares ovoïdaux, les plis au bonnet et les feux rectangulaires, comme sur le modèle original de 1966. Mais le tout paraît surchargé. Cette perspective s'amplifie avec la version Abarth, dont les traits semblent exagérés par un élan de dynamisme mal contrôlé. Le bouclier avant, avec ses énormes prises, donne l'impression que ses babines ont carrément pris dans le vent! Trois écoles de

+
- CHOIX DE VERSIONS ET MOTEURS
- AGRÉMENT DE CONDUITE
- VERSION ABARTH DÉBRIDÉE

−
- L'ÉTERNELLE QUESTION DE LA FIABILITÉ FIAT
- PRIX SALÉS
- MANQUE DE RANGEMENT

MENTIONS

CLÉ D'OR | CHOIX VERT | **COUP DE CŒUR** | RECOMMANDÉ

VERDICT

PLAISIR AU VOLANT
QUALITÉ DE FINITION
CONSOMMATION
RAPPORT QUALITÉ / PRIX
VALEUR DE REVENTE nm
CONFORT

1 5 10

pensée, propres à Fiat et complètement opposées, s'offrent à l'acheteur. Sur la « Classico », de base, on fait abstraction de la décoration extérieure. Simpliste, elle attirera par son prix. La « Lusso » apporte des accessoires complémentaires comme les phares antibrouillard, des roues plus grandes et un cadre de pare-brise gris contrastant. Ceux qui prendront l'Abarth auront droit à une allure plus sportive avec les roues noires de 17 pouces. Encore une fois, le tout paraît surchargé, sinon juvénile, notamment avec le capot et le coffre peints en noir en option.

VIE À BORD > À quelques menus détails près, Fiat récupère la présentation intérieure de la MX-5. Il s'agit d'une bonne nouvelle en soi, car c'est bien ficelé et efficace. Tout comme sa cousine japonaise, l'espace se compte. Il n'y a même pas de place pour déposer un mouchoir. Prendre un café devient un exercice de torsion avec les porte-gobelets derrière notre coudre. La 124 apporte sa propre touche italienne avec plus de choix pour l'habillage des sièges et une partie du tableau de bord. Pour plus joyeux que la Mazda, on peut prendre une couleur plus excitante avec un cuir caramel qui rappelle les européennes des années 1980. Quelques accents d'aluminium satinés s'intègrent pour une signature distinctive. On parle ici d'un luxe accessible sans être ostentatoire. Sur les versions plus cossues, on obtient un système de navigation facile d'usage grâce à la molette sur la console centrale. Tout vient de chez Mazda, avec les défauts habituels, comme une précision aléatoire du GPS. Pour assurer une belle qualité sonore, Fiat propose un système audio Bose à 9 haut-parleurs, dont 2 intégrés aux appuie-têtes. Ne cherchez pas de commande électrique pour l'ouverture de la capote, le tout se fait à la main. Il suffit de relâcher le loquet et d'ouvrir vers l'arrière. Tout au plus, il s'agit d'une opération complète de 4 secondes !

TECHNIQUE > Le découragement se lisait dans le regard de tout un chacun lorsque Fiat a annoncé qu'elle utiliserait son propre moteur dans la 124 au lieu du 2-litres de Mazda. Il est assez rare que les commentaires sur les mécaniques Fiat soient élogieux. À la lumière de l'essai des deux moulins livrables, force est d'admettre que cette fois, le mariage fonctionne bien. Le 1,4-litre de base n'est pas particulièrement plus puissant à 160 chevaux que les 155 chevaux de Mazda. Toutefois, l'apport du couple de 184 livres-pieds et la turbocompression changent complètement la donne. La 124 se montre étonnamment vive. Les performances nous font oublier la MX-5, pourtant hautement désirable. Deux boîtes à 6 rapports sont au catalogue. Là encore, Fiat délaisse Mazda pour ses boîtes. Elles accordent un bon rendement, mais la manuelle brille par sa précision et le plaisir que l'on prend à voir les régimes monter. Alors que l'expérience est déjà envoûtante, Fiat nous propose une Abarth qui amène la 124 à un niveau supérieur. On lui donne 4 chevaux de plus, mais c'est tout le reste qui fait une différence significative. Il faut la voir comme une version allégée avec un tempérament pour la piste. Les ingénieurs retranchent 100 livres. De plus, on incorpore un différentiel à glissement limité. Pour la technique, un système d'échappement double « Record Monza », des barres Bilstein et des freins Brembo complètent les transformations. La table est mise pour des heures de plaisir.

AU VOLANT > La recette de la MAMA : un poids plume, une propulsion, un moteur vif, une boîte manuelle et des composantes mécaniques de performance. Impossible de manquer son coup pour ce qui touche l'agrément de conduite. Pour le prix, il sera difficile de trouver mieux.

FICHE TECHNIQUE

MOTEUR(S)

(Classica, Lusso) L4 1,4 L SACT turbo
PUISSANCE 160 ch à 5 500 tr/min
COUPLE 184 lb-pi à 2 500 tr/min
RAPPORT POIDS/PUISSANCE 6,9 kg/ch
BOÎTE(S) DE VITESSES manuelle à 6 rapports, automatique à 6 rapports (de série Lusso et Prima Edizione, option Classica)
PERFORMANCES 0-100 km/h 6,9 s (est.)
NIVEAU SONORE Bon
VITESSE MAXIMALE 210 km/h

(Abarth) L4 1,4 L SACT turbo
PUISSANCE 164 ch à 5 500 tr/min
COUPLE 184 lb-pi à 2 500 tr/min
RAPPORT POIDS/PUISSANCE 6,7 kg/ch
BOÎTE(S) DE VITESSES manuelle à 6 rapports, automatique à 6 rapports avec mode manuel et manettes au volant (option)
PERFORMANCES 0-100 km/h 6,8 s
NIVEAU SONORE Moyen
VITESSE MAXIMALE 210 km/h

AUTRES COMPOSANTS

SÉCURITÉ ACTIVE (certains en option) Freins ABS, assistance au freinage, répartition électronique de la force de freinage, contrôle de la stabilité électronique, antipatinage, phares et essuie-glaces adaptatifs, avertisseurs d'obstacle latéral et arrière
SUSPENSION avant/arrière indépendante
FREINS avant/arrière disques
DIRECTION à crémaillère, assistée électriquement
PNEUS Classica P195/50R16 **Lusso/Abarth** P205/45R17

DIMENSIONS

EMPATTEMENT 2 309 mm
LONGUEUR 4 054 mm
LARGEUR 1 740 mm
HAUTEUR 1 232 mm
POIDS man. 1 105 kg **auto.** 1 123 kg **Abarth** 1 075 kg (est.)
RÉPARTITION DU POIDS AV/ARR (%) 54/46
DIAMÈTRE DE BRAQUAGE 9,4 m
COFFRE 140 L
RÉSERVOIR DE CARBURANT 45 L

A

B

C

D

E

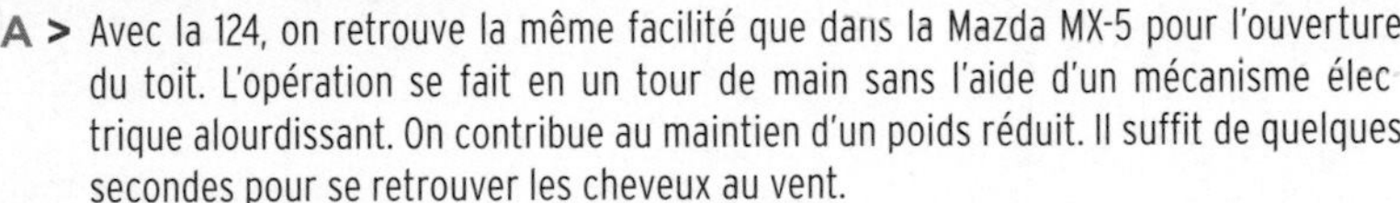

GALERIE

A > Avec la 124, on retrouve la même facilité que dans la Mazda MX-5 pour l'ouverture du toit. L'opération se fait en un tour de main sans l'aide d'un mécanisme électrique alourdissant. On contribue au maintien d'un poids réduit. Il suffit de quelques secondes pour se retrouver les cheveux au vent.

B > Élément caractéristique, la version Abarth obtient des jantes de 17 pouces peintes en noir pour lui donner un look plus dynamique. Derrière se cache des freins endurants d'origine Brembo. Pour les Classico et Lusso, la taille des roues va de 16 à 17 pouces.

C > Tout comme la Mazda MX-5, la version Abarth obtient un mode Sport. À la pression de la commande, la voiture se débride. On améliore les performances du moteur, la réactivité de la direction et le système de stabilité se montre plus permissif pour que l'on s'amuse.

D > Fiat refuse de prendre le moteur Mazda et c'est une excellente nouvelle. Le petit 1,4 litre accorde plus de couple à bas régime à 184 lb-pi. L'Abarth ne gagne que 4 chevaux de plus, mais sa calibration et ses améliorations dont la réduction de la masse de 100 livres, donnent une bombe de plaisir.

E > Bien que le style de la 124 semble étrange pour plusieurs, peu de choses sont laissées au hasard. Partout où l'on pose le regard, il y a une référence au passé du roadster. Ces plis de capot sont d'ailleurs repris intégralement de la version de 1967.

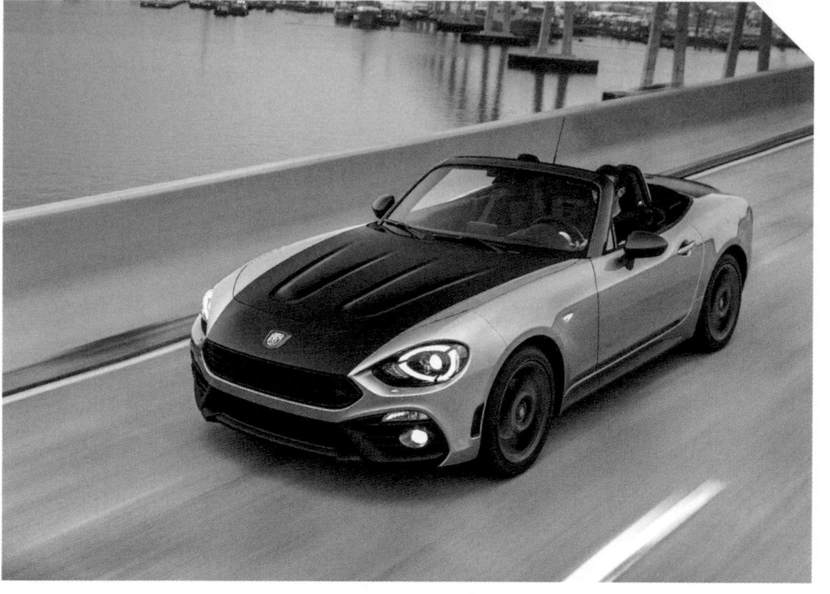

La direction pointe à merveille avec sa précision alors que les suspensions montrent une belle dose de fermeté. On sent la voiture bien construite, solide et sans torsion, des éléments essentiels à la conduite sportive. Tous ces facteurs prennent un second virage vers le nirvana dans l'Abarth. Engagez le mode Sport à la console, désactivez le contrôle de la stabilité et vous aurez entre les mains un bolide qui se conduit autant en regardant devant que par le côté! Dans de telles conditions, à la moindre accélération, un « coup de volant », et nous voilà en glisse. La 124 se manipule du bout des doigts, avec une aisance déconcertante. On peut se laisser emporter par des excès d'enthousiasme à son volant. Pas besoin d'être super puissant, il suffit d'être bien calibré et léger pour une recette enivrante.

CONCLUSION > La question qui tue: MX-5 ou 124 Spider? À la lumière de l'essai, la 124 l'emporte. Les raisons sont multiples et variées. Premièrement, le nombre de versions. On veut de la retenue, on choisit la Classico, pour de l'élégance, la Lusso et pour le côté sportif, l'Abarth. De plus, il y a deux choix de moteurs, ce que la MX-5 n'offre pas. Les transformations mécaniques sont bien adaptées et en parfaite harmonie avec l'image que l'on se fait d'un roadster « italien ». Le design pourra en laisser plusieurs perplexes, mais il suffit de prendre le volant pour être conquis. ■

HISTORIQUE

L'histoire de la 124 a débuté il y a maintenant un peu plus de 50 ans. À l'origine en 1966, on découvre une berline qui brille par sa banalité. Toutefois, un an après son lancement, trois autres variantes s'ajoutent. C'est à ce moment que l'on introduit le Spider, le coupé et une familiale. Au fil du temps, la 124 s'impose comme une icône populaire de l'automobile italienne grâce à ses nombreux succès en rallye avec la collaboration du préparateur Abarth. Officiellement, la production du premier opus de la 124 et ses versions prend fin en 1974, mais Lada (VAZ) continue d'utiliser la plate-forme jusqu'en 1988.

Fiat 124 berline 1966

Fiat 124 Spider Abarth 1973

Fiat 124 Familiare 1967

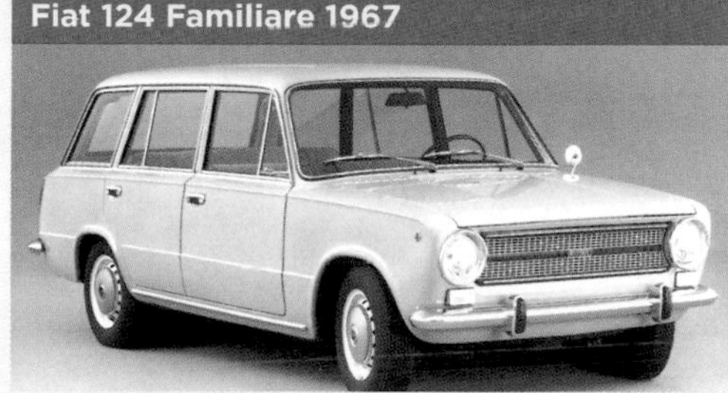

Fiat 124 Sport Spider 1974

Fiat 124 Spider Abarth Rally Edition 2017

LA COTE VERTE

MOTEUR L4 DE 1,4 L
CONSOMMATION (100 km) Coupé man. ville 7,6 L, route 5,9 L
Coupé/Cabrio auto. ville 8,7 L, route 6,9 L **Cabrio. man.** ville 7,9 L, route 6,3 L
CONSOMMATION ANNUELLE Coupé man. 1 156 L, 1 387 $
auto. 1 343 L, 1 746 $ **Cabrio. man.** 1 224 L, 1 469 $
INDICE D'OCTANE 87
ÉMISSIONS POLLUANTES CO_2 Coupé man. 2 659 kg/an
auto. 3 089 kg/an **Cabrio. man.** 2 815 kg/an
(source : ÉnerGuide)

FICHE D'IDENTITÉ

VERSION(S) Coupé/Cabrio Pop, Lounge, Abarth
PORTIÈRES 3, 2 **PLACES** 4
PREMIÈRE GÉNÉRATION 2012
GÉNÉRATION ACTUELLE 2012
CONSTRUCTION Toluca, Mexique
COUSSINS GONFLABLES 7 (frontaux, latéraux avant, genoux conducteur, rideaux latéraux)
CONCURRENCE Chevrolet Spark, Ford Fiesta ST, MINI Cooper/Cooper S, Mitsubishi Mirage, Nissan Micra, smart fortwo

AU QUOTIDIEN

COLLISION FRONTALE 4/5
COLLISION LATÉRALE 5/5
VENTES DU MODÈLE L'AN DERNIER
AU QUÉBEC 956 (-61,7 %) **AU CANADA** 2 955 (-52,1 %)
DÉPRÉCIATION (%) 43,8 (3 ans)
RAPPELS (2011 À 2016) 4
COTE DE FIABILITÉ 3,5/5

GARANTIES... ET PLUS

GARANTIE GÉNÉRALE 3 ans/60 000 km
GARANTIE MOTOPROPULSEUR 5 ans/100 000 km
PERFORATION 5 ans/100 000 km
ASSISTANCE ROUTIÈRE 5 ans/100 000 km
NOMBRE DE CONCESSIONNAIRES
AU QUÉBEC 21 **AU CANADA** 58

NOUVEAUTÉS EN 2017

Abandon des versions Sport, Turbo et Édition 1957. Nouvelles jantes. Sur version Pop : sièges tissus supérieur, ajouts aux options ensemble apparence Sport, toit ouvrant, groupe confort, radio Alpine, navigation

UN SOURIRE À QUATRE ROUES

Déçu de son expérience, un ex-propriétaire de Fiat 500 qui avait été charmé par son style m'a brièvement raconté son histoire, quelques heures avant la rédaction de ce texte. Je vous rassure, il n'a pas connu d'ennuis mécaniques majeurs, contrairement à certaines personnes qui ne se sont pas gênées pour le crier haut et fort sur les réseaux sociaux. Toutefois, après avoir déboursé 31 000 $ avant taxes pour une 500 Sport 2012, on ne lui offrait, chez le concessionnaire, que 6 000 $ après quatre ans et 81 000 kilomètres. Inutile de vous dire que l'expérience Fiat ne s'est pas répétée pour cette personne, qui a plutôt choisi la voie de l'électrique en optant pour une Kia Soul EV.

Antoine Joubert

TOUR DU PROPRIÉTAIRE > Parlant de voitures électriques, Fiat propose chez nos voisins du Sud une 500e ainsi motorisée, particulièrement populaire du côté de la Californie. Qu'attend FCA pour nous l'offrir ? Sans doute l'action d'un gouvernement qui obligerait les constructeurs à vendre de tels véhicules chez nous s'ils veulent pouvoir continuer à exploiter leurs bannières. Mais jusqu'à ce que cette loi soit appliquée, FCA ne fera aucun effort en ce sens. Cela dit, la jolie Fiat 500 voit sa gamme simplifiée pour 2017 avec l'abandon des modèles Turbo, Sport et Édition 1957. En fait, Fiat souhaite plutôt intégrer l'ensemble Sport sur le modèle Pop d'en-

+
- BOUILLE SYMPATHIQUE
- PRÉSENTATION INTÉRIEURE
- AGRÉMENT DE CONDUITE SURPRENANT
- VERSION ABARTH DIABOLIQUE

−
- HABITABILITÉ
- CONSOMMATION DÉCEVANTE
- DÉPRÉCIATION CONSIDÉRABLE
- FIABILITÉ = COUP DE DÉS

MENTIONS

CLÉ D'OR | CHOIX VERT | COUP DE CŒUR | RECOMMANDÉ

VERDICT

PLAISIR AU VOLANT
QUALITÉ DE FINITION
CONSOMMATION
RAPPORT QUALITÉ / PRIX
VALEUR DE REVENTE
CONFORT

1 5 10

trée de gamme, ce qui permettra à la clientèle d'obtenir un look plus dynamique à moindre coût. Les modèles Lounge et Abarth demeurent cependant au catalogue, noblesse italienne oblige.

VIE À BORD > Elle a beau contenir quatre places assises, la Fiat 500 n'est pas spacieuse. En fait, vous y serez plus à l'étroit qu'à bord d'une smart ou même de la nouvelle Chevrolet Spark. Par contre, aucune autre rivale ne vous donnera le cachet unique de cet habitacle, aussi charmant que les lignes extérieures. Le mariage des teintes, le design coloré et les graphiques uniques font de cet environnement un endroit qui respire le bonheur.

TECHNIQUE > Fiat ne nous sert cette année que deux options mécaniques : un moteur de 101 chevaux qui satisfera quiconque ne recherchant pas la performance ainsi qu'un moteur turbo de 160 chevaux pour des performances drôlement plus diaboliques. Malgré la présence d'un système MultiAir permettant soi-disant d'améliorer le rendement énergétique, la consommation de la petite 500 demeure élevée. Prévoyez une moyenne de près de 8 litres aux 100 kilomètres avec un modèle ordinaire, et à peine plus pour le modèle Abarth, pourtant nettement plus puissant.

AU VOLANT > La boîte automatique n'impressionne guère, tout comme la manuelle, un peu flasque. Toutefois, la 500 demeure plus amusante à conduire que la moyenne des autres sous-compactes. Toute petite, elle se faufile partout, répondant au doigt et à l'œil grâce à une direction vive et relativement précise. Reposant sur un châssis solide, elle laisse cependant entendre quelques craquements causés par un assemblage parfois inégal. Dommage. Vous pensiez au modèle Abarth ? Alors sachez que vous aurez bien du plaisir au volant, en risquant néanmoins de vous créer de nouveaux ennemis dans votre voisinage. Pourquoi ? Tout simplement parce que cette 500 shootée aux stéroïdes figure parmi les plus bruyantes de toutes les voitures de production. C'en est à ce point frappant qu'on se demande si elle passerait le test légal du décibelmètre. Quant au cabriolet, il n'a comme seul irritant qu'une très mauvaise visibilité arrière lorsque le toit est abaissé. Sinon, il ne fait qu'ajouter au plaisir de cette voiture.

CONCLUSION > La fiabilité inégale de la Fiat 500 a fait couler beaucoup d'encre, surtout sur les modèles 2012-2013. Certes, elle s'est améliorée, mais ne cherchez pas en cette petite puce la tranquillité d'esprit d'une Corolla. Évitez également les modèles fardés d'options, qui auront un effet néfaste sur la dépréciation. Cela dit, la 500 n'est pas un modèle qu'on balaie du revers de la main. Cette petite sait séduire et pourrait très certainement constituer une source de bonheur pour l'acheteur qui voit dans un véhicule plus que quatre roues et un volant.

2e OPINION

Daniel Rufiange

Voilà un peu plus de cinq ans que la Fiat 500 est parmi nous. Cette voiture, nous l'avions affirmé dès son arrivée, avait tout pour faire un tabac sur le marché. Deux conditions devaient cependant être respectées. Dans un premier temps, le produit devait montrer et se bâtir un excellent dossier de fiabilité. Sur ce plan, l'échec est retentissant. Il suffit de consulter le bulletin de *Consumer Reports* pour comprendre l'ampleur de la catastrophe que l'on prédit aux nouveaux acheteurs. Dans un deuxième temps, la 500 devait livrer un agrément de conduite distinct, hors du commun. Sur ce plan, c'est mieux réussi. Si la version de base n'a pas réinventé l'expression « agrément de conduite », la livrée Abarth permet de s'amuser à fond aux commandes. Si on règle la fiabilité, le potentiel est là, mais c'est un peu comme espérer que la corruption cesse en politique. Misère !

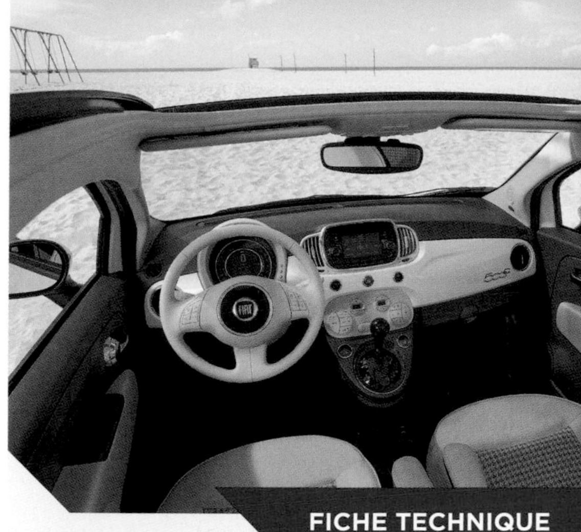

FICHE TECHNIQUE

MOTEUR(S)

(Pop, Lounge) L4 1,4 L SACT
PUISSANCE 101 ch à 6 500 tr/min
COUPLE 98 lb-pi à 4 000 tr/min
RAPPORT POIDS/PUISSANCE coupé 10,6 à 10,9 kg/ch **cabrio** 10,8 à 11,2 kg/ch
BOÎTE(S) DE VITESSES manuelle à 5 rapports, automatique à 6 rapports avec mode manuel (option)
PERFORMANCES 0-100 km/h 11,0 s
REPRISE 80-115 km/h 8,7 s
FREINAGE 100-0 km/h 39,0 m
NIVEAU SONORE À 100 km/h Passable
VITESSE MAXIMALE 182 km/h

(ABARTH) L4 1,4 L turbo SACT
PUISSANCE 160 ch à 5 500 tr/min
COUPLE 170 lb-pi de 2 500 à 4 000 tr/min
RAPPORT POIDS/PUISSANCE coupé 7,1 kg/ch **cabrio** 7,2 kg/ch
BOITE(S) DE VITESSES manuelle à 5 rapports, automatique à 6 rapports avec mode manuel (option)
PERFORMANCES 0-100 km/h 7,2 s
REPRISE 80-115 km/h 4,9 s
FREINAGE 100-0 km/h 37,0 m
VITESSE MAXIMALE 211 km/h
CONSOMMATION (100 km) man. ville 8,5 L, route 6,9 L **auto.** ville 9,6 L, route 7,3 L (octane 87)
ANNUELLE man. 1 326 L, 1 724 $ **auto.** 1 462 L, 1 901 $
ÉMISSIONS DE CO_2 man. 3 050 kg/an **auto.** 3 363 kg/an

AUTRES COMPOSANTS

SÉCURITÉ ACTIVE Freins ABS, assistance au freinage, répartition électronique de la force de freinage, contrôle électronique de la stabilité, antipatinage
SUSPENSION avant/arrière indépendante/semi-indépendante
FREINS avant/arrière disques
DIRECTION à crémaillère, assistée électriquement
PNEUS Pop/Lounge P185/55R15 **Abarth** P195/45R16 **option Abarth** P205/40R17

DIMENSIONS

EMPATTEMENT 2 300 mm
LONGUEUR 3 547 mm **Abarth** 3 668 mm
LARGEUR 1 627 mm
HAUTEUR 1 520 mm **Abarth** 1 503 mm
POIDS coupé man. 1 074 kg **auto.** 1 106 kg **cabrio man.** 1 094 kg **auto.** 1 130 kg **Abarth coupé** 1 142 kg **cabrio** 1 154 kg
RÉPARTITION DU POIDS AV/ARR (%) 66/34
DIAMÈTRE DE BRAQUAGE 9,3 m
COFFRE Coupé 263 L, 759 L (sièges abaissés) **Cabrio** 152 L, 663 L (sièges abaissés)
RÉSERVOIR DE CARBURANT 40 L

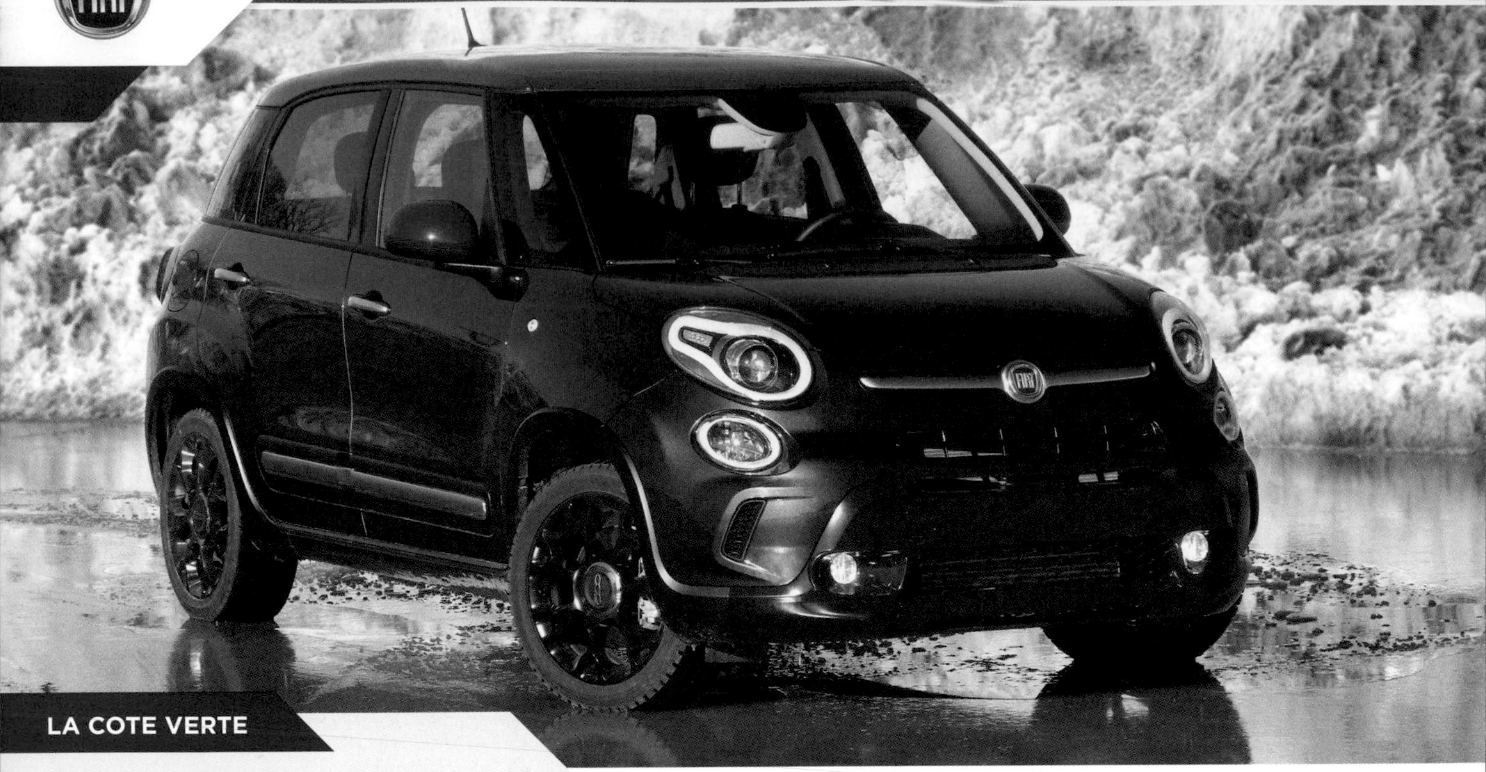

LA COTE VERTE

MOTEUR L4 DE 1,4 L TURBO
CONSOMMATION (100 km) man. ville 9,3 L, route 7,1 L **robo.** ville 9,9 L, route 7,2 L **auto.** ville 10,6 L, route 7,8 L
CONSOMMATION ANNUELLE man. 1 411 L, 1 693 $ **robo.** 1 479 L, 1 775 $ **auto.** 1 598 L, 1 918 $
INDICE D'OCTANE 87
ÉMISSIONS POLLUANTES CO_2 man. 3 245 kg/an **robo.** 3 402 kg/an **auto.** 3 675 kg/an
(source : ÉnerGuide)

FICHE D'IDENTITÉ

VERSION(S) Sport, Trekking, Lounge
TRANSMISSION(S) avant
PORTIÈRES 5 **PLACES** 5
PREMIÈRE GÉNÉRATION 2014
GÉNÉRATION ACTUELLE 2014
CONSTRUCTION Kragujevac, Serbie
COUSSINS GONFLABLES 7 (Frontaux, genoux conducteur, latéraux avant, rideaux latéraux)
CONCURRENCE Ford C-Max, Honda Fit, Kia Rondo/Soul, Mazda 5, Mercedes-Benz Classe B, MINI Clubman

AU QUOTIDIEN

COLLISION FRONTALE 4/5
COLLISION LATÉRALE 5/5
VENTES DU MODÈLE L'AN DERNIER
AU QUÉBEC 427 (-24,6 %) **AU CANADA** 1 948(-20,8 %)
DÉPRÉCIATION (%) 43,5 (3 ans)
RAPPELS (2011 à 2016) 3
COTE DE FIABILITÉ 3/5

GARANTIES... ET PLUS

GARANTIE GÉNÉRALE 3 ans/60 000 km
GARANTIE MOTOPROPULSEUR 5 ans/100 000 km
PERFORATION 5 ans/160 000 km
ASSISTANCE ROUTIÈRE 5 ans/100 000 km
NOMBRE DE CONCESSIONNAIRES
AU QUÉBEC 21 **AU CANADA** 58

NOUVEAUTÉS EN 2017

Abandon des versions Pop et Urbana Trekking, des boîtes de vitesses manuelle et robotisée et des jantes argent et blanc

IMAGINATION FERTILE, EXÉCUTION PERFECTIBLE

Chez nous, il y eut d'abord la 500 (2012). Puis la 500L (2014). Puis la 500X (2016). L'analogie avec MINI saute aux yeux. Prenez un modèle de départ, puis déclinez-le en plusieurs autres aussi distincts que possible. Fort bien. Sauf qu'on m'a souvent posé la question qui m'a moi-même intrigué : c'est quoi la différence entre la L et la X (en passant, quand vous tournerez la page, vous en apprendrez beaucoup plus sur la X) ?

Michel Crépault

TOUR DU PROPRIÉTAIRE > Je commence ma réponse en vous disant que la X est la version italienne du multisegment Jeep Renegade, alors que la L se veut la variante familiale de la petite 500, ou si vous préférez, c'est l'équivalent de la Countryman chez MINI. Mais encore ? Peut-on les départager grâce à leur longueur ? Pas vraiment, puisque seulement deux millimètres les séparent. Par contre, la L a un empattement et une hauteur un brin plus généreux, mais la X est plus large et plus haute sur pattes. Reste le design. On trouve des airs de famille à la X, alors que plusieurs reprochent à la L de manquer de personnalité. Je ne suis pas vraiment d'accord, d'autant plus que la L, comme ses sœurs, a accès à une palette de coloris et d'accessoires qui invite à la personnalisation. Mais il est vrai que son look à la Mazda5 excite moins.

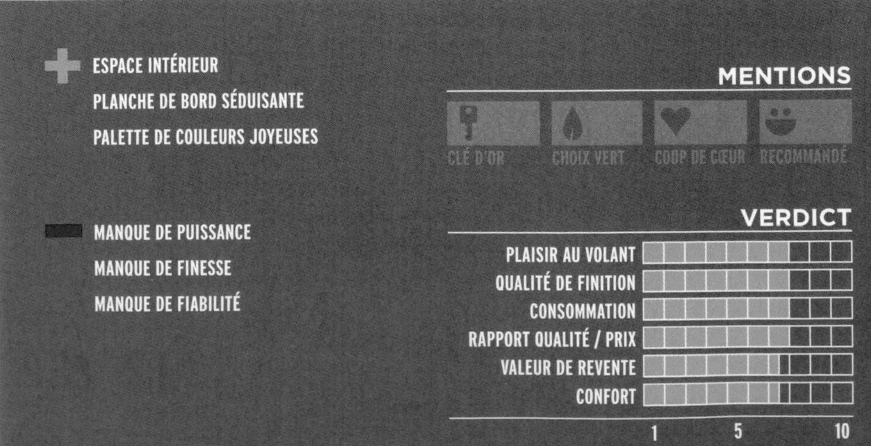

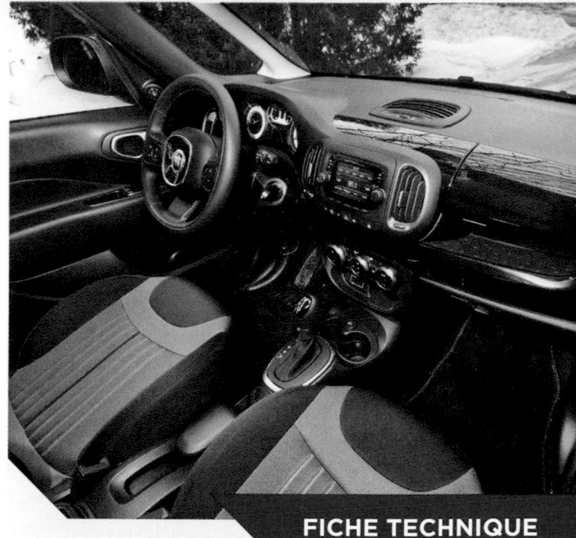

Pour 2017, les livrées Pop (de base) et Urbana Trekking, de même que les roues en alu de 17 pouces à « creux blanc », ont pris le bord. Ça nous laisse avec trois versions de L : Sport (roues de 16 po, écran central de 5 po - celui de 6,5 po avec navigation est en option -, sièges avant chauffants, volant gainé de cuir, etc.), Trekking (roues de 17 po, extrémités et ailes distinctes et un peu de chrome) et Lounge (plus luxueuse et dotée entre autres de la caméra arrière et de l'aide au stationnement).

VIE À BORD > Deux portières supplémentaires et de l'espace à l'arrière sont les raisons essentielles qui vous incitent à rester chez Fiat mais à esquiver la « cute » mais trop petite 500. La L (comme la X) remplit ce mandat. Au premier coup d'œil, la planche de bord reprend la présentation des autres Fiat et leur prédilection pour un style rétro. Mais en la détaillant davantage, on se rend compte qu'il manque à la L (plus vieille) certains gadgets de la X (plus récente), comme les alertes qui nous préviennent d'une collision frontale, d'un louvoiement excessif, de la présence d'un véhicule dans l'angle mort ou d'un trafic latéral à l'arrière. Mais, au moins, la L offre 42 % plus d'espace intérieur que la lilliputienne 500 et les dossiers de sa banquette coulissante se rabattent (60/40) mais sans former un plancher plat.

TECHNIQUE > Un seul moteur pour la L, soit le 4-cylindres turbocompressé 1,4 litre MultiAir de 160 chevaux et 184 livres-pieds de couple associé ipso facto à une boîte automatique Aisin à 6 rapports, car la boîte manuelle et l'automatique Euro Twin-Clutch ont été éliminées du catalogue. La X, de son côté, peut se vanter d'offrir un deuxième MultiAir (2,4 L de 180 ch) en plus d'une boîte à rien de moins que 9 rapports et, surtout, la transmission intégrale, qui fait cruellement défaut à la L.

AU VOLANT > À partir de sièges très fermes montés haut, la L prodigue une formidable visibilité panoramique, laquelle est accentuée par un immense toit à deux panneaux de verre qui profite à tous les passagers. Malheureusement, c'est à peu près sa seule qualité dynamique. Le 1,4-litre peine à l'ouvrage quand on prend la L au mot et qu'on la remplit à ras bord. Le 0-100 km/h, déjà pénible, s'envenime. Le volant et le freinage se mettent de la partie en souffrant tous les deux d'incertitude. Bref, le plaisir (relatif) découvert au volant d'une 500 n'a pas été légué à la L. Fiat aurait intérêt à discuter avec les gens de MINI.

CONCLUSION > Si vous recherchez une 500 plus spacieuse, la L répond présente. Malheureusement pour elle, la X aussi, elle qui déclasse la L à tous les chapitres : look (enfin, d'accord, c'est discutable), puissance, conduite, technologie. À moins d'insuffler du pep à la L et de la rendre AWD, je crains que les statistiques de 427 500L vendues au Québec en 2015 contre 566 en 2014 ne fassent qu'empirer. ■

FICHE TECHNIQUE

MOTEUR(S)

(500L) L4 1,4 L turbo
PUISSANCE 160 ch à 5 500 tr/min
COUPLE 184 lb-pi de 2 500 à 4 000 tr/min
RAPPORT POIDS/PUISSANCE 9,1 kg/ch
BOITE(S) DE VITESSES automatique à 6 rapports
PERFORMANCES 0-100 km/h 10,5 s
REPRISE 80-115 km/h 7,1 s
NIVEAU SONORE À 100 km/h Moyen
VITESSE MAXIMALE 180 km/h

AUTRES COMPOSANTS

SÉCURITÉ ACTIVE Freins ABS, assistance au freinage, répartition électronique de la force de freinage, contrôle électronique de la stabilité, antipatinage, aide au départ en pente
SUSPENSION avant/arrière indépendante/semi-indépendante
FREINS avant/arrière disques
DIRECTION à crémaillère, assistée électriquement
PNEUS P205/55R16 **option/de série Trekking** P225/45R17

DIMENSIONS

EMPATTEMENT 2 612 mm
LONGUEUR 4 246 mm
LARGEUR 1 774 mm
HAUTEUR 1 670 mm
POIDS man. 1 453 kg **robo.** 1 476 kg
RÉPARTITION DU POIDS AV/ARR (%) 61/39
DIAMÈTRE DE BRAQUAGE 10,7 m
COFFRE 655 L, 1 927 L (sièges abaissés)
RÉSERVOIR DE CARBURANT 50 L

2e OPINION

Vincent Aubé

Le constat est le même des deux côtés de la frontière : le multisegment familial italien est en perte de vitesse. Sa silhouette peu orthodoxe n'aide pas, et l'habitacle fort original a beau offrir une excellente visibilité, il n'en demeure pas moins que certains éléments ne plaisent pas à l'intérieur, tandis que d'autres étonnent. Ajoutons que la mécanique 4 cylindres turbo est mal adaptée à ce châssis. Elle travaille trop fort pour déplacer cette masse. Imaginez lorsqu'elle est remplie à pleine capacité, cette cabine. Après tout, la 500L a un petit côté familial, non ? Fiat peut faire mieux, c'est certain.

LA COTE VERTE

MOTEUR L4 DE 1,4 L TURBO
CONSOMMATION (100 km) ville 9,5 L, route 6,9 L
CONSOMMATION ANNUELLE 1 411 L, 1 693 $
INDICE D'OCTANE 87
ÉMISSIONS POLLUANTES CO_2 3 245 kg/an
(source : ÉnerGuide)

FICHE D'IDENTITÉ

VERSION(S) 2RM Pop **2RM/4RM** Sport, Trekking, Lounge, Trekking Plus
TRANSMISSION(S) avant, 4
PORTIÈRES 5 **PLACES** 5
PREMIÈRE GÉNÉRATION 2016
GÉNÉRATION ACTUELLE 2016
CONSTRUCTION Melfi, Italie
COUSSINS GONFLABLES 7 (frontaux, genoux conducteur, latéraux avant, rideaux latéraux)
CONCURRENCE Buick Encore/Chevrolet Trax, Honda HR-V, Infiniti QX30, Jeep Renegade, Mazda CX-3, MINI Countryman, Nissan Juke

AU QUOTIDIEN

COLLISION FRONTALE 5/5
COLLISION LATÉRALE 5/5
VENTES DU MODÈLE L'AN DERNIER
AU QUÉBEC 207 (nm) **AU CANADA** 609 (nm)
DÉPRÉCIATION (%) nm
RAPPELS (2011 à 2016) aucun à ce jour
COTE DE FIABILITÉ ND

GARANTIES... ET PLUS

GARANTIE GÉNÉRALE 3 ans/60 000 km
GROUPE MOTOPROPULSEUR 5 ans/100 000 km
PERFORATION 5 ans/160 000 km
ASSISTANCE ROUTIÈRE 5 ans/100 000 km
NOMBRE DE CONCESSIONNAIRES
AU QUÉBEC 21 **AU CANADA** 58

NOUVEAUTÉS EN 2017

Aucun changement majeur

ON S'ARRACHE L'AUTRE, PAS CELLE-CI

Techniquement proche de son alter ego la Jeep Renegade, la Fiat 500X se comporte de manière tout aussi convaincante, mais pourtant, personne ne se l'arrache. L'explication tient sans doute à sa silhouette trop rondouillarde, à son manque de latinité et à ses prix all'arrabiata, c'est-à-dire trop corsés.

Éric LeFrançois

TOUR DU PROPRIÉTAIRE > Jamais à sec, le réservoir de créativité de Fiat ? Et comment ! La liste des accessoires offre la possibilité aux consommateurs de personnaliser leur achat. Outre les 12 couleurs extérieures, les 8 choix de roues et 5 niveaux d'équipement, la 500X ne ménage dans ce domaine aucun effort. Comme toujours, attention de ne pas vous laisser entraîner, car la facture peut grimper très vite. Comme celle de toutes les Fiat, d'ailleurs !

VIE À BORD > Plus encore que les petites 500, elle bénéficie de 4 portières et présente des places arrière suffisamment spacieuses pour lui valoir le qualificatif de familiale. On se désole cependant du manque de créativité de Fiat, qui limite la modularité du coffre. Pourquoi, par exemple, ne pas permettre au dossier du siège passager avant de s'incliner lui aussi afin de

\+ BONNE HABITABILITÉ
TRANSMISSION INTÉGRALE FUTÉE
CONDUITE AMUSANTE

\- MODULARITÉ TROP CLASSIQUE
FOURCHETTE DE PRIX CORSÉE
FINITION PERFECTIBLE

MENTIONS

CLÉ D'OR · CHOIX VERT · COUP DE CŒUR · RECOMMANDÉ

VERDICT

PLAISIR AU VOLANT
QUALITÉ DE FINITION
CONSOMMATION
RAPPORT QUALITÉ / PRIX
VALEUR DE REVENTE nm
CONFORT

1 5 10

faciliter le transport de longs objets? Un détail, certes, mais certaines de ses concurrentes les proposent. Le nombre somme toute réduit d'espaces de rangement entraîne le même questionnement. Où sont les astuces? Nulle part. La qualité de l'assemblage est correcte, mais sans plus, compte tenu de la somme exigée pour les déclinaisons les plus luxueuses. Pareillement pour les matériaux utilisés, notamment cette vilaine cuirette qui habille par exemple les accoudoirs suspendus aux portes, qui paraît un peu vulnérable à l'épreuve du temps.

TECHNIQUE > Son dispositif à 4 roues motrices n'a pas été conçu pour s'aventurer en forêt. Elle va alors s'enliser, c'est certain. Dans des conditions normales d'utilisation, seules les roues avant sont motrices. Ce n'est que lorsque ces dernières perdent leur adhérence que des capteurs se chargent d'analyser (rapidement) la situation et de rediriger une partie du couple (maximum 50 %) aux roues arrière. On appelle cela du « rouage intégral à prise temporaire », une solution adoptée par de nombreux autres constructeurs. Il n'y a que le vocable qui change. Ici, on parle d'un dispositif à « désaccouplement arrière ». Celui-ci ajoute quelques kilogrammes au poids de la X, mais surtout un « joli » supplément à son prix.

AU VOLANT > Contrairement aux MINI, dont elles s'inspirent ouvertement, les 500 ne se pilotent pas comme des karts. Cela dit, la 500X vire relativement plat et s'avère amusante à conduire; même son tempérament survireur fait que l'on résiste aisément à la gourmandise d'avaler tout cru toutes les courbes qui se dessinent devant son pare-chocs. On se garde une petite gêne. La direction procure la même impression. Vive, mais un brin trop légère, elle répond avec acuité aux instructions dictées au volant. Pour corriger la situation, il existe une solution: une monte pneumatique de 18 pouces. Celle-ci donne plus de mordant au train avant et raffermit un peu la direction. En revanche, elle compromet le confort, et compte tenu de l'état lamentable – en dépit des travaux – de notre réseau routier, la monte de 17 pouces représente le meilleur choix. À noter que cette transmission à 4 roues motrices n'arrive pas seule à ce prix et est accompagnée du moteur 4 cylindres de 2,4 litres et d'une boîte automatique à 9 rapports, mais seulement sur certaines versions. De plus, les versions à roues avant motrices bénéficient, de série, d'un 1,4-litre et d'une boîte manuelle à 6 rapports. Cette dernière ne présente pour ainsi dire aucun intérêt en raison de son guidage imprécis et de son étagement long qui favorise la consommation au détriment de la performance. Malgré sa gestion parfois chaotique – elle hésite un peu avant d'arrêter son choix sur le rapport à sélectionner –, la boîte automatique demeure la meilleure option. Quant aux moteurs, on aime bien la nervosité du 1,4-litre, mais considérant la nature de ce véhicule, celui de 2,4 litres représente encore là un meilleur choix. Pas très expressif, vous en conviendrez, mais plus homogène.

CONCLUSION > Résumons. Elle est spacieuse, agréable au quotidien et sûre. Son niveau d'équipement est relevé, mais sa fourchette de prix apparaît peu compétitive, surtout si on opte pour les versions à 4 roues motrices. ■

2e OPINION

Antoine Joubert

C'était notre coup de masse l'an dernier à l'émission RPM. Un coup de masse unanime, autant de la part de Benoit que de Mathieu (notre mécano maison), qui déplorait l'inefficacité mécanique de cette voiture certes très jolie mais ratée sur toute la ligne. Pour ma part, la qualité d'assemblage m'avait déçu, tout comme le rendement du moteur 2,4 litres jumelé à la boîte ZF. Les performances avaient d'ailleurs été désastreuses sur la piste, malgré une puissance de 180 chevaux. Mais le comble, c'est qu'on osait afficher un prix d'environ 36 000 $ pour ce véhicule (version Lounge), soit 5 000 $ de plus que pour le plus cossu des Mazda CX-3. Tout ça pour un véhicule qui peine à prouver sa fiabilité, au grand dam des concessionnaires. Bref, oubliez-le.

FICHE TECHNIQUE

MOTEUR(S)

(2RM POP, SPORT, TREKKING) L4 1,4 L SACT turbo
PUISSANCE 160 ch à 5 500 tr/min
COUPLE 184 lb-pi de 2 500 à 4 000 tr/min
RAPPORT POIDS/PUISSANCE 8,4 kg/ch
BOÎTE(S) DE VITESSES manuelle à 6 rapports
PERFORMANCES 0-100 km/h 8,1 s
REPRISE 80-115 km/h 12,5 s
FREINAGE 100-0 km/h 39,6 m
NIVEAU SONORE À 100 km/h ND
VITESSE MAXIMALE 180 km/h (est.)

(2RM/4RM SPORT, TREKKING, LOUNGE) L4 2,4 L DACT
PUISSANCE 180 ch à 6 400 tr/min
COUPLE 175 lb-pi à 3 900 tr/min
RAPPORT POIDS/PUISSANCE 2RM 7,8 kg/ch **4RM** 8,3 kg/ch
BOITE(S) DE VITESSES automatique à 9 rapports avec mode manuel
PERFORMANCES 0 à 100 km/h 8,4 s (est.)
REPRISE 80-115 km/h ND
VITESSE MAXIMALE 180 km/h (est.)
CONSOMMATION (100 km) 2RM ville 10,6 L, route 7,6 L
4RM ville 11,0 L, route 7,9 L (octane 87)
ANNUELLE 2RM 1 581 L, 1 897 $ **4RM** 1 632 L, 1 958 $
ÉMISSIONS DE CO_2 2RM 3 636 kg/an **4RM** 3 754 kg/an

AUTRES COMPOSANTS

SÉCURITÉ ACTIVE (certains en option) Freins ABS, assistance au freinage, répartition électronique de la force de freinage, contrôle électronique de la stabilité avec fonction antiretournement, antipatinage, avertisseurs d'obstacle latéral et arrière, assistance au maintien de voie et en cas de collision imminente, essuie-glaces adaptatifs, aide au départ en pente
SUSPENSION avant/arrière indépendante /semi-indépendante
FREINS avant/arrière disques
DIRECTION à crémaillère, assistée électriquement
PNEUS Pop P215/60R16 **Sport/Trekking/Lounge 2RM** P215/55R17 **4RM** P215/60R17 **Trekking Plus** P225/45R18

DIMENSIONS

EMPATTEMENT 2 570 mm
LONGUEUR 4 248 mm **Trekking** 4 273 mm
LARGEUR 1 796 mm, 2 025 mm (incl. rétro.)
HAUTEUR 2RM 1 602 mm **4RM** 1 617 mm
POIDS 2RM 1.4 1 346 kg **2.4** 1 404 kg **4RM** 1 487 kg
RÉPARTITION DU POIDS AV/ARR (%) ND
DIAMÈTRE DE BRAQUAGE 11,1 m
COFFRE 350 L, 560 L (modulable), 910 L (sièges abaissés)
RÉSERVOIR DE CARBURANT 48 L
CAPACITÉ DE REMORQUAGE non recommandé

LA COTE VERTE

MOTEUR L4 DE 2,0 L HYBRIDE, HYBRIDE ENFICHABLE
CONSOMMATION (100 km) ville 5,6 L, route 6,4 L **mode électrique** équiv. 2,7 L
CONSOMMATION ANNUELLE 1 020 L, 1 224 $
INDICE D'OCTANE 87
ÉMISSIONS POLLUANTES CO_2 2 346 kg/an
AUTONOMIE EN MODE ÉLECTRIQUE 32 km
(source : ÉnerGuide)

FICHE D'IDENTITÉ

VERSION(S) Hybride SE, Hybride SEL, Energi
TRANSMISSION(S) avant
PORTIÈRES 5 **PLACES** 5
PREMIÈRE GÉNÉRATION 2013
GÉNÉRATION ACTUELLE 2013
CONSTRUCTION Wayne, Michigan, É-U
COUSSINS GONFLABLES 7 (frontaux, latéraux avant, rideaux latéraux, genoux conducteur)
CONCURRENCE Hyundai Ionic, Kia Niro/Soul EV, Lexus CT200h, Toyota Prius v (Fiat 500L, Kia Rondo, Mazda5, Mercedes-Benz Classe B)

AU QUOTIDIEN

COLLISION FRONTALE 4/5
COLLISION LATÉRALE 5/5
VENTES DU MODÈLE L'AN DERNIER
AU QUÉBEC 230 (-51,9%) **AU CANADA** 721 (-48,9%)
DÉPRÉCIATION (%) 37,7 (3 ans)
RAPPELS (2011 à 2016) 7
COTE DE FIABILITÉ 3/5

GARANTIES... ET PLUS

GARANTIE GÉNÉRALE3 ans/60 000 km
GROUPE MOTOPROPULSEUR 5 ans/100 000 km
COMPOSANTS Système hybride 8 ans/160 000 km
PERFORATION 5 ans/kilométrage illimité
ASSISTANCE ROUTIÈRE 5 ans/100 000 km
NOMBRE DE CONCESIONNAIRES
AU QUÉBEC 79 **AU CANADA** 437

NOUVEAUTÉS EN 2017

Aucun changement majeur

QUAND FORD S'ATTAQUE À LA PRIUS

Il s'en est passé des choses depuis l'introduction de la Toyota Prius sur le marché nord-américain en 2000. Auparavant réservée à des modèles de niche, la technologie hybride a depuis été implantée dans un étalage de plus en plus grand de modèles. Ford ne fait pas exception à cette règle avec sa C-Max, un modèle uniquement hybride basé sur la Ford Focus. Lancée en 2013, elle poursuit sa carrière dans l'anonymat. Un sort mérité ?

Charles René

TOUR DU PROPRIÉTAIRE > Si la C-Max vous donne l'irrépressible impression d'observer une Ford Focus gonflée à l'hélium, vous n'avez certainement pas tort. Les deux modèles sont des proches parents sur le plan technique. Avec ses proportions assez bizarres, mélangeant une certaine étroitesse avec une ligne de toit haute, le constructeur ne nous sert pas sa plus belle réussite esthétique. Il s'agit plutôt d'une création qui mise sur sa fonction familiale/urbaine, une formule faisant très « monospace » pour ne pas reprendre un qualificatif européen. Du reste, on doit néanmoins saluer le travail des designers sur la visibilité, très généreuse grâce à la grande surface vitrée.

+
- AGRÉMENT DE CONDUITE
- GROUPE MOTOPROPULSEUR HARMONIEUX
- ESPACE POUR LES PASSAGERS

−
- MOTEUR À ESSENCE TROP GOURMAND
- QUALITÉ DE FINITION INÉGALE
- VOLUME DE CHARGEMENT (ENERGI)

MENTIONS

CLÉ D'OR · CHOIX VERT · COUP DE CŒUR · **RECOMMANDÉ**

VERDICT

PLAISIR AU VOLANT	8
QUALITÉ DE FINITION	9
CONSOMMATION	10
RAPPORT QUALITÉ / PRIX	8
VALEUR DE REVENTE	7,5
CONFORT	10

1 5 10

VIE À BORD > Soulignons d'abord le bon travail fait sur le plan de l'accessibilité. Le plancher bas conjugué avec des sièges placés assez haut permet de prendre place à bord avec grande facilité. Cela vaut autant à l'avant qu'à l'arrière. Somme toute moderne, le tableau de bord n'est néanmoins pas sans faille. Certains plastiques sonnent creux et l'assemblage n'est pas d'une extrême qualité. Des bruits de craquements lorsque la route se montre inégale corroborent d'ailleurs cette affirmation. Pour ce qui est de l'aspect pratique de la C-Max, c'est encore là mitigé. Oui, elle est accueillante pour les passagers, mais les espaces de rangement sont trop rares et le volume du coffre pose problème lorsque vous optez pour la version Energi (hybride rechargeable). Le nouveau système d'infodivertissement Sync 3 est par contre un pas dans la bonne direction.

TECHNIQUE > Les versions hybride et hybride rechargeable de la C-Max optent pour le même groupe motopropulseur, une combinaison d'un 4-cylindres à cycle Atkinson de 2 litres et d'un moteur électrique pour 188 chevaux au total (195 sur version Energi). La différence se situe dans la capacité de la batterie au lithium-ion employée : 1,4 kWh pour l'hybride contre 7,6 kWh pour l'hybride rechargeable. On constate une belle harmonie entre les deux moteurs. Difficile même de discerner à vitesse d'autoroute quand le moteur à essence est en fonction ou non. La puissance est aussi plus qu'acceptable. On dénote cependant en conduite urbaine une certaine paresse du moulin électrique, ce qui force le moteur à essence à démarrer pour mieux accélérer. Côté autonomie électrique, la livrée hybride rechargeable a atteint les 26 kilomètres lors de l'essai en contexte urbain. On doit souligner ici l'excellente prestation du système de récupération de l'énergie. Le point faible de ce groupe motopropulseur est la consommation du moteur à essence, oscillant près des 8,5 litres aux 100 kilomètres à 110 km/h. C'est trop.

AU VOLANT > La C-Max constitue une belle surprise au sujet de son dynamisme. La direction est très bien dosée sur l'assistance et étonnamment directe. Les suspensions sont aussi bien réglées pour réduire le roulis. Bref, on oublie rapidement les idées préconçues que certains véhiculent sur les voitures hybrides endormantes. On la sent réellement joueuse. Les pneumatiques à faible résistance de roulement ne suivent néanmoins pas le rythme. Leur adhérence est beaucoup trop faible, ce qui allonge les distances de freinage et diminue l'assurance de la C-Max en virage. Bref, si vous êtes tenté par un achat, réservez quelques centaines de dollars pour l'achat de nouveaux pneus.

CONCLUSION > Bien qu'elle n'ait que quatre chandelles sur son gâteau de fête, la C-Max montre déjà quelques rides sur le plan technique. Son moteur à essence trop gourmand et son autonomie électrique (hybride rechargeable) un peu juste lui font perdre quelques points. On troque cependant cette efficience moyenne pour un comportement fort intéressant. Vivement donc une nouvelle génération basée sur une plate-forme conçue pour le mandat. ■

2e OPINION

Daniel Rufiange

Lorsqu'on vous parle de la Ford C-Max, vous êtes plusieurs à froncer les sourcils. C'est qui, elle ? Eh bien, la C-Max, c'est une voiture hybride offerte chez Ford depuis déjà quatre ans. On en parle peu, car le problème, c'est que son format est si près de celui de la Focus que pour bien des acheteurs, il n'y a pratiquement pas de différence, outre l'écart de prix important entre les deux. Des deux versions proposées, seule l'Energi se veut, à mon humble avis, pertinente. Cette dernière offre une autonomie d'une trentaine de kilomètres en mode électrique, détail intéressant pour quelqu'un qui aurait la possibilité d'exploiter cet atout pour ses allers et retours au travail. L'Energi rassure aussi le conducteur qui craint la panne de courant au volant d'une voiture entièrement à batterie, la Focus électrique, par exemple.

FICHE TECHNIQUE

MOTEUR(S)

(HYBRID, ENERGI) L4 2,0 L DACT cycle Atkinson + moteur électrique
PUISSANCE 141 ch. à 6 000 tr/min + moteur électrique 118 ch à 6 000 tr/min (puissance totale hybride 188 ch **Energi** 195 ch)
COUPLE 129 lb-pi à 4 000 tr/min + moteur électrique 117 lb-pi
RAPPORT POIDS/PUISSANCE 8,7 kg/ch **Energi** 9,0 kg/ch
BOITE(S) DE VITESSES automatique à variation continue
PERFORMANCES 0 à 100 km/h 10,0 s
REPRISE 80-115 km/h 5,7 s
FREINAGE 100-0 km/h 41,0 m
NIVEAU SONORE À 100 km/h Moyen
VITESSE MAXIMALE 185 km/h **Energi** 164 km/h, 100 km/h en mode électrique seul

AUTRES COMPOSANTS

SÉCURITÉ ACTIVE Freins ABS, assistance au freinage, répartition électronique de la force de freinage, contrôle dynamique de la stabilité et antiretournement, antipatinage
SUSPENSION avant/arrière indépendante
FREINS avant/arrière disques, freinage à récupération d'énergie
DIRECTION à crémaillère, assistée électriquement
PNEUS P225/50R17

DIMENSIONS

EMPATTEMENT 2 649 mm
LONGUEUR 4 409 mm
LARGEUR 1 829 mm, 2 085mm (incl. rétro.)
HAUTEUR 1 623 mm
POIDS 1 636 kg **Energi** 1 750 kg
DIAMÈTRE DE BRAQUAGE 11,9 m
COFFRE 694 L, 1 489 L (sièges abaissés)
Energi 544 L, 1 212 L (sièges abaissés)
RÉSERVOIR DE CARBURANT 51 L **Energi** 53 L
BATTERIE 1,4 kWh **Energi** 7,6 kWh
TEMPS DE RECHARGE (Energi) 120V/240V 7,0 h/2,5 h

LA COTE VERTE

MOTEUR L4 DE 2,0 L TURBO
CONSOMMATION (100 km) 2RM ville 11,5 L, route 7,8 L
4RM ville 11,8 L, route 8,4 L
CONSOMMATION ANNUELLE 2RM 1 666 L, 1 999 $ **4RM** 1 751 L, 2 101 $
INDICE D'OCTANE 87
ÉMISSIONS POLLUANTES CO_2 2RM 3 832 kg/an **4RM** 4 027 kg/an
(source: ÉnerGuide

FICHE D'IDENTITÉ

VERSION(S) 2RM/4RM SE, SEL, Titanium **4RM** Sport
TRANSMISSION(S) avant, 4
PORTIÈRES 5 **PLACES** 5
PREMIÈRE GÉNÉRATION 2007
GÉNÉRATION ACTUELLE 2016
CONSTRUCTION Oakville, Ontario, Canada
COUSSINS GONFLABLES 7 (frontaux, genoux conducteur, latéraux avant, rideaux latéraux) + option ceintures de sécurité arrière latérales gonflables
CONCURRENCE Chevrolet Traverse/GMC Acadia, Dodge Durango, Honda Pilot, Hyundai Santa Fe Sport, Kia Sorento, Mazda CX-9, Nissan Murano, Toyota Highlander, Volvo XC60

AU QUOTIDIEN

COLLISION FRONTALE 5/5
COLLISION LATÉRALE 5/5
VENTES DU MODÈLE L'AN DERNIER
AU QUÉBEC 2 529 (+11,3 %) **AU CANADA** 16 580 (-7,6 %)
DÉPRÉCIATION (%) 33,6 (3 ans)
RAPPELS (2011 à 2016) 6
COTE DE FIABILITÉ 3,5/5

GARANTIES... ET PLUS

GARANTIE GÉNÉRALE 3 ans/60 000 km
GROUPE MOTOPROPULSEUR 5 ans/100 000 km
PERFORATION 5 ans/kilométrage illimité
ASSISTANCE ROUTIÈRE 5 ans/100 000 km
NOMBRE DE CONCESSIONNAIRES
AU QUÉBEC 79 **AU CANADA** 437

NOUVEAUTÉS EN 2017

Aucun changement majeur

DIS, POURQUOI ON T'AIME?

Après huit ans sur le marché et près d'un million d'unités vendues, l'Edge connaît une invraisemblable cote d'amour. Il n'était donc pas question de tout remettre en cause pour la deuxième génération, qui conserve presque à l'identique les formes du précédent modèle. On ne change pas un concept gagnant.

Éric LeFrançois

TOUR DU PROPRIÉTAIRE > Les retouches apportées au style de cet Edge 2 sont réduites à leur plus simple expression. On remarquera davantage les nouveaux coloris que les modifications appliquées aux boucliers de protection, l'intégration d'une calandre hexagonale qui en impose et le rajeunissement des feux arrière. Bref, il présente un design modérément remanié. La carrosserie s'allonge de près de 100 millimètres, au profit du coffre – dont la modularité demeure classique – et des occupants de la banquette. Mais la dimension accrue du plancher n'explique pas tout. En revoyant le dessin des sièges avant, l'épaisseur du ciel de toit et des contre-portes, tous les points de dégagement se trouvent à la hausse.

VIE À BORD > L'habitacle progresse en qualité perçue grâce à des matériaux de meilleure facture. Hélas, le tableau de bord et l'ambiance générale restent désespérément figés dans un conservatisme point inélégant, mais déjà vu. On se réjouit cependant de la présence d'un plus

+
SILENCE DE ROULEMENT
COUPLE DU 2-LITRES
SÉCURITÉ QU'IL PROPOSE

–
POIDS ÉLEVÉ
ÉCONOMIE DE CARBURANT
LE PRIX QUI GRIMPE (TRÈS) VITE

MENTIONS

CLÉ D'OR | CHOIX VERT | COUP DE CŒUR | **RECOMMANDÉ**

VERDICT

PLAISIR AU VOLANT
QUALITÉ DE FINITION
CONSOMMATION
RAPPORT QUALITÉ / PRIX
VALEUR DE REVENTE
CONFORT

1 5 10

grand nombre de rangements, qui ajoute à la polyvalence de ce véhicule. Souvent et parfois injustement décrié, le dispositif MyFord donne satisfaction, même si la mise au point de la reconnaissance vocale demeure à parfaire. Les commandes sont intuitives, mais l'ergonomie n'est pas sans reproche pour autant. On taponne encore un peu et tout ne se retrouve pas sous la main.

À défaut d'impressionner dans ce domaine, l'Edge compte bien en mettre plein la vue quant aux dispositifs de sécurité. Outre des capteurs d'angles morts, on remarque aussi sur la liste un régulateur capable de moduler votre vitesse selon les conditions de la circulation, des ceintures à l'arrière munies de ballons gonflables et des caméras. Ah! Il y a également un système lui permettant de se garer ou de sortir le véhicule d'un espace de stationnement presque tout seul. Génial, mais ça requiert une bonne dose de patience pour exercer son art. Toutes ces petites douceurs et quelques autres sont regroupées à l'intérieur de l'un des deux groupes d'options qui font rapidement grimper la note.

TECHNIQUE > Contrairement à la mouture précédente, l'Edge repose sur une architecture « maison ». En effet, cet utilitaire partage désormais la plate-forme de la berline Fusion (nom de code CD4) et non plus l'une de celles élaborées en collaboration avec Mazda. Une suspension avant dont les bras inférieurs sont taillés dans l'aluminium et un usage accru d'acier haute résistance ont permis d'économiser quelques kilos, mais l'Edge demeure un « poids lourd » dans sa catégorie.

SUR LA ROUTE > Solidement campé sur ses pneus de 20 pouces, l'Edge tient le pavé et sa direction électrique, calibrée avec précision, donne la sensation de conduire un véhicule plus léger que le poids qu'il enregistre sur la balance. Souple, la suspension, qui privilégie le bien-être des occupants plutôt que la tenue en courbe, le fait légèrement dodeliner lors des changements d'appui, mais sans que l'on puisse y trouver à redire. Pas plus que la qualité de l'insonorisation, qui ajoute au confort à bord. Le freinage est costaud, facile à moduler, mais résiste faiblement à l'échauffement au terme de trois arrêts d'urgence répétés. Malgré son poids, l'Edge accélère solidement (surtout avec le 2,7-litres) du moment qu'il n'est pas chargé jusqu'au toit. Le moteur 2 litres suffit à la tâche et la boîte automatique, que d'aucuns jugeront un peu anachronique dans un ensemble aussi technologiquement évolué, a le mérite d'entretenir des rapports bien huilés avec le moteur qui l'accompagne. En revanche, quelques vitesses supplémentaires auraient sans doute été appréciées pour faire réduire la consommation, qui peine à passer sous les 11 litres aux 100 kilomètres dans le cadre d'une utilisation mi-ville, mi-route.

CONCLUSION > Assemblé au Canada - pour certains consommateurs, cela a de l'importance -, l'Edge n'avait pas besoin d'une cure de jouvence mais d'une solide remise à niveau. Voilà qui est fait. Notre avis: privilégiez la version SEL à 4 roues motrices. Celle-ci apparaît de loin comme le meilleur choix. ■

2e OPINION

Antoine Joubert

Ford connaît beaucoup de succès avec l'Edge, qui est désormais vendu à l'échelle mondiale. Il faut dire que ce produit s'est énormément raffiné au fil des années pour aujourd'hui offrir une expérience sensorielle digne d'un véritable véhicule de luxe, particulièrement dans le cas de l'Edge Sport. Le silence de roulement, le raffinement mécanique et le niveau d'équipement impressionnent particulièrement, tout comme la qualité générale de l'assemblage et de la finition. Ces éléments lui permettent d'ailleurs de se démarquer face à des véhicules comme le Kia Sorento et le Nissan Murano. Hélas, la consommation de carburant du V6 de 3,5 litres demeure plus élevée que chez la concurrence, tout comme la facture, qui peut atteindre des sommets insoupçonnés. Comme quoi la qualité se paie.

FICHE TECHNIQUE

MOTEUR(S)

(SE, SEL, TITANIUM) L4 2,0 L DACT turbo
PUISSANCE 245 ch à 5 500 tr/min **COUPLE** 275 lb-pi à 3 000 tr/min
RAPPORT POIDS/PUISSANCE 2RM 7,2 kg/ch **4RM** 7,5 kg/ch
BOÎTE(S) DE VITESSES automatique à 6 rapports avec mode manuel et manettes au volant
PERFORMANCES 0-100 km/h 8,3 s
REPRISE 80-115 km/h 5,8 s **FREINAGE 100-0 km/h** 43,2 m
VITESSE MAXIMALE 185 km/h

(OPTION SE/SEL/TITANIUM) V6 3,5 L DACT
PUISSANCE 280 ch à 6 500 tr/min **COUPLE** 250 lb-pi à 4 000 tr/min
RAPPORT POIDS/PUISSANCE 2RM 6,5 kg/ch **4RM** 6,9 kg/ch
BOÎTE(S) DE VITESSES automatique à 6 rapports avec mode manuel et manettes au volant
PERFORMANCES 0-100 km/h 7,0 s (est.)
VITESSE MAXIMALE 200 km/h
CONSOMMATION (100 km) 2RM ville 13,4 L, route 9,0 L
4RM ville 13,7 L, route 9,6 L (octane 87)
ANNUELLE 2RM 1 938 L, 2 326 $ **4RM** 2 006 L, 2 407 $
ÉMISSIONS DE CO_2 2RM 4 457 kg **4RM** 4 614 kg/an

(SPORT) V6 2,7 L DACT biturbo
PUISSANCE 315 ch à 4 750 tr/min **COUPLE** 350 lb-pi à 2 750 tr/min
RAPPORT POIDS/PUISSANCE 6,2 kg/ch
BOÎTE(S) DE VITESSES automatique à 6 rapports avec mode manuel et manettes au volant
PERFROMANCES 0-100 km/h 6,9 s (est.)
VITESSE MAXIMALE 200 km/h
NIVEAU SONORE À 100 km/h Bon
CONSOMMATION (100 km) ville 13,6 L, route 9,8 L (octane 91)
ANNUELLE 2 023 L, 2 428 $ **ÉMISSIONS DE CO_2** 4 653 kg/an

AUTRES COMPOSANTS

SÉCURITÉ ACTIVE (certains en option ou selon version) Freins ABS, assistance au freinage, répartition électronique de la force de freinage, contrôle électronique de la stabilité, antipatinage, phares et essuie-glaces adaptatifs, avertisseurs d'obstacle latéral et arrière, régulateur de vitesse adaptatif, avertisseur d'impact imminent avec assistance au freinage d'urgence, système anti-louvoiement
SUSPENSION avant/arrière indépendante
FREINS avant/arrière disques
DIRECTION à crémaillère, assistée électriquement
PNEUS SE/SEL P245/60R18 **Titanium** P245/55R19
Sport/option Titanium P245/50R20 **option Sport** 21 pouces

DIMENSIONS

EMPATTEMENT 2 849 mm **LONGUEUR** 4 779 mm
LARGEUR 1 928 mm, 1 992 mm (rétro. repliés), 2 179 mm (incl. rétro.)
HAUTEUR 1 742 mm
POIDS 2RM 1 775 kg **4RM** 1 850 kg
RÉPARTITION DU POIDS AV/ARR (%) ND **DIAMÈTRE DE BRAQUAGE** ND
COFFRE 1 111 L, 2 078 L (sièges abaissés)
RÉSERVOIR DE CARBURANT 68 L
CAPACITÉ DE REMORQUAGE 3,5 L 1 587 kg
2,0 L 1 587 kg (avec ensemble remorquage)

LA COTE VERTE

MOTEUR L4 DE 1,5 L TURBO
CONSOMMATION (100km) 2RM ville 10,2 L, route 7,8 L
4RM ville 10,7 L, route 8,3 L
CONSOMMATION ANNUELLE 2RM 1 564 L, 1 877 $ **4RM** 1 649 L, 1 979 $
INDICE D'OCTANE 87
ÉMISSIONS POLLUANTES CO_2 2RM 3 597 kg/an **4RM** 3 793 kg/an
(source : Ford et L'Annuel)

FICHE D'IDENTITÉ

VERSION(S) 2RM S **2RM/4RM** SE, Titanium
TRANSMISSION(S) avant, 4
PORTIÈRES 5 **PLACES** 5
PREMIÈRE GÉNÉRATION 2001
GÉNÉRATION ACTUELLE 2013
CONSTRUCTION Kansas City, Missouri, É.-U.
COUSSINS GONFLABLES 7 (frontaux, genoux conducteur, latéraux avant, rideaux latéraux)
CONCURRENCE Chevrolet Equinox/GMC Terrain, Dodge Journey, Honda CR-V, Hyundai Tucson, Jeep Cherokee, Kia Sportage, Mazda CX-5, Mitsubishi Outlander, Nissan Rogue, Subaru Forester/Outback, Toyota RAV4, Volkswagen Tiguan

AU QUOTIDIEN

COLLISION FRONTALE 4/5
COLLISION LATÉRALE 5/5
VENTES DU MODÈLE L'AN DERNIER
AU QUÉBEC 9 194 (-8,8 %) **AU CANADA** 47 726 (-8,6 %)
DÉPRÉCIATION (%) 33,6 (3 ans)
RAPPELS (2011 à 2016) 17
COTE DE FIABILITÉ 2,5/5

GARANTIES... ET PLUS

GARANTIE GÉNÉRALE 3 ans/60 000 km
GROUPE MOTOPROPULSEUR 5 ans/100 000 km
PERFORATION 5 ans/kilométrage illimité
ASSISTANCE ROUTIÈRE 5 ans/100 000 km
NOMBRE DE CONCESIONNAIRES
AU QUÉBEC 79 **AU CANADA** 437

NOUVEAUTÉS EN 2017

Moteur 1,6 litre Ecoboost remplacé par le 1,5 litre Ecoboost, connectivité SYNC®3, régulateur de vitesse adaptatif, aide au stationnement et assistance en cas de sortie de voie disponibles, retouches esthétiques extérieures et intérieures.

DU NEUF AVEC DU VIEUX

C'est en 2008 que Ford lançait, du côté de l'Europe, l'utilitaire compact Kuga. Cinq ans plus tard, ce même véhicule (légèrement rafraîchi) faisait son apparition chez nous, reprenant la nomenclature Escape. Cette année, on le retouche une seconde fois pour lui permettre de prolonger sa carrière d'au moins deux ans. Cette pratique n'a rien de nouveau du côté de Ford, qui nous a servi à peu de choses près le même Escape de 2001 à 2012. Maintenant, est-ce que ce « nouvel » Escape possède ce qu'il faut pour conserver son titre de meilleur vendeur ?

Antoine Joubert

TOUR DU PROPRIÉTAIRE > Avec 47 726 ventes au pays l'an dernier, l'Escape demeure de loin le favori. Et non, ce ne sont pas que les promotions qui le font vendre en si grand nombre. Les gens apprécient son style, son format et son côté pratique, en plus d'adhérer à une image techno que laissent présager plusieurs véhicules de la marque. Pour 2017, Ford choisit cependant d'harmoniser son utilitaire compact avec celui des autres membres de la famille, en lui greffant un museau plus costaud, qui n'est toutefois pas sans rappeler celui du Hyundai Tucson. À lui seul, cet élément modernise l'ensemble de la carrosserie qui, malgré son âge, ne présente aucune ride. Ford propose également pour 2017 un ensemble « Apparence Sport » qui, essentiellement, présente un noir dominant. Roues, rétroviseurs, plateaux de pare-

+
- QUALITÉ D'ASSEMBLAGE
- AGRÉMENT DE CONDUITE
- MOTEURS ECOBOOST NERVEUX
- ÉQUIPEMENT INTÉRESSANT (MALGRÉ LES OPTIONS)

−
- PRIX PARFOIS CORSÉS
- ESPACE ARRIÈRE DÉCEVANT
- SIÈGES INCONFORTABLES
- CONSOMMATION PAS SI « ECO »

MENTIONS

CLÉ D'OR — CHOIX VERT — COUP DE CŒUR — **RECOMMANDÉ**

VERDICT

PLAISIR AU VOLANT
QUALITÉ DE FINITION
CONSOMMATION
RAPPORT QUALITÉ / PRIX
VALEUR DE REVENTE
CONFORT

1 5 10

chocs, porte-bagages et ceinture de fenestration se voient donc peints en noir lustré pour un look tout simplement plus dynamique.

VIE À BORD > Des trois déclinaisons offertes, la version SE sera la plus populaire. Pour environ 30 000 $, on obtient un modèle à 4 roues motrices, bien équipé, et qui propose un habitacle extrêmement agréable au quotidien. Le toit ouvrant panoramique, en option (1 750 $), apporte beaucoup de luminosité à bord alors que la nouvelle console centrale mieux aménagée permet plus facilement de disposer de ses effets personnels. Hélas, les sièges demeurent inchangés et manquent toujours de soutien. On souhaiterait également bénéficier de plus d'espace aux places arrière ou, minimalement, d'une banquette coulissante. Mais pour cela, il faudra attendre la prochaine génération.

TECHNIQUE > Pour afficher un prix de base alléchant, le moteur 2,5 litres demeure au menu. Toutefois, on met principalement l'accent sur les deux moteurs EcoBoost. Le plus petit des deux propose une puissance honnête pour une consommation moyenne se situant autour de 9,5 ou 10 litres aux 100 kilomètres (avec transmission intégrale), alors que le second exige plus ou moins un litre de plus à la pompe, pour des performances qui sont par contre plus impressionnantes. Notez d'ailleurs que ce 2-litres est nouveau pour 2017, identique à celui qui est utilisé dans le récent Ford Edge. Son couple est plus généreux à bas régime et permet notamment de remorquer des charges atteignant 3 500 livres. Pour l'obtenir, il vous faudra opter pour une version Titanium ou encore ajouter 1 000 $ au prix d'achat d'un modèle SE.

AU VOLANT > Un des points forts de l'Escape demeure son agrément de conduite, supérieur à celui de tous ses rivaux nippons, mais, disons, nez à nez avec le Mazda CX-5. Dynamique, solidement construit et montrant une direction précise et communicative, il est tout simplement amusant à conduire. Pour 2017, on ajoute bien sûr les options de conduite assistée telles que la détection de changement de voie, d'angles morts et le freinage d'urgence à la vue d'un obstacle. Sur les modèles à moteur EcoBoost, la technologie démarrage-arrêt est également ajoutée, l'exercice se faisant d'ailleurs avec la plus grande discrétion.

CONCLUSION > Chez Ford, on se laisse facilement prendre au jeu des options, ce qui fait rapidement grimper la facture. Toutefois, l'équipement offert plaît aux acheteurs, la qualité du produit est excellente et l'agrément de conduite constitue un vent de fraîcheur face à celui des CR-V, Tucson et Rogue de ce monde. Qui plus est, la valeur de revente se situe au niveau des sacro-saints rivaux japonais, signe que la réputation du produit est aujourd'hui notoire. Ajoutez à cela un réseau de concessionnaires très élargi au pays, et vous avez les éléments pour comprendre pourquoi l'Escape demeure le plus vendu du segment. ■

2e OPINION

Vincent Aubé

Depuis ses premiers tours de roues, le Ford Escape domine la catégorie des VUS compacts. L'ancienne livrée aurait très bien pu continuer ainsi une année de plus, mais pour demeurer au top, il faut faire les changements nécessaires. L'édition 2017 du petit utilitaire est donc remaniée à l'extérieur, tandis que sous le capot, les motorisations turbocompressées sont renouvelées pour le mieux. Bien entendu, le bloc de 2 litres est alléchant avec ses performances relevées, mais il faut accepter de payer le prix pour y avoir accès. L'autre moteur EcoBoost, d'une cylindrée de 1,5 litre, est moins dynamique, mais son rendement fera l'affaire de 95 % des utilisateurs de l'Escape, et le prix est plus raisonnable.

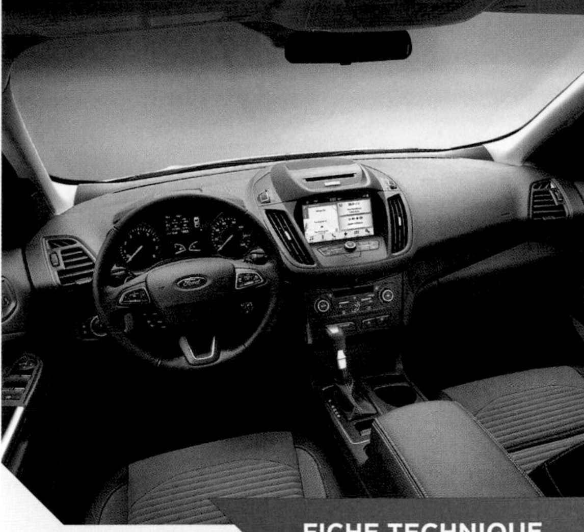

FICHE TECHNIQUE

MOTEUR(S)

(SE) L4 1,5 L DACT turbo
PUISSANCE 179 ch à 6 000 tr/min
COUPLE 177 lb-pi à 2 500 tr/min
RAPPORT POIDS/PUISSANCE 9,0 kg/ch
BOÎTE(S) DE VITESSES automatique à 6 rapports avec mode manuel
PERFROMANCES 0-100 km/h 8,0 s **REPRISE 80-115 km/h** 6,9 s
VITESSE MAXIMALE 190 km/h

(S) L4 2,5 L DACT
PUISSANCE 168 ch à 6 000 tr/min
COUPLE 170 lb-pi à 4 500 tr/min
RAPPORT POIDS/PUISSANCE 9,5 kg/ch
BOÎTE(S) DE VITESSES automatique à 6 rapports avec mode manuel
PERFORMANCES 0-100 km/h 10,0 s **REPRISE** 80-115 km/h 8,2 s
VITESSE MAXIMALE 175 km/h
CONSOMMATION (100 km) ville 11,1 L, route 8,1 L (octane 87)
ANNUELLE 1 666 L, 1 999 $ **ÉMISSIONS DE CO_2** 3 832 kg/an

(TITANIUM, option SE) L4 2,0 L DACT turbo
PUISSANCE 245 ch à 5 550 tr/min
COUPLE 275 lb-pi à 3 000 tr/min
RAPPORT POIDS/PUISSANCE 7,0 kg/ch
BOÎTE(S) DE VITESSES automatique à 6 rapports avec mode manuel
PERFROMANCESO-100 km/h 7,4 s
REPRISE 80-115 km/h 5,8 s **FREINAGE 100-0 km/h** 38,5 m
NIVEAU SONORE À 100 km/h Moyen
VITESSE MAXIMALE 200 km/h
CONSOMMATION (100 km) 2RM ville 10,6 L, route 8,0 L
4RM ville 11,5 L, route 8,7 l (octane 91)
ANNUELLE 2RM 1 615 L, 1 938 $ **4RM** 1 751 L, 2 101 $
ÉMISSIONS DE CO_2 2RM 3 714 kg/an **4RM** 4 027 kg/an

AUTRES COMPOSANTS

SÉCURITÉ ACTIVE Freins ABS, assistance au freinage, répartition électronique de la force de freinage, contrôle électronique de la stabilité, antipatinage, régulateur de vitesse adaptatif, avertisseur d'obstacle latéral, assistance en cas de sortie de voie
SUSPENSION avant/arrière indépendante
FREINS avant/arrière disques
DIRECTION à crémaillère, assistée électriquement
PNEUS S/SE P235/55R17 **Titanium/option SE** P235/50R18
option Titanium P235/45R19

DIMENSIONS

EMPATTEMENT 2 690 mm
LONGUEUR 4 524 mm
LARGEUR 1 839 mm, 2 077 mm (incl. rétro.)
HAUTEUR 1 683 mm
POIDS 2RM 1 594 à 1 642 kg **4RM** 1 671 à 1 709 kg
RÉPARTITION DU POIDS AV/ARR (%) 58/42
DIAMÈTRE DE BRAQUAGE 11,8 m
COFFRE 971 L, 1 920 L (sièges abaissés)
RÉSERVOIR DE CARBURANT 57 L
CAPACITÉ DE REMORQUAGE 2,5 680 kg **1,6 T** 907 kg
2,0 T 1587 kg (avec ensemble de remorquage)

LA COTE VERTE

MOTEUR V6 DE 3,5 L BITURBO
CONSOMMATION (100 km) ville 16,2 L, route 11,9 L **MAX** ville 16,4 L, route 12,1 L
CONSOMMATION ANNUELLE 2 431 L, 2 917 $ **MAX** 2 448 L, 2 938 $
INDICE D'OCTANE 87
ÉMISSIONS POLLUANTES CO_2 5 591 kg/an **MAX** 5 630 kg/an
(source : ÉnerGuide)

FICHE D'IDENTITÉ

VERSION(S) XLT, Limited, Limited Max, Platinum, Platinum Max
TRANSMISSION(S) 4
PORTIÈRES 4 **PLACES** 5, 7, 8
PREMIÈRE GÉNÉRATION 1997
GÉNÉRATION ACTUELLE 2007
CONSTRUCTION Louisville, Kentucky, É.-U.
COUSSINS GONFLABLES 6 (frontaux, latéraux avant, rideaux latéraux)
CONCURRENCE Chevrolet Tahoe/Suburban/GMC Yukon/Yukon XL, Nissan Armada, Toyota Sequoia

AU QUOTIDIEN

COLLISION FRONTALE 5/5
COLLISION LATÉRALE 5/5
VENTES DU MODÈLE L'AN DERNIER
AU QUÉBEC 121 (+24,7 %) **AU CANADA** 2 282 (+37,6 %)
DÉPRÉCIATION (%) 35,3 (3 ans)
RAPPELS (2011 à 2016) 3
COTE DE FIABILITÉ 4/5

GARANTIES... ET PLUS

GARANTIE GÉNÉRALE 3 ans/60 000 km
GROUPE MOTOPROPULSEUR 5 ans/100 000 km
PERFORATION 5 ans/kilométrage illimité
ASSISTANCE ROUTIÈRE 5 ans/100 000 km
NOMBRE DE CONCESIONNAIRES
AU QUÉBEC 79 **AU CANADA** 437

NOUVEAUTÉS EN 2017

Aucun changement majeur

DERNIÈRE SORTIE PUBLIQUE

L'année 2017 sera la dernière de l'actuelle génération du Ford Expedition. Son remplaçant, qui a été vu à maintes reprises, entièrement camouflé, sillonnant les routes aux alentours de Détroit, est attendu l'an prochain. Peut-on le dire qu'il était temps ? Voilà 10 ans qu'on vous a présenté la mouture actuelle. Au rythme où les choses ont évolué depuis, on comprend qu'on a un produit vieillissant entre les mains. À la défense de Ford, l'engouement pour ce créneau ayant fortement diminué au fil des ans, quelques refontes depuis 2007 n'auraient pas changé grand-chose. Toutefois, un marché existe pour ce genre de produits et voilà pourquoi il va revenir en version améliorée l'an prochain. D'ici là...

Daniel Rufiange

TOUR DU PROPRIÉTAIRE > L'Expedition revient inchangé pour 2017, on le comprend facilement. Heureusement, les petites retouches apportées il y a quelques années, notamment dans la grille et les jantes, font qu'il se mêle assez bien à la circulation lourde sans que son âge soit apparent. De toute manière, avec ce genre de véhicule, la fonction importe davantage que la forme pour les acheteurs. D'ailleurs, pour en revenir au mulet, ses formes sont fort similaires. Il arborera un nouveau faciès et son postérieur sera repensé, certes, mais il conservera son style très carré. Sur le plan des versions, on en retrouve toujours deux : empattement court et empattement long (variante Max).

+
- CAPACITÉS DE REMORQUAGE
- VOLUME INTÉRIEUR
- MOTEUR V6 ÉTONNAMMENT À L'AISE AVEC CE VÉHICULE

−
- CONSOMMATION QUI DEMEURE IMPORTANTE
- QUALITÉ INTÉRIEURE DES VERSIONS D'ENTRÉE DE GAMME
- MODÈLE VIEILLISSANT

MENTIONS

CLÉ D'OR | CHOIX VERT | COUP DE CŒUR | **RECOMMANDÉ**

VERDICT

PLAISIR AU VOLANT
QUALITÉ DE FINITION
CONSOMMATION
RAPPORT QUALITÉ / PRIX
VALEUR DE REVENTE
CONFORT

1 5 10

VIE À BORD > Une fois rendu à l'intérieur, un simple regard à la planche de bord nous fait voir que l'Expedition n'a pas été conçu hier. Le design de la planche est une transposition de ce qu'on retrouvait dans l'ancien Ford de Série F. Les commandes de la console trahissent aussi leur âge, tout comme les buses d'aération et l'emplacement des commutateurs sur le volant. Au-delà de ça, ce qui déçoit, c'est la qualité générale. Voyez-vous, malgré son prix salé, l'Expedition n'est pas un véhicule reconnu pour son niveau de raffinement intérieur. Si c'est mieux dans les versions plus huppées, on se désole de la qualité à bord des versions d'entrée de gamme, tout de même proposées à plus de 50 000 $. Un vent de fraîcheur est requis ici. Enfin, un mot sur l'espace, gigantesque. En fait, même après 10 ans sur le marché, l'Expedition demeure le maître à ce chapitre.

TECHNIQUE > S'il y a un changement qui a représenté l'évolution de l'industrie au cours de la vie utile de cette génération d'Expedition, c'est bien ce qui se trouve sous le capot. Alors qu'on aurait jugé ridicule l'utilisation d'un V6 en 2007, il est aujourd'hui tout à fait logique de retrouver une mécanique V6 à l'animation. Il faut le dire, cependant, ce moteur EcoBoost est l'un des plus impressionnants 6-cylindres de l'industrie. Sa puissance, c'est vrai, est celle d'un V8. Hélas, sa consommation également, malgré les promesses de Ford. En fait, là où on peut s'en tirer avec ce dernier, c'est lorsqu'on y va doucement avec l'accélérateur et aussi à vitesse de croisière sur l'autoroute. C'est toujours ça de gagné. Côté transmission, une seule boîte automatique, à 6 rapports, est de la partie.

AU VOLANT > L'Expedition fait partie d'une espèce devenue très rare à travers l'industrie, soit celle des VUS pleine grandeur, construits de surcroît sur un châssis en échelle. Conséquemment, la souplesse n'est pas sa principale carte de visite. Le comportement est marqué par la robustesse. Cependant, lorsque vient le temps de le faire travailler, il répond vigoureusement à l'appel. Cela dit, sur une surface bien nivelée, le niveau de confort est très décent. On le conduit aussi avec douceur. L'Expedition est aussi à l'aise sur un tracé sinueux que le serait un lutteur Sumo dans un kayak.

CONCLUSION > Au plus fort de la crise financière qui a frappé durement l'industrie à la fin de la dernière décennie, on croyait les jours de l'Expedition comptés. Le fait qu'il soit toujours présent prouve qu'il y a un marché, bien que restreint, pour ce type de véhicule. Dans le genre, on ne se trompe pas avec l'offre de Ford, mais considérant l'arrivée imminente du prochain modèle, j'attendrais. ■

FICHE TECHNIQUE

MOTEUR(S)

(Tous) V6 3,5 L DACT biturbo
PUISSANCE 365 ch à 5 000 tr/min
COUPLE 420 lb-pi à 2 250 tr/min
RAPPORT POIDS/PUISSANCE 6,9 à 7,2 kg/ch **Max** 7,3 à 7,6 kg/ch
BOÎTE(S) DE VITESSES automatique à 6 rapports avec mode manuel
PERFORMANCES 0-100 km/h 8,4 s **Max** 9,0 s
REPRISE 80-115 km/h 5,8 s
FREINAGE 100-0 km/h 42,0 m
NIVEAU SONORE À 100 km/h Bon
VITESSE MAXIMALE 200 km/h

AUTRES COMPOSANTS

SÉCURITÉ ACTIVE (certains en option) Freins ABS, assistance au freinage, répartition électronique de la force de freinage, contrôle électronique de la stabilité avec fonction antiretournement, antipatinage, contrôle du louvoiement de la remorque, assistance au démarrage en pente et contrôle en descente, avertisseurs d'obstacle latéral et arrière
SUSPENSION avant/arrière indépendante adaptative
FREINS avant/arrière disques
DIRECTION à crémaillère, assistée électriquement
PNEUS XLT P275/65R18 **option XLT/de série Limited, Limited Max et Platinum** P275/55R20 **option Platinum** 22 po.

DIMENSIONS

EMPATTEMENT 3 022 mm **Max** 3 327 mm
LONGUEUR 5 233 mm **Max** 5 609 mm
LARGEUR 2 001 mm, 2 024 mm (rétro. repliés), 2 331 mm (incl. rétro.)
HAUTEUR 1 960 mm **Max** 1 973 mm
POIDS 2RM 2 522 kg **4RM** 2 626 kg **Max 2RM** 2 649 kg **4RM** 2 763 kg
RÉPARTITION DU POIDS AV/ARR (%) 51/49 **Max** 50/50
DIAMÈTRE DE BRAQUAGE 12,4 m **Max** 13,4 m
COFFRE 528 L, 1 557 L, 3 065 L (sièges abaissés) **Max** 1 207 L, 2 420 L, 3 703 L (sièges abaissés)
RÉSERVOIR DE CARBURANT 106 L **Max** 127 L
CAPACITÉ DE REMORQUAGE 4 173 kg **Max 4RM** 4 128 kg

2e OPINION

Vincent Aubé

Le segment des gros VUS pleine grandeur s'est déjà mieux porté. Avec la multiplication des modèles utilitaires de nos jours, il n'est plus nécessaire d'acquérir un appartement sur roues pour trimbaler sa petite famille. Pourtant, ces mastodontes de la route subsistent encore malgré une conception plus ancienne. La raison est fort simple : il y a encore un marché pour les familles nombreuses qui ont besoin d'un véhicule capable de remorquer de lourdes charges. De plus, le prix de l'essence actuel leur est favorable. Le Ford Expedition est sans contredit l'un des plus confortables de l'industrie et peut même se targuer d'être l'un des seuls à offrir un moteur V6 biturbo.

LA COTE VERTE

MOTEUR L4 DE 2,3 L TURBO
CONSOMMATION (100 km) 2RM ville 12,6 L, route 8,5 L
4RM ville 13,1 L, route 9,1 L
CONSOMMATION ANNUELLE 2RM 1 836 L, 2 203 $ **4 RM** 1 921 L, 2 305 $
INDICE D'OCTANE 91, 87 utilisable
ÉMISSIONS POLLUANTES CO_2 2RM 4 223 kg/an **4RM** 4 418 kg/an
(source: Ford et L'Annuel)

FICHE D'IDENTITÉ

VERSION(S) 2RM/4RM Base, XLT, XLT Sport **4RM** Limited, Sport, Platinum
TRANSMISSION(S) avant, 4
PORTIÈRES 5 **PLACES** 7, 6
PREMIÈRE GÉNÉRATION 1991
GÉNÉRATION ACTUELLE 2011
CONSTRUCTION Chicago, Illinois, É.-U.
COUSSINS GONFLABLES 6 (frontaux, lat. av. et rideaux lat.) ceintures de sécurité avant et arrière gonflables.
CONCURRENCE Chevrolet Traverse/GMC Acadia, Dodge Durango, Honda Pilot, Hyundai Santa Fe XL, Jeep Grand Cherokee, Kia Sorento, Mazda CX-9, Nissan Murano/Pathfinder, Toyota Highlander

AU QUOTIDIEN

COLLISION FRONTALE 5/5
COLLISION LATÉRALE 5/5
VENTES DU MODÈLE L'AN DERNIER
AU QUÉBEC 2 050 (+11,7 %) **AU CANADA** 15 615 (+23,2 %)
DÉPRÉCIATION (%) 31,8 (3 ans)
RAPPELS (2011 à 2016) 12
COTE DE FIABILITÉ 3/5

GARANTIES... ET PLUS

GARANTIE GÉNÉRALE 3 ans/60 000 km
GROUPE MOTOPROPULSEUR 5 ans/100 000 km
PERFORATION 5 ans/kilométrage illimité
ASSISTANCE ROUTIÈRE 5 ans/100 000 km
NOMBRE DE CONCESIONNAIRES
AU QUÉBEC 79 **AU CANADA** 437

NOUVEAUTÉS EN 2017

Nouvel ensemble XLT Sport avec accents extérieurs foncés, jantes de 20 pouces, calandre et rétroviseurs gris, et moulures de côté noir ébène, sièges de cuir gris foncé et insertions de suède.

LE LEADER

Lorsqu'il est question de multisegment intermédiaire, les acheteurs sont très analytiques. L'espace, la modularité de l'habitacle, les gadgets, la capacité de remorquage, le confort, la technologie, tout y passe. Ne soyez donc pas étonné si certains modèles moins pratiques et conviviaux poursuivent leur carrière dans l'ombre des leaders.

Antoine Joubert

TOUR DU PROPRIÉTAIRE > Après cinq ans sans changements, c'est en 2016 que Ford apportait les premières retouches d'importance à l'Explorer. Un véhicule qu'on annonçait nouveau du côté de Ford, mais qui ne l'est évidemment pas vraiment. Cela dit, son remodelage partiel lui a fait le plus grand bien. Et force est d'admettre que ce véhicule passe bien à travers les années, proposant un style qui représente à merveille son côté à la fois citadin et aventurier. Évidemment, l'arrivée en 2016 d'une version Platinum a clairement prouvé qu'on pouvait chez Ford repousser les limites du luxe. Or on a aussi fait la preuve que le niveau de prestige d'un modèle reconnu comme l'Explorer pouvait surpasser celui d'un produit comme le Lincoln MKX, qui cherche évidemment à gagner ses lettres de noblesse.

VIE À BORD > Premier élément d'importance, le volume et l'accès à bord. À ce compte, Ford se défend bien. Vous dire que l'accessibilité et le dégagement à la troisième rangée sont

+
- VERSION PLATINUM EXCEPTIONNELLE
- MOTEUR 2,3 LITRES SURPRENANT
- QUALITÉ D'ASSEMBLAGE ET DE FINITION
- CONFORT REMARQUABLE

−
- POIDS EXCESSIF
- VISIBILITÉ PROBLÉMATIQUE PAR ENDROITS
- BOÎTE AUTOMATIQUE VIEILLISSANTE
- CONSOMMATION ÉLEVÉE (V6)

MENTIONS

CLÉ D'OR | CHOIX VERT | COUP DE CŒUR | **RECOMMANDÉ**

VERDICT

PLAISIR AU VOLANT
QUALITÉ DE FINITION
CONSOMMATION
RAPPORT QUALITÉ / PRIX
VALEUR DE REVENTE
CONFORT

1 5 10

aussi impressionnants que chez les Pilot et Pathfinder serait mentir, mais l'espace intérieur et la flexibilité de l'habitacle demeurent des points forts de ce modèle. Maintenant, il faut souligner que Ford a fait des efforts soutenus pour bâtir un habitacle littéralement bourré de commodités. Et bien sûr, ceux-ci s'accentuent davantage lorsqu'on monte en gamme, pour atteindre le nec plus ultra avec la version Platinum. Cette dernière vous offrira non seulement tous les gadgets les plus poussés en matière de connectivité (excluant toutefois Apple CarPlay®/AndroidAuto®), mais également une qualité de finition hors norme, généralement servie que sur des véhicules de très grand luxe. Pensez ici à des matériaux de haute couture, à des boiseries véritables et à des broderies dont le chic impressionnera même les propriétaires de Range Rover.

TECHNIQUE > Comme la plupart des produits Ford, l'Explorer est lourd. À preuve, on dépasse même les 2000 kilos avec une version à moteur 4 cylindres et roues motrices avant, un poids plus important que le plus cossu des Honda Pilot à moteur V6 et 4 roues motrices. Devrait-on lui injecter une bonne dose d'aluminium comme on l'a fait avec le F-150? Chose certaine, la consommation de carburant élevée de l'Explorer s'explique par ce seul élément. Évidemment, celle-ci sera moindre avec le 4-cylindres, qui étonne d'ailleurs par ses performances. Or si le remorquage est nécessaire, le saut vers le V6 l'est tout autant. Et dans ce cas, il faudra prévoir une consommation moyenne oscillant autour des 13,5 à 14 litres aux 100 kilomètres, et ce, autant avec le V6 ordinaire que turbocompressé.

AU VOLANT > L'Explorer est solide, confortable et bien insonorisé. La qualité d'assemblage est également notoire, qu'importe le modèle avec lequel il est comparé. Son moteur V6, qu'il soit ou non turbocompressé, montre pour sa part une souplesse très agréable au quotidien. Il est toutefois évident que les 365 chevaux du moteur EcoBoost impressionnent davantage, la puissance étant d'ailleurs la plus élevée de tous les V6 de la catégorie. Sur la route, l'équilibre du véhicule est remarquable, tout comme sa stabilité. Les bruits éoliens brillent par leur absence, encore une fois signe d'un véhicule bien ficelé. Vous pourriez cependant être agacé par une visibilité quelconque à l'arrière, et même au niveau des piliers A, inutilement épais. Maintenant, la boîte automatique constitue le principal élément mécanique à revoir, puisque parfois hésitante. On lui préférerait une boîte à 8 ou 9 rapports, plus précise, qui permettrait évidemment d'améliorer non seulement le rendement, mais également la consommation de carburant.

CONCLUSION > L'Explorer est un véhicule de qualité qui a fait ses preuves, comme en témoignent les quelque 15000 ventes canadiennes de 2015. Toutefois, certains signes d'une conception vieillissante commencent à paraître: le poids, la boîte automatique, entraînant une consommation plus élevée que la moyenne. Il faudra donc corriger ces éléments très prochainement si l'on souhaite demeurer encore longtemps le leader du segment. ■

2e OPINION

Daniel Rufiange

Lorsque Ford a repensé son Explorer en 2011, elle a pris un énorme pari, soit celui de métamorphoser un produit iconique présent depuis 20 ans sur le marché pour le rendre plus convivial, au goût du jour. Eh bien, cette fois, l'audace, trop peu présente dans l'industrie, a payé. L'Explorer est redevenu un incontournable dans son segment et ses ventes le reflètent. Au cœur de son succès reposent une conduite axée sur la douceur, un choix de moteurs capable de satisfaire tous les goûts (et tous les budgets) et un niveau d'équipement qui n'a rien à envier à la concurrence, même celle qui est associée au prestige. Attention au prix, toutefois. Dans le cas de l'Explorer, la facture peut grimper aussi rapidement qu'un singe dans un arbre.

FICHE TECHNIQUE

MOTEUR(S)

(Option BASE, XLT, LIMITED) L4 2,3 L DACT turbo
PUISSANCE 280 ch à 5600 tr/min
COUPLE 310 lb-pi à 3000 tr/min
RAPPORT POIDS/PUISSANCE 7,2 à 7,5 kg/ch
BOÎTE(S) DE VITESSES automatique à 6 rapports
PERFROMANCES 0-100 km/h 7,9 s (est.)
REPRISE 80-115 km/h 7,0 s (est.) **FREINAGE 100-0 km/h** 37,2 m
NIVEAU SONORE À 100 km/h Bon
VITESSE MAXIMALE 210 km/h

(BASE, XLT, LIMITED) V6 3,5 L DACT
PUISSANCE 290 ch à 6500 tr/min
COUPLE 255 lb-pi à 4000 tr/min
RAPPORT POIDS/PUISSANCE 2RM 6,9 kg/ch **4RM** 7,2 kg/ch
BOÎTE(S) DE VITESSES automatique à 6 rapports avec mode manuel
PERFORMANCES 0-100 km/h 7,5 s
REPRISE 80-115 km/h 6,2 s **VITESSE MAXIMALE** 215 km/h
CONSOMMATION (100 km) 2RM ville 13,9 L route 9,6 L
4RM ville 14,4 L, route 10,4 L (octane 91, octane 87 utilisable)
ANNUELLE 2RM 2040 L, 2448$ **4RM** 2142 L, 2570$
ÉMISSIONS DE CO_2 2RM 4692 kg/an **4RM** 4927 kg/an

(SPORT, PLATINUM) V6 3,5 L DACT biturbo
PUISSANCE 365 ch à 5500 tr/min **COUPLE** 350 lb-pi à 3500 tr/min
RAPPORT POIDS/PUISSANCE 6,1 kg/ch
BOITE(S) DE VITESSES automatique à 6 rapports avec mode manuel et manettes au volant
PERFORMANCES 0 à 100 km/h 7,0 s **VITESSE MAXIMALE** 215 km/h
CONSOMMATION (100 km) ville 14,9 L, route 10,7 L (octane 91, octane 87 utilisable)
ANNUELLE 2210 L, 3652$ **ÉMISSIONS DE CO_2** 5083 kg/an

AUTRES COMPOSANTS

SÉCURITÉ ACTIVE (certains en option) Freins ABS, assistance au freinage, répartition électronique de la force de freinage, contrôle électronique de la stabilité avec fonction antiretournement, antipatinage, assistance au démarrage en pente, contrôle en descente, régulateur de vitesse adaptatif, contrôle du louvoiement de la remorque
SUSPENSION avant/arrière indépendante
FREINS avant/arrière disques
DIRECTION à crémaillère, assistée électriquement
PNEUS Base/XLT P245/60R18
Limited, Sport, Platinum/option XLT P255/50R20

DIMENSIONS

EMPATTEMENT 2866 mm **LONGUEUR** 5037 mm
LARGEUR 2005 mm, 2292 mm (incl. rétro.)
HAUTEUR 2RM 1788 mm **4RM** 1803 mm
POIDS 2RM 2015 kg **4RM** 2091 kg **Sport** 2214 kg
RÉPARTITION DU POIDS AV/ARR (%) 55/45
DIAMÈTRE DE BRAQUAGE 11,8 m
COFFRE 595 L, 1115 L, 2314 L (sièges abaissées)
RÉSERVOIR DE CARBURANT 70,4 L
CAPACITÉ DE REMORQUAGE L4 1361 kg **V6** 2267 kg

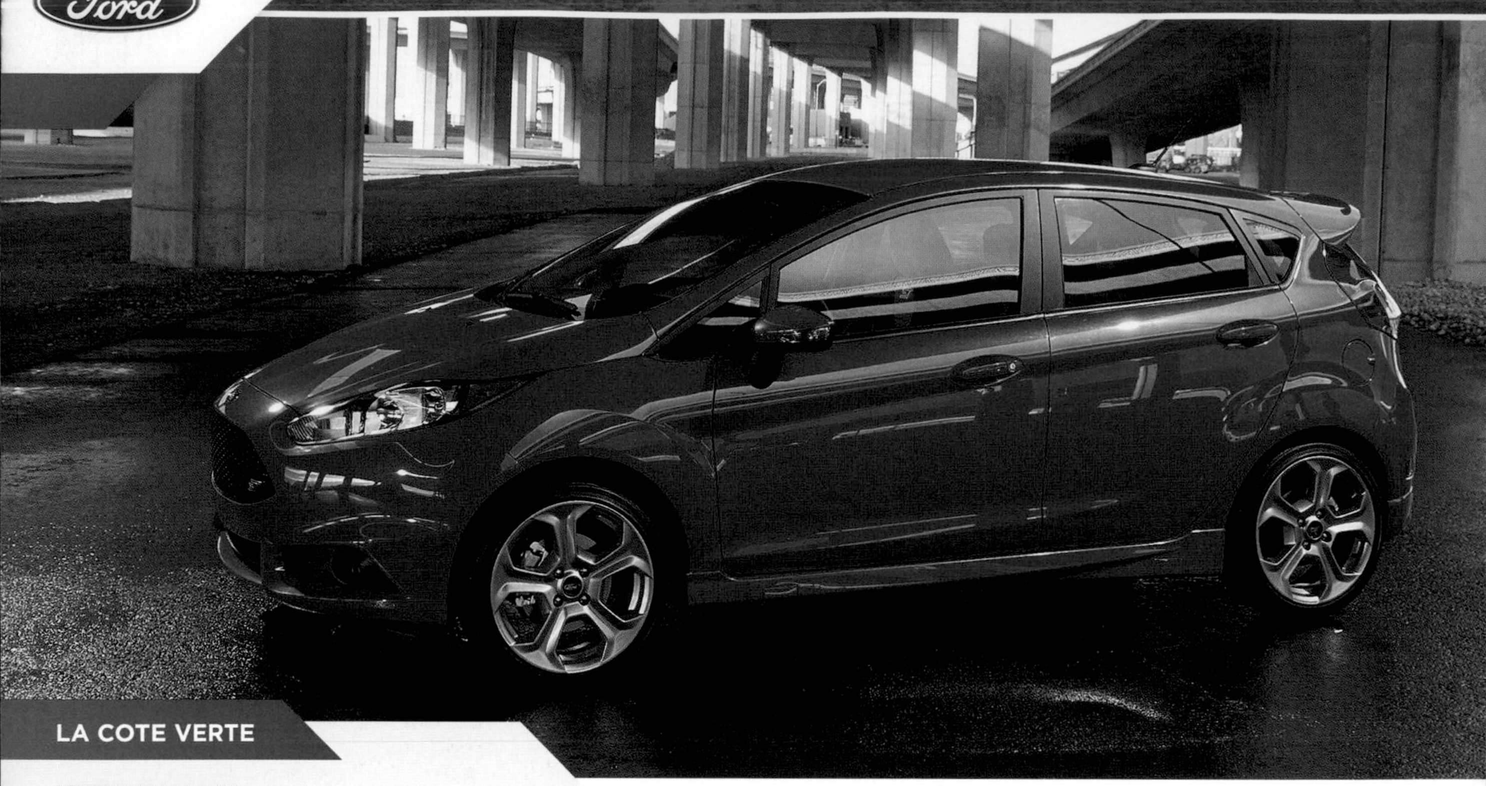

LA COTE VERTE

MOTEUR L3 DE 1,0 L TURBO
CONSOMMATION (100 km) ville 7,5 L, route 5,5 L
CONSOMMATION ANNUELLE 1 122 L, 1 346 $
INDICE D'OCTANE 87
ÉMISSIONS POLLUANTES CO_2 2 581 kg/an
(source : ÉnerGuide)

FICHE D'IDENTITÉ

VERSION(S) 4 portes/5 portes S, SE, Titanium **5 portes** ST
TRANSMISSION(S) avant
PORTIÈRES 4/5 **PLACES** 5
PREMIÈRE GÉNÉRATION 2011
GÉNÉRATION ACTUELLE 2011
CONSTRUCTION Cuautitlan Izcalli, Mexique
COUSSINS GONFLABLES 7 (frontaux, latéraux avant, genoux conducteur, rideaux latéraux)
CONCURRENCE Chevrolet Sonic, Honda Fit, Hyundai Accent, Kia Rio, Nissan Versa Note, Toyota Yaris

AU QUOTIDIEN

COLLISION FRONTALE 5/5
COLLISION LATÉRALE 5/5
VENTES DU MODÈLE L'AN DERNIER
AU QUÉBEC 1 865(-40,0 %) **AU CANADA** 5 646 (-39,4 %)
DÉPRÉCIATION (%) 31,6 (3 ans)
RAPPELS (2011 à 2016) 5
COTE DE FIABILITÉ 3/5

GARANTIES... ET PLUS

GARANTIE GÉNÉRALE 3 ans/60 000 km
GROUPE MOTOPROPULSEUR 5 ans/100 000 km
PERFORATION 5 ans/kilométrage illimité
ASSISTANCE ROUTIÈRE 5 ans/100 000 km
NOMBRE DE CONCESIONNAIRES
AU QUÉBEC 79 **AU CANADA** 437

NOUVEAUTÉS EN 2017

Aucun changement majeur

QUE S'EST-IL PASSÉ ?

Tout avait pourtant si bien commencé en 2011. Le constructeur Ford venait de ramener un nom qui n'avait pas circulé sur les routes de l'Amérique du Nord depuis le début des années 80. La Ford Fiesta, forte d'une gamme comptant deux types de carrosserie, possédait les attributs nécessaires pour connaître du succès chez nous. Malheureusement, les ventes en 2015 ont diminué de manière inquiétante au pays, un phénomène qui n'a heureusement pas été observé chez nos voisins du Sud. La concurrence est forte dans la catégorie des sous-compactes, mais de là à perdre près de la moitié des ventes en une année. Que s'est-il passé ?

Vincent Aubé

TOUR DU PROPRIÉTAIRE > Bien qu'elle soit disponible en version berline, c'est l'autre que les gens veulent acquérir. Sa ligne européenne n'est pas étrangère à cette affection du public. Qu'on la regarde du devant avec son bouclier flanqué d'une grille de calandre chromée façon « Aston Martin » ou du derrière, la petite citadine a un petit quelque chose qui attire l'œil. La berline n'a pas la même homogénéité sur le plan du design. La proéminence de son postérieur est en cause ici. Qu'importe, le constructeur juge qu'il y a encore un marché pour les berlines de petit format. C'est donc au consommateur d'en profiter. Et pour les amateurs de Ken Block ou d'émotions fortes si vous préférez, la Fiesta ST constitue le premier échelon à

\+ DESIGN RÉUSSI
QUALITÉ DE L'HABITACLE
PLAISANTE À CONDUIRE

\- FIABILITÉ DE LA TRANSMISSION
ESPACE À L'ARRIÈRE PLUS RESTREINT
COÛT DE CERTAINES OPTIONS

MENTIONS

CLÉ D'OR | **CHOIX VERT** | COUP DE CŒUR | **RECOMMANDÉ**

VERDICT

	(1–10)
PLAISIR AU VOLANT	7
QUALITÉ DE FINITION	8
CONSOMMATION	8
RAPPORT QUALITÉ / PRIX	8
VALEUR DE REVENTE	7
CONFORT	7

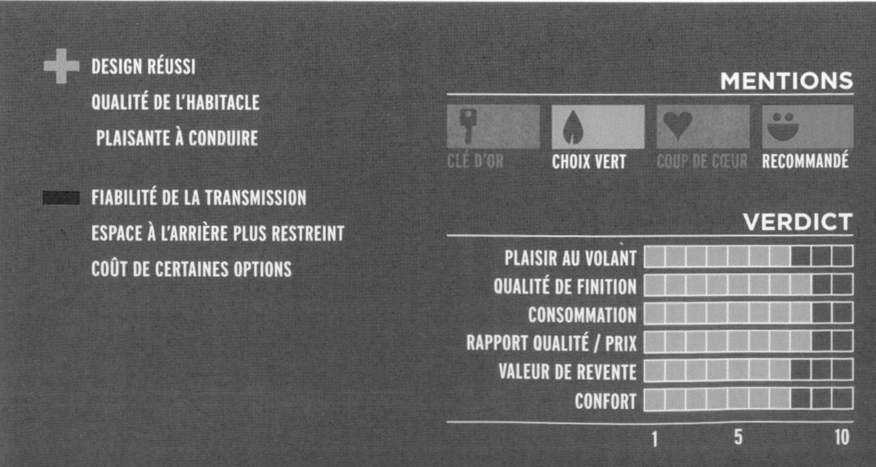

caractère sport au sein de la famille Ford, et croyez-moi, il faut se fier aux apparences dans ce cas-ci, la petite sachant répondre aux demandes du pied droit.

VIE À BORD > Le constructeur s'est fait un devoir de positionner sa sous-compacte dans le haut du segment. Ford vante donc la qualité supérieure des matériaux utilisés et le fait que son niveau d'équipement est des plus complets. Il est vrai que la liste est plus longue qu'à bord de la plus abordable des Nissan Micra, mais pour avoir droit à tous ces joujoux, il faut accepter de débourser le prix d'une compacte bien équipée. Il est tout de même rassurant de constater la présence du système SYNC3, amélioré depuis 2016, de la climatisation et même de sièges chauffants dans certains cas. Force est d'admettre que la Fiesta est mieux feutrée que la plupart de ses concurrentes, un élément à considérer si vous parcourez de plus longues distances. À bord de la ST, les amateurs de conduite sportive seront ravis de pouvoir compter sur des sièges Recaro enveloppants à souhait, un pommeau du levier de vitesse exclusif en plus d'un volant plus gras.

TECHNIQUE > Les chiffres de vente sont encore plus étonnants lorsqu'on regarde le choix des motorisations disponibles pour la Fiesta. Le 4-cylindres à aspiration normale de 1,6 litre de cylindrée demeure un choix acceptable pour la majorité des situations, mais pour une meilleure économie de carburant, il faut opter pour la version SE en cochant l'option *EcoBoost*. Le petit 3-cylindres turbo de 1 litre de cylindrée n'est pas parfait, mais il arrive tout de même à surpasser le 4-cylindres de base. Notez que les deux premiers moteurs sont disponibles avec des boîtes manuelles ou automatiques, ce qui n'était pas le cas en 2015. Quant à la bombe ST, sa mécanique 4 cylindres turbo de 1,6 litre livre 197 chevaux et n'est livrable qu'avec une excellente boîte manuelle à 6 rapports.

AU VOLANT > Évidemment, la majorité des Fiesta vendues ne portent pas l'écusson ST. Cette bombinette ne s'adresse qu'à un public restreint qui n'a pas peur d'affronter notre réseau de routes usées par le temps. Au-delà de ce détail anodin, la Fiesta ST est un jouet fort amusant à piloter au quotidien. À bord des livrées civilisées, l'ambiance est plus reposante, les accélérations de la voiture étant moins explosives, tandis que la suspension, jumelée à des roues d'un diamètre plus petit, assure un confort supérieur. Le choix des boîtes de vitesse étant plus vaste depuis l'an dernier, les consommateurs ne sont plus obligés d'apprendre à conduire avec une boîte manuelle lorsque la mécanique 3 cylindres est sélectionnée. En effet, Ford a ajouté sa boîte automatique à 6 rapports à l'équation, ce qui devrait contribuer à rendre cette mécanique plus populaire. Règle générale, la Fiesta demeure un excellent choix en matière d'agrément de conduite et de confort.

CONCLUSION > Il faudra surveiller la courbe des ventes de la Fiesta au courant des prochains mois. Cette pente descendante n'est pas normale, surtout avec un produit relativement bien ficelé comme la Fiesta. ■

2e OPINION

Daniel Rufiange

Malgré de nombreux changements depuis son introduction sur le marché en 2011, la Fiesta commence à prendre de l'âge. Si bien qu'elle se fait presque oublier dans le concurrentiel marché de la voiture sous-compacte. Malgré tout, ses ventes demeurent décentes, un reflet de sa qualité et de la diversité de l'offre. En effet, on peut trouver une Fiesta docile au possible pour sa fille qui entre à l'université alors qu'une version comme la ST (et peut-être bien la RS) en a suffisamment dans le ventre pour lui donner envie de faire l'école buissonnière. L'équilibre est un mot qui résume bien l'expérience au volant de cette voiture. Si la Fiesta est dans votre mire et que rien ne presse, sachez que la nouvelle génération de modèles devrait nous arriver l'an prochain.

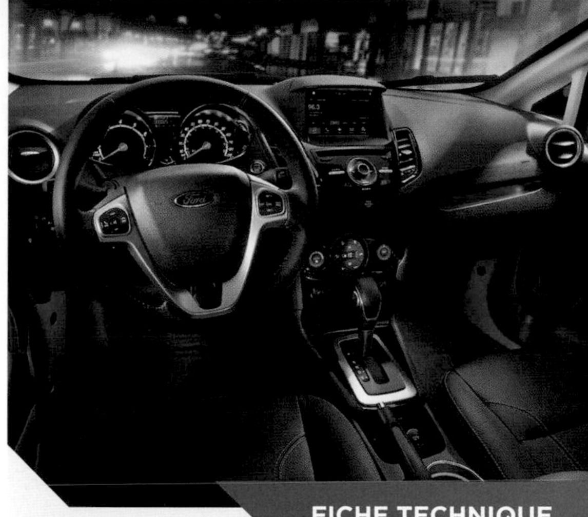

FICHE TECHNIQUE

MOTEUR(S)

(option SE) L3 1,0 L turbo
PUISSANCE 123 ch à 6 000 tr/min
COUPLE 125 lb-pi à 2 500 tr/min
RAPPORT POIDS/PUISSANCE 9,3 kg/ch
BOITE(S) DE VITESSES manuelle à 5 rapports, automatique à 6 rapports avec mode manuel (en option)
PERFORMANCES 0 à 100 km/h 8,7 s
VITESSE MAXIMALE 190 km/h **FREINAGE 100-0 km/h** 39,9 m

(S, SE, TITANIUM) L4 1,6 L DACT
PUISSANCE 120 ch à 6 350 tr/min
COUPLE 112 lb-pi à 5 000 tr/min
RAPPORT POIDS/PUISSANCE 9,8 kg/ch
BOÎTE(S) DE VITESSES manuelle à 5 rapports, automatique à 6 rapports avec mode manuel (en option)
PERFORMANCES 0-100 km/h 9,4 s
REPRISE 80-115 km/h 5,4 s **VITESSE MAXIMALE** 195 km/h
CONSOMMATION (100 km) man. ville 8,5 L, route 6,5 L
auto. ville 8,7 L, route 6,4 L (octane 87)
ANNUELLE man./auto. 1 292 L, 1 550 $
ÉMISSIONS DE CO_2 2 972 kg/an

(ST) L4 1,6 L DACT turbo
PUISSANCE 197 ch à 6 000 tr/min
COUPLE 202 lb-pi à 4 200 tr/min
RAPPORT POIDS/PUISSANCE 6,3 kg/ch
BOITE(S) DE VITESSES manuelle à 6 rapports
PERFORMANCES 0-100 km/h 7,0 s
REPRISE 80-115 km/h 5,1 s **FREINAGE 100-0 km/h** 37,7 m
NIVEAU SONORE À 100 km/h Moyen
VITESSE MAXIMALE 210 km/h
CONSOMMATION (100 km) ville 9,0 L, route 7,1 L (octane 87)
ANNUELLE 1 377 L, 1 652$ **ÉMISSIONS DE CO_2** 3 167 kg/an

AUTRES COMPOSANTS

SÉCURITÉ ACTIVE (certains en option) Freins ABS, assistance au freinage, répartition électronique de la force de freinage, contrôle électronique de la stabilité, antipatinage, avertisseur et assistance en cas d'impact imminent, assistance au départ en pente
SUSPENSION avant/arrière indépendante/semi-indépendante
FREINS avant/arrière disques/tambours, ST disques
DIRECTION à crémaillère, assistée électriquement
PNEUS S P185/60R15 **SE** P195/55R15
Titanium P195/50R16 **ST** P205/40R17

DIMENSIONS

EMPATTEMENT 2 489 mm
LONGUEUR berline 4 406 mm **5 portes** 4 056 mm **ST** 4 067 mm
LARGEUR 1 722 mm, 1 976 mm (incl. rétro.)
HAUTEUR 1 475 mm **ST** 1 454 mm
POIDS berline man. 1 169 kg **auto.** 1 192 kg **5 portes man.** 1 151 kg, **auto.** 1 168 kg **ST** 1 244 kg
RÉPARTITION DU POIDS AV/ARR (%) 60/40
DIAMÈTRE DE BRAQUAGE 10,5 m **ST** 10,8 m
COFFRE Berline 362 L **5 portes** 423 L **ST** 285 L, 720 L (sièges abaissés)
RÉSERVOIR DE CARBURANT 47 L

LA COTE VERTE

MOTEUR V6 DE 3,5 L
CONSOMMATION (100 km) 2RM ville 14,7 L, route 10,2 L
4RM ville 14,7 L, route 10,7 L
CONSOMMATION ANNUELLE 2RM 2 159 L, 2 591 $ **4RM** 2 193 L, 2 632 $
INDICE D'OCTANE 87
ÉMISSIONS POLLUANTES CO_2 2RM 4 966 kg/an **4RM** 5 044kg/an
(source : ÉnerGuide)

FICHE D'IDENTITÉ

VERSION(S) SE 2RM, SEL 2RM/4RM, Limited 4RM
TRANSMISSION(S) avant, 4
PORTIÈRES 5 **PLACES** 7, 6
PREMIÈRE GÉNÉRATION 2009
GÉNÉRATION ACTUELLE 2009
CONSTRUCTION Oakville, Ontario, Canada
COUSSINS GONFLABLES 6 (frontaux, latéraux avant, rideaux latéraux) + option ceinture gonflables 2è rangée
CONCURRENCE Chevrolet Traverse/GMC Acadia, Dodge Durango, Honda Pilot, Hyundai Santa Fe XL, Kia Sorento, Mazda CX-9, Nissan Pathfinder, Toyota Highlander

AU QUOTIDIEN

COLLISION FRONTALE 5/5
COLLISION LATÉRALE 5/5
VENTES DU MODÈLE L'AN DERNIER
AU QUÉBEC 149 (-30,0 %) **AU CANADA** 1 789 (-24,4 %)
DÉPRÉCIATION (%) 36,1 (3 ans)
RAPPELS (2011 à 2016) 5
COTE DE FIABILITÉ 2,5/5

GARANTIES... ET PLUS

GARANTIE GÉNÉRALE 3 ans/60 000 km
GROUPE MOTOPROPULSEUR 5 ans/100 000 km
PERFORATION 5 ans/kilométrage illimité
ASSISTANCE ROUTIÈRE 5 ans/100 000 km
NOMBRE DE CONCESIONNAIRES
AU QUÉBEC 79 **AU CANADA** 437

NOUVEAUTÉS EN 2017

Aucun changement majeur

DISCRET, MAIS EFFICACE

C'est en 2008 que le Flex a atterri dans la cour des concessionnaires Ford. Jouissant au départ d'un bel accueil chez les consommateurs, il a vu peu de temps après ses ventes s'estomper. On peut penser à plusieurs causes : sa position, à cheval entre la minifourgonnette et le véhicule multisegment, et très certainement son style, pour le moins polarisant. La cuvée 2013 a reçu une cure de jeunesse qui s'est attaquée principalement aux panneaux de la carrosserie et à l'habitacle. Trop peu, trop tard. Peut-être. En 2015, seulement 149 Ford Flex ont trouvé preneur, soit le bas-fond des ventes de minifourgonnettes au Québec et à des années-lumière des 2050 Ford Explorer écoulés durant la même année.

Alexandre Crépault

TOUR DU PROPRIÉTAIRE > Est-ce un utilitaire, un multisegment, une familiale *king size*, une minifourgonnette ?... En fait, le Flex, c'est un mélange de plusieurs catégories. Qu'on aime ou non son style, il maintient l'avantage de ne ressembler à rien d'autre sur nos routes. Trois variantes sont offertes : SE, SEL et Limited. Outre le modèle de base, le Flex propose une intéressante sélection de couleurs, incluant un choix de quatre peintures contrastantes pour le toit. Il faudra aussi choisir parmi les cinq types de roues, qui vont de 17 à 20 pouces.

+
- POLYVALENCE ÉVIDENTE
- CONFORT SUPÉRIEUR
- MOTEUR ECOBOOST

−
- QUELQUES RIDES APPARENTES
- PLANCHE DE BORD ARCHAÏQUE
- PAS DONNÉ

MENTIONS

CLÉ D'OR | CHOIX VERT | COUP DE CŒUR | **RECOMMANDÉ**

VERDICT

PLAISIR AU VOLANT
QUALITÉ DE FINITION
CONSOMMATION
RAPPORT QUALITÉ / PRIX
VALEUR DE REVENTE
CONFORT

1 5 10

VIE À BORD > On s'en doute, avec sa forme de réfrigérateur et un tel nom, le Flex fait bon usage de son espace intérieur. D'entrée de jeu, une configuration à 7 places est offerte grâce à une deuxième rangée de sièges divisée 60/40 et à une troisième rangée 50/50. Une configuration optionnelle permet de troquer la banquette du milieu pour deux sièges capitaine. Une boîte de rangement, même refroidissante sur le modèle Limited, peut aussi être insérée entre les deux sièges de la banquette centrale. Dans tous les cas, il est possible de rabattre les sièges du Flex pour créer jusqu'à 2355 litres de rangement. C'est assez, justement, pour y faire entrer un réfrigérateur. Avec ses sièges bien garnis, une position de conduite satisfaisante et un système de divertissement qui s'est raffiné avec le temps, la vie à bord du Flex peut être agréable. Par contre, la planche de bord appartient carrément à une autre époque et l'utilisation de certains matériaux laisse à désirer.

TECHNIQUE > Le Flex utilise un V6 de 3,5 litres qui produit 287 chevaux et 254 livres-pieds de couple. Le modèle de base envoie sa puissance aux roues avant, tandis que la transmission intégrale est possible en option sur le modèle SE et arrive standard sur la version SEL. Le très désirable V6 EcoBoost de 365 chevaux et 350 livres-pieds de couple se trouve seulement en option sur le modèle SEL et on vous demandera d'allonger 6800$ additionnels. Sur toutes les versions, attendez-vous à fréquenter la pompe à essence régulièrement.

AU VOLANT > Dès les premiers kilomètres, les qualités routières du Flex se font sentir. La combinaison d'un habitacle confortable et d'un comportement routier à la fois souple et solide est réussie. Par ailleurs, l'assurance avec laquelle le Flex arrive à enfiler les virages est surprenante, surtout considérant son imposant gabarit et ses plus de 2000 kilos. On ne parle pas d'une tenue de route sportive, encore moins d'une direction précise, mais bien d'un comportement neutre qui reflète plus celui d'une berline que celui d'un utilitaire. Équipé du moteur EcoBoost, le véhicule montre une souplesse accentuée par la poussée musclée des deux turbines qui déplacent le Flex et tout son monde avec l'aisance d'une locomotive. Doté en option de l'ensemble Remorquage classe III, le Flex ira même jusqu'à tirer une charge de 4500 livres.

CONCLUSION > Au moment d'écrire ces lignes, l'avenir du Flex était encore vague. Ford semble vouloir maintenir le modèle en vie et défend cette position entre autres par le succès relatif du modèle dans certaines régions du continent, dont la Californie. Mais après 11 ans sur le marché, le Flex commence à faire sentir son âge. En attendant de voir la direction que prendra Ford, le Flex représente une solution intéressante pour les acheteurs en quête d'un véhicule spacieux et confortable, capable d'avaler kilomètre après kilomètre et, ma foi, unique en son genre. Mais attention à la facture : un modèle Limited équipé du moteur EcoBoost et de toutes les belles options disponibles se rapprochera dangereusement d'une facture de 60000$, une somme d'argent qui ouvre bien d'autres possibilités. ■

2e OPINION

Vincent Aubé

On ne peut pas accuser le constructeur de Dearborn de manquer d'originalité. Avec son multisegment Flex, Ford a tenté quelque chose d'inusité, et force est d'admettre que ce véhicule à caractère familial a ses adeptes. Malheureusement, le côté unique du Flex pourrait bel et bien lui nuire, puisque les ventes de ce dernier diminuent sans cesse. Comme véhicule pour les longues expéditions, le Flex s'avère un excellent choix pour sa douceur de roulement et même son agilité, du fait qu'il repose sur une plateforme de voiture. De plus, son âge de conception commence à ressortir, surtout à l'intérieur avec cette planche de bord un peu plus vieillotte.

FICHE TECHNIQUE

MOTEUR(S)

(SE, SEL, Limited) V6 3,5 L DACT
PUISSANCE 287 ch à 6 500 tr/min
COUPLE 254 lb-pi à 4 000 tr/min
RAPPORT POIDS/PUISSANCE 2RM 7,1 kg/ch **4RM** 7,3 kg/ch
BOÎTE(S) DE VITESSES automatique à 6 rapports avec mode manuel
PERFORMANCES 0-100 km/h 8,8 s
REPRISE 80-115 km/h 6,8 s
VITESSE MAXIMALE 200 km/h

(Limited EcoBoost 4RM) V6 3,5 L DACT biturbo
PUISSANCE 365 ch à 5 500 tr/min
COUPLE 350 lb-pi à 3 500 tr/min
RAPPORT POIDS/PUISSANCE 6,0 kg/ch
BOÎTE(S) DE VITESSES automatique à 6 rapports avec mode manuel et manettes au volant
PERFORMANCES 0-100 km/h 6,0 s
REPRISE 80-115 km/h 4,5 s
FREINAGE 100-0 km/h 43,0 m
NIVEAU SONORE À 100 km/h Moyen
VITESSE MAXIMALE 215 km/h
CONSOMMATION (100 km) ville 15,7 L, route 11,2 L (octane 91, octane 87 utilisable)
ANNUELLE 2 329 L, 2 795 $
ÉMISSIONS DE CO_2 5 357 kg/an

AUTRES COMPOSANTS

SÉCURITÉ ACTIVE (certains en option) Freins ABS, assistance au freinage, répartition électronique de la force de freinage, contrôle électronique de la stabilité avec fonction antiretournement, antipatinage, avertisseurs d'obstacle latéral et arrière, régulateur de vitesse adaptatif, assistance en cas d'impact imminent
SUSPENSION avant/arrière indépendante
FREINS avant/arrière disques
DIRECTION à crémaillère, assistée électriquement
PNEUS SE P235/60R17 **SEL** P235/60R18
Limited P235/55R19 **option Limited** P255/45R20

DIMENSIONS

EMPATTEMENT 2 994 mm
LONGUEUR 5 125 mm
LARGEUR 1 928 mm, 2 256 mm (incl. rétro.)
HAUTEUR 1 727 mm
POIDS 2RM 2 028 kg **4RM** 2 106 kg **EcoBoost** 2 195 kg
DIAMÈTRE DE BRAQUAGE 12,4 m
COFFRE 415 L, 1 224 L, 2 355 L (sièges abaissés)
RÉSERVOIR DE CARBURANT 72,7 L
CAPACITÉ DE REMORQUAGE 2 041 kg

LA COTE VERTE

MOTEUR ÉLECTRIQUE À AIMANTS PERMANENTS
AUTONOMIE MOYENNE 160 km
CONSOMMATION ÉQUIVALENTE (100 km) ville 2,1 L, route 2,4 L
CONSOMMATION ÉQUIVALENTE ANNUELLE 374 L
INDICE D'OCTANE NA
ÉMISSIONS POLLUANTES CO_2 0 kg/an **Temps de recharge 240 V** 4 heures
(source : ÉnerGuide)

FICHE D'IDENTITÉ

VERSION(S) Berline S, SE, Titanium **Hayon** SE, Titanium, ST, RS, Électrique
TRANSMISSION(S) avant, 4 (RS)
PORTIÈRES 4, 5 **PLACES** 5
PREMIÈRE GÉNÉRATION 2000
GÉNÉRATION ACTUELLE 2012
CONSTRUCTION Dearborn, Michigan, É.-U; Wayne, Michigan, É-U
COUSSINS GONFLABLES 7 (frontaux, genoux conducteur, latéraux avant, rideaux latéraux)
CONCURRENCE Chevrolet Cruze, Honda Civic, Hyundai Elantra, Kia Forte/Koup, Mazda3, Mitsubishi Lancer, Nissan Sentra, Subaru Impreza, Toyota Corolla/iM, Volkswagen Beetle/Golf/Jetta **ST/RS** BMW Série 2, Honda Civic Si/Type R, Hyundai Veloster turbo, Mini Cooper S/JCW, Subaru WRX/STi, Volkswagen Golf GTI/R **Électrique** Chevrolet Bolt, Kia Soul EV, Mitsubishi i-MiEV, Nissan Leaf

AU QUOTIDIEN

COLLISION FRONTALE 5/5
COLLISION LATÉRALE 5/5
VENTES DU MODÈLE L'AN DERNIER
AU QUÉBEC 5 443 (+2,7 %) **AU CANADA** 21 101 (-5,8 %)
DÉPRÉCIATION (%) 40,2 (3 ans)
RAPPELS (2011 à 2016) 10
COTE DE FIABILITÉ 3/5

GARANTIES... ET PLUS

GARANTIE GÉNÉRALE 3 ans/60 000 km
GROUPE MOTOPROPULSEUR 5 ans/100 000 km
PERFORATION 5 ans/kilométrage illimité
BATTERIES (Focus électr.) 8 ans/160 000 km
ASSISTANCE ROUTIÈRE 5 ans/100 000 km
NOMBRE DE CONCESIONNAIRES
AU QUÉBEC 79 **AU CANADA** 437

NOUVEAUTÉS EN 2017

Amélioration de l'autonomie de la version électrique qui passe à 160 km.

SPORT EXTRÊME

Depuis 1971, Ford épingle le sigle RS sur 30 de ses modèles sans jamais les commercialiser en Amérique du Nord. Par chance, la stratégie globale « One Ford » a corrigé cela.

Éric LeFrançois

TOUR DU PROPRIÉTAIRE > Puisque la présence de cette RS est un événement, pourquoi ne pas laisser à « la deuxième opinion » le soin de raconter la Focus ? Et sa déclinaison ST aussi, puisqu'entre elle et une RS, il y a un monde de différence. À commencer par le côté visuel. La RS endosse toutes les fioritures qui accompagnent parfois ce genre de transformation extrême : prises d'air béantes, aileron racoleur grimpé sur le hayon et diffuseur arrière. Aucun de ces éléments n'est là pour la frime et chacun d'eux vise non pas à donner à la RS un air voyou, mais essentiellement à réduire la portance sur les trains avant et arrière, à diminuer le coefficient de traînée aérodynamique et à maximiser le refroidissement des organes mécaniques.

VIE À BORD > Voiture au tempérament exceptionnel, la Focus RS nous fait redescendre vite sur terre quand on se glisse dans son habitacle plutôt daté. L'ergonomie de plusieurs commandes soulève les débats tout comme la qualité des matériaux utilisés. La présentation a

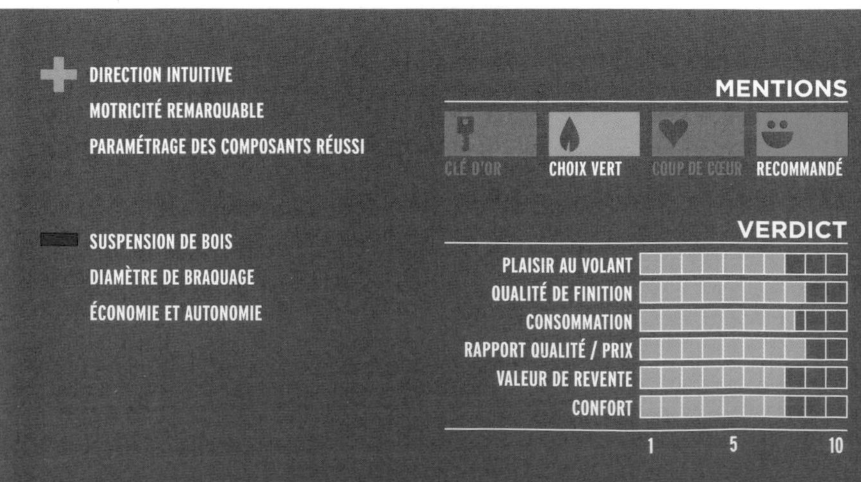

néanmoins le mérite de ne pas avoir cédé à la tentation de se prendre trop au sérieux. Hormis les trois manomètres supplémentaires plantés au sommet du tableau de bord, comme dans la Focus ST, tout le reste est repris de la Focus ordinaire pour contenir les coûts.

TECHNIQUE > Par rapport à une ST, la RS s'anime d'un 2,3-litres turbo qui produit près de 100 chevaux de plus. En outre, la RS comporte un châssis plus affûté, des aides à la conduite plus sophistiquées, une monte pneumatique « dédiée » et un rouage à 4 roues motrices. La combinaison de ces éléments permet tantôt de la souder au tarmac, tantôt de la faire virevolter dans les virages. Enfin, à l'aide d'un dispositif de départ (*launch control*), elle touche les 100 km/h en 4,7 secondes et promet d'atteindre une vitesse de pointe de 266 km/h. Les reprises sont tout aussi convaincantes grâce à une fonction « overboost ». Celle-ci permet de bénéficier pendant 15 secondes de plus de puissance, d'où les assertions de Ford selon lesquelles cette RS produit 350 PS (équivalant à 345,2 ch) et 350 livres-pieds de couple.

AU VOLANT > Pour exploiter au mieux cette puissance, il faut la solliciter en jouant avec les rapports de la boîte – la zone rouge est atteinte très rapidement –, bien étagée, mais dont la grille est particulièrement étroite. Pour contenir le poids et le coût de revient de ce bolide, Ford a volontairement rayé de son cahier des charges la boîte automatique à double embrayage, pourtant réputée plus rapide et plus sobre à la pompe. Puisqu'il est question de consommation, celle-ci flirte facilement avec les 13 litres aux 100 kilomètres, et peut doubler si l'on n'y prend garde.

Son comportement routier, qui ne peut vraiment s'apprécier que sur un circuit, est très typé. Au début, on la croit instable, mais on s'habitue vite à la direction à la fois rapide et précise de cette voiture virile, mais correcte, aux réactions vigoureuses et toujours franches.

Sur une chaussée parfaitement sèche, on ne voit pas très bien ce qui peut la décontenancer, si ce n'est quand le moment est venu de la garer. Son diamètre de braquage est inversement proportionnel à sa (petite) taille. Et il y a aussi la sécheresse des suspensions, même en mode « Normal ». Il y a pire : le mode « Sport », lequel est 40 % plus rigide... Le pilote qui a bon dos peut aussi choisir les modes « Track » (piste) ou même « Drift », qui permet de s'offrir de magnifiques dérives du train arrière. Il s'agit d'une première dans l'industrie. Est-il besoin de rappeler que cette fonction est à utiliser strictement sur un circuit fermé ?

CONCLUSION > Voilà une compacte dont on tombe facilement amoureux, même si l'on n'apprécie guère la sécheresse de ses suspensions, la sobriété de sa présentation et son prix. Mais peu de véhicules aujourd'hui procurent une conduite aussi jubilatoire. ■

2e OPINION

Antoine Joubert

La gamme des Focus prend encore de l'expansion cette année. En plus de la populaire version 2,0 litres qui demeure la plus vendue avec son moteur de 160 chevaux, vous avez aussi le choix d'une version 3 cylindres que je ne vous recommande pas car le petit moteur travaille trop pour cette carcasse assez lourde. La version ST et ses 252 chevaux qui trônait en haut de la pyramide s'est fait tasser par la surprenante RS qui monte la barre à 350 chevaux pour son moteur 2,3 litres turbo, une petite bombe 4 roues motrices très agile mais destinée à ceux qui aiment la conduite extrême. Un conseil à retenir si vous magasinez une Focus, faire attention au prix, les versions bien équipées se vendent, comme une Titanium se vend la peau des fesses. Mieux vaut être sobre dans son choix d'équipement et vous aurez une des très bonnes compactes sur le marché.

FICHE TECHNIQUE

MOTEUR(S)

(1,0L) L3 1,0 L turbo
PUISSANCE 123 ch à 6 000 tr/min **COUPLE** 125 lb-pi à 3 500 tr/min
RAPPORT POIDS/PUISSANCE 10,7 kg/ch (est.)
BOITE(S) DE VITESSES manuelle à 6 rapports, automatique à 6 rapports en option
PERFORMANCES 0-100 km/h 10,4 s
REPRISE 80-115 km/h 7,5 s **VITESSE MAXIMALE** 193 km/h
CONSOMMATION (100 km) man. ville 7,8 L route 5,7 L
auto. ville 8,5 L, route 5,9 L (octane 87)
ANNUELLE man. 1 156 L, 1 387 $ **auto.** 1 241 L, 1 489 $
ÉMISSIONS DE CO_2 man. 2 659 kg/an **auto.** 2 854 kg/an

(S, SE, Titanium) L4 2,0 L DACT
PUISSANCE 160 ch à 6 500 tr/min **COUPLE** 146 lb-pi à 4 450 tr/min
RAPPORT POIDS/PUISSANCE 8,3 kg/ch
BOÎTE(S) manuelle à 5 rapports, automatique à 6 rapports avec mode manuel (Titanium, en option S, SE)
PERFORMANCES 0-100 km/h 8,5 s **REPRISE 80-115 km/h** 6,8 s
FREINAGE 100-0 km/h 37,5 m **NIVEAU SONORE À 100 km/h** Moyen
VITESSE MAXIMALE 205 km/h
CONSOMMATION (100 km) man. ville 9,2 L, route 6,6 L
auto. ville 9,0 L, route 6,2 L (octane 87)
ANNUELLE man. 1 360 L, 1 632 $ **auto.** 1 326 L, 1 591 $
ÉMISSIONS DE CO_2 man. 3 128 kg/an **auto.** 3 050 kg/an

(ST) L4 2,0 L DACT turbo
PUISSANCE 252 ch à 5 500 tr/min **COUPLE** 270 lb-pi à 2 500 tr/min
RAPPORT POIDS/PUISSANCE 5,8 kg/ch
BOITE(S) DE VITESSES manuelle à 6 rapports
PERFORMANCES 0-100 km/h 6,3 s **REPRISE 80-115 km/h** 4,5 s
FREINAGE 100-0 km/h 35,2 m **VITESSE MAXIMALE** 250 km/h
CONSOMMATION (100 km) ville 10,5 L, route 7,7 L (octane 91, octane 87 acceptable) **ANNUELLE** 1 564 L, 1 877 $
ÉMISSIONS DE CO_2 3 597 kg/an

(RS) L4 2,3 L DACT turbo
PUISSANCE 350 ch à 6 000 tr/min **COUPLE** 350 lb-pi de 2 000 à 4 500 tr/min
RAPPORT POIDS/PUISSANCE 4,5 kg/ch
BOITE(S) DE VITESSES manuelle à 6 rapports
PERFORMANCES 0-100 km/h 4,7 s
REPRISE 80-115 km/h 6,3 s **FREINAGE 100-0 km/h** 39,0 m
VITESSE MAXIMALE 266 km/h
CONSOMMATION (100 km) ville 12,1 L, route 9,3 L (octane 91)
ANNUELLE 1 853 L, 2 502 $ **ÉMISSIONS DE CO_2** 4 262 kg/an

(Électrique) Moteur électrique à aimant permanent
PUISSANCE 143 ch **COUPLE** 184 lb-pi
RAPPORT POIDS/PUISSANCE 11,5 kg/ch
BOITE(S) DE VITESSES automatique à 1 rapport
PERFORMANCES 0-100 km/h 10,2 s **REPRISE 80-115 km/h** 6,2 s
FREINAGE 100-0 km/h 45,4 m **VITESSE MAXIMALE** 135 km/h

AUTRES COMPOSANTS

SÉCURITÉ ACTIVE (certains en option) Freins ABS, assistance au freinage, répartition électronique de la force de freinage, contrôle électronique de la stabilité, antipatinage, avertisseur et correcteur de changement de voie, détecteur d'obstacle latéral et arrière
SUSPENSION avant/arrière indépendante
FREINS avant/arrière **S/SE** disques/ tambours
ST/ Titanium/ option SE disques
DIRECTION à crémaillère, assistée électriquement
PNEUS S P195/65R15 **SE** P215/55R16 **Titanium/ option SE** P215/50R17
ST/ option Titanium P235/40R18 **Électrique** P225/50R17

DIMENSIONS

EMPATTEMENT 2 649 mm
LONGUEUR berline 4 534 mm **5 portes** 4 359 mm
LARGEUR 1 824 mm **Élec.** 1 839 mm **HAUTEUR** 1 466 mm **Élec.** 1 496 mm
POIDS berline man. 1 330 kg **auto.** 1 347 kg **5 portes man.** 1 324 kg
auto. 1 341 kg **ST** 1 458 kg **Électrique** 1 643 kg **RS** 1 569 kg
RÉPARTITION DU POIDS AV/ARR (%) 58/42 **Électrique** 49/51
DIAMÈTRE DE BRAQUAGE 11,0 m **Titanium 18 po.** 12,2 m
COFFRE berline 374 L **5 portes** 673 L, 1 268 L (sièges abaissés)
Élec. 411 L, 959 L (sièges abaissés)
RÉSERVOIR DE CARBURANT 47 L
BATTERIES (Focus électrique) Lithium-ion 30 kWh (est.)

LA COTE VERTE

MOTEUR L4 DE 2,0 L HYBRIDE, HYBRIDE ENFICHABLE
CONSOMMATION (100 km) ville 5,4 L, route 5,7 L
Energi ville 5,8 L, route 6,5 L, mode électrique équiv. 2,7 L
CONSOMMATION ANNUELLE 935 L, 1 122 $ **Energi** 1 037 L, 1 348 $
INDICE D'OCTANE 87
ÉMISSIONS POLLUANTES CO_2 2 151 kg/an **Energi** 2 385 kg/an
AUTONOMIE EN MODE ÉLECTRIQUE 32 km
(source : ÉnerGuide)

FICHE D'IDENTITÉ

VERSION(S) 2RM S **2RM/4RM** SE **4RM** Titanium, Platinum, Sport
Hybride S **Hybride/Energi** SE, Titanium, Platinum
TRANSMISSION(S) avant, 4
PORTIÈRES 4 **PLACES** 5
PREMIÈRE GÉNÉRATION 2006
GÉNÉRATION ACTUELLE 2013
CONSTRUCTION Hermosillo, Mexique, Flat Rock, Michigan, É-U
COUSSINS GONFLABLES 8 (frontaux, latéraux avant, genoux, rideaux latéraux) option ceintures gonflables aux sièges arrière
CONCURRENCE Chevrolet Malibu, Chrysler 200, Honda Accord, Hyundai Ioniq/Sonata,, Kia Optima, Lexus CT200h, Mazda6, Nissan Altima, Subaru Legacy, Toyota Camry/Prius, VW Jetta hybride/Passat

AU QUOTIDIEN

COLLISION FRONTALE 5/5
COLLISION LATÉRALE 4/5
VENTES DU MODÈLE L'AN DERNIER
AU QUÉBEC 1 967 (-25,2 %) **AU CANADA** 15 781 (-14,6 %)
DÉPRÉCIATION (%) 38,3 (3 ans)
RAPPELS (2011 à 2016) 15
COTE DE FIABILITÉ 2,5/5

GARANTIES... ET PLUS

GARANTIE GÉNÉRALE 3 ans/60 000 km
GROUPE MOTOPROPULSEUR 5 ans/100 000 km
COMPOSANTS système hybride 8 ans/160 000 km
PERFORATION 5 ans/kilométrage illimité
ASSISTANCE ROUTIÈRE 5 ans/100 000 km
NOMBRE DE CONCESIONNAIRES AU QUÉBEC 79 **AU CANADA** 437

NOUVEAUTÉS EN 2017

Aide au stationnement, nouveaux phares à DEL, connectivité SYNC®3, régulateur de vitesse adaptatif avec freinage d'urgence automatique, détection de piétons, caméra de recul, avertisseur d'obstacle latéral et arrière, ceintures de sécurité arrière gonflables. Nouvelles versions Sport V6 et Platinum.

L'EMBARRAS DU CHOIX

Ford surfe sur un succès. La Fusion, basée sur la Mondeo européenne, est en effet la berline intermédiaire la plus vendue au Canada depuis trois ans. Aux États-Unis, où ce segment est roi, elle occupe le peloton de tête pendant que Camry et Accord s'échangent le maillot jaune. Alors, même si la troisième génération n'est pas attendue avant (je spécule) l'année modèle 2019, l'Ovale bleu a cru bon rafraîchir sa vedette.

Michel Crépault

TOUR DU PROPRIÉTAIRE > Quand l'actuelle Fusion a été dévoilée à Détroit en 2012, sa silhouette novatrice et son nez à la Aston Martin ont tellement conquis des chroniqueurs blasés qu'ils l'ont élue « Best of Show ». Pour 2017, les designers auraient été fous de saboter ce look. Ils ajoutent néanmoins des versions V6 Sport et Platinum avec calandres et roues distinctives.

VIE À BORD > Ford a bombardé des groupes cibles de la question qui tue : « Comment améliorer la Fusion ? » Les réponses ont touché à tout et, bien sûr, le constructeur prétend avoir tout amélioré. Mais sûrement pas le coffre des hybrides, qui est encore fortement handicapé par le logement des batteries au lithium-ion. C'est du bout des lèvres qu'un représentant de Ford a admis une erreur du passé qui sera corrigée à la prochaine génération. Et tant qu'à grogner :

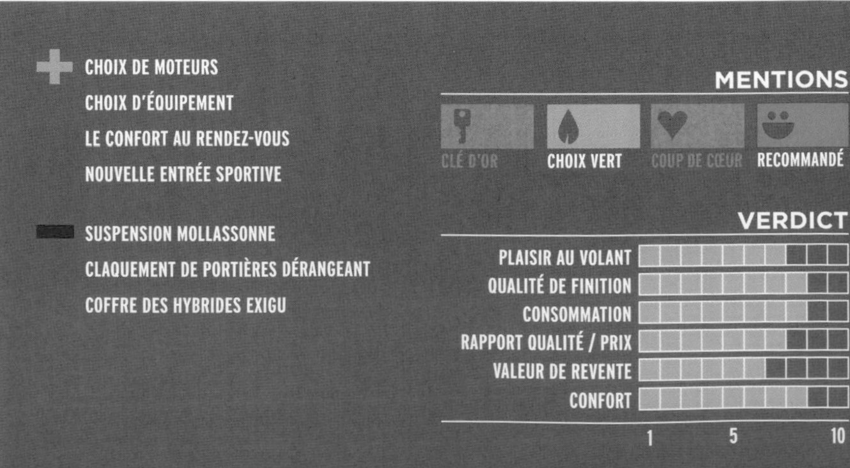

je suggère de congédier la personne responsable du bruit de la portière arrière que l'on ferme, car je n'ai jamais entendu un son aussi déplaisant. Tout le reste, je vous rassure, baigne dans l'huile. Je le répète, on est ici en présence d'un *best-seller*, alors la compagnie le bichonne. Par exemple, la nouvelle version ultime Platinum recouvre le dessus de la planche de bord d'un beau cuir dodu tandis que de nobles boiseries zèbrent la façade et que la peau des sièges et portières exhibe un motif que l'on trouve d'ordinaire dans une Bentley. Ford va jusqu'à vanter le temps que ses ingénieurs ont passé à parfaire les six porte-gobelets ! Quant au système Sync de troisième génération, incluant CarPlay et Android Auto, on le raffine sans cesse, tout en ramenant les bons vieux boutons dont plusieurs ne veulent se passer.

TECHNIQUE > Huey Lewis chantait *Power of Love*. Chez Ford, on entonne plutôt *Power of Choice*. En effet, la Fusion propose un étonnant choix de cinq motorisations, six si l'on inclut la version hybride enfichable! ! Parmi les 60 % d'acheteurs qui soignent leur budget, la moitié opte pour le modèle de base S équipé du 4-cylindres atmosphérique 2,5 litres de 175 chevaux, alors que l'autre moitié favorise le nouvel EcoBoost 1,5 litre de la SE de 181 chevaux, plus populaire que le 2-litres de 245 chevaux de série sur le modèle Titanium avec AWD. Pour faire un pied de nez à Toyota et Honda, Ford introduit le modèle V6 Sport doté de l'EcoBoost 2,7 litres à double turbo de 325 chevaux et transmission intégrale. Vous êtes plus « vert » ? Un 4-cylindres 2 litres à cycle Atkinson et 188 chevaux au total sert de toile de fond à une hybride et à une seconde, l'Energi enfichable (*plug-in*), capable de parcourir au moins 30 kilomètres en mode 100 % électrique avant que le moulin à essence n'intervienne pour une autonomie totale de 980 kilomètres. Toutes ces berlines utilisent une boîte de vitesse automatique à 6 rapports (CVT pour les hybrides) qui se contrôle désormais à l'aide d'une chic molette rotative (et palettes au volant).

AU VOLANT > Qu'on se le dise, la Fusion mise sur le confort et la technologie. Si vous insistez réellement pour une griserie ou deux, présumons que la Sport (non testée) fera son possible pour vous combler, mais vous appartiendrez à une minorité, comme les disciples du duo hybride (même pas 2 % des ventes). Cela dit, j'ai apprécié le muscle suffisant du 1,5-litre, la netteté de la direction et l'acoustique qui repousse mieux les bruits parasites. Les amortisseurs, toutefois, privilégient de molles réactions qui peuvent finir par agacer. La Sport est la seule à intégrer de série une suspension variable adaptative censée réagir en un clin d'œil pour réduire le désagrément des nids-de-poule. La Fusion 2017 est aussi la première Ford à offrir la détection de piétons. Enfin, elle qui se stationnait déjà toute seule en parallèle le fait maintenant aussi perpendiculairement. On n'arrête pas le progrès.

CONCLUSION > La Fusion cherche à distancer la Camry et l'Accord en proposant une incroyable sélection de versions, elles-mêmes plus transformables les unes que les autres. Hormis de légères imperfections (qui n'en a pas ?), impossible de passer outre si vous magasinez dans cette catégorie. ■

2e OPINION

Daniel Rufiange

La Fusion subit quelques changements d'importance pour 2017, une façon pour Ford de conserver au sommet la voiture la plus vendue dans son segment au Canada. Étonné ? Nous le sommes aussi, car on va se dire les vraies choses : la Fusion est une bonne voiture, mais pas la meilleure de son segment. Son succès, elle le vaut certainement à sa gueule, fort réussie, et à une gamme qui en offre pour tous les goûts, que ce soit en matière d'équipement ou de motorisations, que l'on compte au nombre de quatre... et bientôt cinq. En effet, une version Sport s'ajoutera au catalogue et cette dernière profitera du V6 de 2,7 litres EcoBoost qui œuvre depuis une année au sein de l'entreprise.

FICHE TECHNIQUE

MOTEUR(S)

(Hybride, Energi) L4 2,0 L DACT cycle Atkinson + moteur électrique
PUISSANCE 141 ch à 6 000 tr/min (puissance totale 188 ch, 195 ch Energi)
COUPLE 129 lb-pi à 4 000 tr/min
RAPPORT POIDS/PUISSANCE 8,8 kg/ch **Energi** 9,1 kg/ch
BOITE(S) DE VITESSES automatique à variation continue
PERFORMANCES 0-100 km/h 8,8 s
REPRISE 80-115 km/h 6,1 s **FREINAGE 100-0 km/h** 41,2 m
NIVEAU SONORE À 100 km/h Moyen
VITESSE MAXIMALE 170 km/h, 135 km/h en mode électrique

(S, SE) L4 2,5 L DACT
PUISSANCE 175 ch à 6 000 tr/min **COUPLE** 170 lb-pi à 4 500 tr/min
RAPPORT POIDS/PUISSANCE 8,9 kg/ch
BOITE(S) DE VITESSES automatique à 6 rapports
PERFORMANCES 0-100 km/h 9,1 s **VITESSE MAXIMALE** 205 km/h
CONSOMMATION (100 km) ville 10,5 L, route 6,9 L (octane 87)
ANNUELLE 1 513 L, 1 816 $
ÉMISSIONS DE CO_2 3 480 kg/an

(Option SE 2RM) L4 1,5 L DACT turbo
PUISSANCE 181 ch à 6 000 tr/min **COUPLE** 185 lb-pi à 2 700 tr/min
RAPPORT POIDS/PUISSANCE 8,5 kg/ch
BOITE(S) DE VITESSES automatique à 6 rapports
PERFORMANCES 0-100 km/h 9,1 s **VITESSE MAXIMALE** 205 km/h
CONSOMMATION (100 km) ville 9,9 L, route 6,5 L, avec arr./dép. ville 9,4 L, route 6,3 L (octane 87)
ANNUELLE 1 428 L, 1 714 $, avec arr./dép. 1 360 L, 1 632 $
ÉMISSIONS DE CO_2 3 284 kg/an, avec arr./dép. 3 128 kg/an

(Platinum, Titanium, option SE) L4 2,0 L DACT turbo
PUISSANCE 240 ch à 5 500 tr/min **COUPLE** 270 lb-pi à 3 000 tr/min
RAPPORT POIDS/PUISSANCE 2RM 6,7 kg/ch **4RM** 6,9 kg/ch
BOITE(S) DE VITESSES automatique à 6 rapports avec mode manuel et manettes au volant
PERFORMANCES 0-100 km/h 7,0 s
REPRISE 80-115 km/h 4,8 s **FREINAGE 100-0 km/h** 38,5 m
NIVEAU SONORE À 100 km/h Moyen
VITESSE MAXIMALE 225 km/h
CONSOMMATION (100 km) 2RM ville 10,5 L, route 7,0 L, **4RM** ville 10,8 L, route 7,5 L (octane 87)
ANNUELLE 2RM 1 513 L, 1 816 $ **4RM** 1 581 L, 1 897 $
ÉMISSIONS DE CO_2 2RM 3 480 kg/an **4RM** 3 636 kg/an

(SPORT) V6 2,7 L DACT biturbo
PUISSANCE 325 ch à ND tr/min **COUPLE** 350 lb-pi à ND tr/min
RAPPORT POIDS/PUISSANCE 5,3 kg/ch (est.)
BOITE(S) DE VITESSES automatique à 6 rapports avec mode manuel et manettes au volant
PERFORMANCES 0-100 km/h 5,7 s (est.) **VITESSE MAXIMALE** 225 km/h
CONSOMMATION (100 km) ville 11,3 L, route 7,9 L (est.) (octane 91)
ANNUELLE 1 666 L, 2 249 $ **ÉMISSIONS DE CO_2** 3 832 kg/an

AUTRES COMPOSANTS

SÉCURITÉ ACTIVE (certains en option) Freins ABS, assistance au freinage, répartition électronique de la force de freinage, contrôle électronique de la stabilité, antipatinage, avertisseurs de changement de voie et d'obstacle latéral et arrière, régulateur de vitesse adaptatif avec freinage d'urgence automatique, détection de piétons
SUSPENSION avant/arrière indépendante, adaptative sur Sport
FREINS avant/arrière disques **Hybride** disques, à récupération d'énergie
DIRECTION à crémaillère, assistée électriquement
PNEUS S P215/60R16 SE P235/50R17 **Titanium/option SE** P235/45R18 **Sport/Platinum/option Titanium** P235/40R19 **Hybride, Energi** P225/50R17

DIMENSIONS

EMPATTEMENT 2 850 mm **LONGUEUR** 4 871 mm
LARGEUR 1 852 mm, 1 911 mm (rétro. repliés), 2 121 mm (incl. rétro.)
HAUTEUR 1 478 mm Hybride 1 474 mm
POIDS 2,5L 1 507 kg 1,5L 1 511 kg 2,0L **2RM** 1 599 kg **4RM** 1 669 kg **V6 4RM** 1 715 kg (est.) **Hybride** 1 663 kg **Energi** 1 774 kg
DIAMÈTRE DE BRAQUAGE 10,3 m **4RM** 11,5 m
COFFRE 453 L **Hybride** 340 L **Energi** 232 L
RÉSERVOIR DE CARBURANT 2RM 62 L **4RM** 66 L **Hybride** 53 L
BATTERIE Hybride 1,4 kW **Energi** Lithium-ion 7,6 kW
TEMPS DE RECHARGE Energi 2,5 heures

LA COTE VERTE

MOTEUR V6 DE 3,5 L TURBO
CONSOMMATION (100 km) ND
CONSOMMATION ANNUELLE ND
INDICE D'OCTANE 91
MISSIONS POLLUANTES CO_2 ND
(source : Ford)

FICHE D'IDENTITÉ

VERSION(S) Unique
TRANSMISSION(S) arrière
PORTIÈRES 2 **PLACES** 2
PREMIÈRE GÉNÉRATION 2005 (originale GT40 1964)
GÉNÉRATION ACTUELLE 2017
CONSTRUCTION Markham, Ontario, Canada
COUSSINS GONFLABLES ND
CONCURRENCE Acura NSX, Aston Martin Vanquish, Audi R8, Chevrolet Corvette Z06, Dodge Viper, Ferrari 488 GTB, Lamborghini Aventador, McLaren 675LT, Mercedes-Benz AMG-GT R

AU QUOTIDIEN

COLLISION FRONTALE nm
COLLISION LATÉRALE nm
VENTES DU MODÈLE L'AN DERNIER
AU QUÉBEC nm **AU CANADA** nm
DÉPRÉCIATION (%) nm
RAPPELS (2011 à 2016) nm
COTE DE FIABILITÉ nm

GARANTIES... ET PLUS

GARANTIE GÉNÉRALE 3 ans/60 000 km
GROUPE MOTOPROPULSEUR 5 ans/100 000 km
PERFORATION 5 ans/kilométrage illimité
ASSISTANCE ROUTIÈRE 5 ans/100 000 km
NOMBRE DE CONCESIONNAIRES
AU QUÉBEC 79 **AU CANADA** 437

NOUVEAUTÉS EN 2017

Nouveau modèle qui sera construit à 500 exemplaires maximum.

À QUI LA CHANCE

La GT40 s'était fait connaître pour ses victoires au Mans en 1966-67-68-69. Question de célébrer en grand son retour en course 50 ans plus tard, Ford a remporté de nouveau les 24 heures du Mans dans sa catégorie GTE Pro avec la nouvelle GT, devant une Ferrari 488. Belle manière de souligner le retour de la GT sur nos routes. Mais Ford a laissé savoir que la nouvelle production de la GT se fera uniquement sur deux années modèles (2017-2018) et que seulement 500 modèles seront construits en tout (250 par année). Comme pour décrocher un emploi, les prétendants devront écrire une lettre de motivation et les critères de sélection sont déjà définis. Et c'est au hasard parmi ceux qui ont fait parvenir cette lettre de motivation que Ford tirera les gagnants d'une nouvelle GT.

Benoit Charette

TOUR DU PROPRIÉTAIRE > La GT s'inspire de différents aspects du sport automobile et de quelques idées de la GT40 de 1964, comme le devant de la voiture, mais sans tomber dans le néorétro. Son dessin devait répondre à des contraintes très fortes en matière d'aérodynamisme et de réduction de poids. La GT est construite autour d'une carrosserie en fibre de carbone fabriquée au Canada et dispose aussi de 4 roues en fibre de

\+ STYLE ÉPOUSTOUFLANT
TECHNOLOGIE DE POINTE
PUISSANCE REMARQUABLE

− CONFORT SOMMAIRE
CÔTÉ PRATIQUE INEXISTANT
VISIBILITÉ RÉDUITE VERS L'ARRIÈRE

MENTIONS

CLÉ D'OR | CHOIX VERT | COUP DE CŒUR | RECOMMANDÉ

VERDICT

PLAISIR AU VOLANT	nm
QUALITÉ DE FINITION	nm
CONSOMMATION	nm
RAPPORT QUALITÉ / PRIX	nm
VALEUR DE REVENTE	nm
CONFORT	nm

1 5 10

carbone. Toutes les vitres disposent de la technologie Gorilla Glass. Conçue par la société américaine Corning, cette technologie permet d'abaisser le poids des vitres, tout en augmentant considérablement la résistance aux chocs. Le pare-brise et la lunette arrière de la Ford GT seront donc plus épais que les vitres feuilletées ordinaires. Les couches inférieures et externes intègrent un volet thermoplastique qui limite le bruit. Les Gorilla Glass sont moins épaisses, de l'ordre de 25 à 30 %, et plus légères de 32 %.

VIE À BORD > Le confort des occupants ne faisait pas partie des priorités des gens de Ford. L'assise du conducteur n'est pas réglable. Seul un pédalier flottant permet de s'ajuster à la morphologie du pilote. L'espace est aussi très restreint et le passager est installé très près du conducteur, assez pour se frotter les épaules. Vous profitez de la dernière technologie SYNC dans l'écran central du tableau de bord et le démarrage se fait par un bouton poussoir. Le volant sport se complète de palettes pour les changements de rapports.

TECHNIQUE > Contrairement à la dernière génération de GT, qui cachait en position centrale un V8 5,4 litres compressé, cette plus récente GT va mettre de l'avant la technologie EcoBoost. Il s'agira donc d'un V6 3,5 litres biturbo avec une puissance portée à 630 chevaux et un couple estimé à plus de 500 livres-pieds. La seule transmission possible est une boîte à 7 rapports à double embrayage avec changements de vitesses au moyen de palettes au volant.

AU VOLANT > Au moment d'aller sous presse, aucune GT de production n'avait encore fait ses premiers tours de roues. Il est facile de deviner qu'il va sans doute s'agir d'un des derniers véhicules de course de Ford. Car cette GT ne comporte aucune composante hybride, pas de moteur électrique de soutien. Les quelques heureux propriétaires auront une voiture 100 % adrénaline. Avec des freins en carbone, une suspension de course, des roues en fibre de carbone et tout le reste, la GT pourra se tenir la tête haute devant n'importe quelle exotique.

CONCLUSION > Ford n'a pas encore annoncé le prix officiel pour la GT, mais il sera autour de 400 000 $. Ce n'est pas donné, mais considérant toute la technologie, c'est ce qu'il faut payer pour ce genre de voiture aujourd'hui. Il faut aussi penser à sa valeur en tant que voiture de collection. Comme il y aura seulement 500 voitures de construites, c'est déjà une voiture de collection, et quiconque deviendra propriétaire verra sans doute la valeur augmenter dans très peu de temps. C'est pour cela que Ford a précisé qu'elle ne souhaite pas vendre à des spéculateurs et préfère que ses futurs acheteurs conduisent la voiture régulièrement plutôt que de la laisser dormir dans un garage. ■

FICHE TECHNIQUE

MOTEUR(S)

(GT) V6 3,5 L DACT biturbo
PUISSANCE 630 ch
COUPLE plus de 500 lb-pi
RAPPORT POIDS/PUISSANCE 2,5 kg/ch (est.)
BOÎTE(S) DE VITESSES manuelle robotisée à 7 rapports
PERFORMANCES 0-100 km/h 2,5 s (est.)
FREINAGE 100-0 km/h ND
VITESSE MAXIMALE ND
CONSOMMATION ND

AUTRES COMPOSANTS

SÉCURITÉ ACTIVE Freins ABS, assistance au freinage, répartition électronique de la force de freinage, contrôle électronique de la stabilité, antipatinage
SUSPENSION avant/arrière indépendante
FREINS avant/arrière disques
DIRECTION à crémaillère, assistée électriquement
PNEUS ND

DIMENSIONS

EMPATTEMENT ND
LONGUEUR ND
LARGEUR ND
HAUTEUR ND
POIDS 1 500 kg (est.)
RÉPARTITION DU POIDS AV/ARR (%) ND
DIAMÈTRE DE BRAQUAGE ND
RÉSERVOIR DE CARBURANT ND

LA COTE VERTE

MOTEUR L4 DE 2,3 L TURBO
CONSOMMATION (100 km) Coupé man. ville 10,6 L, route 7,6 L **auto.** ville 11,0 L, route 7,4 L **Cabrio. auto.** ville 11,6 L, route 8,0 L
CONSOMMATION ANNUELLE man. 1 564 L, 1 877 $ **auto.** 1 598 L, 1 918 $ **Cabrio. auto** 1 683 L, 2 020 $
INDICE D'OCTANE 87
ÉMISSIONS POLLUANTES CO_2 man. 3 597 kg/an **auto.** 3 675 kg/an **Cabrio. auto.** 3 871 kg/an
(source: ÉnerGuide)

FICHE D'IDENTITÉ

VERSION(S) Coupé V6, Ecoboost, Ecoboost Premium, GT, GT Premium, Shelby GT350/GT350R **Cabriolet** V6, Ecoboost Premium, GT Premium
TRANSMISSION(S) arrière
PORTIÈRES 2 **PLACES** 4, 2 (Shelby GT350R)
PREMIÈRE GÉNÉRATION 1964 1/2
GÉNÉRATION ACTUELLE 2015
CONSTRUCTION Flat Rock, Michigan, É.-U.
COUSSINS GONFLABLES 6 (frontaux, genoux avant, latéraux avant)
CONCURRENCE Chevrolet Camaro, Dodge Challenger, Hyundai Genesis Coupé, Nissan 370Z

AU QUOTIDIEN

COLLISION FRONTALE 5/5
COLLISION LATÉRALE 5/5
VENTES DU MODÈLE L'AN DERNIER
AU QUÉBEC 1 094 (+33,9 %) **AU CANADA** 6 933 (+23,7 %)
DÉPRÉCIATION (%) 34,5 (3 ans)
RAPPELS (2011 à 2016) 7
COTE DE FIABILITÉ 3/5

GARANTIES... ET PLUS

GARANTIE GÉNÉRALE 3 ans/60 000 km
GROUPE MOTOPROPULSEUR 5 ans/100 000 km
PERFORATION 5 ans/kilométrage illimité
ASSISTANCE ROUTIÈRE 5 ans/100 000 km
NOMBRE DE CONCESIONNAIRES
AU QUÉBEC 79 **AU CANADA** 437

NOUVEAUTÉS EN 2017

Aucun changement majeur

PÉTILLANTE

Il y a 10 ans seulement, la Mustang la plus puissante produisait 300 chevaux. Pour 2017, le modèle de base produit 300 chevaux en consommant beaucoup moins que le vieux V8 de l'époque. La preuve que l'automobile continue de faire de grands pas en avant. Donc pour cette année, ces 300 chevaux arrivent avec le moteur de 3,7 litres. Vous avez aussi un 4-cylindres à 310 chevaux, un V8 GT à 435 chevaux et la GT 350 à 526 chevaux.

Benoit Charette

TOUR DU PROPRIÉTAIRE > Impossible de passer inaperçu en Mustang. Remise à niveau en 2015, sa ligne ressemble à un prédateur prêt à bondir sur sa proie. Même à l'arrêt, la voiture inspire. Dans le cas de la GT 350, elle est dotée de carénages avant et arrière, de culbuteurs et d'un tablier arrière à diffuseur intégré, et le châssis est rabaissé de 20 millimètres. Tous ces ajouts actifs donnent une plus grande efficacité et un meilleur appui aérodynamique pour canaliser efficacement les 526 chevaux. Visuellement, il faut donner 10 sur 10 à la Mustang.

VIE À BORD > L'ambiance est très américaine. Comme la tradition l'exige, c'est le ton noir sur noir qui domine. Il faudrait un jour songer à autre chose, j'ai toujours trouvé cela un brin lugubre. Vous avez toujours le choix d'un éclairage en plusieurs teintes sur la liste des

\+ VERSION GT350 POUR L'ENSEMBLE DE L'ŒUVRE
UN CONFORT APPRÉCIABLE
UNE FINITION EN HAUSSE

− LE TON NOIR SUR NOIR
LES PLACES ARRIÈRE UN PEU JUSTES
CERTAINS PLASTIQUES BON MARCHÉ

MENTIONS

CLÉ D'OR | CHOIX VERT | COUP DE CŒUR | RECOMMANDÉ

VERDICT

PLAISIR AU VOLANT
QUALITÉ DE FINITION
CONSOMMATION
RAPPORT QUALITÉ / PRIX
VALEUR DE REVENTE
CONFORT

1 5 10

options qui brise un peu cette noirceur. Si les sièges sont dorénavant plus confortables pour les passagers avant, l'espace reste un peu juste pour ceux qui prennent place à l'arrière, mais c'est encore au-dessus de la moyenne pour une sportive. Le coffre est profond, mais le seuil étroit, ce qui limite les possibilités.

TECHNIQUE > Comme la Mustang se pointe depuis deux ans à l'international et que les taxes pour les grosses cylindrées en Europe sont assez élevées, le 4-cylindres 2,3 litres turbo joue le rôle de l'ambassadeur à l'étranger, mais est aussi disponible chez nous. Il contient 310 chevaux sans émotion. Efficace certes, mais le son du moteur est banal. L'offre de base passe par un V6 de 3,7 litres et 300 chevaux. Arrive ensuite la GT avec son V8 Coyote de 435 chevaux et le son que l'on associe à une Mustang. Dans tous les cas, vous avez droit à une boîte manuelle ou automatique à 6 rapports. En haut de la pyramide, son moteur 5,2 litres Voodoo avec un vilebrequin à surfaces plates (utilisé généralement pour les moteurs de course) permet au moteur de mieux respirer et de monter jusqu'à 8250 tours/minute en régime. Cette mécanique de 526 chevaux est le plus puissant moteur atmosphérique de l'histoire chez Ford. Toute cette cavalerie passe par l'unique boîte manuelle Tremec à 6 rapports et des sensations qui vous feront pousser des cris de joie. Vous avez aussi une spécifique version R pour la piste.

AU VOLANT > Derrière le volant d'une version à 4 ou 6 cylindres, c'est un peu comme aller voir l'Orchestre symphonique de Montréal vous interpréter Frère Jacques. C'est une mauvaise utilisation de talent. Dans le 4-cylindres spécialement. Même si Ford a fait l'effort de travailler la sonorité qui passe par les haut-parleurs, ça sonne faux. Et le poids handicape les performances même avec 310 chevaux. Lorsque l'on va voir un orchestre symphonique, on veut une œuvre grandiose. La GT 350 est la meilleure Mustang produite à ce jour. Elle est non seulement puissante, mais c'est aussi une véritable voiture de course. Un moteur exceptionnel, une tenue de route hors du commun, des freins Brembo surdimensionnés, un appui au sol extraordinaire et une direction très rapide et précise. Mais c'est l'équilibre qui surprend le plus. Si le son n'était pas si typique, on se croirait dans une européenne, tellement la conduite impressionne. Et si vous placez la voiture au sixième rapport, le régime moteur et le bruit diminuent et transforment cette bête de circuit en docile routière.

CONCLUSION > Peu importe sa version, la Mustang demeure toujours désirable. Sur l'échelle de la passion, le V8 est une nécessité. Toutefois, tous les modèles vous mèneront à bon port et les plus petites cylindrées sont non seulement plus abordables, mais moins gourmandes à la pompe. ■

2e OPINION

Vincent Aubé

Avec le resserrement des normes environnementales, même les ponycars se doivent de réduire leur consommation moyenne. C'est ce qui explique la présence d'un 4-cylindres turbo sous le capot de la Mustang. Rassurez-vous, Ford poursuit sa stratégie d'offrir un V6 ainsi qu'un V8 pour la GT. L'ajout en 2016 de la Shelby GT350 prouve qu'il est possible d'améliorer la tenue de route d'une Ford Mustang. Assurément l'une des meilleures Mustang de l'histoire, cette Shelby GT350 constitue l'une des plus belles surprises au sein de l'alignement Ford. La lutte avec la Chevrolet Camaro, révisée en 2016, s'annonce féroce, mais Ford n'a pas à s'inquiéter, la Mustang est une icône mondiale depuis sa refonte en 2015.

FICHE TECHNIQUE

MOTEUR(S)

(EcoBoost) L4 2,3 L DACT turbo
PUISSANCE 310 ch à 5 500 tr/min
COUPLE 300 lb-pi de 2 500 à 4 500 tr/min
RAPPORT POIDS/PUISSANCE 5,2 à 5,4 kg/ch
BOÎTE(S) DE VITESSES manuelle à 6 rapports, automatique à 6 rapports avec mode manuel et manettes au volant (en option)
PERFORMANCES 0-100 km/h 5,0 s **VITESSE MAXIMALE** ND

(V6) V6 3,7 L DACT
PUISSANCE 300 ch à 6 500 tr/min **COUPLE** 270 lb-pi à 4 000 tr/min
RAPPORT POIDS/PUISSANCE 5,3 à 5,6 kg/ch
BOÎTE(S) DE VITESSES manuelle à 6 rapports, automatique à 6 rapports avec mode manuel et manettes au volant (en option)
PERFORMANCES 0-100 km/h 5,2 s **VITESSE MAXIMALE** ND
CONSOMMATION (100 km) man. ville 13,6 L, route 8,4 L
auto. ville 12,6 L, route 8,5 L (octane 87)
ANNUELLE man. 1 904 L, 2 285 $ **auto.** 1 819 L, 2 183 $
ÉMISSIONS DE CO_2 man. 4 379 kg/an **auto.** 4 184 kg/an

(GT) V8 5,0 L DACT
PUISSANCE 435 ch à 6 500 tr/min **COUPLE** 400 lb-pi à 4 250 tr/min
RAPPORT POIDS/PUISSANCE 3,9 à 4,0 kg/ch
BOÎTE(S) DE VITESSES manuelle à 6 rapports, automatique à 6 rapports avec mode manuel et manettes au volant (en option)
PERFORMANCES 0-100 km/h 4,5 s
FREINAGE 100-0 km/h 38,7 m **VITESSE MAXIMALE** 250 km/h
CONSOMMATION (100 km) Coupé man. ville 15,5 L, route 9,4 L
auto. ville 14,9 L, route 9,5 L **Cabrio. auto.** ville 15,4 L, route 10,0 L (octane 87)
ANNUELLE Coupé man. 2 159 L, 2 591 $ **auto.** 2 108 L, 2 530 $
Cabrio. auto. 2 210 L, 2 652 $
ÉMISSIONS DE CO_2 Coupé man. 4 966 kg/an **auto.** 4 848 kg/an
Cabrio. auto. 5 083 kg/an

(SHELBY GT350, GT350R) V8 5,2 L DACT
PUISSANCE 526 ch à 7 500 tr/min **COUPLE** 429 lb-pi à 4 750 tr/min
RAPPORT POIDS/PUISSANCE GT350 3,2 kg/ch **GT350R** 3,1 kg/ch
BOÎTE(S) DE VITESSES manuelle à 6 rapports
PERFORMANCES 0-100 km/h 4,4 s **GT350R** 4,0 s
REPRISE 80-115 km/h 11,0 s (sur le 6è rapport)
FREINAGE 100-0 km/h 37,5 m **GT350R** 35,5 m
VITESSE MAXIMALE 280 km/h (est.)
CONSOMMATION (100 km) ville 16,9 L, route 11,0 L (octane 91)
ANNUELLE 2 414 L, 3 259 $ **ÉMISSIONS DE CO_2** 5 552 kg/an

AUTRES COMPOSANTS

SÉCURITÉ ACTIVE Freins ABS, assistance au freinage, répartition électronique de la force de freinage, contrôle électronique de la stabilité, antipatinage, aide au départ en pente, avertisseur d'obstacle latéral et arrière, essuie-glaces et phares adaptatifs
SUSPENSION avant/arrière indépendante, adaptative en option sur GT350
FREINS avant/arrière disques
DIRECTION à crémaillère, assistée électriquement
PNEUS P235/55R17 **options** P235/50R18, P255/40R19, P265/35R20
Ensemble Performance P255/40R19 (av.) P275/40R19 (arr.)
GT350 P295/35R19 (av.), P305/35R19 (arr.)
GT350R P305/30R19 (av.) P315/30R19 (arr.)

DIMENSIONS

EMPATTEMENT 2 720 mm
LONGUEUR 4 783 mm **GT350** 4 798 mm **GT350R** 4 818 mm
LARGEUR 1 915 mm **GT350/R** 1 928 mm
HAUTEUR Coupé 1 382 mm **Cabrio.** 1 394 mm
GT350 1 377 mm **GT350R** 1 361 mm
POIDS Coupé man. V6 1 599 kg **EcoBoost** 1 602 kg **GT** 1 681 kg
Coupé auto. V6 1 601 kg **EcoBoost** 1 598 kg **GT** 1 691 kg
Cabrio. man. V6 1 677 kg **EcoBoost** 1 675 kg **GT** 1 756 kg
Cabrio. auto.. V6 1 676 kg **EcoBoost** 1 678 kg
GT 1 705 kg **GT350** 1 658 kg
RÉPARTITION DU POIDS AV/ARR (%) ND
DIAMÈTRE DE BRAQUAGE Roues de 17 po. 11,1 m **18 po. et 19 po.** 11,5 m
Ensemble performance et roues 20 po. 12,2 m **GT350/R** 12,3 m
COFFRE Coupé 382 L **Cabrio.** 323 L
RÉSERVOIR DE CARBURANT 60 L **EcoBoost** 58 L

LA COTE VERTE

MOTEUR V6 DE 2,7 L TURBO
CONSOMMATION (100 km) 2RM ville 12,3 L route 9,2 L
4RM ville 13,1 L route 10,1 L
CONSOMMATION ANNUELLE 2RM 1 853 L, 2 224 $ **4RM** 1 989 L, 2 387 $
INDICE D'OCTANE 87
ÉMISSIONS POLLUANTES CO_2 2RM 4 262 kg/an **4RM** 4 575 kg/an
(source : ÉnerGuide)

FICHE D'IDENTITÉ

VERSION(S) XL, XLT, Lariat, King Ranch, Platinum, Limited, Raptor
TRANSMISSION(S) arrière, 4
PORTIÈRES 2, 4 **PLACES** 3, 5, 6
PREMIÈRE GÉNÉRATION 1948
GÉNÉRATION ACTUELLE 2015
CONSTRUCTION Kansas City, Missouri, É.-U.; Norfolk, Virginie, É.-U.; Louisville, Kentucky, É.-U.; Oakville, Ontario, Canada
COUSSINS GONFLABLES 6 (frontaux, latéraux avant, rideaux latéraux), ceintures arrière gonflables
CONCURRENCE Chevrolet Silverado/GMC Sierra, Nissan Titan, Ram 1500, Toyota Tundra

AU QUOTIDIEN

COLLISION FRONTALE 5/5
COLLISION LATÉRALE 5/5
VENTES DU MODÈLE L'AN DERNIER
AU QUÉBEC 18 423 (+10,3 %) **AU CANADA** 118 837 (-5,9 %) (incl. Super Duty)
DÉPRÉCIATION (%) 38,2 (3 ans)
RAPPELS (2011 à 2016) 14
COTE DE FIABILITÉ 2,5/5

GARANTIES... ET PLUS

GARANTIE GÉNÉRALE 3 ans/60 000 km
GROUPE MOTOPROPULSEUR 5 ans/100 000 km
PERFORATION 5 ans/kilométrage illimité
ASSISTANCE ROUTIÈRE 5 ans/100 000 km
NOMBRE DE CONCESIONNAIRES
AU QUÉBEC 79 **AU CANADA** 437

NOUVEAUTÉS EN 2017

Boîte de transmission à 10 rapports avec moteur V6 Ecoboost 3,5 litres. Version Raptor.

VITRINE TECHNOLOGIQUE ?

Comme plusieurs Français, mon ami Fabrice est amateur de voitures américaines : les Mustang, les Camaro, même les PT Cruiser (bin coudonc...) ! Ce dernier a toutefois été sidéré d'apprendre que le Ford F-150 est depuis des lunes le véhicule le plus vendu en Amérique du Nord. Sa perception d'une camionnette est pour lui identique à celle d'un fourgon Transit. Un outil de travail pratique, et rien d'autre. Or, en lui donnant un peu plus d'informations sur le véhicule, il a compris que la passion des Nord-Américains pour le F-150 n'était pas ridicule. Le luxe, les technologies, les motorisations et les innovations techniques entourant ce modèle sont tels qu'ils pavent aujourd'hui la voie à ce qu'on trouvera dans nos voitures d'ici quelques années. Le développement ne passe donc pas chez Ford par la Focus mais bien par... le F-150.

Antoine Joubert

TOUR DU PROPRIÉTAIRE > Une boîte automatique à 10 rapports, des moteurs à double turbocompression et une carrosserie d'aluminium sont donc au nombre des éléments innovateurs de cette camionnette, qui ose là où d'autres préfèrent être prudents. Évidemment, l'arrivée en 2015 d'une nouvelle mouture a fait jaser, surtout concernant l'utilisation massive de l'aluminium. La concurrence ainsi que les amateurs d'autres marques contestent outrageusement l'adoption de ce métal léger, plus coûteux à réparer que l'acier. Quelques vidéos sur

+
- GRAND CHOIX DE MODÈLES
- TECHNOLOGIE DE POINTE
- QUALITÉ DE CONSTRUCTION
- MOTEURS ECOBOOST CONVAINCANTS

−
- OPTIONS NOMBREUSES ET PARFOIS NÉCESSAIRES
- UN PEU PLUS CHER QUE LA CONCURRENCE À ÉQUIPEMENT ÉGAL
- MOTEUR V6 DE 3,5 LITRES NON PERTINENT (AVEC 2,7 L ECOBOOST)

MENTIONS

CLÉ D'OR | CHOIX VERT | COUP DE CŒUR | RECOMMANDÉ

VERDICT

PLAISIR AU VOLANT
QUALITÉ DE FINITION
CONSOMMATION
RAPPORT QUALITÉ / PRIX
VALEUR DE REVENTE
CONFORT

1 5 10

Internet ont également démontré des défaillances dans la construction et l'étanchéité des cabines. Or, malgré la rencontre de quelques problèmes isolés, l'adoption de l'aluminium par le modèle le plus couru de la planète permet de réduire les coûts de fabrication et de réparation, tout en diminuant de façon très importante le poids du véhicule. Cela dit, le F-150 continue d'impressionner avec toujours cette large gamme de modèles, à laquelle s'ajoute en 2017 une nouvelle version Raptor.

VIE À BORD > Bien isolée, la cabine du F-150 impressionne par le souci du détail et d'aménagement qu'on y trouve. Tant la version XL que la version Platinum se démarquent par la polyvalence de leur habitacle, la seconde étant évidemment beaucoup plus luxueuse. Sachez d'ailleurs que Ford ne se gêne pas pour offrir une liste interminable d'options, ce qui a pour conséquence une facture qui peut sans trop de difficultés atteindre les 75 000 $.

TECHNIQUE > Ford fait état pour le Raptor d'un moteur EcoBoost plus puissant que celui du précédent V8 de 6,2 litres, qui faisait 411 chevaux. Or ce camion proposera aussi tout le nécessaire pour une conduite hors route redoutable, incluant 6 modes de conduite (Normal, Sport, Weather, Mud, Baja et Rock Crawl). Voilà qui promet. Cela dit, le F-150 innove également en 2017 avec un V6 EcoBoost de 3,5 litres qui voit son couple majoré de 50 livres-pieds. On le jumelle aussi avec une nouvelle boîte automatique à 10 rapports, la première du segment, laquelle permet d'optimiser non seulement les performances, mais également le rendement énergétique du véhicule. Cela dit, impossible de passer sous silence la grande efficacité du V6 biturbo de 2,7 litres, qui n'est évidemment pas conçu pour les gros travaux, mais qui impressionne par ses performances et sa faible consommation de carburant. À l'opposé, le V8 Coyote de 5 litres demeure en place, capable de se charger des tâches les plus ardues.

AU VOLANT > Ford a amélioré plusieurs éléments techniques de son F-150 pour le rendre plus confortable et silencieux, mais également plus solide que son devancier. On a donc corrigé les problèmes de tables de suspension avant ainsi que ceux attribuables aux boîtiers de transfert. Le comportement du camion est également plus doux grâce à des suspensions qui ont été recalibrées afin d'offrir un meilleur confort, sans compromis sur la capacité de charge et de remorquage. Évidemment, oubliez le confort dans la version Raptor, qui n'a pas le mandat de vous donner une expérience de conduite ouatée. Retenez cependant que le F-150 présente une multitude de versions convenant aux différents besoins des acheteurs. Le groupe FX4 est à considérer si vous chargez la caisse plus souvent, tandis que le V6 de 2,7 litres demeure le choix numéro un s'il s'agit pour vous d'un simple véhicule de loisir.

CONCLUSION > Le F-150 est le camion le plus vendu depuis des décennies. Un compagnon solide, sérieux, qui innove constamment et duquel les nouveaux joueurs s'inspirent de façon évidente. Bref, la référence du segment. ■

2e OPINION

Vincent Aubé

L'histoire se répète pour la camionnette pleine grandeur du géant américain. Les chiffres de ventes continuent de croître en Amérique et la Série F trône toujours au sommet sur le continent. Après tant d'années, Ford a su trouver une recette qui plaît à un vaste auditoire. Les nombreuses motorisations disponibles, la consommation de carburant améliorée depuis la refonte et les nombreuses technologies embarquées donnent à cette camionnette des qualités traditionnellement associées à de grandes berlines confortables. Et pourtant, la vocation première de la Série F est de travailler. L'année 2017 aura toutefois un cachet pour les amateurs d'émotions fortes : le Raptor effectue un retour avec un nouveau moteur et de nouvelles capacités.

FICHE TECHNIQUE

MOTEUR(S)

(XL, XLT, Lariat) V6 2,7 L DACT turbo
PUISSANCE 325 ch à 5 750 tr/min
COUPLE 375 lb-pi à 3 000 tr/min
RAPPORT POIDS/PUISSANCE 2RM 5,8 à 6,4 kg/ch **4RM** 6,2 à 6,7 kg/ch
BOÎTE(S) DE VITESSES automatique à 6 rapports avec mode manuel
PERFORMANCES 0-100 km/h 6,0 s
VITESSE MAXIMALE 165 km/h (bridée)

(XL, XLT) V6 3,5 L DACT
PUISSANCE 282 ch à 6 250 tr/min
COUPLE 253 lb-pi à 4 250 tr/min
RAPPORT POIDS/PUISSANCE 2RM 6,5 à 7,2 kg/ch **4RM** 6,9 à 7,5 kg/ch
BOÎTE(S) DE VITESSES automatique à 6 rapports
PERFORMANCES 0-100 km/h 9,3 s
VITESSE MAXIMALE 165 km/h (bridée)
CONSOMMATION (100 km) 2RM ville 13,2 L route 9,6 L
4RM ville 14,0 L route 10,6 L (octane 87)
ANNUELLE 2RM 1 972 L, 2 366 $ **4RM** 2 125 L, 2 550 $
ÉMISSIONS DE CO_2 2RM 4 536 kg/an **4RM** 4 887 kg/an

(XL, XLT, Lariat, Raptor) V6 3,5 L DACT turbo
PUISSANCE 365 ch à 5 000 tr/min **Raptor** 450 ch (est.)
COUPLE 450 lb-pi à 2 500 tr/min **Raptor** 470 lb-pi
RAPPORT POIDS/PUISSANCE 2RM 5,5 à 5,9 kg/ch **4RM** 5,8 à 6,2 kg/ch
BOÎTE(S) DE VITESSES automatique à 10 rapports
PERFORMANCES 0-100 km/h 6,0 s
VITESSE MAXIMALE 165 km/h (bridée)
CONSOMMATION (100 km) 2RM ville 13,5 L route 9,8 L
4RM ville 14,7 L route 10,7 L (octane 87)
ANNUELLE 2RM 2 023 L, 2 428 $ **4RM** 2 193 L, 2 632 $
ÉMISSIONS DE CO_2 2RM 4 653 kg/an **4RM** 5 044 kg/an

(XL, XLT, Lariat, King Ranch, Platinum) V8 5,0 L DACT
PUISSANCE 385 ch à 5 750 tr/min
COUPLE 387 lb-pi à 3 850 tr/min
RAPPORT POIDS/PUISSANCE 2RM 5,0 à 5,5 kg/ch **4RM** 5,3 à 5,8 kg/ch
BOÎTE(S) DE VITESSES automatique à 6 rapports avec mode manuel
PERFORMANCES 0-100 km/h 5,8 s
VITESSE MAXIMALE 165 km/h (bridée)
CONSOMMATION (100 km) 2RM ville 15,3 L route 10,6 L
4RM ville 16,0 L route 11,3 L (octane 87)
ANNUELLE 2RM 2 244 L, 2 693 $ **4RM** 2 346 L, 2 815 $
ÉMISSIONS DE CO_2 2RM 5 161 kg/an **4RM** 5 396 kg/an

AUTRES COMPOSANTS

SÉCURITÉ ACTIVE (certains en option) Freins ABS, assistance au freinage, répartition électronique de la force de freinage, contrôle électronique de la stabilité, antipatinage, avertisseur d'obstacle latéral et arrière, régulateur de vitesse adaptatif, avertisseur d'impact imminent, avertisseur de sortie de voie et aide au maintien de voie
SUSPENSION avant indépendante, arrière essieu rigide
FREINS avant/arrière disques
DIRECTION à crémaillère, assistée électriquement
PNEUS XL P245/75R17 **XL/XLT** P255/65R17 **XL/XLT** P265/70R18
XLT/ Lariat P275/65R18 **XLT/ Lariat/King Ranch/Platinum** P275/55R20

DIMENSIONS

EMPATTEMENT 3 109 mm, 3 583 mm, 3 683 mm, 3 983 mm, 4 157 mm
LONGUEUR 5 316 à 6 363 mm
LARGEUR 2 029 mm, 2 459 mm (incl. rétro.)
HAUTEUR 1 907 à 1 964 mm
POIDS 3.5 2RM 1 837 à 2 028 kg **4RM** 1 955 à 2 130 kg
2.7T 2RM 1 891 à 2 087 kg **4RM** 2 007 à 2 180 kg
3.5T 2RM 2 004 à 2 142 kg **4RM** 2 117 à 2 261 kg
5.0 2RM 1 916 à 2 116 kg **4RM** 2 035 à 2 236 kg
DIAMÈTRE DE BRAQUAGE 12,4 à 16,1 m
RÉSERVOIR DE CARBURANT 2RM 87 L **4RM** 136 L
CAPACITÉ DE REMORQUAGE 2 313 à 5 443 kg

LA COTE VERTE

MOTEUR V8 DE 6,7 L TURBODIESEL
CONSOMMATION (100 km) ville 20,0 L, route 14,2 L (est.)
CONSOMMATION ANNUELLE 2 958 L, 3 402 $
INDICE D'OCTANE Diesel
ÉMISSIONS POLLUANTES CO_2 7 959 kg/an
(source : L'Annuel)

FICHE D'IDENTITÉ

VERSION(S) F-250/F-350 XL, XLT, Lariat, King Ranch, Platinum
TRANSMISSION(S) arrière, 4
PORTIÈRES 2, 4 **PLACES** 2, 3, 5, 6
PREMIÈRE GÉNÉRATION 1948
GÉNÉRATION ACTUELLE 2017
CONSTRUCTION Louisville, Kentucky, É.-U.
COUSSINS GONFLABLES 6 (frontaux, latéraux avant, rideaux latéraux)
CONCURRENCE Chevrolet Silverado HD/GMC Sierra HD, Nissan Titan XD, Ram 2500/3500

AU QUOTIDIEN

COLLISION FRONTALE 5/5
COLLISION LATÉRALE 5/5
VENTES DU MODÈLE L'AN DERNIER (Série F)
AU QUÉBEC 18 423 (+10,3 %) **AU CANADA** 118 837 (-5,9 %) (incl. F-150)
DÉPRÉCIATION (%) 38,0 (3 ans)
RAPPELS (2011 à 2016) 6
COTE DE FIABILITÉ 3,5/5

GARANTIES... ET PLUS

GARANTIE GÉNÉRALE 3 ans/60 000 km
GROUPE MOTOPROPULSEUR 5 ans/100 000 km
PERFORATION 5 ans/kilométrage illimité
ASSISTANCE ROUTIÈRE 5 ans/100 000 km
NOMBRE DE CONCESIONNAIRES
AU QUÉBEC 79 **AU CANADA** 437

NOUVEAUTÉS EN 2017

Nouvelle génération.

IL ÉTAIT TEMPS

La dernière génération du camion Super Duty remonte à 1999. Il aura donc fallu 18 ans à Ford avant de présenter un tout nouveau modèle Super Duty. Malgré son âge canonique, ce dur à cuire prenait encore l'an dernier plus de 40 % des parts de marché avec plus de 44 versions possibles pour les clients. En considérant l'importance de ces camions sur le marché, Ford a bien l'intention de mettre le paquet, car on ne peut pas se tromper avec un modèle aussi crucial.

Benoit Charette

TOUR DU PROPRIÉTAIRE > Après avoir présenté un F-150 en aluminium en 2014, Ford passe maintenant les modèles Super Duty par la même transformation. À la base, Ford applique la recette de l'aluminium aux mêmes endroits, car ils utilisent la même base, mais dans des proportions différentes. Vous avez par exemple de l'aluminium 14 % plus épais dans le revêtement de la boîte à l'arrière pour tenir compte des charges plus lourdes. Même principe pour le plancher plus épais. Les renforcements sont aussi appliqués différemment pour le capot, les ailes et les contours de pare-chocs. Vous vous dites sûrement que si le F-150 a perdu près de 700 livres, cela doit ressembler à 900 pour les Super Duty. Pas tout à fait, car en raison de la nature commerciale de ses camions, la robustesse est un facteur clé. À la fin de la journée, il y aura en moyenne une perte de poids de 350 livres, ce qui est encore très correct.

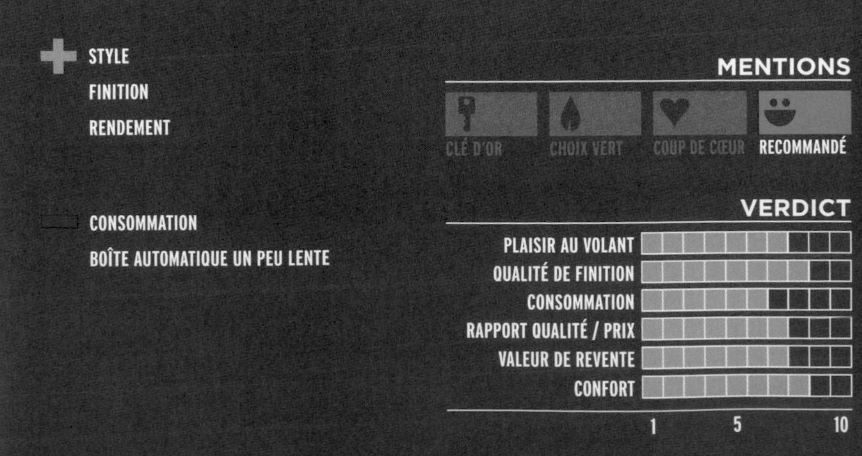

+ STYLE
FINITION
RENDEMENT
– CONSOMMATION
BOÎTE AUTOMATIQUE UN PEU LENTE
MENTIONS
CLÉ D'OR
CHOIX VERT
COUP DE CŒUR
RECOMMANDÉ
VERDICT
PLAISIR AU VOLANT
QUALITÉ DE FINITION
CONSOMMATION
RAPPORT QUALITÉ / PRIX
VALEUR DE REVENTE
CONFORT
1
5
10

VIE À BORD > Pour résumer la chose simplement, Ford a repris la finition de ses F-150 et l'a installée dans les camions Super Duty. Le Super profitera de nombreuses finitions qui feront dans le grand luxe pour les modèles haut de gamme. Vous aurez aussi plusieurs technologies comme le SYNC 3, un écran de 8 pouces dans la console centrale et 7 caméras qui permettront de voir partout autour du camion pour éviter d'accrocher le véhicule. Les aides à la conduite électronique comme un régulateur de vitesse adaptatif, un antilouvoiement et un détecteur de changement de voie seront présentes. Il y a tout de même quelques différences avec le F-150. Vous avez par exemple un coffre à gants divisé en deux parties, un espace de rangement verrouillable sous le siège et plus de prises électriques pour son utilisation commerciale.

TECHNIQUE > Ford a été peu bavarde sur ce qui allait se retrouver sous le capot, mais il y aura peu de changement dans l'utilisation des moteurs, seulement dans la puissance livrée. Nous savons que l'offre de base passe toujours par un V8 de 6,2 litres à essence et que le gros V10 de 6,8 litres sera aussi de la partie avec peu de changement au programme. La vraie question est de savoir ce qu'il adviendra du moteur 6,7 litres turbodiesel. Ford a simplement mentionné que l'on doit s'attendre à des puissances à la hausse tant au chapitre des chevaux qu'à celui du couple. Certains lancent que Ford serait le premier constructeur à offrir 1000 livres-pieds de couple dans un camion avec 450 chevaux. Nous savons qu'il est possible d'atteindre ces données, et connaissant la guerre de chiffres que se livrent les constructeurs américains, il est certain que Ford n'arrivera pas sur le marché avec un nouveau modèle qui sera à la traîne face à ses rivaux de toujours.

AU VOLANT > La perte de poids et un nouveau châssis plus rigide ne peuvent qu'être salutaires. L'impression de conduire une vieille affaire à la rigidité d'une barre de plomb va sans doute être chose du passé. Il ne faut pas penser que l'aluminium est partout, le châssis est conçu à 95 % d'acier haute résistance. C'est dans les panneaux et non dans la structure qu'il est fait usage d'aluminium. Ford affirme aussi que la rigidité structurelle sera supérieure de 24 %, ce qui ramène le Super Duty à la hauteur de ses concurrents.

CONCLUSION > Au moment d'aller sous presse, il y a quelques mystères qui demeurent encore non résolus à propos de la prochaine génération de modèles Super Duty. Mais nous aurons sans doute droit à quelques belles surprises et Ford va mettre tout en œuvre pour que son segment le plus rentable continue de l'être. ■

2e OPINION

Luc-Olivier Chamberland

Il était plus que temps que Ford s'occupe de son énorme Série F Super Duty. Dans les faits, malgré plusieurs améliorations au fil des années, les fondations de l'ancienne génération remontaient à 1999. L'arrivée de la version 2017 représente un pas de géant pour ce géant des routes. Tout comme son petit frère, il adopte une construction employant activement l'aluminium. Au compte, la masse sera à la baisse, ce qui favorisera une plus faible consommation de carburant, une bonne idée! Très moderne, il revient avec trois monstres mécaniques sous le capot, deux V8, dont un diesel, et un monumental V10. Avec le Super Duty 2017, Ford espère reprendre les devants dans le segment.

FICHE TECHNIQUE

MOTEUR(S) (2016)

(XL, XLT) V8 6,2 L SACT
PUISSANCE 385 ch à 5 500 tr/min
COUPLE 405 lb-pi à 4 500 tr/min
RAPPORT POIDS/PUISSANCE 7,0 à 8,5 kg/ch
BOÎTE(S) DE VITESSES automatique à 6 rapports avec mode manuel
PERFORMANCES 0-100 km/h 7,8 s
VITESSE MAXIMALE 165 km/h (bridée)
CONSOMMATION (100 km) 16,5 L (est.)
ANNUELLE 2 805 L, 3 646 $
ÉMISSIONS POLLUANTES CO_2 6 451 kg/an

(V10) V10 6,8 L SACT
PUISSANCE 362 ch à 4 750 tr/min
COUPLE 457 lb-pi à 3 250 tr/min
RAPPORT POIDS/PUISSANCE 8,2 à 10,0 kg/ch (est.)
BOÎTE(S) DE VITESSES automatique à 6 rapports avec mode manuel
PERFORMANCES 0-100 km/h 8,0 s (est.)
VITESSE MAXIMALE 165 km/h (bridée)

(TURBODIESEL) V8 6,7 L ACC turbodiesel
PUISSANCE 440 ch à 2 800 tr/min
COUPLE 860 lb-pi à 1 600 tr/min
RAPPORT POIDS/PUISSANCE 6,8 à 8,4 kg/ch
BOÎTE(S) DE VITESSES automatique à 6 rapports avec mode manuel
PERFORMANCES 0-100 km/h 9,5 s
VITESSE MAXIMALE 165 km/h (bridée)

AUTRES COMPOSANTS

SÉCURITÉ ACTIVE Freins ABS, assistance au freinage, répartition électronique de la force de freinage, contrôle électronique de la stabilité, antipatinage, contrôle de louvoiement de la remorque, régulateur de vitesse adaptatif avec freinage d'urgence automatique, avertisseur de sortie de voie, caméra 360°
SUSPENSION avant/arrière **2RM** indépendante/essieu rigide **4RM** essieu rigide
FREINS avant/arrière disques
DIRECTION à crémaillère, assistée
PNEUS XL/XLT P245/75R17 **option XL/XLT** P265/70R17 **option F-350 XL/XLT 4x2/de série F-250 et F/350 Lariat 4x2** P275/65R18 **option F-350XL et XLT 4x4/de série F-250 et F-350 Lariat 4x4** P275/70R18 **F-250 et F-350 Lariat 4x4** LT275/65R20 **F-250 et F-350 Lariat 4x4 avec 6,7 L et ensemble camping** LT275/70R18

DIMENSIONS

EMPATTEMENT 3 480 mm à 4 379 mm
LONGUEUR 5 781 à 6 680 mm
LARGEUR 2 029 mm
HAUTEUR F-250 1 945 à 2 026 mm **F-350** 1 948 à 2 052 mm
POIDS 6.2 2 695 à 3 285 kg **6.7** 2 989 à 3 719 kg
DIAMÈTRE DE BRAQUAGE 14,0 m à 17,8 m
RÉSERVOIR DE CARBURANT 6.2 132 L **6.7** 98L, 142 L (selon version)
CAPACITÉ DE REMORQUAGE 6.2 Attache rég. 5 488 à 7 303 kg **Attache à sellette** 5 443 à 7 258 kg **6.7 Attache rég.** 5 670 à 8 618 kg **Attache à sellette** 6 849 à 12 020 kg

LA COTE VERTE

MOTEUR L4 DE 2,0 L TURBO
CONSOMMATION (100 km) ville 11,8 L, route 8,1 L
CONSOMMATION ANNUELLE 1 717 L, 2 060 $
INDICE D'OCTANE 91, 87 utilisable
ÉMISSIONS POLLUANTES CO_2 3 949 kg/an
(source : ÉnerGuide)

FICHE D'IDENTITÉ

VERSION(S) SE, SEL, SEL 4RM, Limited 4RM, SHO 4RM
TRANSMISSION(S) avant, 4
PORTIÈRES 4 **PLACES** 5
PREMIÈRE GÉNÉRATION 1985
GÉNÉRATION ACTUELLE 2010
CONSTRUCTION Chicago, Illinois, É.-U.
COUSSINS GONFLABLES 6 (frontaux, latéraux avant, rideaux latéraux)
CONCURRENCE Buick LaCrosse, Chevrolet Impala, Chrysler 300, Dodge Charger, Genesis G80, Kia Cadenza, Lexus ES, Nissan Maxima, Toyota Avalon

AU QUOTIDIEN

COLLISION FRONTALE 5/5
COLLISION LATÉRALE 5/5
VENTES DU MODÈLE L'AN DERNIER
AU QUÉBEC 519 (-1,7 %) **AU CANADA** 3 259 (-7,0 %)
DÉPRÉCIATION (%) 38,0 (3 ans)
RAPPELS (2011 à 2016) 8
COTE DE FIABILITÉ 3/5

GARANTIES... ET PLUS

GARANTIE GÉNÉRALE 3 ans/60 000 km
GROUPE MOTOPROPULSEUR 5 ans/100 000 km
PERFORATION 5 ans/kilométrage illimité
ASSISTANCE ROUTIÈRE 5 ans/100 000 km
NOMBRE DE CONCESIONNAIRES
AU QUÉBEC 79 **AU CANADA** 437

NOUVEAUTÉS EN 2017

Aucun changement majeur

LA FIN APPROCHE

Les temps sont durs pour les berlines pleine grandeur. Avec tous ces véhicules utilitaires qui envahissent le marché et le prix de ces salons sur roues constamment en hausse, la catégorie doit se contenter de chiffres de ventes moins importants. Heureusement pour les constructeurs impliqués dans cette course, nos voisins du Sud sont encore assez friands de ce type de véhicule. Même si la Ford Taurus n'est plus que l'ombre d'elle-même, ça ne l'empêche pas de représenter une option des plus valables pour une clientèle qui recherche encore une berline confortable et logeable.

Vincent Aubé

TOUR DU PROPRIÉTAIRE > Contrairement au marché chinois, qui a reçu sa propre version redessinée, un modèle résolument plus sobre que celui distribué chez nous, la Taurus nord-américaine continue sa route sans changements majeurs en 2017. La ceinture de caisse élevée, les blocs optiques amincis à l'avant et cette grille de calandre trapézoïdale, toutes ces caractéristiques rappellent les origines de la voiture américaine. Bien campée sur des roues de 17, 18, 19 ou 20 pouces, la Taurus a encore suffisamment de prestance pour attirer les regards sur la route. Imaginez lorsqu'elle s'habille en voiture de police, le résultat est encore plus convaincant. L'aspect le mieux réussi de ce design, qui commence tout de même à dater, c'est assurément le fait que la voiture n'a pas l'air aussi imposante qu'elle l'est.

\+ **CONFORT À L'AMÉRICAINE**
MÉCANIQUES ECOBOOST MODERNES
GRAND COFFRE

− **CONSOMMATION DE CARBURANT ÉLEVÉE**
VISIBILITÉ ARRIÈRE RÉDUITE

MENTIONS

CLÉ D'OR | CHOIX VERT | COUP DE CŒUR | **RECOMMANDÉ**

VERDICT

PLAISIR AU VOLANT
QUALITÉ DE FINITION
CONSOMMATION
RAPPORT QUALITÉ / PRIX
VALEUR DE REVENTE
CONFORT

1 5 10

VIE À BORD > Malgré des dimensions de berline pleine grandeur, la Taurus déçoit à quelques égards dans l'habitacle. Disons que la planche de bord envahit le territoire des deux passagers avant à cause de cette console centrale surélevée. C'est bien beau de recréer un cockpit de voiture sport, mais lorsque c'est au détriment de l'espace de ceux qui y prennent place, le résultat est tout autre. En grande berline idéale pour les balades d'un océan à l'autre, la Taurus offre une sellerie des plus moelleuse, que ce soit à l'avant ou à l'arrière, quoique la place médiane derrière soit handicapée par le tunnel de transmission dans le plancher. La vision est elle aussi un problème à cause de cette fenestration aplatie. Heureusement, le coffre est caverneux. Après tout, il s'agit d'une berline typiquement américaine.

TECHNIQUE > À ce niveau, la Ford Taurus ne déçoit pas, le constructeur proposant trois options bien différentes. En entrée de jeu, le V6 de 3,5 litres s'acquitte plutôt bien de sa tâche compte tenu de son âge, et ce, malgré une consommation de carburant un peu moins exemplaire. Au catalogue des options, il est possible de choisir le 4-cylindres EcoBoost de 2 litres. Avec 240 chevaux, ce dernier concède un peu de puissance au V6 de base, mais il s'avère moins gourmand à la pompe, du moins en théorie, car avec un peu de plomb dans le pied droit, la moyenne de consommation sera plus élevée que prévu. Finalement, le haut du pavé est toujours occupé par la Taurus SHO, qui fait encore confiance au V6 biturbo EcoBoost de 3,5 litres d'une puissance de 365 chevaux. Nul besoin de vous dire que ce bloc transforme la berline en quelque chose d'explosif, surtout en ligne droite. Toutes les Taurus sont équipées d'une boîte automatique à 6 rapports, tandis qu'il est possible de choisir entre les roues avant motrices ou la transmission intégrale.

AU VOLANT > Les dimensions de cette berline phare devraient être suffisantes pour ralentir les ardeurs de celui ou celle qui tient le volant. Il faut respecter les lois de la physique au volant d'une grande berline. Le système de freinage fait le boulot, mais avec une telle masse, il vaut mieux prévoir les manœuvres. Au-delà de ce détail relié au poids, la Taurus est un charme à conduire au quotidien. Sa douceur de roulement combinée avec les nombreux équipements montés à bord rend les promenades plus agréables. Les deux motorisations de base n'ont rien à se reprocher sur le plan du rendement, tandis que l'option SHO est plus sportive, surtout en accélération.

CONCLUSION > Avec la confirmation par Ford Canada que nous n'aurons pas la Taurus remaniée exclusivement pour le marché chinois, il est de plus en plus clair que les jours de cette grande dame sont comptés. Les consommateurs migrent petit à petit vers les véhicules utilitaires, au grand détriment des berlines traditionnelles. D'ailleurs, Ford bonifie sans cesse sa berline Fusion. Cette dernière a même un nouveau moteur V6 EcoBoost, ce qui ne fait qu'ajouter de l'huile sur le feu de la Taurus. ■

2e OPINION

Luc-Olivier Chamberland

Les seules Taurus que vous voyez sur la route au Québec sont généralement blanches avec des décorations extérieures et un festival de lumières rouge et bleu sur le toit. Voiture de prédilection des services de l'ordre et des flottes de locations aéroportuaires, personne n'achète de Taurus. Il faut dire que le segment des pleines grandeurs ne connaît pas de succès chez nous. Malgré ses aptitudes policières, la Taurus est un excellent produit offrant énormément de luxe et de confort dans une très vaste cabine. De plus, Ford suggère trois motorisations, dont le 2-litres turbo de 240 chevaux pour les balades tranquilles et, de l'autre côté du spectre, le tonitruant V6 de 3,5 litres de 365 chevaux de la SHO.

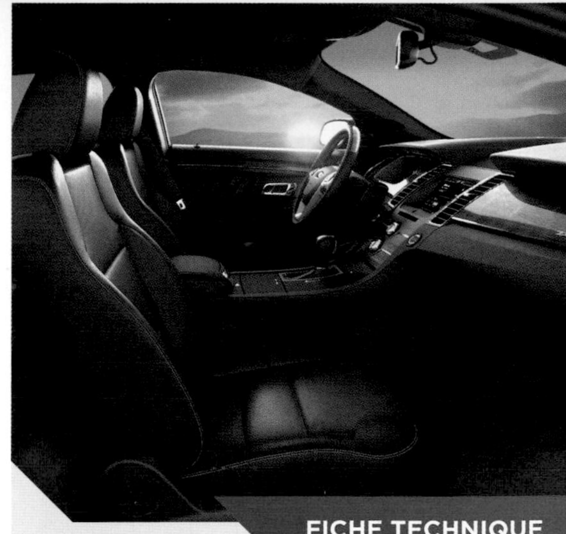

FICHE TECHNIQUE

MOTEUR(S)

(option SE, SEL) L4 2,0 L DACT turbo
PUISSANCE 240 ch à 5 500 tr/min
COUPLE 270 lb-pi à 3 000 tr/min
RAPPORT POIDS/PUISSANCE 7,5 kg/ch
BOITE(S) DE VITESSES automatique à 6 rapports avec mode manuel
PERFORMANCES 0-100 km/h 8,6 s
REPRISE 80-115 km/h 5,4 s **FREINAGE 100-0 km/h** 38,5 m
NIVEAU SONORE À 100 km/h Moyen
VITESSE MAXIMALE ND

(SE, SEL, LIMITED) V6 3,5 L DACT
PUISSANCE 288 ch à 6 500 tr/min
COUPLE 254 lb-pi à 4 000 tr/min
RAPPORT POIDS/PUISSANCE 2RM 6,2 kg/ch **4RM** 6,6 kg/ch
BOÎTE(S) DE VITESSES automatique à 6 rapports avec mode manuel
PERFROMANCES 0-100 km/h 7,9 s
REPRISE 80-115 km/h 5,6 s
VITESSE MAXIMALE 220 km/h
CONSOMMATION (100 km) 2RM ville 13,1 L, route 8,7 L
4RM ville 13,6 L, route 9,8 L (octane 87)
ANNUELLE 2RM 1 887 L, 2 264 $ **4RM** 2 108 L, 2 530 $
ÉMISSIONS DE CO_2 2RM 4 340 kg/an **4RM** 4 848 kg/an

(SHO) V6 3,5 L DACT biturbo
PUISSANCE 365 ch à 5 500 tr/min
COUPLE 350 lb-pi de 1 500 à 5 000 tr/min
RAPPORT POIDS/PUISSANCE 5,4 kg/ch
BOÎTE(S) DE VITESSES automatique à 6 rapports avec mode manuel
PERFORMANCES 0-100 km/h 6,2 s
REPRISE 80-115 km/h 3,9 s
FREINAGE 100-0 km/h 36,2 m
VITESSE MAXIMALE 240 km/h
CONSOMMATION (100 km) ville 14,7 L, route 9,8 L (octane 87)
ANNUELLE 2 125 L, 2 550 $ **ÉMISSIONS DE CO_2** 4 887 kg/an

AUTRES COMPOSANTS

SÉCURITÉ ACTIVE (certains en option) Freins ABS, assistance au freinage, répartition électronique de la force de freinage, contrôle électronique de la stabilité, antipatinage, avertisseurs de sortie de voie et d'obstacle latéral et arrière, assistance en cas d'impact imminent, régulateur de vitesse adaptatif
SUSPENSION avant/arrière indépendante
FREINS avant/arrière disques
DIRECTION à crémaillère, assistée électriquement
PNEUS SE P235/60R17 **SEL** P235/55R18
Limited P255/45R19 **SHO** P245/45R20

DIMENSIONS

EMPATTEMENT 2 845 mm **LONGUEUR** 5 154 mm
LARGEUR 1 936 mm **HAUTEUR** 1 542 mm
POIDS L4 1 798 kg **V6 2RM** 1 800 kg **V6 4RM** 1 903 kg **SHO** 1 970 kg
DIAMÈTRE DE BRAQUAGE 12,1 m **COFFRE** 569 L
RÉSERVOIR DE CARBURANT 72 L
CAPACITÉ DE REMORQUAGE 454 kg

LA COTE VERTE

MOTEUR L5 DE 3,2 L TURBODIESEL
CONSOMMATION (100 km) ville 14,8 L, route 11,0 L (est.)
CONSOMMATION ANNUELLE 2 227 L, 2 561 $
INDICE D'OCTANE Diesel
ÉMISSIONS POLLUANTES CO_2 5 991 kg/an
(source : L'Annuel)

FICHE D'IDENTITÉ

VERSION(S) 2 empattements, 3 longueurs de boîte, 3 hauteurs de toit pour Fourgonnette 150, 250, 350, 350 HD et Fourgon (Navette) 150 XL/XLT, 350 XL/XLT, 350 HD XL/XLT
TRANSMISSION(S) arrière
PORTIÈRES 5 **PLACES** 2, 8, 10, 12, 15
PREMIÈRE GÉNÉRATION 2015
GÉNÉRATION ACTUELLE 2015
CONSTRUCTION Kansas City, Missouri, É-U.
COUSSINS GONFLABLES Fourgonnette 2 (frontaux) Navette 6 (frontaux, latéraux avant, rideaux latéraux)
CONCURRENCE Chevrolet Express/GMC Savana, Mercedes-Benz Sprinter, Nissan NV, Ram Promaster

AU QUOTIDIEN

COLLISION FRONTALE 4/5
COLLISION LATÉRALE 5/5
VENTES DU MODÈLE L'AN DERNIER
AU QUÉBEC 2 539 (+66,8 %) **AU CANADA** 8 767 (+5,2 %)
DÉPRÉCIATION (%) 15,2 (2 ans)
RAPPELS (2011 à 2016) 6
COTE DE FIABILITÉ 3,5/5

GARANTIES... ET PLUS

GARANTIE GÉNÉRALE 3 ans/60 000 km
GROUPE MOTOPROPULSEUR 5 ans/100 000 km
PERFORATION 5 ans/kilométrage illimité
ASSISTANCE ROUTIÈRE 5 ans/100 000 km
NOMBRE DE CONCESSIONNAIRES
AU QUÉBEC 79 **AU CANADA** 437

NOUVEAUTÉS EN 2017

Aucun changement majeur

UN JAB À LA CONCURRENCE

Ford sait faire dans le monde des camions et a également tiré profit des déboires de fiabilité du Ram Promaster pour se hisser en tête des fourgons au chapitre des ventes canadiennes, devant le GMC Savana et le Mercedes Sprinter. Comme dans ses camionnettes, Ford est passée maître dans l'art d'offrir un vaste choix de modèles, de longueurs et de moteurs.

Benoit Charette

TOUR DU PROPRIÉTAIRE > Visuellement, il existe plusieurs versions du Transit : format ordinaire ou à empattement allongé avec trois hauteurs de toit différentes et même un modèle avec une cabine allongée. Vous pouvez l'obtenir en version 150, 250 et 350 selon le poids que vous avez à transporter. Vous obtenez de série des roues de 16 pouces et une caméra de recul (obligatoire pour un tel véhicule). Il est vrai que le style n'est pas sa plus grande force, mais ici, c'est la fonction qui suit la forme et non l'inverse ou, si vous préférez, ce n'est pas beau, mais c'est utile.

VIE À BORD > L'an dernier, Ford a remplacé le compliqué système de divertissement MyFord Touch par le système Sync, plus convivial, une très bonne idée. Il fait partie de la liste des options dans le Transit, mais cela rend l'utilisation plus agréable. Vous trouverez aussi en option l'air climatisé arrière (de série à l'avant), des lumières de cargo à DEL, un recouvrement

+
- VASTE CHOIX DE MODÈLES
- PLUSIEURS MÉCANIQUES
- CONDUITE AGRÉABLE

−
- PAS DE VERSION INTÉGRALE
- DIRECTION LÉGÈREMENT SURASSISTÉE

MENTIONS

CLÉ D'OR — CHOIX VERT — COUP DE CŒUR — **RECOMMANDÉ**

VERDICT

PLAISIR AU VOLANT
QUALITÉ DE FINITION
CONSOMMATION
RAPPORT QUALITÉ / PRIX
VALEUR DE REVENTE
CONFORT

1 5 10

de planche anti-égratignures, la navigation et un écran de 6,5 pouces qui vient avec le système Sync 3. Vous pouvez aussi demander un groupe remorquage si vous devez remorquer plus lourd. De série, vous obtiendrez finalement peu de choses : des sièges en vinyle, un volant inclinable et télescopique, des attaches cargo et une radio avec deux haut-parleurs.

TECHNIQUE > Si certains déplorent la disparition du V8, qui était le moteur le plus vendu dans l'ancienne Série E, nous ne sommes pas de ce groupe. La motorisation de base arrive sous la forme d'un V6 de 3,7 litres qui offre 275 chevaux et 260 livres-pieds de couple. Vous avez aussi le choix de deux autres motorisations sous la forme d'un diesel 5 cylindres de 3,2 litres de 185 chevaux avec 350 livres-pieds de couple. Pour encore plus de puissance, le V6 de 3,5 litres EcoBoost produit 310 chevaux et 400 livres-pieds de couple. Tous les modèles utilisent une boîte automatique à 6 rapports et la puissance passe par les seules roues arrière. Vous pouvez aussi obtenir en option une version au gaz naturel pour le moteur V6 de 3,7 litres. La capacité de remorquage va de 1 315 à 3 400 kilos selon les modèles et les groupes d'options.

AU VOLANT > Première constatation, il est très facile de grimper à bord, ce qui surprend un peu d'un véhicule aussi imposant. Une fois sur le siège du conducteur, vous allez apprécier la position de conduite haut perchée et les sièges confortables. C'est ensuite la conduite qui surprend. La direction est douce, plus proche de la berline que du camion. Le rayon de braquage est aussi court pour un camion. Une fois sur la route, la cabine est bien insonorisée (à l'exception des bruits caverneux d'un espace cargo vide). La console centrale haute place les commandes au bout des doigts. Le moteur de base fournira ce qu'il faut si vous roulez léger. Si, comme beaucoup de professionnels ou petits commerçants, vous faites de votre Transit un entrepôt mobile ou votre atelier sur la route, le moteur *EcoBoost* est celui qu'il vous faut. Il travaille sans effort, même avec des charges plus lourdes. Le diesel donne sensiblement la même force de remorquage mais il lui manque le petit oumph du 3,5-litres. Toutefois, il économisera quelques dollars à la pompe, mais il y a une prime à l'achat. Pas simple tout ça. Un mot en terminant sur la boîte automatique, qui travaille très bien et qui fait un bon mariage, peu importe le moteur.

CONCLUSION > Ford a su se démarquer au chapitre du prix, de l'offre et de la qualité avec le Transit. Il ne lui manque qu'une transmission intégrale pour être presque parfait. ■

2e OPINION

Daniel Rufiange

Ford en aura mis du temps avant de faire traverser l'Atlantique à son Ford Transit, un produit qu'elle commercialise sur le Vieux Continent depuis 1965. Il faut dire qu'elle a été bien servie par l'Econoline, un véhicule qui, pendant des décennies, était parfaitement adapté au marché nord-américain. Cependant, l'arrivée du Sprinter est venue changer la donne. Rapidement, devant la modernité de ce dernier, l'obsolescence de l'Econoline est devenue une évidence. Il n'était pas facile de le tasser, toutefois, les consommateurs appréciant son coût de possession relativement intéressant à long terme et l'incroyable accessibilité de ses pièces de remplacement. Le temps était venu de passer à autre chose, par contre, et le Transit est l'outil dont Ford a besoin pour reprendre sa place au sommet.

FICHE TECHNIQUE

MOTEUR(S)

(3.7) V6 3,7 L DACT
PUISSANCE 275 ch à 6 000 tr/min **COUPLE** 260 lb-pi à 4 000 tr/min
RAPPORT POIDS/PUISSANCE 8,2 à 11,6 kg/ch
BOÎTE(S) DE VITESSES automatique à 6 rapports
PERFORMANCES 0-100 km/h 8,9 s (est.)
VITESSE MAXIMALE 155 km/h (est.)
CONSOMMATION (100 km) ville 16,8 L, route 13,2 L (octane 87), conversion GN ou propane disponible
ANNUELLE 2 584 L, 3 101 $
ÉMISSIONS POLLUANTES (CO_2) 5 943 kg/an

(EcoBoost) V6 3,5 L DACT turbo
PUISSANCE 310 ch à 5 500 tr/min **COUPLE** 400 lb-pi à 2 500 tr/min
RAPPORT POIDS/PUISSANCE 7,3 à 10,3 kg/ch
BOÎTE(S) DE VITESSES automatique à 6 rapports
PERFORMANCES 0-100 km/h 7,9 s
VITESSE MAXIMALE 155 km/h
CONSOMMATION (100km) ville 16,1 L, route 12,7 L (octane 87)
ANNUELLE 2 482 L, 2 978 $
ÉMISSIONS POLLUANTES (CO_2) 5 709 kg/an

(DIESEL) L5 3,2 L DACT turbodiesel
PUISSANCE 185 ch à 3 000 tr/min
COUPLE 350 lb-pi de 1 500 à 2 500 tr/min
RAPPORT POIDS/PUISSANCE 12,2 à 17,2 kg/ch
BOÎTE(S) DE VITESSES automatique à 6 rapports
PERFORMANCES 0-100 km/h 13,5 s (est.)
VITESSE MAXIMALE 145 km/h (est.)

AUTRES COMPOSANTS

SÉCURITÉ ACTIVE (certains en option) Freins ABS, assistance au freinage, répartition électronique de la force de freinage, contrôle de la stabilité électronique, antipatinage, antiretournement
SUSPENSION avant/arrière indépendante/essieu rigide, ressorts à lames
FREINS avant/arrière disques
DIRECTION à crémaillère, assistée
PNEUS Roues simple LT235/65R16 **Roues doubles** LT195/75R16

DIMENSIONS

EMPATTEMENT 3 300 mm, 3 750 mm
LONGUEUR 5 531 mm, 5 585 mm, 5 981 mm, 6 035 mm, 6 703 mm
LARGEUR 2 066 mm, 2 114 mm (rétro. repliés), 2 474 mm (incl. rétro.)
HAUTEUR 2 089 mm, 2 506 mm, 2 759 mm
POIDS 2 268 à 3 184 kg
RÉPARTITION DU POIDS AV/ARR (%) ND
DIAMÈTRE DE BRAQUAGE emp. court 11,9 m **emp. long** 17,2 m
COFFRE Fourgonnette emp. court 6 985 à 8926 L (10 301 L siège passager retiré) **emp. long** 7 863 à 11 447 L (13 002 L siège passager retiré) **boîte allongée** 13 797 L (15 353 L siège passager retiré)
Fourgon emp. court 1 106 à 8 288 L
emp. long 1 985 à 10 834 L **boîte allongée** 2 845 à 13 081 L
RÉSERVOIR DE CARBURANT 95 L
CAPACITÉ DE REMORQUAGE emp. court 2 132 à 3 402 kg
emp. long 2 087 à 3 357 kg **boîte allongée** 1 315 à 3 221 kg

LA COTE VERTE

MOTEUR L4 DE 1,6 L TURBO
CONSOMMATION (100 km) ville 10,8 L, route 8,0 L
CONSOMMATION ANNUELLE 1 615 L, 1 938 $
INDICE D'OCTANE 87
ÉMISSIONS POLLUANTES CO_2 3 714 kg/an
(source : ÉnerGuide)

FICHE D'IDENTITÉ

VERSION(S) Utilitaire XL, XLT **Tourisme** XL, XLT, Titanium
TRANSMISSION(S) avant
PORTIÈRES 4, 5, 6 **PLACES** 2, 5, 7
PREMIÈRE GÉNÉRATION 2010
GÉNÉRATION ACTUELLE 2014
CONSTRUCTION Valence, Espagne
COUSSINS GONFLABLES 6 (frontaux, latéraux avant, rideaux latéraux)
CONCURRENCE Utilitaire Chevrolet City Express/Nissan NV200, Mercedes-Benz Metris, Ram Promaster City
Tourisme Dodge Journey, Kia Rondo, Mazda5, Mercedes-Benz Classe B/Metris, Toyota Prius V

AU QUOTIDIEN

COLLISION FRONTALE 4/5
COLLISION LATÉRALE 5/5
VENTES DU MODÈLE L'AN DERNIER
AU QUÉBEC 502 (-13,0 %) **AU CANADA** 2 800 (-2,2 %)
DÉPRÉCIATION (%) 30,8 (3 ans)
RAPPELS (2011 à 2016) 5
COTE DE FIABILITÉ 3,5/5

GARANTIES... ET PLUS

GARANTIE GÉNÉRALE 3 ans/60 000 km
GROUPE MOTOPROPULSEUR 5 ans/100 000 km
PERFORATION 5 ans/kilométrage illimité
ASSISTANCE ROUTIÈRE 5 ans/100 000 km
NOMBRE DE CONCESIONNAIRES
AU QUÉBEC 79 **AU CANADA** 437

NOUVEAUTÉS EN 2017

Aucun changement majeur

PERSONNALITÉ DOUBLE

Né au début du siècle en Europe et basé sur la plate-forme de la Ford Focus, le Transit Connect a fait le voyage vers l'Amérique du Nord seulement en 2010. Depuis 2014, nous avons droit à une deuxième génération de la fourgonnette compacte, non seulement améliorée sur plusieurs aspects, mais qui inclut dorénavant une version Tourisme, plus luxueuse que la variante commerciale et spécifiquement conçue pour transporter des passagers.

Alexandre Crépault

TOUR DU PROPRIÉTAIRE > Puisque le Transit Connect est un véhicule à vocation multiple, différentes configurations de carrosserie se retrouvent au catalogue. On note, entre autres, le choix d'une ou de deux portes coulissantes ainsi que le dilemme d'un accès à l'espace cargo arrière par un hayon ou au moyen de deux portières symétriques. De plus, la fourgonnette destinée aux commerces troque les vitres latérales arrière en faveur de panneaux de métal.

VIE À BORD > La fourgonnette vouée à un usage commercial ne propose que deux places assises. Derrière ces sièges s'étale un espace de rangement de 3 641 litres. À titre de comparaison, une Dodge Grand Caravan totalise 4 072 litres une fois tous ses dossiers abaissés. Par contre, le siège du passager peut aussi être replié à plat, ce qui permet, d'une part, de laisser passer de longs objets et, d'autre part, de faire grimper le volume de chargement utile à 4 219 litres. Il faut aussi noter que le TC a l'avantage de contenir un espace cargo vierge qu'une

+
- COMPÉTITIF À L'INTÉRIEUR DE SON SEGMENT
- POLYVALENT
- COMPORTEMENT DE STYLE VOITURE
- ALLURE EUROPÉENNE

−
- PAS COMPÉTITIF FACE AUX FOURGONNETTES
- ECOBOOST ABSENT SUR LE MODÈLE TOURISME
- INSONORISATION PERFECTIBLE
- LACUNES D'ÉQUIPEMENT SUR VERSIONS DE BASE

MENTIONS

VERDICT

PLAISIR AU VOLANT
QUALITÉ DE FINITION
CONSOMMATION
RAPPORT QUALITÉ / PRIX
VALEUR DE REVENTE
CONFORT

1 5 10

tierce partie pourra aisément personnaliser selon vos besoins. Un choix de deux variantes est possible : XL et XLT. Cette dernière comprend notamment la clé MyKey, qui peut être configurée pour contrôler certains paramètres du véhicule, par exemple la vitesse maximale. Dans le même ordre d'idées, parmi les diverses options du Transit Connect, Ford propose un système de télémétrie qui compile les informations en temps réel une fois le véhicule en mouvement, question de garder un œil sur les habitudes de conduite des gens qui se glissent derrière le volant...

Les variantes destinées à trimbaler des passagers utilisent quant à elles une banquette médiane divisée 60/40 et deux sièges au fond qui permettent d'accommoder jusqu'à sept passagers. Depuis l'an dernier, Ford suggère l'option sur le modèle XLT (de série sur le Titanium) de deux sièges capitaine en guise de seconde rangée. Autant le TC peut très bien être habillé de cuir et équipé de systèmes dernier cri comme MyFord Touch, l'alerte pour angle mort et j'en passe, autant la version de base est livrée toute nue, sans même un régulateur de vitesse.

TECHNIQUE > Le moteur de base s'avère un 4-cylindres atmosphérique de 2,5 litres qui développe 169 chevaux. C'est d'ailleurs la mécanique dont il faut se contenter pour transporter la petite famille ou les membres du club de bridge. Par contre, le fourgon davantage industriel présente en option le moteur EcoBoost de 1,6 litre qui produit 178 chevaux et 184 livres-pieds de couple. Dans tous les cas, une boîte de vitesse automatique à 6 rapports envoie la puissance aux roues avant, tandis que la capacité de remorquage est limitée à 2 000 livres.

AU VOLANT > La conduite du Transit Connect s'apparente bien plus à celle d'une voiture qu'à celle d'un fourgon, ce qui en fait un véhicule commercial facile à naviguer dans les centres urbains. De plus, il demeure en tout temps confortable, ce qu'on apprécie après une longue journée de travail. Par contre, la motorisation de base est juste pour transporter toute sa marmaille. Le moteur EcoBoost n'étant pas offert sur la version Tourisme, les fourgonnettes traditionnelles se montrent nettement plus musclées, tandis que l'économie de carburant sur le TC n'est pas assez importante pour être un facteur déterminant.

CONCLUSION > D'un point de vue commercial, le Ford Transit Connect est un choix intéressant à l'intérieur de son segment et les ventes au Québec en 2015 face à la compétition confirment cette impression. Par contre, à titre de remplaçant d'une bonne vieille *minivan*, il manque d'arguments. Car, à la fin de la journée, il n'est ni vraiment plus compact, ni vraiment plus économique, ni vraiment plus spacieux, beaucoup moins puissant et un peu moins polyvalent pour la famille. Il lui reste quand même son originalité et ça, ça compte toujours pour quelque chose. ■

2e OPINION

Luc-Olivier Chamberland

Ford a défriché une terre vierge en matière de fourgons commerciaux avec l'introduction du Transit Connect en 2010. Maintenant dans sa deuxième génération, il s'impose toujours dans le segment par ses innombrables qualités entrepreneuriales. Ford a compris que ce ne sont pas tous les travailleurs qui ont besoin d'un immeuble pour leur compagnie! Autre avantage notable, Ford offre deux motorisations. On peut donc encore mieux choisir. De plus, une gamme passagère très intéressante est disponible. Pour les familles qui veulent une approche différente au monospace, c'est une option particulièrement pertinente. Peu importe la version, l'espace ne fait pas défaut. Seul bémol, les grilles de tarifs font peur.

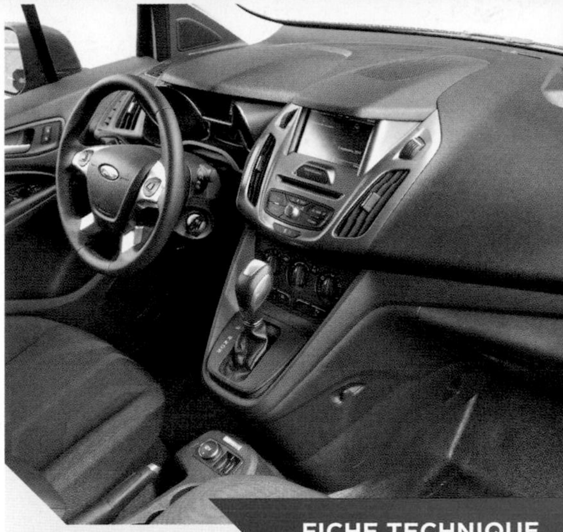

FICHE TECHNIQUE

MOTEUR(S)

(XL, XLT, Titanium) L4 2,5 L DACT
PUISSANCE 169 ch à 6 000 tr/min
COUPLE 171 lb-pi à 4 500 tr/min
RAPPORT POIDS/PUISSANCE Utilitaire 9,5 kg/ch **Tourisme** 10,6 kg/ch
BOITE(S) DE VITESSES automatique à 6 rapports
PERFORMANCES 0-100 km/h 10,3 s
REPRISE 80-115 km/h 7,6 s
FREINAGE 100-0 km/h 43,9 m
VITESSE MAXIMALE 175 km/h (bridée)
CONSOMMATION (100 km) Utilitaire ville 11,9 L, route 8,6 L
Tourisme ville 12,4 L, route 8,7 L (octane 87)
ANNUELLE Utilitaire 1 768 L, 2 122 $ **Tourisme** 1 819 L, 2 183 $
ÉMISSIONS DE CO_2 Utilitaire 4 066 kg/an **Tourisme** 4 184 kg/an

(option Utilitaire) L4 1,6 L DACT turbo
PUISSANCE 178 ch à 5 700 tr/min
COUPLE 184 lb-pi à 2 500 tr/min
RAPPORT POIDS/PUISSANCE 9,0 kg/ch
BOITE(S) DE VITESSES automatique à 6 rapports
PERFORMANCES 0-100 km/h 9,1 s
FREINAGE 100-0 km/h 41,1 m
VITESSE MAXIMALE 180 km/h

AUTRES COMPOSANTS

SÉCURITÉ ACTIVE (certains en option ou selon la version) Freins ABS, assistance au freinage, répartition électronique de la force de freinage, contrôle électronique de la stabilité, antipatinage, phares automatiques, stabilisation de la remorque, avertisseurs d'obstacle latéral et arrière
SUSPENSION avant/arrière indépendante/semi-indépendante
FREINS avant/arrière disques/tambours
DIRECTION à crémaillère, assistée électriquement
PNEUS P215/55R16 **option** P215/50R17

DIMENSIONS

EMPATTEMENT 3 062 mm
LONGUEUR 4 818 mm
LARGEUR 1 835 mm, 2 137 mm (incl. rétro.)
HAUTEUR Utilitaire 1 848 mm **Tourisme** 1 828 mm
POIDS Utilitaire 1.6 1 624 kg **2.5** 1 641 kg **Tourisme 2.5** 1 800 kg
RÉPARTITION DU POIDS AV/ARR (%) 59/41
DIAMÈTRE DE BRAQUAGE 12,2 m
COFFRE Utilitaire 3 641 L **Tourisme** 445 L, 1 668 L (sièges arrière abaissés), 2 951 L (sièges abaissés)
RÉSERVOIR DE CARBURANT 59,8 L
CAPACITÉ DE REMORQUAGE 907 kg

LA COTE VERTE

MOTEUR V6 DE 3,8 L
CONSOMMATION (100 km) ville 14,4 L, route 9,4 L
CONSOMMATION ANNUELLE 2 057 L, 2 468 $
INDICE D'OCTANE 87
ÉMISSIONS POLLUANTES CO_2 4 731 kg/an
(source: ÉnerGuide)

FICHE D'IDENTITÉ

VERSION(S) 3.8 Premium, 3.8 Luxe, 3.8 Technologie, 5.0 Ultimate
TRANSMISSION(S) 4
PORTIÈRES 4 **PLACES** 5
PREMIÈRE GÉNÉRATION 2009
GÉNÉRATION ACTUELLE 2015
CONSTRUCTION Ulsan, Corée du Sud
COUSSINS GONFLABLES 9 (frontaux, latéraux avant et arrière, genoux conducteur, rideaux latéraux)
CONCURRENCE Buick LaCrosse, Chevrolet Impala, Chrysler 300, Dodge Charger, Ford Taurus, Kia Cadenza, Lexus ES, Nissan Maxima, Toyota Avalon

AU QUOTIDIEN

COLLISION FRONTALE 5/5
COLLISION LATÉRALE 5/5
VENTES DU MODÈLE L'AN DERNIER
AU QUÉBEC 280 (-9,4 %) **AU CANADA** 1 377 (-9,0 %) (Hyundai Genesis)
DÉPRÉCIATION (%) 35,4 (3 ans) (Hyundai Genesis)
RAPPELS (2011 à 2016) 6 (Hyundai Genesis)
COTE DE FIABILITÉ 3/5

GARANTIES... ET PLUS

GARANTIE GÉNÉRALE 5 ans/100 000 km
GROUPE MOTOPROPULSEUR 5 ans/100 000 km
PERFORATION 5 ans/kilométrage illimité
ASSISTANCE ROUTIÈRE 5 ans/kilométrage illimité
NOMBRE DE CONCESSIONNAIRES
AU QUÉBEC 62 **AU CANADA** 212

NOUVEAUTÉS EN 2017

La Hyundai Genesis devient la Genesis G80.

CONFUSION GARANTIE

Est-ce que Hyundai réussira son pari avec la création de sa marque de prestige Genesis? Personne ne le sait, mais une chose est certaine, on attend depuis longtemps cette avenue de la part du constructeur coréen. Outre la première interrogation, l'autre question qui nous vient en tête, c'est: est-ce que la direction de l'entreprise a pris la bonne décision quant au nom de cette division? En retenant le choix de Genesis, il y aura de la confusion dans l'air, car la Genesis G80 s'appelait il y a tout juste quelques mois la Hyundai Genesis.

Luc-Olivier Chamberland

TOUR DU PROPRIÉTAIRE > Selon les calculs de Genesis, la G80 s'attaquera aux produits tels que la BMW Série 5, la Mercedes-Benz Classe E et l'Audi A6. En matière de format? Oui. Mais est-ce que le design s'affirme assez pour ce type d'acheteurs? Poser la question est y répondre. De plus, un aspect agaçant persiste : on ne trouve aucune distinction esthétique entre la « version » Hyundai de 2015-2016 et la G80 2017, si ce n'est une mince modification aux blocs optiques. Les deux voitures sont carrément identiques. Outre cet aspect de commercialisation douteux, la G80 demeure une berline élégante aux lignes élancées teintées de classicisme. Elle n'a pas une personnalité aussi forte que les allemandes, mais elle se démarque quand même du lot.

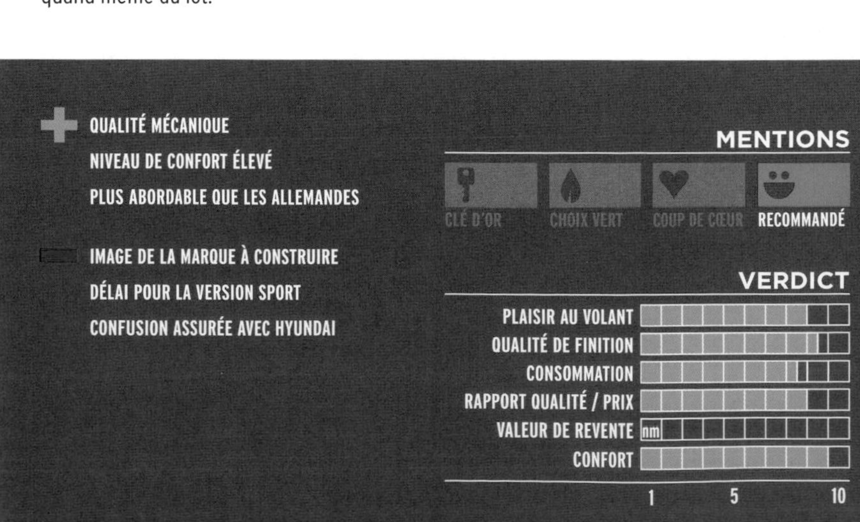

+ QUALITÉ MÉCANIQUE
NIVEAU DE CONFORT ÉLEVÉ
PLUS ABORDABLE QUE LES ALLEMANDES
– IMAGE DE LA MARQUE À CONSTRUIRE
DÉLAI POUR LA VERSION SPORT
CONFUSION ASSURÉE AVEC HYUNDAI
MENTIONS
CLÉ D'OR
CHOIX VERT
COUP DE CŒUR
RECOMMANDÉ
VERDICT
PLAISIR AU VOLANT
QUALITÉ DE FINITION
CONSOMMATION
RAPPORT QUALITÉ / PRIX
VALEUR DE REVENTE
nm
CONFORT
1
5
10

VIE À BORD > Les ingénieurs et les designers de Hyundai... oups... de Genesis ont pris le temps de concevoir une présentation intérieure à la hauteur des standards du segment. Les matériaux sont véritables, notamment les boiseries aux différentes textures et les cuirs d'excellente qualité. La finition ne peut recevoir aucun reproche en raison des ajustements précis au millimètre près des composantes. Le confort se montre princier. Que l'on soit à l'avant ou à l'arrière, on obtient un bon mélange de fermeté et de soutien. L'espace est suffisant, tout le monde aura des dégagements amples, un net avantage par rapport aux saintes allemandes aux habitacles exigus. Pour l'équipement, aucune inquiétude, Genesis intègre toutes les technologies connues de la marque. Il ne manque absolument rien.

TECHNIQUE > Conséquemment à l'excellence des motorisations livrables dans l'ancienne Genesis, on reconduit intégralement le V6 et le V8 sous le capot de la G80. Au lancement, on retrouve le compétent V6 de 3,8 litres de 311 chevaux avec un couple de 293 livres-pieds. Étant l'offre de base, il servira également de fondation pour une version Sport de 365 chevaux, qui sera vraisemblablement introduite en 2018. Au sommet, on revient avec le primé V8 TAU de 5 litres de 420 chevaux et 383 livres-pieds. Dans les deux cas, la puissance ne fait pas défaut. Ce sont des moulins souples d'une qualité exceptionnelle. On ne remarque qu'une seule boîte de vitesse à 8 rapports, et elle assure des performances maximisées orientées autant vers la sportivité que vers l'économie de carburant. Fait à retenir, Hyundai a réglé le plus gros problème de la première version en incorporant de série une transmission intégrale HTRAC particulièrement efficace.

AU VOLANT > Avec un empattement très long et des porte-à-faux particulièrement courts, la G80 se veut une berline stable et bien plantée sur le pavé. On favorise le confort plutôt que le dynamisme débridé, à l'image de Lexus. L'insonorisation aseptisée des bruits extérieurs nous plonge dans un univers de quiétude. Le travail des suspensions se fait sublime. On se sent flotter sans aucune perturbation. La direction pointe bien avec une belle précision. Mentionnons que la transmission intégrale permet une tenue de route invitante et rassurante, été comme hiver. Pour personnaliser le comportement général, la G80 offre trois types de conduite : Normal, Eco et Neige. Un mode Sport serait de mise considérant les capacités techniques de la G80.

CONCLUSION > La G80 est née avec une belle maturité. Est-ce que la marque Genesis bénéficiera d'une naissance aussi réussie ? Seul le temps le dira, mais sans l'ombre d'un doute, la G80 ne se prête pas à la critique. Acheteurs d'allemandes, donnez une chance à Genesis, vous serez agréablement surpris. ■

2e OPINION

Benoit Charette

Pour ceux qui se demandent si la nouvelle G80 de Genesis est un modèle entièrement nouveau, la réponse est non. Hyundai a utilisé la Genesis, a collé de nouveaux logos et l'a rebaptisée. Étant incapable de faire une percée sur le marché du luxe, Hyundai a décidé de se doter d'une division haut de gamme. Le problème, c'est que l'opération a été hautement improvisée. La compagnie est allée trop vite, le réseau de concessionnaires n'est pas prêt, aucune campagne de publicité pour faire connaître la division. Bref, ça sent le désastre à plein nez. De plus, l'idée de prendre un modèle qui n'a pas réussi à faire sa marque et de changer quelques écussons pour en faire un succès ressemble à une opération suicide. Je ne veux pas faire le prophète de malheur, mais Hyundai devra prendre la chose beaucoup plus sérieusement pour réussir dans le monde des voitures de luxe.

FICHE TECHNIQUE

MOTEUR(S)

(3.8) V6 3,8 L DACT
PUISSANCE 311 ch à 6 000 tr/min
COUPLE 293 lb-pi à 5 000 tr/min
RAPPORT POIDS/PUISSANCE 6,3 à 6,6 kg/ch
BOÎTE(S) DE VITESSES automatique à 8 rapports avec mode manuel et manettes au volant
PERFORMANCES 0-100 km/h 6,3 s
REPRISE 80-115 km/h 4,2 s
FREINAGE 100-0 km/h 42,0 m
NIVEAU SONORE À 100 km/h Bon
VITESSE MAXIMALE 240 km/h

(5.0) V8 5,0 L DACT
PUISSANCE 420 ch à 6 000tr/min
COUPLE 383 lb-pi à 5 000tr/min
RAPPORT POIDS/PUISSANCE 5,1 kg/ch
BOÎTE(S) DE VITESSES automatique à 8 rapports avec mode manuel et manettes au volant
PERFORMANCES 0-100 km/h 5,4 s
REPRISE 80-115 km/h 3,9 s
NIVEAU SONORE À 100 km/h Bon
VITESSE MAXIMALE 240 km/h
CONSOMMATION (100 km) ville 17,3 L, route 10,5 L (octane 91)
ANNUELLE 2 414 L, 3 500 $
ÉMISSIONS POLLUANTES (CO_2) 5 559 kg/an

AUTRES COMPOSANTS

SÉCURITÉ ACTIVE A(certains en option) Freins ABS, assistance au freinage, répartition électronique de la force de freinage, contrôle de la stabilité électronique, antipatinage, régulateur de vitesse adaptatif, assistance au maintien de voie, avertisseurs d'obstacle latéral et arrière, freinage d'urgence automatique, phares adaptatifs, affichage tête haute
SUSPENSION avant/arrière indépendante, amortissement sélectionnable
FREINS avant/arrière disques
DIRECTION à crémaillère, assistée électriquement et à démultiplication variable
PNEUS 3.8 P245/45R18 **5.0** P245/40R19 (av.) P275/35R19 (arr.)

DIMENSIONS

EMPATTEMENT 3 010 mm
LONGUEUR 4 990 mm
LARGEUR 1 890 mm
HAUTEUR 1 480 mm
POIDS 3.8 1 948 à 2 069 kg **5.0** 2 126 kg
DIAMÈTRE DE BRAQUAGE 11,4 m
COFFRE 433 L
RÉSERVOIR DE CARBURANT 73 L

LA COTE VERTE

MOTEUR V6 DE 3,3 L BITURBO
CONSOMMATION (100 km) ville 14,3 L route 9,2 L (est.)
CONSOMMATION ANNUELLE 2 040 L, 2 754 $
INDICE D'OCTANE 91
ÉMISSIONS POLLUANTES CO_2 4 692 kg/an
(source : Genesis et L'Annuel)

FICHE D'IDENTITÉ

VERSION(S) G90 3.3, G90 5.0
TRANSMISSION(S) arrière, 4
PORTIÈRES 4 **PLACES** 4,5
PREMIÈRE GÉNÉRATION 2011
GÉNÉRATION ACTUELLE 2017
CONSTRUCTION Ulsan, Corée du Sud
COUSSINS GONFLABLES 9 (frontaux, latéraux avant et arrière, genoux conducteur, rideaux latéraux)
CONCURRENCE Audi A8, BMW Série 6 Gran Coupe/Série7, Cadillac CT6, Infiniti Q70L, Jaguar XJ, Kia K900, Lexus LS, Lincoln Continental, Mercedes-Benz CLS/Classe S, Porsche Panamera, Volvo S90

AU QUOTIDIEN

COLLISION FRONTALE 5/5
COLLISION LATÉRALE 5/5
VENTES DU MODÈLE L'AN DERNIER
AU QUÉBEC 9 (+12,5 %) **AU CANADA** 37 (-43,1 %)
DÉPRÉCIATION (%) 44,9 (3 ans) (Hyundai Equus)
RAPPELS (2010 à 2016) 2
COTE DE FIABILITÉ nm

GARANTIES... ET PLUS

GARANTIE GÉNÉRALE 5 ans/100 000 km
GROUPE MOTOPROPULSEUR 5 ans/100 000 km
PERFORATION 5 ans/kilométrage illimité
ASSISTANCE ROUTIÈRE 5 ans/kilométrage illimité
NOMBRE DE CONCESSIONNAIRES
AU QUÉBEC 62 **AU CANADA** 212

NOUVEAUTÉS EN 2017

La Hyundai Equus devient la Genesis G90.

SCÈNE UN, PRISE DEUX

Il s'est vendu l'an dernier au Canada 37 Hyundai Equus. Aussi bien dire que l'intérêt pour cette voiture est nul. Pourtant, Hyundai pense que c'est un problème d'image. Que les gens ne sont pas prêts à investir 80 000 $ sur un produit Hyundai. Alors on change de nom et on recommence. Bienvenue dans la nouvelle division Genesis, qui est à Hyundai ce que Lexus est à Toyota ou Acura à Honda. Un pari audacieux pour tenter d'aller chercher de juteux profits dans le marché des véhicules de luxe.

Benoit Charette

TOUR DU PROPRIÉTAIRE > Les gens de Genesis ne l'ont pas caché, c'est la grande Classe S de Mercedes qui a servi d'inspiration pour la création de la G90. Cette grande propulsion, qui fait 5,21 mètres de long et 1,92 mètre de large, épouse pratiquement les mêmes dimensions que la Classe S et ses lignes se font très sobres, un peu trop, diront certains. Elle offre tout de même une ligne plus statutaire que l'Equus, qui n'avait aucune personnalité. Un style qui, à défaut d'être réellement joli, vieillira bien.

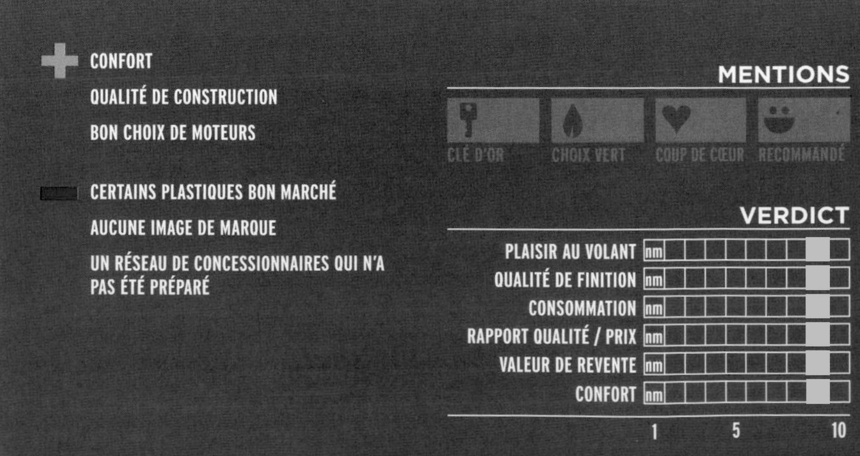

\+ CONFORT
QUALITÉ DE CONSTRUCTION
BON CHOIX DE MOTEURS

− CERTAINS PLASTIQUES BON MARCHÉ
AUCUNE IMAGE DE MARQUE
UN RÉSEAU DE CONCESSIONNAIRES QUI N'A PAS ÉTÉ PRÉPARÉ

MENTIONS

CLÉ D'OR · CHOIX VERT · COUP DE CŒUR · RECOMMANDÉ

VERDICT

PLAISIR AU VOLANT	nm
QUALITÉ DE FINITION	nm
CONSOMMATION	nm
RAPPORT QUALITÉ / PRIX	nm
VALEUR DE REVENTE	nm
CONFORT	nm

1 5 10

VIE À BORD > Les limousines de luxe sont habituellement des monuments de technologie et de luxe. La G90 n'y fait pas exception. Elle revendique ainsi la meilleure insonorisation de la catégorie, un exploit face à des cathédrales roulantes comme la Mercedes Classe S ou la Lexus LS. Elle est aussi équipée d'un système de conduite semi-autonome sur autoroute et peut déterminer automatiquement la position de conduite la plus confortable lorsqu'on s'installe au volant grâce à des sièges chauffants et climatisés réglables en 22 positions. Un immense écran tactile de 12,3 pouces trône sur la console centrale, permettant d'exploiter les caméras à 360 degrés en manœuvre. Vous avez du cuir nappa qui habille tout l'habitacle et d'autres aides à la conduite comme le freinage d'urgence autonome, les détecteurs d'angles morts de changement de voie et de somnolence, en plus des phares adaptatifs et d'un afficheur tête haute.

TECHNIQUE > Deux moteurs sont disponibles avec la G90. Hyundai a rapatrié les moteurs qui se trouvaient sous le capot de l'Equus. Nous allons donc retrouver le V6 de 3,3 litres de 365 chevaux en livrée de base et le V8 de 5 litres de 420 chevaux en haut de la pyramide. Même si la puissance du V6 est généreuse, elle sera nécessaire pour transporter la G90, qui fait 2 400 kilos. Tous les moteurs sont équipés d'une boîte automatique à 8 rapports et, en option, d'une transmission intégrale. Aucun modèle hybride n'a été annoncé.

AU VOLANT > Au moment d'écrire ces lignes, la G90 n'avait pas encore posé ses roues sur nos routes. Nous avons toutefois eu l'occasion d'y prendre place au Salon de l'auto de New York. La première impression est excellente. En refermant la porte, le bruit ambiant du Salon a disparu, signe d'une belle insonorisation. Il y a fort à parier que la puissance du moteur V6 de 3,3 litres sera un peu juste. Le confort sera à l'honneur, mais il n'y aura pas le côté performant des modèles AMG, M ou S et RS que l'on trouve chez Mercedes, BMW et Audi. Il faudra de manière réaliste voir la G90 comme une concurrente d'une Lexus LS ou d'une Acura RLX.

CONCLUSION > Vous savez ce qui est le plus difficile dans le milieu automobile ? Se faire un nom. Hyundai a mis 30 ans à se faire une réputation et un nom comme constructeur de qualité dans le monde des voitures abordables. Elle tente depuis des années de transférer cette réputation dans le segment des berlines de luxe, sans succès. Est-ce que le fait de changer de nom et de présenter la même voiture sous des hospices différents va changer quelque chose à cette réalité? La réponse est non. Malgré de belles qualités, personne ne va acheter de G90, car personne ne va dépenser 80 000 $ pour une Hyundai. Même si elle les vaut, le Coréen est allé trop vite avec cette marque qu'il a lancée en catastrophe sans préparer les concessionnaires. ■

FICHE TECHNIQUE

MOTEUR(S)

(3.3) V6 3,3 L DACT biturbo
PUISSANCE 365 ch à 6 000 tr/min
COUPLE 376 lb-pi de 1 300 à 4 500 tr/min
RAPPORT POIDS/PUISSANCE 5,5 kg/ch
BOÎTE(S) DE VITESSES automatique à 8 rapports avec mode manuel
PERFORMANCES 0-100 km/h 5,8 s (est.)
REPRISE 80-115 km/h ND
FREINAGE 100-0 km/h 40,7 m (est.)
NIVEAU SONORE À 100 km/h Excellent
VITESSE MAXIMALE 240 km/h

(5.0) V8 5,0 L DACT
PUISSANCE 420 ch à 6 000 tr/min
COUPLE 383 lb-pi à 5 000 tr/min
RAPPORT POIDS/PUISSANCE 5,0 kg/ch
BOÎTE(S) DE VITESSES automatique à 8 rapports avec mode manuel
PERFORMANCES 0-100 km/h 5,5 s (est.)
REPRISE 80-115 km/h ND
FREINAGE 100-0 km/h 40,7 m
NIVEAU SONORE À 100 km/h Excellent
VITESSE MAXIMALE 240 km/h
CONSOMMATION (100 km) ville 15,8 L, route 10,2 L (octane 91)
ANNUELLE 2 261 L, 3 052 $
ÉMISSIONS DE CO_2 5 200 kg/an

AUTRES COMPOSANTS

SÉCURITÉ ACTIVE Freins ABS, assistance au freinage, répartition électronique de la force de freinage, contrôle électronique de la stabilité, antipatinage, régulateur de vitesse adaptatif, assistance au départ en pente, avertisseurs d'obstacle arrière et latéral, afficheur tête haute, avertisseur de somnolence, détection de piétons avec freinage d'urgence automatique, assistance au maintien de voie
SUSPENSION avant/arrière indépendante, à amortissement adaptatif
FREINS avant/arrière disques
DIRECTION à crémaillère, assistée électriquement
PNEUS P245/45R19 (av.) P275/40R19 (arr.)

DIMENSIONS

EMPATTEMENT 3 160 mm
LONGUEUR 5 204 mm
LARGEUR 1 915 mm
HAUTEUR 1 496 mm
POIDS 3.3 1 995 kg **5.0** 2 100 kg (est.)
DIAMÈTRE DE BRAQUAGE 11,9 m
COFFRE 445 L
RÉSERVOIR DE CARBURANT 83 L

LA COTE VERTE

MOTEUR L4 DE 2,5 L
CONSOMMATION (100 km) 2RM ville 11,0 L, route 9,2 L
4RM ville 11,2 L, route 9,4 L
CONSOMMATION ANNUELLE 2RM 1 751 L, 2 101 $ **4RM** 1 785 L, 2 142 $
INDICE D'OCTANE 87
ÉMISSIONS POLLUANTES CO_2 2RM 4 027 kg/an **4RM** 4 105 kg/an
(source : GMC et L'Annuel)

FICHE D'IDENTITÉ

VERSION(S) 2RM/4RM SLE-1 SLE-2 **4RM** SLT-1, SLT-2, Denali
TRANSMISSION(S) avant, 4
PORTIÈRES 5 **PLACES** 7, 6
PREMIÈRE GÉNÉRATION 2009
GÉNÉRATION ACTUELLE 2017
CONSTRUCTION Lansing, Michigan, É.-U.
COUSSINS GONFLABLES 7 (frontaux, central avant, latéraux avant, rideaux latéraux)
CONCURRENCE Chevrolet Traverse, Dodge Durango, Ford Edge/Explorer/Flex, Honda Pilot, Hyundai Santa Fe XL, Kia Sorento, Mazda CX-9, Nissan Murano/Pathfinder, Toyota Highlander

AU QUOTIDIEN

COLLISION FRONTALE nm
COLLISION LATÉRALE nm
VENTES DU MODÈLE L'AN DERNIER
AU QUÉBEC 871 (+35,2 %) **AU CANADA** 6 452 (+8,0 %)
DÉPRÉCIATION (%) 29,5 (3 ans)
RAPPELS (2011 à 2016) 9
COTE DE FIABILITÉ 3/5

GARANTIES... ET PLUS

GARANTIE GÉNÉRALE 3 ans/60 000 km
GROUPE MOTOPROPULSEUR 5 ans/160 000 km
PERFORATION 6 ans/160 000 km
ASSISTANCE ROUTIÈRE 5 ans/160 000 km
NOMBRE DE CONCESSIONNAIRES
AU QUÉBEC 67 **AU CANADA** 450

NOUVEAUTÉS EN 2017

Nouvelle génération

PRISE 2

C'est en 2009 que le trio Chevrolet Traverse, Buick Enclave et GMC Acadia a fait ses débuts. C'est au Salon de l'auto de Détroit que GM a présenté la nouvelle mouture 2017 de son GMC Acadia. Il fera sans doute partie d'un nouveau trio, mais pour le moment, l'Acadia fait carrière solo.

Benoit Charette

TOUR DU PROPRIÉTAIRE > Première constatation, la silhouette un peu pataude a fait place à un style plus affirmé et plus compact. De l'extérieur, il est moins gros que la première génération. GM affirme qu'elle veut placer l'Acadia entre le Terrain et le Yukon, d'où la refonte dans le format. GM a également recours à de l'acier haute résistance pour la fabrication, éliminant au passage 318 kilos, soit le poids de trois ou quatre passagers en moins. Les feux de position sont maintenant à DEL. On reconnaît le véhicule, mais les éléments comme la calandre, les passages de roues, le dessin des vitres latérales et à l'arrière ont été repensés pour un style plus moderne. Pour ceux qui aiment le chrome, la version Denali va briller encore plus fort au soleil. Les modèles All Terrain se distinguent par un encadrement de la calandre de la couleur de la carrosserie, une garniture noire chromée et des roues uniques.

VIE À BORD > À l'intérieur, les concepteurs ont tout effacé et recommencé. Il faut savoir que vous pouvez avoir un Acadia en version six ou sept passagers et parmi les trouvailles inté-

+ À DÉBERMINER

− À DÉTERMINER

MENTIONS

CLÉ D'OR | CHOIX VERT | COUP DE CŒUR | RECOMMANDÉ

VERDICT

PLAISIR AU VOLANT	nm
QUALITÉ DE FINITION	nm
CONSOMMATION	nm
RAPPORT QUALITÉ / PRIX	nm
VALEUR DE REVENTE	nm
CONFORT	nm

1 5 10

ressantes, il y a l'alerte de sièges arrière. Ce bip sonore se fait entendre chaque fois que vous quittez le véhicule pour vous rappeler de regarder sur les banquettes arrière pour être certain qu'il ne reste personne. Livré de série sur tous les modèles, ce système a été conçu pour sauver la vie des enfants oubliés dans les véhicules. Les sièges de la deuxième rangée sont coulissants et rabattables, facilitant ainsi l'accès à la troisième rangée. La qualité de la finition est bonne et naturellement plus cossue dans le Denali.

TECHNIQUE > Sous le capot, GM conserve son V6 de 3,6 litres avec une puissance portée à 310 chevaux et sa boîte automatique à 6 rapports. Capable de remorquer jusqu'à 1814 kilos (4 000 livres), il sera sans doute moins gourmand grâce à la perte de poids. L'actuelle version pouvait facilement atteindre les 15 litres aux 100 kilomètres avec la famille et les bagages à bord. GM estime la consommation sur autoroute entre 9,3 et 9,5 litres aux 100 kilomètres pour le nouveau V6. Un autre moteur avec 4 cylindres celui-là s'ajoute à l'offre. Cette nouvelle mécanique de 2,5 litres produit 194 chevaux et est livrable seulement avec les modèles à traction. GM estime la consommation moyenne du moteur 4 cylindres à 10,2 litres aux 100 kilomètres. Chaque moteur est doté de l'injection directe et de la distribution à calage variable, et les deux sont couplés à des boîtes automatiques à 6 rapports comme avant.

AU VOLANT > Il y a plusieurs avantages à perdre en poids et en format. Il est facile de dire qu'avec 318 kilos en moins et 10 chevaux en plus, la conduite du nouvel Acadia sera plus dynamique. Une plus petite empreinte veut également dire une meilleure manœuvrabilité en ville, dans les places de stationnement et ailleurs. Tous les modèles comprennent un sélecteur de mode de conduite qui permet au conducteur de modifier les attributs du châssis et du groupe motopropulseur pour les adapter à diverses conditions de conduite. Les modèles à traction proposent les modes Normal (2x4), Neige (Snow), Sport et Remorquage (Trailer/Tow), tandis que les modèles à transmission intégrale proposent les modes 2x4 (débranchement de la transmission intégrale), 4x4, Sport, Tout terrain (Off Road) et Remorquage (Trailer/Tow). Le mode de débranchement de la transmission intégrale permet de débrancher efficacement l'essieu arrière du système de transmission pour économiser du carburant. Le modèle All Terrain utilise en plus une transmission intégrale évoluée avec double embrayage actif qui permet d'optimiser la traction dans chaque situation.

CONCLUSION > Sans perdre sa vocation, l'Acadia se modernise après avoir suivi une cure d'amaigrissement. J'espère aussi que le médecin a fait une bonne inspection, car son prédécesseur n'était pas un modèle de fiabilité. ■

2e OPINION

Luc-Olivier Chamberland

Disons qu'il était plus que temps que GM se réveille quant à ses utilitaires sport intermédiaires. Tout comme en 2007, l'Acadia est le premier sur la ligne de feu pour cette nouvelle génération de VUS nettement plus compacte que les prédécesseurs. Sa taille est plus digeste mais tout aussi pratique. Comme toujours, GMC ne fait pas de concession quant à l'intégration de technologies multimédias pour la vie familiale. Un important virage se fait sous le capot avec un 4-cylindres de 2,5 litres de 194 chevaux. Évidemment, le V6 de 3,6 litres fait un retour. Le point le plus intéressant vient du prix. GM fait littéralement fondre la tarification de près de 5000 $ pour 2017.

FICHE TECHNIQUE

MOTEUR(S)

(SLE) L4 2,5 L DACT
PUISSANCE 194 ch à 6 300 tr/min
COUPLE 188 lb-pi à 4 400 tr/min
RAPPORT POIDS/PUISSANCE 2RM 9,3 kg/ch **4RM** 9,8 kg/ch
BOÎTE(S) DE VITESSES automatique à 6 rapports
PERFORMANCES 0-100 km/h 9,5 s (est.)
REPRISE 80-115 km/h ND
FREINAGE 100-0 km/h 40,1 m (est.)
NIVEAU SONORE À 100 km/h Moyen
VITESSE MAXIMALE 210 km/h

(SLT, option SLE-2) V6 3,6 L DACT
PUISSANCE 310 ch à 6 600 tr/min
COUPLE 271 lb-pi à 5 000 tr/min
RAPPORT POIDS/PUISSANCE 6,1 kg/ch (est.)
BOÎTE(S) DE VITESSES automatique à 6 rapports
PERFORMANCES 0-100 km/h 6,7 s (est.)
REPRISE 80-115 km/h ND
FREINAGE 100-0 km/h 40,1 m (est.)
NIVEAU SONORE À 100 km/h Moyen
VITESSE MAXIMALE 210 km/h
CONSOMMATION (100 km) 2RM ville 13,0 L route 9,3 L
4RM ville 13,3 L route 9,5 L (octane 91)
ANNUELLE 2RM 1 938 L, 2 326 $ **4RM** 1 972 L, 2 366 $
ÉMISSIONS DE CO_2 2RM 4 457 kg/an **4RM** 4 536 kg/an

AUTRES COMPOSANTS

SÉCURITÉ ACTIVE (certains en option) Freins ABS, assistance au freinage, répartition électronique de la force de freinage, contrôle électronique de la stabilité, antipatinage, avertisseurs d'obstacle latéral et arrière, assistance en cas de sortie de voie, avertisseur d'impact imminent avec freinage d'urgence automatique, régulateur de vitesse adaptatif, caméra 360°
SUSPENSION avant/arrière indépendante
FREINS avant/arrière disques
DIRECTION à crémaillère, assistée électriquement
PNEUS P235/65R18 **SLT** P235/60R19 **Denali** P235/55R20

DIMENSIONS

EMPATTEMENT 2 857 mm
LONGUEUR 4 917 mm
LARGEUR 1 915 mm
HAUTEUR 1 676 mm
POIDS 2RM 1 794 kg **4RM** 1 895 kg (est.)
DIAMÈTRE DE BRAQUAGE 11,8 m
COFFRE 362 L, 1 181 L, 2 237 L (sièges abaissés)
RÉSERVOIR DE CARBURANT 72 L
CAPACITÉ DE REMORQUAGE 1 814 kg

LA COTE VERTE

MOTEUR L4 DE 2,0 L HYBRIDE
CONSOMMATION (100 km) ville 4,9 L, route 5,1 L
CONSOMMATION ANNUELLE 850 L, 1 020 $
INDICE D'OCTANE 87
ÉMISSIONS POLLUANTES CO_2 1 955 kg/an
(source: Honda et L'Annuel)

FICHE D'IDENTITÉ

VERSION(S) Berline LX, Sport, EX-L, Touring, EX-L V6, Touring V6, Hybride, Hybride Touring **Coupé** EX, Touring, Touring V6
TRANSMISSION(S) avant
PORTIÈRES 2,4 **PLACES** 5
PREMIÈRE GÉNÉRATION 1976
GÉNÉRATION ACTUELLE 2013
CONSTRUCTION Marysville, Ohio, É-U
COUSSINS GONFLABLES 6 (frontaux, latéraux avant, rideaux latéraux)
CONCURRENCE Chevrolet Malibu/Volt, Chrysler 200, Ford Fusion, Hyundai Genesis Coupé/Sonata, Kia Optima, Lexus CT200h, Mazda6, Nissan Altima, Subaru Legacy, Toyota Camry/Prius, Volkswagen Passat

AU QUOTIDIEN

COLLISION FRONTALE 5/5
COLLISION LATÉRALE 5/5
VENTES DU MODÈLE L'AN DERNIER
AU QUÉBEC 2 808 (-16,3 %) **AU CANADA** 14 465 (-14,7 %)
DÉPRÉCIATION (%) 28,5 (3 ans)
RAPPELS (2011 à 2016) 4
COTE DE FIABILITÉ 4/5

GARANTIES... ET PLUS

GARANTIE GÉNÉRALE 3 ans/60 000 km
GROUPE MOTOPROPULSEUR 5 ans/100 000 km
PERFORATION 5 ans/kilométrage illimité
ASSISTANCE ROUTIÈRE 3 ans/ kilométrage illimité
NOMBRE DE CONCESIONNAIRES
AU QUÉBEC 67 **AU CANADA** 232

NOUVEAUTÉS EN 2017

Accord : aucun changement majeur. Hybride : retouches esthétiques, système hybride à deux moteurs électriques de deuxième génération, plus léger et plus puissant, coffre plus grand, ensemble d'aides à la conduite de série, nouvelle palette de couleurs.

LA MESURE ÉTALON

L'année dernière a été passablement occupée pour le constructeur, qui a renouvelé son alignement de fond en comble, et 2017 s'annonce aussi relevée. Afin de garder le cap, la berline intermédiaire du groupe a également reçu de l'aide à l'occasion de sa refonte de mi-parcours l'an dernier, ce qui explique le quasi-statu quo pour 2017. Même si l'Accord ne connaît pas autant de succès chez nous que sa petite sœur, la berline occupe encore une place de choix chez nos voisins situés au sud du 49e parallèle.

Vincent Aubé

TOUR DU PROPRIÉTAIRE > Au premier coup d'œil, la berline ainsi que le coupé qui en découle conservent la silhouette introduite en 2013. Comme c'est souvent le cas lors des refontes partielles, les changements d'ordre visuel se limitent aux deux extrémités de la voiture. La grille de calandre a changé de forme pour mieux s'agencer avec celle de la Civic, tandis que les blocs optiques peuvent éclairer grâce à la technologie aux DEL, livrée uniquement sur la Touring toutefois. Les pare-chocs présentent un dessin plus agressif tant à l'avant qu'à l'arrière, tandis que les feux de position sont nouveaux depuis 2016, mais il s'agit d'une opération timide. De retour pour 2017, la Honda Accord Hybride profite elle aussi des plus récentes innovations introduites l'an dernier et se distingue des autres par quelques écussons ici et là.

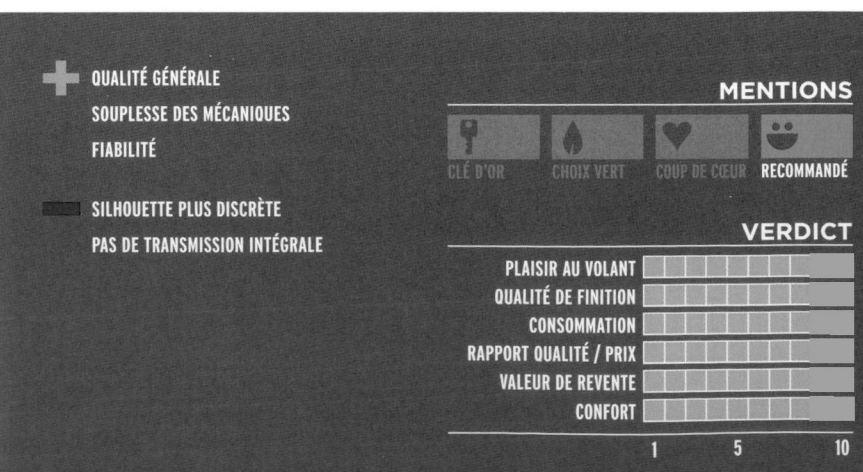

\+ QUALITÉ GÉNÉRALE
SOUPLESSE DES MÉCANIQUES
FIABILITÉ

– SILHOUETTE PLUS DISCRÈTE
PAS DE TRANSMISSION INTÉGRALE

MENTIONS

CLÉ D'OR | CHOIX VERT | COUP DE CŒUR | **RECOMMANDÉ**

VERDICT

PLAISIR AU VOLANT
QUALITÉ DE FINITION
CONSOMMATION
RAPPORT QUALITÉ / PRIX
VALEUR DE REVENTE
CONFORT

1 5 10

VIE À BORD > L'essentiel de ce qui se trouvait à bord de l'Accord 2013 est reconduit sans grand changement. La planche de bord, ergonomique et tapissée de touches de bonne taille, n'avait pas grand-chose à se reprocher. Au quotidien, cet arrangement est facile à manipuler, à l'exception du volume de la chaîne audio, qui est contrôlé par une touche tactile. La qualité d'assemblage est à noter ici, même que certains constructeurs devraient prendre des notes. L'espace à la première rangée est amplement suffisant. Idem pour ceux de la deuxième rangée. La sellerie - chauffante de série à l'avant - est également moelleuse à souhait, preuve irréfutable que l'Accord a été concoctée pour l'Amérique. Et comme les technologies de connectivité sont en vogue de nos jours, la Honda Accord arrive d'office avec les systèmes Apple CarPlay® et Android Auto®.

TECHNIQUE > La grande nouveauté pour 2017 réside dans le retour de la version hybride. En effet, Honda ramène la plus frugale des Accord au menu avec une mécanique révisée en prime. La motorisation hybride à deux moteurs autorise une conduite entièrement électrique, hybride ou hybride avec l'assistance du moteur 4 cylindres à cycle Atkinson. Avec 212 chevaux-vapeur au total, la nouvelle Accord Hybride devient la plus puissante de sa catégorie et affiche une consommation moyenne de carburant très intéressante de 5 litres aux 100 kilomètres. Honda continue d'offrir sa mécanique 4 cylindres de 2,4 litres, qui se marie très bien avec la boîte CVT et, pour ceux et celles à la recherche d'un peu plus de punch sous le pied droit, le moteur V6 poursuit sa route. Notez qu'il est encore possible d'accoupler une boîte manuelle à l'une ou l'autre des mécaniques, ce qui, de nos jours, est de plus en plus rare.

AU VOLANT > Malgré le châssis rigidifié et la minime injection de sportivité en 2016, l'Accord demeure une intermédiaire qui met l'accent sur le confort de ses occupants avant tout. Il n'y a rien de mal à cette affirmation, surtout avec nos routes en piètre état. Le choix le plus populaire demeure le 4-cylindres, qui montre une belle souplesse avec la boîte CVT ou même avec l'unité manuelle. De son côté, la version à moteur V6 est plus musclée et pèche parfois par l'effet de couple ressenti dans le volant lors des accélérations à l'emporte-pièce. S'il est vrai que la boîte manuelle jumelée au gros moteur ajoute à l'agrément de conduite, il ne faut surtout pas croire que l'Accord est une sportive aiguisée au possible. Au moment d'écrire ces lignes, nous n'avions pas pu mettre la main sur la nouvelle Accord Hybride, mais si on se fie au passé du modèle, elle ne risque pas de décevoir à la pompe.

CONCLUSION > La popularité sans cesse grandissante des multisegments sur nos routes nuit sans aucun doute à la catégorie plus traditionnelle des intermédiaires. La Honda Accord est une voiture fortement recommandable, et pourtant, depuis trois ans, les chiffres de ventes diminuent graduellement. Il ne s'agit pas ici d'une catastrophe, mais tout de même, Honda fait bien de garder son intermédiaire à l'avant du peloton. ■

2e OPINION

Antoine Joubert

La Honda Accord, c'est la définition parfaite du « bon char ». Une voiture fiable, frugale, confortable, très équilibrée dans son comportement, et qui propose tout l'équipement désiré de la part des acheteurs. Les coûts d'entretien sont faibles, la valeur de revente est élevée et le coût d'acquisition n'est aujourd'hui pas plus élevé que chez la concurrence. Que pourrait-on demander de mieux? La transmission intégrale? Peut-être. Mais pour plusieurs, cet élément n'est qu'accessoire. Cela dit, malgré toutes ses qualités, l'Accord vend moins. Beaucoup moins, et surtout au Québec. L'an dernier, il se vendait dans la Belle Province dix Civic pour une Accord, un ratio jamais vu dans l'histoire de la marque, qui a longtemps profité de la réputation de sa berline. Certes, le marché de la berline intermédiaire est aujourd'hui en baisse, mais certaines rivales gagnent des parts de marché pendant que l'Accord en perd. Cette berline serait-elle rendue trop sage, trop rationnelle?

FICHE TECHNIQUE

MOTEUR(S)

(HYBRIDE) L4 2,0 L DACT à cycle Atkinson + moteur électrique
PUISSANCE 141 ch à 6 200 tr/min + moteur électrique, total 212 ch
COUPLE 122 lb-pi à 4 500 tr/min + moteur électrique de 226 lb-pi
RAPPORT POIDS/PUISSANCE 7,7 kg/ch
BOITE(S) DE VITESSES automatique à variation continue
PERFORMANCES 0-100 km/h 7,4 s
REPRISE 80-115 km/h 5,4 s **FREINAGE 100-0 km/h** 45,4 m
VITESSE MAXIMALE 180 km/h (bridée)

(2.4) L4 2,4 L DACT
PUISSANCE 185 ch à 6 400 tr/min **COUPLE** 181 lb-pi à 3 900 tr/min
RAPPORT POIDS/PUISSANCE 7,9 à 8,3 kg/ch
BOITE(S) DE VITESSES Berline LX, Sport, Touring manuelle à 6 rapports, automatique à variation continue (option)
EX-L automatique à variation continue
Coupé manuelle à 6 rapports, automatique à variation continue (option EX, EX-L)
PERFORMANCES 0-100 km/h 7,5 s **REPRISE 80-115 km/h** 5,3 s
FREINAGE 100-0 km/h 39,0 m **NIVEAU SONORE À 100 km/h** Bon
VITESSE MAXIMALE 210 km/h
CONSOMMATION (100 km) man. ville 10,3 L, route 7,2 L
CVT. ville 8,6 L, route 6,4 L (octane 87)
ANNUELLE man. 1 513 L, 1 816 $ **auto.** 1 292 L, 1 550 $
ÉMISSIONS DE CO_2 man. 3 480 kg/an **auto.** 2 972 kg/an

(V6) V6 3,5 L SACT
PUISSANCE 278 ch à 6 200 tr/min **COUPLE** 252 lb-pi à 4 900 tr/min
RAPPORT POIDS/PUISSANCE 5,8 kg/ch
BOITE(S) DE VITESSES Berline automatique à 6 rapports
Coupé manuelle à 6 rapports, automatique à 6 rapports (option Touring)
PERFORMANCES 0-100 km/h 6,0 s
REPRISE 80-115 km/h 4,1 s **VITESSE MAXIMALE** 230 km/h
CONSOMMATION (100 km) man. ville 12,9 L, route 8,3 L
auto. ville 11,3 L, route 7,0 L (octane 87)
ANNUELLE man. 1 853 L, 2 224 $ **auto.** 1 598 L, 1 918 $
ÉMISSIONS DE CO_2 man. 4 262 kg/an **auto.** 3 675 kg/an

AUTRES COMPOSANTS

SÉCURITÉ ACTIVE (certains en option) Freins ABS, assistance au freinage, répartition électronique de la force de freinage, contrôle électronique de la stabilité, assistance au départ en pente, antipatinage, avertisseur et assistance en cas de changement de voie, avertisseurs d'obstacle latéral et de collision imminente avec freinage d'urgence automatique, régulateur de vitesse adaptatif, essuie-glaces adaptatifs
SUSPENSION avant/arrière indépendante
FREINS avant/arrière disques
DIRECTION à crémaillère, assistée électriquement
PNEUS Berline LX, EX-L, EX-L V6 P215/55R17 **Sport, Touring, Touring V6** P235/40R19 **Coupé EX** P235/45R18 **Touring** P235/40R19

DIMENSIONS

EMPATTEMENT Berline 2 775 mm **Coupé** 2 725 mm
LONGUEUR Berline 4 862 mm **Coupé** 4 805 mm
LARGEUR Berline 1 849 mm **Coupé** 1 850 mm
HAUTEUR Berline 1 465 mm **Coupé** 1 436 mm
POIDS Berline man. 1 466 à 1 524 kg **CVT** 1 497 à 1 538 kg **Berline V6** 1 609 à 1 643 kg **Hybride** 1 617 kg **Hybride Touring** 1 636 kg **Coupé man.** 1 494 à 1 559 kg **auto.** 1 525 à 1 619 kg
RÉPARTITION DU POIDS AV/ARR (%) 60/40
DIAMÈTRE DE BRAQUAGE Berline pneus 17 po. 11,4 m **18 po.** 11,8 m **Coupé pneus 17 po.** 11,2 m **18 po.** 11,6 m
RÉSERVOIR DE CARBURANT 65 L **Hybride** 60 L
COFFRE Berline 439 L **LX, Sport** 447 L **Hybride** 382 L **Coupé** 379 L

LA COTE VERTE

MOTEUR L4 DE 1,5 L TURBO
CONSOMMATION (100 km) ville 7,6 L, route 5,5 L
CONSOMMATION ANNUELLE 1 139 L, 1 367 $
INDICE D'OCTANE 87
ÉMISSIONS POLLUANTES CO_2 2 620 kg/an
(source : ÉnerGuide)

FICHE D'IDENTITÉ

VERSION(S) Berline DX, LX, EX **Coupé** LX, EX-T, Touring **5 portes**
TRANSMISSION(S) avant
PORTIÈRES 2, 4, 5 **PLACES** 5
PREMIÈRE GÉNÉRATION 1973
GÉNÉRATION ACTUELLE 2016, 2017 (5 portes)
CONSTRUCTION Berline/coupé Alliston, Ontario, Canada; Greensburgh, Ohio, É-U. **5 portes** Swindon, Royaume-Uni
COUSSINS GONFLABLES 6 (frontaux, latéraux, rideaux latéraux)
CONCURRENCE Chevrolet Cruze, Ford Focus, Hyundai Elantra, Kia Forte/Koup, Mazda3, Mitsubishi Lancer, Nissan Sentra, Subaru Impreza/BRZ, Toyota Corolla/86/iM, Volkswagen Beetle/Golf/Jetta

AU QUOTIDIEN

COLLISION FRONTALE 5/5
COLLISION LATÉRALE 5/5
VENTES DU MODÈLE L'AN DERNIER
AU QUÉBEC 20 803 (+3,9 %) **AU CANADA** 64 950 (-1,7 %)
DÉPRÉCIATION (%) 25,4 (3 ans)
RAPPELS (2011 à 2016) 7
COTE DE FIABILITÉ 3,5/5

GARANTIES... ET PLUS

GARANTIE GÉNÉRALE 3 ans/60 000 km
GROUPE MOTOPROPULSEUR 5 ans/100 000 km
PERFORATION 5 ans/kilométrage illimité
ASSISTANCE ROUTIÈRE 3 ans/kilométrage illimité
NOMBRE DE CONCESSIONNAIRES
AU QUÉBEC 67 **AU CANADA** 239

NOUVEAUTÉS EN 2017

Introduction de la version 5 portes à hayon au début 2017. Moteur 1,5 L turbo maintenant disponible avec boîte de vitesses manuelle.

L'HEURE DU RÉVEIL

La neuvième génération de la Civic n'a pas laissé un souvenir impérissable, aux yeux des critiques surtout. Cette dixième génération se charge admirablement de nous faire oublier le(s) faux pas de la mouture précédente et que son immense popularité n'est plus uniquement attribuable à l'impressionnante machine commerciale de Honda et de ses concessionnaires.

Éric LeFrançois

TOUR DU PROPRIÉTAIRE > Sage par nécessité, la nouvelle Civic est plus consensuelle que séductrice, mais cette fois pas désagréable à regarder, et s'inscrit dans le registre de l'élégance sobre. Le nouveau dessin de sa carrosserie lui donne indiscutablement plus de tonus, plus de prestance, mais sans en faire une référence esthétique pour autant. Le style manque encore de cohérence : un peu lourd à l'avant et un peu emberlificoté à l'arrière, mais la version 5 portes attendue en cours d'année corrigera tout cela.

VIE À BORD > Hormis en hauteur, cette dixième génération est légèrement plus imposante que le modèle qu'elle remplace et les gains matérialisés profitent aux occupants et à leurs bagages. Cette Honda dégage une belle habitabilité à l'arrière, mais elle se contente d'une garde au toit relativement basse, ne manqueront pas de relever les gens de plus de 1,80 mètre. En dépit d'une ouverture échancrée, le couvercle du coffre s'ouvre sur un espace beaucoup plus accueillant que celui de sa

\+ MOTEUR 1,5 LITRE TURBO ALERTE
BOÎTE CVT BIEN ADAPTÉE
HABITACLE VALORISANT (TOURING)

\- TOURING : UN PRIX PAS TRÈS CIVIC
DESIGN TARABISCOTÉ
DÉGAGEMENT POUR LA TÊTE

MENTIONS

CLÉ D'OR | CHOIX VERT | COUP DE CŒUR | RECOMMANDÉ

VERDICT

PLAISIR AU VOLANT
QUALITÉ DE FINITION
CONSOMMATION
RAPPORT QUALITÉ / PRIX
VALEUR DE REVENTE
CONFORT

1 5 10

prédécesseure. Au chapitre de l'aménagement intérieur, un domaine qui a longtemps été l'un de ses points forts avant de devenir banal, la marque n'a pas lésiné. La présentation générale est très soignée, de même que la découpe du tableau de bord, élégante et un brin futuriste avec ses compteurs numériques au graphisme un peu suranné, toutefois. En revanche, que de bons mots pour la position de conduite plus agréable et les sièges joliment dessinés. L'ergonomie des commandes frise la perfection, mais certains détails sont toujours agaçants, comme le positionnement des prises USB/auxiliaire, logées dans la partie basse de la console par exemple. Talon d'Achille de la génération précédente, l'habitacle est pourvu de matériaux de très bonne facture, dans sa déclinaison Touring (la plus chère) à tout le moins. Cette dernière ne manque de rien et bénéficie de toutes les avancées de sécurité active proposées par Honda. Mais toutes ces douceurs ont un prix qui ne place pas cette Civic à la portée de toutes les bourses.

TECHNIQUE > La plate-forme est nouvelle, mais on retient surtout la présence d'une mécanique suralimentée sous le capot. Doté d'une seule volute, le turbocompresseur affiche un léger temps de réponse à l'accélération, lequel peut être partiellement gommé en optant pour la position S (Sport) sur le sélecteur de vitesses. La force du couple se manifeste de façon régulière et plutôt bien équilibrée dès 1700 tours/minute.

AU VOLANT > Déposée sur une toute nouvelle architecture qui, à terme, sera aussi partagée par d'autres véhicules de la gamme, la Civic fait, dès les premiers tours de roue, oublier sa devancière. Mieux suspendue qu'autrefois, la Civic se révèle plus confortable sur chaussée déformée, plus silencieuse, et elle contrôle admirablement bien les mouvements de sa caisse. Autre agréable surprise, le freinage est apparu plus facile à moduler et, surtout, doublé d'un dispositif antiblocage à la fois plus perspicace et silencieux. Allégée, bien insonorisée, la Civic est équipée d'une direction plus rapide, mais encore un brin trop légère, et le train avant est résolument plus accrocheur qu'autrefois dans les courbes. Qu'à cela ne tienne, la nouvelle Honda nous met tout de même rapidement en confiance et se révèle plus agréable à conduire que bon nombre de ses concurrentes, sans atteindre pour autant le bel équilibre des Volkswagen Golf et Mazda3, les deux références en cette matière. Côté moteurs, la seule réelle innovation est l'arrivée dans le catalogue du moteur suralimenté par turbocompresseur de 1,5 litre du genre tempéré. Dotée de l'injection directe d'essence, cette motorisation, dont la puissance a été poussée à 174 chevaux, apporte un supplément d'âme à cette compacte japonaise. Dommage que pour l'heure, cette mécanique soit uniquement associée à une boîte CVT au rendement correct, mais sans plus.

CONCLUSION > La Civic marque le réveil de Honda, qui promet dans les mois à venir des déclinaisons plus excitantes encore, dont la Type-R et la 5-portes, qui risquent de donner de sérieux maux de tête à la concurrence. ■

2e OPINION

Antoine Joubert

Après plusieurs années d'attente, Honda nous revient finalement avec une Civic à hayon. Quels sont les détails ? Encore trop tôt pour le dire. Mais nous savons que la performance sera au rendez-vous, avec des versions Si et Type R. Espérons seulement que les stratèges de la marque auront aussi la bonne idée d'offrir des versions plus accessibles (LX, EX, EX-T) à moteur 1,8 litre ou 1,5 litre turbo. Des versions de 18 000 $ à 25 000 $ que l'acheteur de Golf et de Mazda3 pourra considérer. Mais en attendant, la Civic demeure une voiture géniale. Tant en coupé qu'en berline, elle redéfinit les normes du segment en utilisant des technologies de pointe, un équipement ultra-impressionnant et des mécaniques efficaces. Et la bonne nouvelle, c'est qu'elle est moins chère qu'une Cruze, qu'une Focus, qu'une Mazda3, à équipement comparable. Bref, le meilleur choix du segment, sauf si, comme moi, vous n'êtes pas friands de son look...

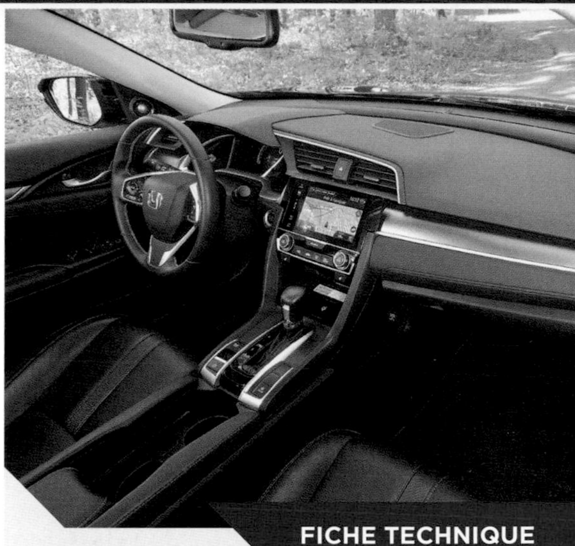

FICHE TECHNIQUE

MOTEUR(S)

(DX, LX, EX) L4 2,0 L DACT
PUISSANCE 158 ch à 6 500 tr/min
COUPLE 138 lb-pi à 4 200 tr/min
RAPPORT POIDS/PUISSANCE 7,9 à 8,1 kg/ch
BOÎTE(S) DE VITESSES manuelle à 6 rapports, automatique à variation continue en option
PERFORMANCES 0-100 km/h 7,9 s
REPRISE 80-115 km/h 12,5 s
FREINAGE 100-0 km/h 46,3 m
NIVEAU SONORE À 100 km/h Bon
VITESSE MAXIMALE 210 km/h (bridée)
CONSOMMATION (100 km) man. ville 8,9 L, route 6,1 L
CVT ville 7,8 L route 5,8 L (octane 87)
ANNUELLE man. 1 309 L, 1 571 $ **CVT** 1 173 L, 1 408 $
ÉMISSIONS DE CO_2 man. 3 011 kg/an **CVT** 2 698 kg/an

(EX-T, Touring) L4 1,5 L DACT turbo
PUISSANCE 174 ch à 5 500 tr/min
COUPLE 162 lb-pi de 1 800 à 5 500 tr/min
RAPPORT POIDS/PUISSANCE 7,6 à 7,7 kg/ch
BOÎTE(S) DE VITESSES manuelle à 6 rapports, automatique à variation continue en option
PERFORMANCES 0-100 km/h 7,5 s
REPRISE 80-115 km/h 11,5 s
VITESSE MAXIMALE 210 km/h (bridée)

AUTRES COMPOSANTS

SÉCURITÉ ACTIVE (certains en option) Freins ABS, assistance au freinage, répartition électronique de la force de freinage, contrôle électronique de la stabilité, antipatinage, assistance au changement de voie, avertisseur d'impact imminent avec freinage d'urgence automatique, régulateur de vitesse adaptatif, essuie-glaces adaptatifs, aide au démarrage en pente
SUSPENSION avant/arrière indépendante
FREINS avant/arrière disques
DIRECTION à crémaillère, assistée électriquement
PNEUS P215/55R16 **EX-T/Touring** P215/50R17

DIMENSIONS

EMPATTEMENT 2 700 mm
LONGUEUR 4 631 mm **Coupé** 4 492 mm **5 portes** ND
LARGEUR 1 878 mm, 2 076 mm (incl. rétro.)
HAUTEUR 1 416 mm **Coupé** 1 395 mm
POIDS 1 244 à 1 339 kg **Coupé** 1 251 à 1 317 kg **5 portes** ND
RÉPARTITION DU POIDS AV/ARR (%) ND
DIAMÈTRE DE BRAQUAGE 10,8 m
COFFRE 428 L **Touring** 416 L **Coupé** 343 L **Touring** 337 L **5 portes** ND
RÉSERVOIR DE CARBURANT 47 L

LA COTE VERTE

MOTEUR L4 DE 2,4 L
CONSOMMATION (100 km) 2RM ville 8,8 L, route 6,9 L
4RM ville 9,5 L, route 7,5 L
CONSOMMATION ANNUELLE 2RM 1 343 L, 1 612 $ **4RM** 1 462 L, 1 754 $
INDICE D'OCTANE 87
ÉMISSIONS POLLUANTES CO_2 2RM 3 089 kg/an **4RM** 3 363 kg/an
(source : ÉnerGuide)

FICHE D'IDENTITÉ

VERSION(S) 2RM LX **4RM** LX, SE, EX, EX-L, Touring
TRANSMISSION(S) avant, 4
PORTIÈRES 5 **PLACES** 5
PREMIÈRE GÉNÉRATION 1997
GÉNÉRATION ACTUELLE 2013
CONSTRUCTION Alliston, Ontario, Canada; East Liberty, Ohio, É.-U.
COUSSINS GONFLABLES 6 (frontaux, latéraux avant, rideaux latéraux)
CONCURRENCE Chevrolet Equinox/GMC Terrain, Dodge Journey, Ford Escape, Hyundai Tucson, Jeep Cherokee, Kia Sportage, Mazda CX-5, Mitsubishi Outlander, Nissan Rogue, Subaru Forester/Outback, Toyota RAV4, Volkswagen Tiguan

AU QUOTIDIEN

COLLISION FRONTALE 5/5
COLLISION LATÉRALE 5/5
VENTES DU MODÈLE L'AN DERNIER
AU QUÉBEC 9 384 (+7,0 %) **AU CANADA** 38 961 (+3,4 %)
DÉPRÉCIATION (%) 22,3 (3 ans)
RAPPELS (2011 à 2016) 5
COTE DE FIABILITÉ 4/5

GARANTIES... ET PLUS

GARANTIE GÉNÉRALE 3 ans/60 000 km
GROUPE MOTOPROPULSEUR 5 ans/100 000 km
PERFORATION 5 ans/kilométrage illimité
ASSISTANCE ROUTIÈRE 3 ans/ kilométrage illimité
NOMBRE DE CONCESIONNAIRES
AU QUÉBEC 67 **AU CANADA** 232

NOUVEAUTÉS EN 2017

Aucun changement majeur

À CONSIDÉRER

L'une des catégories de véhicules les plus convoitées en 2017 est sans contredit celle des petits utilitaires. Dominé par un certain Ford Escape depuis des lunes, le segment des VUS compacts compte également deux ténors qui devraient normalement toujours être inscrits sur votre liste de choix à envisager : j'ai nommé le Toyota RAV4 et le Honda CR-V. Ce dernier a beau se trouver au troisième rang des ventes canadiennes, il n'a pas à rougir de sa position dans cette jungle de « pseudo-4x4 » taillés davantage pour la conduite urbaine que pour les expéditions loin des sentiers battus.

Vincent Aubé

TOUR DU PROPRIÉTAIRE > Le constructeur Honda a toujours été reconnu pour sa philosophie évolutive en matière de design. Le CR-V n'échappe pas à cette règle malgré le fait qu'il ait subi pour l'année modèle 2015 quelques ajustements esthétiques. La silhouette est la même que celle de l'édition 2013, mais à l'avant, le bouclier est selon moi plus accessible avec cette grille de calandre qui n'est pas sans rappeler celle de la Honda Fit. Aux deux extrémités de cette grille, les phares remontent jusque dans les ailes et arborent une signature faisant appel aux diodes électroluminescentes. Le pare-chocs a lui aussi été révisé lors de la refonte, mais conserve tout de même cet angle d'approche vers le haut qui ne fait pas toujours l'unanimité. À l'arrière, les feux de positon verticaux font encore partie du paysage du VUS Honda, tandis que les appliqués de chrome se font plus fréquents sur cette génération du modèle.

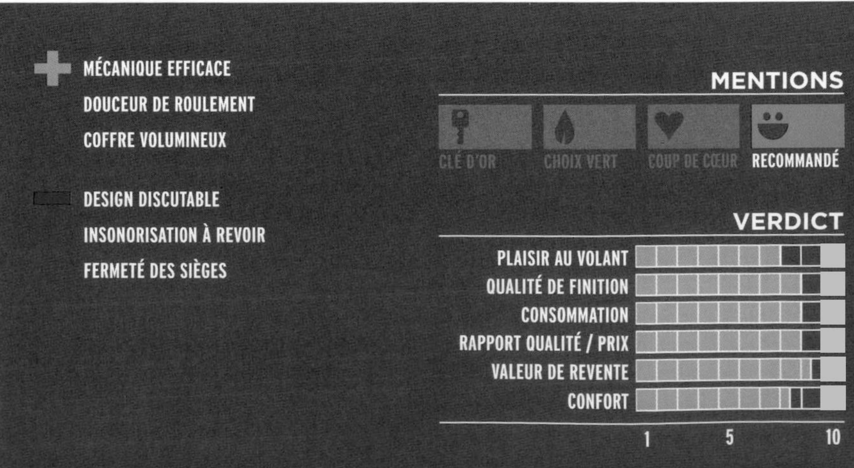

MÉCANIQUE EFFICACE
DOUCEUR DE ROULEMENT
COFFRE VOLUMINEUX
DESIGN DISCUTABLE
INSONORISATION À REVOIR
FERMETÉ DES SIÈGES
MENTIONS
CLÉ D'OR
CHOIX VERT
COUP DE CŒUR
RECOMMANDÉ
VERDICT
PLAISIR AU VOLANT
QUALITÉ DE FINITION
CONSOMMATION
RAPPORT QUALITÉ / PRIX
VALEUR DE REVENTE
CONFORT
1
5
10

VIE À BORD > L'évolution lente du CR-V se poursuit à l'intérieur avec cette planche de bord qui ressemble beaucoup à celle introduite en 2013. À part quelques détails ici et là, c'est du pareil au même. Si vous recherchez un tableau de bord très design, regardez ailleurs! Par contre, malgré cette simplicité avouée, la disposition du tableau de bord du CR-V a été pensée pour faciliter la vie des automobilistes au quotidien, puisque les commandes de la ventilation sont séparées de celles de l'écran du système de divertissement. À ce sujet, celui-ci bénéficierait de touches tactiles plus grandes. Cette correction est probablement réservée au prochain CR-V. La sellerie n'est pas exactement une référence en matière de mollesse, mais il y a pire dans cette catégorie, croyez-moi! Heureusement, l'espace à l'arrière est généreux grâce à ce plancher plat, tandis que le volume du coffre se fait impressionnant pour un VUS compact. Et dire que les prototypes aperçus du futur CR-V montrent un empattement encore plus long!

TECHNIQUE > Une seule combinaison mécanique est offerte, celle-ci étant réputée pour son efficacité et sa fiabilité. Le 4-cylindres de 2,4 litres à injection directe utilisé à plusieurs sauces au sein de la gamme continue son bonhomme de chemin. Ce moteur est relié à la boîte de transmission CVT, qui travaille sans heurt. Le constructeur persiste à vouloir offrir une variante à roues motrices avant au bas de la gamme, une option qui enlève tout de même quelques dollars au prix de départ du modèle. Toutes les autres livrées envoient la puissance aux 4 roues, à temps partiel bien entendu.

AU VOLANT > Comme sur la plupart de ces petits utilitaires, l'accès à bord se fait aisément, étant donné que la garde au sol n'est pas trop exagérée. La position de conduite se trouve elle aussi assez facilement grâce aux réglages du siège et de la colonne de direction télescopique. Le volant est agréable à tenir, le levier de la boîte de vitesse tombe parfaitement en main et la vision latérale est loin d'être mauvaise. Notons toutefois une visibilité réduite à l'arrière à cause de cette fenestration latérale en amande. Sans être aussi dynamique qu'un coupé Civic Si, le CR-V mérite quelques accolades pour son agrément de conduite. La direction est légère et les suspensions sont calibrées avant tout pour le confort, mais l'utilitaire nippon est capable de se défendre lorsque le tracé se tortille quelque peu. Il est vrai que la boîte CVT fait chanter la mécanique lors des accélérations, mais une fois rendu à vitesse de croisière, le véhicule se fait plus silencieux.

CONCLUSION > La relève du CR-V est en route : la magie des photos-espion a déjà révélé ce à quoi il faut s'attendre pour la suite des choses. Cinq années pour un cycle, ce n'est pas beaucoup, mais dans cette arène de petits VUS, la concurrence est sans merci, même pour un meneur comme le Honda CR-V. En attendant cette cinquième génération, les consommateurs peuvent se rabattre sur le CR-V actuel, qui possède encore quelques atouts. ■

FICHE TECHNIQUE

MOTEUR(S)

(LX, SE, EX, EX-L, Touring) L4 2,4 L DACT
PUISSANCE 185 ch à 7 000 tr/min
COUPLE 181 lb-pi à 3 900 tr/min
RAPPORT POIDS/PUISSANCE 8,3 à 8,9 kg/ch
BOÎTE(S) DE VITESSES automatique à variation continue
PERFORMANCES 0-100 km/h 9,0 s
REPRISE 80-115 km/h 6,2 s
FREINAGE 100-0 km/h 36,7 m
NIVEAU SONORE À 100 km/h Moyen
VITESSE MAXIMALE 185 km/h

AUTRES COMPOSANTS

SÉCURITÉ ACTIVE (certains en option) Freins ABS, assistance au freinage, répartition électronique de la force de freinage, contrôle électronique de la stabilité, antipatinage, assistance au départ en pente, assistance en cas d'impact imminent, avertisseur de changement de voie
SUSPENSION avant/arrière indépendante
FREINS avant/arrière disques
DIRECTION à crémaillère, assistée électriquement
PNEUS LX P215/70R16 **SE, EX, EX-L** P225/65R17 **Touring** P225/60R18

DIMENSIONS

EMPATTEMENT 2 620 mm
LONGUEUR 4 557 mm
LARGEUR 1 820 mm
HAUTEUR 2RM 1 644 mm **4RM** 1 654 mm
POIDS 2RM LX 1 531 kg **4RM LX** 1 586 kg **SE/EX** 1 619 kg **EX-L** 1 630 kg **Touring** 1 652 kg
RÉPARTITION DU POIDS AV/ARR (%) 2RM 59/41 **4RM** 58/42
DIAMÈTRE DE BRAQUAGE 2RM 11,5 m **4RM** 11,2 m
COFFRE 1 054 L, 2 007 L (sièges abaissés)
RÉSERVOIR DE CARBURANT 58 L
CAPACITÉ DE REMORQUAGE 680 kg

2e OPINION

Daniel Rufiange

Le segment des VUS compacts est bourré de joueurs intéressants. Du lot, quelques-uns se démarquent, mais un seul peut revendiquer le titre de capitaine de sa formation, et c'est le CR-V. C'est simple, ce véhicule n'a pratiquement pas de défauts. Il est spacieux, confortable, offre une conduite rassurante, tout comme une consommation de carburant raisonnable, en plus d'être aussi fiable que le jeu défensif de Tomas Plekanec. Si vous achetez un véhicule aux dix ans et que vous ne voulez pas de problèmes, courez chez un dépositaire Honda pour réserver votre exemplaire. En revanche, si l'agrément de conduite figure haut sur votre liste de priorités, le CR-V va vous décevoir. Êtes-vous prêt à faire des compromis?

LA COTE VERTE

MOTEUR L4 DE 1,5 L
CONSOMMATION (100 km) man. ville 8,1 L, route 6,4 L
CVT ville 7,3 L, route 6,1 L
CONSOMMATION ANNUELLE man. 1 241 L, 1 489 $ **CVT** 1 156 L, 1 387 $
INDICE D'OCTANE 87
ÉMISSIONS POLLUANTES CO_2 man. 2 854 kg/an **CVT** 2 659 kg/an
(source : ÉnerGuide)

FICHE D'IDENTITÉ

VERSION(S) DX, LX, EX, EX-L Navi
TRANSMISSION(S) avant
PORTIÈRES 5 **PLACES** 4
PREMIÈRE GÉNÉRATION 2007
GÉNÉRATION ACTUELLE 2015
CONSTRUCTION Celeya, Mexique
COUSSINS GONFLABLES 6 (frontaux, latéraux avant et rideaux latéraux)
CONCURRENCE Chevrolet Sonic, Ford Fiesta, Hyundai Accent, Kia Rio, Nissan Versa Note, Toyota Yaris

AU QUOTIDIEN

COLLISION FRONTALE 5/5
COLLISION LATÉRALE 5/5
VENTES DU MODÈLE L'AN DERNIER
AU QUÉBEC 3 209 (-25,2 %) **AU CANADA** 9 088 (-22,5 %)
DÉPRÉCIATION (%) 28,9 (3 ans)
RAPPELS (2011 à 2016) 7
COTE DE FIABILITÉ 4/5

GARANTIES... ET PLUS

GARANTIE GÉNÉRALE 3 ans/60 000 km
GROUPE MOTOPROPULSEUR 5 ans/100 000 km
PERFORATION 5 ans/kilométrage illimité
ASSISTANCE ROUTIÈRE 3 ans/ kilométrage illimité
NOMBRE DE CONCESIONNAIRES
AU QUÉBEC 67 **AU CANADA** 232

NOUVEAUTÉS EN 2017

Aucun changement majeur

SUPERCOMPACTE

Honda maîtrise l'art de la voiture compacte depuis des décennies. Vous n'avez qu'à penser à la première génération de la Civic, mise sur le marché en 1973. Avec le grossissement constant de la taille des automobiles, l'offre la plus réduite chez Honda depuis 2007 est maintenant la Fit. Nettement plus imposante que la Civic d'antan, on peut facilement la qualifier de « supercompacte ». Cette appellation ne s'applique pas seulement à son format, mais aussi à ses innombrables qualités qui en font la référence du segment.

Luc-Olivier Chamberland

TOUR DU PROPRIÉTAIRE > Elle adopte l'approche du petit monospace. On délaisse l'idée de la berline en Amérique, bien qu'elle existe ailleurs dans le monde. Livrable uniquement en hayon, elle sait séduire les acheteurs québécois friands de ce type de carrosserie. Depuis quelques années, Honda commence à trouver sa voie en matière de design. Ses dessinateurs adoptent une approche très angulaire pour contrecarrer la forme générale de la voiture. Le résultat se montre intéressant, mais risque de plus ou moins bien vieillir.

VIE À BORD > La présentation de la planche de bord est réussie avec une finition à laquelle on ne peut faire aucun reproche. Quelques détails d'ergonomie agacent comme les commandes

+
- HABITACLE MODULAIRE
- DESIGN INTÉRIEUR MODERNE
- CONSOMMATION DE CARBURANT

−
- DESIGN PARTICULIER...
- MOTEUR BRUYANT
- OÙ SONT LES BONS VIEUX BOUTONS ?

MENTIONS

CLÉ D'OR | CHOIX VERT | COUP DE CŒUR | RECOMMANDÉ

VERDICT

PLAISIR AU VOLANT
QUALITÉ DE FINITION
CONSOMMATION
RAPPORT QUALITÉ / PRIX
VALEUR DE REVENTE
CONFORT

1 5 10

tactiles du volume de la radio, qui sont tout simplement dysfonctionnelles. Heureusement, les touches au volant remédient à la situation. Les personnes à la recherche d'une voiture économique, sans faire de concessions quant à l'espace, auront un numéro gagnant. La modularité de l'habitacle impressionne chaque fois que l'on passe chez IKEA ou que l'on fait notre épicerie du mois chez Costco ! Elle engouffre absolument tout grâce à l'ingéniosité de ses sièges arrière Magic Seat. Elle se décline en 4 versions. Le modèle de base DX est assez (trop) dépouillé considérant le prix d'entrée. Les variantes les plus intéressantes sont les EX et EX-L, où l'on obtient une collection d'accessoires qui agrémentent notre vie. L'ingénieuse caractéristique LaneWatch avec sa caméra au rétroviseur droit permet d'avoir une vision très claire de notre angle mort en diffusant ce que l'on ne voit pas dans l'écran de 7 pouces de la planche de bord. Ceux qui désirent un environnement plus luxueux opteront pour l'EX-L Navi, qui inclut plusieurs équipements que l'on trouve rarement dans ce segment. À ce niveau, le prix de la facture devient nettement moins digeste.

TECHNIQUE > À l'instar de la concurrence, elle se présente avec une seule option mécanique. Un petit 4-cylindres de 1,5 litre de 130 chevaux avec un couple de 114 livres-pieds vit sous le capot. Sa boîte manuelle à 6 embranchements offre le meilleur rendement pour tirer le maximum de puissance. Ce moteur aime les montées de régime et l'on prend un plaisir certain à manipuler les courts rapports de transmission. La majorité des clients se tourneront vers la CVT. Le travail se fait, mais elle cherche constamment à réduire la consommation. En accélération, on doit se préparer à un saignement des tympans, le moteur hurle vivement son existence. De plus, le manque d'insonorisation n'aide vraiment pas.

AU VOLANT > L'ADN de Honda se fait sentir en matière de comportement. Il faut être conscient que la ville est sa terre de prédilection. Elle possède un diamètre de braquage réduit et une direction précise. Les suspensions sont un peu fermes pour obtenir un roulement confortable. Elles « cognent », devenant ainsi un irritant. Sur l'autoroute, en raison de sa configuration haute, elle subit les contrecoups des vents; on doit constamment corriger la trajectoire pour rester dans le droit chemin.

CONCLUSION > Cette « supercompacte » se montre exceptionnelle à plusieurs points de vue, mais la perfection ne fait pas partie de son monde. Quelques irritants se manifestent, mais elle demeure la meilleure option dans ce segment en raison de sa polyvalence, de sa qualité de construction et, bien sûr, de la légendaire fiabilité Honda. ■

2e OPINION

Vincent Aubé

La « minifourgonnette des sous-compactes » continue son bonhomme de chemin en 2017 sans changements majeurs. La Honda Fit a fait sa marque en proposant l'un des habitacles les plus polyvalents lorsqu'est venu le temps de transporter des objets de grande dimension. Cette tendance ne risque pas de s'estomper de sitôt. De plus, cette citadine n'est pas désagréable à conduire dans la jungle urbaine, la consommation moyenne de carburant étant faible malgré la vivacité de sa mécanique 4 cylindres. La petite Honda a malgré tout du mal à s'imposer dans ce créneau. La concurrence est certainement féroce, mais le principal talon d'Achille de la Fit se trouve dans la même salle d'exposition et il s'appelle Civic.

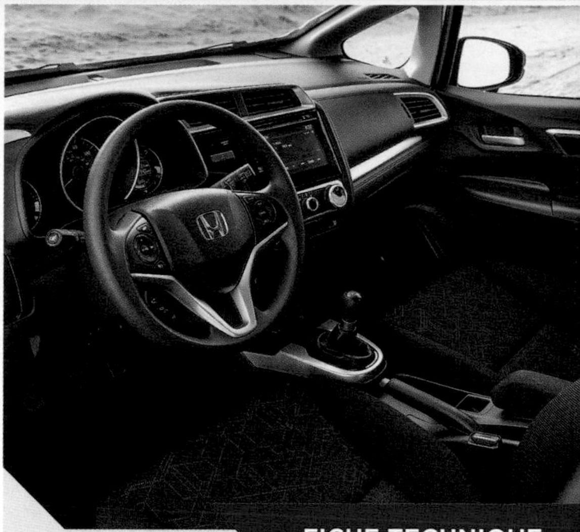

FICHE TECHNIQUE

MOTEUR(S)

(Tous) L4 1,5 L DACT
PUISSANCE 130 ch à 6 600 tr/min
COUPLE 114 lb-pi à 4 600 tr/min
RAPPORT POIDS/PUISSANCE 8,7 à 9,2 kg/ch
BOÎTE(S) DE VITESSES manuelle à 6 rapports, automatique à variation continue, avec mode manuel et manettes au volant (en option)
PERFORMANCES 0-100 km/h 8,3 s
REPRISE 80-115 km/h 10,9 s
FREINAGE 100-0 km/h 42,9 m
NIVEAU SONORE À 100 km/h ND
VITESSE MAXIMALE 180 km/h

AUTRES COMPOSANTS

SÉCURITÉ ACTIVE Freins ABS, assistance au freinage, répartition électronique de la force de freinage, contrôle électronique de la stabilité, antipatinage, assistance au départ en pente (CVT)
SUSPENSION avant/arrière indépendante / semi-indépendante
FREINS avant/arrière disques / tambours
DIRECTION à crémaillère, assistée électriquement
PNEUS P185/55R16 **EX** P185/55R16

DIMENSIONS

EMPATTEMENT 2 530 mm
LONGUEUR 4 064 mm
LARGEUR 1 702 mm
HAUTEUR 1 524 mm
POIDS DXG 1 131 kg **LX** 1 143 à 1 157 kg **EX** 1 170 à 1 196 kg **EX-L** 1 177 à 1 201 kg
RÉPARTITION DU POIDS AV/ARR (%) 62/38
DIAMÈTRE DE BRAQUAGE 10,4 m
COFFRE 470 L, 1 492 L (sièges abaissés)
RÉSERVOIR DE CARBURANT 40 L

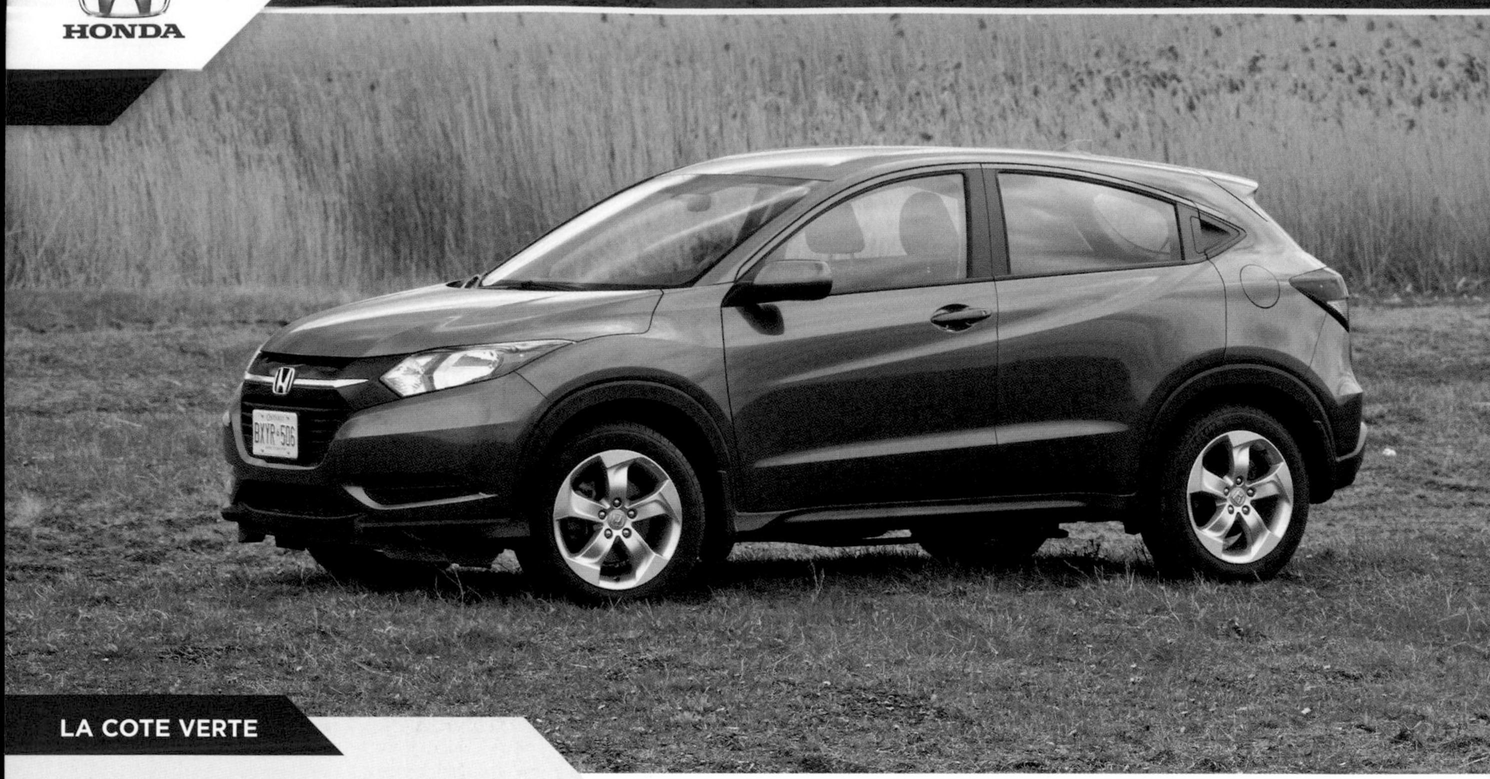

LA COTE VERTE

MOTEUR L4 DE 1,8 L
CONSOMMATION (100 km) 2RM CVT ville 8,3 L, route 6,7 L
man. ville 9,3 L, route 7,0 L **4RM CVT** ville 8,8 L, route 7,2 L
CONSOMMATION ANNUELLE 2RM CVT 1 292 L, 1 550 $
man. 1 411 L, 1 693 $ **4RM CVT** 1 377 L, 1 652 $
INDICE D'OCTANE 87
ÉMISSIONS POLLUANTES CO_2 2RM CVT 2 972 kg/an
man. 3 245 kg/an **4RM CVT** 3 167 kg/an
(source: ÉnerGuide)

FICHE D'IDENTITÉ

VERSION(S) 2RM LX, EX **4RM** LX, EX, EX-L Navi
TRANSMISSION(S) avant, 4
PORTIÈRES 4 **PLACES** 5
PREMIÈRE GÉNÉRATION 2016
GÉNÉRATION ACTUELLE 2016
CONSTRUCTION Celaya, Mexique
COUSSINS GONFLABLES 6 (frontaux, latéraux avant, rideaux latéraux)
CONCURRENCE Chevrolet Trax, Fiat 500L/500X, Jeep Compass/Patriot/Renegade, Kia Soul, Mazda CX-3, Mitsubishi RVR, Nissan Juke, Subaru Crosstrek

AU QUOTIDIEN

COLLISION FRONTALE 4/5
COLLISION LATÉRALE 3,5/5
VENTES DU MODÈLE L'AN DERNIER
AU QUÉBEC 2 685 (nm) **AU CANADA** 8 959 (nm)
DÉPRÉCIATION (%) nm
RAPPELS (2011 à 2016) aucun à ce jour
COTE DE FIABILITÉ ND

GARANTIES... ET PLUS

GARANTIE GÉNÉRALE 3 ans/60 000 km
GROUPE MOTOPROPULSEUR 5 ans/100 000 km
PERFORATION 5 ans/kilométrage illimité
ASSISTANCE ROUTIÈRE 3 ans /60 000 km
NOMBRE DE CONCESIONNAIRES
AU QUÉBEC 67 **AU CANADA** 232

NOUVEAUTÉS EN 2017

Aucun changement majeur

À DÉFAUT D'ÊTRE BEAU...

Lentement, mais sûrement, Honda redonne vie à sa gamme de produits. Une Civic plus «punchée», un Pilot amélioré, un Ridgeline 2.0, bref, on sent que ça grouille. L'an dernier, on nous présentait le HR-V, un VUS compact fort attendu par les amateurs qui ont été nombreux à répondre à l'appel depuis son arrivée. Deux éléments militent de toute évidence pour lui: son format, très à la mode, et le logo qui l'habille, un gage de fiabilité. D'autres éléments le rendent aussi fort intéressant, mais puisque tout n'est pas parfait dans ce bas monde, prenez le temps de lire ce qui suit avant de signer un contrat aveuglément..

Daniel Rufiange

TOUR DU PROPRIÉTAIRE > Le titre vous en dit long sur mes impressions des lignes de ce HR-V. Sans être laid, son design ne réinvente rien. C'est comme si Honda avait, sciemment, voulu pondre un véhicule caméléon. Même la palette de couleurs est déprimante. En fait, à l'exception de la version EX-L Navi, la plus chère, disponible en rouge, on ne trouve qu'un choix de bleu à travers une palette qui compte d'innombrables teintes variant entre le noir et le blanc. Misère!

Un élément stylistique intéressant est à noter, toutefois. De profil, vous avez l'impression de regarder un coupé, d'une part en raison de la forme du véhicule, mais aussi parce qu'on a caché

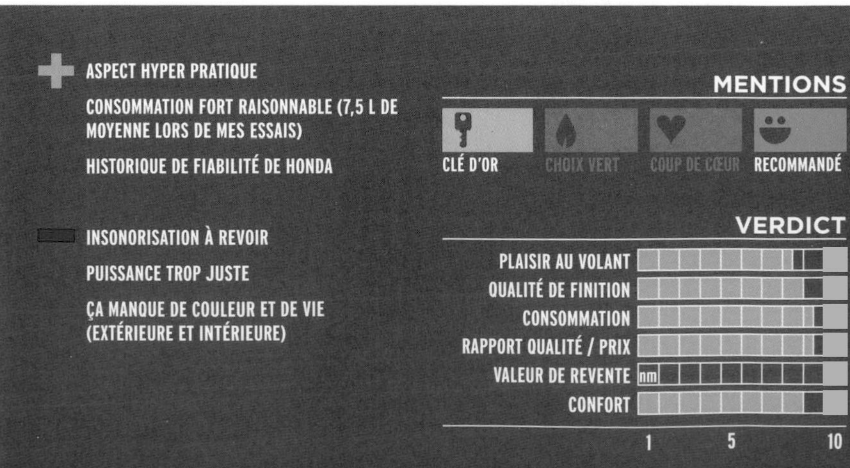

les poignées arrière dans le pilier C. Concernant les versions, il y a les : LX et EX, 2RM et 4RM, de même qu'un EX-L Navi 4RM.

VIE À BORD > Dans l'univers automobile actuel, prisonnier d'une certaine conformité, ne vous attendez à rien d'autre que du noir à l'intérieur. C'en est triste. On se console à l'idée que le tout est signé Honda et que règle générale, ça respire la qualité, qu'on passe d'une version LX à une EX-L Navi. Côté planche de bord, c'est bien présenté. On doit cependant composer avec la nouvelle interface que propose Honda depuis quelques années, laquelle nous force à utiliser l'écran tactile pour des opérations qu'on aimerait bien gérer à l'aide d'un bouton ou d'une molette. Sur le plan du confort, c'est acceptable. Deux allers-retours Montréal-Québec à bord de deux versions différentes en cours d'année ont suffi pour me convaincre. À l'arrière, l'expérience risque d'être moins plaisante sur d'aussi longs trajets. En revanche, ce même espace peut être transformé de façon brillante pour accueillir un maximum de matériel. Honda a appliqué la recette Fit à ce HR-V, qui profite également d'un plancher plus bas, résultat du déplacement du réservoir à carburant. En prime, le système Magic Seat, qui permet de faire basculer l'assise vers l'avant pour dégager plus d'espace, maximise le volume.

TECHNIQUE > Un 4-cylindres de 1,8 litre d'une puissance de 141 chevaux et 127 livres-pieds de couple est responsable des prestations. Si son rendement est impeccable, il faut avouer que sa puissance est juste. En fait, pour obtenir quelques résultats que ce soit, il faut écraser l'accélérateur. Dans la majorité des situations, ça va. Le problème, pour Honda, c'est que les moulins proposés ailleurs sont plus vaillants. Une boîte manuelle est présente à l'index, mais grand malheur, elle est réservée aux versions à 2 roues motrices. Autrement, une transmission à variation continue (CVT) est d'office.

AU VOLANT > J'ai eu l'occasion de parcourir plus de 1 500 kilomètres au volant de deux versions. De loin, le plaisir est accentué lorsqu'on doit gérer les rapports de transmission. Autrement, on doit vivre avec les larmoiements de la boîte CVT, forcée aux travaux lourds, vu la puissance modeste. Pire, le piètre niveau d'insonorisation fait qu'on doit lever le ton pour bien se comprendre au-delà des 100 km/h. Disons qu'il y a du travail à faire. Autrement, la conduite du HR-V est sans histoire.

CONCLUSION > Avec une incursion dans l'univers des VUS sous-compacts, Honda bat le fer alors qu'il est chaud. Elle doit cependant composer avec une concurrence féroce, notamment de Mazda, qui propose un CX-3 plus dynamique. L'achat du HR-V demeure excellent, toutefois, si vous êtes prêt à sacrifier un peu d'émotion au profit d'une très grande tranquillité d'esprit. ■

2e OPINION

Antoine Joubert

Moteur de Civic, plateforme de Fit et un design qui rappelle celui du CR-V. Voilà ce que nous sert le HR-V, qui, sans aucun doute, mérite la médaille d'or du segment au chapitre de la polyvalence. À elle seule, la technologie MagicSeat permettant d'obtenir un volume cargo gigantesque est notoire. À titre d'exemple, vous bénéficierez de deux fois plus d'espace qu'avec le Mazda CX-3, comme l'avait démontré un test réalisé à l'émission RPM la saison dernière. Puis, côté consommation de carburant, difficile de faire mieux. À peine 7 litres aux 100 kilomètres sur route et 8,7-8,8 litres en ville. Faut-il vous rappeler qu'il s'agit d'un véhicule de 1 400 kilos doté de la transmission intégrale ? Vous ne serez en fait déçu que par sa conduite, qui n'a rien de dynamique, surtout par rapport au CX-3.

FICHE TECHNIQUE

MOTEUR(S)

(LX, EX, EX-L) L4 1,8 L DACT
PUISSANCE 141 ch à 6 500 tr/min
COUPLE 127 lb-pi à 4 300 tr/min
RAPPORT POIDS/PUISSANCE 9,3 à 10,0 kg/ch
BOÎTE(S) DE VITESSES manuelle à 6 rapports, automatique à variation continue avec mode manuel (en option 2RM, de série 4RM)
PERFORMANCES 0-100 km/h man. 8,9 s **auto.** 9,9 s
REPRISE 80-115 km/h 6,8 s
FREINAGE 100-0 km/h 45,1 m
NIVEAU SONORE À 100 km/h Acceptable
VITESSE MAXIMALE 200 km/h

AUTRES COMPOSANTS

SÉCURITÉ ACTIVE (certains en option) Freins ABS, assistance au freinage, répartition électronique de la force de freinage, contrôle de la stabilité électronique, antipatinage, aide au départ en pente, avertisseur de changement de voie et de collision imminente
SUSPENSION avant/arrière indépendante, semi-indépendante
FREINS avant/arrière disques
DIRECTION à crémaillère, assistée électriquement
PNEUS P215/55R17

DIMENSIONS

EMPATTEMENT 2 610 mm
LONGUEUR 4 294 mm
LARGEUR 1 772 mm
HAUTEUR 1 605 mm
POIDS 2RM man. 1 314 kg **auto.** 1 320 kg **EX man.** 1 325 kg **auto.** 1 332 kg **4RM LX** 1 389 kg **EX** 1 407 kg **EX-L** 1 413 kg
RÉPARTITION DU POIDS AV/ARR (%) ND
DIAMÈTRE DE BRAQUAGE 11,4 m
COFFRE 2RM 688 L, 1 665 L (sièges abaissés) **4RM** 657 L **LX** 1 631 L **EX** 1 583 L (sièges abaissés)
RÉSERVOIR DE CARBURANT 50 L

LA COTE VERTE

MOTEUR V6 DE 3,5 L
CONSOMMATION (100 km) ville 12,3 L, route 8,5 L
CONSOMMATION ANNUELLE 1 802 L, 2 162 $
INDICE D'OCTANE 87
ÉMISSIONS POLLUANTES CO_2 4 145 kg/an
(source : ÉnerGuide)

FICHE D'IDENTITÉ

VERSION(S) LX, SE, EX, EX-L, Touring
TRANSMISSION(S) avant
PORTIÈRES 5 **PLACES** 7, 8
PREMIÈRE GÉNÉRATION 1995
GÉNÉRATION ACTUELLE 2011
CONSTRUCTION Lincoln, Alabama, États-Unis
COUSSINS GONFLABLES 6 (frontaux, latéraux avant, rideaux latéraux)
CONCURRENCE Chrysler Pacifica, Dodge Grand Caravan, Kia Sedona, Toyota Sienna

AU QUOTIDIEN

COLLISION FRONTALE 5/5
COLLISION LATÉRALE 5/5
VENTES DU MODÈLE L'AN DERNIER
AU QUÉBEC 1 707 (-1,4 %) **AU CANADA** 11 272 (-1,8 %)
DÉPRÉCIATION (%) 27,1 (3 ans)
RAPPELS (2011 à 2016) 5
COTE DE FIABILITÉ 4/5

GARANTIES... ET PLUS

GARANTIE GÉNÉRALE 3 ans/60 000 km
GROUPE MOTOPROPULSEUR 5 ans/100 000 km
PERFORATION 5 ans/kilométrage illimité
ASSISTANCE ROUTIÈRE 3 ans/kilométrage illimité
NOMBRE DE CONCESSIONNAIRES
AU QUÉBEC 65 **AU CANADA** 229

NOUVEAUTÉS EN 2017

Aucun changement majeur

LA SAGESSE DE L'ÂGE

Maintenant dans sa quatrième génération et sa dernière année sous cette forme, la Honda Odyssey, introduite en 2011, demeure une référence. L'excellence du produit ne s'est jamais démentie. Les monospaces sont certainement en déclin côté ventes, mais il existe encore un marché pour les personnes ayant démesurément besoin d'espace. Les « Soccer Moms » et les « Hockey Dads » désirant servir de navette pour l'équipe, la belle-mère, le chien, le chat, le voisin et le poisson rouge trouveront leur idéal pour aller où ils voudront en tout confort dans l'Odyssey.

Luc-Olivier Chamberland

TOUR DU PROPRIÉTAIRE > Chez Honda, les designers ont fait un effort pour rendre la chose esthétiquement plus acceptable. Rien de sexy ici, mais la ligne de fenestration brisée apporte une distinction. Pour le reste, on commence à voir les signes du temps. Reste à espérer que la prochaine sera un peu plus « jazzée ».

VIE À BORD > Sans l'ombre d'un doute, ceux qui ont assuré la conception de l'Odyssey avaient une famille. On trouve de l'espace en abondance pour 7 ou 8 personnes et le tout dans le plus grand des conforts. Ayant fait un voyage à New York avec cinq amis, j'ai vite réalisé que peu importe où l'on se trouve dans l'habitacle, il fait bon vivre. Pour illustrer mes propos, mes

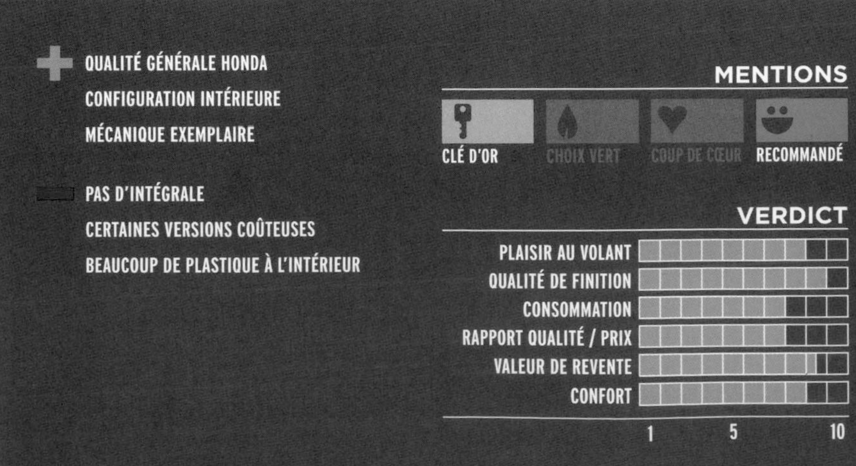

convives se battaient pour être sur la troisième rangée de sièges tant les dégagements sont amples. Il est rare que cet endroit soit une place de choix. Avec sa configuration 2+2+3, on accède aisément à toutes les assises. L'aménagement intérieur, avec ses 418 000 porte-gobelets(!), permet à tous de boire en quantité et les espaces de rangement ne font pas défaut. Il importe de souligner que le coffre est très vaste et profond, facilitant son chargement.

Selon les niveaux, les commodités iront d'élémentaires à très complètes. Le modèle LX est particulièrement dépouillé, alors que la Touring, la version la plus populaire, pouponne tous ses occupants avec une facture de près de 50 000 $. En matière d'ergonomie, la planche de bord est large, donc certaines commandes sont éloignées. Une bonne note à la position de conduite et à la visibilité presque sans entrave sur tous les angles.

TECHNIQUE > Quand on déplace un immeuble à deux étages et tous ses occupants, on doit avoir une mécanique adaptée à cette mission. Honda revient avec son V6 de 3,5 litres de 248 chevaux avec un couple de 250 livres-pieds. Même s'il s'agit d'une vieille technologie, le moteur se montre toujours compétent. Son rendement et l'économie de carburant impressionnent. Au terme de l'essai de plus de 2500 kilomètres dans toutes les conditions possibles, la moyenne a tablé à 9,8 litres aux 100 kilomètres. La boîte de vitesse à 6 rapports brille. On trouve le parfait mélange entre la gestion du couple et la maximisation de la réduction de la consommation. Le seul bémol : elle n'est pas livrable avec une transmission intégrale.

AU VOLANT > L'ADN de Honda ne se dément pas. Dans le segment, c'est elle qui offre l'expérience la plus plaisante. Ce n'est pas une S2000, mais dans le genre, c'est intéressant. Elle jouit d'une bonne stabilité sur la route grâce à la relative fermeté de ses suspensions et la direction accorde une certaine dose de précision. Pour les nouveaux parents qui se décident à faire le saut dans le merveilleux monde des monospaces, l'Odyssey est le produit qui causera le choc le moins perturbant quant à l'agrément de conduite.

CONCLUSION > L'Odyssey n'est plus une petite jeunesse, étant âgée de 6 ans. Toutefois, la qualité de la conception propre à Honda en fait toujours l'un des véhicules les plus enviables dans cette catégorie. Les Kia Sedona, Chrysler Pacifica et Toyota Sienna sont intéressantes, mais cette Honda offre le meilleur de tous les mondes. En plus, pour ceux pris avec un monospace pour les 10 à 15 prochaines années, elle vous sera fidèle grâce à sa légendaire fiabilité. ■

2e OPINION

Vincent Aubé

À l'ère des véhicules utilitaires et autres multisegments, la catégorie des fourgonnettes en est une qui a perdu de son lustre, les joueurs impliqués étant de moins en moins nombreux. Les consommateurs qui lorgnent encore de ce côté ont au moins cet avantage de ne pas devoir essayer une quinzaine de véhicules avant de repartir à la maison. La Honda Odyssey était déjà la plus inspirante du lot grâce à une tenue de route plus rassurante et à une direction un brin plus précise. La nouvelle mouture devrait reprendre là où a laissé l'ancienne, qui était déjà un excellent choix.

FICHE TECHNIQUE

MOTEUR(S)

(LX, EX, EX-L, TOURING) V6 3,5 L SACT
PUISSANCE 248 ch à 5 700 tr/min
COUPLE 250 lb-pi à 4 800 tr/min
RAPPORT POIDS/PUISSANCE 7,9 à 8,3 kg/ch
BOÎTE(S) DE VITESSES automatique à 6 rapports
PERFORMANCES 0-100 km/h 11,1 s
REPRISE 80-115 km/h 7,2 s
FREINAGE 100-0 km/h 40,3 m
NIVEAU SONORE À 100 km/h Moyen
VITESSE MAXIMALE 195 km/h

AUTRES COMPOSANTS

SÉCURITÉ ACTIVE (Certains en option) Freins ABS, assistance au freinage, répartition électronique de la force de freinage, contrôle électronique de la stabilité, antipatinage, avertisseurs d'impact imminent et de sortie de voie
SUSPENSION avant/arrière indépendante
FREINS avant/arrière disques
DIRECTION à crémaillère, assistée
PNEUS P235/65R17 **Touring** P235/60R18

DIMENSIONS

EMPATTEMENT 3 000 mm
LONGUEUR 5 152 mm
LARGEUR 2 011 mm
HAUTEUR 1 737 mm
POIDS LX 1 969 kg **EX** 2 003 kg **EX-L** 2 047 kg **Touring** 2 070 kg
RÉPARTITION DU POIDS AV/ARR (%) 57/43
DIAMÈTRE DE BRAQUAGE 11,2 m
COFFRE 1 087 L, 2 636 mm (sièges arrière abaissés), 4 206 L (sièges abaissés)
RÉSERVOIR DE CARBURANT 79,5 L
CAPACITÉ DE REMORQUAGE 1 588 kg

LA COTE VERTE

MOTEUR V6 DE 3,5 L
CONSOMMATION (100 km) 2RM ville 12,4 L, route 8,8 L
4RM ville 13,0 L, route 9,3 L **4RM boîte 9 rap.** ville 12,4 L, route 9,3 L
CONSOMMATION ANNUELLE 2RM 1 836 L, 2 387 $ **4RM** 1 921 L, 2 497 $
4RM - 9 rap. 1 870 L, 2 431 $
INDICE D'OCTANE 87
ÉMISSIONS POLLUANTES CO_2 2RM 4 223 kg/an **4RM** 4 418 kg/an
4RM - 9 rap. 4 301 kg/an
(source : ÉnerGuide)

FICHE D'IDENTITÉ

VERSION(S) 2RM LX **4RM** LX, SE, EX, EX-L, Touring
TRANSMISSION(S) avant, 4
PORTIÈRES 5 **PLACES** 8, 7 (Touring)
PREMIÈRE GÉNÉRATION 2003
GÉNÉRATION ACTUELLE 2016
CONSTRUCTION Lincoln, Alabama, É-U.
COUSSINS GONFLABLES 6 (frontaux, latéraux, rideaux latéraux)
CONCURRENCE Chevrolet Traverse, Dodge Durango, Ford Edge, Ford Explorer, Ford Flex, GMC Acadia / Classique, Hyundai Santa Fe (Sport et XL), Kia Sorento, Mazda CX-9, Nissan Murano, Nissan Pathfinder, Toyota Highlander

AU QUOTIDIEN

COLLISION FRONTALE 5/5
COLLISION LATÉRALE 5/5
VENTES DU MODÈLE L'AN DERNIER
AU QUÉBEC 1 234 (+55,4 %) **AU CANADA** 8 230 (34,6 %)
DÉPRÉCIATION (%) 28,3 (3 ans)
RAPPELS (2011 à 2016) 6
COTE DE FIABILITÉ 3/5

GARANTIES... ET PLUS

GARANTIE GÉNÉRALE 3 ans/60 000 km
GROUPE MOTOPROPULSEUR 5 ans/100 000 km
PERFORATION 5 ans/kilométrage illimité
ASSISTANCE ROUTIÈRE 3 ans/ kilométrage illimité
NOMBRE DE CONCESIONNAIRES
AU QUÉBEC 67 **AU CANADA** 232

NOUVEAUTÉS EN 2017

Aucun changement majeur

TALENTS INSOUPÇONNÉS

La troisième génération du Pilot s'est fait attendre pendant de longues années, tant par les consommateurs que par les concessionnaires, qui n'en pouvaient plus de n'avoir à offrir qu'une grosse boîte carrée inélégante et dépassée sur le plan technique. En 2016, Honda nous arrivait donc avec ce modèle tant attendu, qui allait bien sûr prendre une direction totalement différente de celle de son devancier.

Antoine Joubert

TOUR DU PROPRIÉTAIRE > Dès son arrivée, la clientèle l'a adopté. On ne peut pas dire que le style a été responsable de son succès. Entre vous et moi, ce curieux mélange de Chevrolet Traverse et de Subaru Outback n'a rien de particulièrement aguichant. Toutefois, l'approche plus contemporaine a permis d'attirer un maximum d'acheteurs, qui ont parfois dû patienter longtemps avant de mettre la main sur leur camion. Ironiquement, la version Touring juchée au sommet de la gamme s'est avérée jusqu'ici la plus populaire de toutes.

VIE À BORD > Si les lignes extérieures nous laissent indifférents, l'habitacle démontre quant à lui une ergonomie et une ingéniosité dans l'aménagement qui ont certainement su faire craquer plusieurs acheteurs. À titre d'exemple, le volume de chargement est désormais immense, dépassant celui de la plupart des rivaux. L'accès à la troisième rangée est aussi simple

+

- POLYVALENCE DE L'HABITACLE
- COMPORTEMENT ROUTIER
- CONFORT ET SILENCE DE ROULEMENT
- CONSOMMATION DE CARBURANT RAISONNABLE

−

- BOÎTE AUTOMATIQUE ZF À REVOIR (TOURING)
- FROIDEUR DE L'HABITACLE (LX, EX)
- DESIGN EXTÉRIEUR QUELCONQUE
- FACTURE CONSIDÉRABLE

MENTIONS

CLÉ D'OR | CHOIX VERT | COUP DE CŒUR | RECOMMANDÉ

VERDICT

PLAISIR AU VOLANT
QUALITÉ DE FINITION
CONSOMMATION
RAPPORT QUALITÉ / PRIX
VALEUR DE REVENTE
CONFORT

1 5 10

qu'avec une fourgonnette, alors que l'espace y est très généreux. La rangée centrale reçoit pour sa part une banquette également très confortable, qui sera toutefois remplacée par deux fauteuils individuels sur la version Touring. Et devant, le confort des sièges est exceptionnel. On apprécie la position de conduite et la qualité de finition, qui nous font rapidement oublier les lacunes du précédent modèle. Bien sûr, le modèle Touring reçoit tout l'attirail technologique dernier cri, incluant la navigation, les applications Apple CarPlay® et AndroidAuto®, le système audio à 10 haut-parleurs et le système d'infodivertissement avec lecteur Blu-Ray. Toit ouvrant panoramique et sellerie de cuir avec sièges chauffants et ventilés sont également de mise. Vous déchanterez toutefois à la vue d'un modèle LX ou EX, drôlement plus dénudé, et qui propose un habitacle esthétiquement plutôt froid.

TECHNIQUE > Sous le capot se cache un V6 de 3,5 litres à cylindrée variable doté de l'injection directe et qui permet d'obtenir une consommation de carburant moyenne d'à peine 11 litres aux 100 kilomètres. La version Touring est toutefois la seule à bénéficier d'un système d'arrêt-démarrage ainsi que d'une boîte automatique à 9 rapports calibrée pour l'économie de carburant. Exception faite du modèle LX à traction, toutes les versions reçoivent la transmission intégrale intelligente, qui redistribue le couple de l'avant vers l'arrière, mais aussi de façon latérale. Baptisé SH-AWD chez Acura, ce système n'est pas calibré pour une conduite aussi sportive que du côté de la marque de luxe de Honda, mais impressionne tout de même par son efficacité.

AU VOLANT > Confortable mais également très maniable, le Pilot se distingue sur le plan dynamique. Encore une fois, la transmission intégrale y joue un grand rôle, mais la vivacité du moteur et l'excellente calibration des suspensions font en sorte que les quelque 2 000 kilos ne se font aucunement sentir. Le roulis en virage n'est pas trop prononcé, le véhicule montre une grande stabilité sur route et la direction affiche une précision dont les rivaux ne peuvent que rêver. Le freinage est également très prompt et sécuritaire, un élément souvent négligé par la concurrence. Besoin de remorquer ? Aucun problème, le Pilot se chargera de trimbaler des masses pouvant atteindre 2 268 kilos (5 000 livres). La boîte ZF à 9 rapports, utilisée chez plusieurs constructeurs (et qui a connu son lot de problèmes), révélera cependant ses limites dans cet exercice, puisque souvent hésitante. Voilà pourquoi l'automatique à 6 rapports serait à privilégier si vous remorquez de façon régulière.

CONCLUSION > Efficace en tout point, le Pilot de nouvelle génération est rapidement devenu la mesure étalon du segment en se démarquant tant par ses technologies de pointe que sa grande polyvalence. Certes, il est coûteux, mais la valeur de revente est également très élevée, contrairement à sa consommation de carburant. Bref, il ne s'agit peut-être pas du plus joli de sa catégorie, mais sans aucun doute du plus compétent. ■

2e OPINION

Daniel Rufiange

Les gros VUS n'ont plus la cote qu'ils avaient, mais pour certaines familles qui ont des besoins spécifiques, ces mastodontes de la route répondent à un besoin bien précis. L'an dernier, Honda revoyait son Pilot, et on peut dire que cette troisième génération est arrivée, enfin, à maturité. On n'a rien réinventé, remarquez. On s'est plutôt concentré à tout peaufiner, de l'habitacle à la motorisation, en passant par la conduite et le style qui, il faut l'avouer, a pris une direction trop générique. Outre cela, on peut lui reprocher de ne pas être excitant à conduire et de prendre trop de place, mais il s'avère un excellent compagnon. En plus de son généreux volume de chargement, la consommation sur autoroute nous a fort impressionnés lors d'une randonnée de 1500 kilomètres qui s'est soldée par une médiane de 9 litres aux 100.

FICHE TECHNIQUE

MOTEUR(S)

(LX, EX, EX-L, Touring) V6 3,5 L SACT
PUISSANCE 280 ch à 6 000 tr/min
COUPLE 262 lb-pi à 4 700 tr/min
RAPPORT POIDS/PUISSANCE 6,6 à 7,1 kg/ch
BOÎTE(S) DE VITESSES automatique à 6 rapports **Touring** automatique à 9 rapports avec mode manuel et manettes au volant
PERFORMANCES 0-100 km/h 6,5 s
REPRISE 80-115 km/h 5,0 s
FREINAGE 100-0 km/h 42,3 m
NIVEAU SONORE À 100 km/h Moyen
VITESSE MAXIMALE 180 km/h

AUTRES COMPOSANTS

SÉCURITÉ ACTIVE (certains en option ou selon version) Freins ABS, assistance au freinage, répartition électronique de la force de freinage, contrôle électronique de la stabilité, antipatinage, aide au démarrage en pente, ensemble sécurité (de série sauf en option sur LX) comprenant régulateur de vitesse adaptatif, avertisseur et assistance en cas d'impact imminent, avec freinage autonome, avertisseur et assistance en cas de changement de voie ou de sortie de route imminente, avertisseurs d'obstacle latéral et arrière, système anti-louvoiement
SUSPENSION avant/arrière indépendante
FREINS avant/arrière disques
DIRECTION à crémaillère, assistée électriquement
PNEUS P245/60R18 **Touring** P245/50R20

DIMENSIONS

EMPATTEMENT 2 820 mm
LONGUEUR 4 941 mm
LARGEUR 2 029 mm (rétro. repliés), 2 296 mm (incl. rétro.)
HAUTEUR 1 846 mm
POIDS LX 2RM 1 861 kg **LX 4RM** 1 930 kg **EX** 1 949 kg **EX-L** 1 965 kg **Touring** 1 978 kg
RÉPARTITION DU POIDS AV/ARR (%) ND
DIAMÈTRE DE BRAQUAGE 11,5 m
COFFRE Pilot/Touring 524/510 L, 1 583/1 557 L 3 092/3 072 L (sièges abaissés)
RÉSERVOIR DE CARBURANT 73,8 L
CAPACITÉ DE REMORQUAGE 2RM 1 588 kg **4RM** 2 268 kg avec équipement approprié

LA COTE VERTE

MOTEUR V6 DE 3,5 L
CONSOMMATION (100 km) ville 12,9 L route 9,5 L
CONSOMMATION ANNUELLE 1 921 L, 2 305 $
INDICE D'OCTANE 87
ÉMISSIONS POLLUANTES CO_2 4 418 kg/an
(source : Honda et L'Annuel)

FICHE D'IDENTITÉ

VERSION(S) LX, Sport, EX-L, Touring, Black Edition
TRANSMISSION(S) 4
PORTIÈRES 4 **PLACES** 5
PREMIÈRE GÉNÉRATION 2006
GÉNÉRATION ACTUELLE 2017
CONSTRUCTION Lincoln, Alabama, États-Unis
COUSSINS GONFLABLES 6 (avant, latéraux, rideaux latéraux)
CONCURRENCE Chevrolet Colorado/GMC Canyon, Nissan Frontier, Toyota Tacoma

AU QUOTIDIEN

COLLISION FRONTALE 5/5
COLLISION LATÉRALE 5/5
VENTES DU MODÈLE L'AN DERNIER
AU QUÉBEC nm **AU CANADA** nm
DÉPRÉCIATION (%) 26,3 (3 ans)
RAPPELS (2011 à 2016) 2
COTE DE FIABILITÉ 4/5

GARANTIES... ET PLUS

GARANTIE GÉNÉRALE 4 ans/80 000 km
GROUPE MOTOPROPULSEUR 5 ans/100 000 km
PERFORATION 5 ans/kilométrage illimité
ASSISTANCE ROUTIÈRE 4 ans /kilométrage illimité
NOMBRE DE CONCESIONNAIRES
AU QUÉBEC 67 **AU CANADA** 232

NOUVEAUTÉS EN 2017

Nouvelle génération

ENCORE UN DOUBLÉ?

Lors de son arrivée en 2006, le Honda Ridgeline avait mérité le titre du Camion de l'année décerné par l'AJAC, ainsi que celui du North American Truck of the Year. Un doublé qu'avait également mérité la Civic cette même année. Pourrait-on à nouveau répéter cet exploit avec le nouveau Ridgeline ? Après tout, on l'a fait l'an dernier avec la Civic 2016. Chose certaine, Honda dit avoir appris de ses erreurs en renouvelant pour une première fois sa camionnette, laquelle avait pris un long congé de deux ans. Oubliée par plusieurs et littéralement boudée de la clientèle américaine, elle se faisait néanmoins attendre de ces amateurs qui avaient appris à profiter de ses innovations techniques.

Antoine Joubert

TOUR DU PROPRIÉTAIRE > Il est donc inutile de vous dire que Honda nous revient avec ces mêmes astuces, en partie résultant d'une construction sur châssis monocoque. Honda a beau vouloir nous faire croire le contraire avec l'apparition de ce faux joint d'espacement situé entre la caisse et la cabine, mais le Ridgeline n'adopte pas de châssis indépendant. En fait, il repose sur la plate-forme du récent Pilot, qui lui lègue également certains détails de carrosserie. Ne soyez donc pas étonné si la partie avant a des liens de ressemblance, puisque cette approche ne se veut aucunement subtile.

\+
- COMPORTEMENT ROUTIER REMARQUABLE
- POLYVALENCE DE L'HABITACLE ET DE LA CAISSE
- CONSTRUCTION SOLIDE
- CONSOMMATION RAISONNABLE

\−
- DESIGN DISCUTABLE
- VERSIONS DE BASE DÉNUDÉES
- ABAISSEMENT NON PROGRESSIF DU HAYON
- CAPACITÉ DE REMORQUAGE LIMITÉE

MENTIONS

CLÉ D'OR — CHOIX VERT — COUP DE CŒUR — RECOMMANDÉ

VERDICT

PLAISIR AU VOLANT	8
QUALITÉ DE FINITION	8
CONSOMMATION	7
RAPPORT QUALITÉ / PRIX	8
VALEUR DE REVENTE	nm
CONFORT	8

1 5 10

Esthétiquement, le Ridgeline ne mérite pas d'éloges. Encore une fois, Honda peine à mettre la main sur des stylistes de talent. Un jour peut-être. Néanmoins, cette nouvelle mouture plus sobre fait oublier l'horrible robe du précédent modèle, qui avait grandement contribué à sa perte. Et bonne nouvelle, on conserve avec l'édition 2017 tous les avantages de cette caisse multifonctionnelle qui avait fait du Ridgeline un véhicule d'une polyvalence inouïe. Pensez au hayon à double battant, aux multiples crochets d'arrimage et au coffre étanche logé sous le plancher du plateau, rendu possible grâce à l'adoption d'une suspension indépendante. D'ailleurs, son volume se voit légèrement augmenté à 207 litres, permettant de surcroît une exploitation plus facile de l'espace. Honda en rajoute même en proposant cette année un enduit de caisse anti-égratignure, une prise 110 volts et même une série de haut-parleurs intégrés aux parois de la caisse, pour s'adonner aux joies du *tailgate party*.

VIE À BORD > Parce qu'il n'existe en quelque sorte aucun véhicule équivalent, Honda cible avec le Ridgeline les acheteurs de Toyota Tacoma et de GMC Canyon. Ne suffit cependant que d'en prendre le volant pour constater qu'il existe un monde entre la camionnette intermédiaire traditionnelle et un produit comme le Ridgeline. Le confort, l'espace, le raffinement et l'insonorisation de ce véhicule sont tels qu'ils pourraient très bien séduire des acheteurs de Ram ou de F-150. Évidemment, l'édition Touring mise à notre disposition aux fins de cet essai proposait une surenchère de gadgets technos et d'accessoires de luxe, pour le plus grand des conforts. Encore une fois, les gènes de Pilot s'y font sentir, comme en témoigne la présence d'une planche de bord identique. Cela dit, même les versions moins cossues savent séduire, avec toujours cette polyvalence d'un véhicule multisegment. D'ailleurs, vous n'aurez aucun mal à y installer trois sièges d'appoint à l'arrière, sur une banquette qui pourra au besoin se relever à la verticale pour vous donner droit à un espace cargo gigantesque. Les habitués du précédent Ridgeline remarqueront également une forte amélioration de la qualité d'assemblage et de finition. Les plastiques bon marché du précédent modèle disparaissent au profit d'une présentation noble, raffinée, le tout dans un habitacle finement étudié pour offrir une ergonomie et un confort remarquables. D'ailleurs, les sièges avant peuvent à eux seuls être considérés comme de véritables fauteuils, surtout dans le contexte où on les compare avec les inconfortables bancs de parc du Toyota Tacoma.

TECHNIQUE > Le châssis monocoque du Ridgeline permet évidemment d'améliorer le confort et d'en limiter la torsion. Et le moins qu'on puisse dire, c'est qu'on nous sert ici une structure hyper rigide. Maintenant, Honda limite, comme avec le Pilot, la capacité de remorquage à 5 000 livres, alors que la concurrence atteint jusqu'à 7 600 livres (Colorado/Canyon). Est-ce un réel handicap? Plus ou moins, considérant que les acheteurs qui voudront remorquer davantage se pencheront souvent vers des modèles pleine grandeur. On peut tout de même glisser un poids atteignant 1 584 livres dans la caisse, une masse considérable et qui n'affecte ironiquement que peu le comportement du véhicule. Côté moteur, le scénario du Pilot se répète. Même V6 à injection directe

2e OPINION

Daniel Rufiange

Pour un constructeur étranger, effectuer une percée dans le monde de la camionnette représente une tâche titanesque. Lorsque Honda s'est lancée avec le Ridgeline, elle a décidé de faire les choses autrement, c'est-à-dire en y allant d'une solution dotée d'une structure monocoque et d'un ensemble de caractéristiques qui la démarquait avantageusement de tout ce qui se faisait sur le marché. Le bémol, c'est l'allure qu'on lui a donnée, elle qui n'a pas fait l'unanimité. Voilà pourquoi Honda revient à la charge avec un véhicule beaucoup plus générique sur le plan esthétique, question de rejoindre un public plus large. Pour ce qui est du produit, il demeure dans une classe à part, notamment sur le plan du confort et de sa praticité. Voyez ici un VUS muni d'une boîte; le meilleur des deux mondes.

FICHE TECHNIQUE

MOTEUR(S)

(Tous) V6 3,5 L DACT
PUISSANCE 280 ch à 6 000 tr/min
COUPLE 262 lb-pi à 4 700 tr/min
RAPPORT POIDS/PUISSANCE 7,2 kg/ch
BOÎTE(S) DE VITESSES automatique à 6 rapports
PERFORMANCES 0-100 km/h 7,0 s (est.)
NIVEAU SONORE Bon
VITESSE MAXIMALE 175 km/h

AUTRES COMPOSANTS

SÉCURITÉ ACTIVE (certains en option) Freins ABS, assistance au freinage, répartition électronique de la force de freinage, contrôle de la stabilité électronique, antipatinage, régulateur de vitesse adaptatif, aide au départ en pente, avertisseurs d'obstacle latéral et arrière et de sortie de voie, avertisseur d'impact imminent avec freinage d'urgence automatique, dispositif anti-louvoiement, caméra arrière, phares adaptatifs
SUSPENSION avant/arrière indépendante
FREINS avant/arrière disques
DIRECTION à crémaillère, assistée électriquement
PNEUS LT245/60R18

DIMENSIONS

EMPATTEMENT 3 180 mm
LONGUEUR 5 335 mm
LARGEUR 1 991 mm
HAUTEUR 1 798 mm
POIDS 2 015 kg
RÉPARTITION DU POIDS AV/ARR (%) 58/42
DIAMÈTRE DE BRAQUAGE 12,4 m
RÉSERVOIR DE CARBURANT 73,8 L
CAPACITÉ DE REMORQUAGE 2 268 kg

A

B

C

D

E

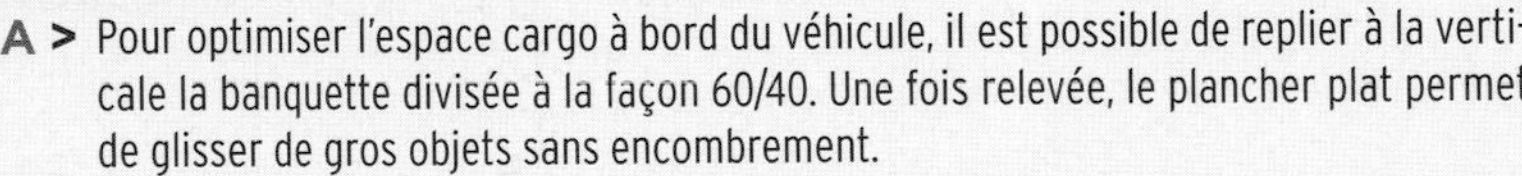

GALERIE

A > Pour optimiser l'espace cargo à bord du véhicule, il est possible de replier à la verticale la banquette divisée à la façon 60/40. Une fois relevée, le plancher plat permet de glisser de gros objets sans encombrement.

B > Sous le plancher du plateau arrière se cache un coffre étanche verrouillable dont le volume atteint 207 litres. On y accède facilement en ouvrant le hayon de façon latérale, une caractéristique également unique au Ridgeline.

C > Le modèle le plus cossu de la famille se nomme Black Edition et revêt comme son nom l'indique un habillage noir, exempt de chrome. À bord, plusieurs touches exclusives s'y trouvent, en plus d'un équipement de haut de gamme, similaire à celui de la version Touring.

D > Polyvalence oblige, une prise électrique de 110 volts est placée derrière un panneau logé dans l'espace utilitaire. On y retrouve aussi plusieurs crochets d'arrimage ainsi qu'un enduit anti-égratignure.

E > La caisse du Ridgeline est dotée de haut-parleurs permettant de s'adonner aux joies du « Tailgate Party ». Évidemment, ceux-ci ne peuvent être à ciel ouvert, ce qui explique l'existence de haut-parleurs ultra compacts dissimulés dans les parois de la caisse de chargement.

de carburant, avec cylindrée variable, bon pour des performances exemplaires et une consommation de carburant oscillant autour des 11 litres aux 100 kilomètres. Or la bonne nouvelle réside dans l'absence de la boîte automatique à 9 rapports (utilisée sur le Pilot Touring), laquelle nous fait gagner quelques dixièmes de litre aux 100 kilomètres, mais au prix d'un rendement saccadé parfois agaçant. On intègre également au Ridgeline une transmission intégrale à gestion variable du couple, laquelle le redistribue vers l'arrière jusqu'à hauteur de 70 %, en faisant également une distribution arrière de façon latérale. Essentiellement, une technologie empruntée à Acura, qui a fait ses preuves depuis belle lurette.

AU VOLANT > Honda nous proposait après une longue balade au volant du Ridgeline de prendre les rênes d'un Tacoma TRD. Exercice stupide, dans la mesure où la clientèle réellement visée n'est pas du tout la même. Cela dit, inutile de mentionner que le niveau de confort et de raffinement ne se compare d'aucune façon. Le Ridgeline se comporte comme un multisegment moderne, l'autre comme un camion paré aux pires sévices. Personnellement, je vous avoue que ce seul exercice m'a fait apprécier les prouesses du Tacoma, que nous avons pu conduire comme le Ridgeline, hors des sentiers battus. Il est toutefois évident que Honda remporte la palme pour une utilisation quotidienne, considérant le confort et l'équilibre de son comportement, ainsi que sa grande polyvalence. Ajoutons également à l'équation toute la panoplie de gadgets de sécurité en matière d'assistance à la conduite, telles la détection d'angles morts, la correction de trajectoire ou la détection d'obstacles avec freinage d'urgence, que personne d'autre ne propose dans le segment. Encore une fois, merci au Pilot.

CONCLUSION > Au meilleur de sa forme, le Ridgeline de précédente génération réussissait à convaincre 50 000 acheteurs nord-américains sur une année. En fin de carrière, moins de 15 000. Pour 2017, les stratèges de la marque visent donc à surpasser les meilleurs chiffres de ventes précédemment atteints, considérant que leur produit s'adresse aujourd'hui à une clientèle plus large, en quête d'un véhicule dont le mot d'ordre est multifonction. Pour ma part, j'oserais dire que ce Ridgeline 2.0 tracera la voie d'une nouvelle génération de camionnettes qui verront le jour d'ici quelques années. Ce segment est aujourd'hui en pleine transformation et il est évident que de nouveaux joueurs s'y ajouteront. Qui pourrait être le prochain (et le premier) véritable rival du Ridgeline ? Peut-être le Hyundai Santa Cruz. Mais d'ici là, Honda pourrait encore mériter les éloges des jurés nord-américains en remportant un autre doublé. Et si cela ne se concrétise pas, je me permets de vous dire que je lui attribue mon vote pour cette année. ■

HISTORIQUE

Honda remportait en 2006 le prix du North American Truck of the Year, avec un nouveau concept de camionnette à châssis monocoque. Innovateur, mais de style controversé, ce camion n'a pas connu le succès escompté, surtout chez nos voisins du sud. N'ayant subi que peu de changement sur une période de huit ans, Honda décide donc de le retirer du marché en cours d'année 2014, en promettant toutefois de le remplacer ultérieurement.

Honda Ridgeline Street Sport Concept 2005

Honda Ridgeline 2006

Honda Ridgeline 2014

Honda Ridgeline Concept 2015

Honda Ridgeline Concept 2015

LA COTE VERTE

MOTEUR L4 DE 1,6 L
CONSOMMATION (100 km) man. ville 8,7 L, route 6,3 L
auto. ville 8,9 L, route 6,3 L
CONSOMMATION ANNUELLE man. 1292 L, 1550 $ **auto.** 1309 L, 1571 $
INDICE D'OCTANE 87
ÉMISSIONS POLLUANTES CO_2 man. 2972 kg/an **auto.** 3011 kg/an
(source : ÉnerGuide)

FICHE D'IDENTITÉ

VERSION(S) 4 portes L, LE, GL, SE, GLS **5 portes** L, LE, GL, GLS, SE
TRANSMISSION(S) avant
PORTIÈRES 4, 5 **NOMBRE DE PASSAGERS** 5
PREMIÈRE GÉNÉRATION 1995
GÉNÉRATION ACTUELLE 2012
CONSTRUCTION Ulsan, Corée du Sud
COUSSINS GONFLABLES 6 (frontaux, latéraux avant, rideaux latéraux)
CONCURRENCE Chevrolet Sonic, Ford Fiesta, Honda Fit, Kia Rio, Nissan Versa Note, Toyota Yaris

AU QUOTIDIEN

COLLISION FRONTALE 4/5
COLLISION LATÉRALE 4/5
VENTES DU MODÈLE L'AN DERNIER
AU QUÉBEC 9 363 (-16,3 %) **AU CANADA** 19 371 (-16,4 %)
DÉPRÉCIATION (%) 37,0 (3 ans)
RAPPELS (2011 à 2016) 2
COTE DE FIABILITÉ 4/5

GARANTIES... ET PLUS

GARANTIE GÉNÉRALE 5 ans/100 000 km
GROUPE MOTOPROPULSEUR 5 ans/100 000 km
PERFORATION 5 ans/kilométrage illimité
ASSISTANCE ROUTIÈRE 5 ans/kilométrage illimité
NOMBRE DE CONCESSIONNAIRES
AU QUÉBEC 62 **AU CANADA** 212

NOUVEAUTÉS EN 2017

Aucun changement majeur

LE SEGMENT LUI APPARTIENT

Pendant que les Sonata, Tucson et Elantra reçoivent de l'aide en étant remaniés de fond en comble, la petite Accent, elle, poursuit sa route sans changements majeurs pour 2017. La sous-compacte introduite en 2012 devrait toutefois être fortement révisée d'ici la publication de l'*Annuel 2018*. Malgré cette maturité avouée, la plus petite des Hyundai est encore dans le coup, elle qui se retrouve encore au sommet des ventes de sous-compactes au pays grâce, notamment, à un équipement des plus complets et à un prix hyper compétitif.

Vincent Aubé

TOUR DU PROPRIÉTAIRE > Comme la plupart des voitures de taille sous-compacte, l'Accent est livrable en format berline ou bicorps. Si la berline offre des proportions correctes, c'est carrément l'autre livrée qui l'emporte du point de vue du design. Et comme la moitié des Accent vendues au Canada sont immatriculées en territoire québécois, vous ne serez pas étonné d'apprendre que l'Accent à hayon connaît du succès au pays. Malgré son âge certain, la sous-compacte a franchement bien vieilli au fil des années, ce qui explique en partie pourquoi elle est intouchable au sommet des ventes.

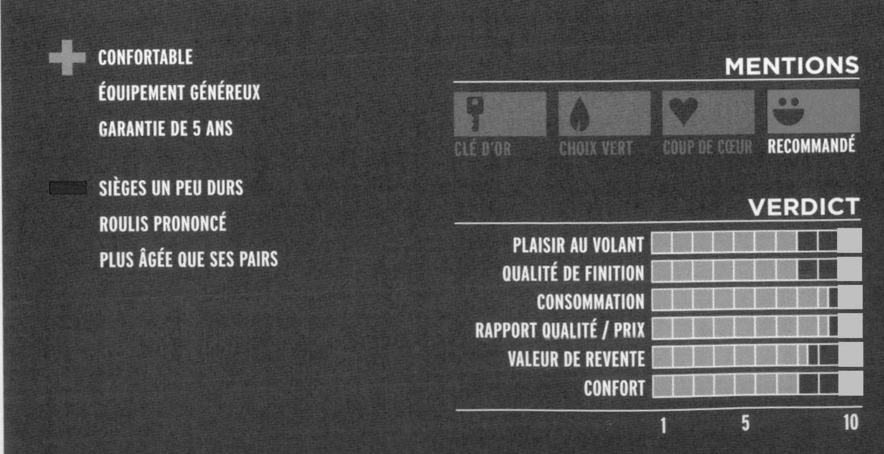

+
CONFORTABLE
ÉQUIPEMENT GÉNÉREUX
GARANTIE DE 5 ANS
–
SIÈGES UN PEU DURS
ROULIS PRONONCÉ
PLUS ÂGÉE QUE SES PAIRS
MENTIONS
CLÉ D'OR
CHOIX VERT
COUP DE CŒUR
RECOMMANDÉ
VERDICT
PLAISIR AU VOLANT
QUALITÉ DE FINITION
CONSOMMATION
RAPPORT QUALITÉ / PRIX
VALEUR DE REVENTE
CONFORT
1
5
10

VIE À BORD > C'est souvent l'habitacle qui trahit l'âge d'un modèle. En comparaison des plus récentes livrées Hyundai, l'Accent fait office de parent pauvre. À sa défense, elle se retrouve au sein d'une catégorie de voitures abordables. Malgré l'ambiance un brin plus rustre, l'Accent est loin d'être une dernière de classe, la qualité des plastiques utilisés étant plus qu'acceptable, un qualificatif qui s'applique aussi à l'assemblage des composantes. La position de conduite se trouve aisément, un peu moins dans le modèle de base, qui n'offre pas de colonne de direction ajustable, tandis que l'espace intérieur impressionne malgré lui. La sellerie n'est certes pas la plus moelleuse de l'industrie, mais il se fait pire à ce chapitre. Quant à l'équipement qui monte à bord, il respecte la tradition coréenne en étant relativement complet pour le prix.

TECHNIQUE > Sous le capot, la Hyundai Accent fait confiance à une seule motorisation à 4 cylindres. D'une cylindrée de 1,6 litre, le moulin, d'une puissance de 138 chevaux et d'un couple de 123 livres-pieds, a beau être en service depuis plusieurs années, il n'a rien à se reprocher, que ce soit en ville ou sur l'autoroute. Bon, il est vrai qu'il s'exprime un peu plus lorsqu'il est sollicité, mais en général, le bloc coréen est très bien adapté au châssis de la voiture. Contrairement à certaines représentantes de la catégorie, l'Accent bénéficie de l'injection directe ainsi que du calage variable des soupapes, ce qui ne nuit pas lorsqu'est venu le temps de calculer la moyenne de consommation de carburant. Comme toute bonne sous-compacte, la Hyundai arrive d'office avec une boîte manuelle à 6 rapports, tandis qu'une boîte automatique comptant le même nombre de vitesses est disponible dans le catalogue des options. Cette boîte offre même un mode manuel (qui n'a rien de sportif) au moyen du levier de vitesses.

AU VOLANT > Il n'y a pas que le prix qui entre en ligne de compte. L'Accent a beau présenter un rapport équipement-prix fort intéressant, il n'en demeure pas moins que c'est son homogénéité qui finit par séduire les consommateurs. Malgré son gabarit de petite, l'Accent donne l'impression d'être assis derrière le volant d'une compacte. Elle n'a nettement pas le tempérament le plus sportif du segment. En revanche, sa suspension calibrée pour le confort masque assez bien les imperfections du bitume. Pour exploiter au maximum le potentiel de la motorisation, il est préférable de conserver la boîte de transmission livrée d'office. De fait, l'unité automatique handicape les accélérations de la sous-compacte. Un mot sur la visibilité arrière : elle n'est pas terrible à cause de cette diminutive lunette arrière.

CONCLUSION > Le marché canadien en est un de voitures compactes avant tout. La Honda Civic et la Hyundai Elantra dominent largement d'ailleurs. Mais il faut rendre à César - ou à Hyundai dans ce cas-ci - ce qui lui appartient : le segment des sous-compactes est celui de la Hyundai Accent et cette situation ne risque pas de changer de sitôt. On peut déjà imaginer la suite lorsque le constructeur renouvellera son offre. L'Accent sera au top, c'est certain !

2e OPINION

Benoit Charette

Après cinq ans sans beaucoup de changement, la petite voiture à succès de Hyundai va avoir droit à un nouveau style pour 2017, à l'image de la transformation de l'Elantra en 2016. Elle conserve la même plate-forme et la même mécanique 1,6 litre, mais va reprendre les traits des autres membres de la famille, comme la calandre hexagonale à l'avant. Chose certaine, cette compacte va demeurer une valeur sûre dans le marché pour son rendement, sa liste complète d'équipement et surtout sa garantie qui se démarque de la concurrence. Hyundai travaille aussi sur une nouvelle version 5 portes. Alors il y aura une Accent pour satisfaire une plus large tranche de la population.

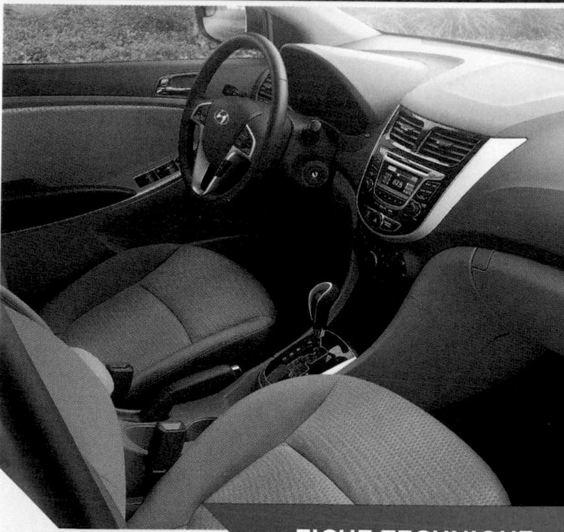

FICHE TECHNIQUE

MOTEUR(S)

(ACCENT) L4 1,6 L DACT
PUISSANCE 138 ch à 6 300 tr/min
COUPLE 123 lb-pi à 4 850 tr/min
RAPPORT POIDS/PUISSANCE 7,9 à 8,2 kg/ch
BOÎTE(S) DE VITESSES manuelle à 6 rapports, automatique à 6 rapports (en option)
PERFORMANCES 0-100 km/h 9,0 s
REPRISE 80-115 km/h 7,2 s
FREINAGE 100-0 km/h 40,0 m
NIVEAU SONORE À 100 km/h Passable
VITESSE MAXIMALE 200 km/h

AUTRES COMPOSANTS

SÉCURITÉ ACTIVE Freins ABS, assistance au freinage, répartition électronique de la force de freinage, contrôle électronique de la stabilité, antipatinage, assistance au départ en pente (boîte auto.)
SUSPENSION avant/arrière indépendante/semi-indépendante
FREINS avant/arrière disques
DIRECTION à crémaillère, assistée électriquement
PNEUS L/GL P175/70R14 **SE/GLS** P205/50R16

DIMENSIONS

EMPATTEMENT 2 570 mm
LONGUEUR berline 4 370 mm **5 portes** 4 115 mm
LARGEUR 1 700 mm
HAUTEUR 1 450 mm
POIDS berline man. 1 125 kg **auto.** 1 155 kg
5 portes man. 1 129 kg **auto.** 1 159 kg
DIAMÈTRE DE BRAQUAGE 10,4 m
COFFRE berline 389 L **5 portes** 600 L, 1 345 L (sièges abaissés)
RÉSERVOIR DE CARBURANT 43 L

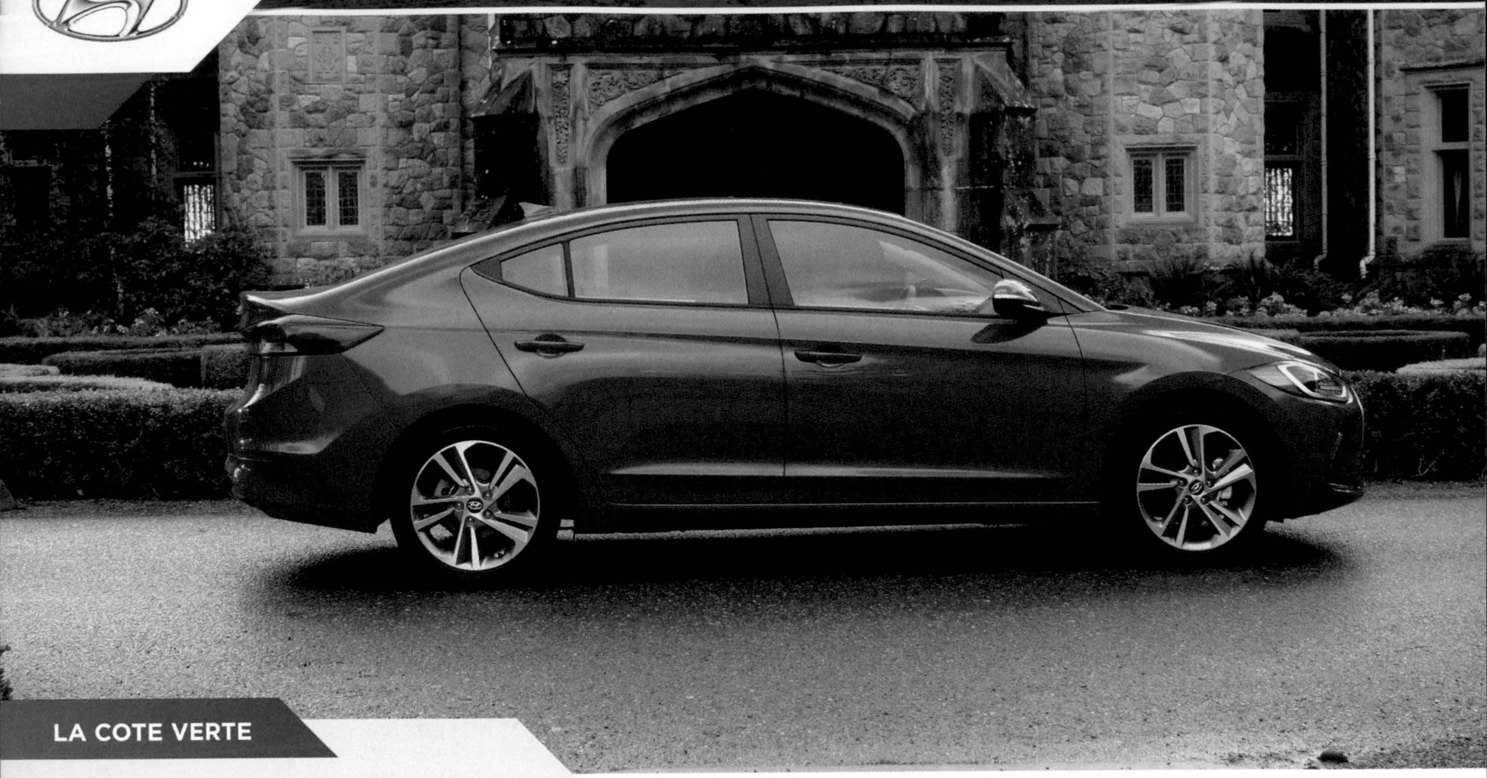

LA COTE VERTE

MOTEUR L4 DE 2,0 L
CONSOMMATION (100 km) man. ville 9,1 L, route 6,6 L
auto. ville 8,3 L, route 6,4 L
CONSOMMATION ANNUELLE man. 1 360 L, 1 632 $ **auto.** 1 258 L, 1 510 $
INDICE D'OCTANE 87
ÉMISSIONS POLLUANTES CO_2 man. 3 128 kg/an **auto.** 2 893 kg/an
(source : Hyundai et L'Annuel)

FICHE D'IDENTITÉ

VERSION(S) Berline L, LE, GL, GLS, Sport, Limited, Ultimate **GT** L, GL, GLS, Limited
TRANSMISSION(S) avant
PORTIÈRES 4, 5 **PLACES** 5
PREMIÈRE GÉNÉRATION 1992
GÉNÉRATION ACTUELLE 2017 (berline) 2013 (GT)
CONSTRUCTION Berline Montgomery, Alabama, É.-U.
GT Ulsan, Corée du Sud
COUSSINS GONFLABLES 7 (frontaux, genoux conducteur, latéraux avant, rideaux latéraux)
CONCURRENCE Chevrolet Cruze, Ford Focus, Honda Civic, Kia Forte, Mazda3, Mitsubishi Lancer, Nissan Sentra, Subaru Impreza, Toyota Corolla/iM, Volkswagen Golf / Jetta

AU QUOTIDIEN

COLLISION FRONTALE 4/5
COLLISION LATÉRALE 5/5
VENTES DU MODÈLE L'AN DERNIER
AU QUÉBEC 16 965 (-1,8 %) **AU CANADA** 47 722 (-5,4 %)
DÉPRÉCIATION (%) 47,4 (3 ans)
RAPPELS (2011 à 2016) 4
COTE DE FIABILITÉ 3,5/5

GARANTIES... ET PLUS

GARANTIE GÉNÉRALE 5 ans/100 000 km
GROUPE MOTOPROPULSEUR 5 ans/100 000 km
PERFORATION 5 ans/kilométrage illimité
ASSISTANCE ROUTIÈRE 5 ans/kilométrage illimité
NOMBRE DE CONCESSIONNAIRES
AU QUÉBEC 62 **AU CANADA** 212

NOUVEAUTÉS EN 2017

Nouvelle génération

PLUS MONDAINE

Il y a dix ans à peine, l'Elantra était loin d'être parmi les voitures compactes qui pouvaient espérer prendre le marché d'assaut. Les choses ont bien changé depuis. De pair avec la Sonata, les deux modèles ont présenté en 2011 un style différent et plus provocant pour attirer l'attention. Un résultat fructueux. L'Elantra s'est rapidement hissée au deuxième rang des ventes au Québec derrière la Honda Civic. Pour 2017, Hyundai applique pour l'Elantra la même recette que la Sonata en accouchant d'une nouvelle génération qui met l'accent sur une ligne plus raffinée en laissant la provocation de côté. L'Elantra réalise 50 % de ses ventes canadiennes au Québec. Cette sixième génération d'Elantra a été officiellement lancée au Salon de l'auto de Los Angeles en 2015.

Benoit Charette

TOUR DU PROPRIÉTAIRE > Hyundai est maintenant arrivée à maturité et le style de ses voitures reflète cette nouvelle réalité. Lorsque la compagnie avait encore à faire ses preuves auprès du public, le style des voitures était plus audacieux. On l'a vu avec la Sonata, le Tucson et l'Elantra. Des lignes plus criardes pour attirer le regard des acheteurs qui se tournaient vers d'autres constructeurs. Une stratégie qui a bien fonctionné pour Hyundai. Maintenant que la firme coréenne a reçu l'attention du public, elle vise maintenant à raffiner son image. On semble

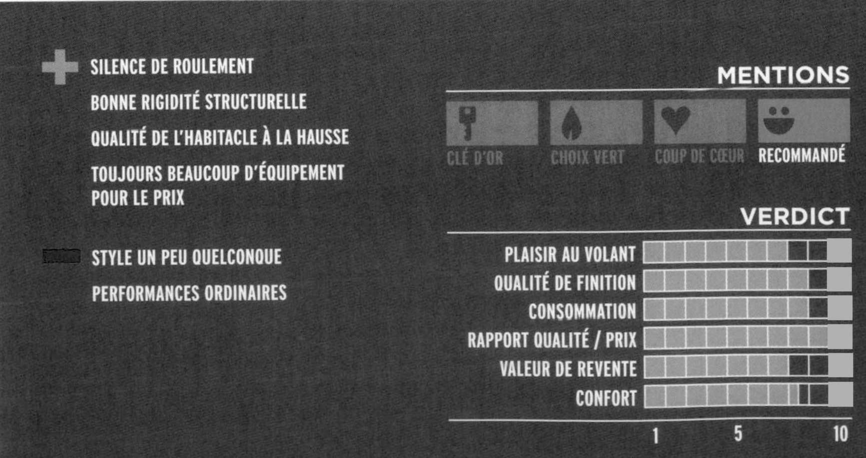

croire chez Hyundai que l'arbre a pris racine et que la compagnie est prête à passer à la prochaine étape. C'est ainsi que le style des plus récents modèles est plus entendu et classique. La nouvelle Elantra présente une calandre plus large qui donne davantage de prestance sur la route. La ligne générale est plus simple et la silhouette épurée se montre sans superflu. Si vous regardez rapidement, vous pourriez confondre avec une Ford Focus. La grille avant a été refaite, incluant des phares à DHI adaptatifs et des phares de jour à DEL verticales en option, une première pour l'Elantra. De plus, des plaques sous le châssis, un becquet aérodynamique sous le pare-chocs arrière et intégré au couvercle de coffre contribuent à lui assurer un coefficient de traînée très bas de 0,27. Le constructeur coréen souligne que la proportion d'acier haute résistance contenue dans le châssis est passée de 21 % à 53 %, ce qui augmente la rigidité torsionnelle de 29 %.

VIE À BORD > L'habitacle, à l'image de l'extérieur, va droit au but. Pour résumer rapidement la chose, la nouvelle Elantra s'inspire directement de la Sonata. Le style est plus influencé par l'Europe et emprunte des idées de Mercedes et de BMW selon des thèmes à l'horizontale. On remarque un espace plus dégagé avec écran tactile au centre de la console qui penche légèrement vers le conducteur. Ce qui fait la différence avec les modèles européens réside dans la qualité des matériaux, qui se résume à du gros plastique noir bon marché. À ce chapitre, même l'ancienne génération d'Elantra faisait mieux. Hyundai affirme dans son communiqué de presse qu'elle s'est inspirée d'un avion de chasse. Je suis convaincu que personne dans ce comité n'a pris place à bord d'un CF-18. Un séjour à bord d'une Lamborghini Aventador aurait suffi pour voir que nous sommes loin, très loin d'un avion. Du fait du plastique noir qui domine, le choix des sièges beiges amène une note contrastante qui plaît plus à l'œil. Le large tableau de bord est simple et intuitif. Un nouvel écran d'affichage TFT ACL couleur de 4,2 pouces réunit la majorité de l'information. Les passagers bénéficient de sièges avant chauffants de série et de sièges arrière chauffants en option avec des dossiers arrière rabattables 60/40. L'Elantra se révèle aussi parmi les plus spacieuses de sa catégorie, deuxième derrière la Civic. En fait, selon les mesures de l'EPA, l'Elantra et la Civic sont considérées comme des berlines intermédiaires et non des compactes.

TECHNIQUE > Le Britannique James Atkinson a inventé le moteur à combustion interne, qui porte son nom, en 1882. C'est un moteur dit à cycle thermodynamique qui utilise une détente plus grande que la compression habituelle d'un moteur à combustion interne, pour une économie accrue de carburant mais au prix d'une puissance un peu plus faible. L'Elantra profite donc d'un moteur 4 cylindres de 2 litres à cycle Atkinson de 147 chevaux avec injection multipoint. Ce moteur est jumelé à une boîte manuelle à 6 rapports uniquement sur la version L de base.

2e OPINION

Antoine Joubert

Très évolutive par rapport à sa devancière, la nouvelle Elantra gagne surtout en raffinement. Plus silencieuse, plus confortable, plus sécuritaire, un peu mieux connectée avec la route et encore plus généreuse en matière d'équipement, elle possède plusieurs atouts. N'oublions pas non plus sa très faible consommation de carburant, issue du moteur à cycle Atkinson. Cela dit, le rapport équipement-prix n'est plus aussi agressif qu'à une certaine époque, puisque les Honda Civic, Mazda3 et Volkswagen Jetta proposent minimalement autant d'équipement et plus de puissance, à prix égal. Tout de même, une voiture très compétitive qui risque de connaître autant de succès que par les années passées. N'oubliez pas non plus le modèle GT, certes vieillissant, mais qui, en raison de sa conception européenne, demeure dynamiquement très intéressant.

FICHE TECHNIQUE

MOTEUR(S)

(Berline) L4 2,0 L DACT
PUISSANCE 147 ch à 6 200 tr/min
COUPLE 132 lb-pi à 4 500 tr/min
RAPPORT POIDS/PUISSANCE 8,5 à 9,0 kg/ch
BOÎTE(S) DE VITESSES manuelle à 6 rapports, automatique à 6 rapports avec mode manuel (option, de série Limited, SE)
PERORMANCES 0-100 km/h 9,0 s
REPRISE 80-115 km/h 7,4 s **FREINAGE 100-0 km/h** 38,5 m
NIVEAU SONORE À 100 km/h Moyen **VITESSE MAXIMALE** 190 km/h

(Berline Sport) L4 1,6 L DACT turbo
PUISSANCE 201 ch à 6 000 tr/min **COUPLE** 190 lb-pi à 1 750 tr/min
RAPPORT POIDS/PUISSANCE 6,4 kg/ch (est.)
BOÎTE(S) DE VITESSES manuelle à 6 rapports, manuelle robotisée à 7 rapports (en option)
PERORMANCES 0-100 km/h 6,9 s (est.)
REPRISE 80-115 km/h ND
FREINAGE 100-0 km/h ND
NIVEAU SONORE À 100 km/h ND
VITESSE MAXIMALE 210 km/h (est.)

(GT) L4 2,0 L DACT
PUISSANCE 173 ch à 6 500 tr/min **COUPLE** 154 lb-pi à 4 700 tr/min
RAPPORT POIDS/PUISSANCE 7,2 à 7,3 kg/ch
BOÎTE(S) DE VITESSES manuelle à 6 rapports, automatique à 6 rapports avec mode manuel (option, de série Limited, SE)
PERORMANCES 0-100 km/h 7,5 s
REPRISE 80-115 km/h 5,8 s
VITESSE MAXIMALE 205 km/h
CONSOMMATION (100 km) ville 9,8 L, route 7,2 L (octane 87)
ANNUELLE 1 462 L, 1 754 $
ÉMISSIONS DE CO_2 3 363 kg/an

AUTRES COMPOSANTS

SÉCURITÉ ACTIVE (certains en option) Freins ABS, assistance au freinage, répartition électronique de la force de freinage, contrôle électronique de la stabilité, antipatinage, aide au départ en pente, avertisseurs d'obstacle latéral et arrière, avertisseur d'impact imminent et détection de piétons avec freinage d'urgence automatique, régulateur de vitesse adaptatif, assistance au maintien de voie
SUSPENSION avant/arrière indépendante/semi-indépendante
Sport indépendante
FREINS avant/arrière disques
DIRECTION à crémaillère, assistée électriquement
PNEUS L P195/65R15 **GL** P205/55R16 **GLS/Limited/Ultimate** P215/45R17

DIMENSIONS

EMPATTEMENT berline 2 700 mm **GT** 2 650 mm
LONGUEUR berline 4 550 mm **GT** 4 300 mm
LARGEUR berline 1 800 mm **GT** 1 780 mm
HAUTEUR berline 1 435 mm **GT** 1 470 mm
POIDS berline 1 255 à 1 330 kg **GT man.** 1 245 kg **auto.** 1 263 kg
DIAMÈTRE DE BRAQUAGE 10,6 m
COFFRE berline 407 L **GT** 651 L, 1 444 L (sièges abaissés)
RÉSERVOIR DE CARBURANT 53 L

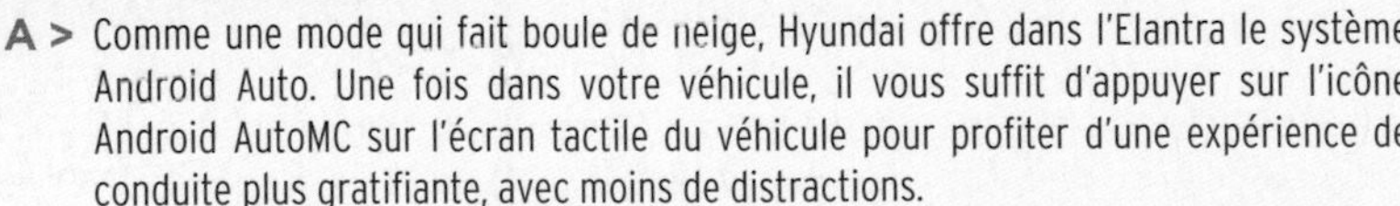

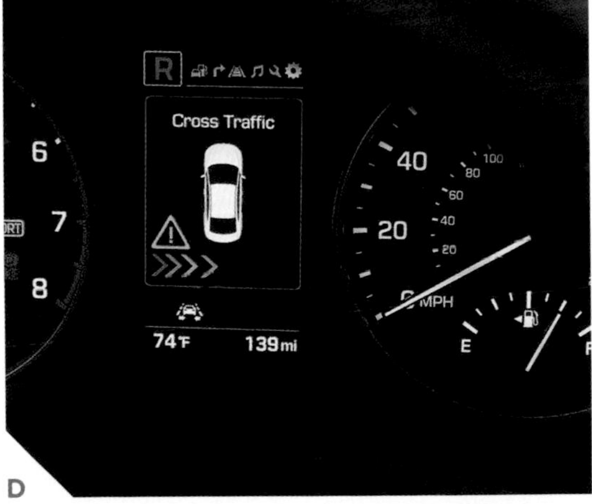

GALERIE

A > Comme une mode qui fait boule de neige, Hyundai offre dans l'Elantra le système Android Auto. Une fois dans votre véhicule, il vous suffit d'appuyer sur l'icône Android AutoMC sur l'écran tactile du véhicule pour profiter d'une expérience de conduite plus gratifiante, avec moins de distractions.

B > En plus des sièges en cuir avec réglage électrique offerts en option, la fonction de mémorisation des positions, elle aussi en option, vous permet de créer deux profils pour l'ajustement de ce siège et des rétroviseurs extérieurs.

C > La chaîne audio avec écran ACL tactile de 7 pouces livrable avec caméra de recul comprend une interface intuitive qui vous permet de faire jouer la musique qui se trouve sur votre téléphone intelligent ou de parler à vos proches à l'aide du système de téléphonie mains libres Bluetooth® en option.

D > Activé lorsque le véhicule est en marche arrière, le système d'alerte de circulation transversale utilise un radar pour vous aider à repérer l'arrivée de véhicules s'approchant latéralement et vous en aviser, avant même que les véhicules ne puissent être vus, à l'aide de la caméra de recul (en option)

E > En plus des sièges chauffants de série aux places avant, les passagers à l'arrière peuvent eux aussi se réchauffer même durant les plus froides journées d'hiver grâce à des sièges chauffants en option à l'arrière.

Toutes les autres versions utilisent de série une nouvelle boîte automatique également à 6 rapports. De plus, toutes les Elantra sont dotées de la nouvelle fonction de sélection du mode de conduite : Eco, Normal et Sport. À l'image du reste de la voiture, on sent une meilleure note de raffinement dans le compartiment moteur. Le son de la mécanique est plus discret, la transmission opère avec une plus grande douceur, le passage des rapports est plus doux. Il n'y a plus ce petit rugueux qui était encore présent dans la cinquième génération du modèle.

AU VOLANT > Comme bien des berlines de cette catégorie, l'Elantra ne vous donnera pas une expérience mémorable derrière le volant. Il faut toutefois noter une meilleure insonorisation de l'habitacle et une réduction des bruits de la route qui s'infiltrent à l'intérieur. Afin de limiter les bruits du moteur, un isolant acoustique de capot est offert en option. Les ingénieurs ont également diminué de 25 % les surfaces d'ouverture au tableau de bord, en plus d'augmenter l'épaisseur des portières avant et des glaces arrière et d'ajouter du matériau insonorisant dans tous les piliers, les ailes intérieures et le plancher. Ce plus grand silence de roulement ajoute un certain prestige à la conduite. Pour le reste, même si vous avez le choix de trois modes de conduite, il y a peu de différence entre les modes Normal, Eco ou Sport où le moteur vire à plus haut régime. Sur les quelque 250 kilomètres de notre premier essai, nous avons obtenu une moyenne de 7,7 litres aux 100 kilomètres. Si vous voulez une sensation plus dynamique au volant, il faut aller du côté d'une Mazda3 ou d'une Ford Focus. La nouvelle Elantra met l'accent sur le confort, allant dans le sens de la Sonata.

CONCLUSION > Le but avoué de cette nouvelle génération d'Elantra est de conserver ses acquis et d'amener, comme tous les nouveaux produits de la gamme, la compagnie vers le haut. Hyundai ne veut plus être vue comme une marque à rabais, mais comme une compagnie qui en offre plus à ses acheteurs. Pour ceux qui désirent un peu plus de pédale, Hyundai prépare dans les prochains mois une nouvelle version GT qui risque de satisfaire ceux qui recherchent un peu plus de plaisir derrière le volant. ■

HISTORIQUE

Lancée en 1990, l'Elantra, que l'on appelait l'Avante en Corée du Sud, faisait la lutte à la Honda Civic et la Toyota Corolla, deux des compactes les plus populaires à l'époque. Une première mise à jour a été faite en 1993. La deuxième génération est arrivée en 1995 et la troisième en 2000. C'est à partir de ce moment que la voiture commence à être plus populaire. Il faudra attendre en 2006 pour la quatrième génération et en 2011 pour la cinquième génération. À travers le pays, c'est au Québec qu'il se vend le plus d'Elantra.

Hyundai Elantra 1993

Hyundai Elantra 1996

Hyundai Elantra 2005

Hyundai Elantra 2010

Hyundai Elantra GT 2014

LA COTE VERTE

MOTEUR V6 DE 3,5 L
CONSOMMATION (100 km) man. ville 14,1 L, route 9,6 L
auto. ville 14,4 L route 9,5 L
CONSOMMATION ANNUELLE man. 2 057 L, 2 777 $ **auto.** 2 074 L, 2 800 $
INDICE D'OCTANE 91
ÉMISSIONS POLLUANTES CO_2 man. 4 731 kg/an **auto.** 4 770 kg/an
(source: ÉnerGuide)

FICHE D'IDENTITÉ

VERSION(S) 3.8 R-Spec, Premium, GT
TRANSMISSION(S) arrière
PORTIÈRES 2 **PLACES** 2+2
PREMIÈRE GÉNÉRATION 2010
GÉNÉRATION ACTUELLE 2010
CONSTRUCTION Ulsan, Corée du Sud
COUSSINS GONFLABLES 6 (frontaux, latéraux avant , rideaux latéraux)
CONCURRENCE Chevrolet Camaro, Dodge Challenger, Ford Mustang, Nissan 370 Z, Subaru BRZ, Toyota 86

AU QUOTIDIEN

COLLISION FRONTALE 4/5
COLLISION LATÉRALE 5/5
VENTES DU MODÈLE L'AN DERNIER
AU QUÉBEC 205 (-27,3 %) **AU CANADA** 1 029 (-32,0 %)
DÉPRÉCIATION (%) 35,0 (3 ans)
RAPPELS (2011 à 2016) 2
COTE DE FIABILITÉ 4/5

GARANTIES... ET PLUS

GARANTIE GÉNÉRALE 5 ans/100 000 km
GROUPE MOTOPROPULSEUR 5 ans/100 000 km
PERFORATION 5 ans/kilométrage illimité
ASSISTANCE ROUTIÈRE 5 ans/kilométrage illimité
NOMBRE DE CONCESSIONNAIRES
AU QUÉBEC 62 **AU CANADA** 212

NOUVEAUTÉS EN 2017

Aucun changement majeur

FIN DE PARCOURS

Hyundai est un constructeur automobile relativement jeune qui ne bénéficie pas d'un héritage aussi important que ses compétiteurs. Pourtant, dans bien des segments, non seulement il rivalise à armes égales avec la concurrence, mais il arrive parfois à la dominer. Par contre, dans un segment aussi émotionnel que celui des sportives, l'absence de pédigrée devient un handicap majeur qui, veut, veut pas, fait mal à la Genesis Coupé.

Alexandre Crépault

TOUR DU PROPRIÉTAIRE > À mon humble avis, la variante R-Spec propose la meilleure affaire. C'est la plus racée du lot et, de surcroît, la moins coûteuse. Avec un prix de base sous la barre des 30 000 $ (et probablement agrémenté d'une poignée de rabais additionnels de la part du concessionnaire) et presque 350 chevaux sous le pied droit, on parle du meilleur rapport prix-puissance sur le marché. Sinon, les modèles Premium et GT accordent quelques extras, bien que ces derniers soient plus ou moins apparents de l'extérieur. La voiture roule sur des roues de 19 pouces, sauf la Premium qui se contente de 18 pouces, chaussées de pneus conçus pour la vitesse.

VIE À BORD > L'habitacle de la Genesis Coupé a toujours représenté pour moi son talon d'Achille. C'est vrai que les plastiques ne donnent pas dans le chiche. Mais même si cela était le

+
RAPPORT PRIX-PUISSANCE
SILHOUETTE QUI VIEILLIT BIEN
VERSION R-SPEC

−
COMPORTEMENT SPORTIF ARCHAÏQUE
HABITACLE PEU INSPIRANT
ABSENCE DE PÉDIGRÉE

MENTIONS
CLÉ D'OR · CHOIX VERT · COUP DE CŒUR · **RECOMMANDÉ**

VERDICT
PLAISIR AU VOLANT
QUALITÉ DE FINITION
CONSOMMATION
RAPPORT QUALITÉ / PRIX
VALEUR DE REVENTE
CONFORT
1 5 10

cas, on pourrait lui pardonner, considérant le prix demandé. C'est plutôt l'exécution qui laisse transpirer le manque d'expérience du constructeur coréen en matière de voitures sport. La forme de la planche de bord, du volant et des cadrans, par exemple, manque de personnalité. Même les indicateurs insérés dans le tableau font « bébelles ». Par contre, les sièges du modèle R-Spec procurent un excellent support latéral. Le cuir et le chauffage à foufounes sont standards sur les modèles Premium et G, mais les sièges conservent leurs réglages manuels. Les places arrière sont plus adéquates pour dépanner que pour les longues randonnées.

TECHNIQUE > Depuis 2015, le moteur 2 litres turbocompressé a disparu du menu, ce qui fait du V6 Lambda de 3,8 litres la seule mécanique offerte. Considérant ses 348 chevaux et ses 295 livres-pieds de couple, il s'agit sans doute ici du meilleur argument de vente de cette automobile. La boîte manuelle contient 6 rapports et demeure l'unique option sur le modèle R-Spec. Pour les plus paresseux, l'automatique à 8 rapports est facultative sur les modèles GT et Premium, et inclut des sélecteurs de vitesses derrière le volant. Les freins à disque ventilés et à quatre pistons à l'avant (double à l'arrière) sont signés Brembo et un différentiel à glissement limité Torsen aide à transmettre la puissance au tarmac. Donc, sur papier, l'affaire est ketchup...

AU VOLANT > La meilleure façon d'apprécier une Genesis Coupé, c'est d'écraser le champignon sur une belle ligne droite. Le 0-100 km/h se boucle en moins de 6 secondes et s'accompagne d'un grondement musclé. La pédale d'embrayage est costaude et les passages des rapports de la boîte manuelle exigent un non moins solide coup de poignet. La direction aussi est lourde. On ne lui en tiendrait pas rigueur si elle était plus précise. L'autre irritant concerne les freins, qui surchauffent rapidement lorsqu'on les sollicite un peu trop. Sur une piste de course, ils risquent de déserter. Cinquante-cinq pour cent du poids du coupé se trouve à l'avant. Jumelé à tout ce couple disponible sous le pied droit, le train arrière a tendance à vouloir décrocher. Tant qu'il demeure actif, le système de contrôle de la traction électronique se fait un devoir d'empêcher les dégâts, mais une fois désactivé, le coupé devient une véritable machine à drifter. À vos risques et périls...

CONCLUSION > La Genesis Coupé est rendue en fin de carrière et seuls quelques modèles 2016 sont encore disponibles chez les concessionnaires. Hyundai laisse déjà sous-entendre qu'un nouveau coupé sport aura sa place au sein de sa nouvelle marque de prestige Genesis, mais pas avant 2020. En attendant, un modèle d'occasion peut représenter une belle affaire pour quelqu'un à la recherche d'un véhicule de tous les jours aux prétentions sportives. ■

2e OPINION

Luc-Olivier Chamberland

Le coupé Genesis se retrouve dans une drôle de position pour 2017. Il conserve l'appellation alors que l'on crée une division de prestige du même nom... Bonjour la confusion. Cette réalité illustre toutefois que les jours de ce coupé à propulsion sont comptés; il commence sérieusement à être désuet. On comprend qu'il n'y aura pas de suite, du moins avec l'écusson Hyundai. La prochaine génération intégrera la gamme Genesis en prenant du volume, de la puissance et surtout en étant plus luxueuse. Continuant une dernière année son bout de chemin, la Genesis Coupé demeure dans le fond des salles d'exposition sans grand changement avec son unique V6 de 3,8 litres de 348 chevaux.

FICHE TECHNIQUE

MOTEUR(S)

(3.8) V6 3,8 L DACT
PUISSANCE 348 ch à 6 400 tr/min
COUPLE 295 lb-pi à 5 100 tr/min
RAPPORT POIDS/PUISSANCE 4,7 kg/ch
BOÎTE(S) DE VITESSES manuelle à 6 rapports, automatique à 8 rapports avec mode manuel et manettes au volant (en option, non livrable sur R-Spec)
PERFORMANCES 0-100 km/h 5,6 s
REPRISE 80-115 km/h 3,7 s
FREINAGE 100-0 km/h 40,2 m
VITESSE MAXIMALE 240 km/h (bridée)

AUTRES COMPOSANTS

SÉCURITÉ ACTIVE Freins ABS, assistance au freinage, répartition électronique de la force de freinage, contrôle électronique de la stabilité, antipatinage
SUSPENSION avant/arrière indépendante
FREINS avant/arrière disques
DIRECTION à crémaillère, assistée
PNEUS P225/45R18 (av.), P245/45R18 (arr.)
R-Spec/GT P225/40R19 (av.), P245/40R19 (arr.)

DIMENSIONS

EMPATTEMENT 2 820 mm
LONGUEUR 4 630 mm
LARGEUR 1 865 mm
HAUTEUR 1 385 mm
POIDS 1 628 kg à 1 646 kg
RÉPARTITION DU POIDS AV/ARR (%) 56/44
DIAMÈTRE DE BRAQUAGE 11,4 m
COFFRE 332 L
RÉSERVOIR DE CARBURANT 65 L

LA COTE VERTE

MOTEUR L4 DE 1,6 L HYBRIDE
CONSOMMATION (100 km) ville 4,3 L, route 4,5 L (est.)
CONSOMMATION ANNUELLE 748 L, 898 $
INDICE D'OCTANE 87
ÉMISSIONS POLLUANTES CO_2 1720 kg/an
AUTONOMIE MOYENNE en mode électrique (Enfichable) 37 km
(source : L'Annuel)

FICHE D'IDENTITÉ

VERSION(S) Hybride, hybride enfichable, électrique
TRANSMISSION(S) avant
PORTIÈRES 5 **PLACES** 5
PREMIÈRE GÉNÉRATION 2017
GÉNÉRATION ACTUELLE 2017
CONSTRUCTION Asan, Corée du Sud
COUSSINS GONFLABLES 7 (frontaux, latéraux avant, genoux conducteur, rideaux latéraux)
CONCURRENCE Audi A3 e-tron, Chevrolet Bolt/Volt, Ford C-Max/Focus électrique, Kia Soul EV, Lexus CT200h, Mitsubishi i-MiEV, Nissan Leaf, Toyota Prius/Prius V

AU QUOTIDIEN

COLLISION FRONTALE nm
COLLISION LATÉRALE nm
VENTES DU MODÈLE L'AN DERNIER
AU QUÉBEC nm **AU CANADA** nm
DÉPRÉCIATION (%) nm
RAPPELS (2011 à 2016) nm
COTE DE FIABILITÉ nm

GARANTIES... ET PLUS

GARANTIE GÉNÉRALE 5 ans/100 000 km
GROUPE MOTOPROPULSEUR 5 ans/100 000 km
PERFORATION 5 ans/kilométrage illimité
ASSISTANCE ROUTIÈRE 5 ans/kilométrage illimité
NOMBRE DE CONCESSIONNAIRES
AU QUÉBEC 62 **AU CANADA** 212

NOUVEAUTÉS EN 2017

Nouveau modèle

LE NOUVEAU TRIO « VERT »

Hyundai veut prendre pied dans le créneau des voitures vertes, un créneau promis à un avenir lucratif. Mais le constructeur coréen ne se contente pas de vulgaires variantes plus ou moins hybridées de ses modèles connus. Non. C'est à la façon de Toyota qu'elle aborde maintenant ce créneau, en lançant une famille de voitures comparable aux Prius, qui réunira une hybride, une hybride rechargeable, mais aussi une auto électrique portant un nom commun : Ioniq.

Luc Gagné

TOUR DU PROPRIÉTAIRE > La carrosserie à hayon bien profilée de ces trois compactes (Cx de 0,24 comme la Prius) a les dimensions d'une Elantra GT. La version électrique se reconnaît à sa partie avant où un panneau gris se substitue à la grille de la calandre des deux Ioniq hybrides. Les phares distinguent aussi ces voitures, la version électrique et l'hybride rechargeable ayant des projecteurs à DEL, alors que l'hybride ordinaire se contente de projecteurs bixénon. Dans chaque cas, des DEL alignées en « C » font office de feux diurnes. Enfin, les roues Eco-Spoke de 15, 16 ou 17 pouces d'allure particulière sont chaussées de pneus à faible résistance au roulement.

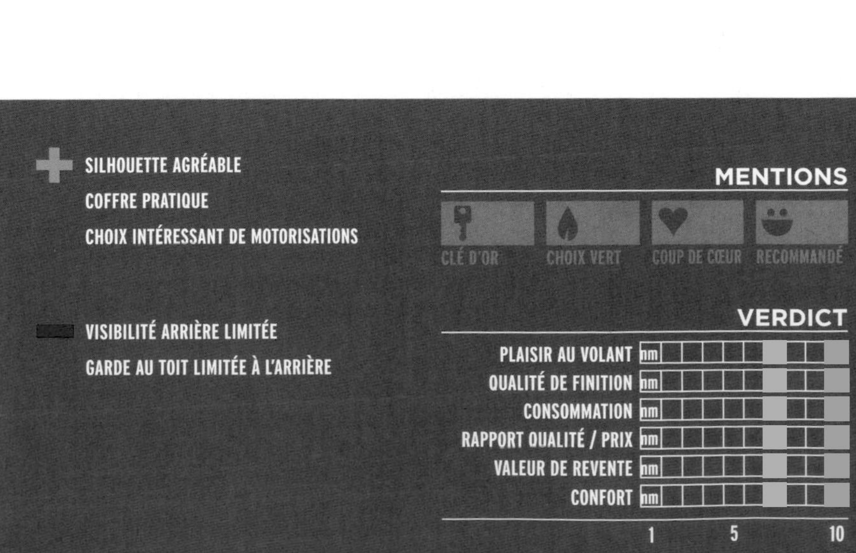

SILHOUETTE AGRÉABLE
COFFRE PRATIQUE
CHOIX INTÉRESSANT DE MOTORISATIONS
VISIBILITÉ ARRIÈRE LIMITÉE
GARDE AU TOIT LIMITÉE À L'ARRIÈRE
MENTIONS
CLÉ D'OR
CHOIX VERT
COUP DE CŒUR
RECOMMANDÉ
VERDICT
PLAISIR AU VOLANT nm
QUALITÉ DE FINITION nm
CONSOMMATION nm
RAPPORT QUALITÉ / PRIX nm
VALEUR DE REVENTE nm
CONFORT nm
1
5
10

VIE À BORD > À l'intérieur, on découvre un tableau de bord au style sobre; un design qui tranche avec le style futuriste adopté par la nouvelle Prius. Cette esthétique est cependant originale et ne calque pas celle de l'Elantra ou de la Sonata. Au centre, un écran tactile affiche les informations habituelles du système d'infodivertissement et les images captées par la caméra arrière. Il montre aussi diverses animations et données rattachées au fonctionnement des groupes motopropulseurs. Le levier classique de la boîte de vitesse des deux hybrides est logé sur la console centrale. Dans l'Ioniq électrique, il est remplacé par un combiné à commandes électroniques résolument moderne, mais pour lequel une période d'acclimatation sera nécessaire.

Les cotes de l'habitacle s'apparentent, elles aussi, à celles d'une Elantra GT. Cela suggère que l'Ioniq peut accueillir confortablement quatre adultes de taille moyenne. Enfin, un long hayon découvre le coffre, qui a un seuil un peu gênant, mais dont le volume utile s'avère généreux, puisque les batteries n'empiètent pas dans l'aire à bagages.

TECHNIQUE > Les deux hybrides partagent un nouveau moteur 4 cylindres à injection directe de la famille Kappa. D'une cylindrée de 1,6 litre, ce moteur thermique à cycle Atkinson livre 104 chevaux. Il est jumelé à un moteur électrique de 27 kW dans le cas de l'hybride ordinaire, et de 45 kW pour l'hybride rechargeable. L'hybride ordinaire dispose ainsi d'une puissance nette de 139 chevaux; une cote que le constructeur s'est gardé de nous révéler dans le cas de l'hybride rechargeable. Ces moteurs électriques sont alimentés par une batterie au lithium-ion (qui a inspiré le nom Ioniq) d'une capacité de 1,56 kWh pour l'hybride et de 8,9 kWh pour l'hybride rechargeable. De plus, la puissance parvient aux roues motrices avant par le biais d'une boîte de vitesse automatique à 6 rapports dotée d'un double embrayage, une première pour des voitures hybrides. L'Ioniq électrique, pour sa part, est entraînée par un moteur de 88 kW alimenté par une batterie de même type dont la capacité atteint 28 kWh.

AU VOLANT > Au moment d'écrire ces lignes, la presse automobile canadienne n'avait pas encore été conviée à un essai de l'une ou l'autre des trois voitures. En nous basant sur les données partielles dévoilées par Hyundai, tout porte à croire cependant que le trio d'Ioniq sera concurrentiel par rapport aux Prius et Prius Prime, dans le cas des deux hybrides, et par rapport à la Nissan Leaf, pour ce qui est de l'Ioniq électrique. L'hybride rechargeable, par exemple, offrira une autonomie en mode électrique comparable à celle de la Prius Prime (37 km contre 35). Il en va de même pour l'Ioniq électrique lorsqu'on compare son autonomie avec celle de la Leaf, puisque l'Ioniq pourrait parcourir jusqu'à 175 km alors que Kia nous annonce cette année 200 km pour la Leaf.

CONCLUSION > Le facteur prix aura naturellement un rôle important à jouer dans le succès de ces trois voitures, dont la commercialisation débutera en trois temps. Au Canada, l'Ioniq électrique sera la première des trois à être lancée, et ce, avant la fin de 2016. Elle sera suivie par l'Ioniq hybride ordinaire, au début de 2017, alors que l'Ioniq hybride rechargeable fera ses débuts plus tard durant l'année. En outre, le constructeur prévoit que les ventes d'Ioniq électriques seront concentrées dans les grands centres urbains, alors que l'hybride ordinaire sera vendue à la grandeur du pays. ■

FICHE TECHNIQUE

MOTEUR(S)

(Hybride, hybride enfichable) L4 1,6 L DACT à cycle Atkinson + moteur électrique
PUISSANCE 104 ch à 5 700 tr/min + moteur électrique 43 ch (hybride enfichable 60 ch), 139 ch total combiné disponible (hybride enfichable ND)
COUPLE 109 lb-pi à 4 000 tr/min + moteur électrique 125 lb-pi
RAPPORT POIDS/PUISSANCE 9,7 kg/ch (est.)
BOÎTE(S) DE VITESSES robotisée à 6 rapports
PERFORMANCES 0-100 km/h 9,9 s (est.)
REPRISE 80-115 km/h ND
FREINAGE 100-0 km/h ND
NIVEAU SONORE À 100 km/h ND
VITESSE MAXIMALE 185 km/h (est.)

(EV) Moteur électrique synchrone à aimant permanent
PUISSANCE 120 ch
COUPLE 215 lb-pi
RAPPORT POIDS/PUISSANCE 11,3 kg/ch (est.)
BOÎTE(S) DE VITESSES automatique à 1 rapport
PERFORMANCES 0-100 km/h 12,0 s (est.)
NIVEAU SONORE À 100 km/h ND
VITESSE MAXIMALE 145 km/h (est.)
ÉQUIVALENT DE CONSOMMATION (100 km) 1,9 L équivalent
AUTONOMIE MOYENNE 175 km
TEMPS DE RECHARGE 240 V 4,5 hrs **Chargeur rapide** 24 min. pour 80% de la charge, 33 min. pour 90%

AUTRES COMPOSANTS

SÉCURITÉ ACTIVE (certains en option) Freins ABS, assistance au freinage, répartition électronique de la force de freinage, contrôle de la stabilité électronique, antipatinage, avertisseur de sortie de voie, régulateur de vitesse adaptatif avec freinage d'urgence automatique, avertisseur d'impact imminent, avertisseur d'obstacle latéral et arrière, détecteur de piétons
SUSPENSION avant/arrière indépendante
Électrique indépendante/semi-indépendante
FREINS avant/arrière disques
DIRECTION à crémaillère, assistée électriquement
PNEUS Hybride P195/65R15, P225/45R17
(option) Enfichable/Électrique P205/55R16

DIMENSIONS

EMPATTEMENT 2 700 mm
LONGUEUR 4 470 mm
LARGEUR 1 820 mm
HAUTEUR 1 450 mm
POIDS 1 350 kg (est.)
RÉPARTITION DU POIDS AV/ARR (%) ND
DIAMÈTRE DE BRAQUAGE ND
COFFRE Hybride 750 L **Enfichable/Électrique** 651 L
RÉSERVOIR DE CARBURANT Hybride 45 L **Enfichable** 43 L
BATTERIES Hybride 1,56 kWh **Enfichable** 8,9 kWh **Électrique** 28,0 kWh
TEMPS DE RECHARGE 240V 2,5 h (Enfichable)

LA COTE VERTE

MOTEUR L4 DE 2,4 L
CONSOMMATION (100 km) 2RM ville 11,7 L, route 8,7 L
4RM ville 12,5 L, route 9,3 L
CONSOMMATION ANNUELLE 2RM 1 751 L, 2 101 $ **4RM** 1 887 L, 2 264 $
INDICE D'OCTANE 87
ÉMISSIONS POLLUANTES CO_2 2RM 4 027 kg/an **4RM** 4 340 kg/an
(source : ÉnerGuide)

FICHE D'IDENTITÉ

VERSION(S) Sport 2RM 2.4 Base, 2.4 Premium **4RM** 2.4 Premium, 2.4 SE, 2.4 Luxe, 2.0T SE, 2.0T Limited, 2.0T Ultimate
XL 2RM Base **4RM** Premium, Luxe, Limited, Ultimate
TRANSMISSION(S) avant, 4
PORTIÈRES 5 **PLACES** 5, 6, 7
PREMIÈRE GÉNÉRATION 2001 **GÉNÉRATION ACTUELLE** 2013, 2014 (XL)
CONSTRUCTION Montgomery, Alabama, É-U
COUSSINS GONFLABLES 7 (frontaux, latéraux avant, genoux conducteur, rideaux latéraux)
CONCURRENCE Chevrolet Traverse/GMC Acadia, Dodge Durango, Ford Edge/Explorer/Flex, Honda Pilot, Jeep Grand Cherokee, Kia Sorento, Mazda CX-9, Nissan Murano/Pathfinder, Toyota Highlander

AU QUOTIDIEN

COLLISION FRONTALE 5/5 **COLLISION LATÉRALE** 5/5
VENTES DU MODÈLE L'AN DERNIER
AU QUÉBEC 6 262 (-3,2 %) **AU CANADA** 33 246 (+2,4 %)
DÉPRÉCIATION (%) 32,3 (3 ans)
RAPPELS (2011 à 2016) 7 **COTE DE FIABILITÉ** 3/5

GARANTIES... ET PLUS

GARANTIE GÉNÉRALE 5 ans/100 000 km
GROUPE MOTOPROPULSEUR 5 ans/100 000 km
PERFORATION 5 ans/kilométrage illimité
ASSISTANCE ROUTIÈRE 5 ans/ kilométrage illimité
NOMBRE DE CONCESIONNAIRES AU QUÉBEC 62 **AU CANADA** 212

NOUVEAUTÉS EN 2017

Retouches esthétiques extérieures et intérieures, nouvelles jantes. De série : sélecteur de mode de conduite, écran tactile de 5 po., 7 po sur XL, caméra de recul. Disponibles : phares de jour et à brume à DEL, prises USB à la 3e rangée, siège du passager électrique, caméra 360°, régulateur de vitesse adaptatif avec arrêt-départ, avertisseur de sortie de voie, détection de piétons avec freinage d'urgence autonome, phares adaptatifs et asservis à la direction, nouvelle palette de couleurs.

L'APOGÉE

Voilà déjà plus de 15 ans que le Santa Fe fait partie de la famille Hyundai. De recrue douteuse qu'il était à ses débuts, il a pris le rôle de joueur fiable et effacé avant de devenir, lors de sa dernière refonte, un rouage important de l'équipe. Comme tout athlète qui atteint un jour son apogée, le Santa Fe est rendu là, sans vouloir faire un mauvais jeu de mots. En plein milieu de cycle, le Santa Fe est légèrement retouché cette année, question d'être conservé au goût du jour. Ce qui est le plus notable, et un gage de son succès, c'est qu'on ajoute une chaîne de production de la version Sport à l'usine de Montgomery, en Alabama, pour répondre à la demande. L'apogée, qu'on disait...

Daniel Rufiange

TOUR DU PROPRIÉTAIRE > Si on reconnaît d'emblée le Santa Fe 2017, on remarque aussi d'importants changements dans le faciès. La grille a été revue, tout comme les phares, qui adoptent un nouveau design. Sur les versions XL, la partie qui accueille les feux de brouillard prend une tout autre forme et regroupe de nouvelles DEL. À l'arrière, on a aussi repensé les feux et donné un nouveau contour aux embouts d'échappement. La transformation esthétique se complète par l'introduction de nouveaux designs de roues, tant pour les roues de 17 pouces que pour celles de 18 ou 19 pouces.

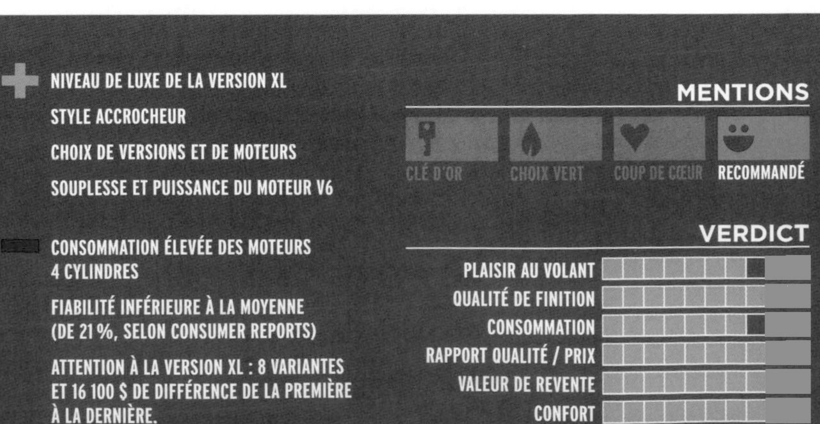

+
NIVEAU DE LUXE DE LA VERSION XL
STYLE ACCROCHEUR
CHOIX DE VERSIONS ET DE MOTEURS
SOUPLESSE ET PUISSANCE DU MOTEUR V6
CONSOMMATION ÉLEVÉE DES MOTEURS 4 CYLINDRES
FIABILITÉ INFÉRIEURE À LA MOYENNE (DE 21 %, SELON CONSUMER REPORTS)
ATTENTION À LA VERSION XL : 8 VARIANTES ET 16 100 $ DE DIFFÉRENCE DE LA PREMIÈRE À LA DERNIÈRE.
MENTIONS
CLÉ D'OR
CHOIX VERT
COUP DE CŒUR
RECOMMANDÉ
VERDICT
PLAISIR AU VOLANT
QUALITÉ DE FINITION
CONSOMMATION
RAPPORT QUALITÉ / PRIX
VALEUR DE REVENTE
CONFORT
1
5
10

Quant aux versions, on en compte toujours deux principales, soit la Sport à cinq places et la XL, à sept places. Pour reconnaître la deuxième, un coup d'œil au flanc qui vous fait voir une ligne de caisse qui grimpe doucement vers l'arrière. Sur la version Sport, elle effectue un crochet vers le haut.

VIE À BORD > Ce qui étonne lorsqu'on grimpe à bord du Santa Fe, c'est le niveau de luxe qu'on y trouve, particulièrement sur la version XL. Franchement, on ne peut que réaliser et admirer le chemin parcouru depuis une quinzaine d'années. Fidèle à la tradition coréenne, le niveau d'équipement est complet, mais le prix a été ajusté en conséquence; fini le temps où Hyundai distribuait des cadeaux uniquement pour se faire aimer. Le rapport prix-équipement est bon, mais pas exceptionnel. L'année 2017 voit l'arrivée de nouveaux écrans tactiles, de 7 ou 8 pouces, en option. Le système Hyundai Blue Link est de nouvelle génération et il s'ajoute à une quantité d'options qui sont maintenant proposées en matière de sécurité, comme le régulateur de vitesse adaptatif et le freinage d'urgence avec détection des piétons.

TECHNIQUE > L'offre demeure riche sous le capot alors que trois moteurs peuvent être sélectionnés. Les deux 4-cylindres sont réservés aux modèles Sport alors que le bloc V6 de 3,3 litres est nécessaire pour servir le modèle XL, plus lourd de quelque 200 ou 300 kilos, selon la version (2RM ou 4RM). Tous les moteurs profitent de l'injection directe de carburant et de la distribution variable, des approches qui permettent de maximiser l'efficacité à la pompe. Une boîte à 6 rapports est présente sur tous les modèles. À noter que chaque unité compte désormais sur un sélecteur de modes de conduite. Le pilote a le choix entre la configuration normale, sport ou éco.

AU VOLANT > L'expérience est axée sur le confort au volant d'un Santa Fe. La version XL vous comblera davantage à ce chapitre alors que la mouture Sport est, eh bien, un peu plus sportive. D'ailleurs, cette dernière a vu 350 de ses pièces être remplacées pour 2017. Il ne faudra pas s'attendre à des changements majeurs, mais une mince amélioration de l'agrément de conduite est à prévoir. Le Santa Fe ne vous décevra pas.

CONCLUSION > Si le Santa Fe se vend si bien, il ne faut pas s'en étonner. Hyundai l'a drôlement peaufiné au fil des années et il a peu de chose à envier à ses principaux concurrents, même que dans certains cas, l'envie vient de l'ennemi. Une petite tache au dossier, cependant; ce n'est pas le plus fiable de la famille. ■

2e OPINION

Luc-Olivier Chamberland

Passant graduellement de second violon à ténor de la catégorie, il s'impose dans l'un des segments les plus compétitifs. La taille de la version Sport se montre légèrement plus généreuse que la concurrence, alors que le XL fait le jeu contraire en étant un peu plus petit. De toute évidence, leurs présences à ces jonctions plaisent aux consommateurs, car il s'agit de l'un des plus gros vendeurs de la famille Hyundai. Comme toujours, on revient avec une sélection de moteurs à quatre cylindres dans le Sport alors que le XL n'obtient qu'un V6. Bien que leurs prix aient gonflé, ces deux produits offrent l'un des meilleurs rapport qualité/prix/équipement du marché.

FICHE TECHNIQUE

MOTEUR(S)

(2.4) L4 2,4 L DACT
PUISSANCE 185 ch à 6 000 tr/min **COUPLE** 178 lb-pi à 4 000 tr/min
RAPPORT POIDS/PUISSANCE 8,5 à 8,9 kg/ch
BOITE(S) DE VITESSES automatique à 6 rapports avec mode manuel
PERFORMANCES 0-100 km/h 2RM 10,0 s **4RM** 10,5 s
VITESSE MAXIMALE 190 km/h

(2.0T) L4 2,0 L DACT turbo
PUISSANCE 240 ch à 6 000 tr/min **COUPLE** 260 lb-pi de 1 450 à 3 500 tr/min
RAPPORT POIDS/PUISSANCE 7,0 kg/ch
BOITE(S) DE VITESSES automatique à 6 rapports avec mode manuel
PERFORMANCES 0-100 km/h 7,0 s
REPRISE 80-115 km/h 5,2 s **FREINAGE 100-0 km/h** 38,8 m
NIVEAU SONORE À 100 km/h Moyen **VITESSE MAXIMALE** 195 km/h
CONSOMMATION (100 km) ville 12,9 L, route 9,7 l (octane 87)
ANNUELLE 1 955 L, 2 346 $ **ÉMISSIONS DE CO_2** 4 496 kg/an

(XL) V6 3,3 L DACT
PUISSANCE 290 ch à 6 400 tr/min **COUPLE** 252 lb-pi à 5 200 tr/min
RAPPORT POIDS/PUISSANCE 6,2 à 6,4 kg/ch
BOITE(S) DE VITESSES automatique à 6 rapports avec mode manuel
PERFORMANCES 0-100 km/hH 2RM 8,8 s **4RM** 9,2 s
VITESSE MAXIMALE 195 km/h
CONSOMMATION (100 km) 2RM ville 12,9 L, route 9,4 L
4RM ville 13,0 L, route 9,7 L (octane 87)
ANNUELLE 2RM 1 921 L, 2 305 $ **4RM** 1 955 L, 2 346 $
ÉMISSIONS DE CO_2 2RM 4 418 kg/an **4RM** 4 496 kg/an

AUTRES COMPOSANTS

SÉCURITÉ ACTIVE Freins ABS, assistance au freinage, répartition électronique de la force de freinage, contrôle électronique de la stabilité, antipatinage, assistance au départ en pente, contrôle de vitesse en descente, régulateur de vitesse adaptatif avec arrêt-départ, avertisseur de sortie de voie, détection de piétons avec freinage d'urgence autonome, phares adaptatifs et asservis à la direction.
SUSPENSION avant/arrière indépendante
FREINS avant/arrière disques
DIRECTION à crémaillère à assistée électriquement, à assistance ajustable
PNEUS Sport P235/65R17 **SE, Limited** P235/55R19 **XL** P235/60R18
XL Limited/option Limited P235/55R19

DIMENSIONS

EMPATTEMENT 2 700 mm **XL** 2 800 mm
LONGUEUR 4 690 mm **XL** 4 905 mm **LARGEUR** 1 880 mm **XL** 1 885 mm
HAUTEUR (incl. galerie) 1 690 mm **XL** 1 700 mm
POIDS 2RM 2.4 1 569 kg **4RM 2.4** 1 640 kg **2.0T** 1 681 kg
XL 2RM 1 790 kg **4RM** 1 968 kg
DIAMÈTRE DE BRAQUAGE 10,9 m **XL** 11,2 m
COFFRE 1 003 L, 2 025 L (sièges abaissés)
XL 383 L, 1 159 L, 2 265 L (sièges abaissés)
RÉSERVOIR DE CARBURANT 66 L **XL** 71 L
CAPACITÉ DE REMORQUAGE (avec freins de remorque) **2.4** 907 kg
2.0T 1 590 kg **XL** 2 268 kg

LA COTE VERTE

MOTEUR L4 DE 2,0 L HYBRIDE
CONSOMMATION (100 km) ville 5,9 L, route 5,3 L
enfichable ville 6,1 L, route 5,7 L **mode électrique** 2,4 L équiv.
CONSOMMATION ANNUELLE 952 L, 1 142 $ enfichable 1 003 L, 1 204 $
INDICE D'OCTANE 87
ÉMISSIONS POLLUANTES CO_2 2 190 kg/an **enfichable** 2 307 kg/an
AUTONOMIE moyenne en mode électrique (Enfichable) 43 km
(source: ÉnerGuide)

FICHE D'IDENTITÉ

VERSION(S) 2.4 GL, GLS, Sport Tech, Limited **2.0T** Ultimate
Hybride Base, Limited, Ultimate, Ultimate enfichable
TRANSMISSION(S) avant
PORTIÈRES 4 **PLACES** 5
PREMIÈRE GÉNÉRATION 1989
GÉNÉRATION ACTUELLE 2015
CONSTRUCTION Montgomery, Alabama, É-U. Hybride Asan, Corée du Sud
COUSSINS GONFLABLES 7 (frontaux, latéraux avant, genoux conducteur, rideaux latéraux)
CONCURRENCE Chevrolet Malibu, Chrysler 200, Ford Fusion, Honda Accord, Kia Optima, Mazda6, Nissan Altima, Subaru Legacy, Toyota Camry, Volkswagen Passat

AU QUOTIDIEN

COLLISION FRONTALE 5/5
COLLISION LATÉRALE 5/5
VENTES DU MODÈLE L'AN DERNIER
AU QUÉBEC 3 268 (-7,2 %) **AU CANADA** 13 497 (-1,1 %)
DÉPRÉCIATION (%) 27,9 (3 ans)
RAPPELS (2011 à 2016) 15
COTE DE FIABILITÉ 3/5

GARANTIES... ET PLUS

GARANTIE GÉNÉRALE 5 ans/100 000 km
GROUPE MOTOPROPULSEUR 5 ans/100 000 km
PERFORATION 5 ans/kilométrage illimité
ASSISTANCE ROUTIÈRE 5 ans/kilométrage illimité
NOMBRE DE CONCESSIONNAIRES
AU QUÉBEC 62 **AU CANADA** 212

NOUVEAUTÉS EN 2017

Aucun changement majeur

LA MENACE CORÉENNE

Un examen rapide de la gamme Hyundai nous le rappelle de manière éloquente, le constructeur coréen poursuit son irrésistible progression. La qualité de ses créations se raffine constamment, peu importe le segment auquel on s'attarde. La Sonata ne fait donc pas exception à cette règle, si bien qu'elle peut maintenant assurer une réelle concurrence face aux ténors japonais chez les berlines intermédiaires. Oui, on est rendu là.

Charles René

TOUR DU PROPRIÉTAIRE > Contrairement à sa dynamique cousine de chez Kia, l'Optima, la Sonata se présente de manière beaucoup plus réservée. La clientèle de la Toyota Camry est clairement visée ici, avec de subtiles attentions ici et là et de discrets accents de chrome. La berline se distancie également de la concurrence à l'avant avec une calandre plus petite qui n'occupe pas tout l'espace à l'avant. La silhouette est somme toute très prudente, une approche qui cadre bien avec le segment dans laquelle la voiture évolue. Outre les considérations esthétiques, notons que le constructeur a doté la version hybride d'une carrosserie ayant le même coefficient de traînée qu'une Tesla Model S (0,24 cx), chose qui permet de diminuer la consommation de carburant.

VIE À BORD > Hyundai a également fait des pas de géant dans l'aménagement de ses habitacles au courant des dernières années. Ceci a certainement cascadé sur la Sonata.

\+ QUALITÉ DE FINITION
CONFORT DE ROULEMENT
FIABILITÉ

− CARROSSERIE GÉNÉRIQUE
DIRECTION MANQUANT UN PEU D'APLOMB
MOTEUR TURBO PAS PERTINENT

MENTIONS

CLÉ D'OR | **CHOIX VERT** | COUP DE CŒUR | **RECOMMANDÉ**

VERDICT

PLAISIR AU VOLANT
QUALITÉ DE FINITION
CONSOMMATION
RAPPORT QUALITÉ / PRIX
VALEUR DE REVENTE
CONFORT

1 5 10

L'assemblage est solide, les matériaux sont de fort bonne facture avec de belles variations dans les textures. Les lignes de la planche de bord sont grasses, ce qui donne une belle empreinte visuelle cossue, semblable à ce que font les constructeurs allemands. On a vraiment l'impression de prendre place à bord d'un véhicule exigeant une facture plus élevée. La Sonata n'est certes pas un petit véhicule, mais les ingénieurs de Hyundai ont réussi à bien faire usage de chaque litre disponible, de sorte que l'on obtient beaucoup d'espace pour les passagers, sans égard à l'endroit où l'on prend place. Lorsqu'on s'attarde sur l'aspect technologique de la Sonata, on remarque qu'elle est pourvue en option d'un système d'infodivertissement simple et convivial.

TECHNIQUE > La Sonata est proposée avec quatre groupes motopropulseurs. Le 4-cylindres atmosphérique de 2,4 litres (185 ch) démarre le bal. Il est certes probablement l'option la plus intéressante compte tenu de son comportement tempéré. Sans avoir encore l'éloquence des 4-cylindres atmosphériques japonais, il fait de l'excellent boulot sans trop consommer. Très frugale, la livrée hybride misant sur un 4-cylindres 2 litres couplé à un moteur électrique prend ensuite le relais. D'une puissance plus qu'acceptable avec ses 193 chevaux au total, il prend une approche différente de Toyota avec sa boîte automatique traditionnelle à 6 rapports. Ceci permet une livraison de la puissance plus coulée. Le dialogue entre les deux moteurs s'effectue aussi de manière très transparente. Une version hybride rechargeable de ce moteur est disponible. Elle peut, selon le constructeur, atteindre les 43 kilomètres d'autonomie. Au sommet, un moteur 4 cylindres 2 litres turbo trône avec 245 chevaux pour convaincre. Il paraît moins pertinent que les autres en raison de l'approche plus axée sur le confort de la Sonata.

AU VOLANT > Il suffit de quelques kilomètres derrière le volant pour le constater, la Sonata favorise le confort à la conduite plus énergique. Elle ne jongle pas avec les identités, ce qui est loin d'être une mauvaise chose. En focalisant sur ce mandat précis, la berline filtre particulièrement bien les aspérités de notre réseau routier. L'insonorisation est aussi excellente. Si vous choisissez la livrée hybride, cette impression d'être isolé de tout bruit mécanique est encore plus prononcée. La direction est pour sa part légère, pas très rapide, mais reste tout de même précise. Contrairement aux hybrides de génération précédente, son freinage est facilement modulable.

CONCLUSION > Il ne fait pas de doute, la Sonata de dernière cuvée a atteint un niveau de maturité que bien des constructeurs aimeraient achever. Sans jouer à l'enjoliveuse, la berline s'avance avec une formule très bien dosée en plus d'avoir une feuille de route immaculée en matière de fiabilité. Bref, à considérer si vous lorgnez les Toyota Camry et Honda Accord pour leur confort. ■

2e OPINION

Daniel Rufiange

L'an dernier, la Sonata s'est classée au deuxième rang des ventes dans son segment au Québec, devant l'Accord de Honda. Au pays, elle s'est contentée de la quatrième place. Qui l'eût cru il y a quelques années? Et pariez qu'on souhaite mieux du côté de Hyundai. Le progrès a été tel depuis quelques années que la Sonata a toutes les qualités pour se hisser au sommet. Tout un exploit pour une voiture qui se bat contre des rivales qui traînent avec elles des réputations ceinturées de béton. La Sonata saura vous impressionner par sa qualité, son équilibre et sa fiabilité, supérieure à la moyenne. En prime, une version hybride ainsi qu'une autre, enfichable, viennent offrir une solution de rechange à ceux qui souhaitent réduire leur empreinte écologique. Bref, un bel éventail.

FICHE TECHNIQUE

MOTEUR(S)

(2.4) L4 2,4 L DACT
PUISSANCE 185 ch à 6 000 tr/min
COUPLE 178 lb-pi à 4 000 tr/min
RAPPORT POIDS/PUISSANCE 8,0 à 8,5 kg/ch
BOÎTE(S) DE VITESSES automatique à 6 rapports avec mode manuel
PERFORMANCES 0-100 km/h 8,3 s **REPRISE 80-115 km/h** ND
FREINAGE 100-0 km/h 40,5 m **NIVEAU SONORE À 100 km/h** Bon
VITESSE MAXIMALE 210 km/h
CONSOMMATION (100 km) ville 9,4 L, route 6,5 L
Sport/Limited ville 10,0 L, route 7,0 L (octane 87)
ANNUELLE 1 377 L, 1 652 $ **Sport/Limited** 1 462 L, 1 754 $
ÉMISSIONS POLLUANTES CO_2 3 167 kg/an Sport/Limited 3 363 kg/an

(2.0T) L4 2,0 L DACT turbo
PUISSANCE 245 ch à 6 000 tr/min **COUPLE** 260 lb-pi de 1 350 à 4 000 tr/min
RAPPORT POIDS/PUISSANCE 6,5 à 6,7 kg/ch
BOÎTE(S) DE VITESSES automatique à 6 rapports avec mode manuel et manettes au volant
PERFORMANCES 0-100 km/h 7,1 s **VITESSE MAXIMALE** 210 km/h
CONSOMMATION (100 km) ville 10,4 L, route 7,4 L (octane 87)
ANNUELLE 1 547 L, 1 856 $ **ÉMISSIONS POLLUANTES CO_2** 3 558 kg/an

(Hybride) L4 2,0 L DACT à cycle Atkinson + moteur électrique
PUISSANCE 154 ch à 6 000 tr/min + moteur électrique 51 ch de 1 770 à 2 000 tr/min (67 ch de 2 330 à 3 300 hybride rechargeable) 193 ch total combiné (202 ch hybride rechargeable) à 6 000 tr/min
COUPLE 140 lb-pi à 5 000 tr/min + moteur électrique 151 lb-pi
RAPPORT POIDS/PUISSANCE 8,0 à 8,3 kg/ch
BOÎTE(S) DE VITESSES automatique à 6 rapports avec mode manuel
PERFORMANCES 0-100 km/h 9,2 s
REPRISE 80-115 km/h 5,9 s **FREINAGE 100-0 km/h** 40,0 m
NIVEAU SONORE À 100 km/h moyen **VITESSE MAXIMALE** 210 km/h

AUTRES COMPOSANTS

SÉCURITÉ ACTIVE (certains en option) Freins ABS, assistance au freinage, répartition électronique de la force de freinage, contrôle de la stabilité électronique, antipatinage, avertisseur de sortie de voie, régulateur de vitesse adaptatif avec freinage d'urgence automatique, avertisseur d'impact imminent, avertisseur d'obstacle latéral et arrière
SUSPENSION avant/arrière indépendante
FREINS avant/arrière disques
DIRECTION à crémaillère, assistée électriquement
PNEUS GL, GLS, Hybride Base P205/65R16
2.4 Sport/Limited, Hybride Limited P215/55R17 **2.0T** P235/45R18

DIMENSIONS

EMPATTEMENT 2 805 mm **LONGUEUR** 4 855 mm
LARGEUR 1 865 mm **HAUTEUR** 1 470 mm
POIDS 2.4 1 475 à 1 572 kg **2.0T** 1 590 à 1 640 kg
Hybride 1 586 à 1 655 kg **Hybride rechargeable** 1 728 kg
RÉPARTITION DU POIDS AV/ARR (%) 60/40 **Hybride** ND
DIAMÈTRE DE BRAQUAGE 10,9 m **Hybride** 10,8 m
COFFRE 462 L **Hybride** 380 L
RÉSERVOIR DE CARBURANT 70 L **Hybride** 60 L
Hybride rechargeable 55 L
BATTERIES Hybride 1,6 kWh **Hybride rechargeable** 9,8 kWh
TEMPS DE RECHARGE 120V 9 h **240V** 2,7 h

LA COTE VERTE

MOTEUR L4 DE 2,0 L
CONSOMMATION (100 km) 2RM ville 10,1 L, route 7,6 L
4RM ville 11,0 L route 9,0 L
CONSOMMATION ANNUELLE 1 530 L, 1 836 $ **4RM** 1 717 L, 2 060 $
INDICE D'OCTANE 87
ÉMISSIONS POLLUANTES CO_2 2RM 3 519 kg/an **4RM** 3 949 kg/an
(source : ÉnerGuide)

FICHE D'IDENTITÉ

VERSION(S) 2.0 2RM Base **2RM/4RM** Premium **4RM** Luxe
1.6T 4RM Premium, Limited, Ultimate
TRANSMISSION(S) avant, 4
PORTIÈRES 5 **PLACES** 5
PREMIÈRE GÉNÉRATION 2005
GÉNÉRATION ACTUELLE 2016
CONSTRUCTION Ulsan, Corée du Sud
COUSSINS GONFLABLES 6 (frontaux, latéraux avant, rideaux latéraux)
CONCURRENCE Chevrolet Equinox/GMC Terrain, Ford Escape, Dodge Journey, Honda CR-V, Jeep Cherokee, Kia Sportage, Mazda CX-5, Mitsubishi Outlander, Nissan Rogue, Subaru Forester/Outback, Toyota RAV4, Volkswagen Tiguan

AU QUOTIDIEN

COLLISION FRONTALE 5/5
COLLISION LATÉRALE 5/5
VENTES DU MODÈLE L'AN DERNIER
AU QUÉBEC 4 744 (+46,5 %) **AU CANADA** 16 362 (+38,0 %)
DÉPRÉCIATION (%) 26,6 (3 ans)
RAPPELS (2011 à 2016) 5
COTE DE FIABILITÉ 4/5

GARANTIES... ET PLUS

GARANTIE GÉNÉRALE 5 ans/100 000 km
GROUPE MOTOPROPULSEUR 5 ans/100 000 km
PERFORATION 5 ans/kilométrage illimité
ASSISTANCE ROUTIÈRE 5 ans/kilométrage illimité
NOMBRE DE CONCESSIONNAIRES
AU QUÉBEC 62 **AU CANADA** 212

NOUVEAUTÉS EN 2017

Aucun changement majeur

LA QUALITÉ FIXE SON PRIX

Quatre roues, un volant, une conception un peu datée mais sérieuse, un bon niveau d'équipement, une garantie généreuse et, surtout, un prix serré. Les produits de Hyundai ont longtemps incarné cet « idéal automobile ». Plus maintenant, comme en fait foi cette troisième génération de Tucson qui, dans sa version la plus élaborée (et la plus chère), affiche sa maîtrise technique sans faire trop attention au prix.

Éric LeFrançois

TOUR DU PROPRIÉTAIRE > La troisième génération du Tucson prend ses aises. L'inflation habituelle des cotes des nouveaux modèles, quoi! Cet embonpoint rapproche cet utilitaire sud-coréen de la concurrence qui, sans exception aucune, occupe aujourd'hui plus d'espace dans les rues. Pour bien saisir cette « évolution », il y a 10 ans, la première génération était plus courte (150 mm) et moins lourde de quelque 400 kilos.

VIE À BORD > À l'intérieur, ce Hyundai ne met pas de temps à séduire, surtout dans sa présentation bicolore. L'aménagement intérieur n'innove en rien, mais la qualité et le souci du détail font très bonne impression. La finition est impeccable et ne prête flanc à aucune critique particulière. On s'étonne en revanche de retrouver dans un véhicule de facture aussi moderne un frein d'urgence au pied. À l'avant, les sièges offrent un maintien acceptable. À l'arrière, les places sont

+
BOÎTE À DOUBLE EMBRAYAGE RÉUSSIE
SOUCI DU DÉTAIL
MOTEUR 1,6 LITRE CONVAINCANT

−
DIRECTION « ARTIFICIELLE »
POIDS À LA HAUSSE
PRIX APPLIQUÉ AUX VERSIONS 1,6 LITRE

MENTIONS

CLÉ D'OR | CHOIX VERT | COUP DE CŒUR | **RECOMMANDÉ**

VERDICT

PLAISIR AU VOLANT
QUALITÉ DE FINITION
CONSOMMATION
RAPPORT QUALITÉ / PRIX
VALEUR DE REVENTE
CONFORT

1 5 10

suffisamment spacieuses pour deux adultes normalement constitués, avec assez de dégagement pour les épaules et les hanches. L'un des points forts de cette refonte touche l'augmentation appréciable du volume utilitaire du véhicule, dont la modularité demeure somme toute classique. La surface de chargement se fait à peu près plane, mais les tourelles de la suspension arrière, couvertes d'un plastique qui, visiblement, résistera mal aux éraflures, rognent sur l'espace utile en largeur.

TECHNIQUE > Hyundai aime rappeler que le châssis de son dernier-né fait usage d'une plus grande quantité d'acier à haute résistance que dans le modèle qu'il remplace. La société sud-coréenne ne manque pas non plus de souligner que cette structure améliore également la gestion des impacts en cas de collision et réduit le poids. La première affirmation ne peut être mise en doute à la suite des tests réalisés par la National Highway for Traffic Safety (NHTSA); en revanche, la seconde doit être légèrement nuancée. Dans le cas présent, elle ne réduit pas le poids, mais cherche plutôt à le contenir.

AU VOLANT > Contre toute attente, des deux mécaniques appelées à se glisser sous le capot de cet utilitaire, la plus faible cylindrée représente la meilleure affaire, même si elle commande un prix plus élevé. Le moteur de 1,6 litre turbocompressé affiche des prestations plus éclatantes – dans tous les domaines, y compris la consommation – que le 2-litres atmosphérique (lire non suralimenté). Un bon moteur, mais aussi efficace qu'effacé. Une fois n'est pas coutume, le rapport poids-puissance ne dit pas tout des performances de ce moteur. Le 1,6-litre ne craint pas la comparaison par rapport à des moteurs de plus forte cylindrée (atmosphériques), bien au contraire. Sa large plage d'utilisation (à bas et moyen régimes) lui permet de prendre l'ascendant sur la vaste majorité de ses concurrents au chapitre de l'accélération et des reprises, et ce, en dépit d'un léger temps de réponse lorsque l'automobiliste sollicite de son pied droit plus de puissance. Sans atténuer le mérite de ce moteur, force est de reconnaître qu'il est magnifiquement assisté d'une boîte à double embrayage à 7 rapports. Rapide et directe, cette transmission représente un facteur tout aussi déterminant dans l'exécution de ces performances. On ne peut cependant s'empêcher de songer que celles-ci auraient été bien meilleures encore si cet utilitaire avait pesé moins lourd. D'un point de vue dynamique, le Tucson ne fait ni mieux ni pire que ses proches concurrents. De fait, au volant, ce véhicule apparaît plus volumineux qu'il ne l'est réellement. La direction autorise une configuration à la carte, c'est-à-dire qu'il est possible de la rendre plus légère ou plus ferme. Ces modes n'apportent aucune satisfaction, tant ils sont tous deux artificiels. Mention honorable au diamètre de braquage très court, qui permet de le garer aisément.

CONCLUSION > Plutôt avant-gardiste dans son approche technique (moteur suralimenté, boîte à double embrayage) et spacieux, le Tucson pèche cependant par son manque de charisme, son agrément de conduite moyen, sa modularité réduite et son prix. ■

2e OPINION

Antoine Joubert

Même s'il reprend plusieurs éléments de style de la concurrence, le Tucson est joli. Voilà un premier bon point en sa faveur. Plus cossu et charnu, il n'a rien à envier aux CR-V, Escape et RAV4 de ce monde, notamment en matière d'aménagement intérieur et d'équipement. Toutefois, Hyundai a fait l'erreur de lui greffer des mécaniques mal adaptées, qui lui feront sans doute très mal. En fait, la clientèle bien informée réalisera qu'à prix égal, son proche cousin (le Kia Sportage) propose des mécaniques plus puissantes et nettement plus agréables. Et pas d'impact négatif sur la consommation de carburant, qui sera similaire avec le 2-litres du Tucson et le 2,4-litres du Sportage. Ne serait-ce que pour cette raison, je penche donc du côté de Kia.

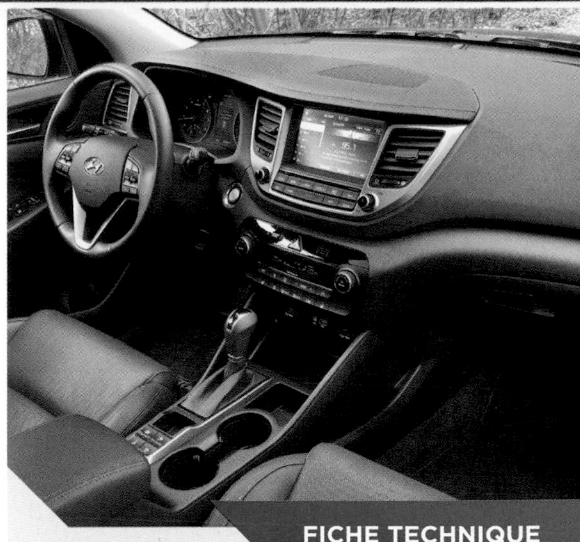

FICHE TECHNIQUE

MOTEUR(S)

(2.0) L4 2,0 L DACT
PUISSANCE 164 ch à 6 200 tr/min
COUPLE 151 lb-pi à 4 000 tr/min
RAPPORT POIDS/PUISSANCE 2RM 9,2 à 9,5 kg/ch **4RM** 9,6 à 10,0 kg/ch
BOÎTE(S) DE VITESSES automatique à 6 rapports avec mode manuel
PERFORMANCES 0-100 km/h 9,9 s (est.)
VITESSE MAXIMALE 180 km/h (est.)

(1.6T) L4 1,6 L DACT turbo
PUISSANCE 175 ch à 5 500 tr/min
COUPLE 195 lb-pi de 1 500 à 4 500 tr/min
RAPPORT POIDS/PUISSANCE 9,1 à 9,6 kg/ch
BOÎTE(S) DE VITESSES manuelle robotisée à 7 rapports
PERFORMANCES 0-100 km/h 8,0 s
REPRISE 80-115 km/h 6,2 s
FREINAGE 100-0 km/h 43,6 m
NIVEAU SONORE À 100 km/h ND
VITESSE MAXIMALE 180 km/h
CONSOMMATION (100 km) ville 9,9 L, route 8,4 L (octane 87)
ANNUELLE 1 564 L, 1 877 $
ÉMISSIONS DE CO_2 3 597 kg/an

AUTRES COMPOSANTS

SÉCURITÉ ACTIVE (certains en option) Freins ABS, assistance au freinage, répartition électronique de la force de freinage, contrôle électronique de la stabilité, antipatinage, assistance au départ en pente et contrôle de freinage en descente, freinage d'urgence autonome, avertisseur d'obstacle latéral et arrière, avertisseur et assistance en cas de changement de voie
SUSPENSION avant/arrière indépendante
FREINS avant/arrière disques
DIRECTION à crémaillère, assistée électriquement
PNEUS 2.0 P225/60R17 **1.6T** P245/45R19

DIMENSIONS

EMPATTEMENT 2 670 mm
LONGUEUR 4 475 mm
LARGEUR 1 850 mm
HAUTEUR 1 650 mm
POIDS 1.6T 1 587 à 1 683 kg **2.0 2RM** 1 508 à 1 560 kg
4RM 1 583 à 1 634 kg
RÉPARTITION DU POIDS AV/ARR (%) ND
DIAMÈTRE DE BRAQUAGE 10,6 m
COFFRE 877 L, 1 754 L (sièges abaissés)
RÉSERVOIR DE CARBURANT 62 L
CAPACITÉ DE REMORQUAGE 680 kg

LA COTE VERTE

MOTEUR L4 DE 1,6 L
CONSOMMATION (100 km) man. ville 8,8 L, route 6,7 L
robo. ville 8,3 L, route 6,5 L
CONSOMMATION ANNUELLE man. 1 326 L, 1 591 $ **robo.** 1 275 L, 1 530 $
INDICE D'OCTANE 87
ÉMISSIONS POLLUANTES CO_2 man. 3 050 kg/an **robo.** 2 933 kg/an
(source: ÉnerGuide)

FICHE D'IDENTITÉ

VERSION(S) Base, SE, Tech, Turbo, Turbo édition Rallye
TRANSMISSION(S) avant
PORTIÈRES 4 **PLACES** 4
PREMIÈRE GÉNÉRATION 2012
GÉNÉRATION ACTUELLE 2012
CONSTRUCTION Ulsan, Corée du Sud
COUSSINS GONFLABLES 6 (frontaux, latéraux avant, rideaux latéraux)
CONCURRENCE Mini Cooper, Subaru BRZ, Toyota 86

AU QUOTIDIEN

COLLISION FRONTALE 4/5
COLLISION LATÉRALE 5/5
VENTES DU MODÈLE L'AN DERNIER
AU QUÉBEC 810 (-26,5 %) **AU CANADA** 2 971 (-13,7 %)
DÉPRÉCIATION (%) 39,7 (3 ans)
RAPPELS (2011 à 2016) 3
COTE DE FIABILITÉ 4/5

GARANTIES... ET PLUS

GARANTIE GÉNÉRALE 5 ans/100 000 km
GROUPE MOTOPROPULSEUR 5 ans/100 000 km
PERFORATION 5 ans/kilométrage illimité
ASSISTANCE ROUTIÈRE 5 ans/kilométrage illimité
NOMBRE DE CONCESSIONNAIRES
AU QUÉBEC 62 **AU CANADA** 212

NOUVEAUTÉS EN 2017

Aucun changement majeur

PSEUDO-SPORT

Vous savez, lorsque l'on dit que vous avez l'air, mais pas la chanson, c'est un refrain qui sied bien à la Veloster. Sous ses airs de petite sportive, ce coupé n'a pas de jambes, même pas dans sa version Turbo. Elle est bien jolie, mais cela ne va pas plus loin.

Benoit Charette

TOUR DU PROPRIÉTAIRE > C'est sans doute dans le style que la Veloster laisse sa marque. Le concept unique à trois portes n'a pas d'équivalent sur le marché. Saturn avait déjà fait la même chose avec le coupé SC, mais depuis, rien. Son allure se démarque du lot et ses lignes très biodesign en font un modèle sans égal. Ceux qui veulent aller dans un style un peu plus exclusif iront du côté de l'édition Rally avec son bleu unique et ses roues noires. Si notre analyse s'arrêtait au style, la voiture obtiendrait une excellente note, mais il y a plus.

VIE À BORD > Si l'extérieur laisse une bonne impression, l'habitacle laisse sur sa faim. Hyundai se sert ni plus ni moins du matériel de l'Accent, que l'on transpose dans la Veloster. De la qualité des plastiques en passant par les matériaux, l'allure générale est assez bon marché. L'édition Rally offre, comme toute distinction, quelques touches de bleu qui habillent les poi-

\+ STYLE RÉUSSI
CONFORTABLE
PUISSANCE ACCEPTABLE (TURBO)

− FINITION BAS DE GAMME
PLACES ARRIÈRE EXIGUËS
BOÎTE MANUELLE IMPRÉCISE
MODÈLE DE BASE SOUS-MOTORISÉ

MENTIONS

CLÉ D'OR | CHOIX VERT | **COUP DE CŒUR** | RECOMMANDÉ

VERDICT

PLAISIR AU VOLANT
QUALITÉ DE FINITION
CONSOMMATION
RAPPORT QUALITÉ / PRIX
VALEUR DE REVENTE
CONFORT

1 5 10

gnées des portières et une partie des sièges. Les passagers à l'arrière devront se casser un peu le cou en raison de la forme fuyante du toit qui réduit l'espace. Il faudrait aussi que Hyundai songe à rafraîchir le contenu technologique. Même si la Veloster n'est pas très vieille, plusieurs modèles chez Hyundai ont fait une mise à jour de l'habitacle. Il serait temps de faire la même chose pour la Veloster.

TECHNIQUE > Notre titre *Pseudo-sport* fait directement référence aux moteurs disponibles dans la voiture. Avec un style pareil, nous sommes en droit de nous attendre à un minimum de performances. Malheureusement, le seuil minimum est à peine franchi avec le moteur turbo. Mais n'allons pas trop vite, vous avez droit en livrée de base à un moteur 1,6 litre extirpé directement de la petite Accent avec un maigre 132 chevaux. Parfait pour les déplacements tranquilles, sans plus. La version Turbo donne de l'espoir avec l'annonce de 201 chevaux, mais encore là, rien de convaincant. Vous avez le choix d'une boîte manuelle à 6 rapports dans les deux modèles ou d'une boîte double embrayage à 6 ou 7 rapports dans le modèle turbo, mais pas de puissance; un peu tout de même dans la version Turbo, mais nous sommes très loin du plaisir d'une Golf GTi.

AU VOLANT > Alors qu'il est question de la GTi, reconnue pour sa précision, la précision de sa boîte manuelle et la magie de la boîte DSG, chez Hyundai, la boîte manuelle n'offre pas une belle synchronisation. On cherche le bon rapport avec cette boîte et la séquentielle marche à l'économie et non à la performance. Les enthousiastes du volant seront déçus. La version Rally sauve un peu les meubles en offrant une suspension recalibrée, des barres antiroulis de plus grandes dimensions avec de nouveaux amortisseurs et ressorts. Bref, la prise en main est plus intéressante, mais on sent rapidement la limite de l'essieu rigide arrière si l'on pousse le régime vers le haut, et la direction souffre encore d'inertie même dans la version Rally.

CONCLUSION > Notre verdict est simple. La Veloster est très jolie, mais technologiquement en retard. Il manque les plus récents gadgets et il est impossible d'obtenir un GPS à bord, même en option. Au chapitre de la conduite, le seul modèle qui fait naître une étincelle d'émotion est la version Rally. Mais à quoi bon débourser plus de 30 000 $ pour avoir aussi peu. Si vous voulez l'air sans la chanson, vous serez heureux dans cette belle sportive très peu compétente. Par contre, si vous recherchez un peu d'émotion, il faut aller en courant vers une Volkswagen GTi ou une Subaru WRX. Elles vous donneront un sourire aux lèvres, garanti. ■

2e OPINION

Daniel Rufiange

J'étais de ceux qui étaient au lancement de la Hyundai Veloster il y a déjà cinq ans. Je me souviens qu'à l'époque, mes sentiments étaient partagés envers ce modèle. Ils le sont toujours. L'idée qu'a eue le constructeur coréen d'accoucher d'une voiture aux formes osées et à la configuration de portières asymétriques était géniale, quoiqu'inutile. Trop de produits se ressemblent à travers l'industrie et un vent de fraîcheur, c'est toujours bon. Puis, en fait de rapport prix-équipement, la Veloster a dans son sac tout ce qu'il faut pour faire la barbe à la concurrence. Le problème, c'est que les éloges s'arrêtent là. Au volant, on n'a pas grand-chose de plus qu'une Accent entre les mains et même la version turbo n'arrive pas à me convaincre. Espérons mieux pour la deuxième génération.

FICHE TECHNIQUE

MOTEUR(S)

(BASE, TECH) L4 1,6 L DACT
PUISSANCE 132 ch à 6 300 tr/min
COUPLE 120 lb-pi à 4 850 tr/min
RAPPORT POIDS/PUISSANCE 8,5 à 8,7 kg/ch
BOÎTE(S) DE VITESSES manuelle à 6 rapports, manuelle robotisée à 6 rapports avec manettes au volant (en option)
PERORMANCES 0-100 km/h 9,8 s
VITESSE MAXIMALE 200 km/h

(TURBO) L4 1,6 L DACT turbo
PUISSANCE 201 ch à 6 000 tr/min
COUPLE 195 lb-pi de 1 750 à 4 500 tr/min
RAPPORT POIDS/PUISSANCE 6,3 à 6,5 kg/ch
BOITE(S) DE VITESSES manuelle à 6 rapports, manuelle robotisée à 7 rapports (en option)
PERFORMANCES 0-100 km/h 6,9 s **robo.** 6,8 s
REPRISE 80-115 km/h 9,0 s (man. rapport supérieur)
FREINAGE 100-0 km/h 42,7 m
NIVEAU SONORE À 100 km/h Passable
VITESSE MAXIMALE 210 km/h
CONSOMMATION (100 km) man. ville 9,4 L route 7,0 L **robo.** ville 8,9 L route 7,1 L (octane 87)
ANNUELLE man. 1 411 L, 1 693 $ **auto.** 1 377 L, 1 652 $
ÉMISSIONS DE CO2 man. 3 245 kg/an **auto.** 3 167 kg/an

AUTRES COMPOSANTS

SÉCURITÉ ACTIVE Freins ABS, assistance au freinage, répartition électronique de la force de freinage, contrôle électronique de la stabilité, antipatinage
SUSPENSION avant indépendante, arrière semi-indépendante
FREINS avant/arrière disques
DIRECTION à crémaillère, assistée électriquement
PNEUS P215/45R17 **Turbo/option base** P215/40R18

DIMENSIONS

EMPATTEMENT 2 650 mm
LONGUEUR Base, tech 4 220 mm **Turbo** 4 249 mm
LARGEUR Base, tech 1 790 mm **Turbo** 1 805 mm
HAUTEUR Base, tech 1 399 mm **Turbo** 1 410 mm
POIDS Base, tech man. 1 172 kg **robo.** 1 205 kg **Turbo man.** 1 270 kg **robo.** 1 310 kg
DIAMÈTRE DE BRAQUAGE 10,4 m
COFFRE 440 L, 983 L (sièges abaissés)
RÉSERVOIR DE CARBURANT 50 L

LA COTE VERTE

MOTEUR L4 DE 2,0 L
CONSOMMATION (100 km) ville 9,0 L, route 6,0 L (est.)
CONSOMMATION ANNUELLE 1 309 L, 1 898 $
INDICE D'OCTANE 91
ÉMISSIONS POLLUANTES CO_2 3 011 kg/an
(source : L'Annuel)

FICHE D'IDENTITÉ

VERSION(S) QX30 2RM Base, S **4RM** Premium
TRANSMISSION(S) avant, 4
PORTIÈRES 5 **PLACES** 5
PREMIÈRE GÉNÉRATION 2017
GÉNÉRATION ACTUELLE 2017
CONSTRUCTION Sunderland, Royaume-Uni
COUSSINS GONFLABLES ND
CONCURRENCE Audi Q3, BMW X1, Buick Encore, Mercedes-Benz GLA, MINI Countryman

AU QUOTIDIEN

COLLISION FRONTALE nm
COLLISION LATÉRALE nm
VENTES DU MODÈLE L'AN DERNIER
AU QUÉBEC nm **AU CANADA** nm
DÉPRÉCIATION (%) nm
RAPPELS (2010 à 2015) nm
COTE DE FIABILITÉ nm

GARANTIES... ET PLUS

GARANTIE GÉNÉRALE 4 ans/100 000 km
GROUPE MOTOPROPULSEUR 6 ans/110 000 km
PERFORATION 7 ans/ kilométrage illimité
ASSISTANCE ROUTIÈRE 4 ans/ kilométrage illimité
NOMBRE DE CONCESIONNAIRES
AU QUÉBEC 6 **AU CANADA** 29

NOUVEAUTÉS EN 2017

Nouveau modèle

PROFITER DU MOMENTUM

Pour une première fois au Canada, les VUS/multisegments de luxe avaient cette année davantage la cote que les voitures. C'est en fait le segment des VUS compacts de luxe, dans lequel se trouve l'Infiniti QX50, qui s'est avéré le plus populaire pour la quasi-totalité des marques « premium ». Cela dit, petits, moyens et grands multisegments ont tous connu une hausse de popularité. Ne soyez donc pas étonné si les constructeurs capitalisent en proposant plusieurs nouveautés en ce sens.

Pour 2017, Infiniti lance donc un cinquième produit du genre, qui vise dans ce cas-ci à rivaliser avec les récents Audi Q3, BMW X1 et M-Benz GLA. L'objectif est évidemment de sauter sur la vague au moment le plus opportun afin de gagner ses lettres de noblesse face à un public qui découvre lui-même un créneau de véhicules nouvellement tendance. Et pour cause, les ventes de ce segment ont grimpé d'environ 150 % en seulement 18 mois, signe que l'arrivée tardive des Q3 et GLA, en réaction au X1, a eu un impact majeur.

Antoine Joubert

TOUR DU PROPRIÉTAIRE > Pour l'existence de la QX30, saluons d'abord l'audace de Carlos Ghosn, à la tête du groupe Renault-Nissan. Ce dernier a su négocier en 2011 un partenariat

+
- DESIGN TOTALEMENT RÉUSSI
- AGRÉMENT DE CONDUITE SURPRENANT
- GRAND CHOIX DE MODÈLES
- PRÉSENTATION INTÉRIEURE RICHE

−
- ESPACE COMPTÉ À L'ARRIÈRE
- AUCUNE VERSION QX30S À TRANSMISSION INTÉGRALE
- RENDEMENT PARFOIS SACCADÉ DE LA BOÎTE AUTOMATIQUE

MENTIONS

CLÉ D'OR | CHOIX VERT | COUP DE CŒUR | RECOMMANDÉ

VERDICT

PLAISIR AU VOLANT
QUALITÉ DE FINITION
CONSOMMATION
RAPPORT QUALITÉ / PRIX
VALEUR DE REVENTE nm
CONFORT

1 5 10

avec Daimler pour la production de plates-formes et de motorisations, ainsi que pour le développement d'usines d'assemblage. La QX30 se veut donc un premier résultat découlant de cette entente, un véhicule assemblé en Angleterre et qui, sur le plan technique, n'a absolument rien d'un produit Infiniti. En fait, la QX30 repose directement sur les bases de la Mercedes-Benz GLA, ce qui explique ses proportions similaires. Maintenant, les stylistes d'Infiniti ont tout de même réussi à y mettre leur touche en lui créant une robe complètement distincte et fort séduisante. Celle-ci s'inspire d'ailleurs du prototype Etherea, qui avait été présenté à Genève en 2011. Ce prototype avait initialement pour objectif de répliquer au succès de l'Audi A3, en prenant par la suite un léger changement de direction.

Trois déclinaisons de la QX30 nous sont offertes. D'abord, une version de base à roues motrices avant, puis une seconde plus sportive, la S, laquelle se distingue par ses roues de 19 pouces, ses pare-chocs plus agressifs, sa présentation monochrome et par l'absence de rails de toit. Cette dernière voit également sa suspension abaissée de 15 millimètres pour un look plus dynamique. À l'opposé, la version AWD est pour sa part surélevée de 30 millimètres face au modèle ordinaire, arborant un style plus aventurier qui sera sans doute en grande partie responsable de son succès.

VIE À BORD > Là aussi, les stylistes ont eu un coup de crayon très heureux. Bien sûr, les ingénieurs ont dû conserver certains éléments provenant de chez Mercedes-Benz, notamment les commandes, boutons et leviers. Et de façon moins subtile, on conserve aussi le volant, sur lequel le logo Infiniti prend lieu et place de l'étoile argentée. Cela dit, le poste de conduite a été complètement revampé et se montre beaucoup plus élégant et cossu que celui de sa cousine, la GLA. La QX30 propose en fait une planche de bord plus ergonomique et qui intègre de très beaux agencements de cuir et de garnitures métalliques. L'écran central de 7 pouces intégré à la planche de bord est également distinct de cette tablette qu'utilise Mercedes-Benz. Il reprend plutôt l'interface InTouch initialement lancée sur la berline Q50. On peut donc facilement personnaliser cet écran selon ses besoins les plus précis en ajoutant ou en modifiant l'ordre des applications disponibles.

Évidemment, la QX30 n'est pas des plus spacieuses. Les places arrière sont relativement limitées, tout comme dans la GLA, et le dégagement latéral nous rappelle son format compact. Le coffre n'est pas non plus impressionnant, demeurant pourtant le plus spacieux de la catégorie, avec un volume annoncé à 543 litres. Quant aux sièges, ils proviennent eux aussi de chez Mercedes-Benz. Cependant, Infiniti a pris soin de bien les maquiller en leur donnant un cachet esthétique différent et, surtout, en proposant un revêtement de cuir nappa de série. Notez également que la QX30S reçoit des sièges sport reprenant certains éléments des baquets de la GLA 45 AMG.

TECHNIQUE > Sans surprise, Infiniti propose dans la QX30 la même motorisation que celle utilisée dans les modèles Mercedes-Benz de Classe B, CLA et GLA. Nerveux, frugal et généreux en couple, ce 4-cylindres turbo a su démontrer jusqu'ici une excellente fiabilité ainsi qu'un rendement des plus agréables. Également utilisé sous le capot de la Q50 2.0t, ce dernier propose ainsi une puissance comparable à celle de la concurrence. Jumelé à une boîte séquentielle à double embrayage à 7 rapports (au rendement parfois saccadé), il fait également équipe avec le même système de transmission intégrale utilisé par Mercedes-Benz, lequel est baptisé 4Matic par la firme de Stuttgart. Réactif, ce système privilégie d'abord l'utilisation des roues motrices avant pour rapidement acheminer jusqu'à 50 % du couple sur l'essieu arrière lorsque le besoin se fait sentir. Et fait à noter, aucune version de la QX30 ne propose une mécanique de haute performance (façon GLA 45 AMG), se contentant de jouer la carte sportive avec une QX30S.

FICHE TECHNIQUE

MOTEUR(S)

(QX30) L4 2,0 L DACT turbo
PUISSANCE 208 ch à 5 500 tr/min
COUPLE 258 lb-pi de 1 250 à 4 000 tr/min
RAPPORT POIDS/PUISSANCE 2RM 7,4 kg/ch **4RM** 7,6 kg/ch
BOÎTE(S) DE VITESSES manuelle robotisée à 7 rapports
PERFORMANCES 0-100 km/h 7,0 s
REPRISE 80-115 km/h 5,0 s
FREINAGE 100-0 km/h 40,2 m
VITESSE MAXIMALE 210 km/h (bridée)

AUTRES COMPOSANTS

SÉCURITÉ ACTIVE (estimés) Freins ABS, assistance au freinage, répartition électronique de la force de freinage, contrôle électronique de la stabilité, antipatinage, régulateur de vitesse adaptatif, assistance en cas de collision imminente, assistance en cas d'obstacle latéral, avertisseur et contrôle actif de sortie de voie, détection de piétons, phares adaptatifs
SUSPENSION avant/arrière indépendante
FREINS avant/arrière disques
DIRECTION à crémaillère, assistée électriquement
PNEUS P235/50R18 **option** P235/45R19

DIMENSIONS

EMPATTEMENT 2 700 mm
LONGUEUR 4 425 mm
LARGEUR 2 083 mm (incl. rétro.)
HAUTEUR 1 508 mm **S** 1 476 mm (sans les longerons de toit)
POIDS 2RM 1 546 kg **4RM** 1 576 kg
RÉPARTITION DU POIDS AV/ARR (%) 60/40
DIAMÈTRE DE BRAQUAGE 11,2 m
COFFRE 543 L, 1 150 L (sièges abaissés)
RÉSERVOIR DE CARBURANT 56 L

A

B

C

D

E

GALERIE

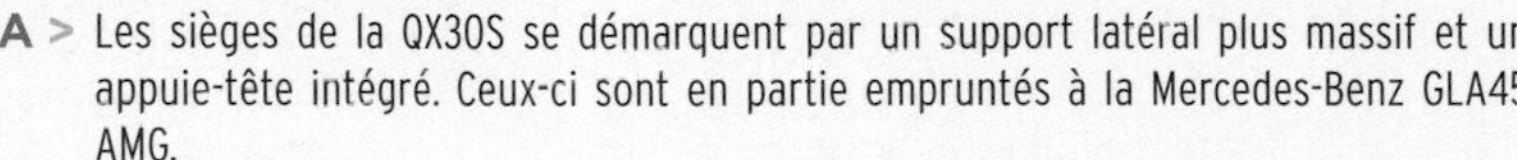

A > Les sièges de la QX30S se démarquent par un support latéral plus massif et un appuie-tête intégré. Ceux-ci sont en partie empruntés à la Mercedes-Benz GLA45 AMG.

B > Du côté de l'Europe, la QX30 à roues motrices avant est nommée Q30. Une logique que le marché nord-américain refuse d'adopter, le préfixe QX laissant sous-entendre qu'il s'agit d'un multisegment plutôt que d'une voiture.

C > Le design de la QX30 s'inspire des lignes du concept Etherea de 2011, qui avait été présenté au Salon de Genève, lequel se voulait à l'origine une réplique à l'Audi A3 Sportback.

D > Infiniti propose dans la QX30 son propre système d'infodivertissement, baptisé InTouch, lequel permet de personnaliser les menus en modifiant l'ordre des applications.

E > La QX30 a droit de série à un levier de vitesse à la console alors que la GLA ne le propose qu'en option sur les versions à caractère plus sportif. Autrement, Mercedes-Benz dissimule un levier de vitesse sur la colonne de direction.

AU VOLANT > Évidemment, l'impression de conduire une GLA est palpable jusque dans les moindres détails. Le rendement du moteur, de la boîte automatique, de la direction, tout transpire la Mercedes-Benz. Toutefois, ce sentiment est dissipé par le fait qu'Infiniti a su retravailler non seulement le design du produit, mais également l'ambiance qui règne à bord. De ce fait, on peut affirmer que la QX30 donne le meilleur des mondes, soit celui où l'on profite de l'ingénierie allemande et d'une philosophie de design japonais aussi audacieuse que distincte. Cela dit, les formes dynamiques signées Infiniti se prêtent à merveille avec le comportement routier de la QX30, montrant une conduite non seulement raffinée et équilibrée, mais également très amusante. À ce propos, mentionnons le caractère plus sportif de la version S, qui voit sa suspension raffermie et abaissée, ainsi que sa direction recalibrée pour plus de fermeté. Il est d'ailleurs dommage que cette version ne soit pas offerte avec la transmission intégrale, considérant de surcroît que le mariage de cette dernière avec un modèle au centre de gravité plus bas est possible.

CONCLUSION > Selon les études des stratèges de la marque, 85 % des ventes canadiennes devraient être attribuables aux modèles AWD, une donnée sans doute prudente considérant la demande du marché ainsi que les valeurs résiduelles clairement plus fortes pour ces versions. Maintenant, il faut considérer la QX30 pour ce qu'elle est, c'est-à-dire une compacte qui reprend essentiellement les mêmes proportions qu'une simple Volkswagen Golf. Le parallèle avec la Subaru Impreza à cinq portes et la Crosstrek est également applicable, considérant que l'une joue les voitures (QX30) et l'autre, le multisegment (QX30 AWD). Voilà d'ailleurs pourquoi j'ai pris soin de faire appel au genre féminin en décrivant la QX30, puisqu'en ce qui me concerne, ce véhicule n'a rien d'un « camion ». Cela dit, qu'importe votre perception de la chose, la (ou le) QX30 est vouée au succès. Une formule gagnante qui fera assurément découvrir la marque à une nouvelle catégorie d'acheteurs et qui permettra à Infiniti de s'illustrer devant Acura et Lexus, qui n'offrent pour l'heure aucune compétition. ■

HISTORIQUE

Le tout premier utilitaire de la marque Infiniti se voulait un clone plus luxueux du Nissan Pathfinder. Suite au succès de ce modèle, plusieurs autres véhicules utilitaires ont été lancés par le constructeur, qui propose aujourd'hui cinq véhicules du genre, pour seulement trois voitures. Comme quoi le marché du luxe est de plus en plus axé sur les VUS et multisegments.

Infiniti QX4 1997

Infiniti FX45 2003

Infiniti QX56 2004.

Infiniti EX35 2008

Infiniti JX35 2013

LA COTE VERTE

MOTEUR V6 DE 3,5 L HYBRIDE (Q50)
CONSOMMATION (100 km) ville 8,7 L, route 7,6 L
CONSOMMATION ANNUELLE 1 394 L, 1 882 $
INDICE D'OCTANE 91
ÉMISSIONS POLLUANTES CO_2 3 206 kg/an
(source : ÉnerGuide)

FICHE D'IDENTITÉ

VERSION(S) Q50 2.0t Base 2.0t Premium 3.0t Premium, 3.0t Sport, Red Sport 400, Hybride **Q60** 2.0t, 3.0t, Red Sport 400
TRANSMISSION(S) 4
PORTIÈRES 4, 2 **PLACES** 5, 4
PREMIÈRE GÉNÉRATION 2003
GÉNÉRATION ACTUELLE 2014, 2017 (Q60)
CONSTRUCTION Tochigi, Japon
COUSSINS GONFLABLES 6 (frontaux, latéraux avant, rideaux latéraux)
CONCURRENCE Q50 Acura TLX, Alfa Romeo Giulia, Audi A4, BMW Série 3/4, Buick Regal GS, Cadillac ATS, Jaguar XE, Lexus IS, Mercedes-Benz , Volkswagen CC, Volvo S60 **Q60** Audi A5, Cadillac ATS coupe, Lexus RC, Mercedes-Benz Classe C coupe

AU QUOTIDIEN

COLLISION FRONTALE 4/5
COLLISION LATÉRALE 5/5
VENTES DU MODÈLE L'AN DERNIER
AU QUÉBEC 837 (-2,1 %) **AU CANADA** 3 703 (+1,0 %) (Q50 + Q60)
DÉPRÉCIATION (%) 30,0 (3 ans)
RAPPELS (2011 à 2016) 8
COTE DE FIABILITÉ 3,5/5

GARANTIES... ET PLUS

GARANTIE GÉNÉRALE 4 ans/100 000 km
GROUPE MOTOPROPULSEUR 6 ans/110 000 km
PERFORATION 7 ans/ kilométrage illimité
ASSISTANCE ROUTIÈRE 4 ans/ kilométrage illimité
NOMBRE DE CONCESSIONNAIRES AU QUÉBEC 6 **AU CANADA** 29

NOUVEAUTÉS EN 2017

Q50 :Toutes les versions sont à 4 roues motrices. De série sur version de base: rétroviseur jour/nuit automatique, transmetteur Homelink® et essuie-glaces automatique. De série sur version Premium: climatisation automatique, nouveau système de son Bose® avec atténuation de bruit et 16 haut-parleurs. Nouvel ensemble Designer disponible sur version Red Sport 400. Nouvelle palette de couleurs. Q60 : Nouvelle génération.

SÉDUCTION À LA JAPONAISE

Au moment d'écrire ces lignes, nous n'avions pas pu prendre le volant du nouveau coupé Q60, lequel partage à peu près tous ses éléments avec la berline Q50. Sera-t-il un peu plus sportif, plus dynamique ? Sans doute, parce qu'Infiniti souhaite faire plus avec ce modèle que de retirer deux portes à la berline. Cela dit, attendez-vous à ce que les propos attribuables à la berline le soient aussi pour le coupé, dont les lignes sont à couper le souffle...

Antoine Joubert

TOUR DU PROPRIÉTAIRE > La bonne nouvelle, c'est que nous avons néanmoins pu mettre la main sur plusieurs livrées de la Q50, laquelle était également remaniée en cours d'année. D'une grande importance pour Infiniti, ce modèle devait s'aligner sur la concurrence en proposant une plus grande variété de modèles. De ce fait, on nous sert aujourd'hui trois versions en compétition directe avec ce que présentent BMW, Lexus et Mercedes-Benz, en plus d'une version hybride. Sur le plan esthétique, la voiture ne change cependant pas. Et entre vous et moi, personne ne s'en plaindra. On reconnaît à cette élégante berline quelques traits de Jaguar ainsi que des traits stylisés très caractéristiques de l'ensemble des produits de la marque. À mon avis, l'une des plus jolies berlines du segment.

VIE À BORD > Les places arrière sont étroites, le coffre aussi. Inutile de la considérer si vous avez des besoins familiaux. En revanche, la position de conduite comme la présentation

\+ LIGNE SPLENDIDE
PERFORMANCES ROUTIÈRES REMARQUABLES
4-CYLINDRES BIEN ADAPTÉ
QUALITÉ DE CONSTRUCTION

\- PLACES ARRIÈRE ÉTRIQUÉES
VERSION HYBRIDE TRÈS LOURDE
À QUAND LA BOÎTE SÉQUENTIELLE À DOUBLE EMBRAYAGE ?

MENTIONS

CLÉ D'OR | CHOIX VERT | COUP DE CŒUR | **RECOMMANDÉ**

VERDICT

PLAISIR AU VOLANT
QUALITÉ DE FINITION
CONSOMMATION
RAPPORT QUALITÉ / PRIX
VALEUR DE REVENTE
CONFORT

1 5 10

intérieure sont géniales. D'abord, chapeau à la qualité d'assemblage et de finition, nettement améliorée, mais aussi pour la surenchère de gadgets technologiques offerts. Et ici, pas besoin d'allonger 65000$ pour obtenir une voiture bien équipée. Les groupes d'options sont certes présents, mais plus accessibles que chez la concurrence allemande.

TECHNIQUE > Mécaniquement parlant, Infiniti repart de zéro. Enfin, presque, puisqu'on conserve l'onéreuse version hybride à moteur V6 de 3,5 litres, malheureusement très lourde. Maintenant, le moteur VQ37 préalablement offert cède sa place à deux variations d'un tout nouveau V6 de 3 litres biturbo à injection directe de carburant, lequel produit 300 ou 400 chevaux (RedSport). Plus léger, moins gourmand et moins grognon que son prédécesseur, il s'accouple à une boîte automatique à 7 rapports, tout comme ce nouveau 4-cylindres de 2 litres prenant place dans la version 2.0t de base. Ce dernier vient en fait remplacer un 6-cylindres de 2,5 litres auquel nous avons momentanément eu droit, alors qu'Infiniti nous soumettait la G25, et qui avait poursuivi sa carrière dans la berline Q40 vendue aux États-Unis. Évidemment, toutes les versions canadiennes de la Q50 reçoivent de série la transmission intégrale, laquelle utilise une distribution variable du couple de l'arrière vers l'avant pour maximiser l'adhérence.

AU VOLANT > Offerte à prix raisonnable, la version 2.0t nous sert un moteur Mercedes-Benz directement emprunté aux CLA et GLA. Un moteur nerveux, frugal, fort amusant et qui impressionne malgré une puissance inférieure à celle de la concurrence. Parfaitement équilibrée, la Q50 2.0t est confortable et fort agréable au quotidien, en plus de conserver l'ADN d'une authentique berline sport. Maintenant, si vous avez soif de puissance, sachez que la version RedSport de 400 chevaux vous en mettra plein la vue. Musclée, elle passe de 0 à 100 km/h en 4,9 secondes, et ce, en vous livrant une poussée d'adrénaline insoupçonnée. Ce punch supplémentaire par rapport à la version 3.0t n'affecte toutefois pas le rendement quotidien ni même la consommation de carburant, qui oscillera avec les deux V6 autour de 11 litres aux 100 kilomètres. Il faut dire que la voiture propose une conduite à la carte qui permet un rendement plus calme ou carrément démoniaque. Maintenant, l'innovation la plus marquée de la Q50 réside dans cette direction à impulsion électrique, sans aucune relation mécanique entre le volant et les roues. Un simple signal acheminé à un moteur électrique se charge instantanément de diriger les roues selon vos commandes. Bien sûr, cela impacte sur le poids du véhicule, mais aussi sur la rapidité d'exécution.

CONCLUSION > Pour rivaliser pleinement avec la gamme de la Série 3 de BMW, il ne manque donc désormais qu'une version Eau Rouge à moteur de Nissan GT-R. Mais d'ici à ce que cela survienne, sachez qu'Infiniti vous sert une voiture magnifiquement sculptée, performante, luxueuse et, par-dessus le marché, fiable. Et tout ça, pour moins cher que les allemandes. ■

2e OPINION

Benoit Charette

Les marques de luxe japonaises n'ont pas la vie facile dans le monde des berlines de luxe. Ce marché outrageusement dominé par les Allemands ne laisse que très, très peu de place aux autres. Pourtant, les modèles ne sont pas sans intérêt. Prenons par exemple la Q50 400 avec son V6 biturbo de 400 chevaux. Si certains la voient comme un prix de consolation à une version eau rouge à moteur GTR qui ne verra pas le jour, d'autres se disent qu'Infiniti a trouvé une solution pour sortir ses modèles de leur conduite exemplaire, certes, mais un peu grise. Elle n'a pas le panache ni la puissance des allemandes, mais elle apporte, à un prix réaliste dans ce segment, un brin de «pep» dans le soulier dont cette voiture avait bien besoin. Ce n'est pas assez pour convaincre les amateurs de machines germaniques de changer de camp, mais c'est un pas dans la bonne direction.

FICHE TECHNIQUE

MOTEUR(S)

(Q50 Hybride) V6 3,5 L DACT + moteur électrique
PUISSANCE 302 ch à 6800 tr/min + moteur **électrique** 67 ch, max. combiné 360 ch
COUPLE 258 lb-pi + moteur électrique 214 lb-pi
RAPPORT POIDS/PUISSANCE 5,2 kg/ch
BOITE(S) DE VITESSES automatique à 7 rapports avec mode manuel et (en option) manettes au volant
PERFORMANCES 0 à 100 km/h 5,5 s **VITESSE MAXIMALE** 250 km/h (est.)

(2.0t) L4 2.0 L DACT turbo
PUISSANCE 208 ch à 5000 tr/min **COUPLE** 258 lb-pi de 1500 à 3500 tr/min
RAPPORT POIDS/PUISSANCE 8,4 kg/ch
BOITE(S) DE VITESSES automatique à 7 rapports avec mode manuel et (en option) manettes au volant
PERFORMANCES 0 à 100 km/h 7,9 s (est.)
REPRISE 80-115 km/h 4,1 s **FREINAGE 100-0 km/h** 36,0 m
NIVEAU SONORE À 100 km/h ND **VITESSE MAXIMALE** 250 km/h (est.)
CONSOMMATION (100 km) ville 10,6 L, route 8,4 L (octane 91)
ANNUELLE 1632 L, 2203 $ **ÉMISSIONS DE CO_2** 3754 kg/an

(3.0t/Red Sport 400) V6 3,0 L DACT biturbo
PUISSANCE 300 ch à 6400 tr/min **Red Sport** 400 ch
COUPLE 295 lb-pi de 1600 à 5200 tr/min **Red Sport** 350 lb-pi
RAPPORT POIDS/PUISSANCE 5,9 kg/ch **Red Sport** 4,6 kg/ch
BOITE(S) DE VITESSES automatique à 7 rapports avec mode manuel et (en option) manettes au volant
PERFORMANCES 0 à 100 km/h 5,7 s (est.) **Red Sport** 4,9 s
REPRISE 80-115 km/h ND **FREINAGE 100-0 km/h** 36,0 m
NIVEAU SONORE À 100 km/h ND **VITESSE MAXIMALE** 250 km/h (est.)
CONSOMMATION (100 km) ville 12,3 L, route 8,5 L
Red Sport ville 12,3 L route 9,1 L (octane 91)
ANNUELLE 1802 L, 2433 $ **Red Sport** 1836 L, 2479 $
ÉMISSIONS DE CO_2 4145 kg/an **Red Sport** 4223 kg/an

AUTRES COMPOSANTS

SÉCURITÉ ACTIVE (certains en option) Freins ABS, assistance au freinage, répartition électronique de la force de freinage, contrôle électronique de la stabilité, antipatinage, régulateur de vitesse adaptatif, assistance en cas de collision imminente, assistance en cas d'obstacle latéral, avertisseur et contrôle actif de sortie de voie, phares adaptatifs
SUSPENSION avant/arrière indépendante
FREINS avant/arrière disques, à récupération d'énergie sur hybride
DIRECTION à crémaillère, à assistance électro-hydraulique, adaptative
PNEUS P225/55R17 **Hybride/option** P245/40R19

DIMENSIONS

EMPATTEMENT 2850 mm **LONGUEUR** 4783 mm
LARGEUR 1824 mm **HAUTEUR** 1453 mm
POIDS 2.0t 1744 kg **3.0t** 1786 kg **Red Sport** 1839 kg **Hybride** 1890 kg
RÉPARTITION DU POIDS AV/ARR (%) 2.0t 54/46 **3.0t/Red Sport** 57/43 **Hybride** 55/45
DIAMÈTRE DE BRAQUAGE 11,4 m
COFFRE 2.0t 374 L **3.0t/Red Sport** 382 L **Hybride** 266 L
RÉSERVOIR DE CARBURANT 76 L **Hybride** 67 L

LA COTE VERTE

MOTEUR V6 DE 3,7 L HYBRIDE
CONSOMMATION (100 km) ville 8,0 L, route 6,9 L
CONSOMMATION ANNUELLE 1 275 L, 1 721 $
INDICE D'OCTANE 91
ÉMISSIONS POLLUANTES CO 2 933 kg/an
(source : ÉnerGuide)

FICHE D'IDENTITÉ

VERSION(S) Q70 Base, Sport, Hybride **Q70L** 3.7, 5.6
TRANSMISSION(S) 4
PORTIÈRES 4 **PLACES** 5
PREMIÈRE GÉNÉRATION 2003
GÉNÉRATION ACTUELLE 2011
CONSTRUCTION Tochigi, Japon
COUSSINS GONFLABLES 6 (frontaux, latéraux avant, rideaux latéraux)
CONCURRENCE Acura RLX, Audi A6, BMW Série 5, Cadillac CT6/XTS, Genesis G80/G90, Jaguar XF, Kia Cadenza/K900, Lexus GS, Lincoln Continental/MKS, Maserati Ghibli, Mercedes-Benz Classe E, Volvo S90

AU QUOTIDIEN

COLLISION FRONTALE 5/5
COLLISION LATÉRALE 5/5
VENTES DU MODÈLE L'AN DERNIER
AU QUÉBEC 46 (+142%) **AU CANADA** 217 (+69,5%)
DÉPRÉCIATION (%) 33,2 (3 ans)
RAPPELS (2011 à 2016) 5 (incl. M)
COTE DE FIABILITÉ 3,5/5

GARANTIES... ET PLUS

GARANTIE GÉNÉRALE 4 ans/100 000 km
GROUPE MOTOPROPULSEUR 6 ans/110 000 km
PERFORATION 7 ans/ kilométrage illimité
ASSISTANCE ROUTIÈRE 4 ans/ kilométrage illimité
NOMBRE DE CONCESIONNAIRES
AU QUÉBEC 6 **AU CANADA** 29

NOUVEAUTÉS EN 2017

Aucun changement majeur

LE POIDS DES ANNÉES

Deux cent dix-sept. C'est le nombre d'exemplaires de la Q70 qu'Infiniti a écoulé au Canada en 2015. Malgré le fait qu'il s'agisse d'une hausse par rapport à l'année précédente, cette berline de luxe n'est certainement pas celle qui fera grossir l'empreinte de la marque. La Q70 évolue néanmoins dans un segment important pour l'image de marque tout en proposant un regard intéressant, à défaut d'être très moderne.

Charles René

TOUR DU PROPRIÉTAIRE > Infiniti veut manifestement ici se démarquer de la placide concurrence allemande avec un design plus excentrique, voire évocateur. On se concentre évidemment d'abord sur son visage, sculpté pour bien s'intégrer dans la gamme de la marque. Ce fut d'ailleurs le premier modèle à arborer cette calandre, une sorte de rectangle bombé qui s'est plus tard généralisé à l'ensemble des modèles d'Infiniti. Du reste, on observe des lignes très lisses et un accent mis sur les ailes avant, qui semblent inspirées du courant de design « streamline », tentative des constructeurs durant les années 30 d'apprivoiser l'aérodynamisme. On dénote une belle prestance dans ce dessin longiligne, même en version L allongée. Les designers ont réussi à bien intégrer l'empattement plus long, une tâche plus complexe qu'il n'y paraît.

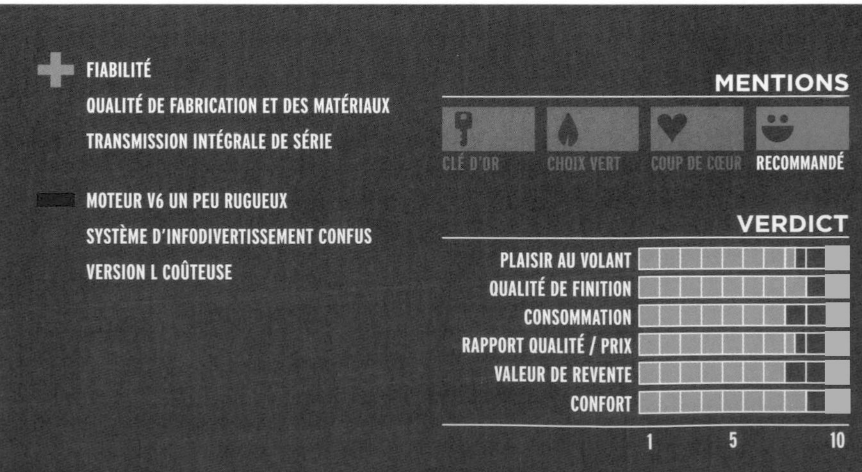

+ FIABILITÉ
QUALITÉ DE FABRICATION ET DES MATÉRIAUX
TRANSMISSION INTÉGRALE DE SÉRIE
– MOTEUR V6 UN PEU RUGUEUX
SYSTÈME D'INFODIVERTISSEMENT CONFUS
VERSION L COÛTEUSE
MENTIONS
CLÉ D'OR
CHOIX VERT
COUP DE CŒUR
RECOMMANDÉ
VERDICT
PLAISIR AU VOLANT
QUALITÉ DE FINITION
CONSOMMATION
RAPPORT QUALITÉ / PRIX
VALEUR DE REVENTE
CONFORT
1
5
10

VIE À BORD > Du doux effluve de cuir flottant dans l'habitacle jusqu'à la présence de moulures frêne blanc, l'habitacle de la Q70 nous plonge dans une ambiance de luxe. L'aspect esthétique est aussi bien intéressant avec la présence de nombreuses lignes organiques enveloppant la planche de bord. Infiniti ne déçoit également pas sur la qualité des matériaux choisis. Peu importe où l'on pose la main, c'est du solide et c'est très bien confectionné. Pour l'espace, l'avant est très accueillant, quelle que soit la taille du conducteur et du passager. Si vous voulez bénéficier de beaucoup d'espace pour les jambes à l'arrière, la version L est un incontournable. Elle transforme cette Q70 en une vraie limousine avec un empattement étiré de 150 millimètres pour 1063 millimètres d'espace pour les jambes, à peine 10 millimètres de moins qu'une Rolls-Royce Ghost. Pour le côté technologique de l'offre, la berline se contente d'un système d'infodivertissement quelque peu dépassé et un peu confus dans sa structure.

TECHNIQUE > Infiniti ne réserve ici aucune surprise. Le moteur de série n'est nul autre que le V6 de 3,7 litres largement utilisé depuis de nombreuses années par le constructeur. Cette mécanique produit 330 chevaux. Cité lors de ses débuts parmi les bons moteurs de sa catégorie, il montre maintenant des rides, surtout concernant sa souplesse. Il paraît un peu ankylosé à bas régime et devient rugueux lorsque l'aiguille du compte-tours grimpe. Bref, il résiste mal à la comparaison avec les moteurs de la concurrence, surtout dans un segment où l'onctuosité est importante. Sa boîte de vitesse, une automatique classique à 7 rapports, n'a pas non plus un comportement aussi probant que ce que l'on retrouve chez les rivales. Un V8 de 5,6 litres est également disponible. Lui aussi atmosphérique, il déploie 416 chevaux pour une consommation de carburant à peine plus élevée.

AU VOLANT > La Q70 se positionne parmi les berlines de luxe intermédiaires qui ont un penchant pour le sport. Non pas qu'on puisse la considérer comme une rivale des BMW M5 ou Audi S6 de ce monde, mais cette nippone est construite sur un châssis qui marie bien le confort au dynamisme. Somme toute assez agile, elle avale les courbes avec une belle aisance, sans avoir un roulement trop sec. Les pneus de 20 pouces à profil ultramince y sont ici pour quelque chose, mais pardonnent peu lorsque la route devient crevassée. La direction s'harmonise bien aussi avec ce tempérament; elle se fait précise et amplement communicative pour le mandat. Malgré son empattement plus étendu, la déclinaison L a un caractère très semblable, voire légèrement plus ordonné sur les bosses.

CONCLUSION > Il ne fait pas de doute, cette Q70 est un produit de qualité, bien assemblé et offrant une formule intéressante avec sa transmission intégrale de série. C'est néanmoins une voiture qui prend de l'âge et qui perd du terrain au profit de sa rivale directe nippone, la Lexus GS. ■

2e OPINION

Luc-Olivier Chamberland

L'offensive qu'Infiniti fait dans l'univers des berlines de prestige intermédiaires face aux allemandes se compare à une fléchette sur un char d'assaut. Totalement ignorée par les consommateurs, la Q70 possède malgré tout quelques atouts comme une hybride et une version allongée Q70L. Pour le reste, Infiniti n'a pas encore percé le mystère du succès des E, 5 et A6. Le V6 et le V8 font le travail, mais on n'arrive pas à la cheville du comportement des autres. À ce titre, même Jaguar et Lexus font mieux. Année après année, Infiniti réalise qu'il est difficile de se frotter à ce qui se fait de mieux dans le monde automobile. On n'y est tout simplement pas.

FICHE TECHNIQUE

MOTEUR(S)

(HYBRIDE) V6 3,7 L DACT + moteur électrique
PUISSANCE 302 ch à 6 800 tr/min + moteur électrique de 67 ch (puissance totale maximale combinée 360 ch)
COUPLE 258 lb-pi à 5 000 tr/min + moteur électrique
RAPPORT POIDS/PUISSANCE 5,2 kg/ch
BOÎTE(S) DE VITESSES automatique à 7 rapports avec mode manuel
PERFORMANCES 0-100 km/h 5,7 s
REPRISE 80-115 km/h 3,9 s **FREINAGE 100-0 km/h** 37,0 m
NIVEAU SONORE À 100 km/h Bon **VITESSE MAXIMALE** 240 km/h

(3.7) V6 3,7 L DACT
PUISSANCE 330 ch à 7 000 tr/min
COUPLE 270 lb-pi à 5 200 tr/min
RAPPORT POIDS/PUISSANCE 5,5 kg/ch **L** 6,0 kg/ch
BOÎTE(S) DE VITESSES automatique à 7 rapports avec mode manuel et (version Sport) manettes au volant
PERFORMANCES 0-100 km/h 5,9 s
REPRISE 80-115 km/h 4,7 s **FREINAGE 100-0 km/h** 36,0 m
VITESSE MAXIMALE 250 km/h
CONSOMMATION (100 km) ville 13,2 L, route 9,6 L (octane 91)
ANNUELLE 1 972 L, 2 859 $ **ÉMISSIONS DE CO_2** 4 536 kg/an

(5.6) V8 5,6 L DACT
PUISSANCE 420 ch à 6 000 tr/min
COUPLE 417 lb-pi à 4 400 tr/min
RAPPORT POIDS/PUISSANCE 4,6 kg/ch **L** 4,7 kg/ch
BOÎTE(S) DE VITESSES automatique à 7 rapports avec mode manuel et (version Sport) manettes au volant
PERFORMANCES 0-100 km/h 5,3 s
REPRISE 80-115 km/h 3,8 s **VITESSE MAXIMALE** 250 km/h
CONSOMMATION (100 km) ville 14,9 L, route 10,2 L (octane 91)
ANNUELLE 2 176 L, 2 938 $ **ÉMISSIONS DE CO_2** 5 005 kg/an

AUTRES COMPOSANTS

SÉCURITÉ ACTIVE (certains en option) Freins ABS, assistance au freinage, répartition électronique de la force de freinage, contrôle électronique de la stabilité, antipatinage, régulateur de vitesse adaptatif, phares adaptatifs, avertisseurs de sortie de voie et d'obstacle arrière et latéral, assistance au maintien de voie, freinage d'urgence autonome, caméra 360°
SUSPENSION avant/arrière indépendante
FREINS avant/arrière disques **hybride** à récupération d'énergie
DIRECTION à crémaillère **hybride** assistée électriquement
PNEUS Premium P245/50R18 **Sport/L** P245/40R20

DIMENSIONS

EMPATTEMENT 2 900 mm **L** 3 051 mm
LONGUEUR 4 945 mm **L** 5 131 mm
LARGEUR 1 845 mm **HAUTEUR** 1 515 mm
POIDS 3.7 1 833 kg **5.6** 1 923 kg **L** 1 978 kg **Hybride** 1 873 kg
RÉPARTITION DU POIDS AV/ARR (%) 3.7 55/45 **5.6** 57/43 **L** 57/43 **Hybride** 51/49
DIAMÈTRE DE BRAQUAGE 11,4 m **Hybride** 11,2 m
COFFRE 422 L **Hybride** 320 L
RÉSERVOIR DE CARBURANT 76 L **Hybride** 67 L

LA COTE VERTE

MOTEUR V6 DE 3,7 L
CONSOMMATION (100 km) ville 13,7 L, route 9,7 L
CONSOMMATION ANNUELLE 2 023 L, 2 731 $
INDICE D'OCTANE 91
ÉMISSIONS POLLUANTES CO_2 4 653 kg/an
(source: ÉnerGuide)

FICHE D'IDENTITÉ

VERSION(S) unique
TRANSMISSION(S) 4
PORTIÈRES 5 **PLACES** 5
PREMIÈRE GÉNÉRATION 2008
GÉNÉRATION ACTUELLE 2016
CONSTRUCTION Tochigi, Japon
COUSSINS GONFLABLES 6 (frontaux, latéraux avant, rideaux latéraux)
CONCURRENCE Acura RDX, Audi Q5, BMW X3/X4, Buick Envision, Jaguar F-Pace, Land Rover Discovery Sport/Evoque, Lexus NX, Lincoln MKC, Mercedes-Benz Classe GLC, Porsche Macan, Volvo XC60

AU QUOTIDIEN

COLLISION FRONTALE 5/5
COLLISION LATÉRALE 5/5
VENTES DU MODÈLE DE L'AN DERNIER
AU QUÉBEC 582 (+27,1 %) **AU CANADA** 2 283 (+20,3 %)
DÉPRÉCIATION (%) 30,1 (3 ans)
RAPPELS (2011 à 2016) 1 (EX35)
COTE DE FIABILITÉ 5/5

GARANTIES... ET PLUS

GARANTIE GÉNÉRALE 4 ans/100 000 km
GROUPE MOTOPROPULSEUR 6 ans/110 000 km
PERFORATION 7 ans/ kilométrage illimité
ASSISTANCE ROUTIÈRE 4 ans/ kilométrage illimité
NOMBRE DE CONCESIONNAIRES
AU QUÉBEC 6 **AU CANADA** 29

NOUVEAUTÉS EN 2017

Aucun changement majeur

UN MODÈLE QUI A LA COUENNE DURE

Certains véhicules changent d'allure comme ils changent de moteurs. Parfois même trop souvent. D'autres au contraire durent et perdurent. C'est le cas de l'Infiniti QX50. Cet utilitaire qui a d'abord été connu sous le nom de EX35, puis de EX37 (avec l'avènement d'un nouveau moteur), a adopté ce nouveau vocable sans vraiment changer d'allure. Cela ne l'empêche pas d'avoir subi certains changements, dont certains dignes d'intérêt, avec l'arrivée de la version 2016.

Luc Gagné

TOUR DU PROPRIÉTAIRE > La silhouette de ce QX n'a quasiment pas changé depuis l'apparition de l'EX35 en décembre 2007. Cela ne l'empêche pas d'être toujours aussi séduisant, une qualité qui démontre la justesse de son design, qui aura bientôt 10 ans. La refonte discrète effectuée pour le modèle 2016 lui a tout de même donné un empattement plus long (+80 mm) et une garde au sol rehaussée (+20 mm). Sa calandre a aussi subi quelques retouches esthétiques, de même que ses blocs optiques avant désormais munis des feux diurnes à DEL. Par contre, les blocs optiques arrière en goutte d'eau, qui combinent les feux de position et les feux des freins, n'ont guère changé. Pas plus d'ailleurs que les clignotants rectangulaires encastrés très bas (trop ?) dans le pare-chocs.

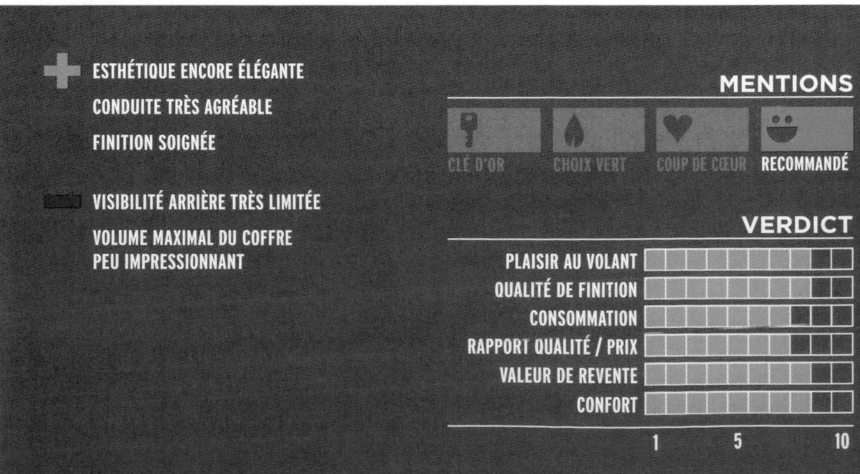

+ ESTHÉTIQUE ENCORE ÉLÉGANTE
CONDUITE TRÈS AGRÉABLE
FINITION SOIGNÉE
– VISIBILITÉ ARRIÈRE TRÈS LIMITÉE
VOLUME MAXIMAL DU COFFRE PEU IMPRESSIONNANT
MENTIONS
CLÉ D'OR
CHOIX VERT
COUP DE CŒUR
RECOMMANDÉ
VERDICT
PLAISIR AU VOLANT
QUALITÉ DE FINITION
CONSOMMATION
RAPPORT QUALITÉ / PRIX
VALEUR DE REVENTE
CONFORT
1
5
10

VIE À BORD > L'intérieur évoque le luxe par les matériaux employés, la finition soignée et la dotation. L'écran tactile de 7 pouces du système d'infodivertissement paraît cependant petit à une époque où cet appareil occupe de plus en plus de place au centre du tableau de bord, surtout dans les véhicules de luxe. Il affiche, entre autres choses, les images de la caméra arrière ou de celles du système périmétrique Around View (une option). Le système de guidage par satellite aussi figure parmi les options. L'empattement allongé, par ailleurs, a permis d'augmenter le dégagement aux jambes et aux genoux pour les places arrière; un bienfait, confirmeront ceux qui ont connu les versions antérieures de ce véhicule. Quant au coffre modulable, la polyvalence qu'il procure au QX50 contribue assurément à sa popularité. Il rend ce véhicule nettement plus pratique qu'une berline, comme l'Infiniti Q50, qui partage sa plate-forme. Cependant, ce coffre n'est pas des plus spacieux, du moins lorsqu'on replie les dossiers asymétriques de la banquette arrière. Dans cette condition, des utilitaires comme l'Acura RDX et le Lexus NX font mieux.

TECHNIQUE > Du point de vue de sa mécanique, le QX50 est très proche de l'EX37 qui l'a précédé en 2013. Il a le même puissant moteur V6 de 3,7 litres, qui produit toujours 325 chevaux et 267 livres-pieds de couple. Ce moteur de la famille VQ (le VQ37VHR pour les intimes) a d'ailleurs servi à plusieurs modèles de la marque depuis 2008. Le QX50 le partage même avec l'actuel QX70. Au Canada, Infiniti n'offre que des versions à quatre roues motrices de cet utilitaire, contrairement aux États-Unis, où des versions à deux roues motrices (arrière) figurent également au catalogue. Cette décision stratégique paraît logique pour un marché comme le nôtre, où ce véhicule se vend en petit nombre. Cette transmission intégrale est de type réactif. Elle peut transmettre jusqu'à 50 % du couple moteur aux roues avant.

AU VOLANT > Le QX50 est un véhicule agréable à conduire malgré sa servodirection un peu lourde, même à basse vitesse. L'habitacle est superbement bien insonorisé et le V6 atmosphérique procure des accélérations linéaires et des reprises soutenues. La boîte automatique dispose d'un mode manuel qui favorise une conduite sportive. Il manque toutefois des palettes de changement de rapports fixées au volant. Dommage ! En outre, le comportement routier équilibré de ce QX se confirme par une répartition de masse efficace : 54 % à l'avant et 46 % à l'arrière. Le roulis est quasi inexistant et le freinage, assuré par des disques aux quatre roues, se module admirablement bien. La visibilité arrière demeure cependant médiocre en raison de la forme très courbée du toit, de la lunette courte et étroite et des montants arrière de toit massifs. Côté pratique, enfin, plus de vide-poches autour du poste de pilotage seraient bienvenus.

CONCLUSION > L'Infiniti QX50 est agréable à conduire et bien construit. La dotation des différentes versions nous semble adéquate, même celle de la version de base. Cependant, lorsque Nissan évoque un modèle ayant subi des changements draconiens, le qualificatif semble exagéré. Parlons plutôt d'une révolution tranquille. Très tranquille. D'ailleurs, Infiniti fera sûrement énormément plus de bruit avec son nouveau QX30 qu'avec ce QX50, qui tarde à être renouvelé malgré sa silhouette élégante et unique. ■

2e OPINION

Luc-Olivier Chamberland

De l'aveu même du designer en chef d'Infiniti, Alfonso Albaïsa, les transformations apportées en 2016 au QX50 ne servent qu'à étirer la sauce avant une nouvelle génération pour 2018. Devant son insuccès, Infiniti a décidé d'importer chez nous la version allongée initialement prévue uniquement pour la Chine. Avec cette introduction, on règle le problème du manque d'espace pour les passagers. Depuis, les ventes se sont légèrement redressées, mais le QX50 commence à se faire vieux. Heureusement, mais un anachronisme pour certains, il offre la plus puissante mécanique du segment avec son gros V6 de 3,7 litres de 325 chevaux. Un autre avantage notable, il se présente avec une rassurante fiche de fiabilité.

FICHE TECHNIQUE

MOTEUR(S)

(QX50) V6 3,7 L DACT
PUISSANCE 325 ch à 7 000 tr/min
COUPLE 267 lb-pi à 5 200 tr/min
RAPPORT POIDS/PUISSANCE 5,6 kg/ch
BOÎTE(S) DE VITESSES automatique à 7 rapports avec mode manuel
PERFORMANCES 0-100 km/h 6,2 s
REPRISE 80-115 km/h 4,1 s
FREINAGE 100-0 km/h 38,6 m
NIVEAU SONORE À 100 km/h Moyen
VITESSE MAXIMALE 235 km/h

AUTRES COMPOSANTS

SÉCURITÉ ACTIVE (certains en option) Freins ABS, assistance au freinage, répartition électronique de la force de freinage, contrôle électronique de la stabilité, antipatinage, régulateur de vitesse adaptatif, phares adaptatifs, avertisseurs de collision imminente, d'obstacle latéral et de changement de voie, assistance au maintien de voie
SUSPENSION avant/arrière indépendante
FREINS avant/arrière disques
DIRECTION à crémaillère, assistée
PNEUS P225/55R18 **option** P245/45R19

DIMENSIONS

EMPATTEMENT 2 880 mm
LONGUEUR 4 744 mm
LARGEUR 1 903 mm
HAUTEUR 1 592 mm, 1 614 mm (incl. longerons de toit)
POIDS 1 827 kg
RÉPARTITION DU POIDS AV/ARR (%) 54/46
DIAMÈTRE DE BRAQUAGE 11,8 m
COFFRE 527 L
RÉSERVOIR DE CARBURANT 75,7 L

LA COTE VERTE

MOTEUR L4 DE 2,5 L TURBO HYBRIDE
CONSOMMATION (100 km) ville 8,9 L, route 8,4 L
CONSOMMATION ANNUELLE 1 479 L, 1 775 $
INDICE D'OCTANE 87
ÉMISSIONS POLLUANTES CO_2 3 402 kg/an
(source : ÉnerGuide)

FICHE D'IDENTITÉ

VERSION(S) Base, Hybride
TRANSMISSION(S) 4
PORTIÈRES 5 **PLACES** 7
PREMIÈRE GÉNÉRATION 2013
GÉNÉRATION ACTUELLE 2013
CONSTRUCTION Smyrna, Tennesse, É-U.
COUSSINS GONFLABLES 6 (frontaux, latéraux avant, rideaux latéraux)
CONCURRENCE Acura MDX, Audi Q7, BMW X5, Buick Enclave, Cadillac XT5, Jeep Grand Cherokee, Land Rover LR4, Lexus GX/RX, Lincoln MKT, Mercedes-Benz GLE, Volkswagen Touareg, Volvo XC90

AU QUOTIDIEN

COLLISION FRONTALE 4/5
COLLISION LATÉRALE 5/5
VENTES DU MODÈLE L'AN DERNIER
AU QUÉBEC 699 (+11,3 %) **AU CANADA** 3 863 (+6,9 %)
DÉPRÉCIATION (%) 21,5 (3 ans)
RAPPELS (2011 à 2016) 10 (incl. JX)
COTE DE FIABILITÉ 3,5/5

GARANTIES... ET PLUS

GARANTIE GÉNÉRALE 4 ans/100 000 km
GROUPE MOTOPROPULSEUR 6 ans/110 000 km
PERFORATION 7 ans/ kilométrage illimité
ASSISTANCE ROUTIÈRE 4 ans/ kilométrage illimité
NOMBRE DE CONCESIONNAIRES
AU QUÉBEC 6 **AU CANADA** 29

NOUVEAUTÉS EN 2017

Moteur V6 plus puissant, hayon à ouverture autonome ajouté à l'ensemble Touring Deluxe, ensemble Technologie bonifié et avec phares et rétroviseurs adaptatifs ajoutés. Abandon de la version traction.

PERFORMANCE INSPIRÉE ?

Parce qu'on souhaite à tout prix arracher quelques ventes aux Européens, Infiniti témoigne de ses vertus avec le slogan *Performance inspirée*. Voilà un adage qui sied à merveille à des modèles comme la Q50, la nouvelle Q60 ou même au vieillissant QX70. Or, depuis 2013, le véhicule le plus vendu de la marque est sans aucun doute celui qui ne sert ni performance ni grande inspiration. On le baptisait autrefois JX35, maintenant QX60, et s'il y a un véhicule qui me laisse indifférent chez Infiniti, c'est bien celui-là.

Antoine Joubert

TOUR DU PROPRIÉTAIRE > Style audacieux, voire original, le QX60 séduit à coups de traits élastiques et de lignes fuyantes. Les stylistes de la marque peuvent d'ailleurs s'enorgueillir de l'image qui se dégage des plus récents modèles, surtout lorsqu'on sait que les Infiniti ne constituaient autrefois que de simples produits Nissan auxquels on greffait une nouvelle calandre et quelques garnitures chromées. Initialement lancé en 2013, l'actuel QX60 n'a d'ailleurs pas pris une ride, ce qui est tout à son honneur. Il faut dire que les retouches apportées en 2016 lui ont permis de moderniser quelque peu son style, tout en l'harmonisant davantage avec celui des autres modèles de la marque.

+
- CONFORT ET POLYVALENCE DE L'HABITACLE
- DESIGN RÉUSSI
- CONSOMMATION DE CARBURANT RAISONNABLE
- FIABILITÉ

–
- AGRÉMENT DE CONDUITE INEXISTANT
- VERSION HYBRIDE INEFFICACE
- CONSOLE CENTRALE MAL CONÇUE

MENTIONS

CLÉ D'OR | CHOIX VERT | COUP DE CŒUR | **RECOMMANDÉ**

VERDICT

PLAISIR AU VOLANT
QUALITÉ DE FINITION
CONSOMMATION
RAPPORT QUALITÉ / PRIX
VALEUR DE REVENTE
CONFORT

1 5 10

VIE À BORD > Ce n'est un secret pour personne, le QX60 partage ses bases avec l'actuel Nissan Pathfinder. Ne soyez donc pas étonné par la polyvalence de l'habitacle qui, malgré un traitement esthétique plus cossu, brille surtout par sa fonctionnalité. En clair, l'habitacle du QX60 propose quasiment tous les avantages d'une fourgonnette, sans le côté blé entier. La présentation est donc élégante et l'équipement y est très riche, mais les commodités et la facilité d'accès aux places arrière témoignent également d'un grand souci ergonomique. En fait, vous ne pourriez être déçu que par la présence de boiseries très plastiques à bord ainsi que par une console centrale avant où l'espace est mal exploité.

TECHNIQUE > Passons rapidement sur la version hybride, en mentionnant simplement qu'Infiniti la conserve au catalogue que pour se donner bonne conscience. La consommation est à peine inférieure à celle de la version régulière, ce qui engendre néanmoins une grande perte de puissance, de confort, et de capacité de remorquage. Qui plus est, la version régulière à moteur V6 de 3,5 litres voit cette année sa consommation légèrement réduite, grâce à l'adoption de l'injection directe de carburant, ce qui lui permet aussi un gain de puissance de 30 chevaux, pour un total de 295. Jumelé à une boîte automatique à variation continue, ce moteur fait aussi équipe avec à un rouage intégral réactif, lequel est verrouillable au besoin. Le gros avantage de cette motorisation réside en une consommation d'essence moyenne d'à peine 11 litres aux 100 km.

AU VOLANT > Fiable et peu gourmande, la motorisation n'a cependant rien de très « inspirant » malgré les dires d'Infiniti. La boîte CVT crée un effet d'élasticité mécanique désagréable en accélération qui n'a certainement rien de « premium » et qui rend la conduite ennuyante. Heureusement, l'impact sonore causé par la transmission est contré par une très bonne insonorisation et par la présence de verre laminé. Maintenant, l'image de performance est aussi anéantie par des suspensions feutrées et une direction surassistée, aucunement communicative, ce qui élimine toute forme de plaisir au volant. Bien sûr, le QX60 est confortable et se fait apprécier lors d'un voyage Montréal-New York, mais ne pensez pas y retrouver les sensations d'un Audi Q7 ou même d'un Acura MDX. Sur l'échelle d'exotisme au volant, pensez plutôt à la Toyota Sienna...

CONCLUSION > La performance, le style et tout ce qui permet de se différencier sont vendeurs. Ça, Infiniti l'a compris. Hélas, avec le QX60, il existe un monde entre ce qu'on vous vend et ce qu'on vous livre. Vous souhaitez du confort, du luxe et une tranquillité d'esprit en matière de fiabilité? Alors vivement ce modèle. Maintenant, si la conduite automobile vous passionne le moindrement, oubliez-le. Je terminerai d'ailleurs en reprenant les propos d'une connaissance qui me disait regretter les innombrables visites au concessionnaire avec son Grand Cherokee 2011 tant son QX60 l'ennuie. Soyez donc averti... ■

2e OPINION

Luc-Olivier Chamberland

Infiniti a trouvé une approche qui fonctionne très bien pour les familles à la recherche d'un multisegment plus cossu que la moyenne sans se vider le portefeuille. On récupère un Nissan Pathfinder, on repousse un peu plus loin des notions de luxe, on lui donne un look nettement plus raffiné et l'on complète l'ensemble par un écusson teinté de prestige. Le tout pour un prix de base de 47 400 $. Remis à jour l'an dernier, il présente les deux mêmes versions que précédemment, avec le V6 et l'hybride. Dans les deux cas, on parle d'une belle frugalité, donc inutile de payer les 10 500 $ de plus pour l'hybride.

FICHE TECHNIQUE

MOTEUR(S)

(HYBRIDE) L4 2,5L à compresseur volumétrique + moteur électrique
PUISSANCE 230 ch + 20 ch moteur électrique, 250 ch combinés
COUPLE 243 lb-pi combinés
RAPPORT POIDS/PUISSANCE 8,4 kg/ch
BOITE(S) DE VITESSES automatique à variation continue
PERFORMANCES 0-100 km/h 8,7 s
VITESSE MAXIMALE 210 km/h

(BASE) V6 3,5 L DACT
PUISSANCE 295 ch à 6 400 tr/min
COUPLE 270 lb-pi
RAPPORT POIDS/PUISSANCE 6,8 kg/ch
BOÎTE(S) DE VITESSES automatique à variation continue avec mode manuel
PERFORMANCES 0-100 km/h 7,2 s (est.)
REPRISE 80-115 km/h 4,1 s
FREINAGE 100-0 km/h 38,6 m
NIVEAU SONORE À 100 km/h Moyen
VITESSE MAXIMALE 210 km/h
CONSOMMATION (100 km) ville 12,2 L, route 8,9 L (octane 91)
ANNUELLE 1 819 L, 2 456 $
ÉMISSIONS DE CO2 4 184 kg/an

AUTRES COMPOSANTS

SÉCURITÉ ACTIVE (certains en option) Freins ABS, assistance au freinage, répartition électronique de la force de freinage, contrôle électronique de la stabilité, antipatinage, régulateur de vitesse adaptatif, assistance en cas d'impact imminent, assistance en cas de changement de voie et d'obstacle latéral, avertisseur d'obstacle arrière
SUSPENSION avant/arrière indépendante
FREINS avant/arrière disques, **hybride** à récupération d'énergie
DIRECTION à crémaillère, assistée électriquement
PNEUS P235/65R18 **option** P235/55R20

DIMENSIONS

EMPATTEMENT 2 900 mm
LONGUEUR 4 988 mm
LARGEUR 1 960 mm
HAUTEUR 1 722 mm **hybride** 1 742 mm
POIDS 2 023 kg **hybride** 2 098 kg
RÉPARTITION DU POIDS AV/ARR (%) 55/45
DIAMÈTRE DE BRAQUAGE 11,8 m
COFFRE 447 L
RÉSERVOIR DE CARBURANT 74 L
CAPACITÉ DE REMORQUAGE 1 588 kg

LA COTE VERTE

MOTEUR V6 DE 3,7 L
CONSOMMATION (100 km) ville 14,5 L, route 10,7 L
CONSOMMATION ANNUELLE 2 176 L, 2 938 $
INDICE D'OCTANE 91
ÉMISSIONS POLLUANTES CO_2 5 005 kg/an
(source: ÉnerGuide)

FICHE D'IDENTITÉ

VERSION(S) Base, Sport, Limited
TRANSMISSION(S) 4
PORTIÈRES 5 **PLACES** 5
PREMIÈRE GÉNÉRATION 2003
GÉNÉRATION ACTUELLE 2009
CONSTRUCTION Tochigi, Japon
COUSSINS GONFLABLES 6 (frontaux, latéraux avant, rideaux latéraux)
CONCURRENCE Acura MDX, Audi Q7, BMW X5/X6, Cadillac XT5, Jaguar F-Pace, Jeep Grand Cherokee, Land Rover LR4, Lexus RX, Maserati Levante, Mercedes-Benz GLE, Porsche Cayenne, Volkswagen Touareg, Volvo XC90

AU QUOTIDIEN

COLLISION FRONTALE 5/5
COLLISION LATÉRALE 5/5
VENTES DU MODÈLE DE L'AN DERNIER
AU QUÉBEC 102 (+8,5 %) **AU CANADA** 528 (+13,3 %)
DÉPRÉCIATION (%) 38,0 (3 ans)
RAPPELS (2011 à 2016) 2 (FX)
COTE DE FIABILITÉ 4/5

GARANTIES... ET PLUS

GARANTIE GÉNÉRALE 4 ans/100 000 km
GROUPE MOTOPROPULSEUR 6 ans/110 000 km
PERFORATION 7 ans/ kilométrage illimité
ASSISTANCE ROUTIÈRE 4 ans/ kilométrage illimité
NOMBRE DE CONCESIONNAIRES
AU QUÉBEC 6 **AU CANADA** 29

NOUVEAUTÉS EN 2017

Retouches esthétiques, ensemble Limited, remplace Touring Deluxe et ajoute phares de jour à DEL, roues de 21 pouces et finition intérieure spécifique, nouvelle palette de couleurs.

PATIENCE, PATIENCE

Au cours des deux dernières années, mon collègue Antoine Joubert s'est époumoné à vous expliquer pourquoi le QX70 était au bout de son rouleau. L'an dernier, il y est même allé de recommandations pour les représentants des ventes, probablement aussi découragés que lui et à court d'arguments pour écouler un véhicule si vieillissant. L'espoir? Une nouvelle génération qui nous donnerait l'occasion de vous présenter autre chose qu'un produit en attente d'une transplantation. En sélectionnant le texte cette année, j'ai vécu d'espoir... l'espace d'un instant. La réalité, c'est que le QX70 est loin d'être la priorité dans les bureaux d'Infiniti, dont les énergies sont davantage consacrées à l'expansion, tant de la gamme que vers de nouveaux marchés. Toujours est-il que le QX70 aura droit à une quatrième génération de modèle, mais il faut penser à 2018, peut-être même à 2019. N'empêche, le public, et les représentants, auront tout de même quelque chose à se mettre sous la dent cette année.

Daniel Rufiange

TOUR DU PROPRIÉTAIRE > Le QX70, jadis le FX, a déjà été une vedette à l'intérieur de la famille Infiniti. Les acheteurs le trouvaient beau, savouraient ses performances et en étaient fiers. Considérant qu'il n'a pas trop changé depuis, on conviendra que son problème

+
- COMPORTEMENT ROUTIER SPORTIF
- LIGNES TOUJOURS DANS LE COUP
- IL EST NÉGOCIABLE

–
- MODÈLE VIEILLISSANT
- COMPORTEMENT PARFOIS PARESSEUX DE LA BOÎTE AUTOMATIQUE
- CONSOMMATION TROP ÉLEVÉE

MENTIONS

CLÉ D'OR | CHOIX VERT | COUP DE CŒUR | **RECOMMANDÉ**

VERDICT

PLAISIR AU VOLANT
QUALITÉ DE FINITION
CONSOMMATION
RAPPORT QUALITÉ / PRIX
VALEUR DE REVENTE
CONFORT

1 5 10

n'est pas qu'une question de style. La vérité, c'est que l'offre s'est étoffée ailleurs et le QX70 n'est plus qu'un joueur parmi d'autres, un joueur qui doit être chèrement payé, de surcroît. Décliné en deux versions depuis des années, le millésime 2017 voit une troisième proposition être soumise au marché, la Limited. L'habillage n'est pas nouveau, lui qui décore le monstre de la famille, le QX80. Sur le QX70, on le reconnaîtra à ses feux de position diurnes à DEL qui remplacent les phares antibrouillard des autres variantes. Aussi, les prises d'air latérales prennent la couleur de la carrosserie, les rétroviseurs adoptent un fini foncé et l'arrière reçoit un protecteur de pare-chocs en acier inoxydable.

VIE À BORD > Le cocon du QX70 n'a pas changé, lui non plus, depuis l'introduction du modèle actuel en 2009. Heureusement, l'approche était réussie et même huit ans plus tard, c'est encore très présentable. La qualité, tant des matériaux que de leur assemblage, est correcte, mais on espère un peu plus d'un véhicule capable de nous soulager de 70 000 $. Le vent de fraîcheur, il est offert par la nouvelle version Limited, qui propose un traitement de couleurs graphite et galet (en d'autres mots, noir et blanc), des boiseries uniques, des surfaces matelassées spécifiques au modèle ainsi qu'une liste d'équipement plus garnie.

TECHNIQUE > Depuis quelques années, seul un moteur V6 peut animer le QX70. Le bloc, d'une taille de 3,7 litres, est bien connu, lui qui œuvre depuis des lunes au sein de l'entreprise. Sa puissance est adéquate, mais la masse de quelque 2000 kilos qu'il doit extirper de l'inertie ne lui permet pas de se faire justice. Là où le bât blesse, c'est que la concurrence, qui a renouvelé ses produits à un rythme plus décent, propose des mécaniques plus modernes, plus animées, et surtout plus frugales. Munissez-vous d'une carte de points bonis de pétrole quelque part.

AU VOLANT > S'il y a un élément où le QX70 se démarque toujours face à ses rivaux, c'est en matière d'agrément de conduite. Quelques instants au volant suffisent pour nous faire comprendre pourquoi il fut si populaire à son arrivée sur le marché. Il s'agit en fait d'un des rares véhicules utilitaires sport à faire honneur au mot sport. Le son du moteur, l'aplomb sur la route, le niveau de performance, tout est au poil. L'irritant demeure cette boîte automatique à 7 rapports qui peine parfois à suivre le rythme qu'on souhaite imposer au véhicule.

CONCLUSION > Au dernier salon de Beijing, Infiniti a présenté le prototype QX Sport Inspiration, une représentation probable du prochain QX70. Si l'ensemble promet, on ne semble pas trop pressé de nous l'amener chez Infiniti. Ainsi, si vous attendiez la prochaine génération du QX70, il faudra vous armer de patience... ou opter pour un « vieux (neuf) » QX70. ■

2e OPINION

Luc-Olivier Chamberland

Le QX70, autrefois connu sous le nom de FX, revient en 2017 avec le même design très affirmé et unique depuis 2009. Il s'agit de l'un des modèles phares de la gamme Infiniti, mais on dirait que la direction de l'entreprise l'a tout simplement oublié. D'une année à l'autre, on ne conserve que ce qui est le plus populaire, laissant de côté, chaque fois un peu plus, de son aspect passionnel et déraisonnable. Excentrique, son approche demande son lot de concessions. Il ne reste que le V6, mais la consommation demeure éhontée. De plus, même s'il s'agit d'un VUS, ses aptitudes familiales sont réduites au minimum, un bon choix pour célibataire averti !

FICHE TECHNIQUE

MOTEUR(S)

(3.7) V6 3,7 L DACT
PUISSANCE 325 ch à 7 000 tr/min
COUPLE 267 lb-pi à 5 200 tr/min
RAPPORT POIDS/PUISSANCE 6,0 kg/ch
BOÎTE(S) DE VITESSES automatique à 7 rapports avec mode manuel et manettes au volant
PERFORMANCES 0-100 km/h 7,0 s
REPRISE 80-115 km/h 4,6 s
FREINAGE 100-0 km/h 38,0 m
NIVEAU SONORE À 100 km/h Moyen
VITESSE MAXIMALE 235 km/h

AUTRES COMPOSANTS

SÉCURITÉ ACTIVE (certains en option) Freins ABS, assistance au freinage, répartition électronique de la force de freinage, contrôle électronique de la stabilité, antipatinage, phares adaptatifs, régulateur de vitesse adaptatif, détection de piétons, assistance en cas de collision imminente et en cas de sortie de voie
SUSPENSION avant/arrière indépendante
FREINS avant/arrière disques
DIRECTION à crémaillère, assistée
PNEUS P265/60R18 **option** P265/50R20 **Sport** P265/45R21

DIMENSIONS

EMPATTEMENT 2 885 mm
LONGUEUR 4 859 mm
LARGEUR 1 928 mm
HAUTEUR 1 680 mm
POIDS 1 989 kg **Sport** 2 087 kg
RÉPARTITION DU POIDS AV/ARR (%) 53/47
DIAMÈTRE DE BRAQUAGE 11,2 m
COFFRE 702 L, 1 756 L (sièges abaissés)
RÉSERVOIR DE CARBURANT 90 L
CAPACITÉ DE REMORQUAGE 1 588 kg

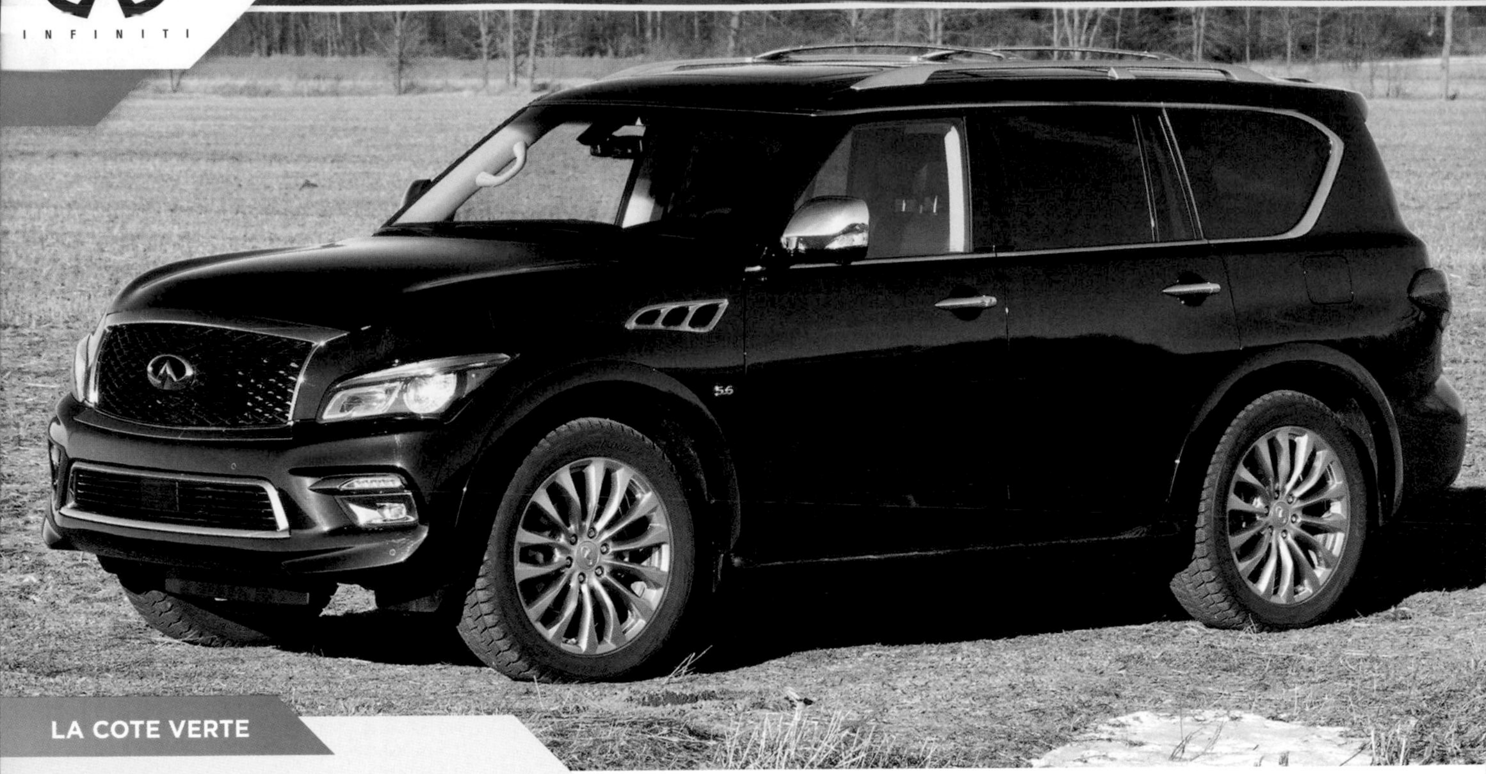

LA COTE VERTE

MOTEUR V8 DE 5,6 L
CONSOMMATION (100 km) ville 17,4 L, route 12,2 L
CONSOMMATION ANNUELLE 2 567 L, 3 465 $
INDICE D'OCTANE 91
ÉMISSIONS POLLUANTES CO_2 5 904 kg/an
(source : ÉnerGuide)

FICHE D'IDENTITÉ

VERSION(S) Base, Limitée
ROUES MOTRICES 4
PORTIÈRES 5 **PLACES** 7, 8
PREMIÈRE GÉNÉRATION 2004
GÉNÉRATION ACTUELLE 2011
CONSTRUCTION Kyushu, Japon
COUSSINS GONFLABLES 6 (frontaux, latéraux avant, rideaux latéraux)
CONCURRENCE Cadillac Escalade, Land Rover Range Rover, Lexus LX 570, Lincoln Navigator, Mercedes-Benz Classe GLS

AU QUOTIDIEN

COLLISION FRONTALE ND
COLLISION LATÉRALE ND
VENTES DU MODÈLE L'AN DERNIER
AU QUÉBEC 75 (+56,3 %) **AU CANADA** 727 (+39,5 %)
DÉPRÉCIATION (%) 26,5 (3 ans)
RAPPELS (2011 à 2016) 5 (incl. QX56)
COTE DE FIABILITÉ 3,5/5

GARANTIES... ET PLUS

GARANTIE GÉNÉRALE 4 ans/100 000 km
GROUPE MOTOPROPULSEUR 6 ans/110 000 km
PERFORATION 7 ans/ kilométrage illimité
ASSISTANCE ROUTIÈRE 4 ans/ kilométrage illimité
NOMBRE DE CONCESIONNAIRES
AU QUÉBEC 6 **AU CANADA** 29

NOUVEAUTÉS EN 2017

Freinage d'urgence autonome et détection de piétons ajoutés à l'ensemble Assistance, nouvelle palette de couleurs.

SANS COMPROMIS

Si vous venez de lire la page précédente, celle du QX70, vous venez d'apprendre que ce dernier véhicule revient inchangé pour une huitième année consécutive et que, dans le fond, il n'est pas une priorité pour le constructeur à l'heure actuelle. La même chose pourrait être affirmée à propos du QX80 qui, lui, nous revient sous la même forme pour une sixième année de suite. Des changements sont attendus, probablement en 2018, mais reste à voir de quelle nature. En attendant, c'est le silence complet chez Infiniti, même que sur le site média du constructeur, les informations les plus récentes concernant le QX80 décrivent le modèle... 2015.

Daniel Rufiange

TOUR DU PROPRIÉTAIRE > Dans un créneau comme celui des véhicules utilitaires de luxe, l'apparence d'un produit compte pour beaucoup dans le choix des acheteurs. Si on est prêt à débourser 15 000 $ pour une voiture qu'on trouve plus pratique que jolie, c'est tout le contraire lorsqu'on doit allonger 100 000 bidous. En fait, dans cette fourchette de prix, on est prêt à se procurer un véhicule plus beau que pratique. Tout est une question d'image. À ce titre, celle du QX80 ne manque pas d'attirer l'attention, mais peut-être pas pour les bonnes raisons. Disons que les designers ont eu la main plus heureuse ailleurs dans la gamme. La taille de la bête, offerte en version de base et garnie de l'ensemble Limited, est ce qui frappe le plus, suivie

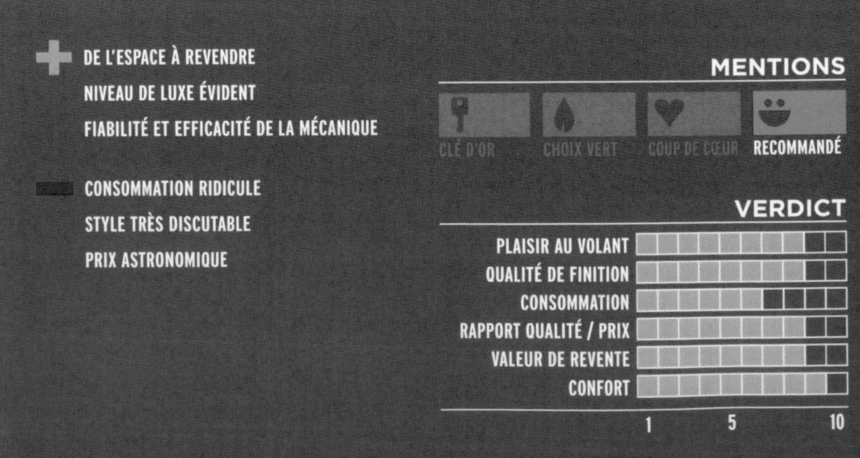

du chrome, clinquant, et de la dimension des roues, qui peuvent atteindre 22 pouces. Bonsoir la discrétion.

VIE À BORD > Huit personnes peuvent monter à bord de la mouture de base, seulement sept dans la livrée Limited; une question de configuration. Ce qui est certain, dans un cas comme dans l'autre, c'est que tous les occupants profitent d'un dégagement suffisant pour tous leurs membres, comme dans le salon à la maison. Le niveau de confort passe d'excellent à bon, ensuite à moyen, de la première à la dernière rangée de sièges. La présentation intérieure commence à vieillir et profitera certainement d'ajustements lors de la prochaine mise à jour du modèle. Cela dit, le niveau d'équipement est complet, les caractéristiques de sécurité omniprésentes, et la qualité de l'ensemble saura combler ceux à la recherche de ce type de véhicule. Le niveau d'insonorisation est aussi à noter et même à vitesse d'autoroute, il nous permet de profiter pleinement de la chaîne audio, dont la sonorité est juste.

TECHNIQUE > Que peut-on espérer trouver d'autre qu'un gros moteur V8 sous le capot d'un véhicule dont le poids est de 2671 kilos? En fait, on le voit ailleurs, un moteur V6 turbo pourrait faire l'affaire et aider à faire fondre la cote de consommation, mais pour l'instant, Infiniti ne bénéficie pas d'un tel outil. Voilà un domaine où la firme a du pain sur la planche. Si ses mécaniques sont performantes et fiables, la variété laisse à désirer. Cela dit, le bourreau qui ronronne sous le capot du QX80 offre de la puissance à revendre et réussit à déplacer ce monstre sans que l'effort lui paraisse difficile. Une boîte automatique à 7 rapports lui est jumelée et si son comportement se montre paresseux à bord de produits à vocation plus sportive, elle est à sa place au service du QX80, qui ne demande qu'à être conduit en douceur.

AU VOLANT > Voilà d'ailleurs LE point fort de ce véhicule. Sa capacité à nous dorloter n'a pas à être remise en cause. Aussi, ceux qui le sélectionnent savent apprécier son impressionnante capacité de chargement, elle qui avoisine les 4 000 kilos. On le conduira avec beaucoup de délicatesse, toutefois, car en cas de manœuvre d'urgence, l'agilité est reléguée au second plan.

CONCLUSION > Si le QX80 séduit peu de gens chaque année, le fait qu'il se vende toujours nous en dit long sur l'industrie automobile et ses calculs comptables. Puisqu'il partage son architecture avec le nouveau Nissan Armada et le modèle Patrol ailleurs dans le monde, ça nous fait comprendre qu'il est rentable, malgré tout. Et dans le milieu, tout est une question de rendement, et pas seulement chez nous. ■

2e OPINION

Charles René

Très grotesque, voire clinquant avec son usage excessif de chrome, le QX80 est le summum du luxe ostentatoire façon japonaise. Au-delà de ses atours qui polarisent les opinions, le gros VUS repose sur un châssis en échelle conçu pour travailler qui a une capacité de remorquage non loin des 3 900 kilos, une rareté dans un marché qui regorge de multisegments basés sur des plates-formes d'autos. Son V8 de 5,6 litres, qui est tout sauf frugal, appuie également cette robustesse avec douceur et aplomb. À l'intérieur, l'habitacle, vaste et confortable, est confectionné avec soin. C'est, somme toute, un VUS d'une autre époque destiné à une clientèle très pointue qui cherche un véhicule mariant luxe et robustesse.

FICHE TECHNIQUE

MOTEUR(S)

(QX80) V8 5,6 L DACT
PUISSANCE 400 ch à 5 800 tr/min
COUPLE 413 lb-pi à 4 000 tr/min
RAPPORT POIDS/PUISSANCE 6,7 kg/ch
BOÎTE(S) DE VITESSES automatique à 7 rapports avec mode manuel
PERFORMANCES 0-100 km/h 7,7 s
REPRISE 80-115 km/h 4,6 s
FREINAGE 100-0 km/h 39,0 m
NIVEAU SONORE À 100 km/h Très bon
VITESSE MAXIMALE 215 km/h (bridée)

AUTRES COMPOSANTS

SÉCURITÉ ACTIVE (certains en option) Freins ABS, assistance au freinage, répartition électronique de la force de freinage, contrôle électronique de la stabilité, antipatinage, régulateur de vitesse adaptatif, phares adaptatifs, assistance en cas d'impact imminent et de sortie de voie, avertisseur d'obstacle latéral, détecteur de piéton et freinage d'urgence autonome
SUSPENSION avant/arrière indépendante
FREINS avant/arrière disques
DIRECTION à crémaillère, assistée
PNEUS P275/60R20 **Limitée/option base** P275/50R22

DIMENSIONS

EMPATTEMENT 3 075 mm
LONGUEUR 5 290 mm
LARGEUR 2 030 mm
HAUTEUR 1 925 mm
POIDS 2 671 kg
RÉPARTITION DU POIDS AV/ARR (%) 52/48
DIAMÈTRE DE BRAQUAGE 12,7 m
COFFRE 471 L, 1 405 L, 2 693 L (sièges abaissés)
RÉSERVOIR DE CARBURANT 98 L
CAPACITÉ DE REMORQUAGE 3 856 kg

LA COTE VERTE

MOTEUR L4 DE 2,0 L TURBODIESEL
CONSOMMATION (100 km) ville 7,9 L, route 5,5 L (est.)
CONSOMMATION ANNUELLE 1 156 L, 1 329 $
INDICE D'OCTANE Diesel
ÉMISSIONS POLLUANTES CO_2 2 659 kg/an
(source : L'Annuel)

FICHE D'IDENTITÉ

VERSION(S) Premium, Prestige, R-Sport, S
TRANSMISSION(S) 4
PORTIÈRES 5 **PLACES** 5
PREMIÈRE GÉNÉRATION 2017
GÉNÉRATION ACTUELLE 2017
CONSTRUCTION Castle Bromwich, Angleterre
COUSSINS GONFLABLES 6 (frontaux, latéraux, rideaux latéraux)
CONCURRENCE Acura RDX, Audi Q5, BMW X3, Buick Envision, Infiniti QX50, Land Rover Discovery Sport/Range Rover Evoque, Lexus NX, Lincoln MKC, Mercedes-Benz GLC, Porsche Macan, Volvo XC60

AU QUOTIDIEN

COLLISION FRONTALE nm
COLLISION LATÉRALE nm
VENTES DU MODÈLE L'AN DERNIER
AU QUÉBEC nm **AU CANADA** nm
DÉPRÉCIATION (%) nm
RAPPELS (2011 à 2016) nm
COTE DE FIABILITÉ nm

GARANTIES... ET PLUS

GARANTIE GÉNÉRALE 4 ans/80 000 km
GROUPE MOTOPROPULSEUR 4 ans/80 000 km
PERFORATION 6 ans/kilométrage illimité
ASSISTANCE ROUTIÈRE 4 ans/80 000 km
NOMBRE DE CONCESSIONNAIRES
AU QUÉBEC 4 **AU CANADA** 29

NOUVEAUTÉS EN 2017

Nouveau modèle

TOUT LE MONDE LE FAIT...

Toute première incursion dans ce segment, devenu à proprement parler incontournable, le F-Pace de Jaguar cède à son tour à l'irrésistible ascension des VUS, qui façonnent désormais le paysage automobile et dominent l'actualité. Dans ce contexte, même pour une marque réputée pour ses voitures de sport et de grand tourisme, la présence du F-Pace n'offusque personne. BMW, Porsche, Mercedes-Benz, Audi et de nombreux autres ont élargi le catalogue depuis quelques années déjà. Jaguar arrive donc bien tard à la fête.

Éric LeFrançois

TOUR DU PROPRIÉTAIRE > Pourquoi Jaguar éprouve-t-elle le besoin de s'aventurer sur des territoires aussi éloignés de sa vocation initiale? Le segment des sportives haut de gamme (coupés, berlines et cabriolets), où réside l'essentiel de l'offre de Jaguar, piétine et ne donne aucun signe de croissance. En revanche, celui des utilitaires donne des gains. Selon les analystes, d'ici quatre ans, les ventes mondiales de VUS vont augmenter de 50 %. Plus important encore, on estime que 90 % des acheteurs en seront à leur premier contact avec la marque. Pour élargir sa sphère d'influence, Jaguar pouvait compter sur Land Rover – la division utilitaire du groupe –, qui maîtrise depuis longtemps la technologie des quatre roues motrices avec ses Range Rover à transmission intégrale. Soucieux de souligner son appartenance, le style présente d'évidents signes de parenté avec le reste de la gamme. Et pour accentuer davantage cet air de famille et la sportivité de ce véhicule, les feux sont repris de la sportive F-Type.

\+ VERSION DIESEL ÉTONNANTE (PRIX ET PERFORMANCES)
COMPORTEMENT SPORTIF
COFFRE SPACIEUX

– ROUES DE 22 POUCES À ÉVITER
PRÉSENTATION INTÉRIEURE TERNE
BOÎTE PEU RÉACTIVE

MENTIONS

CLÉ D'OR | CHOIX VERT | **COUP DE CŒUR** | RECOMMANDÉ

VERDICT

PLAISIR AU VOLANT
QUALITÉ DE FINITION
CONSOMMATION
RAPPORT QUALITÉ / PRIX
VALEUR DE REVENTE nm
CONFORT

1 5 10

VIE À BORD > Plutôt massif, le F-Pace s'estime faussement en mesure d'accueillir cinq occupants. Quoique la banquette soit confortable en elle-même, le « pauvre » passager de la partie centrale devra composer avec la vilaine bosse qui se trouve à ses pieds. On s'étonne par ailleurs que Jaguar facture un supplément (1250 $) pour insérer notamment des éléments chauffants sous les assises et dossiers. Un peu chiche, considérant notre climat. Comme les dernières créations de la marque, l'habitacle se modernise ou se « germanise » (c'est selon). Les puristes regretteront sans doute que l'atmosphère « british » consubstantielle à l'esprit Jaguar s'en trouve ainsi balayée du revers de la main. Le tableau de bord, très à l'horizontale et légèrement surbaissé pour améliorer la visibilité et contribuer à l'impression de faire corps avec le véhicule, manque d'originalité. Les rangements, quoique suffisamment nombreux, ne sont pas tous pratiques pour autant, et Jaguar a manqué ici une belle occasion – considérant son retard à rejoindre la catégorie – de faire preuve de plus d'imagination. En fait, le seul élément vraiment distinctif touche la climatisation à quatre zones (chaque occupant a droit à son panneau de contrôle), une première dans ce segment. Cela dit, rien à redire aux progrès enregistrés en matière d'assemblage et de qualité. Le F-Pace recourt à des matériaux de garnissage nobles et légèrement moussés. Saluons aussi l'aspect plus valorisant – contrairement à une F-Type, par exemple – des palettes permettant le passage manuel des rapports au volant. Du point de vue de la connectivité – lubie des consommateurs –, le F-Pace comporte tout le nécessaire pour brancher aisément les appareils électroniques aujourd'hui indispensables à la vie quotidienne, ainsi qu'une borne Internet (option facturée 450 $, service en sus). À ses fidèles anxieux, la firme certifie que le comportement de son 4x4 sera « exceptionnellement sportif » – aussi bondissant qu'une F-Type et tout aussi efficace en tout-terrain qu'un Range Rover. Voilà en résumé le cahier des charges de ce véhicule. Une bête de course doublée d'un franchisseur d'obstacles hors pair. Jaguar entend couvrir l'ensemble des terrains.

TECHNIQUE > Haut et large d'épaules, le F-Pace, construit en Grande-Bretagne, utilise la même structure modulaire que la récente XF. Chez Jaguar, on insiste sur le fait qu'il ne s'agira pas de modèles communs habillés d'une carrosserie différente, mais bien de deux véhicules bien distincts. En dépit de sa structure composée en partie (le tiers) d'aluminium, de matériaux composites et de magnésium, le F-Pace pèse tout de même près de 2 tonnes. Sinon plus, selon les équipements et accessoires retenus. On pense notamment à l'immense toit vitré, qui ensoleille agréablement l'habitacle, sans doute, mais qui a une influence néfaste sur le poids et le centre de gravité.

AU VOLANT > La lecture de la fiche technique du F-Pace laisse rêveur l'amateur de performances, avec son V6 suralimenté par compresseur offert en deux versions (335 ch ou 375 ch) et la transmission intégrale sophistiquée à prise temporaire. Il y a aussi la présence – en entrée de gamme à 49 990 $ – d'une version animée d'une mécanique à 4 cylindres turbodiesel. Cette dernière ne sera toutefois commercialisée qu'à l'automne. Par nature, un vrai tout-terrain se prête mal au pilotage à la Villeneuve. Or ce modèle, qui se présente comme un authentique 4x4, entend égale-

2e OPINION

Antoine Joubert

Se démarquer dans un segment où la concurrence est féroce et où la clientèle est exigeante, c'est primordial. On ne peut donc dans le créneau des VUS de luxe utiliser la même stratégie qu'avec les VUS compacts (lire Escape, CR-V), où tous les véhicules se ressemblent. Jaguar a donc bien compris ce principe et propose cette année un premier VUS qui se démarque de tout ce qui roule. Carrure unique, présentation soignée et style typiquement Jaguar font en sorte que ce modèle est voué au succès. Qui plus est, l'agrément de conduite et les performances routières demeurent au centre des éléments fondamentaux de ce modèle, pour lequel la comparaison avec le Porsche Macan est évidente. Pour moi, un des coups de cœur de 2017, en espérant que la fiabilité sera au rendez-vous.

FICHE TECHNIQUE

MOTEUR(S)

(20d) L4 2,0 L DACT turbodiesel
PUISSANCE 180 ch à 4 000 tr/min
COUPLE 318 lb-pi de 1750 à 2 500 tr/min
RAPPORT POIDS/PUISSANCE 9,2 kg/ch
BOÎTE(S) DE VITESSES automatique à 8 rapports avec mode manuel et manettes au volant
PERFORMANCES 0-100 km/h 8,7 s
REPRISE 80-115 km/h 8,3 s **FREINAGE 100-0 km/h** ND
VITESSE MAXIMALE 208 km/h

(35t) V6 3,0 L DACT à compresseur volumétrique
PUISSANCE 335 ch à 6 500 tr/min (340 CV)
COUPLE 332 lb-pi de 3 500 à 5 000 tr/min
RAPPORT POIDS/PUISSANCE 5,4 kg/ch
BOITE(S) DE VITESSES automatique à 8 rapports avec mode manuel et manettes au volant
PERFORMANCES 0-100 km/h man. 5,8 s
VITESSE MAXIMALE 250 km/h
CONSOMMATION (100 km) ville 10,7 L route 7,2 L (est.) (octane 91)
ANNUELLE 1 547 L, 2 088 $ **ÉMISSIONS DE CO_2** 3 558 kg/an

(S) V6 3,0 L DACT à compresseur volumétrique
PUISSANCE 375 ch à 6 500 tr/min (380 CV)
COUPLE 339 lb-pi de 3 500 à 5 000 tr/min
RAPPORT POIDS/PUISSANCE 5,0 kg/ch
BOITE(S) DE VITESSES automatique à 8 rapports avec mode manuel et manettes au volant
PERFORMANCES 0-100 km/h 5,5 s **VITESSE MAXIMALE** 250 km/h
CONSOMMATION (100 km) ville 10,7 L route 7,2 L (est.) (octane 91)
ANNUELLE 1 547 L, 2 088 $ **ÉMISSIONS DE CO_2** 3 558 kg/an

AUTRES COMPOSANTS

SÉCURITÉ ACTIVE (certains en option) Freins ABS, assistance au freinage, répartition électronique de la force de freinage, contrôle électronique de la stabilité, antipatinage, avertisseurs d'obstacle latéral et arrière, phares directionnels automatiques et adaptatifs, régulateur de vitesse adaptatif, aide au maintien de la voie, avertisseur de somnolence, reconnaissance des panneaux de signalisation avec limiteur de vitesse intelligent, avertisseur d'impact imminent avec freinage d'urgence automatique, caméra 360°, contrôle anti-louvoiement
SUSPENSION avant/arrière indépendante **S** à amortissement adaptatif
FREINS avant/arrière disques
DIRECTION à crémaillère, assistée électriquement
PNEUS P255/60R18 **35t Premium** P255/55R19
35t R-Sport/S P255/50R20 **option** P265/40R22

DIMENSIONS

EMPATTEMENT 2 874 mm
LONGUEUR 4 731 mm **LARGEUR** 1 936 mm, 2 175 mm (incl. rétro.)
HAUTEUR 1 652 mm, 1 667 mm (incl. antenne)
POIDS 20d 1 665 kg **35t** 1 820 kg **S** 1 861 kg
RÉPARTITION DU POIDS AV/ARR (%) ND
DIAMÈTRE DE BRAQUAGE 11,8 m
COFFRE 650 L, 1 740 L (sièges abaissés)
RÉSERVOIR DE CARBURANT 63 L
CAPACITÉ DE REMORQUAGE 750 kg, 2 400 kg (remorque avec freins)

A

B

C

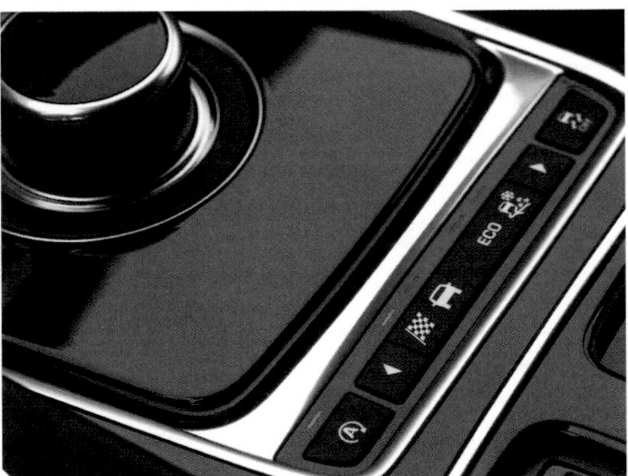

D

E

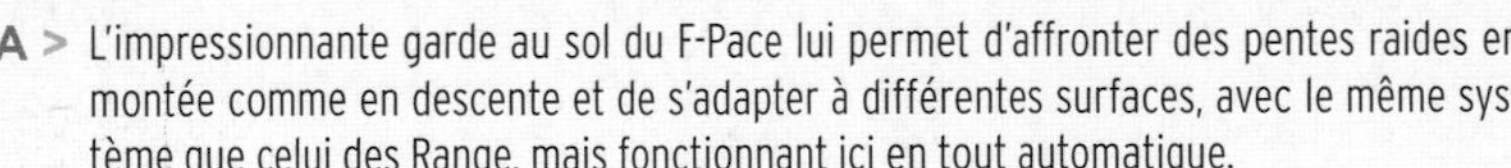

GALERIE

A > L'impressionnante garde au sol du F-Pace lui permet d'affronter des pentes raides en montée comme en descente et de s'adapter à différentes surfaces, avec le même système que celui des Range, mais fonctionnant ici en tout automatique.

B > Jaguar proposera une version animée d'une mécanique turbodiesel, mais ajoute qu'une version hybride à prise rechargeable est en cours de développement. La direction de la marque se refuse à dire toutefois à quel moment elle entend commercialiser cette version.

C > Ce véhicule repose sur une architecture monocoque en aluminium entièrement nouvelle. Modulable, cette nouvelle plate-forme, baptisée iQ, est utilisée par d'autres véhicules du groupe. La suspension, à double triangulation à l'avant et multibras à l'arrière, est constituée presque exclusivement d'aluminium.

D > À défaut d'offrir des plaques protectrices pour préserver ses organes mécaniques, le F-Pace n'a guère à envier aux produits Land Rover en matière d'aptitudes tout-terrain. D'ailleurs, Jaguar permet plusieurs paramétrages pour affronter divers terrains.

E > Les sièges de la banquette arrière se replient selon le principe 40/20/40 et s'inclinent électriquement sur 6 positions. La forte inclinaison de la lunette arrière profite au volume de chargement du coffre, qui varie de 650 à 1740 litres. Jaguar a même prévu que le F-Pace puisse être utilisé pour une partie de chasse ou de pêche..

ment proposer l'agrément de conduite d'une voiture de sport. Lorsqu'on se glisse à bord du F-Pace, rien ne laisse présager que ce salon roulant offrant – ce qui n'est pas habituel chez Jaguar – un espace utilitaire très vaste peut escalader une pente de 45 degrés avant d'abattre le 0-100 km/h en moins de 6 secondes. Dans sa configuration la plus ultime, le V6 de 3 litres crache 375 chevaux, soit 40 chevaux de plus que l'autre V6 à essence. Pas aussi virevoltant ni efficace au freinage qu'une F-Type, le F-Pace gratifie néanmoins le conducteur de bourrades moins virulentes, et la sonorité de sa mécanique conserve sensiblement le même lyrisme. Il n'en demeure pas moins que rares sont les véhicules de ce gabarit capables d'offrir une tenue de route à ce point affûtée, une telle stabilité dans les courbes et une capacité d'accélération aussi généreuse. À ce concert de louanges il faut apporter quelques bémols, comme le manque de réactivité de la boîte à 8 rapports, la consommation et la faible autonomie de ce véhicule auquel on a greffé un estomac trop petit. Alors qu'aux commandes d'autres gros VUS on ressent une forme de pesanteur lors des changements d'appui et une déplaisante sensation d'inertie au freinage, rien de tout cela à bord de ce Jaguar. Ce tour de force doit beaucoup au châssis, particulièrement sophistiqué, et au raffinement des équipements électroniques. Le seul désagrément concerne les suspensions, toujours trop fermes, même lorsqu'on opte pour le réglage le plus confortable. À ce sujet, un conseil pour préserver l'état de vos vertèbres : évitez la monte pneumatique de 22 pouces. L'association d'un moteur au couple phénoménal, d'un châssis très efficace et d'une transmission intelligente se montre tout aussi impressionnante en hors-piste. Loin d'être pataud, le F-Pace donne l'impression de pouvoir grimper aux arbres. Sur le terrain parsemé de creux, de bosses, de dévers et de pentes on ne peut plus raides mis à notre disposition par Jaguar, il a avalé tous les obstacles, imperturbable. Au fond, ce véhicule désacralise la conduite en tout-terrain. Il suffit de presser un bouton pour solliciter le réducteur intégré à la boîte de transfert et faire intervenir les aides électroniques (blocage des différentiels, modification des suspensions). Lors des manœuvres de franchissement, la répartition du couple entre les roues s'effectue idéalement et, s'il faut descendre une pente à très forte déclivité, l'ABS empêche le véhicule de s'emballer sans même qu'il soit nécessaire d'agir sur la pédale. Au milieu d'une escalade, on peut lâcher l'accélérateur : le F-Pace s'immobilise sur place, en équilibre. Inutile de toucher aux freins.

CONCLUSION > Le F-Pace est un monument automobile défiant les lois de la physique, mais cela n'interdit pas de s'interroger sur le sens qu'il faut donner à ce véhicule. Dans la vraie vie, rares sont ceux qui consentent à exposer un engin de ce prix à la rude pratique du tout-terrain, et on les comprend un peu, d'autant plus qu'il ne dispose pas – même en option – de plaques de protection pour préserver ses organes mécaniques. ■

HISTORIQUE

Le F-Pace est le premier utilitaire de la famille Jaguar. Inspiré du concept C-X17 présenté au Salon de l'auto de Francfort en 2013, le modèle de production qui conservera des lignes très proches du concept sera dévoilé au même endroit deux ans plus tard en 2015. Question de faire parler de lui dans un salon qui rayonne à l'échelle planétaire, Jaguar avec l'aide du pilote Terry Grant bat le record du monde du plus grand looping en voiture durant le salon de Francfort le 17 septembre 2015 avec le passage d'un looping de 19 m de diamètre avec le SUV. C'est ensuite l'équipe SKY qui a fait la publicité du modèle au Tour de France 2015.

Jaguar Concept F-Pace 2013

Jaguar F-Pace Camouflage 2015

Record du monde Looping 2015

Jaguar F-Pace Sky Team 2015

Jaguar F-Pace 2017

LA COTE VERTE

V6 DE 3,0 L À COMPRESSEUR VOLUMÉTRIQUE
CONSOMMATION (100 km) man. ville 14,9 L, route 9,8 L
auto. ville 12,1 L, route 8,5 L
CONSOMMATION ANNUELLE man. 2 142 L, 2 892 $ **auto.** 1 785 L, 2 410 $
INDICE D'OCTANE 91
ÉMISSIONS POLLUANTES CO_2 man. 4 927 kg/an **auto.** 4 105 kg/an
(source: ÉnerGuide)

FICHE D'IDENTITÉ

VERSION(S) Coupé, cabriolet Base, S, S AWD, R AWD, SVR AWD
TRANSMISSION(S) arrière, 4
PORTIÈRES 2 **PLACES** 2
PREMIÈRE GÉNÉRATION 2014
GÉNÉRATION ACTUELLE 2014, 2015 (coupé)
CONSTRUCTION Castle Bromwich, Angleterre
COUSSINS GONFLABLES 4 (frontaux, latéraux)
CONCURRENCE Acura NSX, Aston-Martin Vantage, Audi R8/Spyder, BMW Série 6/Z4 35is, Chevrolet Corvette, Lexus LC Mercedes-Benz-AMG GT/SL/SLC 55 AMG, Nissan GT-R, Porsche 911/Cabrio/ Carrera/S, Porsche 718 Boxster S/Cayman S

AU QUOTIDIEN

COLLISION FRONTALE 5/5
COLLISION LATÉRALE 5/5
VENTES DU MODÈLE L'AN DERNIER
AU QUÉBEC 94 (+10,6 %) **AU CANADA** 462 (+1,1 %)
DÉPRÉCIATION (%) 26,3 (3 ans)
RAPPELS (2011 à 2016) 4
COTE DE FIABILITÉ 4/5

GARANTIES... ET PLUS

GARANTIE GÉNÉRALE4 ans/80 000 km
GROUPE MOTOPROPULSEUR 4 ans/80 000 km
PERFORATION 6 ans/kilométrage illimité
ASSISTANCE ROUTIÈRE 4 ans/80 000 km
NOMBRE DE CONCESSIONNAIRES
AU QUÉBEC 4 **AU CANADA** 29

NOUVEAUTÉS EN 2017

Nouvelle version SVR 4RM de 567 ch. (575 CV).

TELLE UNE SIRÈNE

Dans la mythologie grecque, les sirènes charmaient les hommes par leurs chants mélodieux. Telle une sirène, la F-Type charme, par son échappement mélodieux, tous les amateurs de sensations fortes et de conduite sportive.

Benoit Charette

TOUR DU PROPRIÉTAIRE > Force est d'admettre que Jaguar possède un talent particulier pour la conception automobile. La F-Type est non seulement belle, elle est magnifique, racée, équilibrée. Peu importe sous quel angle vous la regardez, elle captive l'imagination. Ce que nous apprécions surtout, c'est le fait que le constructeur a été en mesure de lui donner sa propre personnalité à ce nouveau classique sans être tombé dans le néo-rétro. Il y a un clin d'œil à la légendaire E-Type mais sans plus. Pour 2017, Jaguar ajoute la version SVR conçue par la division « Opérations Véhicules Spéciaux ». Pare-chocs, diffuseurs, dessous de caisse et aileron arrière sont retravaillés. Le châssis adapte de nouveaux amortisseurs, barres antiroulis ainsi que des pneus 20 pouces spécifiques. Le freinage est confié à des disques en carbone céramique.

VIE À BORD > Que vous soyez à bord de la version coupé ou décapotable, il faudra apprendre à voyager léger. Il n'y a pratiquement pas d'espace de rangement dans le véhicule et le coffre accueillera deux sacs de voyage dans le meilleur des mondes. Sur une note plus posi-

+
- SON MOTEUR ÉPOUSTOUFLANT
- LIGNE SUBLIME
- FREINAGE EFFICACE ET ENDURANT
- PERFORMANCES AU RENDEZ-VOUS

−
- ESPACE DE RANGEMENT INSUFFISANT
- LONGUE LISTE D'OPTIONS
- POIDS TROP ÉLEVÉ
- MAUVAISE VISIBILITÉ

MENTIONS

CLÉ D'OR | CHOIX VERT | **COUP DE CŒUR** | RECOMMANDÉ

VERDICT

PLAISIR AU VOLANT
QUALITÉ DE FINITION
CONSOMMATION
RAPPORT QUALITÉ / PRIX
VALEUR DE REVENTE
CONFORT

1 5 10

tive, le cockpit très moulant vous habille de confort. Pas de ronce de bois ou d'habillage de cuir de chameau, on se veut moderne avec la F, qui se vêt de cuir et d'un look sport. Les sièges sont offerts en différentes configurations selon la version choisie. La version SVR se distingue par ses sièges exclusifs style compétition, son volant, son combiné d'instruments et ses palettes de commandes en aluminium anodisé. Jaguar a aussi fait de l'excellent travail au chapitre de l'insonorisation dans la version coupé.

TECHNIQUE > Vous avez le choix de deux saveurs de V6 ou deux saveurs de V8. La version d'entrée de gamme se sert d'un V6 de 3 litres à compresseur volumétrique de 335 chevaux. Le même moteur est porté à 375 chevaux dans la version S. La version R utilise un V8 de 5 litres compressé de 543 chevaux et le nouveau SVR amène la puissance de ce V8 à 567 chevaux. Vous avez le choix d'une boîte manuelle à 6 rapports ou automatique adaptative à 8 rapports avec roues motrices arrière ou intégrales. Dans le cas de la SVR, seules la boîte automatique à 8 rapports (avec calibration plus sportive) et la transmission intégrale sont au menu. Le son du moteur V6 est très envoûtant, même si parfois il ronfle un peu fort. Nous avons éprouvé plus de difficulté avec le V8. Il en fait trop, c'est presque caricatural. Il pète, il craque, il postillonne avec fracas, c'est comme passer d'un rock classique à du Death Metal. On décroche en chemin.

SUR LA ROUTE > En raison de son poids assez élevé, même si la coque est en aluminium, la F-Type est plus proche de la GT que de la pure sportive. Pour ces raisons, la boîte automatique offre un plus beau mariage. La huitième vitesse travaille à l'économie, baisse le régime moteur et le nombre de décibels dans l'habitacle. Parfait pour les longs trajets. Si vous voulez passer en mode sportif, vous rétrograderez d'une ou deux vitesses selon la fermeté avec laquelle vous écraserez l'accélérateur. Le moteur crache sa rage avec chaque remise des gaz. C'est drôle pendant 60 minutes, mais au quotidien, cela devient vite agaçant. Le modèle V6 S est celui qui montre le plus bel équilibre de conduite avec toute la puissance voulue. Le V8, pas capable, le moteur est trop envahissant. La tenue de route est excellente, la direction précise malgré le poids de la voiture. Les versions S et R profitent d'un amortissement piloté qui module la conduite selon la route. Le seul hic au chapitre de la conduite est la visibilité. On ne voit pas grand-chose, surtout à l'arrière en raison de la forme de la voiture et de la très petite lunette arrière.

CONCLUSION > Au-delà de la musicalité de la mécanique, qui contribue à l'envoûtement de ce modèle, la F-Type est d'abord pour les enthousiastes. Les Anglais, habituellement réservés, ont donné du sang latin à la F-Type, qui offre une chimie sans pareil entre le conducteur et sa monture. La fiabilité n'est pas encore parfaite et après 90 minutes, vous voudrez rentrer à la maison, mais nous vous garantissons une sérieuse injection d'adrénaline à chaque sortie. ■

2e OPINION

Daniel Rufiange

Longtemps, la présence d'un roadster au sein de la famille Jaguar faisait partie des mœurs. Seulement, la firme de Coventry s'est sérieusement égarée à l'approche du XXIe siècle et elle s'est retrouvée non seulement avec une gamme sans roadster, mais aussi avec un portfolio qui manquait de nerf, d'identité. Lentement, depuis que Tata Motors tient les rênes, on sent un vieil esprit dormant renaître, ce dernier capable de réveiller les passions. La F-Type est l'incarnation de ce réveil. Cette sportive à l'état pur n'a pas (encore) la réputation d'une Porsche Boxster, mais elle livre des émotions à la tonne et à lui seul, le son du moteur V8 de la version R est suffisant pour secouer le rebelle qui dort en vous. Une future légende, à condition qu'on poursuive le travail et le peaufinage, notamment sur le plan de la fiabilité.

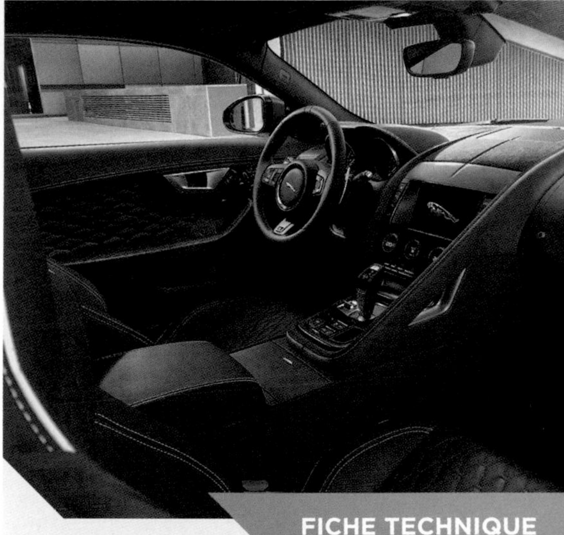

FICHE TECHNIQUE

MOTEUR(S)

(Base) V6 3,0 L DACT à compresseur volumétrique
PUISSANCE 335 ch à 6 500 tr/min (340 CV)
COUPLE 332 lb-pi de 3 500 à 5 000 tr/min **RAPPORT POIDS/PUISSANCE** 4,6 kg/ch
BOITE(S) DE VITESSES manuelle à 6 rapports, automatique adaptative à 8 rapports avec mode manuel et manettes au volant
PERFORMANCES 0-100 KM/H man. 5,7 s **auto.** 5,3 s **VITESSE MAXIMALE** 260 km/h

(S) V6 3,0 L DACT à compresseur volumétrique
PUISSANCE 375 ch à 6 500 tr/min (380 CV)
COUPLE 339 lb-pi de 3 500 à 5 000 tr/min
RAPPORT POIDS/PUISSANCE 2RM 4,2 à 4,3 kg/ch **4RM** 4,5 kg/ch
BOITE(S) DE VITESSES manuelle à 6 rapports (2RM), automatique adaptative à 8 rapports avec mode manuel et manettes au volant
PERFORMANCES 0-100 km/h 2RM 4,9 s **4RM** 5,1 s
VITESSE MAXIMALE 275 km/h
CONSOMMATION (100 km) 2RM man. ville 15,3 L, route 9,9 L **auto.** 12,5 L, route 8,7 L **4RM** ville 13,0 L, route 9,1 L (octane 91)
ANNUELLE 2RM man. 2 193 L, 2 961 $ **auto.** 1 836 L, 2 479 $ **4RM** 1 921 L, 2 593 $ **ÉMISSIONS DE CO_2 2RM man.** 5 044 kg/an **auto.** 4 223 kg/an **4RM** 4 418 kg/an

(R, SVR) V8 5,0 L DACT à compresseur volumétrique
PUISSANCE 543 ch à 6 500 tr/min (550 CV), **SVR** 567 ch à 6 500 tr/min(575 CV)
COUPLE 502 lb-pi à 2 500 tr/min **SVR** 516 lb-pi de 3 500 à 5 000 tr/min
RAPPORT POIDS/PUISSANCE 3,1 kg/ch **SVR** 3,0 kg/ch
BOITE(S) DE VITESSES automatique adaptative à 8 rapports avec mode manuel et manettes au volant
PERFORMANCES 0-100 km/h 4,1 s **SVR** 3,7 s
REPRISE 80-115 km/h 2,4 s **FREINAGE 100-0 km/h** 34,3 m
NIVEAU SONORE À 100 km/h Moyen
VITESSE MAXIMALE 300 km/h (bridée) **SVR** 323 km/h, (limitée à 300 km/h avec option aileron arrière) (bridées)
CONSOMMATION (100 km) ville 15,0 L, route 10,2 L (octane 91)
ANNUELLE 2 176 L, 2 938 $ **ÉMISSIONS DE CO_2** 5 005 kg/an

AUTRES COMPOSANTS

SÉCURITÉ ACTIVE (certains en option) Freins ABS, assistance au freinage, répartition électronique de la force de freinage, contrôle électronique de la stabilité, antipatinage, avertisseurs d'obstacle latéral et arrière, phares directionnels automatiques et adaptatifs
SUSPENSION avant/arrière indépendante **S** à amortissement adaptatif
FREINS avant/arrière disques **DIRECTION** à crémaillère, assistée électriquement
PNEUS P245/45R18 (av.) P275/40R18 (arr.) S P245/40R19 (av.) P275/35R19 (arr.) R P255/35R20 (av.) P295/30R20 (arr.)

DIMENSIONS

EMPATTEMENT R 2 622 mm **LONGUEUR** 4 470 mm **SVR** 4 475 mm
LARGEUR 1 923 mm, 2 042 mm (incl. rétro.) **HAUTEUR cabrio** 1 308 mm **R** 1 311 mm **coupé** 1 311 mm **R** 1 314 mm **SVR** 1 308 mm
POIDS cabrio. man. 1 587 kg **auto.** 1 597 kg **S 2RM man.** 1 604 kg **auto.** 1 614 kg **4RM** 1 694 kg **R** 1 694 kg **SVR** 1 720 kg **Coupé man.** 1 567 kg **auto.** 1 577 kg **S 2RM man.** 1 584 kg **auto** 1 594 kg **4RM** 1 674 kg **R** 1 674 kg **SVR** 1 715 kg
RÉPARTITION DU POIDS AV/ARR (%) 50/50 **DIAMÈTRE DE BRAQUAGE** 10,9 m
COFFRE Cabrio. 196 L **Coupé** 407 L, 315 L (avec cache-bagages en place) **SVR** 324 L **RÉSERVOIR DE CARBURANT** 70 L

LA COTE VERTE

MOTEUR L4 DE 2,0 L TURBODIESEL
CONSOMMATION (100 km) ville 7,9 L, route 5,5 L (est.)
CONSOMMATION ANNUELLE 1156 L, 1 329 $
INDICE D'OCTANE Diesel
ÉMISSIONS POLLUANTES CO_2 2 659 kg/an
(source: L'Annuel)

FICHE D'IDENTITÉ

VERSION(S) 20d/35t 4RM Premium, Prestige, R-Sport
TRANSMISSION(S) 4
PORTIÈRES 4 **PLACES** 5
PREMIÈRE GÉNÉRATION 2016
GÉNÉRATION ACTUELLE 2016
CONSTRUCTION Castle Bromwich, Angleterre.
COUSSINS GONFLABLES 6 (frontaux, latéraux, rideaux latéraux)
CONCURRENCE Acura TLX, Alfa Romeo Giulia, Audi A4, BMW Série 3, Buick Regal, Cadillac ATS, Genesis G80, Infiniti Q50, Lexus IS, Lincoln MKZ, Mercedes-Benz CLA/Classe C, Volkswagen CC, Volvo S60

AU QUOTIDIEN

COLLISION FRONTALE ND
COLLISION LATÉRALE ND
VENTES DU MODÈLE L'AN DERNIER
AU QUÉBEC nm **AU CANADA** nm
DÉPRÉCIATION (%) nm
RAPPELS (2011 à 2016) aucun à ce jour
COTE DE FIABILITÉ ND

GARANTIES... ET PLUS

GARANTIE GÉNÉRALE 4 ans/80 000 km
GROUPE MOTOPROPULSEUR 4 ans/80 000 km
PERFORATION 6 ans/kilométrage illimité
ASSISTANCE ROUTIÈRE 4 ans/80 000 km
NOMBRE DE CONCESSIONNAIRES
AU QUÉBEC 4 **AU CANADA** 29

NOUVEAUTÉS EN 2017

Nouveau modèle

X-TYPE, PRISE 2

Incontestablement, la grande star de la famille Jaguar sera cette année le F-Pace. On peut d'ores et déjà parler de délais de livraison et d'un engouement populaire jamais vu chez la marque britannique. Or, en plus du succès que l'on connaîtra avec ce modèle, Jaguar tente pour une seconde fois sa chance dans le segment des berlines sport compactes. Pour ceux qui auraient la mémoire courte, rappelons l'introduction en 2001 d'une berline compacte baptisée X-Type, construite sur bases de Ford Mondeo (notre Ford Contour) et qui avait été très mal accueillie par la critique. D'ailleurs, même les gens de Jaguar tentent de nous la faire oublier en mentionnant que la XE constitue la première berline compacte sport du constructeur.

Antoine Joubert

TOUR DU PROPRIÉTAIRE > Bonne nouvelle, Jaguar a appris de ses erreurs. Pas question cette fois de faire les choses à moitié, surtout lorsqu'il est question de rivaliser avec une concurrente nommée A4, Série 3 ou Classe C. Ne soyez donc pas étonné si certains standards de finition et d'équipement sont calqués sur ces trois modèles directement ciblés. Toutefois, on prend soin de conserver une touche british, en proposant d'abord un large éventail de teintes (au nombre de vingt) ainsi qu'un look typiquement Jaguar caractérisé par un long museau, une partie arrière tronquée et un regard félin on ne peut plus agressif. Les phares vous

+
- LIGNE SPLENDIDE
- CHÂSSIS TRÈS SOLIDE
- COMPORTEMENT ROUTIER SURPRENANT
- PUISSANCE ET SONORITÉ DU V6
- SILENCE DE ROULEMENT

−
- ABSENCE D'UN 4-CYLINDRES À ESSENCE
- FIABILITÉ À PROUVER
- BOÎTE AUTOMATIQUE PARFOIS HÉSITANTE
- PLACES ARRIÈRE RESTREINTES

MENTIONS

CLÉ D'OR | CHOIX VERT | **COUP DE CŒUR** | RECOMMANDÉ

VERDICT

	Note (1–10)
PLAISIR AU VOLANT	9
QUALITÉ DE FINITION	10
CONSOMMATION	7
RAPPORT QUALITÉ / PRIX	10
VALEUR DE REVENTE	nm
CONFORT	10

donnent une impression de déjà vu ? Sans doute parce que votre inconscient vous réfère à la nouvelle Hyundai Elantra. Qu'à cela ne tienne, l'élégance des lignes de la XE, surtout en version R-Sport, est incomparable. Et pour un peu plus de punch, optez pour l'ensemble Black Design, lequel revêt tout ce qu'il y a de chrome par un magnifique fini noir piano.

VIE À BORD > Contrairement à nos voisins du Sud, la XE ne nous est pas offerte en version de base. Chez nous, les trois déclinaisons nous servent donc un minimum de luxe, ce qui ne signifie pas pour autant que vous n'aurez pas recours au catalogue des options. À ce propos, sachez que parmi les plus intéressantes se trouve l'ensemble climatique comprenant sièges, pare-brise et volant chauffants, ainsi que le groupe Tech comprenant un écran tactile central de 10,2 pouces, ultra-ergonomique et fonctionnant à la façon d'une tablette électronique. À bord, la présentation n'est toutefois pas aussi séduisante que le sont les lignes extérieures. Pratiquement identique à celui du F-Pace, le poste de conduite est un peu fade et déçoit par une présentation graphique ordinaire. Heureusement, Jaguar se rattrape en utilisant des matériaux de belle facture ainsi que des teintes aussi élégantes qu'originales. Et heureusement, les sièges sont bien sculptés, en plus de donner une grande latitude sur le plan des réglages, pour une position de conduite optimale. En revanche, et comme dans la plupart des berlines du genre, la XE n'offre que peu de dégagement à l'arrière. Donc, à éviter pour une utilisation familiale.

TECHNIQUE > La XE, comme le F-Pace, fait appel à une architecture toute nouvelle, à très forte composition d'aluminium, qui lui permet dit-on d'alléger son poids face à la concurrence. Mais en analysant la chose de plus près, on réalise que la masse ne diffère pas réellement de celle de ses rivales. Néanmoins, cette architecture permet d'améliorer la répartition des masses de la voiture, en atteignant presque l'objectif ultime de 50:50. Sur le plan mécanique, Jaguar nous prive du 4-cylindres de 2 litres turbocompressé employé chez nos voisins du Sud, prétextant qu'il existe une incompatibilité technique avec le mariage de la transmission intégrale. Car oui, toutes les XE vendues au Canada reçoivent une transmission intégrale répartissant le couple de façon égale à l'avant et à l'arrière, pouvant électroniquement redistribuer jusqu'à 90 % du couple sur l'un ou l'autre des deux essieux, selon les besoins du moment. Comme moteur de base nous est donc soumis un 4-cylindres turbodiesel de 2 litres qui n'émeut guère par sa puissance, mais plutôt par son couple ultra-généreux et disponible de façon instantanée. Sous toute réserve, il faut s'attendre avec lui à une consommation moyenne combinée qui oscillerait autour de 7 litres aux 100 kilomètres, du moins si l'on se fie à l'essai effectué. Quant à l'autre moteur, il s'agit bien sûr de l'admirable 6-cylindres aussi utilisé dans plusieurs produits de la famille JLR (Jaguar Land Rover), lequel impressionne autant par sa souplesse et sa puissance que par sa sonorité magnifique.

2e OPINION

Luc-Olivier Chamberland

Après l'échec de la X-Type, Jaguar revient dans l'univers des berlines compactes de prestige avec la nouvelle XE. Cette fois, on développe la plate-forme et les moteurs, oubliez la mauvaise expérience avec Ford. À l'image des autres Jaguar, la XE est sexy et apporte une belle dose de sensualité dans un segment régi par le rationalisme des allemandes. Sous le capot, Jaguar intègre sa technologie de pointe Ingenium. Au Canada, on délaisse le 4-cylindres pour ne prendre que le diesel de 180 chevaux et le V6 de 3 litres de rien de moins que 335 chevaux. Toutes les versions utilisent l'intégrale de série. On se croise les doigts pour que la fiabilité soit au rendez-vous !

FICHE TECHNIQUE

MOTEUR(S)

(20d) L4 2,0 L DACT turbodiesel
PUISSANCE 180 ch à 4 000 tr/min
COUPLE 318 lb-pi de 1 750 à 2 500 tr/min
RAPPORT POIDS/PUISSANCE 9,0 kg/ch
BOÎTE(S) DE VITESSES automatique à 8 rapports avec mode manuel et manettes au volant
PERFORMANCES 0-100 km/h 7,9 s
REPRISE 80-115 km/h 7,3 s
FREINAGE 100-0 km/h 40,0 m
VITESSE MAXIMALE 225 km/h

(35t) V6 3,0 L DACT à compresseur volumétrique
PUISSANCE 335 ch à 6 500 tr/min (340 CV)
COUPLE 332 lb-pi à 4 500 tr/min
RAPPORT POIDS/PUISSANCE 5,1 kg/ch
BOITE(S) DE VITESSES automatique à 8 rapports avec mode manuel
PERFORMANCES 0 à 100 km/h 5,4 s
REPRISE 80-115 km/h 5,2 s
VITESSE MAXIMALE 250 km/h
NIVEAU SONORE Excellent
CONSOMMATION (100 km) ville 11,2 L, route 8,3 L (est.) (octane 91)
ANNUELLE 1 700 L, 2 295 $
ÉMISSIONS DE CO_2 3 910 kg/an

AUTRES COMPOSANTS

SÉCURITÉ ACTIVE (certains en option) Freins ABS, assistance au freinage, répartition électronique de la force de freinage, contrôle électronique de la stabilité, antipatinage, avertisseurs d'obstacle latéral et arrière et de sortie de voie, avertisseur de collision imminente avec freinage autonome, régulateur de vitesse adaptatif, reconnaissance des panneaux de signalisation et limiteur de vitesse adaptatif
SUSPENSION avant/arrière indépendante
FREINS avant/arrière disques
DIRECTION à crémaillère, assistée électriquement
PNEUS P225/50R17 **R-Sport** P225/40R19 (av.) P255/35R19 (arr.)

DIMENSIONS

EMPATTEMENT 2 835 mm
LONGUEUR 4 672 mm
LARGEUR 1 967 mm, 2 075 mm (incl. rétro.)
HAUTEUR 1 416 mm
POIDS 2.0TD 1 615 kg **3.0** 1 721 kg
RÉPARTITION DU POIDS AV/ARR (%) 53/47
DIAMÈTRE DE BRAQUAGE 11,7 m
COFFRE 450 L
RÉSERVOIR DE CARBURANT 2.0TD 56 L **3.0** 63 L

A

B

C

D

E

GALERIE

A > En option, Jaguar propose le système à écran tactile de 10,2 pouces InControl Touch Pro, lequel donne accès à une foule de gadgets pratiques. Son fonctionnement se compare directement à celui d'une tablette électronique, et brille par sa grande simplicité.

B > Sous le capot de la version 35t se cache un V6 suralimenté de 3,0 litres, produisant 335 chevaux. La nomenclature de la version n'a donc rien à voir avec la cylindrée du moteur, Jaguar souhaitant créer la confusion comme le fait BMW et Mercedes-Benz depuis quelques années.

C > Cette petit lunette transparente permet de protéger les capteurs servant aux différents systèmes d'assistance à la conduite, lesquels sont dissimulés à même l'ornement de la calandre.

D > Le toit ouvrant panoramique est offert sur toutes les versions de la XE, Jaguar considérant cet accessoire comme primordial pour rejoindre une clientèle nord-américaine. D'ailleurs, même lorsque ouvert, le toit n'engendre pas de turbulence à bord, signe d'une conception aérodynamique poussée.

E > Pas moins de neufs modèles de jantes, dont le diamètre varie de 17 à 20 pouces, sont offerts sur la XE. Ici, les jantes « Templar » de 18 pouces offertes en option sur le modèle Premium.

AU VOLANT > La XE apporte un vent de fraîcheur dans un segment où les berlines japonaises tentent depuis longtemps de détrôner un trio allemand trop bien établi. Quelques kilomètres au volant de cette berline suffisent pour comprendre qu'il ne s'agit ni d'une nippone ni d'une allemande. En fait, le plus proche parallèle avec la XE se trouve peut-être du côté de Cadillac, qui propose une ATS assez sportive mais aussi très solide. Toutefois, la XE impressionne davantage en raison d'une rigidité structurelle extraordinaire, de laquelle émane un sentiment de sécurité et de légèreté très agréable. À cela s'ajoute un degré d'insonorisation si frappant qu'à vitesse de croisière, la version 20d (à moteur diesel) nous donne carrément l'impression de rouler en électrique. Cela dit, la structure rigide permet d'amplifier les qualités dynamiques de la voiture telles que la précision de la direction et le parfait équilibre des suspensions, pour un agrément de conduite franchement étonnant. Dynamique mais également très confortable, la XE comprend différents modes de conduite qui lui permettent de s'adapter à l'humeur du moment. Évidemment, inutile de vous dire que le mode sport rend la conduite plus nerveuse, vous incitant très facilement à enfreindre les limites de vitesse. Maintenant, le seul fait de faire chanter le V6 à haut régime encourage à la délinquance. Soyez sans crainte, ce dernier sait se montrer discret en conduite normale. Mais en le sollicitant avec un peu de mordant, vous risquez de vous laisser emporter très facilement. En fait, le seul bémol en matière de comportement concerne la boîte automatique, qui réagit de temps à autre avec une certaine hésitation. Rien de majeur, certes, sauf qu'elle ne fait pas le poids face à la nouvelle boîte séquentielle offerte du côté de l'Audi A4.

CONCLUSION > Sans aucun doute, Jaguar présente maintenant une berline sport de haut calibre. Rien à voir avec la défunte X-Type. Est-ce que l'absence d'un 4-cylindres à essence pourrait affecter son succès chez nous ? Sans doute. Car une grande partie des acheteurs de ce genre de berline opte pour ce type de motorisation. Et même si le moteur turbodiesel est efficace, plusieurs choisiront de le bouder pour des considérations écologiques (perceptions consécutives au scandale TDI de VW). Il faudra aussi que Jaguar réussisse à séduire une clientèle qui n'a jamais mis les pieds en concession dans le passé, tout en gagnant la confiance d'un public bien au fait de la piètre réputation de fiabilité des produits de la marque. Inutile de vous dire que pour Jaguar, le défi est donc de taille. Mais j'oserais croire que plusieurs amateurs de voitures, lassés de ces berlines allemandes noires ou blanches, aujourd'hui trop communes, accepteront de céder au charme des lignes de cette XE. ■

HISTORIQUE

La première berline compacte de la famille Jaguar a été présentée en 2001, alors que la firme britannique se trouvait sous le giron de Ford. Reprenant les éléments mécaniques et structuraux de la Ford Mondeo (notre Ford Contour), cette berline soi-disant prestigieuse n'a jamais connu le succès escompté. Quelques années plus tard, une version familiale distribuée chez nous à quelques rares exemplaires allait voir le jour. C'est finalement en 2009 que Jaguar a tiré un trait définitif sur le modèle, qui se voit remplacé par la XE huit ans plus tard.

Ford Contour SVT 2000

Jaguar X-Type 2.5 2004

Jaguar X-Type 3.0 2008

Jaguar X-Type 3.0 Estate 2008

Jaguar XE Estate (sketch)

LA COTE VERTE

MOTEUR L4 DE 2,0 L TURBODIESEL
CONSOMMATION (100 km) ville 8,4 L, route 5,9 L (est.)
CONSOMMATION ANNUELLE 1 241 L, 1 427 $
INDICE D'OCTANE Diesel
ÉMISSIONS POLLUANTES CO_2 3 050 kg/an
(source : L'Annuel)

FICHE D'IDENTITÉ

VERSION(S) Premium, Prestige, R-Sport, S
TRANSMISSION(S) 4
PORTIÈRES 4 **PLACES** 5
PREMIÈRE GÉNÉRATION 2009
GÉNÉRATION ACTUELLE 2016
CONSTRUCTION Castle Bromwich, Angleterre
COUSSINS GONFLABLES 6 (frontaux, latéraux avant, rideaux latéraux)
CONCURRENCE Acura RLX, Audi A6/A7, BMW Série 5/ Série 6 Grand Coupé, Cadillac CTS, Infiniti Q70, Lexus GS, Maserati Ghibli, Mercedes-Benz Classe E, Volvo S90

AU QUOTIDIEN

COLLISION FRONTALE 5/5
COLLISION LATÉRALE 5/5
VENTES DU MODÈLE L'AN DERNIER
AU QUÉBEC 75 (-31,8 %) **AU CANADA** 466 (-17,8 %)
DÉPRÉCIATION (%) 30,7 (3 ans)
RAPPELS (2011 à 2016) 7
COTE DE FIABILITÉ 3/5

GARANTIES... ET PLUS

GARANTIE GÉNÉRALE 4 ans/80 000 km
GROUPE MOTOPROPULSEUR 4 ans/80 000 km
PERFORATION 6 ans/kilométrage illimité
ASSISTANCE ROUTIÈRE 4 ans/80 000 km
NOMBRE DE CONCESSIONNAIRES
AU QUÉBEC 4 **AU CANADA** 29

NOUVEAUTÉS EN 2017

Aucun changement majeur

HÉRITAGE REVU ET CORRIGÉ

Sous la houlette de l'Indien Tata, Jaguar continue de se renouveler. Au tour de la berline intermédiaire XF, qui s'est refait une beauté il y a à peine quelques mois, une automobile qui se frotte à maintes rivales dans un segment où le trafic est dense. Elle n'a pas le choix, elle doit se démarquer. Y parvient-elle ?

Michel Crépault

TOUR DU PROPRIÉTAIRE > Je n'arrive pas à savoir si je reconnais vraiment une Jaguar dans la XF ou si je me trouve en face d'une berline dont le design n'est pas plus épatant que celui d'une Hyundai Genesis mais qui, tout à coup, s'illumine davantage quand finalement j'entrevois le logo du félin. La XF est-elle esthétiquement si réussie ou suis-je un snob ? Si je mets de côté ce doute existentiel, j'en aime le format, très comparable à celui d'une Infiniti Q70. Son toit bas, imitant celui d'un coupé, fait partie de sa recette esthétique, mais laissez-moi vous refiler un conseil amical : en quittant votre fauteuil, attention à votre crâne. Sinon, ouille ! Cela dit, malgré son pavillon abaissé, la XF dispose de mensurations plus fortes que la concurrence, ce qui décuple son confort.

VIE À BORD > Le premier mot qui me vient à l'esprit en détaillant l'habitacle de la XF : dodu. Le volant, les accoudoirs, le cuir des sièges, les différentes sections du tableau de bord,

+
MANIABILITÉ INSPIRANTE
CAISSE RIGIDE
HABITACLE LUXUEUX GÉNÉREUX

−
STYLE UN PEU GÉNÉRIQUE
FIABILITÉ PERFECTIBLE
L'ARISTOCRATIE SE MONNAYE

MENTIONS

CLÉ D'OR | CHOIX VERT | COUP DE CŒUR | RECOMMANDÉ

VERDICT

PLAISIR AU VOLANT
QUALITÉ DE FINITION
CONSOMMATION
RAPPORT QUALITÉ / PRIX
VALEUR DE REVENTE
CONFORT

1 5 10

tout ça paraît plus volumineux que chez les rivales, comme si chaque contour avait été matelassé. Heureusement, de fins accents de chrome brossé et des garnitures contemporaines modernisent l'ensemble, sans oublier les généreux écrans programmables qui confirment bel et bien l'avant-gardisme de la cabine. Tout dans l'art de Jaguar de nos jours consiste à marier la tradition au progrès.

TECHNIQUE > Les XF Premium, Prestige et R-Sport partagent le V6 3 litres à compresseur volumétrique de 335 chevaux, tandis que la variante S en a droit à 40 de plus. Une boîte automatique ZF à 8 rapports et mode manuel à palettes au volant s'occupe d'envoyer le couple aux quatre roues (la propulsion existe mais pas chez nous). Nous attendons du renfort, comme ce fut le cas pour la précédente génération, Jaguar ayant l'habitude d'offrir à son modèle de base des compagnons de voyage plus économes ou plus agressifs. Ainsi, dès septembre, vous verrez poindre un 4-cylindres turbodiesel de 2 litres (mais pas son cousin à essence), 180 chevaux, 318 livres-pieds de couple à bas régime et le 0-100 km/h en 8,5 secondes sous les mêmes livrées que la XF 3 litres, sauf la S. On espère aussi le retour du V8 5 litres de plus de 500 chevaux pour des versions XFR et XFR-S, mais rien n'a été confirmé à ce jour.

AU VOLANT > Puisque l'architecture de la XF incorpore désormais beaucoup d'aluminium, le passage sur une balance indique une nette réduction de poids par rapport à la première génération. Cet allègement induit une conduite beaucoup plus spontanée, sans parler d'une consommation de carburant améliorée. Bons points en faveur de la manette rotative de la transmission qui se soulève, prête à l'action, dès qu'on enfonce le bouton de la mise à feu. Tout au long des trajets, la limpidité de l'affichage à l'écran s'avère un régal pour les yeux.

Une berline rapide et aux semelles sûres. Le système *All-Surface Progress Control* reprend celui de Land Rover en faisant en sorte que l'auto adapte le comportement de ses organes vitaux au type de revêtement rencontré. Cette excellente adhérence explique pourquoi les modèles à transmission intégrale sont plus rapides que les propulsions malgré les kilos supplémentaires.

Le son du V6 est presque timide. Il jure un peu avec la maniabilité et la souplesse de la nouvelle XF qui, franchement, se comporte plus lestement que ses dimensions ne le laissent croire.

CONCLUSION > La lutte est très serrée dans cette catégorie, les allemandes ayant l'habitude d'y faire la pluie et le beau temps, alors que les japonaises ont développé un style à elles et que les américaines se cherchent encore. Jaguar de son côté se réinvente avec un style toujours aristocratique mais conjugué à l'ère moderne. La XF en est un bel exemple. ■

2e OPINION

Luc-Olivier Chamberland

Jusqu'à maintenant, la Jaguar XF a tenu le rôle de la belle et sexy voiture dans le monde des berlines intermédiaires de prestige. Malheureusement, être séduisante ne signifie pas nécessairement être à la hauteur. Avec la nouvelle génération en 2016, Jaguar change complètement la donne. Elle est encore la plus jolie, mais on lui injecte passablement plus de substance, du moins suffisamment pour s'imposer un peu plus devant les allemandes qui règnent. On joue d'audace avec deux V6 de 3 litres de puissance allant de 335 à 375 chevaux, mais ce qui étonne le plus est le 4-cylindres de 2 litres diesel, magnifique, équilibré, performant. Il reste maintenant à savoir si son bilan de fiabilité s'améliore aussi.

FICHE TECHNIQUE

MOTEUR(S)

(20d) L4 2,0 L DACT turbodiesel
PUISSANCE 180 ch à 4 000 tr/min
COUPLE 318 lb-pi de 1 750 à 2 500 tr/min
RAPPORT POIDS/PUISSANCE 9,4 kg/ch
BOÎTE(S) DE VITESSES automatique à 8 rapports avec mode manuel et manettes au volant
PERFORMANCES 0-100 km/h 8,5 s
REPRISE 80-115 km/h 7,3 s
FREINAGE 100-0 km/h 40,0 m
VITESSE MAXIMALE 195 km/h

(35t, S) V6 3,0 L DACT à compresseur volumétrique
PUISSANCE 335 ch à 6 500 tr/min (340 CV)
S 375 ch à 6 500 tr/min (380 CV)
COUPLE 332 lb-pi à 4 500 tr/min
RAPPORT POIDS/PUISSANCE 5,2 kg/ch **S** 4,6 kg/ch
BOÎTE(S) DE VITESSES automatique à 8 rapports avec mode manuel
PERFORMANCES 0-100 km/h 5,4 s **S** 5,3 s
REPRISE 80-115 km/h ND
FREINAGE 100-0 km/h ND
NIVEAU SONORE À 100 km/h Bon
VITESSE MAXIMALE 195 km/h (bridée)
CONSOMMATION (100 km) ville 11,9 L, route 8,3 L (octane 91)
ANNUELLE 1 411 L, 1 905 $
ÉMISSIONS DE CO_2 3 245 kg/an

AUTRES COMPOSANTS

SÉCURITÉ ACTIVE (certains en option) Freins ABS, assistance au freinage, répartition électronique de la force de freinage, contrôle électronique de la stabilité, antipatinage, régulateur de vitesse adaptatif, déplacement sur surfaces glissantes à basse vitesse autonome, phares adaptatifs, avertisseur d'obstacle latéral et assistance au maintien de voie, avertisseur d'obstacle arrière, assistance en cas d'impact imminent avec freinage autonome, avertisseur de somnolence, affichage tête-haute
SUSPENSION avant/arrière indépendante, adaptative
FREINS avant/arrière disques
DIRECTION à crémaillère, assistée électriquement
PNEUS P245/45R18 **R-Sport** P245/4019 **S** P255/35R20

DIMENSIONS

EMPATTEMENT 2 960 mm
LONGUEUR 4 954 mm
LARGEUR 1 987 mm, 2 091 mm (incl. rétro.)
HAUTEUR 1 457 mm
POIDS 20d 1 700 kg **35t** 1 760 kg
RÉPARTITION DU POIDS AV/ARR (%) 51/49
DIAMÈTRE DE BRAQUAGE 11,6 m
COFFRE 540 L
RÉSERVOIR DE CARBURANT 20d 66 L **35t** 74 L
CAPACITÉ DE REMORQUAGE ND

LA COTE VERTE

MOTEUR V6 DE 3,0 L SURALIMENTÉ
CONSOMMATION (100 km) XJ ville 14,0 L, route 8,9 L
XJL ville 14,1 L, route 9,3 L
CONSOMMATION ANNUELLE XJ 1 989 l, 2 685 $ **XJL** 2 023 L, 2 731 $
INDICE D'OCTANE 91
ÉMISSIONS POLLUANTES CO_2 XJ 4 575 kg/an **XJL** 4 653 kg/an
(source : ÉnerGuide)

FICHE D'IDENTITÉ

VERSION(S) Empattement standard XJ R-Sport 4RM, XJ Portfolio 4RM, XJR **Empattement long** XJL Portfolio 4RM, XJR L
TRANSMISSION(S) 4, arrière (XJR)
PORTIÈRES 4 **PLACES** 5
PREMIÈRE GÉNÉRATION 1968
GÉNÉRATION ACTUELLE 2010
CONSTRUCTION Castle Bromwich, Angleterre
COUSSINS GONFLABLES 6 (frontaux, latéraux avant, rideaux latéraux)
CONCURRENCE Aston-Martin Rapide S, Audi A8, Bentley Flying Spur, BMW Série 6 Gran Coupe/Série 7, Cadillac CT6, Genesis G90, Kia K900, Lexus LS, Lincoln Continental, Maserati Quattroporte, Mercedes-Benz CLS/Classe S, Porsche Panamera

AU QUOTIDIEN

COLLISION FRONTALE 5/5
COLLISION LATÉRALE 5/5
VENTES DU MODÈLE L'AN DERNIER
AU QUÉBEC 75 (-3,8 %) **AU CANADA** 343 (-2,3 %)
DÉPRÉCIATION (%) 34,2 (3 ans)
RAPPELS (2011 à 2016) 6
COTE DE FIABILITÉ 3/5

GARANTIES... ET PLUS

GARANTIE GÉNÉRALE 4 ans/80 000 km
GROUPE MOTOPROPULSEUR 4 ans/80 000 km
PERFORATION 6 ans/kilométrage illimité
ASSISTANCE ROUTIÈRE 4 ans/80 000 km
NOMBRE DE CONCESSIONNAIRES
AU QUÉBEC 4 **AU CANADA** 29

NOUVEAUTÉS EN 2017

Aucun changement majeur

DANS L'OMBRE DE SES PETITES SŒURS ?

Il se vend au plus quelques milliers de berlines de grand luxe annuellement au pays. Et pourtant, jamais la compétition n'a été aussi féroce. Uniquement cette année, on dénote l'arrivée d'une nouvelle Cadillac CT6, d'une nouvelle Panamera, ce qui exclut bien sûr la refonte de la Série 7 l'an dernier. Qui plus est, ce segment fait aussi face depuis quelques années à un phénomène nommé Tesla (vous connaissez ?), lequel fait énormément jaser. Et Jaguar dans tout ça ?

Antoine Joubert

TOUR DU PROPRIÉTAIRE > En fait, 2017 se veut une grosse année pour Jaguar. On lance deux nouveaux produits « de masse » qui s'ajoutent à une gamme comptant cinq modèles, dont une berline XF elle aussi toute fraîche (2016). On met donc beaucoup d'accent sur ces nouveaux produits qui, selon toute vraisemblance, devraient permettre à Jaguar de connaître un regain de popularité substantiel. Ironiquement, il faut aussi considérer que le porte-étendard de la marque, la XJ, poursuit pour l'instant sa carrière dans l'ombre de ces nouveautés. Pas de changements majeurs et une simplification des gammes. On conserve bien sûr les versions à quatre roues motrices à empattement court et long, qui constituent chez nous la grande majorité des ventes, ainsi que les versions XJR à haute performance. Toutefois, les modèles Supercharged offerts ailleurs ne le sont plus chez nous, leurs ventes ayant été trop symboliques.

+
- SILHOUETTE AGUICHANTE
- TRANSMISSION INTÉGRALE EFFICACE
- QUALITÉ DE FINITION MAGNIFIQUE
- ACCÉLÉRATIONS FOUDROYANTES (XJR)

−
- FIABILITÉ INÉGALE
- CRAQUEMENTS ET CLIQUETIS À BORD
- PAS DE TRANSMISSION INTÉGRALE SUR LA XJR
- MODÈLE VIEILLISSANT

MENTIONS

CLÉ D'OR | CHOIX VERT | COUP DE CŒUR | RECOMMANDÉ

VERDICT

PLAISIR AU VOLANT
QUALITÉ DE FINITION
CONSOMMATION
RAPPORT QUALITÉ / PRIX
VALEUR DE REVENTE
CONFORT

1 5 10

VIE À BORD > D'une rare élégance, cette berline se démarque énormément de la concurrence. Les versions longues jouent davantage la carte de la distinction, alors que les modèles courts affichent une image de performance, façon Porsche Panamera. Et même si cette génération de la XJ atteint aujourd'hui un âge vénérable, ses lignes demeurent splendides. Il en va de même pour l'habitacle, joliment sculpté, qui séduit à coup de cuirs somptueux et de boiseries véritables. Ici, oubliez le toc. Tout est authentique et respire la qualité. D'ailleurs, de cet habitacle se dégage une odeur unique que même les plus grands parfumiers ne peuvent imiter. Naturellement, les caractéristiques de luxe sont innombrables, tout comme les gadgets technologiques. Ceux-ci sont toutefois moins impressionnants que certains éléments proposés chez la BMW de Série 7 et la Mercedes-Benz de Classe S. Retenez cependant qu'à bord de la XJ se vit une expérience sensorielle inoubliable.

TECHNIQUE > On le disait plus tôt, l'apport de la transmission intégrale à la gamme a permis à la XJ de regagner du terrain au Canada. Uniquement jumelée avec un V6 de 3 litres que Jaguar utilise sur la totalité de ses modèles, la transmission intégrale privilégie d'abord une puissance aux roues arrière pour redistribuer du couple à l'avant en cas de besoin. Les différents modes de conduite permettent également de varier cette distribution de couple, de manière à adapter le comportement selon les conditions routières. À l'opposé, un V8 suralimenté de 5 litres produisant 543 chevaux équipe les versions XJR. Ici, la puissance est drôlement plus impressionnante, tout comme la sonorité exotique qui émane des pots d'échappement. Hélas, pas de rouage intégral, ce qui en fait une voiture certes ultra-puissante, mais moins pratique en saison hivernale.

AU VOLANT > Confortable à souhait, la XJ se démarque de ses rivales par un plaisir de conduire et une maniabilité insoupçonnée. Évidemment, les modèles à empattement court se veulent plus agiles et moins lourds, mais toutes les versions se défendent particulièrement bien sur de belles routes sinueuses. À ce chapitre, donnons tout de même l'avantage à la Porsche Panamera. Elle demeure imbattable. Cela étant dit, la XJ déçoit par les craquements et cliquetis audibles à son bord. Un élément inadmissible sur une voiture aussi prestigieuse et où la qualité des matériaux laisse croire à un assemblage plus rigoureux.

CONCLUSION > Pour rassurer sa clientèle (comme l'opinion publique), Jaguar publiait récemment un communiqué, fière d'annoncer qu'on se classait aujourd'hui deuxième aux sondages de JD Power pour la qualité initiale. Mais qu'en est-il de la fiabilité à long terme ? Cette question demeure incontournable lorsqu'il est question de la XJ, une voiture qui n'a jamais su faire ses preuves en la matière. Maintenant, qui, dans ce créneau, peut se vanter d'offrir une fiabilité à toute épreuve ? Lexus ? Peut-être. Mais encore faut-il être séduit par une LS... ■

2e OPINION

Luc-Olivier Chamberland

La XJ évolue au sein d'un segment élitiste, mais refuse le conformisme. Sous la griffe d'Ian McCallum, elle arrive avec une approche plus provocatrice à l'italienne que conservatrice à la britannique. Qu'on se le dise, c'est une voiture magnifique sous tous les angles. L'intérieur adopte la même audace que l'extérieur avec un luxe ostentatoire enseveli sous le cuir et les boiseries. Toutefois, on ne joue pas la carte de la technologie tous azimuts comme les allemandes peuvent le faire. On conserve un luxe «simple» et fonctionnel. Les motorisations, allant de 335 à 543 chevaux, sont aussi intéressantes et pour tous les goûts. Tristement, la question de la fiabilité demeure son talon d'Achille.

FICHE TECHNIQUE

MOTEUR(S)

(R-Sport , Portfolio) V6 3,0 L DACT à compresseur volumétrique
PUISSANCE 335 ch à 6 500 tr/min
COUPLE 332 lb-pi de 3 500 à 5 000 tr/min
RAPPORT POIDS/PUISSANCE XJ/XJL 5,2 kg/ch **4RM** 5,5 kg/ch
BOÎTE(S) DE VITESSES automatique à 8 rapports avec mode manuel
PERFORMANCES 0-100 km/h 6,4 s
VITESSE MAXIMALE 250 km/h (bridée)

(XJR) V8 5,0 L DACT à compresseur volumétrique
PUISSANCE 543 ch de 6 000 à 6 500 tr/min
COUPLE 502 lb-pi de 2 500 à 5 000 tr/min
RAPPORT POIDS/PUISSANCE XJR 3,5 kg/ch
BOÎTE(S) DE VITESSES automatique à 8 rapports avec mode manuel
PERFORMANCES 0-100 km/h 4,6 s
VITESSE MAXIMALE 280 km/h (bridée)
CONSOMMATION (100 km) ville 15,8 L, route 10,2 L (octane 91)
ANNUELLE 2 261 L, 3 052 $
ÉMISSIONS POLLUANTES CO_2 5 200 kg/an

AUTRES COMPOSANTS

SÉCURITÉ ACTIVE (certains en option) Freins ABS, assistance au freinage, répartition électronique de la force de freinage, contrôle électronique de la stabilité, antipatinage, régulateur de vitesse adaptatif, avertisseurs d'obstacle latéral et arrière
SUSPENSION avant/arrière indépendante
FREINS avant/arrière disques
DIRECTION à crémaillère, assistée
PNEUS P245/45R19 (av.) P275/40R19 (arr.)
XJR P245/40R20 (av.) P275/35R20 (arr.)

DIMENSIONS

EMPATTEMENT 3 032 mm **XJL** 3 157 mm
LONGUEUR 5 127 mm **XJL** 5 255 mm
LARGEUR 1 899 mm (rétro. repliés), 2 105 mm (incl. rétro.)
HAUTEUR 1 456 mm
POIDS XJ TI 1 871 kg **XJL TI** 1 875 kg **XJR** 1 870 kg **XJR L** 1 885 kg
RÉPARTITION DU POIDS AV/ARR (%) 51/49
DIAMÈTRE DE BRAQUAGE 2RM XJ 11,9 m **XJL** 12,3 m
4RM XJ 12,4 m **XJL** 12,9 m
COFFRE 520 L
RÉSERVOIR DE CARBURANT 82 L

LA COTE VERTE

MOTEUR L4 DE 2,4 L
CONSOMMATION (100 km) 2RM ville 10,9 L, route 7,7 L
4RM ville 11,3 L, route 8,3 L **Trailhawk** ville 12,1 L, route 9,4 L
CONSOMMATION ANNUELLE 2RM 1 615 L, 1 938 $
4RM 1 700 L, 2 040 $ **Trailhawk** 1 853 L, 2 224 $
INDICE D'OCTANE 87
ÉMISSIONS POLLUANTES CO_2 2RM 3 714 kg/an
4RM 3 910 kg/an **Trailhawk** 4 262 kg/an
(source : ÉnerGuide)

FICHE D'IDENTITÉ

VERSION(S) 2RM/4RM Sport, North, Limited, Édition 75e anniversaire, Overland **4RM** Trailhawk
TRANSMISSION(S) avant, 4
PORTIÈRES 5 **PLACES** 5
PREMIÈRE GÉNÉRATION 1984
GÉNÉRATION ACTUELLE 2014
CONSTRUCTION Toledo, Ohio, É.-U.
COUSSINS GONFLABLES 10 (frontaux, genoux avant, latéraux avant et arrière, rideaux latéraux)
CONCURRENCE Chevrolet Equinox/GMC Terrain, Dodge Journey, Ford Escape, Honda CR-V, Hyundai Tucson, Kia Sportage, Mazda CX-5, Mitsubishi Outlander, Nissan Rogue, Subaru Forester, Toyota RAV4, Volkswagen Tiguan

AU QUOTIDIEN

COLLISION FRONTALE 4/5
COLLISION LATÉRALE 5/5
VENTES DU MODÈLE L'AN DERNIER
AU QUÉBEC 7 152 (+32,2 %) **AU CANADA** 31 833 (+41,3 %)
DÉPRÉCIATION (%) 33,3 (3 ans)
RAPPELS (2011 à 2016) 11 **COTE DE FIABILITÉ** 3/5

GARANTIES... ET PLUS

GARANTIE GÉNÉRALE 3 ans/60 000 km
GROUPE MOTOPROPULSEUR 5 ans/100 000 km
PERFORATION 5 ans/160 000 km
ASSISTANCE ROUTIÈRE 5 ans/100 000 km
NOMBRE DE CONCESSIONNAIRES
AU QUÉBEC 93 **AU CANADA** 440

NOUVEAUTÉS EN 2017

Phares à haute intensité de série à partir de la version North et disponible sur Sport, nouvel ensemble « Cuir plus » sur Trailhawk. Nouvelle palette de couleurs. Nouvelle version Overland.

INSAISISSABLE

Lorsque Jeep a décidé de ressusciter le Cherokee il y a presque trois ans (année modèle 2014), le constructeur ne relançait pas seulement une appellation très connue du grand public, il réanimait aussi une icône dans le milieu du hors-route. Très stratégique donc, l'usage de l'étiquette, auparavant disparue en 2001, cache une révision complète de l'approche, prenant pour base le châssis de la Dodge Dart. Une recette qui mêle confusion et modernisme.

Charles René

TOUR DU PROPRIÉTAIRE > Les designers de Jeep ont donné ici un sacré coup de barre afin de différencier le Cherokee des concurrents, une méthode audacieuse qui mérite d'être saluée. Hormis la calandre classique aux ouvertures verticales, il se distancie également des autres membres de la famille du constructeur. Certainement pas un chef-d'œuvre esthétique, le Cherokee réussit tout de même à pas trop mal vieillir avec un caractère propre à lui, conféré, en grande partie, par la section avant au capot sculpté bas et les phares de reptiles découpés à même les ailes avant. Sur la latérale, les courts porte-à-faux donnent une présentation plutôt ramassée. Il règne toutefois à l'arrière une certaine confusion avec un dessin de pare-chocs trop complexe et des feux positionnés très haut.

\+ CAPACITÉ DE REMORQUAGE (V6)
CAPACITÉS HORS ROUTE
BONNE FINITION INTÉRIEURE

– MOTEURS MANQUANT DE SOUFFLE
TRANSMISSION PAS ENCORE À POINT
PLACES ARRIÈRE PAS TRÈS GÉNÉREUSES

MENTIONS

CLÉ D'OR | CHOIX VERT | COUP DE CŒUR | RECOMMANDÉ

VERDICT

PLAISIR AU VOLANT
QUALITÉ DE FINITION
CONSOMMATION
RAPPORT QUALITÉ / PRIX
VALEUR DE REVENTE
CONFORT

1 5 10

VIE À BORD > S'il y a bien une chose que Chrysler réussit à bien exécuter, c'est la conception de ses habitacles. Le Cherokee ne fait pas exception à cette règle. La bonne accessibilité aux places avant nous ouvre la porte sur une planche de bord moderne et très bien construite. Les commandes sont aussi particulièrement bien agencées. Elles tombent sous la main naturellement, autant sur le volant que sur la nacelle centrale. Le tout est soutenu par le système d'infodivertissement U-Connect, qui est encore parmi les meilleurs proposés autant sur le plan esthétique que sur celui de l'intuitivité. L'habitacle Cherokee n'est pas exempt de défauts pour autant. Les places arrière ne sont pas très généreuses et le volume du coffre arrière, intéressant sur papier à près de 700 litres, n'est pas très bien mis à profit par le toit bas et l'espace de chargement trop haut.

TECHNIQUE > Le Cherokee est suggéré avec deux moteurs: un 4-cylindres de 2,4 litres et un V6 de 3,2 litres. Avec sa consommation quasi égale au V6 et sa puissance beaucoup trop ténue pour le poids du véhicule, le 4-cylindres est à proscrire. Le V6, proposé en option à seulement 1595 $ dispose de 271 chevaux et 239 livres-pieds pour convaincre. Avec plus de 1800 kilos à mouvoir, cette puissance n'est certes pas un luxe. Ce moteur n'est, de plus, pas très alerte. Il manque de souffle, même à haut régime. La lenteur de la boîte de vitesse à 9 rapports n'aide pas à enrayer cette impression de paresse. On sent toutefois que ses sélections de rapports sont plus précises qu'auparavant. Le Cherokee obtient cependant une bonne consommation de carburant pour une telle cylindrée. Lorsque équipé du V6, le Cherokee est aussi le véhicule ayant la meilleure capacité de remorquage dans son segment à 2 041 kilos.

AU VOLANT > Derrière le volant, le Cherokee est, encore là, pas entièrement convaincant. Oui, l'impression de solidité, de rigidité est présente, mais le comportement, particulièrement en version Trailhawk, est bondissant. Certes, les pneus employés par cette livrée, ayant un penchant pour le hors-route, ne sont pas un outil de choix pour une telle mission, mais le roulis pourrait être mieux maîtrisé. La direction se révèle cependant d'une bonne précision et dispose d'une assistance bien dosée. La puissance du freinage est également acceptable. Bref, il n'y a rien de mémorable ici, mais comme le Cherokee mise sur une excellente transmission intégrale et de bonnes capacités hors route, il ne vise pas un public friand des routes en serpentins.

CONCLUSION > Original, le Cherokee pose un regard différent, mais pas entièrement concluant sur son segment. Certes, ses bonnes capacités hors route et le fait qu'il puisse tracter beaucoup en font un modèle pertinent pour un public lassé des multisegments conçus pour le bitume des grandes villes. Le Cherokee devra cependant hausser son jeu sur le plan de la fiabilité, encore trop fragile pour une recommandation complète. ■

2e OPINION

Daniel Rufiange

L'image de Jeep, je ne vous apprends probablement rien, est l'une des plus fortes à travers l'industrie. En fait, la marque est l'une de celles qui est le plus reconnue mondialement. Posséder un Jeep, c'est (encore) cool. Le Cherokee, remis au catalogue il y a trois ans, connaît un succès monstre depuis son retour, et ce, malgré le fait qu'esthétiquement, ses concepteurs se soient permis d'oser à l'avant avec cette calandre aux yeux bridés. Le format plaît, le prix demeure raisonnable lorsqu'on ne s'emballe pas trop une fois chez le concessionnaire et sur la route, l'expérience de conduite est concluante. Seulement, et il est impératif de le mentionner, la cote de fiabilité du produit donne mal au cœur. Considérant les concurrents dans le segment, j'irais ailleurs, à moins d'avoir un cousin mécano chez FCA.

FICHE TECHNIQUE

MOTEUR(S)

(Tous) L4 2,4 L DACT
PUISSANCE 184 ch à 6 250 tr/min
COUPLE 171 lb-pi à 4 800 tr/min
RAPPORT POIDS/PUISSANCE 2RM 9,0 kg/ch **4RM** 9,7 à 9,9 kg/ch
BOITE(S) DE VITESSES automatique à 9 rapports
PERFORMANCES 0-100 km/h 9,5 s
VITESSE MAXIMALE 185 km/h

(Option tous) V6 3,2 L
PUISSANCE 271 ch à 6 500 tr/min
COUPLE 239 lb-pi à 4 400 tr/min
RAPPORT POIDS/PUISSANCE 2RM 6,3 kg/ch **4RM** 6,8 à 6,9 kg/ch
BOITE(S) DE VITESSES automatique à 9 rapports
PERFORMANCES 0-100 km/h 7,2 s
REPRISE 80-115 km/h 5,9 s
FREINAGE 100-0 km/h 48,4 m
NIVEAU SONORE À 100 km/h Moyen
VITESSE MAXIMALE 210 km/h
CONSOMMATION (100 km) 2RM ville 11,4 L, route 8,1 L **4RM** ville 11,6 L, route 8,5 L **Trailhawk** ville 12,2 L, route 9,0 L (octane 87)
ANNUELLE 2RM 1 683 L, 2 020 $ **4RM** 1 734 L, 2 081 $ **Trailhawk** 1 836 L, 2 203 $
ÉMISSIONS DE CO_2 2RM 3 871 kg/an **4RM** 3 988 kg/an **Trailhawk** 4 223 kg/an

AUTRES COMPOSANTS

SÉCURITÉ ACTIVE (certains en option) Freins ABS, assistance au freinage, répartition électronique de la force de freinage, contrôle électronique de la stabilité, antipatinage, régulateur de vitesse adaptatif, assistance en cas de collision imminente, avertisseur d'obstacle latéral, assistance au départ en pente, phares automatiques, assistance en montée et en descente
SUSPENSION avant/arrière indépendante
FREINS avant/arrière disques
DIRECTION à crémaillère, assistée électriquement
PNEUS Sport, North 2RM P225/60R17 **4RM** P225/65R17 **Limited 2RM** P225/55R18 **4RM** P225/60R18 **Trailhawk** P245/65R17

DIMENSIONS

EMPATTEMENT 2 700 mm **Trailhawk** 2 719 mm
LONGUEUR 4 624 mm
LARGEUR 1 859 mm **Trailhawk** 1 903 mm
HAUTEUR 2RM 1 670 mm **4RM** 1 683 à 1 710 mm **Trailhawk** 1 723 mm
POIDS 2.4 2RM 1 658 kg **4RM** 1 793 kg **Trailhawk** 1 827 kg **3.2 2RM** 1 714 kg **4RM** 1 835 kg **Trailhawk** 1 863 kg
RÉPARTITION DU POIDS AV/ARR (%) 57/43
DIAMÈTRE DE BRAQUAGE 2RM 11,5 m **4RM** 11,6 m
COFFRE 702 L, 1 555 L (sièges abaissés)
RÉSERVOIR DE CARBURANT 60 L
CAPACITÉ DE REMORQUAGE L4 907 kg **V6** 2 041 kg

LA COTE VERTE

MOTEUR L4 DE 2,0 L
CONSOMMATION (100 km) man. ville 10,3 L, route 7,8 L
CVT ville 10,8 L, route 8,9 L
CONSOMMATION ANNUELLE man. 1 564 L, 1 877 $ **CVT** 1 700 L, 2 040 $
INDICE D'OCTANE 87
ÉMISSIONS POLLUANTES CO_2 man. 3 597 kg/an **CVT** 3 910 kg/an
(source : ÉnerGuide)

FICHE D'IDENTITÉ

VERSION(S) Compass/Patriot Sport, North, High Altitude, Édition 75e anniversaire **Patriot** Sport Altitude II
TRANSMISSION(S) avant, 4
PORTIÈRES 5 **PLACES** 5
PREMIÈRE GÉNÉRATION 2007
GÉNÉRATION ACTUELLE 2007
CONSTRUCTION Belvidere, Illinois, É.-U.
COUSSINS GONFLABLES 6 (frontaux, latéraux avant, rideaux latéraux)
CONCURRENCE Chevrolet Trax, Fiat 500 L/500X, Honda HR-V, Kia Soul, Mazda CX-3, Mitsubishi RVR, Nissan Juke, Subaru Crosstreck

AU QUOTIDIEN

COLLISION FRONTALE 3/5
COLLISION LATÉRALE 5/5
VENTES DU MODÈLE L'AN DERNIER
AU QUÉBEC 1 152 (-72,9 %) **AU CANADA** 13 101 (+11,4 %)
DÉPRÉCIATION (%) 34,7 (3 ans)
RAPPELS (2011 à 2016) 7
COTE DE FIABILITÉ 3/5

GARANTIES... ET PLUS

GARANTIE GÉNÉRALE 3 ans/60 000 km
GROUPE MOTOPROPULSEUR 5 ans/100 000 km
PERFORATION 5 ans/160 000 km
ASSISTANCE ROUTIÈRE 5 ans/100 000 km
NOMBRE DE CONCESSIONNAIRES
AU QUÉBEC 93 **AU CANADA** 440

NOUVEAUTÉS EN 2017

Aucun changement majeur

INCROYABLE, MAIS VRAI

Dix ans ! Cela fait dix ans que ce lucratif duo de Jeep abordable est sur nos routes et le tout sans grands changements. Année après année, on se dit que c'est la fin, mais non! Encore une fois, les Jeep Compass et Patriot sont de retour. Ils devaient disparaître l'an dernier après l'introduction du Renegade. Mais comme il ne « pogne » pas du tout, les Compass et Patriot continuent leur bout de chemin avec une grille de tarifs alléchante pour séduire les acheteurs exaspérés du prix du Renegade !

Luc-Olivier Chamberland

TOUR DU PROPRIÉTAIRE > Lors du dévoilement de ce duo, Barack Obama n'était pas encore président des États-Unis, c'est tout dire. Le temps commence sérieusement à faire son œuvre. Malgré tout, le design vieillit assez bien, les formes typiques de Jeep sont figées dans le temps. Ce fait est particulièrement vrai pour le Patriot avec ses lignes carrées et angulaires. Dans le cas du Compass, c'est une autre histoire. Il est dépassé. La dernière fois qu'on lui a apporté des modifications, c'est en 2011, une éternité, quoi! Considérant que ces deux produits ne coûtent rien à construire, aucune transformation ne sera effectuée étant donné qu'ils trépasseront bientôt. On garde le vieux « stock ».

+
- ROUAGE 4X4 COMPÉTENT
- LOOK JEEP INDÉMODABLE (PATRIOT)
- VOLUME DU COFFRE INTÉRESSANT

−
- FIABILITÉ
- TECHNOLOGIE DÉSUÈTE
- OPTIONS BEAUCOUP TROP CHÈRES

MENTIONS

CLÉ D'OR | CHOIX VERT | COUP DE CŒUR | RECOMMANDÉ

VERDICT

PLAISIR AU VOLANT
QUALITÉ DE FINITION
CONSOMMATION
RAPPORT QUALITÉ / PRIX
VALEUR DE REVENTE
CONFORT

1 5 10

VIE À BORD > La conception d'habitacle n'a jamais été un point fort chez Chrysler, du moins, sur la majorité de ses modèles. Au bas de l'échelle de la gamme Jeep, on retrouve tout naturellement une présentation entièrement recouverte de plastiques durs bon marché. Avec une finition et une qualité d'assemblage aléatoires, on entend rapidement un festival musical de craquements qui se manifestent de partout dans la cabine. De la vieille école, on n'obtient qu'un équipement de base où le cuir et la navigation représentent un luxe ostentatoire ! L'espace intérieur est décent pour le segment. Une famille pourra y vivre sans trop de problèmes dans la mesure où le nombre de passagers se limitera à quatre. Le coffre est une force avec une aire de 652 à 1510 litres.

TECHNIQUE > Grande surprise ! On retrouve exactement les mêmes moteurs que dans les années antérieures! L'offre de base est le 4-cylindres de 2 litres de 158 chevaux avec un couple de 141 livres-pieds. Cette optique n'est bonne que pour économiser à la caisse, il ne propose aucun autre avantage. La « meilleure » option est le 2,4-litres de 172 chevaux. Tout comme le 2-litres, on oublie toute notion de raffinement. Que l'on prenne le Patriot ou le Compass, on peut choisir, selon la version, entre une manuelle à 5 rapports ou encore une automatique à 6 liens. Le Patriot reçoit également une CVT avec le 2,4-litres dans le modèle le plus équipé à rouage 4x4. Même si ce duo n'est pas aussi extrême que le Wrangler, leurs capacités hors route sont impressionnantes. Évidemment, on doit opter pour plusieurs options pour se rendre à ce niveau, mais si l'on est prêt à mettre le prix, on restera difficilement pris au dépourvu.

AU VOLANT > On ne doit pas avoir de grandes attentes lorsque l'on prend le volant de l'un ou l'autre. Les technologies de la décennie passée expriment leur désuétude. On est loin de l'aplomb et de la qualité de roulement de la concurrence. Sensibles aux vents latéraux, ça « brasse » sur l'autoroute à la moindre brise. La direction se montre assez communicative, uniquement en raison de la simplicité de sa conception. Pour ce qui est des suspensions, elles proposent une belle fermeté qui n'est pas désagréable. Côté freins, on repassera ! Ils manquent de mordant. L'endroit où ces véhicules s'expriment le mieux est justement là où les routes sont absentes !

CONCLUSION > Le Patriot a beau être le VUS le plus abordable au Canada, les limites aux concessions acceptables sont dépassées. On peut rapidement se faire prendre au jeu des options et voir la facture monter en flèche. C'est à ce moment que le véhicule perd tout intérêt. À cela, on doit ajouter une collection d'histoires d'horreur quant à sa fiabilité. ■

2e OPINION

Benoit Charette

Difficile d'expliquer pourquoi ce duo de petits utilitaires démodés est encore là. Si j'étais cynique, je vous dirais que Chrysler possédait un gros stock qu'elle liquide lentement mais sûrement, car les modèles 2017 sont exactement les mêmes que les 2016. Si j'étais suspicieux, je vous dirais que les ventes du Renegade sont loin des objectifs fixés et que le prix beaucoup plus abordable du Compass/Patriot attire encore une certaine clientèle. Peu importe la raison, ces petits utilitaires offrent une qualité moyenne et vont déprécier rapidement. Le prix peu élevé à l'achat demeure le seul argument de vente valable. Pour tout le reste, la concurrence fait mieux, tant au chapitre de la conduite qu'à ceux de l'insonorisation et de la sécurité tant active que passive.

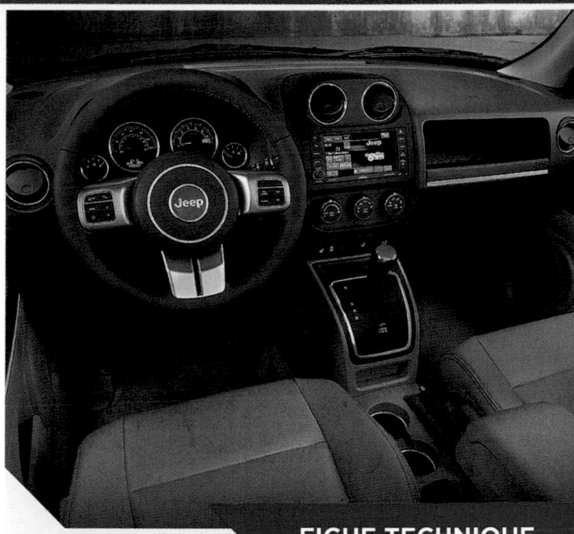

FICHE TECHNIQUE

MOTEUR(S)

(SPORT/HIGH ALTITUDE 2RM) L4 2,0 L DACT
PUISSANCE 158 ch à 6 400 tr/min
COUPLE 141 lb-pi à 5 000 tr/min
RAPPORT POIDS/PUISSANCE 8,9 à 9,2 kg/ch
BOÎTE(S) DE VITESSES Sport manuelle à 5 rapports
High Altitude 2RM automatique à variation continue
PERFORMANCES 0-100 km/h 11,2 s
VITESSE MAXIMALE 175 km/h

(4RM/ NORTH 2RM) L4 2,4 L DACT
PUISSANCE 172 ch à 6 000 tr/min
COUPLE 165 lb-pi à 4 400 tr/min
RAPPORT POIDS/PUISSANCE 8,6 à 8,8 kg/ch
BOÎTE(S) DE VITESSES Sport/High Altitude manuelle à 5 rapports
North 2RM/option Sport et High Altitude 4RM automatique à 6 rapports avec mode manuel **option Sport et North 4RM** automatique à variation continue à forte démultiplication
PERFORMANCES 0-100 km/h 2RM 10,2 s **4RM** 10,7 s
REPRISE 80-115 km/h 7,5 s
FREINAGE 100-0 km/h 40,3 m
NIVEAU SONORE À 100 km/h Moyen
VITESSE MAXIMALE 185 km/h
CONSOMMATION (100 km) 2RM man. ville 10,2 L, route 8,2 L **auto.** ville 11,2 L, route 8,6 L **4RM man.** ville 10,6, route 8,6 L **auto.** ville 11,7 L, route 9,1 L **CVT** ville 11,7, route 10,3 L (octane 87)
ANNUELLE 2RM man. 1 649 L, 1 979 $ **auto.** 1 700 L, 2 210 $ **4RM man.** 1 649 L, 2 144 $ **auto.** 1 785 L, 2 142 $ **CVT** 1 887 L, 2 264 $
ÉMISSIONS DE CO_2 2RM man. 3 793 kg/an **auto.** 3 910 kg/an **4RM man.** 3 793 kg/an **auto.** 4 105kg/an **CVT** 4 340 kg/an

AUTRES COMPOSANTS

SÉCURITÉ ACTIVE (certains en option) Freins ABS, assistance au freinage, répartition électronique de la force de freinage, contrôle électronique de la stabilité, antipatinage, assistance au départ en pente et à la descente
SUSPENSION avant/arrière indépendante
FREINS avant/arrière 2RM disques/tambours **4RM** disques
DIRECTION à crémaillère, assistée
PNEUS Sport/North 2.0 P205/70R16
Sport/North 2.4 P215/60R17 **option North** P215/65R17

DIMENSIONS

EMPATTEMENT 2 635 mm
LONGUEUR 4 414 mm
LARGEUR 1 757 mm
HAUTEUR 2RM 1 663 mm **4RM** 1 696 mm
POIDS 2RM 1 411 à 1 451 kg **4RM** 1 485 à 1 518 kg
RÉPARTITION DU POIDS AV/ARR (%) 2RM 59/41 **4RM** 58/42
DIAMÈTRE DE BRAQUAGE 17 po. 10,8 m **18 po.** 11,3 m
COFFRE 652 L, 1 510 L (sièges abaissés)
RÉSERVOIR DE CARBURANT 2RM 52 L **4RM** 51 L
CAPACITÉ DE REMORQUAGE 907 kg (avec groupe remorquage)

LA COTE VERTE

MOTEUR V6 DE 3,0 L DIESEL
CONSOMMATION (100 km) ville 11,2 L, route 8,4 L
CONSOMMATION ANNUELLE 1 683 L, 1 935 $
INDICE D'OCTANE Diesel **ÉMISSIONS POLLUANTES CO_2** 4 539 kg/an
(source : ÉnerGuide)

FICHE D'IDENTITÉ

VERSION(S) Laredo, Limited, Trailhawk, Overland, Summit, SRT
TRANSMISSION(S) 4
PORTIÈRES 5 **PLACES** 5
PREMIÈRE GÉNÉRATION 1993 **GÉNÉRATION ACTUELLE** 2011
CONSTRUCTION Detroit, Michigan, É-U
COUSSINS GONFLABLES 7 (frontaux, genoux conducteur, latéraux avant, rideaux latéraux)
CONCURRENCE Acura MDX, BMW X5/X6, Chevrolet Traverse/GMC Acadia, Dodge Durango, Ford Explorer, Hyundai Santa Fe XL, Infiniti QX60/QX70, Kia Sorento, Land Rover LR4, Lincoln MKT/MKX, Mercedes-Benz Classe GLE, Nissan Pathfinder, Porsche Cayenne, Toyota 4Runner, Volkswagen Touareg, Volvo XC90

AU QUOTIDIEN

COLLISION FRONTALE 4/5 **COLLISION LATÉRALE** 5/5
VENTES DU MODÈLE L'AN DERNIER
AU QUÉBEC 1 663 (-8,6 %) **AU CANADA** 11 605 (-11,7 %)
DÉPRÉCIATION (%) 28,8 (3 ans)
RAPPELS (2011 à 2016) 15 **COTE DE FIABILITÉ** 2/5

GARANTIES... ET PLUS

GARANTIE GÉNÉRALE 3 ans/60 000 km
GROUPE MOTOPROPULSEUR 5 ans/100 000 km
PERFORATION 5 ans/160 000 km
ASSISTANCE ROUTIÈRE 5 ans/100 000 km
NOMBRE DE CONCESSIONNAIRES AU QUÉBEC 93 **AU CANADA** 440

NOUVEAUTÉS EN 2017

Retouches esthétiques extérieures, nouvelles jantes, nouvelle palette de couleurs, caméra de recul de série, intérieur « Gun Metal » disponible, nouveau rétroviseur adaptatif, assistance au stationnement. Avertisseur et aide en cas de sortie de voie de série sur Summit et SRT. Groupe sécurité disponible (freinage auto, avertisseur de collision imminente, essuie-glaces et régulateur de vitesse adaptatifs, avertisseurs et aide en cas de sortie de voie, assistance au stationnement). Nouvel intérieur tout cuir sur version Summit. Nouvelle version Trailhawk : optique, rails de toit et décalque de capot noirs, sièges cuir et suède, Quadra-Drive II avec différentiel à glissement limité électronique, suspension à air, attache de remorque, jantes de 18 po.

LE BAROUDEUR EN COSTARD

Voilà 24 ans tout de même qui nous séparent du premier dévoilement du Jeep Grand Cherokee. Celui qui a pris le relais après l'abandon du célèbre Wagoneer a été présenté au monde automobile à l'aube de l'année 1992, au Salon de Detroit. Malgré l'économie américaine chancelante, le moment choisi était excellent, en pleine phase de croissance pour les VUS. Le dernier Grand Cherokee de cette lignée, renouvelé en 2011, s'inscrit aussi aujourd'hui dans une période d'embellie pour son segment. Il n'a également jamais été aussi raffiné.

Charles René

TOUR DU PROPRIÉTAIRE > Alors que les constructeurs planchent sur des design qui tentent de marier - quelquefois maladroitement - les genres, le Grand Cherokee reste fidèle à ses origines. Macho assumé, il a gardé son faciès carré aux larges épaules et au regard sérieux. Tout comme l'ensemble de la gamme Jeep, sa calandre est essentiellement composée d'ouvertures verticales, une référence à l'illustre Willys. Du reste, sa haute garde au sol montre ses couleurs, le Grand Cherokee veut se faire prendre au sérieux hors des sentiers battus.

VIE À BORD > Un véhicule d'une telle grosseur doit évidemment compenser son encombrement avec l'aspect pratique de son habitacle. C'est en partie le cas pour le Grand Cherokee. À

+
CONFORT
CAPACITÉ DE REMORQUAGE ÉLEVÉE
FAIBLE CONSOMMATION DE CARBURANT (MOTEURS V6)

−
FIABILITÉ INÉGALE
PLACES ARRIÈRE PEU SPACIEUSES
CONSOMMATION DE CARBURANT ÉLEVÉE (MOTEURS V8)

MENTIONS

CLÉ D'OR · CHOIX VERT · COUP DE CŒUR · RECOMMANDÉ

VERDICT

PLAISIR AU VOLANT
QUALITÉ DE FINITION
CONSOMMATION
RAPPORT QUALITÉ / PRIX
VALEUR DE REVENTE
CONFORT

1 5 10

l'avant, le conducteur et le passager bénéficient de beaucoup d'espace. Derrière, l'accessibilité est bonne, mais les passagers se sentiront à l'étroit au niveau des jambes, surtout si les sièges avant sont le moindrement reculés. Outre cela, le Grand Cherokee affiche un très grand raffinement mis en exergue par la version cossue Overland. La qualité de finition et celle des matériaux se situent dans les plus hauts standards du segment. L'ergonomie des commandes est aussi irréprochable.

TECHNIQUE > Quatre moteurs se partagent la fiche technique du Grand Cherokee. Retouché à l'année modèle 2016, le V6 de 3,6 litres Pentastar ouvre le bal avec 295 chevaux. Interviennent ensuite le V6 turbodiesel EcoDiesel de 3 litres (240 ch) et deux V8 Hemi de 5,7 litres (360 ch) et 6,4 litres (475 ch). Il est facile d'être séduit par les versions V8 en raison de leur souplesse et de leur sonorité, mais les deux V6 sont des choix beaucoup plus stratégiques si vous ne recherchez pas à tout prix une énorme capacité de remorquage. Revu l'année dernière, le Pentastar n'a d'ailleurs jamais été aussi onctueux et silencieux. Côté puissance, il a la vivacité nécessaire tout en étant plutôt sobre. Ses secrets : le système d'arrêt/redémarrage introduit sur l'année modèle 2016 et l'excellente boîte de vitesse à 8 rapports. Cette dernière est d'ailleurs boulonnée à tous les moteurs du Grand Cherokee. Plus coûteux certes, l'EcoDiesel est non moins éloquent dans sa prestation. Doux et très coupleux avec ses 420 livres-pieds, il propose la même capacité de remorquage que le V8 de 5,7 litres (3 265 kg) tout en consommant en moyenne près de 10 litres aux 100 kilomètres.

AU VOLANT > Outre la livrée SRT, qui mise sur son dynamisme pour séduire, le Grand Cherokee reste d'abord et avant tout un véhicule à vocation familiale qui privilégie le confort. Sur cet aspect, il est indéniablement une réussite. Ses éléments suspenseurs filtrent la rudesse de notre réseau routier, sans pour autant donner l'impression d'une mollesse trop importante. Son poids, particulièrement élevé, se fait sentir en virage. Le roulis est alors passablement présent, mais ne constitue pas un réel problème si vous réduisez le rythme. La direction, quant à elle, est bien dosée sur l'assistance et précise. On doit finalement saluer l'initiative de Jeep de doter ce Grand Cherokee d'un vrai levier de vitesses pour remplacer l'ancien levier, dont la manipulation était loin d'être intuitive.

CONCLUSION > Alors que les vrais VUS laissent progressivement leur place aux multisegments construits sur des châssis modulaires, le Grand Cherokee reste l'un des derniers de sa horde à disposer de la robustesse nécessaire pour tracter des charges élevées. En plus de posséder d'excellentes capacités hors route, il étale un degré de sophistication impressionnant autant sur plan du confort de roulement que sur celui de la confection de l'habitacle. Mais, comme tout modèle a une part d'ombre, le Grand Cherokee reste encore plombé par une fiabilité inconstante malgré sa progression à ce chapitre. Une réussite donc, mais en demi-teinte. ■

2e OPINION

Benoit Charette

Pour célébrer dignement les 75 ans de Jeep, tous les produits de la gamme vont recevoir des petites attentions particulières cette année. Sur le Grand Cherokee, les responsables du style ont retravaillé la partie avant et certaines touches intérieures. Ce qu'il faut retenir, c'est l'arrivée d'un nouveau modèle TrailHawk. Cette version est la plus évoluée pour les escapades hors route. Jeep déploie son système 4x4 Quadra-Drive II, un différentiel électronique, une version spécifique de sa suspension pneumatique Quadra-Lift et un double système de contrôle de la vitesse en montée et en descente. Ajoutez à cela des plaques de protection et une garde au sol remontée à 27,5 centimètres qui permet au Grand Cherokee Trailhawk de bénéficier d'angles d'attaque et de fuite pouvant respectivement monter à 36,1° et 22,8°. Un véritable aventurier qui sera tout aussi à l'aise à l'opéra. Une légende qui continue.

FICHE TECHNIQUE

MOTEUR(S)

(option OVERLAND/SUMMIT) V6 3,0 L DACT Diesel
PUISSANCE 240 ch à 3 600 tr/min **COUPLE** 420 lb-pi à 2 000 tr/min
RAPPORT POIDS/PUISSANCE 10,2 kg/ch
BOITE(S) DE VITESSES automatique à 8 rapports avec mode manuel et manettes au volant
PERFORMANCES 0 à 100 km/h 9,5 s **VITESSE MAXIMALE** 205 km/h

(LAREDO, LIMITED, TRAILHAWK, OVERLAND, SUMMIT) V6 3,6 L DACT
PUISSANCE 295 ch à 6 400 tr/min **COUPLE** 260 lb-pi à 4 800 tr/min
RAPPORT POIDS/PUISSANCE 7,3 à 7,7 kg/ch
BOÎTE(S) DE VITESSES automatique à 8 rapports avec mode manuel et manettes au volant
PERFORMANCES 0-100 km/h 7,3 s
REPRISE 80-115 km/h 6,4 s **FREINAGE 100-0 km/h** 38,2 m
NIVEAU SONORE À 100 km/h Moyen **VITESSE MAXIMALE** 210 km/h
CONSOMMATION (100 km) ville 12,8 L, route 9,5 L (octane 87)
ANNUELLE 1 921 L, 2 305 $ **ÉMISSIONS DE CO_2** 4 418 kg/an

(option LIMITED/OVERLAND/SUMMIT) V8 5,7 L ACC
PUISSANCE 360 ch à 5 150 tr/min **COUPLE** 390 lb-pi à 4 250 tr/min
RAPPORT POIDS/PUISSANCE 6,5 à 6,6 kg/ch
BOÎTE(S) DE VITESSES automatique à 8 rapports avec mode manuel et manettes au volant
PERFORMANCES 0-100 km/h 6,4 s
VITESSE MAXIMALE 240 km/h
CONSOMMATION (100 km) ville 16,7 L, route 10,7 L (octane 87)
ANNUELLE 2 380 L, 2 856 $ **ÉMISSIONS DE CO_2** 5 474 kg/an

(SRT) V8 6,4 L ACC
PUISSANCE 475 ch à 6 000 tr/min **COUPLE** 470 lb-pi à 4 200 tr/min
RAPPORT POIDS/PUISSANCE 5,0 kg/ch
BOÎTE(S) DE VITESSES automatique à 8 rapports avec mode manuel et manettes au volant
PERFORMANCES 0-100 km/h 4,8 s
REPRISE 80-115 km/h 3,2 s **FREINAGE 100-0 km/h** 36,2 m
NIVEAU SONORE À 100 km/h Moyen **VITESSE MAXIMALE** 250 km/h
CONSOMMATION (100 km) ville 18,5 L, route 12,6 L (octane 91)
ANNUELLE 2 686 L, 3 626 $ **ÉMISSIONS DE CO_2** 6 178 kg

AUTRES COMPOSANTS

SÉCURITÉ ACTIVE (certains en option) Freins ABS, assistance au freinage, répartition électronique de la force de freinage, contrôle électronique de la stabilité, antipatinage, régulateur de vitesse adaptatif, essuie-glaces adaptatifs, avertisseurs d'obstacle latéral et arrière et de collision imminente, freinage auto., assistance en cas de sortie de voie
SUSPENSION avant/arrière indépendante
Overland et Summit pneumatique à correcteur d'assiette automatique
SRT sélectionnable et adaptative
FREINS avant/arrière disques
DIRECTION à crémaillère, assistée électriquement
PNEUS Laredo P245/70R17 **Limited/Trailhawk/option Overland et Summit** P265/60R18 **Overland/Summit/ option Limited** P265/50R20 SRT P295/45R20

DIMENSIONS

EMPATTEMENT 2 915 mm **LONGUEUR** 4 822 mm **SRT** 4 859 mm
LARGEUR 1 943 mm **SRT** 1 958 mm **HAUTEUR** 1 761 mm **SRT** 1 758 mm
POIDS Laredo V6 2 121 kg **Limited V6** 2 211 kg **V8** 2 329 kg **Diesel** 2 393 kg **Overland V6** 2 261 kg **V8** 2 381 kg **Diesel** 2 446 kg **Summit V6** 2 247 kg **V8** 2 367 kg **Diesel** 2 437 kg **SRT** 2 336 kg
RÉPARTITION DU POIDS AV/ARR (%) 50/50 à 53/47
DIAMÈTRE DE BRAQUAGE 11,3 m **COFFRE** 1 030 L, 1 930 L (sièges abaissés)
RÉSERVOIR DE CARBURANT 93 L
CAPACITÉ DE REMORQUAGE V6 2 818 kg **V8/SRT** 3 265 kg

LA COTE VERTE

MOTEUR L4 DE 1,4 L TURBO
CONSOMMATION (100 km) ville 9,9 L, route 7,5 L
CONSOMMATION ANNUELLE 1 496 L, 1 795 $
INDICE D'OCTANE 87
ÉMISSIONS POLLUANTES CO_2 3 441 kg/an
(source : ÉnerGuide)

FICHE D'IDENTITÉ

VERSION(S) 2RM/4RM Sport, North **4RM** Trailhawk, Limited
TRANSMISSION(S) avant, 4
PORTIÈRES 5 **PLACES** 5
PREMIÈRE GÉNÉRATION 2015
GÉNÉRATION ACTUELLE 2015
CONSTRUCTION Melfi, Italie
COUSSINS GONFLABLES 7 (frontaux, genoux conducteur, latéraux avant, rideaux latéraux)
CONCURRENCE Chevrolet Trax, Fiat 500X, Honda HR-V, Jeep Compass/Patriot, Kia Soul, Mazda CX-3, Mitsubishi RVR, Nissan Juke, Subaru Crosstrek

AU QUOTIDIEN

COLLISION FRONTALE 5/5
COLLISION LATÉRALE 5/5
VENTES DU MODÈLE L'AN DERNIER
AU QUÉBEC 552 (nm) **AU CANADA** 2 261 (nm)
DÉPRÉCIATION (%) nm
RAPPELS (2011 à 2016) 1
COTE DE FIABILITÉ ND

GARANTIES... ET PLUS

GARANTIE GÉNÉRALE 3 ans/60 000 km
GROUPE MOTOPROPULSEUR 5 ans/100 000 km
PERFORATION 5 ans/160 000 km
ASSISTANCE ROUTIÈRE 5 ans/100 000 km
NOMBRE DE CONCESSIONNAIRES
AU QUÉBEC 93 **AU CANADA** 440

NOUVEAUTÉS EN 2017

Démarrage sans clé de série sur Sport, North et Trailhawk, débarrage de porte, démarrage sans clé et démarrage à distance de série sur Limited, phares à haute intensité disponible à partir de la version North, groupe Technologie avancée avec phares adaptatifs maintenant disponible sur version North, nouvelle palette de couleurs.

SI SEULEMENT...

La marque de commerce de Jeep figure parmi les plus reconnues sur la planète, tous domaines confondus. Voilà un atout majeur dans la manche du constructeur. Pour plusieurs, posséder un Jeep, c'est envoyer une image forte, s'affirmer haut et fort. Consciente de l'attrait que le logo Jeep exerce sur les consommateurs, FCA (Fiat Chrysler Automobiles) travaille à l'expansion de la gamme et nous réserve quelques surprises pour les prochaines années. L'an dernier, un petit nouveau est venu s'immiscer dans la famille et, au moment de son introduction, tous les espoirs étaient permis. Sauf que...

Daniel Rufiange

TOUR DU PROPRIÉTAIRE > Si les goûts ne sont pas à discuter, il faut prendre le temps de reconnaître le travail remarquable des stylistes de ce Renegade. Ces derniers ont eu des idées géniales pour honorer le passé de la bannière. Des exemples ? Il y a bien sûr cette grille que l'on peut reconnaître les yeux bandés. Comptez aussi sur la forme trapézoïdale des arches de roue, ces phares ronds qui semblent sortis du passé et ces X, qui décoraient jadis les bidons d'essence des Jeep militaires, que l'on peut voir un peu partout, tantôt incrustés dans les feux arrière, tantôt dans le design du toit My Sky, disponible en option.

+
- BOUILLE DES PLUS SYMPATHIQUES
- SPACIEUX MALGRÉ SON FORMAT COMPACT
- VERSION TRAILHAWK FORT COMPÉTENTE HORS ROUTE
- EXCELLENT RAYON DE BRAQUAGE

–
- BOÎTE AUTOMATIQUE SUJETTE À PROBLÈMES
- PREMIERS RAPPORTS DE FIABILITÉ PEU ENVIABLES
- PRIX DES VERSIONS PLUS ÉQUIPÉES
- QUALITÉ D'ASSEMBLAGE PERFECTIBLE

MENTIONS

CLÉ D'OR | CHOIX VERT | COUP DE CŒUR | RECOMMANDÉ

VERDICT

	1–10
PLAISIR AU VOLANT	7
QUALITÉ DE FINITION	8
CONSOMMATION	8
RAPPORT QUALITÉ / PRIX	8
VALEUR DE REVENTE	nm
CONFORT	7

L'ensemble, ceux qui ont acheté un Renegade vous le diraient, est irrésistible. Jeep ne vend pas que des véhicules, mais aussi de l'émotion. Au menu, quantité de variantes à 2 ou à 4 roues motrices, ainsi qu'une version Trailhawk, porteuse du véritable ADN Jeep.

VIE À BORD > Si la présentation est plus classique à bord, on a quand même su lui donner une touche propre rappelant à quelle enseigne on loge. Des logos Jeep peuvent être aperçus subtilement dans le parebrise, une poignée loge devant le siège du passager avant et les cadrans prennent une allure sportive et distincte. Mieux, l'acheteur peut mettre beaucoup de couleurs à l'intérieur. Voilà qui fait changement du noir, trop dominant à travers l'industrie. Sur le plan du confort, c'est décent, tant à l'avant qu'à l'arrière. Là, l'ajout d'un troisième passager n'est recommandable que pour de courtes distances. Pour ce qui est du chargement, le volume demeure intéressant grâce à la modularité de l'habitacle, qui peut voir tous ses sièges, sauf celui du conducteur, faire la planche.

TECHNIQUE > Pour animer le Renegade, on a pigé dans la banque de moteurs Fiat. Ainsi, un 4-cylindres turbo de 1,4 litre et 160 chevaux, de même qu'un 4-cylindres de 2,4 litres et 180 chevaux peuvent équiper les modèles. Avec le premier, seule une boîte manuelle à 6 rapports est d'office. Au deuxième, c'est une boîte automatique à 9 rapports qui est désignée. Cette boîte n'a encore convaincu personne, ce qui nous force à recommander des modèles équipés du premier. Or il n'est livrable que sur les versions Sport et North, en entrée de gamme. Heureusement, la transmission intégrale peut servir ces versions. Dans le cas des livrées Trailhawk et Limited, le 4x4 est de série. Mieux, dans le cas du modèle Trailhawk, on a droit à des systèmes de gestion supplémentaires (Select-Terrain et Jeep Active Drive Low) qui permettent de s'aventurer là où les produits de la concurrence doivent s'arrêter.

AU VOLANT > Vous aurez compris que si vous avez des chemins hostiles à emprunter, la variante Trailhawk est celle à prioriser. Autrement, vous serez bien servi par les autres, qui proposent un comportement routier somme toute civilisé. Vous vous ferez brasser davantage à bord d'un Renegade qu'à bord d'un produit de la concurrence, fruit d'un châssis rigide, mais ce n'est pas si mal et ça fait partie du charme associé à la marque; on a vraiment l'impression de conduire un petit camion.

CONCLUSION > Le Renegade est un produit séduisant offert dans un emballage qui l'est tout autant. Cependant, il faut regarder au-delà des apparences et même des émotions avant de conclure une transaction. Lorsqu'équipé pour la peine, il n'est pas donné et, pire, les premiers rapports de fiabilité le concernant ne sont pas des plus roses. Si seulement Jeep arrivait à proposer des produits plus fiables, qui sait quels nouveaux sommets ces derniers pourraient atteindre? ■

2e OPINION

Vincent Aubé

Le constructeur Jeep a-t-il bien fait de s'immiscer dans le segment des petits utilitaires? D'un point de vue stratégique, il est clair que le duo formé du Patriot et du Compass commence sérieusement à montrer des signes de vieillesse, tandis que le Cherokee est un peu trop gros. Il y a donc de la place pour un «petit» Jeep pour faire la lutte aux Honda HR-V et Mazda CX-3 de ce monde. Si l'exécution n'est pas si mal à l'intérieur comme à l'extérieur, c'est sur la route que le Renegade fait ressortir ses défauts. Assez amusant à conduire, le Renegade a encore besoin d'un peu de raffinement sous le capot.

FICHE TECHNIQUE

MOTEUR(S)

(Sport, North) L4 1,4 L SACT turbo
PUISSANCE 160 ch à 5 500 tr/min
COUPLE 184 lb-pi de 2 500 à 4 000 tr/min
RAPPORT POIDS/PUISSANCE 2RM 8,6 kg/ch **4RM** 9,0 kg/ch
BOÎTE(S) DE VITESSES manuelle à 6 rapports
PERFORMANCES 0-100 km/h 9,0 s
FREINAGE 100-0 km/h 39,0 m
NIVEAU SONORE À 100 km/h ND
VITESSE MAXIMALE 180 km/h

(Limited, Trailhawk, option Sport/North) L4 2,4 L SACT
PUISSANCE 180 ch à 6 400 tr/min
COUPLE 175 lb-pi à 4 400 tr/min
RAPPORT POIDS/PUISSANCE 2RM 7,7 kg/ch
4RM 8,2 kg/ch **Trailhawk** 8,6 kg/ch
BOÎTE(S) DE VITESSES automatique à 9 rapports
PERFORMANCES 0-100 km/h 9,0 s
REPRISE 80-115 km/h 6,2 s
VITESSE MAXIMALE 185 km/h
CONSOMMATION (100 km) ville 11,2 L, route 8,0 L (octane 87)
ANNUELLE 1 666 L, 1 999 $
ÉMISSIONS POLLUANTES CO_2 3 832 kg/an

AUTRES COMPOSANTS

SÉCURITÉ ACTIVE (certains en option) Freins ABS, assistance au freinage, répartition électronique de la force de freinage, contrôle de la stabilité électronique, antipatinage, avertisseur de sortie de voie, assistance au maintien de voie, avertisseurs d'obstacle latéral et arrière et d'impact imminent avec freinage d'urgence automatique, assistance au freinage en cas d'utilisation simultanée des freins et de l'accélérateur, assistance au départ et à la descente en pente, système antilouvoiement
SUSPENSION avant/arrière indépendante
FREINS avant/arrière disques
DIRECTION à crémaillère, assistée électriquement
PNEUS Sport, North P 215/65R16 **North 2.4** P215/60R17
Limited/option North P225/55R18 **Trailhawk** P215/65R17

DIMENSIONS

EMPATTEMENT 2 570 mm
LONGUEUR 4 232 mm
LARGEUR 1 804 mm, 1 887 mm (rétro. repliés), 2 023 mm (incl. rétro.)
HAUTEUR 1 689 mm
POIDS 1.4 2RM 1 372 kg **1.4 4RM** 1 447 kg **2.4 2RM** 1 418 kg
2.4 4RM 1 502 kg **2.4 Trailhawk** 1 583 kg
RÉPARTITION DU POIDS AV/ARR (%) ND
DIAMÈTRE DE BRAQUAGE 11,1 m **Trailhawk** 10,8 m
COFFRE 525 L, 1 440 L (sièges abaissés)
RÉSERVOIR DE CARBURANT 48 L
CAPACITÉ DE REMORQUAGE 2,4 L 907 kg **1,4 L** non recommandé

LA COTE VERTE

MOTEUR V6 DE 3,6 L
CONSOMMATION (100 km) 2 portes ville 14,2 L, route 11,0 L
4 portes ville 14,8 L, route 11,7 L
CONSOMMATION ANNUELLE 2 portes 2 176 L, 2 611 $ **4 portes** 2 278 L, 2 734 $
INDICE D'OCTANE 87
ÉMISSIONS POLLUANTES CO_2 2 portes 5 005 kg/an **4 portes** 5 239 kg/an
(source : ÉnerGuide)

FICHE D'IDENTITÉ

VERSION(S) 2 portes Sport **2 portes/4 portes** Sport S, Willis, Sahara, Rubicon, Édition 75e anniversaire
TRANSMISSION(S) 4
PORTIÈRES 3, 5 **PLACES** 4, 5
PREMIÈRE GÉNÉRATION 1987
GÉNÉRATION ACTUELLE 2007
CONSTRUCTION Toledo, Ohio, É.-U.
COUSSINS GONFLABLES 2 (frontaux) option 4 (+latéraux avant)
CONCURRENCE Aucune

AU QUOTIDIEN

COLLISION FRONTALE 4/5
COLLISION LATÉRALE 2/5
VENTES DU MODÈLE L'AN DERNIER
AU QUÉBEC 3 378 (-8,1 %) **AU CANADA** 20 880 (-9,4 %)
DÉPRÉCIATION (%) 26,0 (3 ans)
RAPPELS (2011 à 2016) 5
COTE DE FIABILITÉ 3/5

GARANTIES... ET PLUS

GARANTIE GÉNÉRALE 3 ans/60 000 km
GROUPE MOTOPROPULSEUR 5 ans/100 000 km
PERFORATION 5 ans/160 000 km
ASSISTANCE ROUTIÈRE 5 ans/100 000 km
NOMBRE DE CONCESSIONNAIRES
AU QUÉBEC 93 **AU CANADA** 440

NOUVEAUTÉS EN 2017

Nouvelles options : éclairage à DEL, groupe climat froid et, sur version Willys, différentiel verrouillable. 2 nouvelles couleurs : Gobi (sable) et Mauve extrême.

RETRAITE ET RENAISSANCE

Voilà des années qu'on spécule sur l'avenir du Jeep Wrangler ou, du moins, sur l'arrivée de son remplaçant. Eh bien, on semble enfin fixé. Selon toute évidence, l'année 2018 sera enfin celle du grand renouveau. Considérant l'importance de ce produit dans l'échiquier de la compagnie, on comprend l'effort concentré sur son successeur. Ce qu'on sait, c'est qu'il va grandement lui ressembler, Jeep n'ayant aucune intention d'inutilement modifier sa recette gagnante. Il progressera à tous les niveaux, certes, et c'est ce qu'on attend avec impatience. Car même s'il s'écoule toujours comme des petits pains chauds, même s'il est charmant comme tout, sa conception qui date de plus de 10 ans commence à le handicaper sérieusement.

Daniel Rufiange

TOUR DU PROPRIÉTAIRE > Malgré les 75 ans qui les séparent, les styles du premier Jeep, apparu en 1941, et du modèle actuel sont fort similaires. Ça, c'est la force de l'une des marques de commerce les plus reconnues à travers la planète; ce n'est pas peu dire. Essayez de trouver un véhicule de 75 ans qui présente la même signature aujourd'hui qu'hier; il n'y en a pas. Ainsi, le Jeep Wrangler séduit, encore et toujours, malgré le fait qu'il fasse partie des meubles. Ses formes carrées, son toit dur rétractable, ses roues conçues pour les terrains hostiles, ses ailes bombées, sa roue de secours greffée au hayon, ses attaches de capot, bref, chaque carac-

+
- STYLE UNIQUE
- CAPACITÉS HORS ROUTE INDÉNIABLES
- UN REMÈDE CONTRE LA DÉPRESSION

−
- SYSTÈME DE TOITURE AMOVIBLE INUTILEMENT COMPLIQUÉ
- BOÎTE AUTOMATIQUE À 5 RAPPORTS ARCHAÏQUE
- DOIT ÊTRE CONDUIT AVEC UNE EXTRÊME PRUDENCE SUR LA ROUTE; IL RÉAGIT TRÈS MAL AUX MANŒUVRES BRUSQUES.

MENTIONS

CLÉ D'OR | CHOIX VERT | COUP DE CŒUR | **RECOMMANDÉ**

VERDICT

PLAISIR AU VOLANT
QUALITÉ DE FINITION
CONSOMMATION
RAPPORT QUALITÉ / PRIX
VALEUR DE REVENTE
CONFORT

1 5 10

téristique physique du Jeep est unique. Enfin, comme s'il n'était pas suffisamment distinct, neuf versions sont proposées, dont quatre issues de la série quatre portes.

VIE À BORD > Malgré un rafraîchissement au début de la présente décennie, voilà l'endroit où l'âge du Jeep Wrangler se fait le plus voir. La conception de la planche de bord date du milieu des années 2000, mais bien pire, de l'époque où Chrysler concevait des cocons horribles et sans âme. Pour un véhicule possédant autant de caractère, voilà qui détonne. Cela dit, l'ensemble est fonctionnel et la simplicité est appréciée. On l'accepte d'emblée, le Wrangler n'étant pas pensé pour nous dorloter ou nous impressionner à ce niveau. Le plaisir est décuplé lorsqu'on prend le temps (le mot est faible) d'enlever le toit pour profiter du grand air. Parmi les souhaits émis à propos du prochain modèle, il y a celle d'un système simplifié pour le retrait du toit.

TECHNIQUE > Un seul moteur sert présentement le Wrangler, soit le V6 de 3,6 litres Pentastar du groupe FCA. Si ce dernier fait le travail, il ne peut faire des miracles sur le plan de la consommation. Résultat du dernier essai réalisé avec ce produit : 13,5 litres aux 100 kilomètres. On a beau le savoir en optant pour ce véhicule, ça fait toujours mal. Le prochain Wrangler sera plus efficace à ce chapitre, notamment grâce à quelques changements aérodynamiques. On obtiendra un meilleur rendement des prochaines boîtes de vitesse aussi. Présentement, on a droit à une transmission automatique à 5 rapports, en option, alors que la manuelle à 6 vitesses est livrée de série. Quant au système 4X4, c'est simple, c'est une référence dans l'industrie.

AU VOLANT > Une direction floue, le comportement d'une sauterelle, une tenue de route approximative, une insonorisation inexistante, une position de conduite imparfaite et un niveau de confort moyen, voilà ce qui vous attend au volant du Wrangler. Généralement, ce genre de commentaires serait au centre d'une critique vitriolique du véhicule. Pourtant, ce n'est pas le cas. On sait ce qu'on obtient en choisissant un Wrangler et on fait avec. Étrangement, ça fait même partie de son charme. Surtout, on sait qu'au moment où on met les pieds dans la boue, là, on oublie tout. Un jouet inimitable. N'empêche, on ne peut que souhaiter des améliorations aux éléments mentionnés ci-dessus.

CONCLUSION > Il sera très intéressant de voir ce que nous réserve Jeep avec le prochain Wrangler. Si on s'attend à un produit similaire, on espère aussi une solution plus moderne. Mais pas trop, cependant, car oublier de transplanter le charme du produit actuel sur la planche à dessin du prochain serait une erreur fatale pour la marque. ■

2e OPINION

Antoine Joubert

Anecdote : un ami personnel s'est commandé cet été un Wrangler fardé d'options, pour un prix totalisant 54 000 $ avant taxes ! Et attention, on ne parle pas d'un Rubicon, mais bien d'une version Sahara. Je suis passé à un cheveu de le traiter de fou... et je me suis mis à réfléchir en me posant cette question : « Un Wrangler de 54 000 $ qui vaudra probablement 35 000 $ dans trois ans ou une Chrysler 300 de 54 000 $ qui perdra 45 % de sa valeur pour la même période ? » Finalement, mon ami n'a pas fait une si mauvaise affaire ! Cela dit, je persiste à croire qu'un Wrangler conçu pour l'aventure n'a rien à faire avec des gadgets de luxe. Et plutôt que de continuer à embourgeoiser le Wrangler, qu'attend-on pour ramener le Scrambler ?

FICHE TECHNIQUE

MOTEUR(S)

(TOUS) V6 3,6 L DACT
PUISSANCE 285 ch à 6 400 tr/min
COUPLE 260 lb-pi à 4 800 tr/min
RAPPORT POIDS/PUISSANCE 4,9 à 6,9 kg/ch
BOÎTE(S) DE VITESSES manuelle à 6 rapports, automatique à 5 rapports (en option)
PERFORMANCES 0-100 km/h 7,5 s **4 portes** 9,4 s
REPRISE 80-115 km/h 5,8 s **4 portes** 7,3 s
FREINAGE 100-0 km/h 42,2 m **4 portes** 43,1 m
NIVEAU SONORE À 100 km/h Passable
VITESSE MAXIMALE 174 km/h

AUTRES COMPOSANTS

SÉCURITÉ ACTIVE Freins ABS, assistance au freinage, répartition électronique de la force de freinage, contrôle électronique de la stabilité, antipatinage
SUSPENSION avant/arrière essieu rigide
FREINS avant/arrière disques
DIRECTION à billes, assistée
PNEUS Sport P225/75R16
Sahara/4 portes Sahara P255/70R18 **Rubicon/4 portes Rubicon/ option Sport/4 portes Sport** LT255/75R17
option 4 portes Rubicon LT265/70R17

DIMENSIONS

EMPATTEMENT 2 424 mm **4 portes** 2 947 mm
LONGUEUR 3 881 mm **4 portes** 4 405 mm
LARGEUR 1 873 mm
HAUTEUR 1 800 mm
POIDS Sport man. 1 403 kg **auto.** 1 413 kg
Rubicon man. 1 532 kg **auto.** 1 541 kg **4 portes Sport man.** 1 848 kg **auto.** 1 860 kg **Rubicon man.** 1 957 kg **auto.** 1 969 kg
DIAMÈTRE DE BRAQUAGE 10,6 m **4 portes** 12,6 m
COFFRE 362 L, 1 560 L (sièges abaissés), 1 733 L (sièges enlevés)
4 portes 892 L, 2 000 L (sièges abaissés)
RÉSERVOIR DE CARBURANT 70 L
CAPACITÉ DE REMORQUAGE 907 kg **4 portes** 1 588 kg

LA COTE VERTE

MOTEUR V6 DE 3,3 L
CONSOMMATION (100 km) ville 12,3 L, route 8,1 L (est.)
CONSOMMATION ANNUELLE 1 768 L, 2 122 $
INDICE D'OCTANE 87
ÉMISSIONS POLLUANTES CO_2 4 066 kg/an
(source : L'Annuel)

FICHE D'IDENTITÉ

VERSION(S) Base, Premium, Tech
TRANSMISSION(S) avant
PORTIÈRES 4 **PLACES** 5
PREMIÈRE GÉNÉRATION 2014
GÉNÉRATION ACTUELLE 2017
CONSTRUCTION Hwasung, Corée du Sud
COUSSINS GONFLABLES 9 (frontaux, genoux conducteur, latéraux avant et arrière, rideaux latéraux)
CONCURRENCE Acura TLX, BMW Série 5, Buick LaCrosse, Chevrolet Impala, Chrysler 300, Dodge Charger, Ford Taurus, Genesis G80, Infiniti Q70, Jaguar XE, Lexus ES350, Mercedes-Benz Classe E, Nissan Maxima, Toyota Avalon, Volkswagen CC

AU QUOTIDIEN

COLLISION FRONTALE 5/5 (2016)
COLLISION LATÉRALE 5/5 (2016)
VENTES DU MODÈLE L'AN DERNIER
AU QUÉBEC 40 (+2,6 %) **AU CANADA** 173 (+8,1 %)
DÉPRÉCIATION (%) 38,4 (3 ans)
RAPPELS (2011 à 2016) 1
COTE DE FIABILITÉ 5/5 (2016)

GARANTIES... ET PLUS

GARANTIE GÉNÉRALE 5 ans/100 000 km
GROUPE MOTOPROPULSEUR 5 ans/100 000 km
PERFORATION 5 ans/kilométrage illimité
ASSISTANCE ROUTIÈRE 5 ans/100 000 km
NOMBRE DE CONCESSIONNAIRES
AU QUÉBEC 50 **AU CANADA** 167

NOUVEAUTÉS EN 2017

Nouvelle génération

À FORCE DE PATIENCE

J'avais commencé mon texte sur cette berline coréenne pleine grandeur relativement abordable quand j'ai dû le suspendre parce que la Cadenza de deuxième génération allait être présentée au Salon de l'auto de New York. Aussi bien patienter et intégrer dans ma critique les nouveautés annoncées pour la cuvée 2017. Or le dévoilement a bel et bien eu lieu, mais il a dangereusement flirté avec la magnificence d'un pétard mouillé...

Michel Crépault

TOUR DU PROPRIÉTAIRE > Le nez de la grande auto bouscule tout de même le statu quo des dernières années. Sous la supervision de Peter Schreyer, le gourou du design chez Kia et Hyundai, les stylistes ont revu le « nez de tigre » songé par le maître. Celui de la Cadenza mise désormais sur une grille concave dont la trame change selon la version choisie : motif à papillons familier ou fanons de baleine pour variantes huppées (peut-être imaginée par l'équipe de *Star Trek*).

Par ailleurs, au lieu de chuter rond, la croupe maintenant se soulève pour dessiner un becquet, et les roues de 18 ou 19 pouces continuent d'afficher autant de rayons que celles d'un vélo. Bref, si l'idée maîtresse est de visuellement prendre ses distances de l'intermédiaire Optima, mission accomplie, tout en conservant à peu près les mensurations d'antan.

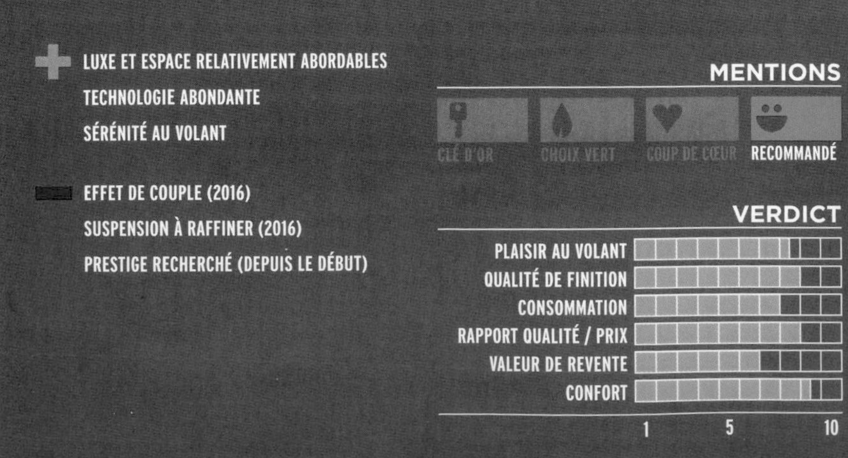

LUXE ET ESPACE RELATIVEMENT ABORDABLES
TECHNOLOGIE ABONDANTE
SÉRÉNITÉ AU VOLANT
EFFET DE COUPLE (2016)
SUSPENSION À RAFFINER (2016)
PRESTIGE RECHERCHÉ (DEPUIS LE DÉBUT)
MENTIONS
CLÉ D'OR
CHOIX VERT
COUP DE CŒUR
RECOMMANDÉ
VERDICT
PLAISIR AU VOLANT
QUALITÉ DE FINITION
CONSOMMATION
RAPPORT QUALITÉ / PRIX
VALEUR DE REVENTE
CONFORT
1
5
10

VIE À BORD > Déjà spacieuse, la nouvelle Cadenza le paraît encore plus grâce au tableau de bord, dont les coins se fondent gracieusement dans les portières. L'effet de luxe est rehaussé en déversant dans la cabine davantage de cuir tendre, cousu et à motifs hexagonaux. Le système *d'infotainment* UVO est aussi à l'aise avec Android Auto qu'avec Apple CarPlay et les mélomanes opteront pour la sono Harnam/Kardon à 12 haut-parleurs. D'autres gâteries incluent un affichage tête haute, une caméra 360 degrés, un chargeur de téléphone sans fil et un couvercle de coffre à bagages qui s'ouvre par magie dès qu'il détecte votre présence.

TECHNIQUE > Le V6 3,3 litres revient sous le capot. Fiché à 293 chevaux l'an dernier, ce moteur possède une nouvelle puissance, qui restait vague au moment d'écrire ces lignes, car Kia a révisé l'engin et, surtout, l'associe désormais à une boîte de vitesse automatique à 8 rapports (au lieu de 6) qui expédie le muscle aux roues avant. Souhaitons que cette nouvelle combinaison améliorera la consommation et nous débarrassera de l'effet de couple qui plombait les accélérations de l'ancienne berline.

AU VOLANT > L'attirail technologique d'une grosse Kia de luxe n'a rien à envier à celui d'une berline européenne, américaine ou japonaise du même acabit, à une exception près : le manque de fluidité. Ainsi, quand le régulateur de vitesse adaptatif de la Cadenza Tech, que j'avais programmé à 119 km/h sur la 401 (ce qui a semblé satisfaire les gens en uniforme, radar à la main), a décidé de freiner, même un passager catatonique aurait été tiré de ses rêveries tellement la secousse fut raide. Puis quand je l'ai entraînée sur un chemin de terre lunaire, la suspension, qui s'était montrée princière sur l'asphalte, est devenue approximative. Elle encaissait en tremblotant et en accusant les limites de ses butées. Or il appert que les ingénieurs auraient réglé ces problèmes en peaufinant la Cadenza 2017. Normal : leur expertise de la technologie embarquée (et elle foisonne !) a mûri, les amortisseurs ont reçu une soupape supplémentaire pour mieux doser leurs efforts sur route démolie et l'utilisation plus judicieuse d'acier robuste et d'aluminium léger garantirait des balades plus onctueuses.

CONCLUSION > Ce sont des prétentions qui devront être confirmées lors de l'essai de la Cadenza 2017, lequel se déroulera hélas une fois publiée cette édition de *L'Annuel*. J'ai toutefois confiance que Kia a bien ciblé les bobos de la première génération et ne s'est pas contentée d'y coller un sparadrap. Elles sont nombreuses les généreuses berlines qui proposent la paix de l'esprit au volant, de l'espace à revendre et un arsenal technologique. La Cadenza tend vers tout ça. Il ne lui manque que le prestige de ses rivales. Le constructeur doit donc prendre son mal en patience tout en remettant cent fois sur le métier sa noble bagnole. ■

2e OPINION

Benoit Charette

L'an dernier, je reçois un courriel d'un représentant en placements qui visite beaucoup ses clients et qui me demande une voiture luxueuse, mais qui ne paye pas de mine, car il ne veut pas laisser voir à ses clients que ses affaires roulent rondement. Après réflexion et quelques suggestions comme l'Infiniti Q50 ou la Lexus GS, qu'il trouvait encore trop statutaires, le choix s'est arrêté sur la Cadenza. Il fut un des 126 acheteurs canadiens l'an dernier. Mais voilà la question, combien de gens veulent payer 50 000 $ pour ne pas se faire remarquer ? Très peu, il me semble. Kia va relancer le style de la Cadenza cette année pour lui donner un peu plus de mordant. Pas certain que cela va suffire.

FICHE TECHNIQUE

MOTEUR(S)

(BASE, PREMIUM, TECH) V6 3,3 L DACT
PUISSANCE 290 ch à 6 400 tr/min
COUPLE 253 lb-pi à 5 200 tr/min
RAPPORT POIDS/PUISSANCE 5,7 à 5,9 kg/ch
BOITE(S) DE VITESSES automatique à 8 rapports avec mode manuel et manettes au volant
PERFORMANCES 0-100 km/h 6,6 s (est.)
REPRISE 80-115 km/h ND
FREINAGE 100-0 km/h 36,5 m (est.)
NIVEAU SONORE À 100 km/h ND
VITESSE MAXIMALE 230 km/h (est.)

AUTRES COMPOSANTS

SÉCURITÉ ACTIVE (certains en option) Freins ABS, assistance au freinage, répartition électronique de la force de freinage, contrôle électronique de la stabilité, antipatinage, phares automatiques et adaptatifs, régulateur de vitesse adaptatif, avertisseur d'obstacle latéral, avertisseur de sortie de voie et assistance au maintien de voie, avertisseur d'impact imminent avec freinage d'urgence automatique, caméra 360°, assistance au départ en pente
SUSPENSION avant/arrière indépendante
FREINS avant/arrière disques
DIRECTION à crémaillère, assistée électriquement
PNEUS Base P245/45R18 **Premium/Tech** P245/40R19

DIMENSIONS

EMPATTEMENT 2 855 mm
LONGUEUR 4 971 mm
LARGEUR 1 869 mm
HAUTEUR 1 471 mm
POIDS 1 648 à 1 723 kg
DIAMÈTRE DE BRAQUAGE 11,3 m
COFFRE 453 L
RÉSERVOIR DE CARBURANT 70 L

LA COTE VERTE

MOTEUR L4 DE 2,0 L
CONSOMMATION (100 km) man. ville 8,8 L, route 6,0 L
auto. ville 8,4 L, route 5,8 L
CONSOMMATION ANNUELLE man. 1 275 L, 1 530 $ **auto.** 1 224 L, 1 469 $
INDICE D'OCTANE 87
ÉMISSIONS POLLUANTES CO_2 man. 2 933 kg/an **auto.** 2 815 kg/an
(source : Kia et L'Annuel)

FICHE D'IDENTITÉ

VERSION(S) Forte LX, LX+, EX, EX+, EX Luxe, SX
Forte5 LX+, EX, SX, SX Luxe **Koup** EX, SX, SX Luxe
TRANSMISSION(S) avant
PORTIÈRES 2, 4, 5 **PLACES** 5
PREMIÈRE GÉNÉRATION 2010
GÉNÉRATION ACTUELLE 2014, 2015 (Koup)
CONSTRUCTION Hwasung, Corée du Sud
COUSSINS GONFLABLES 6 (frontaux, latéraux avant, rideaux latéraux)
CONCURRENCE Chevrolet Cruze, Ford Focus, Honda Civic, Hyundai Elantra, Mazda3, Mitsubishi Lancer, Nissan Sentra, Subaru Impreza, Toyota Corolla/iM, Volkswagen Beetle/Golf/Jetta

AU QUOTIDIEN

COLLISION FRONTALE 4/5
COLLISION LATÉRALE 5/5
VENTES DU MODÈLE L'AN DERNIER
AU QUÉBEC 5 040 (+5,2 %) **AU CANADA** 11 378 (-4,1 %)
DÉPRÉCIATION (%) 41,3 (3 ans)
RAPPELS (2011 à 2016) 3
COTE DE FIABILITÉ 4/5

GARANTIES... ET PLUS

GARANTIE GÉNÉRALE 5 ans/100 000 km
GROUPE MOTOPROPULSEUR 5 ans/100 000 km
PERFORATION 5 ans/kilométrage illimité
ASSISTANCE ROUTIÈRE 5 ans/100 000 km
NOMBRE DE CONCESIONNAIRES
AU QUÉBEC 50 **AU CANADA** 167

NOUVEAUTÉS EN 2017

Retouches esthétiques extérieures et intérieures, le moteur 1,8 litre est remplacé par le 2 litres à cycle Atkinson, transmission automatique améliorée, nouvelles jantes, nouvelles aides à la conduite.

DURE, DURE LA VIE DE COMPACTE

La Kia Forte évolue dans un créneau qui est à la fois populaire et très compétitif. Le segment des compactes est depuis très longtemps l'affaire de la Honda Civic, qui a remporté notre titre de voiture de l'année dans cette édition de l'Annuel 2017. Il s'est vendu en 2015 plus de 65 000 Civic au Canada, loin devant la cousine de la Forte, la Hyundai Elantra avec un peu plus de 47 000 unités, quelques centaines de modèles devant la Toyota Corolla. La Mazda3 (34 000) et la Chevrolet Cruze (31 000) complètent le top 5. La Forte se retrouve assez loin derrière avec 11 000 unités vendues au Canada en 2015.

Benoit Charette

TOUR DU PROPRIÉTAIRE > La version 5 portes a fait l'objet de quelques retouches esthétiques cette année, question de garder le modèle dans le coup face à ses adversaires. On remarque un capot plus volumineux et une calandre retravaillée pour donner un peu plus de présence sur la route. Même opération pour les phares amincis qui accentuent le style plus sportif. Les passages de roues sont aussi un peu plus larges pour un meilleur aérodynamisme. Le profil de la voiture est maintenant décoré de lignes horizontales qui se veulent plus racées. Finalement, à l'arrière, Kia a quelque peu remonté le fessier de la voiture et offert le même traitement amincissant aux feux qu'à l'avant.

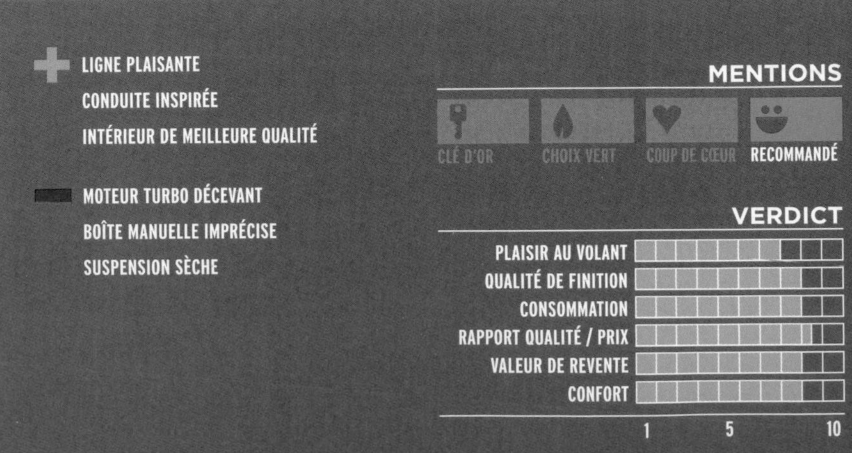

+
LIGNE PLAISANTE
CONDUITE INSPIRÉE
INTÉRIEUR DE MEILLEURE QUALITÉ
–
MOTEUR TURBO DÉCEVANT
BOÎTE MANUELLE IMPRÉCISE
SUSPENSION SÈCHE
MENTIONS
CLÉ D'OR
CHOIX VERT
COUP DE CŒUR
RECOMMANDÉ
VERDICT
PLAISIR AU VOLANT
QUALITÉ DE FINITION
CONSOMMATION
RAPPORT QUALITÉ / PRIX
VALEUR DE REVENTE
CONFORT
1
5
10

VIE À BORD > Kia profite de chaque renouvellement de produits pour rehausser la qualité générale de l'habitacle. On pouvait reprocher à la version 2016 des plastiques durs de qualité moyenne, même dans les versions haut de gamme. Pour 2017, le dessin de la planche est refait et les plastiques offerts sont meilleurs. Les versions plus haut de gamme ont même droit à des inserts imitation fibre de carbone assez réussis. Kia remet toujours une liste d'équipement complet pour le prix. La qualité des tissus des modèles d'entrée de gamme a pris du galon et le cuir est toujours possible avec les versions SX. Parmi les nouvelles caractéristiques technologiques disponibles, il y a le détecteur d'angles morts, le freinage d'urgence autonome et le système de détection de changement et de correction de voie.

TECHNIQUE > Il y a toujours trois moteurs utilisés dans les différentes versions de la Forte pour 2017. Pour la berline, il existe deux mécaniques différentes. L'offre de base prend la forme d'un moteur à cycle Atkinson 4 cylindres de 2 litres qui produit 147 chevaux et 132 livres-pieds de couple. Ce moteur provient directement de chez Hyundai, où on le retrouve sous le capot de l'Elantra, et remplace le moteur 1,8 litre de l'ancienne génération. L'autre moteur 2 litres à injection directe livre 164 chevaux et 151 livres-pieds de couple. Une légère baisse face à la puissance de 173 chevaux de l'an dernier. Finalement, les Forte 5 et Koup se servent toujours dans la version SX d'un 4-cylindres 1,6 litre turbo de 201 chevaux. Peu importe le moteur, vous avez droit à une boîte manuelle ou automatique à 6 rapports. Kia annonce que l'introduction du moteur à cycle Atkinson fera économiser 0,4 litre aux 100 kilomètres, passant d'une moyenne combinée de 7,6 litres avec l'ancien moteur 1,8 litre à 7,2 litres aux 100 kilomètres pour le nouveau 2-litres.

AU VOLANT > Si les Hyundai offrent une conduite plus confortable un peu à l'américaine, Kia a un penchant plus européen au volant. Cela comporte son lot de qualités, comme une direction plus précise, une tenue de route plus dynamique. Kia en profite pour ajouter trois modes de conduite cette année (éco, normal et sport). Vous ne sentirez pas une différence très marquée entre les différents modes. Nous ne sommes pas dans le monde des suspensions pilotées des allemandes, mais il y a une petite et subtile sensation. Il y a aussi certains inconvénients à la conduite à l'européenne, nommément une suspension plus sèche qui devient raide sur mauvaise chaussée. Les pneus d'origine de 17 pouces très durs des versions haut de gamme n'aident pas la cause. Si vous me demandez quel moteur choisir, je vous répondrai une version EX automatique avec le 2-litres à injection. Le turbo est décevant et la boîte manuelle, pas très précise.

CONCLUSION > Ces quelques mises à niveau améliorent le statut de la Forte, mais cela ne sera pas suffisant pour changer quoi que ce soit dans les chiffres de ventes. La compétition est trop relevée. Il faudra un coup d'éclat pour ébranler les colonnes du temple. ■

2e OPINION

Daniel Rufiange

À son arrivée en 2010, la Forte a remporté un vif succès. Une conduite rassurante, une bouille sympathique, un rapport prix-équipement imbattable et une qualité de construction fort respectable, voilà la recette simple qui a contribué au succès de Kia. En 2014 et 2015, respectivement, on remettait ça avec la berline Forte et sa cousine sportive, la Koup. Si la progression du modèle était évidente, l'ensemble nous a laissés davantage sur notre appétit. Peut-être s'attend-on à trop de Kia, mais toujours est-il qu'on est moins ébahi par ce modèle. N'empêche, on parle de voitures intéressantes ici et, surtout, dont le degré de fiabilité a atteint un niveau fort enviable. Un bémol sur les versions à moteur turbo, cependant : Kia a encore des devoirs à faire à ce chapitre.

FICHE TECHNIQUE

MOTEUR(S)

(LX) L4 2,0 L DACT à cycle Atkinson
PUISSANCE 147 ch à 6 200 tr/min
COUPLE 132 lb-pi à 4 500 tr/min
RAPPORT POIDS/PUISSANCE 8,6 kg/ch
BOÎTE(S) DE VITESSES manuelle à 6 rapports, automatique à 6 rapports avec mode manuel (option, de série Limited, SE)
PERORMANCES 0-100 km/h 8,9 s (est.)
REPRISE 80-115 km/h 7,4 s (est.) **FREINAGE 100-0 km/h** ND
NIVEAU SONORE À 100 km/h Moyen **VITESSE MAXIMALE** 190 km/h

(EX, SX, KOUP EX) L4 2,0 L DACT
PUISSANCE 164 ch à 6 500 tr/min
COUPLE 151 lb-pi à 4 700 tr/min
RAPPORT POIDS/PUISSANCE 7,3 à 7,9 kg/ch
BOITE(S) DE VITESSES manuelle à 6 rapports, automatique à 6 rapports avec mode manuel (option)
PERFORMANCES 0-100 km/h 7,9 s
REPRISE 80-115 km/h 6,2 s **FREINAGE 100-0 km/h** 36,6 m
NIVEAU SONORE À 100 km/h Moyen **VITESSE MAXIMALE** 219 km/h
CONSOMMATION (100 km) man. ville 9,7 L, route 6,9 L
auto. ville 9,7 L, route 6,7 L (octane 87)
ANNUELLE man. 1 428 L, 1 714 $ **auto.** 1 411 L, 1 693 $
ÉMISSIONS POLLUANTES CO_2 man. 3 284 kg/an **auto.** 3 245 kg/an

(Forte5 SX, KOUP SX) L4 1,6 L DACT turbo
PUISSANCE 201 ch à 6 000 tr/min
COUPLE 195 lb-pi de 1 750 à 4 500 tr/min
RAPPORT POIDS/PUISSANCE 6,6 à 6,8 kg/ch
BOITE(S) DE VITESSES manuelle à 6 rapports, automatique à 6 rapports avec mode manuel (option)
PERFORMANCES 0-100 km/h 7,6 s **VITESSE MAXIMALE** 219 km/h
CONSOMMATION (100 km) man. ville 10,8 L route 8,1 L
auto. ville 10,6 L route 7,8 L (octane 87)
ANNUELLE man. 1 632 L, 1 958 $ **auto.** 1 598 L, 1 918 $
ÉMISSIONS DE CO_2 man. 3 754 kg/an **auto.** 3 675 kg/an

AUTRES COMPOSANTS

SÉCURITÉ ACTIVE Freins ABS, assistance au freinage, répartition électronique de la force de freinage, contrôle électronique de la stabilité, antipatinage, aide au départ en pente, avertisseurs d'obstacle latéral et de sortie de voie avec assistance au maintien de voie, freinage d'urgence autonome
SUSPENSION avant indépendante, arrière semi indépendante
FREINS avant/arrière disques
DIRECTION à crémaillère, assistée électriquement
PNEUS Forte LX P195/65R15 **option** P205/55R16 **EX** P205/55R16 **EX Luxe/SX/optionEX** P215/45R17 **Forte5 LX** P195/65R15 **LX+** P205/55R16 **EX** P215/45R17 **SX, SX Luxe** P225/40R18 **Koup EX** P215/45R17 **SX** P225/40R18

DIMENSIONS

EMPATTEMENT 2 700 mm
LONGUEUR Forte 4 560 mm **Forte5** 4 350 mm **Koup** 4 530 mm
LARGEUR 1 780 mm
HAUTEUR Forte 1 430 mm **Forte5** 1 450 mm **Koup** 1 410 mm
POIDS Forte man. 1.8 1 272 kg **2.0** 1 295 kg **auto. 1.8** 1 290 kg **2.0** 1 318 kg **Forte5 LX/EX man.** 1 298 kg **auto.** 1 321 kg **SX man.** 1 347 kg **auto.** 1 372 kg **Koup 2.0** 1 279 kg **auto.** 1 302 kg **1.6T man.** 1 327 kg **auto.** 1 353 kg
DIAMÈTRE DE BRAQUAGE 10,3 m **Koup** 10,6 m
COFFRE Forte 421 L **Forte5 LX, EX** 550 L **SX, SX Luxe** 438 L **Koup** 378 L
RÉSERVOIR DE CARBURANT Forte 50 L **Forte5** 52L

LA COTE VERTE

MOTEUR V6 DE 3,8 L
CONSOMMATION (100 km) ville 13,9 L route 9,2 L
CONSOMMATION ANNUELLE 2 006 L, 2 407 $
INDICE D'OCTANE 87
ÉMISSIONS POLLUANTES CO_2 4 614 kg/an
(source: ÉnerGuide)

FICHE D'IDENTITÉ

VERSION(S) V6 Premium, V8 Elite
TRANSMISSION(S) arrière
PORTIÈRES 4 **PLACES** 5
PREMIÈRE GÉNÉRATION 2014
GÉNÉRATION ACTUELLE 2014
CONSTRUCTION Usine Sohari, Gwangmyeong, Corée du Sud
COUSSINS GONFLABLES 6 (frontaux, latéraux, rideaux latéraux)
CONCURRENCE Audi A8, BMW Série 6 Gran Coupe/Série 7, Cadillac CT6, Genesis G90, Jaguar XJ, Lexus LS, Lincoln Continental, Mercedes-Benz CLS/Classe S, Porsche Panamera

AU QUOTIDIEN

COLLISION FRONTALE ND
COLLISION LATÉRALE ND
VENTES DU MODÈLE L'AN DERNIER
AU QUÉBEC 7 (+75 %) **AU CANADA** 36 (+56,5 %)
DÉPRÉCIATION (%) 31,5 (2 ans)
RAPPELS (2011 à 2016) 1
COTE DE FIABILITÉ 4/5

GARANTIES... ET PLUS

GARANTIE GÉNÉRALE 5 ans/100 000 km
GROUPE MOTOPROPULSEUR 5 ans/100 000 km
PERFORATION 5 ans/kilométrage illimité
ASSISTANCE ROUTIÈRE 5 ans/100 000 km
NOMBRE DE CONCESSIONNAIRES
AU QUÉBEC 50 **AU CANADA** 167

NOUVEAUTÉS EN 2017

Abandon de la version V6 de base.

« CRASH BOURSIER »

Considérons objectivement la Kia K900. Il s'agit d'une excellente voiture, bien construite, luxueuse, spacieuse, bien équipée et surtout nettement moins chère que la concurrence. Même si elle excelle sur presque tous les points de vue, elle présente deux problèmes majeurs: un écusson qui ne dit absolument rien aux acheteurs types et une valeur de revente qui ressemble à un « crash » boursier.

Luc-Olivier Chamberland

TOUR DU PROPRIÉTAIRE > La K900 s'adresse à un segment du marché qui est très pointu et peu populaire au Canada. Kia affirme viser des produits prestigieux comme la Série 7 ou la Classe S, mais la réalité la place plutôt face à la Cadillac CT6 ou encore l'Acura RLX. Deux versions sont livrables: V6 Premium (61 295 $) ou V8 Elite (70 195 $). Extérieurement, la seule distinction notable est la grosseur des roues de 18 ou 19 pouces. L'inspiration du design de la K900 vient... des autres constructeurs! Peu importe où l'on pose le regard, on y voit un peu de Maserati, de Lexus ou même de BMW. Le résultat est intéressant, mais manque d'originalité. Ses lignes vieilliront bien et sa rareté sera un élément d'attraction. Au fait, seulement trois couleurs sont offertes: blanc, noir et gris.

VIE À BORD > Kia désire offrir, à tarif accessible, le plus d'accessoires et de confort possible. À ce titre, la K900 pourrait très bien porter le titre de la reine du rapport prix-équipement

+
- EXCELLENT RAPPORT QUALITÉ/PRIX/ÉQUIPEMENT
- ESPACE INTÉRIEUR
- EXCELLENTE ROUTIÈRE

−
- VALEUR DE REVENTE FAIBLE
- ABSENCE D'UN ROUAGE INTÉGRAL
- MANQUE DE DIVERSITÉ POUR L'ACHETEUR

MENTIONS

CLÉ D'OR | CHOIX VERT | COUP DE CŒUR | **RECOMMANDÉ**

VERDICT

PLAISIR AU VOLANT
QUALITÉ DE FINITION
CONSOMMATION
RAPPORT QUALITÉ / PRIX
VALEUR DE REVENTE
CONFORT

1 5 10

dans l'industrie. Tous les gadgets conçus par Kia sont présents. C'est bien construit avec des matériaux de qualité comme le cuir nappa et de véritables boiseries, mais là où le bât blesse, c'est qu'aucun prestige ne s'en dégage.

Les différences entre Premium et Elite sont minimes. L'équipement se montre complet sans être ostentatoire. On joue la carte du luxe à l'américaine. L'ergonomie pose certains défis, considérant la largeur de la planche de bord. Heureusement, on peut contrôler vocalement ou au volant plusieurs commandes. Sur la version Elite, on obtient un écran d'instrumentation modulaire et même l'affichage tête haute.

TECHNIQUE > Kia propose deux choix. Le premier et le plus logique est un V6 de 3,8 litres de 311 chevaux avec un couple de 293 livres-pieds livrable dans la version Premium. Le second est le V8 TAU de 5 litres dont la cavalerie atteint 420 chevaux et 376 livres-pieds. Dans les deux cas, on transmet la puissance aux roues arrière par une boîte automatique à 8 rapports. L'expérience est voluptueuse tellement les changements de vitesse se font tout en douceur. Avec la K900, Kia a fait abstraction d'une transmission intégrale. Considérant le marché, c'est une erreur impardonnable. Pour la consommation, un autre « crash » est à prévoir, mais cette fois-ci dans votre compte de banque. Que l'on opte pour le V6 ou le V8, l'économie est inexistante.

AU VOLANT > En s'assoyant derrière le volant de la K900, on s'imagine partir vers les belles plages floridiennes. Rapidement, on se rend compte que l'excitation tant attendue ne vient jamais. Petit point positif, le confort de roulement est notable. On vise un comportement sans brusquerie et le travail des suspensions se montre intéressant. On flotte sur la route, nous isolant des défauts du pavé. Par contre, la direction semble construite avec de la guimauve. Aucune sensation de ce côté.

Solide, elle demande toutefois d'éviter les élans fougueux, tout particulièrement en virage. En raison de son poids et de la mollesse des suspensions, les mouvements de l'assiette se manifestent rapidement. Notre pays étant ce qu'il est, la question hivernale devient centrale. La puissance aux roues arrière nous fait danser à la moindre humidité. Le conducteur devra être vigilant pour garder la maîtrise du véhicule.

CONCLUSION > La Kia K900 est un très bon produit, mais pas pour le marché canadien. Son manque de personnalité et de prestige, son décalage par rapport à la concurrence et la lacune de son rouage lui enlèvent toute pertinence. La meilleure option pour le consommateur est d'acheter une K900 d'occasion. Sa très forte dépréciation lui donnera accès à un bon produit pour la moitié du prix d'origine. Ce sera plus facile ainsi d'accepter ses faiblesses. ■

2e OPINION

Benoit Charette

Il s'est vendu au Canada en 2015 trente-six Kia K900. Une question légitime qu'on pourrait se poser : pourquoi continuer à vendre à perte un véhicule ? On pourrait se dire que les choses vont mieux ailleurs. Aux États-Unis, à peine 2 000 unités en 2015 et les ventes ont chuté en 2016. Est-ce un mauvais véhicule? Pas du tout. Mais un constructeur comme Kia ne peut arriver dans une nouvelle catégorie dominée par des Allemands en n'ayant rien à offrir. Personne ne va payer plus de 75 000 $ pour une Kia. Même sa compagnie sœur Hyundai a compris en fondant la division Genesis, et encore là, le pari est loin d'être gagné. Kia doit se concentrer à offrir le plus de qualité possible à prix abordable et oublier la cour du haut de gamme. Elle n'a simplement pas ce qu'il faut.

FICHE TECHNIQUE

MOTEUR(S)

(V6 Premium) V6 3,8 L DACT
PUISSANCE 311 ch à 6 000 tr/min
COUPLE 293 lb-pi à 5 000 tr/min
RAPPORT POIDS/PUISSANCE 6,2 kg/ch
BOÎTE(S) DE VITESSES automatique à 8 rapports
PERFORMANCES 0-100 km/h 6,4 s
REPRISE 80-115 km/h 4,5 s
VITESSE MAXIMALE 240 km/h

(V8 Elite) V8 5,0 L DACT
PUISSANCE 420 ch à 6 400 tr/min
COUPLE 376 lb-pi à 5 000 tr/min
RAPPORT POIDS/PUISSANCE 4,9 kg/ch
BOÎTE(S) DE VITESSES automatique à 8 rapports
PERFORMANCES 0-100 km/h 5,8 s
REPRISE 80-115 km/h ND
FREINAGE 100-0 km/h 36,0 m
NIVEAU SONORE À 100 km/h Excellent
VITESSE MAXIMALE 240 km/h
CONSOMMATION (100 km) ville 15,6 L route 10,6 L (octane 91)
ANNUELLE 2 278 L, 2 734 $
ÉMISSIONS DE CO_2 5 239 kg/an

AUTRES COMPOSANTS

SÉCURITÉ ACTIVE (certains en option) freins ABS, assistance au freinage, répartition électronique de la force de freinage, freinage d'urgence autonome, contrôle de la stabilité électronique, antipatinage, aide au départ en pente, essuie-glaces automatiques, phares adaptatifs, avertisseur de sortie de voie, régulateur de vitesse adaptatif, avertisseurs d'obstacle latéral et arrière, affichage tête haute
SUSPENSION avant/arrière indépendante, amortisseurs dynamiques
FREINS avant/arrière disques
DIRECTION à crémaillère, assistance électro-hydraulique
PNEUS V6 P245/50R18 **V8** P245/45R19 (av.) P275/40R19 (arr.)

DIMENSIONS

EMPATTEMENT 3 045 mm
LONGUEUR 5 095 mm
LARGEUR 1 900 mm
HAUTEUR 1 490 mm
POIDS V6 1 940 kg **V8** 2 066 kg
RÉPARTITION DU POIDS AV/ARR (%) ND
DIAMÈTRE DE BRAQUAGE 11,4 m
COFFRE 450 L
RÉSERVOIR DE CARBURANT 75L

LA COTE VERTE

MOTEUR L4 DE 1,6 L HYBRIDE
CONSOMMATION (100 km) 4,7 L
CONSOMMATION ANNUELLE 799 L, 959 $
INDICE D'OCTANE 87
ÉMISSIONS POLLUANTES CO_2 1 838 kg/an
(source : Kia et L'Annuel)

FICHE D'IDENTITÉ

VERSION(S) Niro
TRANSMISSION(S) avant
PORTIÈRES 5 **PLACES** 5
PREMIÈRE GÉNÉRATION 2017
GÉNÉRATION ACTUELLE 2017
CONSTRUCTION Gwangju, Corée du Sud
COUSSINS GONFLABLES 6 (frontaux, latéraux avant, rideaux latéraux)
CONCURRENCE BMW i3, Chevrolet Volt, Ford C-Max, Hyundai Ionic, Lexus CT200h, Subaru Crosstrek hybride, Toyota PriusV

AU QUOTIDIEN

COLLISION FRONTALE nm
COLLISION LATÉRALE nm
VENTES DU MODÈLE L'AN DERNIER
AU QUÉBEC nm **AU CANADA** nm
DÉPRÉCIATION (%) nm
RAPPELS (2011 à 2016) nm
COTE DE FIABILITÉ nm

GARANTIES... ET PLUS

GARANTIE GÉNÉRALE 5 ans/100 000 km
GROUPE MOTOPROPULSEUR 5 ans/100 000 km
COMPOSANTS système hybride 8 ans/160 000 km
PERFORATION 5 ans/kilométrage illimité
ASSISTANCE ROUTIÈRE 5 ans/100 000 km
NOMBRE DE CONCESSIONNAIRES
AU QUÉBEC 50 **AU CANADA** 167

NOUVEAUTÉS EN 2017

Nouveau modèle

LE NOUVEAU VENU

Le groupe Hyundai Kia, qui avait timidement fait un pas dans le monde des véhicules hybrides et électriques, décide de marquer le pas pour 2017 avec une offre plus étoffée. Kia va lancer le Niro en version hybride d'abord, qui sera ensuite rejoint par une version hybride rechargeable quelque part l'an prochain. Pour le moment, Kia laisse à la Kia Soul EV l'espace consacré au modèle 100 % électrique.

Benoit Charette

TOUR DU PROPRIÉTAIRE > Le Niro, qui se veut aux dires de Kia un petit utilitaire, ressemble plus à une familiale. Il repose sur la nouvelle plate-forme qui sert aussi de base à sa cousine, la Hyundai Ioniq, qui sera déclinée en hybride, hybride rechargeable et 100 % électrique. Celle qui remplacera le Rondo à compter du printemps 2017 possède des proportions très proches de celles de cette dernière. L'empattement du nouveau venu est 50 millimètres plus court, alors que sa carrosserie est 169 millimètres plus courte, 4 millimètres plus étroite et 76 millimètres plus basse. Dans un marché qui veut plaire au plus grand nombre possible, le style est tout en retenue. C'est assez réussi, sans faire de vague, un véhicule utilitaire hybride de bon aloi.

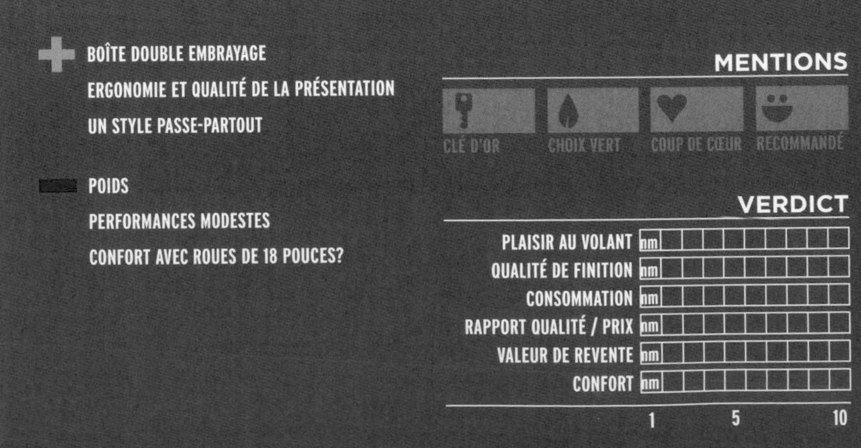

\+ BOÎTE DOUBLE EMBRAYAGE
ERGONOMIE ET QUALITÉ DE LA PRÉSENTATION
UN STYLE PASSE-PARTOUT

− POIDS
PERFORMANCES MODESTES
CONFORT AVEC ROUES DE 18 POUCES?

MENTIONS
CLÉ D'OR | CHOIX VERT | COUP DE CŒUR | RECOMMANDÉ

VERDICT

PLAISIR AU VOLANT	nm
QUALITÉ DE FINITION	nm
CONSOMMATION	nm
RAPPORT QUALITÉ / PRIX	nm
VALEUR DE REVENTE	nm
CONFORT	nm

1 5 10

VIE À BORD > Comme ce véhicule prendra officiellement la place du Rondo, l'accent à l'intérieur est mis sur l'esprit de famille avec un espace généreux aux places arrière, et ce, malgré le format assez compact du véhicule. Kia met les bouchées doubles à chaque nouvelle présentation de produits. L'intérieur du Niro est ergonomique et soigné et montre une belle qualité au chapitre des matériaux. Un seul bémol dans le choix de l'ambiance : il se résume au gris foncé ou au noir toujours un peu sombre. Avec une batterie qui se situe sous le plancher, il n'y a pas d'entrave au coffre, qui contient 427 litres d'espace, un chiffre dans la bonne moyenne, et 1525 si vous abaissez les sièges rabattables à plat. Vous avez droit comme dans tous les produits Kia à un équipement assez complet et aux plus récentes aides à la conduite électronique.

TECHNIQUE > Uniquement disponible en version hybride classique à son arrivée sur le marché, le Niro a opté pour un moteur 4 cylindres 1,6 litre à cycle Atkinson qu'il partage avec la Hyundai Ioniq. Alimenté par injection directe, il produit 103 chevaux et est couplé à un moteur électrique de 32 kW avec batterie au lithium-ion-polymère de 1,56 kWh. Contrairement à la Prius, qui utilise une boîte CVT d'un ennui suicidaire, Kia a eu la bonne idée de glisser une boîte automatique double embrayage à 6 rapports beaucoup plus agréable. Ensemble, les deux moteurs atteignent une puissance combinée de 146 chevaux. Pour ceux qui veulent rouler en mode purement électrique, vous pourrez, avec un peu de chance, parcourir deux ou trois kilomètres. Sinon, Kia annonce une consommation mixte de 4,7 litres aux 100 kilomètres.

AU VOLANT > Toute voiture hybride part avec un certain handicap : le poids des batteries, qui ajoute plusieurs kilos au véhicule. Dans le cas du Niro, malgré son petit format, le poids dépasse les 1500 kilos. Les suspensions, avec essieu McPherson à l'avant et multibras à l'arrière, sont modernes. Calibrée pour le confort, la conduite sera souple et les écarts de conduite sportive, proscrits. On peut difficilement s'attendre à autre chose de la part d'un petit utilitaire. Pour avoir conduit l'automatique à double embrayage sur d'autres modèles hybrides de la marque, elle offre l'avantage d'une détente au volant en évitant ses montées souffrantes en régime qui stressent toujours les occupants. Vous avez en fait l'impression de conduire une voiture à essence traditionnelle. En raison du poids et de l'orientation du véhicule, il faudra être patient à chaque remise des gaz. Les dépassements seront calculés à l'avance et les entrées d'autoroute, un peu laborieuses. Nous n'avons pas fait l'essai des freins, mais le Rondo ne brillait pas dans ce domaine. Espérons seulement que le système de freinage sera plus musclé dans le Niro.

CONCLUSION > Un bon produit au bon moment. Le Niro jouit à la fois de l'engouement pour les utilitaires et, en prime, d'une offre hybride peu répandue dans ce segment. Si la qualité est à la hauteur des attentes, ce produit devrait se faire une place enviable sur le marché. Il ne faut pas oublier qu'une version hybride branchable va suivre plus tard en 2017. Souhaitons seulement que l'autonomie ne sera pas que symbolique. ■

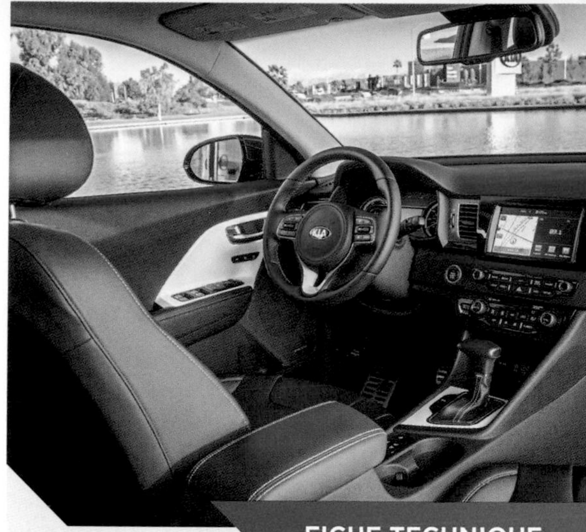

FICHE TECHNIQUE

MOTEUR(S)

(NIRO) L4 1,6 L DACT à cycle Atkinson + moteur électrique
PUISSANCE 103 ch à 5 200 tr/min + moteur électrique 43 ch, 146 ch total combiné
COUPLE 195 lb-pi total combiné
RAPPORT POIDS/PUISSANCE 10,4 kg/ch (est.)
BOÎTE(S) DE VITESSES robotisée à 6 rapports
PERFORMANCES 0-100 km/h 11,9 s (est.)
VITESSE MAXIMALE 170 km/h (est.)

AUTRES COMPOSANTS

SÉCURITÉ ACTIVE (certains en option) Freins ABS, assistance au freinage, répartition électronique de la force de freinage, contrôle électronique de la stabilité, antipatinage, avertisseurs d'obstacle latéral et arrière et de sortie de voie, régulateur de vitesse adaptatif, freinage d'urgence autonome
SUSPENSION avant/arrière indépendante
FREINS avant/arrière disques à récupération d'énergie
DIRECTION à crémaillère, assistée électriquement
PNEUS P225/55R17

DIMENSIONS

EMPATTEMENT 2 700 mm
LONGUEUR 4 356 mm
LARGEUR 1 800 mm
HAUTEUR 1 534 mm
POIDS 1 525 kg (est.)
RÉPARTITION DU POIDS AV/ARR (%) ND
DIAMÈTRE DE BRAQUAGE ND
COFFRE 427 L, 1 525 L (sièges abaissés)
RÉSERVOIR DE CARBURANT ND
CAPACITÉ DE BATTERIE 1,56 kWh (lithium-ion polymère)

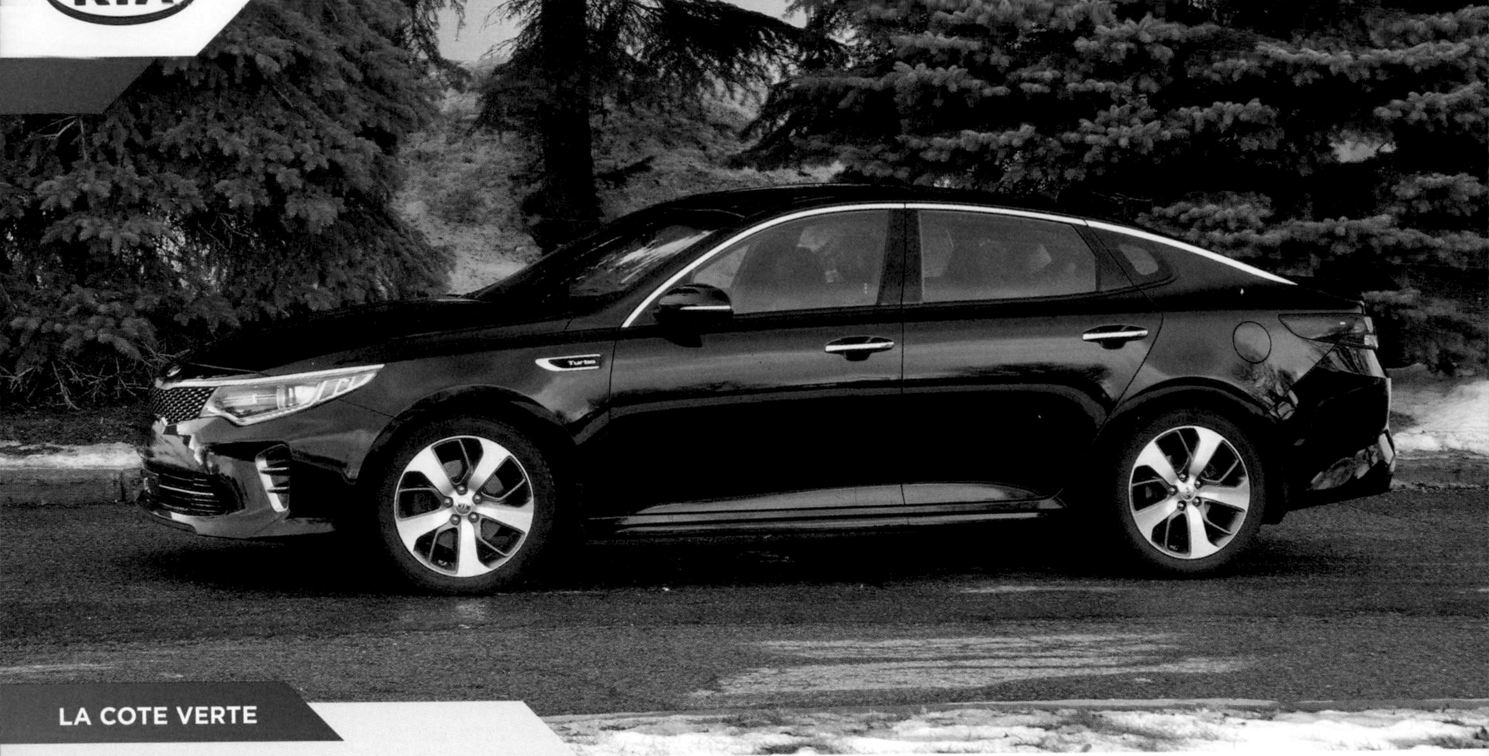

LA COTE VERTE

MOTEUR L4 DE 2,4 L HYBRIDE
CONSOMMATION (100 km) ville 6,0 L, route 5,4 L
CONSOMMATION ANNUELLE 986 L, 1 183 $
INDICE D'OCTANE 87
ÉMISSIONS POLLUANTES CO_2 2 268 kg/an
AUTONOMIE MOYENNE (enfichable) 43 km
Temps de recharge 240V 3 h **120V** 9 h
(source : Kia et L'Annuel)

FICHE D'IDENTITÉ

VERSION(S) LX, LX+, LX Turbo, EX, EX Tech, SX Turbo, SXL Turbo **Hybride** LX, EX, EX Luxe
TRANSMISSION(S) avant
PORTIÈRES 4 **PLACES** 5
PREMIÈRE GÉNÉRATION 2011
GÉNÉRATION ACTUELLE 2016
CONSTRUCTION West Point, Géorgie, É-U
COUSSINS GONFLABLES 7 (frontaux, genoux conducteur, latéraux avant, rideaux latéraux)
CONCURRENCE Chevrolet Malibu, Chrysler 200, Ford Fusion, Honda Accord, Hyundai Sonata, Mazda6, Nissan Altima, Subaru Legacy, Toyota Camry, Volkswagen Passat

AU QUOTIDIEN

COLLISION FRONTALE 5/5
COLLISION LATÉRALE 5/5
VENTES DU MODÈLE L'AN DERNIER
AU QUÉBEC 1 931 (-10,7 %) **AU CANADA** 6 210 (-16,2 %)
DÉPRÉCIATION (%) 41,6 (3 ans)
RAPPELS (2011 à 2016) 1
COTE DE FIABILITÉ 4/5

GARANTIES... ET PLUS

GARANTIE GÉNÉRALE 5 ans/100 000 km
GROUPE MOTOPROPULSEUR 5 ans/100 000 km
COMPOSANTS système hybride 8 ans/160 000 km
PERFORATION 5 ans/kilométrage illimité
ASSISTANCE ROUTIÈRE 5 ans/100 000 km
NOMBRE DE CONCESSIONNAIRES
AU QUÉBEC 50 **AU CANADA** 167

NOUVEAUTÉS EN 2017

Aucun changement majeur, retouches esthétiques aux versions hybrides.

KIA DANS LA COUR DES GRANDS

Parce qu'elles sont moins en vogue au Québec, les berlines de taille intermédiaire sont aussi moins connues. Tout le monde sait à quoi ressemble la Camry, la Fusion, l'Accord ou la Sonata, les quatre modèles qui dominent ce créneau, mais on est encore parfois surpris d'apprendre que Kia offre aussi de grandes voitures. Appelée Optima, son intermédiaire est de surcroît une berline d'une grande élégance.

Luc Gagné

TOUR DU PROPRIÉTAIRE > Avec la silhouette originale de sa carrosserie, l'Optima réussit admirablement bien à cacher sa filiation avec la Hyundai Sonata, dont elle partage l'architecture et les mécaniques. Ce modèle de quatrième génération a d'ailleurs reçu des retouches esthétiques substantielles pour sa version 2016, qui est reconduite dans son intégralité cette année, exception faite des versions hybrides qui subissent de légers changements à leurs boucliers avant et arrière, à leurs blocs optiques et à leurs roues.

VIE À BORD > À l'instar de la Hyundai Sonata, l'Optima dispose d'un habitacle spacieux. Il peut accueillir très confortablement quatre adultes de taille moyenne (ou cinq au besoin), en leur procurant beaucoup d'espace à la tête, aux hanches et aux jambes, et ce, devant comme derrière. L'aménagement du tableau de bord, par ailleurs, adopte un style plutôt traditionnel qui, faute d'être spectaculaire, facilite l'utilisation des différentes commandes qu'on y trouve. Dans les versions les

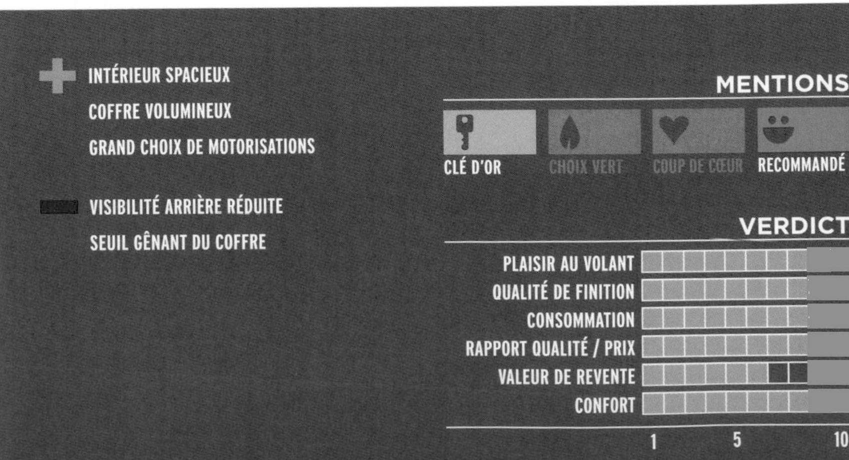

plus cossues, un écran tactile de 8 pouces y occupe une position centrale. Cet accessoire qui fait partie de leur système d'infodivertissement sert également à la caméra arrière et à un système Android Auto®. En revanche, toutes les versions de l'Optima ont une interface Bluetooth, servant à la téléphonie cellulaire. Enfin, fort de ses 450 litres de volume utile, le coffre s'avère légèrement plus volumineux que celui d'une Camry ou d'une Accord. Sa surface de chargement peut également être modulée grâce à la banquette arrière, qui dispose de dossiers rabattables asymétriques.

TECHNIQUE > Le constructeur propose plusieurs moteurs 4 cylindres à injection directe pour cette berline : un atmosphérique et deux autres qui sont suralimentés. Le 4-cylindres de 2,4 litres atmosphérique sert aux modèles de grande diffusion, plus abordables, alors que le 2-litres à turbocompresseur est réservé à la version haut de gamme et lui prête un comportement plus sportif en raison d'une puissance nettement supérieure (245 ch contre 185). Ces deux moteurs entraînent les roues avant par le biais d'une boîte de vitesse automatique Sportmatic à 6 rapports et mode manuel. Kia offre un troisième 4-cylindres surnommé Eco Turbo; un moteur de 1,6 litre à turbocompresseur qui développe moins de puissance que l'atmosphérique, mais plus de couple à bas et moyen régime. Ce moteur jumelé à une boîte automatique à 7 rapports et double embrayage, le constructeur lui attribue une double personnalité, puisqu'il serait à la fois performant et écoénergétique. Kia offre aussi une Optima à groupe motopropulseur hybride, qui utilise désormais un 4-cylindres atmosphérique de 2 litres jumelé à un moteur électrique. Selon le constructeur, cette voiture consommerait 10 % moins de carburant que l'hybride offerte en 2016.

AU VOLANT > Sur route, l'Optima s'avère particulièrement agréable à conduire. Les voyageurs au long cours l'apprécieront particulièrement grâce son habitacle très spacieux, qui est également bien insonorisé. Une suspension bien calibrée procure un roulement doux sans excès de mollesse. De plus, la direction est précise et sa servoassistance bien dosée alors que le freinage se module avec précision. L'élégante silhouette de la carrosserie apporte aussi son lot de problèmes, car sa ceinture de caisse relevée vers l'arrière, son coffre haut, sa lunette courte et très inclinée, et ses montants de pavillon arrière massifs sont autant d'éléments de design qui contribuent à limiter le champ de vision arrière et à compliquer les manœuvres de stationnement.

CONCLUSION > L'acheteur qui recherche une berline spacieuse et abordable trouvera son lot avec l'Optima. Elle est agréable à conduire et confortable. De plus, ses caractéristiques la rendent concurrentielle par rapport aux modèles les plus populaires de sa catégorie où, parce qu'elle est moins connue et moins diffusée, elle serait aussi plus négociable, même, qu'une Sonata ! La version de base a un prix alléchant et une dotation convenable, certes, mais il lui manque certains équipements utiles, comme les sièges chauffants et la caméra arrière. Il faut donc opter pour une version plus équipée – et plus chère – pour bénéficier de ces accessoires que certains constructeurs concurrents offrent même pour la version d'entrée de gamme de leur intermédiaire. C'est à surveiller. ■

2e OPINION

Antoine Joubert

C'est clair, la compétition dans le segment des berlines intermédiaires est très forte. Or l'Optima, selon moi, fait certainement partie des berlines les plus intéressantes du marché grâce, d'abord, à une ligne inspirante et à un habitacle esthétiquement cossu, mais aussi grâce à un bel équilibre entre confort et dynamisme sur la route. N'oublions pas non plus le modèle hybride, réellement frugal et fraîchement débarqué. Je vous avoue que le prix demandé pour la version SXL m'a fait sursauter, mais en analysant l'équipement et le niveau de luxe, on réalise que cette facture demeure compétitive. Mon seul regret face à ce modèle est de ne pouvoir bénéficier chez nous de la version Sportwagen, réservée à d'autres marchés. Un modèle splendide, pratique et qui pourrait permettre à plusieurs acheteurs de renouer avec la vraie voiture familiale.

FICHE TECHNIQUE

MOTEUR(S)

(HYBRIDE/ENFICHABLE) L4 2,0 L DACT à cycle Atkinson + moteur synchrone à aimant permanent
PUISSANCE 154 ch à 5 500 tr/min + moteur électrique 50 ch de 1 770 à 2 000 tr/min, 193 ch total maximum
Enfichable + moteur électrique 67 ch
COUPLE 140 lb-pi à 4 500 tr/min + moteur électrique 151 lb-pi de 0 à 1 630 tr/min
RAPPORT POIDS/PUISSANCE 8,2 à 8,4 kg/ch
BOÎTE(S) DE VITESSES automatique à 6 rapports avec mode manuel
PERFORMANCES 0-100 km/h 8,5 s
VITESSE MAXIMALE 210 km/h (est.)

(LX, EX) L4 2,4 L DACT
PUISSANCE 185 ch à 6 000 tr/min
COUPLE 178 lb-pi à 4 000 tr/min
RAPPORT POIDS/PUISSANCE 7,9 à 8,2 kg/ch
BOÎTE(S) DE VITESSES automatique à 6 rapports avec mode manuel
PERFORMANCES 0-100 km/h 7,7 s
VITESSE MAXIMALE 215 km/h (est.)
REPRISE 80-115 km/h 5,6 s
FREINAGE 100-0 km/h 43,9 m
CONSOMMATION (100 km) ville 9,4 L, route 6,5 L (octane 87)
ANNUELLE 1 377 L, 1 652 $
ÉMISSIONS DE CO_2 3 167 kg/an

(LX TURBO) L4 1,6 L DACT turbo
PUISSANCE 178 ch à 5 500 tr/min
COUPLE 195 lb-pi à 1 500 tr/min
RAPPORT POIDS/PUISSANCE 8,2 kg/ch
BOÎTE(S) DE VITESSES manuelle robotisée à 7 rapports
PERFORMANCES 0-100 km/h 7,9 s
CONSOMMATION (100 km) ville 8,4 L, route 6,1 L (octane 87)
ANNUELLE 1 258 L, 1 510 $
ÉMISSIONS DE CO_2 2 893 kg/an

(SX Turbo, SXL TURBO) L4 2,0 L DACT turbo
PUISSANCE 245 ch à 6 000 tr/min
COUPLE 260 lb-pi à 1 350 tr/min
RAPPORT POIDS/PUISSANCE 6,6 kg/ch
BOÎTE(S) DE VITESSES automatique à 6 rapports avec mode manuel et manettes au volant
PERFORMANCES 0-100 km/h 7,0 s (est.)
VITESSE MAXIMALE ND
CONSOMMATION (100 km) ville 10,9 L, route 7,4 L (octane 87)
ANNUELLE 1 581 L, 1 897 $
ÉMISSIONS DE CO_2 3 636 kg/an

AUTRES COMPOSANTS

SÉCURITÉ ACTIVE (certains en option) Freins ABS, assistance au freinage, répartition électronique de la force de freinage, contrôle électronique de la stabilité, antipatinage, assistance au démarrage en pente, phares et essuie-glaces automatiques, détecteurs d'obstacles latéral et arrière, avertisseur de sortie de voie, assistance en cas d'impact imminent avec freinage autonome
SUSPENSION avant/arrière indépendante
FREINS avant/arrière disques
DIRECTION à crémaillère, assistée électriquement
PNEUS LX P205/65R16 **EX** P215/55R17 **SX/SXL** P225/45R18

DIMENSIONS

EMPATTEMENT 2 805 mm
LONGUEUR 4 855 mm
LARGEUR 1 860 mm
HAUTEUR 1 465 mm **Hybride** 1 460 mm
POIDS LX 1 460 kg **EX** 1 525 kg **SXL** 1 630 kg **Hybride** 1 581 à 1 605 kg
RÉPARTITION DU POIDS AV/ARR (%) ND
DIAMÈTRE DE BRAQUAGE 10,9 m
COFFRE 450 L **Hybride** 305 L
RÉSERVOIR DE CARBURANT 70 L **Hybride** 60 L
BATTERIES Enfichable 9,8 kWh

LA COTE VERTE

MOTEUR L4 DE 1,6 L
CONSOMMATION (100 km) man. ville 8,8 L, route 6,4 L, **auto.** ville 8,7 L route 6,3 L **ECO** ville 8,5 L, route 6,3 L
CONSOMMATION ANNUELLE 1 309 L, 1 571 $ **ECO** 1 292 L, 1 550 $
INDICE D'OCTANE 87
ÉMISSIONS POLLUANTES CO_2 3 011 kg/an **ECO** 2 972 kg/an
(source : ÉnerGuide)

FICHE D'IDENTITÉ

VERSION(S) Rio et Rio5 LX, LX+, EX, SX
TRANSMISSION(S) avant
PORTIÈRES 4, 5 **PLACES** 5
PREMIÈRE GÉNÉRATION 2002
GÉNÉRATION ACTUELLE 2012
CONSTRUCTION Usine Sohari, Gwangmyeong, Corée du Sud
COUSSINS GONFLABLES 6 (frontaux, latéraux avant, rideaux latéraux)
CONCURRENCE Chevrolet Sonic, Ford Fiesta, Honda Fit, Hyundai Accent, Nissan Versa Note, Toyota Yaris

AU QUOTIDIEN

COLLISION FRONTALE 4/5
COLLISION LATÉRALE 5/5
VENTES DU MODÈLE L'AN DERNIER
AU QUÉBEC 4 912 (-27,8%) **AU CANADA** 9 761 (-32,5%)
DÉPRÉCIATION (%) 37,2 (3 ans)
RAPPELS (2011 à 2016) aucun à ce jour
COTE DE FIABILITÉ 4/5

GARANTIES... ET PLUS

GARANTIE GÉNÉRALE 5 ans/100 000 km
GROUPE MOTOPROPULSEUR 5 ans/100 000 km
PERFORATION 5 ans/kilométrage illimité
ASSISTANCE ROUTIÈRE 5 ans/100 000 km
NOMBRE DE CONCESSIONNAIRES
AU QUÉBEC 50 **AU CANADA** 167

NOUVEAUTÉS EN 2017

Aucun changement majeur

TOUJOURS DEUXIÈME, MAIS...

Lancée en 2012, la Kia Rio continue sa route une année de plus sous sa forme actuelle. La conjoncture fait en sorte que les véhicules utilitaires sont devenus la priorité des constructeurs. D'ailleurs, un bref coup d'œil aux ventes de l'année 2015 (dernière année complète disponible) confirme que la catégorie des sous-compactes en prend pour son rhume depuis l'invasion de ces micro-utilitaires. Malgré cette baisse significative, la Kia Rio conserve sa deuxième place au pays si on exclut la Nissan Micra, une voiture un brin plus petite que la représentante de Kia. Peut-être est-il temps de revoir la formule ?

Vincent Aubé

TOUR DU PROPRIÉTAIRE > Au sein de ce segment, la Rio est sans contredit l'une des plus réussies, tout type de carrosserie confondu. Encore une fois, l'influence de Peter Schreyer y est pour quelque chose. Possible en format bicorps ou berline, la plus petite des Kia a plutôt bien vieilli au fil des saisons. À l'avant, cette grille de calandre en « nez de tigre » s'occupe de faire le lien entre les blocs optiques qui se prolongent sur les ailes. Quant au dessin du pare-chocs, il ajoute une touche de dynamisme à l'ensemble. Lorsqu'équipée des roues de 17 pouces (en option), la Rio a presque l'air d'une voiture compacte. À l'arrière, l'ambiance est plus sobre, surtout dans la berline. Comme c'est souvent le cas chez Kia, le nombre de livrées existantes

\+ BELLE GUEULE
AGRÉABLE À CONDUIRE
GARANTIE CINQ ANS

\- MANQUE DE SOUFFLE À HAUT RÉGIME
DIRECTION FLOUE
BEAUCOUP DE ROULIS

MENTIONS

CLÉ D'OR | CHOIX VERT | COUP DE CŒUR | **RECOMMANDÉ**

VERDICT

PLAISIR AU VOLANT
QUALITÉ DE FINITION
CONSOMMATION
RAPPORT QUALITÉ / PRIX
VALEUR DE REVENTE
CONFORT

1 5 10

est important. Le consommateur doit donc prendre quelques minutes pour déterminer laquelle répond le mieux à ses besoins.

VIE À BORD > Pour ceux qui ne le sauraient pas encore, la Kia Rio est une cousine avouée de la Hyundai Accent, une autre sous-compacte fréquemment aperçue sur nos routes, vous en conviendrez. Toutefois, même si les deux petites partagent plusieurs composantes mécaniques, l'ambiance à bord est totalement différente d'une voiture à l'autre. Du côté de Kia, les gros boutons et l'ergonomie sont au menu. Le dessin de la planche de bord est plus fonctionnel que fluide comme dans l'Accent. La qualité des matériaux utilisés est également à souligner, surtout pour une sous-compacte. Évidemment, ce compliment passe mieux à bord de l'édition SX fortement équipée que dans la LX, à l'autre bout du spectre. La position de conduite ne demande pas trop d'ajustements, étant donné la colonne de direction réglable en longueur, un équipement qui ne fait pas encore partie de l'équipement de base de certaines rivales. Si, à l'avant, l'espace est suffisant pour deux adultes, c'est un peu plus serré à l'arrière. À sa défense, il se fait pire ailleurs dans l'industrie.

TECHNIQUE > Du point de vue mécanique, la Rio5 SX se voit confier le même moulin déjà utilisé sous le capot de l'autre sous-compacte coréenne. Ce 4-cylindres de 1,6 litre à injection directe livre une puissance de 137 chevaux et un couple maximal de 123 livres-pieds, ce qui est amplement suffisant pour cette catégorie de voiture. Arrivant d'office avec une boîte manuelle à 6 rapports, la Rio peut également être équipée d'une boîte automatique avec le même nombre de vitesses. Malgré l'agrément de conduite supérieur que permet le fait de pouvoir changer soi-même les rapports de la transmission, l'unité à trois pédales de la Rio est loin d'être la plus précise de l'industrie. De son côté, l'automatique n'a rien à se reprocher.

AU VOLANT > Le constructeur Kia tarde encore à accepter son côté plus sportif par rapport au partenaire Hyundai. La Kia Rio a ce petit côté européen qui attire les amateurs de modifications automobiles. Malheureusement, il ne faut pas se fier aux apparences. Pas que la Rio soit un navet sur la route, loin de là même, mais pour les performances relevées, il faut regarder ailleurs. L'édition SX a au moins l'avantage de proposer une conduite plus épicée grâce à une suspension raffermie et à des freins à disque plus imposants à l'avant, mais c'est à peu près tout ce qu'il faut retenir de celle-ci. Il y a encore pas mal de roulis dans les courbes prononcées, tandis que le freinage pourrait être plus mordant. Règle générale, la Kia Rio demeure un bon choix pour l'aspect conduite, mais il existe des options plus sérieuses sur le marché.

CONCLUSION > Déjà en service depuis plus de cinq ans, la Kia Rio demeure une excellente petite voiture pour le train-train quotidien. Agile, fiable, économe à la pompe, et même pratique, la Rio est la preuve irréfutable qu'il n'est pas nécessaire de conduire un véhicule imposant pour être heureux au volant. ■

2e OPINION

Daniel Rufiange

En principe, au cours des prochains mois, Kia présentera la quatrième génération de sa sous-compacte Rio. Le dernier modèle, introduit pour le millésime 2012, s'est avéré une très belle surprise et a prouvé au monde entier que les progrès de la firme coréenne n'étaient pas de la frime. Une finition fort acceptable, une conduite rassurante, des mécaniques fiables et une bouille sympa, autant d'éléments qui font que vous avez été nombreux à faire d'elle votre premier choix. À quoi s'attendre pour la suite ? À la même recette à laquelle Kia nous a habitués au cours des dernières années, soit une progression côté qualité, un raffinement sur le plan mécanique et une qualité générale de produit qui sera à la hausse. Dans un cas comme dans l'autre, un achat sans souci.

FICHE TECHNIQUE

MOTEUR(S)

(LX, EX, SX) L4 1,6 L DACT
PUISSANCE 137 ch à 6 300 tr/min
COUPLE 123 lb-pi à 4 850 tr/min
RAPPORT POIDS/PUISSANCE 8,0 kg/ch
BOÎTE(S) DE VITESSES manuelle à 6 rapports, automatique à 6 rapports avec mode manuel (en option)
PERFORMANCE 0-100 km/h 9,0 s
REPRISE 80-115 km/h 7,1 s
FREINAGE 100-0 km/h 37,5 m
NIVEAU SONORE À 100 km/h Moyen
VITESSE MAXIMALE 200 km/h

AUTRES COMPOSANTS

SÉCURITÉ ACTIVE (certains en option) Freins ABS, assistance au freinage, répartition électronique de la force de freinage, contrôle électronique de la stabilité, antipatinage, phares automatiques, assistance au démarrage en pente
SUSPENSION avant/arrière indépendante/ semi-indépendante
FREINS avant/arrière disques
DIRECTION à crémaillère, assistée électriquement
PNEUS LX P185/65R15 **EX** P195/55R16 **SX** P205/45R17

DIMENSIONS

EMPATTEMENT 2 570 mm
LONGUEUR Rio 4 370 mm **Rio5** 4 050 mm
LARGEUR 1 720 mm
HAUTEUR 1 455 mm
POIDS man. 1 093 kg **auto.** 1 126 kg
DIAMÈTRE DE BRAQUAGE 10,6 m
COFFRE Rio 387 L **Rio5** 425 L, 1 410 L (sièges abaissés)
RÉSERVOIR DE CARBURANT 43 L

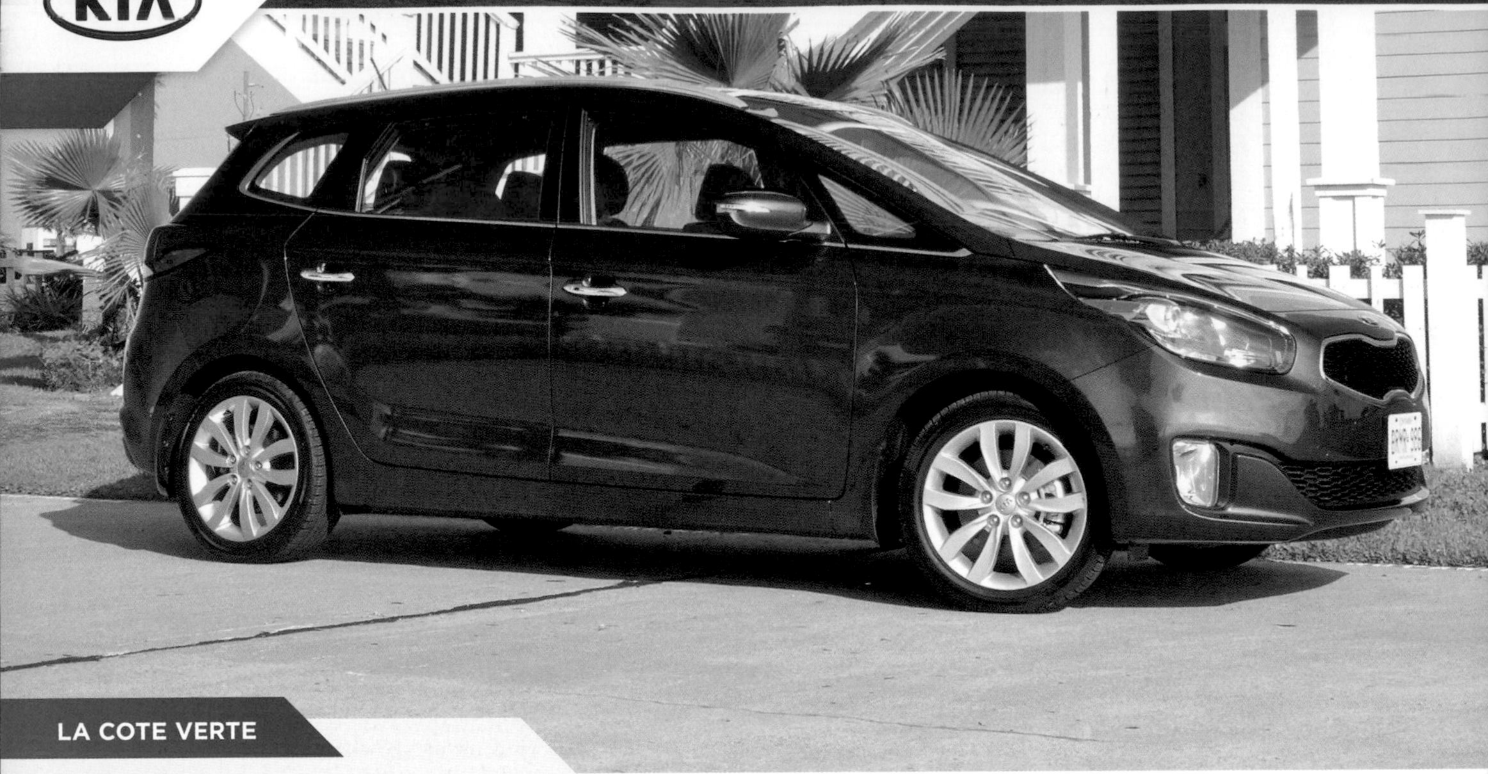

LA COTE VERTE

MOTEUR L4 DE 2,0 L
CONSOMMATION (100 km) man. ville 10,4 L route 7,8 L
auto. ville 10,1 L, route 7,6 L
CONSOMMATION ANNUELLE man. 1 581 L, 1 897 $ **auto.** 1 530 L, 1 836 $
INDICE D'OCTANE 87
ÉMISSIONS POLLUANTES CO_2 man. 3 636 kg/an **auto.** 3 519 kg/an
(source: ÉnerGuide)

FICHE D'IDENTITÉ

VERSION(S) LX, EX, EX Luxe
TRANSMISSION(S) avant
PORTIÈRES 5 **PLACES** 5, 7
PREMIÈRE GÉNÉRATION 2007
GÉNÉRATION ACTUELLE 2014
CONSTRUCTION Gwangju, Corée du Sud
COUSSINS GONFLABLES 6 (frontaux, latéraux avant, rideaux latéraux)
CONCURRENCE Fiat 500L, Ford C-Max/Transit Connect, Mazda5, Mercedes-Benz Classe B, Toyota Prius V

AU QUOTIDIEN

COLLISION FRONTALE ND
COLLISION LATÉRALE ND
VENTES DU MODÈLE L'AN DERNIER
AU QUÉBEC 1 375 (-35,1 %) **AU CANADA** 3 543 (-34,8 %)
DÉPRÉCIATION (%) 38,9 (3 ans)
RAPPELS (2011 à 2016) 1
COTE DE FIABILITÉ 4/5

GARANTIES... ET PLUS

GARANTIE GÉNÉRALE 5 ans/100 000 km
GROUPE MOTOPROPULSEUR 5 ans/100 000 km
PERFORATION 5 ans/kilométrage illimité
ASSISTANCE ROUTIÈRE 5 ans/100 000 km
NOMBRE DE CONCESIONNAIRES
AU QUÉBEC 50 **AU CANADA** 167

NOUVEAUTÉS EN 2017

Aucun changement majeur

PLACE AU NIRO

C'est terminé pour le Rondo, qui aura connu une carrière en dents de scie après 10 ans sur le marché. Son format entre deux chaises n'a pas toujours su trouver preneur. Trop petit pour les familles qui ont réellement besoin d'espace et pas assez pratique pour d'autres, le Rondo cédera sa place à une formule nouvelle. Le Niro ressemble plus à un petit utilitaire et sera un hybride. Il y aura encore des Rondo 2017 sur le marché jusqu'à l'arrivée du Niro au printemps prochain. Il sera possible de faire une bonne affaire sur ce modèle à l'automne de sa vie.

Benoit Charette

TOUR DU PROPRIÉTAIRE > Le trait de caractère le plus vendeur du Rondo demeure son style. Face avant agressive, profil de de familiale étudié, ligne de toit fuyante, l'équipe de conception a fait du bon travail. Son format ramassé et une garde au toit assez basse lui procurent une silhouette dynamique. Son empattement étiré aux quatre coins du véhicule permet de gagner un peu d'espace à l'intérieur. Somme toute, une petite fourgonnette aux allures sympathiques, c'est plutôt rare.

VIE À BORD > Le dessin de la cabine est moderne, et les matériaux sont de qualité. Il y a aussi beaucoup d'équipement de série même dans le modèle d'entrée de gamme comme

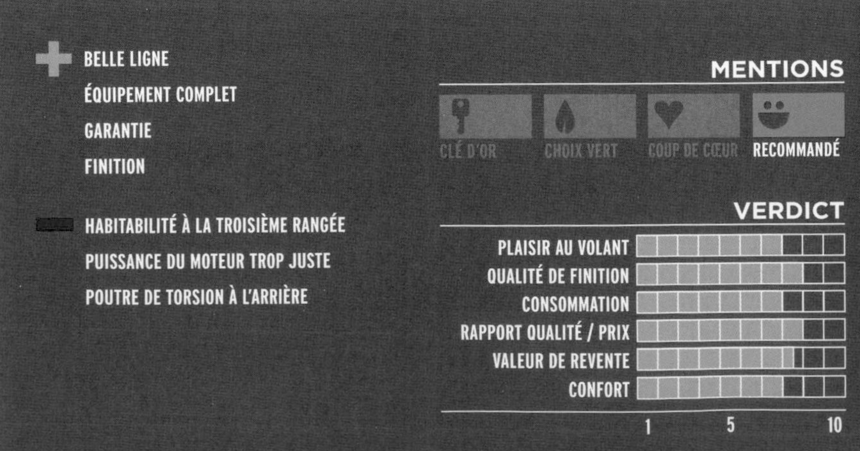

les sièges chauffants, la climatisation, la connectivité Bluetooth et plus encore. Comme toute minifourgonnette qui se respecte, la modularité est primordiale. Ainsi, la deuxième rangée se compose de trois sièges individuels 40/20/40, inclinables, coulissants et rabattables pour former un plancher plat, et les éventuels sièges de la troisième rangée sont fractionnables 50/50 et peuvent s'escamoter dans le plancher du coffre quand on ne les utilise pas. Toutefois, la troisième rangée joue un rôle de dépannage pour aider à l'occasion des passagers, préférablement de petite taille, pour un déplacement sur une courte distance. Si tous les sièges sont relevés, il n'y a plus d'espace de coffre, ou si peu.

TECHNIQUE > C'est sans doute sous le capot que le Rondo perd le plus de points. Pour des raisons de soi-disant économie de carburant, Kia a placé un petit 4-cylindres de 2 litres sous le capot. Il y a deux problèmes avec cette approche. D'abord, vous avez le poids du véhicule à 1581 kilos, un poids lourd considérant le format. Plus un moteur traîne un poids élevé, plus il travaille fort et plus il consomme. L'autre problème réside dans les performances de ce même moteur, nettement insuffisantes. Les accélérations et les reprises sont laborieuses et avant de vous lancer dans une opération dépassement, il faudra faire de savants calculs. Vous avez donc un joli petit véhicule sous-motorisé qui peine à s'acquitter de sa tâche et consomme trop pour le format. Kia avait dans son coffre à outils un moteur 4 cylindres 2,4 litres qui aurait fait un bien meilleur boulot sans consommer plus de carburant. Mais là, il est un peu tard pour prendre une telle décision. Souhaitons seulement que ce problème ne sera pas transféré dans le Niro.

AU VOLANT > Impossible de dire que nous avons apprécié l'expérience au volant du Rondo. Le moteur poussif cherche toujours son souffle, spécialement si vous avez plusieurs passagers à bord. Le confort des sièges est bon, l'insonorisation est correcte si vous ne dépassez pas les 115 km/h, sinon apparaît un petit sifflement. Avec le renouvellement du modèle en 2014, Kia a remplacé la suspension à 4 roues indépendantes par une poutre de torsion à l'arrière. À vitesse normale, vous ne verrez pas de différence, mais en poussant un peu, on la sent la différence. La tenue de route est plus fragile, moins rassurante. Pour ce qui est du freinage antiblocage aux 4 roues, il reçoit la répartition électronique de la force de freinage (EBD) et l'assistance au freinage d'urgence (BAS); les bons ingrédients sont présents pour assurer des arrêts efficaces.

CONCLUSION > Tout ce que nous souhaitons, c'est que Kia a pris des notes pour ne pas remettre dans son nouveau modèle les défauts du Rondo. Un peu plus de oumph sous le capot, une tenue de route plus dynamique. On ne veut pas une voiture sport, simplement une bonne expérience au volant et un véhicule capable de faire face aux imprévus en réagissant rapidement. Il manquait certains ingrédients au Rondo. ■

FICHE TECHNIQUE

MOTEUR(S)

(LX, EX, EX Luxe) L4 2,0 L DACT
PUISSANCE 164 ch à 6 500 tr/min
COUPLE 156 lb-pi à 4 700 tr/min
RAPPORT POIDS/PUISSANCE 8,8 à 9,6 kg/ch
BOITE(S) DE VITESSES LX manuelle à 6 rapports
EX, EX Luxe/option LX automatique à 6 rapports avec mode manuel
PERFORMANCES 0-100 km/h 10,2 s
REPRISE 80-115 km/h 7,2 s
FREINAGE 100-0 km/h ND
NIVEAU SONORE À 100 km/h Moyen
VITESSE MAXIMALE 185 km/h

AUTRES COMPOSANTS

SÉCURITÉ ACTIVE Freins ABS, assistance au freinage, répartition électronique de la force de freinage, contrôle électronique de la stabilité, antipatinage, aide au départ en pente
SUSPENSION avant/arrière indépendante/semi-indépendante
FREINS avant/arrière disques
DIRECTION à crémaillère, assistée électriquement
PNEUS LX P205/55R16 **EX/EX Luxe** P225/45R17
option EX Luxe P225/45R18

DIMENSIONS

EMPATTEMENT 2 750 mm
LONGUEUR 4 525 mm
LARGEUR 1 805 mm
HAUTEUR 1 610 mm
POIDS LX 5 places man. 1 445 kg **auto.** 1 477 à 1 503 kg
7 places auto. 1 505 à 1 581 kg
DIAMÈTRE DE BRAQUAGE 11,0 m
COFFRE 232 L, 912 L (3è rangée abaissée), 1 840 L (sièges abaissés)
RÉSERVOIR DE CARBURANT 58 L

2e OPINION

Michel Crépault

Quel sort Kia Canada réserve-t-elle à la Rondo ? La bonne nouvelle, malgré l'incertitude, c'est que ce drôle d'oiseau étale des qualités séduisantes pour la famille : une instrumentation complète et agréable à manipuler, une banquette médiane polyvalente au possible et une conduite solide où le freinage et la suspension tirent leurs ficelles. On peut reprocher au 2-litres d'être trop juste quand la Rondo déborde d'humains et de cargo, et à la banquette du fond de n'offrir qu'un dépannage temporaire, mais c'est injuste envers sa gamme de prix abordables. Kia se montre toutefois si discrète au sujet de la Carens canadienne (le nom de la Rondo ailleurs sur la planète) que l'on s'inquiète pour son futur et, du coup, pour notre motivation à lui confier nos économies.

LA COTE VERTE

MOTEUR V6 DE 3,3 L
CONSOMMATION (100 km) ville 13,2 L, route 9,7 L **SX** ville 12,9 L route 9,5 L **SXL** ville 14,2 L, route 10,5 L
CONSOMMATION ANNUELLE 1 972 L, 2 366 $ **SX** 1 938 L, 2 326 $ **SXL** 2 125 L, 2 550 $
INDICE D'OCTANE 87
ÉMISSIONS POLLUANTES CO_2 4 536 kg/an **SX** 4 457 kg/an **SXL** 4 887 kg/an
(source : ÉnerGuide)

FICHE D'IDENTITÉ

VERSION(S) L, LX, LX+, SX, SX+, SXL, SXL+
TRANSMISSION(S) avant
PORTIÈRES 5 **PLACES** 7, 8
PREMIÈRE GÉNÉRATION 2002
GÉNÉRATION ACTUELLE 2015
CONSTRUCTION West Point, Géorgie, É-U.
COUSSINS GONFLABLES 6 (frontaux, latéraux avant, rideaux latéraux)
CONCURRENCE Chrysler Pacifica, Dodge Grand Caravan, Honda Odyssey, Mercedes-Benz Metris Combi, Toyota Sienna

AU QUOTIDIEN

COLLISION FRONTALE 5/5
COLLISION LATÉRALE 5/5
VENTES DU MODÈLE L'AN DERNIER
AU QUÉBEC 624 (+327 %) **AU CANADA** 2 597 (+267 %)
DÉPRÉCIATION (%) 35,2 (3 ans)
RAPPELS (2011 à 2016) 4
COTE DE FIABILITÉ 4/5

GARANTIES... ET PLUS

GARANTIE GÉNÉRALE 5 ans/100 000 km
GROUPE MOTOPROPULSEUR 5 ans/100 000 km
PERFORATION 5 ans/kilométrage illimité
ASSISTANCE ROUTIÈRE 5 ans/100 000 km
NOMBRE DE CONCESSIONNAIRES
AU QUÉBEC 50 **AU CANADA** 167

NOUVEAUTÉS EN 2017

Aucun changement majeur

OUBLIÉ

Kia est revenue à la table à dessin il y a deux ans avec sa toute nouvelle interprétation de la Sedona, un véhicule construit à partir d'une feuille blanche et qui délaisse la formule beau, bon, pas cher maintenant exclusive à la Dodge Caravan, et qui s'en prend désormais aux meilleures du segment (Odyssey, Sienna, Pacifica), quoiqu'avec une recette bien à elle.

Alexandre Crépault

TOUR DU PROPRIÉTAIRE > Comme c'est le cas avec la concurrence, il y a environ 20 000 $ qui séparent la version L de base de l'ultime SXL+. C'est beaucoup d'argent. Et comme c'est le cas aussi avec les rivales, vous aurez bien de la difficulté à les distinguer l'une de l'autre. Du moins, en ce qui concerne l'extérieur. Mis à part un peu de chrome, des roues surdimensionnées et des lumières DEL, le montant investi n'aura que peu d'impact sur le visuel de votre carrosse. La bonne nouvelle, c'est que Kia peut être fière du coup de crayon donné à la Sedona. Cela profite autant aux modèles de base qu'aux variantes plus cossues. Sans révolutionner le segment, les designers ont réussi à créer une minifourgonnette aux allures modernes, qui porte fièrement le « nez de tigre », signature des véhicules Kia d'aujourd'hui, et qui devrait vieillir relativement bien.

+
- BELLE SILHOUETTE
- TRÈS CONFORTABLE
- BEAUCOUP D'ÉQUIPEMENT
- IMPRESSION DE NE PAS CONDUIRE UNE MINIFOURGONNETTE

−
- DEUXIÈME RANGÉE NON ESCAMOTABLE
- ESPACE MOINDRE QUE CHEZ LA CONCURRENCE
- ABSENCE D'UN SYSTÈME DE DIVERTISSEMENT INTÉGRÉ AU VÉHICULE
- VALEUR DE REVENTE

MENTIONS

CLÉ D'OR | CHOIX VERT | COUP DE CŒUR | **RECOMMANDÉ**

VERDICT

PLAISIR AU VOLANT
QUALITÉ DE FINITION
CONSOMMATION
RAPPORT QUALITÉ / PRIX
VALEUR DE REVENTE
CONFORT

1 5 10

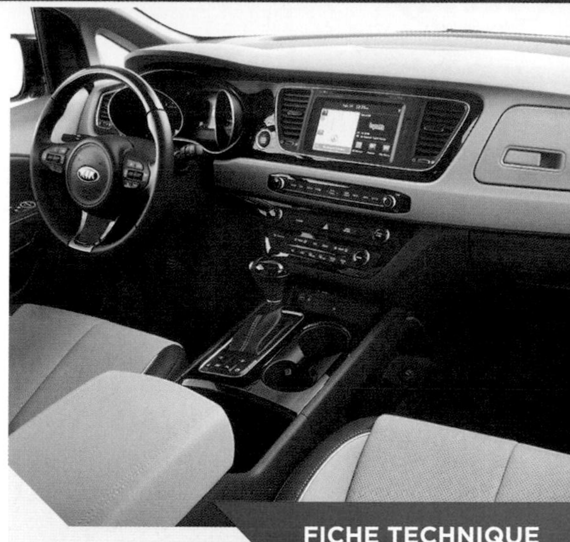

VIE À BORD > C'est en disséquant la conception et l'exécution de l'habitacle de la Sedona qu'on s'aperçoit à quel point la proposition de Kia diffère de la concurrence japonaise. Par exemple, la Sedona offre un peu moins d'espace de chargement. Malheureusement, impossible de rabattre les sièges dans le plancher comme le fait si bien Chrysler avec son système *Stow'n Go*, ni même de les enlever complètement pour créer un espace cargo plus volumineux. Inutile d'insister, la Sedona n'est pas la minifourgonnette la plus polyvalente sur le marché. En revanche, elle procure un confort surprenant. À l'avant, le tableau de bord non seulement plaît à l'œil, mais il est aussi bien organisé. Les commandes, incluant celles de l'écran tactile, sont intuitives et faciles à manipuler. La qualité des matériaux fait belle figure et se montre même digne des véhicules de luxe sur les modèles SXL. À propos de luxe, les sièges capitaine de type La-Z-Boy de la deuxième rangée offrent carrément le confort d'une limousine. L'accès aux places arrière sur les véhicules à 7 places est aussi facile, puisque les sièges se déplacent autant d'en avant et en arrière que de gauche à droite. Seul bobo majeur, voire véritable sacrilège : Kia n'offre pas un système de divertissement arrière intégré au véhicule.

TECHNIQUE > Malgré sa conception relativement récente, la Sedona reprend une bonne vieille recette : moteur V6 – dans son cas, un moulin de 3,3 litres GDI qui développe 276 chevaux et 248 livres-pieds de couple – jumelé à une boîte de vitesse automatique à 6 rapports qui envoie la puissance aux roues avant. Pas d'hybride, de diesel ou de transmission intégrale pour cette *minivan*.

AU VOLANT > Le confort semble avoir été la priorité des ingénieurs. Une fois derrière le volant, bien assis dans des sièges qui surprennent par leur support latéral, on oublie presque qu'il s'agit d'une minifourgonnette. Cette illusion est due entre autres à la grande console centrale qui sépare les deux occupants avant. La direction est très légère et peu communicative. Idem pour la suspension, qui fait dans le mou. Manifestement, ce véhicule préfère les accélérations souples, quoiqu'il ait la capacité de se déplacer hâtivement si nécessaire.

CONCLUSION > Malgré ses quelques désavantages notables, la Sedona est un produit qui possède les ingrédients requis pour réellement satisfaire une portion spécifique d'acheteurs de minifourgonnettes qui misent avant tout sur le confort et l'équipement. On peut penser aux *snowbirds*, entre autres. L'argument devient encore plus intéressant lorsqu'on compare le prix de la Sedona, qui commande quelques milliers de dollars en moins que sa concurrence directe. Son plus gros défaut, à mon avis, demeure sa dépréciation, surtout lorsqu'on considère l'incroyable valeur de revente des Odyssey et Sienna, un détail moins important si on décide d'y aller avec une location. Chose certaine, elle mérite au minimum de se retrouver sur votre liste de magasinage. ■

2e OPINION

Daniel Rufiange

Le marché de la fourgonnette a déjà été florissant, mais depuis que les gens ont été convaincus qu'il n'était pas « cool » d'être vu à bord de ce type de véhicule, ils se tournent vers les VUS. Outre Chrysler, qui domine outrageusement le segment, Honda et Toyota y sont toujours, forts de produits fiables qui jouissent d'une excellente réputation. Nissan a tenté un retour, sans succès, avec la Quest il y a quelques années. Le sort réservé à cette dernière me fait penser à celui que vit la Sedona de Kia. Après un hiatus d'une couple d'années, son retour se fait dans l'ombre. Le produit n'est pas inintéressant, mais il se vend trop cher et il n'offre rien qui soit susceptible de menacer les joueurs déjà en place. Il pourrait n'être que de passage.

FICHE TECHNIQUE

MOTEUR(S)

(LX, EX, SXL) V6 3,3 L DACT
PUISSANCE 276 ch à 6 000 tr/min
COUPLE 248 lb-pi à 5 200 tr/min
RAPPORT POIDS/PUISSANCE 7,2 à 7,7 kg/ch
BOÎTE(S) DE VITESSES automatique à 6 rapports
PERFORMANCES 0-100 km/h 7,9 s
VITESSE MAXIMALE 195 km/h

AUTRES COMPOSANTS

SÉCURITÉ ACTIVE (certains en option) Freins ABS, assistance au freinage, répartition électronique de la force de freinage, contrôle de la stabilité électronique et antiretournement, antipatinage, aide au départ en pente, régulateur de vitesse adaptatif, avertisseurs d'impact imminent et d'obstacle latéral et arrière
SUSPENSION avant/arrière indépendante
FREINS avant/arrière disques
DIRECTION à crémaillère, assistée hydrauliquement (L, LX, LX+), électriquement (SX)
PNEUS L/LX P235/65R17 **SX** P235/60R18 **SXL** P235/55R19

DIMENSIONS

EMPATTEMENT 3 060 mm
LONGUEUR 5 115 mm
LARGEUR 1 985 mm, 2 269 mm (incl. rétro.)
HAUTEUR 1 740 mm
POIDS L 2 002 kg **LX** 2 026 kg **LX+** 2 044 kg **SX** 2 052 kg **SX+** 2 069 kg **SXL** 2 127 kg **SXL+** 2 136 kg
RÉPARTITION DU POIDS AV/ARR (%) 57/43
DIAMÈTRE DE BRAQUAGE 11,2 m
COFFRE 960 L, 2 220 L (3e rangée abaissée), 4 022 L (2e rangée abaissée)
RÉSERVOIR DE CARBURANT 80 L
CAPACITÉ DE REMORQUAGE 1 587 kg

LA COTE VERTE

MOTEUR L4 DE 2,4 L
CONSOMMATION (100 km) 2RM ville 11,1 L, route 8,2 L **4RM** ville 11,4 L, 9,2 L
CONSOMMATION ANNUELLE 2RM 1 666 L, 1 999 $ **4RM** 1 768 L, 2 122 $
INDICE D'OCTANE 87
ÉMISSIONS POLLUANTES CO_2 2RM 3 832 kg/an **4RM** 4 066 kg/an
(source : ÉnerGuide)

FICHE D'IDENTITÉ

VERSION(S) LX, EX, EX+, SX, SX+
TRANSMISSION(S) avant, 4
PORTIÈRES 5 **PLACES** 5,7
PREMIÈRE GÉNÉRATION 2003
GÉNÉRATION ACTUELLE 2016
CONSTRUCTION West Point, Géorgie, É-U.
COUSSINS GONFLABLES 6 (frontaux, latéraux avant, rideaux latéraux)
CONCURRENCE Chevrolet Traverse/GMC Acadia, Dodge Durango, Ford Edge/Explorer/Flex, Honda Pilot, Hyundai Santa Fe, Jeep Grand Cherokee, Mazda CX-9, Nissan Murano/Pathfinder, Toyota Highlander

AU QUOTIDIEN

COLLISION FRONTALE 5/5
COLLISION LATÉRALE 5/5
VENTES DU MODÈLE L'AN DERNIER
AU QUÉBEC 4 409 (+4,0 %) **AU CANADA** 14 372 (+2,8 %)
DÉPRÉCIATION (%) 32,1 (3 ans)
RAPPELS (2011 à 2016) 7
COTE DE FIABILITÉ 3,5/5

GARANTIES... ET PLUS

GARANTIE GÉNÉRALE 5 ans/100 000 km
GROUPE MOTOPROPULSEUR 5 ans/100 000 km
PERFORATION 5 ans/kilométrage illimité
ASSISTANCE ROUTIÈRE 5 ans/100 000 km
NOMBRE DE CONCESIONNAIRES
AU QUÉBEC 50 **AU CANADA** 167

NOUVEAUTÉS EN 2017

Apple CarPlay® et Android Auto®, freinage d'urgence automatique et phares directionnels disponibles, 2 nouveaux ensembles d'options – Touring Avancé et Technologie Avancée.

L'ART DU BON COMPROMIS

Vous savez comme les compromis sont difficiles à réaliser correctement. Le Sorento est un bon exemple de ce qu'il faut faire pour réussir dans cet art délicat. À ses débuts en 2003, il se situait tout juste au-dessus de la catégorie des utilitaires compacts comme le Toyota RAV4 ou le Honda CR-V. Pour 2016, il se place tout juste sous les utilitaires pleine grandeur comme un Chevrolet Tahoe ou un Ford Expedition. Les concurrents directs sont le Ford Edge, le Hyundai Santa Fe ou le Toyota Highlander. Avec une offre à 7 passagers dans la version 6 cylindres, le Sorento réussit à ratisser large sans se dénaturer.

Benoit Charette

TOUR DU PROPRIÉTAIRE > Sans faire table rase de son passé, le Sorento a fait une remise à niveau l'an dernier. L'empattement plus long de 80 millimètres laisse un meilleur espace aux occupants de la deuxième rangée. Le véhicule est aussi un peu plus large et le toit légèrement plus bas pour un style plus ramassé et moins massif. Selon la version, l'avant adopte la même calandre à alvéole inversée que le Sedona en finition noire ou chromée. Le Sorento présente aussi de nouveaux phares et de nouveaux feux, ainsi que deux styles distincts de phares antibrouillard. Kia a laissé le pilier D quasi intact pour faire le lien avec les anciennes générations. Au chapitre des versions, vous avez toujours les modèles LX, EX et SX avec les groupes d'options Plus.

+
- STYLE RÉUSSI
- LISTE D'ÉQUIPEMENT COMPLET
- EXCELLENTE INSONORISATION

–
- MOTEUR 2,4 LITRES PEU PERTINENT
- VERSION 7 PASSAGERS UNIQUEMENT AVEC LE V6
- DIRECTION UN PEU MOLLE

MENTIONS

CLÉ D'OR | CHOIX VERT | COUP DE CŒUR | **RECOMMANDÉ**

VERDICT

PLAISIR AU VOLANT
QUALITÉ DE FINITION
CONSOMMATION
RAPPORT QUALITÉ / PRIX
VALEUR DE REVENTE
CONFORT

1 5 10

VIE À BORD > Kia n'a plus de leçons à tirer de ses concurrents quand vient le temps de dessiner un habitacle. Spacieux et modulable à la manière d'une fourgonnette, le Sorento regorge d'espaces de rangement généreux dans les portes, l'accoudoir central et le bas de la console. Le tableau de bord est recouvert de plastique coussiné et de touches d'aluminium brossé qui ajoutent un parfum de prestige. Nous ne sommes pas encore chez les Allemands, mais c'est aussi bien que les concurrents américains et japonais. Les centimètres supplémentaires de l'empattement permettent de loger deux adultes dans la troisième rangée de sièges du modèle à 7 places. Sinon, cette rangée se rabat dans le plancher et la deuxième rangée coulisse sur 21 centimètres pour offrit plus d'espace aux jambes. Des prises 12 volts et USB sont également à disposition, devant comme derrière, pour brancher consoles de jeux, tablettes ou téléphones intelligents.

TECHNIQUE > Le modèle LX arrive avec un 4-cylindres 2,4 litres de 185 chevaux et une capacité de charge de 907 kilos. Vous avez ensuite deux moteurs disponibles en option dans toutes les versions. D'abord un moteur 4 cylindres 2 litres turbo de 240 chevaux qui offre en plus 260 livres-pieds de couple disponibles à partir de 1450 tours/minute. Ce moteur peut remorquer jusqu'à 1 588 kilos. Pour ceux qui veulent pousser le remorquage à 2 268 kilos, le V6 de 3,3 litres et ses 290 chevaux est l'option toute désignée. Et c'est seulement avec le moteur V6 que vous avez droit à la configuration 7 passagers. Peu importe le moteur, la boîte de vitesse est automatique à 6 rapports.

AU VOLANT > Kia a travaillé très fort sur la qualité perçue. L'insonorisation est venue en tête des priorités. Du pare-brise en verre acoustique aux vitres plus épaisses, en passant par l'ajout de matériaux insonorisants, les résultats sont excellents. Le châssis est plus rigide, la suspension mieux calibrée et le roulis plus contenu. On se sent dans un véhicule de luxe. La firme coréenne a trouvé le juste milieu entre l'utilitaire abordable et l'utilitaire luxueux qui va plaire à une très large clientèle.

CONCLUSION > Le Sorento se bat dans le peloton de tête avec son cousin, le Hyundai Santa Fe, et le Ford Edge, depuis quelques années. Avec une offre élargie et une capacité à remorquer 5 000 livres au besoin avec le V6, il se place en bonne position pour gagner quelques marches dans la hiérarchie des utilitaires intermédiaires. Un produit pertinent, fiable et polyvalent. ■

2e OPINION

Daniel Rufiange

À l'instar de tous les produits Kia, le Sorento a pris du galon lors de sa dernière refonte. Le gros VUS coréen se présente meilleur que jamais et propose aux consommateurs luxe, polyvalence et grand confort. Et un choix infini, aussi. Au catalogue figurent pas moins de 10 versions pouvant accueillir un total de trois mécaniques. Entre l'offre d'entrée et la version la plus huppée, un écart d'environ 20 000 $. C'est énorme. Où se situe la meilleure proposition? Probablement quelque part au milieu où vous pourrez trouver une version à 35 000 $. Payer plus que ça, c'est encore risqué pour un produit qui va déprécier rapidement. Malgré tout le progrès enregistré chez Kia, la valeur de ses produits n'est pas encore à la hauteur de celle de Honda ou de Toyota.

FICHE TECHNIQUE

MOTEUR(S)

(LX) L4 2,4 L DACT
PUISSANCE 185 ch à 6 000 tr/min **COUPLE** 178 lb-pi à 4 000 tr/min
RAPPORT POIDS/PUISSANCE 9,1 à 9,4 kg/ch
BOÎTE(S) DE VITESSES automatique à 6 rapports avec mode manuel
PERFORMANCES 0-100 km/h 9,5 s
VITESSE MAXIMALE ND

(LX, EX, SX) L4 2,0 L DACT turbo
PUISSANCE 240 ch à 6 000 tr/min
COUPLE 260 lb-pi de 1 450 à 3 500 tr/min
RAPPORT POIDS/PUISSANCE 7,3 à 7,6 kg/ch
BOITE(S) DE VITESSES automatique à 6 rapports avec mode manuel
PERFORMANCES 0-100 km/h 8,0 s (est.)
VITESSE MAXIMALE ND
CONSOMMATION (100 km) 2RM ville 11,7 L, route 8,6 L
4RM 12,3 L, route 9,3 L (octane 87)
ANNUELLE 2RM 1 751 L, 2 101 $ **4RM** 1 853 L, 2 224 $
ÉMISSIONS POLLUANTES CO_2 2RM 4 027 kg/an **4RM** 4 262 kg/an

(LX V6, EX V6, SX V6) V6 3,3 L DACT
PUISSANCE 290 ch à 6 400 tr/min
COUPLE 252 lb-pi à 5 300 tr/min
RAPPORT POIDS/PUISSANCE 6,4 kg/ch
BOITE(S) DE VITESSES automatique à 6 rapports avec mode manuel
PERFORMANCES 0-100 km/h 7,5 s
REPRISE 80-115 km/h 5,1 s **FREINAGE 100-0 km/h** 44,2 m
NIVEAU SONORE À 100 km/h Bon **VITESSE MAXIMALE** ND
CONSOMMATION (100 km) 4RM ville 13,4 L, route 9,4 L (octane 87)
ANNUELLE 4RM 1 972 L, 2 366 $
ÉMISSIONS POLLUANTES CO_2 4RM 4 536 kg/an

AUTRES COMPOSANTS

SÉCURITÉ ACTIVE (certains en option) Freins ABS, assistance au freinage, répartition électronique de la force de freinage, contrôle électronique de la stabilité avec fonction antiretournement, antipatinage, assistance au démarrage en pente, régulateur de vitesse adaptatif, avertisseurs d'obstacle latéral et arrière et de sortie de voie, avertisseur d'impact imminent avec freinage d'urgence automatique, phares directionnels
SUSPENSION avant/arrière indépendante
FREINS avant/arrière disques
DIRECTION à crémaillère, assistée électriquement
PNEUS LX P235/65R17 **EX** P235/60R18 **SX** P235/55R19

DIMENSIONS

EMPATTEMENT 2 780 mm **LONGUEUR** 4 760 mm
LARGEUR 1 890 mm **HAUTEUR** 1 690 mm (incl. rails de toit)
POIDS 2.4 1 680 kg à 1 742 kg **2.0T** 1 759 kg à 1 816 kg **V6** 1 860 kg
DIAMÈTRE DE BRAQUAGE 11,0 m
COFFRE 5 places 1 099 L, 2 082 L (sièges abaissés)
7 places 320L, 1 077 L, 066 L (sièges abaissés)
RÉSERVOIR DE CARBURANT 71 L
CAPACITÉ DE REMORQUAGE (avec freins de remorque)
2.4 907 kg **2.0T** 1 588 kg **V6** 2 268 kg

LA COTE VERTE

MOTEUR L4 DE 1,6 L
CONSOMMATION (100 km) man. ville 9,9 L, route 7,8 L
auto. ville 9,8 L, route 7,8 L
CONSOMMATION ANNUELLE man. 1 530 L, 1 836 $ **auto.** 1 513 L, 1 816 $
INDICE D'OCTANE 87
ÉMISSIONS POLLUANTES CO_2 man. 3 519 kg/an **auto.** 3 480 kg/an
(source : ÉnerGuide)

FICHE D'IDENTITÉ

VERSION(S) LX, LX+, EX, EX+, SX, SX Luxe, SE, EV, EV Luxe
TRANSMISSION(S) avant
PORTIÈRES 5 **PLACES** 5, 4 (EV)
PREMIÈRE GÉNÉRATION 2010
GÉNÉRATION ACTUELLE 2010, 2015 (EV)
CONSTRUCTION Gwangju, Corée du Sud
COUSSINS GONFLABLES 6 (frontaux, latéraux avant, rideaux latéraux)
CONCURRENCE Chevrolet Trax, Fiat 500L/500X, Honda HR-V, Jeep Compass/Patriot/Renegade, Mazda CX-3, Mitsubishi RVR, Nissan Juke, Subaru Crosstrek **EV** BMW i3, Chevrolet Bolt/Volt, Ford C-Max/Focus électrique, Hyundai Ionic, Mitsubishi i-MiEV, Nissan Leaf

AU QUOTIDIEN

COLLISION FRONTALE 5/5
COLLISION LATÉRALE 4/5
VENTES DU MODÈLE L'AN DERNIER
AU QUÉBEC 4 306 (+53,2 %) **AU CANADA** 13 335 (+34,1 %)
DÉPRÉCIATION (%) 27,3 (3 ans)
RAPPELS (2011 à 2016) 5
COTE DE FIABILITÉ 4/5

GARANTIES... ET PLUS

GARANTIE GÉNÉRALE 5 ans/100 000 km
GROUPE MOTOPROPULSEUR 5 ans/100 000 km
PERFORATION 5 ans/kilométrage illimité
ASSISTANCE ROUTIÈRE 5 ans/100 000 km
NOMBRE DE CONCESSIONNAIRES
AU QUÉBEC 50 **AU CANADA** 167

NOUVEAUTÉS EN 2017

Autonomie de la version EV portée à 150 km. Le moteur 2,0 litres est remplacé par un 1,6 litre turbo.

LA BOÎTE À SURPRISES

L'allure funky de la Soul traverse jusqu'à présent l'épreuve du temps sans paraître démodée ou carrément ridicule. Le designer Peter Schreyer a interpellé l'originalité sans tomber dans l'extrême comme l'a fait Nissan avec sa Cube et l'échec que l'on sait. Pour 2017, la Soul poursuit son petit bonhomme de chemin en glanant de légères retouches esthétiques et une optimisation de son équipement.

Michel Crépault

TOUR DU PROPRIÉTAIRE > Les statisticiens la classent chez les petites berlines. Pourtant, une hauteur de 1600 millimètres versus 1430 et 1660 respectivement pour la Hyundai Elantra et le Toyota RAV4 suggérerait la catégorie des utilitaires compacts. Mais je peux comprendre la confusion, car voilà un véhicule qui mixe les genres, comme la défunte Scion xB. Un style accrocheur. Ajoutez-y une coque bicolore, des bandes sur les flancs ou le capot, des jantes contrastantes et voilà une voiture qui se prête aussi bien à la personnalisation qu'une MINI Cooper. Pour 2017, « face lift » superficiel au menu qui affecte les pare-chocs et les roues. Quant au modèle électrique EV, avouons que le look naturel de la Soul lui sied à merveille. Ce véhicule est né pour être électrifié !

VIE À BORD > La bonne nouvelle qui découle des formes non orthodoxes de la Soul, c'est son espace intérieur. Que ce soit à l'avant ou sur la banquette, les occupants peuvent se prélas-

+
SILHOUETTE ORIGINALE
ÉQUIPEMENT ÉTONNANT
ESPACE INTÉRIEUR
VERSION ÉLECTRIQUE

−
CONSOMMATION PERFECTIBLE (BASE)
CONDUITE SÈCHE (18 PO)
BRUITS DE VENT

MENTIONS

CLÉ D'OR | **CHOIX VERT** | COUP DE CŒUR | **RECOMMANDÉ**

VERDICT

PLAISIR AU VOLANT
QUALITÉ DE FINITION
CONSOMMATION
RAPPORT QUALITÉ / PRIX
VALEUR DE REVENTE
CONFORT

1 5 10

ser. Le dilemme survient avec les bagages. Les dossiers 60/40 relevés, la capacité de 532 litres oblige tout le monde à voyager léger; mais laissez les pas fins sur le trottoir, couchez les sièges et vous triplez presque l'espace cargo (qui serait encore meilleur si les sièges s'étalaient vraiment à plat). Le passage au modèle EV gâche peu la générosité de l'habitacle, Kia ayant su répandre avec astuce les 192 cellules de la pile sous le plancher.

Les ans filent et la Soul bonifie son offre. Disparus les plastiques durs qui décoloraient sous l'effet du soleil. Les matériaux séduisent, tout comme l'ergonomie, en particulier grâce à l'écran supérieur Uvo de 8 pouces. Pour 2017, le constructeur poursuit l'enrichissement de l'équipement avec, entre autres, un baquet pour passager avant doté de réglages électriques et des alertes contre les intrus dans les angles morts ou en mouvement transversal arrière. L'EV n'offre pas toutes ces gâteries afin que leur poids et leur besoin énergétique ne nuisent pas à son autonomie.

TECHNIQUE > La Soul à essence a toujours proposé un choix de deux engins. Pareil pour 2017 mais avec un changement important : au 1,6-litre de base de 130 chevaux s'ajoute désormais une version turbocompressée qui chasse le 2-litres de 164 chevaux. Ce faisant, en plus de la boîte manuelle à 6 rapports, une nouvelle boîte automatique Sportmatic à double embrayage à 7 vitesses se pointe. Du côté de l'EV, la batterie lithium-ion de 27 kWh, qui alimente le moteur électrique de 109 chevaux, se recharge avec du 120 volts (24 heures, trop long), 240 volts (cinq heures, beaucoup mieux) et du 480 volts (80 % de la charge en 30 minutes).

AU VOLANT > L'arrivée en renfort du 1,6-litre turbocompressé et des 7 rapports devrait permettre à la Soul d'améliorer sa consommation, un pressant besoin. Ou alors, solution radicale, passez au modèle électrique. Vous serez agréablement surpris de constater que son autonomie de quelque 140 kilomètres n'est pas que théorique. Une conduite zen et maintes décélérations (pour recharger la batterie) pourront même vous valoir de plus grandes distances. Reste quand même à s'habituer aux sensations du freinage régénératif, voire le transformer en jeu : comment s'immobiliser au prochain feu rouge sans toucher au frein... Qui dit gabarit carré dit bruits de vent. La Soul n'échappe pas à cette loi de l'aérodynamisme. L'EV, pour sa part, se comporte brillamment, en partie grâce à ses kilos supplémentaires qui rehaussent son aplomb sans nuire à la linéarité de ses départs fougueux et silencieux.

CONCLUSION > Vous trouverez sur le marché des automobiles plus amusantes à conduire mais pas aussi divertissantes à regarder. Vous en trouverez des plus spacieuses mais plus coûteuses et moins bien équipées. Bref, la Soul comptabilise plus de qualités que de défauts, ce qui explique que plus de gens tombent sous son charme : plus de 4 000 en 2015 au Québec contre moins de 3 000 l'année précédente. Et 141 acheteurs de Soul EV. Kia a une gagnante entre les mains. ■

2e OPINION

Antoine Joubert

Amusante, charmante et dynamique, la petite Soul connaît un succès monstre. Et si vous croyez que sa popularité ne se limite qu'au Québec, allez faire un tour en Floride. Là-bas, il en pleut! Évidemment, son succès s'explique par son look anticonformiste, mais aussi par le fait que Kia a su en faire un véhicule dynamique qui séduit grâce à un équipement ultra-généreux. On ne sait trop s'il s'agit d'une voiture ou d'un camion, ni à quoi la... ou le comparer. La Fiat 500L, le Jeep Renegade, la Nissan Juke ? N'oublions pas non plus la petite Soul EV, une électrique efficace qui commence à se faire voir en grand nombre sur les routes du Québec, notamment grâce à Téo Taxi. Cette dernière fait non seulement oublier la consommation un peu élevée du modèle à essence, mais permet aussi à Kia d'attirer une clientèle citadine et environnementaliste, de plus en plus nombreuse.

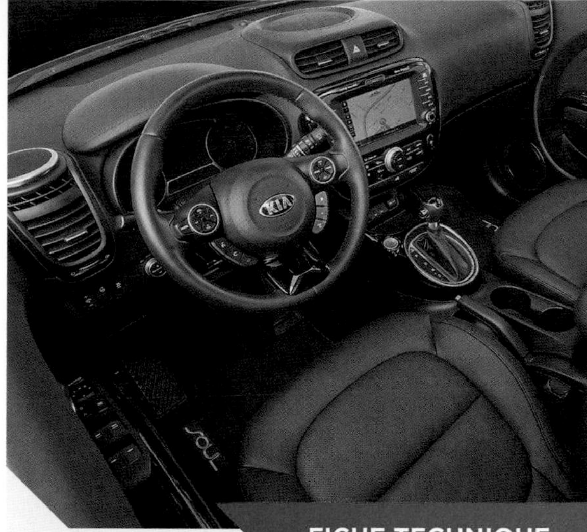

FICHE TECHNIQUE

MOTEUR(S)

(LX) L4 1,6 L DACT
PUISSANCE 130 ch à 6 300 tr/min **COUPLE** 118 lb-pi à 4 850 tr/min
RAPPORT POIDS/PUISSANCE 9,5 à 10,0 kg/ch
BOÎTE(S) DE VITESSES manuelle à 6 rapports, automatique à 6 rapports avec mode manuel (option)
PERFORMANCES 0-100 km/h 11,9 s
VITESSE MAXIMALE 170 km/h

(EX, SX) L4 1,6 L DACT turbo
PUISSANCE 200 ch à 6 000 tr/min (est.)
COUPLE 195 lb-pi à 1 750 tr/min (est.)
RAPPORT POIDS/PUISSANCE 6,4 à 7,1 kg/ch (est.)
BÔITE(S) DE VITESSES robotisée à 7 rapports
PERFORMANCES 0-100 km/h 7,2 s (est.)
REPRISE 80-115 km/h ND
FREINAGE 100-0 km/h 39,0 m
NIVEAU SONORE À 100 km/h Passable
VITESSE MAXIMALE 190 km/h (est.)
CONSOMMATION (100 km) ND (octane 87)
ANNUELLE ND **ÉMISSIONS DE CO_2** ND

(EV) Moteur électrique à courant alternatif
PUISSANCE 109 ch de 2 730 à 8 000 tr/min
COUPLE 210 lb-pi de 0 à 2 730 tr/min
RAPPORT POIDS/PUISSANCE 13,7 kg/ch
BOÎTE(S) DE VITESSES automatique à 1 rapport
PERFORMANCES 0-100 km/h 12,0 s
NIVEAU SONORE À 100 km/h Bon
VITESSE MAXIMALE 145 km/h
ÉQUIVALENT DE CONSOMMATION (100 km) 2,2 L
AUTONOMIE MOYENNE 150 km
TEMPS DE RECHARGE 240 V 4,5 hrs **120V** 24 hrs
Chargeur rapide 33 min. pour 80 % de la charge

AUTRES COMPOSANTS

SÉCURITÉ ACTIVE (certains en option) Freins ABS, assistance au freinage, répartition électronique de la force de freinage, contrôle électronique de la stabilité, antipatinage, assistance au démarrage en pente, avertisseurs de sortie de voie et d'obstacle latéral
SUSPENSION avant/arrière indépendante/semi-indépendante
FREINS avant/arrière disques **EV** à récupération d'énergie
DIRECTION à crémaillère, assistée électriquement
PNEUS LX/EX ECO/EV P205/60R16 **EX** P215/55R17 **SX** P235/45R18

DIMENSIONS

EMPATTEMENT 2 570 mm **LONGUEUR** 4 140 mm
LARGEUR 1 800 mm **HAUTEUR** 1 600 mm
POIDS LX man. 1 231 à 1 278 kg **auto.** 1 263 à 1 307 kg
EX, SX 1 287 à 1 406 kg **EV** 1 492 kg
RÉPARTITION DU POIDS AV/ARR (%) **LX** 60/40 **EX, SX** 61/39
DIAMÈTRE DE BRAQUAGE 10,4 m
COFFRE 532 L, 1 402 L (sièges abaissés)
RÉSERVOIR DE CARBURANT 54 L
CAPACITÉ DE BATTERIE (EV) 27kWh (lithium-ion polymère)

LA COTE VERTE

MOTEUR L4 DE 2,4 L
CONSOMMATION (100 km) 2RM ville 10,4 L, route 8,0 L
4RM auto ville 11,3 L, route 9,5 L
CONSOMMATION ANNUELLE 2RM 1 598 L, 1 918 $ **4RM auto** 1 802 L, 2 162 $
INDICE D'OCTANE 87
ÉMISSIONS POLLUANTES CO_2 2RM 3 675 kg/an **4RM auto.** 4 145 kg/an
(source : Kia et L'Annuel)

FICHE D'IDENTITÉ

VERSION(S) 2RM/4RM LX, EX **4RM** EX Premium, EX Technologie, SX
TRANSMISSION(S) avant, 4
PORTIÈRES 5 **PLACES** 5
PREMIÈRE GÉNÉRATION 2000
GÉNÉRATION ACTUELLE 2017
CONSTRUCTION Ulsan, Corée du Sud
COUSSINS GONFLABLES 6 (frontaux, latéraux avant, rideaux latéraux)
CONCURRENCE Chevrolet Equinox/GMC Terrain, Dodge Journey, Ford Escape, Honda CR-V, Hyundai Tucson, Jeep Cherokee, Mazda CX-5, Mitsubishi Outlander, Nisan Rogue, Subaru Forester/Outlander, Toyota RAV4, Volkswagen Tiguan

AU QUOTIDIEN

COLLISION FRONTALE 5/5
COLLISION LATÉRALE 5/5
VENTES DU MODÈLE L'AN DERNIER
AU QUÉBEC 2 125 (+5,1 %) **AU CANADA** 6 509 (+8,0 %)
DÉPRÉCIATION (%) 29,2 (3 ans)
RAPPELS (2011 à 2016) 2
COTE DE FIABILITÉ 4/5

GARANTIES... ET PLUS

GARANTIE GÉNÉRALE 5 ans/100 000 km
GROUPE MOTOPROPULSEUR 5 ans/100 000 km
PERFORATION 5 ans/kilométrage illimité
ASSISTANCE ROUTIÈRE 5 ans/100 000 km
NOMBRE DE CONCESSIONNAIRES
AU QUÉBEC 50 **AU CANADA** 167

NOUVEAUTÉS EN 2017

Nouvelle génération

DEMEURER À L'AVANT DU PELOTON

Après le changement du Hyundai Tucson l'an dernier, c'est au tour du Sportage de faire peau neuve en 2017. Et à l'instar des produits renouvelés ces derniers mois au sein de la gamme du constructeur coréen, le Sportage 2017 préfère ne pas faire trop de vagues. La silhouette demeure reconnaissable malgré les modifications, les groupes motopropulseurs évoluent plutôt que d'être remplacés, tandis que la qualité est en hausse. Cette stratégie, on l'a déjà observée sur la berline Optima et le multisegment Sorento, deux véhicules Kia fort populaires en Amérique du Nord. Compte tenu de l'importance des VUS compacts, il est tout à fait normal que le constructeur joue de prudence pour cette quatrième génération du modèle. Et pourtant, on ne peut affirmer que Kia est demeurée prudente dans les dernières années.

Vincent Aubé

TOUR DU PROPRIÉTAIRE > Le premier élément qui saute aux yeux à la vue de ce nouveau Sportage, c'est sa fenestration latérale, qui reprend à la lettre ou presque celle du modèle précédent. Dans un segment où tous les véhicules se ressemblent, il est rassurant de

+
- AGRÉMENT DE CONDUITE
- CHOIX INTÉRESSANT DE LIVRÉES
- QUALITÉ D'ASSEMBLAGE À LA HAUSSE

−
- MOTORISATION 2.0T LIMITÉE AU SX
- VISIBILITÉ ARRIÈRE
- ABSENCE DE BOÎTE À DOUBLE EMBRAYAGE

MENTIONS

CLÉ D'OR · CHOIX VERT · COUP DE CŒUR · **RECOMMANDÉ**

VERDICT

PLAISIR AU VOLANT
QUALITÉ DE FINITION
CONSOMMATION
RAPPORT QUALITÉ / PRIX
VALEUR DE REVENTE
CONFORT

1 5 10

voir que la division design a conservé cet aspect unique du véhicule. À l'avant, par contre, le faciès a subi une rhinoplastie plus élaborée, la grille de calandre s'inspirant d'un « nez de tigre » et ayant été séparée des blocs optiques redessinés pour l'occasion. Et comme si ce n'était pas assez, le Sportage peut s'habiller de deux pare-chocs avant différents, celui de la version à traction étant plus près du sol. À l'arrière, la nouvelle signature des feux de position aux diodes électroluminescentes (disponibles à partir de la livrée EX) n'est pas vilaine non plus. Afin de différencier la livrée SX (la seule munie d'une motorisation turbocompressée) des autres, celle-ci reçoit deux pots d'échappement au lieu d'un seul. Quant aux roues, le constructeur poursuit sa stratégie à trois niveaux, soit celle de proposer des sabots de 17, 18 ou 19 pouces pour le SX.

VIE À BORD > À l'instar de la berline Optima et du grand frère Sorento, le Sportage révisé pour 2017 gagne en maturité à l'intérieur. La génération précédente du modèle avait surpris par la qualité générale de son intérieur. Les concepteurs se devaient donc de rehausser la barre pour ce millésime. Encore une fois, les changements apportés sont moins visibles à l'œil nu, la planche de bord partageant beaucoup de points en commun avec celle de l'ancien modèle. Sans surprise, les matériaux retenus sont de meilleure facture, un commentaire qui s'applique aussi à l'assemblage. Comme par le passé, les commandes de la ventilation sont regroupées au même endroit, tout juste sous l'écran du système de divertissement, tandis que tout ce qui concerne la chaîne audio, la navigation et les autres fonctions est intégré à même l'écran tactile.

Si la planche de bord est plus agréable au toucher, c'est également le cas pour les sièges du Sportage. Le constructeur a en effet bonifié le support latéral des sièges avant en plus de rendre l'assise plus moelleuse. À l'arrière, la deuxième banquette de type 60/40 offre plus d'options en ce qui a trait à l'angle du dossier, tandis que le coffre a gagné quelques litres au passage, un élément critiqué par le passé. Notez que selon la finition retenue, la sellerie peut être habillée d'un tissu bon marché (LX), d'un tissu de meilleure qualité (EX) ou de cuir, disponible à partir de la version EX Premium. La visibilité latérale a aussi été revue à la hausse, les piliers A étant plus minces, tandis que les fenêtres latérales ainsi que la lunette arrière se font plus vastes que l'an dernier. Néanmoins, le Sportage, comme plusieurs véhicules de son temps, souffre d'une visibilité arrière restreinte. Comme c'est la coutume au sein des constructeurs coréens, l'équipement livré de série est généreux. De la sellerie chauffante à l'avant au frein de stationnement électronique, en passant par la connectivité Bluetooth, les commandes audio au volant, sans oublier l'écran tactile de 5 pouces qui comprend la caméra de recul, le Sportage ne manque pas de contenu. Les plus technos seront contents d'apprendre la disponibilité du système Android Auto®. La version Apple CarPlay® est prévue pour plus tard. ■

2e OPINION

Daniel Rufiange

La version 2017 du Sportage, entièrement repensée, est sur les routes depuis quelques mois déjà, la présentation médiatique ayant eu lieu en mars dernier. La refonte a été marquée par un adoucissement dans les lignes, mais inversement caractérisée par une approche agressive sur le plan du faciès. À l'intérieur, des progrès ont été enregistrés dans la présentation, qui demeure classique, et la qualité, à la hausse. Au volant, cette nouvelle édition arrive à maturité, le comportement routier n'ayant pas grand-chose à envier à celui des produits concurrents. Le défi reste cependant de taille pour Kia, qui doit composer avec des légendes dans le segment. Ainsi, malgré les progrès enregistrés, la Sportage va continuer à jouer les seconds violons.

FICHE TECHNIQUE

MOTEUR(S)

(LX, EX) L4 2,4 L DACT
PUISSANCE 181 ch à 6 000 tr/min
COUPLE 175 lb-pi à 4 000 tr/min
RAPPORT POIDS/PUISSANCE 2RM 9,0 kg/ch **4RM** 9,4 kg/ch
BOÎTE(S) DE VITESES automatique à 6 rapports avec mode manuel
PERFORMANCES 0-100 km/h 9.8 s (est.)
REPRISE 80-115 km/h ND
VITESSE MAXIMALE 185 km/h

(SX) L4 2,0 L DACT turbo
PUISSANCE 237 ch à 6 000 tr/min
COUPLE 260 lb-pi de 1 450 à 3 500 tr/min
RAPPORT POIDS/PUISSANCE 7,6 kg/ch
BOÎTE(S) DE VITESSES automatique à 6 rapports avec mode manuel et manettes au volant
PERFORMANCES 0-100 km/h 7,4 s (est.)
REPRISE 80-115 km/h ND
FREINAGE 100-0 km/h ND
NIVEAU SONORE À 100 km/h Moyen
VITESSE MAXIMALE 220 km/h
CONSOMMATION (100 km) ville 11,9 L, route 10,2 L (octane 87)
ANNUELLE 1 921 L, 2 305 $
ÉMISSIONS DE CO_2 man. 4 418 kg/an

AUTRES COMPOSANTS

SÉCURITÉ ACTIVE Freins ABS, assistance au freinage, répartition électronique de la force de freinage, contrôle électronique de la stabilité, antipatinage, aide au démarrage en pente, phares automatiques et directionnels, aide au freinage en descente, avertisseurs d'obstacle latéral et arrière et de sortie de voie, avertissseur d'impact imminent avec freinage d'urgence automatique
SUSPENSION avant/arrière indépendante
FREINS avant/arrière disques
DIRECTION à crémaillère, assistée électriquement
PNEUS LX P225/60R17 **EX** P225/55R18 **SX** P245/45R19

DIMENSIONS

EMPATTEMENT 2 670 mm
LONGUEUR 4 480 mm
LARGEUR 1 855 mm
HAUTEUR 1 635 mm, 1 645 mm (incl. rails de toit)
POIDS 2,4L 2RM 1 631 kg **4RM** 1 696 kg **2,0T** 1 813 kg
RÉPARTITION DU POIDS AV/ARR (%) ND
DIAMÈTRE DE BRAQUAGE 10,6 m
COFFRE 798 L, 1 565 L (sièges abaissés)
RÉSERVOIR DE CARBURANT 62 L
CAPACITÉ DE REMORQUAGE 907 kg (avec remorque dotée de freins)

A

B

C

D

E

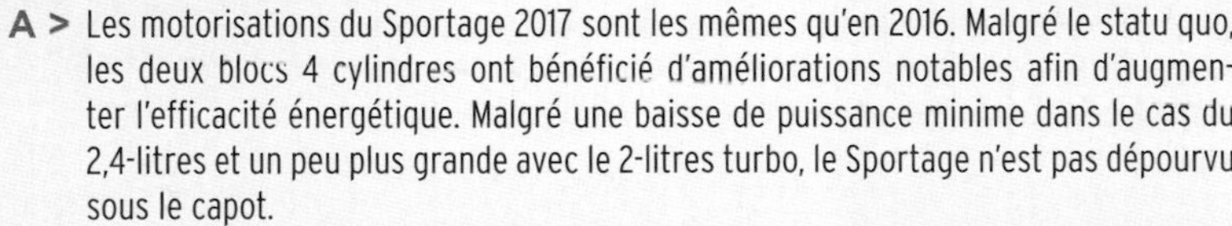

GALERIE

A > Les motorisations du Sportage 2017 sont les mêmes qu'en 2016. Malgré le statu quo, les deux blocs 4 cylindres ont bénéficié d'améliorations notables afin d'augmenter l'efficacité énergétique. Malgré une baisse de puissance minime dans le cas du 2,4-litres et un peu plus grande avec le 2-litres turbo, le Sportage n'est pas dépourvu sous le capot.

B > La banquette arrière de type 60/40 offre dorénavant plusieurs angles concernant le dossier. Ce sont les occupants des places arrière qui seront contents.

C > Sans surprise, le Sportage 2017 est disponible avec les derniers systèmes de connectivité sans fil comme Android Auto® et Apple CarPlay®. Toutefois, l'arrivée de ce dernier était retardée au moment d'écrire ces lignes.

D > Kia offre trois dimensions de roues en alliage pour son VUS compact, soit 17, 18 ou 19 pouces pour les SX.

E > À bord, on remarque tout de suite le souci du détail, la qualité des matériaux étant en hausse. Idem pour l'assemblage.

TECHNIQUE > Le scénario évolutif se poursuit sous le capot: le 4-cylindres à injection directe d'une cylindrée de 2,4 litres est de retour. Heureusement, celui-ci a été révisé afin de siroter encore plus lentement l'essence dont il dispose. La puissance de 181 chevaux-vapeur et le couple de 175 livres-pieds affichent des statistiques moindres que l'an dernier (respectivement 1 ch et 2 lb-pi), mais rien n'y paraît. Au sommet de la gamme, le moteur turbo est lui aussi de retour avec une diminution des chiffres de puissance et de couple, mais encore une fois, les ingénieurs ont misé sur l'efficacité énergétique de ce dernier. Avec 237 chevaux et 260 livres-pieds de couple, le Sportage SX est loin d'être une tortue. Étant donné l'importance de la consommation de carburant de nos jours, ce changement de cap n'est pas une mauvaise chose, et ce, même si l'économie réalisée n'est pas substantielle. Sans surprise, le Sportage peut toujours être commandé avec une transmission intégrale ou, sur les versions plus économiques, avec les 2 roues motrices avant. D'ailleurs, la boîte de vitesse, la seule disponible désormais, est une unité automatique comptant 6 rapports.

AU VOLANT > La précédente génération du modèle avait étonné par son aplomb sur la route. Sans être le champion de la tenue de route, le Sportage se débrouillait fort bien face à d'autres concurrents. Le constructeur se devait donc de conserver cet attrait lors de la refonte. En fait, en plus des efforts déployés à optimiser l'efficacité des mécaniques, les ingénieurs ont également travaillé à raffermir la suspension tout en bonifiant la rigidité du châssis. Le nouveau Sportage profite aussi d'une direction un brin plus précise, une caractéristique qui a pu être observée lors du lancement canadien dans la région de Kelowna, en Colombie-Britannique. Malgré l'attrait de la version SX avec son équipement ultra-complet, sa mécanique turbo et les 4 roues motrices, c'est le Sportage muni du moteur à aspiration normale qu'il faut viser. Ce bloc n'a pas grand-chose à se reprocher, d'autant plus que la boîte de vitesse automatique travaille très bien avec le moteur. À ce sujet, le Sportage propose le changement manuel des rapports, mais son rendement est encore loin des meilleures boîtes à double embrayage. Plus silencieux, plus confortable et mieux assemblé, le Sportage est également plus agile que par le passé.

CONCLUSION > La concurrence est très féroce dans cette catégorie. Le constructeur coréen a bien fait de revoir à la hausse son populaire utilitaire. La stratégie entamée avec les Optima, Sorento et quelques autres se poursuit avec un autre pilier de la gamme peaufinée. Présenter un Sportage complètement transformé aurait été une erreur. Cette refonte ne change pas le monde, mais elle permet au moins à Kia de demeurer à l'avant du peloton. ■

HISTORIQUE

Les premiers tours de roues effectués par le Kia Sportage ont eu lieu en l'an 2000, quatre ans après son intégration au marché américain. La passage de ce VUS d'une autre époque aura heureusement été de courte durée, la deuxième génération apparaissant en 2004. Cousin du Hyundai Tucson, le Sportage a depuis ce temps séduit un auditoire élargi, notamment pour sa polyvalence et son équipement complet. Toutefois, c'est en 2011 que Kia a décidé de donner au Sportage un comportement plus en lien avec son nom. La nouvelle génération du véhicule ne fait que repousser un peu plus loin cette idée d'un VUS au comportement plus dynamique.

Kia Sportage 2000

Kia Sportage 2005

Kia Kue Concept 2007

Kia Sportage 2011

Kia Sportage 2017

LA COTE VERTE

MOTEUR V12 DE 6,5 L
CONSOMMATION (100 km) coupé ville 22,2 L route 12,7 L
roadster ville 23,6 L route 14,1 L
CONSOMMATION ANNUELLE coupé 3 043 L, 4 108 $ **roadster** 3 281 L, 4 429 $
INDICE D'OCTANE 91
ÉMISSIONS POLLUANTES CO_2 coupé 6 999 kg/an **roadster** 7 546 kg/an
(source : ÉnerGuide)

FICHE D'IDENTITÉ

VERSION(S) coupé/ roadster LP700-4, LP 750-4 SV
TRANSMISSION(S) 4
PORTIÈRES 2 **PLACES** 2
PREMIÈRE GÉNÉRATION 2012
GÉNÉRATION ACTUELLE 2012
CONSTRUCTION Sant'Agata, Italie
COUSSINS GONFLABLES 6 (frontaux, latéraux, genoux conducteur et passager) **LP 750-4 SV** 4 (frontaux, latéraux)
CONCURRENCE Aston Martin Vanquish, Ferrari F12/LaFerrari, Ford GT

AU QUOTIDIEN

COLLISION FRONTALE ND
COLLISION LATÉRALE ND
VENTES DU MODÈLE L'AN DERNIER
AU QUÉBEC ND **AU CANADA** ND
DÉPRÉCIATION (%) 15,9 (3 ans)
RAPPELS (2011 à 2016) aucun à ce jour
COTE DE FIABILITÉ 4/5

GARANTIES... ET PLUS

GARANTIE GÉNÉRALE 2 ans/kilométrage illimité
GROUPE MOTOPROPULSEUR 2 ans/kilométrage illimité
PERFORATION 2 ans/kilométrage illimité
ASSISTANCE ROUTIÈRE 2 ans/kilométrage illimité
NOMBRE DE CONCESSIONNAIRES
AU QUÉBEC 1 **AU CANADA** 3

NOUVEAUTÉS EN 2017

Version LP 750-4 Superveloce décapotable.

SUPRÊME DE TAUREAU

Il en reste peu des voitures comme l'Aventador, une exotique de grand niveau qui sert à la fois de laboratoire roulant et de porte-étendard pour le groupe Volkswagen. Chose encore plus intéressante dans ce monde où les ventes se comptent sur les doigts d'une main, Lamborghini a passé le cap des 5000 unités vendues en mars 2016, un fait digne de mention pour un modèle aussi exclusif. La populaire Countach n'a vendu que 3000 exemplaires dans toute sa carrière.

Benoit Charette

TOUR DU PROPRIÉTAIRE > Elle était blanche et toute neuve, ma première rencontre avec cette création de Filippo Perini, l'homme derrière le design de l'Aventador. La voiture était livrée dans une remorque fermée et descendue à la main, un avion sans aile. Basse, menaçante et délirante comme Lamborghini sait les faire, il est impossible de passer inaperçu dans cette voiture. C'est un prédateur enchaîné qui attend de sauter sur sa proie dès que l'on met le contact. Et chose assez particulière, la version Spyder est encore plus menaçante, sans doute parce qu'elle semble plus basse. Ce n'est pourtant qu'illusion, car les deux modèles affichent des dimensions identiques.

VIE À BORD > Bienvenue dans l'univers haute technologie de l'Aventador. Commençons par les bonnes nouvelles. L'ergonomie est excellente même si vous avez besoin de quelques leçons de gymnastique pour vous glisser à bord (c'est plus simple dans la décapotable sans le toit). Une fois

+
- UNE LIGNE DÉLIRANTE
- UN MOTEUR COMME IL NE S'EN FAIT PLUS
- PERFORMANCE ET TENUE DE ROUTE HORS NORME

−
- LA BOÎTE DE VITESSE SÉQUENTIELLE
- ON NE VOIT RIEN DERRIÈRE
- DIFFICILE DE SORTIR EN PUBLIC

MENTIONS

CLÉ D'OR | CHOIX VERT | COUP DE CŒUR | RECOMMANDÉ

VERDICT

PLAISIR AU VOLANT
QUALITÉ DE FINITION
CONSOMMATION
RAPPORT QUALITÉ / PRIX
VALEUR DE REVENTE
CONFORT

1 5 10

à bord, vous trouverez rapidement votre position de conduite pour ensuite faire face à un monde entièrement numérique. La première réaction est confuse, il y a beaucoup de boutons qui entourent une console centrale qui est illisible en plein soleil. Il ne semble pas y avoir de logique dans toute cette organisation, mais après deux grandes inspirations, je finis par trouver quelques repères dans ce poste de pilotage d'avion de chasse qui tire son inspiration de chez Audi. On prend le temps de s'imprégner de l'atmosphère et on trouve finalement le bouton de départ dissimulé sous la gâchette rouge.

TECHNIQUE > Il n'y a qu'une seule mécanique offerte, en deux saveurs. Le V12 de 6,5 litres en position centrale produit la rondelette somme de 691 chevaux de puissance, qui passe par les 4 roues de la voiture. Le régime monte jusqu'à 8250 tours/minute. Dès que vous appuyez sur le bouton de contact, un frisson vous traverse la colonne vertébrale. C'est sonore mais tellement, tellement beau. Pour ceux qui en veulent un peu plus, le même moteur est retravaillé pour donner un échappement plus libre, une ligne rouge à 8500 tours/minute et 740 chevaux. La SV (Superveloce) perd aussi au passage 50 kilos. On retire le GPS, la radio et les matériaux insonorisants et on ajoute de la fibre de carbone pour les spartiates qui placent la performance devant tout. Ce déchaînement de puissance passe par une boîte séquentielle à simple embrayage qui doit souffrir le martyre à chaque passage, considérant la puissance et le couple de cette mécanique.

AU VOLANT > Mon expérience au volant m'a laissé sur mon appétit, non pas à cause de la puissance gargantuesque du moteur mais bien en raison de la boîte séquentielle. Il existe trois modes de conduite complètement différents. Le mode Strada, que l'on pourrait qualifier de mode pépère, est utilisé pour rouler en ville à bas régime ou au centre-ville de Montréal une fin de semaine de Grand Prix. Sur ce mode, la boîte séquentielle est lente, donne des coups et est franchement désagréable. Après quelques secondes sur le circuit, je suis tout de suite passé au mode Sport, idéal pour les petites routes de campagne et une belle grande courbe en c. À peine mieux, il y a un gros délai dans le changement des rapports et ça cogne dur à bord. Il y a bien le mode Corsa, conçu sur mesure pour le circuit routier et laissant peu d'électronique pour vous soutenir. Avec ce réglage, les rapports passent plus vite, mais sont d'une violence qui déplace pratiquement la voiture. Avec peu d'électronique, il faut avoir une confiance inébranlable au volant pour attaquer un circuit. Bref, la puissance est sidérante, mais la boîte est tellement désagréable que cela a gâché mon plaisir. Il faudra que Lamborghini trouve une méthode pour installer comme dans la Huracán une boîte séquentielle à double embrayage qui vous emmènera droit au paradis.

CONCLUSION > Je n'aurai jamais assez d'argent pour me procurer une voiture que je laisserais, telle une œuvre d'art, dans un garage ou un hangar aménagé. C'est ce qu'une bonne partie des acheteurs font : de la spéculation automobile. Pour ma part, une voiture, c'est fait pour rouler et si j'avais une Lamborghini, ça serait une Huracán. ■

2e OPINION

Daniel Rufiange

Les superbolides d'exception se comptent sur les doigts de la main et ne s'adressent qu'à une caste démesurément fortunée. Sans vouloir généraliser, on peut affirmer que deux raisons principales poussent ces derniers à oser se procurer un véhicule appartenant à cette catégorie; ceux qui carburent à l'adrénaline et passent leurs temps libres sur des circuits, et les autres qui souhaitent surtout se différencier, tout en se faisant voir un tantinet. De toutes les voitures extravagantes, l'Aventador est probablement celle qui repousse le plus les limites. Qu'on la trouve belle ou caricaturalement laide, elle propose à celui qui a les bras assez longs pour toucher le fond de son compte en banque une exclusivité qu'il ne trouverait que s'il pouvait se déplacer au quotidien en Formule 1. Unique, vous dites ?

FICHE TECHNIQUE

MOTEUR(S)

(LP700-4) V12 6,5 L DACT
PUISSANCE 691 ch à 8 250 tr/min (700 CV)
COUPLE 507 lb-pi à 5 500 tr/min
RAPPORT POIDS/PUISSANCE coupé 2,3 kg/ch **cabrio.** 2,4 kg/ch
BOITE(S) DE VITESSES manuelle robotisée à 7 rapports
PERFORMANCES 0-100 km/h 2,9 s
REPRISE 80-115 km/h 1,6 s
FREINAGE 100-0 km/h 33,9 m
VITESSE MAXIMALE 350 km/h

(LP750-4 SV) V12 6,5 L DACT
PUISSANCE 740 ch à 8 400 tr/min (750 CV)
COUPLE 507 lb-pi à 5 500 tr/min
RAPPORT POIDS/PUISSANCE 2,1 kg/ch
BOITE(S) DE VITESSES manuelle robotisée à 7 rapports
PERFORMANCES 0-100 km/h 2,8 s
REPRISE 80-115 km/h ND
FREINAGE 100-0 km/h 30,0 m
VITESSE MAXIMALE plus de 350 km/h

AUTRES COMPOSANTS

SÉCURITÉ ACTIVE Freins ABS, assistance au freinage, répartition électronique de la force de freinage, contrôle électronique de la stabilité, antipatinage
SUSPENSION avant/arrière indépendante, à amortisseurs magnétorhéologiques sur LP 750-4 SV
FREINS avant/arrière disques
DIRECTION à crémaillère, assistée
PNEUS P255/35R19 (av.) P335/30R20 (arr.)
LP 750-4 SV/option LP700-4 P255/30R20 (av.) P355/25R21 (arr.)

DIMENSIONS

EMPATTEMENT 2 700 mm
LONGUEUR 4 780 mm **LP 750-4 SV** 4 835 mm
LARGEUR 2 030 mm
HAUTEUR 1 136 mm
POIDS à sec 1 575 kg **roadster** 1 625 kg **LP 750-4 SV** 1 525 kg en ordre de marche 1 685 kg **roadster** 1 735 kg **LP-750-4 SV** 1 635 kg
RÉPARTITION DU POIDS AV/ARR (%) 43/57
DIAMÈTRE DE BRAQUAGE 12,5 m
COFFRE ND
RÉSERVOIR DE CARBURANT 90 L

LA COTE VERTE

MOTEUR V10 DE 5,2 L
CONSOMMATION (100 km) ville 17,2 L route 8,9 L
CONSOMMATION ANNUELLE 2 261 L, 3 052 $
INDICE D'OCTANE 91
ÉMISSIONS POLLUANTES CO_2 5 200 kg/an
(source : Lamborghini et L'Annuel)

FICHE D'IDENTITÉ

VERSION(S) coupé LP 580-2, LP 610-4, LP 610-4 Avio, LP 620-2 Super Trofeo **spyder** LP 610-4 Spyder.
TRANSMISSION(S) arrière, 4
PORTIÈRES 2 **PLACES** 2
PREMIÈRE GÉNÉRATION 2015
GÉNÉRATION ACTUELLE 2015
CONSTRUCTION Sant'Agata Bolognese, Italie
COUSSINS GONFLABLES 4 (frontaux, latéraux)
CONCURRENCE Aston Martin DB11/Vantage, Audi R8, Chevrolet Corvette Z06, Dodge Viper, Ferrari 488 GTB/California, Mclaren 540C/570S/650S, Mercedes-Benz-AMG GT, Porsche 911 Turbo

AU QUOTIDIEN

COLLISION FRONTALE 5/5
COLLISION LATÉRALE 5/5
VENTES DU MODÈLE L'AN DERNIER
AU QUÉBEC ND **AU CANADA** ND
DÉPRÉCIATION (%) 5,0 (2 ans)
RAPPELS (2011 à 2016) aucun à ce jour
COTE DE FIABILITÉ 4/5

GARANTIES... ET PLUS

GARANTIE GÉNÉRALE 2 ans/kilométrage illimité
GROUPE MOTOPROPULSEUR 2 ans/kilométrage illimité
PERFORATION 2 ans/kilométrage illimité
ASSISTANCE ROUTIÈRE 2ans/kilométrage illimité
NOMBRE DE CONCESSIONNAIRES
AU QUÉBEC 1 **AU CANADA** 3

NOUVEAUTÉS EN 2016

3 nouvelles versions : coupé LP580-2, LP 610-4 Avio (250 exemplaires), LP 610-4 Spyder.

FURIE SOYEUSE

Les aficionados ont patienté longtemps avant que la Gallardo ne cède sa place à une nouvelle reine. En fait, plus de 10 ans, un délai impensable pour des voitures du peuple mais qu'on tolère mieux quand il s'agit d'autos d'exception. Finalement, à Genève, en 2014, Lamborghini a dévoilé la Huracán (« ouragan » en espagnol), puis les variantes ont déferlé : la Super Trofeo LP 620-2 conçue pour la piste, la GT3, la Spyder (le cabriolet), la plus « abordable » LP 580-2, et il y en aura d'autres, c'est sûr.

Michel Crépault

TOUR DU PROPRIÉTAIRE > Dès que l'italienne est entrée dans le giron du groupe Volkswagen (en 1998), la marque au taureau a acquis la stabilité financière qui lui a toujours fait défaut et a goûté à la rationalisation des grands constructeurs. Ce qui est bon pour Lambo l'est pour Audi, et vice-versa. Ainsi, la Huracán et la R8 partagent plusieurs éléments technologiques, et c'est tout sauf un hasard. La première exhibe néanmoins un look affûté plus extrême, pour être certain de ne pas dépenser une fortune sans être remarqué par les passants. Ses deux portières s'ouvrent normalement, sans cisailler. Une partie du moteur s'expose continuellement à l'air libre grâce à des meurtrières aménagées sur la carapace dorsale. Et, mine de rien, le thème de l'hexagone revient constamment, à l'extérieur comme à l'intérieur.

\+ SILHOUETTE DISTINCTIVE
POSITION DE CONDUITE INSPIRANTE
FÉROCITÉ CONVIVIALE

− PRÉSENTATION À BORD ANARCHIQUE
VISIBILITÉ ARRIÈRE LIMITÉE
ENTRETIEN COÛTEUX

MENTIONS

CLÉ D'OR · CHOIX VERT · COUP DE CŒUR · RECOMMANDÉ

VERDICT

PLAISIR AU VOLANT
QUALITÉ DE FINITION
CONSOMMATION
RAPPORT QUALITÉ / PRIX
VALEUR DE REVENTE
CONFORT

1 5 10

VIE À BORD > Prendre place dans le cockpit n'est pas tant ardu, bien que l'assise basse fasse travailler les cuisses et qu'il faille se contorsionner pour passer notre tête sans l'endommager et épouser les formes sculpturales du baquet. Pour un effet théâtral, la mise à feu loge sous un couvercle rouge, mais les blasés se contentent de passer le doigt dans le trou du capuchon. La boîte de vitesse utilise aussi des boutons, mais ne cherchez pas le D, enclenchez plutôt le premier rapport à l'aide des palettes géantes. Comme dans la R8, les infos sont concentrées dans un superbe écran lumineux encastré dans le prolongement du volant. Vous pouvez en programmer les affichages à votre goût. Enfin, voyagez léger, car la soute sous le capot avant encourage la simplicité volontaire. Et buvez avant de partir, car zéro porte-gobelets. On est ici pour piloter, pas pour se désaltérer.

TECHNIQUE > LP 610-4, le vrai patronyme de la Huracán, en révèle beaucoup: LP pour longitudinale/posteriore, signifiant que le V10 de 5,2 litres (comme la R8) est monté en longueur derrière les deux sièges; 610 réfère au nombre de chevaux (comme la R8 V10 Plus) que les ingénieurs ont obtenu « au naturel », sans turbo; 4, enfin, pour la traction aux quatre roues, une spécialité de la maison (pensez quattro chez Audi). La boîte 7 rapports à double embrayage est une première chez Lamborghini.

AU VOLANT > Comme la R8, la Huracán est aussi rapide que facile à conduire. De nos jours, pour slalomer entre nos forêts de cônes orange et les nids-de-poule, c'est la recette qui fonctionne. Une machine au look dément capable de rouler à un train d'enfer, mais que grand-maman peut gouverner. Une convivialité utile dans le trafic et dans une auto qui ne connaîtra jamais la neige, possiblement ni la pluie. Transmission fluide, direction aisée, suspension magnétique pour les vertèbres qui ne rajeunissent pas. Du pouce sur le volant, vous passez du mode Strada à Sport ou Corsa. Le V10 devient plus volubile, la direction se raidit, les révolutions s'aiguisent. En mode Launch, vous les grimperez à 4 200 avant de décoller comme un dragster. La Huracán ne connaît qu'une seule voie, celle de gauche, et, généralement, les gens sont trop curieux ou respectueux pour rester là à vous bloquer bêtement les quelques mètres disponibles de griserie devant vous. Je sais, c'est terriblement enfantin, mais il faut l'essayer pour comprendre à quel point c'est enivrant. Une voiture dont on peut prédire le comportement. Oui, du sous-virage dans un apex trop rapide, mais ça se replace avec allègement des gaz ici, pincée de freinage là. Et la transmission intégrale qui veille au grain, tout comme un escadron d'anges gardiens électroniques.

CONCLUSION > Une Audi R8 est encore plus serviable qu'une Huracán. Les lois de la mise en marché forcent l'italienne à être plus féroce, mais de si peu. Votre regard est braqué droit devant, transformé en radar sensoriel pour tout prévoir, les plaisirs à venir et leur légalité.

2e OPINION

Charles René

Malgré l'intervention du propriétaire Audi dans son développement, cette Huracán n'a absolument rien d'aseptisé. Latine au sang chaud, le modèle d'entrée de gamme du constructeur italien est un chef-d'œuvre, ne serait-ce que sur le plan de l'expressivité. La livrée la moins chère, la LP 580-2, en est d'ailleurs l'exemple parfait avec ses deux roues motrices arrière qui dansent un ballet gracieux, contrôlé. Son châssis mélangeant les matériaux de pointe n'est d'ailleurs pas étranger à cette éloquence. Le V10 de 5,2 litres atmosphérique est tout aussi subjuguant, chantant très près derrière l'habitacle une musique envoûtante. Une voiture d'exception, restant tactile malgré l'énorme dose de technologie qui lui a été insufflée.

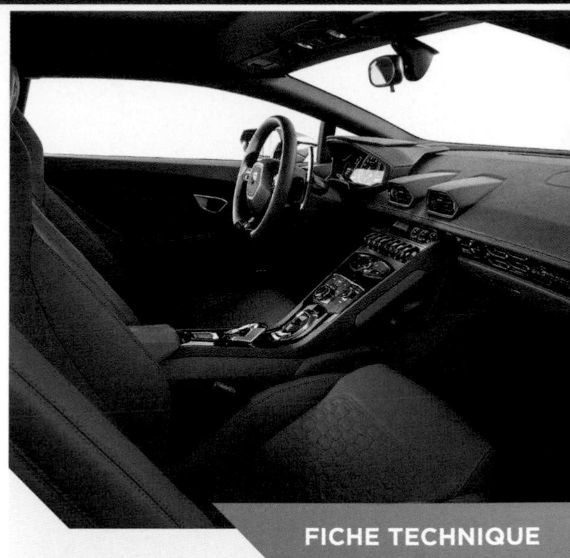

FICHE TECHNIQUE

MOTEUR(S)

(LP580-2) V10 5,2 L DACT
PUISSANCE 572 ch à 8 000 tr/min (580 CV)
COUPLE 397 lb-pi à 6 500 tr/min
RAPPORT POIDS/PUISSANCE 2,4 kg/ch
BOÎTE(S) DE VITESSES robotisée à 7 rapports avec manettes au volant
PERFORMANCES 0-100 km/h 3,4 s
REPRISE 80-115 km/h 2,2 s
FREINAGE 100-0 km/h 35,0 m
NIVEAU SONORE À 100 km/h ND
VITESSE MAXIMALE 320 km/h

(LP610-4, LP620-2) V10 5,2 L DACT
PUISSANCE 602 ch à 8 250 tr/min (610 CV) **LP-620-2** 612 ch (620 CV)
COUPLE 412 lb-pi à 6 500 tr/min
RAPPORT POIDS/PUISSANCE 2,4 kg/ch
BOÎTE(S) DE VITESSES robotisée à 7 rapports avec manettes au volant
PERFORMANCES 0-100 km/h 3,2 s
REPRISE 80-115 km/h 2,2 s
FREINAGE 100-0 km/h 35,0 m
NIVEAU SONORE À 100 km/h ND
VITESSE MAXIMALE plus de 325 km/h
CONSOMMATION (100 km) coupé ville 16,4 L, route 11,4 L
spyder ville 16,9 L route 11,8 L
CONSOMMATION ANNUELLE coupé 2 414 L, 3 259 $
spyder 2 482 L, 3 351 $
INDICE D'OCTANE 91
ÉMISSIONS POLLUANTES CO_2 coupé 5 552 kg/an **spyder** 5 709 $

AUTRES COMPOSANTS

SÉCURITÉ ACTIVE Freins ABS, assistance au freinage, répartition électronique de la force de freinage, contrôle de la stabilité électronique, antipatinage
SUSPENSION avant/arrière indépendante, à amortissement magnétorhéologique en option
FREINS avant/arrière disques
DIRECTION à crémaillère, assistée électriquement, à assistance variable et autocorrective en option
PNEUS 580-2 P245/35/R19 (av.) P305/35R19 (arr.)
610-4 P245/30R20 (av.) P305/30R20 (arr.)

DIMENSIONS

EMPATTEMENT 2 620 mm
LONGUEUR 4 459 mm
LARGEUR 1 924 mm, 2 236 mm (incl. rétro.)
HAUTEUR 1 165 mm
POIDS à sec 580 1 389 kg **610-4** 1 422 kg **610-4 spyder** 1 542 kg
620-2 1 270 kg
RÉPARTITION DU POIDS AV/ARR (%) 42/58 **spyder** 43/57
DIAMÈTRE DE BRAQUAGE 11,5 m
COFFRE ND
RÉSERVOIR DE CARBURANT 80 L

LA COTE VERTE

MOTEUR L4 DE 2,0 L TURBO
CONSOMMATION (100 km) ville 11,9 L, route 9,0 L
CONSOMMATION ANNUELLE 1 802 L, 2 433 $
INDICE D'OCTANE 91
ÉMISSIONS POLLUANTES CO_2 4 145kg/an
(source : ÉnerGuide)

FICHE D'IDENTITÉ

VERSION(S) SE, HSE, HSE Lux
TRANSMISSION(S) 4
PORTIÈRES 5 **PLACES** 5, 7
PREMIÈRE GÉNÉRATION 2016
GÉNÉRATION ACTUELLE 2016
CONSTRUCTION Halewood, Angleterre
COUSSINS GONFLABLES 7 (frontaux, latéraux avant, genoux conducteur, rideaux latéraux)
CONCURRENCE Acura RDX, Audi Q5, BMW X3/X4, Infiniti QX50, Jaguar F-Pace, Lexus NX, Lincoln MKC/MKX, Mercedes-Benz GLC, Porsche Macan, Volvo XC60

AU QUOTIDIEN

COLLISION FRONTALE ND
COLLISION LATÉRALE ND
VENTES DU MODÈLE L'AN DERNIER
AU QUÉBEC 205 (nm) **AU CANADA** 991 (nm)
DÉPRÉCIATION (%) nm
RAPPELS (2011 à 2016) 1
COTE DE FIABILITÉ 4/5

GARANTIES... ET PLUS

GARANTIE GÉNÉRALE 4 ans/80 000 km
GROUPE MOTOPROPULSEUR 4 ans/80 000 km
PERFORATION 6 ans/kilométrage illimité
ASSISTANCE ROUTIÈRE 4 ans/80 000 km
NOMBRE DE CONCESSIONNAIRES
AU QUÉBEC 4 **AU CANADA** 23

NOUVEAUTÉS EN 2017

Nouveau pare-brise réfléchissant la chaleur, le système «All Terrain Progress» (régulateur de vitesse basse et contrôle de descente), nouvelle palette de couleurs. Hayon à opération au pied et aide au stationnement de série sur HSE. Système de son Meridian plus puissant sur HSE Lux.

ENTRÉE DE GAMME

Je dois vous avouer d'emblée que j'ai abordé le Discovery Sport avec un enthousiasme mitigé. De prime abord, il n'a pas l'imposante présence de l'iconique Range Rover et il n'a certainement pas le chic urbain de l'Evoque ou l'originalité authentique du LR4. Faut croire que je ne suis pas le seul à raisonner de la sorte, car ses maigres 205 exemplaires écoulés au Québec en 2015 lui ont valu la cave de sa catégorie, loin, très loin derrière les meneurs comme les Audi Q5 et Q3 ou l'Acura RDX.

Michel Crépault

TOUR DU PROPRIÉTAIRE > Encore tout nouveau, le Discovery Sport a succédé au LR2 en s'inspirant du prototype Discovery Vision. En réalité, les stylistes ont voulu donner à l'Evoque un frère d'allure plus costaude. La génétique n'échappe à personne; c'est ce que l'on constate en détaillant le pavillon qui fuit vers le becquet arrière mais sans jouer à fond le toit « écrapouti » de l'Evoque. À mon humble avis, le style contemporain mais sage du Disco ressort avec plus ou moins de bonheur selon la couleur (11 au choix) et les roues (6) sélectionnées. Heureusement, comme la palette est riche, vous pouvez viser juste.

VIE À BORD > Ce que n'a pas compris celui qui a agencé mon véhicule d'essai, un HSE Luxury (sinon SE ou HSE). Tout de noir vêtu, quel habitacle ennuyeux ! Il infligeait aux instruments

+
- HABILETÉS TOUT-TERRAIN
- ESPACE INTÉRIEUR MODULABLE
- DES PRISES USB PARTOUT!

−
- CONDUITE NEUTRE
- TABLEAU DE BORD MOROSE
- CONSOMMATION EN VILLE PERFECTIBLE

MENTIONS

CLÉ D'OR | CHOIX VERT | COUP DE CŒUR | RECOMMANDÉ

VERDICT

PLAISIR AU VOLANT
QUALITÉ DE FINITION
CONSOMMATION
RAPPORT QUALITÉ / PRIX
VALEUR DE REVENTE nm
CONFORT

1 5 10

une présentation ayant autant d'impact qu'une goutte d'eau dans l'océan. Une visite sur le site du constructeur démontre pourtant qu'il y a moyen de sauver (un peu) les meubles en cochant des cuirs plus jojo pour accompagner les accents d'alu brossé (yé). S'ils avaient au moins pensé à grossir l'écran tactile, ils auraient déjà (un peu) secoué l'anonymat de cet habitacle.

Heureusement, la banquette arrière est généreuse et se prête à toutes sortes de positions pour accommoder les humains et leurs bagages. Si ça peut vous être utile, allongez presque 2 000 $ pour aménager des strapontins dans la soute à bagages afin de transporter occasionnellement deux passagers supplémentaires, en sus des cinq déjà sanglés. Mais les contorsions pour atteindre ces places sont obligatoires. L'espace cargo, lui, même au naturel, surpasse facilement celui des Porsche Macan et Lincoln MKC.

TECHNIQUE > Ici encore, l'Evoque donne un coup de pouce. Son 4-cylindres de 2 litres appuyé par un turbo anime le Discovery Sport, qui accuse toutefois une bonne centaine de kilos de plus. Ses 240 chevaux et son couple de 250 livres-pieds (disponible à bas régime) sont servis par une boîte automatique ZF (aussi empruntée à l'Evoque) qui compte pas moins de 9 vitesses et des palettes au volant. Ce modernisme et un système d'arrêt/démarrage expliquent en bonne partie l'intéressante consommation sur autoroute (9 L), mais ne réalisent point de miracle en ville (3 L de plus).

AU VOLANT > La visibilité est bonne, la prise en main du véhicule aussi. Le volant, la hauteur, le format, tout ça concourent à une position de conduite idéale. Le silence à bord est plaisant tandis que le comportement se veut sans histoires. Fluide mais pas affûté; rassurant mais pas excitant. La large fenestration et les toits panoramiques en option ont contribué à égayer la fadeur du véhicule testé. Peu importe le nom de son véhicule, Land Rover s'arrangera toujours pour lui conférer la qualité qui définit d'abord et avant tout la marque : ses aptitudes tout-terrain. Le Discovery Sport n'échappe pas à la tradition grâce à des angles d'attaque et de départ prononcés, une garde au sol élevée et sa fameuse transmission intégrale *Terrain Response*, qui module le comportement des organes du véhicule selon le type de sol. Ce qui est une bonne chose pour aider le Disco à se démarquer de la foule qui joue dans le carré de sable des utilitaires compacts.

CONCLUSION > Même si l'avenir du Discovery Sport reste exempt de rappels (les préjugés sont tenaces), il faut vouloir exploiter ses indéniables vertus hors route, incluant sa capacité de remorquage, et son potentiel 5+2 pour le préférer à la concurrence. Et attardez-vous de grâce aux couleurs du décor !

2e OPINION

Antoine Joubert

Un peu moins *glamour* et affichant un style plus aventurier que celui du Range Rover Evoque, le Discovery Sport permet à Land Rover de séduire une clientèle qui n'avait que très peu répondu à l'appel du précédent LR2. Aujourd'hui plus moderne et charmant, ce nouveau joueur se fait aussi plus pratique pour un contexte familial grâce à un volume intérieur nettement supérieur à celui de son devancier. On ose même chez Land Rover offrir une troisième rangée de sièges, laquelle ne vous donnera évidemment pas l'espace et le confort des places avant. Les adeptes de la marque seront cependant déçus par la qualité de finition, qui n'égale certainement pas celle du Range Rover Evoque, conséquence d'un prix passablement plus accessible. Cela dit, Land Rover est aujourd'hui mieux armée pour rivaliser avec une très forte concurrence, qu'elle soit américaine, asiatique ou germanique. Et les chiffres de ventes démontrent jusqu'ici que JLR a gagné son pari.

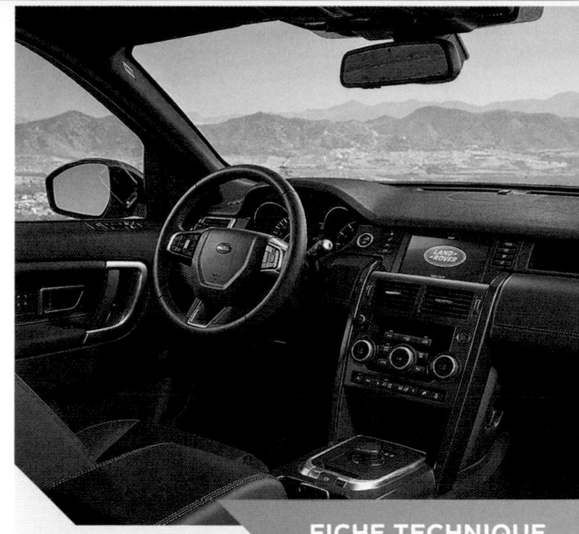

FICHE TECHNIQUE

MOTEUR(S)

(DISCOVERY SPORT) L4 2,0 L DACT turbo
PUISSANCE 240 ch à 5 500 tr/min
COUPLE 250 lb-pi à 1 750 tr/min
RAPPORT POIDS/PUISSANCE 7,3 à 7,7 kg/ch
BOÎTE(S) DE VITESSES automatique à 9 rapports avec mode manuel et manettes au volant
PERFORMANCES 0-100 km/h 8,2 s
REPRISE 80-115 km/h 5,5 s
FREINAGE 100-0 km/h 44,2 m
NIVEAU SONORE À 100 km/h Moyen
VITESSE MAXIMALE 200 km/h

AUTRES COMPOSANTS

SÉCURITÉ ACTIVE Freins ABS, assistance au freinage, répartition électronique de la force de freinage, contrôle électronique de la stabilité, antipatinage, système anti-louvoiement, aide au démarrage en pente et contrôle en descente, phares et essuie-glaces automatiques, affichage tête haute, phares adaptatifs, assistance en cas de sortie de voie, avertisseur de somnolence, avertisseur d'impact imminent avec freinage d'urgence automatique, reconnaissance des panneaux de signalisation
SUSPENSION avant/arrière indépendante
FREINS avant/arrière disques
DIRECTION à crémaillère, assistée électriquement
PNEUS SE P235/60R18 **HSE/HSE Lux** P235/55R19 **option** 20 pouces

DIMENSIONS

EMPATTEMENT 2 741 mm
LONGUEUR 4 599 mm
LARGEUR 2 069 mm (rétro. repliés) 2 173 mm (incl. rétro.)
HAUTEUR 1 724 mm
POIDS 5 places 1 748 kg **7 places** 1 834 kg
DIAMÈTRE DE BRAQUAGE 11,6 m
COFFRE 925 L, 1 778 L (sièges abaissés)
RÉSERVOIR DE CARBURANT 70 L
CAPACITÉ DE REMORQUAGE 750 kg, 2 000 kg (remorque avec freins)

LA COTE VERTE

MOTEUR L4 DE 2,0 L TURBO
CONSOMMATION (100 km) ville 11,3 L, route 7,9 L
CONSOMMATION ANNUELLE 1 649 L, 2 226 $
INDICE D'OCTANE 91
ÉMISSIONS POLLUANTES CO_2 3 793 kg/an
(source : ÉnerGuide)

FICHE D'IDENTITÉ

VERSION(S) 5 portes Pure, Pure City **5 portes/coupé** Pure Plus, Dynamic, Prestige, Autobiography **Décapotable** HSE Dynamic
TRANSMISSION(S) 4
PORTIÈRES 2, 3, 5 **PLACES** 5
PREMIÈRE GÉNÉRATION 2012
GÉNÉRATION ACTUELLE 2012
CONSTRUCTION Halewood, Angleterre
COUSSINS GONFLABLES 7 (frontaux, latéraux avant, genoux conducteur, rideaux latéraux)
CONCURRENCE Acura RDX, Audi Q5, BMW X3/X4, Buick Envision, Infiniti QX50, Jaguar F-Pace, Lexus NX, Lincoln MKC, Mercedes-Benz GLC, Porsche Macan, Volvo XC60

AU QUOTIDIEN

COLLISION FRONTALE 4/5
COLLISION LATÉRALE 4/5
VENTES DU MODÈLE L'AN DERNIER
AU QUÉBEC 425 (+34,1 %) **AU CANADA** 2 162 (+26,7 %)
DÉPRÉCIATION (%) 22,0 (3 ans)
RAPPELS (2011 à 2016) aucun à ce jour
COTE DE FIABILITÉ 4/5

GARANTIES... ET PLUS

GARANTIE GÉNÉRALE 4 ans/80 000 km
GROUPE MOTOPROPULSEUR 4 ans/80 000 km
PERFORATION 6 ans/kilométrage illimité
ASSISTANCE ROUTIÈRE 4 ans/80 000 km
NOMBRE DE CONCESSIONNAIRES
AU QUÉBEC 4 **AU CANADA** 23

NOUVEAUTÉS EN 2017

Version décapotable.

POUR ROULER DIFFÉREMMENT

Avec un nom aussi baroque que son esthétique, le Range Rover Evoque demeure une coqueluche auprès des victimes de la mode. Grâce à son apparence et à une fiabilité rassurante, les immatriculations du constructeur britannique ont connu une courbe ascendante. Imprévu, cet engouement permet aujourd'hui de décliner ce Range Rover à foison, comme en fait foi l'arrivée d'une version découvrable cette année.

Éric LeFrançois

TOUR DU PROPRIÉTAIRE > Les années passent et pourtant, encore aujourd'hui, au passage d'un Evoque, les têtes se tournent comme des tournesols face au soleil. Joli ? À vous d'en débattre, mais assurément différent avec cette ligne de toit qui écrase la surface vitrée dans sa chute; une ceinture de caisse très haute et des puits de roues très marqués capables d'héberger des roues de 20 pouces. En revanche, le conducteur devra composer avec une visibilité périphérique médiocre que certaines aides (capteurs d'angles morts et caméra de recul) veillent à atténuer. L'Evoque est proposé en carrosserie 3 ou 5 portes à laquelle s'ajoute cette année un cabriolet complètement déjanté. Ce n'est pas la première fois qu'un utilitaire se découvre, mais un utilitaire de luxe, si. Range Rover a enlevé le haut de l'Evoque pour offrir l'unique utilitaire de luxe découvrable sur le marché. La capote en toile se plie ou se déplie en une vingtaine de secondes, et ce, jusqu'à une vitesse de 48 km/h. Cette capote prend de la

+
- LIGNES RÉUSSIES
- HABITACLE VALORISANT ET DISTINCTIF
- BONNE FIABILITÉ

−
- MOTEUR À LA PEINE (CABRIOLET)
- HABITABILITÉ MOYENNE
- DIRECTION LÉGÈRE ET ARTIFICIELLE

MENTIONS

CLÉ D'OR | CHOIX VERT | COUP DE CŒUR | **RECOMMANDÉ**

VERDICT

PLAISIR AU VOLANT
QUALITÉ DE FINITION
CONSOMMATION
RAPPORT QUALITÉ / PRIX
VALEUR DE REVENTE
CONFORT

1 5 10

place dans la poupe, ce qui réduit le volume du coffre de près de la moitié. Il y a toujours la banquette arrière...

VIE À BORD > Au-delà du coup d'œil, il y a l'ergonomie, l'habitabilité, la fonctionnalité, voire la connectivité. Dans plusieurs de ces domaines, l'Evoque se trouve à certains égards à la remorque de la concurrence. Mais cette dernière n'a cependant pas son charme. L'Evoque parvient à rendre l'expérience plus valorisante, plus chaleureuse encore, avec une habile mixité des matières, ses traitements bicolores et son sélecteur de vitesses rotatif. À cela il convient d'ajouter (en option ou sur les versions les plus chères) un toit panoramique qui ensoleille l'habitacle comme peu d'autres et un nouvel écran central multifonction au format très inhabituel. La version cabriolet, c'est une autre histoire. Une fois la capote repliée, la visibilité est nettement meilleure. En revanche, les places arrière sont plus étriquées encore que sur le coupé.

TECHNIQUE > Qu'on se le dise : le 2-litres suralimenté par turbocompresseur de l'Evoque n'a pas le même raffinement que les motorisations équivalentes offertes chez les compétiteurs. L'explication tient au fait que cette mécanique d'origine Ford n'a pas connu de véritables évolutions sous le capot de l'Evoque, si ce n'est que s'arrimer sous la houlette du groupe Jaguar Land Rover fera bientôt place à un 4-cylindres à essence « maison ».

AU VOLANT > Plus sonore, le moteur de l'Evoque ne manque pas de « pédale », pour reprendre une expression familière. Il est volontaire, doté d'une boîte automatique à 9 rapports savamment étagés, quoique le premier rapport apparaisse plutôt court. Ce commentaire s'applique uniquement aux 3 et 5-portes. Pour mouvoir le cabriolet, le 2-litres manque de souffle. Et pour cause. Cette version à ciel ouvert pèse près de 300 kilos de plus que les deux autres carrosseries en raison de l'ajout de renforts destinés à préserver la rigidité du châssis. C'est beaucoup et les performances s'en ressentent. Dans le cadre d'une évaluation dynamique, le comportement de ce Range Rover ne surprend guère et offre une expérience fort différente de celle de ses concurrents germaniques. Le débattement plus prononcé de ses éléments suspenseurs procure un toucher de route plus souple. En outre, la plus grande légèreté de sa direction se fera davantage apprécier en milieu urbain. Sur une portion de route plus rapide, on lui reprochera d'être un peu trop aseptisée, pas assez ferme. Quant au freinage, il est adéquat, sans plus.

CONCLUSION > La force de ce Range Rover est sans contredit de proposer une façon différente de rouler et de se démarquer. En outre, bien que pénalisante sur le plan de la consommation et du poids, sa transmission intégrale permet d'affronter sans la moindre appréhension aussi bien la saison blanche qu'un gué de 50 centimètres de profondeur. Dommage toutefois que les conditions de financement soumises ne soient pas toujours aussi attractives. ■

2e OPINION

Luc-Olivier Chamberland

L'Evoque se veut l'incarnation même de l'audace avec ses lignes venant directement du Concept LRX, presque intouché pour la production. Rarement voit-on autant d'arrogance de la part d'un constructeur anglais. Pour 2017, Land Rover en rajoute avec une troisième configuration, un cabriolet. Déjà, on connaît le « Coupé » et le 5-portes. La version sans toit est un pari qui illustre que rien n'est à l'épreuve de la marque. La beauté de la chose, même si personne ne l'utilise de la sorte, l'Evoque a les mêmes capacités hors route que ses grands frères Range Rover. En constante évolution sur le plan technique, il prouve aussi que les Land Rover peuvent être fiables.

FICHE TECHNIQUE

MOTEUR(S)

(EVOQUE) L4 2,0 L DACT turbo
PUISSANCE 240 ch à 5 500 tr/min
COUPLE 250 lb-pi à 1 750 tr/min
RAPPORT POIDS/PUISSANCE 6,8 à 8,1 kg/ch
BOÎTE(S) DE VITESSES automatique à 9 rapports avec mode manuel et manettes au volant
PERFORMANCES 0-100 km/h 7,6 s
REPRISE 80-115 km/h 4,8 s
FREINAGE 100-0 km/h 36,9 m
NIVEAU SONORE À 100 km/h Moyen
VITESSE MAXIMALE 217 km/h **Décapotable** 180 km/h

AUTRES COMPOSANTS

SÉCURITÉ ACTIVE Freins ABS, assistance au freinage, répartition électronique de la force de freinage, contrôle électronique de la stabilité, antipatinage, système anti-louvoiement, aide au démarrage en pente et contrôle en descente, phares à DEL adaptatifs, avertisseurs d'obstacle latéral et arrière, régulateur de vitesse adaptatif, avertisseur de sortie de voie et aide au maintien de voie, freinage d'urgence autonome, avertisseur de somnolence, caméra 360°, reconnaissance des panneaux de signalisation
SUSPENSION avant/arrière indépendante
FREINS avant/arrière disques
DIRECTION à crémaillère, assistée électriquement
PNEUS Pure P235/60R18 **Pur Urbain, Pure Plus, Dynamic, Prestige** P235/55R19 **Autobiography/décapotable** 20 pouces

DIMENSIONS

EMPATTEMENT 2 660 mm **Décapotable** 2 600 mm
LONGUEUR 4 355 mm **Décapotable** 4 370 mm
LARGEUR 1 965 mm **Décapotable** 1 980 mm, 2 085 mm (incl. rétros)
HAUTEUR coupé 1 605 mm **5 portes** 1 635 mm **Décapotable** 1 609 mm
POIDS coupé 1 640 kg **5 portes** 1 670 kg **Décapotable** 1 950 kg (est.)
DIAMÈTRE DE BRAQUAGE 11,3 m
COFFRE coupé 550 L, 1 350 L (sièges abaissés)
5 portes 575 L, 1 445 L (sièges abaissés) **Décapotable** 251 L
RÉSERVOIR DE CARBURANT 70 L
CAPACITÉ DE REMORQUAGE 750 kg, 1 800 kg (remorque avec freins)
Décapotable 750kg, 1 500 kg (remorque avec freins)

LA COTE VERTE

MOTEUR V6 DE 3,0 LSURALIMENTÉ
CONSOMMATION (100 km) ville 16,2 L, route 12,1 L
CONSOMMATION ANNUELLE 2 431 L, 3 282 $
INDICE D'OCTANE 91
ÉMISSIONS POLLUANTES CO_2 5 591 kg/an
(source : ÉnerGuide)

FICHE D'IDENTITÉ

VERSION(S) Base, HSE, HSE Luxury
TRANSMISSION(S) 4
PORTIÈRES 5 **PLACES** 5, 7
PREMIÈRE GÉNÉRATION 2010
GÉNÉRATION ACTUELLE 2010
CONSTRUCTION Solihull, Angleterre
COUSSINS GONFLABLES 6 (frontaux, latéraux avant, rideaux latéraux)
7 passagers 8 (ajout de rideaux latéraux supplémentaires)
CONCURRENCE Acura MDX, Audi Q7, BMW X5/X6, Cadillac XT5, Infiniti QX60/QX70, Jaguar F-Pace, Jeep Grand Cherokee, Lexus GX/RX, Mercedes-Benz GLE, Porsche Cayenne, Volkswagen Touareg, Volvo XC90

AU QUOTIDIEN

COLLISION FRONTALE 5/5
COLLISION LATÉRALE 4/5
VENTES DU MODÈLE DE L'AN DERNIER
AU QUÉBEC 89 (+41,3 %) **AU CANADA** 706 (+58,3 %)
DÉPRÉCIATION (%) 28,8 (3 ans)
RAPPELS (2011 à 2016) 5
COTE DE FIABILITÉ 3/5

GARANTIES... ET PLUS

GARANTIE GÉNÉRALE 4 ans/80 000 km
GROUPE MOTOPROPULSEUR 4 ans/80 000 km
PERFORATION 6 ans/kilométrage illimité
ASSISTANCE ROUTIÈRE 4 ans/80 000 km
NOMBRE DE CONCESSIONNAIRES
AU QUÉBEC 4 **AU CANADA** 23

NOUVEAUTÉS EN 2017

Aucun changement majeur.

BOUFFÉE D'ORIGINALITÉ

Si tous les véhicules à tester étaient aussi fascinants que le LR4, le quotidien d'un chroniqueur automobile serait une succession de petits bonheurs. Né en Angleterre en 1989 sous le nom Discovery, ce tout-terrain intermédiaire s'est fait connaître en Amérique du Nord sous les appellations alphanumériques LR3 et LR4 (à ne pas confondre avec le LR2/Freelander plus compact devenu le Discovery Sport).

Michel Crépault

TOUR DU PROPRIÉTAIRE > Ce LR4 a fait sensation durant ma semaine d'essai ! Les louanges ont fusé. Je crois que son design fait jaser parce qu'il brille dans un panorama automobile trop souvent sage. Il y a sa façade carrée, traditionnellement Land Rover, mais agrémentée d'une grille distincte et de phares modernes; il y a sa fenestration digne d'un aquarium et relevée par les glaces arrière fumées qui montent à l'assaut du pavillon surélevé et par la fenêtre zébrée du hayon; il y a les marchepieds à la fois seyants et utiles. Mais il y a aussi une refonte majeure à l'horizon... Le prochain LR4 perdra-t-il alors ses épaules carrées ? La sveltesse de l'Evoque l'influencera-t-il comme elle a eu raison des derniers-nés Land Rover ? J'espère que le LR4 demeurera insensible à cette mouvance stylistique, à l'instar du *Geländewagen* de Mercedes-Benz.

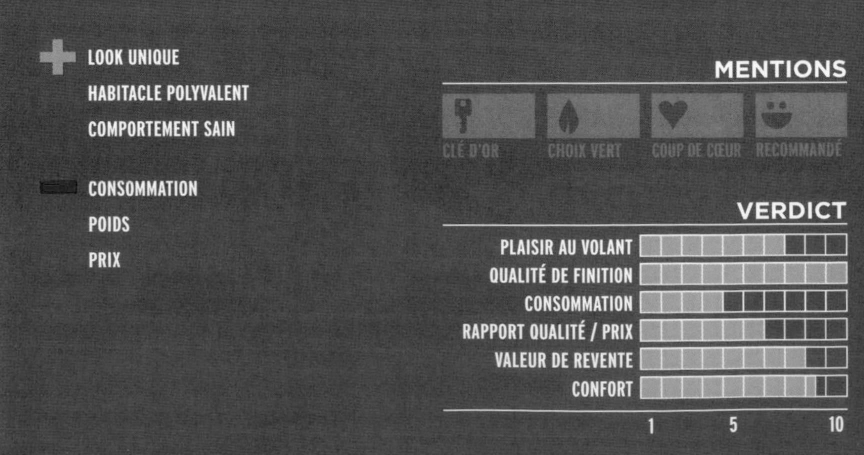

LOOK UNIQUE
HABITACLE POLYVALENT
COMPORTEMENT SAIN
CONSOMMATION
POIDS
PRIX
MENTIONS
CLÉ D'OR
CHOIX VERT
COUP DE CŒUR
RECOMMANDÉ
VERDICT
PLAISIR AU VOLANT
QUALITÉ DE FINITION
CONSOMMATION
RAPPORT QUALITÉ / PRIX
VALEUR DE REVENTE
CONFORT
1
5
10

VIE À BORD > Les icônes des interrupteurs ne ressortent pas toutes comme elles le devraient, l'écran tactile est trop petit, le port USB caché dans la partie supérieure du double coffre à gants n'est pas l'idée du siècle, voilà le genre de soucis ergonomiques que la nouvelle génération devrait normalement corriger. Sinon, on jouit d'un volant mi-bois, mi-cuir qui caresse les paumes, de trônes en cuir d'où l'on domine le trafic, d'un dégagement tous azimuts et d'un sentiment de robustesse qui s'impose chaque fois qu'une simple poussée ne suffit pas pour refermer les épaisses et lourdes portières. Votre LR4 transportera 5 ou 7 personnes si vous optez pour la paire de strapontins aménagés dans le plancher de la soute à bagages. J'ai essayé de trouver des poux à leur modularité. J'ai tiré sur toutes les sangles visibles, j'ai soulevé des coussins, j'ai vérifié l'accès aux places du fond. Verdict : outre le fait que les mécanismes en jeu exigent parfois un peu trop de muscle, tout baigne dans l'huile. Les deux passagers confinés derrière (oui, des adultes si besoin est) bénéficient d'un bel espace et d'un panneau de toit vitré, le troisième de l'habitacle ! Le hayon formé de deux sections horizontales s'avère très pratique, surtout le panneau inférieur qui sert de plateforme de chargement.

TECHNIQUE > Le seul moteur au menu pour les trois versions, un V6 3 litres suralimenté de 340 chevaux, s'est pointé pour contrer l'ivrognerie de l'ancien V8. Mission à demi réussie, ne serait-ce qu'à cause du poids du LR4. En plus d'une boîte automatique ZF à 8 vitesses avec palettes au volant, le couple de 332 livres-pieds compte sur la transmission intégrale Terrain Response pour dompter les différentes surfaces de sol rencontrées, tandis qu'un ensemble en option ajoute un mode de conduite et un boîtier de transfert pour les conducteurs abonnés aux sorties hors route très sérieuses.

AU VOLANT > La suspension pneumatique de série nous donne parfois l'impression de voyager sur un matelas d'eau quand la chaussée est massacrée. La garde au sol élevée et le centre de gravité qui s'ensuit font qu'on négocie les courbes avec de la prudence en réserve. Honnêtement, le LR4 fait surtout sens si vous comptez réellement défier les forêts du Québec. Mais comme vous ne serez pas le premier à ne pas exploiter les aptitudes d'un 4x4, vous en serez quitte pour guider en ville un utilitaire malgré tout docile bien qu'un peu encombrant quand l'espace de stationnement se fait chiche.

CONCLUSION > Se procurer aujourd'hui un LR4, c'est aller chercher un véhicule d'allure différente tout en sachant qu'on paiera le gros prix pour la consommation de carburant et les inévitables visites chez le concessionnaire. Je dis à l'équipe chargée de son imminente refonte : allégez la bête en utilisant de l'aluminium à satiété; réduisez encore l'appétit du goinfre à la pompe; boulonnez-moi tout ça de manière impeccable et fiable; enfin, ne touchez pas à ses lignes bizarroïdes qui forment un tout charismatique. D'ici à ce que ces miracles se produisent, l'achat d'un LR4 égaie l'ego et exige une robuste carte de crédit. ■

2e OPINION

Daniel Rufiange

Peu de véhicules sur le marché possèdent autant de charme que le LR4 de Land Rover. Un design unique, un habitacle qui respire la noblesse, une conduite feutrée et la capacité de passer partout où les véhicules sont interdits sur la planète, voilà quelques-uns des arguments de séduction de ce véhicule. Cependant, le produit est vieillissant et malgré tout ce qui plaît à son sujet, le temps a fait son œuvre. L'année 2017 sera la dernière pour le LR4, qui sera remplacé par un nouveau produit qui s'identifiera à la famille Discovery. Le LR4 sera manqué, mais on oubliera sa consommation gargantuesque de même que son bulletin de fiabilité, suffisant pour lui faire doubler la maternelle. Merci pour les services rendus.

FICHE TECHNIQUE

MOTEUR(S)

(Base, HSE, HSE Lux) V6 3,0 L DACT à compresseur volumétrique
PUISSANCE 340 ch à 6 500 tr/min
COUPLE 332 lb-pi à 3 500 tr/min
RAPPORT POIDS/PUISSANCE 7,5 kg/ch
BOÎTE(S) DE VITESSES automatique à 8 rapports avec mode manuel
PERFORMANCES 0-100 km/h 8,3 s
REPRISE 80-115 km/h 5,9 s
FREINAGE 100-0 km/h 40,0 m
NIVEAU SONORE À 100 km/h Bon
VITESSE MAXIMALE 195 km/h

AUTRES COMPOSANTS

SÉCURITÉ ACTIVE Freins ABS, assistance au freinage, répartition électronique de la force de freinage, contrôle électronique de la stabilité, antipatinage, contrôle du louvoiement de la remorque, contrôle d'adhérence en descente, contrôle du démarrage en pente
SUSPENSION avant/arrière indépendante, à amortissement pneumatique, adaptative
FREINS avant/arrière disques
DIRECTION à crémaillère, assistée
PNEUS P255/55R19 **option** P255/50R20

DIMENSIONS

EMPATTEMENT 2 885 mm
LONGUEUR 4 829 mm
LARGEUR 1 915 mm, 2 200 mm (incl. rétro.)
HAUTEUR 1 882 mm
POIDS 2 565 kg
DIAMÈTRE DE BRAQUAGE 11,5 m
COFFRE 280 L, 1 260 L, 2 476 L (sièges abaissés)
RÉSERVOIR DE CARBURANT 86 L
CAPACITÉ DE REMORQUAGE 750 kg, 3 500 kg (remorque avec freins)

LA COTE VERTE

MOTEUR V6 DE 3,0 L TURBODIESEL
CONSOMMATION (100 km) ville 10,6 L, route 8,1 L
CONSOMMATION ANNUELLE 2 108 L, 3 057 $
INDICE D'OCTANE 91
ÉMISSIONS POLLUANTES CO_2 4 848 kg/an
(source : ÉnerGuide)

FICHE D'IDENTITÉ

VERSION(S) empattement standard HSE Td6 **empattement standard/long** Supercharged, Autobiography **empattement long** SV Autobiography
TRANSMISSION(S) 4
PORTIÈRES 5 **PLACES** 4, 5
PREMIÈRE GÉNÉRATION 1970
GÉNÉRATION ACTUELLE 2013
CONSTRUCTION Solihull, Angleterre
COUSSINS GONFLABLES 6 (frontaux, latéraux avant, rideaux latéraux)
CONCURRENCE Bentley Bentayga, Cadillac Escalade, Infiniti QX80, Lexus LX570, Lincoln Navigator, Mercedes-Benz Classe G/GLS

AU QUOTIDIEN

COLLISION FRONTALE ND
COLLISION LATÉRALE ND
VENTES DU MODÈLE L'AN DERNIER
AU QUÉBEC 141 (+3,7 %) **AU CANADA** 1 101 (+22,9 %)
DÉPRÉCIATION (%) 30,8 (3 ans)
RAPPELS (2011 à 2016) 9
COTE DE FIABILITÉ 3/5

GARANTIES... ET PLUS

GARANTIE GÉNÉRALE 4 ans/80 000 km
GROUPE MOTOPROPULSEUR 4 ans/80 000 km
PERFORATION 6 ans/kilométrage illimité
ASSISTANCE ROUTIÈRE 4 ans/80 000 km
NOMBRE DE CONCESSIONNAIRES
AU QUÉBEC 4 **AU CANADA** 23

NOUVEAUTÉS EN 2017

Version Td6 diesel, version SV.

LE VÉTÉRAN S'ACCROCHE

Commencé en 1970, le règne du roi Range Rover est maintenant contesté par le Bentley Bentayga et le futur utilitaire de Rolls-Royce. En attendant qu'une quatrième génération réplique à ces rebelles, le RR invite au pays un moteur turbodiesel qui faisait déjà les délices de ses sujets européens. Les versions Sport et Evoque, soit dit en passant, sont traitées indépendamment dans cet *Annuel*.

Michel Crépault

TOUR DU PROPRIÉTAIRE > Les phares à DEL, un temps une option, se retrouvent désormais à encadrer d'un air malicieux tous les larges et plats capots de la gamme RR : HSE, Supercharged, Autobiography et SV Autobiography, ces trois derniers offerts avec empattement long (une différence de 20 centimètres surtout refilée aux passagers arrière) alors que les trois premiers sont disponibles avec empattement court aussi. À cause de ses dimensions, le RR tout aluminium pourrait avoir l'air d'une brique, mais grâce à ses parois incurvées aux coins et à son long toit qui semble flotter au-dessus de glaces généreuses, on ne peut qu'en admirer le classicisme rajeuni. Stationnez le véhicule et sa suspension pneumatique abaisse automatiquement sa garde au sol pour faciliter l'accès et la sortie des occupants. Si ça reste trop ardu, Land Rover propose en accessoire des marchepieds fixes ou rétractables. Le hayon s'articule en deux panneaux horizontaux et les dossiers de la banquette peuvent se coucher électriquement si tel est votre bon désir.

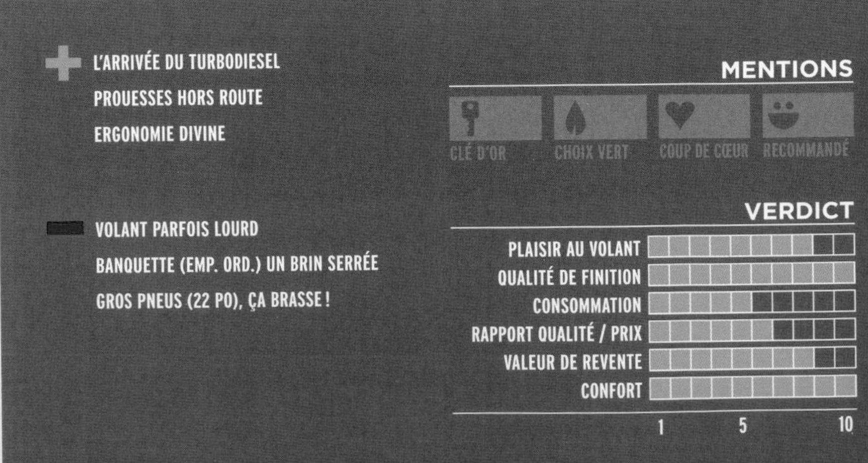

+
L'ARRIVÉE DU TURBODIESEL
PROUESSES HORS ROUTE
ERGONOMIE DIVINE
–
VOLANT PARFOIS LOURD
BANQUETTE (EMP. ORD.) UN BRIN SERRÉE
GROS PNEUS (22 PO), ÇA BRASSE !
MENTIONS
CLÉ D'OR
CHOIX VERT
COUP DE CŒUR
RECOMMANDÉ
VERDICT
PLAISIR AU VOLANT
QUALITÉ DE FINITION
CONSOMMATION
RAPPORT QUALITÉ / PRIX
VALEUR DE REVENTE
CONFORT
1
5
10

VIE À BORD > Le plaisir d'habiter la cabine d'un RR, outre le dégagement dont même les molettes de contrôle tirent profit en vivant espacées l'une de l'autre, c'est de constater ce qu'on peut réussir avec du cuir (Oxford ou semi-aniline, c'est-à-dire une peau naturelle mais recouverte d'un léger film protecteur) et du bois (ébène ou noyer) quand on a du goût. L'écran tactile de 8 pouces confirme que Land Rover a embrassé la modernité, mais contrairement au modèle Sport, qui suggère l'option d'une troisième rangée de sièges, le RR, plus traditionnel, se contente de cinq places. Et même de quatre si on se tourne vers les fauteuils capitaine des Autobiography qui s'inspirent de la Classe affaires des transporteurs aériens.

Avec un chéquier bien garni, on empile les gâteries : toit panoramique géant, caméras à 360 degrés munies de lave-lentille, sono Meridian avec une délirante invasion de 29 haut-parleurs, tablettes de travail à déploiement électrique et port USB intégré, écrans de télé, stores, compartiments réfrigérés et chauffants, séances de massage et j'en passe des plus décadents.

TECHNIQUE > Pour le HSE, une nouvelle motorisation (surnommée Td6) turbodiesel 3 litres V6 de 254 chevaux et 440 livres-pieds de couple. Ses avantages : une force de traction intéressante (3 500 kg), une autonomie de plus de 1 000 kilomètres et une économie à la pompe. Du coup, il signifie le retrait chez nous du V6 à essence. Dans les versions Supercharged et Autobiography loge un V8 de 5 litres suralimenté de 510 chevaux, alors que la variante SV en hausse la puissance à 550 chevaux. Tous font confiance à une boîte automatique ZF à 8 rapports et à une traction aux quatre roues permanente avec laquelle on peut passer de haute à basse vitesse sans arrêter le véhicule. Enfin, on a raffiné le système *Terrain Response* (version 2) en le rendant intelligent : c'est lui qui orchestre l'influence variable des principaux organes du tank selon la chaussée visitée.

AU VOLANT > La hauteur naturelle du véhicule et notre position de conduite surélevée nous confèrent un gros avantage sur le trafic, sans oublier le gabarit du véhicule qui élève aussi notre confiance en soi. Un comportement légèrement dansant dans les courbes s'avère le prix à payer, alors que les systèmes 4x4 et de lecture du sol rendent le véhicule encore plus complet lorsqu'il effectue ses virées hors route. Mais en vit-il tant que ça ? Le turbodiesel devrait vous valoir une moyenne de consommation ville/autoroute de 11 litres aux 100 kilomètres et donc moins d'appels paniqués de votre banquier. Et à moins de 8 secondes au 0-100 km/h, ce bouffeur de gazole n'accuse pour ainsi dire pas de retard sur l'ancien V6 à essence. Par contre, si vous souhaitez déplacer la montagne comme si votre vie en dépendait, le V8 réussit l'impossible exploit d'aller sous les 5 secondes. Certes, le volant communique d'abord une lourdeur, mais une fois le mastodonte en élan, il fait passer le G de Daimler pour préhistorique.

CONCLUSION > Le Range Rover raffine au fil des décennies sa science du luxe invincible. Certes, une mutinerie s'organise chez la concurrence, mais le produit Land Rover détient une expertise que l'argent ne peut acheter. ■

2e OPINION

Vincent Aubé

Ce qui a surtout marqué le véhicule situé au sommet de la pyramide du constructeur l'an dernier, c'est l'ajout d'une mécanique turbodiesel. Bien que ce mot ait une connotation négative depuis le scandale des motorisations TDI de Volkswagen, il n'en demeure pas moins que cette option se veut bien adaptée à bord de ces gros VUS énergivores. Certes, le résultat est moins électrisant qu'avec le V8 à essence, mais la moyenne de consommation parle d'elle-même. Du reste, le Range Rover demeure fidèle au concept original, c'est-à-dire qu'il est d'un confort princier pour les longues balades et capable de se sortir du pétrin si les conditions routières se compliquent.

FICHE TECHNIQUE

MOTEUR(S)

(HSE) V6 3,0 L DACT turbodiesel
PUISSANCE 254 ch à 4 000 tr/min **COUPLE** 440 lb-pi à 1 750 tr/min
RAPPORT POIDS/PUISSANCE 8,7 kg/ch
BOITE(S) DE VITESSES automatique à 8 rapports avec mode manuel
PERFORMANCES 0-100 km/h 7,9 s
REPRISE 80-115 km/h 6,0 s **FREINAGE 100-0 km/h** 43,9 m
NIVEAU SONORE À 100 km/h Bon
VITESSE MAXIMALE 210 km/h

(Supercharged, Autobiography) V8 5,0 L DACT à compresseur volumétrique
PUISSANCE 510 ch de 6 000 à 6 500 tr/min
COUPLE 461 lb-pi de 2 500 à 5 500 tr/min
RAPPORT POIDS/PUISSANCE 4,6 kg/ch **emp. long** 4,7 kg/ch
BOITE(S) DE VITESSES automatique à 8 rapports avec mode manuel
PERFORMANCES 0-100 km/h 5,4 s **emp. long** 5,8 s
REPRISE 80-115 km/h 4,5 s **FREINAGE 100-0 km/h** 38,5 m
NIVEAU SONORE À 100 km/h Bon
VITESSE MAXIMALE 225 km/h
CONSOMMATION (100 km) ville 17,2 L, route 12,5 L (octane 91)
ANNUELLE 2 567 L, 3 465 $ **ÉMISSIONS DE CO_2** 5 904 kg/an

(SV Autobiography) V8 5,0 L DACT à compresseur volumétrique
PUISSANCE 550 ch de 6 000 à 6 500 tr/min
COUPLE 502 lb-pi de 3 500 à 4 000 tr/min
RAPPORT POIDS/PUISSANCE 4,6 kg/ch
BOITE(S) DE VITESSES automatique à 8 rapports avec mode manuel
PERFORMANCES 0-100 km/h 4,9 s
REPRISE 80-115 km/h 4,5 s **FREINAGE 100-0 km/h** 38,5 m
NIVEAU SONORE À 100 km/h Bon
VITESSE MAXIMALE 225 km/h
CONSOMMATION (100 km) ville 17,3 L, route 12,6 L (octane 91)
ANNUELLE 2 584 L, 3 488 $
ÉMISSIONS DE CO_2 5 943 kg/an

AUTRES COMPOSANTS

SÉCURITÉ ACTIVE Freins ABS, assistance au freinage, répartition électronique de la force de freinage, contrôle dynamique de la stabilité et antiretournement, contrôle de louvoiement de la remorque, ajustement automatique aux conditions du terrain, antipatinage, reconnaissance des panneaux de signalisation avec limiteur de vitesse actif, avertisseurs de sortie de voie et d'obstacle latéral et arrière, essuie-glaces automatiques, phares adaptatifs, affichage tête haute
SUSPENSION avant/arrière indépendante pneumatique
FREINS avant/arrière disques
DIRECTION à crémaillère, assistée électriquement
PNEUS 19, 20, 21 ou 22 po

DIMENSIONS

EMPATTEMENT emp. std. 2 921 mm **emp. long** 3 119 mm
LONGUEUR emp. std. 4 999 mm **emp. long** 5 199 mm
LARGEUR 1 983 mm, 2 073 mm (rétro, repliés), 2 220 mm (incl. rétros)
HAUTEUR emp. std. 1 835 mm **emp. long** 1 840 mm
POIDS emp. std. Td6 2 214 kg **V8** 2 336 kg **emp. long V8** 2 410 kg **SV** 2 523 kg
DIAMÈTRE DE BRAQUAGE emp. std. 12,1 m **emp. long** 13,0 m
COFFRE emp. std. 909 L, 2 030 L (sièges abaissés)
emp. long 909 L, 2 345 L (sièges abaissés)
RÉSERVOIR DE CARBURANT 105 L **Td6** 89 L
CAPACITÉ DE REMORQUAGE 750 kg sans freins de remorque, 3 500 kg (SV 3 000 kg) avec freins

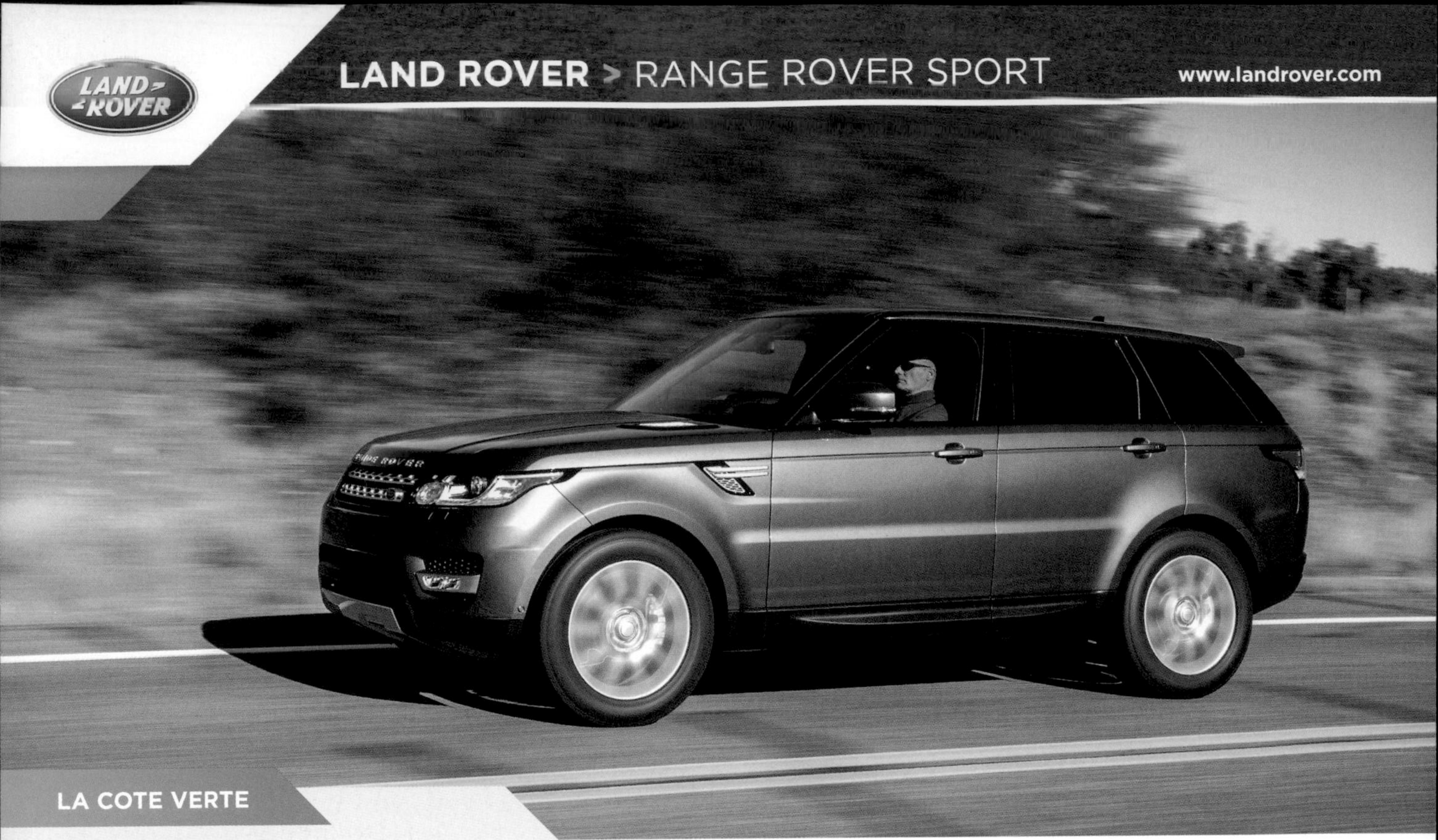

LA COTE VERTE

MOTEUR V6 DE 3,0 L TURBODIESEL
CONSOMMATION (100 km) ville 10,6 L, route 8,1 L
CONSOMMATION ANNUELLE 1 598 L, 1 838 $
INDICE D'OCTANE 91
ÉMISSIONS POLLUANTES CO_2 4 318 kg/an
(source: ÉnerGuide)

FICHE D'IDENTITÉ

VERSION(S) SE, HSE, HSE Td6, HST, Supercharged, Autobiography, SVR
TRANSMISSION(S) 4
PORTIÈRES 5 **PLACES** 5, 5+2
PREMIÈRE GÉNÉRATION 1970
GÉNÉRATION ACTUELLE 2014
CONSTRUCTION Solihull, Angleterre
COUSSINS GONFLABLES 6 (frontaux, latéraux avant, rideaux latéraux)
CONCURRENCE Acura MDX, Audi Q7, BMW X5/X6, Cadillac XT5, Infiniti QX60/QX70, Lexus GX/RX, Lincoln MKT/MKX, Maserati Levante, Mercedes-Benz GLE, Porsche Cayenne, Volkswagen Touareg, Volvo XC90

AU QUOTIDIEN

COLLISION FRONTALE ND
COLLISION LATÉRALE ND
VENTES DU MODÈLE L'AN DERNIER
AU QUÉBEC 476 (+8,4 %) **AU CANADA** 2 680 (+3,9 %)
DÉPRÉCIATION (%) 30,8 (3 ans)
RAPPELS (2011 à 2016) 9
COTE DE FIABILITÉ 4/5

GARANTIES... ET PLUS

GARANTIE GÉNÉRALE 4 ans/80 000 km
GROUPE MOTOPROPULSEUR 4 ans/80 000 km
PERFORATION 6 ans/kilométrage illimité
ASSISTANCE ROUTIÈRE 4 ans/80 000 km
NOMBRE DE CONCESIONNAIRES
AU QUÉBEC 4 **AU CANADA** 23

NOUVEAUTÉS EN 2017

Version Td6 diesel.

DU COUPLE À REVENDRE

L'accueil (très) favorable réservé au Range Rover Sport depuis sa sortie en 2005 a étonné bien du monde, ses concepteurs les premiers. Ces derniers ne s'en plaignent pas, mais cela pose tout de même une difficulté supplémentaire: comment faire perdurer ce succès? En multipliant les déclinaisons et en offrant un moteur turbodiesel gorgé de couple.

Éric LeFrançois

TOUR DU PROPRIÉTAIRE > Les responsables de la marque estiment que cette mécanique turbodiesel représentera 40 % des ventes de ce modèle à plus ou moins long terme. Et pour s'assurer d'atteindre cet objectif, la présence de ce moteur sous le capot commande, dans le cas du Range Rover Sport, un supplément de 1 500 $. Une aubaine.

VIE À BORD > Le conducteur étant assis bien confortablement et bien haut, le Range Rover Sport donne une vision panoramique exceptionnelle. On trouve cependant à redire sur le système de navigation, pas toujours très intuitif, et la disposition de certaines commandes. À cela s'ajoute une habitabilité moyenne étant donné les mensurations de ce véhicule. En revanche, les panneaux du coffre s'ouvrent sur un espace géant et modulable à souhait. Ce volume utilitaire est d'autant plus facile à charger en raison d'une surface parfaitement plane capable d'avaler vos paquets les plus encombrants de chez Holt Renfrew.

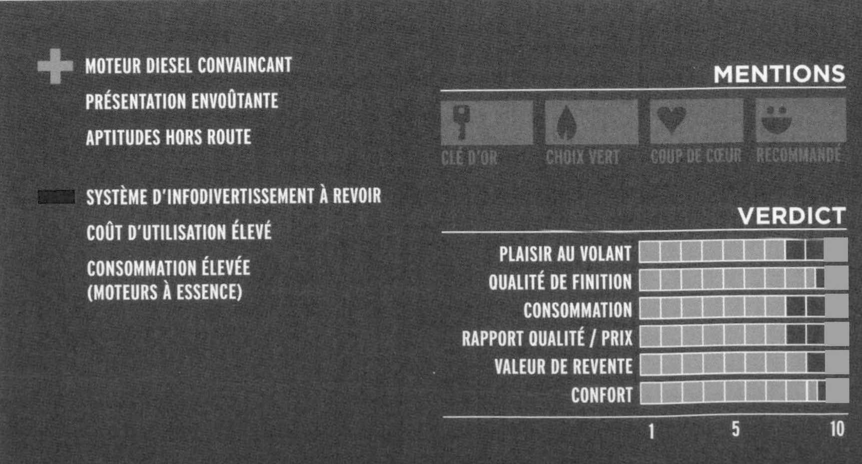

TECHNIQUE > Conçu originalement par Ford – qui ne l'a jamais utilisé – et réhabilité par les motoristes de Land Rover, ce moteur diesel suralimenté par un seul turbocompresseur (en Europe, il en compte deux) permet d'importantes économies de carburant par rapport aux moteurs à essence présents dans le catalogue de la marque. À titre d'exemple, le plus « sobre » des V8 à essence qui l'animent aujourd'hui consomme en moyenne 15,9 litres aux 100 kilomètres et rejette 299 grammes de CO2 par kilomètre parcouru. Le moteur Td6, lui, affiche un rendement autrement convaincant : 9,4 litres aux 100 kilomètres et des émissions de 182 g/km de dioxyde de carbone.

AU VOLANT > Animer un véhicule aussi lourd par une mécanique de 254 chevaux... Cela paraît bien peu, mais il faut regarder du côté du couple. Couplé à une boîte automatique à 8 rapports d'une souplesse exquise, ce moteur remue sans effort apparent cet utilitaire de sa position statique. Plutôt feutré, jamais sonore, ce turbodiesel produit avec progressivité sa puissance et se révèle, à certains égards, plus rond que celui offert sur le dernier Q7 d'Audi. Même si le Td6 ne vous donne pas le sentiment de chevaucher un obus, l'instantanéité de la réponse à l'accélérateur et la vigueur du couple de ce moteur permettent de signer des temps d'accélération et de reprise assez convaincants. Et que dire de sa performance à la pompe avec une moyenne légèrement inférieure à 10 litres aux 100 kilomètres ? Une économie substantielle. Mais les acheteurs s'en soucient-ils réellement ? Le Sport fait sentir sa différence dans un tout autre domaine : le hors-route. Moins maniable - à l'exception de la très exclusive déclinaison SVR - que ses rivaux allemands, il les surclasse sans discussion dès qu'il s'agit de s'aventurer dans les sentiers. Ses deux tonnes et quelque escaladent en toute décontraction des pentes de 35 degrés et attaquent les descentes boueuses avec sérénité. Sur la route, quelques kilomètres derrière le volant suffisent pour que les dimensions imposantes de ce Range cessent de nous intimider. À haute vitesse, le conducteur d'un Range Rover Sport doit toujours composer avec une masse conséquente qui le rend un brin paresseux en entrée de courbe et sollicite durement des freins qui sont pourtant largement dimensionnés. Plus précise de direction, Sa Majesté se laisse aisément guider et le court diamètre de braquage du véhicule lui permet de virer relativement court vu ses dimensions. Par contre, mieux vaut se méfier de ce mastodonte sur des routes sinueuses tant les sensations sont édulcorées par son gabarit, son confort et son silence.

CONCLUSION > Que doit-on conclure au sujet de ce Range Rover ? Qu'il s'agit d'un utilitaire d'un caractère inimitable qui vous procure une sensation de bien-être qui ne vous abandonne pas et qui vous transporte, indépendamment de la nature du terrain, avec une suprême élégance. Un choix de cœur et maintenant de raison avec cette mécanique turbodiesel. Pour les autres, il reste toujours le V8 à essence suralimenté. ■

2e OPINION

Luc-Olivier Chamberland

Land Rover surfe sur l'incroyable succès de la version Sport du Range Rover, le plus populaire de la gamme, Land Rover a compris que l'approche que Porsche utilise avec le Cayenne est la bonne. C'est pour cette raison qu'année après année, on découvre et introduit de plus en plus de versions. Pour le millésime 2017, l'acheteur pourra choisir parmi sept variantes distinctes allant d'un moteur diesel de 3 litres à un monstrueux V8 de 550 chevaux dans le SVR. Véloce à souhait, le Sport se présente comme l'un des utilitaires les plus dynamiques sur le marché. Force est d'admettre que Land Rover a raison sur ce point. Seul défaut, la fiabilité reste contestable.

FICHE TECHNIQUE

MOTEUR(S)

(TD6) V6 3,0 L DACT turbodiesel
PUISSANCE 254 ch à 4 000 tr/min
COUPLE 440 lb-pi à 1 750 tr/min
RAPPORT POIDS/PUISSANCE 9,5 kg/ch
BOITE(S) DE VITESSES automatique à 8 rapports avec mode manuel
PERFORMANCES 0-100 km/h 7,6 s
REPRISE 80-115 km/h 5,8 s **FREINAGE 100-0 km/h** 43,9 m
NIVEAU SONORE À 100 km/h Bon
VITESSE MAXIMALE 210 km/h

(SE, HSE, HST) V6 3,0 L DACT à compresseur volumétrique
PUISSANCE 340 ch à 6 500 tr/min **HST** 380 ch
COUPLE 332 lb-pi de 3 000 à 5 000 tr/min
RAPPORT POIDS/PUISSANCE 6,3 kg/ch
BOITE(S) DE VITESSES automatique à 8 rapports avec mode manuel
PERFORMANCES 0-100 km/h 7,2 s **HST** 7,1 s
REPRISE 80-115 km/h 5,6 s **FREINAGE 100-0 km/h** 43,9 m
NIVEAU SONORE À 100 km/h Bon **VITESSE MAXIMALE** 210 km/h
CONSOMMATION (100 km) ville 14,2 L, route 10,2 L (octane 91)
ANNUELLE 2 108 L, 3 846 $
ÉMISSIONS DE CO_2 4 848 kg/an

(Supercharged, Autobiography, SVR) V8 5,0 L DACT à compresseur volumétrique
PUISSANCE 510 ch à 6 000 tr/min SVR 550 ch
COUPLE 461 lb-pi de 2 500 à 5 500 tr/min **SVR** 502 lb-pi à 5 500 tr/min
RAPPORT POIDS/PUISSANCE 4,5 g/ch **SVR** 4,2 kg/ch
BOITE(S) DE VITESSES automatique à 8 rapports avec mode manuel
PERFORMANCES 0-100 km/h 5,3 s **SVR** 4,7 s
REPRISE 80-115 km/h 4,2 s **FREINAGE 100-0 km/h** 38,5 m
NIVEAU SONORE À 100 km/h Bon
VITESSE MAXIMALE 225 km/h, option 250 km/h **SVR** 260 km/h (bridées)
CONSOMMATION (100 km) ville 16,6 L, route 12,3 L
SVR ville 17,3 L, route 12,2 L (octane 91)
ANNUELLE 2 499 L, 3 374 $ **SVR** 2 550 L, 3 442 $
ÉMISSIONS DE CO_2 5 748 kg/an **SVR** 5 865 kg/an

AUTRES COMPOSANTS

SÉCURITÉ ACTIVE Freins ABS, assistance au freinage, répartition électronique de la force de freinage, contrôle dynamique de la stabilité et antiretournement, contrôle de louvoiement de la remorque, ajustement automatique aux conditions du terrain, antipatinage, limiteur de vitesse actif, avertisseurs de sortie de voie et d'obstacle latéral et arrière, essuie-glaces automatiques
SUSPENSION avant/arrière indépendante pneumatique
FREINS avant/arrière disques
DIRECTION à crémaillère, assistée électriquement
PNEUS 19, 20, 21 ou 22 po.

DIMENSIONS

EMPATTEMENT 2 924 mm **LONGUEUR** 4 851 mm
LARGEUR 1 983 mm, 2 073 mm (rétro, repliés), 2 220 mm (incl. rétros)
HAUTEUR 1 781 mm
POIDS V6 2 135 kg **V8** 2 310 kg **Td6** 2 114 kg **SVR** 2 351 kg
DIAMÈTRE DE BRAQUAGE 12,1 m
COFFRE 784 L, 1 761 L (sièges abaissés)
RÉSERVOIR DE CARBURANT 105 L **Td6** 89 L
CAPACITÉ DE REMORQUAGE 750 kg sans freins de remorque, 3 500 kg (SVR 3 000 kg) avec freins

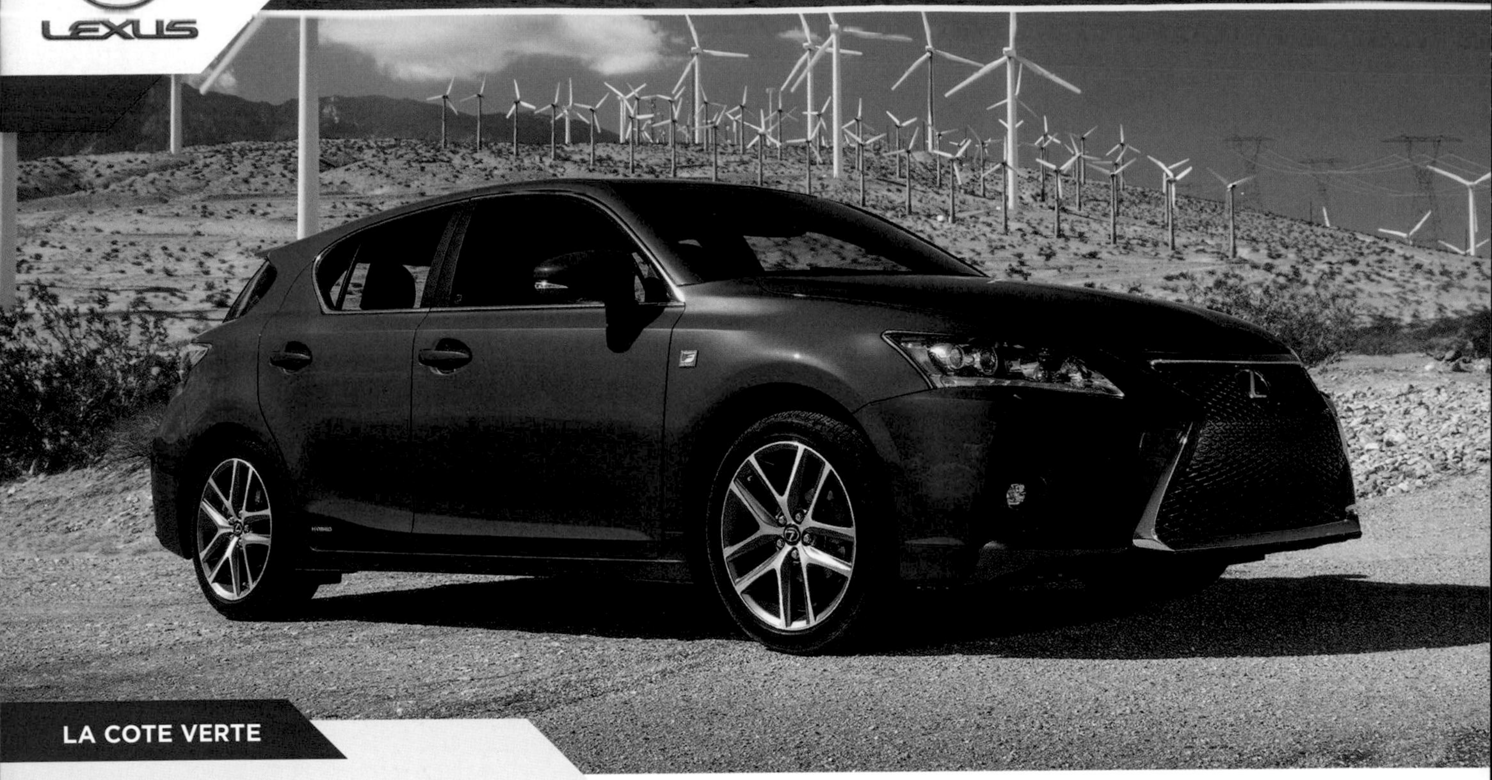

LA COTE VERTE

MOTEUR L4 DE 1,8 L HYBRIDE
CONSOMMATION (100 km) ville 5,5 L route 5,9 L
CONSOMMATION ANNUELLE 969 L, 1 163 $
INDICE D'OCTANE 87
ÉMISSIONS POLLUANTES CO_2 2 229 kg/an
(source : ÉnerGuide)

FICHE D'IDENTITÉ

VERSION(S) Base, Touring, F-Sport Séries1 et 2, Executive
TRANSMISSION(S) avant
PORTIÈRES 5 **PLACES** 5
PREMIÈRE GÉNÉRATION 2011
GÉNÉRATION ACTUELLE 2011
CONSTRUCTION Kyushu, Japon
COUSSINS GONFLABLES 8 (frontaux, latéraux avant, genoux conducteur et passager, rideaux latéraux)
CONCURRENCE Audi A3 e-tron, BMW 330e, Chevrolet Malibu hybride, Ford C-Max/Fusion hybride, Honda Accord hybride, Hyundai Ionic/Sonata hybride, Kia Optima hybride/Niro, Toyota Camry hybride/Prius

AU QUOTIDIEN

COLLISION FRONTALE 5/5
COLLISION LATÉRALE 5/5
VENTES DU MODÈLE L'AN DERNIER
AU QUÉBEC 178 (-12,7 %) **AU CANADA** 814 (-21,4 %)
DÉPRÉCIATION (%) 26,6 (3 ans)
RAPPELS (2011 à 2016) aucun à ce jour
COTE DE FIABILITÉ 5/5

GARANTIES... ET PLUS

GARANTIE GÉNÉRALE 4 ans/80 000 km
GROUPE MOTOPROPULSEUR 6 ans/110 000 km
COMPOSANTES SYSTÈME HYBRIDE 8 ans/160 000 km
PERFORATION 6 ans/kilométrage illimité
ASSISTANCE ROUTIÈRE 4 ans/kilométrage illimité
NOMBRE DE CONCESSIONNAIRES
AU QUÉBEC 7 **AU CANADA** 38

NOUVEAUTÉS EN 2017

Caméra arrière avec affichage au rétroviseur de série sur versions de base et Touring, nouvelle palette de couleurs

UNE BONNE RECETTE FADE

Le début de la prochaine année marquera le sixième anniversaire de l'arrivée de la CT 200h. En principe, 2017 sera le dernier tour de piste de cette voiture sous cette forme, mais la décision sur ce qui va suivre ne semble pas encore arrêtée. La réalité, c'est que le simple passage d'une génération à une autre ne suffira pas ici. Bien qu'elle ait été une excellente idée, la CT 200h ne fait pas courir les foules et sa popularité est en constant déclin depuis quelques années. Aux États-Unis, les ventes ont fondu de quelque 2 000 unités en 2015 pour s'établir à 14 657. Le constat est similaire ici et dans le reste du Canada. Que nous dit dame rumeurs ?

Daniel Rufiange

TOUR DU PROPRIÉTAIRE > La CT revient inchangée pour 2017, mais ce n'est pas une mauvaise nouvelle. Voilà l'une des plus belles voitures à hayon sur le marché. Si cela devait être un avantage au Québec, où le hayon est roi, le fait qu'elle œuvre dans un créneau de luxe et que son prix de départ soit au-dessus de 30 000 $ lui nuit. Ça et le fait qu'elle ne soit proposée qu'avec une motorisation hybride. Voilà peut-être un premier indice quant à la suite des choses. La rumeur laisse croire que le modèle grossira en 2018, suffisamment pour aller jouer dans les platebandes de la Mercedes-Benz GLA et du BMW X1. Aussi, il ne serait pas uniquement question d'hybridité en ce qui le concerne. C'est à suivre de près. En attendant, les versions au cata-

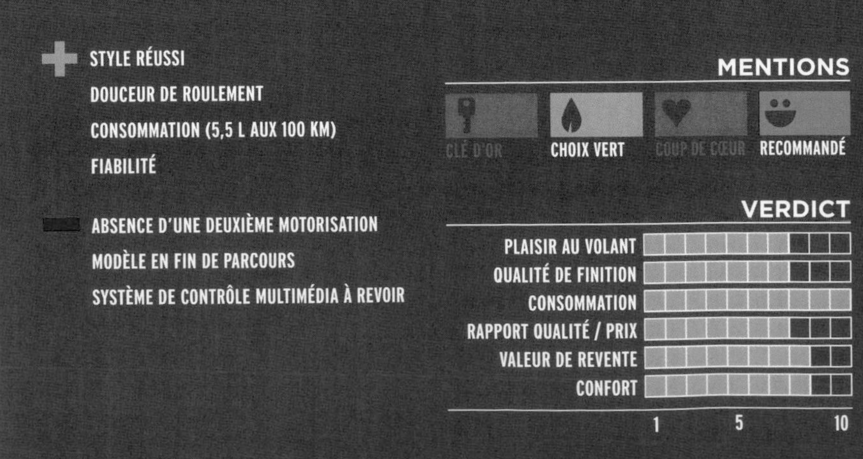

logue (on en dénombre cinq), sont les mêmes que l'an dernier. Celle qui se démarque jouit de l'ensemble F Sport, qui accentue les traits de la calandre, propose un aileron arrière et avance des roues uniques.

VIE À BORD > La présentation intérieure est jolie, sans plus. La CT n'a pas encore profité de l'approche qui a été réservée aux autres produits de la marque. Dommage. L'ergonomie, elle, est presque sans faille. Presque, oui, car le système de commande de l'écran d'information, géré par une sorte de souris d'ordinateur, est inutilement compliqué. Son imprécision ferait sacrer le Pape. À revoir, de grâce! Quant à l'assemblage, c'est bien, mais on note de petites différences dans la qualité des matériaux entre la version de base et les unités plus garnies. Bref, il y a de la place à l'amélioration. Pour 2017, le changement concerne l'ajout d'une caméra de recul, visible au rétroviseur des livrées Base et Touring.

TECHNIQUE > Depuis son arrivée sur le marché, la CT 200h n'a proposé qu'une seule mécanique, soit un 4-cylindres de 1,8 litre à cycle Atkinson qui œuvre de concert avec un moteur électrique. La puissance combinée des deux, 134 chevaux, ne permet aucun excès. Voilà le maillon faible de cette CT 200h. Qu'une version hybride modestement mécanisée soit offerte, ça va pour la Prius, mais que rien d'autre ne soit soumis dans le cas d'une Lexus, ça ne peut que nuire. Voilà pourquoi, lorsqu'on retourne à nos rumeurs, on entend parler d'une mécanique additionnelle pour ce produit lors de la refonte de 2018. Si Lexus veut qu'il concurrence les suggestions des rivaux allemands, elle devra emprunter cette voie.

AU VOLANT > À la lecture de ce qui précède, vous aurez deviné que l'expérience au volant de la CT 200h n'est pas de nature à éveiller vos sens. Cela dit, le châssis est sain et Lexus a quand même pris le temps de raffermir les suspensions entre l'apparition du modèle et le moment présent. On peut donc conduire de façon sportive la CT, mais cela ne fait pas d'elle une sportive; nuance. Même avec l'ensemble F Sport, on est à court. Une boîte manuelle aiderait, mais on parle d'un pur fantasme ici.

CONCLUSION > Si la CT 200h est sur votre liste d'achat, une suggestion: regardez le marché de l'occasion. Vous éviterez du coup de payer trop cher pour un produit en fin de parcours, et considérant la fiabilité dudit produit, c'est tout comme si vous faisiez l'achat d'une version flambant neuve. Attendons de voir la suite. ■

2e OPINION

Luc-Olivier Chamberland

La CT 200h passe souvent sous le radar des acheteurs. Pourtant, cette hybride se veut tout à fait séduisante. Son logo apporte une touche de prestige avec tous les avantages que l'on connaît de Lexus. De plus, sa présentation intérieure vient jazzer l'ensemble alors que la finition se place au-dessus de la mêlée. Considérant son format, l'espace se compte. Pour un couple écolo ou un célibataire vert, elle fera le travail. En matière de consommation, l'avantage est notable avec une moyenne pouvant aller sous les 6 litres aux 100 kilomètres. Elle commence malgré tout à montrer des signes d'âge. Son avenir est incertain, mais on sait que Lexus continuera d'offrir une hybride compacte, et ce, peu importe son nom.

FICHE TECHNIQUE

MOTEUR(S)

(CT200h) L4 1,8 L DACT à cycle Atkinson + moteur électrique
PUISSANCE 98 ch à 5 200 tr/min + moteur électrique 80 ch, 134 ch (total)
COUPLE 105 lb-pi à 4 000 tr/min, 142 lb-pi (total)
RAPPORT POIDS/PUISSANCE 10,6 kg/ch
BOÎTE(S) DE VITESSES automatique à variation continue
PERFORMANCES 0-100 km/h 10,3 s
REPRISE 80-115 km/h 6,8 s
FREINAGE 100-0 km/h 37,5 m
NIVEAU SONORE À 100 km/h Moyen
VITESSE MAXIMALE 185 km/h

AUTRES COMPOSANTS

SÉCURITÉ ACTIVE Freins ABS, assistance au freinage, répartition électronique de la force de freinage, contrôle électronique de la stabilité, antipatinage, aide au démarrage en pente, aide au freinage en cas d'activation simultanée de l'accélérateur et des freins
SUSPENSION avant/arrière indépendante
FREINS avant/arrière disques
DIRECTION à crémaillère, assistée électriquement
PNEUS P205/55R16, P215/45R17 (option)

DIMENSIONS

EMPATTEMENT 2 600 mm
LONGUEUR 4 320 mm
LARGEUR 1 765 mm
HAUTEUR 1 440 mm
POIDS 1 420 kg
DIAMÈTRE DE BRAQUAGE 11,2 m
COFFRE 405 L
RÉSERVOIR DE CARBURANT 45 L

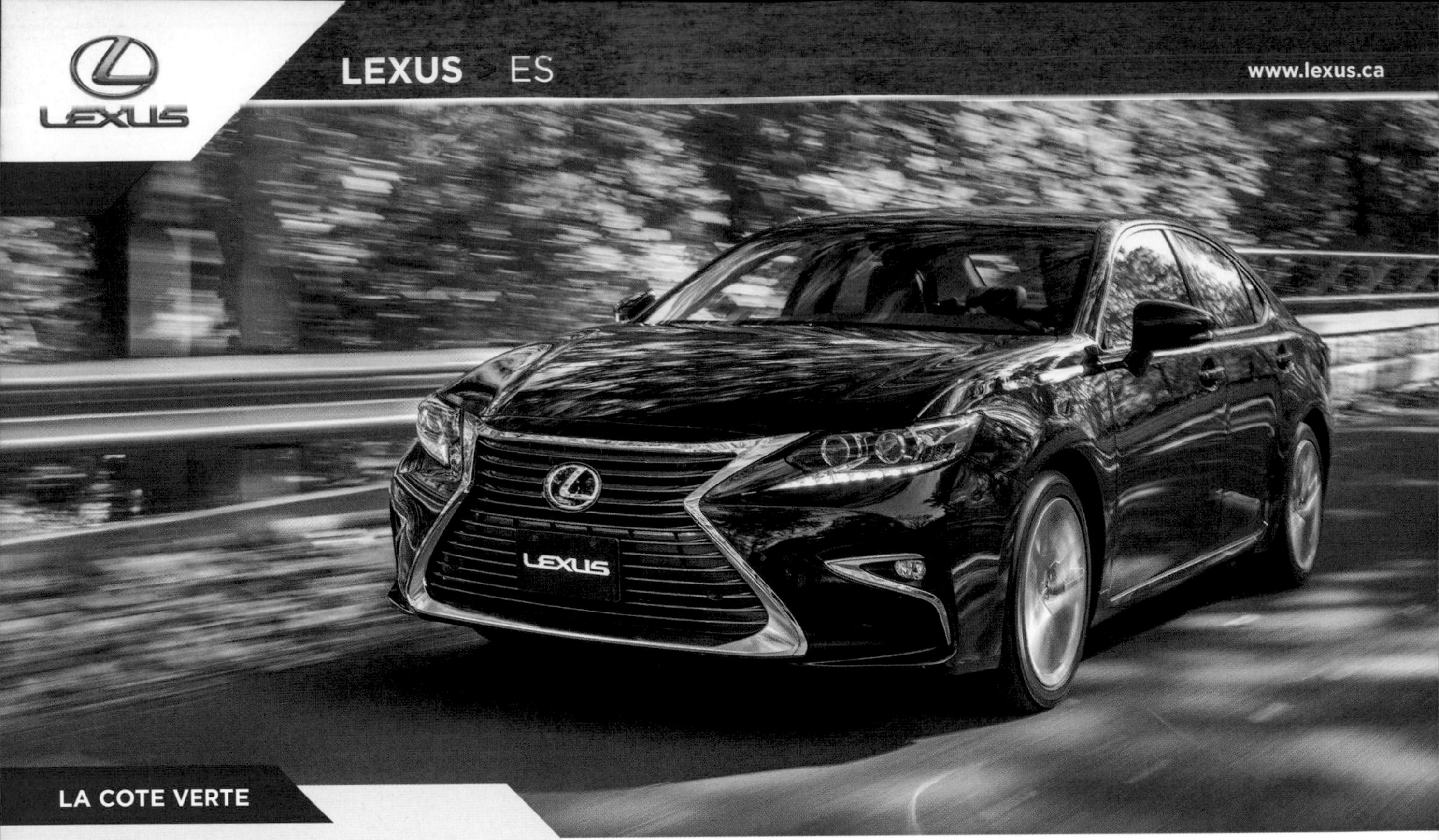

LA COTE VERTE

MOTEUR L4 DE 2,5 L HYBRIDE
CONSOMMATION (100 km) ville 5,8 L, route 6,1 L
CONSOMMATION ANNUELLE 1 003 L, 1 204 $
INDICE D'OCTANE 87
ÉMISSIONS POLLUANTES CO_2 2 307 kg/an
(source : ÉnerGuide)

FICHE D'IDENTITÉ

VERSION(S) 350 Base **350/300h** Touring, Exécutif
TRANSMISSION(S) avant
PORTIÈRES 4 **PLACES** 5
PREMIÈRE GÉNÉRATION 1991
GÉNÉRATION ACTUELLE 2013
CONSTRUCTION Kyushu, Japon
COUSSINS GONFLABLES 10 (frontaux, latéraux avant et arrière, genoux conducteur et passager, rideaux latéraux)
CONCURRENCE Acura TLX, Audi A4, BMW Série 3, Buick Lacrosse, Cadillac CTS, Genesis G80, Infiniti Q50, Jaguar XE, Kia Cadenza, Lincoln MKZ, Mercedes-Benz Classe C/Classe E, Nissan Maxima, Toyota Avalon, Volkswagen CC

AU QUOTIDIEN

COLLISION FRONTALE 5/5
COLLISION LATÉRALE 5/5
VENTES DU MODÈLE L'AN DERNIER
AU QUÉBEC 311 (-19,8 %) **AU CANADA** 2 305 (-15,4 %)
DÉPRÉCIATION (%) 28,1 (3 ans)
RAPPELS (2011 à 2016) 2
COTE DE FIABILITÉ 4/5

GARANTIES... ET PLUS

GARANTIE GÉNÉRALE 4 ans/80 000 km
GROUPE MOTOPROPULSEUR 6 ans/110 000 km
COMPOSANTS système hybride 8 ans/160 000 km
PERFORATION 6 ans/kilométrage illimité
ASSISTANCE ROUTIÈRE 4 ans/kilométrage illimité
NOMBRE DE CONCESSIONNAIRES
AU QUÉBEC 7 **AU CANADA** 38

NOUVEAUTÉS EN 2017

Caméra de recul, essuie-glaces adaptatifs et ensemble d'aide à la conduite de série, nouvelle palette de couleurs.

ZÉNITUDE ET LUXE

Le choix ne manque pas dans les berlines de luxe d'entrée de gamme et il existe plusieurs écoles de pensée. Il y a les allemandes (Audi A4, BMW Série 3 et Mercedes Classe C), qui placent le conducteur au centre de l'action. Il y a ensuite les américaines, qui jouent la carte du luxe et de la performance chez Cadillac. Finalement, il y a les japonaises, qui tentent de se placer quelque part entre les deux. Lexus joue la carte zen. Un mariage de luxe douillet, de confort silencieux et de conduite relaxante.

Benoit Charette

TOUR DU PROPRIÉTAIRE > Construite sur la plateforme de la Toyota Avalon, la berline ES a subi quelques changements esthétiques en 2016 et devrait offrir un tout nouveau modèle en 2019 selon les informations fournies par Toyota. Comme tous les modèles qui passent par l'étape du rafraîchissement corporel, l'ES a reçu cette calandre caricaturale assez singulière et des phares à double DEL en option. Ce nouveau faciès attire toute l'attention, alors que le reste de la voiture demeure somme toute assez prudent. Lexus a aussi mentionné qu'elle a augmenté la quantité de matériaux insonorisants à l'extérieur du véhicule pour obtenir une cabine plus silencieuse.

\+ FIABILITÉ ÉPROUVÉE
GRAND SILENCE DE ROULEMENT
FAIBLE CONSOMMATION (HYBRIDE)

− PAS DE VERSIONS INTÉGRALES
PEU DE CHOIX MOTEURS
MANQUE DE CHARISME DANS LA CONDUITE

MENTIONS

CLÉ D'OR | CHOIX VERT | COUP DE CŒUR | RECOMMANDÉ

VERDICT

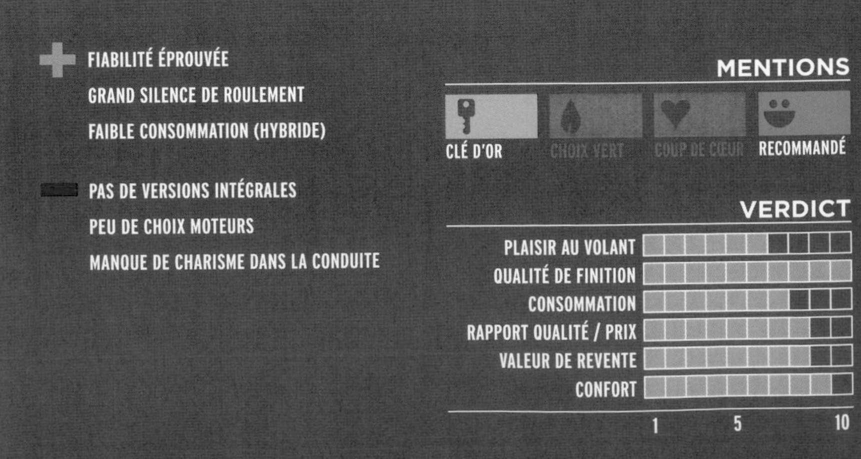

VIE À BORD > Chaque fois que l'on prend place à bord d'une Lexus, nous avons l'impression d'entrer dans un havre de paix. Reconnus pour être parmi les véhicules les plus silencieux, les modèles Lexus offrent aussi une finition exemplaire. La division de luxe de Toyota a formé 12 maîtres Takumi, des artisans qui se chargent de la finition et des surpiqûres à la main dans les Lexus. Le tableau de bord très dégagé ajoute à cette impression d'espace dans la voiture. Vous avez en option le système de navigation avec écran de 8 pouces et la souris dans la console centrale pour naviguer dans le menu. Nous préférons de loin les écrans tactiles, car vous devez naviguer avec la souris en regardant l'écran, ce qui vous enlève les yeux de la route. Il y a aussi l'excellent système audio Mark Levinson et ses 15 haut-parleurs, aussi en option. L'espace est très généreux même pour 5 passagers. Pour ce qui est de l'espace bagages, la version 300h est amputée par les batteries logées dans le coffre.

TECHNIQUE > Lexus adopte la carte de la simplicité volontaire avec l'ES. Contrairement aux concurrentes allemandes, qui affichent un large spectre de performances, nous restons loin de ce mot chez Lexus. La version 300h utilise un moteur 4 cylindres 2,5 litres à cycle Atkinson qui fait 156 chevaux. Avec l'apport du moteur électrique, vous portez la puissance à 200 chevaux. Vous avez en accompagnement la boîte CVT. La version 350 arrive avec le V6 3,5 litres qui a fait ses preuves chez Lexus. Il produit toujours 268 chevaux et est livré avec une boîte automatique à 6 rapports d'une grande souplesse. La version hybride vous permettra de faire 6 litres aux 100 kilomètres (si vous avez le pied léger) dans un confort surprenant. La deuxième offre tout de même une moyenne autour de 10 litres aux 100 kilomètres, ce qui est très bien pour un moteur avec une puissance aussi généreuse.

AU VOLANT > Le premier mot qui vient en tête en prenant le volant est raffinement. L'expérience de conduite est axée sur le confort et le silence de roulement. On ne perçoit aucun bruit parasite venant de l'extérieur, aucun bruit de vent qui pénètre dans l'habitacle. Les routes en mauvais état semblent mieux nivelées dans une ES. C'est donc à cela qu'il faut s'attendre dans une Lexus. Même si le moteur contient 268 chevaux et est capable de se taper un 0-100 km/h en 5,7 secondes, il n'aime pas se faire brusquer, car la direction reste un peu molle. La suspension va suivre, mais vous l'entendrez souffrir si vous poussez le rythme un peu fort. L'approche zen est la meilleure.

CONCLUSION > Fiable, confortable et généreuse au chapitre de l'espace, l'ES mérite de se classer parmi les meilleures de sa catégorie. Lexus a certes ajouté un peu de piquant à l'extérieur, mais pas à l'intérieur. Elle demeure une berline très sage pour ceux qui cherchent un havre de paix automobile. ■

2e OPINION

Luc-Olivier Chamberland

Après des années de platitude consommée, la Lexus ES s'est enfin trouvé une expression. Elle s'aligne sur le reste de la gamme avec des phares à la forme impossible et sa gargantuesque calandre en sablier. Malgré cet effort notable de dynamisme, l'ES reste encore aujourd'hui la plus tranquille des Lexus. S'adressant à un public d'un certain âge, elle répond à leurs besoins de quiétude. La présentation intérieure est particulière et la finition mériterait un resserrement. Avantage indéniable, sa motorisation hybride impressionne toujours avec une moyenne sous les 7 litres aux 100 kilomètres. Considérant la taille, c'est intéressant à défaut d'être puissant. Ceux qui voudront s'endormir un peu moins pourront se tourner vers la 350 avec ses 268 chevaux.

FICHE TECHNIQUE

MOTEUR(S)

(300h) L4 2,5 L DACT à cycle Atkinson + moteur électrique
PUISSANCE 156 ch à 5 700 tr/min (200 ch avec moteur électrique)
COUPLE 156 lb-pi à 4 500 tr/min
RAPPORT POIDS/PUISSANCE 8,3 kg/ch
BOÎTE(S) DE VITESSES automatique à variation continue
PERFROMANCES 0-100 km/h 8,1 s
VITESSE MAXIMALE 180 km/h (bridée)

(350) V6 3,5 L DACT
PUISSANCE 268 ch à 6 200 tr/min
COUPLE 248 lb-pi à 4 700 tr/min
RAPPORT POIDS/PUISSANCE 6,0 kg/ch
BOÎTE(S) DE VITESSES automatique à 6 rapports
PERFORMANCES 0-100 km/h 5,7 s
REPRISE 80-115 km/h 4,8 s
FREINAGE 100-0 km/h 39,1 m
NIVEAU SONORE À 100 km/h Excellent
VITESSE MAXIMALE 210 km/h (bridée)
CONSOMMATION (100 km) ville 11,4 L, route 7,6 L (octane 87)
ANNUELLE 1 649 L, 1 979 $
ÉMISSIONS DE CO_2 3 793 kg/an

AUTRES COMPOSANTS

SÉCURITÉ ACTIVE (certains en option) Freins ABS, assistance au freinage, répartition électronique de la force de freinage, contrôle électronique de la stabilité, antipatinage, aide au freinage en cas d'activation simultanée de l'accélérateur et des freins, régulateur de vitesse adaptatif, avertisseurs de sortie de voie et d'obstacle arrière et latéral, assistance en cas de collision imminente avec freinage autonome, phares adaptatifs
SUSPENSION avant/arrière indépendante
FREINS avant/arrière disques
DIRECTION à crémaillère, assistée électriquement
PNEUS 350/300h P215/55R17 **option 350** P225/45R18

DIMENSIONS

EMPATTEMENT 2 820 mm
LONGUEUR 4 895 mm
LARGEUR 1 820 mm
HAUTEUR 1 450 mm
POIDS 350 1 610 kg **300h** 1 660 kg
RÉPARTITION DU POIDS AV/ARR (%) 61/39
DIAMÈTRE DE BRAQUAGE 350 11,4 m
COFFRE 350 430 L **300h** 342 L
RÉSERVOIR DE CARBURANT 65 L

LA COTE VERTE

MOTEUR V6 DE 3,5 L HYBRIDE
CONSOMMATION (100 km) ville 8,1 L, route 6,9 L
CONSOMMATION ANNUELLE 1 292 L, 1 744 $
INDICE D'OCTANE 91
ÉMISSIONS POLLUANTES CO_2 2 972 kg/an
(source : ÉnerGuide)

FICHE D'IDENTITÉ

VERSION(S) 350 4RM Base, Premium, F-Sport, Exécutif
450h Base, Luxe, Technologie **GS F**
TRANSMISSION(S) 4, arrière
PORTIÈRES 4 **PLACES** 5
PREMIÈRE GÉNÉRATION 1993
GÉNÉRATION ACTUELLE 2013
CONSTRUCTION Tahara, Japon
COUSSINS GONFLABLES 10 (frontaux, latéraux avant et arrière, genoux conducteur et passager, rideaux latéraux)
CONCURRENCE Acura RLX, Audi A6/A7, BMW Série 5, Cadillac CTS, Genesis 80/90, Infiniti Q70, Jaguar XF, Kia K900, Lincoln Continental/MKS, Maserati Ghibli, Mercedes-Benz Classe E, Tesla S, Volvo S90

AU QUOTIDIEN

COLLISION FRONTALE 5/5
COLLISION LATÉRALE 5/5
VENTES DU MODÈLE L'AN DERNIER
AU QUÉBEC 50 (-24,2 %) **AU CANADA** 390 (-18,8 %)
DÉPRÉCIATION (%) 27,9 (3 ans)
RAPPELS (2011 à 2016) 2
COTE DE FIABILITÉ 4/5

GARANTIES... ET PLUS

GARANTIE GÉNÉRALE 4 ans/80 000 km
GROUPE MOTOPROPULSEUR 6 ans/110 000 km
COMPOSANTES système hybride 8 ans/160 000 km
PERFORATION 6 ans/kilométrage illimité
ASSISTANCE ROUTIÈRE 4 ans/kilométrage illimité
NOMBRE DE CONCESSIONNAIRES
AU QUÉBEC 7 **AU CANADA** 38

NOUVEAUTÉS EN 2017

Aucun changement majeur

VOUS PRENDREZ BIEN UN PEU DE WASABI ?

La GS F cherche à allumer les esthètes et à annoncer ses nouvelles couleurs aux propriétaires de berlines survoltées. Cette Lexus allie ligne et conduite sportives aux valeurs traditionnelles de la marque et compte bien chatouiller les Mercedes, Audi et BMW qui, aujourd'hui, règnent pratiquement sans partage dans cette catégorie.

Éric LeFrançois

TOUR DU PROPRIÉTAIRE > À la GS F il est surtout demandé de pimenter agréablement la gamme Lexus. Pour ce faire, elle a subi un léger coup de fouet qui dynamise ses lignes toujours reconnaissables, affiche discrètement la personnalité de son propriétaire et reflète, mais avec ce qu'il faut de retenue, son penchant pour les belles voitures rapides. Dans la rue, ce n'est pas elle que l'on remarque le plus, mais là réside l'essentiel – son passage n'échappe pas au regard du connaisseur. La GS F se lit en creux et se définit implicitement : c'est l'auto de ceux qui aiment fuir les stéréotypes.

VIE À BORD > Si l'on fait abstraction des quelques ornements qui la décorent, la GS F ressemble à une GS. À l'intérieur, des baquets joliment sculptés vous accueillent à l'avant. Le « pilote » fait face à une instrumentation complète – et en partie configurable – pour s'informer

+
COMPORTEMENT AIGUISÉ
SONORITÉ ENVOÛTANTE
FIABILITÉ ÉPROUVÉE

–
ABSENCE D'UNE TRANSMISSION INTÉGRALE (F)
RAPPORT PRIX-PERFORMANCES
BOÎTE ÉTOURDIE

MENTIONS

CLÉ D'OR | CHOIX VERT | COUP DE CŒUR | **RECOMMANDÉ**

VERDICT

PLAISIR AU VOLANT
QUALITÉ DE FINITION
CONSOMMATION
RAPPORT QUALITÉ / PRIX
VALEUR DE REVENTE
CONFORT

1 5 10

de la santé de sa monture. L'immense écran de navigation posé au centre est facile à consulter et à utiliser. À l'arrière, l'imposant tunnel de transmission limite les places à deux personnes. La qualité de construction est irréprochable et l'habitacle s'habille de matériaux flatteurs, mais pas valorisants pour autant.

TECHNIQUE > Modèle «de niche», cette nouvelle Lexus va à l'encontre des vents dominants. Alors que l'heure est au *downsizing* (diminuer la cylindrée des moteurs pour en extraire les mêmes performances avec une consommation revue à la baisse), ce modèle reçoit un V8 de 5 litres atmosphérique dont la puissance atteint la bagatelle de 467 chevaux. Ce moteur, tonique mais légèrement creux à bas régime, se distingue des mécaniques suralimentées des modèles européens, y compris par sa signature sonore.

AU VOLANT > Derrière la calandre à la fois béante et frondeuse souffle une mécanique dont les 467 chevaux sont dirigés seulement vers les roues arrière... Un mode idéal par temps sec, mais lorsque le coefficient d'adhérence de la chaussée se dégrade, il y a quelques soucis à se faire avant de sauter à pieds joints sur la pédale d'accélérateur. Cela confine donc l'auto, dans nos contrées à tout le moins, à un usage purement estival. Contrairement à celle de nombreuses de ses rivales, la suspension de la GS F est beaucoup moins compliquée. Un gage de fiabilité, bien sûr, mais aussi une assurance du maintien des coûts des pièces de remplacement à un niveau raisonnable. La GS F offre en effet un amortissement ferme, mais loin d'être inconfortable sur route. Sur piste, il y a peu à redire aussi et cette suspension s'avère parfaitement réglée. Initialement, elle autorise une légère prise de roulis avant de se compresser pour attaquer solidement le point de corde du virage. La direction à assistance électrique manque, au départ, d'un peu de ressenti, mais cette observation est contredite lorsque la vitesse augmente. Et sans être le meilleur que nous ayons eu l'occasion de mettre à l'essai, le freinage possède une puissance largement adéquate et résiste bien à l'échauffement. Sur une route sinueuse, la GS F fait preuve d'une stabilité rassurante. Le sous-virage est léger et hormis l'antipatinage – un peu intrusif, et ce, même en mode Sport Plus – et une boîte automatique à la gestion un peu confuse, la GS F procure une expérience de conduite exaltante. Piloter cette GS F ne requiert pas autant de courage, de doigté ou d'expérience que conduire certaines de ses concurrentes et vous met rapidement en confiance.

CONCLUSION > La GS F n'est pas la plus pratique (absence d'une transmission intégrale), la plus puissante ou la plus économique du groupe sélect des berlines sportives. Mais elle se fiche des classifications et son ingénieur-chef prétend d'ailleurs ne pas avoir cherché à talonner la concurrence. Lexus préfère trouver sa propre voie (et ses propres clients) et la GS F représente sur ce point un compromis ou une solution de rechange, c'est selon votre perception, des plus intéressants. ■

2e OPINION

Daniel Rufiange

Mon premier essai dans le métier s'est déroulé au volant d'une Lexus GS. C'était en mars 2007. Mon souvenir est celui d'une berline de grand luxe, hyper confortable, mais mortellement ennuyeuse à conduire. Après avoir pris le volant des éditions actuelles, un constat s'impose: le chemin parcouru est colossal. Si le niveau de luxe et de confort est toujours le principal argument de vente du modèle, on ne peut plus qualifier ses lignes d'ordinaires et, surtout, sa conduite de soporifique. La GS a maintenant les outils pour rivaliser avec ses concurrentes allemandes. Cependant, pour cela, il faut choisir l'un des ensembles F Sport proposés ou, encore mieux, opter pour la mouture GS F, pensée pour celui qui aime enfiler les virages le couteau entre les dents.

FICHE TECHNIQUE

MOTEUR(S)

(450h) V6 3,5 L DACT + moteur électrique
PUISSANCE 338 ch à 6 000 tr/min (totale maximum)
COUPLE 345 lb-pi à 4 600 tr/min
RAPPORT POIDS/PUISSANCE 5,5 kg/ch
BOÎTE(S) DE VITESSES automatique à variation continue avec mode manuel et manettes au volant
PERFROMANCES 0-100 km/h 5,6 s
REPRISE 80-115 km/h 3,8 s **FREINAGE 100-0 km/h** 36,8 m
NIVEAU SONORE À 100 km/h Excellent
VITESSE MAXIMALE 209 km/h (bridée)

(350) V6 3,5 L DACT
PUISSANCE 306 ch à 6 400 tr/min
COUPLE 277 lb-pi à 4 800 tr/min
RAPPORT POIDS/PUISSANCE 2RM 5,5 kg/ch **4RM** 5,8 kg/ch
BOÎTE(S) DE VITESSES 2RM automatique à 8 rapports avec mode manuel et manettes au volant **4RM** automatique à 6 rapports avec mode manuel et manettes au volant
PERFORMANCES 0-100 km/h 5,7 s
REPRISE 80-115 km/h 3,9 s **FREINAGE 100-0 km/h** 38,1 m
NIVEAU SONORE À 100 km/h Excellent
VITESSE MAXIMALE 2RM 230 km/h (bridée) **4RM** 209 km/h
CONSOMMATION (100 km) 2RM ville 12,5 L, route 8,6 L **4RM** ville 12,4 L, route 9,0 L (octane 91)
ANNUELLE 2RM 1 819 L, 2 456 $ **4RM** 1 853 L, 2 502 $
ÉMISSIONS DE CO_2 2RM 4 184 kg/an **4RM** 4 262 kg/an

(F) V8 5,0 L DACT à cycle Atkinson
PUISSANCE 467 ch à 7 100 tr/min
COUPLE 389 lb-pi de 4 800 à 5 600 tr/min
RAPPORT POIDS/PUISSANCE 3,9 kg/ch
BOÎTE(S) DE VITESSES automatique à 8 rapports avec mode manuel et manettes au volant
PERFROMANCES 0-100 km/h 4,6 s
REPRISE 80-115 km/h 3,0 s (est.) **FREINAGE 100-0 km/h** ND
VITESSE MAXIMALE 275 km/h
CONSOMMATION (100 km) ville 14,9 L, route 9,7 L (octane 91)
ANNUELLE 2 125L, 2 869 $ **ÉMISSIONS DE CO_2** 4 887 kg/an

AUTRES COMPOSANTS

SÉCURITÉ ACTIVE (certains en option) Freins ABS, assistance au freinage, répartition électronique de la force de freinage, contrôle électronique de la stabilité, antipatinage, régulateur de vitesse adaptatif, avertisseurs d'obstacle arrière et latéral, affichage tête haute, système de vision nocturne, avertisseur de somnolence, aide en cas d'impact imminent
SUSPENSION avant/arrière indépendante
FREINS avant/arrière disques **450h** disques, à récupération d'énergie
DIRECTION à crémaillère, assistée
PNEUS P235/45R18 **F-Sport** P235/40R19 **F** P255/35R19 (av.) P275/35R19 (arr.)

DIMENSIONS

EMPATTEMENT 2 850 mm
LONGUEUR 4 845 mm **F** 4 915 mm **450h** 4 850 mm
LARGEUR 1 840 mm **F** 1 845 mm
HAUTEUR 350 1 470 mm **F** 1 440 mm **450h** 1 455 mm
POIDS 350 1 765 kg **F** 1 830 kg **450h** 1 865 kg
RÉPARTITION DU POIDS AV/ARR (%) 51/49
DIAMÈTRE DE BRAQUAGE 10,8 m
COFFRE 350 530L **450h** 464 L **RÉSERVOIR DE CARBURANT** 66 L

LA COTE VERTE

MOTEUR V8 DE 4,6 L
CONSOMMATION (100 km) ville 15,7 L, route 11,7 L
CONSOMMATION ANNUELLE 2 363 L, 3 190 $
INDICE D'OCTANE 91
ÉMISSIONS POLLUANTES CO_2 5 435 kg/an
(source : ÉnerGuide.)

FICHE D'IDENTITÉ

VERSION(S) Base, Technologie, Exécutif
ROUES MOTRICES 4
PORTIÈRES 5 **PLACES** 7
PREMIÈRE GÉNÉRATION 2004
GÉNÉRATION ACTUELLE 2010
CONSTRUCTION Tahara, Japon
COUSSINS GONFLABLES 10 (frontaux, latéraux avant et arrière, genoux conducteur et passager, rideaux latéraux)
CONCURRENCE Acura MDX, Audi Q7, BMW X5, Buick Enclave, Cadillac XT5, Infiniti QX60, Land Rover LR4/Range Rover Sport, Lincoln MKT/MKX, Mercedes-Benz GLE, Porsche Cayenne, Volkswagen Touareg, Volvo XC90

AU QUOTIDIEN

COLLISION FRONTALE 4/5
COLLISION LATÉRALE 4/5
VENTES DU MODÈLE L'AN DERNIER
AU QUÉBEC 29 (-9,4 %) **AU CANADA** 662 (+13,7 %)
DÉPRÉCIATION (%) 28,5 (3 ans)
RAPPELS (2011 à 2016) aucun à ce jour
COTE DE FIABILITÉ 5/5

GARANTIES… ET PLUS

GARANTIE GÉNÉRALE 4 ans/80 000 km
GROUPE MOTOPROPULSEUR 6 ans/110 000 km
PERFORATION 6 ans/kilométrage illimité
ASSISTANCE ROUTIÈRE 4 ans/kilométrage illimité
NOMBRE DE CONCESSIONNAIRES
AU QUÉBEC 7 **AU CANADA** 38

NOUVEAUTÉS EN 2017

Ensemble sport de série, nouvelle palette de couleurs.

LE BŒUF EST LENT…

Voici un survivant d'une autre époque. Un véhicule utilitaire bâti sur un châssis de camion (celui du 4Runner) et habillé à la mode Lexus. Une mode assez répandue dans les années 90 et au début des années 2000, mais qui a progressivement disparu avec la venue des châssis monocoques, qui offrent une meilleure stabilité dans la conduite et plus de confort.

Benoit Charette

TOUR DU PROPRIÉTAIRE > On se demande parfois pourquoi Lexus s'acharne à vendre un véhicule qui trouve si peu d'acheteurs chaque année. La réponse est simple, la technologie d'une autre époque est rentabilisée depuis longtemps et sert à d'autres modèles. Donc c'est profitable, même à très petite échelle. Visuellement, rien n'a changé en 2017. Vous avez encore cette impression massive d'un véhicule coulé dans un seul bloc. Sa posture bien droite est mise en valeur par des roues de 18 pouces en alliage d'aluminium, des poignées de portières et des garnitures de hayon au fini chromé, des longerons de toit, des marchepieds éclairés, un toit ouvrant à commande assistée et un aileron arrière. L'usage généralisé des DEL, y compris dans les phares, les feux arrière, les feux de jour et les phares antibrouillard, ajoute une touche moderne à ce vieux routier.

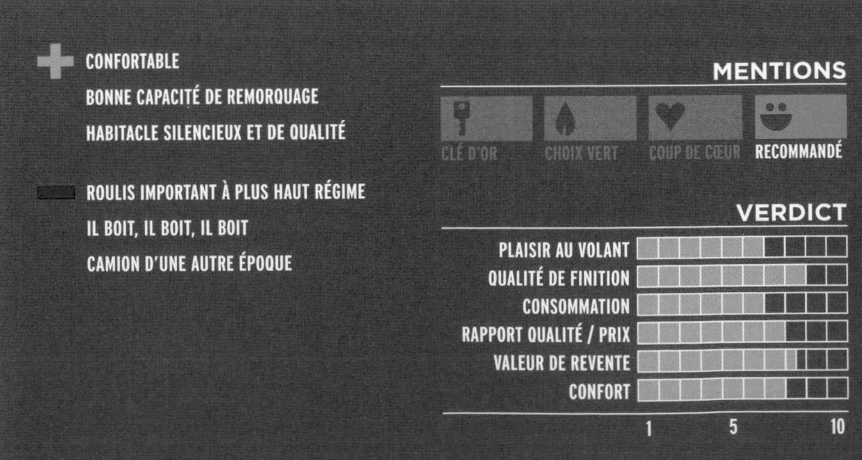

+
CONFORTABLE
BONNE CAPACITÉ DE REMORQUAGE
HABITACLE SILENCIEUX ET DE QUALITÉ
−
ROULIS IMPORTANT À PLUS HAUT RÉGIME
IL BOIT, IL BOIT, IL BOIT
CAMION D'UNE AUTRE ÉPOQUE
MENTIONS
CLÉ D'OR
CHOIX VERT
COUP DE CŒUR
RECOMMANDÉ
VERDICT
PLAISIR AU VOLANT
QUALITÉ DE FINITION
CONSOMMATION
RAPPORT QUALITÉ / PRIX
VALEUR DE REVENTE
CONFORT
1
5
10

VIE À BORD > À l'image des utilitaires haut de gamme, le GX est très bien équipé. Vous avez droit à un système audio Mark Levinson de 330 watts avec 17 haut-parleurs et une architecture ambiophonique à 7,1 canaux, la connectivité Bluetooth, la radio satellite XM intégrée et des commandes audio montées sur le volant. Vous avez aussi de série un système de navigation avec commande vocale, un système automatique de contrôle de la température à trois zones avec système de recirculation de l'air automatique, un volant chauffant et un pommeau de levier de vitesses gainés de bois et de cuir, des verrous de portières assistés avec système à clé de proximité Smart Key, un démarrage à bouton poussoir et à tout le tralala. Côté technologie, une caméra de recul, un moniteur d'angles morts et un système d'alerte de circulation transversale arrière. Le groupe technologique ajoute en option les systèmes précollision et de surveillance du conducteur, le système d'avertissement de sortie de voie, le régulateur de vitesse dynamique à radar, le moniteur avant, arrière et latéral à grand angle. Le groupe exécutif ajoute des écrans à l'arrière, un compartiment réfrigéré et le nécessaire hors route.

TECHNIQUE > Un seul moteur sous le capot et il remonte à l'époque jurassique chez Toyota. C'est le V8 4,6 litres de 301 chevaux couplé à une boîte automatique à 6 rapports. Malgré son âge, il fait encore du bon travail. Vous avez aussi droit à un système 4RM permanent, plus la fonction d'assistance au démarrage en pente et une commande d'assistance en descente. Le GX 460 est toujours prêt pour l'aventure grâce à une capacité nominale de remorquage de 6500 livres (2948 kilos), à laquelle s'ajoutent un système de freinage et de stabilisation de remorque ainsi qu'un faisceau de câblage avec connecteurs à 4 et à 7 broches.

AU VOLANT > Ici, votre expérience de conduite est directement reliée à votre manière de conduire. Malgré plusieurs artifices pour garder la conduite confortable, la base de ce camion est d'une autre époque. Le centre de gravité est élevé et il faut en tenir compte au volant. Si vous êtes sage, pas de problème, l'insonorisation est excellente et même nos routes défoncées seront nivelées par l'excellente résilience de la suspension. Si vous poussez le rythme, le roulis devient dangereux et vous aurez sans doute mal au cœur. Alors un conseil, roulez tranquillement, respectez les limites et enveloppez-vous dans un confort douillet.

CONCLUSION > Si Lexus ne se décide pas à changer le profil du GX, ce sont les règlementations plus sévères qui le feront. Cette bête d'une autre époque consomme en moyenne 16 à 17 litres aux 100 kilomètres et elle devra se fondre dans une nouvelle réalité ou disparaître. ■

FICHE TECHNIQUE

MOTEUR(S)

(BASE, PREMIUM) V8 4,6 L DACT
PUISSANCE 301 ch à 5 500 tr/min
COUPLE 329 lb-pi à 3 400 tr/min
RAPPORT POIDS/PUISSANCE 7,7 kg/ch
BOÎTE(S) DE VITESSES automatique à 6 rapports avec mode manuel
PERFORMANCES 0-100 km/h 8,1 s
REPRISE 80-115 km/h 6,1 s
FREINAGE 100-0 km/h 39,7 m
NIVEAU SONORE À 100 km/h Très bon
VITESSE MAXIMALE 180 km/h

AUTRES COMPOSANTS

SÉCURITÉ ACTIVE (certains en option) Freins ABS, assistance au freinage, répartition électronique de la force de freinage, contrôle électronique de la stabilité, antipatinage, assistance au démarrage en pente, assistance en descente, phares automatiques, régulateur de vitesse adaptatif, avertisseurs d'obstacle latéral et arrière et de sortie de voie, avertisseur et aide en cas d'impact imminent, caméra 360°
SUSPENSION avant/arrière indépendante
FREINS avant/arrière disques
DIRECTION à crémaillère, assistée
PNEUS P265/60R18

DIMENSIONS

EMPATTEMENT 2 790 mm
LONGUEUR 4 805 mm
LARGEUR 1 885 mm
HAUTEUR 1 875 mm
POIDS Base 2 326 kg **Premium** 2 349 kg
DIAMÈTRE DE BRAQUAGE 11,6 m
COFFRE 1 833 L (sièges abaissés)
RÉSERVOIR DE CARBURANT 87 L
CAPACITÉ DE REMORQUAGE 2 948 kg

2e OPINION

Michel Crépault

Je me suis longtemps demandé pourquoi Toyota continuait à offrir le GX, un utilitaire d'une autre époque construit sur un châssis à échelle instable avec un roulis à donner le mal de mer. En parlant avec des ingénieurs de Toyota, j'ai eu ma réponse. Le GX est basé sur la plate-forme internationale Prado, qui sert aussi de base au Toyota 4 Runner vendu partout sur la planète. Tout ce que Lexus fait, c'est rajouter de l'équipement en chargeant beaucoup plus cher. Le GX est une petite mine d'or pour Lexus, car le modèle coûte peu à faire et le châssis est rentabilisé depuis des lunes. Même si les ventes sont très faibles, il est payant. Il y a donc fort à parier que malgré ses faibles ventes, un nouveau modèle se pointera pour 2017 même si un nouveau modèle TX se profile à l'horizon.

LA COTE VERTE

MOTEUR L4 DE 2,0 L TURBO
CONSOMMATION (100 km) ville 10,6 L, route 7,2 L
CONSOMMATION ANNUELLE 1 530 L, 2 066 $
INDICE D'OCTANE 91
ÉMISSIONS POLLUANTES CO_2 3 519 kg/an
(source : ÉnerGuide)

FICHE D'IDENTITÉ

VERSION(S) 200t 2RM Base, F Sport **300 4RM** Base, Premium, Luxe, **F Sport** Séries 1 et 2 **350 4RM** Base, Executive, F Sport Série 2
TRANSMISSION(S) arrière, 4
PORTIÈRES 4 **PLACES** 5
PREMIÈRE GÉNÉRATION 1999
GÉNÉRATION ACTUELLE 2014
CONSTRUCTION Kyushu et Tahara, Japon
COUSSINS GONFLABLES 10 (frontaux, latéraux avant et arrière, genoux conducteur et passager, rideaux latéraux)
CONCURRENCE Acura TLX, Alfa Romeo Giulia, Audi A4, Buick Regal, Cadillac ATS, Infiniti Q50/Q60, Jaguar XE, Volvo S60, Volkswagen CC

AU QUOTIDIEN

COLLISION FRONTALE 4/5
COLLISION LATÉRALE 5/5
VENTES DU MODÈLE L'AN DERNIER
AU QUÉBEC 698 (-10,2 %) **AU CANADA** 3 401 (-13,8 %)
DÉPRÉCIATION (%) 27,4 (3 ans)
RAPPELS (2011 à 2016) 3
COTE DE FIABILITÉ 4/5

GARANTIES... ET PLUS

GARANTIE GÉNÉRALE 4 ans/80 000 km
GROUPE MOTOPROPULSEUR 6 ans/110 000 km
PERFORATION 6 ans/kilométrage illimité
ASSISTANCE ROUTIÈRE 4 ans/kilométrage illimité
NOMBRE DE CONCESSIONNAIRES
AU QUÉBEC 7 **AU CANADA** 38

NOUVEAUTÉS EN 2017

Abandon de la version décapotable. Retouches esthétiques extérieures et intérieures, nouvelles jantes, nouvelle palette de couleurs, écran de 10.3 po. remplace le 7 po., ensemble sécurité comprenant les systèmes pré-collision, assistance au maintien de voie, phares et régulateur de vitesse adaptatifs.

TOUJOURS PLUS HAUT

On dit souvent que l'imitation est la forme la plus sincère de flatterie. Le constructeur BMW doit donc être flatté de voir tous ces constructeurs essayer de reproduire le moule imposé par la Série 3 depuis plus de deux décennies. Ils sont nombreux, ces opposants, et avec l'arrivée de la division Genesis, la liste ne fera que s'allonger. L'une des plus belles options à la berline bavaroise provient sans contredit de Lexus et sa berline IS. En service depuis l'année modèle 2014, l'IS change quelque peu pour 2017, elle qui avait déjà vu son portfolio mécanique être modifié un brin l'an dernier. La nouvelle mouture repousse encore un peu plus loin la formule afin de se rapprocher un peu plus du moule allemand.

Vincent Aubé

TOUR DU PROPRIÉTAIRE > La livrée 2017 ne change pas outrageusement par rapport au modèle commercialisé depuis 2014. Les modifications se limitent essentiellement aux deux extrémités de la berline. Le bouclier de l'IS accentue son côté sportif à l'aide d'entrées d'air élargies et d'une grille de calandre évolutive, celle-ci ayant conservé sa forme de sablier. Ces trappes d'aération de part et d'autre de la grille servent d'ailleurs à refroidir les freins à disque à l'avant. Les blocs optiques ont également changé pour 2017, ceux-ci adoptant une forme simplifiée par rapport au modèle de l'an dernier. À l'arrière, les feux de position sont

+
FIABILITÉ
PLAISANTE À CONDUIRE
CONFORTABLE

−
PAS DE BOÎTE MANUELLE
PAS DE VERSION F
ESPACE LIMITÉ À L'ARRIÈRE

MENTIONS

CLÉ D'OR | CHOIX VERT | **COUP DE CŒUR** | RECOMMANDÉ

VERDICT

	1–10
PLAISIR AU VOLANT	9
QUALITÉ DE FINITION	9
CONSOMMATION	7,5
RAPPORT QUALITÉ / PRIX	8
VALEUR DE REVENTE	8
CONFORT	9

eux aussi redessinés, tandis que les embouts d'échappement sont désormais rectangulaires. Évidemment, une refonte de mi-parcours apporte également son lot de nouveautés comme de nouvelles roues de 17 pouces ou de nouveaux coloris.

VIE À BORD > À l'intérieur de cette berline sport, les changements se font plus subtils. Par exemple, le nouvel écran du système de divertissement, d'une largeur de 10,3 pouces, est non seulement plus vaste, il offre également une image plus claire pour les occupants. Bien que le pavé tactile, situé à la droite du levier de vitesses, soit considéré par plusieurs comme une distraction au volant, Lexus persiste et signe une fois de plus pour 2017 avec une version améliorée de cette «souris» automobile. Les concepteurs ont également tenu à redessiner les boutons situés sur le volant, une solution plus intuitive selon le constructeur. Au-delà des quelques détails de finition améliorés, la berline sport de Lexus demeure fidèle au modèle 2016. Les sièges à l'avant sont très confortables et même assez enveloppants pour les tracés plus sinueux, un compliment qui ne peut s'appliquer à la deuxième rangée. Disons que le tunnel de transmission gêne considérablement le passager qui se retrouve au centre.

TECHNIQUE > La division motorisation de Lexus a revu sa stratégie l'an dernier. En effet, la Lexus IS a enfin reçu son premier moteur 4 cylindres nord-américain. Ce bloc turbocompressé d'une cylindrée de 2 litres sort des chiffres de puissance tout à fait dans la moyenne des autres moulins de la catégorie, tandis que la boîte automatique à 8 rapports est très bien adaptée à la voiture. Notez qu'il s'agit de la seule IS disponible avec les roues arrière motrices, les deux autres variantes faisant confiance aux deux essieux. Les deux autres options font appel à deux versions du moteur V6 de 3,5 litres, celui de l'IS 350 étant plus musclé que celui de l'IS 300. Il est toutefois dommage que Lexus ne trouve pas une manière d'accoupler sa boîte automatique à 8 rapports à l'une ou l'autre de ces livrées. Dans ce cas-ci, l'unité à 6 rapports hérite du mandat.

AU VOLANT > Depuis les débuts de cette troisième génération du modèle, les commentaires se font plus positifs à l'égard de la berline de performance. Plus convaincante - surtout avec l'ensemble F Sport -, l'IS peut maintenant enlever des ventes aux divisions allemandes grâce à son comportement plus aiguisé sur route. Rassurez-vous, l'aspect confort n'a pas été affecté par cette injection de dynamisme. Il y a encore du travail à faire du côté de la direction, pas aussi précise que chez la concurrence. Les plus sévères trouveront également à redire sur l'efficacité de la boîte de transmission, qui n'enregistre pas toujours des changements aussi rapides que ceux d'une boîte à double embrayage.

CONCLUSION > La Lexus IS se distingue enfin par sa silhouette originale, mais également par la qualité d'assemblage. Sur route, elle ne peut plus faire l'objet de critiques aussi sévères, tandis que sa fiabilité est assurément son meilleur argument. ■

2e OPINION

Charles René

Très loin derrière sont les années d'anonymat de Lexus au regard du design de ses carrosseries. L'IS est probablement celle qui représente le mieux ce renouveau stylistique avec son pendant coupé, la RC. La berline est aussi une belle réalisation sur le plan dynamique. Le châssis jongle bien entre confort et efficacité. On a cependant besoin de renfort sous le capot. La boîte de vitesse automatique à 6 rapports secondant les V6 n'est pas de taille devant une concurrence qui propose généralement deux rapports de plus et beaucoup plus de rythme dans l'exécution. Bien que très doux, ces 6-cylindres n'offrent également pas la souplesse que l'on voudrait à bas régime. Il reste, du moins, la fiabilité exemplaire et le souci du détail dans l'habitacle qui convainquent.

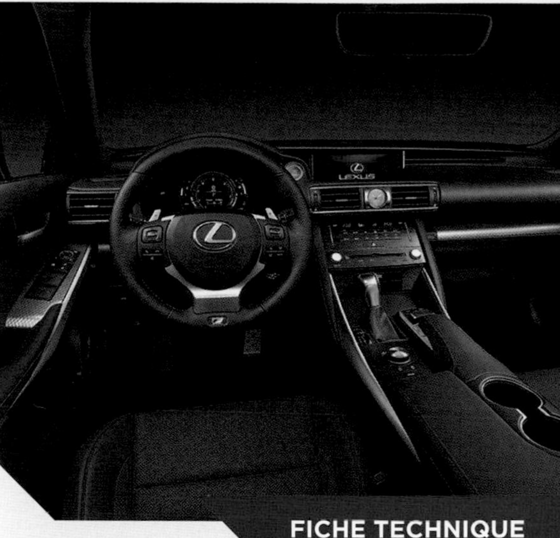

FICHE TECHNIQUE

MOTEUR(S)

(200t) L4 2,0 L DACT turbo
PUISSANCE 241 ch à 5 800 tr/min
COUPLE 258 lb-pi à 1 650 tr/min
RAPPORT POIDS/PUISSANCE 6,7 kg/ch
BOÎTE(S) DE VITESSES automatique à 8 rapports avec mode manuel et manettes au volant
PERFORMANCES 0-100 km/h 7,0 s
REPRISE 80-115 km/h 5,5 s
FREINAGE 100-0 km/h 42,0 m
NIVEAU SONORE À 100 km/h Bon
VITESSE MAXIMALE 210 km/h

(300 AWD) V6 3,5 L DACT
PUISSANCE 255 ch à 6 400 tr/min
COUPLE 236 lb-pi à 2 000 tr/min
RAPPORT POIDS/PUISSANCE 6,6 kg/ch
BOÎTE(S) DE VITESSES automatique à 6 rapports avec mode manuel
PERFORMANCES 0-100 km/h 6,9 s
REPRISE 80-115 km/h 5,8 s **FREINAGE 100-0 km/h** 42,0 m
NIVEAU SONORE À 100 km/h Bon
VITESSE MAXIMALE 210 km/h
CONSOMMATION (100 km) ville 12,6 L, route 9,2 L (octane 91)
ANNUELLE 1 887 L, 2 547 $ **ÉMISSIONS DE CO_2** 4 340 kg/an

(350 AWD) V6 3,5 L DACT
PUISSANCE 306 ch à 6 400 tr/min **COUPLE** 277 lb-pi à 4 800 tr/min
RAPPORT POIDS/PUISSANCE 350AWD 5,5 kg/ch
BOÎTE(S) DE VITESSES automatique à 6 rapports avec mode manuel
PERFORMANCES 0-100 km/h 5,7 s
VITESSE MAXIMALE 210 km/h
CONSOMMATION (100 km) ville 12,6 L, route 9,2 L (octane 91)
ANNUELLE 1 887 L, 2 547 $ **ÉMISSIONS DE CO_2** 4 340 kg/an

AUTRES COMPOSANTS

SÉCURITÉ ACTIVE (certains en option) Freins ABS, assistance au freinage, répartition électronique de la force de freinage, contrôle électronique de la stabilité, antipatinage, régulateur de vitesse adaptatif, avertisseur de collision imminente avec freinage d'urgence automatique, avertisseurs d'obstacle latéral et arrière et de changement de voie avec assistance au maintien de voie, essuie-glaces automatiques, phares adaptatifs
SUSPENSION avant/arrière indépendante
FREINS avant/arrière disques
DIRECTION à crémaillère, assistée électriquement
PNEUS 200t/300 P225/45R17 **200t F Sport/300 F Sport/350** P225/40R18 (av.) P255/35R18 (arr.)

DIMENSIONS

EMPATTEMENT 2 800 mm **LONGUEUR** 4 665 mm (2016)
LARGEUR 1 810 mm **HAUTEUR** 1 430 mm
POIDS 200t 1 625 kg **300** 1 695 kg **350 AWD** 1 695 kg
RÉPARTITION DU POIDS AV/ARR (%) 2RM 54/46 **4RM** 55/45
DIAMÈTRE DE BRAQUAGE 2RM 10,4 m **4RM** 10,8 m
COFFRE 310 L **RÉSERVOIR DE CARBURANT** 66 L

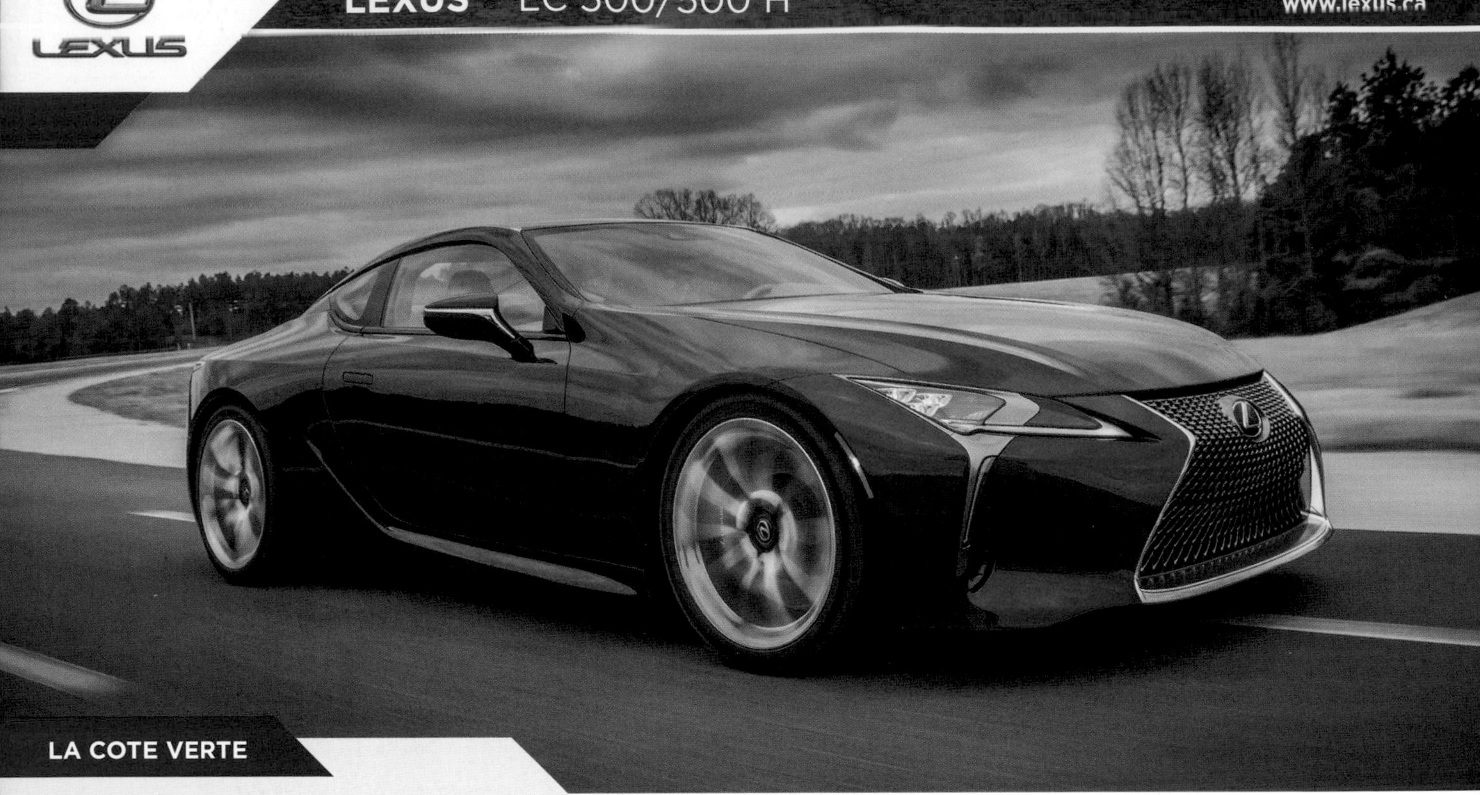

LA COTE VERTE

MOTEUR V6 DE 3,5 L HYBRIDE
CONSOMMATION (100 km) ND
CONSOMMATION ANNUELLE ND
INDICE D'OCTANE 91
ÉMISSIONS POLLUANTES CO_2 ND
(source: Lexus)

FICHE D'IDENTITÉ

VERSION(S) LC500, LC500h
TRANSMISSION(S) arrière
PORTIÈRES 2 **PLACES** 2+2
PREMIÈRE GÉNÉRATION 2017
GÉNÉRATION ACTUELLE 2017
CONSTRUCTION ND
COUSSINS GONFLABLES ND
CONCURRENCE Acura NSX, BMW i8/Série 6, Chevrolet Corvette, Dodge Viper, Jaguar F-Type, Lotus Evora, Mercedes-Benz Classe SL, Nissan GT-R, Porsche 911

AU QUOTIDIEN

COLLISION FRONTALE nm
COLLISION LATÉRALE nm
VENTES DU MODÈLE L'AN DERNIER
AU QUÉBEC nm **AU CANADA** nm
DÉPRÉCIATION (%) nm
RAPPELS (2011 à 2016) nm
COTE DE FIABILITÉ nm

GARANTIES... ET PLUS

GARANTIE GÉNÉRALE 4 ans/80 000 km
GROUPE MOTOPROPULSEUR 6 ans/110 000 km
PERFORATION 6 ans/kilométrage illimité
ASSISTANCE ROUTIÈRE 4ans/kilométrage illimité
NOMBRE DE CONCESSIONNAIRES
AU QUÉBEC 7 **AU CANADA** 38

NOUVEAUTÉS EN 2017

Nouveau modèle

SÉDUISANTE

Notre voiture qui figure en couverture de *l'Annuel 2017* nous a séduits d'abord comme prototype au Salon de l'auto de Détroit en 2012. Il portait alors le nom de LC-LF et frappait l'imaginaire par son style spectaculaire. Quelle ne fut pas notre surprise de voir, quatre ans plus tard au même Salon de Détroit, la LC 500, au style très proche du concept promis à la production. Ce coupé à couper le souffle confirme que pour chaque règle, il y a une exception. De fait, Lexus n'a jamais été reconnue pour la grande beauté de ses modèles, mais cette LC fait exception. Souhaitons que cela se produira plus souvent.

Benoit Charette

TOUR DU PROPRIÉTAIRE > Lors de la présentation de la LC à Détroit, Toyota avait précisé que ce véhicule symbolisait une nouvelle culture de développement de produit qui allait encourager une collaboration accrue entre les concepteurs et les ingénieurs. Pourquoi avoir attendu aussi longtemps? Chose certaine, pour la LC 500, c'est une véritable réussite. Cette voiture transpire la performance par tous ses orifices. Le style est émotionnel, à fleur de peau. Son allure aérodynamique domine avec des formes fuyantes et une posture abaissée qui semble faire bouger la voiture même à l'arrêt. La partie avant est dominée par la grille en sablier que nous trouvons si laide sur la majorité des Lexus. Ici, elle se fond dans le décor même avec une ligne de chrome sur trois côtés. Des prises

+ À DÉTERMINER

– À DÉTERMINER

MENTIONS

CLÉ D'OR | CHOIX VERT | COUP DE CŒUR | RECOMMANDÉ

VERDICT

	Note (1 – 5 – 10)
PLAISIR AU VOLANT	nm
QUALITÉ DE FINITION	nm
CONSOMMATION	nm
RAPPORT QUALITÉ / PRIX	nm
VALEUR DE REVENTE	nm
CONFORT	nm

d'air fonctionnelles s'intègrent et contribuent à améliorer la stabilité aérodynamique et le refroidissement. On retrouve le style L-Finesse dans le dessin des phares avant et arrière, et un diffuseur arrière avec aileron actif en option aide également à l'écoulement de l'air pendant la conduite à haute vitesse. La voiture est chaussée de roues de 21 pouces en aluminium forgé ou de roues de 20 pouces en aluminium forgé en option.

VIE À BORD > Le côté débridé se transporte aussi à l'intérieur. Lexus a conçu un poste de pilotage à la fois élégant et sportif et s'inspirant du LFA. La position de conduite a été étudiée pour placer le conducteur le plus près possible du centre de gravité pour faire corps avec le véhicule. Vous aurez donc compris que vous êtes assis bas. Le confort et le luxe sont au centre des préoccupations avec une planche de bord soignée au dessin très droit et orienté sur le conducteur. Vous aurez droit à la panoplie habituelle des aides à la conduite électronique comme le régulateur de vitesse adaptatif, l'anti-franchissement de ligne actif, phares automatiques ou radar avant/arrière combiné à des caméras. Les sièges de série, très confortables, peuvent être remplacés en option par des sièges sport qui vous tiennent plus en place sur un circuit, mais qui seront moins confortables au quotidien.

TECHNIQUE > Deux choix seront offerts aux fortunés acheteurs. Un premier, orienté sur la performance, avec le V8 de 5 litres qui se trouve présentement dans la RC-F. Fort de ses 467 chevaux et 389 livres-pieds de couple, le V8 jouera une symphonie qui passera par une boîte automatique à double embrayage à 10 rapports, une première chez Lexus. Cette boîte est jumelée à un nouveau système de contrôle électrique qui permet d'anticiper les sollicitations du conducteur en surveillant l'accélération, le freinage et les forces g latérales. Cette musique qui traversera un double système d'admission d'air promet de réaliser une très belle mélodie et un 0-100 km/h en moins de 4,5 secondes. Pour ceux qui ont l'âme plus verte, la LC 500h est un modèle hybride qui fonctionne sur la base d'un V6 de 3,5 litres associé à un moteur électrique et à un bloc-pile lithium-ion, le tout relié à une boîte automatique à 4 rapports montée à l'arrière de la transmission hybride. Le système hybride comprend également un mode « M » - permettant des changements de vitesses effectués par le conducteur qui désire une conduite plus sportive -, une première sur un groupe motopropulseur hybride Lexus.

AU VOLANT > Comme la voiture arrivera seulement au printemps 2017, impossible de la conduire avant d'aller sous presse. Nous savons toutefois que la LC profitera du châssis le plus rigide de l'histoire de la marque, même la LFA. Il y a aussi des renforts spéciaux dans le compartiment moteur et des tourelles de suspension en aluminium. Une attention particulière a été portée à la suspension arrière à tiges. Un dispositif à double rotule sur les bras de commande supérieur et inférieur triangulaires permet de mieux contrôler les plus infimes mouvements provenant des sollicitations du conducteur et des conditions routières. La voiture sera chaussée de pneus Michelin de 21 pouces très collants.

CONCLUSION > Il est certain qu'il faudra dépenser plus de 100 000 $ pour ce nouveau vaisseau amiral de Lexus. On dit même que le président de Toyota, Akio Toyoda, est à concevoir une troisième motorisation turbocompressée qui dépasserait allègrement les 600 chevaux pour justifier le titre de porte-étendard de la marque. Chose certaine, nous avons tous très hâte d'en faire l'essai. ■

FICHE TECHNIQUE

MOTEUR(S)

(LC500) V8 5,0 L DACT
PUISSANCE 467 ch à 7 100 tr/min
COUPLE 389 lb-pi à 4 800 tr/min
RAPPORT POIDS/PUISSANCE 3,9 kg/ch (est.)
BOÎTE(S) DE VITESSES automatique à 10 rapports avec mode manuel et manettes au volant
PERFORMANCES 0-100 km/h moins de 4,5 s
VITESSE MAXIMALE 270 km/h (est.)
REPRISE 80-115 km/h ND
FREINAGE 100-0 km/h ND
CONSOMMATION (100 km) ND (octane 91)

(LC500H) V6 3,5 L DACT + 2 moteurs électriques
PUISSANCE 295 ch + 2 moteurs électriques, 354 ch total disponible
COUPLE 348 lb-pi à ND tr/min + 2 moteurs électriques
RAPPORT POIDS/PUISSANCE 5,6 kg/ch (est.)
BOÎTE(S) DE VITESSES automatique combinée une 4 rapports + une CVT, avec mode Sport simulant 10 rapports
PERFORMANCES 0-100 km/h 5,5 s (est.)
VITESSE MAXIMALE 270 km/h (est.), 140 km/h en mode électrique seulement

AUTRES COMPOSANTS

SÉCURITÉ ACTIVE (selon version ou certains en option) Freins ABS, assistance au freinage, répartition électronique de la force de freinage, contrôle de la stabilité électronique, antipatinage, régulateur de vitesse adaptatif, avertisseur et aide en cas de sortie de voie, phares automatiques
SUSPENSION avant/arrière indépendante
FREINS avant/arrière disques
DIRECTION à crémaillère, assistée électriquement
PNEUS P245/40R21 (av.), P275/35R21 (arr.)
option P245/45R20 (av.) P275/40R20 (arr.)

DIMENSIONS

EMPATTEMENT 2 870 mm
LONGUEUR 4 760 mm (est.)
LARGEUR 1 920 mm (est.)
HAUTEUR 1 345 mm (est.)
POIDS 1 815 kg (est.) **LC500h** 1 995 kg (est.)
RÉPARTITION DU POIDS AV/ARR (%) 52/48
DIAMÈTRE DE BRAQUAGE ND
COFFRE ND
RÉSERVOIR DE CARBURANT ND

LA COTE VERTE

MOTEUR V8 DE 5,0 L HYBRIDE
CONSOMMATION (100 km) ville 12,7 L, route 10,1 L
CONSOMMATION ANNUELLE 1 904 L, 2 570 $
INDICE D'OCTANE 91
ÉMISSIONS POLLUANTES CO_2 4 379 kg/an
(source : ÉnerGuide)

FICHE D'IDENTITÉ

VERSION(S) **460** 4RM, **460 L** 4RM, **600h L** (4RM)
TRANSMISSION(S) 4
PORTIÈRES 4 **PLACES** 5
PREMIÈRE GÉNÉRATION 1990
GÉNÉRATION ACTUELLE 2007
CONSTRUCTION Tahara, Japon
COUSSINS GONFLABLES 10 (frontaux, latéraux avant et arrière, genoux conducteur et passager, rideaux latéraux) option 11 (+ repose-pieds)
CONCURRENCE Audi A8, BMW Série 6 GranCoupe/Série 7, Cadillac CT6, Genesis G90, Jaguar XJ, Kia K900, Lincoln Continental, Maserati Quattroporte, Mercedes-Benz Classe S, Porsche Panamera, Tesla S

AU QUOTIDIEN

COLLISION FRONTALE 5/5
COLLISION LATÉRALE 5/5
VENTES DU MODÈLE L'AN DERNIER
AU QUÉBEC 11 (-47,6 %) **AU CANADA** 123 (-26,3 %)
DÉPRÉCIATION (%) 27,4 (3 ans)
RAPPELS (2011 à 2016) aucun à ce jour
COTE DE FIABILITÉ 5/5

GARANTIES... ET PLUS

GARANTIE GÉNÉRALE 4 ans/80 000 km
GROUPE MOTOPROPULSEUR 6 ans/110 000 km
COMPOSANTS système hybride 8 ans/160 000 km
PERFORATION 6 ans/kilométrage illimité
ASSISTANCE ROUTIÈRE 4 ans/kilométrage illimité
NOMBRE DE CONCESSIONNAIRES
AU QUÉBEC 7 **AU CANADA** 38

NOUVEAUTÉS EN 2017

Aucun changement majeur

POUR RETRAITÉS BÉATS

La LS 460 et la LS 600h, cette dernière nantie de trois moteurs électriques pour tomber dans la catégorie des hybrides, reviennent au catalogue en 2017 sans changements, même 10 ans après le lancement de l'actuelle génération. En astiquant fort notre boule de cristal, on croit discerner que la nouvelle mouture se pointera dans un an, peut-être deux.

Michel Crépault

TOUR DU PROPRIÉTAIRE > On a affaire à une limousine. Si vous assimilez cette notion en partant, vous allez immédiatement saisir la personnalité intrinsèque de la LS. Une notion tellement cruciale que, même si la 460 mesure plus de cinq mètres, son géniteur a cru indispensable de lui ajouter 12 centimètres pour débloquer une variante à empattement long, laquelle est d'ailleurs la seule disponible dans le cas de la 600h. Côté look, vrai que la grosse berline exhibe désormais une grille en sablier commune à la marque, ce qui la saupoudre d'un soupçon de sportivité, et vrai encore que l'on peut cocher le groupe F Sport (8 500 $) qui noircit la calandre et raffermit la suspension, mais on n'en vend pas des tonnes de cet ensemble. Si c'était vraiment ce qu'on le recherchait avec une LS, on prendrait un raccourci et on irait voir du côté des allemandes !

VIE À BORD > Peu importe l'aspect extérieur final d'une LS, si vous recherchez de l'élégance et du confort, vous êtes à la bonne enseigne. Parlons sièges d'abord. Quoique, dans ce

+
- CONDUITE PLANANTE (POUR CERTAINS)
- CONFORT EXEMPLAIRE
- FIABILITÉ LOUANGÉE

−
- CONDUITE ENNUYEUSE (POUR D'AUTRES)
- L'UTILISATION DU SIÈGE OTTOMAN SACRIFIE CELUI DEVANT
- EN ATTENTE D'UN SÉRIEUX RENOUVELLEMENT

MENTIONS

CLÉ D'OR | CHOIX VERT | COUP DE CŒUR | **RECOMMANDÉ**

VERDICT

PLAISIR AU VOLANT
QUALITÉ DE FINITION
CONSOMMATION
RAPPORT QUALITÉ / PRIX
VALEUR DE REVENTE
CONFORT

1 5 10

cas-ci, le terme fauteuil, voire sofa, dépeigne mieux la situation. À l'avant, c'est tout bonnement sublime. À l'arrière, vous pouvez être altruiste et commander la banquette bonne pour trois compagnons de voyage, ou vous pouvez allonger les pesos nécessaires pour plutôt obtenir deux fauteuils capitaine séparés par un compartiment réfrigéré. Le trône de droite inclut un dossier et un repose-pied escamotable s'inclinant assez pour transformer le tout en couchette. En y ajoutant le massage shiatsu, la sieste salvatrice est garantie. Côté instrumentation, la largeur du véhicule permet aux interrupteurs de respirer au cœur de boiseries nobles et de cuirs somptueux. Le volant en bois strié est une œuvre d'art. Un écran lumineux de 12,3 pouces trône au-dessus de la console centrale. Pour le contrôler, vous avez le choix entre des boutons traditionnels ou la souris *Remote Touch*, qui exige beaucoup de pratique et autant de patience. Lexus devrait s'en débarrasser et se rabattre sur un système à la Audi.

TECHNIQUE > Les deux 460 font confiance à un V8 4,6 litres de 360 chevaux, tandis que l'hybride préfère une cylindrée de 5 litres assujettie au renfort de trois moteurs électriques, un qui agit comme génératrice et les deux autres qui assistent les essieux, pour un total de 438 chevaux. La transmission intégrale est de série, les boîtes de vitesse des 460 comptent 8 rapports (et des palettes avec le *kit* F Sport), alors que la 600h emploie une CVT.

AU VOLANT > Malgré l'option F Sport et ses amortisseurs adaptatifs, malgré les programmes Sport et Sport+, Lexus joue volontairement la carte du comportement douillet (tout en écartant la suspension mollassonne des Caddy des années 70) et laisse à Mercedes-Benz, Audi et BMW le soin de divertir leurs clientèles avec des conduites plus pointues. La direction communique vaguement des informations que la suspension de l'auto essaie constamment de gommer de toutes façons. Une seule chose intéresse la LS : le silence à bord (à moins de savourer la délirante sono Mark Levinson à 19 haut-parleurs). Elle musèle même son V8. À peine si on l'entend quand on écrase l'accélérateur. On se promène dans sa bulle, on encaisse les nids-de-poule en les écartant tels de légers désagréments éphémères, puis on flotte, on lévite.

CONCLUSION > Pour à peine 1,5 kilomètre en tout électrique et une économie à la pompe insignifiante, la 600h, livrable au bout de trois mois sur commande spéciale et qui exige près de 20 000 $ de plus que la 460L, ne vaut pas la peine. Lexus, pionnière des véhicules hybrides, doit faire mieux et on le constatera peut-être quand la nouvelle LS se pointera. En attendant, une 460 à empattement ordinaire démarre sous le cap des 100 000 $, une stratégie délibérée de Toyota qui ne va pas sans rappeler les débuts de la LS en 1989, une anti-M-B offerte à « prix d'ami ». Seulement 11 personnes (j'ai envie d'ajouter « très certainement d'âge mûr ») ont acquis une LS au Québec en 2015, et je suis certain qu'ils sont venus grossir les rangs des proprios qui placent Lexus au sommet de la satisfaction tous azimuts. ■

2e OPINION

Antoine Joubert

Dans certains coins de pays, la Lexus LS connaît un certain succès. Mais chez nous, on l'ignore. Pourtant, cette grande berline de luxe est la seule de son segment à offrir une tranquillité d'esprit et une fiabilité redoutable. Le concessionnaire se chargera de récupérer la voiture pour les entretiens périodiques, et il ne vous restera qu'à mettre de l'essence. N'est-ce pas là la définition d'une bonne voiture ? Pourtant, toutes les rivales (exception faite des coréennes) se vendent plus. On préfère la technologie, la finition plus exotique et l'image du logo prestigieux de ces voitures qui déprécient à la vitesse de la lumière en raison des coûts d'entretien impossibles. La Lexus LS peut donc être considérée comme la meilleure voiture au monde, dans la mesure où elle marie fiabilité, luxe et confort de haut niveau. Mais n'ajoutez pas d'épices à l'équation, car elle n'est ni séduisante ni amusante à conduire. Bref, la plus rationnelle des berlines inabordables...

FICHE TECHNIQUE

MOTEUR(S)

(460, 460L) V8 4,6 L DACT
PUISSANCE 360 ch à 6 400 tr/min
COUPLE 347 lb-pi à 4 100 tr/min
RAPPORT POIDS/PUISSANCE 5,5 à 5,6 kg/ch
BOÎTE(S) DE VITESSES automatique à 8 rapports avec mode manuel (et manettes au volant avec l'option F Sport)
PERFORMANCES 0-100 km/h 5,7 s
VITESSE MAXIMALE 210 km/h (bridée)
CONSOMMATION (100 km) ville 15,2 L, route 10,2 L (octane 91)
ANNUELLE 2 193 L, 2 961 $
ÉMISSIONS DE CO_2 5 044 kg/an

(600h L) V8 5,0 L DACT + 3 moteurs électriques
PUISSANCE 389 ch à 6 400 tr/min + 3 moteurs électriques (438 ch total)
COUPLE 385 lb-pi à 4 000 tr/min
RAPPORT POIDS/PUISSANCE 5,4 kg/ch
BOÎTE(S) DE VITESSES automatique à variation continue
PERFROMANCES 0-100 km/h 5,9 s
REPRISE 80-115 km/h 4,1 s
FREINAGE 100-0 km/h 39,6 m
NIVEAU SONORE À 100 km/h Excellent
VITESSE MAXIMALE 210 km/h (bridée)

AUTRES COMPOSANTS

SÉCURITÉ ACTIVE (selon version ou certains en option) Freins ABS, assistance au freinage, répartition électronique de la force de freinage, contrôle électronique de la stabilité, antipatinage, détection de piétons, assistance en cas de sortie de voie, avertisseurs de somnolence et d'obstacle latéral et arrière, phares adaptatifs, vision nocturne
SUSPENSION avant/arrière indépendante, à amortissement adaptatif (versions L)
FREINS avant/arrière disques **600hL** avec récupération d'énergie
DIRECTION à crémaillère, assistée électriquement
PNEUS P245/45R19

DIMENSIONS

EMPATTEMENT 2 970 mm **L** 3 090 mm
LONGUEUR 5 090 mm **L** 5 210 mm
LARGEUR 1 875 mm
HAUTEUR 1 475 mm **460L** 1 465 mm **600hL** 1 480 mm
POIDS 460 2 140 kg **460 L** 2 160 kg **600hL** 2 370 kg
RÉPARTITION DU POIDS AV/ARR (%) 53/47
DIAMÈTRE DE BRAQUAGE 11,4 m **L** 11,8 m **600hL** 12,0 m
COFFRE 510 L **600hL** 370 L
RÉSERVOIR DE CARBURANT 84 L

LA COTE VERTE

MOTEUR V8 DE 5,7 L
CONSOMMATION (100 km) ville 18,3 L, route 12,9 L •
CONSOMMATION ANNUELLE 2 703 L, 3 649 $
INDICE D'OCTANE 91
ÉMISSIONS POLLUANTES CO_2 6 217 kg/an
(source : ÉnerGuide)

FICHE D'IDENTITÉ

VERSION(S) unique
TRANSMISSION(S) 4
PORTIÈRES 5 **PLACES** 8
PREMIÈRE GÉNÉRATION 1996
GÉNÉRATION ACTUELLE 2008
CONSTRUCTION Araco, Japon
COUSSINS GONFLABLES 10 (frontaux, latéraux avant et arrière, genoux conducteur et passager, rideaux latéraux)
CONCURRENCE Cadillac Escalade, Infiniti QX80, Land Rover Range Rover/Sport, Lincoln Navigator, Mercedes-Benz Classe G/GLS

AU QUOTIDIEN

COLLISION FRONTALE 5/5
COLLISION LATÉRALE 5/5
VENTES DU MODÈLE L'AN DERNIER
AU QUÉBEC 44 (+18,9 %) **AU CANADA** 348 (+1,8 %)
DÉPRÉCIATION (%) 32,8 (3 ans)
RAPPELS (2011 à 2016) 1
COTE DE FIABILITÉ 4/5

GARANTIES... ET PLUS

GARANTIE GÉNÉRALE 4 ans/80 000 km
GROUPE MOTOPROPULSEUR 6 ans/110 000 km
PERFORATION 6 ans/kilométrage illimité
ASSISTANCE ROUTIÈRE 4 ans/kilométrage illimité
NOMBRE DE CONCESSIONNAIRES
AU QUÉBEC 7 **AU CANADA** 38

NOUVEAUTÉS EN 2017

Roues de 21 po. remplacent les 20 po., nouvelle palette de couleurs

DÉSESPÉRÉ D'ÊTRE TROP RICHE ?

Les personnes immensément riches se tournent généralement vers des produits qui illustrent l'ampleur de leur fortune. Pour leur VUS, sans même mettre une roue sur le gravillon, ces individus veulent ce qu'il y a de mieux : le plus cher, le plus excentrique, le plus puissant, le plus compétent. Vous êtes blasé des écussons du Cadillac Escalade et du Range Rover ? Lexus tient la solution de la rareté avec l'outrageusement luxueux LX570.

Luc-Olivier Chamberland

TOUR DU PROPRIÉTAIRE > Lexus a esthétiquement presque complètement revu son LX en 2016. On cherche à s'affirmer encore plus dans la philosophie L-Finesse. Au changement, seules les portières sont conservées, tout le reste se transforme. L'excès n'a pas de limite et se manifeste par son imposante calandre, en plus de ses massives jantes de 21 pouces. À sa vue, on comprend vite que les designers jouent la carte du « bling-bling ». Précédemment, l'ensemble se voulait sobre, là, on tombe dans l'indécence. Que l'on aime ou pas, c'est une image séduisante pour les acheteurs en quête de distinction.

VIE À BORD > Dans l'univers des VUS de plus de 100 000 $, nous sommes en droit de nous attendre à ce qu'il y a de mieux. Le LX570 offre un environnement qui respire le prestige. L'ensemble est habillé de cuir finement taillé aux surpiqures en évidence, de boiseries sculp-

+
- FIABILITÉ
- CAPACITÉ HORS ROUTE EXCEPTIONNELLE
- LUXE INDÉCENT

−
- DESIGN SINGULIER
- PRIX ÉHONTÉ
- TROISIÈME RANGÉE DE SIÈGES INUTILE

MENTIONS

CLÉ D'OR | CHOIX VERT | COUP DE CŒUR | **RECOMMANDÉ**

VERDICT

PLAISIR AU VOLANT
QUALITÉ DE FINITION
CONSOMMATION
RAPPORT QUALITÉ / PRIX
VALEUR DE REVENTE
CONFORT

1 5 10

tées et de métaux satinés. L'équipement va au-delà de nos capacités de gestion. Même après plusieurs jours à son volant, on découvre de nouvelles caractéristiques ayant pour but de nous dorloter encore plus. Dresser la liste des accessoires prendrait l'entièreté des pages de ce livre. Les plus notables sont : l'écran multifonction ACL de 12,3 pouces, des moniteurs de 11,6 pouces aux appuie-têtes, 28 buses d'aération et pour les mélomanes, une chaine Mark Levinson de 450 watts répartis dans 19 haut-parleurs.

Avec un tel format, l'espace intérieur se montre plus que généreux. Cette réalité s'applique surtout aux deux premières lignes. Avec leur confort princier, on prend nos aises comme dans la première classe d'un transporteur aérien. Pour ceux qui se situent dans le coffre, c'est une autre histoire. L'accès est difficile et ses usagers se sentiront dans la section économique d'Air Canada Rouge ! Ces assises sont d'ailleurs toujours aussi mal intégrées puisqu'elles se rabattent sur les parois du coffre amputant ainsi l'aire de chargement. La malle permet un volume de 439/1161/2 353 litres selon l'inclinaison des dossiers.

TECHNIQUE > Toyota a beau être une entreprise phare en matière d'hybridation, ici, on demeure à la vieille école avec un V8 de 5,7 litres. Possédant une masse bien ronde de 6 000 livres, les 383 chevaux et le couple de 403 lb-pi ne sont pas superflus. La puissance du moteur lui offre toute la vélocité qu'on attend du Lexus LX570. Petit bémol, il est particulièrement gourmand. Les 16 litres/100 km sont fréquents sans que l'on excite l'accélérateur. Heureusement, l'an dernier, Lexus a modernisé la boite de transmission, qui compte maintenant huit rapports, on sauve ainsi quelques gouttes de carburant.

Le LX est un dérivé de l'indestructible Toyota Land Cruiser. Bien qu'il porte un complet griffé, son rouage à prise constante et sa généreuse garde au sol adaptative font qu'il peut jouer loin dans les bois, là où les sentiers n'existent plus. Ses capacités sont franchement étonnantes.

AU VOLANT > Ce mastodonte vient avec une pléthore d'accessoires, de gadgets et de technologies, mais l'agrément de conduite brille par son absence sur la liste d'équipement. Très massif et haut perché, son dynamisme laisse à désirer. En virage, l'expérience peut même donner des sueurs froides tant les mouvements de caisse sont importants. Par contre, sur l'autoroute à vitesse constante, il offre un environnement aseptisé, un monde de quiétude. Son plus gros problème demeure son système de freinage qui peine à la tâche, il faut redoubler de vigilance.

CONCLUSION > Le LX570 propose un univers indécent à tous les points de vue. Il interpelle de rares acheteurs richissimes. Et en plus de tous ses avantages, c'est le produit qui offre la meilleure fiabilité du segment. ■

2e OPINION

Daniel Rufiange

Certains véhicules font bande à part dans l'industrie, tellement que lorsqu'on en prend le volant, on a l'impression de faire un voyage dans le temps ou de pénétrer dans la troisième dimension. C'est un peu la sensation ressentie à bord du LX 570, un mammouth de près de trois tonnes qui offre de la place pour huit, le confort d'une berline de prestige et l'efficacité hors route d'un Range Rover. Concernant ce dernier point, il faut savoir que le LX 570 est en fait un Toyota Land Cruiser, l'un des produits les plus réputés de la planète lorsque vient le temps de quitter les sentiers banalisés. Que fait-il ici alors, et chez Lexus, de surcroît ? La question mérite d'être posée, surtout que l'an dernier, un total de 44 unités ont été écoulées au Québec. Incroyablement, il s'agissait d'une hausse pour une deuxième année consécutive. Allez comprendre.

FICHE TECHNIQUE

MOTEUR(S)

(LX570) V8 5,7 L DACT
PUISSANCE 383 ch à 5 600 tr/min
COUPLE 403 lb-pi à 3 600 tr/min
RAPPORT POIDS/PUISSANCE 7,0 kg/ch
BOÎTE(S) DE VITESSES automatique à 6 rapports avec mode manuel et manettes au volant
PERFORMANCES 0-100 km/h 8,7 s
REPRISE 80-115 km/h 5,1 s
FREINAGE 100-0 km/h 45,1 m
NIVEAU SONORE À 100 km/h Bon
VITESSE MAXIMALE 220 km/h

AUTRES COMPOSANTS

SÉCURITÉ ACTIVE Freins ABS, assistance au freinage, répartition électronique de la force de freinage, contrôle électronique de la stabilité, antipatinage, aides au départ et à la descente en pente, contrôle de louvoiement de la remorque, phares directionnels, essuie-glaces adaptatifs
SUSPENSION avant/arrière indépendante, à autonivellement
FREINS avant/arrière disques
DIRECTION à crémaillère, assistée, à rapport variable
PNEUS P285/50R20

DIMENSIONS

EMPATTEMENT 2 850 mm
LONGUEUR 5 005 mm
LARGEUR 1 970 mm
HAUTEUR 1 920 mm
POIDS 2 680 kg
RÉPARTITION DU POIDS AV/ARR (%) 51/49
DIAMÈTRE DE BRAQUAGE 11,8 m
COFFRE 439 L, 1 161 L, 2 353 L (sièges abaissés)
RÉSERVOIR DE CARBURANT 93 L
CAPACITÉ DE REMORQUAGE 3 175 kg

LA COTE VERTE

MOTEUR L4 DE 2,5 L HYBRIDE
CONSOMMATION (100 km) ville 7,1 L, route 7,7 L
CONSOMMATION ANNUELLE 1 258 L, 1 510 $
INDICE D'OCTANE 87
ÉMISSIONS POLLUANTES CO_2 2 893 kg/an
(source : ÉnerGuide)

FICHE D'IDENTITÉ

VERSION(S) 200t Base, Premium, Luxe, F Sport, Exécutif
300h Base, Exécutif
TRANSMISSION(S) 4
PORTIÈRES 5 **PLACES** 5
PREMIÈRE GÉNÉRATION 2015
GÉNÉRATION ACTUELLE 2015
CONSTRUCTION Kyushu, Japon
COUSSINS GONFLABLES 8 (frontaux, latéraux avant, genoux avant, rideaux latéraux)
CONCURRENCE Acura RDX, Audi Q3/Q5, BMW X1/X3/X4, Infiniti QX30/QX50, Land Rover Range Rover Evoque/Discovery Sport, Lincoln MKC/MKX, Mercedes-Benz GLA/GLC, Porsche Macan, Volkswagen Tiguan, Volvo XC60

AU QUOTIDIEN

COLLISION FRONTALE 4/5
COLLISION LATÉRALE 5/5
VENTES DU MODÈLE L'AN DERNIER
AU QUÉBEC 1 051 (+2 090 %) **AU CANADA** 6 127 (+1 970 %)
DÉPRÉCIATION (11,8 %) (2 ans)
RAPPELS (2011 à 2016) 1
COTE DE FIABILITÉ 4/5

GARANTIES... ET PLUS

GARANTIE GÉNÉRALE 4 ans/80 000 km
GROUPE MOTOPROPULSEUR 6 ans/110 000 km
COMPOSANTS système hybride 8 ans/160 000 km
PERFORATION 6 ans/kilométrage illimité
ASSISTANCE ROUTIÈRE 4 ans/kilométrage illimité
NOMBRE DE CONCESSIONNAIRES
AU QUÉBEC 7 AU CANADA 38

NOUVEAUTÉS EN 2017

Aucun changement majeur

L'ART DE CONQUÉRIR UN NOUVEAU SEGMENT

Rien n'est plus difficile que de s'aventurer dans un segment déjà bien établi. Cette constante existe autant en automobile que dans toutes les grandes industries confondues. En tentant de se faire une place chez les multisegments compacts de luxe avec le NX, Lexus s'est donc attaquée à quelque chose de gros, de très gros même. Comme le constructeur ne manque pas d'ambition par les temps qui courent, allons voir s'il peut réellement embêter les joueurs connus.

Charles René

TOUR DU PROPRIÉTAIRE > Le NX veut d'abord nettement se différencier avec sa présentation. Le multisegment se présente avec un faciès aux traits anguleux, au regard menaçant. Sa calandre en sablier, surdimensionnée comme sur tous les modèles du constructeur, relaie la discrétion au rancart. La recette, vue sur plusieurs modèles du constructeur, semble ici moins harmonieuse. C'est probablement un problème de proportions, le NX étant plus compact que le RX, ce qui laisse trop de place à cette calandre. L'arrière est en contrepartie plus intéressant. Ses feux en boomerang sculptés en relief donnent un beau coup d'œil.

+
- DOUCEUR DE SON MOTEUR TURBOCOMPRESSÉ
- MOTEUR HYBRIDE TRÈS FRUGAL
- VERSION DE BASE ACCESSIBLE

−
- CAPACITÉ DE REMORQUAGE TRÈS FAIBLE
- BOÎTE AUTOMATIQUE LENTE
- COFFRE ARRIÈRE PEU LOGEABLE

MENTIONS

CLÉ D'OR · CHOIX VERT · COUP DE CŒUR · **RECOMMANDÉ**

VERDICT

PLAISIR AU VOLANT
QUALITÉ DE FINITION
CONSOMMATION
RAPPORT QUALITÉ / PRIX
VALEUR DE REVENTE
CONFORT

1 5 10

VIE À BORD > On prend place à bord du NX avec facilité grâce, entre autres, à la garde au sol pas trop haute et aux seuils de porte minces. Assis dans des sièges bien dessinés, particulièrement dans la déclinaison F Sport, on découvre une ambiance chargée. La planche de bord est près du conducteur et du passager avant et affiche un dessin dense. Lexus a eu l'idée de changer le positionnement communément utilisé pour les commandes de chauffage/climatisation, placées haut et en angle. On perd ses repères devant cette faute ergonomique et les nombreux boutons confusément épars. En contrepartie, l'assemblage est méticuleux et les matériaux sont de belle facture, hormis, peut-être, les deux larges bandes de plastique dur au centre. L'espace est aussi bien exploité. À l'avant, la plupart des physiques seront à l'aise, tout comme à l'arrière, où il y a beaucoup d'espace pour les jambes. Côté coffre, le seuil est un peu haut et le volume n'est pas très grand.

TECHNIQUE > Le 4-cylindres de 2 litres turbocompressé du NX est le premier moteur turbo de l'histoire de Lexus. Avec 235 chevaux et 258 livres-pieds de couple, il se situe très près de la concurrence côté puissance. C'est néanmoins sur ses manières, particulièrement douces, que ce moteur se démarque. Il s'active au-dessus des 3 500 tours/minute en émettant un léger ronronnement, un tempérament tempéré propre aux moteurs du constructeur. Côté puissance, on ne peut le comparer avec le 4-cylindres turbo du BMW X3, ce dernier offrant une plage de puissance plus large et plus costaude. Le NX dispose également d'une boîte de vitesse à 6 rapports beaucoup moins alerte que celle à 8 rapports de son concurrent bavarois. L'autre livrée, le NX 300h, est mue par un groupe motopropulseur hybride, le même que celui du RAV4 hybride. Loin d'être aussi performant, il est néanmoins très frugal et encore plus onctueux.

AU VOLANT > Malgré sa présentation très acérée et la présence du badge Lexus sur sa calandre, le NX est, dans les faits, basé sur l'humble architecture du Toyota RAV4. Ce partage d'architecture ne transparaît toutefois pas trop sur la route. La rigidité structurelle est acceptable et le comportement général est plus captivant que chez son cousin. Certains trouveront ce NX un peu ferme en version F Sport et ils n'auront pas tort. Cette fermeté, modifiable lorsque vous optez pour les amortisseurs réglables en option, se traduit par des mouvements assez bien maîtrisés. La direction, un peu légère mais tout de même communicative, le place bien en trajectoire. La transmission intégrale, manifestement réglée pour favoriser une conduite prévisible, est cependant beaucoup trop lente dans son fonctionnement, ce qui produit de l'effet de couple pas particulièrement agréable, surtout en sortie de virage.

CONCLUSION > Aussi complexe soit-il, l'exercice qu'a entrepris Lexus avec le NX est nécessaire. Il permet au constructeur d'être présent dans un segment-clé. Sans pouvoir le considérer comme un premier de classe, le modèle mérite considération, ne serait-ce que pour son excellente fiabilité et sa méthode, prudente certes, mais pas pour autant impertinente. ■

2e OPINION

Antoine Joubert

Il m'est parfois possible d'excuser un design raté ou carrément laid lorsqu'un véhicule propose un habitacle charmant et bien dessiné, ou encore une motorisation si efficace qu'on oublie l'aspect esthétique. Hélas, le Lexus NX ne fait rien de tout ça. Son habitacle est sombre, très chargé et plus ou moins spacieux, et son moteur turbocompressé n'est certainement pas aussi efficace et agréable que les mécaniques comparables offertes chez ses rivaux européens. Quant à la version hybride, sa consommation de carburant ordinaire ne justifie pas le sacrifice à faire en matière de perte de puissance et d'agrément de conduite. Vous aurez donc compris qu'en dépit d'une réputation enviable, Lexus n'a pas beaucoup d'arguments pour bien positionner son NX face à la très forte compétition. Pour moi, un Lexus à oublier...

FICHE TECHNIQUE

MOTEUR(S)

(200t) L4 2,0 L DACT à cycle Atkinson turbo
PUISSANCE 235 ch de 4 800 à 5 600 tr/min
COUPLE 258 lb-pi de 1 650 à 4 000 tr/min
RAPPORT POIDS/PUISSANCE 7,5 kg/ch
BOÎTE(S) DE VITESSES automatique à 6 rapports avec mode manuel, avec manettes au volant en option
PERFORMANCES 0-100 km/h 7,2 s
REPRISE 80-115 km/h 5,2 s
FREINAGE 100-0 km/h 41,1 m
NIVEAU SONORE À 100 km/h Bon
VITESSE MAXIMALE 200 km/h (bridée)
CONSOMMATION (100 km) ville 10,6 L, route 8,4 L
F-Sport ville 10,8 L, route 8,8 L (octane 91)
ANNUELLE 1 632 L, 1 958 $ **F-Sport** 1 683 L, 2 020 $
ÉMISSIONS DE CO_2 3 754 kg/an **F-Sport** 3 871 kg/an

(300h) L4 2,5 L DACT hybride à cycle Atkinson + 2 moteurs électriques
PUISSANCE 150 ch + moteurs électriques 141 ch (av.), 67 ch (arr.), 194 ch total disponible
COUPLE 152 lb-pi de 4 400 à 4 900 tr/min
RAPPORT POIDS/PUISSANCE 9,5 kg/ch
BOÎTE(S) DE VITESSES automatique à variation continue avec mode manuel
PERFORMANCES 0-100 km/h 8,7 s
VITESSE MAXIMALE 188 km/h (bridée)

AUTRES COMPOSANTS

SÉCURITÉ ACTIVE (certains en option) Freins ABS, assistance au freinage, répartition électronique de la force de freinage, contrôle de la stabilité électronique, antipatinage, aide au départ en pente, freinage d'urgence automatique, avertisseur de sortie de voie, assistance au maintien de voie, régulateur de vitesse adaptatif, avertisseur d'obstacle latéral et arrière, phares adaptatifs, essuie-glaces adaptatifs, affichage tête haute
SUSPENSION avant/arrière indépendante, adaptative en option
FREINS avant/arrière disques
DIRECTION à crémaillère, assistée électriquement
PNEUS 200t P225/65R17 **300h/option 200t** P225/60R18

DIMENSIONS

EMPATTEMENT 2 660 mm
LONGUEUR 4 630 mm
LARGEUR 1 845 mm
HAUTEUR 1 645 mm
POIDS 2.0t 1 755 kg **300h** 1 835 kg
RÉPARTITION DU POIDS AV/ARR (%) 59/41
DIAMÈTRE DE BRAQUAGE 11,4 m
COFFRE 500 L, 1 545 L (sièges abaissés)
RÉSERVOIR DE CARBURANT 200t 60 L **300h** 56 L
BATTERIES système hybride nickel-hydrure de métal 1,6 kWh
CAPACITÉ DE REMORQUAGE 200t 907 kg **300h** 680 kg

LA COTE VERTE

MOTEUR V6 DE 3,5 L
CONSOMMATION (100 km) ville 12,6 L, route 9,2 L
CONSOMMATION ANNUELLE 1 887 L, 2 547 $
INDICE D'OCTANE 91
ÉMISSIONS POLLUANTES CO_2 4 340 kg/an
(source: ÉnerGuide)

FICHE D'IDENTITÉ

VERSION(S) RC 300, 300 FSport, 350, 350 Fsport **RC F** Base, Performance
TRANSMISSION(S) 4, arrière (RC F)
PORTIÈRES 2 **PLACES** 4
PREMIÈRE GÉNÉRATION 2015
GÉNÉRATION ACTUELLE 2015
CONSTRUCTION Tahara, Aichi, Japon
COUSSINS GONFLABLES 8 (frontaux, genoux avant, latéraux avant, rideaux latéraux)
CONCURRENCE Audi A5/S5/RS5, BMW Série 4/M4, Infiniti Q60, Mercedes-Benz C63/C63S, Porsche 718 Cayman

AU QUOTIDIEN

COLLISION FRONTALE 5/5
COLLISION LATÉRALE 5/5
VENTES DU MODÈLE L'AN DERNIER
AU QUÉBEC 135 (+864 %) **AU CANADA** 792 (+915 %)
DÉPRÉCIATION (%) 15,6 (2 ans)
RAPPELS (2011 à 2016) aucun à ce jour
COTE DE FIABILITÉ 5/5

GARANTIES... ET PLUS

GARANTIE GÉNÉRALE 4 ans/80 000 km
GROUPE MOTOPROPULSEUR 6 ans/110 000 km
PERFORATION 6 ans/kilométrage illimité
ASSISTANCE ROUTIÈRE 4 ans/kilométrage illimité
NOMBRE DE CONCESSIONNAIRES
AU QUÉBEC 7 **AU CANADA** 38

NOUVEAUTÉS EN 2017

Toutes à 4RM sauf RC F à propulsion

LE COUPÉ SPORT FAÇON LEXUS

À la simple évocation du terme coupé sport, il y a de fortes chances que les premiers modèles vous venant en tête soient de souche allemande. Cette catégorie fortement ancrée dans la tradition des constructeurs de l'influent pays européen a fait naître nombre de créations célèbres pour leur expressivité. Voilà maintenant que Lexus, galvanisé par le PDG de la maison-mère, Akio Toyoda, veut sa part du gâteau. La RC est-elle une riposte franche? Allons voir.

Charles René

TOUR DU PROPRIÉTAIRE > Tout comme l'ensemble de la gamme de la marque, la RC veut d'abord et avant tout se distinguer par son design. Dans ce cas-ci cependant, les designers ont mis l'intensité à 11, pour ne pas reprendre une référence au film *Spinal Tap*. La discrétion est laissée au rencart, une sculpture autour du canevas classique des coupés: capot long, ligne de toit basse et fuyante. Dans sa complexité, cette composition reste d'une étonnante harmonie, comme si le chaos apparent s'estompe lorsqu'on prend le temps de bien l'assimiler. On découvre alors une voiture très originale et une présence extraordinaire, particulièrement en profil, très fluide et enjolivée par le beau dessin des roues.

VIE À BORD > L'habitacle poursuit le raisonnement avec un dessin tout aussi recherché. Lexus aurait évidemment pu se distancer de la berline IS ici, mais il s'agit d'un reproche somme

+
- TRANSMISSION INTÉGRALE DE SÉRIE (VERSIONS V6)
- FIABILITÉ ÉPROUVÉE
- DESIGN EXPRESSIF

–
- COMPORTEMENT ROUTIER TIMIDE
- SOUPLESSE À BAS RÉGIME (V6)
- PAS DE BOÎTE MANUELLE AU MENU

MENTIONS

CLÉ D'OR | CHOIX VERT | COUP DE CŒUR | RECOMMANDÉ

VERDICT

PLAISIR AU VOLANT
QUALITÉ DE FINITION
CONSOMMATION
RAPPORT QUALITÉ / PRIX
VALEUR DE REVENTE
CONFORT

1 5 10

toute mineur, car la présentation est très élégante, en plus d'être ergonomique. Les designers jouent également avec la profondeur et la hauteur des composantes de la planche de bord pour ajouter une dimension supplémentaire au visuel. L'aspect très pragmatique des lignes droites rend le dessin épuré et moderne, tout comme le choix des matériaux. L'assemblage est aussi solidement ficelé. La livrée F et le groupe F Sport proposent par ailleurs des sièges confortables et sculptés pour bien faire tenir en place les occupants lorsqu'un virage est pris avec trop d'enthousiasme. La banquette arrière n'est, en outre, là qu'en cas d'urgence.

TECHNIQUE > Lexus va ici à contre-courant de la vague des moteurs suralimentés. Trois moteurs atmosphériques se partagent ainsi le mandat de mouvoir ce coupé sport, deux V6 de 3,5 litres (255 et 307 ch) et un V8 de 5 litres (467 ch) pour la plus bouillante des livrées, la RC F. Le V6 de série est aussi creux à bas régime que la livrée de 307 chevaux, mais il est moins convaincant que cette dernière à moyen et haut régime. Malgré leur onctuosité, ces 6-cylindres n'offrent d'ailleurs pas une prestation aussi éloquente que ce que les moulins allemands proposent, autant en matière de souplesse qu'en matière de consommation de carburant. Leur boîte, automatique à 6 rapports, n'est également pas un symbole d'efficacité. Bien en voix, le V8 de 5 litres est d'une nervosité impressionnante, comme le démontre la cadence très soutenue de l'aiguille du tachymètre. Il demande cependant qu'on le mette en rythme, s'éveillant après les 4 000 tours/minute.

AU VOLANT > Au chapitre du dynamisme, la RC tend plus du côté du grand tourisme que du sport pur. C'est qu'elle est lourde, cette RC, un poids côtoyant les 1800 kilos. Ceci la pénalise évidemment en accélération pure, mais aussi en virage, avec une tendance plus marquée au roulis que ses rivales. La suspension adaptative de la RC 350 contient assez bien les mouvements, sans complètement les masquer. Pour ce qui est de la RC F, elle dispose d'éléments suspenseurs non réglables, mais plus fermes, ce qui rend l'expérience plus concluante. Si elle n'est pas la plus compétente du lot sur le comportement routier, cette RC reste une excellente routière.

CONCLUSION > Comme c'est bien souvent le cas, la RC n'est pas le véhicule que Lexus prétend qu'il est. Je m'explique. Ce coupé, présenté comme une arme redoutable sur piste, est trop timide, traîne un retard technologique trop grand sur le plan mécanique et est surtout trop lourd pour pouvoir chauffer les fesses des coupés germaniques. La RC est plutôt une vraie voiture de route, juste assez ferme pour avoir du plaisir, et elle dispose de la polyvalence nécessaire pour être utilisée à l'année avec sa transmission intégrale. ■

2e OPINION

Luc-Olivier Chamberland

Lexus s'assume complètement avec son coupé RC. On suit presque à la perfection ce que les Allemands font pour séduire les clients. On en met plein la vue avec un style aguicheur, sinon outrageusement provocateur. Quel effet aura le temps sur ses lignes? Se poser la question est y répondre. Mécaniquement, on adopte la bonne approche avec trois motorisations distinctes. Deux V6 de 3,5 litres, l'un de 255 chevaux, l'autre de 307, et un puissant V8 de 5 litres de 467 chevaux. Pour le RC, il ne manque qu'un cabriolet inspiré du prototype LF-C2, mais les concessionnaires ont préféré un autre utilitaire sport. Une question de priorité et surtout de rentabilité...

FICHE TECHNIQUE

MOTEUR(S)

(RC300, RC350) V6 3,5 L DACT
PUISSANCE 255 ch à 6 400 tr/min **RC350** 307 ch
COUPLE 236 lb-pi à 2 000 tr/min **RC350** 277 lb-pi à 4 800 tr/min
RAPPORT POIDS/PUISSANCE 6,7 kg/ch **RC350** 5,5 kg/ch
BOÎTE(S) DE VITESSES automatique à 6 rapports avec mode manuel et manettes au volant
PERFORMANCES 0-100 km/h 6,9 s **RC350** 5,9 s
REPRISE 80-115 km/h 4,2 s
FREINAGE 100-0 km/h 43,0 m
VITESSE MAXIMALE 235 km/h (bridée)
CONSOMMATION (100 km) RC350 ville 12,6 L, route 9,2 L (octane 91)
ANNUELLE 1 887 L, 2 547$
ÉMISSIONS DE CO_2 4 340 kg/an

(RC F) V8 5,0 L DACT à cycle Atkinson
PUISSANCE 467 ch à 7 100 tr/min
COUPLE 389 lb-pi à 4 800 tr/min
RAPPORT POIDS/PUISSANCE 3,8 kg/ch
BOÎTE(S) DE VITESSES automatique à 8 rapports avec mode manuel et manettes au volant
PERFORMANCES 0-100 km/h 4,5 s
VITESSE MAXIMALE 270 km/h (bridée)
REPRISE 80-115 km/h 3,4 s
FREINAGE 100-0 km/h 38,2 m
CONSOMMATION (100 km) ville 15,2 L, route 9,5 L (octane 91)
ANNUELLE 2 142 L, 2 892 $
ÉMISSIONS DE CO_2 4 927 kg/an

AUTRES COMPOSANTS

SÉCURITÉ ACTIVE (selon version ou certains en option) Freins ABS, assistance au freinage, répartition électronique de la force de freinage, contrôle de la stabilité électronique, antipatinage, régulateur de vitesse adaptatif et freinage d'urgence automatique, avertisseur d'obstacle latéral et arrière, phares adaptatifs, essuie-glaces adaptatifs
SUSPENSION avant/arrière indépendante **350/FSport** adaptative
FREINS avant/arrière disques
DIRECTION à crémaillère, assistée électriquement
PNEUS 300 P235/45R18 **350** P235/40R19
RC F P255/35R19 (av.) P275/35R19 (arr.)

DIMENSIONS

EMPATTEMENT 2 730 mm
LONGUEUR 4 695 mm **RC F** 4 705 mm
LARGEUR 1 840 mm **RC F** 1 845 mm
HAUTEUR 1 395 mm **4RM** 1 400 mm **RC F** 1 390 mm
POIDS 1 700 kg **RC F** 1 795 kg
RÉPARTITION DU POIDS AV/ARR (%) ND
DIAMÈTRE DE BRAQUAGE 11,4 m
COFFRE 295 L **RC F** 287 L
RÉSERVOIR DE CARBURANT 66 L

LA COTE VERTE

MOTEUR V6 DE 3,5 L HYBRIDE
CONSOMMATION (100 km) ville 7,7 L, route 8,2 L
CONSOMMATION ANNUELLE 1 360 L, 1 836 $
INDICE D'OCTANE 91
ÉMISSIONS POLLUANTES CO_2 3 128 kg/an
(source: ÉnerGuide)

FICHE D'IDENTITÉ

VERSION(S) 350 Base, Luxe, FSport, Exécutif
450h Base, Exécutif, FSport, Exécutif Plus
TRANSMISSION(S) 4
PORTIÈRES 5 **PLACES** 5
PREMIÈRE GÉNÉRATION 1998
GÉNÉRATION ACTUELLE 2016
CONSTRUCTION Cambridge, Ontario, Canada et Kyushu, Japon
COUSSINS GONFLABLES 10 (frontaux, latéraux avant et arrière, genoux conducteur et passager, rideaux latéraux)
CONCURRENCE Acura MDX, Audi Q7, BMW X5/X6, Buick Enclave, Cadillac XT5, Infiniti QX60/QX70, Land Rover LR4/Range Rover Sport, Lincoln MKT/MKX, Maserati Levante, Mercedes-Benz GLE, Porsche Cayenne, Volkswagen Touareg, Volvo XC90

AU QUOTIDIEN

COLLISION FRONTALE ND
COLLISION LATÉRALE ND
VENTES DU MODÈLE L'AN DERNIER
AU QUÉBEC 694 (-23,3 %) **AU CANADA** 7 063 (-10,7 %)
DÉPRÉCIATION (%) 21,7 (3 ans)
RAPPELS (2011 à 2016) 5
COTE DE FIABILITÉ 4/5

GARANTIES... ET PLUS

GARANTIE GÉNÉRALE 4 ans/80 000 km
GROUPE MOTOPROPULSEUR 6 ans/110 000 km
COMPOSANTS système hybride 8 ans/160 000 km
PERFORATION 6 ans/kilométrage illimité
ASSISTANCE ROUTIÈRE 4 ans/kilométrage illimité
NOMBRE DE CONCESSIONNAIRES
AU QUÉBEC 7 **AU CANADA** 38

NOUVEAUTÉS EN 2017

Nouvelle palette de couleurs

ASSISE SUR SES LAURIERS

Utilitaire de luxe cinq places le plus vendu au Québec, le RX a largement permis à Lexus d'acquérir ses lettres de noblesse et de s'imposer dans une catégorie où les constructeurs allemands ne manquent pas d'arguments. Depuis ses débuts en 1999, le RX s'est allongé, musclé (et, surtout, renchéri), pour mieux satisfaire sa clientèle. Hélas, faute d'avoir été profondément modifiée depuis ses débuts, la formule commence à vieillir.

Éric LeFrançois

TOUR DU PROPRIÉTAIRE > La présentation générale reste flatteuse, plus masculine sans doute, et proche de celle de la génération précédente, mais la découpe arrière donne l'impression que le toit est suspendu à la manière de la Maxima de Nissan. Le style demeure une affaire de goût, mais l'important à retenir ici est le meilleur coefficient aérodynamique du RX, qui lui permet non seulement de fendre plus aisément l'air, mais aussi de créer un phénomène de succion à la chaussée pour améliorer sa stabilité aussi bien en ligne droite que dans les virages. Quant aux changements esthétiques, ils sont plus proches d'une simple remise en forme que d'un réel renouvellement et se limitent à une addition d'effets de mode plus ou moins rebattus qui, loin de donner un nouveau souffle au design RX, le compliquent et, en définitive, l'alourdissent.

VIE À BORD > Comme il se doit, la «petite» dernière que fête Lexus en offre davantage que la précédente. Plus longue, cette quatrième génération du RX ne s'est toutefois pas

+
- FINITION SOIGNÉE
- FIABILITÉ ÉPROUVÉE
- VERSION HYBRIDE

−
- LAXISME TECHNIQUE
- FAIBLE AGRÉMENT DE CONDUITE
- DIRECTION MOLLE

MENTIONS

CLÉ D'OR | CHOIX VERT | COUP DE CŒUR | **RECOMMANDÉ**

VERDICT

PLAISIR AU VOLANT
QUALITÉ DE FINITION
CONSOMMATION
RAPPORT QUALITÉ / PRIX
VALEUR DE REVENTE
CONFORT

1 5 10

alourdie. La sécurité passive en profite, mais aussi l'habitabilité aux places arrière, qui disposent – merci à l'empattement allongé – d'un espace élargi. Le coffre bénéficie également de la configuration du tout nouveau châssis et gagne un peu d'espace. L'acheteur sera davantage reconnaissant de la possibilité, maintenant, de l'ouvrir électriquement en posant le coude près de l'écusson Lexus plutôt que de se trouver en équilibre instable à balayer du pied le bas du pare-chocs, solution proposée par la concurrence. Un peu plus encombrant mais plus confortable, le RX améliore l'ordinaire de ses occupants et son habitacle, un peu plus valorisant, se distingue, comme d'habitude, par sa qualité d'assemblage. Sur les modèles les plus huppés (de série sur la version hybride), on trouve un écran de navigation de 12,3 pouces facile à consulter. Il comporte une nouvelle interface, dans laquelle on navigue toujours à l'aide d'une « souris ».

TECHNIQUE > S'il a su évoluer pour se porter au meilleur niveau, ce Lexus conserve une architecture inchangée. Celle-ci a simplement été renforcée pour en améliorer la rigidité et « calfeutrée » pour mieux repousser les décibels hors de l'habitacle. Certes, un RX n'a pas vocation à jouer les baroudeurs ni les sportifs. Le rouage à quatre roues motrices demeure le même, seules les aides à la conduite qui l'accompagnent (le contrôle de la stabilité notamment) ont été revisitées pour rendre leurs interventions plus fluides encore.

AU VOLANT > La suspension, souvent critiquée pour son manque de rigueur, marque des points; sa tendance à « pomper » sur les chaussées inégales a été atténuée et la prise de roulis aussi. Cette remarque s'applique essentiellement à la suspension pilotée électroniquement, laquelle contient quatre niveaux de réglages. Peu importe lequel sera retenu, la direction, assistée, elle, demeure cependant artificielle. Tantôt trop lourde, tantôt trop légère. Quoique très sécurisante, la conduite du RX ne dégage pas autant d'assurance et, plus désolant encore, pas une once d'agrément. En contrepartie, le RX est agile et maniable dans la circulation.

La gamme des moteurs proposés lors du lancement commercial du RX ne présente pas de vraies surprises. On retrouve le V6 de 3,5 litres à essence et un dérivé hybride. L'hybride reçoit une boîte à variation continue alors que le moteur de la 350 est jumelé à une boîte automatique à 8 rapports. On regrette cependant que cette dernière ne duplique sa sélection de vitesses au volant que sur les versions F Sport. Le gain de puissance n'est guère perceptible, mais la baisse de consommation l'est. Et en dépit de l'absence de certaines astuces – comme la désactivation des cylindres –, le RX consomme aisément moins de 11 litres aux 100 kilomètres. La version hybride – notre préférée – demeure la plus frugale et la plus véloce des deux.

CONCLUSION > Pour reprendre une expression chère aux entraîneurs de hockey, « il ne faut pas perdre le momentum »; on s'affaire donc à maintenir le RX en forme afin d'affronter une concurrence qui ne cesse de se renouveler. À défaut d'avoir été réinventé, le RX possède malgré tout de sérieuses chances de reprendre à l'Acura MDX son titre de modèle le plus vendu au Québec. ■

2e OPINION

Luc-Olivier Chamberland

Sur le RX de nouvelle génération, Lexus prend un gros risque avec le style de son VUS. Historiquement très traditionnel côté design, il porte maintenant une robe pour le moins audacieuse, tout en angles et sans réelle harmonie. Est-ce que les clients habituels du RX vont bien répondre ou iront-ils voir ailleurs ? Le temps le dira. Si l'on parvient à passer par-dessus ses formes, on accède à une cabine bien ficelée avec d'excellents matériaux et une finition exemplaire. La technologie s'invite à bord avec tous les gadgets que l'on peut imaginer. Comme toujours, il propose deux motorisations, dont un hybride, un avantage pour la consommation. Oui au RX, mais un bémol au design, qui renie son héritage.

FICHE TECHNIQUE

MOTEUR(S)

(RX 350) V6 3,5 L DACT à cycle Atkinson
PUISSANCE 295 ch à 6 300 tr/min
COUPLE 268 lb-pi à 4 700 tr/min
RAPPORT POIDS/PUISSANCE 6,8 kg/ch
BOÎTE(S) DE VITESSES automatique adaptative à 8 rapports avec mode manuel et manettes au volant
PERFORMANCES 0-100 km/h 7,0 s
REPRISE 80-115 km/h 4,5 s
FREINAGE 100-0 km/h 43,0 m
NIVEAU SONORE À 100 km/h Bon
VITESSE MAXIMALE 185 km/h (bridée)
CONSOMMATION (100 km) ville 12,2 L, route 8,9 L (octane 87)
ANNUELLE 1 819 L, 2 183 $
ÉMISSIONS DE CO_2 4 184 kg/an

(RX 450h) V6 3,5 L DACT à cycle Atkinson + moteurs électriques
PUISSANCE 245 ch à 6 000 tr/min, 308 ch total maximum
COUPLE 247 lb-pi à 4 600 tr/min
RAPPORT POIDS/PUISSANCE 7,0 kg/ch
BOÎTE(S) DE VITESSES automatique adaptative à variation continue avec mode manuel
PERFORMANCES 0-100 km/h 7,3 s
REPRISE 80-115 km/h 4,7 s
FREINAGE 100-0 km/h 43,9 m
NIVEAU SONORE À 100 km/h Bon
VITESSE MAXIMALE 185 km/h (bridée)

AUTRES COMPOSANTS

SÉCURITÉ ACTIVE (certains en option) Freins ABS, assistance au freinage, répartition électronique de la force de freinage, contrôle électronique de la stabilité, antipatinage, aide au freinage en cas d'activation simultanée de l'accélérateur et des freins, affichage tête haute, régulateur de vitesse adaptatif, avertisseurs d'impact imminent, de sortie de voie et d'obstacle latéral, essuie-glaces et phares adaptatifs
SUSPENSION avant/arrière indépendante, adaptative sur F Sport
FREINS avant/arrière disques
DIRECTION à crémaillère, assistée électriquement
PNEUS 350 P235/65R18 **450h/option 350** P235/55R20

DIMENSIONS

EMPATTEMENT 2 790 mm
LONGUEUR 4 890 mm
LARGEUR 1 895 mm
HAUTEUR 1 720 mm
POIDS 350 2 020 kg **450h** 2 150 kg
DIAMÈTRE DE BRAQUAGE 13,8 m
COFFRE 521 L, 1 594 L (sièges abaissés)
RÉSERVOIR DE CARBURANT 350 72,5 L **450h** 65 L
CAPACITÉ DE REMORQUAGE 1 588 kg

LA COTE VERTE

MOTEUR V6 DE 3,7 L
CONSOMMATION (100 km) ville 14,0 L, route 9,6 L (est.)
CONSOMMATION ANNUELLE 2 040 L, 2 448 $
INDICE D'OCTANE 87
ÉMISSIONS POLLUANTES CO_2 4 692 kg/an
(source : L'Annuel)

FICHE D'IDENTITÉ

VERSION(S) 2RM/4RM Premiere, Select, Reserve, Black Label
TRANSMISSION(S) avant, 4
PORTIÈRES 4 **PLACES** 5
PREMIÈRE GÉNÉRATION 2006
GÉNÉRATION ACTUELLE 2013
CONSTRUCTION Hermosillo, Mexique
COUSSINS GONFLABLES 8 (frontaux, genoux avant, latéraux avant, rideaux latéraux)
CONCURRENCE Acura RLX, Audi A6, BMW Série 5, Cadillac CT6/CTS Genesis G80/G90, Infiniti Q70, Jaguar XF, Kia K900, Lexus GS, Mercede-Benz Classe E, Volvo S90

AU QUOTIDIEN

COLLISION FRONTALE nm
COLLISION LATÉRALE nm
VENTES DU MODÈLE L'AN DERNIER
AU QUÉBEC nm **AU CANADA** nm
DÉPRÉCIATION (%) nm
RAPPELS (2011 à 2016) nm
COTE DE FIABILITÉ nm

GARANTIES... ET PLUS

GARANTIE GÉNÉRALE 4 ans/80 000 km
GROUPE MOTOPROPULSEUR 6 ans/110 000 km
PERFORATION 5 ans/kilométrage illimité
ASSISTANCE ROUTIÈRE 6 ans/110 000 km
NOMBRE DE CONCESIONNAIRES
AU QUÉBEC 79 **AU CANADA** 437

NOUVEAUTÉS EN 2017

Nouveau modèle

RETOUR DE L'ENFANT PRODIGE

Si un nom rassemble tout le prestige de Ford, c'est bien la Lincoln Continental. Voiture des vedettes et des présidents américains. Elvis et Frank Sinatra ont roulé en Lincoln Continental. Elizabeth Taylor avait demandé à la Warner Brothers de peindre sa Continental 1956 à la couleur de ses iris. Henry Kissinger et le Shah d'Iran furent propriétaires d'une Continental tout comme Nelson Rockfeller et John F. Kennedy, qui a été tué par balle dans une Lincoln X-100 dérivée de la Continental MK4. Voilà une voiture avec beaucoup d'histoire.

Benoit Charette

TOUR DU PROPRIÉTAIRE > Celle qui va remplacer la MKS au sein de la famille Lincoln comme modèle amiral sera basée sur une plate-forme connue qui peut servir à la fois des modèles à roues motrices avant ou à intégrale. On ne peut pas dire que le style est particulièrement distinctif. La nouvelle grille à l'avant semble avoir été empruntée à Kia. Le style général est un peu lourdaud. Il faut aussi noter que le prototype était pratiquement

une mauvaise copie d'une Bentley Flying Spur et que les concepteurs de la marque Bentley ont très mal réagi à ce concept. C'est sans doute pourquoi le modèle de production a maintenant les allures d'une Jaguar qui fait de l'embonpoint. Ce n'est pas laid, mais ce n'est pas une voiture qui se fera remarquer dans la foule. Pour une marque qui tente un retour depuis 5 ans, il aurait fallu faire mieux.

VIE À BORD > Lorsque vous vous mesurez au trio allemand de Mercedes (Classe E), BMW (Série 5) et Audi (A6), il faut arriver préparé, car la marge d'erreur est nulle. La voiture, d'abord destinée aux marchés nord-américain et chinois, devra accorder une grande place au luxe et à l'espace, surtout aux places arrière, qui est le premier critère d'achat sur le marché chinois. Lincoln a fait ses devoirs en se servant de matériaux de haute qualité. Vous avez des touches originales comme des lumières qui s'allument à l'intérieur et autour du véhicule à l'approche du conducteur. Les sièges avant réglables en 30 positions offrent une assise inégalée sur mesure. Les matériaux utilisés pour embellir l'habitacle sont tous originaux comme le bois, l'aluminium et le cuir avec surpiqûres faites à la main. Vous pouvez obtenir en option des sièges climatisés et massants. Les passagers arrière peuvent prendre le contrôle des fonctions audio, possèdent leur propre zone d'air climatisé et disposent d'un grand toit panoramique qui jette une belle lumière naturelle dans l'habitacle. Il se dégage un agréable sentiment d'espace à l'arrière.

TECHNIQUE > La Continental arrivera avec un choix de trois moteurs dont un inédit. L'offre de base commence avec le V6 de 3,7 litres qui a fait le tour d'une large gamme de produits chez Ford et Lincoln. Ce moteur produira autour de 300 chevaux. Il y aura aussi un moteur V6 de 2,7 litres turbo qui produit déjà 335 chevaux dans le Lincoln MKX et le F-150. Ces deux moteurs seront offerts en modèle à traction de série et à 4 roues motrices en option avec une boîte de vitesse automatique à 6 rapports. Le nouveau moteur spécialement dessiné pour la Continental est un V6 de 3 litres turbo de 400 chevaux qui se présente en version 4 roues motrices et accompagné de la même boîte automatique à 6 rapports.

AU VOLANT > Nous détenons peu d'information sur la conduite. Il y a trois modes de conduite – normal, confort et sport – et chacun influe sur la direction et la suspension pour donner à la conduite une couleur différente. Lincoln va aussi intégrer, comme sur d'autres produits de la marque, la direction adaptative qui passe par un moteur électrique pour ajuster la résistance de la direction selon la vitesse du véhicule. Il y aura également la panoplie d'aides à la conduite électronique de base que l'on retrouve maintenant dans la majorité des véhicules de luxe.

CONCLUSION > Est-ce que la Continental en donne assez pour déranger la compétition? Une chose est certaine, le prix de base sera concurrentiel avec une version pas trop garnie autour de 55000$. Mais il faudra faire plus pour dégommer les allemandes, qui tiennent toute la place dans ce créneau. ■

FICHE TECHNIQUE

MOTEUR(S)

(PREMIERE, SELECT) V6 3,7 L DACT
PUISSANCE 305 ch à 6 500 tr/min
COUPLE 280 lb-pi à 4 000 tr/min
RAPPORT POIDS/PUISSANCE ND
BOÎTE(S) DE VITESSES automatique à 6 rapports avec mode manuel et manettes au volant
PERFROMANCES 0-100 km/h ND
VITESSE MAXIMALE ND

(RESERVE, BLACK LABEL) V6 2,7 L DACT biturbo
PUISSANCE 335 ch à 5 700 tr/min
COUPLE 380 lb-pi à 3 500 tr/min
RAPPORT POIDS/PUISSANCE ND
BOÎTE(S) DE VITESSES automatique à 6 rapports avec mode manuel et manettes au volant
PERFROMANCES 0-100 km/h ND
VITESSE MAXIMALE ND

(BLACK LABEL) V6 3,0 L DACT biturbo
PUISSANCE 400 ch à 5 500 tr/min
COUPLE 400 lb-pi à 2 750 tr/min
RAPPORT POIDS/PUISSANCE ND
BOÎTE(S) DE VITESSES automatique à 6 rapports avec mode manuel et manettes au volant
PERFROMANCES 0-100 km/h ND
VITESSE MAXIMALE ND

AUTRES COMPOSANTS

SÉCURITÉ ACTIVE (certains en option) Freins ABS, assistance au freinage, répartition électronique de la force de freinage, contrôle électronique de la stabilité, antipatinage, régulateur de vitesse adaptatif avec freinage d'urgence autonome, assistance en cas de sortie de voie et de collision imminente, avertisseur d'obstacle latéral, caméra 360°, aide au départ en pente
SUSPENSION avant/arrière indépendante, à amortissement adaptatif
FREINS avant/arrière disques
DIRECTION à crémaillère, assistée électriquement
PNEUS Premiere 18 po **Select/Reserve** 19 po **Black Label** P255/45R20

DIMENSIONS

EMPATTEMENT ND
LONGUEUR ND
LARGEUR ND
HAUTEUR ND
POIDS ND
DIAMÈTRE DE BRAQUAGE ND
COFFRE ND
RÉSERVOIR DE CARBURANT 72 L
CAPACITÉ DE REMORQUAGE ND

LA COTE VERTE

MOTEUR L4 de 2,0 L TURBO
CONSOMMATION (100 km) ville 12,4 L route 9,0 L
CONSOMMATION ANNUELLE 1 853 L, 2 224 $
INDICE D'OCTANE 87
ÉMISSIONS POLLUANTES CO_2 4 262 kg/an
(source : ÉnerGuide)

FICHE D'IDENTITÉ

VERSION(S) Sélect 200A, Ultra 300A
TRANSMISSION(S) 4
PORTIÈRES 5 **PLACES** 5
PREMIÈRE GÉNÉRATION 2015
GÉNÉRATION ACTUELLE 2015
CONSTRUCTION Louisville, Kentuky, É-U.
COUSSINS GONFLABLES 7 (frontaux, genoux conducteur, latéraux avant, rideaux latéraux)
CONCURRENCE Acura RDX, Audi Q5, BMW X3/X4, Buick Envision, Infiniti QX50, Land Rover Discovery Sport/Range Rover Evoque, Lexus NX, Mercedes-Benz Classe GLC, Porsche Macan, Volvo XC60

AU QUOTIDIEN

COLLISION FRONTALE 4/5
COLLISION LATÉRALE 5/5
VENTES DU MODÈLE L'AN DERNIER
AU QUÉBEC 733 (+70,9 %) **AU CANADA** 2 970 (+60,6 %)
DÉPRÉCIATION (%) 21,1 (2 ans)
RAPPELS (2011 à 2016) 4
COTE DE FIABILITÉ 3/5

GARANTIES... ET PLUS

GARANTIE GÉNÉRALE 4 ans/80 000 km
GROUPE MOTOPROPULSEUR 6 ans/110 000 km
PERFORATION 5 ans/kilométrage illimité
ASSISTANCE ROUTIÈRE 6 ans/110 000 km
NOMBRE DE CONCESSIONNAIRES
AU QUÉBEC 79 **AU CANADA** 437

NOUVEAUTÉS EN 2017

Aucun changement majeur. Changement d'appellation des versions.

MERCI MATTHEW

Contre toute attente, la MKC n'a pas été le modèle salvateur que l'on pensait. En revanche, elle a néanmoins permis à Lincoln de faire le plein de nouvelles clientes... L'effet Matthew McConaughey ? Peut-être bien, car la MKC n'a pas autant de talents..

Éric LeFrançois

TOUR DU PROPRIÉTAIRE > Comme ses concurrents, Lincoln sous-traite une grande partie de ses composantes techniques et mécaniques à Ford. Il serait injuste de lui en tenir rigueur, tout le monde fait de même. Enfin presque. L'art ici est de s'assurer que le consommateur associe ce qu'il voit, touche ou ressent avec un modèle populaire. Le MKC accomplit brillamment cette mission et pas seulement sur le plan du style. Dans ce domaine, cet utilitaire reprend à son compte tous les codes visuels de la marque. Et pour les intégrer tous, elle va jusqu'à raccourcir, par exemple, les piliers de son toit pour mieux faire fondre la taille de ses glaces.

VIE À BORD > De l'extérieur, le MKC est d'une élégance certaine, mais le charme perd de sa magie dès que s'ouvrent les portières. L'habitacle s'habille de placages de (vrai) bois apposés sur des surfaces dont l'apparence et le grain évoquent trop le vinyle. En revanche, la qualité de l'assemblage ne s'attire aucune critique particulière. L'instrumentation est bien disposée, classique, élégante, mais déjà vue. Sur le plan de l'ergonomie, on reprochera au MKC le peu de

+
- CONFORT ET SILENCE DE ROULEMENT
- GARANTIE GÉNÉREUSE
- RAPPORT PRIX-ACCESSOIRES COMPÉTITIF

−
- CONSOMMATION ÉLEVÉE ET AUTONOMIE LIMITÉE
- ASSISE DES SIÈGES TROP COURTE
- POIDS ÉLEVÉ

MENTIONS

CLÉ D'OR · CHOIX VERT · COUP DE CŒUR · **RECOMMANDÉ**

VERDICT

PLAISIR AU VOLANT
QUALITÉ DE FINITION
CONSOMMATION
RAPPORT QUALITÉ / PRIX
VALEUR DE REVENTE
CONFORT

1 5 10

visibilité du bouton de démarrage; et il faudra allonger l'assise des sièges pour offrir un meilleur maintien pour les cuisses.

TECHNIQUE > Le MKC repose sans doute sur un empattement identique à celui de l'Escape, mais la Lincoln est plus imposante en longueur comme en largeur. Elle compte en effet sur des voies plus larges – gage d'une meilleure tenue de cap –, lesquelles ont entraîné une révision de la géométrie des trains roulants. Au final, le MKC est plus massif, plus lourd et (un brin) moins logeable que son cousin de chez Ford.

AU VOLANT > On sait déjà que le MKC promet une stabilité accrue en raison de ses voies plus larges. Bien vu. Mais il y a plus. Par rapport à l'Escape, par exemple, cette Lincoln adopte le dispositif ACC qui permet de paramétrer le dynamisme ou la souplesse du MKC en fonction des conditions d'utilisation. Trois options existent: Normal, Confort ou Sport. Autre particularité propre au MKC, la dimension des disques de frein à l'avant surpasse celle de l'Escape, mais l'étrier ne compte toujours qu'un seul piston. Pour l'animer, le MKC propose le choix entre deux 4-cylindres suralimentés: 2 ou 2,3 itres. Quelle mécanique choisir? La tentation est grande d'opter pour le 2,3-litres en raison de sa puissance et de son couple plus élevé, mais à la réflexion, ce choix paraît discutable. Voici pourquoi. Ce moteur manque de souplesse à bas régime, consomme davantage et la faible contenance de son réservoir de carburant pénalise son autonomie. En outre, il commande une ribambelle d'accessoires pour un supplément d'une prime de quelque 10 000 $. Le seul réel avantage du 2,3-litres se mesure chronomètre en main. Est-ce bien justifié de dépenser 10 000 $ pour mettre une seconde et quelques dixièmes de plus pour atteindre 100 km/h? Il n'est pas interdit de chicaner sur l'évanescence de sa direction à assistance électrique, les étourderies de sa boîte ou son excès de poids qui altère son agilité. Voilà ce que l'on ressent en mode Confort. En optant pour le mode Sport, le MKC se crispe, pompe ses muscles. La direction apparaît alors plus directe, sa transmission plus réactive, mais le sentiment est que tout cela paraît bien artificiel par rapport aux ténors de la catégorie. En paramétrant sa suspension correctement, le MKC brille. Moins tape-cul que bon nombre de ses concurrents, il assure un confort de tout premier ordre. De fait, le MKC efface sans peine les irrégularités de la chaussée rencontrée par ses immenses roues de 19 pouces.

CONCLUSION > Le MKC représente assurément une meilleure valeur qu'un Ford Escape Titanium ou que tous les autres utilitaires suréquipés de sa taille. Sa garantie généreuse, son réseau de concessionnaires motivé et la richesse de sa présentation en font un achat à considérer. Une condition cependant: il faut limiter son choix au modèle de base équipé du moteur 2 litres. ■

2e OPINION

Antoine Joubert

Le voici, le succès tant attendu. Lincoln souhaitait rajeunir sa clientèle (presque mourante!), et le MKC était la solution. On le sait, les VUS compacts ont la cote. Qu'importe la formule empruntée, difficile de se planter, à moins de faire exprès (n'est-ce pas, Fiat?). C'est donc en se basant sur le populaire Escape que Lincoln a conçu son MKC, dont la silhouette charme au premier coup d'œil. Ne soyez pas surpris si certains traits de design rappellent l'Audi Q5. Son concepteur d'origine allemande admet lui-même s'en être inspiré. Voilà qui est logique, considérant que le Q5 domine le segment depuis longtemps. Maintenant, Lincoln se devait aussi d'offrir un véhicule raffiné, luxueux, performant et des plus modernes. A-t-on réussi le mandat? Absolument. Ma seule déception: les sièges, sans doute dessinés par un Japonais de 4 pieds 10 pouces, dont l'assise non réglable est beaucoup trop courte. Mais bon, la gent féminine ne s'en plaindra pas.

FICHE TECHNIQUE

MOTEUR(S)

(SÉLECT 200A, ULTRA 300A) L4 2,0 L DACT turbo
PUISSANCE 240 ch à 5 500 tr/min
COUPLE 270 lb-pi à 3 000 tr/min
RAPPORT POIDS/PUISSANCE 7,5 kg/ch
BOÎTE(S) DE VITESSES automatique à 6 rapports avec mode manuel et manettes au volant
PERFORMANCES 0-100 km/h 7,9 s
VITESSE MAXIMALE 190 km/h

(ULTRA 300A) L4 2,3 L DACT turbo
PUISSANCE 285 ch à 5 500 tr/min
COUPLE 305 lb-pi à 2 750 tr/min
RAPPORT POIDS/PUISSANCE 6,3 kg/ch
BOÎTE(S) DE VITESSES automatique à 6 rapports avec mode manuel et manettes au volant
PERFORMANCES 0-100 km/h 6,9 s
REPRISE 80-115 km/h 4,5 s
FREINAGE 100-0 km/h 41,5 m
NIVEAU SONORE À 100 km/h Bon
VITESSE MAXIMALE 190 km/h
CONSOMMATION (100 km) ville 12,8 L route 9,1 L (octane 87)
ANNUELLE 1 887 L, 2 264 $
ÉMISSIONS DE CO_2 4 340 kg/an

AUTRES COMPOSANTS

SÉCURITÉ ACTIVE (certains en option) Freins ABS, assistance au freinage, répartition électronique de la force de freinage, contrôle de la stabilité électronique et antiretournement, antipatinage, avertisseur de sortie de voie, assistance au maintien de voie, régulateur de vitesse adaptatif, avertisseurs d'impact imminent, d'obstacle latéral et arrière, phares adaptatifs
SUSPENSION avant/arrière indépendante, à amortissement adaptatif
FREINS avant/arrière disques
DIRECTION à crémaillère, assistée électriquement
PNEUS 2.0T P235/50R18 **2.3T** P245/45R19 **option 2.3T** P255/40R20

DIMENSIONS

EMPATTEMENT 2 690 mm
LONGUEUR 4 552 mm
LARGEUR 1 864 mm, 2 135 mm (incl. rétro.)
HAUTEUR 1 657 mm
POIDS 2.0T 1 798 kg **2.3T** 1 809 kg
RÉPARTITION DU POIDS AV/ARR (%) ND
DIAMÈTRE DE BRAQUAGE 11,6 m
COFFRE 712 L, 1 505 L (sièges abaissés)
RÉSERVOIR DE CARBURANT 58 L
CAPACITÉ DE REMORQUAGE 907 kg, 1 360 kg avec ensemble remorquage

LA COTE VERTE

MOTEUR V6 DE 3,5 L TURBO
CONSOMMATION (100 km) ville 15,7 L, route 11,2 L
CONSOMMATION ANNUELLE 2 346 L, 2 815 $
INDICE D'OCTANE 87
ÉMISSIONS POLLUANTES CO_2 5 396 kg/an
(source : ÉnerGuide)

FICHE D'IDENTITÉ

VERSION(S) 200A, 201A Elite
TRANSMISSION(S) 4
PORTIÈRES 5 **PLACES** 7, 6 (option)
PREMIÈRE GÉNÉRATION 2010
GÉNÉRATION ACTUELLE 2010
CONSTRUCTION Oakville, Ontario, Canada
COUSSINS GONFLABLES 6 (frontaux, latéraux avant, rideaux latéraux), ceintures arrière gonflables (option)
CONCURRENCE Acura MDX, Audi Q7, BMW X5, Buick Enclave, Cadillac XT5, GMC Acadia Denali, Infiniti QX60, Jeep Grand Cherokee, Lexus GX/RX, Maserati Levante, Mercedes-Benz GLE, Porsche Cayenne, Volkswagen Touareg, Volvo XC90

AU QUOTIDIEN

COLLISION FRONTALE 5/5
COLLISION LATÉRALE 5/5
VENTES DU MODÈLE L'AN DERNIER
AU QUÉBEC 44 (+91,3 %) **AU CANADA** 217 (-24,9 %)
DÉPRÉCIATION (%) 30,4 (3 ans)
RAPPELS (2011 à 2016) 6
COTE DE FIABILITÉ 3,5/5

GARANTIES... ET PLUS

GARANTIE GÉNÉRALE 4 ans/80 000 km
GROUPE MOTOPROPULSEUR 6 ans/110 000 km
PERFORATION 5 ans/kilométrage illimité
ASSISTANCE ROUTIÈRE 6 ans/110 000 km
NOMBRE DE CONCESSIONNAIRES
AU QUÉBEC 79 **AU CANADA** 437

NOUVEAUTÉS EN 2017

Aucun changement majeur. Changement d'appellation des versions.

SUR SES DERNIERS KILOMÈTRES

C'est sans doute la dernière année que le MKT sera sur nos routes. Vendu principalement aux flottes de limousines qui ont remplacé la Town Car par le MKT lorsque cette dernière s'est retirée, le MKT est à son tour menacé par la nouvelle Continental, qui arrive cette année et qui offre un style beaucoup plus attrayant et propre aux véhicules de fonction. Sans ce marché qui constitue le pain et le beurre du MKT, Ford va le retirer de la route. Avec seulement 217 ventes pour tout le Canada l'an dernier, nous pouvons déjà préparer son oraison funèbre.

Benoit Charette

TOUR DU PROPRIÉTAIRE > De l'avis de tous, le style du MKT est raté. Ce n'est pas qu'il est laid mais terne. Un style qui ne soulève aucune émotion. C'est comme manger une soupe au navet. C'est bon pour la santé, mais personne ne va faire un détour pour aller manger une soupe au navet. Construit sur la même plate-forme que son cousin le Flex, qui a lui aussi peine à faire sentir une émotion visuelle, le MKT n'a pas changé depuis son arrivée en 2010. À compter de l'an prochain, la nouvelle plate-forme du Ford Explorer va servir de base au nouvel Aviator, qui vient remplacer le MKT dans la famille Lincoln.

+
- HABITACLE ÉLÉGANT
- INSONORISATION DE QUALITÉ
- CONFORT DE HAUT NIVEAU

−
- POIDS ÉLEVÉ
- STYLE SANS INTÉRÊT
- MOTEUR PUISSANT MAIS GOURMAND

MENTIONS

CLÉ D'OR | CHOIX VERT | COUP DE CŒUR | **RECOMMANDÉ**

VERDICT

Critère	Note (1–10)
PLAISIR AU VOLANT	7
QUALITÉ DE FINITION	9
CONSOMMATION	6
RAPPORT QUALITÉ / PRIX	7
VALEUR DE REVENTE	7,5
CONFORT	8,5

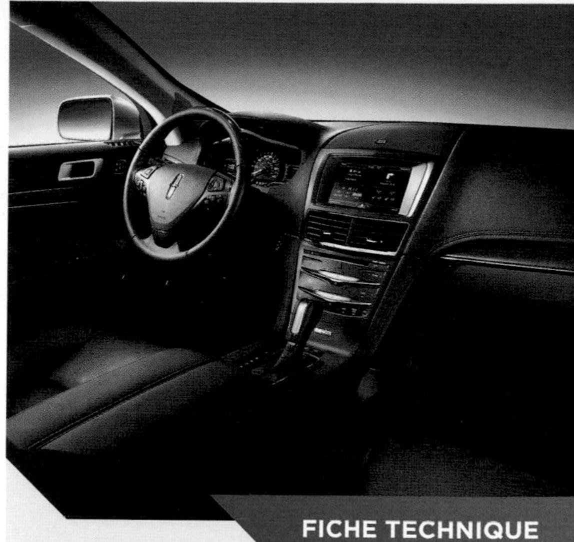

VIE À BORD > Voici l'élément le plus intéressant du MKT, son habitacle. Tout de suite en prenant place à bord, vous allez noter les matériaux de haute qualité. Le cuir souple et odorant, les touches de bois véritable sur le tableau de bord et les portes. Le tableau de bord est clair et bien éclairé, le système SYNC 3 qui remplace depuis l'an dernier le MyLincoln Touch est plus agréable à utiliser. Les écrans configurables vous permettent de choisir l'information qui apparaît à l'écran. Vous avez le choix d'une configuration à 6 ou 7 places en remplaçant la banquette 3 places par deux sièges capitaine à la deuxième rangée. Les sièges capitaine sont aussi confortables et riches que les places avant et deux adultes peuvent s'asseoir derrière. Les passagers arrière ont droit à leur propre climatisation et à des sièges chauffants et ventilés en version capitaine. Vous avez un peu plus de 500 litres d'espace de chargement derrière la troisième banquette et près de 2150 litres tous les sièges rabaissés. Le seul bémol est le toit, assez bas. Il limite l'espace en hauteur.

TECHNIQUE > Pour le moteur, rien de compliqué, vous avez une seule option. Sous le capot, c'est le V6 EcoBoost 3,5 litres de 365 chevaux qui sied très bien au MKT. Puissant, souple et plein à tous les régimes, ce moteur performe très bien. La boîte automatique à 6 rapports distille avec brio la puissance du moteur qui vous amènera de 0 à 100 km/h en 6,2 secondes. Considérant le poids, qui dépasse les 2200 kilos, c'est une excellente performance. Vous allez aussi profiter de la transmission intégrale, ce qui rend le MKT très sécuritaire à l'année. Une seule chose toutefois, il faudra compter sur un solide budget en carburant. Même en faisant attention, il vous sera pratiquement impossible de faire moins que 14 litres aux 100 kilomètres de moyenne. C'est beaucoup dans la réalité de 2017.

AU VOLANT > On comprend en prenant la route pourquoi le MKT sert de limousine pour autant de compagnies. Vous êtes dans un grand confort douillet, comme enrobé dans de la ouate. La suspension est souple, sans être trop molle. Vous pouvez même opter pour une suspension adaptative qui donne un peu plus de mordant. L'insonorisation est sublime. Vous êtes isolé des bruits extérieurs et chaque passager est entouré de confort. Un endroit où il fait bon être. Au chapitre des performances, le V6 répond présent et la conduite est précise. Seuls les 2200 kilos se font sentir si l'envie vous prend d'aller un peu vite dans une courbe. Pour le reste, vous être traité comme de la royauté.

CONCLUSION > Si Ford doit renouveler l'expérience, il n'y a pas grand-chose à faire pour attirer plus d'acheteurs. Organisez-vous pour que le modèle soit attrayant, évitez de cloner un modèle qui ne fonctionne déjà pas et enlevez 300 kilos. Cela devrait faire l'affaire. ■

FICHE TECHNIQUE

MOTEUR(S)

(MKT) V6 3,5 L DACT biturbo
PUISSANCE 365 ch à 5 700 tr/min
COUPLE 350 lb-pi de 1 500 à 5 250 tr/min (avec octane 91)
RAPPORT POIDS/PUISSANCE 6,1 kg/ch
BOÎTE(S) DE VITESSES automatique à 6 rapports avec mode manuel et manettes au volant
PERFORMANCES 0-100 km/h 6,2 s
REPRISE 80-115 km/h 5,4 s
FREINAGE 100-0 km/h 38,2 m
NIVEAU SONORE À 100 km/h Bon
VITESSE MAXIMALE 215 km/h

AUTRES COMPOSANTS

SÉCURITÉ ACTIVE (certains en option) Freins ABS, assistance au freinage, répartition électronique de la force de freinage, contrôle électronique de la stabilité, antipatinage, contrôle antiretournement, régulateur de vitesse adaptatif, avertisseur d'obstacle latéral et arrière, aide au maintien de voie
SUSPENSION avant/arrière indépendante, à amortissement adaptatif
FREINS avant/arrière disques
DIRECTION à crémaillère, assistée électriquement
PNEUS P235/55R19 **option** P255/45R20

DIMENSIONS

EMPATTEMENT 2 995 mm
LONGUEUR 5 273 mm
LARGEUR 1 930 mm
HAUTEUR 1 712 mm
POIDS 2 242 kg
DIAMÈTRE DE BRAQUAGE 12,6 m
COFFRE 507 L, 1 121 L (3è rangée abaissée), 2 149 L (sièges abaissés)
RÉSERVOIR DE CARBURANT 70 L
CAPACITÉ DE REMORQUAGE 907 kg

2e OPINION

Daniel Rufiange

Pour une septième année déjà, Lincoln propose le MKT, le cousin endimanché du Ford Flex. On sera très poli en vous disant qu'avec seulement 44 modèles écoulés au Québec l'an dernier, 217 au Canada, on ne parle pas d'une grande vedette dans l'industrie. Doit-on pointer du doigt son physique ingrat pour ce triste résultat ou tout simplement en arriver à la conclusion qu'il s'agit d'un véhicule impertinent ? Personnellement, j'irais pour la première option, car il faut l'avouer, il existe un marché pour ce genre de véhicule. Il faut seulement présenter aux consommateurs un produit qui va les faire craquer, pas leur faire virer les talons. Or le MKT ne séduit pas au premier coup d'œil. Dommage, car, une fois au volant, la séduction opère autrement et on se laisse charmer.

LA COTE VERTE

MOTEUR V6 DE 2,7 L BITURBO
CONSOMMATION (100 km) ville 14,1 L, route 9,7 L
CONSOMMATION ANNUELLE 2 057 L, 2 468 $
INDICE D'OCTANE 87
ÉMISSIONS POLLUANTES CO_2 4 731 kg/an
(source ÉnerGuide)

FICHE D'IDENTITÉ

VERSION(S) Select 101A, Ultra 102A
TRANSMISSION(S) 4
PORTIÈRES 5 **PLACES** 5
PREMIÈRE GÉNÉRATION 2007
GÉNÉRATION ACTUELLE 2016
CONSTRUCTION Oakville, Ontario, Canada
COUSSINS GONFLABLES 6 (frontaux, latéraux avant, rideaux latéraux)
CONCURRENCE Acura MDX, Audi Q7, BMW X5, BMW X6, Buick Enclave Cadillac XT5, Infiniti QX60, Land Rover LR4, Land Rover Range Rover Sport, Lincoln MKT Lexus GX, Lexus RX, Maserati Levante, Mercedes-Benz GLE, Porsche Cayenne, Volkswagen Touareg

AU QUOTIDIEN

COLLISION FRONTALE 5/5
COLLISION LATÉRALE 5/5
VENTES DU MODÈLE L'AN DERNIER
AU QUÉBEC 465 (+23,7 %) **AU CANADA** 2 900 (+7,3 %)
DÉPRÉCIATION (%) 24,6 (3 ans)
RAPPELS (2011 à 2016) 3
COTE DE FIABILITÉ 3,5/5

GARANTIES... ET PLUS

GARANTIE GÉNÉRALE 4 ans/80 000 km
GROUPE MOTOPROPULSEUR 6 ans/110 000 km
PERFORATION 5 ans/kilométrage illimité
ASSISTANCE ROUTIÈRE 6 ans/110 000 km
NOMBRE DE CONCESSIONNAIRES
AU QUÉBEC 79 **AU CANADA** 437

NOUVEAUTÉS EN 2017

Aucun changement majeur. Changement d'appellation des versions.

TERMINÉ LES CLONES

Jusqu'à tout récemment, le MKX se définissait comme un Ford Edge haut de gamme, arborant simplement une calandre différente et quelques accents chromés supplémentaires. Cela n'en faisait pas un mauvais produit, mais disons que la facture salée était difficilement justifiable face à une concurrence qui avait au moins le mérite de présenter un produit original. Malgré cela, il se situait au sommet des ventes de la marque chaque année. Lincoln avait-elle donc une recette miracle pour attirer les clients vers ce modèle? Non, pas vraiment. En réalité, son titre était davantage attribuable au fait que les autres modèles de la marque étaient boudés du grand public...

Antoine Joubert

TOUR DU PROPRIÉTAIRE > Évidemment, Lincoln tente par tous les moyens de se tailler une meilleure place dans le monde du luxe. L'image de la marque demeure le principal obstacle des acheteurs, qui ne veulent pas se voir associés à la traditionnelle voiture de grand-père. Et même si tous s'accordent pour dire que les produits ont beaucoup changé, la perception reste péjorative pour plusieurs. Il suffit toutefois d'approcher le MKX pour comprendre qu'il s'agit d'un produit non seulement fort élégant, mais également très sérieux. Certains détails de la finition extérieure déçoivent, mais la qualité générale est à l'image des lignes, c'est-à-dire magnifique.

+
- CONFORT EXCEPTIONNEL
- ESPACE INTÉRIEUR GÉNÉREUX
- MOTEUR V6 DE 2,7 LITRES SURPRENANT
- DESIGN RÉUSSI

−
- POIDS CONSIDÉRABLE
- DIRECTION IMPRÉCISE
- V6 DE BASE PLUTÔT GOURMAND
- IMAGE DE LA MARQUE... ENCORE ET TOUJOURS

MENTIONS

CLÉ D'OR | CHOIX VERT | COUP DE CŒUR | **RECOMMANDÉ**

VERDICT

PLAISIR AU VOLANT
QUALITÉ DE FINITION
CONSOMMATION
RAPPORT QUALITÉ / PRIX
VALEUR DE REVENTE
CONFORT

1 5 10

VIE À BORD > La présentation intérieure est pour sa part très sobre. Pas de clinquant inutile, juste des matériaux de belle facture et de jolis contrastes de couleurs. Côté sièges, vous pourrez obtenir des baquets offrant jusqu'à 22 modes d'ajustement, pour un confort royal. Croyez-moi, cette option en vaut la peine. Comme si ce n'était pas assez, on ajoute aux sièges les fonctions chauffantes, de ventilation et de massage. Le septième ciel! En plus d'un équipement très cossu, le MKX propose un environnement plus spacieux que par le passé. Le dégagement est fort généreux, même à l'arrière, et la soute contient un imposant volume de chargement. Hélas, la banquette arrière n'est pas coulissante, un élément que certains rivaux comme le Cadillac XT5 sont en mesure d'offrir. Comme seul réel irritant, mentionnons le système de commande vocale SYNC, toujours inefficace, à moins que vous ne vous exprimiez de façon très posée et dans un français radio-canadien façon Charles Tisseyre.

TECHNIQUE > Lincoln propose un choix de deux moteurs avec le MKX. D'abord, un vieillissant V6 de 3,7 litres, un peu grognon mais d'une grande fiabilité, puis un second V6 de 2,7 litres EcoBoost (donc turbocompressé), lequel impressionne par ses performances. Jumelé à une boîte automatique à 6 rapports (avec sélecteur à boutons) et à une transmission intégrale offerte de série au Canada, il est également plus frugal que l'autre V6. Nous avons personnellement enregistré une moyenne sur route de 9,7 litres aux 100 kilomètres, soit la cote exacte annoncée par Lincoln. Considérez donc la cote moyenne ville-route de 12,1 litres aux 100 kilomètres comme très réaliste.

AU VOLANT > Avec une masse pouvant dépasser les 2 000 kilos, le MKX n'est pas un poids plume, ce qui se fait sentir à la conduite. Extrêmement confortable et magnifiquement insonorisé, il se montre donc plus feutré que certains rivaux, même le Lexus RX, et même si vous sélectionnez le mode « sport ». Cela n'en fait pas un véhicule inintéressant, au contraire, mais si vous recherchez une certaine dynamique de conduite, vaut mieux aller voir ailleurs. Par contre, la résistance au sol des roues de 21 pouces (en option), jumelée au fait que la direction est passablement imprécise, fait en sorte qu'on se sent un peu trop déconnecté de la route. On se réconcilie toutefois avec le véhicule en exploitant le couple ultra-généreux du V6 de 2,7 litres, qui permet d'obtenir des accélérations réellement impressionnantes, et sans effort.

CONCLUSION > On ne compte plus les annonces de Lincoln évoquant la renaissance de la marque. Celle-ci surviendra-t-elle avec le grand retour de la Continental ? Qui sait ? En attendant, Lincoln compte notamment sur le MKX pour gonfler ses ventes. Réussira-t-on à voler des ventes à Lexus et à Mercedes-Benz ? Probable. Mais cette année, il faudra surtout observer la rivalité avec Cadillac, qui nous propose un XT5 lui aussi très sérieux. ■

2e OPINION

Luc-Olivier Chamberland

Lincoln retrouve lentement son lustre d'antan perdu depuis des décennies. La marque commence enfin à se trouver une personnalité propre et unique. À bord, le MKX propose tout ce qu'un acheteur type peut demander en matière de gadgets et d'équipement. Le tout arrive avec une bonne finition et des matériaux exemplaires. Même du côté des motorisations, on nous impressionne, notamment avec le 2,7-litres EcoBoost. Le seul point que Lincoln doit apprendre à travailler se situe dans le dynamisme. Le MKX est lourd et on le sent. Le manque de sportivité se manifeste tout particulièrement dans la direction, qui est floue comme un ivrogne en plein discours, et dans les suspensions molles comme des mollusques.

FICHE TECHNIQUE

MOTEUR(S)

(ULTRA 102A) V6 2,7 L DACT biturbo
PUISSANCE 335 ch à 5 500 tr/min
COUPLE 380 lb-pi à 3 000 tr/min
RAPPORT POIDS/PUISSANCE 5,9 kg/ch
BOÎTE(S) DE VITESSES automatique à 6 rapports avec mode manuel et manettes au volant
PERFROMANCES 0-100 km/h 6,2 s
NIVEAU SONORE À 100 km/h Bon
VITESSE MAXIMALE 220 km/h

(SÉLECT 101A, ULTRA 102A) V6 3,7 L DACT
PUISSANCE 303 ch à 6 500 tr/min
COUPLE 278 lb-pi à 4 000 tr/min
RAPPORT POIDS/PUISSANCE 6,6 kg/ch
BOÎTE(S) DE VITESSES automatique à 6 rapports avec mode manuel et manettes au volant
PERFROMANCES 0-100 km/h 6,7 s
REPRISE 80-115 km/h 5,1 s
FREINAGE 100-0 km/h 39,5 m
NIVEAU SONORE À 100 km/h Bon
VITESSE MAXIMALE 220 km/h
CONSOMMATION (100 km) ville 14,4 L, route 10,3 L (octane 87)
ANNUELLE 2 125 L, 2 550 $
ÉMISSIONS DE CO_2 4 887 kg/an

AUTRES COMPOSANTS

SÉCURITÉ ACTIVE (certains en option) Freins ABS, assistance au freinage, répartition électronique de la force de freinage, contrôle électronique de la stabilité, antipatinage et antiretournement, régulateur de vitesse adaptatif, détecteurs d'obstacle latéral et arrière, détecteur de piétons et assistance en cas d'impact imminent, assistance au maintien de voie, assistance au départ en pente, essuie-glaces automatiques
SUSPENSION avant/arrière indépendante, à amortissement réglable et adaptatif
FREINS avant/arrière disques
DIRECTION à crémaillère, à assistance électro-hydraulique
PNEUS Select P245/60R18 **Ultra/option Sélect** P245/50R20 **option Ultra 102A** P265/40R21

DIMENSIONS

EMPATTEMENT 2 849 mm
LONGUEUR 4 827 mm
LARGEUR 1 934 mm, 1 999 mm (rétro. repliés), 2 188 mm (incl. rétro.)
HAUTEUR 1 681 mm
POIDS 1 990 kg
RÉPARTITION DU POIDS AV/ARR (%) 60/40
DIAMÈTRE DE BRAQUAGE 11,8 m
COFFRE 1 055 L, 1 948 L (sièges abaissés)
RÉSERVOIR DE CARBURANT 72 L
CAPACITÉ DE REMORQUAGE 1 588 kg

LA COTE VERTE

MOTEUR L4 DE 2,0 L HYBRIDE
CONSOMMATION (100 km) ville 5,7 L route 6,2 L
CONSOMMATION ANNUELLE 1 037 L, 1 244 $
INDICE D'OCTANE 87
ÉMISSIONS POLLUANTES CO_2 2 385 kg/an
(source: Lincoln et L'Annuel)

FICHE D'IDENTITÉ

VERSION(S) Select 200A, Ultra 300A **Hybride** Sélect 500A, Ultra 600A
TRANSMISSION(S) 4
PORTIÈRES 4 **PLACES** 5
PREMIÈRE GÉNÉRATION 2006
GÉNÉRATION ACTUELLE 2013
CONSTRUCTION Hermosillo, Mexique
COUSSINS GONFLABLES 6 (frontaux, latéraux avant, rideaux latéraux) **Hybride** 7 (ajout genoux conducteur) + 2 ceintures gonflables arrière
CONCURRENCE Acura TLX, Alfa Romeo Giulia, Audi A4, BMW Série3, Buick LaCrosse/Regal, Cadillac ATS/CTS, Chrysler 300, Genesis G80, Infiniti Q50, Jaguar XE, Lexus GS/IS/ES 300h, Mercedes-Benz Classe C, Nissan Maxima, Toyota Avalon, Volkswagen CC, Volvo S60

AU QUOTIDIEN

COLLISION FRONTALE 4/5
COLLISION LATÉRALE 5/5
VENTES DU MODÈLE L'AN DERNIER
AU QUÉBEC 280 (-17,9 %) **AU CANADA** 1 130 (-21,8 %)
DÉPRÉCIATION (%) 38,0 (3 ans)
RAPPELS (2011 à 2016) 11
COTE DE FIABILITÉ 2,5/5

GARANTIES... ET PLUS

GARANTIE GÉNÉRALE 4 ans/80 000 km
GROUPE MOTOPROPULSEUR 6 ans/110 000 km
COMPOSANTS système hybride 8 ans/160 000 km
PERFORATION 5 ans/kilométrage illimité
ASSISTANCE ROUTIÈRE 6 ans/110 000 km
NOMBRE DE CONCESIONNAIRES
AU QUÉBEC 79 **AU CANADA** 437

NOUVEAUTÉS EN 2017

Avant redessiné, le moteur V6 3,7 litres est remplacé par un nouveau moteur V6 3,0 litres turbo plus puissant. Changement d'appellation des versions.

OPÉRATION RATTRAPAGE

Il y a quelques années, de sérieux doutes sur l'avenir de Lincoln étaient soulevés chaque fois qu'on faisait allusion à la marque. La compagnie ne semblait pas avoir de vision et nous proposait de tristes clones de produits Ford. On était loin de l'époque glorieuse de la bannière. Un sérieux examen de conscience a été entrepris et après moult tentatives, on semble avoir trouvé une voie où guider la firme fondée par Henry M. Leland. Les produits ont pris du galon et les airs familiers avec les cousins de la famille sont moins évidents. Cependant, comme un cycliste qui est victime d'une crevaison au Tour de France, une fois le plat réparé, la pente est difficile et longue à remonter.

Daniel Rufiange

TOUR DU PROPRIÉTAIRE > La MKZ 2017 n'est pas nouvelle, mais des efforts importants ont été déployés pour lui redonner une seconde vie. Pourrait-on dire une première? Les ventes du modèle l'an dernier étaient en recul de 17,9 % par rapport à ceux de l'année précédente. En fait, de toute la famille, la MKZ est la seule dont le bilan était dans le rouge. À ce niveau, le remodelage de 2017 arrive à point et ne pourra qu'aider. Et cette fois, on ne parle pas que de simples coups de crayon à l'avant. En fait, on sacrifie une image traditionnelle qu'on tentait malhabilement de conserver pour en faire naître une autre, nettement plus intéressante.

\+ NOUVEAU FACIÈS NETTEMENT RÉUSSI
CONDUITE FEUTRÉE
RETOUR DES COMMUTATEURS À LA CONSOLE CENTRALE
VERSION HYBRIDE INTÉRESSANTE

− MANQUE DE CHIEN FACE À PLUSIEURS RIVALES
IMAGE EN RECONSTRUCTION
VISIBILITÉ ARRIÈRE BLOQUÉE LORSQUE LE TOIT PANORAMIQUE EST OUVERT.
PRIX UNE FOIS BIEN ÉQUIPÉE

MENTIONS

CLÉ D'OR | CHOIX VERT | COUP DE CŒUR | **RECOMMANDÉ**

VERDICT

PLAISIR AU VOLANT
QUALITÉ DE FINITION
CONSOMMATION
RAPPORT QUALITÉ / PRIX
VALEUR DE REVENTE
CONFORT

1 5 10

Si ce n'était du logo qui loge au centre de la grille, auriez-vous deviné la présence d'une Lincoln? À l'arrière, on a manqué une belle occasion de repenser le tout. Ce n'est pas laid, mais tant qu'à se donner une nouvelle direction... Quant aux versions, vous avez principalement le choix entre deux variantes à moteur classique et un hybride.

VIE À BORD > Une attention particulière a été portée à l'habitacle de la MKZ, question d'en rehausser l'attrait. On a ennobli la présentation, notamment dans les portières, où l'on trouve des haut-parleurs au fini métallique qui nous rappellent l'approche Mercedes-Benz. La chaîne audio, signée Revel, comblera les mélomanes. À bord des livrées Reserve, les sorties se comptent au nombre de 20. À la console, on a enfin remis des commutateurs traditionnels pour les commandes de la radio et de la température. Exit les commandes à effleurement qui faisaient surtout grimper notre pression sanguine. Et comment expliquer cette marche arrière ? Une demande des clients, tout simplement. Il y a de l'espoir après tout! Pour le confort, tout y est, du caractère accueillant des baquets à l'insonorisation, sans reproche.

TECHNIQUE > Au moment d'imprimer, nous n'avions mis à l'essai que les versions équipées des moteurs 4 cylindres. La première, gâtée de la technologie EcoBoost, offre 240 chevaux et reçoit une boîte automatique à 6 rapports. L'autre, dotée d'une mécanique 2 litres à cycle Atkinson et d'un moteur électrique, livre moins de puissance, mais propose une cote de consommation fort intéressante. En fait, voilà probablement l'élément qui permet à cette MKZ de se différencier de la plupart de ses concurrentes. Ce qu'on attend avec impatience, c'est l'arrivée de cette version à moteur V6 Lincoln qui verra le chiffre de 400 exprimer la puissance et le couple avancés. Voilà peut-être le vrai « Boost » dont a besoin la MKZ.

AU VOLANT > On ne peut reprocher grand-chose à la MKZ lorsqu'on la conduit. Le confort est excellent et la tenue de route est probante, surtout en mode sport où la suspension est plus réveillée. Il lui manque cependant un peu de chien pour aller jouer dans la cour de plusieurs de ses rivales. Est-ce que la version à 400 chevaux est la solution? Lincoln le souhaite ardemment. Sur papier, ça ne peut nuire.

CONCLUSION > La MKZ fait un pas en avant pour 2017, c'est une évidence. Cependant, comme au Tour de France, ses adversaires progressent aussi, ce qui rend l'opération de rattrapage d'autant plus difficile. Une chose sera à surveiller et fera foi de tout : les ventes. ■

2e OPINION

Benoit Charette

L'année 2012 devait être celle de Lincoln, tout comme 2013 d'ailleurs. Or nous en sommes à 2016 et nous attendons toujours. Lincoln n'est plus que l'ombre d'elle-même et Ford ne sait plus trop comment aborder le problème. On mise beaucoup sur le retour de la Continental pour fouetter les troupes et la MKZ va prendre exemple sur cette dernière pour 2017 en devenant le premier véhicule de la famille Lincoln à présenter la nouvelle image de l'entreprise par l'abandon de la grille séparée au profit d'une calandre rectangulaire. Elle va aussi introduire un nouveau moteur 6 cylindres turbo de 400 chevaux en version intégrale. C'est en se détachant physiquement des géniteurs de chez Ford que Lincoln va réussir à faire sa marque. Il semble que le message commence à passer, mais un peu tard.

FICHE TECHNIQUE

MOTEUR(S)

(SÉLECT 500A, ULTRA 600A) L4 2,0 L DACT à cycle Atkinson + moteur électrique
PUISSANCE 141 ch à 6 000 tr/min + moteur électrique 118 ch (puissance totale maximum 188 ch à 6 000 tr/min)
COUPLE 129 lb-pi à 4 000 tr/min
RAPPORT POIDS/PUISSANCE 9,2 kg/ch
BOITE(S) DE VITESSES automatique à variation continue
PERFORMANCES 0-100 km/h 9,1 s
REPRISE 80-115 km/h 6,1 s **FREINAGE 100-0 km/h** 41,2 m
NIVEAU SONORE À 100 km/h Excellent
VITESSE MAXIMALE 95 km/h

(SÉLECT 200A, ULTRA 300A) L4 2,0 L DACT turbo
PUISSANCE 245 ch à 5 500 tr/min
COUPLE 275 lb-pi à 3 000 tr/min
RAPPORT POIDS/PUISSANCE 6,7 kg/ch
BOITE(S) DE VITESSES automatique à 6 rapports avec mode manuel et manettes au volant
PERFORMANCES 0-100 km/h 7,2 s
REPRISE 80-115 km/h 4,8 s **FREINAGE 100-0 km/h** 38,5 m
NIVEAU SONORE À 100 km/h Excellent
VITESSE MAXIMALE 205 km/h
CONSOMMATION (100 km) ville 11,8 L route 8,4 L (octane 91)
ANNUELLE 1 751 L, 2 364 $ **ÉMISSIONS DE CO_2** 4 027 kg/an

(ULTRA 300A) V6 3,0 L DACT biturbo
PUISSANCE 400 ch à 5 500 tr/min
COUPLE 400 lb-pi à 2 750 tr/min
RAPPORT POIDS/PUISSANCE 5,5 kg/ch
BOÎTE(S) DE VITESSES automatique à 6 rapports avec mode manuel et manettes au volant
PERFROMANCES 0-100 km/h 5,8 s
VITESSE MAXIMALE 220 km/h
CONSOMMATION (100 km) ville 14,0 L route 9,2 L (octane 91)
ANNUELLE 2 023 L, 2 731 $ **ÉMISSIONS DE CO_2** 4 653 kg/an

AUTRES COMPOSANTS

SÉCURITÉ ACTIVE (certains en option) Freins ABS, assistance au freinage, répartition électronique de la force de freinage, contrôle électronique de la stabilité, antipatinage, régulateur de vitesse adaptatif, assistance en cas de sortie de voie et de collision imminente, avertisseur d'obstacle latéral
SUSPENSION avant/arrière indépendante, à amortissement adaptatif
FREINS avant/arrière disques, à récupération d'énergie sur hybride
DIRECTION à crémaillère, assistée électriquement
PNEUS 2.0/Hybride P245/45R18 **3.0/ option 2.0 et Hybride** P245/40R19

DIMENSIONS

EMPATTEMENT 2 850 mm
LONGUEUR 4 925 mm
LARGEUR 1 864 mm, 2 116 mm (incl. rétro.)
HAUTEUR 1 476 mm
POIDS 2.0 1 620 kg **3.7** 1 650 kg **Hybride** 1 736 kg
DIAMÈTRE DE BRAQUAGE 11,6 m
COFFRE 436 L **Hybride** 314 L
RÉSERVOIR DE CARBURANT 2.0 63 L **3.7** 66 L **Hybride** 51 L
CAPACITÉ DE REMORQUAGE 454 kg **Hybride** non recommandé
CAPACITÉ DE LA BATTERIE (Hybride) 1,4 kWh

LINCOLN > NAVIGATOR

www.lincolncanada.com

LA COTE VERTE

MOTEUR V8 DE 3,5 L BITURBO
CONSOMMATION (100 km) ville 16,2 L, route 11,9 L **L** ville 16,1 L, route 12,4 L
CONSOMMATION ANNUELLE 2 431 L, 2 917 $ **L** 2 448 L, 2 938 $
INDICE D'OCTANE 87
ÉMISSIONS POLLUANTES CO_2 5 591 kg/an **L** 5 630 kg/an
(source: ÉnerGuide)

FICHE D'IDENTITÉ

VERSION(S) Empattement régulier/allongé Sélect 200A, Ultra 300A
TRANSMISSION(S) 4
PORTIÈRES 5 **PLACES** 7, 8
PREMIÈRE GÉNÉRATION 1998
GÉNÉRATION ACTUELLE 2007
CONSTRUCTION Louisville, Kentucky, É.-U.
COUSSINS GONFLABLES 6 (frontaux, latéraux avant, rideaux latéraux)
CONCURRENCE Cadillac Escalade, Infiniti QX80, Land Rover Range Rover, Lexus LX, Mercedes-Benz Classe G/Classe GLS

AU QUOTIDIEN

COLLISION FRONTALE 5/5
COLLISION LATÉRALE 5/5
VENTES DU MODÈLE L'AN DERNIER
AU QUÉBEC 60 (+140 %) **AU CANADA** 550 (+67,7 %)
DÉPRÉCIATION (%) 38,3 (3 ans)
RAPPELS (2011 à 2016) 3
COTE DE FIABILITÉ 4/5

GARANTIES... ET PLUS

GARANTIE GÉNÉRALE 4 ans/80 000 km
GROUPE MOTOPROPULSEUR 6 ans/110 000 km
PERFORATION 5 ans/kilométrage illimité
ASSISTANCE ROUTIÈRE 6 ans/110 000 km
NOMBRE DE CONCESIONNAIRES
AU QUÉBEC 79 **AU CANADA** 437

NOUVEAUTÉS EN 2017

Aucun changement majeur. Changement d'appellation des versions.

LA MÉTÉORITE ARRIVE

Le Lincoln Navigator est l'un des produits sur le marché ayant les origines les plus lointaines de toute l'industrie automobile. Sa création ne date pas de l'ancienne génération du F-150, mais bien de l'autre avant, c'est-à-dire de 2003... Le Navigator est un véritable dinosaure et la météorite qui assurera sa disparition arrivera bientôt. Lincoln prépare une toute nouvelle version qui suivra le spectaculaire prototype Navigator dévoilé au Salon de l'auto de New York en 2016; 2017 sera l'année du «Big Bang» pour cette génération.

Luc-Olivier Chamberland

TOUR DU PROPRIÉTAIRE > À défaut d'avoir une plate-forme moderne, Lincoln a fait des efforts pour le maintenir au goût du jour. Sur le plan du design, depuis 2015, il s'est harmonisé au reste de la gamme notamment avec l'imposante calandre séparée en deux qui intègre les blocs optiques. Pour leur ajouter une touche de modernisme, une fine vague de DEL, comme sur les autres produits de la marque, les habille. À la silhouette, on obtient des roues à la mesure de la taille du Navigator avec des diamètres de 20 à 22 pouces en plus de quelques accents de chrome pour un peu plus de «bling-bling». L'arrière se montre plus distinctif avec une lentille unique équipée elle aussi de DEL sur toute la largeur. L'ensemble est agréable à l'œil, mais il suffit de le mettre à côté d'un Cadillac Escalade pour comprendre que l'on parle de deux époques différentes.

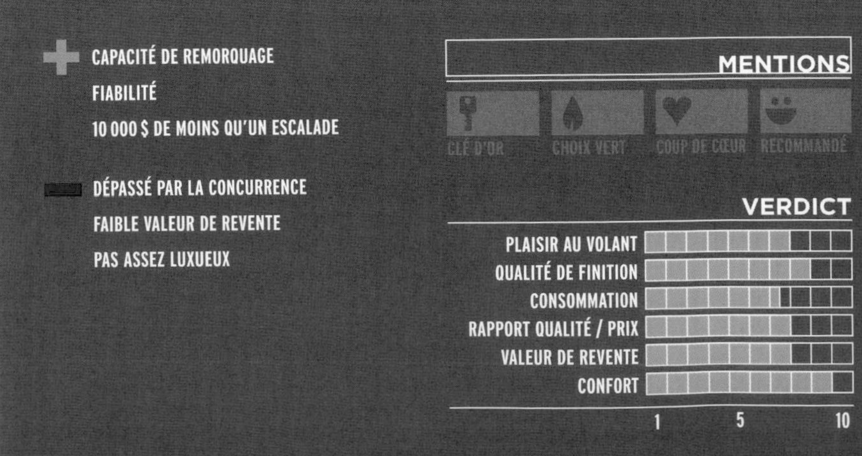

+ CAPACITÉ DE REMORQUAGE
FIABILITÉ
10 000 $ DE MOINS QU'UN ESCALADE
– DÉPASSÉ PAR LA CONCURRENCE
FAIBLE VALEUR DE REVENTE
PAS ASSEZ LUXUEUX
MENTIONS
CLÉ D'OR
CHOIX VERT
COUP DE CŒUR
RECOMMANDÉ
VERDICT
PLAISIR AU VOLANT
QUALITÉ DE FINITION
CONSOMMATION
RAPPORT QUALITÉ / PRIX
VALEUR DE REVENTE
CONFORT
1
5
10

VIE À BORD > Le paléolithique se manifeste une fois de plus lorsque l'on ouvre la porte. On doit reculer loin dans le temps pour voir une présentation similaire. En fait, Lincoln a essayé de créer une ambiance telle que dans les années 70... Avec les modifications de 2015, on corrige le tir, mais il reste toujours quelques éléments irritants comme les deux gros cadres devant les passagers. La qualité des matériaux n'est tout simplement pas à la hauteur des standards de la catégorie et la finition est décevante. L'équipement se montre généreux, mais il n'y a aucune innovation. En fait, on parle d'un luxe accessible avec des gadgets communs que l'on peut obtenir dans des produits nettement moins chers.

Étonnamment, même si le Navigator est de la taille d'un brachiosaure, l'espace intérieur est compté. Ce fait est particulièrement vrai pour la deuxième ligne d'assises. On se retrouve avec les jambes dans le dossier des sièges avant et la troisième rangée est non seulement difficile d'accès, mais trop exigüe. Le coffre, malgré la hauteur démesurée de son seuil, offre une aire logeable de 1206 à 3629 litres dans la version allongée « L ».

TECHNIQUE > Le seul endroit où le Navigator offre une pointe de modernité, c'est dans la mécanique. Lincoln a abandonné son gros V8 au profit de la technologie *EcoBoost* avec le V6 turbo de 3,5 litres. C'est le même que l'on connaît dans plusieurs véhicules de la famille. Il pousse 380 chevaux et un généreux couple de 460 livres-pieds. Juxtaposé à une boîte automatique à 6 rapports, il permet une « très relative » économie de carburant, du moins considérant sa taille. Malgré ses efforts écologiques, les 15 litres aux 100 kilomètres sont fréquents. Pour les deux ou trois personnes qui utiliseront réellement les capacités du Navigator, sachez qu'il est en mesure de tracter pas moins de 8 000 litres.

AU VOLANT > Peu de véhicules portent aussi bien leur nom que le Navigator. L'affiliation au monde maritime est réelle, car c'est la sensation que l'on éprouve derrière le volant. Tanguant, il se balance de gauche à droite à la moindre pointe de dynamisme. Les suspensions s'expriment avec une mollesse déconcertante. La direction offre le même niveau de précision que le gouvernail du Titanic. Les accélérations impressionnent, mais ne brusquez pas le Navigator, ses composantes techniques ne supportent pas les excès d'enthousiasme

CONCLUSION > En perdition sous cette forme, il est difficile d'encourager qui que ce soit à dépenser plus de 75 000 $ pour ce produit. Désuet sur presque toute la ligne, il est préférable d'aller voir ailleurs. Si vous tenez absolument au Navigator, attendez quelques mois. La nouvelle génération est pleine de promesses, proposant une construction en aluminium et un design plus accrocheur. ■

2e OPINION

Daniel Rufiange

Au dernier Salon de New York, Lincoln présentait le Concept Navigator, une étude qui nous donnait une bonne idée de l'orientation que comptait prendre la division de luxe de Ford concernant son paquebot. Esthétiquement, la nouvelle signature que porte la MKZ et que recevra la Continental définira le prochain Navigator. À l'intérieur, tout y passera aussi, mais c'est surtout dans la structure que des changements majeurs sont attendus. L'aluminium, on le souhaite, fera partie de l'équation, car tout doit être fait pour réduire le poids de cette chose. Sous le capot, on poursuivra de toute évidence avec le V6 de 3,5 litres EcoBoost, introduit sous le capot en 2015. Des changements qui s'imposaient, mettons. Le nouveau Navigator suivra après l'introduction de la Continental.

FICHE TECHNIQUE

MOTEUR(S)

(4RM, 4RM L) V6 3,5 L DACT biturbo
PUISSANCE 380 ch à 5 250 tr/min
COUPLE 460 lb-pi à 2 750 tr/min
RAPPORT POIDS/PUISSANCE 7,2 kg/ch **L** 7,4 kg/ch
BOÎTE(S) DE VITESSES automatique à 6 rapports avec mode manuel
PERFORMANCES 0-100 km/h 6,7 s **L** 7,1 s
REPRISE 80-115 km/h 5,2 s
FREINAGE 100-0 km/h 44,8 m
NIVEAU SONORE À 100 km/h Bon
VITESSE MAXIMALE 200 km/h

AUTRES COMPOSANTS

SÉCURITÉ ACTIVE Freins ABS, assistance au freinage, répartition électronique de la force de freinage, contrôle électronique de la stabilité avec fonction antiretournement, antipatinage, aide en descente, contrôle de louvoiement de la remorque
SUSPENSION avant/arrière indépendante
FREINS avant/arrière disques
DIRECTION à crémaillère, assistée
PNEUS P275/55R20 **option** P285/45R22

DIMENSIONS

EMPATTEMENT 3 023 mm **L** 3 327 mm
LONGUEUR 5 293 mm **L** 5 672 mm
LARGEUR 2 001 mm, 2 332 mm (incl. rétro.)
HAUTEUR 1 989 mm **L** 1 984 mm
POIDS 2 721 kg **L** 2 829 kg
RÉPARTITION DU POIDS AV/ARR (%) 51/49 **L** 50/50
DIAMÈTRE DE BRAQUAGE 12,4 m **L** 13,4 m
COFFRE 513 L, 1 542 L, 2 926 L
L 1 206 L, 2 444 L, 3 629 L (sièges abaissés)
RÉSERVOIR DE CARBURANT 106 L **L** 127 L
CAPACITÉ DE REMORQUAGE 3 946 kg **L** 3 856 kg

LA COTE VERTE

MOTEUR V6 DE 3,5 L À COMPRESSEUR VOLUMÉTRIQUE
CONSOMMATION (100 km) man. ville 13,6 L, route 7,9 L
auto. ville 14,1 L, route 7,1 L
CONSOMMATION ANNUELLE man. 1 870 L, 2 524 $ **auto.** 1 836 L, 2 479 $
INDICE D'OCTANE 91
ÉMISSIONS POLLUANTES CO_2 man. 4 301 kg/an **auto.** 4 223 kg/an
(source : Lotus et L'Annuel)

FICHE D'IDENTITÉ

VERSION(S) 400, Sport 410
TRANSMISSION(S) arrière
PORTIÈRES 2 **PLACES 400** 2+2, option 2
PREMIÈRE GÉNÉRATION 2010
GÉNÉRATION ACTUELLE 2010
CONSTRUCTION Ethel, Angleterre
COUSSINS GONFLABLES 2 (frontaux)
CONCURRENCE Acura NSX, Alfa Romeo 4C, Audi R8/TTS, Lexus LC, Porsche 911 Carrera/718 Cayman

AU QUOTIDIEN

COLLISION FRONTALE ND
COLLISION LATÉRALE ND
VENTES DU MODÈLE L'AN DERNIER
AU QUÉBEC ND **AU CANADA** ND
DÉPRÉCIATION (%) 15,2 (3 ans)
RAPPELS (2011 à 2016) 3
COTE DE FIABILITÉ 4/5

GARANTIES... ET PLUS

GARANTIE GÉNÉRALE 3 ans/60 000 km
GROUPE MOTOPROPULSEUR 3 ans/60 000 km
PERFORATION 8 ans/kilométrage illimité
ASSISTANCE ROUTIÈRE 3 ans/60 000 km
NOMBRE DE CONCESIONNAIRES
AU QUÉBEC 1 **AU CANADA** 3

NOUVEAUTÉS EN 2017

Version Evora Sport 410, plus légère, à moteur plus puissant et à suspension révisée. Production limitée à 150 exemplaires par année.

LA MACHINE À *FUN*

Pendant que ses sœurs Exige et Elise restent cantonnées aux vieux pays, l'Evora, dernière nouveauté du constructeur, est officiellement distribuée au Québec par un seul concessionnaire et sous une seule forme, sa plus récente, la 400, la voiture « grand public » (à 96 000 $, faut relativiser) la plus rapide jamais osée par Lotus (enfin, jusqu'à l'arrivée de la 410).

Michel Crépault

TOUR DU PROPRIÉTAIRE > Vue de face, on aime la gueule arrogante de sa robe sexy déposée sur un châssis en aluminium. Les trappes qui font office de calandre composent une bouche à la fois rieuse et moqueuse. Les phares bixénon en amande surveillent tout sans en avoir l'air. Le pavillon noir ressemble à un casque déposé sur les occupants. Les flancs cintrés sur des roues à 10 branches (19 pouces à l'avant, 20 pouces à l'arrière), très ajourées pour admirer les étriers de frein rouges (jaunes ou noirs en option), sont fuselés comme la taille d'une championne olympique au triple saut. À l'arrière, saluons le tourbillon des formes, l'aileron qui enserre les feux ronds et l'embout d'échappement central qui rappelle la tuyère d'un jet. Le designer Russell Carr (nom approprié) n'a pas raté son coup. Chaque centimètre carré de cette Lotus, dont la longueur accuse 10 centimètres de moins qu'une Corvette, inspire la vitesse, comme le confirme son poids à vide d'environ 1 400 kilos (selon la transmission).

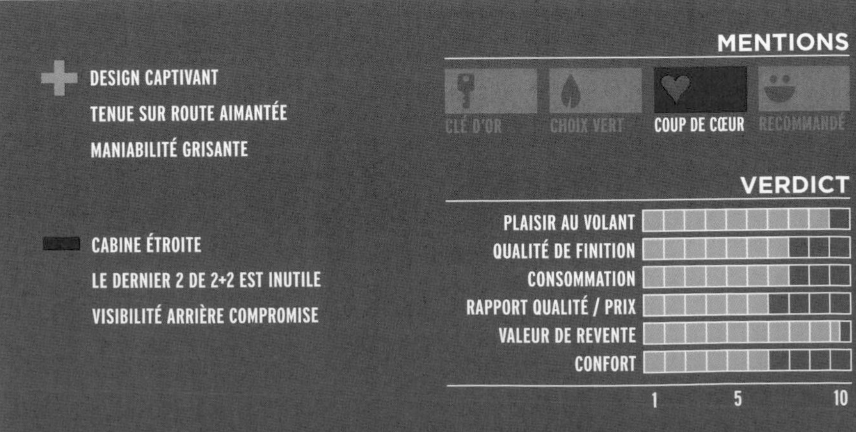

+ DESIGN CAPTIVANT
TENUE SUR ROUTE AIMANTÉE
MANIABILITÉ GRISANTE
– CABINE ÉTROITE
LE DERNIER 2 DE 2+2 EST INUTILE
VISIBILITÉ ARRIÈRE COMPROMISE
MENTIONS
CLÉ D'OR
CHOIX VERT
COUP DE CŒUR
RECOMMANDÉ
VERDICT
PLAISIR AU VOLANT
QUALITÉ DE FINITION
CONSOMMATION
RAPPORT QUALITÉ / PRIX
VALEUR DE REVENTE
CONFORT
1
5
10

VIE À BORD > L'Evora est une 2+2. Le système Isofix à l'arrière vous permet d'installer des sièges de bébé, mais vraiment, est-ce une scène souhaitable ? On se servira plutôt de l'espace pour y déposer les bagages que le menu coffre n'aura su avaler. D'ailleurs, la configuration 2+0 est gratuite, tandis que les baquets chauffants et la caméra de recul (heureusement, vu la visibilité arrière) sont de série. Le tableau de bord ne donne pas dans le jojo : noir avec surpiqûres noires. À moins de cocher la finition en alcantara rouge (3 484 $). Même les accents d'alu anthracite soulignent le caractère minimaliste de l'auto. Si vous ne souhaitez pas avoir dans l'habitacle le caisson des basses ou la climatisation parce que chaque gramme écrémé vous rapprochera du nirvana, Lotus ne se fera pas prier pour les enlever, sans frais.

TECHNIQUE > Sous la lunette de verre derrière le pilote rayonne un V6 de 3,5 litres emprunté à Toyota, mais trituré (bonjour à un compresseur Edelbrock) afin d'obtenir une puissance de 400 chevaux (d'où le nom du bolide, tiens !) à 7 000 tours/minutes (c'est haut, ça !) et un couple maximal de 302 livres-pieds délivré à mi-chemin. Le tricotage de la boîte manuelle sport à 6 rapports est assuré par un exquis pommeau en alu, le tout jumelé à un différentiel autobloquant de type Torsen à glissement limité. Une boîte automatique à 6 rapports avec palettes est facultative (2 921 $), tout comme le régulateur de vitesse (461 $). Doubles disques de frein partout et suspension férocement indépendante aux quatre coins.

AU VOLANT > L'Evora 400 a été développée sur une piste pour la jouissance du pilote, et ça transpire par toutes ses coutures. Sa légèreté est rapidement mise à profit : le 0-100 km/h en 4,2 secondes, qu'on utilise la manuelle ou l'automatique extrêmement efficace. Le type de transmission, toutefois, influence la vitesse maximale : 280 km/h pour l'auto et 20 de plus avec la manuelle, question d'atteindre le mythique plateau des 300 km/h. Le volant ultra-léger gainé de cuir reste assisté hydrauliquement et il travaille de concert avec un pédalier en alu forgé pour encourager des séances continuelles de drift. À vitesse lente, ça secoue plus que lorsque la bibitte anglaise se défoule à vive allure, son élément naturel. Trop bruyante ? Un interrupteur permet de tempérer les décibels. Dernier détail mais qui compte : le seuil de porte a été considérablement aminci, de sorte que l'accès et la sortie n'exigent plus d'impossibles contorsions.

CONCLUSION > Le constructeur prend quand même la peine d'écrire noir sur blanc que l'utilisation de l'Evora 400 sur piste ou durant une compétition rendra caduque la garantie. Un tantinet contradictoire, surtout quand le conducteur a lui-même le choix entre des modes de conduite Drive, Sport et Race ! Je crois que le vrai message est plutôt « amusez-vous d'abord, on verra ensuite ». Car avoir du *fun*, l'Evora 400 ne sert qu'à ça ! ■

2e OPINION

Benoit Charette

Que reste-t-il de nos amours, que reste-t-il de nos beaux jours, chantait Fernand Gignac. On pourrait se poser la même question à propos de Lotus, qui n'est plus qu'une peau de chagrin. Cette petite firme d'Ethel, en Angleterre, sous gouverne malaisienne, vit d'un seul modèle en Amérique du Nord. L'Evora est un petit 2+2 qui met le pilote au centre de l'action et qui est propulsé par le même moteur V6 de 3,5 litres que vous trouvez dans une Toyota Camry. Lotus a poussé sa puissance à 400 chevaux grâce à l'utilisation d'un compresseur. Les gens de Lotus sont reconnus mondialement comme des sorciers de la tenue de route et ils ont mis tout leur talent dans cette voiture qui adopte un comportement de voiture exotique. Il n'y a pas d'espace, mais peu de voitures offrent une direction aussi parfaite et une communion avec la route d'un aussi haut niveau. Le prix est à l'avenant, mais pour l'expérience de conduite, c'est 100 %.

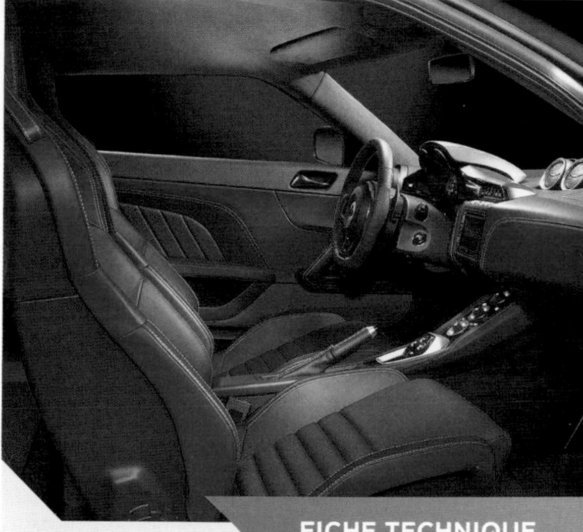

FICHE TECHNIQUE

MOTEUR(S)

(400) V6 3,5 L DACT à compresseur volumétrique
PUISSANCE 400 ch à 7 000 tr/min
COUPLE 302 lb-pi à 3 500 tr/min
RAPPORT POIDS/PUISSANCE 3,5 kg/ch
BOÎTE(S) DE VITESSES manuelle à 6 rapports, automatique à 6 rapports avec mode manuel et manettes au volant (en option)
PERFORMANCES 0-100 km/h 4,2 s
REPRISE 80-115 km/h 2,9 s
VITESSE MAXIMALE man. 300 km/h **auto.** 280 km/h

(Sport 410) V6 3,5 L DACT à compresseur volumétrique
PUISSANCE 410 ch à 7 000 tr/min
COUPLE 302 lb-pi à 3 500 tr/min
RAPPORT POIDS/PUISSANCE 3,3 kg/ch
BOÎTE(S) DE VITESSES manuelle à 6 rapports, automatique à 6 rapports avec mode manuel et manettes au volant (en option)
PERFORMANCES 0-100 km/h 4,0 s
REPRISE 80-115 km/h 2,9 s
VITESSE MAXIMALE 300 km/h

AUTRES COMPOSANTS

SÉCURITÉ ACTIVE Freins ABS, assistance au freinage, répartition électronique de la force de freinage, contrôle électronique de la stabilité, antipatinage
SUSPENSION avant/arrière indépendante
FREINS avant/arrière disques
DIRECTION à crémaillère, assistée
PNEUS P235/35R19 (av.) P285/30R20 (arr.)

DIMENSIONS

EMPATTEMENT 2 575 mm
LONGUEUR 4 394 mm
LARGEUR 1 845 mm, 1 978 mm (incl. rétro.)
HAUTEUR 1 229 mm
POIDS S 1 415 kg **Sport 410** 1 345 kg
RÉPARTITION DU POIDS AV/ARR (%) 39/61
DIAMÈTRE DE BRAQUAGE 10,1 m
COFFRE 110 L
RÉSERVOIR DE CARBURANT 60 L

LA COTE VERTE

MOTEUR V6 DE 3,0 L TURBO
CONSOMMATION (100 km) ville 14,1 L, route 9,8 L
CONSOMMATION ANNUELLE 2 074 L, 2 800 $
INDICE D'OCTANE 91
ÉMISSIONS POLLUANTES CO_2 4 770 kg/an
(source : ÉnerGuide)

FICHE D'IDENTITÉ

VERSION(S) Base, S Q4
TRANSMISSION(S) arrière, 4
PORTIÈRES 4 **PLACES** 5
PREMIÈRE GÉNÉRATION 2014 (originale 1967)
GÉNÉRATION ACTUELLE 2014
CONSTRUCTION Modène, Italie
COUSSINS GONFLABLES 7 (frontaux, genoux conducteur, latéraux avant, rideaux latéraux)
CONCURRENCE Acura RLX, Audi A6/A7, BMW Série 5, Cadillac CTS, Infiniti Q70, Jaguar XF, Lexus GS, Mercedes-Benz Classe E, Volvo S90

AU QUOTIDIEN

COLLISION FRONTALE 5/5
COLLISION LATÉRALE 5/5
VENTES DU MODÈLE L'AN DERNIER
AU QUÉBEC ND **AU CANADA** ND
DÉPRÉCIATION (%) 25,5 (3 ans)
RAPPELS (2011 à 2016) 3
COTE DE FIABILITÉ 3,5/5

GARANTIES... ET PLUS

GARANTIE GÉNÉRALE 4 ans/80 000 km
GROUPE MOTOPROPULSEUR 4 ans/80 000 km
PERFORATION 4 ans/80 000 km
ASSISTANCE ROUTIÈRE 4 ans/80 000 km
NOMBRE DE CONCESIONNAIRES
AU QUÉBEC 3 **AU CANADA** 7

NOUVEAUTÉS EN 2017

Aucun changement majeur

LE SON ET L'IMAGE

Vous dire que Maserati souhaite élargir son auditoire tient de l'euphémisme, surtout lorsqu'on connaît la situation financière du groupe FCA. C'est pour cette raison que la firme italienne a choisi de concevoir pour 2014 une berline plus « accessible », capable de rejoindre un plus grand nombre d'acheteurs. On a donc profité de l'occasion pour ramener une nomenclature au passé glorieux, de la même façon que Dodge l'a fait avec plusieurs de ses modèles. Hélas, les ventes de la Ghibli n'ont pas été aussi relevées qu'on l'aurait souhaité, si bien que la firme italienne renchérit cette année avec la formule facile du VUS. Qui sait, peut-être que cet utilitaire « grand public » fera découvrir la marque à davantage de gens, qui pourraient aussi craquer pour la Ghibli.

Antoine Joubert

TOUR DU PROPRIÉTAIRE > Chose certaine, cette voiture a du charme. Un charme à l'italienne qui ne s'explique pas, mais qui nous change du caractère souvent trop incolore des berlines allemandes. Son museau massif, ses ailes proéminentes, ses ouïes latérales et ses portières sans cadre séduisent à tout coup, sans compter cette grille de calandre prête à mordre. Et bien sûr, on ne se gêne pas pour afficher ses couleurs en apposant à différents endroits cet écusson trident si cher à Maserati.

+
- LE SON
- LE LOOK ET L'IMAGE PROJETÉE
- LA BEAUTÉ DES CUIRS
- L'EXCLUSIVITÉ

−
- LE PRIX
- LE RÉSEAU DE DISTRIBUTION
- LA QUALITÉ D'ASSEMBLAGE
- LA FIABILITÉ HASARDEUSE

MENTIONS

CLÉ D'OR · CHOIX VERT · COUP DE CŒUR · RECOMMANDÉ

VERDICT

- PLAISIR AU VOLANT
- QUALITÉ DE FINITION
- CONSOMMATION
- RAPPORT QUALITÉ / PRIX
- VALEUR DE REVENTE
- CONFORT

1 5 10

VIE À BORD > L'ouverture des portières nous initie à un monde exotique où la beauté des cuirs et la richesse des textures séduisent elles aussi à coup sûr. Et encore une fois, les écussons et hologrammes se dévoilent à bord de façon marquée. Maintenant, les initiés aux produits Chrysler y détecteront plusieurs éléments connus, puisque l'ensemble des interrupteurs, les leviers et des boutons sont semblables à ceux d'un simple Dodge Journey. Rien de très glamour, sauf que ceux-ci sont efficaces et éprouvés pour leur ergonomie. D'ailleurs, la Ghibli profite même du système uConnect de Chrysler à écran tactile de 8,4 pouces, lequel est renommé dans l'industrie comme l'un des meilleurs du genre. Hélas, le bilan se gâte en raison d'un siège qui manque de soutien et d'une qualité d'assemblage inégale. Les cliquetis entendus à bord, provenant souvent du tableau de bord, confirment d'ailleurs qu'il y aurait matière à resserrer quelques boulons.

TECHNIQUE > La Ghibli repose sur une plateforme modifiée de la Quattroporte, laquelle fait appel à celle de la Chrysler 300, qui elle-même emprunte la sienne depuis des lunes à la Mercedes-Benz de Classe E... de 1996. Voilà donc un châssis qui a de l'âge, mais qui a heureusement été optimisé pour offrir une conduite plus solide et dynamique. On fait appel à un bloc d'origine fFerrari pour la confection de ce V6 3 litres turbo qui offre 345 ou 404 chevaux. Notez cependant que la plupart des acheteurs canadiens se laissent séduire par la plus puissante des deux formules, celle-ci étant la seule à être mariée à la transmission intégrale.

AU VOLANT > Première constatation, le V6 de 404 chevaux a du son. Un bourdonnement qui n'est pas excessif, mais qui annonce des performances enivrantes, qui se confirment une fois qu'on avale des kilomètres. Conséquemment, la Ghibli est bien sûr rapide, mais n'impressionne pas plus à ce niveau que ses rivales allemandes. Toutefois, elle chante avec la fougue artistique d'une soprano italienne, origine oblige. La boîte automatique à 8 rapports démontre pour sa part une grande rapidité d'exécution, faisant honneur à la présence de palettes de changement de vitesses au volant. On apprécierait cependant une direction un brin plus légère et plus précise, puisque celle-ci oblige le conducteur à constamment corriger sa trajectoire. Voilà donc un élément agaçant, mais qui peut aussi être en partie causé par le mauvais mariage de larges pneumatiques sur des routes en piteux état.

CONCLUSION > Nous voilà maintenant arrivé à l'élément qui fait déchanter, le prix. En effet, une facture de 108 000 $ était applicable au modèle mis à l'essai, excluant les frais de transport et de préparation. Une somme complètement irréaliste, surtout dans un contexte où on y trouve de nombreux éléments empruntés à Chrysler et où la qualité d'assemblage n'arrive pas à la cheville d'une Audi S6. Ajoutez à cela un réseau de distribution embryonnaire et une fiabilité probablement catastrophique, et vous vous dirigez droit vers un cauchemar. Bref, une voiture qui sait séduire, mais un très gros pari que seuls quelques irréductibles de la marque oseront prendre. ■

2e OPINION

Benoit Charette

Sur papier, la Maserati Ghibli a tout pour plaire: moteur d'origine Ferrari performant et symphonique à souhait, superbe ligne et ce je-ne-sais-quoi que seules les berlines italiennes dégagent. C'est derrière le volant que les choses prennent une autre tournure. Le poids devient un facteur handicapant, car une Ghibli bien équipée dépasse les deux tonnes et on le ressent au volant. Il y a ensuite la boîte de vitesse qui travaille à l'économie et qui étire les rapports, rendant la conduite moins intéressante. Il faudrait donc mettre cette grosse berline au régime et faire à nouveau appel à Ferrari pour une boîte plus expressive. Nous aurions peut-être à ce moment une berline digne de ses origines.

FICHE TECHNIQUE

MOTEUR(S)

(BASE) V6 3,0 L DACT biturbo
PUISSANCE 345 ch à 5 750 tr/min
COUPLE 369 lb-pi à 1 750 tr/min
RAPPORT POIDS/PUISSANCE 5,2 kg/ch
BOITE(S) DE VITESSES automatique adaptative à 8 rapports avec mode manuel
PERFORMANCES 0-100 km/h 5,6 s
FREINAGE 100-0 km/h 36,0 m
VITESSE MAXIMALE 266 km/h

(SQ4) V6 3,0 L DACT biturbo
PUISSANCE 404 ch de 4 500 à 5 500 tr/min
COUPLE 406 lb-pi à 1 750 tr/min
RAPPORT POIDS/PUISSANCE 4,6 kg/ch
BOITE(S) DE VITESSES automatique adaptative à 8 rapports avec mode manuel
PERFORMANCES 0-100 km/h 4,8 s
FREINAGE 100-0 km/h 36,0 m
VITESSE MAXIMALE 282 km/h
CONSOMMATION (100 km) ville 15,0 L, route 10,0 L (octane 91)
ANNUELLE 2 142 L, 2 892 $
ÉMISSIONS POLLUANTES CO_2 4 927 kg/an

AUTRES COMPOSANTS

SÉCURITÉ ACTIVE Freins ABS, assistance au freinage, répartition électronique de la force de freinage, contrôle électronique de la stabilité, antipatinage
SUSPENSION avant/arrière indépendante
FREINS avant/arrière disques
DIRECTION à crémaillère, assistée
PNEUS Base P235/50R18 **SQ4** P235/50R18 (av.) P275/45R18 (arr.) **options** 19,20 et 21 po.

DIMENSIONS

EMPATTEMENT 2 997 mm
LONGUEUR 4 971 mm
LARGEUR 1 946 mm, 2 101 mm (incl. rétro.)
HAUTEUR 1 461 mm
POIDS 1 811 kg **S Q4** 1 870 kg
RÉPARTITION DU POIDS AV/ARR (%) 50/50
DIAMÈTRE DE BRAQUAGE 11,7 m
COFFRE 500 L
RÉSERVOIR DE CARBURANT 79,8 L

LA COTE VERTE

MOTEUR V8 DE 4,7 L
CONSOMMATION (100 km) GT ville 18,2 L, route 11,4 L
GC ville 18,2 L, route 11,6 L
CONSOMMATION ANNUELLE GT 2 567 L, 3 465 $ **GC** 2 584 L, 3 488 $
INDICE D'OCTANE 91
ÉMISSIONS POLLUANTES CO_2 GT 5 904 kg/an **GC** 5 943 kg/an
(source : ÉnerGuide)

FICHE D'IDENTITÉ

VERSION(S) GT Sport, MC **GC** Base, Sport, MC
TRANSMISSION(S) arrière
PORTIÈRES 2 **PLACES** 2+2
PREMIÈRE GÉNÉRATION 2002
GÉNÉRATION ACTUELLE 2008
CONSTRUCTION Modène, Italie
COUSSINS GONFABLES GT 6 (frontaux, latéraux avant, rideaux latéraux) **GC** 4 (frontaux, latéraux avant)
CONCURRENCE Aston Martin DB11/Vantage, Audi R8, BMW Série 6, Dodge Viper, Mercedes-Benz-AMG GT/Classe SL, Nissan GT-R, Porsche 911

AU QUOTIDIEN

COLLISION FRONTALE ND
COLLISION LATÉRALE ND
VENTES DU MODÈLE L'AN DERNIER
AU QUÉBEC ND **AU CANADA** ND
DÉPRÉCIATION (%) 25,3 (3 ans)
RAPPELS (2011 à 2016) 3
COTE DE FIABILITÉ 4/5

GARANTIES... ET PLUS

GARANTIE GÉNÉRALE 4 ans/80 000 km
GROUPE MOTOPROPULSEUR 4 ans/80 000 km
PERFORATION 4 ans/80 000 km
ASSISTANCE ROUTIÈRE 4 ans/80 000 km
NOMBRE DE CONCESIONNAIRES
AU QUÉBEC 3 **AU CANADA** 7

NOUVEAUTÉS EN 2017

Aucun changement majeur

SOPHIA LOREN

Ceux qui me connaissent savent que j'ai une forte tendance à comparer l'esprit des voitures à celui que dégagent certaines femmes. Féministes, retenez-vous, je suis loin d'être un vieux macho !!! Il y a des parallèles qui s'imposent, et dans le cas de la Maserati GranTurismo, je vois indéniablement Sophia Loren. À l'image de la star, c'est une belle italienne, élégante avec une attitude provocatrice, mais toujours distinguée. Malheureusement, dans les deux cas, les signes du temps commencent à faire leur œuvre. Quoi qu'il en soit, elles sont marquantes, irremplaçables et envoûtantes.

Luc-Olivier Chamberland

TOUR DU PROPRIÉTAIRE > La GranTurismo fête cette année ses 10 ans. À l'instar de bien des voitures exotiques, elle n'a pas encore pris une seule ride. Il est certain que ce n'est plus une petite jeunesse, mais sa rareté et la qualité du design de Pininfarina ne se démentent pas. Ses formes offrent les parfaites proportions que l'on attend d'une voiture de grand tourisme. On obtient un long capot très bas qui définit l'ensemble du coupé et du cabriolet GranCabrio. Les traits sont élancés avec comme point de départ l'imposante calandre flanquée du célèbre trident. On revient avec des ouïes latérales caractéristiques. À l'arrière, on adapte des triangles aux DEL pour une signature visuelle unique. Afin de personnaliser son bolide, l'acheteur aura un vaste choix de couleurs et de roues en plus des deux versions livrables, Sport et MC.

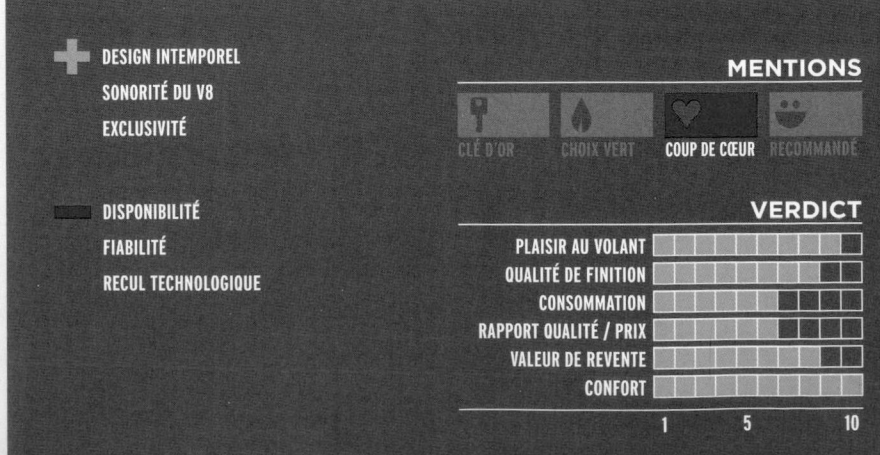

+
DESIGN INTEMPOREL
SONORITÉ DU V8
EXCLUSIVITÉ

−
DISPONIBILITÉ
FIABILITÉ
RECUL TECHNOLOGIQUE

MENTIONS

CLÉ D'OR | CHOIX VERT | **COUP DE CŒUR** | RECOMMANDÉ

VERDICT

	1–10
PLAISIR AU VOLANT	9
QUALITÉ DE FINITION	8
CONSOMMATION	6
RAPPORT QUALITÉ / PRIX	6
VALEUR DE REVENTE	8
CONFORT	10

VIE À BORD > La cabine récupère l'esprit italien sur le plan de la finition et des matériaux. Recouverte de cuir, elle n'a rien de « standard », l'acheteur devra se préparer à une longue configuration. On choisit les peaux, mais aussi les couleurs, et ce, pour les sièges, le pavillon, les portières, les tapis, les surpiqûres et le volant. À la fin, il ne reste que la texture des appliques à déterminer, la fibre de carbone ou les boiseries. Comme toujours, on retrouve une horloge analogique au sommet de la planche de bord qui fait le pont avec l'histoire. Sur le plan de l'ergonomie, vivement un dépoussiérage des technologies et que l'on introduise un peu plus d'innovations. En matière de confort, à l'avant, c'est le bonheur. Les assises sont enveloppantes et apportent un bon soutien. À l'arrière, ça se gâte. L'accès est difficile et les places, exigües. Toutefois, la version cabriolet offre parmi les dégagements les plus amples du segment pour les promenades à quatre.

TECHNIQUE > Les ingénieurs de Maserati ont bien fait leurs devoirs. Ils préparent une répartition des masses de 49/51, une recette presque parfaite, à la définition d'une sportive. Arrive ensuite ce qui se cache sous le capot : un bloc moteur d'origine Ferrari. Aujourd'hui, il ne reste plus que le V8 de 4,7 litres développant 454 chevaux. Conçu par Ferrari, il aime les montées en régime où la puissance maximale se déploie à 7 000 tours/minute. Une seule boîte ZF à 6 rapports est livrable.

AU VOLANT > La GT se présente comme une grande routière et elle l'est. Maserati développe spécifiquement pour ce modèle une suspension « Skyhook » qui maintient un haut niveau de fermeté tout en conservant adéquatement la qualité et le confort du roulement. La rigidité initiale permet au GranCabrio d'être un exemple de solidité malgré sa longueur. La direction s'adapte avec 5 modes de conduite, ce qui donne autant de personnalité à la GT. Impossible de ne pas trouver son compte. On doit ajouter l'ivresse que nous procure la sonorité de ses 8 cylindres.

CONCLUSION > Comme Sophia, la GT prend de l'âge, mais demeure un grand classique. Toujours désirables, elles sont de la vieille école, largement dépassées par les petites jeunesses. Toutefois, l'attrait de leur légendaire beauté fait qu'elles auront éternellement leur place. Comme toujours, ces deux divas italiennes font encore tourner les têtes, que ce soit sur la Croisette ou sur Crescent. ■

FICHE TECHNIQUE

MOTEUR(S)

(GT, GC) V8 4,7 L DACT
PUISSANCE 454 ch à 7 000 tr/min
COUPLE 384 lb-pi à 4 750 tr/min
RAPPORT POIDS/PUISSANCE GT S 4,1 kg/ch
GT MC 3,7 kg/ch **GC** 4,4 kg/ch
BOÎTE(S) DE VITESSES automatique à 6 rapports avec mode manuel et manettes au volant
PERFORMANCES 0-100 km/h GT 4,5 s **GC** 5,0 s
FREINAGE 100-0 km/h 33,5 m
VITESSE MAXIMALE GT 298 km/h **GC** 289 km/h

AUTRES COMPOSANTS

SÉCURITÉ ACTIVE Freins ABS, assistance au freinage, répartition électronique de la force de freinage, contrôle électronique de la stabilité, antipatinage
SUSPENSION avant/arrière indépendante, à amortissement adaptatif
FREINS avant/arrière disques
DIRECTION à crémaillère, assistée
PNEUS S P245/35R20 (av.) P285/35R20 (arr.)
MC P255/35R20 (av.) P295/35R20 (arr.)

DIMENSIONS

EMPATTEMENT 2 942 mm
LONGUEUR 4 881 mm **MC** 4 933 mm
LARGEUR 1 915 mm, 2 056 mm (incl. rétro.)
HAUTEUR 1 353 mm **MC** 1 343 mm
POIDS 1 880 kg **MC** 1 695 kg **Cabrio** 1 980 kg **MC** 1 973 kg
RÉPARTITION DU POIDS AV/ARR (%) GT 49/51 **GC** 48/52
DIAMÈTRE DE BRAQUAGE GT 10,7 m **MC** 10,5 m **GC** 12,3 m
COFFRE GT 260 L **GC** 173 L
RÉSERVOIR DE CARBURANT GT 86 L **GC** 75 L

2e OPINION

Daniel Rufiange

Les voitures italiennes, c'est connu, n'ont pas la réputation d'être les plus fiables. En revanche, la plupart des observateurs sont d'accord pour admettre qu'en matière d'émotion, on ne fait pas mieux ailleurs. Voilà pourquoi il existe une relation d'amour-haine entre les amateurs et les produits en provenance d'Italie. Cependant, à l'image d'une relation passionnelle houleuse avec la personne de nos rêves, le divorce est impensable et voilà pourquoi, une fois que l'on goûte à la médecine, on ne peut plus s'en passer. La GT est cette créature à laquelle on rêve et qui s'avère encore plus merveilleuse en chair et en os, malgré quelques défauts. Le design, l'odeur des surfaces de l'habitacle et, surtout, le son de la mécanique, la GT a tout pour séduire. Si la différence et la passion vous interpellent...

LA COTE VERTE

MOTEUR V6 DE 3,0 L TURBO
CONSOMMATION (100 km) ville 14,8 L, route 8,3 L
CONSOMMATION ANNUELLE 2 006 L, 2 708 $
INDICE D'OCTANE 91
ÉMISSIONS POLLUANTES (CO_2) 4 614 kg/an
(source: Maserati et L'Annuel)

FICHE D'IDENTITÉ

VERSION(S) Base, S
TRANSMISSION(S) 4
PORTIÈRES 4 **PLACES** 5
PREMIÈRE GÉNÉRATION 2017
GÉNÉRATION ACTUELLE 2017
CONSTRUCTION Modène, Italie
COUSSINS GONFLABLES 7 (frontaux, genoux conducteur, latéraux avant, rideaux latéraux)
CONCURRENCE Acura MDX, Audi Q7, BMW X5/X6, Buick Enclave, Cadillac XT5, Infiniti QX60/QX70, Land Rover LR4/Range Rover Sport, Lexus GX/RX, Lincoln MKX, Mercedes-Benz GLE, Porsche Cayenne, Volkswagen Touareg

AU QUOTIDIEN

COLLISION FRONTALE nm
COLLISION LATÉRALE nm
VENTES DU MODÈLE L'AN DERNIER
AU QUÉBEC nm **AU CANADA** nm
DÉPRÉCIATION (%) nm
RAPPELS (2011 à 2016) nm
COTE DE FIABILITÉ nm

GARANTIES... ET PLUS

GARANTIE GÉNÉRALE 4 ans/80 000 km
GROUPE MOTOPROPULSEUR 4 ans/80 000 km
PERFORATION 4 ans/80 000 km
ASSISTANCE ROUTIÈRE 4 ans/80 000 km
NOMBRE DE CONCESIONNAIRES
AU QUÉBEC 3 **AU CANADA** 7

NOUVEAUTÉS EN 2017

Nouveau modèle

CROSSCOUNTRY ITALIEN

Maserati, la reine des voitures de course des années 1930, la mère de la Quattroporte et des plus séduisants coupés italiens, se lance dans le merveilleux et très lucratif monde des utilitaires sport. On aura tout vu! Plusieurs pourront être stupéfaits, sinon choqués, mais l'idée remonte à 2003 avec un premier concept Kubang. Le principe sera repris huit ans plus tard avec un deuxième prototype. L'italienne passe finalement du rêve à la réalité avec l'introduction du Levante, le premier VUS de l'histoire de la marque.

Luc-Olivier Chamberland

TOUR DU PROPRIÉTAIRE > On dit que le Levante s'inspire esthétiquement d'un vent méditerranéen. Plus concrètement, sans poésie, on trouve surtout des éléments du Concept Alfieri de 2014. Fidèles à la tradition de Maserati, les lignes sont souples et créent une belle sévérité, notamment dans le regard perçant des blocs optiques. Une pointe rejoint une bande de chrome, cherchant ainsi à former une seule et unique composante au-dessus de la calandre. La grille s'impose par sa taille et ses languettes verticales flanquées du célèbre et prestigieux

+
- PRESTIGE DE LA MARQUE
- SPORTIVITÉ GARANTIE
- DESIGN UNIQUE

−
- SERA-T-IL FIABLE?
- RÉSEAU DE DISTRIBUTION LIMITÉ
- TROP DE CHRYSLER DANS LA CONCEPTION

MENTIONS

CLÉ D'OR | CHOIX VERT | **COUP DE CŒUR** | RECOMMANDÉ

VERDICT

PLAISIR AU VOLANT
QUALITÉ DE FINITION
CONSOMMATION
RAPPORT QUALITÉ / PRIX
VALEUR DE REVENTE nm
CONFORT

1 5 10

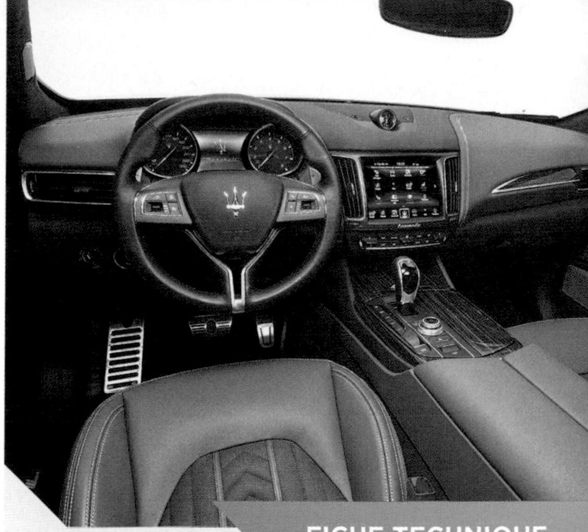

trident. À la silhouette, au premier coup d'œil, on note le rappel des ouïes à l'aile avant. On obtient des roues de 19 à 21 pouces, mais surtout un pli de carrosserie à la hanche qui rehausse l'apparence. On vise manifestement la sportivité. Les feux arrière adoptent la forme triangulaire habituelle des produits Maserati. Quatre pots d'échappement complètent le tableau.

VIE À BORD > Avec l'ADN des voitures sportives de la marque, personne ne sera surpris de découvrir un environnement intérieur qui n'a rien à voir avec la configuration habituelle d'un VUS. Maserati attaque le Porsche Cayenne. On remarque donc une présentation qui en partage certaines similitudes. La console centrale est haute, ce qui permet un accès simple aux différentes commandes. L'ergonomie générale se montre sans reproche, puisque l'on utilise abondamment des composantes d'origine Fiat/Chrysler, dont le système de navigation. Les assises suivent la tendance du dynamisme avec des contours profonds nous maintenant en position. Pour une touche de distinction, Maserati s'associe au designer italien Ermenegildo Zegna, qui habille richement l'habitacle avec de la soie. L'espace fait bonne figure avec de la place pour cinq en plus de leurs bagages. Le coffre donne une aire de 580 litres limitée par l'inclinaison de la lunette.

TECHNIQUE > Initialement, le Levante devait utiliser la même fondation que le Jeep Grand Cherokee, donc une plate-forme d'origine Mercedes-Benz ! En cours de route, on a décidé d'opter pour celle de la Ghibli. Au compte, on parle d'une version « améliorée » de celle que l'on retrouve sous la Chrysler 300, aussi de Mercedes-Benz mais plus vieille ! Maserati affirme avoir investi 65 millions pour la moderniser... Sous le long capot, on découvre deux variations sur le thème d'un V6 biturbo de 3 litres. Le premier possède une puissance de 345 chevaux et un couple de 369 livres-pieds. La version S nous transporte avec une cavalerie de 424 chevaux et 428 livres-pieds. Dans les deux cas, on greffe le moulin à une boîte automatique ZF à 8 rapports. Les performances font bonne figure avec un 0-100 km/h de 6 secondes pour le Levante « ordinaire » et environ une seconde de moins pour le S.

AU VOLANT > Maserati crée un VUS avec une robe de voiture sport, sans faire de concession quant à ses capacités hors route. Pour ce faire, on propose une suspension adaptative qui peut augmenter la garde au sol de 1,6 pouce pour un total de 9,7. À cette adresse, on utilise le système de transmission intégrale Q4, dont les performances sont optimisées selon le type de surface. Voulant conserver son esprit athlétique, la direction joue d'une grande précision alors que les configurations générales du véhicule tendent vers le dynamisme.

CONCLUSION > Maserati veut vendre plus de véhicules, beaucoup plus. C'est la commande ferme de Sergio Marchionne. Le Levante devra attirer une clientèle plus vaste qu'avec une limousine et des coupés. La Ghibli fait bonne figure, mais il sera le fer de lance de l'expansion. Il mérite le détour, d'autant plus que son prix d'entrée de 88 900 $ est relativement décent. ■

FICHE TECHNIQUE

MOTEUR(S)

(BASE) V6 3,0 L DACT biturbo
PUISSANCE 345 ch à 5 750 tr/min
COUPLE 369 lb-pi à 1 750 tr/min
RAPPORT POIDS/PUISSANCE 6,1 kg/ch
BOITE(S) DE VITESSES automatique adaptative à 8 rapports avec mode manuel
PERFORMANCES 0-100 km/h 6,0 s
FREINAGE 100-0 km/h 36,0 m
VITESSE MAXIMALE 251 km/h

(S) V6 3,0 L DACT biturbo
PUISSANCE 424 ch à 5 570 tr/min
COUPLE 428 lb-pi de 4 500 à 5 000 tr/min
RAPPORT POIDS/PUISSANCE 5,0 kg/ch
BOITE(S) DE VITESSES automatique adaptative à 8 rapports avec mode manuel
PERFORMANCES 0-100 km/h 5,2 s
FREINAGE 100-0 km/h 34,5 m
VITESSE MAXIMALE 264 km/h
CONSOMMATION (100 km) ville 15,0 L, route 10,9 L (octane 91)
ANNUELLE 2 040 L, 3 754 $
ÉMISSIONS POLLUANTES CO_2 4 692 kg/an

AUTRES COMPOSANTS

SÉCURITÉ ACTIVE Freins ABS, assistance au freinage, répartition électronique de la force de freinage, contrôle électronique de la stabilité, antipatinage, régulateur de vitesses adaptatif, avertisseurs d'obstacle latéral, de sortie de voie et d'impact imminent, assistance au départ en pente et à la descente, caméra 360°
SUSPENSION avant/arrière indépendante, pneumatique adaptative
FREINS avant/arrière disques
DIRECTION à crémaillère, assistée
PNEUS Base P255/60R18 **S** P265/50R19 (av.) P295/45R19 (arr.)
options base P265/50R19, P265/45R20, P265/40R21
options S P265/45R20 (av.), P295/40R20 (arr.), P265/40R21 (av.) P295/35R21 (arr.)

DIMENSIONS

EMPATTEMENT 3 004 mm
LONGUEUR 5 003 mm
LARGEUR 1 968 mm, 2 158 mm (incl. rétro.)
HAUTEUR 1 679 mm
POIDS 2 109 kg
RÉPARTITION DU POIDS AV/ARR (%) 50/50
DIAMÈTRE DE BRAQUAGE 11,7 m
COFFRE 580 L
RÉSERVOIR DE CARBURANT 80 L

LA COTE VERTE

MOTEUR V6 DE 3,0 L BITURBO
CONSOMMATION (100 km) ville 15,1 L, route 10,2 L
CONSOMMATION ANNUELLE 2 193 L, 2 961 $
INDICE D'OCTANE 91
ÉMISSIONS POLLUANTES CO_2 5 044 kg/an
(source : ÉnerGuide)

FICHE D'IDENTITÉ

VERSION(S) S Q4, GTS
TRANSMISSION(S) arrière, 4
PORTIÈRES 4 **PLACES** 5, 4
PREMIÈRE GÉNÉRATION 2005
GÉNÉRATION ACTUELLE 2014
CONSTRUCTION Modène, Italie
COUSSINS GONFLABLES 6 (frontaux, latéraux avant, rideaux latéraux)
CONCURRENCE Aston Martin Rapide S, Audi A8/S8, Bentley Flying Spur, BMW Série 6 Gran Coupé/Série 7, Cadillac CT6, Jaguar XJ, Lexus LS, Mercedes-Benz Classe S/CLS, Porsche Panamera

AU QUOTIDIEN

COLLISION FRONTALE ND
COLLISION LATÉRALE ND
VENTES DU MODÈLE L'AN DERNIER
AU QUÉBEC ND **AU CANADA** ND
DÉPRÉCIATION (%) 25,3 (3 ans)
RAPPELS (2011 à 2016) 5
COTE DE FIABILITÉ 3,5/5

GARANTIES... ET PLUS

GARANTIE GÉNÉRALE4 ans/80 000 km
GROUPE MOTOPROPULSEUR 4 ans/80 000 km
PERFORATION 4 ans/80 000 km
ASSISTANCE ROUTIÈRE 4 ans/80 000 km
NOMBRE DE CONCESSIONNAIRES
AU QUÉBEC 3 **AU CANADA** 7

NOUVEAUTÉS EN 2017

Retouches esthétiques, boîte de vitesses recalibrée, isolation sonore accrue, nouvelles aides à la conduite, Apple CarPlay® et Android Auto®, ajout d'un contrôle rotatif des fonctions en plus de l'écran tactile.

LIMOUSINE ITALIENNE

À la fin de 2012, Maserati s'était donné un ambitieux objectif de vendre 50 000 unités par année en 2015. L'arrivée de la Ghibli a certes insufflé un vent nouveau, mais sans atteindre les objectifs visés. Avec une nouvelle Quattroporte plus généreuse depuis 2014 et la Ghibli, Maserati a atteint un sommet de 36 500 exemplaires vendues dans le monde en 2014 et a régressé en 2015. On compte maintenant sur l'utilitaire Levante pour amener les ventes à 75 000 unités d'ici 2018.

Benoit Charette

TOUR DU PROPRIÉTAIRE > La Quattroporte a fait peau neuve en 2014. L'ancienne version, redevable au coup de crayon de Pininfarina, est maintenant dessinée à l'interne. Plus longue et plus imposante, la Quattroporte fait 5,26 mètres et se compare à la Classe S de Mercedes ou à la Jaguar XJ-L. Elle n'a rien perdu de son charme. Classique et moderne, la silhouette inspire les plus belles critiques. C'est comme assister à une semaine de la mode à Milan, on sent la classe qui transpire de tous les orifices. Maserati a voulu la faire plus grande pour laisser le champ libre à la plus petite Ghibli, mais est parvenue à ses fins sans dénaturer le style et l'élégance légendaires de sa limousine.

\+ FINITION ET PRÉSENTATION
HABITABILITÉ À L'ARRIÈRE
SILENCE DE ROULEMENT

− ÉCRAN CENTRAL TROP SEMBLABLE À CELUI DE CHRYSLER
SONORITÉ PLUS DISCRÈTE DES MÉCANIQUES
MANQUE D'AIDES À LA CONDUITE ÉLECTRONIQUE FACE À LA CONCURRENCE

MENTIONS

CLÉ D'OR | CHOIX VERT | COUP DE CŒUR | RECOMMANDÉ

VERDICT

PLAISIR AU VOLANT
QUALITÉ DE FINITION
CONSOMMATION
RAPPORT QUALITÉ / PRIX
VALEUR DE REVENTE
CONFORT

1 5 10

VIE À BORD > On remarque tout de suite, en montant à bord, l'espace très généreux pour les places arrière. Maserati veut plaire à une clientèle comme les Chinois, qui aiment s'asseoir à l'arrière et qui privilégient un chauffeur à l'avant. La finition est de qualité, à l'exception de quelques plastiques bon marché. On observe aussi deux autres notes discordantes. D'abord, toutes les commandes proviennent de chez Chrysler et le jupon dépasse un peu trop. Que Fiat, qui est propriétaire de Chrysler, de Ferrari et de Maserati, pige dans sa boîte à outils pour habiller ses voitures, c'est normal, mais au prix demandé pour une Maserati, il ne faut pas que le client devine la provenance des pièces aussi facilement. Même chose pour l'écran central, qui s'avère le U-Connect de Chrysler. L'autre irritant, moins agaçant, concerne les palettes de changement de vitesses fixes sur le volant. Elles sont un peu grosses. Cela dit, le système d'info-divertissement fonctionne à merveille.

TECHNIQUE > Deux choix de moteurs, gracieuseté de Ferrari, s'offrent à vous avec la Quattroporte. La version de base arrive avec un moteur V6 turbo à injection directe de 404 chevaux. C'est ZF qui fournit la boîte de vitesse automatique à 8 rapports, avec mode sport ou mode manuel et changements de rapports au volant. Vous avez le choix d'une propulsion ou d'une version intégrale (SQ4) avec le V6. Si vous optez pour la GTS, vous avez droit à un V8 de 3,8 litres de 523 chevaux, turbocompressé lui aussi, et à la même boîte automatique à 8 rapports. Toutefois, il n'y a pas de version intégrale avec le V8, seulement une propulsion.

AU VOLANT > Même si l'utilisation de turbos enlève un peu de magie à la sonorité du moteur, un peu plus étouffée, la symphonie caractéristique des mécaniques italiennes est encore présente. Heureusement, le mode sport ajoute de la profondeur au V6 et surtout au V8. On serait porté à croire qu'à 5,26 mètres, la Quattroporte serait un peu lourde. Il n'en est rien. Elle se montre à la fois docile à vitesse modérée et surprenante, sauvage même, quand vous la sollicitez. Vous pouvez franchir le 0-100 km/h sous la barre des 5 secondes avec le V6 et le V8. Le confort général est supérieur à celui de la précédente génération, et la voiture a conservé son petit côté déjanté qu'on aime tellement des italiennes. Comment vous dire, les allemandes ont un côté clinique, très propre, sans bavure, sans excès, Jaguar fait dans l'aristocratie, Maserati ajoute à la noblesse anglaise l'exubérance latine.

CONCLUSION > Maserati a pris un virage limousine avec la Quattroporte et perd au passage son côté animal en raison de son moteur plus étouffé et d'une insonorisation plus travaillée. Mais si vous allez fouiller dans ses entrailles, la belle italienne saura encore vous donner des frissons. ■

2e OPINION

Luc-Olivier Chamberland

La plus grande berline italienne revient en 2017 avec quelques changements esthétiques qui l'harmonisent à la Giulia et au Levante. Les améliorations se font à l'avant à la calandre. On profite de l'occasion pour introduire de nouvelles versions d'apparats, GranLusso et GranSport. La première apporte une touche plus classique avec ses fines boiseries alors que la seconde donne un environnement plus dynamique, dont une présentation intérieure monotone où la fibre de carbone est à l'avant-plan. On procède à une mise à jour en intégrant de nouvelles technologies comme Apple CarPlay et Android Auto. Sous le capot, on revient avec des motorisations puissantes, dont un V6 de 404 chevaux et un V8 de 523 chevaux.

FICHE TECHNIQUE

MOTEUR(S)

(S Q4) V6 3,0 L DACT biturbo
PUISSANCE 404 ch à 5 500 tr/min
COUPLE 406 lb-pi de 1 750 à 5 000 tr/min
RAPPORT POIDS/PUISSANCE 5,2 kg/ch
BOITE(S) DE VITESSES automatique à 8 rapports avec mode manuel et manettes au volant
PERFORMANCES 0-100 km/h 4,9 s
VITESSE MAXIMALE 283 km/h

(GTS) V8 3,8 L DACT biturbo
PUISSANCE 523 ch à 6 800 tr/min
COUPLE 524 lb-pi de 2 250 à 3 500 tr/min
RAPPORT POIDS/PUISSANCE 3,9 kg/ch
BOITE(S) DE VITESSES automatique à 8 rapports avec mode manuel et manettes au volant
PERFORMANCES 0-100 km/h 4,7 s
REPRISE 80-115 km/h 3,4 s
FREINAGE 100-0 km/h 36,9 m
VITESSE MAXIMALE 307 km/h
CONSOMMATION (100 km) ville 16,2 L, route 11,0 L (octane 91)
ANNUELLE 2 380 L, 3 213 $
ÉMISSIONS DE CO_2 5 474 kg/an

AUTRES COMPOSANTS

SÉCURITÉ ACTIVE Freins ABS, assistance au freinage, répartition électronique de la force de freinage, contrôle électronique de la stabilité, antipatinage, aide au départ en pente
SUSPENSION avant/arrière indépendante
FREINS avant/arrière disques
DIRECTION à crémaillère, assistée
PNEUS SQ4 P245/45R19 (av.) P275/40R19 (arr.) **GTS** P245/40R20 (av.) P285/35R20 (arr.) **option GTS** P245/35R21 (av.) P285/30R21 (arr.)

DIMENSIONS

EMPATTEMENT 3 171 mm
LONGUEUR 5 262 mm
LARGEUR 1 948 mm, 2 100 mm (incl. rétro.)
HAUTEUR 1 481 mm
POIDS SQ4 2 091 kg **GTS** 2 039 kg
DIAMÈTRE DE BRAQUAGE 11,8 m
COFFRE 530 L
RÉSERVOIR DE CARBURANT 80 L

LA COTE VERTE

MOTEUR L4 DE 2,0 L
CONSOMMATION (100 km) man. ville 8,0 L, route 5,8 L
auto. ville 8,0 L, route 5,9 L
CONSOMMATION ANNUELLE 1 190 L, 1 428 $
INDICE D'OCTANE 87
ÉMISSIONS POLLUANTES CO_2 2 737 kg/an
(source : ÉnerGuide)

FICHE D'IDENTITÉ

VERSION(S) Berline/Sport G, GX, GS, GT
TRANSMISSION(S) avant
PORTIÈRES 4, 5 **PLACES** 5
PREMIÈRE GÉNÉRATION 2004 **GÉNÉRATION ACTUELLE** 2014
CONSTRUCTION Hiroshima, Japon
COUSSINS GONFLABLES 6 (frontaux, latéraux avant, rideaux latéraux)
CONCURRENCE Chevrolet Cruze, Ford Focus, Honda Civic, Hyundai Elantra, Kia, Forte, Mitsubishi Lancer, Nissan Sentra, Subaru Impreza, Toyota Corolla/iM, Volkswagen Beetle/Golf/Jetta

AU QUOTIDIEN

COLLISION FRONTALE 5/5 **COLLISION LATÉRALE** 5/5
VENTES DU MODÈLE L'AN DERNIER
AU QUÉBEC 13 869 (-11,2 %) **AU CANADA** 34 811 (-15,0 %)
DÉPRÉCIATION (%) 37,2 (3 ans)
RAPPELS (2011 à 2016) 2
COTE DE FIABILITÉ 4/5

GARANTIES... ET PLUS

GARANTIE GÉNÉRALE 3 ans/ kilométrage illimité
GROUPE MOTOPROPULSEUR 5 ans/ kilométrage illimité
PERFORATION 7 ans/kilométrage illimité
ASSISTANCE ROUTIÈRE 3 ans/kilométrage illimité
NOMBRE DE CONCESSIONNAIRES
AU QUÉBEC 61 **AU CANADA** 165

NOUVEAUTÉS EN 2017

Retouches esthétiques à l'extérieur avant et à l'intérieur, nouvelle palette de couleurs. De série sur toutes les versions : nouveau volant, affichage TFT-LCD amélioré, contrôle de traction transversal, système de surveillance des pression de pneus, bouton de sélection pour transmission automatique. Freins de stationnement électronique sur GX, nouveau volant chauffant et assistance au freinage en ville sur GS, phares à DEL et climatisation bi-zones sur GT, nouvel ensemble Premium avec entre autres sièges en cuir, système de son Bose®, entrée sans clé, navigation à reconnaissance vocale, affichage couleur, régulateur de vitesse adaptatif, avertisseurs de collision imminente, d'obstacle latéral etc. disponible sur GT.

DIS-MOI CE QUE TU CONDUIS ET...

Tout a été dit et entendu à propos de la Mazda3. Elle est belle, bonne, agréable à conduire et fiable. Que demander de plus, en fait ? Celle qui réussit à chauffer les fesses de la Civic poursuit sur sa lancée cette année, mais nous revient inchangée, à l'exception de quelques virgules au niveau du faciès. Tout n'est pas rose, toutefois. Si les ventes vont bien chez nous, la situation est moins enviable chez nos voisins du Sud, où la 3 n'arrive tout simplement pas à s'imposer face à ses principales rivales. Conséquemment, il sera intéressant de voir ce que fera Mazda lorsqu'elle repensera ce modèle qui, il faut l'avouer, est bourré de qualités.

Daniel Rufiange

TOUR DU PROPRIÉTAIRE > L'année 2017 est la quatrième de l'actuelle génération du modèle. La voiture est toujours présentée sous deux configurations différentes, soit la berline et la version à hayon que vous reconnaîtrez sous le nom de Mazda3 Sport. Bien franchement, il est parfois difficile de distinguer l'une de l'autre, la berline possédant une ligne de toit qui s'apparente à celle du modèle à hayon. Cela dit, cette dernière est bien plus pratique. Les habillages sont toujours les mêmes, soit GX, GS et GT. Notez que la version de base compte sur une livrée G, plus dénudée, mais bien moins chère. Dans tous les cas, la voiture peut être servie avec une boîte de vitesse manuelle ou automatique.

+
- AGRÉMENT DE CONDUITE
- DIRECTION COMMUNICATIVE
- SILHOUETTE RÉUSSIE
- EXCELLENTES COTES DE CONSOMMATION DE CARBURANT

−
- PRIX D'UNE VERSION ENTIÈREMENT ÉQUIPÉE
- PUISSANCE UN PEU JUSTE DU MOTEUR 2 LITRES
- VISIBILITÉ 3/4 ARRIÈRE LIMITÉE
- UNE CONCURRENCE DE PLUS EN PLUS FÉROCE

MENTIONS

CLÉ D'OR | CHOIX VERT | COUP DE CŒUR | **RECOMMANDÉ**

VERDICT

	Note (1–10)
PLAISIR AU VOLANT	9
QUALITÉ DE FINITION	10
CONSOMMATION	10
RAPPORT QUALITÉ / PRIX	8
VALEUR DE REVENTE	8
CONFORT	9

VIE À BORD > Même si l'impression est différente entre une version GX et GT, une impression de qualité se dégage de l'habitacle de la 3. En jetant un coup d'œil à la fourchette de prix, vous devinez que l'équipement se veut plus réduit dans le cas d'une version G, offerte sous les 16 000 $. On gagne quelques bidules en passant à la version GS, mais c'est surtout en optant pour une variante GT qu'on voit la 3 être bardée de trucs qu'on retrouve généralement sur des voitures de luxe, spécialement lorsqu'on coche pour jouir des groupes Luxe ou Technologie. Dans ce dernier cas, le prix saute la périlleuse barrière des 30 000 $, soit beaucoup (trop ?) pour cette voiture.

Dans les faits, la 3 est intéressante lorsque son prix l'est aussi, soit sous les 25 000 $. Encore une fois, le choix d'une version à hayon semble tout désigné. Celle-ci offre tellement plus de flexibilité sur le plan du chargement.

TECHNIQUE > Deux moteurs trouvent leur chemin sous le capot de la 3. Hormis la GT, toutes les versions profitent d'un 4-cylindres de 2 litres dont le potentiel est de 155 chevaux et 150 livres-pieds de couple. Si les performances sont moyennes, la consommation, elle, est franchement impressionnante. Sans effort, on se retrouve avec une cote sous les 7 litres aux 100 kilomètres. Sur l'autoroute, on passe sous les 6 litres. La version GT reçoit quant à elle un groupe à 4 cylindres de 2,5 litres, lequel propose 184 chevaux et 185 livres-pieds de couple. Si la performance est au sommet de vos priorités d'achat, vous serez servi; un excellent mariage ici. Mieux, la consommation est aussi excellente aux environs de 7 litres aux 100 kilomètres.

AU VOLANT > On parle souvent de l'esprit vroum-vroum lorsqu'on discourt à propos d'un produit Mazda. C'est une réalité tangible lorsqu'on prend le volant. Les responsables de la marque nous le rappellent sans cesse, d'ailleurs; le plaisir de conduire, c'est l'ADN de l'entreprise. Ainsi, la 3 ne déçoit pas, qu'on la conduise en douceur sur l'autoroute ou qu'on emprunte une route sinueuse au volant d'une version à boîte manuelle. Mieux, le niveau de confort est carrément étonnant et la position de conduite est sans reproche.

CONCLUSION > La 3 est solidement implantée chez nous. Elle est meilleure que jamais et se veut un choix bourré de sens pour tout consommateur. Attention, toutefois, car la concurrence s'affûte, à commencer par la Honda Civic, revue l'an dernier, meilleure que jamais et toujours en tête des ventes au pays. Mazda a du pain sur la planche pour espérer la déloger. ■

2e OPINION

Antoine Joubert

En 2014, Mazda écoulait environ 41 000 Mazda3. En 2015, 34 000 Mazda3 et 7000 CX-3. Peut-on en conclure que l'arrivée du CX-3 a affecté les ventes de notre sujet ? Absolument. En fait, offrir plus de produits pour vendre le même nombre de véhicules constitue sur le plan des affaires un échec commercial. Mazda doit donc travailler d'arrache-pied afin que la 3 ne perde plus en popularité, surtout au profit d'un CX-3 nouvellement débarqué. Les retouches apportées cette année pourront sans doute contribuer à mousser les ventes du modèle (soit dit en passant toujours très intéressant), mais il lui faudrait également cette épice supplémentaire qui relancerait sa popularité. Et cette épice, c'est la transmission intégrale. Un élément facilement adaptable au produit et qui lui permettrait de se démarquer d'une concurrence autant directe qu'indirecte.

FICHE TECHNIQUE

MOTEUR(S)

(G, GX, GS) L4 2,0 L
PUISSANCE 155 ch à 6 000 tr/min
COUPLE 150 lb-pi à 4 000 min
RAPPORT POIDS/PUISSANCE 8,2 à 8,4 kg/ch
BOITE(S) DE VITESSES manuelle à 6 rapports, automatique à 6 rapports avec mode manuel (en option)
PERFORMANCES 0-100 km/h 8,9 s
REPRISE 80-115 km/h 6,9 s
FREINAGE 100-0 km/h 38,5 m
NIVEAU SONORE À 100 km/h Moyen
VITESSE MAXIMALE 195 km/h

(GT) L4 2,5 L
PUISSANCE 184 ch à 5 700 tr/min
COUPLE 185 lb-pi à 3 250 tr/min
RAPPORT POIDS/PUISSANCE 7,4 à 7,5 kg/ch
BOITE(S) DE VITESSES automatique à 6 rapports avec mode manuel et manettes au volant
PERFORMANCES 0-100 km/h 8,1 s
REPRISE 80-115 km/h 4,9 s
VITESSE MAXIMALE ND
CONSOMMATION (100 km) man. ville 9,3 L, route 6,4 L **auto.** ville 8,4 L, route 6,1 L (octane 87)
ANNUELLE man. 1 360 L, 1 632 $ **auto.** 1 258 L, 1 510 $
ÉMISSIONS DE CO_2 man. 3 128 kg/an **auto.** 2 893 kg/an

AUTRES COMPOSANTS

SÉCURITÉ ACTIVE (certains en option) Freins ABS, assistance au freinage, répartition électronique de la force de freinage, contrôle électronique de la stabilité, antipatinage, phares automatiques, essuie-glaces automatiques, avertisseurs d'obstacle latéral et arrière, de sortie de voie et de collision imminente
SUSPENSION avant/arrière indépendante
FREINS avant/arrière disques
DIRECTION à crémaillère, assistée
PNEUS P205/60R16 **GT** P215/45R18

DIMENSIONS

EMPATTEMENT 2 700 mm
LONGUEUR Berline 4 580 mm **Sport** 4 460 mm
LARGEUR 1 795 mm, 2 052 mm (incl. rétro.)
HAUTEUR 1 455 mm
POIDS Berline GX man. 1 268 kg **auto.** 1 298 kg **GS man.** 1 276 kg **auto.** 1 306 kg **GT** 1 366 kg **Sport GX man.** 1 274 kg **auto.** 1 301 kg **GS man.** 1 282 kg **auto.** 1 309 kg **GT** 1 375 kg
DIAMÈTRE DE BRAQUAGE 10,6 m
COFFRE 350 L **Sport** 572 L, 1 334 L (sièges abaissés)
RÉSERVOIR DE CARBURANT 50 L

LA COTE VERTE

MOTEUR L4 DE 2,5 L
CONSOMMATION (100 km) man. ville 11,1 L, route 8,3 L
auto. ville 10,8 L, route 8,3 L
CONSOMMATION ANNUELLE man. 1 666 L, 1 999$ **auto.** 1 649 L, 1 979 $
INDICE D'OCTANE 87
ÉMISSIONS POLLUANTES CO_2 man. 3 832 kg/an **auto.** 3 793 kg/an
(source : ÉnerGuide)

FICHE D'IDENTITÉ

VERSION(S) GS, GT
TRANSMISSION(S) avant
PORTIÈRES 5 **PLACES** 6
PREMIÈRE GÉNÉRATION 2006
GÉNÉRATION ACTUELLE 2011
CONSTRUCTION Hiroshima, Japon
COUSSINS GONFLABLES 6 (frontaux, latéraux avant et rideaux latéraux)
CONCURRENCE Fiat 500L, Ford C-Max/Transit Connect, Kia Rondo, Toyota Prius V

AU QUOTIDIEN

COLLISION FRONTALE 5/5
COLLISION LATÉRALE 4/5
VENTES DU MODÈLE L'AN DERNIER
AU QUÉBEC 640 (-31,8 %) **AU CANADA** 2 523 (-31,4 %)
DÉPRÉCIATION (%) 37,7 (3 ans)
RAPPELS (2011 à 2016) aucun à ce jour
COTE DE FIABILITÉ 5/5

GARANTIES... ET PLUS

GARANTIE GÉNÉRALE 3 ans/ kilométrage illimité
GROUPE MOTOPROPULSEUR 5 ans/ kilométrage illimité
PERFORATION 7 ans/kilométrage illimité
ASSISTANCE ROUTIÈRE 3 ans/kilométrage illimité
NOMBRE DE CONCESSIONNAIRES
AU QUÉBEC 61 **AU CANADA** 165

NOUVEAUTÉS EN 2017

Nouvelle palette de couleurs

LE MARCHÉ SE RÉTRÉCIT

L'an dernier, mon collègue annonçait la disparition programmée de la minifourgonnette de Mazda. À moins d'un revirement de situation, ce déclin devrait avoir lieu, quoique tout le monde ait prédit la mort du CX-9 et, pourtant, ce dernier est revenu en force au courant de l'année dernière. Au moment d'écrire ces lignes, Mazda Canada a confirmé que des exemplaires 2017 de la minifourgonnette étaient en route pour le marché canadien. La carrière de cette familiale peut donc se poursuivre une année de plus, et ce, même si les chiffres de ventes du segment sont en déclin au profit des multisegments, qui sont plus cools aux yeux des consommateurs.

Vincent Aubé

TOUR DU PROPRIÉTAIRE > Il faut l'avouer, la refonte apportée au modèle en 2011 en tant que modèle 2012 n'a pas donné l'effet escompté. De pionnière de la catégorie - la minifourgonnette nippone a tout de même été la première à ramener ce format en Amérique du Nord -, la Mazda5 a dû essuyer les critiques à l'endroit de ces arêtes en forme de vagues pratiquées sur les parois latérales. Cette période de l'histoire du constructeur a rapidement été balayée sous le tapis, les Mazda3 de l'époque ayant été redessinées en catastrophe. Le visage souriant de la Mazda5 est quant à lui demeuré au programme, une stratégie pour le moins discutable. Malgré les changements de 2012, le gabarit est resté identique à celui de la première génération.

\+ PLAISANTE À CONDUIRE
VOLUME DE CHARGEMENT
CÔTÉ PRATIQUE

\- MÉCANIQUE DÉPASSÉE
DURABILITÉ DE CERTAINES COMPOSANTES
QUALITÉ DE CONSTRUCTION INFÉRIEURE

MENTIONS

CLÉ D'OR | CHOIX VERT | COUP DE CŒUR | **RECOMMANDÉ**

VERDICT

PLAISIR AU VOLANT
QUALITÉ DE FINITION
CONSOMMATION
RAPPORT QUALITÉ / PRIX
VALEUR DE REVENTE
CONFORT

1 5 10

VIE À BORD > Le déclin de la 5 n'est pas seulement dû à son apparence. Non, les options de véhicules à caractère familial sont très nombreuses de nos jours et il est possible de mettre la main sur des véhicules qui offrent un niveau de finition supérieur à tous les égards. Un coup d'œil à l'intérieur du CX-5 est suffisant pour constater le retard de la Mazda5 à ce niveau. Les plastiques moins agréables au toucher, l'absence de système de navigation et l'équipement moins complet, tous ces détails entrent en jeu lorsqu'est venu le temps de signer au bas d'un contrat d'achat ou de location. En revanche, la 5 demeure l'un des véhicules les plus pratiques sur le marché, et ce, même si le site du constructeur annonce un volume de chargement inférieur à celui de son CX-3. L'un a été mesuré avec une méthode différente de l'autre. Basée sur une plateforme de Mazda3 allongée, la fourgonnette peut se transformer en un véritable fourre-tout lorsque les deux rangées de sièges sont abaissées. Je n'étonnerai personne en affirmant que les deux sièges à l'arrière ne sont là que pour dépanner, l'espace étant compté. À la deuxième rangée, c'est beaucoup mieux. L'accès s'avère très facile grâce à ces portières coulissantes.

TECHNIQUE > À ses débuts, la Mazda5 étonnait par son aplomb. Même qu'en version GT équipée d'une boîte manuelle, la minifourgonnette réussissait presque à masquer la silhouette de familiale tellement sa motorisation était amusante au quotidien. Dix ans plus tard, le 4-cylindres doté d'une cylindrée de 2,5 litres (au lieu des 2,3 litres du début) s'acquitte encore assez bien de sa tâche, mais pour ce qui est de l'efficacité énergétique, on repassera. La recette SKYACTIV n'a pas été utilisée pour ce modèle et ça paraît. Sans affirmer que la familiale consomme comme un *muscle car* américain, disons seulement que les plus récents modèles de la marque sont plus économes à la pompe. Au moins, la boîte de transmission manuelle à 6 rapports procure un certain agrément de conduite, un commentaire qui ne s'applique pas autant à la version munie de la boîte automatique à 5 rapports.

AU VOLANT > Contrairement aux fourgonnettes pleine grandeur, la 5 possède l'agilité d'une voiture compacte. C'est là son principal avantage. Plus près du sol, cette Mazda3 étirée doit tout de même se soumettre aux lois de la physique, mais lorsque comparée avec les grosses fourgonnettes de l'industrie, la 5 ne fait qu'une bouchée de ces véhicules plus lourds. Pour les nouveaux parents qui doivent dire adieu à leur voiture compacte, la Mazda5 s'avère une solution logique à cause de son espace de chargement.

CONCLUSION > Qu'adviendra-t-il de la Mazda5? Poser la question, c'est (un peu) y répondre. Pour l'instant, la livrée 2017 est encore au menu. Mazda devrait sérieusement songer à prendre sa recette SKYACTIV, mais y a-t-il un marché suffisamment large pour justifier un tel investissement? ■

FICHE TECHNIQUE

MOTEUR(S)

(GS, GT) L4 2,5 L DACT
PUISSANCE 157 ch à 6 000 tr/min
COUPLE 163 lb-pi à 4 000 tr/min
RAPPORT POIDS/PUISSANCE man. 9,9 kg/ch **auto.** 10,0 kg/ch
BOÎTE(S) DE VITESSES manuelle à 6 rapports, automatique à 5 rapports avec mode manuel (en option)
PERFORMANCES 0-100 km/h 9,0 s
REPRISE 80-115 km/h 7,3 s
FREINAGE 100-0 km/h 40,0 m
NIVEAU SONORE À 100 km/h Passable
VITESSE MAXIMALE 200 km/h

AUTRES COMPOSANTS

SÉCURITÉ ACTIVE Freins ABS, assistance au freinage, répartition électronique de la force de freinage, contrôle électronique de la stabilité, antipatinage
SUSPENSION avant/arrière indépendante
FREINS avant/arrière disques
DIRECTION à crémaillère, assistée
PNEUS GS P205/55R16 **GT** P205/50R17

DIMENSIONS

EMPATTEMENT 2 750 mm
LONGUEUR 4 585 mm
LARGEUR 1 750 mm
HAUTEUR 1 615 mm
POIDS man. 1 551 kg **auto.** 1 569 kg
RÉPARTITION DU POIDS AV/ARR (%) 56/44
DIAMÈTRE DE BRAQUAGE 11,2 m
COFFRE 112 L, 426 L (3e rangée abaissée), 857 L (sièges abaissés)
RÉSERVOIR DE CARBURANT 60 L

2e OPINION

Michel Crépault

Ce n'est pas que la Mazda5 soit si vieille (2011), c'est que le reste du clan Mazda a progressé sauf elle, ce qui rend cette petite fourgonnette vulnérable au sein de sa famille et face à la concurrence. Ainsi, bien que le 2,5-litres et la boîte manuelle forment encore un duo pertinent, ils ne font plus le poids devant le traitement SkyActiv des frères et sœurs. L'habitacle, plastifié et dépourvu de navigation, est en retard sur les tendances de l'heure. Celui d'une CX-3 le mange tout cru! Cela dit, l'aspect pratique de la 5 ne s'est pas étiolé. Avec ses sièges modulaires et ses portières coulissantes, une petite famille s'y sent à l'aise. Bref, la 5 pourrait redevenir un hit dans son genre, mais on ignore pour le moment si Mazda y tient.

LA COTE VERTE

MOTEUR L4 DE 2,5 L
CONSOMMATION (100 km) man. ville 9,4 L, route 6,4 L
auto. ville 8,8 L, route 6,1 L **auto. récup. énergie** ville 8,5 L, route 5,9 L
CONSOMMATION ANNUELLE man. 1 377 L, 1 652 $
auto. 1 292 L, 1 550 $ **auto. récup. énergie** 1 241 L, 1 489 $
INDICE D'OCTANE 87
ÉMISSIONS POLLUANTES CO_2 man. 3 167 kg/an
auto. 2 972 kg/an **auto. récup. énergie** 2 854 kg/an
(source : ÉnerGuide)

FICHE D'IDENTITÉ

VERSION(S) GX, GS, GT
TRANSMISSION(S) avant
PORTIÈRES 4 **PLACES** 5
PREMIÈRE GÉNÉRATION 2004
GÉNÉRATION ACTUELLE 2014
CONSTRUCTION Hofu, Japon
COUSSINS GONFLABLES 6 (frontaux, latéraux avant, rideaux latéraux)
CONCURRENCE Chevrolet Malibu, Chrysler 200, Ford Fusion, Honda Accord, Hyundai Sonata, Kia Optima, Nissan Altima, Subaru Legacy, Toyota Camry, Volkswagen Passat

AU QUOTIDIEN

COLLISION FRONTALE 5/5
COLLISION LATÉRALE 5/5
VENTES DU MODÈLE L'AN DERNIER
AU QUÉBEC 765 (-25,1 %) **AU CANADA** 2 703 (-10,6 %)
DÉPRÉCIATION (%) 37,7 (3 ans)
RAPPELS (2011 à 2016) 4 **COTE DE FIABILITÉ** 4/5

GARANTIES... ET PLUS

GARANTIE GÉNÉRALE 3 ans/ kilométrage illimité
GROUPE MOTOPROPULSEUR 5 ans/ kilométrage illimité
PERFORATION 7 ans/kilométrage illimité
ASSISTANCE ROUTIÈRE 3 ans/kilométrage illimité
NOMBRE DE CONCESIONNAIRES AU QUÉBEC 61 **AU CANADA** 165

NOUVEAUTÉS EN 2017

De série sur toutes les versions : contrôle de traction transversal, nouveau volant, caméra de recul. Nouvelles palette de couleurs et 2 couleurs intérieures. Sur GS : navigation, freinage auto. en ville, volant chauffant et avertisseur d'obstacle latéral de série. Sur GT : meilleure insonorisation, afficheur multi fonctions couleurs et reconnaissance des signaux routiers de série, groupe technologie bonifié, nouveau groupe Premium incluant sièges cuir et finition intérieure haut de gamme.

LA LOI DE LA JUNGLE

Depuis 2013, nous avons droit au modèle de troisième génération de la Mazda6. À chaque refonte, une constante : l'amélioration du produit. En fait, l'actuelle Mazda6 est à ce point aboutie qu'elle figure parmi les meilleures de sa catégorie, point à la ligne. Son problème, c'est qu'elle évolue dans un créneau où regorgent les joueurs de concession. En conséquence, ses ventes ne reflètent pas sa valeur. Pour l'acheteur, ça demeure un excellent choix. Pour nous, une énigme. Pour Mazda, un défi, soit celui de l'élever au-dessus de la mêlée.

Daniel Rufiange

TOUR DU PROPRIÉTAIRE > S'il est vrai que tous les goûts sont dans la nature, il est aussi vrai de dire que certaines créations sont reconnues comme plus belles que laides. C'est le cas de la Mazda6, dont les contours font l'unanimité. Si le modèle de la génération précédente a mal vieilli, le même sort n'attend pas la mouture actuelle.

La déclinaison présentant plus de gueule est la GT, elle dont la calandre profite d'un éclairage distinct et de phares antibrouillard. Ses roues de 19 pouces, contrairement à celles de 17 pouces des autres versions, GX et GS, lui ajoutent du chien.

+
- AGRÉMENT DE CONDUITE
- CONSOMMATION FORT RAISONNABLE
- BOÎTE MANUELLE TOUJOURS OFFERTE
- EXCELLENTE ERGONOMIE
- BONNE CHAÎNE AUDIO
- AGILITÉ

−
- PRÉSENTATION INTÉRIEURE QUI DEMEURE QUELCONQUE
- INSONORISATION PERFECTIBLE
- SUSPENSION UN PEU FERME
- VISIBILITÉ LATÉRALE ARRIÈRE

MENTIONS

CLÉ D'OR · CHOIX VERT · COUP DE CŒUR · **RECOMMANDÉ**

VERDICT

PLAISIR AU VOLANT
QUALITÉ DE FINITION
CONSOMMATION
RAPPORT QUALITÉ / PRIX
VALEUR DE REVENTE
CONFORT

1 5 10

VIE À BORD > S'il y a un domaine où la Mazda6 a toujours tiré de la patte face à ses concurrentes, c'est à l'intérieur. En gros, au fil du temps, on a eu droit à des présentations plus fades que vivantes et à des matériaux plus communs que raffinés. Il y a deux ans, Mazda donnait un coup de barre en travaillant l'intérieur de sa grande berline. C'est mieux, surtout sur le plan de la qualité. Quant à la présentation, la simplicité continue de dominer, tristement. Si le traitement réservé à l'habitacle était plus pimpant, qui sait, le sort réservé au modèle serait peut-être différent. Là où l'ensemble se démarque, toutefois, c'est dans le confort, excellent tant à l'avant qu'à l'arrière. L'ergonomie est aussi sans faille et tout ce qui est proposé est facile à utiliser, y compris le système multimédia.

TECHNIQUE > Ici, ça ne pourrait être plus simple alors qu'un seul moteur est d'office, un 4-cylindres de 2,5 litres, lequel, vous le devinez, est issu de la technologie SKYACTIV. À votre disposition, 184 chevaux, 185 livres-pieds de couple. Si ce n'est rien pour écrire à sa mère, c'est suffisant pour cette voiture. Côté boîte de vitesse, les amateurs de boîtes manuelles seront heureux d'apprendre que chaque version bénéficie de cette approche. Une boîte automatique, également à 6 rapports, peut aussi être jumelée au moteur sur toutes les versions. Bémol, toutefois : les deux groupes d'options proposés, Luxe sur la version GS et Technologie sur la variante GT, ne peuvent être obtenus qu'avec la boîte auto. Ce qui est vraiment bien, c'est la consommation que l'on obtient, fruit du travail de tous ces organes signés SKYACTIV. Au volant d'une version à boîte manuelle, je m'en suis tiré avec une cote de 8 litres aux 100 kilomètres. Mazda promet mieux avec la boîte automatique et lorsque le dispositif i-ELOOP de régénération d'énergie au freinage est présent, on gagne quelques dixièmes de litres supplémentaires.

AU VOLANT > Les berlines intermédiaires ont beau se « ressembler », elles ont des personnalités distinctes, et c'est particulièrement perceptible au volant. Dans le cas de la Mazda6, l'esprit vroum-vroum, cher au constructeur, la caractérise. Une direction communicative, un châssis rigide et une excellente sensation de symbiose avec la route résument l'expérience aux commandes. On ne retrouve pas la douceur d'une Honda Accord ou d'une Toyota Camry, mais l'agrément de conduite est légèrement supérieur. Une question de goût.

CONCLUSION > La Mazda6 demeure un excellent choix, sachez-le. Cependant, les modèles susmentionnés ainsi qu'une kyrielle d'autres comme la Hyundai Sonata, la Kia Optima ou la nouvelle Chevrolet Malibu sont autant de solutions intéressantes. Voilà pourquoi Mazda a besoin de frapper un grand coup avec sa 6. Sinon, malgré toutes les qualités du monde, elle va continuer à jouer les rôles de second violon. ■

2e OPINION

Antoine Joubert

La Mazda6 ne se vend pas. C'est un fait. Et pourtant, la plupart des journalistes automobiles s'accordent à dire qu'il s'agit de la berline intermédiaire la plus géniale à conduire et, de surcroît, la plus jolie. Alors, qu'est-ce qui cloche ? C'est simple, la clientèle qui se procure une berline intermédiaire ne s'intéresse guère aux qualités dynamiques, aux performances, à l'agrément de conduite et au style audacieux. On préfère un produit axé sur le confort, plus spacieux et mieux insonorisé, proposant avant tout une conduite sans histoire et une grande tranquillité d'esprit. Conséquemment, la Mazda6 ne peut être financièrement considérée comme un bon achat. Car en dépit de toutes ses qualités, sa valeur de revente est de beaucoup inférieure à la moyenne. Or si vous avez comme moi un coup de cœur pour ce modèle, inutile de vous ennuyer durant de longues années au volant d'une Sonata. Choisissez la Mazda6 !

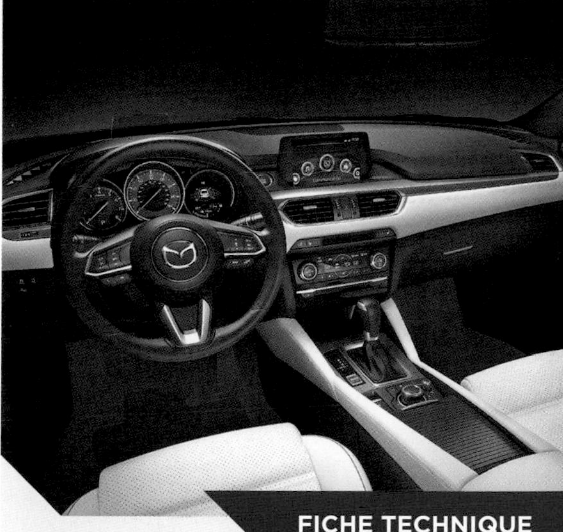

FICHE TECHNIQUE

MOTEUR(S)

(GX, GS, GT) L4 2,5 L DACT
PUISSANCE 184 ch. à 5 700 tr/min
COUPLE 185 lb-pi à 3 250 tr/min
RAPPORT POIDS/PUISSANCE 7,8 à 8,0 kg/ch
BOITE(S) DE VITESSES manuelle à 6 rapports, automatique à 6 rapports (en option sur GX), automatique à 6 rapports avec mode manuel et manettes au volant (en option sur GS et GT)
PERFORMANCES 0-100 km/h man. 8,0 s **auto.** 7,5 s
REPRISE 80-115 km/h 4,6 s
FREINAGE 100-0 km/h 43,0 m
NIVEAU SONORE À 100 km/h Moyen
VITESSE MAXIMALE 210 km/h (bridée)

AUTRES COMPOSANTS

SÉCURITÉ ACTIVE (certains en option) Freins ABS, assistance au freinage, répartition électronique de la force de freinage, contrôle dynamique de la stabilité, antipatinage, assistance en cas de collision imminente, régulateur de vitesse adaptatif, avertisseurs de sortie de voie, d'obstacle latéral et arrière, phares adaptatifs, reconnaissance des panneaux routiers
SUSPENSION avant/arrière indépendante
FREINS avant/arrière disques, à récupération d'énergie (sur GT i-ELOOP)
DIRECTION à crémaillère assistée
PNEUS GX, GS P225/55R17 **GT** P225/45R19

DIMENSIONS

EMPATTEMENT 2 830 mm
LONGUEUR 4 895 mm
LARGEUR 1 839 mm
HAUTEUR 1 450 mm
POIDS man. 1 442 kg **auto.** 1 474 kg
RÉPARTITION DU POIDS AV/ARR (%) 60/40
DIAMÈTRE DE BRAQUAGE 11,2 m
COFFRE 419 L
RÉSERVOIR DE CARBURANT 62 L

LA COTE VERTE

MOTEUR L4 DE 2,0 L
CONSOMMATION (100 km) 2RM ville 8,2 L, route 6,7 L **4RM** ville 8,8 L, route 7,3 L
CONSOMMATION ANNUELLE 2RM 1 292 L, 1 550 $ **4RM** 1 377 L, 1 652 $
INDICE D'OCTANE 87
ÉMISSIONS POLLUANTES CO_2 2RM 2 972 kg/an **4RM** 3 167 kg/an
(source: ÉnerGuide)

FICHE D'IDENTITÉ

VERSION(S) GX, GS, GT
TRANSMISSION(S) avant, 4
PORTIÈRES 5 **PLACES** 5
PREMIÈRE GÉNÉRATION 2016
GÉNÉRATION ACTUELLE 2016
CONSTRUCTION Ujina, Japon
COUSSINS GONFLABLES 6 (frontaux, latéraux avant, rideaux latéraux)
CONCURRENCE Chevrolet Trax, Fiat 500L/500X, Honda HR-V, Jeep Compass/Patriot/Renegade, Kia Soul, Mitsubishi RVR, Nissan Juke, Subaru Crosstreck

AU QUOTIDIEN

COLLISION FRONTALE 5/5
COLLISION LATÉRALE 5/5
VENTES DU MODÈLE L'AN DERNIER
AU QUÉBEC 2 953 (nm) **AU CANADA** 6 861 (nm)
DÉPRÉCIATION (%) nm
RAPPELS (2011 à 2016) 1
COTE DE FIABILITÉ 4/5

GARANTIES... ET PLUS

GARANTIE GÉNÉRALE 3 ans/ kilométrage illimité
GROUPE MOTOPROPULSEUR 5 ans/ kilométrage illimité
PERFORATION 7 ans/kilométrage illimité
ASSISTANCE ROUTIÈRE 3 ans/kilométrage illimité
NOMBRE DE CONCESSIONNAIRES
AU QUÉBEC 61 **AU CANADA** 165

NOUVEAUTÉS EN 2017

3 nouvelles couleurs : gris météorite mica, crystal bleu profond mica, titane mica.

L'OPTION PARFAITE À LA MAZDA2

En janvier 2015, Mazda dévoile une nouvelle Mazda2 en première nord-américaine au Salon de l'auto de Montréal. Puis, pendant presque un an, la filiale canadienne du constructeur reste muette à son sujet pour finalement annoncer qu'elle ne sera pas vendue au Canada. Cette décision visait à laisser le champ libre à une autre nouveauté : le CX-3, un petit utilitaire à l'allure sympathique. Or le succès commercial dont jouit maintenant ce véhicule confirme le bien-fondé du choix de Mazda.

Luc Gagné

TOUR DU PROPRIÉTAIRE > L'esthétique du CX-3 cache habilement la plate-forme qu'il partage avec cette nouvelle Mazda2. Cependant, toutes ressemblances avec cette petite voiture s'arrêtent là. Le CX-3 a une silhouette particulière qui le distingue aussi du CX-5, plus volumineux. Son long museau d'apparence effilée et sa partie arrière trapue à porte-à-faux ultra-court lui donnent un style unique, racé même. Sa carrosserie est également nettement moins haute que celle de la plupart de ses rivaux, ce qui lui donne une allure moins rébarbative. Par contre, sa garde au sol plutôt basse nous oblige à relativiser les capacités hors route qu'on pourrait lui attribuer.

VIE À BORD > L'habitacle bénéficie d'une finition soignée et les matériaux employés sont de belle qualité. L'aménagement rappelle l'intérieur des Mazda3 avec, entre autres, l'écran tactile flottant de 7 pouces posé au centre du tableau de bord et les cadrans « ailés » derrière le volant au centre

+
- COMPORTEMENT ROUTIER EXEMPLAIRE
- FINITION SOIGNÉE
- INTÉRIEUR TRANSFORMABLE

−
- PLACES ARRIÈRE EXIGUËS
- VISIBILITÉ ARRIÈRE LIMITÉE
- FAIBLE GARDE AU SOL

MENTIONS

CLÉ D'OR | CHOIX VERT | **COUP DE CŒUR** | RECOMMANDÉ

VERDICT

PLAISIR AU VOLANT
QUALITÉ DE FINITION
CONSOMMATION
RAPPORT QUALITÉ / PRIX
VALEUR DE REVENTE nm
CONFORT

1 5 10

desquels trône un imposant compte-tours circulaire avec, dans sa partie inférieure, un tout petit afficheur numérique de vitesse. Les sièges baquets supportent bien le corps dans les courbes et ceux des versions les plus chères sont chauffants. Les places arrière, par contre, sont exiguës, plus encore que celles d'une Mazda3 Sport (elles-mêmes peu spacieuses). Quant au coffre, grâce aux dossiers asymétriques rabattables de la banquette arrière, son volume utile est modulable. Avec les dossiers en place, ce volume (408 L) peu généreux est inférieur à celui du coffre d'une Mazda3 Sport. Par contre, avec les dossiers rabattus, le volume devient presque quatre fois plus important (1525 L), ce qui confirme l'aspect pratique de cet utilitaire. La visibilité arrière, enfin, est limitée par la petite lunette du hayon et l'ampleur des montants arrière du toit. Les rétroviseurs latéraux, dotés de grands miroirs, et la caméra arrière (de série) compensent ce handicap, du moins lorsque la lentille de cette dernière est propre.

TECHNIQUE > Sous le capot loge une variante du 4-cylindres de 2 litres des Mazda3. Pour le CX-3, ce moteur Skyactiv-G produit 9 chevaux et 2 livres-pieds en moins, des différences imperceptibles sur le plan de la conduite. Qu'il ait deux ou quatre roues motrices, cet utilitaire est livré avec une boîte de vitesse automatique à 6 rapports, celle des Mazda3 à moteur de 2 litres. Pour le CX-3, toutefois, on lui a donné un rapport final plus long. Le freinage est assuré par des disques aux quatre roues (ventilés à l'avant), alors que la suspension est indépendante aux roues avant seulement. Pour le train arrière, le constructeur se contente d'une poutre de torsion comme pour la Mazda2 de nouvelle génération.

AU VOLANT > Le CX-3 est de loin l'utilitaire sous-compact le plus agréable à conduire. Sa servodirection précise et sa suspension superbement calibrée procurent un comportement routier prévisible, presque sportif, qui rend les longues randonnées agréables. En revanche, le coffre est parmi les moins volumineux de sa catégorie. Pour ces automobilistes qui recherchent un coffre gargantuesque, cela pourrait s'avérer contraignant. Ceux-là n'ont qu'à se tourner vers le HR-V. Enfin, il y a cette garde au sol plutôt basse (154 mm), qui est même 1 mm plus basse que celle d'une Mazda3 Sport 2016! Cela signifie que le soubassement du CX-3 pourrait parfois frotter les bosses, racines et pierres d'un chemin forestier, alors qu'une Crosstrek (220 mm), plus haut perchée, passerait par-dessus sans même qu'on s'en rende compte.

CONCLUSION > On choisira donc le Mazda CX-3 avant tout pour la qualité de sa construction et, plus encore, pour l'agrément de conduite. C'est un véhicule qu'on aime conduire encore et encore. Cela n'enlève rien à son habitacle transformable qui, bien qu'il soit moins volumineux que celui de certains rivaux, offre tout de même plus de latitude à son utilisateur que celui d'une Mazda3 Sport. Quant à la garde au sol réduite, elle ne gênera assurément pas le conducteur qui n'affronte rien de plus terrible que des stationnements encombrés des centres commerciaux! ■

2e OPINION

Daniel Rufiange

Lorsqu'un constructeur nous présente un nouveau véhicule, on a une bonne idée si ce dernier a de réelles chances de percer le marché, surtout s'il appartient à un segment en vogue. Dans le cas du CX-3, la partie était gagnée d'avance. En misant sur un VUS de petite taille, Mazda savait que les acheteurs seraient au rendez-vous. En revanche, ces derniers pouvaient également miser sur la qualité Mazda. Le constructeur est reconnu pour nous offrir des véhicules bien construits, agréables à conduire et passablement frugaux. N'allez pas croire à la perfection, toutefois. L'espace cargo n'est pas très généreux, la conséquence d'une ligne conçue pour être jolie plutôt que pratique. À considérer si vous avez l'habitude de trimbaler beaucoup de trucs.

FICHE TECHNIQUE

MOTEUR(S)

(GX, GS, GT) L4 2,0 L DACT
PUISSANCE 146 ch à 6 000 tr/min
COUPLE 146 lb-pi à 2 800 tr/min
RAPPORT POIDS/PUISSANCE 8,7 kg/ch
BOITE(S) DE VITESSES automatique à 6 rapports avec mode manuel **GT** et manettes au volant
PERFORMANCES 0-100 km/h 8,5 s
REPRISE 80-115 km/h 6,1 s
FREINAGE 100-0 km/h 43,9 m
NIVEAU SONORE À 100 km/h Moyen
VITESSE MAXIMALE 200 km/h

AUTRES COMPOSANTS

SÉCURITÉ ACTIVE (certains en option) Freins ABS, assistance au freinage, répartition électronique de la force de freinage, contrôle électronique de la stabilité, avertisseurs d'obstacle latéral et arrière et de sortie de voie, phares adaptatifs, régulateur de vitesse adaptatif
SUSPENSION avant/arrière indépendante/semi-indépendante
FREINS avant/arrière disques
DIRECTION à crémaillère, assistée
PNEUS P215/60R16 **GT** P215/50R18

DIMENSIONS

EMPATTEMENT 2 570 mm
LONGUEUR 4 274 mm
LARGEUR 1 767 mm
HAUTEUR 1 542 mm
POIDS 2RM 1 275 kg **4RM** 1 339 kg
DIAMÈTRE DE BRAQUAGE 10,6 m
COFFRE 408 L, 1 525 L (sièges abaissés)
RÉSERVOIR DE CARBURANT 2RM 48 L **4RM** 45 L

LA COTE VERTE

MOTEUR L4 DE 2,0 L
CONSOMMATION (100 km) 2RM man. ville 9,0 L, route 6,8 L **auto.** ville 9,0 L, route 7,3 L **4RM auto.** ville 9,3 L, route 7,6 L
CONSOMMATION ANNUELLE 2RM man. 1 360 L, 1 632 $ **auto.** 1 394 L, 1 673 $ **4RM auto.** 1 445 L, 1 734 $
INDICE D'OCTANE 87
ÉMISSIONS POLLUANTES CO_2 2RM man. 3 128 kg/an **auto.** 3 206 kg/an **4RM auto.** 3 323 kg/an
(source : ÉnerGuide)

FICHE D'IDENTITÉ

VERSION(S) 2RM/4RM GX, GS **4RM** GT
TRANSMISSION(S) avant, 4
PORTIÈRES 5 **PLACES** 5
PREMIÈRE GÉNÉRATION 2013
GÉNÉRATION ACTUELLE 2013
CONSTRUCTION Hiroshima, Japon
COUSSINS GONFLABLES 6 (frontaux, latéraux avant, rideaux latéraux)
CONCURRENCE Chevrolet Equinox/GMC Terrain, Dodge Journey, Ford Escape, Honda CR-V, Hyundai Tucson, Jeep Cherokee, Kia Sportage, Mitsubishi Outlander, Nissan Rogue, Subaru Forester/Outback, Toyota RAV4, Volkswagen Tiguan

AU QUOTIDIEN

COLLISION FRONTALE 5/5
COLLISION LATÉRALE 5/5
VENTES DU MODÈLE L'AN DERNIER
AU QUÉBEC 7 934 (+7,7 %) **AU CANADA** 22 281 (+11,9 %)
DÉPRÉCIATION (%) 37,4 (3 ans)
RAPPELS (2011 à 2016) 2
COTE DE FIABILITÉ 4/5

GARANTIES... ET PLUS

GARANTIE GÉNÉRALE 3 ans/ kilométrage illimité
GROUPE MOTOPROPULSEUR 5 ans/ kilométrage illimité
PERFORATION 7 ans/kilométrage illimité
ASSISTANCE ROUTIÈRE 3 ans/kilométrage illimité
NOMBRE DE CONCESSIONNAIRES
AU QUÉBEC 61 **AU CANADA** 165

NOUVEAUTÉS EN 2017

Moteur 2,5L de série sur GX avec boîte automatique, système de navigation de série sur GS, siège conducteur à mémoire et siège électrique passager à 6 ajustements de série sur GT.

L'EXCITÉ DE LA GANG

Arrivé sur le marché canadien en 2013, le Mazda CX-5 a eu l'effet d'une bombe dans le segment des VUS compacts. Alors que tous les autres produits de la catégorie offrent un confort tranquille et des personnalités plutôt effacées, le CX-5 brise les conventions et se présente comme une solution pour avoir du « fun » au volant d'un utilitaire. Pendant que le « beige » semble être la norme, Mazda prouve qu'il est possible de ressentir du plaisir, une excitation, même si l'on roule avec un produit à vocation familiale.

Luc-Olivier Chamberland

TOUR DU PROPRIÉTAIRE > Mazda impose le langage KODO sur tous ses produits, et c'est avec le CX-5 que l'histoire a commencé. Inspiré par « l'âme en mouvement », on donne un nom à des formes fluides, tout en souplesse, qui sculptent la carrosserie. Déjà dans le coup depuis son introduction, l'an dernier Mazda procédait au rafraîchissement d'une collection de détails sur le véhicule. L'ensemble est maintenant plus mature. La signature visuelle de Mazda est forte avec les DEL cerclant les projecteurs à l'allure de pétales de fleurs. L'avant est distinctif, mais la silhouette et l'arrière sont plus génériques. Présent depuis cinq ans dans notre univers, le CX-5 n'a pas encore pris une seule ride, signe sans équivoque de la qualité du design. Comme ailleurs, pour avoir le look le plus abouti, on doit se tourner vers la version GT, le modèle le plus équipé avec ses roues de 19 pouces à deux tons.

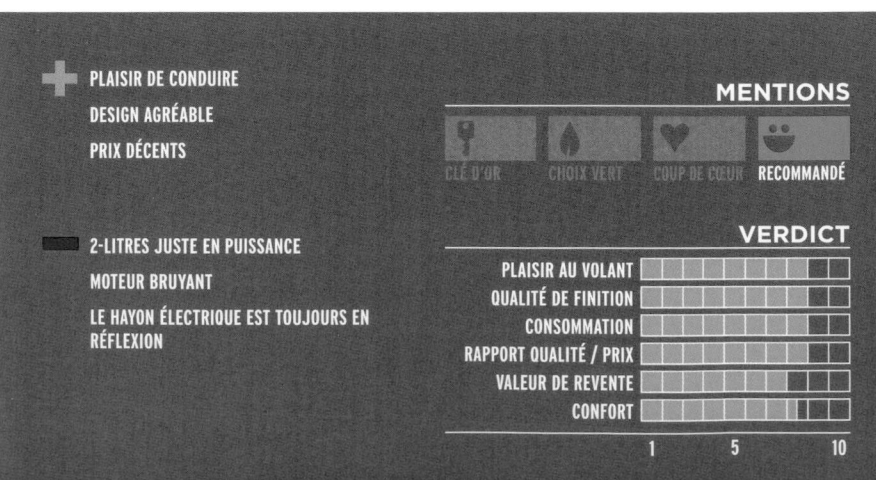

+
- PLAISIR DE CONDUIRE
- DESIGN AGRÉABLE
- PRIX DÉCENTS

−
- 2-LITRES JUSTE EN PUISSANCE
- MOTEUR BRUYANT
- LE HAYON ÉLECTRIQUE EST TOUJOURS EN RÉFLEXION

MENTIONS

CLÉ D'OR | CHOIX VERT | COUP DE CŒUR | **RECOMMANDÉ**

VERDICT

PLAISIR AU VOLANT
QUALITÉ DE FINITION
CONSOMMATION
RAPPORT QUALITÉ / PRIX
VALEUR DE REVENTE
CONFORT

1 5 10

VIE À BORD > Mazda démontre tout son sérieux quant à la conception de l'habitacle du CX-5. Non seulement la finition et la présentation sont sans reproche, mais dans la version GT, on obtient un équipement très complet. L'ensemble est bien fait, mais il manque un peu de joie de vivre, étant majoritairement recouvert de matières noires. On doit se tourner vers les nombreuses appliques imitant l'aluminium. Encore une fois, dans la GT, l'acheteur pourra opter pour une sellerie de cuir à deux tons pour égayer le tout. Tous les accessoires technologiques sont livrables et l'ergonomie ne présente aucun défaut majeur. Le seul bémol vient du système de navigation, qui a la fâcheuse tendance de « boguer » à la moindre occasion et sans raison. On doit alors redémarrer le véhicule et espérer ne pas devoir reconfigurer une autre fois notre destination. En matière d'espace, le CX-5 fait bonne figure. Les volumes intérieurs sont un peu plus comptés que dans le RAV4, mais pour sa vocation familiale, c'est amplement suffisant avec une aire de chargement allant de 966 à 1 835 litres au coffre. Concernant l'accès à la malle, Mazda étudie la possibilité de mettre une ouverture électrique... Pour le moment, ça se fait à « bras ».

TECHNIQUE > Mazda placarde mur à mur sa technologie SKYACTIV, mais est-ce que ça fonctionne vraiment ? Indéniablement, on parle d'un succès. Mazda n'a rien réinventé, mais ce que l'on propose est efficace et atteint son objectif écoénergétique. Deux offres sont au catalogue. Sur le GX, on intègre un 4-cylindres de 2 litres de 155 chevaux. Pour les personnes évoluant en milieu urbain et sans grand besoin de puissance, il fait le travail, mais l'excitation est en retrait. La meilleure option est le 2,5-litres, qui pousse une cavalerie de 184 chevaux. On ne parle toujours pas de démesure, mais il offre un bon niveau d'agrément de conduite. Dans ce dernier cas, on juxtapose une boîte de vitesse automatique à 6 rapports et le modèle de base propose une rare manuelle dans le segment. Les chiffres de consommation de Mazda sont optimistes, mais dans la réalité, on peut aisément avoir une moyenne sous la barre des 8,5 litres.

AU VOLANT > Techniquement et esthétiquement, il plaît, mais c'est sur la route qu'il nous séduit. Mazda s'est fait une réputation au fil du temps quant à l'agrément de conduite que l'on éprouve au volant. Le CX-5, sans l'ombre d'un doute, est le produit qui accorde la meilleure tenue de route de la catégorie. Tous les éléments mécaniques sont solidement plantés, encourageant le dynamisme. La direction se veut précise et incisive. Pour certains, les suspensions seront un peu fermes, mais là encore, c'est une question de goût. Mazda truffe le CX-5 d'aides à la conduite et d'assistance de toutes sortes. On obtient un groupe exhaustif comme un régulateur de vitesse adaptatif, le freinage d'urgence automatique et même un système antilouvoiement. Un point négatif ? Le seul que l'on puisse voir, ou entendre dans le cas du CX-5, vient du moteur, qui se montre assez bruyant lorsqu'il est sollicité.

CONCLUSION > Si votre famille s'agrandit et que vous devez abandonner votre MAZDASPEED3, le CX-5 est l'une des meilleures options sur la liste des VUS compacts. Avec ce produit, Mazda se met à l'avant dans le segment en déterminant les normes à suivre, et ce, pour quelques milliers de dollars de moins que la concurrence. ■

2e OPINION

Vincent Aubé

Depuis que le géant Ford a levé les pattes, la division Mazda a su développer une gamme de véhicules à son image. Comme c'est la coutume, l'agrément de conduite est à l'honneur à bord de ce multisegment compact. Qui plus est, la qualité d'exécution est étonnante pour un véhicule de ce prix. Les conducteurs techno trouveront sûrement à redire sur l'absence d'un système de connectivité dernier cri (Apple CarPlay ou Android Auto), mais outre ce détail technique, il fait bon de vivre à bord de ce véhicule conçu pour les petites familles. Décidément, le CX-5 est l'un des véhicules intéressants de son groupe.

FICHE TECHNIQUE

MOTEUR(S)

(GX) L4 2,0 L DACT
PUISSANCE 155 ch à 6 000 tr/min
COUPLE 150 lb-pi à 4 000 tr/min
RAPPORT POIDS/PUISSANCE 9,4 kg/ch
BOÎTE(S) DE VITESSES manuelle à 6 rapports
PERFORMANCES 0-100 km/h 9,9 s
VITESSE MAXIMALE 197 km/h

(GX, GS, GT) L4 2,5 L DACT
PUISSANCE 184 ch à 5 700 tr/min
COUPLE 185 lb-pi à 3 250 tr/min
RAPPORT POIDS/PUISSANCE 8,3 à 8,7 kg/ch
BOITE(S) DE VITESSES automatique à 6 rapports
PERFORMANCES 0-100 km/h 8,7 s
REPRISE 80-115 km/h 5,8 s
FREINAGE 100-0 km/h 38,0 m
NIVEAU SONORE À 100 km/h Moyen
VITESSE MAXIMALE 202 km/h
CONSOMMATION (100 km) 2RM ville 8,9 L, route 7,1 L
4RM ville 9,8 L, route 7,9 L (octane 87)
ANNUELLE 2RM 1 377 L, 1 790 $ **4RM** 1 513 L, 1 967 $
ÉMISSIONS DE CO_2 2RM 3 167 kg/an **4RM** 3 480 kg/an

AUTRES COMPOSANTS

SÉCURITÉ ACTIVE (certains en option ou selon version) Freins ABS, assistance au freinage, répartition électronique de la force de freinage, contrôle électronique de la stabilité, antipatinage, avertisseurs d'obstacle latéral et arrière, de sortie de voie et d'impact imminent avec freinage autonome, régulateur de vitesse adaptatif, phares adaptatifs et actifs
SUSPENSION avant/arrière indépendante
FREINS avant/arrière disques
DIRECTION à crémaillère, assistée électriquement
PNEUS GX, GS P225/65R17 **GT** P225/55R19

DIMENSIONS

EMPATTEMENT 2 700 mm
LONGUEUR 4 555 mm
LARGEUR 1 840 mm
HAUTEUR 1 670 mm
POIDS GX X 2RM man. 1 458 kg **GS 2RM/GX auto.** 1 556 kg **GS 4RM/GT** 1 629 kg
RÉPARTITION DU POIDS AV/ARR (%) 59/41
DIAMÈTRE DE BRAQUAGE 11,2 m
COFFRE 966 L, 1 835 L (sièges abaissées)
RÉSERVOIR DE CARBURANT 2RM 56 L **4RM** 58 L
CAPACITÉ DE REMORQUAGE 907 kg

LA COTE VERTE

MOTEUR L4 DE 2,5 L TURBO
CONSOMMATION (100 km) 2RM ville 10,5 L, route 8,3 L
4RM ville 11,2 L, route 8,8 L
CONSOMMATION ANNUELLE 2RM 1 564 L, 2 111 $ **4RM** 1 666 L, 2 249 $
INDICE D'OCTANE 91, 87 utilisable
ÉMISSIONS POLLUANTES CO_2 2RM 3 597 kg/an **4RM** 3 832 kg/an
(source: Mazda et l'Annuel)

FICHE D'IDENTITÉ

VERSION(S) 2RM/4RM GS **4RM** GS-L, GT, Signature
TRANSMISSION(S) avant, 4
PORTIÈRES 5 **PLACES** 7
PREMIÈRE GÉNÉRATION 2007
GÉNÉRATION ACTUELLE 2016
CONSTRUCTION Hiroshima, Japon
COUSSINS GONFLABLES 6 (frontaux, latéraux avant, rideaux latéraux)
CONCURRENCE Chevrolet Traverse/GMC Acadia, Dodge Durango, Ford Edge/Explorer/Flex, Honda Pilot, Hyundai Santa Fe XL, Kia Sorento, Nissan Murano/Pathfinder, Toyota Highlander

AU QUOTIDIEN

COLLISION FRONTALE nm
COLLISION LATÉRALE nm
VENTES DU MODÈLE L'AN DERNIER
AU QUÉBEC 329 (+20,1 %) **AU CANADA** 1 139 (-26,2 %)
DÉPRÉCIATION (%) 31,9 (3 ans)
RAPPELS (2011 à 2016) 2
COTE DE FIABILITÉ 4/5

GARANTIES... ET PLUS

GARANTIE GÉNÉRALE 3 ans/ kilométrage illimité
GROUPE MOTOPROPULSEUR 5 ans/ kilométrage illimité
PERFORATION 7 ans/kilométrage illimité
ASSISTANCE ROUTIÈRE 3 ans/kilométrage illimité
NOMBRE DE CONCESSIONNAIRES
AU QUÉBEC 61 **AU CANADA** 165

NOUVEAUTÉS EN 2017

Nouvelle génération

PLUS SPORT QU'UTILITAIRE

Le renouvellement d'un modèle aura rarement semblé aussi délicat que celui du CX-9. Tout en respectant les codes maison en matière de design et de technologies, Mazda cherche à la fois à imposer ses vues parfois jugées anticonformistes et à poser une roue dans le haut de gamme.

Éric LeFrançois

TOUR DU PROPRIÉTAIRE > Opiniâtre et un tantinet rebelle, la marque japonaise cherche à grandir en misant sur des méthodes parfois peu orthodoxes. Dès lors, cette seconde génération du CX-9 présente un risque plus important qu'il n'y paraît. En effet, le constructeur d'Hiroshima entend profiter de la crédibilité et du succès commercial des CX-3 et CX-5 pour mieux asseoir le CX-9 comme le chef de file de la meute. Avec le CX-9, Mazda affine son identité visuelle en habillant avec une certaine élégance la carcasse d'un gros « monovolume ». Décidée à proposer « une voiture coup de cœur, et non un modèle choisi selon des critères purement rationnels », la marque a opté pour une forme oblongue, moins haute que celle des modèles concurrents, et s'étirant en longueur, presque à la manière d'une familiale. Un long capot plat encadré à son extrémité d'une large calandre fixée entre des phares oblongs constitue le signe distinctif des nouvelles Mazda. Avec le CX-9, Mazda se risque à courtiser ouvertement les amateurs de véhicules haut de gamme. En ajoutant à son catalogue une déclinaison Signature (50 100 $), le CX-9 se positionne face à des modèles connus, mais généralement en mal de pres-

+
- SILENCE DE ROULEMENT
- HABITACLE ÉLÉGANT
- DYNAMIQUE DU COMPORTEMENT (POUR UN VUS)

−
- POIDS TOUJOURS CONSÉQUENT
- CAPACITÉ DE REMORQUAGE RÉDUITE
- 5 PLACES + 2 DE SECOURS

MENTIONS

CLÉ D'OR | CHOIX VERT | COUP DE CŒUR | **RECOMMANDÉ**

VERDICT

PLAISIR AU VOLANT
QUALITÉ DE FINITION
CONSOMMATION
RAPPORT QUALITÉ / PRIX
VALEUR DE REVENTE
CONFORT

1 5 10

tige. Aussi affriolante soit-elle, cette version tirée à quatre épingles aura tout de même du mal à justifier son prix. L'explication tient au manque de notoriété de la marque, à l'absence de certains éléments de confort (des sièges ventilés, par exemple), mais aussi à son groupe motopropulseur.

VIE À BORD > Hormis la version Signature, qui ne pèsera pas très lourd dans les ventes de ce modèle, Mazda propose d'autres déclinaisons, dont une à roues avant motrices vendue à prix « populaire ». Puisqu'il y a un choix à faire, la livrée GS-L (41 500 $) apparaît comme la plus homogène au sein de cette nomenclature, et ce, même si elle se trouve privée de plusieurs des avancées techniques en matière de sécurité telles que le régulateur de vitesse intelligent ou le système d'avertissement de sortie de voie (LDWS). Ces dispositifs figurent en option sur le GT (1 600 $) et de série sur la « Signature ». Bien que cette dernière, par ailleurs, tapisse son habitacle de bois et d'aluminium véritables, la présentation des autres CX-9 n'en est pas moins intéressante pour autant. Le bloc d'instruments est complet et de consultation facile. Quant aux sièges et aux diverses commandes, leur conception s'attache à assurer au mieux le confort postural des occupants. L'accès à la deuxième rangée de sièges ne pose pas problème. Les assises coulissent et les dossiers s'inclinent pour assurer le confort des occupants. En revanche, la troisième rangée est moins invitante, surtout pour les grands gabarits. Ils se lisseront le cuir chevelu contre le ciel du toit. En revanche, pour des enfants en bas âge - et ce, même si ceux-ci font encore usage d'un siège d'appoint -, l'accessibilité ne pose pas véritablement problème. Quant au coffre, malgré un porte-à-faux plus court, il conserve sensiblement le même volume que le modèle qu'il remplace. L'innovation, ici, touche essentiellement la possibilité d'obtenir un plancher bien plat lorsque les rangées de sièges 2 et 3 sont escamotées.

TECHNIQUE > Sans surprise, le CX-9 intègre à son tour toute la quincaillerie SkyActiv, concept qui relève ici - plus que sur les autres créations de la marque - de considérations autant techniques que marketing. Ce constat tient autant de la réduction plutôt négligeable du poids du véhicule que de l'ajout d'une cinquantaine de kilos de matériaux de toutes sortes destinés à assourdir - avec succès, faut-il dire - la cabine. Contrairement à ses rivaux, le capot du CX-9 demeure fermé à l'idée d'y faire tonner une grosse cylindrée. En lieu et place, Mazda opte pour un 4-cylindres de 2,5 litres suralimenté par turbocompresseur. Une idée déjà appliquée par la concurrence, mais à la différence que celle-ci propose également d'autres options, ne serait-ce que pour satisfaire notamment les besoins de consommateurs en quête d'une plus grande capacité de remorquage. Selon le constructeur d'Hiroshima, le CX-9 est en mesure de tracter une charge largement inférieure à celles communiquées par la concurrence.

2e OPINION

Benoit Charette

Mazda a laissé derrière elle le dernier modèle encore relié à son association avec Ford. Le nouveau CX-9 montre fièrement ses nouveaux habits fidèles au style Kodo des autres modèles de la marque, et se débarrasse au passage du V6 d'origine Ford. Sous son capot, les ingénieurs de Mazda l'on remplacé par un 4-cylindres 2.5 L suralimenté. Le SkyActiv-G T 2.5 est basé sur le bloc atmosphérique des CX-5 et Mazda 6. Grâce à un taux de compression élevé il permet de tirer une bonne puissance (250 ch) en demeurant relativement peu gourmand à la pompe. Toutefois, comme il s'agit d'un 4 cylindres, vous devrez faire certains compromis sur le remorquage. Le CX-9 traîne seulement 3 500 livres alors que plusieurs concurrents qui offrent encore des V6 sont à 5 000. Pour amener la famille, il sera parfait et si vous êtes gentils, vous réussirez à faire moins de 10 litres aux 100 km.

FICHE TECHNIQUE

MOTEUR(S)

(GS,GT, SIGNATURE) L4 2,5 L DACT Turbo
PUISSANCE 227 ch à 5 000 tr/min, 250 ch avec octane 91
COUPLE 310 lb-pi à 2 000 tr/min
RAPPORT POIDS/PUISSANCE 2RM 8,1 kg/ch **4RM** 8,4 kg/ch
BOÎTE(S) DE VITESSES automatique à 6 rapports avec mode manuel
PERFORMANCES 0-100 km/h 8,0 s (est.)
REPRISE 80-115 km/h ND
FREINAGE 100-0 km/h ND
NIVEAU SONORE À 100 km/h Bon
VITESSE MAXIMALE 210 km/h

AUTRES COMPOSANTS

SÉCURITÉ ACTIVE (certains en option) Freins ABS, assistance au freinage, répartition électronique de la force de freinage, contrôle électronique de la stabilité, antipatinage, contrôle stabilisateur anticapotage, aide au départ en pente, phares adaptatifs, avertisseurs d'obstacle latéral et arrière et d'impact imminent, assistance au freinage en ville, régulateur adaptatif, avertisseur et aide en cas de sortie de voie.
SUSPENSION avant/arrière indépendante
FREINS avant/arrière disques
DIRECTION à crémaillère, assistée
PNEUS GS/GS-L P255/60R18 **GT/Signature** P255/50R20

DIMENSIONS

EMPATTEMENT 2 930 mm
LONGUEUR 5 065 mm
LARGEUR 1 969 mm, 2 207 (incl. rétro.)
HAUTEUR 1 716 mm, 1 753 mm (incl. antenne)
POIDS 2RM 1 828 kg **4RM** 1 917 kg
RÉPARTITION DU POIDS AV/ARR (%) ND
DIAMÈTRE DE BRAQUAGE 11,8 m
COFFRE 407 L, 1 082 L, 2 017 L (sièges abaissés)
RÉSERVOIR DE CARBURANT 2RM 72 L **4RM** 74 L
CAPACITÉ DE REMORQUAGE 1 588 kg

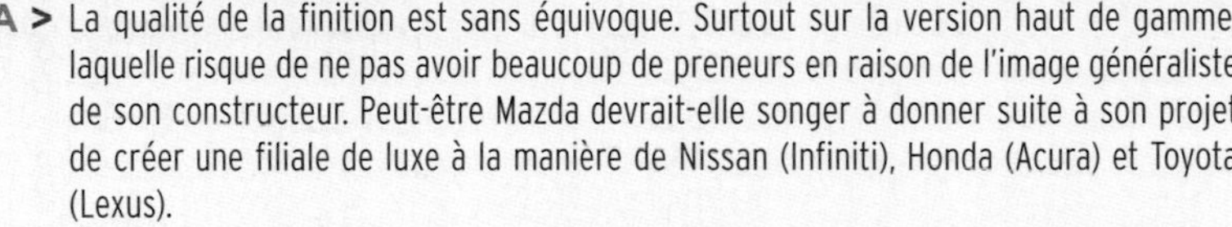

GALERIE

A > La qualité de la finition est sans équivoque. Surtout sur la version haut de gamme, laquelle risque de ne pas avoir beaucoup de preneurs en raison de l'image généraliste de son constructeur. Peut-être Mazda devrait-elle songer à donner suite à son projet de créer une filiale de luxe à la manière de Nissan (Infiniti), Honda (Acura) et Toyota (Lexus).

B > La suralimentation par turbocompresseur n'a pas laissé de très bons souvenirs auprès des propriétaires de CX-7. Mazda compte se racheter cette fois et faire preuve d'une bien meilleure maîtrise de cette technologie. Issu de la famille SkyActiv, ce moteur accepte de carburer à l'essence ordinaire.

C > Pour ses débuts, le CX-9 intègre tout le savoir-faire de Mazda en matière de sécurité active et passive. Tout ? Pas vraiment. Le nouveau dispositif de vecteur de couple inauguré par la firme nippone sera intégré plus tard en cours d'année, a-t-on appris.

D > Une attention toute particulière a été accordée aux sièges avant. Ceux-ci se révèlent parmi les plus confortables de la catégorie en plus d'offrir un excellent support.

E > Sans surprise, tous les codes esthétiques de la firme d'Hiroshima sont appliqués à cette seconde génération de CX-9 qui apparaît plus massif qu'il ne l'est réellement, simplement en jouant sur l'horizontalité et la verticalité des lignes.

AU VOLANT > Sur la route, cet utilitaire sept places fait preuve d'une remarquable maniabilité... Son poids s'évanouit presque dès que l'on prend le volant. Pas de sensation d'inertie ni de pesanteur au freinage et belles accélérations, le couple moteur fait merveille et arrache sans effort le CX-9 de sa position statique tout en consommant de manière raisonnable l'essence pulvérisée dans les chambres de combustion. Seulement voilà, ce commentaire s'applique seulement lorsque les places assises du CX-9 ne sont pas toutes occupées et que le véhicule circule sur des routes relativement planes, sans quoi il faut le solliciter plus âprement, et la consommation monte alors pour atteindre aisément une moyenne de 11,5 litres aux 100 kilomètres. Force est de reconnaître cependant que Mazda maîtrise mieux la suralimentation par turbocompresseur et la consommation qu'à l'époque de la regrettée CX-7. Silencieux, confortable malgré ses énormes pneus de 20 pouces, le CX-9 parvient à tirer profit d'une boîte de vitesse automatique bien étagée, mais un peu désuète (6 rapports seulement). Celle-ci s'avère aussi particulièrement décevante en mode « sport », mode qui ne contribue d'aucune façon notable à améliorer les performances. Le CX-9 fait preuve d'une imperturbable stabilité sur l'autoroute et d'une singulière aisance sur les petites routes, où sa transmission intégrale le colle littéralement au bitume et permet d'apaiser le sous-virage qui l'affecte. La direction n'offre pas un ressenti aussi fin, aussi direct que dans les autres créations de la marque, mais elle se révèle assurément supérieure à celle de bon nombre de ses concurrents, dont les roues directrices foncent sur le point de corde des virages de manière presque aléatoire. Un agrément de conduite aujourd'hui trop rare pour ne pas être souligné. Le freinage est adéquat, sans plus.

CONCLUSION > Résumons-nous. Le 4-cylindres suralimenté du CX-9 éclipse pour l'heure ceux - de même cylindrée - qui animent ses compétiteurs tout en procurant un agrément de conduite supérieur. En revanche, d'un point de vue utilitaire, cette Mazda s'avère moins convaincante en raison de ses places étriquées à la troisième rangée, d'un volume de chargement moyen et d'une capacité de remorquage inférieure. ■

HISTORIQUE

Apparu en 2007, le CX-9 n'a guère évolué avant la refonte de cette année. Réalisé sur une plate-forme de Ford (Ford Edge et Ford Fusion), le CX-9 s'animait à ses débuts par un moteur V6 3,5 litres. Celui-ci céda sa place à un V6 3,7 litres dès l'année suivante.

À l'occasion du Salon automobile de New York 2009, le CX-9 fait l'objet d'une autre mise à niveau. Celle-ci touche essentiellement l'esthétique du véhicule. Il arbore une nouvelle calandre et prend des déclinaisons aux noms plus évocateurs. Son V6 gagne aussi quelques chevaux, mais la boîte automatique chargée de relayer la puissance aux roues motrices compte toujours 6 rapports.

L'ultime mise à niveau de ce modèle intervient en 2013. La calandre reçoit de nouveau un coup de plumeau, mais aussi cette fois les phares et les prises d'air.

Mazda CX-9 2007

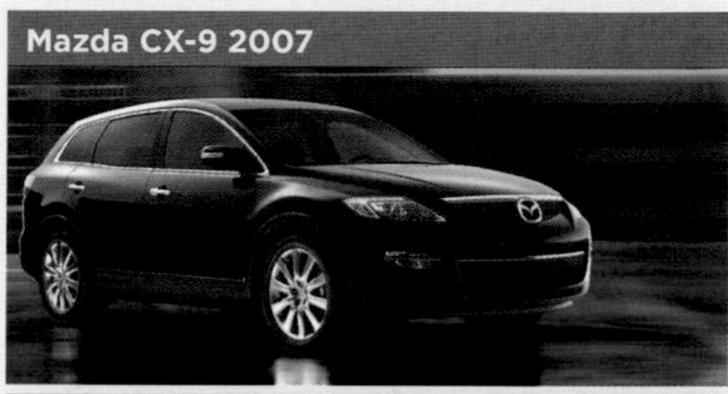

Mazda CX-9 2010

Mazda CX-9 2013

Mazda CX-9 2014

Mazda CX-9 2016

LA COTE VERTE

MOTEUR L4 DE 2,0 L
CONSOMMATION (100 km) man. ville 8,8 L, route 6,9 L
auto. ville 8,9 L, route 6,5 L
CONSOMMATION ANNUELLE 1 326 L, 1 591 $
INDICE D'OCTANE 91
ÉMISSIONS POLLUANTES CO_2 3 050 kg/an
(source : ÉnerGuide)

FICHE D'IDENTITÉ

VERSION(S) GX, GS, GT, RF
TRANSMISSION(S) arrière
PORTIÈRES 2 **PLACES** 2
PREMIÈRE GÉNÉRATION 1990
GÉNÉRATION ACTUELLE 2016
CONSTRUCTION Hiroshima, Japon
COUSSINS GONFLABLES 4 (frontaux, latéraux)
CONCURRENCE Fiat 124/500C,, Mini Cooper Cabrio, Subaru BRZ/Toyota 86, Volkswagen Beetle cabrio

AU QUOTIDIEN

COLLISION FRONTALE ND
COLLISION LATÉRALE ND
VENTES DU MODÈLE L'AN DERNIER
AU QUÉBEC 210 (+32,1 %) **AU CANADA** 630 (+23,3 %)
DÉPRÉCIATION (%) 34,2 (3 ans)
RAPPELS (2011 à 2016) aucun à ce jour
COTE DE FIABILITÉ 5/5

GARANTIES... ET PLUS

GARANTIE GÉNÉRALE 3 ans/ kilométrage illimité
GROUPE MOTOPROPULSEUR 5 ans/ kilométrage illimité
PERFORATION 7 ans/kilométrage illimité
ASSISTANCE ROUTIÈRE 3 ans/kilométrage illimité
NOMBRE DE CONCESSIONNAIRES
AU QUÉBEC 61 **AU CANADA** 165

NOUVEAUTÉS EN 2017

Avertisseurs d'obstacle latéral et arrière de série sur GS. Une nouvelle couleur : gris météorite mica disponible sur GT à intérieur tan.

LES PLAISIRS LES PLUS SIMPLES

Ce petit roadster qui annonce l'été plus sûrement que n'importe quel oiseau migrateur sort de la spirale inflationniste dans laquelle les générations précédentes se trouvaient prisonnières. Plus légère, plus compacte, la Mazda MX-5, née Miata, veille à nous rappeler que les plaisirs les plus simples sont parfois les meilleurs.

Éric LeFrançois

TOUR DU PROPRIÉTAIRE > Au premier regard, la MX-5 ne manque pas d'air, même si ses formes rappellent, de loin et dans le brouillard, la défunte Honda S2000. Pour certains, son charme s'arrête ici, car accéder à bord de ce roadster peut s'avérer un exercice contraignant, surtout auprès de sa clientèle chouchou : les quinquagénaires. Ces derniers sont idéalement en forme, puisque les assises ont été abaissées de 20 millimètres. Pour s'installer, il faut glisser dans un baquet au ras du sol, tout en passant les jambes sous le volant, heureusement aminci. Pour nous faciliter encore plus la vie, la colonne de direction offre aujourd'hui une possibilité de réglage plus étendu.

VIE À BORD > Le séant au ras du bitume et le court levier de vitesses à portée de main, le conducteur retrouve rapidement ses repères dans cet habitacle où on se sent presque aussi coincé qu'autrefois, malgré des sièges à l'armature plus fine et aux réglages plus nombreux. Fidèle à sa bonne habitude, Mazda a habillé l'habitacle de matériaux agréables à l'œil et au toucher. Rien à redire non plus de la qualité de l'assemblage ni de l'agencement des couleurs. Le

+
- SIMPLICITÉ DE SA CONCEPTION
- AGILITÉ
- PLAISIR QUE SA CONDUITE PROCURE

−
- BOÎTE AUTOMATIQUE TAXANTE SUR LES PERFORMANCES
- HABITACLE ÉTRIQUÉ ET PEU PRATIQUE
- DIRECTION TROP LÉGÈRE

MENTIONS

CLÉ D'OR | CHOIX VERT | COUP DE CŒUR | RECOMMANDÉ

VERDICT

PLAISIR AU VOLANT
QUALITÉ DE FINITION
CONSOMMATION
RAPPORT QUALITÉ / PRIX
VALEUR DE REVENTE
CONFORT

1 5 10

tableau de bord, pas plus épuré qu'il ne le faut, enchâsse une instrumentation complète et parfaitement lisible. La console, qui scinde l'habitacle en deux, comporte des commandes faciles à utiliser et qui tombent bien (au sens figuré bien sûr) sous la main. Quant au toit, il s'escamote manuellement sans qu'il soit nécessaire de quitter son siège. Les puristes l'apprécieront.

TECHNIQUE > Dans l'espoir de ratisser une clientèle encore plus large, Mazda proposera à compter du printemps 2017 une version appelée RF (Retractable Fastback). Présentée en avant-première au Salon de l'auto de New York, la MX-5 RF a la particularité de ranger son pavillon à la manière d'une Porsche 911 Targa... Mazda précise que le système de pavillon rétractable de la RF peut être utilisé en roulant jusqu'à 10 km/h, et que le coffre conserve sa capacité de chargement lorsque le toit est fermé, mais on ne sait pas encore de combien il est amputé lorsque le toit est replié.

AU VOLANT > La MX-5 a une vocation reconnue : donner du plaisir. Mission accomplie. Amusante à conduire, cette japonaise fait aussi apprécier sa suspension bien dosée et sa position de conduite pas fatigante pour un sou. La seule contrariété provient de la boîte de vitesse automatique, qui étouffe le moteur (2 L, 155 chevaux) dont les prestations sont, dès lors, un peu frustrantes. Vaillant à moyen régime et très peu gourmand, celui-ci offre des accélérations trop linéaires. Et, ce qui n'arrange rien, une sonorité assez classique et un besoin (non obligatoire) qu'on l'abreuve d'essence Super pour qu'il puisse donner son plein rendement. Ce 2-litres apparaît nettement plus sympathique avec la boîte manuelle. Cette dernière permet d'enrouler délicieusement les sorties de virages. En revanche, si l'envie vous prend de titiller les chevaux, vous êtes mieux de savoir jouer du levier, au demeurant agréable, pour tirer la quintessence de cette mécanique. Dès lors, la même question revient : est-ce le moteur qui manque de tonus ou bien le châssis qui est sous-utilisé ? Sans doute un peu des deux. Chose certaine, la MX-5 a aujourd'hui les qualités dynamiques nécessaires pour faire galoper une quarantaine, voire une cinquantaine de chevaux supplémentaires. Plus alerte et plus délurée, la Mazda slalome à son aise, vire bien à plat, mais c'est au grand air, en vitesse de croisière, qu'on la préfère. La MX-5 s'inscrit sans broncher dans les virages, guidée ici par une direction précise, mais regrettablement trop légère. Un peu de fermeté lui ferait le plus grand bien pour mieux ressentir le train avant. Cette Mazda profite par ailleurs de l'agilité liée à son architecture de propulsion, mais aussi de son poids savamment distribué entre l'avant et l'arrière. Et pour ajouter à la confiance que sa conduite inspire, mentionnons qu'au pont autobloquant s'ajoute une suspension plus sportive, mais seulement sur les MX-5 GS et GT à boîte manuelle.

CONCLUSION > Bien finie, sûre et amusante, la MX-5 ne manque décidément pas d'appâts pour plaire. Pour les balades tranquilles, quelle que soit la transmission de votre choix, mieux vaut prendre rendez-vous avec la version GX, plus abordable. Les conducteurs qui veulent non seulement se faire décoiffer, mais aussi se faire plaisir au volant devraient jeter leur dévolu sur la GS. La GT ? Au prix où elle s'affiche, elle ne présente que peu ou pas d'intérêt. Un commentaire qui risque malheureusement aussi de s'appliquer à la future RF. ■

2e OPINION

Daniel Rufiange

L'an dernier, Mazda nous présentait la cinquième génération de son populaire roadster. Malgré la nouveauté, on savait tout de même à quoi s'attendre. Après tout, on ne prend pas trop de risque avec une recette gagnante. Ainsi, la MX-5 offre toujours une tonne de plaisir à celui qui en prend le volant. En fait, peu de véhicules sur le marché proposent autant d'agrément. Il ne faut pas s'attendre à des performances décapantes, toutefois. Même si le moteur 2 litres a gagné en puissance, la MX-5 n'est pas une bombe. Cependant, sa petite taille, sa grande maniabilité, l'excellente répartition de ses masses et le fait qu'on ait les fesses collées au bitume sont autant de facteurs qui contribuent au plaisir qu'on ressent au volant. Pour des sensations accrues, le choix de la boîte manuelle est tout désigné.

FICHE TECHNIQUE

MOTEUR(S)

(GX, GS, GT) L4 2,0 L DACT
PUISSANCE 155 ch à 6 000 tr/min
COUPLE 148 lb-pi à 4 600 tr/min
RAPPORT POIDS/PUISSANCE 6,8 à 7,0 kg/ch
BOÎTE(S) DE VITESSES manuelle à 6 rapports (GX), automatique à 6 rapports avec mode manuel (option GX) et manettes au volant (GS, GT)
PERFORMANCES 0-100 km/h 6,2 s
REPRISE 80-115 km/h 8,9 s
FREINAGE 100-0 km/h 37,8 m
NIVEAU SONORE À 100 km/h Moyen
VITESSE MAXIMALE 205 km/h

AUTRES COMPOSANTS

SÉCURITÉ ACTIVE Freins ABS, assistance au freinage, répartition électronique de la force de freinage, contrôle électronique de la stabilité, antipatinage, avertisseurs d'obstacle latéral et de sortie de voie, phares automatiques
SUSPENSION avant/arrière indépendante
FREINS avant/arrière disques
DIRECTION à crémaillère, assistée
PNEUS GX P195/50R16 **GS/GT** P205/45R17

DIMENSIONS

EMPATTEMENT 2 309 mm
LONGUEUR 3 914 mm
LARGEUR 1 918 mm (incl. rétro.)
HAUTEUR 1 234 mm (roues de 16 po.), 1 240 mm (roues de 17 po.)
POIDS GX/GS man. 1 058 kg **GT man.** 1 078 kg
RÉPARTITION DU POIDS AV/ARR (%) 50/50
DIAMÈTRE DE BRAQUAGE 9,4 m
COFFRE 130 L
RÉSERVOIR DE CARBURANT 45 L

LA COTE VERTE

MOTEUR V8 DE 3,8 L BITURBO
CONSOMMATION (100 km) ville 16,6 L, route 8,1 L
CONSOMMATION ANNUELLE 1 887 L, 2 524 $
INDICE D'OCTANE 91
ÉMISSIONS POLLUANTES CO_2 4 340 kg/an
(source : Mclaren et L'Annuel)

FICHE D'IDENTITÉ

VERSION(S) Coupé 540C, 570S, 570 GT
TRANSMISSION(S) arrière
PORTIÈRES 2 **PLACES** 2
PREMIÈRE GÉNÉRATION 2016
GÉNÉRATION ACTUELLE 2016
CONSTRUCTION Woking, Grande-Bretagne
COUSSINS GONFLABLES 6 (Frontaux, latéraux, genoux)
CONCURRENCE Aston-Martin DB11/Vantage, Audi R8, Corvette Z06, Ferrari 488 GTB, Lamborghini Huracan, Mercedes-Benz-AMG GT, Porsche 911 Turbo/GT3

AU QUOTIDIEN

COLLISION FRONTALE nm
COLLISION LATÉRALE nm
VENTES DU MODÈLE L'AN DERNIER
AU QUÉBEC ND **AU CANADA** ND
DÉPRÉCIATION (%) ND
RAPPELS (2011 à 2016) aucun à ce jour
COTE DE FIABILITÉ 5/5

GARANTIES... ET PLUS

GARANTIE GÉNÉRALE 3 ans/kilométrage illimité
GROUPE MOTOPROPULSEUR 3 ans/kilométrage illimité
PERFORATION 10 ans/kilométrage illimité
ASSISTANCE ROUTIÈRE 3 ans/kilométrage illimité
NOMBRE DE CONCESSIONNAIRES
AU QUÉBEC 1 **AU CANADA** 3

NOUVEAUTÉS EN 2017

Version 570 GT à hayon et toit panoramique, jantes spécifiques, intérieur plus luxueux, sacs de voyage adaptés disponibles.

MERCI, MÈRE NATURE...

Produite à seulement 106 unités en sept ans (1992 à 1999), la McLaren F1 demeure pour moi l'une des voitures exotiques les plus époustouflantes jamais conçues. Élégante, audacieuse avec sa position centrale, hyperformante et symbolisant l'apogée d'une marque légendaire en course automobile, elle aurait sans doute remplacé la Lamborghini Countach sur le mur de ma chambre si j'étais plus jeune de 10 ans. La renaissance de la marque britannique au début de l'actuelle décennie aura cependant permis à quelques privilégiés de finalement réaliser un rêve inespéré. Pour ma part, ma première expérience avec McLaren aura eu lieu au volant d'une 570S flambant neuve...

Antoine Joubert

TOUR DU PROPRIÉTAIRE > Est-ce la nouvelle Acura ? Une Ferrari ? Plusieurs questions m'auront été posées afin d'identifier cette bête mystérieuse, qui aura causé tout un émoi dans mon voisinage. Des trois versions disponibles, la 570S est la plus poussée. Comme avec la 540C, un capot arrière semi-grillagé permet d'observer la mécanique qui, sur la 570GT, sera cachée par une seconde soute à bagages et un hayon vitré à ouverture latérale. Carrément

+
- PERFORMANCES DE HAUT NIVEAU
- LIGNE ÉPOUSTOUFLANTE
- QUALITÉ DE FABRICATION ET DE FINITION ÉTONNANTE
- ARRIVÉE D'UNE CONCESSION MONTRÉALAISE (LAVAL)

–
- UTILISATION RESTREINTE
- FIABILITÉ À PROUVER
- FORTE DÉPRÉCIATION À PRÉVOIR

MENTIONS

CLÉ D'OR · CHOIX VERT · **COUP DE CŒUR** · RECOMMANDÉ

VERDICT

	1–10
PLAISIR AU VOLANT	10
QUALITÉ DE FINITION	9
CONSOMMATION	7
RAPPORT QUALITÉ / PRIX	7
VALEUR DE REVENTE	nd
CONFORT	8

magnifique, la ligne de la voiture est non seulement menaçante, mais également conçue pour littéralement visser la voiture au sol grâce à de nombreux appuis aérodynamiques. Le becquet avant et l'imposant diffuseur arrière ne sont donc pas présents que pour le style, même s'ils y contribuent grandement. Il en va de même pour ces immenses prises d'air latérales, qui scindent carrément les portières, dont l'ouverture papillon (un peu *show-off*) permet ironiquement une accessibilité très facile à bord.

VIE À BORD > D'un si petit constructeur, on aurait pu s'attendre à une finition intérieure plus aléatoire. Toutefois, McLaren n'a visiblement pas voulu être victime d'une comparaison avec Lotus et propose donc un environnement non seulement moderne, mais aussi très bien ficelé. La 570GT à vocation plus luxueuse nous sert donc un habitacle où la haute couture est omniprésente, histoire d'égayer les cinq sens. Cependant, toutes les versions impressionnent par une ergonomie finement étudiée ainsi que par une position de conduite qui plaira autant aux adeptes de la piste qu'aux conducteurs pour une utilisation quotidienne. Remarquez également la présence d'un écran tactile de 7 pouces baptisé IRIS, lequel donne accès à l'essentiel des commandes du véhicule.

TECHNIQUE > La coque uniquement composée de fibre de carbone revêt une carrosserie d'aluminium ultra-léger, permettant de ramener le poids à environ 1 300 kilos. Cela permet donc d'exploiter plus efficacement les 562 chevaux d'un petit V8 biturbo, marié à une boîte séquentielle robotisée à 7 rapports. Et bien sûr, contrairement à des rivales comme l'Audi R8 et la Lamborghini Huracàn, la puissance n'est ici acheminée qu'aux roues arrière.

AU VOLANT > La 570S émet une sonorité plus agressive que les 540C/570GT, à faire dresser les poils sur les bras, mais qui n'est pas pour autant trop intrusive lorsqu'on circule avec la bête. Extrêmement solide, exempte de cliquetis et bien collée au bitume, la voiture affiche un comportement non seulement sportif, mais également très rassurant. Bien sûr, la direction est précise, mais la suspension à double triangulation lui permet de composer efficacement avec une chaussée loin d'être aussi svelte que les lignes de la voiture. L'amortissement réglable en trois positions (Normal/Sport/Track) permet d'adapter la conduite selon les conditions, offrant également une fonction pour rehausser légèrement la garde au sol à l'approche d'un dos d'âne ou d'un stationnement. Quant au freinage, il est assuré par des freins de carbone/céramique en option, mais de série pour la 570S. McLaren fait aussi appel au système *Brake Steer* conçu en course pour appliquer davantage de pression sur la roue intérieure à l'amorce d'un virage, question de conserver un meilleur équilibre.

CONCLUSION > Des trois jours passés au volant de la 570S, Mère Nature m'en aura gâché deux. Je conserve donc le souvenir époustouflant d'un beau vendredi à son volant, et d'une Dodge Magnum R/T visiblement jalouse de la voiture qui prenait place à ses côtés le temps d'un week-end, dans mon garage... ■

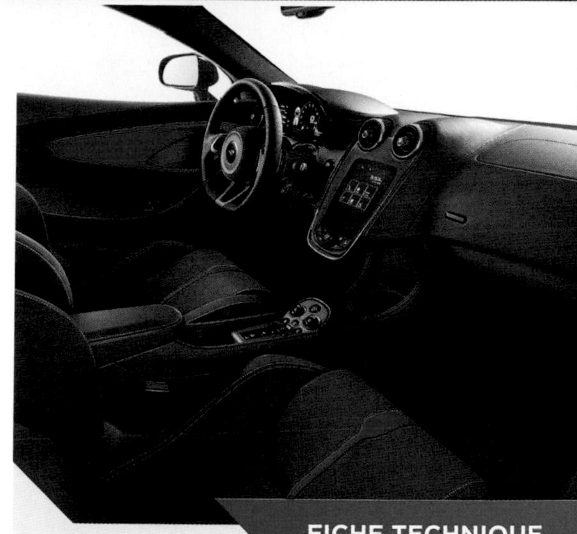

FICHE TECHNIQUE

MOTEUR(S)

(540C, 570S, 570GT) V8 3,8 L DACT biturbo
PUISSANCE 540C 532 ch à 7 500 tr/min (540 CV)
570S/GT 562 ch (570 CV)
COUPLE 540C 398 lb-pi **570S/GT** 443 lb-pi
RAPPORT POIDS/PUISSANCE 540C 2,5 kg/ch
570S 2,3 kg/ch **570GT** 2,5 kg/ch
BOÎTE(S) DE VITESSES manuelle robotisée à 7 rapports
PERFORMANCES 0-100 km/h 540C 3,5 s **570S** 3,2 s **570GT** 3,4 s
REPRISE 80-115 km/h ND
FREINAGE 100-0 km/h 33,0 m
VITESSE MAXIMALE 540C 320 km/h **570S/GT** 328 km/h

AUTRES COMPOSANTS

SÉCURITÉ ACTIVE Freins ABS, assistance au freinage, répartition électronique de la force de freinage, contrôle électronique de la stabilité, antipatinage
SUSPENSION avant/arrière indépendante
FREINS avant/arrière disques
DIRECTION à crémaillère, assistée électriquement
PNEUS P235/35R19 (av.) P305/30R20 (arr.)

DIMENSIONS

EMPATTEMENT 2 670 mm
LONGUEUR 4 508 mm
LARGEUR 1 908 mm
HAUTEUR 1 199 mm
POIDS 540C 1 311 kg **570S** 1 313 kg **570GT** 1 400 kg
RÉPARTITION DU POIDS AV/ARR (%) 43/57
DIAMÈTRE DE BRAQUAGE ND
COFFRE 144 L
RÉSERVOIR DE CARBURANT 72 L

LA COTE VERTE

MOTEUR V8 DE 4,0 L BITURBO
CONSOMMATION (100 km) ville 14,5 L, route 10,8 L
CONSOMMATION ANNUELLE 2 176 L, 2 938 $
INDICE D'OCTANE 91
ÉMISSIONS POLLUANTES CO_2 5 005 kg/an
(source: ÉnerGuide)

FICHE D'IDENTITÉ

VERSION(S) GT, GT S, GT R
TRANSMISSION(S) arrière
PORTIÈRES 2 **PLACES** 2
PREMIÈRE GÉNÉRATION 2016
GÉNÉRATION ACTUELLE 2016
CONSTRUCTION Sindelfingen, Allemagne
COUSSINS GONFLABLES 8 (Genoux avant, frontaux, latéraux avant, rideaux latéraux)
CONCURRENCE Acura NSX, Aston Martin DB11/Vantage, Audi R8, BMW Série 6, Chevrolet Corvette, Dodge Viper, Ferrari California, Ford GT, Jaguar F-Type R, Lamborghini Huracan, Maserati GT, Mclaren 570S/675LT, Porsche 911

AU QUOTIDIEN

COLLISION FRONTALE ND
COLLISION LATÉRALE ND
VENTES DU MODÈLE L'AN DERNIER
AU QUÉBEC ND **AU CANADA** ND
DÉPRÉCIATION (%) nm
RAPPELS (2011 à 2016) 1
COTE DE FIABILITÉ 4/5

GARANTIES... ET PLUS

GARANTIE GÉNÉRALE 4 ans/80 000 km
GROUPE MOTOPROPULSEUR 4 ans/80 000 km
PERFORATION 5 ans/kilométrage illimité
ASSISTANCE ROUTIÈRE 4 ans/kilométrage illimité
NOMBRE DE CONCESIONNAIRES
AU QUÉBEC 15 **AU CANADA** 57

NOUVEAUTÉS EN 2017

Version GT-R avec aéro poussée, moteur 577 ch

CHICANE DE VOISINS

La SLS AMG et ses prodigieuses portes papillon ont vécu. Les AMG GT, GT S et bientôt GT R ratissent beaucoup plus large. Ces trois déclinaisons de l'antenne sportive de Mercedes cherchent notamment à contrecarrer l'offre des Porsche 911.

Éric LeFrançois

TOUR DU PROPRIÉTAIRE > Les AMG GT et GT S posent depuis peu derrière la vitrine des concessionnaires que déjà les amateurs ont le regard braqué en direction de la version (ultime) de ce modèle : la GT R. Présentée dans sa forme définitive dans le cadre du dernier Festival of Speed de Goodwood, la GT R emprunte plusieurs technologies à l'AMG GT3 de compétition. Outre sa carrosserie plus musclée, cette auto bénéficie d'une augmentation de la pression de suralimentation pour porter la puissance de son propulseur à 577 chevaux.

VIE À BORD > Dès qu'on se laisse choir dans le siège, on se sent comme enserré dans le cockpit d'un avion de chasse en raison du tableau de bord truffé de cadrans (configurables) et d'une É-N-O-R-M-E console centrale. Sur cette dernière, on trouve beaucoup de boutons, de commutateurs et l'on se demande, en définitive, si l'ergonomie d'un Airbus 380 n'est pas mieux pensée. Les sièges – il n'y en a que deux – offrent un confort appréciable. Par chance, car les suspensions ne sont guère conciliantes. Toutefois, les grands gabarits risquent de se trouver particu-

+
- LA VERSION S
- SUSPENSION PILOTÉE
- SOUFFLE ET SONORITÉ DU MOTEUR

–
- HABITACLE ÉTRIQUÉ
- ERGONOMIE À REVOIR
- VERSION DE BASE PEU CONVAINCANTE

MENTIONS

CLÉ D'OR | CHOIX VERT | COUP DE CŒUR | RECOMMANDÉ

VERDICT

	1 – 10
PLAISIR AU VOLANT	9
QUALITÉ DE FINITION	9
CONSOMMATION	7
RAPPORT QUALITÉ / PRIX	7
VALEUR DE REVENTE	nm
CONFORT	8

lièrement à l'étroit. Derrière, sous le hayon, ce biplace propose un volume de chargement très correct – l'équivalent d'une sous-compacte –, mais la forme du réceptacle est si tourmentée qu'il vaut mieux songer à un ensemble de bagages souple. L'important à retenir, sans doute, est qu'il n'y aura aucun problème pour déposer votre sac de golf. Rassuré ?

TECHNIQUE > Le modelé de ses formes doit moins à la griffe des stylistes, qui ont tenté d'emballer élégamment cette compilation de technologies, qu'aux contraintes liées au refroidissement et à l'aérodynamique de ce bolide capable d'atteindre 310 km/h de vitesse de pointe. Avec ou sans S, cette AMG GT adopte une architecture classique : moteur à l'avant, mais tout de même installé en position centrale, avec transmission rejetée à l'arrière, comme les roues motrices. Il s'agit d'une configuration permettant de mieux équilibrer les masses entre les trains roulants (54 % à l'arrière, 46 % à l'avant).

AU VOLANT > Avec l'arrivée de la GT en concessions, il nous tardait de savoir si cette version « de base » ne représentait pas une meilleure affaire encore que la S, nous permettant du coup d'économiser quelque 20 000 $. En vérité, pas vraiment. Mieux vaut opter pour la S en raison de sa plus grande homogénéité. Sur le plan des performances, la différence entre ces deux déclinaisons est somme toute négligeable. Hormis un temps d'accélération plus long (tout juste 3 dixièmes de seconde) et une vitesse de pointe inférieure (plus de 300 km/h tout de même), le modèle de base ne démérite pas. En revanche, en matière de comportement routier, la S apparaît plus aboutie. Cela s'explique sans l'ombre d'un doute par sa monte pneumatique plus généreuse, mais aussi par l'absence de la suspension pilotée et d'un différentiel électronique plus sophistiqué. De ces trois particularités, retenons surtout la suspension pilotée qui, sur la S, permet de mieux assouplir les - nombreuses - déformations de nos chaussées. La version de base éprouve plus de mal dans ce domaine et les éléments suspenseurs ont tendance à talonner ou à faire dévier légèrement l'auto de sa trajectoire lorsqu'en appui. Dès lors, la confiance s'effrite un peu. Surtout si le sol est mouillé. Cette suspension peu conciliante a également un effet pervers sur la direction, qui lit alors avec moins de facilité le profil de la chaussée et donne une indication plus imprécise des conditions d'adhérence. Pour toutes ces raisons, la S apparaît comme le meilleur choix.

CONCLUSION > Avec la S (et bientôt la GT R), Mercedes a de quoi faire hésiter l'acheteur d'une 911. En revanche, la version de base se fait moins convaincante, d'autant plus qu'à prix égal, la Porsche ne craint pas d'affronter la saison blanche et offre conséquemment une polyvalence accrue. ■

2e OPINION

Antoine Joubert

Comme je suis adepte de ces voitures sport au long museau où le siège du conducteur prend pratiquement place au-dessus de l'essieu arrière, il est évident que l'AMG GT se situe dans mes goûts. Et pourtant, cette voiture m'a laissé sur mon appétit. Quoi? Comment peut-on critiquer une voiture aussi enivrante? Eh bien... en la comparant avec la concurrence, qui me donne plus de plaisir au volant. Entendons-nous, cette voiture est agile et très performante, mais le sentiment de maniabilité, tout comme le pur agrément de conduite, n'y est pas comme dans les autres modèles, par exemple la Porsche 911 ou la récente Audi R8. Même la Chevrolet Corvette, certainement moins glamour, demeure pour moi une voiture plus intéressante. Et pour tout vous dire, le côté « m'as-tu-vu » de l'AMG GT est également un peu trop poussé. Question de goût, sans doute.

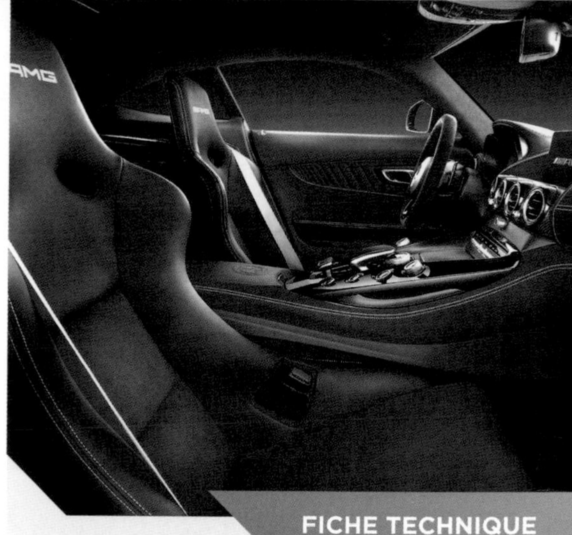

FICHE TECHNIQUE

MOTEUR(S)

(GT, GT S) V8 4,0 L DACT biturbo
PUISSANCE 456 ch à 6 000 tr/min **S** 503 ch à 6 250 tr/min
COUPLE 442 lb-pi de 1 600 à 5 000 tr/min
S 479 lb-pi de 1 750 à 4 750 tr/min
RAPPORT POIDS/PUISSANCE 3,5 kg/ch **S** 3,3 kg/ch
BOÎTE(S) DE VITESSES manuelle robotisée à 7 rapports
PERFORMANCES 0-100 km/h 4,0 s **S** 3,8 s
REPRISE 80-115 km/h ND
FREINAGE 100-0 km/h ND
NIVEAU SONORE À 100 km/h Moyen
VITESSE MAXIMALE 304 km/h **S** 310 km/h (bridée)

(GT R) V8 4,0 L DACT biturbo
PUISSANCE 577 ch à 6 250 tr/min (585 CV)
COUPLE 516 lb-pi de 1 900 à 5 500 tr/min
RAPPORT POIDS/PUISSANCE 2,7 kg/ch
BOÎTE(S) DE VITESSES manuelle robotisée à 7 rapports
PERFORMANCES 0-100 km/h 3,6 s
REPRISE 80-115 km/h ND
FREINAGE 100-0 km/h ND
NIVEAU SONORE À 100 km/h Passable
VITESSE MAXIMALE 318 km/h (bridée)
CONSOMMATION (100 km) ville 15,0 L route 10,8 L (est.) (octane 91)
ANNUELLE 2 227 L, 3 006 $
ÉMISSIONS POLLUANTES (CO_2) 5 122 kg/an

AUTRES COMPOSANTS

SÉCURITÉ ACTIVE (certains en option) Freins ABS, assistance au freinage, répartition électronique de la force de freinage, contrôle électronique de la stabilité, antipatinage, avertisseurs d'obstacle latéral et arrière, de sortie de voie et de collision imminente, freinage autonome partiel, détection de somnolence
SUSPENSION avant/arrière indépendante, à amortissement ajustable
FREINS avant/arrière disques
DIRECTION à crémaillère, assistée électriquement
PNEUS P265/35R19 (av.), P295/30R20 (arr.)

DIMENSIONS

EMPATTEMENT 2 630 mm
LONGUEUR 4 546 mm
LARGEUR 1 939 mm, 2 075 mm (incl. rétro.)
HAUTEUR 1 288 mm
POIDS 1 580 kg **R** 1 555 kg
RÉPARTITION DU POIDS AV/ARR (%) 46/54
DIAMÈTRE DE BRAQUAGE 11,5 m
COFFRE 350 L
RÉSERVOIR DE CARBURANT 75 L

LA COTE VERTE

MOTEUR L4 DE 2,0 L TURBO
CONSOMMATION (100 km) 2RM ville 9,2 L, route 6,6 L
4RM ville 10,0 L, route 7,5 L
CONSOMMATION ANNUELLE 2RM 1 360 L, 1 836 $ **4RM** 1 513 L, 2 043 $
INDICE D'OCTANE 91
ÉMISSIONS POLLUANTES CO_2 2RM 3 128 kg/an **4RM** 3 480 kg/an
(source: ÉnerGuide)

FICHE D'IDENTITÉ

VERSION(S) 250, 250 4MATIC
TRANSMISSION(S) avant, 4
PORTIÈRES 5 **PLACES** 5
PREMIÈRE GÉNÉRATION 2007
GÉNÉRATION ACTUELLE 2013
CONSTRUCTION Rastatt, Allemagne
COUSSINS GONFLABLES 9 (frontaux, genoux conducteur, latéraux avant et arrière, rideaux latéraux)
CONCURRENCE BMW X1, Fiat 500L, Ford C-Max, Infiniti QX30, Kia Rondo, Lexus CT 200h, Mazda 5, MINI Cooper Clubman, Toyota Prius V, Volkswagen Golf SportWagen

AU QUOTIDIEN

COLLISION FRONTALE 4/5
COLLISION LATÉRALE 4/5
VENTES DU MODÈLE L'AN DERNIER
AU QUÉBEC 1 655 (-5,2 %) **AU CANADA** 6 226 (-4,9 %)
DÉPRÉCIATION (%) 27,2 (2 ans)
RAPPELS (2011 à 2016) 4
COTE DE FIABILITÉ 4/5

GARANTIES... ET PLUS

GARANTIE GÉNÉRALE 4 ans/80 000 km
GROUPE MOTOPROPULSEUR 4 ans/80 000 km
PERFORATION 5 ans/kilométrage illimité
ASSISTANCE ROUTIÈRE 4 ans/ kilométrage illimité
NOMBRE DE CONCESIONNAIRES
AU QUÉBEC 15 **AU CANADA** 57

NOUVEAUTÉS EN 2017

Aucun changement majeur

UN TIMIDE DANS LA FOULE

Amusez-vous à feuilleter la section des produits Mercedes-Benz. Combien comptez-vous de modèles? Si vous en avez calculé dix-sept, vous visez juste. Cependant, en dénombrant les variantes (cabriolets, coupés, ensembles AMG, produits AMG purs, etc.), on atteint facilement la quarantaine de propositions. Pour un constructeur qui avançait quatre véhicules à la fin des années 80, voilà une progression majeure. Bon, d'accord, la firme de Stuttgart est sur une lancée et ses produits se multiplient comme les feuilles au printemps, mais la question à se poser est la suivante: en agissant de la sorte, ne risque-t-elle pas de se tirer dans le pied en proposant des produits trop concurrents aux siens? Voyons voir.

Daniel Rufiange

TOUR DU PROPRIÉTAIRE > Voilà déjà cinq ans que la Classe B a fait peau neuve. Le modèle auquel nous avons droit, celui de deuxième génération, est franchement mieux réussi que le premier sur le plan esthétique. Mieux, lorsqu'on lui greffe l'ensemble AMG, il n'a pas honte de se mesurer aux plus jolies créations de la catégorie. Quant à l'offre, elle est archisimple. Il y a la B250 à traction puis, depuis environ 18 mois, la variante B250 4MATIC, dotée de la motricité aux quatre roues. Honnêtement, pour les quelque 2 300 $ additionnels que coûte celle-ci par rapport à la première, vous seriez bien fou de vous en priver.

\+ CONDUITE RASSURANTE
HABITACLE DE QUALITÉ
VERSION 4MATIC EFFICACE
ASPECT PRATIQUE

− PAS LA PLUS EXCITANTE DES MERCEDES
ÉQUIPEMENT DE BASE CHICHE
PRIX DES OPTIONS

MENTIONS

CLÉ D'OR | CHOIX VERT | COUP DE CŒUR | **RECOMMANDÉ**

VERDICT

PLAISIR AU VOLANT
QUALITÉ DE FINITION
CONSOMMATION
RAPPORT QUALITÉ / PRIX
VALEUR DE REVENTE
CONFORT

1 5 10

VIE À BORD > Légèrement rafraîchi depuis l'introduction du modèle en 2013, l'habitacle de la Classe B est de très bonne qualité et ne semble plus à la traîne vis-à-vis des autres produits de la marque en matière d'exemplarité. C'est la moindre des choses, mais Mercedes-Benz a fait ses devoirs de ce côté. Attention, cependant, l'achat d'une Classe B à 34 000 $ vous réserve quelques surprises. Par exemple, le réglage des sièges se fait à la main et pour obtenir un système de navigation ou une caméra de recul, il faut piger dans le catalogue d'options. Vendues en groupe, ces dernières font rapidement grimper la facture. Pour jouir des articles mentionnés ci-dessus, ajoutez environ 6000 $ à la note. Il y a un prix à payer pour profiter d'un logo associé au prestige. Ça ne fait pas votre affaire? La Ford Focus possède tout ça à moindre prix. Tout est une question de priorité dans la vie, non?

TECHNIQUE > À l'animation, on a droit à un 4-cylindres turbo de 2 litres, lequel fournit l'effort de 208 chevaux et un couple de 258 livres-pieds. Pour déplacer les quelque 1500 kilos de la Classe B, le match est parfait. Mariée à ce bloc, une boîte automatique à 7 rapports, un outil que l'on connaît bien pour son efficacité et sa douceur chez Mercedes-Benz. Pour ce qui est du système 4MATIC, il a fait ses preuves et se montre efficace lorsque les conditions se détériorent. Sa distribution du couple, qui se fait dans une proportion de 50/50, assure un équilibre rassurant sur surfaces peu accueillantes.

AU VOLANT > Si le modèle d'ancienne génération adoptait un comportement très rustique, la proposition actuelle se démarque avec un rendement que l'on pourrait qualifier d'harmonieux. Sans être un modèle Sport, la Classe B se conduit avec aisance et on peut attaquer la route devant nous sans craindre le pire, le fruit d'un châssis bien équilibré. La puissance avancée est adéquate, les prestations étant même surprenantes. Sur des routes enneigées, le système 4MATIC travaille dans l'ombre pour nous garder en sécurité. Bref, côté rendement, il n'y a rien à redire. Le hic, c'est que l'émotion n'y est pas. On conduit une Classe B, on ne la pilote pas. L'ennui nous guette. Si vous carburez à l'adrénaline, le GLA, du même créateur, vous conviendra certainement mieux.

CONCLUSION > Bien qu'il y ait de la compétition interne pour la Classe B, les ventes des dernières années ne sont pas mauvaises. Voilà qui nous indique que ce produit s'adresse à celui qui veut une Mercedes-Benz, mais qui ne souhaite pas trop le montrer. La discrétion est clairement LA carte de visite de cette Classe B. ■

2e OPINION

Antoine Joubert

À un peu plus de 30 000 $, la Classe B constitue toujours la porte d'entrée dans la grande famille Mercedes-Benz. Seule dans son créneau, on la compare maladroitement à des modèles comme la Ford C-Max ou la Lexus CT 200h. Cela dit, une Classe B décemment équipée coûte près de 40 000 $, une facture salée pour une citadine de la sorte. Bien sûr, l'écusson prestigieux permet de hausser le prix, mais le comportement général du produit ainsi que les équipements offerts n'ont franchement rien d'exceptionnel. Toutefois, certaines personnes tombent sous le charme en raison d'une position de conduite particulière, qui permet d'obtenir un fort sentiment de sécurité et une excellente vision périphérique. Et puisque la compétition réelle brille par son absence, on parvient à en écouler quelques milliers annuellement. Pour moi, un produit ordinaire qui ne fait pas honneur à l'étoile d'argent.

FICHE TECHNIQUE

MOTEUR(S)

(250, 250 4MATIC) L4 2,0 L DACT turbo
PUISSANCE 208 ch à 5 500 tr/min
COUPLE 258 lb-pi de 1 200 à 4 000 tr/min
RAPPORT POIDS/PUISSANCE 2RM 7,1 kg/ch **4RM** 7,2 kg/ch
BOITE(S) DE VITESSES robotisée à 7 rapports avec manettes au volant
PERFORMANCES 0-100 km/h 6,8 s
REPRISE 80-115 km/h 5,6 s
FREINAGE 100-0 km/h 38,5 m
NIVEAU SONORE À 100 km/h Moyen
VITESSE MAXIMALE 210 km/h

AUTRES COMPOSANTS

SÉCURITÉ ACTIVE (certains en option) Freins ABS, assistance au freinage, répartition électronique de la force de freinage, contrôle électronique de la stabilité, antipatinage, avertissement de changement de voie, assistance en cas de collision imminente, aide au départ en pente
SUSPENSION avant/arrière indépendante
FREINS avant/arrière disques
DIRECTION à crémaillère, assistée électriquement
PNEUS P225/45R17 **option** P225/40R18

DIMENSIONS

EMPATTEMENT 2 699 mm
LONGUEUR 4 359 mm
LARGEUR 1 786 mm, 2 010 mm (incl. rétro.)
HAUTEUR 1 558 mm
POIDS 2RM 1 475 kg **4RM** 1 505 kg
RÉPARTITION DU POIDS AV/ARR (%) 62/38
DIAMÈTRE DE BRAQUAGE 11,0 m
COFFRE 488 L, 1 547 L (sièges abaissés)
RÉSERVOIR DE CARBURANT 50 L

LA COTE VERTE

MOTEUR L4 DE 2,1 L TURBODIESEL
CONSOMMATION (100 km) ville 7,5 L route 5,9 L (est.)
CONSOMMATION ANNUELLE 1 105 L, 1 271 $
INDICE D'OCTANE Diesel
ÉMISSIONS POLLUANTES CO_2 2 972 kg/an
(source : L'Annuel)

FICHE D'IDENTITÉ

VERSION(S) Berline/Cabriolet/Coupé 300 4MATIC, AMG 43 4MATIC, AMG 63, AMG 63 S **Berline/Familiale** 300d 4MATIC **Coupé** AMG 63 S Édition 1
TRANSMISSION(S) arrière, 4
PORTIÈRES 4, 5 **PLACES** 5
PREMIÈRE GÉNÉRATION 1994
GÉNÉRATION ACTUELLE 2015
CONSTRUCTION Tuscaloosa, Alabama et Bremen, Allemagne
COUSSINS GONFLABLES 7 (frontaux, latéraux avant, genoux conducteur, rideaux latéraux)
CONCURRENCE Acura TLX, Alfa Romeo Giulia, Audi A4/A5, BMW Série 3/Série 4, Cadillac ATS/CTS, Infiniti Q50/Q60, Jaguar XE, Lexus ES/IS, Lincoln MKZ, Volkswagen CC, Volvo S60

AU QUOTIDIEN

COLLISION FRONTALE 4/5
COLLISION LATÉRALE 5/5
VENTES DU MODÈLE L'AN DERNIER
AU QUÉBEC 2 392 (+29,4 %) **AU CANADA** 9 992 (+41,7 %)
DÉPRÉCIATION (%) 29,6 (3 ans)
RAPPELS (2011 à 2016) 8
COTE DE FIABILITÉ 3/5

GARANTIES... ET PLUS

GARANTIE GÉNÉRALE 4 ans/80 000 km km
GROUPE MOTOPROPULSEUR 4 ans/80 000 km km
PERFORATION 5 ans/kilométrage illimité
ASSISTANCE ROUTIÈRE 4 ans/kilométrage illimité
NOMBRE DE CONCESSIONNAIRES
AU QUÉBEC 15 **AU CANADA** 57

NOUVEAUTÉS EN 2017

Versions coupé et cabriolet. Assistance pour contrer les vents de travers, nouvel ensemble sécurité « Intelligent Drive » combinant toutes les aides à la conduite.

MULTIPLICATION DES MODÈLES

Il n'y a pas si longtemps encore, la Classe C existait uniquement en berline jumelée à quelques moteurs. Par la suite, une version Coupé est venue s'ajouter à l'offre, et à compter de l'automne, basée sur le châssis du coupé, une version décapotable prendra aussi sa place dans la famille. Mais de s'arrêter en aussi bon chemin, Mercedes, qui avait annoncé l'an dernier une version familiale, va finalement attendre au printemps 2017 pour la mettre sur la route. Il y aura donc une Classe C pour tous les goûts et budgets.

Benoit Charette

TOUR DU PROPRIÉTAIRE > Visuellement, la Classe C s'inspire fortement de sa grande sœur la Classe S. Elle reprend la ligne générale qui marie bien le sport et l'allure contemporaine. Dans le cas du coupé et du cabriolet, le châssis est abaissé de 15 millimètres et la calandre en pointe de diamant donne une allure unique. On note aussi un toit fuyant et des feux arrière avec une signature différente en forme de cercle. Esthétiquement, le coupé et le cabriolet sont plus racés. Il faut souligner que le toit souple ne dénature pas la ligne du modèle décapotable, qui demeure très joli même avec le toit, un travail de conception particulièrement difficile.

VIE À BORD > Peu importe le modèle, la planche de bord est reprise telle quelle avec la tablette qui trône en haut de la console centrale. J'ai un petit reproche à faire à Mercedes, qui

+
- TENUE DE ROUTE
- LE SILENCE DE ROULEMENT À CIEL OUVERT (CABRIO)
- EXCELLENT COMPROMIS CONFORT/PERFORMANCE

−
- COFFRE UN PEU ÉTROIT (CABRIO)
- LE DIESEL BRUYANT À CERTAINS RÉGIMES
- UNE TABLETTE NON TACTILE

MENTIONS

CLÉ D'OR | CHOIX VERT | COUP DE CŒUR | RECOMMANDÉ

VERDICT

PLAISIR AU VOLANT
QUALITÉ DE FINITION
CONSOMMATION
RAPPORT QUALITÉ / PRIX
VALEUR DE REVENTE
CONFORT

1 5 10

vante les vertus de son pavé tactile pour relier les informations à l'écran. La concurrence fait beaucoup mieux maintenant avec des écrans tactiles immensément plus simples et conviviaux. Mercedes a pris du retard et devrait songer rapidement à s'ajuster. Pour ceux qui optent pour la version décapotable, l'opération du toit se fait automatiquement en 20 secondes à l'aide d'un seul bouton et vous pouvez monter ou baisser le toit jusqu'à 50 km/h. Vous avez aussi le système Aircap (de série), qui soulève un aileron sur le dessus du pare-brise et un écran anti-remous derrière qui projette le vent au-dessus de l'habitacle, rendant la conduite à ciel ouvert très silencieuse. Vous profiterez aussi du système Airscarf, qui réchauffe le cou. Le climatiseur détecte la conduite à ciel ouvert : capote abaissée, il insuffle davantage d'air chaud autour des mains du conducteur tandis que la fonction de recyclage de l'air est désactivée. Vous obtiendrez enfin des cuirs qui repoussent la chaleur lorsque vous roulez par temps très chaud.

TECHNIQUE > Quatre moteurs sont au programme pour la Classe C. La version d'entrée de gamme, la C 300, arrive avec un 4-cylindres 2 litres turbo de 241 chevaux ou le 4-cylindres 2,1 litres turbodiesel de 190 chevaux qui sont offerts dans la berline et la future familiale. La version C 43 utilise un V6 de 3 litres biturbo de 362 chevaux et la C 63 AMG propose deux saveurs, soit une version ordinaire et une version S. Les deux sont équipées d'un V8 de 4 litres biturbo de 469 chevaux dans le cas de la C 63 AMG et de 503 chevaux dans la version S. La boîte de vitesse automatique à 9 rapports est jumelée à tous les modèles, et le modèle diesel ainsi que la 63 AMG contiennent 7 rapports. La transmission intégrale est comprise de série avec les versions 300 et C 43 AMG, alors que les C 63 AMG sont de pures propulsions.

AU VOLANT > Je vais faire main basse sur les assistances à la conduite, qui sont très nombreuses, pour souligner quelques points intéressants comme les 5 modes de conduite et la suspension pneumatique, qui donnent des ailes à cette Classe C. La rigidité de la caisse, la tenue de route et le confort de roulement sont sans tache. Si la version 63 AMG va faire vibrer votre côté animal, il sera difficile d'exploiter son potentiel sur une route publique. C'est pourquoi je trouve la C 43 mieux équilibrée avec plus de puissance qu'il n'en faut pour hérisser le poil des bras. Le diesel est à l'occasion un peu bruyant mais économe. Je crois que dans le 4-cylindres, j'opterais pour la version à essence.

CONCLUSION > Concentrée de luxe et de confort, la Classe C possède maintenant les mêmes atouts que les autres modèles plus onéreux de la gamme. Et comme disait Albert Millaire, c'est plus cher, mais c'est plus que du bonbon. Si vous aimez vous faire traiter royalement au volant, difficile de trouver mieux. ■

2e OPINION

Luc-Olivier Chamberland

Grosse année pour la Classe C. Non seulement l'entreprise revisite une collection de moteurs, mais c'est aussi l'occasion de la commercialisation « officielle » de versions inédites comme le retour de la familiale ainsi que celle d'un premier cabriolet portant la lettre C. Mercedes-Benz se lance enfin dans la joute qui la mènera face à la BMW Série 4 et à l'Audi A5. Évidemment, on retrouve une collection de quatre motorisations dont les puissances vont de 190 chevaux à plus du double à 503 chevaux dans la version AMG. Le succès du cabriolet est presque garanti. Au travers de toutes ces nouveautés, la seule question demeure la décision de Mercedes-Benz d'importer la Classe C familiale uniquement avec le diesel.

FICHE TECHNIQUE

MOTEUR(S)

(300) L4 2,0 L DACT turbo
PUISSANCE 241 ch à 5 500 tr/min **COUPLE** 273 lb-pi de 1 300 à 4 000 tr/min
RAPPORT POIDS/PUISSANCE 6,7 kg/ch
BOÎTE(S) DE VITESSES automatique à 7 rapports avec mode manuel
PERFORMANCES 0-100 km/h Berline 6,3 s **Coupé** 6,0 s
VITESSE MAXIMALE 210 km/h (bridée)
CONSOMMATION (100 km) ville 10,1 L, route 7,8 L (octane 91)
ANNUELLE 1 530 L, 2 066 $
ÉMISSIONS POLLUANTES CO_2 3 519 kg/an

(300d) L4 2,1 L biturbodiesel
PUISSANCE 190 ch à 3 800 tr/min **COUPLE** 369 lb-pi de 1 600 à 1 800 tr/min
RAPPORT POIDS/PUISSANCE 4,7 kg/ch
BOÎTE(S) DE VITESSES automatique à 7 rapports avec mode manuel
PERFORMANCES 0-100 km/h 7,2 s **VITESSE MAXIMALE** 235 km/h (bridée)

(AMG 43) V6 3,0 L DACT biturbo
PUISSANCE 362 ch de 5 500 à 6 000 tr/min
COUPLE 384 lb-pi de 2 000 à 4 200 tr/min
RAPPORT POIDS/PUISSANCE 4,7 kg/ch
BOÎTE(S) DE VITESSES automatique à 7 rapports avec mode manuel, automatique à 9 rapports avec mode manuel (Coupé)
PERFORMANCES 0-100 km/h Berline 4,9 s **Coupé** 4,7 s
VITESSE MAXIMALE 250 km/h (bridée)
CONSOMMATION (100 km) ville 11,1 L, route 9,6 L (octane 91)
ANNUELLE 1 768 L, 2 387 $ **ÉMISSIONS POLLUANTES CO_2** 4 066 kg/an

(AMG 63, 63 S) V8 4,0 L DACT biturbo
PUISSANCE 63 469 ch de 5 500 à 6 250 tr/min **63 S** 503 ch
COUPLE 63 479 lb-pi de 1 750 à 4 500 tr/min **63 S** 516 lb-pi
RAPPORT POIDS/PUISSANCE 63 3,7 kg/ch **63 S** 3,4 kg/ch
BOÎTE(S) DE VITESSES automatique à multiples embrayages, à 7 rapports avec mode manuel
PERFORMANCES 0-100 km/h Berline 4,2 s **Coupé** 63 4,0 s **63 S** 3,9 s
VITESSE MAXIMALE 63 250 km/h **63 S** 280 km/h (bridées)
CONSOMMATION (100 km) ville 13,4 L, route 9,6 L (octane 91)
ANNUELLE 1 989 L, 2 685 $ **ÉMISSIONS POLLUANTES CO_2** 4 575 kg/an

AUTRES COMPOSANTS

SÉCURITÉ ACTIVE (certains en option) Freins ABS, assistance au freinage, répartition électronique de la force de freinage, contrôle de la stabilité électronique et dynamique, antipatinage, régulateur de vitesse adaptatif, avertisseurs d'obstacle latéral et arrière, de sortie de voie et de somnolence, camera 360°, assistance au maintien de voie et en cas de vents de travers, phares adaptatifs et actifs, affichage tête haute, détecteurs de piétons avec freinage d'urgence automatique
SUSPENSION avant/arrière indépendante, amortisseurs ajustables
FREINS avant/arrière disques
DIRECTION à crémaillère, assistée électriquement
PNEUS 300 P225/45R17 **43/300 Coupé/option 300** P225/45R18 (av.) P245/40R18 (arr.) **option 300/C43** P225/40R19 (av.) P255/35R19 (arr.) **63** P245/40R18 (av.) P265/40R18 (arr.) **63 S** P245/35R19 (av.) P265/30R19 (arr.) **Coupé 63** P255/40R18 (av.) P285/35R18 (arr.) **Coupé 63 S/option Coupé 63** P255/35R19 (av.) P285/30R19 (arr.) **option Coupé 63 S** P255/35R19 (av.) P285/30R20 (arr.)

DIMENSIONS

EMPATTEMENT 2 840 mm
LONGUEUR Berline 4 686 mm **63** 4 756 mm **Familiale** 4 702 mm
Coupé 300 4 686 mm **43** 4 696 mm **63/63 S** 4 750 mm
LARGEUR Berline/Coupé 1 810 mm **63/Familiale** 1 832 mm, 2 020 mm (incl. rétro.) **Coupé 63/63 S** 1 877 mm, 2 016 mm (incl. rétro.)
HAUTEUR Berline 1 442 mm **63** 1 426 mm **Familiale** 1 467 mm
Coupé 1 405 mm **63** 1 400 mm **63 S** 1 402 mm
POIDS Berline 300 1 625 kg **43** 1 690 kg **63** 1 715 kg **63 S** 1 730 kg
Familiale 1 710 kg **Coupé 300** 1 630 kg **43** 1 735 kg **63** 1 785 kg
63 S 1 800 kg
RÉPARTITION DU POIDS AV/ARR (%) 53/47
DIAMÈTRE DE BRAQUAGE Berline/Coupé 11,2 m **63** 11,3 m
COFFRE Berline 480 L **63** 435 L **Familiale** 490 L, 1 510 L (sièges abaissés)
Coupé 400 L **63/63 S** 355 L
RÉSERVOIR DE CARBURANT 66 L **300d Berline** 50 L

LA COTE VERTE

MOTEUR L4 DE 2,0 L TURBO
CONSOMMATION (100 km) 2RM ville 9,4 L, route 6,4 L
4RM ville 9,8 L, route 7,1 L
CONSOMMATION ANNUELLE 2RM 1 377 L, 1 859 $ **4RM** 1 462 L, 1 974 $
INDICE D'OCTANE 91
ÉMISSIONS POLLUANTES CO_2 2RM 3 167 kg/an **4RM** 3 363 kg/an
(source: ÉnerGuide)

FICHE D'IDENTITÉ

VERSION(S) 250, 250 4MATIC, AMG 45 4MATIC
TRANSMISSION(S) avant, 4
PORTIÈRES 4 **PLACES** 5
PREMIÈRE GÉNÉRATION 2014
GÉNÉRATION ACTUELLE 2014
CONSTRUCTION Kecskemét, Hongrie
COUSSINS GONFLABLES 7 (frontaux, genoux conducteur, latéraux, rideaux latéraux)
CONCURRENCE Acura ILX, Audi A3, BMW Série 2, Buick Regal, MINI Cooper Clubman, Volkswagen Jetta GLI

AU QUOTIDIEN

COLLISION FRONTALE 5/5
COLLISION LATÉRALE ND
VENTES DU MODÈLE L'AN DERNIER
AU QUÉBEC ND **AU CANADA** ND
DÉPRÉCIATION (%) 21,1 (2 ans)
RAPPELS (2011 à 2016) 3
COTE DE FIABILITÉ 4/5

GARANTIES... ET PLUS

GARANTIE GÉNÉRALE 4 ans/80 000 km
GROUPE MOTOPROPULSEUR 4 ans/80 000 km
PERFORATION 5 ans/kilométrage illimité
ASSISTANCE ROUTIÈRE 4 ans/kilométrage illimité
NOMBRE DE CONCESSIONNAIRES
AU QUÉBEC 15 **AU CANADA** 57

NOUVEAUTÉS EN 2017

Retouches esthétiques, nouvelles jantes, écran tactile de 8 po, freinage d'urgence autonome, caméra de recul, de série. Éclairage à DEL et ouverture de coffre au pied en option.

LA VALEUR DE L'ÉTOILE

Lors d'une réunion entre amis, une CLA 250 4Matic était stationnée chez moi à côté d'une Chrysler 200C Limited AWD à quatre roues motrices. Deux voitures bien différentes, pourtant vendues au même prix. Évidemment, la Chrysler proposait plus de puissance, de confort, d'espace, et même plus d'accessoires de luxe, ce qui n'a pas empêché la petite Mercedes de voler la vedette dans mon stationnement. Pourquoi ? Parce que le logo prestigieux et la beauté des lignes de la CLA séduisent à coup sûr. Mercedes-Benz l'a compris depuis longtemps et capitalise sur ces éléments pour vendre des véhicules à des prix parfois dérisoires.

Antoine Joubert

TOUR DU PROPRIÉTAIRE > La CLA demeure néanmoins l'une des Mercedes-Benz les plus accessibles. Pas question de rejoindre avec elle la vieille garde qui apprécie le côté traditionnel de la Classe E. Ici, on vise une clientèle jeune (et prospère), branchée sur le monde et qui aurait aussi bien pu considérer une voiture comme la MINI. Évidemment, celle-ci est charmée par la ligne magnifique de la CLA, elle-même directement inspirée de celle de la grande CLS. Pour 2017, la CLA a droit à quelques retouches. Des retouches traditionnelles qui affectent principalement les pare-chocs, les roues, les teintes. Le constructeur insiste également sur le changement de nomenclature de la Mercedes-AMG CLA 45, préalablement baptisée Mercedes-Benz CLA 45 AMG. Une autre astuce pour mêler davantage la clientèle, les concessionnaires... et les chroniqueurs automobiles !

+
- LIGNE MAGNIFIQUE
- FINITION SOIGNÉE
- PERFORMANCES DE HAUT NIVEAU (AMG)
- AGRÉMENT DE CONDUITE (TOUTES LES VERSIONS)

−
- ESPACE RESTREINT
- OPTIONS NOMBREUSES
- CONFORT RELATIF AVEC ROUES DE 19 POUCES

MENTIONS

CLÉ D'OR | CHOIX VERT | COUP DE CŒUR | **RECOMMANDÉ**

VERDICT

PLAISIR AU VOLANT
QUALITÉ DE FINITION
CONSOMMATION
RAPPORT QUALITÉ / PRIX
VALEUR DE REVENTE
CONFORT

1 5 10

VIE À BORD > À bord aussi, quelques petits changements. Une instrumentation modernisée, un écran central plus mince et l'intégration des applications *Apple CarPlay/AndroidAuto.* La présentation demeure soignée, qu'importe la version, mais évidemment plus dynamique avec une version AMG, qui emploie notamment de jolies surpiqûres ainsi que des sièges sport, fermes et enveloppants. L'espace à bord étant limité par une ligne de toit basse et fuyante, il faut aussi considérer que la CLA n'a rien d'une familiale. D'où la définition d'un coupé à quatre portes si chère à Mercedes-Benz.

TECHNIQUE > L'entrée de gamme de la CLA donne accès à un 2-litres turbocompressé de 208 chevaux, nerveux et frugal, lequel est également offert sur la Classe B et la GLA. D'ailleurs, ces trois véhicules partagent non seulement leur mécanique, mais également leur structure. Maintenant, pour accéder à la transmission intégrale 4Matic, il faut allonger 2200 $ supplémentaires. Un investissement logique compte tenu de nos conditions routières, et qui vous sera remboursé en totalité lors de la revente. Maintenant, difficile de passer sous silence l'existence de la puissante CLA 45, laquelle fait mordre la poussière à sa rivale la plus proche, l'Audi S3. Avec ses 375 chevaux, sa boîte séquentielle à double embrayage SportShift et sa transmission intégrale 4Matic, les performances obtenues sont tout simplement exotiques.

AU VOLANT > Pouvant être munie d'une suspension adaptative, la CLA propose un confort honnête, dépendamment bien sûr des montes pneumatiques que vous aurez choisies. En fait, celles-ci auront un impact direct sur le confort de la voiture, qui montre un bel équilibre et un dynamisme impressionnant. Évidemment, le comportement de la CLA 250 diffère énormément de celui de la version AMG, laquelle est littéralement boostée aux stéroïdes. Difficile d'exprimer à quel point cette voiture est puissante et amusante à conduire, ce genre de sensations étant peu communes chez Mercedes-Benz. Sachez cependant qu'en faisant l'essai de cette version, vous rejetterez sans doute le modèle CLA 250, qui demeure malgré tout très intéressant. Un essai pourrait donc vous faire débourser 15 000 $ de plus que prévu, sans compter les innombrables options. Je me permets aussi de suggérer cette voiture aux adeptes de la puissante Ford Focus RS qui, essentiellement, ne coûte que 4 000 $ de moins. Pour des performances comparables, à vous de voir si vous préférez une Focus... ou une Mercedes-Benz!

CONCLUSION > Jolie, amusante à conduire et surtout ornée d'un logo prestigieux, la CLA attire la sympathie de tous ceux qui la croisent du regard. Elle n'est certes pas très pratique, mais fait tout de même mieux à ce chapitre qu'une BMW de Série 2, véritable coupé. Mais surtout, elle attire une clientèle plus jeune, qui pourrait ensuite passer à la Classe C, à la E, à la CLS... ■

2e OPINION

Luc-Olivier Chamberland

Pour 2017, la petite CLA, l'offre de « base » dans la gamme Mercedes-Benz, se fait refaire une beauté. L'ensemble du bouclier avant se voit transformer avec une apparence encore plus dynamique. Ce n'est rien de majeur, mais juste assez pour la maintenir dans le coup. Sur le plan de la mécanique, on revient avec les trois configurations habituelles, CLA 250, CLA 250 4Matic et la puissante CLA AMG 45. Alors que les deux premières sont reconduites avec leurs 208 chevaux, l'AMG gagne quelque 20 étalons de plus pour un total de 375 et un couple véloce de 350 livres-pieds. Le tout est accouplé à une boîte automatique à 7 rapports. Frisson garanti en petit format stylisé !

FICHE TECHNIQUE

MOTEUR(S)

(250) L4 2,0 L DACT turbo
PUISSANCE 208 ch à 5 500 tr/min
COUPLE 258 lb-pi de 1 200 à 4 000 tr/min
RAPPORT POIDS/PUISSANCE 7,1 kg/ch
BOITE(S) DE VITESSES automatique à 7 rapports avec mode manuel et manettes au volant
PERFORMANCES 0-100 km/h 6,7 s
REPRISE 80-115 km/h 4,5 s
NIVEAU SONORE À 100 km/h Moyen
VITESSE MAXIMALE 210 km/h (bridée)

(AMG 45) L4 2,0 L DACT turbo
PUISSANCE 375 ch à 6 000 tr/min
COUPLE 350 lb-pi de 2 250 à 5 000 tr/min
RAPPORT POIDS/PUISSANCE 4,5 kg/ch
BOITE(S) DE VITESSES automatique à 7 rapports avec mode manuel et manettes au volant
PERFORMANCES 0-100 km/h 4,6 s
VITESSE MAXIMALE 250 km/h **option** 270 km/h (bridées)
CONSOMMATION (100 km) ville 10,2 L, route 7,7 L (octane 91)
ANNUELLE 1 547 L, 2 088$
ÉMISSIONS DE CO_2 3 558 kg/an

AUTRES COMPOSANTS

SÉCURITÉ ACTIVE (certains en option) Freins ABS, assistance au freinage, répartition électronique de la force de freinage, contrôle électronique de la stabilité, antipatinage, assistance en cas de collision imminente, détecteur de somnolence, détecteur d'obstacle latéral, avertisseur de sortie de voie, aide au départ en pente
SUSPENSION avant/arrière indépendante
FREINS avant/arrière disques
DIRECTION à crémaillère, assistée électriquement
PNEUS 250 P225/45R17, P225/40R18 (option)
AMG 45 P225/40R18, P235/35R19 (option)

DIMENSIONS

EMPATTEMENT 2 699 mm
LONGUEUR 250 4 630 mm **AMG 45** 4 691 mm
LARGEUR 1 777 mm, 2 032 mm (incl. rétro.)
HAUTEUR 250 1 436 mm **AMG 45** 1 416 mm
POIDS 250 1 480 kg **AMG 45** 1 585 kg
RÉPARTITION DU POIDS AV/ARR (%) 52/48
DIAMÈTRE DE BRAQUAGE 11,0 m
COFFRE 470 L
RÉSERVOIR DE CARBURANT 250 50 L **AMG 45** 56 L

LA COTE VERTE

MOTEUR V6 DE 3,0 L BITURBO
CONSOMMATION (100 km) ville 12,2 L, route 8,8 L
CONSOMMATION ANNUELLE 1 819 L, 2 456 $
INDICE D'OCTANE 91
ÉMISSIONS POLLUANTES CO_2 4 184 kg/an
(source : ÉnerGuide)

FICHE D'IDENTITÉ

VERSION(S) 400 4MATIC, 550 4MATIC, 63 S 4MATIC
ROUES MOTRICES 4
PORTIÈRES 4 **PLACES** 5
PREMIÈRE GÉNÉRATION 2006
GÉNÉRATION ACTUELLE 2012
CONSTRUCTION Sindelfingen, Allemagne
COUSSINS GONFLABLES 10 (frontaux, genoux conducteur et passager, latéraux avant et arrière, rideaux latéraux)
CONCURRENCE Audi A7/A8, BMW Série 6 Gran Coupé/Série 7, Cadillac CT6, Genesis G90, Jaguar XJ, Kia K900, Lincoln Continental, Lexus LS, Maserati Quattroporte, Porsche Panamera, Tesla S

AU QUOTIDIEN

COLLISION FRONTALEND
COLLISION LATÉRALE ND
VENTES DU MODÈLE L'AN DERNIER
AU QUÉBEC ND **AU CANADA** ND
DÉPRÉCIATION (%) 28,5 (3 ans)
RAPPELS (2011 à 2016) 3
COTE DE FIABILITÉ 4/5

GARANTIES... ET PLUS

GARANTIE GÉNÉRALE 4 ans/80 000 km
GROUPE MOTOPROPULSEUR 4 ans/80 000 km
PERFORATION 5 ans/kilométrage illimité
ASSISTANCE ROUTIÈRE 4 ans/ kilométrage illimité
NOMBRE DE CONCESIONNAIRES
AU QUÉBEC 15 **AU CANADA** 57

NOUVEAUTÉS EN 2017

Aucun changement majeur

ARROGANTE SÉDUCTRICE

Mercedes-Benz a eu l'excellente idée en 2005 de proposer une approche différente pour diversifier sa gamme en introduisant la CLS. La stratégie est simple. On récupère les composantes techniques de la E, mais on lui donne une carrosserie inédite, plus originale, plus sensuelle, plus provocatrice. On réinvente la notion de « coupé à quatre portes ». Aujourd'hui dans sa deuxième génération, l'effet de nouveauté s'est estompé, mais elle demeure toujours une arrogante séductrice.

Luc-Olivier Chamberland

TOUR DU PROPRIÉTAIRE > La CLS suggère une présentation élancée malgré ses généreuses proportions. Elle offre une collection d'éléments de design comme un toit en arche particulièrement bas, une fenestration réduite, un capot interminable et un coffre effondré lui donnant une personnalité unique. BMW, Audi et même Volkswagen ont répété l'expérience, mais la CLS conserve ce je ne sais quoi qui en fait une référence. Chaque détail est soigné comme en témoigne la multiplication des 24 DEL aux blocs optiques, les plis de carrosserie et la configuration caractéristique des feux arrière qui suivent la forme bombée des hanches de la voiture.

+
- CHOIX DE MOTEURS
- TENUE DE ROUTE
- AGRÉMENT DE CONDUITE

−
- ESPACE LIMITÉ À L'ARRIÈRE
- DES TONNES D'OPTIONS
- ACCÈS AUX PLACES ARRIÈRE

MENTIONS

CLÉ D'OR | CHOIX VERT | COUP DE CŒUR | **RECOMMANDÉ**

VERDICT

	1–10
PLAISIR AU VOLANT	9
QUALITÉ DE FINITION	9
CONSOMMATION	8
RAPPORT QUALITÉ / PRIX	8
VALEUR DE REVENTE	7
CONFORT	8

VIE À BORD > Pour apprécier l'expérience, il ne faut pas souffrir de claustrophobie. Le pavillon est très bas, les vitres réduites et la position de conduite presque au sol. L'espace est tellement étroit qu'il faut aimer vivre intimement avec sa voiture. La CLS propose bien quatre portes, mais soyez conscient que les places arrière sont plus significatives que pratiques. L'accès est difficile en raison de la ligne, attention aux commotions cérébrales! Une fois la configuration apprivoisée, on découvre une présentation à la hauteur de la réputation de Mercedes-Benz. Que l'on opte pour la CLS 400, la CLS 550 ou encore la brutale 63 S AMG, les matériaux sont d'une grande noblesse, on délaisse toute imitation. Les cuirs sont finement taillés, les boiseries méticuleusement sablées et la fibre de carbone délicatement moulée. L'ergonomie est un défi quant à la quantité et la complexité des commodités présentes.

TECHNIQUE > Trois motorisations sont livrables dans la gamme de la CLS. On ouvre le bal avec un V6 de 3 litres de 329 chevaux qui promet performance et relative économie de carburant, mais surtout un prix plus digeste. Dès cette étape franchie, on gagne deux pistons. Sur la CLS 550, on propose une cylindrée biturbo de 4,7 litres avec une technologie de pointe. Avec plus de 400 chevaux, les accélérations sont à la fois féroces et voluptueuses. La démentielle CLS 63 S AMG revient avec sa cavalerie débridée de 577 chevaux. Véritable missile, les performances sont tout simplement enivrantes avec un 0-100 km/h qui se clôt en seulement 3,6 secondes. On est en plein exotisme et la sonorité du moteur cause une dépendance. Fait intéressant, contrairement à la première génération, on obtient enfin de série la transmission intégrale 4MATIC sur toutes les versions. On peut donc jouir de sa beauté à l'année.

AU VOLANT > Selon la version, la CLS offre de multiples personnalités. À la simple pression d'un bouton, on passe d'une berline tranquille et réconfortante à la voiture sport. Mercedes-Benz propose une panoplie de technologies d'assistance qui la rend extrêmement sécuritaire. Sur la route, malgré sa lourdeur, la CLS est bien plantée, elle brille par sa stabilité et l'agrément de conduite que l'on éprouve. En virage, la précision de la direction se montre exemplaire alors que le freinage se veut très puissant. Évidemment, chez AMG, tous ces facteurs se resserrent de façon exponentielle!

CONCLUSION > La CLS est l'une des offres les plus distinctives de la gamme Mercedes-Benz. Sa rareté en fait un objet de convoitise dans un univers de berlines qui est souvent trop rationnel. Il est certain que l'on peut aussi avoir dans son radar l'Audi A7, la BMW Série 6 Gran Coupé et, dans une moindre mesure, la Porsche Panamera, mais la CLS possède plus que les autres ce pouvoir d'attraction à la fois arrogant et séducteur. ■

2e OPINION

Benoit Charette

La recherche du Saint Graal est aussi un sport que l'on pratique dans le monde automobile. Découvrir la niche que personne n'a encore exploitée. C'est cette place magique que Mercedes avait trouvée avec le lancement initial de la CLS. Devant le succès de la marque de Stuttgart, les autres Allemands ont fait de même. Une CLS, c'est une Classe E pour ceux qui désirent une berline plus expressive. Elle va se refaire une beauté en 2018 et Mercedes nous a déjà annoncé que même si elle repose sur la plate-forme de la Classe S, elle conservera son nom de CLS et n'entrera pas dans le jeu de chaise musicale des changements de nom. Une bonne nouvelle, donc.

FICHE TECHNIQUE

MOTEUR(S)

(400) V6 3,0 L DACT biturbo
PUISSANCE 329 ch de 5 250 à 6 000 tr/min
COUPLE 354 lb-pi de 1 200 à 4 000 tr/min
RAPPORT POIDS/PUISSANCE 5,6 kg/ch
BOÎTE(S) DE VITESSES automatique à 7 rapports avec mode manuel
PERFORMANCES 0-100 km/h 5,3 s
VITESSE MAXIMALE 210 km/h (bridée)

(550) V8 4,7 L DACT biturbo
PUISSANCE 402 ch de 5 000 à 5 750 tr/min
COUPLE 443 lb-pi de 1 600 à 4 750 tr/min
RAPPORT POIDS/PUISSANCE 4,8 kg/ch
BOÎTE(S) DE VITESSES automatique à 9 rapports avec mode manuel
PERFORMANCES 0-100 km/h 4,8 s
VITESSE MAXIMALE 210 km/h (bridée)
CONSOMMATION (100 km) ville 13,7 L route 9,3 L (octane 91)
ANNUELLE 1 989 L, 2 685 $
ÉMISSIONS DE CO_2 4 575 kg/an

(63 S) V8 5,5 L DACT biturbo
PUISSANCE 577 ch à 5 500 tr/min
COUPLE 590 lb-pi de 2 000 à 4 500 tr/min
RAPPORT POIDS/PUISSANCE 3,2 kg/ch
BOÎTE(S) DE VITESSES automatique à 7 rapports avec mode manuel
PERFORMANCES 0-100 km/h 3,6 s
REPRISE 80-115 km/h 3,1 s
FREINAGE 100-0 km/h 35,4 m
NIVEAU SONORE À 100 km/h Moyen
VITESSE MAXIMALE 300 km/h (bridée)
CONSOMMATION (100 km) ville 15,1 L route 10,8 L (octane 91)
ANNUELLE 2 227 L, 3 006 $
ÉMISSIONS DE CO_2 5 122 kg/an

AUTRES COMPOSANTS

SÉCURITÉ ACTIVE (certains en option) Freins ABS, assistance au freinage, répartition électronique de la force de freinage, contrôle électronique de la stabilité, antipatinage, phares adaptatifs, avertisseur de somnolence, avertisseurs de sortie de voie et d'obstacle latéral, assistance vision nocturne
SUSPENSION avant/arrière indépendante
FREINS avant/arrière disques
DIRECTION à crémaillère, assistée électriquement
PNEUS P255/40R18 (av.) P285/35R18 (arr.) **63 S/option 400 et 550** P255/35R19 (av.) P285/30R19 (arr.)

DIMENSIONS

EMPATTEMENT 2874 mm
LONGUEUR 400 4 937 mm **550** 4 956 mm **63 S** 4 995 mm
LARGEUR 1 881 mm, 2 075 mm (incl. rétro.) **400** 1 901 mm
HAUTEUR 1 419 mm **63 S** 1 416 mm
POIDS 400 1 835 kg **550** 1 940 kg **63 S** 1 870 kg
DIAMÈTRE DE BRAQUAGE 400 11,5 m **550** 11,3m **63 S** 11,75 m
COFFRE 520 L
RÉSERVOIR DE CARBURANT 80 L

LA COTE VERTE

MOTEUR L4 DE 2,0 L TURBO
CONSOMMATION (100 km) ville 10,7 L, route 8,0 L (est.)
CONSOMMATION ANNUELLE 1 615 L, 2 180 $
INDICE D'OCTANE 91
ÉMISSIONS POLLUANTES CO_2 3 714 kg/an
(source : L'Annuel)

FICHE D'IDENTITÉ

VERSION(S) Berline 300 4MATIC, 400 4MATIC, AMG 43 4MATIC
Familiale 400 4MATIC
TRANSMISSION(S) 4
PORTIÈRES 4, 5 **PLACES** 5, 7 (option familiale)
PREMIÈRE GÉNÉRATION 1968
GÉNÉRATION ACTUELLE 2017
CONSTRUCTION Sindelfingen, Allemagne
COUSSINS GONFLABLES 11 (frontaux, latéraux avant et arrière, aux hanches avant, genoux conducteur, rideaux latéraux)
CONCURRENCE Acura RLX, Audi A6, BMW Série 5, Cadillac CTS, Genesis G80, Infiniti Q70, Kia Cadenza, Jaguar XF, Lexus GS, Lincoln Continental, Maserati Ghibli, Volvo S90

AU QUOTIDIEN

COLLISION FRONTALE nm
COLLISION LATÉRALE nm
VENTES DU MODÈLE L'AN DERNIER
AU QUÉBEC 551 (-24,0 %) **AU CANADA** 3 162 (-16,5 %) (incl. coupé/cabrio)
DÉPRÉCIATION (%) 29,2 (3 ans)
RAPPELS (2011 à 2016) 9
COTE DE FIABILITÉ 3/5

GARANTIES... ET PLUS

GARANTIE GÉNÉRALE 4 ans/80 000 km
GROUPE MOTOPROPULSEUR 4 ans/80 000 km
PERFORATION 5 ans/kilométrage illimité
ASSISTANCE ROUTIÈRE 4 ans/ kilométrage illimité
NOMBRE DE CONCESIONNAIRES
AU QUÉBEC 15 **AU CANADA** 57

NOUVEAUTÉS EN 2017

Nouvelle génération (une dixième).

PREMIER DE CLASSE

Pour 2017, Mercedes présente la 10e génération de sa Classe E. Loin devant ses concurrentes dans le monde des berlines de luxe intermédiaires, la Classe E s'est vendue en 2015 à 3162 exemplaires au pays, alors que sa plus proche rivale, la BMW Série 5, en a écoulé 1996. Avec chaque nouvelle génération qui arrive, la Classe E marque un nouveau jalon sur le plan de l'évolution automobile. Un pas en avant sur le plan de la sécurité, de la technologie et du confort des passagers, sans parler de la quantité impressionnante de modèles à venir.

Benoit Charette

TOUR DU PROPRIÉTAIRE > Pour bien marquer l'arrivée d'une nouvelle génération, il est de mise de rafraîchir la robe, qui est remise au goût du jour. Ainsi, les nouvelles courbes empruntent le style de la plus récente Classe S. Son profil lui donne des airs de coupé en faisant gagner quelques points au coefficient de traînée en plus de fournir des dimensions plus généreuses. La longueur hors tout gagne 45 millimètres et l'empattement 65 millimètres, suivant ainsi la tendance lourde des nouveaux modèles un peu plus imposants. Vous avez le style sportif qui s'inspire des modèles AMG avec l'étoile d'argent en plein centre de la calandre des bas de caisse plus agressifs et les roues sport. C'est ce que la majorité des acheteurs vont choisir. Pour les autres, il y a le style plus traditionnel avec l'étoile sous forme d'ornement de capot, des

+
- MOTEUR DYNAMIQUE
- FINITION SOIGNÉE
- BEAUCOUP DE TECHNOLOGIE

−
- BEAUCOUP DE TECHNOLOGIE
- STYLE TROP SEMBLABLE À CELUI DES AUTRES BERLINES DE LA FAMILLE
- BEAUCOUP D'OPTIONS ONÉREUSES

MENTIONS

CLÉ D'OR | CHOIX VERT | COUP DE CŒUR | RECOMMANDÉ

VERDICT

- PLAISIR AU VOLANT
- QUALITÉ DE FINITION
- CONSOMMATION
- RAPPORT QUALITÉ / PRIX
- VALEUR DE REVENTE
- CONFORT

1 5 10

roues classiques et une allure générale qui tient le profil bas. Dans les deux cas, vous avez un diffuseur avec l'échappement double à l'arrière qui renforce le côté sportif. Mercedes va ajouter une version familiale d'ici la fin de l'année. Difficile de remettre en question un style qui va bien traverser l'épreuve du temps. Mais j'ai un petit reproche à faire à Mercedes et à bien d'autres constructeurs. Depuis quelques années, on constate une forte ressemblance entre les modèles d'une même famille, et la Classe E est maintenant coulée dans le même moule que la Classe S et la Classe C. Il faudrait que les stylistes trouvent une méthode pour offrir un cachet plus distinctif à chaque berline de la famille.

VIE À BORD > Il faut attribuer la plus haute note au poste de pilotage, qui marque un point tournant en allant vers le tout numérique en intégrant deux grands écrans qui rassemblent toute l'information nécessaire. Le premier est derrière le volant avec l'instrumentation virtuelle et l'autre au-dessus de la console centrale où vous trouverez le système audio, la climatisation et le système de navigation. Vous verrez aussi en première mondiale des commandes tactiles au volant permettant de maîtriser l'ensemble du système d'infodivertissement par simple effleurement sans retirer les mains du volant. De plus, les commandes par pavé tactile sur la console ou la commande vocale restent au programme. La Classe E est en ce moment la voiture la plus « intelligente » du groupe Mercedes. Le nombre d'innovations dans cette voiture donne mal à la tête. Le *Drive Pilot* (en option) se veut le plus bel exemple. À l'image d'un régulateur de vitesse adaptatif, il suit le flot de circulation en gardant une distance prédéterminée avec le véhicule qui le précède. Mais ce système est aussi capable de prendre une courbe sans intervention du conducteur et même de changer de voie en actionnant le clignotant à gauche ou à droite. C'est très déroutant pour le conducteur. Le *Drive Pilot* prend la peine de vérifier si le chemin est libre avant de changer de voie. Mais soyez rassuré, le pilote demeure le seul maître à bord, car si vous laissez le volant sans surveillance plus de 15 secondes, une alarme vous rappellera à l'ordre en vous demandant de remettre les mains sur le volant. Vous avez aussi droit au Apple CarPlay® ou à son équivalent, l'Android Auto®. La voiture possède son propre Wi-Fi. Vous avez le choix de plusieurs couleurs d'ambiance pour le cuir, de trois essences de bois ou de l'aluminium. Parmi les choses différentes, mentionnons un flacon de parfum qui aromatise l'habitacle avec un filtre ioniseur qui purifie l'air.

TECHNIQUE > La Classe E va faire ses débuts avec le modèle E 300, qui offrira sous le capot un moteur 4 cylindres 2 litres turbo de 241 chevaux et 273 livres-pieds de couple. Cette mécanique sera associée à une nouvelle boîte automatique à 9 rapports. Va suivre à l'automne 2016 la version 400 E avec moteur 6 cylindres 3 litres turbo, qui va livrer 329 chevaux et 354 livres-pieds de couple. Il profitera aussi de la transmission à 9 vitesses, de l'injection directe et du système start/stop. Mercedes nous prépare également une version AMG E43 avec moteur V6 biturbo qui produira 390 chevaux avec une transmission à 9 rapports. Le haut de la chaîne alimentaire : la version AMG E63, qui est annoncée pour 2018. Les rumeurs laissent entendre que le moteur va dépasser légè-

2e OPINION

Daniel Rufiange

Même si Mercedes-Benz nous propose une quarantaine de véhicules, j'exagère à peine, une poignée seulement porte sur ses bras le sort et l'histoire de la marque. Outre la prestigieuse Classe S, le valeureux guerrier G, la populaire Classe C et l'iconique SL, la Classe E est celle qui nous permet de vérifier où en est rendu la firme dans son évolution. Cette année, le modèle de 10e génération se pointe à l'horizon seulement trois ans après l'introduction de son prédécesseur. Ça démontre à quel point les choses peuvent évoluer rapidement lorsque l'image de la marque est en jeu. En fait, le modèle est significatif au point où il est plus avancé, sur le plan technologique, que la grande Classe S, introduite il y a à peine deux ans.

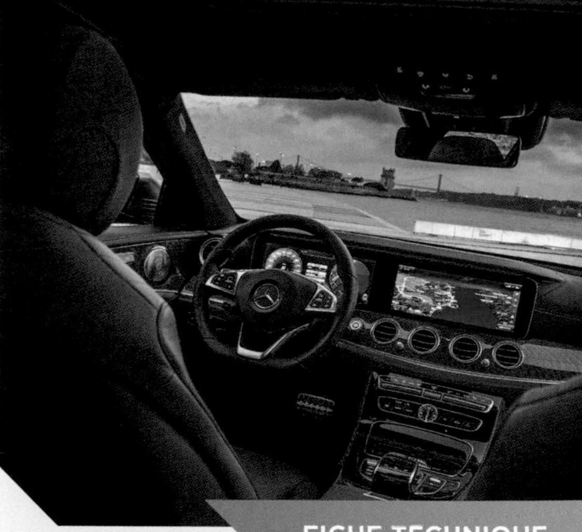

FICHE TECHNIQUE

MOTEUR(S)

(300 4MATIC) L4 2,0 L DACT turbo
PUISSANCE 241 ch à 6 500 tr/min
COUPLE 273 lb-pi dès 1 300 tr/min
RAPPORT POIDS/PUISSANCE 7,4 kg/ch (est.)
BOITE(S) DE VITESSES automatique à 9 rapports avec mode manuel
PERFORMANCES 0-100 km/h 7,3 s (est.)
VITESSE MAXIMALE 210 km/h (bridée)

(AMG E43) V6 3,0 L DACT biturbo
PUISSANCE 396 ch à ND tr/min
COUPLE 384 lb-pi dès 2 500 tr/min
RAPPORT POIDS/PUISSANCE Berline 4,8 kg/ch **Familiale** 5,0 kg/ch (est.)
BOITE(S) DE VITESSES automatique à 9 rapports avec mode manuel
PERFORMANCES 0-100 km/h Berline 4,6 s **Familiale** 5,4 s (est.)
VITESSE MAXIMALE 250 km/h (bridée)
CONSOMMATION (100 km) ND

(400 4MATIC) V6 3,0 L DACT biturbo
PUISSANCE 329 ch de 5 250 à 6 000 tr/min
COUPLE 354 lb-pi de 1 200 à 4 000 tr/min
RAPPORT POIDS/PUISSANCE 5,8 kg/ch (est.)
BOITE(S) DE VITESSES automatique à 9 rapports avec mode manuel
PERFORMANCES 0-100 km/h 5,8 s (est.)
VITESSE MAXIMALE 210 km/h (bridée)
CONSOMMATION (100 km) ND (octane 91)

AUTRES COMPOSANTS

SÉCURITÉ ACTIVE (certains en option) Freins ABS, assistance au freinage, répartition électronique de la force de freinage, contrôle électronique de la stabilité, antipatinage, système d'assistance à la prévention de collision avant et arrière, détection de piétons avec freinage d'urgence autonome, assistance à l'attention, assistance au changement de voie, affichage tête haute
SUSPENSION avant/arrière indépendante, pneumatique en option
FREINS avant/arrière disques
DIRECTION à crémaillère assistée électriquement
PNEUS 300/400 P245/40R18

DIMENSIONS

EMPATTEMENT 2 939 mm
LONGUEUR Berline 4 922 mm **Familiale** ND
LARGEUR 1 852 mm
HAUTEUR Berline 1 468 mm **Familiale** ND
POIDS Berline 300 1 790 kg (est.) **Familiale 400** 1 935 kg (est.)
DIAMÈTRE DE BRAQUAGE Berline/Familiale ND
COFFRE Berline 540 L **Familiale** 670 L, 1 820 L (sièges abaissés)
RÉSERVOIR DE CARBURANT ND

A

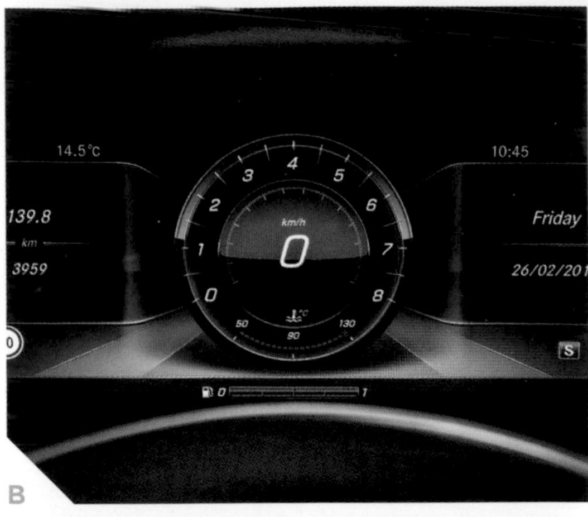

B

C

D

E

GALERIE

A > L'intérieur de la nouvelle Classe E peut être équipé en option de deux larges écrans haute résolution de 12,3 pouces chacun, une offre unique dans cette catégorie. Protégés par un verre commun, les deux écrans se fondent dans un poste de conduite qui semble flotter sous les yeux du conducteur.

B > Le poste de conduite étant entièrement numérique, le conducteur peut configurer à sa guise les informations et les vues qui l'intéressent et créer ainsi un cockpit complètement personnalisé. Le conducteur a le choix entre trois configurations : Classic, Sport et Progressive.

C > Des commandes tactiles au volant font pour la première fois leur apparition dans une voiture. Comme la surface d'un téléphone intelligent, elles réagissent précisément aux balayages horizontaux et verticaux. Elles permettent ainsi de commander l'ensemble du système d'infodivertissement par simple effleurement sans que le conducteur ait à retirer les mains du volant.

D > Les mélomanes pourront opter pour le nouveau système de sonorisation Surround 3D haut de gamme Burmester®. Les passagers pourront ainsi savourer un plaisir d'écoute digne d'une salle de concert.

E > Aussi sur la liste des options, un toit en verre panoramique qui jette beaucoup de lumière dans l'habitacle et qui donne presque l'impression de conduire à ciel ouvert.

rement les 600 chevaux, question d'en donner un peu plus que les 585 actuels de la version AMG S. L'Europe va aussi recevoir deux moteurs diesel, un 4-cylindres de 2 litres et un V6 de 3 litres. Un de ces moteurs va éventuellement trouver son chemin vers le Canada.

SUR LA ROUTE > La première impression au volant est celle d'une grande assurance. La combinaison des sièges électriques confortables, d'une position de conduite idéale et de l'ambiance feutrée met en confiance. Vous apprécierez le grand silence de roulement et surtout une nouvelle suspension pneumatique (en option) baptisée *AIR BODY CONTROL*, qui garantit une dynamique de conduite et un confort routier exceptionnels. Sans être aussi dynamique qu'une BMW, qui demeure la référence à ce chapitre, la Classe E est sûre d'elle sur la route. On sent un bel aplomb au volant et la capacité d'affronter tout ce que mère nature peut lui apporter. Vous pouvez aussi régler votre conduite selon votre humeur. Le sélecteur *DYNAMIC SELECT* permet au conducteur de choisir entre les modes Confort, ECO, Sport et Sport+. L'option « Individuel » supplémentaire lui permet également de configurer son véhicule en fonction de ses préférences. La batterie de dispositifs de sécurité de série faisant figure de référence - qui comprend notamment le freinage d'urgence assisté actif, l'avertisseur d'angle mort et le PRE-SAFE® -, elle anticipe un danger, vous en avertit et peut même réagir pour aider à vous protéger en toute situation.

CONCLUSION > La course à la technologie est un peu comme celle aux chevaux-vapeur. Chaque fois qu'un constructeur rehausse la puissance de son modèle phare, il y a toujours un concurrent pour renchérir. Dans le monde des berlines de luxe, cette même course se fait dans la technologie. On s'étonne toujours des prouesses dont les nouvelles technologies accouchent. Mercedes avec la Classe E vient de placer la barre à un niveau encore jamais atteint dans cette catégorie. Il faudra maintenant attendre la réplique d'Audi et de BMW. La compétition force à l'excellence et c'est le consommateur qui en profite si le portefeuille est assez garni pour se le permettre. ■

HISTORIQUE

La première voiture intermédiaire de Mercedes arrive en 1953. Elle porte le nom de code W120 Ponton 180. Elle partage son moteur 4 cylindres avec le modèle 190 SL. Il y aura ensuite une nouvelle Classe E environ tous les 10 ans. Le premier 6-cylindres en ligne apparaît en 1965 et les modèles diesel 200d et 240d sont parmi les plus populaires entre 1976 et 1986. C'est à compter du milieu des années 80 que le style devient plus moderne. Pour 2017, la Classe E, qui s'est vendue à plus de 13 millions d'unités dans le monde, présente sa 10e génération.

Mercedes-Benz W120 1953

Mercedes-Benz W110 1964

Mercedes-Benz W123 1981

Mercedes-Benz Classe E 1995

Mercedes-Benz Classe E 2010

LA COTE VERTE

MOTEUR V6 DE 3,0 L BITURBO
CONSOMMATION (100 km) Cabrio 2RM ville 11,5 L, route 8,1 L
Coupé 4RM ville 11,8 L route 8,4 L
CONSOMMATION ANNUELLE Cabrio 2RM 1 700 L, 2 295 $
Coupé 4RM 1 734 L, 2 341 $
INDICE D'OCTANE 91
ÉMISSIONS POLLUANTES CO_2 Cabrio 2RM 3 910 kg/an
Coupé 4RM 3 988 kg/an
(source : ÉnerGuide)

FICHE D'IDENTITÉ

VERSION(S) Coupé 400 4MATIC, 550 **Cabrio** 400, 550
TRANSMISSION(S) arrière, 4
PORTIÈRES 2 **PLACES** 4
PREMIÈRE GÉNÉRATION 1996
GÉNÉRATION ACTUELLE 2014
CONSTRUCTION Sindelfingen, Allemagne
COUSSINS GONFLABLES 11 (frontaux, latéraux avant, genoux conducteur, pelviens, rideaux latéraux (coupé), tête (cabrio.))
CONCURRENCE Audi A5, BMW Série 4, Cadillac Coupés ATS et CTS, Infiniti Q60, Lexus RC

AU QUOTIDIEN

COLLISION FRONTALE 4/5
COLLISION LATÉRALE 5/5
VENTES DU MODÈLE L'AN DERNIER
AU QUÉBEC 551 (-24,0 %) **AU CANADA** 3 162 (-16,5 %) (incl. berl./fam.)
DÉPRÉCIATION (%) 29,4 (3 ans)
RAPPELS (2011 à 2016) 9 (Classe E)
COTE DE FIABILITÉ 3/5 (Classe E)

GARANTIES... ET PLUS

GARANTIE GÉNÉRALE 4 ans/80 000 km
GROUPE MOTOPROPULSEUR 4 ans/80 000 km
PERFORATION 5 ans/kilométrage illimité
ASSISTANCE ROUTIÈRE 4 ans/ kilométrage illimité
NOMBRE DE CONCESIONNAIRES
AU QUÉBEC 15 **AU CANADA** 57

NOUVEAUTÉS EN 2017

Aucun changement majeur

EN ATTENDANT...

La berline de Classe E vient d'être renouvelée et vous pouvez tout apprendre à son propos en consultant l'analyse qu'en fait mon collègue Benoit Charette à la page précédente. Comme c'est parfois le cas chez la marque à l'étoile, la mise à jour de modèles appartenant à la même famille ne se fait pas simultanément. Ainsi, pour 2017, les versions Coupé et Cabriolet de la Classe E sont les mêmes que l'an dernier. N'allez cependant pas croire qu'on sort perdant de cette situation. Le duo qui nous intéresse avance une qualité exceptionnelle. La seule question est de savoir si cette voiture est pour vous, car son charme n'est pas universel.

Daniel Rufiange

TOUR DU PROPRIÉTAIRE > Tout a beau être une question de goût, peu de gens demeurent indifférents à la vue d'une Classe E. La grille, massive et inimitable, le profil, sculpté et tréfilé par le vent, et l'arrière, travaillé avec soin, forment un ensemble qui ne demande qu'à être admiré. Dans 50 ans, cette voiture sera encore considérée comme très belle. Que vous vous la procuriez avec ou sans toit, dans les deux cas, la satisfaction visuelle est garantie. Sur le plan du style, la seule façon de personnaliser son modèle est d'y aller avec des roues offertes en option ou avec l'ensemble AMG, qui ajoute quelques éléments décoratifs à la voiture. Pour le cabriolet, vous avez le choix de quatre couleurs de capote, de quoi y aller d'agencements intéressants.

+
- QUALITÉ DE CONSTRUCTION
- DOUCEUR DE ROULEMENT
- PUISSANCE DES MOTEURS
- DÉPRÉCIATION RELATIVEMENT FAIBLE

−
- PRIX D'UNE VERSION CABRIOLET BIEN ÉQUIPÉE : 90 000 $
- PAS LA PLUS SPORTIVE DE SA CATÉGORIE

MENTIONS

CLÉ D'OR | CHOIX VERT | COUP DE CŒUR | **RECOMMANDÉ**

VERDICT

PLAISIR AU VOLANT
QUALITÉ DE FINITION
CONSOMMATION
RAPPORT QUALITÉ / PRIX
VALEUR DE REVENTE
CONFORT

1 5 10

VIE À BORD > Lors de la mise à jour du modèle en 2014, Mercedes-Benz y avait mis le paquet. Trois ans plus tard, l'habitacle n'a pas pris un pli. La présentation plaît à l'œil. Le niveau d'équipement, lui, est bon, mais pour être considéré comme excellent, il faut piger dans le catalogue d'options. Vous le devinez, ces dernières sont nombreuses et coûteuses et les plus intéressantes ne sont pas incluses dans le prix d'entrée. Par exemple, le système AIRSCARF qui vous souffle de la chaleur sur la nuque à bord du cabriolet est inclus dans un ensemble qui vous soulagera de 5 000 balles sur la version à moteur V6, de 3700 sur la V8. Du reste, le niveau de confort est excellent, une gracieuseté de baquets fort accueillants et enveloppants. L'espace arrière est décent, mais les plus grands auront besoin d'un massage au cou après de longues randonnées.

TECHNIQUE > Les chiffres présents dans la nomenclature des versions vous annoncent ce que vous allez trouver sous le capot. Dans les modèles 400, on a droit à un V6 de 3 litres biturbo, alors que dans les livrées marquées 550, c'est un V8 de 4,7 litres, aussi à deux turbos, qui est d'office. Même si la fiche technique de ce dernier montre 73 chevaux et 89 livres-pieds de couple supplémentaires, la différence n'est pas si apparente à l'usage. En fait, spécialement sur nos routes limitées à 100 km/h, vous en aurez assez du premier. En Allemagne, là où on peut rouler à fond en certains endroits, la différence est plus perceptible. Autrement... Dans tous les cas, une boîte automatique à 7 rapports est à l'œuvre. Enfin, si la transmission intégrale est une priorité pour vous, sachez que seule la version Coupé à moteur V6 en est équipée.

AU VOLANT > Si tout semble parfait jusqu'ici, c'est l'expérience de conduite qui fait qu'on achète ou non une Classe E. Il faut savoir que cette voiture, bien que capable d'offrir des accélérations foudroyantes, n'est pas une sportive dans l'âme. Son charme, c'est son niveau de confort. Sur un circuit, elle se fait planter par ses rivales. Mais à 200 km/h sur l'autobahn, elle est d'une stabilité déconcertante et on peut même converser sans avoir à lever le ton. Sans contredit, une grande routière.

CONCLUSION > La Classe E, qu'importe la façon dont elle se décline, est une voiture d'exception. Si son prix de base semble raisonnable, sachez que pour l'élever au rang de voiture complète, il faut y ajouter de nombreux groupes d'options qui amènent son prix près des six chiffres. Un pensez-y-bien. ■

2e OPINION

Benoit Charette

Alors que Mercedes nous présente pour 2017 sa nouvelle Classe E, il faudra attendre encore un an avant de voir une nouvelle version Coupé et cabriolet. C'est donc dire que la version 2017 nous revient sans changement. La prochaine cuvée sera construite sur la plate-forme MRA de Mercedes qui se trouve sous la Classe C. La Classe E Coupé va donc conserver des proportions semblables et sera offerte en version intégrale avec la même panoplie de moteurs que la Classe E. Les seules photos espion disponibles laissent deviner un style qui va aller chercher une certaine inspiration de la grande Classe S Coupé. Une chose est certaine, si elle est aussi réussie que la berline, vous serez réellement en voiture à bord du prochain coupé de Classe E.

FICHE TECHNIQUE

MOTEUR(S)

(400) V6 3,0 L DACT biturbo
PUISSANCE 329 ch de 5 250 à 6 000 tr/min
COUPLE 354 lb-pi de 1 200 à 4 000 tr/min
RAPPORT POIDS/PUISSANCE Coupé 5,4 kg/ch **Cabrio** 5,6 kg/ch
BOITE(S) DE VITESSES automatique à 7 rapports avec mode manuel
PERFORMANCES 0-100 km/h Coupé 5,2 s **Cabrio** 5,3 s
VITESSE MAXIMALE 210 km/h (bridée)

(550) V8 4,7 L DACT biturbo
PUISSANCE 402 ch de 5 000 à 5 750 tr/min
COUPLE 443 lb-pi de 1 600 à 4 750 tr/min
RAPPORT POIDS/PUISSANCE Coupé 4,5 kg/ch **Cabrio** 4,8 kg/ch
BOITE(S) DE VITESSES automatique à 7 rapports avec mode manuel
PERFORMANCES 0-100 km/h Coupé 4,8 s **Cabrio** 4,9 s
REPRISE 80-115 km/h 3,9 s
FREINAGE 100-0 km/h 36,0 m
VITESSE MAXIMALE 210 km/h (bridée)
CONSOMMATION (100 km) Coupé ville 13,4 L, route 8,9 L
Cabrio ville 13,7 L, route 9,2 L (octane 91)
ANNUELLE Coupé 1 938 L, 2 616 $ **Cabrio** 1 989 L, 2 685 $
ÉMISSIONS DE CO_2 Coupé 4 457 kg/an **Cabrio** 4 575 kg/an

AUTRES COMPOSANTS

SÉCURITÉ ACTIVE Freins ABS, assistance au freinage, répartition électronique de la force de freinage, contrôle électronique de la stabilité, antipatinage, système d'assistance à la prévention de collision avant et arrière, assistance à l'attention, assistance en cas de sortie de voie
SUSPENSION avant/arrière indépendante
FREINS avant/arrière disques
DIRECTION à crémaillère assistée électriquement
PNEUS P235/40R18 (av.) P255/35R18 (arr.)

DIMENSIONS

EMPATTEMENT 2 760 mm
LONGUEUR 400 4 703 mm **550** 4 746 mm
LARGEUR 1 841 mm (rétro repliés) 2 016 mm (incl. rétro.)
HAUTEUR 1 398 mm
POIDS Coupé 400 4MATIC 1 794 kg **550** 1 829 kg
Cabrio 400 1 834 kg **550** 1 934 kg
DIAMÈTRE DE BRAQUAGE 400 11,15 m **550** 11,19 m
COFFRE Coupé 450 L **Cabrio** 390 L, 300 L (toit abaissé)
RÉSERVOIR DE CARBURANT 66 L

LA COTE VERTE

MOTEUR V6 DE 3,0 L BITURBO
CONSOMMATION (100 km) ville 12,6 L, route 8,6 L
CONSOMMATION ANNUELLE 1 836 L, 2 479 $
INDICE D'OCTANE 91
ÉMISSIONS POLLUANTES CO_2 4 223 kg/an
(source : ÉnerGuide)

FICHE D'IDENTITÉ

VERSION(S) Berline 400 4MATIC, 550 4MATIC, 550L 4MATIC, 550e, 600, 63 AMG 4MATIC, 65 AMG, Mercedes-Maybach 600
Coupé/Cabriolet 550 4MATIC, 63 AMG 4MATIC, 65 AMG
TRANSMISSION(S) arrière, 4
PORTIÈRES 4 **PLACES** 5
PREMIÈRE GÉNÉRATION 1992
GÉNÉRATION ACTUELLE 2014
CONSTRUCTION Sindelfingen, Allemagne
COUSSINS GONFLABLES 12 (frontaux, latéraux avant et arrière, pelviens avant, rideaux latéraux, coussins de sièges arrière), option (+ ceintures gonflables arrière)
CONCURRENCE Aston-Martin Rapide S, Audi A8/S8, Bentley Flying Spur/Mulasanne, BMW Série 7, Cadillac CT6, Jaguar XJ, Lexus LS, Maserati Quattroporte, Porsche Panamera, Rolls-Royce Ghost/Wraith

AU QUOTIDIEN

COLLISION FRONTALE 5/5
COLLISION LATÉRALE 5/5
VENTES DU MODÈLE L'AN DERNIER
AU QUÉBEC 203 (+2,0 %) **AU CANADA** 1 126 (+2,9 %)
DÉPRÉCIATION (%) 35,0 (3 ans)
RAPPELS (2011 à 2016) 4
COTE DE FIABILITÉ 4/5

GARANTIES... ET PLUS

GARANTIE GÉNÉRALE 4 ans/80 000 km
GROUPE MOTOPROPULSEUR 4 ans/80 000 km
PERFORATION 5 ans/kilométrage illimité
ASSISTANCE ROUTIÈRE 4 ans/kilométrage illimité
NOMBRE DE CONCESSIONNAIRES
AU QUÉBEC 15 **AU CANADA** 57

NOUVEAUTÉS EN 2017

Nouvelle version Cabriolet.

MAINTENANT À CIEL OUVERT

Quand la sixième génération de la S s'est pointée en 2013, Mercedes avait promis que sa classe amirale compterait pas moins de six versions avant longtemps. Avec l'arrivée de la S Cabriolet, promesse tenue. La famille inclut désormais les berlines à empattement classique et long, la Mercedes-Maybach (encore plus longue) et sa variante Pullman (devinez quoi : toujours plus longue !), le coupé et, maintenant, la décapotable dérivée de la 2-portes.

Michel Crépault

TOUR DU PROPRIÉTAIRE > Une S, c'est votre boudoir sur quatre roues. Reste à décider son architecture et son empreinte. Les plus courtes font plus de 5 mètres, alors que la variante Pullman atteint 6,5 mètres, soit l'équivalent de 2,4 smart mises bout à bout ! Ensuite, choisissez la configuration berline, coupé, limousine blindée ou décapotable. La dernière fois que M-B nous a gratifié d'une S à toit souple, c'était en 1971 (la 280 SE). Or comment déposer une capote sur tout ce métal sans avoir l'air fou? Pourtant, la S Cabrio est une réussite visuelle. Ses flancs sont parcourus de douces arêtes qui créent de sensuels reliefs d'un pare-chocs à l'autre.

VIE À BORD > Les deux places arrière, voilà *la* raison pour laquelle vous choisirez la S parmi la quinzaine de cabriolets qu'offre Benz chez nous. À première vue, on les croirait étri-

+
- NOMBRE DE VARIANTES
- GRANDE EXPERTISE DU LUXE
- LABORATOIRE ROULANT

−
- APPRIVOISEMENT NÉCESSAIRE
- ENCORE DES OPTIONS
- UNE FACTURE EN CONSÉQUENCE

MENTIONS

CLÉ D'OR | CHOIX VERT | COUP DE CŒUR | RECOMMANDÉ

VERDICT

PLAISIR AU VOLANT
QUALITÉ DE FINITION
CONSOMMATION
RAPPORT QUALITÉ / PRIX
VALEUR DE REVENTE
CONFORT

1 5 10

quées, mais installez-vous et, surprise, vos rotules survivent parce que, un, le plus court empattement d'une S dépasse quand même celui d'une BMW Série 6 Cabriolet de 18 centimètres et, deux, le dossier devant a été astucieusement sculpté. Si c'est l'espace d'un court de tennis qu'il vous faut, la Pullman propose deux fauteuils de type Classe Affaires et, si vous y tenez, deux autres places vis-à-vis, dos à la route. Considérant qu'une S déborde de gadgets, son tableau de bord affiche un étonnant sens de l'épuration au lieu d'épater la galerie à tout prix. Le ciselage apporté à chaque détail nous arrache une douce admiration. Dans les modèles AMG, la fibre de carbone joue la carte techno tandis que la finition boiseries rappelle les commandes d'un yacht.

TECHNIQUE > L'espace étant compté, je vous épargne l'énumération des 6 moteurs biturbo qui garantissent la fougue de toutes les Classe S (consultez plutôt nos belles fiches détaillées). Retenez néanmoins que vous avez le choix entre trois paires de V6, V8 et V12. Aussi puissants soient-ils (de 329 à 621 chevaux), ils ont tous à cœur de consommer le moins possible, d'où l'intégration du bidule arrêt/démarrage qui s'active dès que vous patientez à un feu rouge, et la présence d'un programme de conduite Eco (parmi les cinq du système *Dynamic Select*) qui encourage l'économie de carburant. De sorte que vous pourriez réussir 10 litres aux 100 kilomètres et même mieux au volant de la 500e enfichable, également capable de 33 kilomètres à 140 km/h en mode 100 % électrique. Retenez aussi que plusieurs S utilisent une boîte de vitesse G-Tronic à 7 rapports mais que la nouvelle à 9 vitesses gagne du terrain et finira même par supplanter la Speedshift des AMG, sans oublier que les V6 et V8 incluent la transmission intégrale 4MATIC, sauf dans la version hybride et la décapotable.

AU VOLANT > Sortons le cliché traditionnel : un nuage ! Voilà à quoi fait penser le comportement d'une S grâce à sa suspension pneumatique, qui absorbe les irrégularités de la chaussée tel un buvard. Bien entendu, Benz pousse le raffinement plus loin avec l'*Active Body Control*, qui permet au conducteur d'échanger son âme de chauffeur contre celle d'un pilote et de paramétrer les organes essentiels de l'auto afin qu'ils épousent son humeur du moment, zen ou agressive. Ainsi, quand vous demandez à une Mercedes-AMG S 65 de rouler en mode Sport Plus, ça déménage comme si, toutes les 10 secondes, se jouait une finale olympique du 100 mètres ! Et le son des AMG fait sortir les lapins de leur tanière, convaincus que la fin du monde s'en vient...

CONCLUSION > La S éclipse si bien ses rivales A8 et Série 7 au chapitre des ventes mondiales que Mercedes-Benz ne cesse d'en raffiner l'armada pour ne pas perdre son leadership. Que ce soit en s'étirant les jambes dans le salon d'une Pullman ou en s'abreuvant de soleil dans le Cabriolet, vous le ferez à bord d'une limousine qui excelle dans tout, incluant l'art de gonfler la facture. ■

2e OPINION

Luc-Olivier Chamberland

Juste pour écrire toutes les versions livrables de la Classe S, ces 125 mots ne seraient pas suffisants. Plus que jamais dans son histoire, Mercedes-Benz diversifie le nombre de possibilités sur sa gamme porte-étendard, suprême à tous les points de vue. Les millionnaires de ce monde auront la difficile tâche de choisir le modèle qui leur sied le mieux. Que l'on opte pour la berline, la limousine, le coupé ou le cabriolet, on reçoit une vitrine technologique qui repousse bien souvent les limites de la compréhension humaine. La Classe S domine la route comme elle l'a toujours fait. Son seul bémol, un coût de possession aussi indécent que son luxe et ses performances.

FICHE TECHNIQUE

MOTEUR(S)

(400, 550e) V6 3,0 L DACT biturbo **550e** + moteur électrique
PUISSANCE 329 ch de 5 250 à 6 000 tr/min + mot. élect., 436 ch total maximum
COUPLE 354 lb-pi de 1 600 à 4 000 tr/min + mot. élect., 479 lb-pi total maximum
RAPPORT POIDS/PUISSANCE 6,4 kg/ch **550e** 5,1 kg/ch
BOITE(S) DE VITESSES automatique à 7 rapports avec mode manuel
PERFORMANCES 0-100 km/h 6,1 s **550e** 5,2 s
VITESSE MAXIMALE 210 km/h **550e** 140 km/h en mode électrique
CONSOMMATION (100 km) 550e ND (octane 91)
AUTONOMIE EN MODE ÉLECTRIQUE 33 km

(550, 550L) V8 4,7 L DACT biturbo
PUISSANCE 449 ch de 5 250 à 5 500 tr/min **COUPLE** 516 lb-pi de 1 800 à 3 500 tr/min
RAPPORT POIDS/PUISSANCE 4,8 kg/ch
BOITE(S) DE VITESSES automatique à 7 rapports avec mode manuel
PERFORMANCES 0-100 km/h Berline 4,8 s **Coupé** 4,6 s
REPRISE 80-115 km/h 4,1 s **FREINAGE 100-0 km/h** 37,8 m
VITESSE MAXIMALE 210 km/h (bridée)
CONSOMMATION (100 km) 550 ville 14,7 L, route 9,1 L **550L** ville 14,8 L, route 9,8 L **Coupé** ville 14,4 L, route 9,8 L (octane 91)
ANNUELLE 550 2 074 L, 2 800$ **550L** 2 125 L, 2 869$ **Coupé** 2 091 L, 2 823 $
ÉMISSIONS DE CO_2 550 4 770 kg/an **550L** 4 887 kg/an **Coupé** 4 809 kg/an

(63) V8 5,5 L DACT biturbo
PUISSANCE 577 ch à 5 500 tr/min **COUPLE** 664 lb-pi de 2 250 à 3 750 tr/min
RAPPORT POIDS/PUISSANCE 3,8 kg/ch **Coupé** 3,6 kg/ch
BOITE(S) DE VITESSES automatique à 7 rapports avec mode manuel
PERFORMANCES 0-100 km/h Berline 4,0 s **Coupé** 3,9 s
VITESSE MAXIMALE 300 km/h (bridée)
CONSOMMATION (100 km) Berline ville 15,7 L, route 10,1 L **Coupé** ville 15,3 L, route 10,2 L (octane 91)
ANNUELLE Berline 2 244 L, 3 029 $ **Coupé** 2 210 L, 2 983 $
ÉMISSIONS DE CO_2 Berline 5 161 kg/an **Coupé** 5 083 kg/an

(600, 65) V12 6,0 L DACT biturbo
PUISSANCE 523 ch de 4 900 à 5 300 tr/min **65** 621 ch de 4 800 à 5 400 tr/min
COUPLE 612 lb-pi de 1 900 à 4 000 tr/min **65** 737 lb-pi de 2 300 à 4 300 tr/min
RAPPORT POIDS/PUISSANCE 4,4 kg/ch **65** 3,6 kg/ch **MM S 600** 4,5 kg/ch **Coupé 65** 3,5 kg/ch
BOITE(S) DE VITESSES automatique à 7 rapports avec mode manuel
PERFORMANCES 0-100 km/h 4,6 s **65** 4,3 s **MM S 600** 6,0 s **Coupé 65** 4,1 s
VITESSE MAXIMALE 300 km/h **MM S 600** 250 km/h (bridées)
CONSOMMATION (100 km) ville 18,2 L, route 11,7 L **65** 18,5 L, route 11,8 L **Coupé 65** ville 18,0 L, route 11,3 L
ANNUELLE 2 601 L, 3 511 $ **65** 2 635 L, 3 557 $ **Coupé 65** 2 550 L, 3 442 $
ÉMISSIONS DE CO_2 5 982 kg/an **65** 6 060 kg/an **Coupé 65** 5 865 kg/an

AUTRES COMPOSANTS

SÉCURITÉ ACTIVE Freins ABS, assistance au freinage, répartition électronique de la force de freinage, contrôle électronique de la stabilité, antipatinage, régulateur de vitesse adaptatif et assistance au freinage en cas de collision imminente, détecteur de piétons et de circulation transversale avec assistance au freinage, aide vision nocturne, avertisseur de somnolence, assistance en cas de sortie de voie
SUSPENSION avant/arrière indépendante, amortissement pneumatique
FREINS avant/arrière disques
DIRECTION à crémaillère, assistée électriquement
PNEUS 400/550 P245/45R19 (av.) P275/40R19 (arr.)
600/option 400 et 550 P245/40R20 (av.) P275/35R20 (arr.)
63/65/option 600 P255/40R20 (av.) P285/35R20 (arr.)

DIMENSIONS

EMPATTEMENT 400/550 3 035 mm **550L/550e/600/63/65** 3 165 mm **MM S600** 3 365 mm
LONGUEUR Berline 400/550 5 116 mm **550L/550e/600** 5 246 mm **63/65** 5 287 mm **MM S600** 5 453 mm **Coupé 550** 5 027 mm **63/65** 5 044 mm
LARGEUR Berline 1 899 mm **63/65** 1 915 mm, 2 130 mm (incl. rétro.) **Coupé 550** 1 899 mm **63** 1 913 mm, 2 108 mm (incl. rétro.)
HAUTEUR Berline 1 496 à 1 499 mm **Coupé 550** 1 411 mm **63** 1 422 mm
POIDS Berline 400 2 095 kg **550** 2 145 kg **550L** 2 165 kg **550e** 2 215 kg **600** 2 285 kg **63** 2 180 kg **65** 2 254 kg **MM S 600** 2 335 kg **Coupé 550** 2 090 kg **63** 2 070 kg **65** 2 485 kg
RÉPARTITION DU POIDS AV/ARR (%) Berline 52/48 **Coupé** 56/44
DIAMÈTRE DE BRAQUAGE Berline 400/550 11,9 m **550L550e/600/65** 12,3 m **MM S 600** 12,9 m **Coupé 550** 11,6 m **63** 11,9 m
COFFRE Berline 400/550 530 L **600** 500 L **63/65** 510 L **550e** 395 L **Coupé** 400 L
RÉSERVOIR DE CARBURANT Berline/Coupé 80 L **550e** 70 L
BATTERIE (Hybride) lithium-ion 3,6 kWh **Temps de recharge 240V** 4,1 h

LA COTE VERTE

MOTEUR L4 DE 2,0 L TURBO
CONSOMMATION (100 km) ville 9,6 L, route 7,3 L (est.)
CONSOMMATION ANNUELLE 1 445 L, 1 951 $
INDICE D'OCTANE 91
ÉMISSIONS POLLUANTES CO_2 3 323 kg/an
(source : L'Annuel)

FICHE D'IDENTITÉ

VERSION(S) 300, AMG 43
TRANSMISSION(S) arrière
PORTIÈRES 2 **PLACES** 2
PREMIÈRE GÉNÉRATION 1997
GÉNÉRATION ACTUELLE 2012
CONSTRUCTION Bremen, Allemagne
COUSSINS GONFLABLES 8 (frontaux, latéraux, genoux conducteur et passager, tête)
CONCURRENCE Alfa Romeo 4C Spider, Audi TT, Jaguar F-Type, Nissan 370Z Roadster, Porsche 718 Boxster

AU QUOTIDIEN

COLLISION FRONTALE ND
COLLISION LATÉRALE ND
VENTES DU MODÈLE L'AN DERNIER
AU QUÉBEC 51 (-31,1 %) **AU CANADA** 270 (-26,8 %)
DÉPRÉCIATION (%) 18,4 (3 ans)
RAPPELS (2011 à 2016) 5
COTE DE FIABILITÉ 4/5

GARANTIES... ET PLUS

GARANTIE GÉNÉRALE 4 ans/80 000 km
GROUPE MOTOPROPULSEUR 4 ans/80 000 km
PERFORATION 5 ans/kilométrage illimité
ASSISTANCE ROUTIÈRE 4 ans/kilométrage illimité
NOMBRE DE CONCESSIONNAIRES
AU QUÉBEC 15 **AU CANADA** 57

NOUVEAUTÉS EN 2017

L'appellation SLK devient SLC, abandon des versions 350 et 55, remplacé par AMG 43, retouches esthétiques, nouvelle transmission à 9 rapports et nouveau moteur V6 biturbo dans la version 43. Sélecteur de modes, système d'échappement AMG, freinage d'urgence automatique, nouvel interface multimedia, CarPlay et caméra de recul de série sur les deux versions. Phares de jour à DEL, fenêtre arrière opérationnelle même avec toit ouvert, nouvelles jantes, nouvelle palette de couleurs, nouveau volant, nouveau cadrans indicateurs, nouveaux finis intérieurs.

SL JUNIOR

Pour ceux qui l'ignorent encore, SLC est le nouveau nom de la SLK depuis que Mercedes-Benz a revu son système d'appellation alphanumérique. La SLK est née en 1996, la deuxième génération a suivi en 2004 et la troisième, en 2011, à la satisfaction de 670 000 acheteurs dans le monde. Aujourd'hui, on célèbre ses 20 ans avec un rafraîchissement, la quatrième génération devant se pointer vers 2018 ou 2019 si l'on se fie aux pratiques précédentes.

Michel Crépault

TOUR DU PROPRIÉTAIRE > Il n'y a pas que le nom qui change. La technologie du petit cabriolet biplace y goûte, tout comme sa gamme. En tout, la famille SLC compte cinq modèles, mais seulement deux traversent l'Atlantique (trois avant) : la SLC 300 (déjà chez nous l'an dernier en tant que SLK 300) et la Mercedes-AMG SLC 43 (en remplacement de la SLK 55 à moteur V8), tandis que s'évanouit la SLK 350.

VIE À BORD > Espace compté pour deux mais sièges généreux. Présentation soignée et ergonomie correcte... quand on finit par déchiffrer tous les symboles des boutons. Le vent et le froid sont tenus à l'écart de la cabine si on coche les bonnes options comme l'Airscarf, qui réchauffe les épaules. Le toit rigide mais escamotable peut être opéré en mouvement tant qu'on

+
FORMAT FORT MANIABLE
MOTEURS COMPÉTENTS
LOOK ACCROCHEUR

−
CERTAINS BOUTONS MYSTÉRIEUX
LE TOIT RELEVÉ, VISIBILITÉ ARDUE
LE FESTIVAL DES OPTIONS

MENTIONS

CLÉ D'OR | CHOIX VERT | COUP DE CŒUR | **RECOMMANDÉ**

VERDICT

Critère	Note (1-10)
PLAISIR AU VOLANT	9
QUALITÉ DE FINITION	10
CONSOMMATION	8
RAPPORT QUALITÉ / PRIX	7
VALEUR DE REVENTE	9
CONFORT	9

n'excède pas 40 km/h. En fait, pour être exact, il faut d'abord que l'auto soit immobile avant d'amorcer l'opération. On la complète en avançant dans la circulation si le conducteur derrière s'impatiente. Autrement dit, alors que la majorité des autres décapotables peuvent actionner leur toit pendant qu'elles circulent, la SLC n'accomplit l'exploit qu'à moitié. Cet aspect « à demi » se poursuit dans le coffre à bagages. Rappelons que celui des décapotables Benz a une cloison qui délimite l'espace dévolu aux bagages. Si elle n'est pas à sa place, le toit refuse d'obéir. Or, si dans les S Cabriolet et SL 2017, le positionnement du machin est désormais entièrement automatisé, celui de la SLC en fait autant quand on baisse le toit, mais s'enlève à la main si on souhaite disposer de l'intégralité des 335 litres de chargement.

TECHNIQUE > Toutes les SLC, qu'elles se trouvent sur le Vieux Continent ou dans la Belle Province, utilisent un 4-cylindres, sauf la SLC 43, qui préfère un V6 biturbo de 3 litres de 362 chevaux pour faire honneur à son écusson AMG. La cylindrée dans la 300 turbocompressée de 241 chevaux a été fixée à 2 litres (contre 1,6 L dans la 180 européenne). Les deux engins ont été gratifiés de la boîte de vitesse 9G-Tronic à - vous l'avez deviné - 9 vitesses.

AU VOLANT > La conduite des SLC est influencée par le système Dynamic Select, qui fait varier le comportement du moteur, de la transmission, de la direction et de la suspension selon l'un des cinq modes sélectionnés par le conducteur. En conduite mollo, le petit roadster officie comme un charme le rituel de l'adoration au soleil que commande toute balade à ciel ouvert. Dans des enfilades de cols de la région de Nice où s'est déroulée la présentation internationale, j'en suis venu à la conclusion que le mieux encore était de confier la machine à la 9G-Tronic au lieu de chercher à tout prix à provoquer des changements de rapports manuels avec les palettes au volant. L'ingénieuse boîte de vitesse travaille tout simplement plus efficacement que nous. Dans les virages en épingle, les rétrogradations étaient moins paresseuses si je laissais la machine décider. Avec la SLC 43, cette constatation est amplifiée par des réflexes décuplés et une sonorité qui fait passer la 300 pour aphone. Les deux SLC peuvent s'offrir une suspension adaptative dont le débattement varie automatiquement selon l'état de la chaussée. Le toit en place, la visibilité vers l'arrière est pitoyable. Heureusement, le « face lift » nous mérite désormais une caméra de recul.

CONCLUSION > Si la Mazda MX-5 a remis le roadster compact à la mode, la SLK/SLC fut la première à le rendre luxueux. Les autres cabrios de la marque à l'étoile justifient leur facture plus élevée avec un équipement en conséquence. La SLC, moins richement dotée, présente néanmoins l'immense avantage d'être plus abordable tout en projetant une dose d'élitisme qui rime avec joie et soleil. ■

2e OPINION

Daniel Rufiange

Le nom a peut-être changé, la voiture a peut-être été retouchée, mais l'essentiel, lui, est demeuré le même. La SLC, anciennement la SLK, s'inscrit dans une longue tradition chez Mercedes-Benz, soit celle de proposer des roadsters certains d'émouvoir. Sans offrir le niveau de luxe de la SL ou posséder son panache, la SLC se fait remarquer partout où elle passe et pour celui qui aime les balades du dimanche à ciel ouvert, elle va lui en donner pour son argent. En prime, le degré de confort qu'elle avance est peut-être le meilleur dans la catégorie. Attention, cependant, car malgré le fait qu'elle livre des performances relevées, c'est la moins sportive de son créneau. Comment choisir ? Avez-vous tendance à écouter du Mozart ou du Metallica lorsque vous prenez le volant ? Voilà une première piste de réflexion.

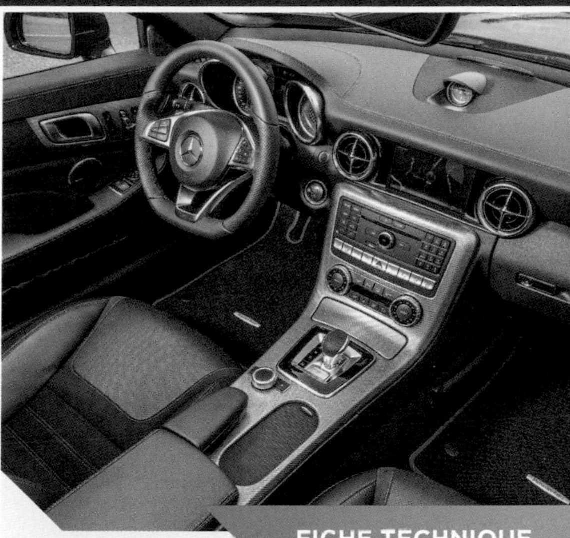

FICHE TECHNIQUE

MOTEUR(S)

(300) L4 2,0 L DACT turbo
PUISSANCE 241 ch à 5 500 tr/min
COUPLE 273 lb-pi de 1 300 à 4 000 tr/min
RAPPORT POIDS/PUISSANCE 6,2 kg/ch
BOITE(S) DE VITESSES automatique à 9 rapports avec mode manuel
PERFORMANCES 0-100 km/h 5,8 s
VITESSE MAXIMALE 210 km/h (bridée)

(AMG 43) V6 3,0 L DACT biturbo
PUISSANCE 362 ch de 5 500 à 6 000 tr/min
COUPLE 384 lb-pi de 2 000 à 4 200 tr/min
RAPPORT POIDS/PUISSANCE 3,9 kg/ch
BOITE(S) DE VITESSES automatique à 7 rapports avec mode manuel
PERFORMANCES 0-100 km/h 4,7 s
VITESSE MAXIMALE 250 km/h (bridée)
CONSOMMATION (100 km) ville 12,0 L, route 8,1 L (octane 91) (est.)
ANNUELLE 1 700 L, 2 295 $
ÉMISSIONS DE CO_2 3 910 kg/an

AUTRES COMPOSANTS

SÉCURITÉ ACTIVE Freins ABS, assistance au freinage, répartition électronique de la force de freinage, contrôle électronique de la stabilité, antipatinage, régulateur de vitesse adaptatif, phares adaptatifs, détecteur de somnolence, avertisseur de changement de voie et d'obstacle latéral, freinage d'urgence automatique
SUSPENSION avant/arrière indépendante
FREINS avant/arrière disques
DIRECTION à crémaillère, assistée
PNEUS 300 P225/40R17 (av.) P245/35R17 (arr.) **43** P235/40R18 (av.) P255/35R18 (arr.) **option 300 et 43** P225/40R18 (av.) P245/35R18 (arr.)

DIMENSIONS

EMPATTEMENT 2 430 mm
LONGUEUR 4 133 mm **43** 4 143 mm
LARGEUR 1 854 mm, 2 006 mm (incl. rétro.)
HAUTEUR 1 303 mm
POIDS 300 1 505 kg **43** 1 595 kg
RÉPARTITION DU POIDS AV/ARR (%) 52/48
DIAMÈTRE DE BRAQUAGE 10,5 m
COFFRE 225 L (toit abaissé), 335 L (toit monté)
RÉSERVOIR DE CARBURANT 60 L **43** 70 L

LA COTE VERTE

MOTEUR V6 DE 3,0 L BITURBO
CONSOMMATION (100 km) ville 12,5 L, route 8,2 L (est.)
CONSOMMATION ANNUELLE 1 768 L, 2 387 $
INDICE D'OCTANE 91
ÉMISSIONS POLLUANTES CO_2 4 066 kg/an
(source : L'Annuel)

FICHE D'IDENTITÉ

VERSION(S) 450, 550, AMG 63, AMG 65
TRANSMISSION(S) arrière
PORTIÈRES 2 **PLACES** 2
PREMIÈRE GÉNÉRATION 1954
GÉNÉRATION ACTUELLE 2013
CONSTRUCTION Bremen, Allemagne
COUSSINS GONFLABLES 5 (frontaux, latéraux, genoux conducteur)
CONCURRENCE Aston Martin Vantage, Audi R8 Spyder, Bentley Continental GTC, BMW Série 6, Chevrolet Corvette, Ferrari California, Jaguar F-Type R, Lexus LC, Maserati Gran Cabrio, Porsche 911 Turbo

AU QUOTIDIEN

COLLISION FRONTALE 5/5
COLLISION LATÉRALE 5/5
VENTES DU MODÈLE L'AN DERNIER
AU QUÉBEC 58 (-25,6 %) **AU CANADA** 281 (-18,3 %)
DÉPRÉCIATION (%) 30,0 (3 ans)
RAPPELS (2011 à 2016) 2
COTE DE FIABILITÉ 4/5

GARANTIES... ET PLUS

GARANTIE GÉNÉRALE 4 ans/80 000 km
GROUPE MOTOPROPULSEUR 4 ans/80 000 km
PERFORATION 5 ans/kilométrage illimité
ASSISTANCE ROUTIÈRE 4 ans/kilométrage illimité
NOMBRE DE CONCESSIONNAIRES AU QUÉBEC 15 **AU CANADA** 57

NOUVEAUTÉS EN 2017

Nouvelle version d'entrée SL 450 à moteur V6, boîte de vitesses à 9 rapports sur versions 450 et 550, phares à DEL, nouvelles jantes, retouches esthétiques, nouveau volant et cadrans indicateurs, nouvelles finitions intérieures. Apple CarPlay, freinage d'urgence automatique, indicateur de volume maximum du coffre lorsque le toit sera abaissé et sélecteur de mode de série sur toutes les versions. Nouvelle interface multimedia et ensemble incluant toutes les aides à la conduite disponibles.

HISTORIQUE HÉRITIÈRE

La SL, c'est l'une des icônes de Mercedes-Benz. Si je vous parle d'une CLA, d'un GLE coupé ou d'une SLC, il est possible que vous vous grattiez la nuque en essayant de visualiser la voiture en question. Mais avec la SL, c'est plus facile. Comme une 911 ou une Beetle, sa silhouette s'est immortalisée dans les annales de l'automobile depuis plus de 60 ans.

Michel Crépault

TOUR DU PROPRIÉTAIRE > Pour 2017, les artisans de Benz se sont encore une fois assurés de respecter le monument en nous proposant un rafraîchissement de l'actuelle sixième génération, juste assez pour nous faire patienter jusqu'à la septième, qui devrait surgir en 2018 ou 2019. Les sculpteurs de la carrosserie en aluminium se sont surtout intéressés à l'avant. Ils l'ont rendu plus agressif en élargissant sa grille à diamants et en l'amenant à flirter davantage avec la jupe et les trappes d'air. Le profil est toujours aussi élégant, long et bas, strié d'ouïes et de grilles qui confirment l'essence sportive du roadster.

VIE À BORD > À l'intérieur, bien malin celui qui découvrira d'énormes différences avec le précédent cockpit. Les buses d'aération chromées continuent de briller le long du filiforme tableau de bord. Le toit escamotable incorpore un panneau de verre Vario-Roof capable d'être teinté à volonté au toucher d'un bouton. Outre le coupe-vent entre les têtières, les gadgets

+
- UN ROADSTER HISTORIQUE
- V6 TRÈS ADÉQUAT
- SOLIDITÉ ET RAFFINEMENT

−
- UN PLAISIR COÛTEUX
- TOUJOURS ET ENCORE DES OPTIONS
- FAUT VOYAGER LÉGER...

MENTIONS

CLÉ D'OR | CHOIX VERT | COUP DE CŒUR | RECOMMANDÉ

VERDICT

PLAISIR AU VOLANT
QUALITÉ DE FINITION
CONSOMMATION
RAPPORT QUALITÉ / PRIX
VALEUR DE REVENTE
CONFORT

1 5 10

Airscarf et *Aircap* prolongent les saisons à ciel ouvert, le premier en enveloppant les épaules d'air chaud, le second en déviant les rafales de vent. Ah oui : en plus des sièges et du volant, on peut aussi chauffer les accoudoirs des portières... Le toit peut être actionné lorsqu'on se déplace, à une vitesse ne dépassant pas toutefois 40 km/h. Il se niche dans le coffre en exécutant un joli ballet et en se gargarisant d'un nouveau raffinement : la cloison, qui doit obligatoirement séparer le toit replié des bagages, se positionne désormais automatiquement.

TECHNIQUE > La sportivité de la SL n'est pas une frime. La Mercedes-AMG SL 65 est la méchante du quatuor. Comment pourrait-il en être autrement avec un V12 de 6 litres qui délivre pas moins de 621 chevaux ? Sa sœur, la SL 63, n'est pas vraiment en reste avec un V8 de 5,5 litres enrichi de 577 chevaux. La SL 550 utilise aussi un V8 mais d'une plus petite cylindrée (4,7 L), ce qui ne l'empêche pas de libérer 449 chevaux. Enfin, la SL 450 se tourne plutôt vers un V6 de 3 litres qui relâche 362 fringants chevaux. Chacun des quatre engins a recours à une paire de turbocompresseurs. Les deux AMG utilisent une boîte Speedshift à 7 vitesses, tandis que le duo « régulier » fait confiance à une 9G-Tronic.

AU VOLANT > Le gros boudin du volant ne communique en rien ce que les lettres SL (pour *Sportlich Leicht* ou « sport léger ») sont censées évoquer. Il laisse toutefois transpirer une indéniable solidité de construction. Mon coup de cœur est allé à la SL 450. Son V6 fournit toute la puissance nécessaire compte tenu de nos conditions routières habituelles, tandis que son poids lui permet d'afficher une répartition quasiment parfaite des masses. On le sent dans les virages négociés avec entrain. À ce propos, M-B propose deux suspensions. La courante emploie des pistons variables qui se raffermissent au besoin, selon votre choix parmi les cinq modes de conduite (Eco, Confort, Sport, Sport Plus et Individuel) du système *Dynamic Select*. Optez plutôt pour la suspension *Active Body Control*, et le mode Eco cède sa place au programme Curve qui, tel un motocycliste, incline légèrement les pneus à l'intérieur d'un virage tout en gardant l'assiette du véhicule parallèle au sol. Meilleur dynamisme tout en protégeant le confort des occupants.

CONCLUSION > Compte tenu du prix demandé, la SL 450 représente la bonne affaire. Ce biplace au prestigieux pedigree promène son élégante silhouette, fournit de belles montées d'adrénaline et offre ses balades à ciel ouvert quand bien même on n'allonge pas la petite fortune exigée pour ses sœurs plus huppées. Oui, les AMG prodiguent une symphonie électrisante mais, au final, l'expérience SL est honnêtement servie à bord de la plus « abordable ». ■

2e OPINION

Daniel Rufiange

Le portfolio de Mercedes-Benz commence à se faire impressionnant. Les modèles se multiplient, les variantes aussi. Si l'ajout de certaines est questionnable, la présence d'autres ne l'est pas. C'est le cas de la SL qui, avec les modèles des Classes S et G, représente l'ADN de la marque. Au catalogue depuis 1954, elle a été raffinée sans cesse au point d'être rendue, aujourd'hui, une voiture d'exception. En fait, lui chercher des défauts, c'est comme se donner l'objectif de trouver un trèfle à quatre feuilles dans le désert. Blague à part, que vous optiez pour la version 450, 550, S63 AMG ou S65 AMG, vous allez trouver chaussure à votre pied. Confort, performance, agilité, douceur, tous les ingrédients y sont. Reste la question de son financement. La loterie, peut-être ?

FICHE TECHNIQUE

MOTEUR(S)

(450) V6 3,0 L DACT biturbo
PUISSANCE 362 ch de 5 500 à 6 000 tr/min
COUPLE 369 lb-pi de 2 000 à 4 200 tr/min
RAPPORT POIDS/PUISSANCE 4,8 kg/ch
BOÎTE(S) DE VITESSES automatique à 9 rapports avec mode manuel
PERFORMANCES 0-100 km/h 4,9 s
REPRISE 80-115 km/h 4,5 s (est.) **FREINAGE 100-0 km/h** 37,1 m
NIVEAU SONORE À 100 km/h Moyen
VITESSE MAXIMALE 250 km/h (bridée)

(550) V8 4,7 L DACT biturbo
PUISSANCE 449 ch à 5 250 tr/min
COUPLE 516 lb-pi de 1 800 à 3 500 tr/min
RAPPORT POIDS/PUISSANCE 4,0 kg/ch
BOÎTE(S) DE VITESSES automatique à 9 rapports avec mode manuel
PERFORMANCES 0-100 km/h 4,3 s
REPRISE 80-115 km/h 3,9 s **FREINAGE 100-0 km/h** 37,1 m
NIVEAU SONORE À 100 km/h Moyen
VITESSE MAXIMALE 210 km/h (bridée)
CONSOMMATION (100 km) ville 14,6 L, route 9,6 L (octane 91)
ANNUELLE 2 091 L, 2 823 $ **ÉMISSIONS DE CO_2** 4 809 kg/an

(AMG 63) V8 5,5 L DACT biturbo
PUISSANCE 577 ch à 5 500 tr/min
COUPLE 664 lb-pi de 2 250 à 3 750 tr/min
RAPPORT POIDS/PUISSANCE 3,2 kg/ch
BOÎTE(S) DE VITESSES automatique à 7 rapports avec mode manuel
PERFORMANCES 0-100 km/h 4,1 s
VITESSE MAXIMALE 250 km/h, 300 km/h avec ensemble AMG (bridées)
CONSOMMATION (100 km) ville 14,7 L, route 9,5 L (octane 91)
ANNUELLE 2 108 L, 2 846 $ **ÉMISSIONS DE CO_2** 4 848 kg/an

(AMG 65) V12 6,0 L SACT biturbo
PUISSANCE 621 ch de 4 800 à 5 400 tr/min
COUPLE 737 lb-pi de 2 300 à 4 300 tr/min
RAPPORT POIDS/PUISSANCE 3,1 kg/ch
BOÎTE(S) DE VITESSES automatique à 7 rapports avec mode manuel
PERFORMANCES 0-100 km/h 4,0 s
REPRISE 80-115 km/h 2,9 s **VITESSE MAXIMALE** 300 km/h (bridée)
CONSOMMATION (100 km) ville 16,7 L, route 11,2 L (octane 91)
ANNUELLE 2 414 L, 3 259 $ **ÉMISSIONS DE CO_2** 5 552 kg/an

AUTRES COMPOSANTS

SÉCURITÉ ACTIVE (selon version ou certains en option) Freins ABS, assistance au freinage, répartition électronique de la force de freinage, contrôle électronique de la stabilité, antipatinage, phares adaptatifs, avertisseurs de somnolence, régulateur de vitesse adaptatif, assistance en cas d'obstacle latéral ou de sortie de voie, aide à la vision nocturne
SUSPENSION avant/arrière indépendante
FREINS avant/arrière disques **DIRECTION** à crémaillère, assistée
PNEUS 450/550/63 P255/35R19 (av.) P285/30R19 (arr.)
65/option 63 P255/35R19 (av.) P285/30R20 (arr.)

DIMENSIONS

EMPATTEMENT 2 585 mm **LONGUEUR 450/550** 4 631 mm **63/65** 4 640 mm
LARGEUR 1 877 mm, 2 099 mm (incl. rétro.)
HAUTEUR 450/550 1 315 mm **63** 1 300 mm **65** 1 308 mm
POIDS 450 1 735 kg **550** 1 795 kg **63** 1 845 kg **65** 1 950 kg
RÉPARTITION DU POIDS AV/ARR (%) 450 50/50 **550/65** 52/48 **63** 51/49
DIAMÈTRE DE BRAQUAGE 11,1 m **COFFRE** 485 L, 345 L (toit abaissé)
RÉSERVOIR DE CARBURANT 450/550 65 L **63/65** 75 L

LA COTE VERTE

MOTEUR L4 DE 2,0 L TURBO
CONSOMMATION (100 km) ville 9,8 L, route 7,4 L
CONSOMMATION ANNUELLE 1 479 L, 1 997 $
INDICE D'OCTANE 91
ÉMISSIONS POLLUANTES CO_2 3 402 kg/an
(source : ÉnerGuide)

FICHE D'IDENTITÉ

VERSION(S) 250 4MATIC, 45 AMG 4MATIC
TRANSMISSION(S) 4
PORTIÈRES 5 **PLACES** 5
PREMIÈRE GÉNÉRATION 2015
GÉNÉRATION ACTUELLE 2015
CONSTRUCTION Rastatt, Allemagne
COUSSINS GONFLABLES 8 (frontaux, latéraux avant et arrière, rideaux latéraux)
CONCURRENCE Audi Q3, BMW X1, Buick Encore, Infiniti QX30, MINI Countryman

AU QUOTIDIEN

COLLISION FRONTALE ND
COLLISION LATÉRALE ND
VENTES DU MODÈLE L'AN DERNIER
AU QUÉBEC 1 010 (+270 %) **AU CANADA** 3 719 (+286 %)
DÉPRÉCIATION (%) 13,4 (2 ans)
RAPPELS (2011 à 2016) 3
COTE DE FIABILITÉ 4/5

GARANTIES... ET PLUS

GARANTIE GÉNÉRALE 4 ans/80 000 km
GROUPE MOTOPROPULSEUR 4 ans/80 000 km
PERFORATION 5 ans/kilométrage illimité
ASSISTANCE ROUTIÈRE 4ans/kilométrage illimité
NOMBRE DE CONCESSIONNAIRES
AU QUÉBEC 15 **AU CANADA** 57

NOUVEAUTÉS EN 2017

Aucun changement majeur

LA GOLF DE MERCEDES

Autrefois spécialiste de la berline de luxe, Mercedes a multiplié le nombre de modèles sur la route au point de faire la lutte à GM dans la quantité de voitures et de camions présentés dans le paysage automobile. Seulement dans les utilitaires, on peut compter les GLS, G, GLE, GLC et le récent GLA, qui devient le modèle d'entrée de gamme de la marque dans ce segment et le premier à s'adresser à la génération Y. Mercedes est maintenant un généraliste et, mis à part dans les camionnettes, le géant allemand est présent partout.

Benoit Charette

TOUR DU PROPRIÉTAIRE > C'est un atout précieux de jouir d'une réputation aussi enviable que celle de Mercedes quand vient le moment de présenter un produit sur le marché. Même si le GLA arrive tard dans la parade, il présente des arguments visuels convaincants. Tout muscle dehors, il ne souffre pas de modestie. Le capot est assez long, les flancs bien galbés, surtout sur la version AMG, qui transpire encore plus la testostérone. La ceinture de caisse est assez haute pour tenter de justifier son appellation de camion. Au chapitre du format, les mensurations sont à quelques millimètres près celles d'une VW Golf, mais le prestige associé à Mercedes lui donne un petit je ne sais quoi de plus.

+
- LE STYLE AFFIRMÉ
- LE DYNAMISME SUR LA ROUTE
- PERFORMANCES (AMG)

−
- QUELQUES DÉTAILS DE FINITION
- SUSPENSION SÈCHE (AMG)
- ÉCRAN CENTRAL MAL PLACÉ

MENTIONS

CLÉ D'OR | CHOIX VERT | COUP DE CŒUR | **RECOMMANDÉ**

VERDICT

PLAISIR AU VOLANT
QUALITÉ DE FINITION
CONSOMMATION
RAPPORT QUALITÉ / PRIX
VALEUR DE REVENTE
CONFORT

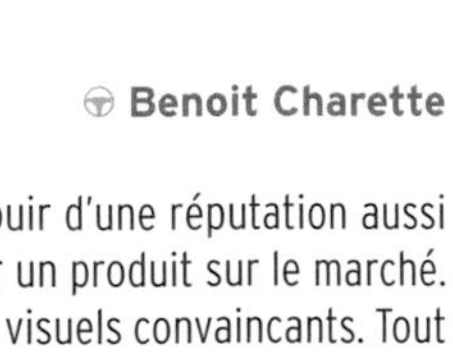

1 5 10

VIE À BORD > Le GLA ne partage pas seulement la plateforme de la CLA, mais aussi son intérieur. Il présente le même style agréable et moderne et les mêmes défauts, comme la tablette qui trône en position centrale au-dessus de la console. Nous sommes incapable de nous y faire. Cette chose a encore l'air d'une verrue dans le décor. Si à tout le moins elle pouvait se dissimuler dans le tableau de bord, mais non, elle est là, bêtement devant vous, et l'écran n'est pas tactile en plus, il faut passer par une mollette dans la console centrale pour activer les fonctions, qui sont heureusement assez faciles à comprendre. Selon les versions et la liste d'options, vous pouvez choisir plusieurs coloris et finitions. Les places arrière sont correctes, mais l'espace est compté. Le hayon aide grandement à rendre l'espace cargo plus accueillant.

TECHNIQUE > Si, sur d'autres marchés, le GLA se vend en version deux roues motrices avant ou intégrale, chez nous, nous sommes uniquement dans les versions 4Matic. L'offre débute avec le même 4-cylindres 2 litres turbo que dans la CLA et la Classe B. Il produit 208 chevaux et 258 livres-pieds de couple. Pour ceux qui veulent en découdre avec les Golf R, Ford Focus RS ou Subaru WRX STi, la version AMG avec ses 4 roues motrices et son moteur 2 litres de 355 chevaux va répondre présente au défi. Les deux modèles comprennent une boîte à 7 rapports à double embrayage avec palettes au volant. L'AMG prend aussi moins de 5 secondes à franchir le cap des 100 km/h départ arrêté et pousse jusqu'à 250 km/h.

AU VOLANT > Nous pourrions résumer l'expérience au volant en deux mots : dynamique et rigoureuse. On voit tout de suite les gènes de bonne famille. La tenue de route fait preuve d'aplomb, le roulis est contenu, même dans la version 250, la direction est précise et permet une bonne communion avec la route. Le châssis rigide assure aussi un haut niveau de sécurité au volant. Si la suspension de la version 250 reste dans le domaine du confortable même en changeant les paramètres de conduite, la version AMG s'avère beaucoup plus sèche, voire désagréable sur des routes défoncées. Parfait gabarit pour la ville, ce véhicule peut se faufiler un peu partout. Le seul petit bémol réside dans le rayon de braquage plutôt ordinaire.

CONCLUSION > Si vous arrivez en retard à une fête, il faut apporter un plus gros cadeau. C'est un peu ce que Mercedes a fait avec le GLA. Il est un des derniers en lice dans cette catégorie, mais un des plus jolis. Son dynamisme sur la route est plus que bon, voire excellent en version AMG. Mais de grâce, il ne faut pas considérer le GLA comme un utilitaire. C'est une voiture avec une ceinture de caisse plus élevée. Si cela se comporte comme une voiture et se conduit comme une voiture, c'est que vous êtes dans une voiture. ■

2e OPINION

Luc-Olivier Chamberland

Mercedes-Benz parle du GLA comme d'un véritable VUS. Toutefois, on se rend vite compte qu'il est construit sur la base de la berline CLA et qu'en fait de grosseur, il est à peine plus imposant qu'une Golf de Volkswagen. Pour être franc, le GLA est un hayon à cinq portes un peu plus haut que la moyenne. On lui colle l'étiquette de VUS pour la simple raison que nos voisins du Sud sont allergiques aux « hatchbacks » ! Pour 2017, on arrive avec de menues améliorations esthétiques qui rehaussent le look aventurier du GLA.

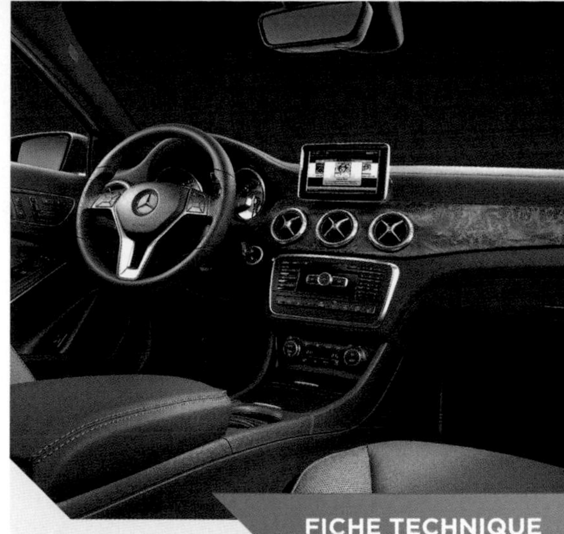

FICHE TECHNIQUE

MOTEUR(S)

(250) L4 2,0 L DACT turbo
PUISSANCE 208 ch à 5 500 tr/min
COUPLE 258 lb-pi de 1 250 à 4 000 tr/min
RAPPORT POIDS/PUISSANCE 7,2 kg/ch
BOÎTE(S) DE VITESSES robotisée à 7 rapports avec manettes au volant
PERFORMANCES 0-100 km/h 7,1 s
REPRISE 80-115 km/h 4,6 s
FREINAGE 100-0 km/h 38,2 m
NIVEAU SONORE À 100 km/h ND
VITESSE MAXIMALE 210 km/h (bridée)

(45 AMG) L4 2,0 L DACT turbo
PUISSANCE 375 ch à 6 000 tr/min
COUPLE 350 lb-pi de 2 250 à 5 000 tr/min
RAPPORT POIDS/PUISSANCE 4,5 kg/ch
BOÎTE(S) DE VITESSES robotisée à 7 rapports avec manettes au volant
PERFORMANCES 0-100 km/h 4,4 s
VITESSE MAXIMALE 250 km/h (bridée)
CONSOMMATION (100 km) ville 10,3 L, route 8,1 L (octane 91)
ANNUELLE 1 581 L, 2 134 $
ÉMISSIONS POLLUANTES CO_2 3 636 kg/an

AUTRES COMPOSANTS

SÉCURITÉ ACTIVE (certains en option) Freins ABS, assistance au freinage, répartition électronique de la force de freinage, contrôle de la stabilité électronique, antipatinage, freinage d'urgence automatique, aide au départ et à la descente en pente, avertisseur de sortie de voie, assistance au maintien de voie, régulateur de vitesse adaptatif, avertisseurs d'obstacle latéral et arrière et de somnolence, phares adaptatifs, essuie-glaces adapatatifs
SUSPENSION avant/arrière indépendante
FREINS avant/arrière disques
DIRECTION à crémaillère, assistée électriquement
PNEUS 250 P235/50R17 **45 AMG** P235/45R19, P235/40R20 en option

DIMENSIONS

EMPATTEMENT 2 699 mm
LONGUEUR 250 4 417 mm **45 AMG** 4 445 mm
LARGEUR 1 804 mm, 2 022 mm (incl. rétro.)
HAUTEUR 250 ND **45 AMG** 1 479 mm
POIDS 250 1 505 kg **45 AMG** 1 585 kg
RÉPARTITION DU POIDS AV/ARR (%) 60/40
DIAMÈTRE DE BRAQUAGE 11,8 m
COFFRE 421 L, 1 235 L (sièges abaissés)
RÉSERVOIR DE CARBURANT 56 L

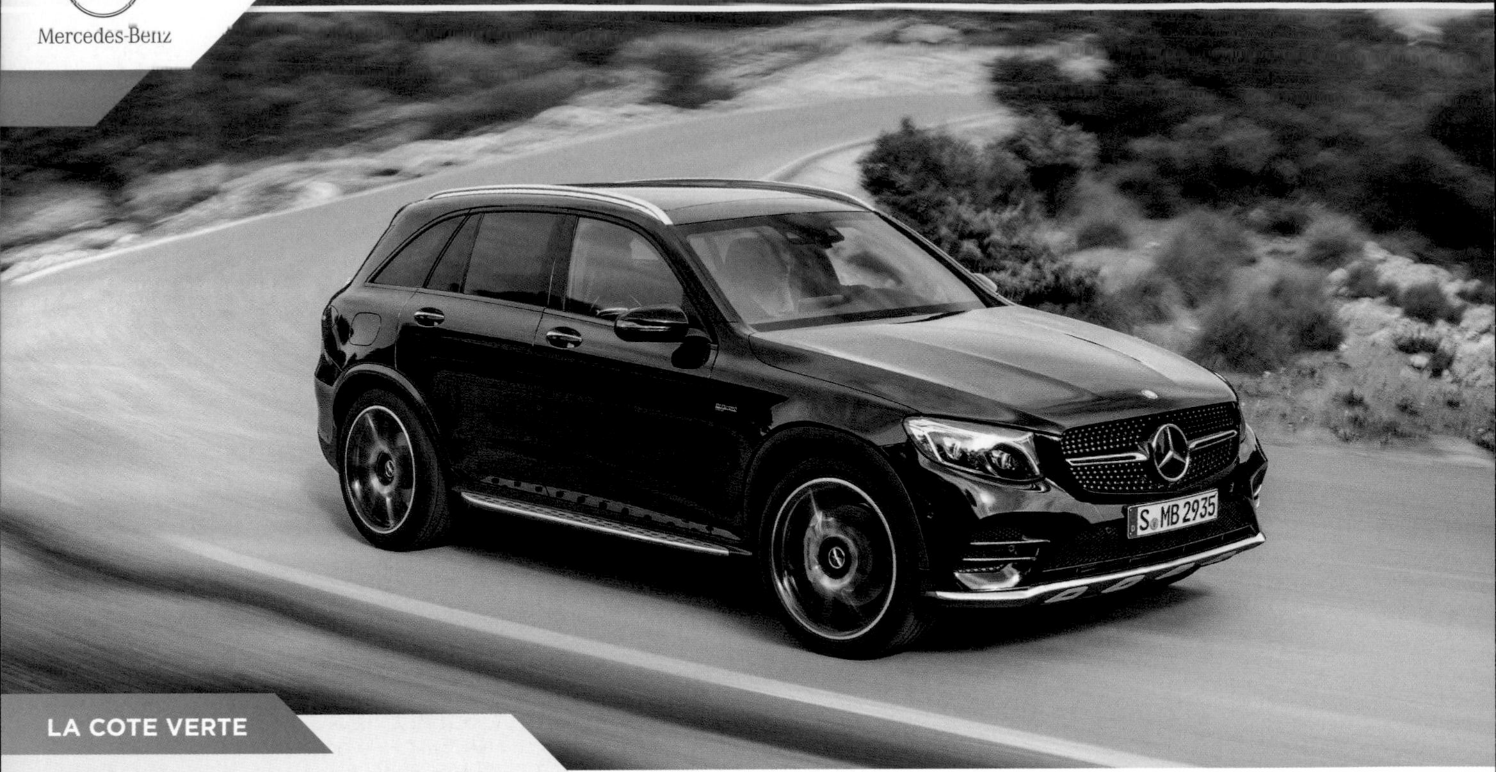

LA COTE VERTE

MOTEUR L4 DE 2,0 L TURBO
CONSOMMATION (100 km) ville 10,5 L, route 7,8 L (est.)
CONSOMMATION ANNUELLE 1 581 L, 2 292 $
INDICE D'OCTANE 91
ÉMISSIONS POLLUANTES CO_2 3 636 kg/an
(source : L'Annuel)

FICHE D'IDENTITÉ

VERSION(S) GLC/Coupé GLC 300 4MATIC, AMG 43 4MATIC
TRANSMISSION(S) 4
PORTIÈRES 5 **PLACES** 5
PREMIÈRE GÉNÉRATION 2010
GÉNÉRATION ACTUELLE 2016
CONSTRUCTION Bremen, Allemagne
COUSSINS GONFLABLES 7 (frontaux, latéraux avant, genoux conducteur, rideaux latéraux), option 9 (+ latéraux arrière)
CONCURRENCE Acura RDX, Audi Q5, BMW X3/X4, Buick Envision, Infiniti QX50, Jaguar F-Pace, Land Rover Discovery Sport/ Range Rover Evoque, Lexus NX, Lincoln MKC, Porsche Macan, Volvo XC60

AU QUOTIDIEN

COLLISION FRONTALE ND
COLLISION LATÉRALE ND
VENTES DU MODÈLE L'AN DERNIER
AU QUÉBEC 1 018 (-15,6 %) **AU CANADA** 5 304 (-5,3 %) (GLK)
DÉPRÉCIATION (%) 26,0 (3 ans) (GLK)
RAPPELS (2011 à 2016) 1
COTE DE FIABILITÉ 4/5

GARANTIES… ET PLUS

GARANTIE GÉNÉRALE 4 ans/80 000 km
GROUPE MOTOPROPULSEUR 4 ans/80 000 km
PERFORATION 5 ans/kilométrage illimité
ASSISTANCE ROUTIÈRE 4 ans/ kilométrage illimité
NOMBRE DE CONCESIONNAIRES
AU QUÉBEC 15 **AU CANADA** 44

NOUVEAUTÉS EN 2017

Version Coupe, version AMG 43 4MATIC.

JEU DE L'IMITATION

La métamorphose du GLK en GLC est révélatrice de cette volonté de repositionner ce modèle, qui se trouvait jusqu'ici en marge de la concurrence. Et de BMW surtout… Voilà sans doute qui explique pourquoi une version Coupé de cet utilitaire s'ajoute cette année au catalogue.

Éric LeFrançois

TOUR DU PROPRIÉTAIRE > Si BMW le fait… Pour contrecarrer le X4 de sa rivale bavaroise, Mercedes ajoute - sans surprise - une version Coupé cette année. Cette dernière est plus stylisée avec son pavillon arqué et propose à celui ou celle qui se trouve au volant une position de conduite plus basse (-42 mm) pour donner cette « fausse impression » de se retrouver aux commandes d'une voiture de sport.

VIE À BORD > Le nouveau gabarit de l'utilitaire compact de Mercedes profite en premier lieu à l'habitabilité, même si la banquette est taillée pour n'accueillir confortablement que deux personnes. Ces dernières apprécieront la dimension des portes antérieures, qui permet d'accéder à leur place ou de s'en extraire aisément. Enfin, derrière le dossier de la banquette, ça se fractionne en trois parties (40/20/40), ce qui contribue à sa modularité. Le GLC dégage par ailleurs une ambiance plus raffinée, plus chaleureuse. Fortement inspiré de celui de la berline de Classe C, le dessin du tableau de bord séduit par la qualité et la mixité des matières qui le recouvrent, mais déplaît franchement pour la largeur excessive de la console centrale. Celle-ci, sans raison apparente, rend les places avant

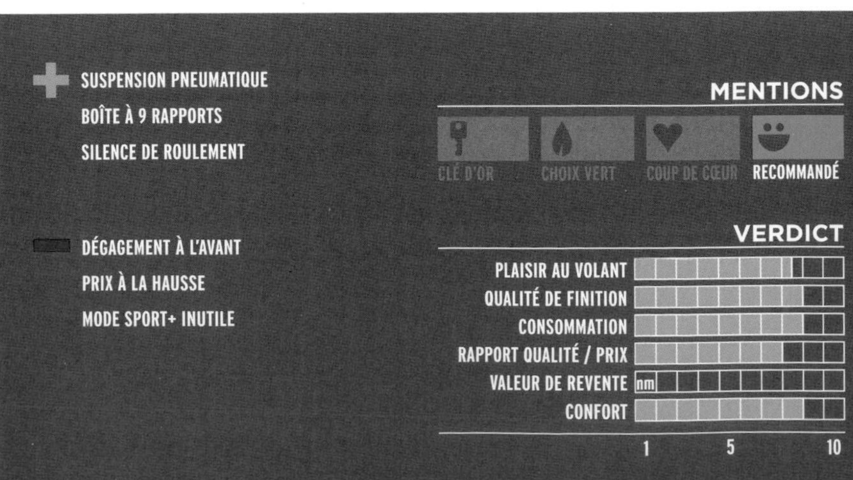

incroyablement étriquées pour un véhicule de cette taille. Dommage, car les sièges sont confortables et faciles à ajuster. En revanche, dans le domaine acoustique, le GLC surprend très agréablement. En fait, il s'agit sans doute du multisegment compact de luxe le plus silencieux qu'il nous ait été donné d'essayer à ce jour, et ce, peu importe la mécanique (essence ou diesel) logée sous le capot.

TECHNIQUE > La GLC 350 e (c'est son appellation) sera le cinquième véhicule hybride construit par Mercedes-Benz. Cette troisième déclinaison est appelée à entreprendre une carrière commerciale au cours de l'année 2017. C'est encore loin. Cette hybride à prise rechargeable promet de parcourir 34 kilomètres en mode tout électrique et d'atteindre, toujours dans un silence de cathédrale et sans faire fumer ses échappements, une pointe de vitesse de 140 km/h. Grimpée sur le train arrière, la batterie ampute près de la moitié du volume du coffre (350 L contre 550 L pour les versions essence et diesel), qui conserve néanmoins la même modularité.

AU VOLANT > Au Canada, deux motorisations seront proposées, toutes deux à essence, équipant les versions 300 et AMG 43. La première compte 4 cylindres alors que la dernière en compte 6. Le GLC pourra recevoir – mais à quel prix ? – une suspension pneumatique Air Body Control et un système d'amortissement à pilotage électronique progressif baptisé ADS Plus. En matière de sécurité, le GLC accueillera la plupart des systèmes du programme Intelligent Drive élaboré par le constructeur et permettant une conduite assistée ou semi-autonome, c'est selon votre interprétation. Ce dispositif permet au GLC de braquer, freiner, maintenir une distance raisonnable avec le véhicule qui vous précède. Chouette, mais cela ne vous donne pas le droit de rédiger des textos lorsque vous êtes aux commandes.

Dynamiquement parlant, le GLC se hisse au rang des meilleurs. Le Macan de Porsche, voire le X3 de BMW, offre un agrément de conduite supérieur à cette Mercedes, et ce, même en adoptant le mode Sport+, qui maximise le rendement de ses composantes, les place sur un pied d'alerte. Cela rend la conduite inutilement (et artificiellement, j'oserais dire) violente, même si la sonorité musclée des échappements laisse penser le contraire. Mieux vaut limiter ses choix aux autres modes de conduite, plus en adéquation avec la personnalité plutôt bourgeoise de ce modèle qui, dans sa configuration actuelle, n'aime pas particulièrement se faire brasser. Dès que le sous-virage – tendance à tirer tout droit – se manifeste, l'intervention des aides à la conduite se fait immédiatement sentir. Quant au choix mécanique, on préférera l'essence en raison de sa rondeur, de sa souplesse et de ses performances globales. Le turbodiesel représente une solution de choix pour les gros rouleurs (économie et autonomie) et la formidable poussée de son couple, mais son coût d'entretien est élevé.

CONCLUSION > À défaut de charisme, le GLC est sans doute l'utilitaire compact le plus homogène de son segment. La version Coupé permettra sans doute de rallumer le projecteur sur ce modèle à la carrière plutôt discrète jusqu'ici. ■

2e OPINION

Daniel Rufiange

En redessinant son GLK l'an dernier et en le rebaptisant GLC, Mercedes-Benz rompait avec l'un de ses produits les plus populaires. Je suis de ceux qui ont décrié cette stratégie sur le plan esthétique. Cependant, concernant l'exécution et la qualité de l'œuvre, là, il n'y a aucun doute; les cerveaux de Stuttgart ont fait progresser de belle façon leur VUS compact. Les motorisations proposées, l'expérience de conduite, la qualité de construction, la présentation intérieure, tout est au poil. Pour 2017 s'ajoute une version Coupé qui se veut un peu plus mordante sur la route. Une variante diesel arrivera cet automne et une autre, à motorisation hybride, suivra au printemps prochain. Du bonbon. Souhaitons que la fiabilité du GLC soit à la hauteur de celle du GLK, elle qui était légèrement supérieure à la moyenne.

FICHE TECHNIQUE

MOTEUR(S)

(300) L4 2,0 L DACT turbo
PUISSANCE 241 ch à 5 500 tr/min
COUPLE 273 lb-pi de 1 300 à 4 000 tr/min
RAPPORT POIDS/PUISSANCE 7,2 kg/ch
BOÎTE(S) DE VITESSES automatique à 9 rapports avec mode manuel
PERFORMANCES 0-100 km/h 7,3 s
VITESSE MAXIMALE 222 km/h (bridée)
NIVEAU SONORE à 100 km/h Bon

(AMG 43) V6 3,0 L DACT biturbo
PUISSANCE 362 ch à ND tr/min
COUPLE 384 lb-pi à ND tr/min
RAPPORT POIDS/PUISSANCE 5,1 kg/ch (est.)
BOÎTE(S) DE VITESSES automatique à 9 rapports avec mode manuel
PERFORMANCES 0-100 km/h 4,9 s
VITESSE MAXIMALE ND

AUTRES COMPOSANTS

SÉCURITÉ ACTIVE (certains en option) Freins ABS, assistance au freinage, répartition électronique de la force de freinage, contrôle électronique de la stabilité, antipatinage, assistance vision nocturne, régulateur de vitesse adaptatif, avertisseurs de sortie de voie, d'obstacle latéral et de somnolence, assistance en cas de collision imminente, assistance au départ en pente, phares automatiques et adaptatifs, système de stabilisation en cas de vent latéral
SUSPENSION avant/arrière indépendante ajustable et adaptative, pneumatique en option
FREINS avant/arrière disques
DIRECTION à crémaillère, assistée électriquement, adaptative
PNEUS P235/55R19 **option** P255/45R20

DIMENSIONS

EMPATTEMENT 2 873 mm
LONGUEUR 4 656 mm
LARGEUR 1 899 mm, 2 096 mm (incl. rétro.)
HAUTEUR 1 644 mm
POIDS 300 1 735 kg **250D** 1 845 kg
DIAMÈTRE DE BRAQUAGE 11,8 m
COFFRE 550 L, 1 600 L (sièges abaissés) **Coupe** ND
RÉSERVOIR DE CARBURANT 66 L
CAPACITÉ DE REMORQUAGE 2 400 kg (remorque avec freins)

LA COTE VERTE

MOTEUR V6 DE 3,0 L TURBODIESEL
CONSOMMATION (100 km) ville 10,1 L, route 8,0 L **Coupé** ville 10,4 L route 8,2 L
CONSOMMATION ANNUELLE 1 564 L, 1 799 $ **Coupé** 1 598 L, 1 838 $
INDICE D'OCTANE Diesel
ÉMISSIONS POLLUANTES CO_2 4 207 kg/an **Coupé** 4 299 kg/an
(source : ÉnerGuide)

FICHE D'IDENTITÉ

VERSION(S) **GLE** 550 4MATIC , 550e 4MATIC **GLE/GLE Coupé** 350d 4MATIC, AMG 43 4MATIC, AMG 63 S 4MATIC
TRANSMISSION(S) 4
PORTIÈRES 5 **PLACES** 5
PREMIÈRE GÉNÉRATION 1997, 2016 (Coupé)
GÉNÉRATION ACTUELLE 2016
CONSTRUCTION Tuscaloosa, Alabama, É.-U.
COUSSINS GONFLABLES 11 (frontaux, latéraux avant et arrière, aux hanches avant, genoux conducteur, rideaux latéraux)
CONCURRENCE Acura MDX, Audi Q7, BMW X5/X6, Buick Enclave, Cadillac XT5, Infiniti QX60/QX70, Jaguar F-Pace, Jeep Grand Cherokee, Land Rover LR4/Rnage Rover Sport, Lexus GX/RX, Lincoln MKT/MKX, Maserati Levante, Porsche Cayenne, Volkswagen Touareg, Volvo XC90

AU QUOTIDIEN

COLLISION FRONTALE 5/5
COLLISION LATÉRALE 5/5
VENTES DU MODÈLE L'AN DERNIER
AU QUÉBEC 930 (-0,5 %) **AU CANADA** 6 008 (+8,6 %)
DÉPRÉCIATION (%) 24,1 (3 ans, Classe M)
RAPPELS (2011 à 2016) 1
COTE DE FIABILITÉ 4/5

GARANTIES... ET PLUS

GARANTIE GÉNÉRALE 4 ans/80 000 km
GROUPE MOTOPROPULSEUR 4 ans/80 000 km
PERFORATION 5 ans/kilométrage illimité
ASSISTANCE ROUTIÈRE 4 ans/ kilométrage illimité
NOMBRE DE CONCESIONNAIRES
AU QUÉBEC 15 **AU CANADA** 57

NOUVEAUTÉS EN 2017

Le GLE450 AMG devient le GLE43 AMG en 2017.

MANIPULATION GÉNÉTIQUE ET ALPHABÉTIQUE

Mercedes a été la première marque à croiser les gènes d'une berline et d'un coupé pour donner naissance à la CLS. Cette dernière a inspiré des concurrents dont, plusieurs années plus tard, BMW (6 GranCoupe). Mercedes se devait, dit-on, de suivre le sillon creusé par sa rivale de Munich en donnant le feu vert à la commercialisation du GLE Coupé, né d'un croisement entre un utilitaire et un coupé, deux genres largement antinomiques. Était-ce bien nécessaire de répliquer ?

Éric LeFrançois

TOUR DU PROPRIÉTAIRE > Trop classique le GLE ? Préférez-lui alors sa déclinaison plus déjantée, le coupé. Ce dernier ne se livre pas au premier regard. Le style est à multiples facettes. Le toit arqué, qu'il soit de la couleur de la carrosserie ou entièrement réalisé en verre (en option), accentue le contraste. La partie avant évoque les utilitaires de Mercedes, mais le hayon fait penser à la poupe d'un Nautilus postmoderne. Il y a de la science-fiction dans le GLE Coupé, mais il faut l'examiner de profil, lorsqu'il semble glisser sur le bitume au milieu du trafic, pour le saisir dans toute sa singularité.

+
- COUPLE DU TURBODIESEL
- CAPACITÉ DE REMORQUAGE
- CONSTRUCTION ET FINITION SÉRIEUSES

−
- ACCÈS ET SORTIE DIFFICILES (COUPÉ)
- BOÎTE CONFUSE
- ERGONOMIE DE PLUSIEURS COMMANDES

MENTIONS

CLÉ D'OR | CHOIX VERT | COUP DE CŒUR | **RECOMMANDÉ**

VERDICT

PLAISIR AU VOLANT
QUALITÉ DE FINITION
CONSOMMATION
RAPPORT QUALITÉ / PRIX
VALEUR DE REVENTE
CONFORT

1 5 10

VIE À BORD > Si certains vont détester le style extérieur, l'habitacle devrait faire l'unanimité. Enfin presque. La courbe convexe décrite par le toit combinée avec les bords ourlés des baquets avant risque de vous « assommer » si vous n'avez pas le réflexe de pencher la tête pour accéder à votre fauteuil ou pour vous en extraire. Un automatisme qui s'acquiert après deux ou trois rencontres fortuites avec le pilier A (montant du pare-brise). À l'arrière, ce risque se rencontre à la sortie. Le mobilier intérieur de cette Mercedes ne dépaysera aucunement les clients de la firme allemande. Il s'agit ni plus ni moins d'un copier-coller des autres modèles de la gamme. L'ergonomie est correcte, pour peu qu'on apprivoise les multiples fonctionnalités – accessibles grâce à une commande rotative appelée Command – de ce véhicule. Celles-ci ne sont pas très intuitives et le sélecteur de vitesses à impulsion est presque aussi désagréable à manipuler. Enfin, si ce véhicule est destiné à remplacer un utilitaire – un vrai –, la déception pourrait survenir rapidement. Le seuil de chargement est élevé et l'espace du coffre – sous la tablette – est décevant.

TECHNIQUE > L'acquisition d'un GLE Coupé n'apparaît pas jusqu'ici très rationnelle, même si sa capacité de remorquage se compare avantageusement avec celle des utilitaires pur jus. Parmi les trois mécaniques offertes sous le capot, retenons la plus efficace et la moins chère : le 3-litres turbodiesel. Sa puissance paraît un peu juste sur papier, mais c'est du côté du couple qu'il faut regarder. Pour cela, il faut jeter son dévolu sur les versions à essence plus puissantes. Mais celles-ci consomment beaucoup plus.

AU VOLANT > Ce turbodiesel est un costaud et s'empresse de nous le rappeler dès 1600 tours/minute. La poussée est franche, mais le poids conséquent que ce moteur doit mouvoir n'en fait pas une fusée pour autant. Silencieuse, cette mécanique s'avère étonnamment sobre à la pompe et offre une autonomie des plus appréciables grâce à son immense réservoir. Moins nerveux que les moteurs à essence, ce moteur apparaît aussi mieux adapté à la gestion un peu confuse de la boîte à 9 rapports qui l'accompagne. Campé sur d'énormes roues (20 pouces de série, 21 et 22 pouces en option), le GLE Coupé ne s'inquiète de rien. Il file vite et droit et ne se laisse jamais perturber par les vents qui soufflent sur ses tôles. Rassurante et stable, cette Mercedes souffre cependant d'une direction un peu floue dans sa position centrale, mais qui se raffermit juste assez quand vient le moment d'emprunter des courbes. L'adhérence ne pose pas problème, mais il y a des limites à ne pas dépasser et des excès de confiance à combattre. Cette Mercedes n'a rien d'une sportive, et le sous-virage (tendance à tirer tout droit dans les virages) apparaît assez subitement. Quant à l'amortissement, il est plutôt ferme, sans être inconfortable pour autant.

CONCLUSION > Mis à part les inconditionnels du X6 de BMW et quelques excentriques, on ne voit pas très bien qui voudra d'un GLE Coupé dans son entrée de garage. Évidemment, Mercedes ne partage pas cet avis, alors voyons voir dans un an combien se seront laissé tenter par ce véhicule trop peu polyvalent pour chasser sur le même terrain qu'un utilitaire et pas assez stylisé pour aimanter les regards. ■

2e OPINION

Benoit Charette

Même si la ML a changé de nom, la plate-forme demeure la même et les sensations dans la conduite aussi. En excluant les versions AMG 63, qui montrent un caractère bouillant, les autres modèles sont plus axés sur le confort. Ils n'ont pas le dynamisme d'un X5 de BMW ou d'un Cayenne chez Porsche. La direction manque de communication avec la route et on sent tout le poids du véhicule si on ose attaquer une courbe un peu prononcée, ce qui n'est pas le cas avec un X5 ou le Cayenne. Cela dit, la GLE est une superbe routière et avalera de longs trajets d'autoroute en tout confort. Le meilleur compromis se trouve sans doute dans la version 450 AMG, qui offre le confort et juste ce qu'il faut de tenue de route supplémentaire pour avoir du plaisir.

FICHE TECHNIQUE

MOTEUR(S)

(350d) V6 3,0 L DACT turbodiesel
PUISSANCE 249 ch à 3 400 tr/min
COUPLE 457 lb-pi à 1 600 tr/min
RAPPORT POIDS/PUISSANCE GLE 8,7 kg/ch **Coupé** 9,0 kg/ch
BOÎTE(S) DE VITESSES automatique à 9 rapports avec mode manuel et manettes au volant
PERFORMANCES 0-100 km/h GLE 7,1 s **Coupé** 7,0 s
DISTANCE DE FREINAGE 100-0 km/h 37,0 m
VITESSE MAXIMALE 225 km/h (bridée)

(450 AMG) V6 3,0 L DACT biturbo
PUISSANCE 362 ch de 5 500 à 6 000 tr/min
COUPLE 384 lb-pi de 1 800 à 4 000 tr/min
RAPPORT POIDS/PUISSANCE 6,1 kg/ch
BOÎTE(S) DE VITESSES automatique à 9 rapports avec mode manuel et manettes au volant
PERFORMANCES 0-100 km/h 5,7 s
VITESSE MAXIMALE 250 km/h (bridée)
CONSOMMATION (100 km) ville 13,3 L, route 10,4 L (est.) (octane 91)
ANNUELLE 2 040 L, 2 754 $
ÉMISSIONS DE CO_2 4 692 kg/an

(GLE 550) V8 4,7 L DACT biturbo
PUISSANCE 429 ch à 5 250 tr/min
COUPLE 516 lb-pi de 1 800 à 4 000 tr/min
RAPPORT POIDS/PUISSANCE 5,2 kg/ch
BOITE(S) DE VITESSES automatique à 7 rapports avec mode manuel et manettes au volant
PERFORMANCES 0-100 km/h 5,3 s
VITESSE MAXIMALE 250 km/h (bridée)
CONSOMMATION (100 km) ville 16,2 L route 11,8 L (octane 91)
ANNUELLE 2 414 L, 3 259 $
ÉMISSIONS DE CO_2 5 552 kg/an

(63 S) V8 5,5 L DACT biturbo
PUISSANCE 577 ch 5 500 tr/min
COUPLE 560 lb-pi de 1 750 à 5 250 tr/min
RAPPORT POIDS/PUISSANCE 4,1 kg/ch
BOITE(S) DE VITESSES automatique à 7 rapports avec mode manuel
PERFORMANCES 0-100 km/h 4,2 s
VITESSE MAXIMALE 250 km/h, option 280 km/h (bridées)
CONSOMMATION (100 km) ville 17,3 L route 13,5 L
Coupé ville 17,2 L route 12,8 L (octane 91)
ANNUELLE 2 652 L, 3 580 $ **Coupé** 2 584 L, 3 488 $
ÉMISSIONS DE CO_2 6 100 kg/an **Coupé** 5 943 kg/an

AUTRES COMPOSANTS

SÉCURITÉ ACTIVE (certains en option) Freins ABS, assistance au freinage, répartition électronique de la force de freinage, contrôle électronique de la stabilité, antipatinage, régulateur de vitesse adaptatif, avertisseur de somnolence, assistance en cas de sortie de voie, de vent de travers, d'obstacle latéral et de collision imminente, phares adaptatifs
SUSPENSION avant/arrière indépendante, à amortissement pneumatique sélectionnable **63 S/option 450 AMG** à barres antiroulis actives
FREINS avant/arrière disques
DIRECTION à crémaillère, assistée électriquement
PNEUS GLE 350d/450 P255/50R19 **550** P265/45R20 **63 S** P295/35R21
Coupé 350d P275/50R20 **450/option 350d** P275/45R21 (av.) P315/40R21 (arr.)
63 S/option 350d, 450 P285/40R22 (av.) P325/35R22 (arr.)

DIMENSIONS

EMPATTEMENT 2 915 mm
LONGUEUR GLE 4 819 mm **63 S** 4 852 mm **Coupé 350d** 4 900 mm **450** 4 891 mm **63 S** 4 918 mm
LARGEUR GLE 1 998 mm, 2 141 (incl. rétro.)
Coupé 1 998 mm, 2 129 mm (incl. rétro.)
HAUTEUR GLE 1 796 mm **550** 1 758 mm **63 S** 1 760 mm
Coupé 350d 1 731 mm **450** 1 719 mm **63 S** 1 718 mm
POIDS GLE 350d 2 175 kg **450** 2 130 kg **550** 2 235 kg **63 S** 2 345 kg
Coupé 350d 2 250 kg **450** 2 220 kg **63 S** 2 350 kg
DIAMÈTRE DE BRAQUAGE 11,8 m
COFFRE GLE 690 L, 2 010 L (sièges abaissés)
Coupé 650 L, 1 720 L (sièges abaissés)
RÉSERVOIR DE CARBURANT 93 L
CAPACITÉ DE REMORQUAGE Coupé 350d 2 900 kg **450/63S** 3 500 kg

LA COTE VERTE

MOTEUR V6 DE 3,0 L TURBODIESEL
CONSOMMATION (100 km) ville 13,6 L, route 10,0 L
CONSOMMATION ANNUELLE 2 040 L, 2 346 $
INDICE D'OCTANE Diesel
ÉMISSIONS POLLUANTES CO_2 5 474 kg/an
(source : ÉnerGuide)

FICHE D'IDENTITÉ

VERSION(S) 350d 4MATIC, 450 4MATIC, 550 4MATIC, AMG 63 4MATIC
TRANSMISSION(S) 4
PORTIÈRES 5 **PLACES** 7
PREMIÈRE GÉNÉRATION 2007
GÉNÉRATION ACTUELLE 2007
CONSTRUCTION Vance, Alabama, É.-U.
COUSSINS GONFLABLES 9 (frontaux, genoux conducteur, latéraux avant et arrière, rideaux latéraux)
CONCURRENCE Cadillac Escalade, Infiniti QX80, Land Rover Range Rover, Lexus LX, Lincoln Navigator

AU QUOTIDIEN

COLLISION FRONTALE 5/5
COLLISION LATÉRALE 5/5
VENTES DU MODÈLE L'AN DERNIER
AU QUÉBEC 343 (-8,3 %) (inclut Classe G)
AU CANADA 2 742 (+5,5 %) (inclut Classe G)
DÉPRÉCIATION (%) 21,7 (3 ans)
RAPPELS (2011 à 2016) 5
COTE DE FIABILITÉ 3,5/5

GARANTIES... ET PLUS

GARANTIE GÉNÉRALE 4 ans/80 000 km
GROUPE MOTOPROPULSEUR 4 ans/80 000 km
PERFORATION 5 ans/kilométrage illimité
ASSISTANCE ROUTIÈRE 4 ans/ kilométrage illimité
NOMBRE DE CONCESIONNAIRES
AU QUÉBEC 15 **AU CANADA** 57

NOUVEAUTÉS EN 2017

Appellation GL devient GLS, retouches esthétiques extérieures et intérieurs, écran d'affichage central de 17,8 cm, transmission 9 rapports avec fonction arrêt/départ (sauf 63 S), moteurs plus puissants, sélecteur de mode de transmission par molette, démarrage sans clé, feux à DEL, nouvelles options et combinaisons de finitions de sièges.

UNE NOUVELLE LETTRE

Mercedes termine son branle-bas de combat pour renommer une grande partie de ses véhicules et refaire la nomenclature de ses modèles. Ainsi, le GL devient le GLS, et le constructeur profite de l'occasion pour faire des retouches de mi-parcours avant de présenter une nouvelle version d'ici deux ans.

Benoit Charette

TOUR DU PROPRIÉTAIRE > Le monde automobile vit des cycles qui reviennent à périodes fixes. Il semble que le style contemporain avec des angles plus prononcés soit devenu le mot d'ordre un peu partout. Le GLS ne semble pas y échapper. Cette remise à niveau se voit à l'avant du véhicule, qui a délaissé le style un peu plus rondouillard pour une partie avant plus droite et carrée avec une calandre de plus grande dimension. Les phares redessinés sont repoussés légèrement vers le côté. Vers l'arrière, vous avez de nouveaux pare-chocs et des feux à DEL redessinés comme à l'avant. Au final, vous avez un VUS qui semble moins massif, ce qui n'est qu'un leurre, mais le trompe-l'œil fonctionne bien. Comme à l'habitude, le style résolument sportif des versions AMG, avec des roues de 21 pouces et des appendices aérodynamiques, est toujours le plus désirable.

VIE À BORD > Il semble que l'intérieur flotte entre deux eaux. Vous avez d'un côté le luxe auquel Mercedes nous a habitués, un savant mélange de cuir et de bois et le confort des sièges

\+ MOTEUR DIESEL
\+ 7 VÉRITABLES PLACES
\+ RÉELLE CAPACITÉ TOUT-TERRAIN

\- TECHNOLOGIE COMAND UN PEU DÉPASSÉE
\- V8 GOURMAND
\- TOUJOURS TROP D'OPTIONS

MENTIONS

CLÉ D'OR · CHOIX VERT · COUP DE CŒUR · RECOMMANDÉ

À VALIDER — VERDICT

PLAISIR AU VOLANT
QUALITÉ DE FINITION
CONSOMMATION
RAPPORT QUALITÉ / PRIX
VALEUR DE REVENTE
CONFORT

1 5 10

de salon douillets offrant un bon support. De l'autre côté, le GLS commence à montrer son âge dans la console centrale. L'écran style tablette surplombe le système Comand, qui fonctionne encore avec les touches téléphoniques, et cet écran non tactile est contrôlé à son tour par une molette. C'était bien beau il y a dix ans, mais depuis, la concurrence embarque des écrans tactiles et des systèmes beaucoup plus simples d'utilisation. Sans doute que Mercedes va bientôt présenter une nouveauté dans le style de la Classe S à ce chapitre, mais ici, on traîne un peu de la patte. Ailleurs, l'espace est toujours généreux et l'insonorisation, irréprochable.

TECHNIQUE > Fidèle à sa réputation, Mercedes soumet quatre choix de moteurs pour 2017. Malgré tous les déboires reliés aux moteurs diesel, la version d'entrée de gamme revient avec son moteur V6 de 3 litres qui grimpe à 249 chevaux et 455 livres-pieds de couple. Je vais être honnête, c'est mon moteur préféré. Souple, puissant et frugal, vous consommez à peine 10 litres aux 100 kilomètres avec une bête de 2,5 tonnes. Étonnant. Arrive ensuite la version 450 et son V6 3 litres biturbo de 362 chevaux et 369 livres-pieds de couple. Un choix raisonnable dans les versions à essence. Ensuite, nous entrons dans le monde des V8 avec la version 550, qui se sert elle aussi d'une mécanique biturbo V8 de 4,7 litres de 449 chevaux et 516 livres-pieds de couple. Le bruit du V8 change l'expérience au volant et vous passerez plus souvent à la pompe. Finalement, il y a la version AMG 63, qui occupe le haut de la chaîne alimentaire avec son V8 de 5,5 litres biturbo et ses 577 chevaux et 560 livres-pieds de couple. Les modèles 350, 450 et 550 reçoivent pour 2017 la nouvelle boîte 9G-Tronic, alors que la version AMG 63 conserve la 7G-Tronic.

AU VOLANT > Grâce à toute l'électronique embarquée, le GLS ne donne jamais l'impression de conduire un pachyderme. La suspension pneumatique de série est associée au Dynamic Select, qui propose pas moins de six modes de conduite, y compris un mode off-road d'une remarquable efficacité. Je me demande seulement qui voudra amener un camion de plus de 100 000 $ dans le bois ou la bouette. Vous avez une fonction qui aide la conduite à tous les niveaux, même dans le stationnement, ce qui peut s'avérer très pratique en ville avec un gabarit aussi imposant. Toujours confortable et assez sportif pour se sentir en contrôle dans toutes les situations, le GLS est aussi très efficace l'hiver avec sa transmission intégrale éprouvée. Un véhicule familial de luxe qui peut tout faire.

CONCLUSION > Le GLS marie le luxe des produits de la marque avec des compétences en tout-terrain d'un VUS. Il reste encore quelques détails à peaufiner pour la prochaine cuvée, mais mon choix irait tout de go au modèle diesel. De toute manière, il constituait pratiquement 80 % des ventes au Québec. C'est dire que même dans les modèles de luxe, on apprécie encore l'économie, et ce, sans sacrifier le rendement. ■

2e OPINION

Luc-Olivier Chamberland

Le GL n'est plus, vive le GLS ! Pour plusieurs, il ne s'agit que d'un détail, mais dans l'esprit de Mercedes-Benz, l'ajout du S permet à son plus gros utilitaire de s'affilier « officiellement » à la somptueuse Classe S. On arrive avec une version légèrement rafraîchie, notamment dans la présentation avant, qui se veut plus dynamique à défaut d'être révolutionnaire. Comme toujours, on propose une collection de moteurs dont le populaire V6 diesel. Ce dernier est accompagné de trois moulins à essence, un V6 et deux V8, dont l'excentrique AMG GLS 63 dans toute sa démesure à 577 chevaux. Avec ces transformations, espérons que Mercedes-Benz aura aussi corrigé les problèmes de fiabilité connus du GL.

FICHE TECHNIQUE

MOTEUR(S)

(350d) V6 3,0 L DACT turbodiesel
PUISSANCE 249 ch à 3 400 tr/min
COUPLE 455 lb-pi de 1 600 à 2 400 tr/min
RAPPORT POIDS/PUISSANCE 10,0 kg/ch
BOÎTE(S) DE VITESSES robotisée à 9 rapports avec manettes au volant
PERFORMANCES 0-100 km/h 7,8 s
REPRISE 80-115 km/h 5,9 s **FREINAGE 100-0 km/h** 38,2 m
NIVEAU SONORE À 100 km/h Bon **VITESSE MAXIMALE** 210 km/h (bridée)

(450) V6 3,0 L DACT biturbo
PUISSANCE 362 ch de 5 250 à 6 000 tr/min
COUPLE 369 lb-pi à 1 800 tr/min
RAPPORT POIDS/PUISSANCE 6,7 kg/ch
BOÎTE(S) DE VITESSES robotisée à 9 rapports avec manettes au volant
PERFORMANCES 0-100 km/h 6,6 s
VITESSE MAXIMALE 210 km/h (bridée)
CONSOMMATION (100 km) ville 15,2 L, route 12,6 L (octane 91)
ANNUELLE 2 380 L, 3 213 $ **ÉMISSIONS DE CO_2** 5 474 kg/an

(550) V8 4,7 L DACT biturbo
PUISSANCE 449 ch de 5 250 à 5 500 tr/min
COUPLE 516 lb-pi de 1 800 à 4 000 tr/min
RAPPORT POIDS/PUISSANCE 5,7 kg/ch
BOÎTE(S) DE VITESSES robotisée à 9 rapports avec manettes au volant
PERFORMANCES 0-100 km/h 5,3 s
VITESSE MAXIMALE 210 km/h (bridée)
CONSOMMATION (100 km) ville 17,5 L, route 13,1 L (octane 91)
ANNUELLE 2 635 L, 3 557 $ **ÉMISSIONS DE CO_2** 6 060 kg/an

(AMG 63) V8 5,5 L DACT biturbo
PUISSANCE 577 ch à 5 500 tr/min **COUPLE** 560 lb-pi de 1 750 à 5 250 tr/min
RAPPORT POIDS/PUISSANCE 4,5 kg/ch
BOITE(S) DE VITESSES robotisée à 7 rapports avec manettes au volant
PERFORMANCES 0-100 km/h 4,6 s
VITESSE MAXIMALE 270 km/h (bridée)
CONSOMMATION (100 km) ville 18,2 L, route 14,0 L (octane 91)
ANNUELLE 2 771 L, 3 741$ **ÉMISSIONS DE CO_2** 6 373 kg/an

AUTRES COMPOSANTS

SÉCURITÉ ACTIVE (certains en option) Freins ABS, assistance au freinage, répartition électronique de la force de freinage, contrôle électronique de la stabilité, antipatinage, aide au vent de travers, avertisseurs d'obstacle latéral, arrière et de changement de voie, assistance en cas de collision imminente
SUSPENSION avant/arrière indépendante, à amortissement pneumatique
FREINS avant/arrière disques
DIRECTION à crémaillère, assistée électriquement
PNEUS 350/450 P275/50R20 **550/63/option 350 450** P295/40R21 **option 63** P285/40R22

DIMENSIONS

EMPATTEMENT 3 075 mm **LONGUEUR** 5 130 mm **63** 5 162 mm
LARGEUR 350/450 1 934 mm **550/63** 1 982 mm, 2 141 mm (incl. rétro.)
HAUTEUR 1 850 mm
POIDS 350 2 480 kg **450** 2 420 kg **550** 2 530 kg **63** 2 610 kg
RÉPARTITION DU POIDS AV/ARR (%) 350/450 51/49 **550** 53/47 **63** 52/48 **DIAMÈTRE DE BRAQUAGE** 12,4 m
COFFRE 295 L (derrière 3e rangée), 1 240 L (derrière 2e rangée), 2 300 L (sièges abaissés) **RÉSERVOIR DE CARBURANT** 100 L
CAPACITÉ DE REMORQUAGE 3 402 kg **63** 3 175 kg

LA COTE VERTE

MOTEUR V8 DE 5,5 L
CONSOMMATION (100 km) ville 19,0 L, route 16,5 L
CONSOMMATION ANNUELLE 3 043 L, 4 108 $
INDICE D'OCTANE 91
ÉMISSIONS POLLUANTES CO_2 6 999 kg/an
(source : ÉnerGuide)

FICHE D'IDENTITÉ

VERSION(S) G550, AMG G 63 4MATIC, AMG G 65 4MATIC
TRANSMISSION(S) 4
PORTIÈRES 5 **PLACES** 5
PREMIÈRE GÉNÉRATION 1979
GÉNÉRATION ACTUELLE 2002
CONSTRUCTION Graz, Autriche
COUSSINS GONFLABLES 6 (frontaux, latéraux avant, rideaux latéraux)
CONCURRENCE Bentley Bentayga, Cadillac Escalade, Infiniti QX80, Land Rover Range Rover, Lexus LX570, Lincoln Navigator

AU QUOTIDIEN

COLLISION FRONTALE 5/5
COLLISION LATÉRALE 5/5
VENTES DU MODÈLE L'AN DERNIER
AU QUÉBEC 343 (-8,3 %) **AU CANADA** 2 742 (+5,5 %) (incl. GL)
DÉPRÉCIATION (%) 13,5 (3 ans)
RAPPELS (2011 à 2016) 1
COTE DE FIABILITÉ 4/5

GARANTIES... ET PLUS

GARANTIE GÉNÉRALE 4 ans/80 000 km
GROUPE MOTOPROPULSEUR 4 ans/80 000 km
PERFORATION 5 ans/kilométrage illimité
ASSISTANCE ROUTIÈRE 4 ans/ kilométrage illimité
NOMBRE DE CONCESIONNAIRES
AU QUÉBEC 15 **AU CANADA** 57

NOUVEAUTÉS EN 2017

Aucun changement majeur

POURQUOI RÉINVENTER UN CLASSIQUE?

Ils nous ont quittés l'un après l'autre, sans que personne ne les pleure. Je parle bien sûr de ces monstres à quatre roues, que les écologistes fusillaient du regard, pendant que la clientèle les boudait en raison de la forte hausse du prix du pétrole. Suffit de penser aux Ford Excursion, Hummer H2 et Jeep Commander. Pourtant, l'un des plus vieux ambassadeurs de la « race » demeure toujours en poste, sans que personne ne lui reproche quoi que ce soit. Bien sûr, il s'agit du Classe G de Mercedes-Benz, connu mondialement sous le nom de Gelandewagen.

Antoine Joubert

TOUR DU PROPRIÉTAIRE > Lancé en 1979, ce camion est vendu chez nous depuis 2002. Jadis, on ne le considérait que comme un utilitaire, sans luxe et sans artifice, un peu comme c'était le cas avec le tout premier Range Rover. À l'instar de son rival anglais, le Classe G s'est beaucoup embourgeoisé, pour devenir un véhicule de luxe culte qui fait rêver tout amateur de camion. Toutefois, ce dernier demeure le seul du marché à ne jamais avoir été redessiné, conservant cette ligne ultra-angulaire, responsable de son charme. Bien sûr, quelques retouches ont été apportées pour lui donner un aspect plus cossu et moderne, mais la coquille même du

+
- ROBUSTESSE INCOMPARABLE
- PUISSANCE EXCEPTIONNELLE (AMG)
- LUXE ET FINITION DE HAUT NIVEAU
- FAIBLE DÉPRÉCIATION
- AH OUI... ÉGALEMENT TRÈS BON EN TOUT-TERRAIN!

−
- DIRECTION TOTALEMENT IMPRÉCISE
- ESPACE ARRIÈRE COMPTÉ
- TENUE DE ROUTE HASARDEUSE
- CONSOMMATION INDÉCENTE

MENTIONS

CLÉ D'OR — CHOIX VERT — COUP DE CŒUR — RECOMMANDÉ

VERDICT

PLAISIR AU VOLANT
QUALITÉ DE FINITION
CONSOMMATION
RAPPORT QUALITÉ / PRIX
VALEUR DE REVENTE
CONFORT

1 5 10

véhicule demeure la même. Ne soyez donc pas surpris d'apprendre que le Classe G mérite la palme du VUS le moins aérodynamique du marché, avec un coefficient de traînée de 0,54 !

VIE À BORD > Exempt d'accès et de démarrage sans clé, on ouvre d'abord une lourde portière en appuyant sur un bouton qui demande forte pression. Puis l'action de refermer la porte donne l'impression de le faire avec celle d'une cellule de prisonnier. C'est lourd, c'est bruyant. Une fois à bord, on le confond momentanément avec un camion de la Brinks. Le pare-brise plat, la position de conduite très élevée et son poids gargantuesque engendrent un sentiment d'invincibilité incomparable. Bien sûr, la beauté des cuirs et des matériaux ainsi que le confort des sièges viennent vite amenuiser l'impression d'un camion-outil, tout comme la richesse de l'équipement. Il est d'ailleurs plutôt curieux d'apercevoir cette tablette tactile juchée au sommet du tableau de bord.

TECHNIQUE > Monté sur un châssis à échelle, équipé de deux essieux rigides et d'une direction à billes (totalement imprécise!), le Classe G n'a rien de moderne. Considérez également le poids gigantesque des divers éléments de carrosserie, qui expliquent au final une masse totale de près de 2 600 kilos. Un poids semblable à celui d'un Cadillac Escalade, même s'il n'est pas plus long qu'un Chevrolet Equinox! Heureusement, cela n'a pas empêché Mercedes-Benz d'offrir des mécaniques aussi puissantes que modernes, allant d'un V8 de 4 litres turbocompressé à un V12 biturbo, lui permettant d'obtenir le titre du plus puissant VUS du marché (21 chevaux de plus que le Bentley Bentayga).

AU VOLANT > Parce qu'on a voulu lui donner un caractère plus exotique, les ingénieurs ont réussi à le faire gronder violemment, même dans sa version G550. Les échappements latéraux placés devant les roues arrière en sont en grande partie responsables. Côté puissance, les modèles AMG impressionnent bien sûr davantage, possédant un moteur plus musclé et une boîte calibrée plus sportivement. Cela dit, même le G550 a du cœur au ventre. Il ne sera toutefois pas moins gourmand que les modèles AMG, puisque dans tous les cas, vous consommerez de 18 à 19 litres aux 100 kilomètres, et ce, tant en ville que sur route. Sachez également qu'en dépit d'une suspension pneumatique réglable, les lois de la gravité vous obligent à calmer vos ardeurs à l'approche de virages.

CONCLUSION > BMW a réinventé la MINI, Volkswagen, la Beetle, et Jeep, le Wrangler. Chez Mercedes-Benz, on trouve le moyen de ne rien réinventer, en conservant le même véhicule depuis toujours, tout en vous le vendant à prix indécent. Suffit de lui donner un petit côté glamour et exotique pour qu'il se transforme soudainement en véhicule de très grand luxe. Et visiblement, le stratagème fonctionne, puisque les ventes sont en hausse... ■

2e OPINION

Daniel Rufiange

Incroyable, mais le design du G chez Mercedes-Benz date d'un quart de siècle. Voilà un compliment à propos de son style, intemporel. Du reste, à moins d'avoir à franchir monts et marées sur une base régulière, le G est probablement l'un des véhicules les plus inutiles sur le marché, comme l'était le H2 de Hummer il y a une dizaine d'années. Seulement, ce monstre est une des trois icônes de la marque à travers le globe et son départ du catalogue n'est pas pour demain. L'analyse des ventes nous fait aussi comprendre qu'il est encore populaire. À Beverly Hills, il en pleut ! Ceux qui l'achètent lancent un message haut et fort. Lequel, on ne le sait trop. Reste qu'au volant, l'expérience est franchement différente et on y prend goût. Capoté !

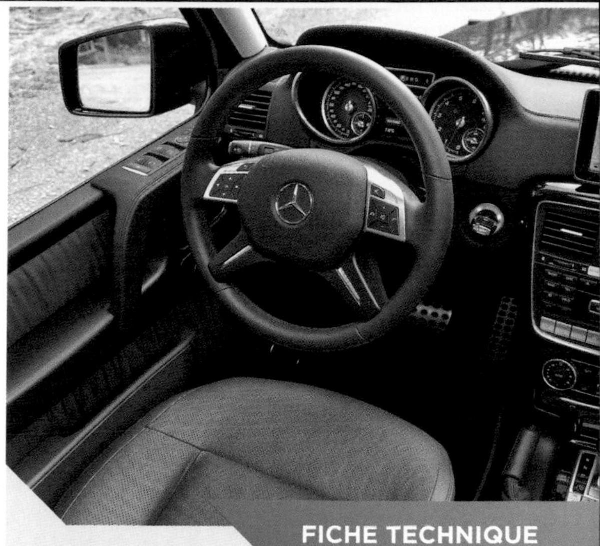

FICHE TECHNIQUE

MOTEUR(S)

(550) V8 4,0 L DACT turbo
PUISSANCE 416 ch de 5 250 à 5 500 tr/min
COUPLE 443 lb-pi de 2 250 à 4 750 tr/min
RAPPORT POIDS/PUISSANCE 6,2 kg/ch
BOÎTE(S) DE VITESSES automatique à 7 rapports avec mode manuel
PERFORMANCES 0-100 km/h 5,9 s
REPRISE 80-115 km/h 4,9 s
FREINAGE 100-0 km/h 40,5 m
NIVEAU SONORE À 100 km/h Passable
VITESSE MAXIMALE 210 km/h (bridée)

(AMG 63) V8 5,5 L DACT biturbo
PUISSANCE 536 ch à 5 500 tr/min
COUPLE 560 lb-pi de 2 000 à 5 000 tr/min
RAPPORT POIDS/PUISSANCE 4,8 kg/ch
BOITE(S) DE VITESSES automatique à 7 rapports avec mode manuel
PERFORMANCES 0-100 km/h 5,4 s
VITESSE MAXIMALE 210 km/h (bridée)
CONSOMMATION (100 km) ville 20,0 L, route 16,6 L
ANNUELLE 3 145 L, 4 246 $
ÉMISSIONS DE CO_2 7 234 kg/an

(AMG 65) V12 6,0 L DACT biturbo
PUISSANCE 621 ch de 5 000 à 5 300 tr/min
COUPLE 738 lb-pi de 2 300 à 4 300 tr/min
RAPPORT POIDS/PUISSANCE 4,1 kg/ch
BOITE(S) DE VITESSES automatique à 7 rapports avec mode manuel
PERFORMANCES 0 à 100 km/h 5,3 s
VITESSE MAXIMALE 230 km/h (bridée)
CONSOMMATION (100 km) ville 24,3 L, route 17,9 L
ANNUELLE 3 638 L, 4 911 $
ÉMISSIONS DE CO_2 8 367 kg/an

AUTRES COMPOSANTS

SÉCURITÉ ACTIVE Freins ABS, assistance au freinage, répartition électronique de la force de freinage, contrôle électronique de la stabilité, antipatinage, régulateur de vitesse adaptatif, avertisseur d'obstacle latéral
SUSPENSION avant/arrière essieu rigide
FREINS avant/arrière disques
DIRECTION à billes, assistée
PNEUS P265/60R18 **AMG 63** P275/50R20

DIMENSIONS

EMPATTEMENT 2 850 mm
LONGUEUR 4 764 mm **AMG** 4 763 mm
LARGEUR 550 1 867 mm, 2 056 mm (incl. rétro.)
AMG 1 855 mm, 2 055 mm (incl. rétro.)
HAUTEUR 550 1 954 mm **AMG** 1 938 mm
POIDS 550 2 595 kg **AMG 63** 2 550 kg **AMG 65** 2 580 kg
RÉPARTITION DU POIDS AV/ARR (%) 550 53/47
DIAMÈTRE DE BRAQUAGE 13,6 m
COFFRE 550 660 L, 2 126 L (sièges abaissés)
AMG 480 L, 2 250 L (sièges abaissés)
RÉSERVOIR DE CARBURANT 96 L
CAPACITÉ DE REMORQUAGE 2 850 kg

LA COTE VERTE

MOTEUR L4 DE 2,0 L TURBO
CONSOMMATION (100 km) fourgon ville 10,8 L route 9,5 L
combi ville 11,5 L, route 10,2 L
CONSOMMATION ANNUELLE fourgon 1 734 L, 2 341 $ **combi** 1 853 L, 2 502 $
INDICE D'OCTANE 91, 87 utilisable
ÉMISSIONS POLLUANTES CO_2 fourgon 3 988 kg/an **combi** 4 262 kg/an
(source : ÉnerGuide)

FICHE D'IDENTITÉ

VERSION(S) Fourgon, Combi
TRANSMISSION(S) arrière
PORTIÈRES 6, 5 **PLACES** 2, 7, 8
PREMIÈRE GÉNÉRATION 2016
GÉNÉRATION ACTUELLE 2016
CONSTRUCTION Vitoria, Espagne
COUSSINS GONFLABLES Fourgon 6 (frontaux, latéraux avant, rideaux latéraux) **Combi** 8 (+latéraux arrière)
CONCURRENCE Chevrolet Express/GMC Savana, Chrysler Pacifica, Dodge Caravan, Ford Transit Connect, Honda Odyssey, Kia Sedona, Nissan NV/Chevrolet City Express, RAM Promaster City, Toyota Sienna

AU QUOTIDIEN

COLLISION FRONTALE 5/5
COLLISION LATÉRALE 5/5
VENTES DU MODÈLE L'AN DERNIER
AU QUÉBEC 17 (nm) **AU CANADA** 73 (nm)
DÉPRÉCIATION (%) nm
RAPPELS (2011 à 2016) aucun à ce jour
COTE DE FIABILITÉ ND

GARANTIES... ET PLUS

GARANTIE GÉNÉRALE 4 ans/80 000 km
GROUPE MOTOPROPULSEUR 4 ans/80 000 km
PERFORATION 5 ans/kilométrage illimité
ASSISTANCE ROUTIÈRE 4 ans/kilométrage illimité
NOMBRE DE CONCESSIONNAIRES
AU QUÉBEC 15 **AU CANADA** 44

NOUVEAUTÉS EN 2017

Aucun changement majeur

RÉINVENTER UN SEGMENT

L'univers des fourgons commerciaux est en pleine renaissance. Plus que jamais, les entrepreneurs ont un vaste choix lorsque vient le temps de magasiner leurs véhicules de services. On connaît les compacts comme le Ford Transit Connect ainsi que les géants comme le Mercedes-Benz Sprinter, mais entre les deux ? Jusqu'à l'an dernier, il n'y avait pratiquement rien, mais manifestement, Mercedes-Benz y a vu une niche avec le Metris, un intermédiaire. Il y a le « Fourgon » et une version passagère « Combi » au style distinctif.

Luc-Olivier Chamberland

TOUR DU PROPRIÉTAIRE > Mercedes-Benz offre une version « Combi » destinée au transport de passagers. Avec sa finition complète, on obtient des roues en aluminium et des pare-chocs agencés. On comprend que pour réduire les coûts, le « Fourgon » reçoit des roues en acier et des extrémités en plastique noir. C'est simpliste mais efficace, et il s'agit évidemment de caractéristiques facilitant l'entretien et permettant une baisse des frais de réparation. Dans un cas comme dans l'autre, le Metris n'est pas une reine de beauté, mais le port du logo Mercedes-Benz lui donne une touche distinctive.

\+ MÉCANIQUE BIEN ADAPTÉE
CAPACITÉ ÉTONNANTE
QUALITÉ DE CONCEPTION

− PRÉSENTATION INTÉRIEURE
MANUELLE, AWD ET DIESEL ABSENTS
VERSION COMBI PEU ÉQUIPÉE

MENTIONS

CLÉ D'OR | CHOIX VERT | COUP DE CŒUR | **RECOMMANDÉ**

VERDICT

PLAISIR AU VOLANT
QUALITÉ DE FINITION
CONSOMMATION
RAPPORT QUALITÉ / PRIX
VALEUR DE REVENTE nm
CONFORT

1 5 10

VIE À BORD > Avec sa vocation utilitaire, Mercedes-Benz laisse de côté toute notion d'esthétique et de décoration. On va droit au but avec une planche de bord entièrement faite de pétrole durci. On jouit d'une ergonomie sans faille avec des commandes faciles à lire et à rejoindre. Étonnamment, on obtient peu d'espace de rangement à l'avant pour déposer des objets. L'aire cargo offre une imposante et polyvalente superficie de 5 270 litres. Toujours dans une approche utilitaire, une charge de 2 502 livres peut y être transportée alors que le remorquage va jusqu'à 4 960 livres. Pour la version « civile », on obtient de la place pour un maximum de 8 personnes. Ne vous attendez pas à retrouver le même genre de configuration que dans une Toyota Sienna ou une Honda Odyssey, pensez plutôt autobus. Le confort est modeste, les occupants étant cordés en rangée. Considérant la taille généreuse du Metris, les dégagements sont très bons en général. L'acheteur devra considérer que ce véhicule est élaboré dans une optique commerciale au même titre que la version passagère du Sprinter. On ne vise pas tant la population que les flottes de taxis aéroportuaires ou encore les services de location.

TECHNIQUE > On découvre une nouvelle application à une mécanique connue avec le 4-cylindres turbocompressé de 2 litres. Comme un contre-emploi, il s'agit de la même motorisation que dans les CLA, GLA et B250. On se demande bien ce qu'un si petit moulin fait sous le capot d'un aussi gros véhicule, mais à l'usage, on se rend compte qu'il est bien adapté à sa vocation. La puissance atteint 208 chevaux, mais le couple impressionne à 258 livres-pieds aux roues arrière, et ce, dès 1 300 tours/minute. Mercedes-Benz offre une automatique à 7 rapports qui donne un rendement renversant. Le mélange permet une consommation de carburant étonnamment réduite, avec une moyenne de 9,3 litres aux 100 kilomètres. Ce résultat a été obtenu à la suite d'un déménagement en zone urbaine ! Il y a trois bémols que Mercedes-Benz pourrait régler en un tour de main. Aucune boîte manuelle, aucun diesel et il faudra encore attendre quelque temps avant de profiter d'une version avec une transmission intégrale. Ce sont toutes des options qui existent en Europe, il y a donc de l'espoir.

AU VOLANT > La conduite a de quoi surprendre. La direction s'illustre avec une précision notable et pour rendre l'expérience urbaine encore plus intéressante, le diamètre de braquage est réduit. Grâce à l'apport des suspensions indépendantes aux quatre roues, le Metris devient un routier compétent et solide sur la route. Dans le fourgon, la visibilité pose problème. Malheureusement, la caméra de recul et même les détecteurs d'angles morts ne sont pas de série.

CONCLUSION > Le Metris remplit un vide dans le monde des fourgons commerciaux. Le format est bon et ce véhicule utilise une conception sans faille pour accomplir sa mission. Tous les éléments sont présents et, en plus, la grille de tarifs est digeste avec un prix d'entrée de 33 900 $. ■

FICHE TECHNIQUE

MOTEUR(S)

(Combi, Fourgon) L4 2,0 L DACT turbo
PUISSANCE 208 ch à 5 500 tr/min
COUPLE 258 lb-pi de 1 300 à 4 000 tr/min
RAPPORT POIDS/PUISSANCE Fourgon 9,2 kg/ch **Combi** 10,6 kg/ch
BOITE(S) DE VITESSES automatique à 7 rapports avec mode manuel
PERFORMANCES 0-100 km/h 8,7 s
REPRISE 80-115 km/h 6,7 s
FREINAGE 100-0 km/h 46,6 m
VITESSE MAXIMALE 162 km/h (bridée)

AUTRES COMPOSANTS

SÉCURITÉ ACTIVE (certains en option) Freins ABS, assistance au freinage, répartition électronique de la force de freinage, contrôle électronique de la stabilité, antipatinage, correcteur de vents latéraux, phares adaptatifs, avertisseurs d'obstacle latéral et de sortie de voie, assistance en cas d'impact imminent, avertisseur de somnolence
SUSPENSION avant/arrière indépendante
FREINS avant/arrière disques
DIRECTION à crémaillère, assistée
PNEUS P225/55R17

DIMENSIONS

EMPATTEMENT 3 200 mm
LONGUEUR 5 141 mm
LARGEUR 2 244 mm (rétro. inclus)
HAUTEUR Fourgon 1 890 mm **Combi** 1 910 mm
POIDS Fourgon 1 915 kg **Combi** 2 200 kg
DIAMÈTRE DE BRAQUAGE 11,8 m
COFFRE Fourgon 5 270 L **Combi** 1 060 L
RÉSERVOIR DE CARBURANT 70 L
CAPACITÉ DE REMORQUAGE 2 250 kg

2e OPINION

Daniel Rufiange

Ça faisait des années qu'on l'attendait et il a finalement débarqué chez nous l'automne dernier. Le Metris, le Vito en Europe, est un fourgon qui figure au catalogue de Mercedes-Benz depuis une vingtaine d'années. Offert en configuration cargo ou pour passagers, il se retrouve partout, que ce soit aux services d'entreprises ou comme navette pour les grands hôtels ou aéroports. En raison de son format, que l'on pourrait qualifier de compromis entre les fourgons pleine grandeur et compact, Mercedes-Benz présente un produit fort polyvalent qui saura satisfaire tous ceux qui en prendront possession. Le hic, comme dans le cas du Sprinter, réside dans le prix. On vous dira qu'en bout de piste, le coût de possession ne sera pas supérieur, ce qui n'est pas entièrement faux. Vos besoins sauront le mieux vous orienter.

LA COTE VERTE

MOTEUR L4 DE 2,1 L TURBODIESEL
CONSOMMATION (100 km) 12 L (est.)
CONSOMMATION ANNUELLE 2 040 L, 2 346 $
INDICE D'OCTANE Diesel
ÉMISSIONS POLLUANTES CO_2 4 692 kg/an
(source : L'Annuel)

FICHE D'IDENTITÉ

VERSION(S) Emp. court, emp. long Fourgon 2RM/4RM 2500/ 3500, Combi 2RM/4RM 2500
TRANSMISSION(S) arrière, 4
PORTIÈRES 5 **PLACES** 2 à 12
PREMIÈRE GÉNÉRATION 2004
GÉNÉRATION ACTUELLE 2014
CONSTRUCTION Düsseldorf, Allemagne
COUSSINS GONFLABLES 6 (frontaux, latéraux avant, rideaux latéraux)
CONCURRENCE Chevrolet Express/GMC Savana, Ford Transit, Nissan NV, RAM Promaster

AU QUOTIDIEN

COLLISION FRONTALE 5/5
COLLISION LATÉRALE 5/5
VENTES DU MODÈLE L'AN DERNIER
AU QUÉBEC 1 254 (+17,7 %) **AU CANADA** 4 761 (+16,8 %)
DÉPRÉCIATION (%) 24,2 (3 ans)
RAPPELS (2011 à 2016) 8
COTE DE FIABILITÉ 3/5

GARANTIES... ET PLUS

GARANTIE GÉNÉRALE 4 ans/80 000 km
GROUPE MOTOPROPULSEUR 4 ans/80 000 km
PERFORATION 5 ans/kilométrage illimité
ASSISTANCE ROUTIÈRE 4 ans/kilométrage illimité
NOMBRE DE CONCESSIONNAIRES
AU QUÉBEC 15 **AU CANADA** 57

NOUVEAUTÉS EN 2017

Aucun changement majeur

S'ÉLEVER POUR RESTER AU SOMMET

Pendant des années dans le présent ouvrage, on vous a répété que le Sprinter était le maître de son créneau. Oubliez son prix ou le logo qui loge à l'avant depuis que la maison mère l'a rapatrié en 2010, c'était le meilleur des siens. La concurrence ? Quelle concurrence ? Mais voilà. Depuis quelques années, le Sprinter n'est plus le seul à présenter une configuration moderne et adaptée aux besoins des entrepreneurs du XXIe siècle. Nissan (NV), Ford (Transit) et Ram (ProMaster) proposent aussi des produits intéressants qui, enfin, offrent une solution de rechange aux consommateurs.

Daniel Rufiange

TOUR DU PROPRIÉTAIRE > Le Sprinter change peu au fil des années. Rien de plus normal pour un véhicule dont le pouvoir de séduction repose sur ses capacités, non sur son apparence. N'empêche, le fourgon allemand a du style, résultat d'un design signé par une équipe qui doit respecter un certain standard. Quant aux versions, elles se comptent au nombre de 25. Oui, vous avez bien lu. En gros, il y a le fourgon, la version pour passagers et le modèle châssis-cabine. Le premier peut être configuré de 11 façons différentes en modèle à 2RM en jouant avec les trois hauteurs de toit, les deux longueurs d'empattement et la longueur. Sept

+
- CONDUITE RASSURANTE
- MOTORISATIONS EFFICACES
- VALEUR DE REVENTE
- CONSOMMATION RAISONNABLE

−
- PRATIQUEMENT TOUT EST EN OPTION
- PRIX D'UNE VERSION PASSAGERS 4X4 AVEC TOUS LES GROUPES D'OPTIONS POSSIBLES : 82 210 $
- INSONORISATION PERFECTIBLE

MENTIONS

CLÉ D'OR | CHOIX VERT | COUP DE CŒUR | **RECOMMANDÉ**

VERDICT

PLAISIR AU VOLANT
QUALITÉ DE FINITION
CONSOMMATION
RAPPORT QUALITÉ / PRIX
VALEUR DE REVENTE
CONFORT

1 5 10

variantes peuvent être servies et griffées aux quatre roues. Le Sprinter pour passagers compte cinq moutures, dont deux à quatre roues motrices. Ça nous laisse le modèle châssis-cabine, livrable de deux façons. Pour s'y retrouver, ça vous prend le site de Mercedes-Benz, un bon café et une soirée libre.

VIE À BORD > Chez nous, la mention du nom Mercedes-Benz renvoie automatiquement au luxe. En Europe, la marque à l'étoile est aussi reconnue pour autre chose. Lorsqu'on monte à bord du Sprinter, on le comprend. Oubliez le luxe. Oui, les baquets (ou la banquette, c'est au choix) sont confortables, mais la présentation est simpliste, les surfaces sont faites de plastiques durs et l'équipement est très rudimentaire. On est là pour travailler, pas pour s'amuser. Les options vont d'ailleurs en ce sens lorsqu'on consulte l'index : une cloison pour séparer l'espace derrière la cabine, un siège du conducteur reposant sur des coussins d'air, des options pour l'éclairage et les points d'ancrage de l'espace arrière, etc.

TECHNIQUE > Deux guerriers peuvent répondre à l'appel. D'abord, un 4-cylindres turbodiesel de 2,1 litres dont l'offre est de 161 chevaux et 265 livres-pieds de couple. Vous ne le trouverez que sur les versions à deux roues motrices. En option, un V6 turbodiesel de 3 litres qui avance 188 chevaux et 325 livres-pieds de couple. Ce dernier est uniquement trouvable dans les versions 4x4, du moins pour l'instant. Le petit moteur reçoit une boîte automatique à 7 rapports pendant que le plus gros œuvre avec une boîte automatique à 5 vitesses. Quant à la transmission intégrale, il importe de savoir qu'il ne s'agit pas d'un système issu de la technologie 4MATIC. Plutôt, Mercedes-Benz a travaillé de concert avec le groupe Oberaigner pour sa conception.

AU VOLANT > Si les nouveaux Transit de Ford et ProMaster de Ram donnent de bons rendements sur la route, le Sprinter demeure la référence en la matière, et c'est une question d'équilibre. La tenue de cap, de route, le freinage, le niveau de confort, tout est excellent. Avec l'option 4x4, unique au segment, M-Benz s'est assurée de conserver une longueur d'avance. Cette mouture est intéressante, certes, même si le système n'est pas le plus convaincant qui soit. Le couple, distribué à 65 % à l'arrière, fait valser inutilement la poupe et l'intervention inopinée du système antipatinage, même lorsque désactivé, vient parfois briser notre rythme lorsqu'on se donne un élan pour se désembourber. Pire, même si le Sprinter 4x4 est plus élevé, son dégagement n'est pas plus important. Seul son angle d'attaque est supérieur.

CONCLUSION > Le Sprinter peut quand même dormir sur ses deux oreilles. Il demeure le maître de son segment. Cependant, son prix en fera réfléchir plus d'un, même si plusieurs études, notamment celle du groupe Vincentric, démontrent que le coût total de possession le place en avant de la concurrence. Évaluez bien vos besoins. ■

2e OPINION

Benoit Charette

Le Sprinter a connu un grand succès à ses débuts, car il était le seul fourgon à offrir des caractéristiques modernes face à ses compétiteurs américains un peu dépassés. Vous savez ce que l'on dit : Au royaume des aveugles, les borgnes sont rois. Or la situation a récemment changé avec Ram et son ProMaster et Ford et son Transit. Ironiquement, c'est GM et son vieil Express et Savana qui dominent le marché. Mercedes, pour se diversifier, a présenté l'an dernier une version 4x4 du Sprinter pour des besoins plus spécifiques de chantier et de travaux en zones inhospitalières. La marque allemande devra toutefois s'attaquer à ses problèmes de rouille, qui ont découragé plusieurs premiers acheteurs à revenir vers la marque.

FICHE TECHNIQUE

MOTEUR(S)

(Combi, Fourgon) L4 2,1 L DACT turbodiesel
PUISSANCE 161 ch à 3 750 tr/min
COUPLE 265 lb-pi de 1 500 à 2 500 tr/min
RAPPORT POIDS/PUISSANCE 14,4 à 18,0 kg/ch
BOITE(S) DE VITESSES automatique à 7 rapports
PERFORMANCES 0-100 km/h 12,9 s
VITESSE MAXIMALE 170 km/h

(Combi, Fourgon) V6 3,0 L DACT turbodiesel
PUISSANCE 188 ch à 3 800 tr/min
COUPLE 325 lb-pi de 1 400 à 2 400 tr/min
RAPPORT POIDS/PUISSANCE 12,4 à 15,4 kg/ch
BOÎTE(S) DE VITESSES automatique à 5 rapports
PERFORMANCES 0-100 km/h 12,0 s
VITESSE MAXIMALE 170 km/h

AUTRES COMPOSANTS

SÉCURITÉ ACTIVE (certains en option) Freins ABS, assistance au freinage, répartition électronique de la force de freinage, contrôle électronique de la stabilité, antipatinage, correcteur de vents latéraux, phares adaptatifs, avertisseurs d'obstacle latéral et de sortie de voie, assistance en cas d'impact imminent
SUSPENSION avant/arrière indépendante/ pont rigide
FREINS avant/arrière disques
DIRECTION à crémaillère, assistée
PNEUS 2500 LT245/75R16 **3500** LT215/85R16

DIMENSIONS

EMPATTEMENT 3 665 mm et 4 325 mm
LONGUEUR 5 910 à 7 345 mm
LARGEUR 2500 1 993 mm **3500** 2 015 mm
HAUTEUR 2 445 à 2 820 mm
POIDS 2 324 à 2 900 kg
DIAMÈTRE DE BRAQUAGE emp. court 14,5 m **emp. long** 16,6 m
COFFRE 1 900 L (2500 combi emp. court, derrière sièges) à 17 000 L (2500/3500 emp. long et toit super haut)
RÉSERVOIR DE CARBURANT 93 L
CAPACITÉ DE REMORQUAGE 2 268 à 3 402 kg

LA COTE VERTE

MOTEUR L3 DE 1,5 L TURBO
CONSOMMATION (100 km) 3 portes man. ville 8,4 L route 6,0 L
5 portes man. ville 8,2 L route 6,0 L
3 portes/5portes auto. ville 8,7 L route 6,6 L
CONSOMMATION ANNUELLE 3 portes man. 1 241 L, 1 675 $
5 portes man. 1 224 L, 1 652 $ **3 portes/5portes auto.** 1 309 L, 1 767 $
INDICE D'OCTANE 91
ÉMISSIONS POLLUANTES CO_2 3 portes man. 2 854 kg/an
5 portes man. 2 815 kg/an **3 portes/5portes auto.** 3 001 kg/an
(source : ÉnerGuide)

FICHE D'IDENTITÉ

VERSION(S) MINI 3 portes/Cabriolet Cooper, Cooper S, John Cooper Works **5 portes/Clubman** Cooper, Cooper S
TRANSMISSION(S) avant
PORTIÈRES 2, 3, 5, 6 **PLACES** 4
PREMIÈRE GÉNÉRATION 2002
GÉNÉRATION ACTUELLE 2014 **Cabriolet/Clubman** 2016
CONSTRUCTION Oxford, Angleterre
COUSSINS GONFLABLES 6 (frontaux, latéraux, rideaux latéraux) **cabrio.** 4 (frontaux, latéraux avant)
CONCURRENCE Fiat 124/500/Abarth, Ford Fiesta/ST, Mazda MX-5, Mitsubishi Lancer Sportback, Subaru BRZ/Toyota 86, Volkswagen Beetle/Golf/GTI **Clubman** Audi A4 Allroad, Fiat 500L, Infiniti QX30, Mitsubishi Sportback, Volkswagen Sportback/Alltrack, Volvo V60

AU QUOTIDIEN

COLLISION FRONTALE 5/5
COLLISION LATÉRALE 5/5
VENTES DU MODÈLE L'AN DERNIER
AU QUÉBEC 1 503 (+54,5 %) **AU CANADA** 5 512 (+64,5 %)
DÉPRÉCIATION (%) 31,0 (3 ans)
RAPPELS (2011 à 2016) 11
COTE DE FIABILITÉ 2,5/5

GARANTIES... ET PLUS

GARANTIE GÉNÉRALE 4 ans/80 000 km
GROUPE MOTOPROPULSEUR 4 ans/80 000 km
PERFORATION 12 ans/kilométrage illimité
ASSISTANCE ROUTIÈRE 4 ans/80 000 km
NOMBRE DE CONCESSIONNAIRES AU QUÉBEC 4 **AU CANADA** 25

NOUVEAUTÉS EN 2017

Nouveau modèle cabriolet sur la même base que la Cooper 3 portes de dernière génération.

L'AUTO DE DORIAN GRAY

Il n'y a pas si longtemps, on comptait plus de variantes de la MINI moderne que de coupes de cheveux à Pénélope McQuade. À croire que BMW, le proprio de la marque, disait oui à toutes les idées, bonnes ou saugrenues, qui fumaient du cerveau de ses stylistes. Puis la juvénile division s'est calmé le pompon. Elle a consolidé son portfolio en faisant le ménage dans les modèles qui vivotaient. Ici, nous couvrons les modèles Cooper, Cabrio et Clubman, alors que la Countryman est traitée dans les pages suivantes.

Michel Crépault

TOUR DU PROPRIÉTAIRE > En 2001, la 3-portières (incluant le hayon) à toit dur fut la première réincarnation moderne de la Mini née en 1959. Après sa deuxième génération (2007 à 2013), la troisième nous a mis en face d'une puce de moins en moins menue : plus longue, plus large et plus haute. Et le Cabriolet a droit au même traitement cette année. Mais peut-être craquez-vous pour la nouvelle configuration à 5 portières de la Cooper ou pour la Clubman introduite en 2008 et qu'on vient tout juste de renouveler. La « familiale » du clan dénombre pas moins de 6 portières en comptant les deux charmantes portes du fond qui pivotent pour donner accès à un espace cargo passant de 360 à 1 250 litres selon la disposition des dossiers 40/20/40.

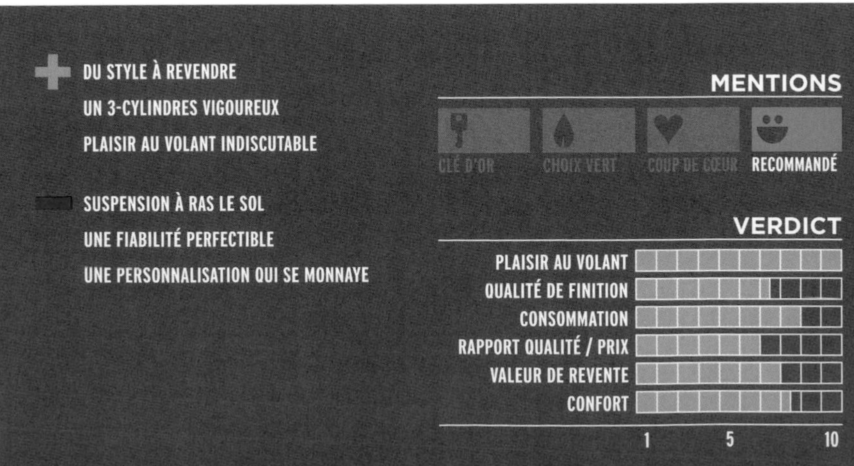

+
DU STYLE À REVENDRE
UN 3-CYLINDRES VIGOUREUX
PLAISIR AU VOLANT INDISCUTABLE
SUSPENSION À RAS LE SOL
UNE FIABILITÉ PERFECTIBLE
UNE PERSONNALISATION QUI SE MONNAYE
MENTIONS
CLÉ D'OR
CHOIX VERT
COUP DE CŒUR
RECOMMANDÉ
VERDICT
PLAISIR AU VOLANT
QUALITÉ DE FINITION
CONSOMMATION
RAPPORT QUALITÉ / PRIX
VALEUR DE REVENTE
CONFORT
1
5
10

VIE À BORD > L'intérieur des MINI a toujours été ludique, mariant habilement la techno et le rétro. Mais la qualité de certains matériaux laissait à désirer et des pans de l'ergonomie brillaient par leur impraticabilité. BMW a corrigé plusieurs de ces lacunes au fil des ans (mais il en reste, comme l'accoudoir central dans le chemin quand on tricote les vitesses...). Une fois calé dans les cuvettes que forment les sièges, on affronte un tableau de bord extrêmement occupé où dominent les rondeurs, petites (interrupteurs), moyennes (encore des boutons, des cadrans, les poignées, les tirettes pour l'air) et grosses, mais alors là très grosses, comme le hublot central dont la taille rivalise avec celui d'une laveuse à chargement frontal !

TECHNIQUE > La recette est la même : une fois décidé le nombre de portières et le type de toit, le modèle se décline en versions Cooper, Cooper S et John Cooper Works (JCW), chacune plus puissante que l'autre. Un 3-cylindres pour la première, des 4-cylindres pour les deux autres, tous turbocompressés pour une puissance variant de 134 à 228 chevaux. Alors que la boîte manuelle disparaît peu à peu du paysage automobile, les MINI continuent de l'offrir, tout comme l'automatique, avec 6 vitesses pour tout le monde, sauf les Clubman, qui en ont 8. Et n'oublions pas la transmission intégrale maison baptisée ALL4 dont la Clubman de deuxième génération peut maintenant s'enorgueillir.

AU VOLANT > La qualité numéro un de toutes les MINI, anciennes ou modernes, a toujours été leur conduite très directe. Un format comme celui-là, maniable à souhait, appelle des réflexes vifs et les nombreux trophées en rallye ont prouvé à quel point les ingénieurs ont concocté la bonne formule. De nos jours, cette vivacité demeure chez les modèles dont le gabarit se rapproche le plus de l'original, mais la tendance à gonfler l'architecture, plus la lourdeur des dispositifs de sécurité, pénalisent forcément les moutures contemporaines, surtout la Clubman, qui s'éloigne de l'effet kart d'une Cooper JCW.

Entre les modes de conduite Sport et Green, la différence est notable, l'un pour épargner à la pompe, l'autre pour slalomer comme un malade. La fermeté du volant n'a d'égale que la suspension sèche. En ce sens, l'option des amortisseurs réglables est appréciée. On peut critiquer l'invasion de bruits parasites dans la Clubman, dont la soute vide se transforme en caisse de résonance.

CONCLUSION > Je vous défie de voir passer une MINI sans examiner comment son proprio l'a décorée. Car une MINI, peu importe sa configuration, n'en serait pas une sans ses couleurs bigarrées, ses décalques, ses accessoires. Elle devient l'exutoire d'une personnalité. Et bien que la fiabilité de la machine laisse à désirer, son « facteur cool » suffit souvent à occulter ce désagrément et on parade une MINI comme on porte son vêtement préféré. La force de BMW, c'est d'avoir insufflé la jeunesse éternelle à une vieille idée. ■

2e OPINION

Benoit Charette

J'ai réalisé à quel point les décapotables 4 places de petit format sont rares en ayant besoin d'un tel véhicule pour un ami cet été. En fait, il n'y en a pas d'autres. La Fiat 500 n'est pas une véritable décapotable, la MX-5 est une stricte 2-places et la Mustang ne s'avère pas beaucoup plus grosse. MINI a retravaillé le style en allongeant la voiture de 13 centimètres et en l'élargissant de 5. Les arceaux fixes arrière ont disparu et la trappe à essence a changé de côté. Pour le reste, vous éprouverez toujours le même plaisir de conduire. MINI est un état d'esprit et BMW continue de vendre à un bon rythme cette curiosité automobile. Souhaitons seulement que les changements vont également améliorer la fiabilité.

FICHE TECHNIQUE

MOTEUR(S)

(MINI Cooper, CLUBMAN) L3 1,5 L DACT turbo
PUISSANCE 134 ch à 4 400 tr/min
COUPLE 162 lb-pi à 1 250 tr/min (170 lb-pi en mode overboost)
RAPPORT POIDS/PUISSANCE man. 8,8 kg/ch **auto.** 9,0 kg/ch
BOÎTE(S) DE VITESSES manuelle à 6 rapports, automatique à 6 rapports avec mode manuel (en option)
PERFORMANCES 0-100 km/h 3 portes 7,9 s **auto.** 7,8 s **5 portes** 8,2 s **auto.** 8,1 s **Clubman** 9,1 s
FREINAGE 100-0 km/h 41,7 m **VITESSE MAXIMALE** 210 km/h

(MINI Cooper S, JCW, CLUBMAN S) L4 2,0 L DACT turbo
PUISSANCE 192 ch à 5 000 tr/min **JCW** 228 ch de 5 200 à 6 000 tr/min
COUPLE 207 lb-pi à 1 250 tr/min (221 lb-pi en mode overboost) **JCW** 236 lb-pi de 1 250 à 4 800 tr/min
RAPPORT POIDS/PUISSANCE 6,0 à 6,7 à kg/ch **Clubman** 7,1 à 7,2 kg/ch
BOÎTE(S) DE VITESSES manuelle à 6 rapports, automatique à 6 rapports (8 sur Clubman) avec mode manuel et manettes au volant (en option)
PERFORMANCES 0-100 km/h (man./auto.) 3 p. 6,8 s/6,7 s **JCW** 6,3 s/6,1 s **5 p.** 6,9 s/6,8 s **Cabrio JCW** 6,6 s/6,5 s **Clubman** 7,2 s/7,1 s **All4** 7,0 s/6,9 s
REPRISE 80-115 km/h 4,0 s
FREINAGE 100-0 km/h 41,1 m
VITESSE MAXIMALE man. 232 km/h **auto.** 230 km/h **Clubman** 225 km/h
CONSOMMATION (100 km) ville 9,2 à 10,0 L, route 7,0 L **JCW** ville 9,3 à 10,4 L, route 7,3 à 7,7 L (octane 91)
ANNUELLE 1 394 à 1 462 L, 1 882 à 1 954 $ **JCW** 1 428 à 1 564 L, 1 928 à 2 111 $
ÉMISSIONS DE CO_2 3 206 à 3 363 kg/an **JCW** 3 284 à 3 597 kg/an

AUTRES COMPOSANTS

SÉCURITÉ ACTIVE (certains en option ou selon la version) Freins ABS, assistance au freinage, répartition électronique de la force de freinage, contrôle électronique de la stabilité, antipatinage, affichage tête haute, régulateur de vitesse adaptatif, détecteur de piétons et avertisseur d'impact imminent, phares et essuie-glaces automatiques, affichage tête haute
SUSPENSION avant/arrière indépendante, à amortissement ajustable (modèle à hayon et option Clubman)
FREINS avant/arrière disques
DIRECTION à crémaillère, assistée électriquement
PNEUS Cooper/Cooper S P195/55R16 **Clubman** P205/55R16 **option Cooper et Cooper S/ de série JCW** P205/45R17 **Clubman S** P225/45R17

DIMENSIONS

EMPATTEMENT 3 portes/Cabrio 2 495 mm **5 portes** 2 567 mm **Clubman** 2 670 mm
LONGUEUR 3 portes/Cabrio 3 837 mm **S** 3 858 mm **JCW** 3 874 mm **5 portes** 3 998 mm **S** 4 013 mm **Clubman** 4 275 mm
LARGEUR 3 portes/Cabrio 1 727 mm **5 portes** 1 791 mm **Clubman** 1 800 mm
HAUTEUR Cooper/Cabrio. 1 414 mm **5 portes** 1 425 mm **Clubman** 1 441 mm
POIDS Hayon 1 182 à 1 213 kg **S** 1 252 à 1 286 kg **JCW** 1 290 kg à 1 309 kg **5 portes** 1 247 à 1 329 kg **Cabrio.** 1 295 à 1 318 kg **S** 1 354 à 1 372 kg **JCW** 1 377 à 1 390 kg **Clubman** 1 408 à 1 433 kg **S** 1 467 à 1 497 kg **All4** 1 529 à 1 544 kg **All4 S** 1 563 à 1 581 kg
RÉPARTITION DU POIDS AV/ARR (%) Hayon/Cabrio 60/40 à 63/37 **Clubman** 56/44 à 60/40
DIAMÈTRE DE BRAQUAGE Hayon/cabrio. 10,8 m **Clubman** 11,3 m
COFFRE 3 portes 211 L, 731 L (sièges abaissés) **5 portes** 278 L, 941 L (sièges abaissés) **Cabriolet,** 215 L, 160 L (toit ouvert) **Clubman** 360 L, 1250 L (sièges abaissés)
RÉSERVOIR DE CARBURANT Hayon/Cabrio 44 L **Clubman** 50 L
CAPACITÉ DE REMORQUAGE Clubman 680 kg, 1 300 kg (remorque avec freins) **All4** 750 kg, 1 500 kg (remorque avec freins)

LA COTE VERTE

MOTEUR L4 DE 1,6 L TURBO
CONSOMMATION (100 km) man. ville 9,4 L, route 7,6 L
auto. ville 10,1 L, route 7,7 L
CONSOMMATION ANNUELLE man. 1 462 L, 1 974 $ **auto.** 1 530 L, 2 066 $
INDICE D'OCTANE 91
ÉMISSIONS POLLUANTES CO_2 man. 3 363 kg/an **auto.** 3 519 kg/an
(source : ÉnerGuide)

FICHE D'IDENTITÉ

VERSION(S) Cooper S ALL4, John Cooper Works ALL4
TRANSMISSION(S) 4
PORTIÈRES 5 **PLACES** 5
PREMIÈRE GÉNÉRATION 2011
GÉNÉRATION ACTUELLE 2011
CONSTRUCTION Graz, Autriche
COUSSINS GONFLABLES 7 (frontaux, genoux conducteur, latéraux avant, rideaux latéraux)
CONCURRENCE Audi Q3, Buick Encore, BMW X1, Infiniti QX30, Mercedes-Benz GLA

AU QUOTIDIEN

COLLISION FRONTALE 5/5
COLLISION LATÉRALE 5/5
VENTES DU MODÈLE L'AN DERNIER
AU QUÉBEC 352 (-22,6 %) **AU CANADA** 1 412 (-20,9 %)
DÉPRÉCIATION (%) 30,8 (3 ans)
RAPPELS (2011 à 2016) 1
COTE DE FIABILITÉ 3/5

GARANTIES... ET PLUS

GARANTIE GÉNÉRALE 4 ans/80 000 km
GROUPE MOTOPROPULSEUR 4 ans/80 000 km
PERFORATION 12 ans/kilométrage illimité
ASSISTANCE ROUTIÈRE 4 ans/80 000 km
NOMBRE DE CONCESSIONNAIRES
AU QUÉBEC 4 **AU CANADA** 25

NOUVEAUTÉS EN 2017

Abandon du modèle Paceman.

MAXI MINI

La Countryman est apparue en 2011 en se prenant pour un VUS, mais pas gros. C'était aussi la première MINI de l'ère BMW à être percée de 5 portières, mais depuis, la Cooper l'a imitée, tandis que la nouvelle Clubman – dont on parle dans les pages précédentes – en compte même 6. Un an plus tard, MINI dévoilait la Paceman au Salon de Paris, une variante à 3 portes de la Countryman. Comme sa pertinence est loin d'avoir fait fureur sur le marché, elle tirera sa révérence d'ici la fin de l'année.

Michel Crépault

TOUR DU PROPRIÉTAIRE > En comparaison de la toute première Clubman, la Countryman affichait des dimensions supérieures. Ce n'est plus le cas avec la Clubman de deuxième génération, dont la longueur avoisine désormais celle d'une VW Golf. Mais, bon, comme chaque millimètre compte énormément dans une MINI, la Countryman conserve toujours l'avantage d'être relativement spacieuse par rapport à ses autres sœurs. Et pour honorer son genre utilitaire, elle offre aussi une garde au sol plus élevée. À l'arrière, l'espace cargo est grosso modo le double de celui d'une Cooper.

VIE À BORD > La présentation est toujours aussi coquine, mais sa maturation accuse maintenant un léger retard par rapport aux intérieurs renouvelés de la Cooper et de la Clubman. D'un autre côté, il y a un tel effort d'originalité sur cette planche de bord qu'on pardonne volon-

+
- UNE MINI PLUS SPACIEUSE
- PLUS À L'AISE L'HIVER
- SUSPENSION PLUS PERMISSIVE

−
- LA MOINS ATHLÉTIQUE DES MINI
- DES OPTIONS QUI GONFLENT LA FACTURE
- VOCATION VUS À PRENDRE AVEC UN GRAIN DE SEL

MENTIONS

CLÉ D'OR — CHOIX VERT — COUP DE CŒUR — RECOMMANDÉ

VERDICT

PLAISIR AU VOLANT
QUALITÉ DE FINITION
CONSOMMATION
RAPPORT QUALITÉ / PRIX
VALEUR DE REVENTE
CONFORT

1 5 10

tiers les interrupteurs étrangement localisés et les icônes absconses. Puisque le dégagement offert à l'arrière est l'un des attraits de la Countryman, avec vraiment de la place pour un cinquième passager (mais pas trop longtemps, merci), la banquette pousse la sophistication jusqu'à coulisser et à s'incliner. Maximisez le volume de chargement en abaissant un dossier ou trois, et je confirme que la Countryman a ce qu'il faut pour encourager les excursions en forêt.

TECHNIQUE > Pas de version de base équipée d'un tri-cylindres. Dans le passé, les Countryman équipées de moins de chevaux offraient des accélérations mollassonnes, un triste contraste par rapport à la vivacité usuelle des MINI. Mettez ça sur le compte d'un surplus de poids. Donc on passe immédiatement à la Cooper S, puis au modèle JCW de 208 chevaux. Comme chez les autres MINI, ces engins sont associés à une boîte manuelle ou automatique à 6 vitesses, mais en prime, on nous refile le système à 4 roues motrices baptisé ALL4. Relié au contrôle de la stabilité de l'auto, il décide en un clin d'œil qui de l'essieu avant ou arrière recevra du couple supplémentaire.

AU VOLANT > Sa conduite s'avère un brin moins enlevante qu'à bord des MINI plus compactes et plus proches du sol. En revanche, la Countryman bénéficie d'une suspension moins souffrante pour nos vertèbres. Par ailleurs, malgré sa garde au sol et sa transmission intégrale, j'imagine mal les gens sortir en trombe du concessionnaire avec leur Countryman flambette pour se précipiter dans les ornières et les ravins. Pour atteindre le chalet en pleine végétation, ça oui. Pour revenir de chez IKEA avec plus de bébelles que dans une Cooper, là on parle. Surtout, les particularités de la Countryman la rendent la plus pratique des MINI quand vient le temps d'affronter l'hiver. Ajoutez donc une escapade vers le centre de ski parmi vos activités favorites. Cela dit, une fois que vous aurez coché toutes les options pour la personnaliser, le total de la facture devrait vous inciter aussi à jeter un coup d'œil du côté d'un BMW X1...

CONCLUSION > La Countryman propose un aspect pratique qui échappe aux autres MINI, sauf à la nouvelle Clubman qui, dans le fond, se dresse maintenant comme une sérieuse menace étant donné ses mensurations encore plus importantes que celles de la Countryman et son option ALL4. Contrairement au défunt Roadster et à la bientôt retraitée Paceman, la Countryman devrait demeurer au catalogue, une nouvelle génération étant normalement prévue. Cela dit, si c'est la praticabilité qui vous importe vraiment, vous savez aussi qu'elle sera servie encore plus généreusement par les Honda HR-V, Mazda CX-3 et Chevrolet Trax de ce monde. Mais, c'est vrai, ils n'ont ni le look, ni la saveur, ni le comportement de cette MINI des Bois. ■

2e OPINION

Antoine Joubert

Aussi drôle que cela puisse paraître, la Countryman constitue aujourd'hui le plus vieux modèle de la famille MINI. Une famille moins grande qu'il y a quelques années, puisqu'on ramène la gamme vers des modèles que les gens achètent en nombre suffisant. Évidemment, la Countryman en fait partie, la mode des multisegments étant bien sûr trop forte. Vous pouvez donc être certain que MINI prépare un nouveau modèle qui nous sera bientôt dévoilé et qui sera évolutif par rapport au modèle actuel. Ce dernier adoptera sans doute un nouveau châssis et des mécaniques encore plus frugales, en optimisant bien sûr les performances. Or, d'ici là, la Countryman actuelle demeure une voiture intéressante. Amusante à conduire, relativement pratique, efficace en hiver et particulièrement jolie, elle n'a comme seuls défauts d'être plutôt coûteuse et d'afficher encore et toujours une fiabilité inégale. Un élément qui, espérons-le, sera réglé sur la nouvelle mouture.

FICHE TECHNIQUE

MOTEUR(S)

(Cooper S) L4 1,6 L DACT turbo
PUISSANCE 190 ch à 5 500 tr/min
COUPLE 177 lb-pi de 1 600 à 5 000 tr/min, 192 lb-pi à 1 700 tr/min en mode overboost
RAPPORT POIDS/PUISSANCE 7,3 à 7,5 kg/ch
BOITE(S) DE VITESSES manuelle à 6 rapports, automatique à 6 rapports avec mode manuel (option)
PERFORMANCES 0-100 km/h man. 7,9 s **auto.** 8,1 s
REPRISE 80-115 km/h 5,1 s
FREINAGE 100-0 km/h 35,9 m
NIVEAU SONORE À 100 km/h Moyen
VITESSE MAXIMALE 205 km/h

(John Cooper Works) L4 1,6 L DACT turbo
PUISSANCE 208 ch à 6 000 tr/min
COUPLE 192 lb-pi de 1 850 à 5 600 tr/min
RAPPORT POIDS/PUISSANCE 7,1 kg/ch
BOITE(S) DE VITESSES manuelle à 6 rapports, automatique à 6 rapports avec mode manuel et manettes au volant (option)
PERFORMANCES 0-100 km/h 7,0 s
VITESSE MAXIMALE 205 km/h
CONSOMMATION (100 KM) man. ville 9,4 L, route 7,6 L **auto.** ville 10,1 L, route 7,7 L (octane 91)
ANNUELLE man. 1 462 L, 1 974 $ **auto.** 1 530 L, 2 066 $
ÉMISSIONS DE CO_2 man. 3 363 kg/an **auto.** 3 519 kg/an

AUTRES COMPOSANTS

SÉCURITÉ ACTIVE Freins ABS, assistance au freinage, répartition électronique de la force de freinage, contrôle électronique de la stabilité, antipatinage, aide au départ en pente
SUSPENSION avant/arrière indépendante
FREINS avant/arrière disques
DIRECTION à crémaillère, assistée électriquement
PNEUS S P205/55R17 **JCW** P225/45R18

DIMENSIONS

EMPATTEMENT 2 595 mm
LONGUEUR S 4 110 mm **JCW** 4 133 mm
LARGEUR 1 798 mm, 1 996 mm (incl. retro.)
HAUTEUR 1 561 mm **JCW** 1 549 mm
POIDS S man. 1 390 kg **auto.** 1 415 kg **JCW** 1 480 kg
RÉPARTITION DU POIDS AV/ARR (%) 58/42
DIAMÈTRE DE BRAQUAGE 11,6 m
COFFRE 350 L, 450 L (sièges avancés), 1 170 L (sièges abaissés)
RÉSERVOIR DE CARBURANT 47 L

LA COTE VERTE

MOTEUR SYNCHRONE À AIMANTS PERMANENTS
AUTONOMIE MOYENNE 135 km
CONSOMMATION ÉQUIVALENTE (100 km) ville 1,9 L, route 2,3 L
CONSOMMATION ÉQUIVALENTE ANNUELLE 357 L
INDICE D'OCTANE NA
ÉMISSIONS POLLUANTES CO_2 0 kg/an
Temps de recharge 240 V 7 h **120 V 8 amp.** 22 h **120 V @ 12 amp.** 14 h
Chargeur rapide 30 min pour 80 % de la pleine charge
(source : ÉnerGuide)

FICHE D'IDENTITÉ

VERSION(S) ES
TRANSMISSION(S) arrière
PORTIÈRES 5 **PLACES** 4
PREMIÈRE GÉNÉRATION 2012
GÉNÉRATION ACTUELLE 2012
CONSTRUCTION Mizushima, Japon
COUSSINS GONFLABLES 6 (frontaux, latéraux avant, rideaux latéraux)
CONCURRENCE BMW i3, Chevrolet Bolt, Ford Focus EV, Hyundai Ioniq, Kia Soul EV, Nissan Leaf

AU QUOTIDIEN

COLLISION FRONTALE 4/5
COLLISION LATÉRALE 3/5
VENTES DU MODÈLE L'AN DERNIER
AU QUÉBEC 81 (+5,2 %) **AU CANADA** 121 (+11,0 %)
DÉPRÉCIATION (%) 39,3 (3 ans)
RAPPELS (2011 à 2016) 7
COTE DE FIABILITÉ 3/5

GARANTIES... ET PLUS

GARANTIE GÉNÉRALE 3 ans/60 000 km
GROUPE MOTOPROPULSEUR 5 ans/100 000 km
GARANTIE BATTERIE 8 ans/160 000 km
PERFORATION 5 ans/kilométrage illimité
ASSISTANCE ROUTIÈRE 3 ans/ kilométrage illimité
NOMBRE DE CONCESSIONNAIRES
AU QUÉBEC 34 **AU CANADA** 91

NOUVEAUTÉS EN 2017

Aucun changement majeur

UNE NICHE DANS LA NICHE

À la *Mitsubishi innovative Electric Vehicle*, mieux connue sous le patronyme i-MiEV, revient le mérite d'avoir été le premier véhicule électrique grand public contemporain, ayant d'abord été introduit à des clients de parcs automobiles japonais en 2009. Il a débarqué chez nous en 2011, en même temps que la Nissan Leaf, une autre pionnière.

Michel Crépault

TOUR DU PROPRIÉTAIRE > Vous apercevez une i-MiEV et, sans peut-être même connaître son nom, vous savez que ce n'est pas une automobile « normale » ! Comment pourrait-il en être autrement avec sa forme ovoïde, son absence de capot (le moteur loge entre les roues arrière) et l'impression que l'auto est sortie d'un étau géant qui n'a pas été tendre à son égard. De fait, sa largeur de 1585 millimètres la place à égalité avec la smart électrique (1559), mais elle est plus haute et n'est pas qu'un biplace.

VIE À BORD > N'importe quel tableau de bord de n'importe quelle autre automobile surpasse celui de l'i-MiEV, que ce soit sur le plan de la présentation (démodée) ou de la qualité des matériaux (très ordinaire). Un intérieur qui ne surprend pas quand on sait qu'il découle de la Mitsubishi i, l'équivalent à essence compact et économique. N'empêche que l'ES - la seule version - inclut de série la climatisation et des sièges avant chauffants et, depuis 2016, un

+
- SILHOUETTE SYMPATHIQUE
- TENUE DE ROUTE SATISFAISANTE
- PRIX (MOINS SUBVENTION) INTÉRESSANT
- HAYON ET CHARGEMENT PRATIQUES

−
- ACCÉLÉRATION TRÈS LENTE
- PRÉSENTATION INTÉRIEURE BON MARCHÉ
- CONFORT RELATIF

MENTIONS

CLÉ D'OR | **CHOIX VERT** | COUP DE CŒUR | **RECOMMANDÉ**

VERDICT

	1–10
PLAISIR AU VOLANT	6
QUALITÉ DE FINITION	6
CONSOMMATION	10
RAPPORT QUALITÉ / PRIX	8
VALEUR DE REVENTE	10
CONFORT	6

ensemble Navigation facultatif qui incorpore entre autres une caméra de recul, un écran tactile de 7 pouces, une meilleure chaîne audio et une téléphonie mains libres. Seulement, avant de dépenser 2 000 $ pour cet ensemble, j'en allongerais pour un indicateur d'autonomie résiduelle plus précis que dans l'actuelle jauge, qui imite celle d'un réservoir de carburant. Je ne veux pas des barres, je veux le nombre de kilomètres que je peux encore parcourir sans avoir à me ronger les ongles ! Le dégagement pour les quatre occupants est très décent, particulièrement en direction du plafond bombé. Le confort des baquets et de la banquette, par contre, s'avère discutable, mais il ne viendra de toutes façons à personne l'idée d'entreprendre une longue expédition avec un véhicule à l'autonomie limitée. Quant à l'espace à bagages, il est correctement appuyé par un hayon à l'échancrure généreuse et des dossiers 50/50 qui se couchent à plat pour une capacité totale de 1430 litres.

TECHNIQUE > Les roues arrière de l'i-MiEV sont entraînées par un petit moteur électrique de 49 kW qui fournit 66 chevaux et 145 livres-pieds de couple et qui est alimenté par des batteries au ion-lithium d'une capacité de 16 kWh. La boîte de vitesse automatique ne compte qu'un seul rapport. Trois modes de conduite : D, Eco et B, qui augmente le freinage régénératif. Disques à l'avant, tambours à l'arrière mais ABS partout.

AU VOLANT > Les puces bien vitrées présentent l'avantage d'offrir une belle visibilité et l'i-MiEV ne fait pas exception. Tourne le cou ici, tourne-le là et tu vois tout! Sur l'autoroute, la voiture se tire d'affaire mais avec des limites. On se surprend à filer à 120 km/h. Les minces pneus de 15 pouces, eux, se laissent influencer par les sillons des poids lourds et la forme en chapeau melon n'aime pas les forts vents. En fait, l'i-MiEV et les véhicules électriques en général ne raffolent pas des voies rapides qui font fondre leur réserve d'électrons comme neige au soleil.

Mieux vaut la garder au centre-ville, son aire de prédilection, où son amusant rayon de braquage la sert bien. Pour les accélérations, toutefois, on repassera : autour de 15 secondes. En fait, l'auto distille zéro émissions mais aussi zéro plaisir au volant. Mais bon, ça aide à viser l'autonomie (très) théorique de 135 kilomètres. Oubliez la recharge à 110 volts, beaucoup trop longue (14 à 22 heures). Mieux vaut s'équiper d'une prise de 240 volts (sept heures), d'autant plus que son installation domestique est subventionnée (50 % ou maximum de 1 000 $) si on loue ou on achète un véhicule électrique.

CONCLUSION > Cette année, avec le retrait de la smart ed, l'i-MiEV devient le véhicule électrique le moins cher sur le marché. Fidèle à ses humbles origines, elle ne jette aucune poudre aux yeux. Elle se présente telle quelle, sans flafla. C'est une tactique comme une autre de la part du constructeur et ça peut convenir à certains amateurs de conduite verte portés sur la simplicité volontaire. ■

FICHE TECHNIQUE

MOTEUR(S)

(ES) Moteur électrique synchrone à aimants permanents
PUISSANCE 66 ch (49 KW)
COUPLE 145 lb-pi
RAPPORT POIDS/PUISSANCE 17,4 kg/ch
BOÎTE(S) DE VITESSES automatique à 1 rapport
PERFORMANCES 0-100 km/h 15,0 s
REPRISE 80-115 km/h 7,9 s
FREINAGE 100-0 km/h 41,3 m
NIVEAU SONORE À 100 km/h Moyen
VITESSE MAXIMALE 130 km/h

AUTRES COMPOSANTS

SÉCURITÉ ACTIVE Freins ABS, assistance au freinage, répartition électronique de la force de freinage, contrôle électronique de la stabilité, antipatinage, phares automatiques
SUSPENSION avant/arrière indépendante/semi-indépendante (tube deDion)
FREINS avant/arrière disques/tambours
DIRECTION à crémaillère, assistée électriquement
PNEUS P145/65R15 (av.) P175/60R15 (arr.)

DIMENSIONS

EMPATTEMENT 2 550 mm
LONGUEUR 3 675 mm
LARGEUR 1 585 mm
HAUTEUR 1 615 mm
POIDS 1 148 kg
RÉPARTITION DU POIDS AV/ARR (%) 46/54
DIAMÈTRE DE BRAQUAGE 9,4 m
COFFRE 377 L, 1 430 L (sièges abaissés)
BATTERIE lithium-ion 16 kWh

2e OPINION

Luc-Olivier Chamberland

Vous êtes un défenseur de l'écologie, mais votre budget est limité. La Mitsubishi i-MIEV est l'option 100 % électrique la plus abordable au Canada. Bien que son prix semble alléchant, un monde de concessions toutes plus désagréables les unes que les autres vous attend. Aussi bien être VRAIMENT convaincu ! La finition se montre presque inexistante avec une mer de plastiques durs bon marché. Vous n'avez pas de coffre, la place s'avère très intime pour quatre personnes, et ce, dans un confort aléatoire, et un équipement minimaliste sera votre lot. Plus près du kart de golf que de la voiture proprement dite, l'effort de Mitsubishi est louable dans la mesure où l'i-MIEV fait un excellent véhicule de livraison pour votre poulet St-Hubert !

LA COTE VERTE

MOTEUR L4 DE 2,0 L
CONSOMMATION (100 km) berline man. ville 9,6 L, route 7,0 L **CVT.** ville 8,6 L, route 6,8 L **Sportback man.** ville 9,9 L route 7,2 L **CVT** ville 9,2 L route 7,1 L
CONSOMMATION ANNUELLE berline man. 1 428 L, 1 714 $ **CVT.** 1 326 L, 1 591 $ **Sportback man.** 1 479 L, 1 775 $ **CVT** 1 411 L, 1 693 $
INDICE D'OCTANE 87
ÉMISSIONS POLLUANTES CO_2 berline man. 3 284 kg/an **CVT.** 3 050 kg/an **Sportback man.** 3 402 kg/an **CVT** 3 245 kg/an
(source: ÉnerGuide)

FICHE D'IDENTITÉ

VERSION(S) Berline DE, ES, ES AWC, SE, SE AWC, GTS, GTS AWC **Sportback** SE, SE Limited, GT
TRANSMISSION(S) avant, 4
PORTIÈRES 4, 5 **PLACES** 5
PREMIÈRE GÉNÉRATION 2003
GÉNÉRATION ACTUELLE 2007
CONSTRUCTION Mizushima, Japon
COUSSINS GONFLABLES 7 (frontaux, latéraux avant, genoux conducteur, rideaux latéraux)
CONCURRENCE Chevrolet Cruze, Ford Focus, Honda Civic, Hyundai Elantra, Kia Forte, Mazda3, Nissan Sentra, Subaru Impreza, Toyota Corolla/iM, VW Golf/Jetta

AU QUOTIDIEN

COLLISION FRONTALE 4/5
COLLISION LATÉRALE 4/5
VENTES DU MODÈLE L'AN DERNIER AU QUÉBEC 2 037 (-7,7 %) **AU CANADA** 5 459 (-10,3 %)
DÉPRÉCIATION (%) 33,5 (3 ans)
RAPPELS (2011 à 2016) 3
COTE DE FIABILITÉ 4/5

GARANTIES... ET PLUS

GARANTIE GÉNÉRALE 5 ans/100 000 km
GROUPE MOTOPROPULSEUR 10 ans/160 000 km
PERFORATION 5 ans/kilométrage illimité
ASSISTANCE ROUTIÈRE 5 ans/kilométrage illimité
NOMBRE DE CONCESSIONNAIRES AU QUÉBEC 34 **AU CANADA** 91

NOUVEAUTÉS EN 2017

Retouches esthétiques extérieures et intérieures.

C'EST POUR BIENTÔT, LA RETRAITE?

Le poids des années commençait à se faire sentir chez la Lancer. Bien sûr, la mise en circulation de ce modèle remonte à plus de 10 ans déjà. À défaut de revoir complètement sa copie, Mitsubishi apporte cette année plusieurs modifications pour la rafraîchir un peu.

Éric LeFrançois

TOUR DU PROPRIÉTAIRE > La Lancer 2017 a également droit au nouveau visage de Mitsubishi et à quelques retouches bien senties à l'intérieur pour maintenir sa compétitivité. La console centrale redessinée intègre désormais une prise USB, tandis que l'ergonomie du système audio a été repensée. L'interface du système de navigation a aussi été redessinée. Les deux carrosseries (4 et 5 portes) demeurent au catalogue cette année. Des deux, nous préférons la 5-portes en raison de sa plus grande polyvalence. En revanche, considérant la qualité inégale de la construction, les bruits parasites sont plus audibles à bord de cette version dépourvue de cloison entre le coffre et l'habitacle.

VIE À BORD > À bord de la Mitsubishi, la qualité des matériaux est correcte, sans plus. Parmi les points forts de cette Lancer, on trouve son volume habitable, toujours compétitif. La place n'est pas comptée, ni à l'avant ni à l'arrière. En fait, la Lancer offre globalement plus d'espace que plusieurs de ses rivales, pourtant d'une conception plus récente. Idem pour le coffre, pour peu que

+
- BOÎTE CVT AMÉLIORÉE
- TRANSMISSION INTÉGRALE EFFICACE
- FIABILITÉ ÉPROUVÉE

−
- FINITION INÉGALE
- CONSOMMATION DE CARBURANT
- CONCEPTION ET PRÉSENTATION SURANNÉES

MENTIONS

CLÉ D'OR · CHOIX VERT · COUP DE CŒUR · **RECOMMANDÉ**

VERDICT

PLAISIR AU VOLANT
QUALITÉ DE FINITION
CONSOMMATION
RAPPORT QUALITÉ / PRIX
VALEUR DE REVENTE
CONFORT

1 5 10

son acheteur fasse l'impasse sur la chaîne audio haut de gamme - Rockford Fosgate de 710 watts -, dont le caisson de graves empiète sur l'espace du coffre. Que dire de plus sur cet habitacle conçu il y a plus d'une décennie déjà ? Que l'on regrette pratiquement l'univers « Guerre des étoiles » que Mitsubishi avait l'habitude de créer ? Sans doute, car avec deux cadrans regroupés derrière le volant, des boutons alignés comme à la parade, la Lancer ne donne pas beaucoup à voir, mais certains automobilistes apprécieront cette désarmante simplicité par rapport à la complexité de certaines compactes actuelles.

TECHNIQUE > Toujours offerte en configuration 2 ou 4 roues motrices, la voiture propose une évolution de la boîte automatique à variation continue. Baptisée CVT8, cette transmission, qui se trouvait déjà à bord des RVR et Outlander, assure un rendement plus lisse et une meilleure économie de carburant.

AU VOLANT > L'architecture technique de la Lancer demeure la même qu'à ses débuts. Y compris pour le moteur de 2 litres. Issu d'une collaboration entre Chrysler, Hyundai et, naturellement, Mitsubishi, ce 4-cylindres accuse beaucoup de retard sur le plan technologique. Rugueux, sonore et pas très sobre à la pompe, il a pour seul mérite d'être fiable. Avec la transmission intégrale, la Mitsubishi Lancer retient la plus puissante des mécaniques à sa disposition, à savoir un 4-cylindres de 2,4 litres (les modèles à roues avant motrices adoptent le 2-litres). Ce dernier consomme davantage, mais ne manque pas d'allant. Même la boîte CVT se révèle globalement efficace. Nous préférons la boîte manuelle. Une fois n'est pas coutume, le verrouillage des rapports nous est apparu beaucoup plus solide que dans les créations passées de ce constructeur. En outre, la course du levier est suffisamment courte, ce qui contribue à l'agrément de conduite. Sur la route, la Lancer ne flageole pas sur ses vieux os. Remarquablement équilibrée, cette auto se laisse guider avec beaucoup d'aisance grâce à une direction qui a ce qu'il faut de fermeté pour procurer de bonnes sensations; la motricité ne fait jamais défaut et le train arrière « enroule » bien, ce qui permet d'inscrire facilement le nez de l'auto dans les virages serrés et contribue au sentiment de sécurité que l'on éprouve à son volant. Suffisamment rigide pour limiter les mouvements de caisse, la suspension réagit plutôt sèchement sur mauvaise route et la filtration des bruits est perfectible.

CONCLUSION > Bien que les transformations touchent presque essentiellement l'aspect esthétique de ce véhicule, la version actuelle s'avère éprouvée techniquement et a atteint son stade de mise au point le plus avancé. Et pour ajouter à cette tranquillité d'esprit, la Lancer s'appuie sur l'une des garanties les plus généreuses de l'industrie. Un argument à considérer. Sans doute le seul avec la transmission intégrale. ■

2e OPINION

Antoine Joubert

Pour une première fois en dix ans, la Lancer a eu droit, récemment, à des retouches mineures qui permettent de différencier un modèle 2017 d'un 2008. Le constructeur avoue d'ailleurs ne pas consacrer beaucoup d'efforts sur ce modèle qui, dit-on, pourrait ne pas être renouvelé. Cela dit, la Lancer affiche malgré ses retouches de sérieuses rides, lesquelles sont ressenties dans le design, mais également dans la finition, le raffinement mécanique et la consommation de carburant. En revanche, sa fiabilité demeure exemplaire, un avantage appuyé d'une garantie imbattable que Mitsubishi utilise comme principal argument de vente. Je me permets également de mentionner que le prix d'une Lancer ES CVT est à peu près identique à celui d'une Mirage G4 SEL, offrant un équipement comparable. Et à moins que la consommation de carburant ne soit votre principale préoccupation, toutes les raisons me poussent à vous diriger vers la Lancer, qui demeure malgré son âge un produit sérieux et amusant.

FICHE TECHNIQUE

MOTEUR(S)

(DE, ES, SE, Sportback) L4 2,0 L DACT
PUISSANCE 148 ch à 6 000 tr/min
COUPLE 145 lb-pi à 4 250 tr/min
RAPPORT POIDS/PUISSANCE 8,8 à 9,0 kg/ch
BOÎTE(S) DE VITESSES manuelle à 5 rapports, automatique à variation continue (option)
PERFORMANCES 0-100 km/h 8,6 s
VITESSE MAXIMALE 180 km/h

(GTS, GTS AWC, ES AWC, SE AWC) L4 2,4 L DACT
PUISSANCE 168 ch à 6 000 tr/min
COUPLE 167 lb-pi à 4 100 tr/min
RAPPORT POIDS/PUISSANCE 8,4 kg/ch
BOITE(S) DE VITESSES automatique à variation continue
PERFORMANCES 0-100 km/h 8,3 s
VITESSE MAXIMALE 185 km/h
CONSOMMATION (100 km) ville 10,5 L, route 8,2 L (octane 87)
ANNUELLE 1 615 L, 2 100 $
ÉMISSIONS DE CO_2 3 714 kg/an

AUTRES COMPOSANTS

SÉCURITÉ ACTIVE Freins ABS, assistance au freinage, répartition électronique de la force de freinage, contrôle électronique de la stabilité, antipatinage, aide au freinage en cas d'utilisation simultanée de l'accélérateur et des freins
SUSPENSION avant/arrière indépendante
FREINS avant/arrière disques
DIRECTION à crémaillère, assistée électriquement
PNEUS P205/60R16 **GTS** P215/45R18

DIMENSIONS

EMPATTEMENT 2 635 mm
LONGUEUR 4 625 mm **Sportback** 4 640 mm
LARGEUR 1 760 mm
HAUTEUR 1 480 mm **Sportback** 1 505 mm
POIDS berl DE 1 305 kg **ES/SE man.** 1 320 kg **CVT.** 1 350 kg **GTS man.** 1 345 kg **CVT** 1 375 kg **ES,SE et GTS AWC** 1 420 kg
RÉPARTITION DU POIDS AV/ARR (%) 58/42
DIAMÈTRE DE BRAQUAGE 10,0 m
COFFRE berl. 348 L **GT AWC** 334 L
Sport. 391 L, 1 320 L (sièges abaissés)
RÉSERVOIR DE CARBURANT 59 L **4RM** 55 L

LA COTE VERTE

MOTEUR L3 DE 1,2 L
CONSOMMATION (100 km) man. ville 7,0 L, route 5,6 L
CVT ville 6,4 L, route 5,3 L **G4 man.** ville 7,2 L, route 5,9 L
CVT ville 6,9 L, route 5,7 L
CONSOMMATION ANNUELLE man. 1 071 L, 1 285 $ **CVT** 1 003 L, 1 204 $
G4 man. 1 139 L, 1 367 $ **CVT** 1 088 L, 1 306 $
INDICE D'OCTANE 87
ÉMISSIONS POLLUANTES CO_2 man. 2 463 kg/an **CVT** 2 307 kg/an
G4 man. 2 620 kg/an **CVT** 2 502 kg/an
(source : ÉnerGuide et Mitsubishi)

FICHE D'IDENTITÉ

VERSION(S) Mirage ES, ES Plus, SE, SEL **Mirage G4** ES, SEL
TRANSMISSION(S) avant
PORTIÈRES 5 **PLACES** 4 **G4** 5
PREMIÈRE GÉNÉRATION 2014
GÉNÉRATION ACTUELLE 2014, 2017 (G4)
CONSTRUCTION Laem Chabang, Thaïlande
COUSSINS GONFLABLES 7 (frontaux, genoux conducteur, latéraux avant, rideaux latéraux)
CONCURRENCE Chevrolet Spark, Fiat 500, Nissan Micra, Smart ForTwo

AU QUOTIDIEN

COLLISION FRONTALE 4/5
COLLISION LATÉRALE 5/5
VENTES DU MODÈLE L'AN DERNIER
AU QUÉBEC 1 469 (-16,1 %) **AU CANADA** 3 361 (-17,0 %)
DÉPRÉCIATION (%) 41,6% (3 ans)
RAPPELS (2011 à 2016) 2
COTE DE FIABILITÉ ND

GARANTIES... ET PLUS

GARANTIE GÉNÉRALE 5 ans/100 000 km
GROUPE MOTOPROPULSEUR 10 ans/160 000 km
PERFORATION 7 ans/160 000 km
ASSISTANCE ROUTIÈRE 5 ans/kilométrage illimité
NOMBRE DE CONCESIONNAIRES
AU QUÉBEC 34 **AU CANADA** 91

NOUVEAUTÉS EN 2017

Mirage G4: nouveau modèle berline. Mirage: retouches esthétiques extérieures et intérieures, Apple CarPlay® et Android Auto®, moteur plus puissant, suspension et freins améliorés.

APRÈS LA SABBATIQUE

Après seulement un an de production, la petite Mirage se permettait déjà une année sabbatique, ce qui explique l'inexistence d'un modèle 2016 nord-américain. Cela aura bien sûr permis d'écouler les stocks 2015 invendus, mais aussi de prendre du temps pour apporter quelques retouches à une voiture qui, disons-le, n'avait pas eu très bonne presse lors de son arrivée. En effectuant un retour cette année, Mitsubishi a donc bien l'intention de corriger le tir avec un produit que l'on dit plus actuel. Est-ce réellement le cas ?

Antoine Joubert

TOUR DU PROPRIÉTAIRE > Il faut d'abord expliquer que 2017 marque chez nous l'arrivée d'une version berline, baptisée Mirage G4, laquelle circule depuis déjà quelques années ailleurs dans le monde. Cette dernière a évidemment pour objectif de séduire une plus large clientèle chez nos voisins du Sud qui, bien sûr, ne sont guère friands de voitures à hayon. Toutefois, Mitsubishi considère toujours le modèle bicorps comme le plus important, avec des ventes qui seraient chez nous quatre fois supérieures à celles de la berline. Il faut dire que cette dernière n'a rien de très charmant sur le plan esthétique. Le modèle à hayon peut au moins aguicher l'œil de certains acheteurs. Ajoutons que les retouches apportées à la partie avant pour 2017 donnent un soupçon d'élégance sur un modèle qui, jusqu'ici, avait toutes les allures d'une voiture-outil.

+
- GARANTIE ALLÉCHANTE
- CONSOMMATION MINIMALISTE
- MANIABILITÉ EN MILIEU URBAIN
- PLACES ARRIÈRE GÉNÉREUSES (BERLINE)

−
- PERFORMANCES ÉPOUVANTABLES (CVT)
- NIVEAU SONORE TRÈS ÉLEVÉ
- SENSIBILITÉ AUX VENTS LATÉRAUX
- TOUT SIMPLEMENT TROP CHÈRE

MENTIONS

CLÉ D'OR | CHOIX VERT | COUP DE CŒUR | RECOMMANDÉ

VERDICT

PLAISIR AU VOLANT
QUALITÉ DE FINITION
CONSOMMATION
RAPPORT QUALITÉ / PRIX
VALEUR DE REVENTE nm
CONFORT

1 5 10

VIE À BORD > D'une désolante tristesse, l'habitacle de la Mirage 2.0 est esthétiquement morne et n'a rien de moderne. On nous sert peut-être des équipements comme la climatisation automatique, les sièges chauffants ou la caméra de recul (sur la version SEL), mais l'adaptation des technologies semble réellement avoir été effectuée par nul autre que M. Bricole. À titre d'exemple, vous retrouverez sur la planche de bord un émetteur par GPS et un micro pour téléphone mains libres, fixés à la hâte, ainsi qu'un fil pendouillant dans le coffre à gants pour brancher votre appareil mobile. Sur la version berline, la position de conduite est épouvantablement élevée, si bien qu'un adulte de taille moyenne n'aura d'autre choix que de retirer son chapeau avant de s'installer à bord. L'inconfort du conducteur est également assuré par l'absence d'un accoudoir central et d'un volant télescopique. Parmi les points plus positifs, mentionnons un espace généreux aux places arrière et dans le coffre de la berline, laquelle est toutefois handicapée par une banquette non rabattable.

TECHNIQUE > Mitsubishi apporte de petites corrections à son moteur 3 cylindres, ce qui permet d'aller chercher un maigre 4 chevaux supplémentaires. Frugal, ce moteur chante à tue-tête à la moindre sollicitation, particulièrement si vous optez pour l'horrible boîte CVT offerte de série sur la version SEL. Cette dernière permet d'économiser quelques dixièmes de litre de carburant par 100 kilomètres à la pompe, mais au prix de performances lourdement handicapées. À titre d'exemple, vous effectuerez un 0-100 km/h en 11,5 secondes avec un modèle à hayon et boîte manuelle. Mais passez à la berline avec boîte CVT, et votre résultat grimpera à 16,1 secondes...

AU VOLANT > Maniable et caractérisée par un très court diamètre de braquage, la Mirage est bien sûr une citadine qui se faufile partout avec aisance. Hélas, là s'arrêtent les points forts de son comportement, qui déçoit par sa sensibilité aux vents latéraux, son manque flagrant de puissance et sa tenue de route aléatoire. D'ailleurs, la Mirage est l'une des seules voitures du marché à être dépourvue d'une barre stabilisatrice arrière. Conséquence : un roulis quasi dangereux. Et comme si ce n'était pas assez, la voiture pèche par une insonorisation carrément déficiente, qui rend la conduite au quotidien tout simplement désagréable.

CONCLUSION > La Mirage a pour compétition la Chevrolet Spark et la Nissan Micra, deux voitures offertes à bas prix qui ont de très bonnes cartes dans leur jeu respectif. Et malheureusement, Mitsubishi n'a pas su moderniser adéquatement sa sous-compacte pour la rendre réellement compétitive face à ces deux rivales. Mais le comble, c'est qu'on ose en demander un prix plus élevé, qui frise l'indécence lorsqu'on l'équipe de façon raisonnable, ramenant la facture au niveau d'une compacte comme la Honda Fit. Ai-je besoin de vous dire que la Mirage ne fait pas le poids? Ne reste donc comme argument que la garantie, qui ne pèse au final pas très lourd dans la balance... ■

2e OPINION

Luc-Olivier Chamberland

Wow, grosse nouveauté en 2017. La Mirage fait un retour en force après une année d'absence avec un faciès redessiné, un moteur légèrement plus « puissant », une ou deux technologies de plus et une toute nouvelle version berline G4. Vous n'avez pas idée de comment il est difficile de rester objectif avec cette bagnole. Mitsubishi essaie de diversifier sa gamme comme elle le peut, mais le marché canadien n'est pas le tiers monde! Cette voiture est mésadaptée, notamment en raison d'une mécanique anémique à l'article de la mort, d'un équipement en dessous des offres de la concurrence, le tout pour un prix qui est au bas mot 5000 $ de trop. Oui, passez votre tour!

FICHE TECHNIQUE

MOTEUR(S)

(MIRAGE) L3 1,2 L DACT
PUISSANCE 78 ch à 6 000 tr/min
COUPLE 74 lb-pi à 4 000 tr/min
RAPPORT POIDS/PUISSANCE 11,7 à 12,3 kg/ch **G4** 12,2 à 12,5 kg/ch
BOITE(S) DE VITESSES manuelle à 5 rapports, automatique à variation continue (en option)
PERFORMANCES 0-100 km/h man. 11,5 s **G4 CVT** 16,1 s
NIVEAU SONORE À 100 km/h Élevé
VITESSE MAXIMALE 165 km/h

AUTRES COMPOSANTS

SÉCURITÉ ACTIVE Freins ABS, assistance au freinage, répartition électronique de la force de freinage, contrôle électronique de la stabilité, antipatinage, aide au départ en pente (CVT), aide au freinage en cas d'activation simultanée de l'accélérateur et des freins
SUSPENSION avant/arrière indépendante/semi-indépendante
FREINS avant/arrière disques/tambours
DIRECTION à crémaillère, assistée électriquement
PNEUS P165/65R14 **SEL** P175/55R15

DIMENSIONS

EMPATTEMENT 2 450 mm **G4** 2 550 mm
LONGUEUR 3 795 mm **G4** 4 305 mm
LARGEUR 1 665 mm **G4** 1 670 mm
HAUTEUR 1 510 mm **G4** 1 505 mm
POIDS ES man. 915 kg **CVT** 940 kg **SE** 950 kg **SEL** 960 kg
G4 ES man. 950 kg **SEL** 975 kg
DIAMÈTRE DE BRAQUAGE 9,2 m **G4** 9,6 m
COFFRE 487 L **G4** 348 L
RÉSERVOIR DE CARBURANT 35 L

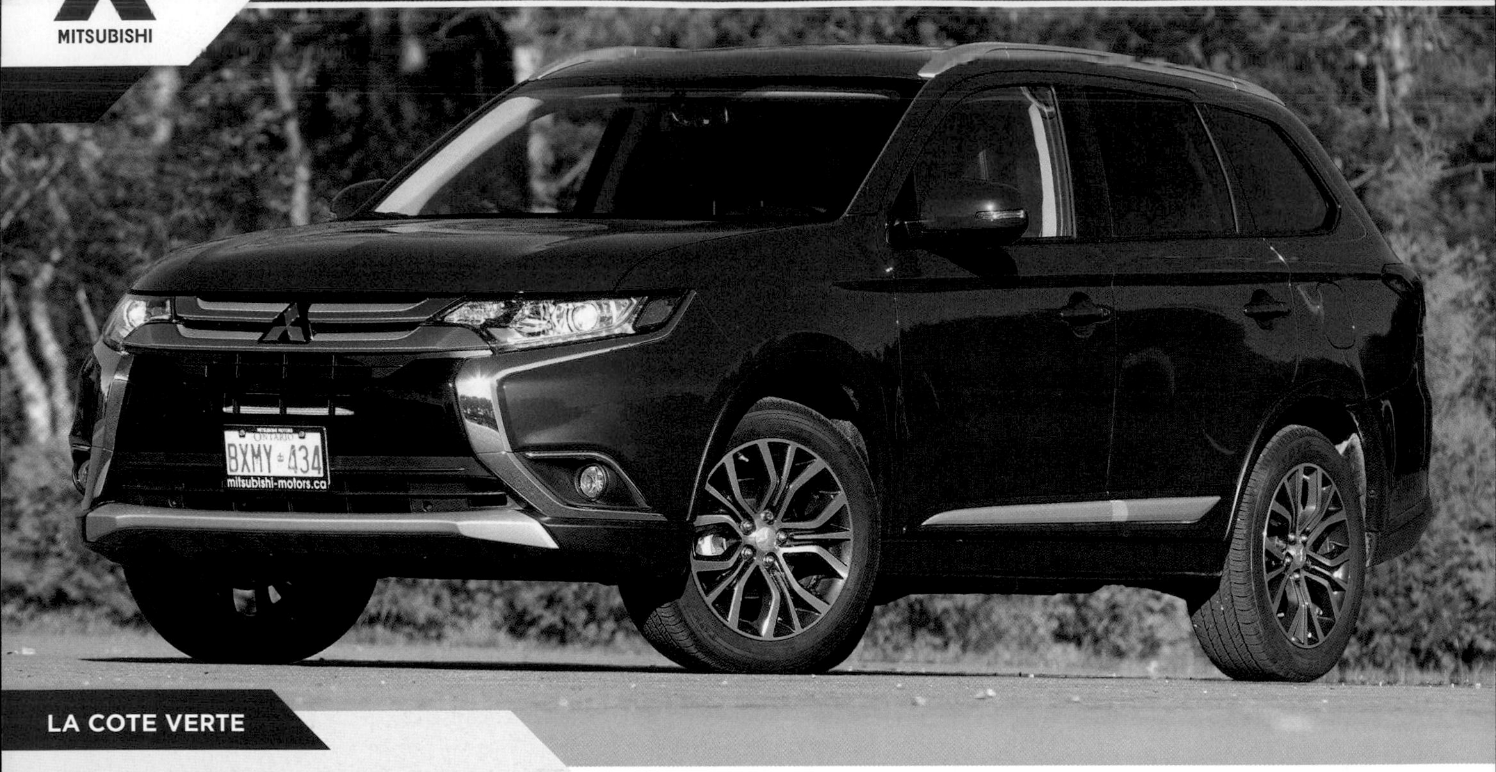

LA COTE VERTE

MOTEUR L4 DE 2,0 L HYBRIDE
CONSOMMATION (100 km) ville 5,2 L, route 5,7 L (est.) mode électrique équiv. 2,0 L
CONSOMMATION ANNUELLE 935 L, 1 122 $
INDICE D'OCTANE 87
ÉMISSIONS POLLUANTES CO_2 2 151 kg/an
AUTONOMIE mode électrique 52 km (est.)
Temps de recharge 220 V 3,5 heures **recharge rapide** 80 % de la charge en 30 min.
(source : L'Annuel)

FICHE D'IDENTITÉ

VERSION(S) 2RM/4RM ES 4RM SE, GT, PHEV
TRANSMISSION(S) avant, 4
PORTIÈRES 5 **PLACES** 5,7
PREMIÈRE GÉNÉRATION 2003
GÉNÉRATION ACTUELLE 2016
CONSTRUCTION Okazaki, Japon
COUSSINS GONFLABLES 7 (frontaux, genoux conducteur, latéraux avant, rideaux latéraux)
CONCURRENCE Chevrolet Equinox/GMC Terrain, Dodge Journey, Ford Escape, Honda CR-V, Hyundai Tucson, Jeep Cherokee, Kia Sportage, Nissan Rogue, Subaru Forester/Outback, Toyota RAV4, Volkswagen Tiguan

AU QUOTIDIEN

COLLISION FRONTALE 4/5
COLLISION LATÉRALE 5/5
VENTES DU MODÈLE L'AN DERNIER
AU QUÉBEC 2 188 (+32,0 %) **AU CANADA** 6 108 (+14,6 %)
DÉPRÉCIATION (%) 34,5 (3 ans)
RAPPELS (2011 à 2016) 5
COTE DE FIABILITÉ 3,5/5

GARANTIES... ET PLUS

GARANTIE GÉNÉRALE 5 ans/100 000 km
GROUPE MOTOPROPULSEUR 10 ans/160 000 km
PERFORATION 5 ans/kilométrage illimité
BATTERIE système hybride ND
ASSISTANCE ROUTIÈRE 5 ans/kilométrage illimité
NOMBRE DE CONCESSIONNAIRES
AU QUÉBEC 34 AU CANADA 91

NOUVEAUTÉS EN 2017

Nouvelle version hybride enfichable (PHEV).

IL FAUT SE MONTRER PATIENT

L'Outlander « profite d'une centaine d'améliorations », clame son constructeur. Un nombre important en apparence, mais dans les faits, Mitsubishi ne répond pas entièrement aux attentes.

Éric LeFrançois

TOUR DU PROPRIÉTAIRE > Mitsubishi prétend – un peu pompeusement – avoir fait plus d'une centaine de changements. Certains sont importants, d'autres, beaucoup moins. On pourrait en débattre, mais tous s'accorderont pour dire que le plus visible concerne le plastique de cet utilitaire. Le véhicule étrenne les codes esthétiques des Mitsubishi de demain. Cette nouvelle signature n'a rien de singulier et ressemble plutôt à un copier-coller de véhicules existants ou anciens venus des groupes Ford et Toyota notamment.

VIE À BORD > Parmi les transformations apportées, soulignons qu'il est désormais possible d'obtenir un plancher de chargement bien plat de façon beaucoup plus aisée. En effet, il n'est plus nécessaire de retirer les appuie-têtes pour rabattre en deux temps, trois mouvements les dossiers et assises de la banquette arrière (ou médiane, selon la configuration de l'habitacle). Les places arrière s'avèrent spacieuses et modulables – il est possible d'incliner les dossiers et de faire coulisser les assises sur des rails. Naturellement, il est également possible de condamner en tout ou en partie ces places pour augmenter encore l'espace de chargement. La présentation intérieure ne casse rien sur le plan du design. Encore une fois, l'audace qui

caractérisait Mitsubishi dans ce domaine a totalement disparu. En revanche, saluons la qualité d'assemblage et la diversité des matériaux employés pour l'aménagement de l'habitacle. De bonnes notes également aux espaces de rangement ainsi qu'à l'ergonomie des principales commandes. Les sièges avant sont confortables, mais ils le seraient davantage s'ils offraient un meilleur support latéral. L'écran de navigation, toujours trop petit, est d'une utilisation facile.

TECHNIQUE > L'une sinon LA pièce de résistance de cette mise à niveau consiste en l'addition d'une boîte automatique à variation continue (CVT) comptant 8 rapports virtuels. Cette transmission vise bien sûr à améliorer la consommation de carburant, mais surtout à revaloriser la version 4 cylindres de ce modèle qui ne représente que 40 % des ventes dans cette gamme. Mitsubishi estime, avec raison, que la croissance des ventes de ce modèle se trouve là. D'ailleurs, le 4-cylindres de 2,4 litres est le seul à retenir, de série, les services de cette boîte. Le moteur V6, toujours offert et recherché pour sa capacité de charge (ou de remorquage), demeure pour sa part fidèle à une automatique à 6 rapports.

AU VOLANT > Pas très puissant, ce 2,4-litres a cependant l'avantage de mouvoir une caisse allégée de quelques kilos supplémentaires cette année. Bien vu. Cela a très peu d'incidence sur les performances pures, mais contribue d'une manière plus importante aux qualités dynamiques de son châssis renforcé par endroits. Le rendement de ce groupe motopropulseur ne s'attire ni louange ni critique particulière. Il se contente d'exécuter correctement et, doit-on le préciser, plus discrètement son travail. La concurrence utilise des mécaniques tantôt plus véloces, tantôt plus sobres que celle proposée par cette Mitsubishi. Cette dernière n'excelle en rien, mais a le mérite d'être homogène, pour peu que le relief de la route soit bien plat. Dans le cas contraire, la présence de la boîte CVT se fait alors sentir et donne l'impression de « retenir » les chevaux (vapeur) avec un puissant élastique, en plus de se montrer lente à accepter l'idée d'exécuter un rétrocontact bien senti lors des manœuvres de dépassement ou encore quand vient le moment de gravir une pente plus ou moins abrupte. Sur le plat, à vitesse de croisière, répétons-le, aucun problème et son fonctionnement ne porte flanc à aucune critique particulière. La direction à assistance électrique manque de ressenti ou plutôt de linéarité. Ferme en position centrale, elle s'allège ensuite trop rapidement. Une question de réglage, sans l'ombre d'un doute. En revanche, saluons le diamètre de braquage étonnamment court de ce véhicule, qui facilite grandement les manœuvres dans les espaces réduits. Ensuite, sur une note plus positive encore, on retient la qualité de l'amortissement et, surtout, l'insonorisation de l'habitacle, nettement supérieure à celle du modèle précédent.

CONCLUSION > Utilitaire honnête offrant de surcroît une garantie généreuse, l'Outlander corrige plusieurs lacunes observées lors du renouvellement de ce modèle. Hélas, plusieurs autres demeurent, et cette stratégie étapiste de Mitsubishi agace. Comme l'attente de la version hybride PHEV, qui apparaîtra dit-on en cours d'année. ■

2e OPINION

Daniel Rufiange

L'an dernier, pour une troisième année consécutive, Mitsubishi revoyait le faciès de son Outlander. On se croirait au cœur des années 50 et 60, là où chaque millésime était distinct, esthétiquement parlant. Mais voilà. Nous ne sommes plus à la belle époque et lorsqu'un manufacturier retouche constamment son produit, c'est qu'il n'arrive pas à trouver l'image qu'il recherche. Mitsubishi croit enfin avoir trouvé la solution avec la proposition actuelle, mais permettez-moi d'en douter. Bon, mis à part un museau qui donne la nausée, l'Outlander demeure un VUS rempli de qualités et un dont les propriétaires se trouvent rapidement comblés lorsqu'ils en font l'acquisition. La conduite est bien sentie, la nouvelle boîte CVT est moins ringarde et l'efficacité/fiabilité des mécaniques est prouvée. Un achat sans tracas.

FICHE TECHNIQUE

MOTEUR(S)

(PHEV) L4 2,0 L SACT + 2 moteurs électriques
PUISSANCE ND ch + 2 moteurs électriques de 80 ch (60 kW) chacun, 200 ch total disponible
COUPLE ND **RAPPORT POIDS/PUISSANCE** 9,0 kg/ch (est.)
BOITE(S) DE VITESSES automatique à variation continue
PERFORMANCES 0-100 km/h ND
VITESSE MAXIMALE 190 km/h, 120 km/h en mode électrique seul

(ES) L4 2,4 L SACT
PUISSANCE 166 ch à 6 000 tr/min **COUPLE** 162 lb-pi à 4 200 tr/min
RAPPORT POIDS/PUISSANCE 2RM 8,9 kg/ch **4RM** 9,2 kg/ch
BOITE(S) DE VITESSES automatique à variation continue avec mode manuel
PERFORMANCES 0-100 km/h 11,0 s
VITESSE MAXIMALE 190 km/h
CONSOMMATION (100 km) 2 RM ville 9,2 L, route 7,5 L
4RM ville 9,7 L, route 8,1 L (octane 87)
ANNUELLE 2RM 1 428 L, 1 714 $ **4RM** 1 530 L, 1 836 $
ÉMISSIONS POLLUANTES (CO_2) 2RM 3 284 kg/an **4RM 3 519 kg/an**

(SE, GT) V6 3,0 L SACT
PUISSANCE 224 ch à 6 250 tr/min
COUPLE 215 lb-pi à 3 750 tr/min
RAPPORT POIDS/PUISSANCE 7,1 à 7,3 kg/ch
BOITE(S) DE VITESSES automatique à 6 rapports avec mode manuel et manettes au volant
PERFORMANCES 0-100 km/h 7,2 s **REPRISE 80-115 km/h** 7,8 s
FREINAGE 100-0 km/h 39,0 m **NIVEAU SONORE À 100 km/h** Bon
VITESSE MAXIMALE 190 km/h
CONSOMMATION (100 km) ville 11,9 L, route 8,5 L (octane 91)
ANNUELLE 1 768 L, 2 387 $ **ÉMISSIONS DE CO_2** 4 066 kg/an

AUTRES COMPOSANTS

SÉCURITÉ ACTIVE (certains en option) Freins ABS, assistance au freinage, répartition électronique de la force de freinage, contrôle électronique de la stabilité, antipatinage, aide au départ en pente, régulateur de vitesse adaptatif, aide en cas de collision imminente, avertisseur de sortie de voie
SUSPENSION avant/arrière indépendante
FREINS avant/arrière disques
DIRECTION à crémaillère, assistée électriquement
PNEUS P215/70R16 **GT** P225/55R18

DIMENSIONS

EMPATTEMENT 2 670 mm **LONGUEUR** 4 695 mm
LARGEUR 1 810 mm **HAUTEUR** 1 680 mm
POIDS ES 2RM 1 475 kg **4RM** 1 535 kg **SE** 1 595 kg
GT 1 630 kg **PHEV** 1 795 kg (est.)
RÉPARTITION DU POIDS AV/ARR (%) ES 2RM/SE/GT 57/43 **4RM** 56/44
DIAMÈTRE DE BRAQUAGE 10,6 m
COFFRE 7 passagers 292 L (derrière 3è siège) 7 passagers/5 passagers 968 L, 1 792 L (sièges abaissés)
RÉSERVOIR DE CARBURANT 2RM 63 L **4RM** 60 L
CAPACITÉ DE REMORQUAGE ES 680 kg **SE/GT** 1 588 kg **PHEV** 1 500 kg

LA COTE VERTE

MOTEUR H4 DE 2,0 L
CONSOMMATION (100 km) 2RM man. ville 10,3 L route 8,0 L **2RM CVT** ville 9,6 L route 7,6 L **4RM CVT** ville 10,0 L route 8,0 L
CONSOMMATION ANNUELLE 2RM man 1 581 L, 1 897 $ **2RM CVT** 1 479 L, 1 775 $ **4RM CVT** 1 547 L, 1 856 $
INDICE D'OCTANE 87
ÉMISSIONS POLLUANTES (CO_2) 2RM man. 3 636 kg/an **2RM CVT** 3 402 kg/an **4RM CVT** 3 558 kg/an
(source : ÉnerGuide)

FICHE D'IDENTITÉ

VERSION(S) 2RM ES **2RM/4RM** SE **4RM** Limited, GT
TRANSMISSION(S) avant, 4
PORTIÈRES 5 **PLACES** 5
PREMIÈRE GÉNÉRATION 2011
GÉNÉRATION ACTUELLE 2011
CONSTRUCTION Normal, Illinois, É-U.
COUSSINS GONFLABLES 7 (frontaux, latéraux avant, genoux conducteur, rideaux latéraux)
CONCURRENCE Chevrolet Trax, Fiat 500L/500X, Honda HR-V, Jeep Compass/Patriot/Renegade, Kia Niro/Soul, Mazda CX-3, Nissan Juke, Subaru Crosstrek

AU QUOTIDIEN

COLLISION FRONTALE 5/5
COLLISION LATÉRALE 5/5
VENTES DU MODÈLE L'AN DERNIER
AU QUÉBEC 2 015 (-5,9 %) **AU CANADA** 5 786 (-12,3 %)
DÉPRÉCIATION (%) 28,8 (3 ans)
RAPPELS (2011 à 2016) 11
COTE DE FIABILITÉ 3/5

GARANTIES... ET PLUS

GARANTIE GÉNÉRALE 5 ans/100 000 km
GROUPE MOTOPROPULSEUR 10 ans/160 000 km
PERFORATION 5 ans/kilométrage illimité
ASSISTANCE ROUTIÈRE 5 ans/kilométrage illimité
NOMBRE DE CONCESSIONNAIRES
AU QUÉBEC 34 **AU CANADA** 91

NOUVEAUTÉS EN 2017

Aucun changement majeur

DE L'ESPOIR À L'HORIZON ?

Vous dire que la situation de Mitsubishi est précaire, c'est comme affirmer que le retour des Expos va coûter quelques piastres; deux évidences. Cependant, à l'instar de l'ancienne fierté montréalaise, Mitsubishi se bat pour reprendre sa place et a annoncé un plan de redressement qui mise sur les véhicules vedettes de notre ère, les 4X4. Un nouveau joueur, inspiré de l'eX Concept, présenté à Tokyo en 2015, serait même dans les cartes. Quant à l'actuel RVR, il réussit à se débrouiller dans une jungle remplie de concurrents intéressants et pertinents. Le temps joue contre lui, cependant, alors que sa conception date du début de la présente décennie. L'an dernier, pour une deuxième année consécutive, ses ventes étaient en baisse chez nous.

Daniel Rufiange

TOUR DU PROPRIÉTAIRE > Pour 2016, de petits changements esthétiques sont venus toucher le RVR. La fameuse « gueule de requin » n'est plus, et on se demande bien quelle direction empruntent les stylistes. Depuis que la firme a abandonné cette caractéristique sur l'Outlander, elle se cherche vainement une image... qu'elle détenait ! Elle n'avait qu'à la travailler et à la faire évoluer. Heureusement, une qualité tout autre sert bien le RVR, soit son format, de plus en plus populaire auprès des amateurs; parfois, il est profitable de simplement œuvrer

+
- GARANTIE DE 10 ANS
- EFFICACITÉ DE LA TRANSMISSION INTÉGRALE
- CONDUITE RASSURANTE

−
- INSONORISATION DÉFICIENTE
- MOTEUR 2 LITRES AMORPHE
- NIVEAU D'ÉQUIPEMENT QUI ACCUSE DU RETARD
- MODÈLE VIEILLISSANT

MENTIONS

CLÉ D'OR — CHOIX VERT — COUP DE CŒUR — **RECOMMANDÉ**

VERDICT

PLAISIR AU VOLANT
QUALITÉ DE FINITION
CONSOMMATION
RAPPORT QUALITÉ / PRIX
VALEUR DE REVENTE
CONFORT

1 5 10

dans le bon créneau. Pour ce qui est des versions, l'offre est statique depuis des années alors que la gamme se définit comme suit : ES (2RM), SE (2RM et 4RM), Limited et GT (4RM).

VIE À BORD > Si la simplicité volontaire est une philosophie qui vous allume, vous trouverez vos aises à bord du RVR. La présentation est classique et ne bouscule aucune convention. Sur le plan des couleurs, Henry Ford aurait certes apprécié alors que le noir domine et attriste l'ambiance à bord.

Au volant, les commandes nous tombent bien en main et leur manipulation devient vite intuitive. Encore une fois, la simplicité domine. La présence de bonnes vieilles molettes pour le réglage de la température en témoigne. Dépassé comme système, mais une preuve que pour être efficace, un environnement n'a pas besoin d'être hautement technologique ou inutilement compliqué. Toutefois, l'offre accuse du retard, notamment dans la connectivité.

Du reste, l'espace pour les passagers arrière est plus étriqué; on évite les trop longs parcours. Au volume, 1 402 litres sont libérés lorsqu'on couche les sièges.

TECHNIQUE > Depuis 2015, le RVR propose deux moulins. Le plus ancien est un 4-cylindres de 2 litres dont la prestation est de 148 chevaux et 145 livres-pieds de couple. Cette dernière étant plutôt juste, on a, judicieusement, décidé d'utiliser un bloc plus vigoureux, soit un 4-cylindres de 2,4 litres produisant 20 chevaux et 22 livres-pieds de couple additionnels. Malheureusement, sa présence n'est autorisée que sur les variantes Limited et GT. Aucun ne profite de l'injection directe de carburant. Concernant la transmission intégrale, voilà un domaine où Mitsubishi n'a pas de leçons à recevoir de personne. Le travail et l'expertise de la marque en rallye suffisent pour rassurer le consommateur.

AU VOLANT > Lors du retour des Expos (l'optimisme règne ici), il ne faudra pas avoir de grandes attentes pour les premières campagnes. Il en va de même pour la conduite du RVR. Si les espoirs sont élevés, la déception sera grande. En fait, on a droit à un comportement honnête, sans plus. La conduite, à défaut d'être excitante, se veut rassurante. La précision de la direction, la tenue de cap, le freinage, tout est dans la norme. On trouve rapidement ses aises aux commandes. Une boîte manuelle à 5 (!) rapports dynamise l'expérience. Quant à la CVT8, une nouvelle génération de boîtes introduite l'an dernier, elle se veut moins agaçante à l'usage.

CONCLUSION > Le RVR en est à sa septième campagne sur le marché, une éternité. Il a les atouts pour survivre encore quelques saisons, mais Mitsubishi devra bouger, tôt ou tard. En attendant, le produit actuel peut toujours faire, à condition d'être capable de se contenter de moins. ■

2e OPINION

Luc-Olivier Chamberland

Le RVR continue son bout de chemin en 2017 sans changement significatif. Tout juste l'an dernier, on lui donna un troisième museau pour qu'il s'harmonise avec son grand frère l'Outlander. Toujours sympathique, il demeure une option intéressante malgré le fait qu'il commence sérieusement à prendre de l'âge. Sans l'ombre d'un doute, la version à choisir utilise le 2,4-litres, qui offre une bonne dose de performance. De plus, l'apport de la CVT lui permet d'obtenir une consommation tout à fait décente. Finalement, au compte des gros avantages, sa transmission intégrale est particulièrement compétente et, bien sûr, sa fiabilité encouragée par une garantie de 10 ans se veut un facteur des plus rassurants.

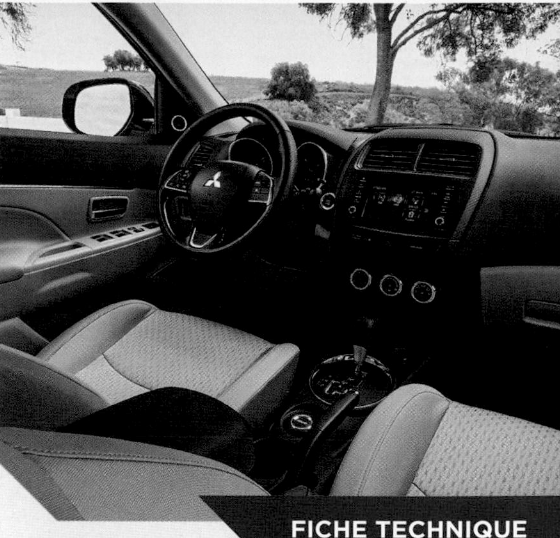

FICHE TECHNIQUE

MOTEUR(S)

(ES, SE) L4 2,0 L DACT
PUISSANCE 148 ch à 6 000 tr/min
COUPLE 145 lb-pi à 4 200 tr/min
RAPPORT POIDS/PUISSANCE 9,3 à 9,9 kg/ch
BOÎTE(S) DE VITESSES manuelle à 5 rapports, automatique à variation continue (en option, de série avec SE 4RM)
PERFORMANCES 0-100 km/h 9,2 s
REPRISE 80-115 km/h 6,2 s
FREINAGE 100-0 km/h 39,1 m
NIVEAU SONORE À 100 km/h Moyen
VITESSE MAXIMALE 185 km/h

(LIMITED, GT) L4 2,4 L DACT
PUISSANCE 168 ch à 6 000 tr/min
COUPLE 167 lb-pi à 4 100 tr/min
RAPPORT POIDS/PUISSANCE 8,7 à 8,9 kg/ch
BOÎTE(S) DE VITESSES automatique à variation continue avec mode manuel et manettes au volant
PERFORMANCES 0-100 km/h 8,7 s
VITESSE MAXIMALE 195 km/h
CONSOMMATION (100 km) ville 10,5 L route 8,6 L (octane 87)
ANNUELLE 1 632 L, 1 958 $
ÉMISSIONS POLLUANTES (CO_2) 3 754 kg/an

AUTRES COMPOSANTS

SÉCURITÉ ACTIVE Freins ABS, assistance au freinage, répartition électronique de la force de freinage, contrôle électronique de la stabilité, antipatinage, aide au freinage en cas d'utilisation simultanée des freins et de l'accélérateur, assistance au démarrage en pente
SUSPENSION avant/arrière indépendante
FREINS avant/arrière disques
DIRECTION à crémaillère, assistée électriquement
PNEUS P215/70R16 **Limited GT** P225/55R18

DIMENSIONS

EMPATTEMENT 2 670 mm
LONGUEUR 4 355 mm
LARGEUR 1 810 mm
HAUTEUR 1 630 mm
POIDS ES/SE man. 1 370 kg **SE 2RM CVT** 1 405 kg **SE 4RM/GT** 1 470 kg **Limited/GT** 2.4 **4RM** 1 490 kg
RÉPARTITION DU POIDS AV/ARR (%) 2RM 60/40 **4RM** 59/41
DIAMÈTRE DE BRAQUAGE 10,6 m
COFFRE 614 L, 1 402 L (sièges abaissés) **4RM** 569 L, 1 382 L (sièges abaissés)
RÉSERVOIR DE CARBURANT 2RM 63 L **4RM** 60 L

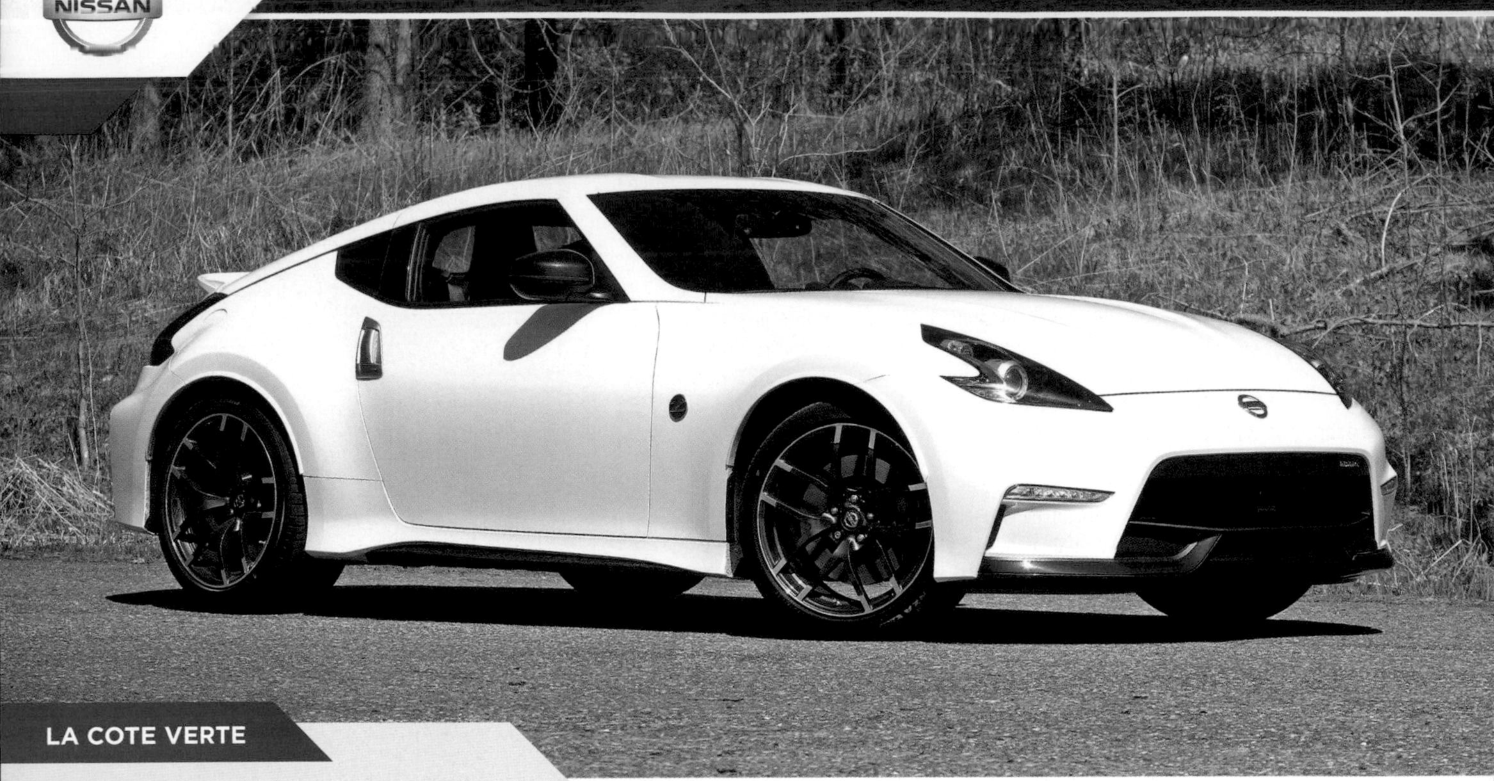

LA COTE VERTE

MOTEUR V6 DE 3,7 L
CONSOMMATION (100 km) coupé man. ville 13,3 L, route 9,3 L **auto.** ville 12,6 L, route 9,2 L **cabrio. man.** ville 13,6 L, route 9,7 L **auto.** ville 13,1 L, route 9,6 L
CONSOMMATION ANNUELLE coupé man. 1 955 L, 2 346 $ **auto.** 1 887 L, 2 547 $ **cabrio man.** 2 006 L, 2 708 $ **auto.** 1 955 L, 2 346 $
INDICE D'OCTANE 91
ÉMISSIONS POLLUANTES CO_2 coupé man. 4 496 kg/an **auto.** 4 340 kg/an **cabrio. man.** 4 614 kg/an **auto.** 4 496 kg/an
(source : ÉnerGuide)

FICHE D'IDENTITÉ

VERSION(S) Coupé Base, Nismo **Coupé et Cabriolet** Touring, Touring Sport
TRANSMISSION(S) arrière
PORTIÈRES 2 **PLACES** 2
PREMIÈRE GÉNÉRATION 1970
GÉNÉRATION ACTUELLE 2009
CONSTRUCTION Tochigi, Japon
COUSSINS GONFLABLES 6 (frontaux, latéraux avant, rideaux latéraux)
CONCURRENCE Chevrolet Camaro, Dodge Challenger, Ford Mustang, Hyundai Genesis Coupe, Subaru BRZ/Toyota 86

AU QUOTIDIEN

COLLISION FRONTALE 4/5
COLLISION LATÉRALE 5/5
VENTES DU MODÈLE L'AN DERNIER
AU QUÉBEC 165 (+94,1 %) **AU CANADA** 688 (+67,4 %)
DÉPRÉCIATION (%) 31,6 (3 ans)
RAPPELS (2011 à 2016) 1
COTE DE FIABILITÉ 4/5

GARANTIES... ET PLUS

GARANTIE GÉNÉRALE 3 ans/60 000 km
GROUPE MOTOPROPULSEUR 5 ans/100 000 km
PERFORATION 5 ans/kilométrage illimité
ASSISTANCE ROUTIÈRE 3 ans/kilométrage illimité
NOMBRE DE CONCESSIONNAIRES
AU QUÉBEC 50 **AU CANADA** 171

NOUVEAUTÉS EN 2017

Une nouvelle couleur : jaune chicane

DU PLAISIR SIMPLE

Le volet sportif de Nissan, c'est d'abord et avant tout l'incontournable GT-R. Celle que l'on appelle affectueusement « Godzilla » en raison de ses performances démoniaques est l'ambitieuse et iconoclaste carte de visite de la marque dans l'univers de la performance. Derrière ce titan technologique se cache la 370Z, plus humble, voire analogique dans son approche et aussi héritière d'une longue lignée de modèles dont le récit repose sur 46 ans de développement. Portrait d'une sportive pure.

Charles René

TOUR DU PROPRIÉTAIRE > Malgré son âge jugé avancé par une industrie qui devance de plus en plus les refontes, la 370Z reste probablement l'un des plus beaux coupés actuellement offerts. Sa force réside dans sa simplicité. Les designers n'ont pas voulu trop en faire, sculptant leur création en respectant les proportions classiques du coupé, laissant l'avant s'exprimer en premier lieu. De ce long museau, le coupé fait la transition par des portières relativement courtes et une surface vitrée latérale en angle oblique plutôt réduite se mariant à la ligne de toit. Il faut spécifier que cette 370Z est un biplace, donc nul besoin de trop étirer le trait de crayon. À l'arrière, le coupé joue un peu à la Porsche 911 avec ses ailes bien en chair donnant un air trapu, bien agrippé au bitume.

+ ÉQUILIBRE DE SON CHÂSSIS
PRIX (VERSION DE BASE)
DESIGN DE SA CARROSSERIE

– VOLUME DE L'HABITACLE
MÉCANIQUE VIEILLISSANTE
ASPECT PRATIQUE LIMITÉ

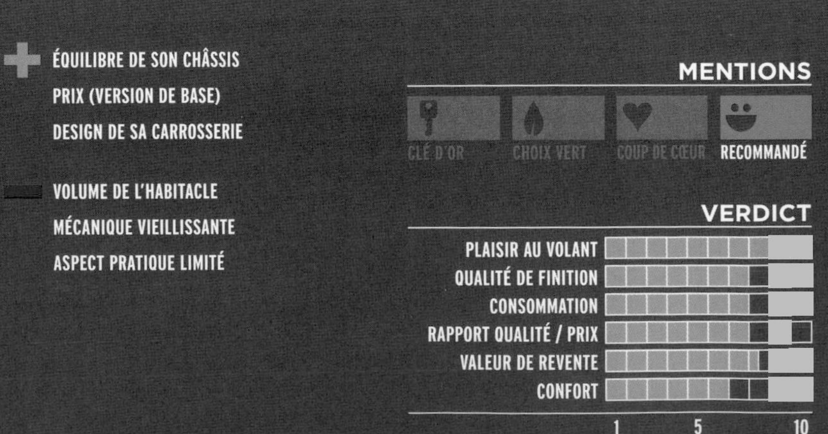

VIE À BORD > Rien n'émerveille vraiment lorsqu'on prend place à bord de cette 370Z, une constatation qui confirme sa philosophie de conception. Ce coupé est d'abord et avant tout fait pour être conduit et non pas être admiré pour la finesse de sa confection. Nissan lui a néanmoins donné des matériaux de bonne qualité dont l'assemblage est excellent. Bien assis dans des sièges allant d'enveloppants à très enveloppants (version Nismo), on constate que l'espace pour les jambes est plutôt limité et que l'absence de réglage télescopique du volant nous force à faire des concessions sur la position de conduite.

TECHNIQUE > La 370Z reste fidèle à ses origines avec son cœur atmosphérique. Son V6 de 3,7 litres accompagne ce modèle depuis ses balbutiements en 2009. Autant peut-on saluer sa capacité à grimper en régime avec assurance, autant cette mécanique montre certaines rides dans ses manières et dans son rendement. Le moteur se révèle un peu vibreux, et l'accélération en départ arrêté montre un creux initial. En d'autres mots, on doit bousculer cette mécanique pour en extirper tout le potentiel. Ce tempérament est aussi présent dans la version Nismo de 350 chevaux, un gain de puissance de 18 chevaux que l'on ressent très peu derrière le volant. La boîte manuelle à 6 rapports, dotée de la synchronisation du régime en rétrogradation sur certaines versions, mériterait par ailleurs un levier plus précis et un embrayage plus progressif. Une boîte automatique à 7 rapports est également offerte pour l'éviter.

AU VOLANT > C'est là précisément que la raison d'être de la 370Z prend tout son sens. D'une grande neutralité en virage, elle pointe où l'on veut, guidée par l'une des meilleures directions présentement offertes. On sent une symbiose entre les composantes du châssis que peu de constructeurs arrivent à atteindre, surtout dans la tranche de prix de la variante de base. Au-delà de cette efficacité manifeste lorsque les chemins deviennent plus sinueux, on ne sent pas que le coupé est guidé par une armée d'ordinateurs. On dénote plutôt que la machine veut faire corps avec le conducteur en communiquant, sans imposer. Plus ferme, sans verser dans l'excès, la version Nismo s'approprie le concept et le fait grimper d'un échelon. Le roulis se fait très rare et l'adhérence est extraordinaire. Le freinage suit le tempo élevé avec une aisance tout aussi impressionnante. Un exemple d'équilibre.

CONCLUSION > La 370Z est l'une de ces voitures qui figureront dans les livres d'histoire autant pour leurs lignées que pour leurs approches destinées aux puristes. Le fait que la version de base soit si abordable tout en ayant des organes mécaniques éprouvés rend le modèle passablement intéressant. Beaucoup plus chère, la Nismo rend certainement la conduite plus intéressante, sans pour autant offrir des améliorations majeures sur la mécanique. Une voiture pure et brute comme il s'en fait de moins en moins. ■

2e OPINION

Antoine Joubert

La 370Z est sans doute l'un des secrets les mieux gardés de l'industrie. Une voiture puissante, performante et qui, à l'inverse de ses rivales souvent beaucoup plus coûteuses, ne joue aucunement la carte bourgeoise. Ici, on vise la performance. La performance pure, qui implique certains compromis en matière de confort, mais qui permet d'obtenir l'agrément de conduite d'une authentique sportive qui refuse de conduire à votre place. Qui plus est, Nissan lançait l'an dernier une édition de base dépourvue de gadgets technologiques comme la navigation, ce qui permettait de l'offrir à 30 000 $. Inutile de vous dire que la clientèle a répondu à l'appel de Nissan, ce qui a eu pour effet de relancer le modèle, même les versions plus coûteuses et qui justifient plus difficilement leur prix. Encore une preuve qu'un bon marketing permet de faire de grandes choses, même pour des produits qui ne sont plus la saveur du jour.

FICHE TECHNIQUE

MOTEUR(S)

(COUPÉ, CABRIOLET) V6 3,7 L DACT
PUISSANCE 332 ch à 7 000 tr/min
COUPLE 270 lb-pi à 5 200 tr/min
RAPPORT POIDS/PUISSANCE coupé 4,5 kg/ch **cabrio** 4,8 kg/ch
BOÎTE(S) DE VITESSES manuelle à 6 rapports, automatique à 7 rapports avec mode manuel et manettes au volant
PERFORMANCES 0-100 km/h 5,9 s
REPRISE 80-115 km/h 3,6 s
FREINAGE 100-0 km/h 39,5 m
NIVEAU SONORE À 100 km/h Médiocre à moyen
VITESSE MAXIMALE 250 km/h

(COUPÉ NISMO) V6 3,7 L DACT
PUISSANCE 350 ch à 7 400 tr/min
COUPLE 276 lb-pi à 5 200 tr/min
RAPPORT POIDS/PUISSANCE 4,4 kg/ch
BOÎTE(S) DE VITESSES manuelle à 6 rapports
PERFORMANCES 0-100 km/h 5,2 s
REPRISE 80-115 km/h 3,4 s
FREINAGE 100-0 km/h 38,4 m
NIVEAU SONORE À 100 km/h Médiocre à moyen
VITESSE MAXIMALE 250 km/h

AUTRES COMPOSANTS

SÉCURITÉ ACTIVE Freins ABS, assistance au freinage, répartition électronique de la force de freinage, contrôle électronique de la stabilité, antipatinage
SUSPENSION avant/arrière indépendante
FREINS avant/arrière disques
DIRECTION à crémaillère, assistée
PNEUS P225/50R18 (av.) P245/45R18 (arr.)
Touring Sport/Nismo P245/40R19 (av.) P275/35R19 (arr.)

DIMENSIONS

EMPATTEMENT 2 550 mm
LONGUEUR 4 254 mm **Nismo** 4 330 mm
LARGEUR 1 844 mm **Nismo** 1 869 mm
HAUTEUR Coupé 1 315 mm **Cabrio** 1 326 mm
POIDS Coupé man. 1 488 kg **auto.** 1 505 kg **Nismo** 1 541 kg
Cabrio man. 1 586 kg **auto.** 1 582 kg
RÉPARTITION DU POIDS AV/ARR (%) 53/47 **Nismo** 54/46
DIAMÈTRE DE BRAQUAGE jantes 18 po 10,0 m **jantes 19 po** 10,4 m
COFFRE Coupé 195 L **Cabrio.** 118 L
RÉSERVOIR DE CARBURANT 71,9 L

LA COTE VERTE

MOTEUR L4 DE 2,5 L
CONSOMMATION (100 km) ville 8,7 L, route 6,0 L
CONSOMMATION ANNUELLE 1 275 L, 1 530 $
INDICE D'OCTANE 87
ÉMISSIONS POLLUANTES CO_2 2 933 kg/an
(source : ÉnerGuide)

FICHE D'IDENTITÉ

VERSION(S) 2.5 Base, S, SV, SR, SL, 3.5 SL
TRANSMISSION(S) avant
PORTIÈRES 4 **PLACES** 5
PREMIÈRE GÉNÉRATION 1978
GÉNÉRATION ACTUELLE 2013
CONSTRUCTION Smyrna, Tennessee, É.-U.
COUSSINS GONFABLES 6 (frontaux, latéraux avant, rideaux latéraux)
CONCURRENCE Chevrolet Malibu, Chrysler 200, Ford Fusion, Honda Accord, Hyundai Sonata, Kia Optima, Mazda6, Subary Legacy, Toyota Camry, Volkswagen Passat

AU QUOTIDIEN

COLLISION FRONTALE 5/5
COLLISION LATÉRALE 5/5
VENTES DU MODÈLE L'AN DERNIER
AU QUÉBEC 1 170 (-29,9 %) **AU CANADA** 7 293 (-23,0 %)
DÉPRÉCIATION (%) 32,8 (3 ans)
RAPPELS (2011 à 2016) 11
COTE DE FIABILITÉ 3/5

GARANTIES... ET PLUS

GARANTIE GÉNÉRALE 3 ans/60 000 km
GROUPE MOTOPROPULSEUR 5 ans/100 000 km
PERFORATION 5 ans/kilométrage illimité
ASSISTANCE ROUTIÈRE 3 ans/kilométrage illimité
NOMBRE DE CONCESSIONNAIRES
AU QUÉBEC 50 **AU CANADA** 171

NOUVEAUTÉS EN 2017

Aucun changement majeur

MEILLEURE QUE JAMAIS, MAIS...

Sans faire de bruit, l'Altima frappe à la porte des 25 ans de service chez Nissan. Bien qu'elle ait connu d'excellentes campagnes, elle n'a jamais réussi à s'imposer dans son segment, surclassée par des ténors comme la Toyota Camry et la Honda Accord. Ces dernières années, de plus récentes additions comme la Hyundai Sonata ou la Kia Optima sont venues lui faire de l'ombre. Déterminée à ne pas se laisser abattre, Nissan a retouché son produit l'an dernier et, bien franchement, il se présente meilleur que jamais. Est-ce que ce sera suffisant pour qu'il se hisse sur l'une des trois premières marches du podium ?

Daniel Rufiange

TOUR DU PROPRIÉTAIRE > L'an dernier, l'Altima a hérité d'un nouveau museau. Du coup, on lui a enfin fait perdre cet air timide et sans émotion qui la caractérisait. La berline de Nissan n'a plus à rougir de sa mine. Même que de profil, avec sa ligne de toit plongeante, on croit voir un coupé de grand luxe. Au menu, on trouve 6 variantes. Une seule profite du groupe V6, la 3.5 SL. Autrement, toutes s'animent au rythme du moteur 4 cylindres de 2,5 litres. Une version Sport (SR), ajoutée l'an dernier, se démarque avec des réglages de suspension qui dynamisent son rendement.

+
- NIVEAU DE CONFORT
- CONSOMMATION REMARQUABLE DU MOTEUR 4 CYLINDRES
- QUALITÉ DE L'HABITACLE EN NETTE PROGRESSION

−
- ACCÉLÉRATIONS BRUYANTES (4-CYLINDRES)
- MOTEUR V6 UNIQUEMENT SERVI SUR LA VERSION PLUS CHÈRE
- AGRÉMENT DE CONDUITE LIMITÉ

MENTIONS

CLÉ D'OR | CHOIX VERT | COUP DE CŒUR | **RECOMMANDÉ**

VERDICT

PLAISIR AU VOLANT
QUALITÉ DE FINITION
CONSOMMATION
RAPPORT QUALITÉ / PRIX
VALEUR DE REVENTE
CONFORT

1 5 10

VIE À BORD > L'Altima a longtemps été handicapée par une tare : la qualité de ses habitacles. En gros, mis à part des présentations moches, on avait droit à des matériaux de piètre facture, doublés d'une technique d'assemblage déficiente. La dernière génération est venue grandement corriger le tir. Aujourd'hui, la qualité est palpable sur les versions plus huppées et même dans les propositions d'entrée de gamme, l'ensemble passe le test. Sur le plan des gadgets, le système NissanConnect s'assure de faciliter l'arrimage avec nos appareils. Les autres fonctionnalités du système sont aussi faciles d'accès et d'utilisation.

Côté confort, une randonnée de quelque 2200 kilomètres, principalement sur l'autoroute, nous a confirmé que l'Altima excellait sur un plan: nous dorloter. Même après un marathon de 10 heures campé dans les baquets, mon dos est demeuré frais et dispo. Enfin, cette berline propose l'un des coffres les plus volumineux de son créneau, idéal lors de longs voyages.

TECHNIQUE > Vous aurez compris plus tôt que deux moteurs servent ce modèle. Si le V6 de 3,5 litres livre les meilleures prestations, le fait qu'il ne soit offert que sur la livrée SL, à plus de 36 000 $, laisse de glace. Heureusement, les efforts fournis par le 4-cylindres de 2,5 litres suffisent, surtout qu'on n'acquiert pas une Altima pour l'inscrire à des compétitions de quart de mille. Pour transmettre la puissance aux roues, Nissan met tous ses œufs dans le même panier avec une transmission à variation continue. Cette dernière, toujours criarde lorsqu'on écrase l'accélérateur, simule des changements de rapports à la montée en régime. Ça réduit le niveau de bruit, mais la sensation irrite toujours l'ouïe. Avec le moteur V6, des palettes au volant nous permettent de contrôler ces simulations. Un moindre mal.

AU VOLANT > Comme toute voiture, l'Altima a ses qualités et ses défauts. La beauté de la chose, c'est que les premières sont exceptionnelles, à commencer par le niveau de confort. Ajoutez à cela un haut degré d'insonorisation et vous allez avoir l'impression de rouler dans la ouate. Mieux, la consommation de carburant du moteur 4 cylindres n'est rien de moins que remarquable. La cote annoncée par le constructeur est de 6,2 litres aux 100 kilomètres sur l'autoroute. Nous avons réussi à la maintenir à 6 litres sur plus de 2 000 kilomètres. Qui dit mieux? En fait, aucune autre voiture dans la catégorie, à moins de pencher pour une version hybride. Quant au principal défaut, il est dans l'agrément, qu'on cherche vainement. Efficace, confortable, économe, certes, mais agréable à conduire, pas vraiment.

CONCLUSION > L'Altima a tous les outils pour connaître du succès, beaucoup de succès, même, dans son créneau. Seulement, elle doit composer avec, encore aujourd'hui, les mêmes obstacles qu'hier, soit une concurrence très forte et l'éternelle image d'une négligée face à ses grandes rivales. ■

2e OPINION

Benoit Charette

Devant des chiffres de ventes qui commençaient à diminuer face à ses principaux rivaux, Nissan décide en 2016 de faire un peu plus qu'un rafraîchissement de mi-parcours pour l'Altima. On refait l'intérieur et l'extérieur, à l'image de la Maxima, en lui donnant un style plus sportif. Cette berline intermédiaire est un modèle important pour la marque, surtout aux États-Unis, où ce segment est plus populaire que chez nous. Nissan tente d'insuffler une âme à ses voitures, qui brillent généralement par leur apathie. La Nissan, même si elle n'est pas plus dynamique qu'auparavant, dégage un peu plus d'énergie et va peut-être attirer une clientèle qui est en général aussi terne que les voitures de la catégorie. Chose certaine, elle est spacieuse, fiable et agréable à conduire, cette Altima.

FICHE TECHNIQUE

MOTEUR(S)

(2.5) L4 2,5 L DACT
PUISSANCE 182 ch à 6 000 tr/min
COUPLE 180 lb-pi à 4 000 tr/min
RAPPORT POIDS/PUISSANCE 7,8 à 8,0 kg/ch
BOÎTE(S) DE VITESSES automatique à variation continue
PERFORMANCES 0-100 km/h 8,7 s
REPRISE 80-115 km/h 5,2 s
FREINAGE 100-0 km/h 38,5 m
NIVEAU SONORE À 100 km/h Bon
VITESSE MAXIMALE 190 km/h

(3.5) V6 3,5 L DACT
PUISSANCE 270 ch à 6 000 tr/min
COUPLE 258 lb-pi à 4 400 tr/min
RAPPORT POIDS/PUISSANCE 5,6 kg/ch
BOÎTE(S) DE VITESSES automatique à variation continue avec mode manuel et manettes au volant
PERFORMANCES 0-100 km/h 7,3 s
REPRISE 80-115 km/h 4,3 s
VITESSE MAXIMALE 215 km/h
CONSOMMATION (100 km) ville 10,3 L, route 7,4 L (octane 87)
ANNUELLE 1 530 L, 1 836 $
ÉMISSIONS DE CO_2 3 519 kg/an

AUTRES COMPOSANTS

SÉCURITÉ ACTIVE (certains en option) Freins ABS, assistance au freinage, répartition électronique de la force de freinage, contrôle électronique de la stabilité, antipatinage, avertisseurs d'obstacle latéral et de changement de voie, détecteur d'objet en mouvement
SUSPENSION avant/arrière indépendante
FREINS avant/arrière disques
DIRECTION à crémaillère, assistée
PNEUS 2.5/2.5S P215/60R16 **SV/SL** P215/55R17 **2.5 SR/3.5** P235/45R18

DIMENSIONS

EMPATTEMENT 2 776 mm
LONGUEUR 4 864 mm
LARGEUR 1 829 mm
HAUTEUR 2.5 1 468 mm **3.5** 1 475 mm
POIDS 2.5 1 453 kg **S** 1 461 kg **SR** 1 476 kg **SV** 1 472 kg **SL** 1 477 kg **3.5** 1 576 kg
DIAMÈTRE DE BRAQUAGE 10,9 m
COFFRE 436 L
RÉSERVOIR DE CARBURANT 68 L

LA COTE VERTE

MOTEUR V8 DE 5,6 L
CONSOMMATION (100 km) ville 17,2 L, route 11,4 L (est.)
CONSOMMATION ANNUELLE 2 431 L, 2 917 $
INDICE D'OCTANE 87
ÉMISSIONS POLLUANTES CO_2 5 591 kg/an
(source : L'Annuel)

FICHE D'IDENTITÉ

VERSION(S) SL, Platine
TRANSMISSION(S) 4
PORTIÈRES 5 **PLACES** 8, 7
PREMIÈRE GÉNÉRATION 2004
GÉNÉRATION ACTUELLE 2017
CONSTRUCTION Kyushu, Japon
COUSSINS GONFLABLES 6 (frontaux, latéraux avant, rideaux latéraux)
CONCURRENCE Chevrolet Tahoe/Suburban, Ford Expedition, GMC Yukon/Yukon XL, Toyota Sequoia

AU QUOTIDIEN

COLLISION FRONTALE nm
COLLISION LATÉRALE nm
VENTES DU MODÈLE L'AN DERNIER
AU QUÉBEC 45 (+246 %) **AU CANADA** 634 (+37,2 %)
DÉPRÉCIATION (%) 29,5 (3 ans)
RAPPELS (2011 à 2016) 4
COTE DE FIABILITÉ nm

GARANTIES... ET PLUS

GARANTIE GÉNÉRALE 3 ans/60 000 km
GROUPE MOTOPROPULSEUR 5 ans/100 000 km
PERFORATION 5 ans/kilométrage illimité
ASSISTANCE ROUTIÈRE 3 ans/kilométrage illimité
NOMBRE DE CONCESSIONNAIRES
AU QUÉBEC 50 **AU CANADA** 171

NOUVEAUTÉS EN 2017

Nouvelle génération

LE SURVIVANT

Les VUS, on le sait, ont la cote. C'est frappant depuis une dizaine d'années, moment où leur multiplication s'est accélérée à travers l'industrie, adoptés qu'ils ont été par nombre de ménages nord-américains. Aujourd'hui, grosso modo, une vente sur deux les concerne. Ils sont là pour rester, mettons. Heureusement pour l'environnement, l'offre s'est étoffée et il n'est plus vrai de dire que tous sont d'affreux pollueurs. Même que certains font mieux que bien des voitures. Vous aurez deviné qu'on ne fait pas référence à l'Armada ici, un véhicule qui doit être considéré comme le survivant d'une autre époque en raison de sa taille, gigantesque, et de son appétit pour le pétrole, peu commun. Survivant, aussi, car malgré des chiffres de ventes rachitiques, Nissan a quand même décidé de le renouveler pour 2017, alors que la solution facile aurait été de lui dire au revoir.

Daniel Rufiange

TOUR DU PROPRIÉTAIRE > L'Armada nous est apparu en 2004 et le modèle 2016, à quelques exceptions près, était le même. Peut-on dire qu'un changement s'imposait ? Si la taille du pachyderme a crû en longueur et en largeur (il est un peu moins haut), l'ensemble est demeuré sensiblement identique. Ses lignes, elles, ont été grandement modernisées et reprennent la signature adoptée ailleurs dans la gamme. Cependant, on repassera pour la sub-

+
- UN RAFRAÎCHISSEMENT QUI FAIT DU BIEN
- CAPACITÉ DE REMORQUAGE
- DE L'ESPACE À REVENDRE
- NIVEAU DE CONFORT

−
- CONSOMMATION
- COÛT D'ACQUISITION
- DÉPRÉCIATION ANTICIPÉE

MENTIONS

CLÉ D'OR | CHOIX VERT | COUP DE CŒUR | RECOMMANDÉ

VERDICT

PLAISIR AU VOLANT	nm
QUALITÉ DE FINITION	nm
CONSOMMATION	nm
RAPPORT QUALITÉ / PRIX	nm
VALEUR DE REVENTE	nm
CONFORT	nm

1 5 10

tilité; vous avez devant vous une version moins clinquante du QX80 d'Infiniti, la marque de luxe du constructeur. Quant à l'approche, vous serez peut-être étonné d'apprendre que la structure sur cadre a été conservée, contrairement à l'approche monocoque qui domine partout depuis quelque temps. On comprend que Nissan s'adresse ici aux purs et durs, à ceux qui ont vraiment besoin des capacités de remorquage qu'offre ce véhicule. Pas fou.

VIE À BORD > C'est à l'intérieur que la refonte fait le plus grand bien. La qualité est en nette progression. L'équipement de série comprend désormais la caméra de recul, les toits ouvrants avant et arrière, les prises nécessaires à tous vos appareils et des porte-gobelets à ne plus savoir quoi boire. Les deux versions offertes, SL et Platine, ont profité d'un travail intense alors que Nissan s'est attaquée à deux problématiques : l'insonorisation et l'efficacité (rapidité) du système de chauffage. Pour le reste, on peut toujours asseoir 8 personnes et si vos moyens vous le permettent, la version Platine vous avance un système de divertissement arrière et davantage de prises pour vos jouets électroniques, entre autres.

TECHNIQUE > Un V8 de 5,6 litres œuvre toujours sous le capot de l'Armada et les améliorations apportées à ce dernier suffisent pour que Nissan nous le présente comme un nouveau joueur. Soit, mais de l'intérieur, deux choses ne changent pas : la puissance disponible est toujours aussi généreuse, elle qui a été majorée pour se chiffrer désormais à 390 chevaux et 401 livres-pieds de couple, et la consommation de carburant reste importante. On ne fait pas d'omelettes sans casser des œufs; l'Armada affiche près de 6 000 livres sur la balance. La boîte de vitesse automatique gagne deux rapports pour en compter sept et le système à quatre roues motrices offre une gamme basse gérée par un boîtier de transfert intermittent à commande électronique. Si vous restez pris avec un Armada...

AU VOLANT > Au moment d'écrire ces lignes, nous n'avions pas encore pris le volant de l'Armada 2017. Cependant, si vous sautez à la page du QX80 d'Infiniti, vous aurez une bonne idée de ce qui vous attend. Les garanties avec ce type de véhicule demeurent le niveau de confort et les capacités de remorquage, indéniables. Il sera intéressant de voir jusqu'à quel point Nissan aura réussi, en greffant quelques nouvelles technologies à son « nouveau » moteur, à abaisser la cote de consommation.

CONCLUSION > Certains se demandent pourquoi offrir un si gros VUS. En fait, si aucun n'était proposé, on se demanderait aussi pourquoi, car même si on ne parle pas d'un véhicule qui va s'écouler à grand volume, certaines familles ont besoin de ce type de produit pour trimbaler la progéniture et la maison sur roues qui sert d'évasion l'été. On porte le chapeau lorsqu'il nous fait, c'est tout. ■

FICHE TECHNIQUE

MOTEUR(S)

(SL, PLATINE) V8 5,6 L DACT
PUISSANCE 390 ch à 5 200 tr/min
COUPLE 401 lb-pi à 4 000 tr/min
RAPPORT POIDS/PUISSANCE 6,9 kg/ch
BOÎTE(S) DE VITESSES automatique à 7 rapports avec mode manuel
PERFORMANCES 0-100 km/h 7,3 s (est.)
REPRISE 80-115 km/h 5,0 s (est.)
FREINAGE 100-0 km/h 40,0 m (est.)
NIVEAU SONORE À 100 km/h Bon (est.)
VITESSE MAXIMALE 190 km/h (est.)

AUTRES COMPOSANTS

SÉCURITÉ ACTIVE Freins ABS, assistance au freinage, répartition électronique de la force de freinage, contrôle électronique de la stabilité, antipatinage, aide au démarrage en pente, phares automatiques, régulateur de vitesse adaptatif, avertisseur de collision imminente avec freinage d'urgence automatique, avertisseurs d'obstacle latéral et arrière, caméra 360° avec détecteur de mouvement.
SUSPENSION avant/arrière indépendante
FREINS avant/arrière disques
DIRECTION à crémaillère, assistée
PNEUS P275/60R20

DIMENSIONS

EMPATTEMENT 3 076 mm
LONGUEUR 5 306 mm
LARGEUR 2 029 mm
HAUTEUR 1 925 mm
POIDS SL 2 684 kg **Platine** 2 705 kg
RÉPARTITION DU POIDS AV/ARR (%) 52/48
DIAMÈTRE DE BRAQUAGE 12,6 m
COFFRE 470 L, 1 404 L (3e rangée abaissée), 2 692 L (sièges abaissés)
RÉSERVOIR DE CARBURANT 98 L
CAPACITÉ DE REMORQUAGE 3 855 kg

LA COTE VERTE

MOTEUR L4 DE 2,5 L
CONSOMMATION (100 km) man. ville 12,2 L, route 10,2 L
auto. ville 13,6 L, route 10,4 L
CONSOMMATION ANNUELLE man. 1 921 L, 2 305 $ **auto.** 2 057 L, 2 468 $
INDICE D'OCTANE 87
ÉMISSIONS POLLUANTES CO_2 man. 4 418 kg/an **auto.** 4 731 kg/an
(source : ÉnerGuide)

FICHE D'IDENTITÉ

VERSION(S) king cab S 2RM
king cab. et cab. double SV 2RM/4RM, PRO-4X 4RM, SL
TRANSMISSION(S) arrière, 4
PORTIÈRES 4 **PLACES** 4 ou 5
PREMIÈRE GÉNÉRATION 1998
GÉNÉRATION ACTUELLE 2005
CONSTRUCTION Smyrna et Decherd, Tennessee, É.-U.
COUSSINS GONFLABLES 6 (frontaux, latéraux avant, rideaux latéraux)
CONCURRENCE Chevrolet Colorado/GMC Canyon, Honda Ridgeline, Toyota Tacoma

AU QUOTIDIEN

COLLISION FRONTALE 4/5
COLLISION LATÉRALE 5/5
VENTES DU MODÈLE L'AN DERNIER
AU QUÉBEC 523 (+31,1 %) **AU CANADA** 3 622 (+1,5 %)
DÉPRÉCIATION (%) 32,5 (3 ans)
RAPPELS (2011 à 2016) 6
COTE DE FIABILITÉ 3/5

GARANTIES... ET PLUS

GARANTIE GÉNÉRALE 3 ans/60 000 km
GROUPE MOTOPROPULSEUR 5 ans/100 000 km
PERFORATION 5 ans/kilométrage illimité
ASSISTANCE ROUTIÈRE 3 ans/kilométrage illimité
NOMBRE DE CONCESSIONNAIRES
AU QUÉBEC 50 **AU CANADA** 171

NOUVEAUTÉS EN 2017

Ensemble Pemium + toit ouvrant disponible sur SV 4RM cabine double.

Y'É TOUGH MAIS *Y'ACHÈVE* !

On espère toujours le nouveau Frontier. Une nouvelle génération plus que due, puisque l'actuelle date de 2005. On a même parié un temps sur le retrait de la catégorie des camionnettes intermédiaires par Nissan, mais le succès de GM avec son duo Colorado/Canyon et la persistance de Toyota avec son Tacoma ont sans doute encouragé le constructeur à ne pas jeter la serviette. Pour 2017, donc, pas d'autres choix que de revisiter ce bon vieux Frontier, alors que le tout neuf devrait (notez le conditionnel) coïncider avec l'année modèle 2018.

Michel Crépault

TOUR DU PROPRIÉTAIRE > Sur une plate-forme partagée avec le Xterra et le Pathfinder, le châssis en échelle du Frontier (aussi appelé Navara et NP300 ailleurs dans le monde) supporte une carrosserie qui, ma foi, sans être du dernier cri ne peut pas non plus être accusée de vieillotte. Même en attente d'un sérieux lifting, ce camion-là ne dépare pas une entrée de garage. Les deux sections essentielles, la cabine et la caisse, sont offertes avec un jeu de permutations relativement facile à suivre quand on pense à certains menus de la concurrence qui donnent des maux de tête : deux cabines – King et Crew – et deux caisses – ordinaire (1511 mm/59,5 po) et allongée (1861 mm/73,3 po). Les modèles S (base) et SL (top) sont d'emblée livrés respectivement avec cabine allongée et double. Les deux autres, SV et PRO-4X, acceptent l'une ou l'autre. Côté caisse, pas d'ordinaire avec une cabine King et chez les Crew,

+
PRODUIT ÉPROUVÉ
SOLIDITÉ ET REMORQUAGE
BONNES AFFAIRES DANS L'AIR !

–
V6 TROP GOURMAND
PRÉSENTATION INTÉRIEURE DÉPASSÉE
BIENTÔT UNE ANTIQUITÉ !

MENTIONS

CLÉ D'OR | CHOIX VERT | COUP DE CŒUR | **RECOMMANDÉ**

VERDICT

PLAISIR AU VOLANT
QUALITÉ DE FINITION
CONSOMMATION
RAPPORT QUALITÉ / PRIX
VALEUR DE REVENTE
CONFORT

1 5 10

seul le PRO-4X accepte une courte. Ce dernier s'avère l'ado de la famille avec ses antibrouillards et sa porte-galerie digne d'un safari.

VIE À BORD > Dans la cabine double (quatre portières), l'assise de la banquette 60/40 à trois places se soulève, dévoilant alors un plateau de rangement amovible. Les deux strapontins de la King (accès par deux portières arrière tronquées à ouverture inversée) se rangent aussi contre la cloison du fond pour dégager de l'espace de rangement. Même vieux, le Frontier embrasse la modernité en intégrant en option le système NissanConnect, qui transpose sur l'écran couleur tactile de 5,8 pouces les fonctions Apple ou Android de votre téléphone intelligent.

TECHNIQUE > La version S est la seule à utiliser le 4-cylindres 2,5 litres (emprunté à l'Altima) de 152 chevaux et 171 livres-pieds de couple. Les trois autres modèles préfèrent le V6 de 4 litres à 24 soupapes qui développe 261 chevaux et 281 livres-pieds de couple. Tout le monde louange sa puissance de remorquage (2 949 kg ou 6 500 livres) et condamne son excessive consommation (au moins 14 L/100 km).

Côté boîte de vitesse, tous reçoivent de série une automatique à 5 rapports (oui, ça trahit l'âge du camion), sauf le PRO-4X, qui privilégie une manuelle à 6 vitesses. Sur le plan de la motricité, la S limite son muscle aux roues arrière, la SV offre la propulsion et les quatre roues motrices, cette dernière configuration étant l'unique des autres variantes. Enfin, les Frontier 4x4 disposent d'un boîtier de transfert. Dans les chaumières, on prie fort pour que les rumeurs concernant un moteur turbodiesel Cummins 2,8 litres de 210 chevaux et 385 livres-pieds de couple, associé à une boîte automatique à 8 rapports, se matérialisent.

AU VOLANT > Le PRO-4X n'a pas que l'allure d'un baroudeur, il excelle hors route grâce à ses amortisseurs Bilstein, à son différentiel arrière à blocage électronique et à ses plaques de protection. Mais mon choix personnel, pour une camionnette pas tuable et économique, se porte sur la version de base. Parce que le V6 a beau être costaud, il nous en fait payer le prix à la pompe. D'un autre côté, les versions plus huppées ont l'avantage de recevoir en usine un enduit qui rend la caisse invulnérable à la rouille et à la décoloration. Qui plus est, Nissan a conçu pour elles le système Utili-Track (en option) avec des attaches en aluminium forgé qui coulissent dans cinq rails (dont deux au plancher). Fort pratique pour arrimer votre charge avec des sangles. Vous pouvez aussi y greffer une boîte à outils, un séparateur et une rallonge de caisse.

CONCLUSION > La camionnette intermédiaire nous confronte toujours au même dilemme : plus on paye cher, plus on a envie d'aller voir du côté d'un F-150, par exemple. Le côté légèrement démodé du Frontier simplifie la décision : allons-y pour l'aubaine ! Ce qui n'enlève rien à la fiabilité et à l'utilité du véhicule. ■

2e OPINION

Antoine Joubert

En renouvelant les Colorado/Canyon et Tacoma, GM et Toyota ont récemment prouvé que le marché de la camionnette intermédiaire était toujours bien vivant. Nissan est actuellement le seul constructeur toujours présent dans ce marché à ne pas encore avoir renouvelé son modèle. Et même si la qualité et la robustesse du produit sont remarquables, tout comme les capacités hors route de la version PRO-4X, les signes de vieillesse se montrent aujourd'hui de plus en plus flagrants. Finition bâclée, consommation élevée et présentation parfois utilitaire font partie des éléments les plus décevants du Frontier. Toutefois, le prix est heureusement très alléchant et jusqu'à ce qu'on le renouvelle pour 2018, l'acheteur pourrait réaliser de bonnes aubaines.

FICHE TECHNIQUE

MOTEUR(S)

(S) L4 2,5 L DACT
PUISSANCE 152 ch à 5 200 tr/min
COUPLE 171 lb-pi à 4 400 tr/min
RAPPORT POIDS/PUISSANCE 11,2 kg/ch
BOÎTE(S) DE VITESSES manuelle à 5 rapports, automatique à 5 rapports (option)
PERFORMANCES 0-100 km/h 10,9 s
VITESSE MAXIMALE 175 km/h

(SV, PRO-4X, SL) V6 4,0 L DACT
PERFORMANCES 261 ch à 5 600 tr/min
COUPLE 281 lb-pi à 4 000 tr/min
RAPPORT POIDS/PUISSANCE 2RM 7,2 à 7,6 kg/ch **4RM** 7,5 à 8,0 kg/ch
BOÎTE(S) DE VITESSES automatique à 5 rapports, manuelle à 6 rapports (Pro-4X king cab)
PERFORMANCES 0-100 km/h man. 7,9 s **auto** 8,2 s
REPRISE 80-115 km/h 4RM 5,4 s
FREINAGE 100-0 km/h 4RM 40,0 mm
NIVEAU SONORE À 100 km/h 4RM Passable
VITESSE MAXIMALE 190 km/h
CONSOMMATION (100 km) 2RM auto. ville 14,8 L, route 10,3 L
4RM man. ville 15,0 L, route 11,2 L
4RM auto. ville 15,7 L, route 11,3 L (octane 87)
ANNUELLE 2RM auto. 2 159 L, 2 591 $ **4RM man.** 2 261 L, 2 713 $
4RM auto. 2 329 L, 2 795 $
ÉMISSIONS DE CO_2 2RM auto. 4 966 kg/an
4RM man. 5 200 kg/an **4RM auto.** 5 357 kg/an

AUTRES COMPOSANTS

SÉCURITÉ ACTIVE (selon version ou certains en option) Freins ABS, assistance au freinage, répartition électronique de la force de freinage, contrôle électronique de la stabilité, antipatinage, assistance au démarrage en pente, contrôle de l'adhérence en descente
SUSPENSION avant/arrière indépendante/pont rigide
FREINS avant/arrière disques
DIRECTION à crémaillère, assistée
PNEUS S P235/75R15 **SV/ option S** P265/70R16
PRO-4X P265/75R16 **SL** P265/60R18

DIMENSIONS

EMPATTEMENT King cab/cab. double Pro 4X 3 200 mm
cab. double 3 554 mm
LONGUEUR 5 220 mm **cab. double** 5 574 mm
LARGEUR 1 850 mm
HAUTEUR 1 745 à 1 879 mm
POIDS King cab 2RM S 1 707 kg **SV** 1 893 kg **4RM SV** 1 956 kg
Pro-4X 1 968 à 2 001 kg **Cab. double 2RM SV** 1 995 kg
4RM SV 2 070 kg **Pro-4X** 2 081 kg
DIAMÈTRE DE BRAQUAGE 13,3 m **S/SV L4 et SV/Pro-4x** 13,2 m
RÉSERVOIR DE CARBURANT 80 L
CAPACITÉ DE REMORQUAGE 1 588 kg à 2 949 kg

LA COTE VERTE

MOTEUR V6 DE 3,8 L BITURBO
CONSOMMATION (100 km) ville 14,3 L, route 10,5 L
CONSOMMATION ANNUELLE 2 142 L, 2 892 $
INDICE D'OCTANE 91
ÉMISSIONS POLLUANTES CO_2 4 927 kg/an
(source : ÉnerGuide)

FICHE D'IDENTITÉ

VERSION(S) Premium, Nismo
TRANSMISSION(S) 4
PORTIÈRES 2 **PLACES** 4
PREMIÈRE GÉNÉRATION 2009 (1969 au Japon)
GÉNÉRATION ACTUELLE 2009
CONSTRUCTION Tochigi, Japon
COUSSINS GONFLABLES 6 (frontaux, latéraux avant, rideaux latéraux)
CONCURRENCE Acura NSX, Aston-Martin Vantage, Audi R8, Chevrolet Corvette, Dodge Viper, Jaguar F-Type R, Lexus LC, Maserati GT, Mercedes-Benz-AMG GT, Porsche 911

AU QUOTIDIEN

COLLISION FRONTALE 4/5
COLLISION LATÉRALE 5/5
VENTES DU MODÈLE L'AN DERNIER
AU QUÉBEC 14 (-6,7 %) **AU CANADA** 130 (+4,0 %)
DÉPRÉCIATION (%) 19,3 (3 ans)
RAPPELS (2011 à 2016) aucun à ce jour
COTE DE FIABILITÉ 4,5/5

GARANTIES... ET PLUS

GARANTIE GÉNÉRALE 3 ans/60 000 km
GROUPE MOTOPROPULSEUR 5 ans/100 000 km
PERFORATION 5 ans/kilométrage illimité
ASSISTANCE ROUTIÈRE 3 ans/kilométrage illimité
NOMBRE DE CONCESSIONNAIRES
AU QUÉBEC 50 **AU CANADA** 171

NOUVEAUTÉS EN 2017

Retouches esthétiques avant et arrière avec meilleur aérodynamisme, moteur plus puissant, boîte de vitesse améliorée, nouveau système d'échappement en titane, suspension recalibrée, chassis plus rigide, nouvelle palette de couleurs extérieures et intérieures. NissanConnect avec navigation de série

CENT FOIS SUR LE MÉTIER...

Avant même de poser ses roues en Amérique du Nord – en 2009 –, la GT-R était déjà une légende en raison de son prestigieux palmarès accumulé au Japon et en Australie, mais aussi et surtout de sa participation virtuelle sur les consoles de jeu PlayStation (Gran Turismo). Mais l'ardente excitation provoquée par ce coupé s'est estompée, forçant Nissan à revoir sa copie.

Éric LeFrançois

TOUR DU PROPRIÉTAIRE > Visuellement, les formes de la GT-R ont peu changé depuis son lancement il y a près de 10 ans. Cependant, le concept aérodynamique s'est beaucoup affiné dans le but d'améliorer le phénomène de déportance sur le dessus de la voiture au moyen d'appendices aérodynamiques et d'une zone de dépression en dessous pour attirer le soubassement vers le sol. D'autre part, on a creusé un réseau complexe de tunnels et de canalisations qui, en traversant les structures, avalent et convoient l'air frais vers les organes à refroidir avant de l'évacuer avec les calories produites par la mécanique. En somme, on se sert désormais de l'air au lieu de jouer au plus fin avec lui.

VIE À BORD > Contrairement aux modèles des précédentes années, la GT-R apparaît aujourd'hui plus raffinée, plus cossue. Moins bruyante aussi. Cela dit, l'aspect « console PlayStation » de la partie centrale du tableau de bord demeure avec ses menus et sous-menus ayant pour but d'offrir un relevé quasi télémétrique de « vos » performances, mais on retiendra

+
- HABITACLE PLUS VALORISANT
- NIVEAU SONORE ET SILENCE DE ROULEMENT
- MOTRICITÉ REMARQUABLE

–
- LABEL ASSOCIÉ À UNE MARQUE GÉNÉRALISTE
- MANQUE D'AGILITÉ À CAUSE DU POIDS
- MANQUE DE RESSENTI DE LA DIRECTION

MENTIONS

CLÉ D'OR | CHOIX VERT | COUP DE CŒUR | **RECOMMANDÉ**

VERDICT

PLAISIR AU VOLANT
QUALITÉ DE FINITION
CONSOMMATION
RAPPORT QUALITÉ / PRIX
VALEUR DE REVENTE
CONFORT

1 5 10

autre chose cette fois. Le luxe se joint à la qualité de la conception pour assurer aux voyageurs (oubliez cependant les minuscules places arrière) un confort exceptionnel, pour une auto de cette catégorie, s'entend. Immergé dans un océan de cuir et de garnitures aux tons assortis, bien calé dans un siège confortable et parfaitement sculpté, on regrettera toujours qu'il soit nécessaire de manipuler deux leviers pour régler la colonne de direction. En revanche, les palettes montées au volant sont désormais plus agréables à utiliser et mieux positionnées qu'autrefois. Les amateurs apprécieront.

TECHNIQUE > Les modifications – les plus importantes jamais apportées depuis le lancement de cette génération – améliorent non seulement l'efficacité de la voiture par rapport au modèle précédent mais aussi son comportement en virage (la rigidité du châssis a été opportunément renforcée), où elle sous-vire beaucoup moins. Grâce à des suspensions révisées, le confort est augmenté, au prix, il est vrai, de mouvements de caisse légèrement accentués. Par ailleurs, mention plus qu'honorable aux ingénieurs de Nissan d'avoir mis un terme à l'épouvantable vacarme des roulements et autres pièces mécaniques entendus sur les modèles précédents. La présence d'un dispositif de réduction du bruit actif n'y est certes pas étrangère.

AU VOLANT > Il pleut, la visibilité est réduite; la chaussée est grasse et les pneus sont froids. Tous les ingrédients se trouvent aujourd'hui réunis pour expédier la GT-R dans les rails le jour de sa présentation sur l'exigeant tracé de Spa-Francorchamps. Déjà réputé difficile, le circuit belge se transforme, dans ces conditions dantesques, en un véritable péril. La prudence élémentaire consiste à ne pas lâcher tous les chevaux. Dans ces conditions météo, impossible de rendre compte du travail réalisé par les motoristes qui, à l'aide de savantes interventions, sont parvenus à extraire 20 chevaux et 4 livres-pieds de couple supplémentaires. Qu'à cela ne tienne, la GT-R se montre, plus que bon nombre de ses présumées rivales, parfaitement sûre dans ces conditions météorologiques. En dépit de la violence de l'accélération, l'assiette demeure plutôt stable quand le « pilote » entre dans les virages sur les freins jusqu'au point de corde sans soucis. On ne ressent qu'une amorce de dérive du train arrière, qu'on contrôle sans mal pour peu qu'on fasse preuve d'une rigoureuse précision. Pas toujours facile en raison du manque de ressenti de la direction. Ramassée, la GT-R paraît pourtant plus massive qu'elle le semble au volant. Et ce n'est pas seulement une impression : à près de 1800 kilos à la pesée, elle est plutôt lourde, ce qui a pour effet de brimer son agilité, de la rendre plus monolithique. En d'autres mots, une auto qui récompense la précision de conduite et non l'improvisation.

CONCLUSION > À l'image de la 911 de Porsche, la GT-R démontre tous les bienfaits d'un raffinement constant. Dommage cependant qu'en dehors d'une poignée d'inconditionnels, cette auto demeure, en raison de la réputation généraliste de son constructeur – comme la Corvette de Chevrolet d'ailleurs –, un secret encore trop bien gardé. ■

2e OPINION

Benoit Charette

Les icônes automobiles ne sont pas légion au Japon, mais la GT-R est sans doute la plus grande légende au pays du soleil levant. Nissan prend bien soin de l'image de son bolide de marque et même si le modèle n'a pratiquement pas changé depuis 2008, elle rajoute quelques chevaux et certaines versions à tirage limité pour continuer de susciter l'intérêt. La même recette est bonne pour 2017 alors que le célèbre moteur 6 cylindres de 3,8 litres va passer de 545 à 565 chevaux cette année. Les ingénieurs de Nissan ont aussi amélioré l'aérodynamisme du véhicule, ce qui devrait techniquement rendre la GT-R encore plus efficace. Une remise à niveau du style est prévue pour 2018, mais il ne faut pas s'attendre à de profondes transformations. L'idée d'une icône réside dans la stabilité et non dans la transformation.

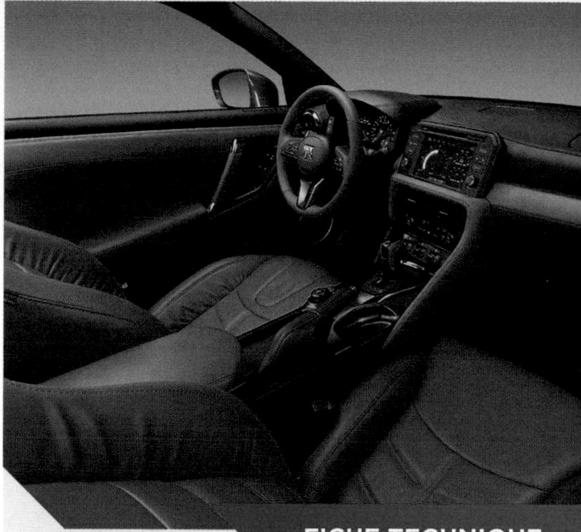

FICHE TECHNIQUE

MOTEUR(S)

(GT-R) V6 3,8 L DACT biturbo
PUISSANCE 565 ch à 6 800 tr/min
COUPLE 467 lb-pi de 3 300 à 5 800 tr/min
RAPPORT POIDS/PUISSANCE 3,2 kg/ch
BOÎTE(S) DE VITESSES manuelle robotisée à 6 rapports
PERFORMANCES 0-100 km/h 3,1 s
REPRISE 80-115 km/h 1,8 s
FREINAGE 100-0 km/h 33,7 m
NIVEAU SONORE À 100 km/h Moyen
VITESSE MAXIMALE 315 km/h

(GT-R NISMO) V6 3,8 L DACT biturbo
PUISSANCE 600 ch à 6 800 tr/min
COUPLE 481 lb-pi de 3 600 à 5 600 tr/min
RAPPORT POIDS/PUISSANCE 2,9 kg/ch
BOÎTE(S) DE VITESSES manuelle robotisée à 6 rapports
PERFORMANCES 0-100 km/h 3,0 s
REPRISE 80-115 km/h 1,8 s
FREINAGE 100-0 km/h 33,7 m
VITESSE MAXIMALE 315 km/h

AUTRES COMPOSANTS

SÉCURITÉ ACTIVE Freins ABS, assistance au freinage, répartition électronique de la force de freinage, contrôle électronique de la stabilité, antipatinage, assistance au démarrage en pente, phares automatiques
SUSPENSION avant/arrière indépendante adaptative et ajustable
FREINS avant/arrière disques
DIRECTION à crémaillère, assistée
PNEUS P255/40R20 (av.) P285/35R20 (arr.)

DIMENSIONS

EMPATTEMENT 2 780 mm
LONGUEUR 4 710 mm
LARGEUR 1 895 mm
HAUTEUR 1 370 mm **Nismo** 1 377 mm
POIDS 1 783 kg **Nismo** 1 761 kg
RÉPARTITION DU POIDS AV/ARR (%) 54/46
DIAMÈTRE DE BRAQUAGE 11,2 m
COFFRE 249 L
RÉSERVOIR DE CARBURANT 74 L

LA COTE VERTE

MOTEUR L4 DE 1,6 L TURBO
CONSOMMATION (100 km) 2RM man. ville 8,5 L route 6,9 L
2RM CVT. ville 8,5 L route 7,2 L **4RM CVT.** ville 8,8 L route 7,5 L
CONSOMMATION ANNUELLE 2RM man. 1 326 L, 1 790 $
2RM CVT. 1 343 L, 1 813 $ **4RM CVT.** 1 394 L, 1 882 $
INDICE D'OCTANE 91
ÉMISSIONS POLLUANTES CO_2 2RM man. 3 050 kg/an
2RM CVT. 3 089 kg/an **4RM CVT.** 3 206 kg/an
(source : ÉnerGuide)

FICHE D'IDENTITÉ

VERSION(S) 2RM/4RM SV, SL, Nismo **4RM** Nismo RS
TRANSMISSION(S) avant, 4
PORTIÈRES 5 **PLACES** 5
PREMIÈRE GÉNÉRATION 2011
GÉNÉRATION ACTUELLE 2011
CONSTRUCTION Oppama, Japon
COUSSINS GONFLABLES 6 (frontaux, latéraux avant, rideaux latéraux)
CONCURRENCE Audi Q3, Buick Encore/Chevrolet Trax, Fiat 500X, Honda HR-V, Infiniti QX30, Jeep Renegade, Mazda CX-3, MINI Countryman, Subaru Impreza/Crosstrek

AU QUOTIDIEN

COLLISION FRONTALE 3/5
COLLISION LATÉRALE 5/5
VENTES DU MODÈLE L'AN DERNIER
AU QUÉBEC 1 296 (+31,8 %) **AU CANADA** 4 473 (+22,9 %)
DÉPRÉCIATION (%) 24,0 (3 ans)
RAPPELS (2011 à 2016) 5
COTE DE FIABILITÉ 3/5

GARANTIES... ET PLUS

GARANTIE GÉNÉRALE 3 ans/60 000 km
GROUPE MOTOPROPULSEUR 5 ans/100 000 km
PERFORATION 5 ans/kilométrage illimité
ASSISTANCE ROUTIÈRE 3 ans/kilométrage illimité
NOMBRE DE CONCESSIONNAIRES
AU QUÉBEC 50 **AU CANADA** 171

NOUVEAUTÉS EN 2017

Abandon de la boîte de vitesses manuelle (sauf version Nismo 2RM), couleurs extérieures et intérieures personnalisables grâce au « Studio Couleurs Juke », nouvel ensemble Premium incluant toit ouvrant, contrôles regroupés (I-CON), phares à brume et roues de 17 po., édition Black Pearl.

INIMITABLE

Le Juke est un de ces véhicules qui polarisent énormément les opinions. Certains grimacent à sa vue, d'autres saluent son audace dans une ère où le conformisme est considéré comme la voie à emprunter pour dégager de gros volumes de vente. Qu'à cela ne tienne, ce petit multisegment, considéré comme le pionnier de sa catégorie, maintient de bons chiffres de ventes. Allons voir pourquoi.

Charles René

TOUR DU PROPRIÉTAIRE > Le Juke ne ressemble à absolument aucune autre voiture sur le marché. Son design, somme toute très expérimental dans sa facture, nous plonge dans un univers quelque peu disparate. C'est très chargé. À l'avant, les phares de jour, fixés carrément sur le dessus des ailes, sont séparés de ceux de nuit, circulaires et épinglés sur le bouclier avant. Cette configuration donne l'impression d'observer un crocodile nageant la tête à demi sortie de l'eau. Sur le plan latéral, on voit que Nissan a voulu attribuer à ce Juke un air sportif avec une ligne de toit en oblique, semblable à celle de la 370Z. Cet élément de design veut berner l'œil en tentant de dissimuler la porte arrière. La poignée de porte est d'ailleurs bien cachée en haut. L'empattement court et le positionnement des roues aux quatre coins ont des avantages et des inconvénients. Nous l'aborderons plus tard.

+
AMUSANT À CONDUIRE
DESIGN ORIGINAL
BON ÉQUIPEMENT DE SÉRIE

−
GROUPE MOTOPROPULSEUR DÉPASSÉ
VOLUME DU COFFRE ARRIÈRE
ROULEMENT UN PEU SEC

MENTIONS

CLÉ D'OR | CHOIX VERT | **COUP DE CŒUR** | **RECOMMANDÉ**

VERDICT

PLAISIR AU VOLANT
QUALITÉ DE FINITION
CONSOMMATION
RAPPORT QUALITÉ / PRIX
VALEUR DE REVENTE
CONFORT

1 5 10

VIE À BORD > L'aménagement de l'habitacle cultive également une certaine excentricité. Nissan propose d'ailleurs plusieurs coloris pour l'enveloppe des buses de ventilation, du bloc de commandes central ainsi que de la console centrale. L'assemblage est tout à fait acceptable, mais c'est surtout lorsqu'on s'attarde à la qualité des matériaux qu'on décèle un certain laisser-aller. Simple, le système d'infodivertissement mériterait en outre une bonne mise à jour. Les commandes sont pour leur part bien disposées, mais le petit écran au centre en bas de la nacelle donnant certaines données est totalement inutile. Personne ne va se pencher la tête en conduisant pour avoir une indication de la pression délivrée par le turbocompresseur. Les sièges à l'avant sont somme toute bien découpés et confortables. À l'arrière, cependant, ça se gâte. L'ouverture trop petite de la porte donne accès à une banquette pas très accueillante. Le coffre arrière est aussi plutôt limité en volume en raison de la ligne de toit et du hayon. Il réserve à peine 297 litres aux bagages. C'est 27 litres de moins que dans le coffre arrière d'une Jaguar F-Type coupé...

TECHNIQUE > Trois versions du même moteur se partagent le compartiment moteur du Juke. La base est un 4-cylindres de 1,6 litre turbocompressé dont la puissance varie de 188 à 215 chevaux, selon que vous choisissez la livrée de série ou la variante RS. La puissance est donc plus qu'adéquate sur papier. Malgré ces chiffres qui laissent entrevoir de bonnes performances, ce moteur se comporte comme un moulin turbo d'une génération précédente. La puissance intervient avec un délai et est livrée de manière plutôt bruyante. La transmission CVT est probablement en partie à blâmer ici en donnant une impression de glissement. Heureusement, il y a une manuelle proposée, du moins sur les modèles à traction.

AU VOLANT > L'aspect compact du Juke rapporte ses dividendes ici. On découvre assez rapidement un véhicule ayant de la répartie derrière le volant. Il est amusant tout en conservant une bonne poigne en virage. Sa direction se fait aussi très plaisante, précise à souhait. Pour permettre ce comportement routier, les ingénieurs ont toutefois dû raffermir quelque peu le roulement, mais ce n'est rien d'intolérable. Pour ce qui est de la prestation de la transmission intégrale (en option), elle est acceptable. Pour qu'elle donne son plein rendement dans la neige, il faut cependant prendre soin de la mettre en mode AWD et non AWD-V.

CONCLUSION > Original et proposant un bel agrément de conduite, le Nissan Juke est un véhicule nécessaire, ne serait-ce que pour son regard déjanté qui explore les limites de la créativité en automobile. Cela étant dit, ce véhicule n'est pas dépourvu de défauts, à commencer par son habitacle un peu juste et son moteur qui n'est pas au niveau de motorisation plus moderne. Il s'agit toutefois d'un véhicule agréable à conduire et relativement fiable selon les publications spécialisées. ■

2e OPINION

Vincent Aubé

Cela fait déjà sept ans que le petit multisegment sillonne les routes du monde entier. Depuis ce moment, le curieux véhicule continue d'alimenter les discussions. Bien entendu, ce qui accroche ici, c'est la silhouette peu orthodoxe de cette sous-compacte gonflée aux stéroïdes. Que vous aimiez ou non, il est impossible de rester de glace devant une telle bouille. Au-delà du contenant se trouve heureusement un produit fort amusant à conduire au quotidien, une formule qui est rehaussée avec les livrées Nismo. En théorie, le temps de la refonte complète approche. Il sera intéressant de voir quelle sera la stratégie adoptée pour changer un véhicule aussi unique.

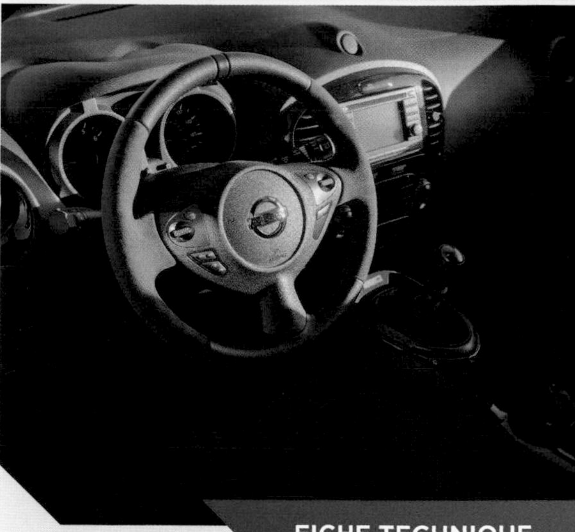

FICHE TECHNIQUE

MOTEUR(S)

(SV, SL, Nismo) L4 1,6 L DACT turbo
PUISSANCE 188 ch à 5 600 tr/min
COUPLE 177 lb-pi de 1 600 à 5 200 tr/min
RAPPORT POIDS/PUISSANCE 7,0 à 7,8 kg/ch
BOÎTE(S) DE VITESSES SV/SL/ Nismo 4RM automatique à variation continue avec mode manuel **Nismo 2RM** manuelle à 6 rapports
PERFORMANCES 0-100 km/h 8,0 s
REPRISE 80-115 km/h 5,9 s
FREINAGE 100-0 km/h 38,5 m
NIVEAU SONORE À 100 km/h Passable
VITESSE MAXIMALE 185 km/h

(Nismo RS) L4 1,6 L DACT turbo
PUISSANCE 4RM 211 ch à 6 000 tr/min **2RM** 215 ch à 6 000 tr/min
COUPLE 4RM 184 lb-pi de 2 400 à 6 000 tr/min
2RM 210 lb-pi de 3 600 à 4 800 tr/min
RAPPORT POIDS/PUISSANCE 2RM 6,2 kg/ch **4RM** 6,9 kg/ch
BOÎTE(S) DE VITESSES 4RM automatique à variation continue avec mode manuel et manettes au volant **2RM** manuelle à 6 rapports
PERFORMANCES 0-100 km/h 7,0 s
FREINAGE 100-0 km/h 39,6 m
VITESSE MAXIMALE 215 km/h
CONSOMMATION (100 km) 2RM ville 8,9 L route 7,5 L
4RM ville 9,4 route 8,1 L (octane 91)
ANNUELLE 2RM 1 411 L, 1 905 $ **4RM** 1 496 L, 2 020 $
ÉMISSIONS DE CO_2 2RM 3 245 kg/an **4RM** 3 441 kg/an

AUTRES COMPOSANTS

SÉCURITÉ ACTIVE Freins ABS, assistance au freinage, répartition électronique de la force de freinage, contrôle électronique de la stabilité, antipatinage
SUSPENSION avant indépendante, arrière semi-indépendante (indépendante à l'arrière avec transmission intégrale)
FREINS avant/arrière disques
DIRECTION à crémaillère, assistée électriquement
PNEUS P215/55R17 **Nismo** P225/45R18

DIMENSIONS

EMPATTEMENT 2 530 mm
LONGUEUR 4 125 mm **Nismo** 4 160 mm
LARGEUR 1 765 mm **Nismo** 1 770 mm
HAUTEUR 1 570 mm
POIDS SV 2RM man. 1 324 kg **CVT** 1 360 kg **4RM** 1 443 kg **SL 4RM** 1 452 kg **Nismo 4RM** 1 460 kg **Nismo RS 2RM** 1 344 kg **4RM** 1 451 kg
RÉPARTITION DU POIDS AV/ARR (%) 2RM 63/37 **4RM** 60/40
DIAMÈTRE DE BRAQUAGE 11,1 m
COFFRE 297 L, 1 017 L (sièges abaissés)
RÉSERVOIR DE CARBURANT 2RM 50 L **4RM** 45 L

LA COTE VERTE

MOTEUR SYNCHRONE À COURANT ALTERNATIF
AUTONOMIE MOYENNE 172 km
CONSOMMATION ÉQUIVALENTE (100 km) ville 1,9 L, route 2,3 L
CONSOMMATION ÉQUIVALENTE ANNUELLE 357 L
INDICE D'OCTANE NA **ÉMISSIONS POLLUANTES CO_2** 0 kg/an
Temps de recharge 240 V 6 heures **120 V** 21 heures
Chargeur rapide 30 min pour 80 % de la pleine charge
(source : ÉnerGuide)

FICHE D'IDENTITÉ

VERSION(S) S, SV, SL
TRANSMISSION(S) avant
PORTIÈRES 5 **PLACES** 5
PREMIÈRE GÉNÉRATION 2011
GÉNÉRATION ACTUELLE 2011
CONSTRUCTION Smyrna, Tenn., É-U
COUSSINS GONFLABLES 6 (frontaux, latéraux avant et rideaux latéraux)
CONCURRENCE BMW i3, Chevrolet Spark EV/Bolt, Ford Focus EV, Hyundai Ionic, Kia Soul EV, Mitsubishi i-MiEV, Toyota Mirai

AU QUOTIDIEN

COLLISION FRONTALE 4/5
COLLISION LATÉRALE 4/5
VENTES DU MODÈLE L'AN DERNIER
AU QUÉBEC 742 (+18,2 %) **AU CANADA** 1 233 (+13,6 %)
DÉPRÉCIATION (%) 35,7 (3 ans)
RAPPELS (2011 à 2016) 5
COTE DE FIABILITÉ 3/5

GARANTIES... ET PLUS

GARANTIE GÉNÉRALE 3 ans/60 000 km
GROUPE MOTOPROPULSEUR 5 ans/100 000 km
BATTERIE 8 ans/160 000 km
PERFORATION 5 ans/kilométrage illimité
ASSISTANCE ROUTIÈRE 3 ans/kilométrage illimité
NOMBRE DE CONCESSIONNAIRES
AU QUÉBEC 50 **AU CANADA** 171

NOUVEAUTÉS EN 2017

Autonomie améliorée à 170 km sur versions SV et SL

ELLE MONTRE LE CHEMIN

Les quelque 200 000 acheteurs de Leaf, depuis son lancement en décembre 2010, ont parcouru plus de deux milliards de kilomètres – l'équivalent de 2 600 allers-retours entre la Terre et la Lune – sans polluer ladite planète, ce qui n'est pas rien. Et Nissan, dont la passion pour le VÉ remonte à la Tama assemblée il y a 69 ans, n'a pas l'intention de s'arrêter là, puisqu'elle a récemment débloqué six autres milliards de dollars pour peaufiner son aventure tout électrique. La Leaf 2017 s'inscrit dans cette marche vers le futur.

Michel Crépault

TOUR DU PROPRIÉTAIRE > On dirait une Juke à laquelle on a donné une gueule davantage futuriste qu'excentrique. Rien qu'à la regarder, on se sent plus vert. Érigée à partir d'une plate-forme de Versa étirée, la Leaf a toujours été pensée comme un VÉ de sorte que sa batterie lithium-ion, par exemple, repose sous le plancher sans hypothéquer l'espace pour les humains et leurs bagages. Si vous souhaitez des phares à DEL, des antibrouillards et un aileron arrière doté d'un panneau solaire qui alimente les accessoires, c'est la *top* SL qu'il vous faut.

VIE À BORD > La richesse de l'équipement varie beaucoup entre S, SV et SL, mais elles partagent d'intéressants points communs, comme le système d'infodivertissement NissanConnect

+
- AUTONOMIE AMÉLIORÉE (SV ET SL)
- HABITACLE SPACIEUX
- STABILITÉ DANS LES COURBES

–
- DIRECTION IMPERSONNELLE
- 0-100 KM/H LENT
- INTÉRIEUR PLASTIFIÉ

MENTIONS

CLÉ D'OR | CHOIX VERT | COUP DE CŒUR | RECOMMANDÉ

VERDICT

	1 à 10
PLAISIR AU VOLANT	7
QUALITÉ DE FINITION	8
CONSOMMATION	10
RAPPORT QUALITÉ / PRIX	7
VALEUR DE REVENTE	7
CONFORT	8

(5 ou 7 po pour l'écran), le démarrage par bouton poussoir, la connexion Bluetooth, le régulateur de vitesse, les sièges avant et arrière chauffants, et j'en passe. La présentation des interrupteurs ose la note moderne, incluant le moignon qui active la transmission, mais la console centrale se noie au milieu d'un océan de plastique. Sièges et banquette confortables.

TECHNIQUE > L'an dernier, Nissan a quand même accru la puissance de la batterie de la Leaf de 27 % (pour les livrées SV et SL) en la haussant à 30 kWh (au lieu de 24 kWh dans la S), ce qui lui confère plus de 172 kilomètres d'autonomie (au lieu de 135). Pour 2017, la Leaf surfera sur cette amélioration parce que les ingénieurs nippons planchent sur la deuxième génération (j'en parle plus loin), qui laisse présager un nième beau progrès.

AU VOLANT > La Leaf lambine au test du 0-100 km/h (10 secondes) et sa direction n'inspire rien, mais son comportement s'avère néanmoins agréable grâce à la douceur de sa suspension et au silence à bord. Cela dit, l'important, c'est l'autonomie. Par une chaude journée de printemps, j'ai voulu savoir. Ma mission : relier Valleyfield en partant d'Ottawa. Quand je décroche la Leaf de sa borne, elle indique une réserve de 198 kilomètres tandis que Google prévoit un trajet de 165 kilomètres. Je me mets en route avec une dose de scepticisme. Le temps de rejoindre la 417 en freinant souvent, je dispose maintenant de 200 kilomètres. Vive la récupération d'énergie ! Mais ensuite, l'autoroute menace. Je décide de ne courir aucun risque : je tais la radio, ferme l'air climatisé (malgré les 27 degrés dehors) et fixe le « cruise » à 100 km/h. Je compte aussi les secondes pour chaque kilomètre d'autonomie enfui. Une trentaine. Puis je baisse les glaces avant - bonne idée, fait chaud en titi ! - et je recommence mon calcul. Je perds six secondes au change. Le vent qui s'engouffre a chambardé l'aérodynamisme de l'auto. Je remonte les glaces à contrecœur en me disant qu'ils sont nombreux et sournois les facteurs qui influencent la performance d'un VÉ. Je suis finalement arrivé à destination avec 23 kilomètres en poche. La prochaine fois, j'aimerais quand même jouir de la sono et de l'AC. En conséquence, je choisirai une destination qui ressemble moins à une roulette russe. Mais en vertu de l'état d'alerte qu'elle suscite, l'angoisse de la panne a ceci de bon qu'elle chasse la fatigue au volant !

CONCLUSION > Le vrai défi du VÉ n'est pas d'être le plus beau ou le plus confortable, c'est de parcourir plus de kilomètres que la concurrence. Tesla a contourné le problème en utilisant une puissante batterie à un prix proportionnellement corsé. Les marques davantage tournées vers les masses ne peuvent faire mieux que ce que la technologie actuelle destinée à un grand public leur permet d'offrir. Dans ce sens, la pionnière Leaf fait bien ce qu'elle fait. Nissan promet que la deuxième génération disposera d'une autonomie de 350 kilomètres grâce à une batterie de 60 kWh. Elle n'a pas le choix, remarquez. La Chevrolet Bolt et la Tesla Model 3 lui poussent dans le dos. En attendant ces progrès, la Leaf 2017 s'avère un excellent choix. ■

2e OPINION

Benoit Charette

Avec une Chevrolet Bolt qui nous promet plus de 300 kilomètres d'autonomie cet automne et une Tesla 3 qui dépassera aussi les 300 kilomètres, il faut que Nissan se réajuste pour continuer à vendre des Leaf. La prochaine génération est attendue comme modèle 2018 et va offrir, selon les plus récentes informations, plusieurs types de batteries avec une version haut de gamme qui pourrait assurer plus de 500 kilomètres d'autonomie. Avec de tels chiffres, il faudra vérifier combien coûtera cette Leaf, mais une chose est certaine, la compétition amène les constructeurs à se dépasser. Si vous voulez voir de quoi aura l'air cette Leaf, allez reluquer le concept IDS, vous aurez une bonne idée. Si vous avez envie d'une voiture électrique, attendez encore un an et vous constaterez que le marché va non seulement prendre de l'ampleur, mais aussi proposer des modèles beaucoup plus performants.

FICHE TECHNIQUE

MOTEUR(S)

(S,SV,SL) Moteur électrique synchrone à courant alternatif
PUISSANCE 107 ch (80 kW)
COUPLE 187 lb-pi
RAPPORT POIDS/PUISSANCE S 13,8 kg/ch **SV** 14,1 kg/ch **SL** 14,3 kg/ch
BOÎTE(S) DE VITESSES automatique à 1 rapport
PERFORMANCES 0-100 km/h 10,5 s
REPRISE 80-115 km/h 7,2 s
FREINAGE 100-0 km/h 46,3 m
NIVEAU SONORE À 100 km/h Bon
VITESSE MAXIMALE 144 km/h

AUTRES COMPOSANTS

SÉCURITÉ ACTIVE Freins ABS, assistance au freinage, répartition électronique de la force de freinage, contrôle électronique de la stabilité, antipatinage
SUSPENSION avant/arrière indépendante/semi-indépendante
FREINS avant/arrière disques, à récupération d'énergie
DIRECTION à crémaillère, assistée électriquement
PNEUS P205/55R16 **SL** P215/50R17

DIMENSIONS

EMPATTEMENT 2 700 mm
LONGUEUR 4 445 mm
LARGEUR 1 770 mm
HAUTEUR 1 550 mm
POIDS S 1 481 kg **SV** 1 512 kg **SL** 1 535 kg
RÉPARTITION DU POIDS AV/ARR (%) 58/42
DIAMÈTRE DE BRAQUAGE 10,4 m **SL** 10,8 m
COFFRE 679 L, 849 L (sièges abaissés)
BATTERIE lithium-ion S 24 kWh **SV/SL** 30 kWh

LA COTE VERTE

MOTEUR V6 de 3,5 L
CONSOMMATION (100 km) ville 10,9 L, route 7,8 L
CONSOMMATION ANNUELLE 1 615 L, 2 180 $
INDICE D'OCTANE 91
ÉMISSIONS POLLUANTES CO_2 3 714 kg/an
(source : ÉnerGuide)

FICHE D'IDENTITÉ

VERSION(S) S, SV, SL, SR, Platine
TRANSMISSION(S) avant
PORTIÈRES 4 **PLACES** 5
PREMIÈRE GÉNÉRATION 1978
GÉNÉRATION ACTUELLE 2016
CONSTRUCTION Smyrna, Tennessee, É.-U.
COUSSINS GONFLABLES 6 (frontaux, latéraux avant, rideaux latéraux)
CONCURRENCE Buick LaCrosse, Chevrolet Impala, Chrysler 300, Dodge Charger, Ford Taurus, Genesis G80, Kia Cadenza, Lexus ES, Toyota Avalon

AU QUOTIDIEN

COLLISION FRONTALE 5/5
COLLISION LATÉRALE 5/5
VENTES DU MODÈLE L'AN DERNIER
AU QUÉBEC 356 (+127 %) **AU CANADA** 1 706 (+76,2 %)
DÉPRÉCIATION (%) 45,6 (3 ans)
RAPPELS (2011 à 2016) 4
COTE DE FIABILITÉ 4/5

GARANTIES… ET PLUS

GARANTIE GÉNÉRALE 3 ans/60 000 km
GROUPE MOTOPROPULSEUR 5 ans/100 000 km
PERFORATION 5 ans/kilométrage illimité
ASSISTANCE ROUTIÈRE 3 ans/kilométrage illimité
NOMBRE DE CONCESSIONNAIRES
AU QUÉBEC 50 **AU CANADA** 171

NOUVEAUTÉS EN 2017

Apple CarPlay®, sièges et volant chauffants, démarrage à distance et climatisation intelligente à partir de la clé de série. Nouvelle version S d'entrée de gamme.

IL NE RESTE QUE LES SOUVENIRS

Coincée entre l'Altima et la Q50 (commercialisée par sa filiale de luxe Infiniti), la Maxima manque d'air et d'arguments… Cette huitième mouture cherche à gommer ces critiques et surtout à se réapproprier – en partie – la forte identité des modèles antérieurs, à l'époque où ceux-ci étaient entraînés par leurs roues arrière. C'est bien, mais était-ce bien nécessaire de réactualiser ce modèle à la personnalité aujourd'hui énigmatique et qui peine depuis trop longtemps déjà à trouver son public ?

Éric LeFrançois

TOUR DU PROPRIÉTAIRE > Pour rendre cette tentative la plus visible qui soit, la Maxima endosse un costume tissé dans l'étoffe finement ciselée des dernières créations de Nissan, comme en fait foi le V stylisé qui parcourt la calandre. À cet élément de style s'ajoutent des phares et des feux taillés comme des boomerangs (empruntés à la Z) et le concept de « toit flottant » inauguré par la Murano – qui vise, en noircissant les piliers centraux et les montants arrière, à créer l'illusion que le pavillon se trouve en apesanteur. Un effet d'optique déjà vu sur certaines Citroën.

VIE À BORD > Au même titre que la carrosserie, l'ambiance intérieure en met plein la vue. Par exemple, la partie centrale du tableau de bord, légèrement incurvée, crée le sentiment que tout

+
PRÉSENTATION INTÉRIEURE VALORISANTE
ERGONOMIE AMÉLIORÉE
BOÎTE CVT MAINTENANT AGRÉABLE

–
EFFET DE COUPLE DANS LA DIRECTION
STYLE QUI RISQUE DE MAL VIEILLIR
PERSONNALITÉ TOUJOURS MAL DÉFINIE

MENTIONS

CLÉ D'OR | CHOIX VERT | COUP DE CŒUR | **RECOMMANDÉ**

VERDICT

PLAISIR AU VOLANT
QUALITÉ DE FINITION
CONSOMMATION
RAPPORT QUALITÉ / PRIX
VALEUR DE REVENTE
CONFORT

1 5 10

tourne autour du conducteur. Les assemblages sont précis, l'exécution soignée ainsi que la qualité des matériaux sont belles à voir. De fait, la plus cossue des Maxima n'a guère à envier aux Infiniti, surtout si on a les poches suffisamment pleines pour s'offrir la sellerie Ascot de qualité supérieure. À l'instar de l'Altima, par exemple, la Maxima reprend les sièges avant brevetés « zéro gravité », mais procurant un confort accru grâce à l'injection d'une mousse triple épaisseur. Ces baquets ont le mérite d'être confortables sur de longues distances, mais gagneraient à assurer un peu plus de support latéral. On s'en doutait un peu, la faible hauteur du pavillon allait rendre l'accès aux places arrière et la sortie plus ardus. Une fois installé dans son siège, l'occupant n'aura cependant pas à se plaindre du dégagement qui lui est alloué. Le coffre, pour sa part, contient un volume adéquat, mais sa faible hauteur rend le transport d'objets plus volumineux difficile.

TECHNIQUE > Histoire de faire comme tout le monde, la Maxima se dote d'un sélecteur destiné à personnaliser la conduite selon votre humeur et qui influe sur trois éléments mécaniques : accélérateur, direction et transmission. Un quatrième touche la sonorité de l'échappement. Deux modes sont proposés (Sport et Normal). C'est bien joli tout cela, mais comment expliquer que son moteur, pourtant lourdement revisité (60 % des pièces portent le sceau de la nouveauté, dit-on) s'alimente toujours d'un système d'injection traditionnel...

AU VOLANT > Malgré un châssis plus rigide et des éléments suspenseurs peaufinés, l'effet de couple ressenti dans le volant au moment de fortes accélérations n'a pas disparu. Considérant la puissance transmise aux (seules) roues avant, sans doute est-ce impossible de rêver à mieux. Cela dit, la Maxima a le mérite de montrer un comportement autrement plus dynamique que bon nombre de ses rivales, souvent plus pantouflardes. Le roulement est ferme, mais pas inconfortable pour autant. Les bruits extérieurs sont parfaitement filtrés et l'insonorisation de l'habitacle, réussie. La direction donne un bon ressenti dans sa configuration normale, mais le mode Sport y ajoute juste ce qu'il faut de fermeté pour rendre le coup de volant plus précis. Réduits à leur plus simple expression, les mouvements de caisse font croire que l'auto est plus compacte et plus agile que ne le laissent supposer ses dimensions extérieures. Il n'y a qu'au moment de la garer que l'on prend conscience de son gabarit, que l'on peine parfois à caser du premier coup dans un espace de stationnement en raison de son diamètre de braquage élevé. Le moteur livre des prestations solides, mais un peu plus de couple à bas régime n'aurait pas été vilain. En revanche, le rendement de la boîte CVT ne soulève cette fois pas une tempête de critiques.

CONCLUSION > Alors, on craque ou pas ? Si l'on tient uniquement compte des véhicules de sa catégorie, la Maxima a naturellement des arguments à faire valoir, mais ceux-ci sont plutôt faibles. Il existe des berlines plus spacieuses, plus agréables à conduire et parfois plus valorisantes à ce prix. ■

2e OPINION

Daniel Rufiange

L'an dernier, Nissan revoyait en profondeur sa Maxima et mettait l'accent sur un élément pour lui permettre de reconnecter avec les amateurs : la sportivité. Si l'exercice est magnifiquement réussi sur le plan du style, on ne peut en dire autant en ce qui concerne l'expérience de conduite. En fait, la Maxima est demeurée ce qu'elle était, c'est-à-dire une berline intermédiaire de luxe, il faut le dire, dont la prérogative est le confort. Oui, son moteur est puissant, mais il reste marié à une boîte CVT, et même si vous demandiez à feu Carroll Shelby de vous la configurer, elle n'aura rien de sportif. La Maxima a déjà été offerte avec une boîte manuelle, faut-il le rappeler. L'autre embûche pour cette voiture, c'est ce qui se fait chez Infiniti. Bref, l'expression « entre deux chaises » lui va toujours, même s'il s'agit d'une saprée voiture.

FICHE TECHNIQUE

MOTEUR(S)

(Tous) V6 3,5 L DACT
PUISSANCE 300 ch à 6 400 tr/min
COUPLE 261 lb-pi à 4 400 tr/min
RAPPORT POIDS/PUISSANCE 5,3 à 5,4 kg/ch
BOITE(S) DE VITESSES automatique à variation continue avec mode manuel
PERFORMANCES 0-100 km/h 6,1 s
REPRISE 80-115 km/h 4,3 s
FREINAGE 100-0 km/h 41,0 m
NIVEAU SONORE À 100 km/h Bon
VITESSE MAXIMALE 215 km/h

AUTRES COMPOSANTS

SÉCURITÉ ACTIVE (certains en option) Freins ABS, assistance au freinage, répartition électronique de la force de freinage, contrôle électronique de la stabilité, antipatinage, régulateur de vitesse adaptatif, avertisseurs d'obstacle latéral et arrière, de sortie de voie et de collision imminente, avertisseur de somnolence
SUSPENSION avant/arrière indépendante
SR indépendante avec contrôle actif
FREINS avant/arrière disques
DIRECTION à crémaillère, assistance électro-hydraulique
PNEUS P245/45R18 **SR** P245/40R19

DIMENSIONS

EMPATTEMENT 2 775 mm
LONGUEUR 4 897 mm
LARGEUR 1 860 mm
HAUTEUR 1 436 mm
POIDS SV 1 583 **SL** 1 603 kg **SR** 1 617 kg **Platine** 1 630 kg
DIAMÈTRE DE BRAQUAGE 11,6 m
COFFRE 405 L
RÉSERVOIR DE CARBURANT 68 L
CAPACITÉ DE REMORQUAGE ND

LA COTE VERTE

MOTEUR L4 DE 1,6 L
CONSOMMATION (100 km) man. ville 8,6 L, route 6,6 L
auto. ville 8,8 L, route 6,6 L
CONSOMMATION ANNUELLE man. 1 309 L, 1 571 $ **auto.** 1 326 L, 1 591 $
INDICE D'OCTANE 87
ÉMISSIONS POLLUANTES CO_2 man. 3 011 kg/an **auto.** 3 050 kg/an
(source : ÉnerGuide)

FICHE D'IDENTITÉ

VERSION(S) S, SV, SR
TRANSMISSION(S) avant
PORTIÈRES 5 **PLACES** 5
PREMIÈRE GÉNÉRATION 2015 (originale 1982)
GÉNÉRATION ACTUELLE 2015
CONSTRUCTION Aguascalientes, Mexique
COUSSINS GONFLABLES 6 (frontaux, latéraux avant, rideaux latéraux)
CONCURRENCE Chevrolet Spark, Fiat 500, Mitsubishi Mirage, Smart fortwo

AU QUOTIDIEN

COLLISION LATÉRALE 4/5
COLLISION FRONTALE 4/5
VENTES DU MODÈLE L'AN DERNIER
AU QUÉBEC 6 192 (+63,7 %) **AU CANADA** 11 909 (+52,4 %)
DÉPRÉCIATION (%) 20,4 (2 ans)
RAPPELS (2011 à 2016) 2
COTE DE FIABILITÉ 4/5

GARANTIES... ET PLUS

GARANTIE GÉNÉRALE 3 ans/60 000 km
GROUPE MOTOPROPULSEUR 5 ans/100 000 km
PERFORATION 5 ans/kilométrage illimité
ASSISTANCE ROUTIÈRE 3 ans/kilométrage illimité
NOMBRE DE CONCESSIONNAIRES
AU QUÉBEC 50 **AU CANADA** 171

NOUVEAUTÉS EN 2017

Aucun changement majeur

PARI GAGNÉ

Pour les constructeurs, le marché canadien est important, mais demeure secondaire dans leur échiquier. C'est une question de volume. Ainsi, les véhicules qui sont commercialisés chez nous sont, à 99 %, les mêmes qui sont liquidés chez nos voisins du Sud. Offrir un produit sans le proposer au sud du 49e parallèle, c'est risqué, voire suicidaire. C'est pourtant le pari qu'a pris Nissan en permettant à la Micra d'être commercialisée au pays. Ce coup de dés, on le doit à une direction européenne, issue de l'organigramme Renault, une direction qui a eu la capacité d'analyser et de bien comprendre le marché canadien et son caractère distinct en Amérique du Nord.

Daniel Rufiange

TOUR DU PROPRIÉTAIRE > On met peu de temps pour faire le tour de la Micra, qui est une des plus petites voitures sur le marché. Sans avancer un design spectaculaire, ses formes rondouillardes lui donnent un air sympathique. Existant en trois versions, S, SV et SR, la Micra est colorée à souhait, elle qui peut s'habiller en six teintes, sans compter qu'une quantité d'options vous permettent d'y ajouter une touche personnalisée, que ce soit en plaquant une des cinq couleurs contrastantes sur les miroirs et les portières ou en dotant les bas de caisse d'une bande décorative unique. L'attrait premier, bien sûr, réside dans le prix du modèle de base, offert sous la barrière psychologique des 10 000 $. C'est dénudé à ce tarif, sachez-le, mais vous

\+ **AMUSANTE À CONDUIRE**
VERSION À MOINS DE 10 000 $
UN PLAISIR À GARER

− **VERSION SR TROP CHÈRE**
ATTENTION AUX OPTIONS
IL NE FAUT PAS ÊTRE CLAUSTROPHOBE

MENTIONS

CLÉ D'OR | CHOIX VERT | COUP DE CŒUR | **RECOMMANDÉ**

VERDICT

PLAISIR AU VOLANT
QUALITÉ DE FINITION
CONSOMMATION
RAPPORT QUALITÉ / PRIX
VALEUR DE REVENTE
CONFORT

1 5 10

en avez pour votre argent. Autrement, il faut faire attention à la facture. La Micra est moins intéressante si l'on doit débourser plus de 15 000 $, aussi jolie soit-elle.

VIE À BORD > Il ne faut pas souffrir de claustrophobie pour devenir propriétaire d'une Micra, mais sachez que ça paraît plus affolant de l'extérieur que de l'intérieur. En fait, les ingénieurs ont réussi à maximiser l'espace à leur disposition pour en faire profiter au maximum les occupants. Ainsi, on n'est pas trop coincé lorsqu'on s'installe aux commandes ou sur le siège du passager avant. À l'arrière, là, il faut accepter de faire des compromis. Ce qui agace un peu plus, c'est de voir qu'il n'y a pratiquement rien derrière, sauf la route, un peu comme à bord de la smart ou des anciennes Pontiac Firefly. En matière d'équipement, on le mentionnait, la version S rappelle l'automobile des années 60. On profite quand même d'un ordinateur de bord et la banquette arrière est rabattable en proportion 60/40. On prend ses plaisirs où l'on peut! Un élément désole : la version de base peut recevoir la climatisation, mais seulement avec la boîte automatique. En gros, ça veut dire qu'on ne veut pas vous vendre des modèles à 10 000 $. Pour obtenir un minimum comme le régulateur de vitesse et la téléphonie Bluetooth, il faut passer à la livrée SV. Avec la SR, c'est encore plus généreux, mais le prix l'est moins.

TECHNIQUE > Il n'est pas nécessaire d'avoir un canon pour démolir un château de cartes. Ainsi, la Micra utilise un moteur qui lui est adapté, soit un petit 4-cylindres de 1,6 litre produisant 109 chevaux et 107 livres-pieds de couple. Pour une voiture d'à peine 1000 kilos, c'est parfait. Toutes les versions sont servies avec une boîte manuelle à 5 rapports. Une transmission automatique à 4 vitesses est livrable en option, mais bien franchement, si vous voulez avoir du plaisir au volant et, du coup, conserver le prix d'achat le plus raisonnable possible, vous n'envisagerez même pas cette option.

AU VOLANT > Nissan a bien fait ses devoirs avec la Micra, car on s'amuse à piloter cette puce. Non, la puissance n'est pas extra, mais en raison de son poids plume et de sa petitesse, elle demeure extrêmement maniable et se faufile là où d'autres n'osent pas s'aventurer. Il faut seulement respecter ses limites; je parle ici de celles de la voiture, mais aussi des vôtres. Pour se mener du point A au point B de façon sécuritaire et à faible coût, il ne se fait pas mieux.

CONCLUSION > L'an dernier, 11 909 Canadiens, dont 6 192 Québécois, faisaient de la Micra leur premier choix. Devant de tels chiffres, on ne peut que conclure que Nissan a gagné son pari, surtout au Québec. ■

2e OPINION

Antoine Joubert

Le succès de la Micra est directement attribuable à la publicité la concernant. Nissan a osé l'offrir au Canada alors que les Américains la boudaient. Le constructeur a voulu prouver, du même coup, que le succès pouvait être au rendez-vous. On a donc mis les bouchées doubles sur les campagnes de marketing pour véritablement créer un buzz autour de la Micra. Résultat? Près de 12 000 ventes en 2015 et une ascension continue pour 2016. Inutile de vous dire que les stratèges de la marque ont gagné leur pari. Maintenant, on ne pourra chez Nissan en rester là. Certes, il sera difficile de mieux faire en matière de mise en marché, mais il faut aussi que le produit demeure convaincant. Et cette année, la Chevrolet Spark possède hélas plusieurs arguments qui pourraient jouer en sa faveur. Néanmoins, la Micra demeure jolie, amusante, fiable et surtout très « in » !

FICHE TECHNIQUE

MOTEUR(S)

(S, SV, SR) L4 1,6 L DACT
PUISSANCE 109 ch à 6 000 tr/min
COUPLE 107 lb-pi à 4 400 tr/min
RAPPORT POIDS/PUISSANCE S 9,6 à 9,8 kg/ch **SV** 9,7 à 9,9 kg/ch **SR** 9,8 à 10,0 kg/ch
BOÎTE(S) DE VITESSES manuelle à 5 rapports, automatique à 4 rapports (option)
PERFORMANCES 0-100 km/h 9,9 s
REPRISE 80-115 km/h 8,2 s
FREINAGE 100-0 km/h 43,9 m
NIVEAU SONORE À 100 km/h ND
VITESSE MAXIMALE ND

AUTRES COMPOSANTS

SÉCURITÉ ACTIVE Freins ABS, assistance au freinage, répartition électronique de la force de freinage, contrôle de la stabilité électronique, antipatinage
SUSPENSION avant/arrière indépendante/semi-indépendante
FREINS avant/arrière disques/tambours
DIRECTION à crémaillère, assistée électriquement
PNEUS S/SV P185/60R15 **SR** P185/55R16

DIMENSIONS

EMPATTEMENT 2 450 mm
LONGUEUR 3 827 mm
LARGEUR 1 665 mm
HAUTEUR 1 527 mm
POIDS S man. 1 044 kg **auto.** 1 072 kg **SV man.** 1 057 kg **auto.** 1 077 kg **SR man.** 1 067 kg **auto.** 1 091 kg
RÉPARTITION DU POIDS AV/ARR (%) man. 59/41 **auto.** 60/40
DIAMÈTRE DE BRAQUAGE 9,3 m
COFFRE 407 L, 819 L (sièges abaissés)
RÉSERVOIR DE CARBURANT 41 L

LA COTE VERTE

MOTEUR V6 DE 3,5 L
CONSOMMATION (100 km) 2RM ville 11,0 L, route 8,2 L
4RM ville 11,2 L, route 8,3 L
CONSOMMATION ANNUELLE 2RM 1 666 L, 1 999 $ **4RM** 1 683 L, 2 020 $
INDICE D'OCTANE 87
ÉMISSIONS POLLUANTES CO_2 2RM 3 832 kg/an **4RM** 3 871 kg/an
(source : ÉnerGuide)

FICHE D'IDENTITÉ

VERSION(S) 2RM S, SV **4RM** SV, SL, Platine
TRANSMISSION(S) avant, 4
PORTIÈRES 5 **PLACES** 5
PREMIÈRE GÉNÉRATION 2003
GÉNÉRATION ACTUELLE 2015
CONSTRUCTION Canton, Mississipi, É-U.
COUSSINS GONFABLES 7 (frontaux, latéraux avant, genoux conducteur, rideaux latéraux)
CONCURRENCE Buick Enclave/Chevrolet Traverse/GMC Acadia, Ford Edge/Flex, Honda Pilot, Hyundai Santa Fe, Kia Sorento, Lincoln MKX, Mazda CX-9, Toyota Highlander

AU QUOTIDIEN

COLLISION FRONTALE 4/5
COLLISION LATÉRALE 5/5
VENTES DU MODÈLE L'AN DERNIER
AU QUÉBEC 1 984 (+290 %) **AU CANADA** 10 128 (+115 %)
DÉPRÉCIATION (%) 33,4 (3 ans)
RAPPELS (2011 à 2016) 4
COTE DE FIABILITÉ 4/5

GARANTIES... ET PLUS

GARANTIE GÉNÉRALE 3 ans/60 000 km
GROUPE MOTOPROPULSEUR 5 ans/100 000 km
PERFORATION 5 ans/kilométrage illimité
ASSISTANCE ROUTIÈRE 3 ans/kilométrage illimité
NOMBRE DE CONCESSIONNAIRES
AU QUÉBEC 50 **AU CANADA** 171

NOUVEAUTÉS EN 2017

Aucun changement majeur

MÊME RECETTE, DIFFÉRENT CRÉMAGE

Sur nos routes depuis 2003, le Murano a été parmi les pionniers des modèles multisegments. Même si le modèle ne fait pas beaucoup parler de lui, ses ventes dépassent celles du Pathfinder et arrivent pratiquement nez à nez avec le Toyota Highlander et le Jeep Grand Cherokee. Nissan tient donc une valeur sûre entre les mains et tente de l'amener dans un créneau plus haut de gamme, sans toucher au prix.

Benoit Charette

TOUR DU PROPRIÉTAIRE > Avec cette troisième génération de Murano, Nissan revient au style extravagant qui avait fait la renommée de la première génération. Les phares à l'avant et à l'arrière montrent une ligne plus effilée qui se prolonge loin dans l'aile. Nissan a opté pour un dessin de boomerang (comme d'autres produits de la marque) pour définir son image. Vous noterez aussi une aérodynamique plus travaillée. Le modèle 2015 affiche un coefficient de traînée de 0,31 face au 0,37 de la deuxième génération. Le style général est plus nerveux et les angles plus accentués. Il semble que le style plus convenu de la deuxième génération ait laissé le modèle dans l'oubli. Le Murano repose sur un châssis d'Altima et utilise le même moteur et la même transmission que le Pathfinder. Il s'agit donc essentiellement de bien travailler l'esthé-

+
- HABITACLE PLUS COSSU
- ESPACE INTÉRIEUR OPTIMISÉ
- EXCELLENTE INSONORISATION
- PRIX COMPÉTITIF

−
- MOTEUR VIEILLISSANT
- UNE LIGNE JOLIE, MAIS PROCHE DE CELLE DES AUTRES VUS NISSAN
- BOÎTE CVT AMÉLIORÉE, MAIS PRÉFÉRERAIT UNE AUTOMATIQUE À 8 RAPPORTS

MENTIONS

CLÉ D'OR | CHOIX VERT | COUP DE CŒUR | **RECOMMANDÉ**

VERDICT

PLAISIR AU VOLANT
QUALITÉ DE FINITION
CONSOMMATION
RAPPORT QUALITÉ / PRIX
VALEUR DE REVENTE
CONFORT

1 5 10

tique. Ce partage de technologie permet naturellement d'épargner des coûts et d'offrir plus en équipement et en finition pour un prix plus raisonnable.

VIE À BORD > Vous avez toujours le choix de quatre versions, S, SV, SL et Platinum, et l'orientation technologique de l'habitacle demeure au centre des priorités. Il est à noter que le système de navigation est offert de série dans tous les modèles et qu'il se dévoile sur un écran central de 7 pouces (8 pouces en option). Toute l'information gravite autour de l'application NissanConnect qui, en plus de la navigation, contient la connexion pour téléphones intelligents, la radio par satellite SiriusXM, la chaîne audio Bose à 11 haut-parleurs (en option) et le système téléphonique mains libres *Bluetooth*. Le modèle de base comprend des sièges zéro gravité en tissu et le haut de gamme profite d'un habillage en cuir. Vous avez aussi le choix d'un intérieur beige ou gris. Pour être honnête, nous avons préféré le confort des sièges en tissu. La disposition des commandes facile à comprendre et le dessin de l'habitacle demeurent très modernes. Bonne nouvelle pour l'espace de chargement, il est en progression par rapport à l'ancienne génération, qui offrait moins de volume.

TECHNIQUE > Point de vue mécanique, Nissan demeure fidèle au V6 3,5 litres de 260 chevaux couplé à la boîte CVT de nouvelle génération qui se trouve dans le Pathfinder. Cette dernière fonctionne de manière plus rapide et plus souple que la CVT de première génération et donne un rendement plus économique au chapitre de la consommation. Vous n'arriverez pas à atteindre les chiffres de consommation un peu optimistes de Nissan, mais vous obtiendrez autour de 10 à 11 litres aux 100 kilomètres, ce qui est très correct pour un 4 roues motrices de ce gabarit.

AU VOLANT > Le Murano offre une tenue de route saine, sans plus. Les acheteurs vont davantage apprécier le verre acoustique qui améliore l'insonorisation dans le véhicule et la qualité à la hausse des matériaux, qui justifient son titre de véhicule amiral dans la division des utilitaires. La tenue de route est bonne, le système 4 roues motrices est efficace, mais sans émotion. C'est un excellent véhicule qui vous mènera sans encombre du point A au point B. Le moteur, qui demeure très fiable, commence à montrer son âge face à une concurrence qui amène plus de chevaux-vapeur et de meilleurs chiffres de consommation. Il serait temps que Nissan pense à une nouvelle évolution, comme le nouveau 3-litres turbo qui fera son apparition cette année chez Infiniti.

CONCLUSION > Si la ligne est plus provocante, la conduite demeure prévisible et sans grande émotion. Un véhicule fiable, bien construit et solide. En prime, l'utilisation de plateformes communes et le partage des technologies permettent à Nissan d'offrir le Murano à meilleur prix. ■

2e OPINION

Luc-Olivier Chamberland

Vous êtes à la recherche d'un véhicule familial excentrique, Nissan possède la solution avec le stylisé Murano. Renouvelé il y a deux ans, il revient sans changement majeur cette année. On retrouve les avantages de sa généreuse configuration, notamment en ce qui concerne l'espace intérieur et son aménagement. Sur le plan technique, on attend toujours une confirmation, mais l'on sait qu'une version hybride se prépare. On ajoutera ainsi une deuxième offre mécanique au 3,5-litres. Attirant, le Murano n'est pas sans tache. La visibilité arrière est difficile, la finition intérieure avec ses matériaux déçoit et ses capacités de remorquage sont limitées par sa boîte automatique CVT. Malgré tout, il demeure intéressant pour sa consommation et sa fiabilité.

FICHE TECHNIQUE

MOTEUR(S)

(S, SV, SL, Platine) V6 3,5 L DACT
PUISSANCE 260 ch à 6 000 tr/min
COUPLE 240 lb-pi à 4 000 tr/min
RAPPORT POIDS/PUISSANCE 2RM 6,6 kg/ch **4RM** 6,9 à 7,0 kg/ch
BOÎTE(S) DE VITESSES automatique à variation continue avec mode manuel
PERFORMANCES 0-100 km/h 7,2 s
REPRISE 80-115 km/h 5,2 s
FREINAGE 100-0 km/h 43,9 m
NIVEAU SONORE À 100 km/h Moyen
VITESSE MAXIMALE 195 km/h

AUTRES COMPOSANTS

SÉCURITÉ ACTIVE (certains en option ou selon version)
Freins ABS, assistance au freinage, répartition électronique de la force de freinage, contrôle électronique de la stabilité, antipatinage, avertisseur d'impact imminent avec freinage d'urgence automatique, avertisseurs d'obstacle latéral et arrière, avertisseur de somnolence, régulateur de vitesse adaptatif
SUSPENSION avant/arrière indépendante
FREINS avant/arrière disques
DIRECTION à crémaillère, assistée
PNEUS P235/65R18 **Platine** P235/55R20

DIMENSIONS

EMPATTEMENT 2 825 mm
LONGUEUR 4 888 mm
LARGEUR 1 916 mm
HAUTEUR 1 691 mm (incl. rail de toit)
POIDS S 1 721 kg **SV 2RM** 1 728 kg **4RM** 1 787 kg
SL 1 804 kg **Platine** 1 822 kg
DIAMÈTRE DE BRAQUAGE 11,8 m
COFFRE 1 121 L, 1 979 L (sièges abaissés)
RÉSERVOIR DE CARBURANT 72 L
CAPACITÉ DE REMORQUAGE 680 kg

LA COTE VERTE

MOTEUR L4 DE 2,0 L
CONSOMMATION (100 km) ville 9,7 L route 9,0 L
CONSOMMATION ANNUELLE 1 598 L, 1 918 $
INDICE D'OCTANE 87
ÉMISSIONS POLLUANTES CO_2 3 675 kg/an
(source : ÉnerGuide)

FICHE D'IDENTITÉ

VERSION(S) NV200 S, SV **City Express** LS, LT
TRANSMISSION(S) avant
PORTIÈRES 6 **PLACES** 2
PREMIÈRE GÉNÉRATION 2014
GÉNÉRATION ACTUELLE 2014, 2015 (City Express)
CONSTRUCTION Cuernavaca, Mexique
COUSSINS GONFLABLES 6 (frontaux, latéraux, rideaux latéraux)
CONCURRENCE Ford Transit Connect, Mercedes-Benz Metris, Ram Promaster City

AU QUOTIDIEN

COLLISION FRONTALE ND
COLLISION LATÉRALE ND
VENTES DU MODÈLE L'AN DERNIER
AU QUÉBEC NV 200 415 (+26,5 %) **City Express** 200 (nm)
AU CANADA NV 200 1 343 (+5,3 %) **City Express** 957 (nm)
DÉPRÉCIATION (%) 24,8 (3 ans)
RAPPELS (2011 à 2016) 4
COTE DE FIABILITÉ 3/5

GARANTIES... ET PLUS

GARANTIE GÉNÉRALE 3 ans/60 000 km
GROUPE MOTOPROPULSEUR 5 ans/100 000 km
PERFORATION 5 ans/kilométrage illimité
ASSISTANCE ROUTIÈRE 3 ans/kilométrage illimité
NOMBRE DE CONCESSIONNAIRES
AU QUÉBEC Nissan ND **Chevrolet** 67
AU CANADA Nissan 45 **Chevrolet** 450

NOUVEAUTÉS EN 2017

Aucun changement majeur

PLAN B

Avant, il n'y avait qu'une seule taille de fourgon, soit pleine grandeur. Pour profiter de ce type de véhicule dans un format plus pratique, il fallait se tourner du côté de Dodge, qui offrait la Grand Cavaran sans fenêtres latérales. On se souviendra aussi du HHR, chez Chevrolet, qui pouvait être configuré ainsi. Depuis quelques années, un segment entièrement consacré à ce type de véhicule a vu le jour. Outre le NV200 de Nissan et son cousin germain, le Chevrolet City Express, on trouve le Ford Transit Connect et le Ram ProMaster City. Le cas du produit Nissan est intéressant, car à la base, il a été conçu avec d'autres fins en tête.

Daniel Rufiange

TOUR DU PROPRIÉTAIRE > En fait, si vous êtes allé faire un tour à New York depuis le 1er septembre 2015, vous aurez remarqué des versions toutes jaunes du Nissan NV200, le véhicule qui a remporté la palme pour devenir le nouveau taxi officiel de la ville. D'ici quelques années, il est prévu que 80 % des taxis new-yorkais seront des Nissan NV200. Voilà pour sa raison d'être en Amérique du Nord. Il faut savoir que le NV roule ailleurs dans le monde depuis la fin des années 2000. En décidant d'attaquer le marché américain du taxi, Nissan a vu là, au passage, l'occasion d'étendre la gamme afin d'en offrir une version commerciale. Nous retrouvons deux variantes, tant chez Nissan que chez le rival Chevrolet.

\+ PRIX DE BASE INTÉRESSANT
PORTES ARRIÈRE DIVISIBLES 60/40 (OUVERTURE À 180 DEGRÉS)
CONSOMMATION RAISONNABLE

− NIVEAU D'INSONORISATION
QUALITÉ DES MATÉRIAUX
CERTAINS ÉLÉMENTS OFFERTS EN OPTION (CAMÉRA DE RECUL, NAVIGATION, ETC.) DEVRAIENT FIGURER DE SÉRIE SUR LA VERSION SV

MENTIONS

CLÉ D'OR | CHOIX VERT | COUP DE CŒUR | **RECOMMANDÉ**

VERDICT

PLAISIR AU VOLANT
QUALITÉ DE FINITION
CONSOMMATION
RAPPORT QUALITÉ / PRIX
VALEUR DE REVENTE
CONFORT

1 5 10

VIE À BORD > Ici, la simplicité domine et la qualité des matériaux laisse sérieusement à désirer. Cependant, considérant la vocation du véhicule, on passe outre ces éléments lorsqu'on se sert du NV200 pour ses tâches quotidiennes. La position de conduite n'apporte rien de nouveau, mais le degré de confort dont bénéficie le conducteur est décent. Élément intéressant, le siège du passager peut basculer afin de former une surface plane qui peut servir pour déposer un ordinateur ou des documents qu'on doit avoir à portée de main. Les espaces de rangement sont aussi nombreux à l'avant, tant pour la console centrale que pour le pavillon, qui peut accueillir de petits paquets ou des classeurs. Entre les deux versions offertes, S et SV, il existe une différence de 1300 $. Sautez donc sur la deuxième, qui se veut plus complète et comprend entre autres le régulateur de vitesse et le déverrouillage automatique des portières. Autre raison : plusieurs des éléments qui ne sont possibles qu'en option ne le sont que sur la version SV.

TECHNIQUE > La fiche technique du NV200 est simple avec une seule mécanique au catalogue, soit un 4-cylindres de 2 litres dont les prestations se résument à 131 chevaux et 139 livres-pieds de couple. La transmission d'office est à variation continue. Si son rendement est irritant pour les oreilles, elle contribue au bon rendement à la pompe du véhicule, qui promet une moyenne de 9,4 litres aux 100 kilomètres. Sur le plan du châssis, l'approche est également toute simple, mais tout de même prometteuse; le NV a été soumis à de rudes tests simulant les routes cahoteuses du centre-ville de New York avant d'être présenté à la ville. L'avenir nous dira si la robustesse est toujours au rendez-vous après cinq ou six années sur les routes.

AU VOLANT > Le plaisir de conduire est une notion qu'on laisse de côté lorsqu'on prend le volant d'un fourgon. En fait, on s'attarde à des éléments comme le comportement sécuritaire du véhicule, tant à vide que bien chargé, de même qu'à ses caractéristiques de sécurité. À ce niveau, le NV se comporte de façon honnête, mais se veut très sautillant à vide et profiterait d'une meilleure insonorisation. Dans le segment, les deux rivaux logeant chez Ford et Ram se veulent bien plus confortables et conviviaux au quotidien.

CONCLUSION > Au prix demandé, le NV200 n'est pas une mauvaise option pour une entreprise dont le budget est plus serré. Cependant, il se fait mieux ailleurs et si Nissan souhaite dominer ce segment, elle devra rehausser son offre. ■

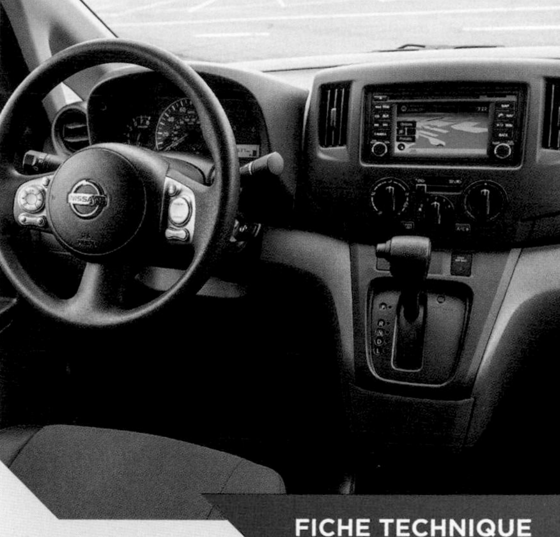

FICHE TECHNIQUE

MOTEUR(S)

(S, SV et LS, LT) L4 2,0 L DACT
PUISSANCE 131 ch à 5 200 tr/min
COUPLE 139 lb-pi à 4 800 tr/min
RAPPORT POIDS/PUISSANCE 11,3 kg/ch
BOITE(S) DE VITESSES automatique à variation continue
PERFORMANCES 0-100 km/h 12,0 s
VITESSE MAXIMALE 145 km/h

AUTRES COMPOSANTS

SÉCURITÉ ACTIVE Freins ABS, assistance au freinage, répartition électronique de la force de freinage, contrôle électronique de la stabilité, antipatinage
SUSPENSION avant/arrière indépendante/essieu rigide
FREINS avant/arrière disques/tambours
DIRECTION à crémaillère, assistée
PNEUS P185/60R15

DIMENSIONS

EMPATTEMENT 2 925 mm
LONGUEUR 4 733 mm
LARGEUR 1 730 mm
HAUTEUR 1 872 mm
POIDS S (LS) 1 479 kg **SV (LT)** 1 483 kg
DIAMÈTRE DE BRAQUAGE 11,2 m
COFFRE 3 455 L
RÉSERVOIR DE CARBURANT 55 L
CAPACITÉ DE REMORQUAGE 679 kg

2e OPINION

Luc-Olivier Chamberland

Lorsque Nissan a introduit sa division de véhicules commerciaux, plusieurs avaient des doutes quant à sa capacité de s'imposer devant l'hégémonie des Américains. Suivant le gros NV, Nissan s'est lancée dans l'univers des « petits » fourgons avec le NV200. Sans être une révolution, il permet aux entrepreneurs d'adopter une approche différente et fonctionnelle. Évidemment, il ne faut pas avoir de grands besoins en matière de puissance. Le 2-litres n'offre que 131 chevaux. Malheureusement, même si Nissan se place à l'avant-plan de l'électrification, on refuse toujours au marché canadien la gamme e-NV 100 % électrique construite sur la base de la LEAF. Cette option serait très pertinente surtout pour les entrepreneurs urbains. Un jour peut-être.

LA COTE VERTE

MOTEUR V6 DE 4,0 L
CONSOMMATION (100 km) ville 16,2 L route 11,8 L (est.)
CONSOMMATION ANNUELLE 2 380 L, 2 856 $
INDICE D'OCTANE 87
ÉMISSIONS POLLUANTES CO_2 5 474 kg/an
(source : L'Annuel)

FICHE D'IDENTITÉ

VERSION(S) Cargo (toit régulier) 1 500 S, (toit régulier, toit haut) 2500 S/SV V6 et V8, 3500 S/SV V8 **Tourisme** 3500 SV V6 et V8, SL V8
TRANSMISSION(S) arrière
PORTIÈRES 5 **PLACES** 2 à 12
PREMIÈRE GÉNÉRATION 2012
GÉNÉRATION ACTUELLE 2012
CONSTRUCTION Canton, Mississippi, É-U
COUSSINS GONFLABLES 6 (frontaux, latéraux avant, rideaux latéraux)
CONCURRENCE Chevrolet Express/GMC Savana, Ford Transit, Mercedes-Benz Sprinter, Ram Promaster

AU QUOTIDIEN

COLLISION FRONTALE 5/5
COLLISION LATÉRALE 5/5
VENTES DU MODÈLE L'AN DERNIER
AU QUÉBEC 155 (+16,5 %) **AU CANADA** 760 (+11,3 %)
DÉPRÉCIATION (%) 24,0 (3 ans)
RAPPELS (2011 à 2016) 4
COTE DE FIABILITÉ 3,5/5

GARANTIES... ET PLUS

GARANTIE GÉNÉRALE 5 ans/160 000 km
GROUPE MOTOPROPULSEUR 5 ans/160 000 km
PERFORATION 5 ans/kilométrage illimité
ASSISTANCE ROUTIÈRE 3 ans/kilométrage illimité
NOMBRE DE CONCESSIONNAIRES
AU QUÉBEC ND **AU CANADA** 45

NOUVEAUTÉS EN 2017

Aucun changement majeur

MOINS PERTINENT QU'HIER

L'an dernier, j'écrivais dans cette page que le temps rattrapait le Nissan NV. Depuis qu'il s'est pointé chez nous pour 2012, il y a eu de l'activité comme jamais auparavant dans le segment des fourgons. Avant, c'était simple; il y avait le Sprinter et les autres. Nissan venait donc proposer quelque chose de nouveau, de rafraîchissant. Mais voilà qu'avec les Ford Transit et Ram ProMaster, en plus des plus petits Ram ProMaster City et Ford Transit Connect, sans compter l'intermédiaire Mercedes-Benz Metris, la partie n'est plus aussi facile pour le représentant de Nissan.

Daniel Rufiange

TOUR DU PROPRIÉTAIRE > En jetant un coup d'œil à l'avant du NV, on ne peut se méprendre sur ses origines; la signature est quasi identique à celle des autres camions Nissan, dont le Titan d'ancienne génération. Lorsqu'on fait le tour, on remarque qu'on ne s'est pas cassé la tête pour dessiner le reste. On a sorti l'équerre et hop, le tour était joué. On oublie l'aérodynamisme, donc, de même, l'esthétique. Ici, l'accent est mis sur la fonctionnalité. N'est-ce pas là la raison première de ce produit ? Concernant les modèles, la variété repose sur la version cargo. Cette dernière est livrable avec un toit ordinaire sur toutes les déclinaisons ou un toit surélevé sur les livrées 2500 et 3500. Un NV conçu pour les passagers est aussi au menu, mais seulement en version 3500.

+
- NIVEAU DE CONFORT DE LA CABINE
- APPROCHE DIFFÉRENTE
- PRIX DE BASE INTÉRESSANT
- CAPACITÉ DE REMORQUAGE

−
- UN PRODUIT QUI VIEILLIT RAPIDEMENT
- MOTEURS BEAUCOUP TROP GOURMANDS

MENTIONS

CLÉ D'OR | CHOIX VERT | COUP DE CŒUR | **RECOMMANDÉ**

VERDICT

Critère (1 à 10)	Note
PLAISIR AU VOLANT	6
QUALITÉ DE FINITION	7
CONSOMMATION	6
RAPPORT QUALITÉ / PRIX	8
VALEUR DE REVENTE	8
CONFORT	7

VIE À BORD > Jadis, lorsqu'on se voyait confiné à un fourgon pour le travail, il fallait rayer de son esprit toute notion de confort. Ce n'est plus vrai. Dans le cas du NV, c'est simple, la cabine est celle de l'ancien Titan. Ce que ça signifie, en substance, c'est qu'on a de l'espace pour les jambes, que les baquets sont relativement confortables, que le volume réservé au rangement demeure généreux et qu'on a droit à un niveau d'équipement décent. Vous serez aussi en mesure de vous brancher à bord. Quant à la version pour passagers, elle peut accueillir une douzaine de personnes et les possibilités de configuration de sièges vont vous permettre de répondre à tous vos besoins. Avec les modèles cargo, on apprécie la façon dont l'intérieur est conçu, lui qui nous permet de bien ancrer ce que l'on transporte ou de moduler, à sa guise, l'environnement pour le travail.

TECHNIQUE > Deux options se présentent à l'acheteur. Si les tâches prévues au programme sont légères, le V6 de 4 litres, avec sa puissance de 261 chevaux et son couple de 281 livres-pieds, devrait suffire. Sinon, vous pouvez toujours vous rabattre sur le V8 de 5,6 litres qui sert les camions de Nissan depuis... depuis toujours, semble-t-il. Ce bourreau de travail est capable de tout, mais sachez que sa consommation de carburant est gargantuesque. Les propriétaires de stations-service salivent lorsqu'ils vous voient arriver. Concrètement, prévoyez une moyenne de 20 litres au 100 kilomètres, minimum, une fois chargé.

AU VOLANT > Trois éléments sont importants pour qu'un fourgon commercial soit considéré comme efficace et puisse, en bout de piste, vous être recommandé. D'abord, qu'il vous propose un niveau de confort décent. Après tout, plusieurs sont condamnés à y passer leurs journées. Ensuite, qu'il soit suffisamment logeable pour répondre à vos besoins. Enfin, qu'il soit fiable pour que vos coûts d'entretien et vos dépenses d'exploitation soient réduits au minimum. À ce niveau, le NV se débrouille bien, mais se fait détruire sur le plan de la consommation de carburant. Les rivaux, sans exception, utilisent des mécaniques de plus petite cylindrée, parfois diesel, qui consomment bien moins. Un talon d'Achille gênant pour Nissan.

CONCLUSION > S'il fallait considérer le NV à son arrivée comme solution de rechange, la donne n'est plus la même cinq ans plus tard. Si j'étais entrepreneur, je regarderais ailleurs, d'abord parce que l'offre est plus variée, mais surtout parce qu'on me propose des mécaniques nettement plus frugales. L'arrivée du moteur Cummins dans le Titan laisse entrevoir des choses intéressantes et on sait que Nissan travaille sur de nouvelles mécaniques pour le prochain Frontier. Il faudra agir plus tôt que tard, cependant. ■

2e OPINION

Luc-Olivier Chamberland

Le NV, avec l'aide du Mercedes-Benz Sprinter, est l'un des véhicules qui sont venus brasser la cage des Américains dans le segment des fourgons commerciaux. Alors qu'il est arrivé en vent de fraîcheur en 2012, aujourd'hui, il accuse un retard face au Ford Transit et même au RAM ProMaster en raison du traditionalisme de ses motorisations. En effet, le NV conserve un V6 et même un V8, une caractéristique qu'il ne partage plus qu'avec les désuets fourgons de GM. Bien qu'il soit de la « vieille » école, il demeure très pertinent pour les entrepreneurs en raison de l'impressionnante modularité de sa cabine et aussi de nombreuses configurations livrables, notamment les différentes hauteurs de toit.

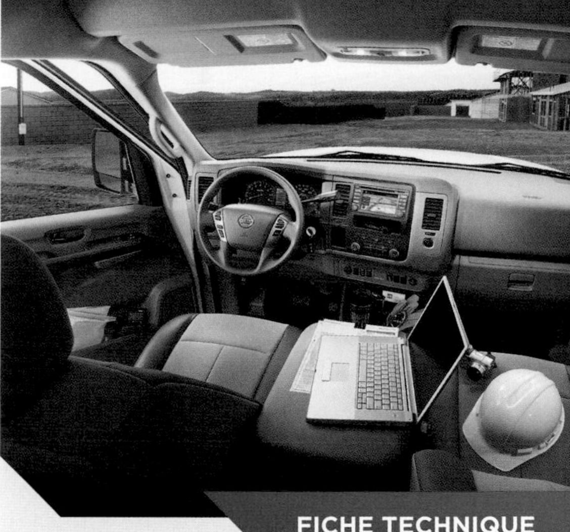

FICHE TECHNIQUE

MOTEUR(S)

(V6) V6 4,0 L DACT
PUISSANCE 261 ch à 5 600 tr/min
COUPLE 281 lb-pi à 4 000 tr/min
RAPPORT POIDS/PUISSANCE Cargo 10,1 à 10,4 kg/ch
Tourisme 11,6 à 11,7 kg/ch
BOÎTE(S) DE VITESSES automatique à 5 rapports
PERFORMANCES 0-100 km/h 10,2 s
VITESSE MAXIMALE 175 km/h

(V8) V8 5,6 L DACT
PUISSANCE 390 ch à 5 200 tr/min
COUPLE 401 lb-pi à 4 000 tr/min
RAPPORT POIDS/PUISSANCE Cargo 6,8 à 7,2 kg/ch
Tourisme 7,9 à 8,1 kg/ch
BOÎTE(S) DE VITESSES automatique à 5 rapports
PERFORMANCES 0-100 km/h 8,3 s (est.)
VITESSE MAXIMALE 190 km/h
CONSOMMATION (100 km) ville 18,1 L, route 13,2 L (octane 87) (est.)
ANNUELLE 2 822 L, 3 386$
ÉMISSIONS DE CO_2 6 491 kg/an

AUTRES COMPOSANTS

SÉCURITÉ ACTIVE Freins ABS, assistance au freinage, répartition électronique de la force de freinage, contrôle électronique de la stabilité, antipatinage
SUSPENSION avant/arrière indépendante/essieu rigide
FREINS avant/arrière disques
DIRECTION à crémaillère, assistée
PNEUS LT245/70R17 **3500** LT245/75R17

DIMENSIONS

EMPATTEMENT 3 710 mm
LONGUEUR 6 111 mm
LARGEUR 2 030 mm, 2 610 mm (incl. rétro.)
HAUTEUR Toit Standard 2 133 mm **Toit Standard 3500** 2 156 mm
Toit Surélevé 2 667 mm **Toit Surélevé 3500** 2 692 mm
POIDS Cargo V6 2 634 à 2 716 kg **V8** 2 671 à 2 828 kg
Tourisme V6 3 039 à 3 068 kg **V8** 3 076 à 3 143 kg
DIAMÈTRE DE BRAQUAGE 13,9 m
COFFRE Cargo 6 629 L **Toit Surélevé** 9 149 L **Tourisme** 818 L
RÉSERVOIR DE CARBURANT 106 L
CAPACITÉ DE REMORQUAGE Cargo 3 175 kg **SV V8** 4 309 kg
Tourisme 2 812 kg **V8** 3 946 kg

LA COTE VERTE

MOTEUR V6 DE 3,5 L
CONSOMMATION (100 km) 2RM ville 11,9 L, route 8,6 L
4RM ville 12,1 L, route 8,9 L **Platine** ville 12,7 L, route 9,0 L
CONSOMMATION ANNUELLE 2RM 1 768 L, 2 122 $
4RM 1 819 L, 2 183 $ **Platine** 1 870 L, 2 244 $
INDICE D'OCTANE 87
ÉMISSIONS POLLUANTES CO_2 2RM 4 066 kg/an
4RM 4 184 kg/an **Platine** 4 301 kg/an
(source : ÉnerGuide)

FICHE D'IDENTITÉ

VERSION(S) 2RM S **4RM** S, SV, SL, Platine
TRANSMISSION(S) avant, 4
PORTIÈRES 5 **PLACES** 7
PREMIÈRE GÉNÉRATION 2003
GÉNÉRATION ACTUELLE 2013
CONSTRUCTION Smyrna, Tennesse, É-U.
COUSSINS GONFLABLES 6 (frontaux, latéraux avant, rideaux latéraux)
CONCURRENCE Chevrolet Traverse/GMC Acadia, Dodge Durango, Ford Explorer/Flex, Honda Pilot, Hyundai Santa Fe XL, Jeep Grand Cherokee, Kia Sorento, Mazda CX-9, Toyota 4Runner/Highlander

AU QUOTIDIEN

COLLISION FRONTALE4/5
COLLISION LATÉRALE 5/5
VENTES DU MODÈLE L'AN DERNIER
AU QUÉBEC 1 549 (-6,9%) **AU CANADA** 9 898 (+2,2 %)
DÉPRÉCIATION (%) 22,5 (3 ans)
RAPPELS (2011 à 2016) 15
COTE DE FIABILITÉ 2,5/5

GARANTIES... ET PLUS

GARANTIE GÉNÉRALE 3 ans/60 000 km
GROUPE MOTOPROPULSEUR 5 ans/100 000 km
PERFORATION 5 ans/kilométrage illimité
ASSISTANCE ROUTIÈRE 3 ans/kilométrage illimité
NOMBRE DE CONCESIONNAIRES
AU QUÉBEC 50 **AU CANADA** 171

NOUVEAUTÉS EN 2017

V6 plus puissant, capacité de remorquage accrue, retouches esthétiques, amélioration de l'interface de l'écran et de la connectivité.

PATHFINDER OU... QUEST ?

Pendant près de vingt ans, Nissan a tenté de convaincre les acheteurs avec leur fourgonnette. Quatre tentatives, quatre échecs. Nissan Canada en a donc eu marre et a choisi de retirer la Quest des tablettes en 2013 pour ne se consacrer qu'au Pathfinder qui, cette même année, changeait complètement de vocation. En effet, cet utilitaire jadis réputé pour ses capacités hors route allait se transformer en véritable multisegment. On a donc troqué la clientèle de coureurs des bois pour celle qui se procurait jadis des fourgonnettes, mais qui, aujourd'hui, penche plus que jamais vers les multisegments.

Antoine Joubert

TOUR DU PROPRIÉTAIRE > Ne soyez donc pas étonné si le Pathfinder n'a plus la gueule d'un camion costaud. Sa silhouette svelte et polie ainsi que son large sourire plaisent davantage à la clientèle. D'ailleurs, on apporte cette année plusieurs changements à la carrosserie, qui se voit subir des retouches de mi-mandat. Tout le carénage avant ainsi que les pare-chocs et le capot sont donc remodelés pour offrir un look plus moderne. Et bien sûr, on accentue l'image de cette calandre en V, aujourd'hui si chère à Nissan.

VIE À BORD > Dans ce segment, plusieurs véhicules proposent sept, voire huit places assises. Cependant, peu de véhicules peuvent se vanter d'offrir un habitacle dont la fonction-

+
- POLYVALENCE DE L'HABITACLE
- COMPORTEMENT ROUTIER AMÉLIORÉ
- GRANDE CAPACITÉ DE REMORQUAGE
- FAIBLE CONSOMMATION DE CARBURANT

−
- PAS TRÈS EXCITANT À CONDUIRE
- BOÎTE CVT AMÉLIORÉE, MAIS TOUJOURS AGAÇANTE
- DESIGN QUI MANQUE DE PUNCH
- FINITION INTÉRIEURE ORDINAIRE PAR ENDROITS

MENTIONS

CLÉ D'OR | CHOIX VERT | COUP DE CŒUR | **RECOMMANDÉ**

VERDICT

- PLAISIR AU VOLANT
- QUALITÉ DE FINITION
- CONSOMMATION
- RAPPORT QUALITÉ / PRIX
- VALEUR DE REVENTE
- CONFORT

1 5 10

nalité se rapproche de celle d'une fourgonnette. Kia et Mazda ont beau vouloir nous convaincre du contraire, l'utilisation de la troisième rangée de sièges demeure dans leur cas plutôt limitée. Nissan est cependant de ceux qui montrent un habitacle véritablement conçu pour une utilisation familiale. Polyvalent, ergonomique et facilement modulable, l'habitacle du Pathfinder est notamment équipé de sièges centraux novateurs permettant de les coulisser vers l'avant sans retirer les sièges d'appoint qui y sont installés afin d'accéder à la troisième rangée. Pour 2017, on améliore notamment l'interface de l'écran situé au centre de l'instrumentation ainsi que les technologies en matière de connectivité. À noter, la présence d'une caméra périphérique de 360 degrés, très pratique pour le parent stationné autour des vélos et du filet de hockey.

TECHNIQUE > Réputé pour sa grande économie de carburant (moyenne combinée d'à peine 10,5 L aux 100 km), le Pathfinder voit sa motorisation modifiée pour 2017. Nissan affirme d'ailleurs avoir remplacé environ 50 % des pièces du moteur pour accoucher d'un V6 plus puissant, plus fort en couple et encore moins gourmand. On obtient donc 284 chevaux de puissance, notamment grâce à l'injection directe de carburant et au contrôle électronique variable de la distribution. Nissan fait également appel à une version modifiée de la boîte Xtronic CVT, laquelle équipe également la Maxima. L'effet d'élasticité est donc diminué par rapport au modèle 2016 grâce à une simulation électronique de changement de vitesse. Et bonne nouvelle, on améliore cette année la capacité de remorquage de façon substantielle, pour atteindre 2 721 kilos (6 000 lb), ce qui en fait le multisegment intermédiaire le plus performant en la matière, après le Dodge Durango.

AU VOLANT > Même si la notion d'agrément de conduite est relative d'une personne à l'autre, le Pathfinder demeure un véhicule plus confortable que véritablement amusant à conduire. Cela dit, il offre l'avantage d'être plus stable et sécuritaire que certains de ses rivaux, nommément le Toyota Highlander. En fait, on obtient ici une suspension plus solide et un châssis rigide, ce qui, dans un contexte d'évitement d'obstacle ou d'arrêt d'urgence, sera bénéfique. Il faut aussi considérer que la vocation du Pathfinder est de trimbaler la famille et les objets qui l'accompagnent, en y ajoutant parfois une roulotte ou une remorque. Le Pathfinder doit donc dans ces conditions demeurer stable et adéquatement suspendu, ce qu'il fait avec brio. Notez d'ailleurs que Nissan révise pour 2017 la suspension, dont la rigidité est accrue de 11 % à l'avant et de 7 % à l'arrière. On améliore également la vivacité de la direction, ce qui permettra d'obtenir une conduite plus communicative et donc plus agréable.

CONCLUSION > Compagnon familial par excellence, le Pathfinder remplace donc efficacement la défunte Quest, en dépit bien sûr d'un espace cargo moins généreux. Et cette année, on lui apporte des modifications notoires qui lui permettent de mieux rivaliser avec ses rivaux les plus sérieux, tels le Ford Explorer et le Honda Pilot. ■

2e OPINION

Daniel Rufiange

Le Pathfinder a joué un rôle de pionnier dans le segment des VUS. Il fut l'un des premiers à voir le jour et il en a fait rêver plus d'un. Cependant, au cours des années 2000, il a vécu une descente aux enfers spectaculaire, d'abord parce que l'offre s'est diversifiée, mais surtout parce que le prix du pétrole a rendu ruineuse sa possession. Au début de l'actuelle décennie, il ne se vendait plus. Puis coup de théâtre alors que Nissan le transforme du tout au tout, sacrifiant même son châssis de camion pour une structure monocoque. Le résultat : une hausse spectaculaire des ventes depuis. Sachez toutefois ceci : le Pathfinder AVAIT du caractère; il n'en a plus. La grande gagnante demeure Nissan, qui a su bien deviner la réaction du public.

FICHE TECHNIQUE

MOTEUR(S)

(V6) V6 3,5 L DACT
PUISSANCE 284 ch à 6 400 tr/min
COUPLE 259 lb-pi à 4 800 tr/min
RAPPORT POIDS/PUISSANCE 2RM 7,3 kg/ch **4RM** 7,4 à 7,9 kg/ch
BOITE(S) DE VITESSES automatique à variation continue
PERFORMANCES 0-100 km/h 7,9 s
REPRISE 80-115 km/h 5,6 s
FREINAGE 100-0 km/h 42,5 m
NIVEAU SONORE À 100 km/h Moyen
VITESSE MAXIMALE 195 km/h

AUTRES COMPOSANTS

SÉCURITÉ ACTIVE (certains en option ou selon la version) Freins ABS, assistance au freinage, répartition électronique de la force de freinage, contrôle électronique de la stabilité, antipatinage, assistance au départ en pente, contrôle en descente, essuie-glaces adaptatifs, avertisseurs d'impact imminent et d'obstacle arrière, freinage d'urgence autonome, caméra 360°
SUSPENSION avant/arrière indépendante
FREINS avant/arrière disques
DIRECTION à crémaillère, assistée
PNEUS P235/65R18 **Platine** P235/55R20

DIMENSIONS

EMPATTEMENT 2 900 mm
LONGUEUR 5 042 mm
LARGEUR 1 960 mm
HAUTEUR 1 768 mm, 1 783 mm avec galerie de toit
POIDS 2RM S 1 945 kg **4RM S** 2 009 kg
SV 2 018 kg **SL** 2 058 kg **Platine** 2 103 kg
RÉPARTITION DU POIDS AV/ARR (%) 2RM 57/43
4RM 56/44 **Platine** 55/45
DIAMÈTRE DE BRAQUAGE 11,8 m
COFFRE 453 L, 1 201 L, 2 721 L (sièges abaissés)
RÉSERVOIR DE CARBURANT 73 L
CAPACITÉ DE REMORQUAGE 2 268 kg

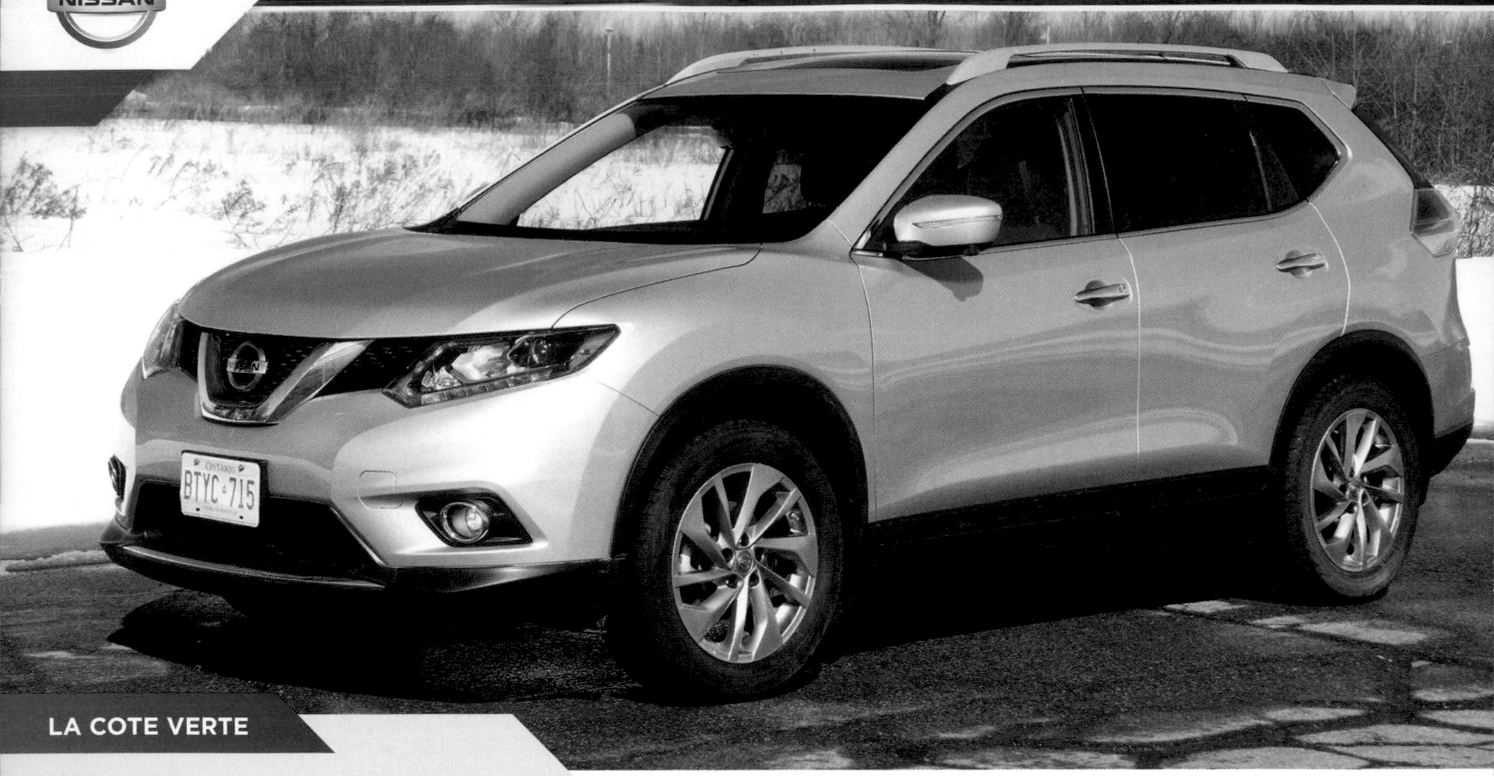

LA COTE VERTE

MOTEUR L4 de 2,5 L
CONSOMMATION (100 km) 2RM ville 9,1 L, route 7,1 L **4RM** ville 9,5 l, route 7,4 L
CONSOMMATION ANNUELLE 2RM 1 394 L, 1 673 $ **4RM** 1 462 L, 1 754 $
INDICE D'OCTANE 87
ÉMISSIONS POLLUANTES CO_2 2RM 3 206 kg/an **4RM** 3 363 kg/an
(source : ÉnerGuide)

FICHE D'IDENTITÉ

VERSION(S) 2RM S, SV **4RM** S, SV, SL
TRANSMISSION(S) avant, 4
PORTIÈRES 5 **PLACES** 5, 7
PREMIÈRE GÉNÉRATION 2008
GÉNÉRATION ACTUELLE 2014
CONSTRUCTION Kyushu, Japon
COUSSINS GONFLABLES 6 (frontaux, latéraux avant, rideaux latéraux)
CONCURRENCE Chevrolet Equinox/GMC Terrain, Dodge Journey, Ford Escape, Honda CR-V, Hyundai Tucson, Jeep Cherokee, Kia Sportage, Mazda CX-5, Mitsubishi Outlander, Subaru Forester/Outback, Toyota RAV4, Vlokswagen Tiguan

AU QUOTIDIEN

COLLISION FRONTALE 4/5
COLLISION LATÉRALE 5/5
VENTES DU MODÈLE L'AN DERNIER
AU QUÉBEC 9 408 (+37,7 %) **AU CANADA** 35 841(+24,3 %)
DÉPRÉCIATION (%) 25,1 (3 ans)
RAPPELS (2011 à 2016) 11
COTE DE FIABILITÉ 3/5

GARANTIES... ET PLUS

GARANTIE GÉNÉRALE 3 ans/60 000 km
GROUPE MOTOPROPULSEUR 5 ans/100 000 km
PERFORATION 5 ans/kilométrage illimité
ASSISTANCE ROUTIÈRE 3 ans/kilométrage illimité
NOMBRE DE CONCESSIONNAIRES
AU QUÉBEC 50 **AU CANADA** 171

NOUVEAUTÉS EN 2017

Retouches esthétiques attendues.

DU NOUVEAU CETTE ANNÉE ?

Il est parfois plus facile d'être le poursuivant que d'être à l'avant du peloton. Le Nissan Rogue est un parfait exemple du véhicule qui, au fil du temps, gagne sans cesse des parts de marché. À ses débuts, le représentant de Nissan avait toute une pente à remonter face à des ténors comme le Ford Escape, le Toyota RAV4 ou le Honda CR-V. En 2016, que ce soit au nord ou au sud du 49e parallèle, le Rogue occupe le quatrième rang des ventes nord-américaines. En peaufinant sans cesse son produit, le constructeur nippon a su attirer de plus en plus de gens dans les salles de montre du continent. Pour 2017, le populaire VUS devrait recevoir quelques ajustements ici et là. Les informations au moment de mettre sous presse n'étaient pas encore disponibles.

Vincent Aubé

TOUR DU PROPRIÉTAIRE > Une refonte de mi-parcours se concentre souvent aux deux extrémités de la carrosserie. Le millésime 2017 du Rogue devrait normalement adopter un bouclier semblable à celui des récents produits de la marque, notamment le futuriste Murano avec cette grille de calandre élargie et ces phares carrément intégrés à ce triangle inversé. Les premiers clichés-espions montraient également une ouverture élargie au pare chocs. Quant à la portion arrière, il est permis d'affirmer que les designers de la marque ont revisité les feux de position ainsi que le pare-chocs.

\+ **CÔTÉ PRATIQUE**
ÉCONOMIE DE CARBURANT
7 PLACES DISPONIBLES

− **MOTEUR CRIARD LORS DES ACCÉLÉRATIONS**
DIRECTION FLOUE

MENTIONS

CLÉ D'OR | CHOIX VERT | COUP DE CŒUR | **RECOMMANDÉ**

VERDICT

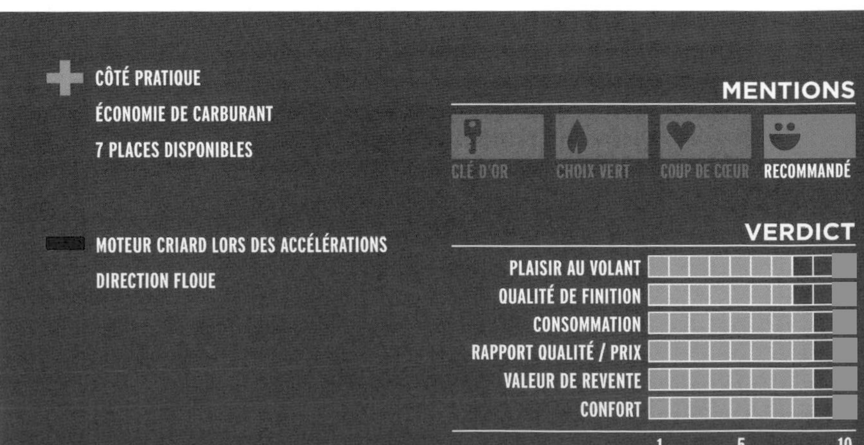

VIE À BORD > À l'intérieur, le Rogue 2017 devrait poursuivre dans la même veine, c'est-à-dire un habitacle mieux ficelé que pour la première génération du modèle, avec des matériaux de meilleure qualité, du moins espérons-le. Le millésime 2016 du modèle était encore tapissé de plastique rigide - alors que de plus en plus de concurrents utilisent un revêtement moelleux. Il ne faut donc pas s'étonner si ce plastique est de retour cette année. Remarquez, ce matériau qui fait un peu bon marché a au moins l'avantage de bien se laver. Contrairement à certains véhicules de la catégorie, la planche de bord du Rogue fait dans la simplicité, et il n'y a rien de mal là-dedans. Les touches fréquemment utilisées sont facilement repérables et il est même permis de lancer des fleurs au système de divertissement qui, à défaut d'être le plus attrayant visuellement, demeure simple d'utilisation. Attendez-vous à des améliorations à ce niveau, le récent Pathfinder ayant corrigé plusieurs lacunes à ce sujet. La sellerie est relativement confortable, un élément à considérer si vous êtes du genre à explorer les routes de l'arrière-pays en famille.

TECHNIQUE > Sans surprise, la mécanique 4 cylindres employée jusqu'ici risque de revenir. Le bloc de 2,5 litres devrait normalement constituer l'offre de base, mais il n'est toujours pas confirmé si la puissance gagnera quelques chevaux-vapeur ou non. Côté transmission, il n'y a qu'une seule option : la boîte CVT. Bien que Nissan Canada n'ait pas voulu nous en dire plus sur la possibilité d'une livrée hybride - un modèle déjà commercialisé ailleurs dans le monde -, il est permis de spéculer en ce sens. Après tout, Toyota a déjà son RAV4 hybride, alors pourquoi pas Nissan ?

AU VOLANT > Comparativement à la première génération du modèle, le Rogue s'est amélioré dans la conduite. Il n'est plus aussi monotone à conduire au quotidien. Oui, les organes mécaniques n'ont pas beaucoup changé au fil des années, mais la calibration de la boîte CVT n'a certainement pas nui. Comme par le passé, les accélérations s'accompagnent d'une montée en décibels, mais une fois à vitesse de croisière, le Rogue redevient muet comme il se doit. Ajoutons à cela que cette transmission a l'avantage de ne pas trop solliciter le moteur, ce qui se traduit par une meilleure économie de carburant, un argument de plus en plus important de nos jours. Le Nissan Rogue n'a pas encore l'aplomb du Mazda CX-5 ou du Ford Escape, mais il faut l'admettre, les améliorations apportées ces dernières années sont notables. Est-ce que ce sera mieux en 2017 ? La question mérite d'être posée.

CONCLUSION > La stratégie employée par le constructeur jusqu'ici a porté ses fruits. Les ventes sont en constante progression des deux côtés de la frontière. Avec l'hypothèse que le Rogue 2017 bénéficie d'ajustements au châssis (si on se fie aux récentes Altima et Sentra, et au Pathfinder) et le potentiel ajout d'une version hybride, Nissan est en voie de surpasser une fois de plus ses objectifs de ventes pour l'année 2017. Sans être parfait, il demeure l'un des bons véhicules de la catégorie. ■

2e OPINION

Daniel Rufiange

Le Rogue avait été une belle surprise à son arrivée chez Nissan, mais malgré son niveau de popularité, il a rapidement vieilli, et pas très bien, de surcroît. À l'arrivée du modèle de deuxième génération, pour 2014, Nissan a fait progresser de belle façon son utilitaire vedette, au point où on peut maintenant hésiter entre lui et un CX-5 de Mazda ou un Toyota RAV4, par exemple. À bord, vous noterez un habitacle modulable à souhait et dont le niveau de qualité, en progression, ne fait pas regretter le modèle de première génération. Quant aux prestations, elles sont correctes, sans plus. Surtout, ne cherchez pas d'émotions au volant, votre quête sera vaine. En contrepartie, si l'efficacité, l'économie de carburant et la fiabilité dominent dans vos priorités, le Rogue et vous ferez bon ménage.

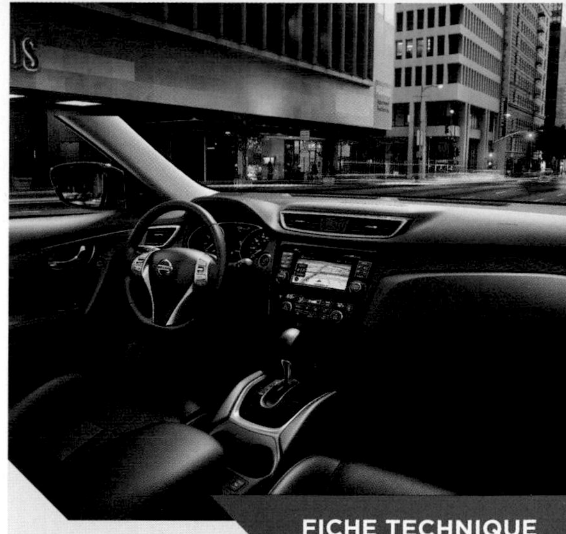

FICHE TECHNIQUE

MOTEUR(S)

(S, SV, SL) L4 2,5 L DACT
PUISSANCE 170 ch à 6 000 tr/min
COUPLE 175 lb-pi à 4 400 tr/min
RAPPORT POIDS/PUISSANCE 2RM 9,1 kg/ch **4RM** 9,6 kg/ch
BOÎTE(S) DE VITESSES automatique à variation continue avec mode sport
PERFORMANCES 0-100 km/h 9,2 s
REPRISE 80-115 km/h 6,3 s
FREINAGE 100-0 km/h 42,0 m
NIVEAU SONORE À 100 km/h Moyen
VITESSE MAXIMALE 190 km/h

AUTRES COMPOSANTS

SÉCURITÉ ACTIVE (certains en option) Freins ABS, assistance au freinage, répartition électronique de la force de freinage, contrôle de la stabilité électronique, antipatinage, contrôle d'adhérence en pente, assistance en cas d'impact imminent
SUSPENSION avant/arrière indépendante, amortisseurs ajustables
FREINS avant/arrière disques
DIRECTION à crémaillère, assistée électriquement
PNEUS S, SV P225/65R17 **SL** P225/65R18

DIMENSIONS

EMPATTEMENT 2 706 mm
LONGUEUR 4 630 mm
LARGEUR 1 840 mm
HAUTEUR 1 684 mm, 1 714 mm (incl. rails de toit)
POIDS 2RM S 1 547 kg **SV** 1 567 kg
4 RM S 1 607 kg **SV** 1 628 kg **SL** 1 639 kg
RÉPARTITION DU POIDS AV/ARR (%) de 59/41 à 57/43
DIAMÈTRE DE BRAQUAGE 11,4 m
COFFRE 266 L, 906 L, 1 982 L (sièges abaissés)
RÉSERVOIR DE CARBURANT 55 L
CAPACITÉ DE REMORQUAGE 454 kg

LA COTE VERTE

MOTEUR L4 DE 1,8 L
CONSOMMATION (100 km) man. ville 8,9 L, route 6,6 L
CVT ville 8,0 L, route 6,1 L
CONSOMMATION ANNUELLE man. 1343 L, 1612 $ **CVT** 1224 L, 1469 $
INDICE D'OCTANE 87
ÉMISSIONS POLLUANTES CO_2 man. 3 089 kg/an **CVT** 2 815 kg/an
(source : ÉnerGuide)

FICHE D'IDENTITÉ

VERSION(S) S, SV, SR, SL
TRANSMISSION(S) avant
PORTIÈRES 4 **PLACES** 5
PREMIÈRE GÉNÉRATION 1983
GÉNÉRATION ACTUELLE 2013
CONSTRUCTION Aguacalientes, Mexique
COUSSINS GONFLABLES 6 (frontaux, latéraux avant, rideaux latéraux)
CONCURRENCE Chevrolet Cruze, Ford Focus, Honda Civic, Hyundai Elantra, Kia Forte, Mazda3, Mitsubishi Lancer, Subaru Impreza, Toyota Corolla, Volkswagen Jetta

AU QUOTIDIEN

COLLISION FRONTALE 4/5
COLLISION LATÉRALE 5/5
VENTES DU MODÈLE L'AN DERNIER
AU QUÉBEC 5 618 (-5,6 %) **AU CANADA** 14 940 (-0,5 %)
DÉPRÉCIATION (%) 37,0 (3 ans)
RAPPELS (2011 à 2016) 10
COTE DE FIABILITÉ 3/5

GARANTIES... ET PLUS

GARANTIE GÉNÉRALE 3 ans/60 000 km
GROUPE MOTOPROPULSEUR 5 ans/100 000 km
PERFORATION 5 ans/kilométrage illimité
ASSISTANCE ROUTIÈRE 3 ans/ kilométrage illimité
NOMBRE DE CONCESSIONNAIRES
AU QUÉBEC 50 **AU CANADA** 171

NOUVEAUTÉS EN 2017

Aucun changement majeur

LE STRICT MINIMUM

Le segment des compactes est la catégorie la plus importante au Canada au chapitre du volume de ventes. C'est aussi bien souvent la porte d'entrée de bien des jeunes acheteurs à la gamme, une occasion de fidéliser une clientèle dans une ère où la loyauté envers une marque est de moins en moins apparente. Voilà donc pourquoi ce champ de bataille est le théâtre de combats passablement acharnés. La Nissan Sentra, quant à elle, observe, en retrait.

Charles René

TOUR DU PROPRIÉTAIRE > Tout comme l'intermédiaire Altima, cette Sentra a été remaquillée pour l'année modèle 2016, s'inscrivant maintenant de manière nette dans le nouveau courant de design de la marque. Caractérisé d'abord par sa calandre en V, le design de cette Sentra montre un côté légèrement plus extroverti avec ses phares en boomerang, un élément stylistique visité et revisité par Nissan ces dernières années. Le capot légèrement bombé au centre fait un peu dans la bravade stérile. Sur la ligne latérale, la voiture est pratiquement en tous points identique quant au design précédent. On retrouve donc ce long porte-à-faux arrière pas très élégant que bien des rivales ont laissé tomber il y a plusieurs années. En contrepartie, on obtient un coffre assez logeable avec un volume de 428 litres accessible grâce à une grande ouverture. Par ailleurs, Nissan devrait resserrer la qualité de finition de sa carrosserie. Certains panneaux du véhicule d'essai n'étaient pas parfaitement ajustés.

\+ PLACES ARRIÈRE SPACIEUSES
PRIX COMPÉTITIF
BONNE BOÎTE CVT

\- FAIBLE AGRÉMENT DE CONDUITE
POSITION DE CONDUITE DÉSAGRÉABLE
FIABILITÉ IMPARFAITE

MENTIONS

CLÉ D'OR | CHOIX VERT | COUP DE CŒUR | **RECOMMANDÉ**

VERDICT

PLAISIR AU VOLANT
QUALITÉ DE FINITION
CONSOMMATION
RAPPORT QUALITÉ / PRIX
VALEUR DE REVENTE
CONFORT

1 5 10

VIE À BORD > Malgré le fait que Nissan mette l'accent sur les retouches apportées à l'habitacle dans son communiqué de presse, il faut être très attentif pour en évaluer la teneur. En fait, elles se résument essentiellement à deux éléments : le volant et le bloc central de commandes. Pour le reste, c'est du pareil au même. Très sobre, la présentation fait prédominer le noir mat et lustré avec quelques moulures de faux aluminium. Les surfaces souples, tout de même assez nombreuses, complètent une finition acceptable, mais pas sans reproche sur le plan de l'ajustement. Le plus grand irritant de cette Sentra réside cependant dans la position de conduite, beaucoup trop élevée et non ajustable, même avec les commandes électriques. L'espace pour les jambes est aussi très limité, un choix technique qui permet plus d'espace pour les passagers arrière. Côté technologie, le système d'infodivertissement commence sérieusement à dater, surtout dans un segment ciblant une clientèle jeune.

TECHNIQUE > Le même 4-cylindres de 1,8 litre revient ici inchangé comme seul moteur proposé. Très modeste en puissance avec 130 chevaux et 128 livres-pieds de couple, ce moulin n'est carrément pas de taille autant sur le plan du raffinement que sur celui de la puissance. L'aiguille du tachymètre a beau grimper, tout comme le niveau sonore révélant un chant pas très élégant, la nervosité n'est tout simplement pas là. N'allez cependant pas montrer du doigt la boîte à variation continue (CVT). Cette dernière est probablement la plus belle évolution dont a fait l'objet cette Sentra. Douce, elle simule de manière tout de même efficace des changements de rapports à haut régime, ce qui plaît aux oreilles.

AU VOLANT > La Sentra ne cache pas vraiment son jeu ici. Sa cible: la Toyota Corolla. La compacte n'est ainsi pas une référence sur le plan dynamique. Sa direction légèrement révisée la rend toutefois un peu plus inspirante qu'auparavant. On la sent plus directe, plus ferme, sans pour autant en faire une menace pour Mazda ou Volkswagen. Du reste, cette Sentra paraît un peu pataude, marquée par une tendance au roulis, mais sans que ce soit un problème aigu. Un tempérament réservé, donc, permettant néanmoins un bon niveau de confort. Nissan utilise d'ailleurs encore une poutre de torsion à l'arrière, une vieille technologie qui traduit les faibles aspirations de la berline en ce domaine.

CONCLUSION > Devant des adversaires qui évoluent constamment pour rester en rythme, cette Sentra résiste difficilement à la comparaison. Affligée par un moteur en manque d'arguments et une fiabilité en deçà de la moyenne, elle ne met sur la table que le prix et l'équipement offert pour se différencier. C'est aussi une voiture beaucoup trop générique et beaucoup trop passive pour en faire une rivale de taille chez les compactes. ■

FICHE TECHNIQUE

MOTEUR(S)

(Tous) L4 1,8 L DACT
PUISSANCE 130 ch à 6 000 tr/min
COUPLE 128 lb-pi à 3 600 tr/min
RAPPORT POIDS/PUISSANCE 9,8 à 9,9 kg/ch
BOITE(S) DE VITESSES S, SV manuelle à 6 rapports, automatique à variation continue (CVT) (option)
SR, SL automatique à variation continue (CVT)
PERFORMANCES 0-100 km/h man. 10,2 s
REPRISE 80-115 km/h 6,2 s
FREINAGE 100-0 km/h 42,3 m
NIVEAU SONORE À 100 km/h Moyen
VITESSE MAXIMALE 190 km/h

AUTRES COMPOSANTS

SÉCURITÉ ACTIVE Freins ABS, assistance au freinage, répartition électronique de la force de freinage, contrôle électronique de la stabilité, antipatinage, régulateur de vitesse adaptatif, avertisseurs d'obstacle latéral et arrière, avertisseur d'impact imminent avec freinage d'urgence automatique
SUSPENSION avant/arrière indépendante/semi-indépendante
FREINS avant/arrière disques/ tambours, disques (option SR, SL)
DIRECTION à crémaillère assistée
PNEUS S, SV P205/55R16 SR, SL P205/50R17

DIMENSIONS

EMPATTEMENT 2 700 mm
LONGUEUR 4 625 mm **SR** 4 635 mm
LARGEUR 1 760 mm
HAUTEUR 1 495 mm
POIDS S man. 1 273 kg **CVT** 1 288 kg
SV man. 1 287 kg **SV/SL CVT** 1 293 kg
DIAMÈTRE DE BRAQUAGE 10,6 m
COFFRE 428 L
RÉSERVOIR DE CARBURANT 50 L

2e OPINION

Benoit Charette

Depuis sa refonte l'an dernier, la Sentra est passée de Versa de luxe à Altima abordable. Nissan a changé le statut de la voiture. D'abord dans le style, plus statutaire, et ensuite dans la finition, plus sérieuse. On voyait autrefois la Sentra comme une option plus bas de gamme à certains concurrents de la catégorie. Avec un volant inspiré de la Nissan 370Z, un nouveau siège du conducteur à 6 réglages électriques avec support lombaire électrique en option, un nouveau tableau central, une console et un pommeau de levier de vitesses redessinés, et des tissus plus raffinés sur les sièges, la Sentra joue la carte du luxe. Ce n'est pas encore une voiture de luxe ni une sportive, mais elle se débarrasse de cette image d'automobile insipide pour se mettre au niveau de la concurrence.

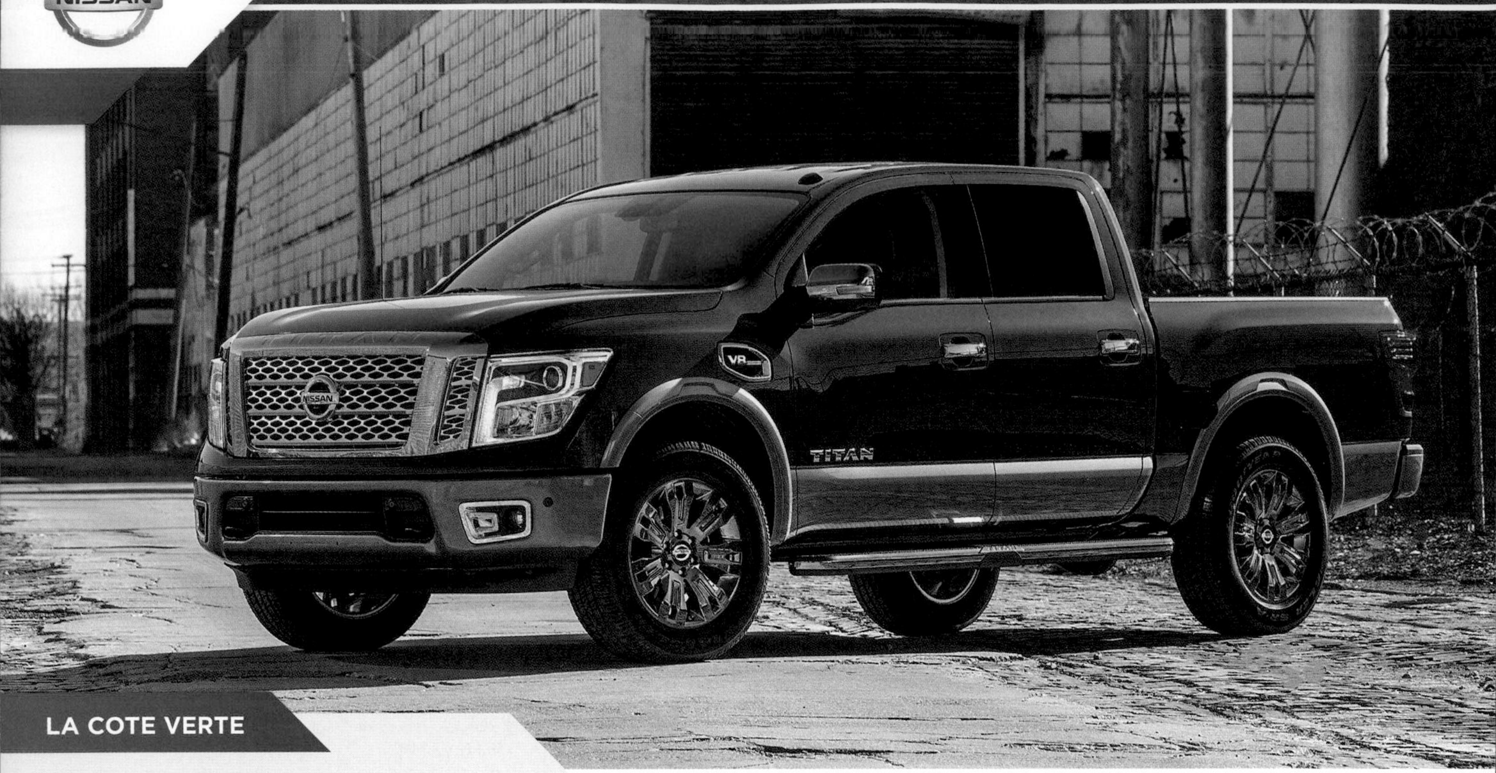

LA COTE VERTE

MOTEUR V8 DE 5,0 L TURBODIESEL
CONSOMMATION (100 km) XD ville 12,0 L, route 9,0 L (est.)
CONSOMMATION ANNUELLE 1 785 L, 2 053 $
INDICE D'OCTANE Diesel
ÉMISSIONS POLLUANTES CO_2 4 105 kg/an
(source : L'Annuel)

FICHE D'IDENTITÉ

VERSION(S) Titan Cabine double (Cabine régulière et King cab à venir) **Titan XD** Cabine double S, SV, PRO-4X, SL, Platine Réserve
TRANSMISSION(S) arrière, 4
PORTIÈRES 4, 2 **PLACES** 5,6
PREMIÈRE GÉNÉRATION 2004
GÉNÉRATION ACTUELLE 2017, 2016 (XD)
CONSTRUCTION Canton, Mississippi, É.-U.
COUSSINS GONFLABLES 6 (frontaux, latéraux avant, rideaux latéraux)
CONCURRENCE Titan Chevrolet Silverado/GMC Sierra, Ford F-150, RAM 1500, Toyota Tundra **Titan XD** Chevrolet Silverado HD/ GMC Sierra HD, Ford Super Duty, Ram 2500

AU QUOTIDIEN

COLLISION FRONTALE 5/5
COLLISION LATÉRALE 4/5
VENTES DU MODÈLE L'AN DERNIER
AU QUÉBEC 345 (+58,3 %) (inclus XD)
AU CANADA 3 226 (+7,3 %) (inclus XD)
DÉPRÉCIATION (%) 27,3 (3 ans) **XD** nm
RAPPELS (2011 à 2016) 2
COTE DE FIABILITÉ 3/5

GARANTIES... ET PLUS

GARANTIE GÉNÉRALE 3 ans/60 000 km
GROUPE MOTOPROPULSEUR 5 ans/100 000 km
PERFORATION 5 ans/kilométrage illimité
ASSISTANCE ROUTIÈRE 3 ans/kilométrage illimité
NOMBRE DE CONCESSIONNAIRES
AU QUÉBEC 50 **AU CANADA** 171

NOUVEAUTÉS EN 2017

Nouvelle génération du Titan offert d'abord en cabine double à moteur V8, et plus tard en cabine simple et King cab, moteur V6. Moteur V8 plus puissant sur XD. Boîte automatique à 7 rapports.

FAIRE FACE À L'ENNEMI

Dans son poème *Le loup et l'agneau*, Jean de La Fontaine disait que la raison du plus fort est toujours la meilleure. C'est pour cette raison que les Américains dictent le marché des camionnettes depuis si longtemps. Avec la nouvelle gamme de Titan, qui ajoute un modèle demi tonne cette année, Nissan tente de se ranger du côté du plus fort avec des arguments plus convaincants. Est-ce que cette fois-ci sera la bonne?

Benoit Charette

TOUR DU PROPRIÉTAIRE > Si nous comparons un Titan de base et la version XD, il y a des similitudes dans le style. La calandre plus agressive, le dessin des phares et les lignes générales sont assez proches. Toutefois, les deux modèles ne reposent pas sur le même châssis. Celui d'un Titan d'entrée de gamme est plus court de 37 centimètres et l'empattement s'est vu rétréci de presque 30 centimètres. En fait, le nouveau Titan d'une demi-tonne repose sur le même châssis que la précédente génération. Les deux modèles offrent une largeur identique, et l'espace cabine pour tous les modèles est le même. Dans le Titan de base, vous avez aussi le choix de configurations de conduite 4x2 ou 4x4 et de trois longueurs de caisse, soit 5,5 pieds, 6,5 pieds et 8 pieds. Les deux modèles arrivent en versions S, SV, PRO-4X, SL et Platine Réserve. Visuellement, Nissan s'est de toute évidence inspirée du Ford F-150 avec une calandre différente.

+
VERSION XD
QUALITÉ DE L'HABITACLE EN HAUSSE
CONFORT DE ROULEMENT EN HAUSSE

–
RAYON DE BRAQUAGE DE SEMI-REMORQUE
PETIT RÉSERVOIR DE CARBURANT (XD)
ENCORE TROP PEU DE CONFIGURATIONS

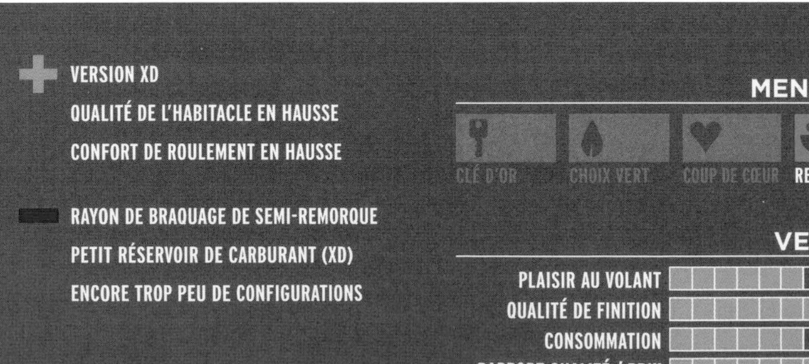

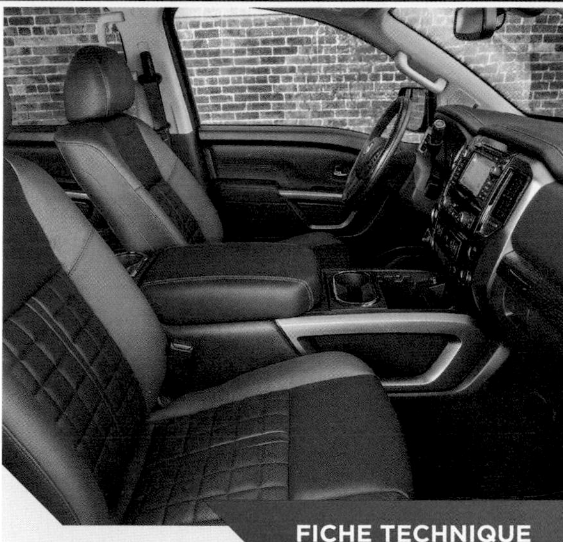

VIE À BORD > L'habitacle a changé de style pour une présentation simplifiée. Par exemple, les boutons sont maintenant regroupés par type de fonction et placés selon leur fréquence d'utilisation. Le TITAN XD est également équipé d'une colonne de direction inclinable et télescopique avec un levier de vitesses monté de série sur le volant - un changement qui permet de libérer de l'espace dans la console centrale pour plus de possibilités de rangement. On peut maintenant mettre une tablette ou un ordinateur portable de 15 pouces dans l'espace de rangement de la console centrale. Autre nouveauté cette année, un nouvel espace de rangement, en option, situé sous les sièges arrière et muni d'un couvercle verrouillable pour plus de sécurité et d'un plancher plat intégré escamotable.

TECHNIQUE > Tout l'intérêt du Titan XD réside dans sa solution moteur. Nissan a opté pour un fabricant très connu dans le monde des mécaniques diesel : Cummins. Mais attention, ce moteur n'a rien à voir avec celui disponible chez Ram. Il s'agit d'un V8 de 5 litres qui produit 310 chevaux et 555 livres-pieds de couple, le tout jumelé à une boîte automatique Aisin à 6 rapports. Nissan va aussi offrir dans la version XD une mise à jour de son V8 de 5,6 litres. Ce même moteur sera également présent dans la version ordinaire du Titan ainsi qu'un V6 de 4 litres, qui se retrouve aussi dans le NV. Nissan annonce une économie potentielle de carburant de 20 % avec un moteur diesel face au V8, et vous pourrez charger 2 000 livres dans la boîte et remorquer jusqu'à 12 000 livres avec les options adéquates. Notre première prise en main avec le moteur diesel s'est terminée avec une moyenne de 16,5 litres aux 100 kilomètres.

AU VOLANT > Un conseil si vous avez l'intention de faire l'acquisition d'une version XD : assurez-vous de rouler chargé le plus souvent possible. À vide, vous avez l'impression d'être au volant d'une navette d'aéroport. C'est robuste mais pas très confortable, ça transpire le gros véhicule commercial. Il faut donc rouler chargé pour mieux apprécier la version XD. Pour les travaux de tous les jours ou comme véhicule récréatif, la version de base fera amplement l'affaire. Les plus aventuriers opteront pour la version Pro 4X, qui possède des plaques de protection, une suspension Bilstein, des roues de 17 pouces adaptées à la conduite hors route et un différentiel autobloquant. Tout ce qu'il faut pour aller jouer hors des sentiers battus.

CONCLUSION > Il faut saluer le courage de Nissan, qui n'a pas baissé les bras devant l'adversité et qui a continué, malgré des ventes très discrètes, à proposer une option dans le monde des camionnettes. Le Titan n'a jamais été aussi intéressant et aussi compétitif. Maintenant, il faut faire passer le message auprès des amateurs. Il est là le plus grand défi. ■

2e OPINION

Charles René

Bien malin celui qui aurait pu prédire que Nissan allait récidiver en proposant une deuxième cuvée de son Titan. On croyait à tort l'aventure morte et enterrée après une trop longue carrière de figuration dans les camionnettes pleine grandeur. Le Titan 2.0 pose un regard évidemment plus moderne que celui qui l'a devancé avec un habitacle bien assemblé et un comportement routier prévisible. Il possède aussi un atout intéressant avec son V8 turbodiesel Cummins. Il faut cependant accepter son tempérament bruyant et des à-coups du groupe transmission-différentiels. La faible notoriété du produit ainsi que son prix de départ élevé diminuent également le bassin d'acheteurs potentiels. Bref, un pari risqué devant une concurrence trop bien organisée.

FICHE TECHNIQUE

MOTEUR(S)

(TITAN, TITAN XD) V8 5,6 L DACT
PUISSANCE 390 ch à 5 200 tr/min
COUPLE 401 lb-pi à 4 000 tr/min
RAPPORT POIDS/PUISSANCE 6,2 kg/ch (est.) **XD** 7,0 à 7,3 kg/ch
BOÎTE(S) DE VITESSES automatique à 7 rapports
PERFORMANCES 0-100 km/h 6,5 s (est.) **XD** 7,0 s (est.)
REPRISE 80-115 km/h ND
FREINAGE 100-0 km/h ND
NIVEAU SONORE À 100 km/h ND
VITESSE MAXIMALE 180 km/h (est.)
CONSOMMATION (100 km) ville 16,5 L, route 11,8 L (est.) (octane 91)
ANNUELLE 2 431 L, 2 917 $
ÉMISSIONS DE CO_2 5 591kg/an

(XD) V8 5,0 L turbodiesel Cummins
PUISSANCE 310 ch à 3 200 tr/min
COUPLE 555 lb-pi à 1 600 tr/min
RAPPORT POIDS/PUISSANCE 8,8 à 9,2 kg/ch
BOITE(S) DE VITESSES automatique à 6 rapports
PERFORMANCES 0-100 km/h 7,5 s (est.)
REPRISE 80-115 km/h ND
VITESSE MAXIMALE 180 km/h

AUTRES COMPOSANTS

SÉCURITÉ ACTIVE (certains en option ou selon version) Freins ABS, assistance au freinage, répartition électronique de la force de freinage, contrôle électronique de la stabilité, antipatinage, avertisseurs d'obstacle latéral, sonars avant et arrière, mode remorquage avec contrôle de l'adhérence en descente, aide au démarrage en pente, commande de freins de remorque intégrée
SUSPENSION avant/arrière indépendante/pont rigide
FREINS avant/arrière disques
DIRECTION à crémaillère, assistée **XD** à billes, assistée
PNEUS ND **XD** LT245/75R17 **options** LT275/65R18, LT265/60R20

DIMENSIONS

EMPATTEMENT 3 550 mm **XD** 3 850 mm
LONGUEUR 5 794 mm **XD** 6 167 mm **PRO-4X** 6 178 mm
LARGEUR 2 020 mm **PRO-4X/Platine** 2 049 mm
HAUTEUR 1 961 mm **XD** 1 978 mm **PRO-4X** 1 988 mm **SL/Platine** 1 999 mm
POIDS 2 425 kg (est.) **XD 2RM** 2 725 kg **4RM** 2 847 kg
DIAMÈTRE DE BRAQUAGE ND
RÉSERVOIR DE CARBURANT ND **XD** 98 L
CAPACITÉ DE REMORQUAGE ND **XD** jusqu'à 5 460 kg

LA COTE VERTE

MOTEUR L4 DE 1,6 L
CONSOMMATION (100 km) man. ville 8,6 L, route 6,5 L
CVT. ville 7,5 L, route 6,0 L
CONSOMMATION ANNUELLE man. 1 292 L, 1 550 $ **CVT** 1 156 L, 1 387 $
INDICE D'OCTANE 87
ÉMISSIONS POLLUANTES CO_2 man. 2 972kg/an **CVT** 2 659 kg/an
(source : ÉnerGuide)

FICHE D'IDENTITÉ

VERSION(S) S, SV, SR, SL
TRANSMISSION(S) avant
PORTIÈRES 5 **PLACES** 5
PREMIÈRE GÉNÉRATION 2007
GÉNÉRATION ACTUELLE 2014
CONSTRUCTION Aguascalientes, Mexique
COUSSINS GONFABLES 6 (frontaux, latéraux avant, rideaux latéraux)
CONCURRENCE Chevrolet Sonic, Ford Fiesta, Honda Fit, Hyundai Accent, Kia Rio5, Toyota Prius C, Toyota Yaris

AU QUOTIDIEN

COLLISION FRONTALE 3/5
COLLISION LATÉRALE 5/5
VENTES DU MODÈLE L'AN DERNIER
AU QUÉBEC 3 526 (-37,5 %) **AU CANADA** 9 120 (-31,5 %)
DÉPRÉCIATION (%) 30,0 (3 ans)
RAPPELS (2011 à 2016) 4
COTE DE FIABILITÉ 4/5

GARANTIES... ET PLUS

GARANTIE GÉNÉRALE 3 ans/60 000 km
GROUPE MOTOPROPULSEUR 5 ans/100 000 km
PERFORATION 5 ans/kilométrage illimité
ASSISTANCE ROUTIÈRE 3 ans/kilométrage illimité
NOMBRE DE CONCESSIONNAIRES
AU QUÉBEC 50 **AU CANADA** 171

NOUVEAUTÉS EN 2017

Aucun changement majeur

1$ PAR JOUR...

Ou 30 $. Voilà ce qui sépare la mensualité à la location d'une Micra de celle d'une Versa Note qui, depuis plus d'un an, perd du terrain au profit de sa petite sœur. Or, dans un marché où la voiture compacte est toujours plus populaire que la sous-compacte, allez comprendre pourquoi la Micra a l'avantage. Est-ce une simple question de marketing ou est-ce que la Versa Note commencerait à perdre des plumes ?

Antoine Joubert

TOUR DU PROPRIÉTAIRE > Pour se prêter à l'exercice de comparaison, comprenez d'abord que la Versa Note se trouve à mi-chemin entre une compacte et une sous-compacte. Plus longue qu'une Honda Fit, plus courte qu'une Golf, elle concède 6 centimètres en hauteur à la Kia Soul, qui les lui redonne sur la longueur. Or elle partage pourtant les mêmes éléments structuraux que la Micra, qui est d'ailleurs assemblée sur la même chaîne de montage. Elle se décline en quatre versions, la SR à vocation « sportive » étant la plus aguichante avec ses roues de 16 pouces, son aileron et ses jupes latérales.

VIE À BORD > Plutôt jolie, la Versa Note nous sert un tableau de bord très semblable à celui de sa petite sœur. Heureusement, l'instrumentation est plus moderne et la présentation générale, plus soignée. La qualité des tissus varie toutefois d'une version à l'autre, ce qui

+
ESPACE INTÉRIEUR
ÉCONOMIE DE CARBURANT (CVT)
PRÉSENTATION CHARMANTE (SURTOUT SR)

−
BRUYANTE EN ACCÉLÉRATION (CVT)
PUISSANCE MODESTE
-VERSION S DÉNUDÉE
A-T-ON RÉGLÉ LES PROBLÈMES DE CHAUFFAGE EN HIVER ?

MENTIONS

CLÉ D'OR | CHOIX VERT | COUP DE CŒUR | **RECOMMANDÉ**

VERDICT

PLAISIR AU VOLANT
QUALITÉ DE FINITION
CONSOMMATION
RAPPORT QUALITÉ / PRIX
VALEUR DE REVENTE
CONFORT

1 5 10

pourrait vous pousser à éviter la version S (plutôt dénudée). Des sièges chauffants? *Ouais...* mais que sur la version SL, à 23 000 $. Une caméra de recul (autre gadget convoité)? Partout, sauf sur la S. Cela dit, par rapport à la Micra, la Versa Note se distingue surtout par le volume intérieur. Des places arrière plus généreuses, plus de dégagement aux épaules et à la tête, ainsi qu'un volume cargo supérieur de 33 %. En rabattant les sièges, on obtient un volume si impressionnant que l'on croirait à une familiale. Lorsque repliés, ceux-ci ne permettent pas d'obtenir un plancher plat, à moins de faire appel au système Divide-N-Hide*, lequel rehausse le fond du coffre au niveau des sièges. Loin d'être aussi ingénieux que le système Magic Seat* de la Honda Fit, il permet néanmoins d'optimiser l'utilisation du coffre, tout en étant nettement plus pratique que celui de la Micra.

TECHNIQUE > Micra et Versa Note partagent également la même motorisation: un 4-cylindres de 109 chevaux, que l'on dit puissant dans la Micra, mais qui impressionne moins dans une Versa plus lourde d'environ 40 kilos. Est-ce que les performances sont si décevantes? Bien sûr que non. Juste ordinaires. Sachez également qu'en dépit d'un poids supplémentaire, la Versa Note est 15 % moins gourmande en ville (10 % sur route) que la Micra. Pourquoi? Parce que contrairement à sa petite sœur, qui conserve une vétuste boîte automatique à 4 rapports, on nous sert plutôt une boîte à variation continue. Cela permet donc de maintenir une moyenne se situant généralement à 6,5 litres aux 100 kilomètres.

AU VOLANT > La Micra est plus nerveuse, plus dynamique. Accordons-lui au moins cet avantage. Maintenant, la Versa Note se fait apprécier pour son comportement plus raffiné, son confort supérieur et sa meilleure insonorisation. Maniable, elle est aussi plus stable à vitesse d'autoroute, se prêtant donc évidemment mieux à de longs trajets. Peut-être critiquerez-vous la mécanique un peu criarde en accélération, conséquence d'une boîte automatique visiblement programmée pour l'économie. Vous aurez alors raison. Mais au moins, vous bénéficierez d'un peu de silence à vitesse de croisière, ce qui ne sera pas le cas avec la Honda Fit.

CONCLUSION > Une location de 48 mois à 237 $ pour la Micra et à 267 $ pour la Versa Note (modèles SV à boîte automatique). Une économie à la pompe de 20 $ par mois pour notre sujet, et vous voilà rendu à un écart d'à peine 10 $. Maintenant, à vous de voir si plus de confort, d'équipement, d'habitabilité et de silence de roulement valent 10 $ par mois, ou 5 $ aux deux semaines, ou 2,50 $ par semaine, ou 0,35 $ par jour. Parce que oui, certains commerçants publicisent maintenant le prix de leur voiture à la journée! Oh, et pourquoi donc la Micra se vend-elle davantage? Oui, pour une simple question de marketing.

2e OPINION

Benoit Charette

Les Anglais disent «Timing is everything». L'important d'être au bon endroit au bon moment. La carrière de la Versa Note est partie sur une bonne note, pour ne pas faire un mauvais jeu de mots. Elle remplaçait la détestable Versa berline, que les Américains ont conservée. Nous, à la place, nous avons eu droit à la Micra avec le même moteur que la Versa Note, mais pour plusieurs pesos en moins. La popularité de la Micra a monté en flèche pendant que la Note reculait dans les ventes. Cela dit, c'est une excellente petite voiture qui va offrir une conduite un peu plus raffinée que la Micra et plus d'espace pour les occupants. Et il n'est pas interdit de négocier avec son concessionnaire et de travailler un peu sur le prix. En réduisant le fossé entre la Micra et la Versa Note, elle deviendra plus attrayante.

FICHE TECHNIQUE

MOTEUR(S)

(NOTE) L4 1,6 L DACT
PUISSANCE 109 ch à 6 000 tr/min
COUPLE 107 lb-pi à 4 600 tr/min
RAPPORT POIDS/PUISSANCE 10,0 à 10,3 kg/ch
BOÎTE(S) DE VITESSES manuelle à 5 rapports, automatique à variation continue (option)
PERFORMANCES 0-100 km/h 11,3 s
REPRISE 80-115 km/h 8,4 s
FREINAGE 100-0 km/h 41,0 m
NIVEAU SONORE À 100 km/h Passable
VITESSE MAXIMALE 200 km/h

AUTRES COMPOSANTS

SÉCURITÉ ACTIVE Freins ABS, assistance au freinage, répartition électronique de la force de freinage, contrôle électronique de la stabilité, antipatinage, caméra 360°
SUSPENSION avant/arrière indépendante/semi-indépendante
FREINS avant/arrière disques/tambours
DIRECTION à crémaillère, assistée électriquement
PNEUS P185/65R15 **SR/SL** P195/55R16

DIMENSIONS

EMPATTEMENT 2 600 mm
LONGUEUR S 4 158 mm **SV** 4 160 mm **SL** 4 162 mm
LARGEUR 1 695 mm
HAUTEUR 1 537 mm
POIDS man. 1 096 à 1 108 kg **CVT** 1 113 à 1 127 kg
RÉPARTITION DU POIDS AV/ARR (%) 59/41
DIAMÈTRE DE BRAQUAGE 10,6 m
COFFRE 606 L, 1 084 L (sièges abaissés)
RÉSERVOIR DE CARBURANT 41 L

LA COTE VERTE

MOTEUR H4 DE 2,0 L TURBO
CONSOMMATION (100 km) man. ville 9,9 L, route 6,0 L
robo. ville 9,0 L, route 5,7 L
CONSOMMATION ANNUELLE man. 1 258 L, 1 698 $ **robo.** 1 173 L, 1 584 $
INDICE D'OCTANE 91
ÉMISSIONS POLLUANTES CO_2 man. 2 893 kg/an **robo.** 2 698 kg/an
(source : Porsche et L'Annuel)

FICHE D'IDENTITÉ

VERSION(S) Boxster Base, Black Edition, S, GTS **Cayman** Base, S, GTS
TRANSMISSION(S) arrière
PORTIÈRES 2 **PLACES** 2
PREMIÈRE GÉNÉRATION Boxster 1997 **Cayman** 2006
GÉNÉRATION ACTUELLE 2013
CONSTRUCTION Stuttgart, Allemagne
COUSSINS GONFLABLES 6 (frontaux, latéraux avant, rideaux latéraux)
CONCURRENCE Alfa Romeo 4C, Audi TT, Chevrolet Corvette, Jaguar F-Type, Lexus RC F, Lotus Evora, Mercedes-Benz SLC

AU QUOTIDIEN

COLLISION FRONTALE 5/5
COLLISION LATÉRALE 5/5
VENTES DU MODÈLE L'AN DERNIER
AU QUÉBEC Boxster 106 (-10,2%) **Cayman** 51 (-1,9%)
AU CANADA Boxster 360 (-0,0%) **Cayman** 322 (+24,3%)
DÉPRÉCIATION (%) Boxster 13,4 **Cayman** 12,5 (3 ans)
RAPPELS (2011 à 2016) **Boxster** 4 **Cayman** 3
COTE DE FIABILITÉ 4/5

GARANTIES... ET PLUS

GARANTIE GÉNÉRALE 4 ans/80 000 km
GROUPE MOTOPROPULSEUR 4 ans/80 000 km
PERFORATION 10 ans/kilométrage illimité
ASSISTANCE ROUTIÈRE 4 ans/80 000 km
NOMBRE DE CONCESIONNAIRES
AU QUÉBEC 4 **AU CANADA** 17

NOUVEAUTÉS EN 2017

Abandon des versions Boxster Spyder et Cayman GT4. Nouvelle appellation 718. Moteurs 4 cylindres turbo remplacent les 6 cylindres.

DE TÉNOR À SOPRANO

Une Porsche, c'est d'abord un son qui génère une première émotion forte dès que l'on met la clé dans le contact. Un 6-cylindres à plat, c'est aussi le plaisir de monter dans les régimes en écoutant la sublime symphonie du moteur qui va chercher sa puissance à mesure que le compte-tours pousse vers la ligne rouge sans fausse note. Alors que la Boxster fête ses 20 ans, elle quitte le monde des 6-cylindres pour arriver dans celui des 4-cylindres.

Benoit Charette

TOUR DU PROPRIÉTAIRE > Physiquement, il ne s'agit pas d'une nouvelle voiture. Le capot de coffre, les toits et le pare-brise sont inchangés. Pour marquer cette nouvelle cuvée, la Boxster et Cayman reçoivent de nouveaux boucliers, un dessin de portes repensé, des prises d'air plus grandes (pour gaver le turbo), un nouvel éclairage avec projecteurs à diodes à l'arrière avec le nom Porsche bien placé. Il y a aussi le nom. Nous parlons dorénavant de la 718 Boxster ou Cayman et pas simplement de la Boxster. La 718 Spyder s'est illustrée en course d'endurance dans les années 60 et était équipée d'un 4-cylindres à plat atmosphérique. Pour souligner le retour du 4-cylindres à plat, Porsche a donc repris le nom.

+
- CHÂSSIS ÉQUILIBRÉ ET PERFORMANT
- MOTEURS PUISSANTS
- TENUE DE ROUTE PARFAITE

−
- LE SON DU 4-CYLINDRES MANQUE DE CLASSE
- LES ARTICLES INTÉRESSANTS SONT TOUJOURS EN OPTION
- DES PRIX TOUJOURS EN HAUSSE

MENTIONS

CLÉ D'OR | CHOIX VERT | COUP DE CŒUR | RECOMMANDÉ

VERDICT

PLAISIR AU VOLANT
QUALITÉ DE FINITION
CONSOMMATION
RAPPORT QUALITÉ / PRIX
VALEUR DE REVENTE
CONFORT

1 5 10

VIE À BORD > L'habitacle a lui aussi été l'objet d'une remise à niveau. Le volant très sexy s'inspire directement de la 918 avec la mollette qui vous laisse choisir les modes de conduite. Vous avez aussi un nouvel écran tactile de 7 pouces avec l'Apple CarPlay. Dans la plus pure tradition Porsche, la position de conduite frise la perfection et la boîte de vitesses manuelle ou PDK tombe sous la main. Vous conduirez même une voiture rabaissée de 20 millimètres (S) avec l'amortissement piloté PASM, question de mieux coller au sol. La livrée de base est intéressante, mais autre tradition Porsche, pour avoir droit aux joujoux réellement intéressants, il faudra mettre la main dans votre poche ou, oserais-je dire, dans votre Porsche.

TECHNIQUE > Nous allons répondre à la question que tout le monde pose. Pourquoi est-ce que Porsche a décidé de mettre des moteurs 4 cylindres ? Parce qu'elle n'avait pas le choix, tout simplement. L'obligation de diminuer les émissions de CO_2 oblige les constructeurs automobiles à réduire les cylindrées pour satisfaire les normes, de plus en plus strictes. On ajoute des turbos pour ne pas perdre en puissance. Les versions de base reçoivent donc un 4-cylindres turbo à plat de 2 litres et 300 chevaux; la version S, un 2,5-litres qui culmine à 350 chevaux. En plus de contenir 35 chevaux de plus, chaque version produit un couple qui est également en hausse, ce qui fait que la puissance arrive tôt, mais plafonne aussi plus rapidement. Vous allez accomplir un 0-100 km/h en 4,2 secondes dans la version S et 4,7 secondes dans la version de base. Des chiffres impressionnants, considérant que vous allez, selon Porsche, faire une économie de carburant de 13 % au passage.

AU VOLANT > D'un pur point de vue dynamique, les modèles évoluent. La géométrie des ressorts, la grosseur des barres antiroulis, la rigidité de la caisse ont été revues pour accueillir le surplus de puissance des 4-cylindres. L'essieu arrière a été renforcé, la direction est toujours aussi brillante et l'équilibre souverain. Il faut se faire au son des moteurs 4 cylindres, plus rauques. Porsche a fait de gros efforts pour laisser filtrer une certaine musicalité, mais nous sommes loin du chant voluptueux d'un 6-cylindres. Le son rappelle un peu celui d'une Subaru WRX Sti. Cela heurte un peu les oreilles. Les fortes accélérations amènent une sorte de pétarade, surtout dans la version S, qui profite d'un turbo à géométrie variable.

CONCLUSION > Il me faudra me remettre au volant plus longtemps sans doute pour me faire une opinion plus définitive. Ces biplaces demeurent des extraordinaires sportive, mais le 4-cylindres change sa personnalité. De raffinée et élégante elle devient plus brutale, anxieuse. À tout prendre, la version de base est plus élégante si vous ne poussez pas trop la machine, mais nous avons clairement, pour le moment, une préférence pour le 6-cylindres à plat. ■

2e OPINION

Luc-Olivier Chamberland

Ça y est, le fameux « down sizing », la réduction de la taille des moteurs, atteint Porsche avec les nouvelles versions 2017 des Cayman et Boxster. Pour souligner le retour des 4-cylindres dans la famille des sportives, on réintroduit la légendaire appellation 718 en préfixe. Souvenir victorieux des années 1950-1960, on assure l'affiliation avec des bolides qui se sont illustrés sur les plus prestigieux circuits d'Europe. Concession ? Non, pas du tout. Le 2-litres produit 300 chevaux et le 2,5-litres de la S pousse la note à 350 chevaux. Plus de légèreté, plus de performances, plus de technologies, Porsche réussit encore une fois l'impossible : rendre la perfection encore plus parfaite.

FICHE TECHNIQUE

MOTEUR(S)

(Base) H4 2,0 L DACT turbo
PUISSANCE 300 ch à 6 500 tr/min
COUPLE 280 lb-pi de 1 950 à 4 500 tr/min
RAPPORT POIDS/PUISSANCE 4,4 à 4,6 kg/ch
BOITE(S) DE VITESSES manuelle à 6 rapports, manuelle robotisée à 7 rapports (option)
PERFORMANCES 0-100 km/h man. 5,1 s **robo.** 4,9 s **robo.+Sport Plus** 4,7 s
REPRISE 80-115 km/h 4,0 s
FREINAGE 100-0 km/h 34,0 m
NIVEAU SONORE À 100 km/h Passable
VITESSE MAXIMALE 275 km/h

(S) H4 2,5 L DACT turbo
PUISSANCE 350 ch à 6 500 tr/min
COUPLE 310 lb-pi de 1 900 à 4 500 tr/min
RAPPORT POIDS/PUISSANCE 3,9 à 4,0 kg/ch
BOITE(S) DE VITESSES manuelle à 6 rapports, manuelle robotisée à 7 rapports (option)
PERFORMANCES 0-100 km/h man. 4,6 s **robo.** 4,4 s. **robo.+Sport Plus** 4,2 s
REPRISE 80-115 km/h 2,4 s
FREINAGE 100-0 km/h 34,0 m
NIVEAU SONORE À 100 km/h Passable
VITESSE MAXIMALE 285 km/h
CONSOMMATION (100 km) man. ville 10,7 L, route 6,5 L **robo.** ville 9,5 L, route 6,0 L (octane 91)
ANNUELLE man. 1 377 L, 1 859 $ **robo.** 1 241 L, 1 675 $
ÉMISSIONS DE CO_2 man. 3 167 kg/an **robo.** 2 854 kg/an

AUTRES COMPOSANTS

SÉCURITÉ ACTIVE Freins ABS, assistance au freinage, répartition électronique de la force de freinage, contrôle électronique de la stabilité, antipatinage, aide au démarrage en pente, assistance au freinage d'urgence
SUSPENSION avant/arrière indépendante
FREINS avant/arrière disques
DIRECTION à crémaillère, assistée électriquement
PNEUS Base P235/45R18 (av.) P265/45R18 (arr.)
S P235/40R19 (av.) P265/40R19 (arr.)

DIMENSIONS

EMPATTEMENT 2 475 mm
LONGUEUR 4 379 mm
LARGEUR 1 801 mm, 1 994 mm (incl. rétro.)
HAUTEUR 1 281 mm **S** 1 280 mm
POIDS Base man. 1 335 kg **robo.** 1 365 kg **S man.** 1 355 kg **robo.** 1 385 kg
RÉPARTITION DU POIDS AV/ARR (%) 45/55
DIAMÈTRE DE BRAQUAGE 11,0 m
COFFRE 150 L (av.) 125 L (arr.)
RÉSERVOIR DE CARBURANT 54 L **S** 64 L

LA COTE VERTE

MOTEUR H6 DE 3,0 L TURBO
CONSOMMATION (100 km) 2RM man. ville 11,8 L, route 8,1 L **robo.** ville 10,6 L, route 8,0 L **4RM man.** ville 12,0 L, route 8,3 L **robo.** ville 10,7 L, route 8,3 L
CONSOMMATION ANNUELLE 2RM man. 1 734 L, 2 341 $ **robo.** 1 615 L, 2 180 $ **4RM man.** 1 768 L, 2 387 $ **robo.** 1 649 L, 2 226 $
INDICE D'OCTANE 91
ÉMISSIONS POLLUANTES CO_2 2RM man. 3 988 kg/an **robo.** 3 714 kg/an **4RM man.** 4 066 kg/an **robo.** 3 793 kg/an
(source : Porsche et L'Annuel)

FICHE D'IDENTITÉ

VERSION(S) Coupé Carrera/ Cabrio. Carrera Base, S, 4, 4S, Black Edition, 4 Black Edition, GTS, 4 GTS, Turbo, Turbo S **Coupé** R, GT3 RS **Targa** 4, 4S, 4 GTS
TRANSMISSION(S) arrière, 4
PORTIÈRES 2 **PLACES** 2, 2+2
PREMIÈRE GÉNÉRATION 1964
GÉNÉRATION ACTUELLE 2013
CONSTRUCTION Zuffenhausen, Allemagne
COUSSINS GONFABLES 6 (frontaux, latéraux avant, rideaux latéraux)
CONCURRENCE Acura NSX, Aston Martin Vantage, Audi R8, BMW Série 6, Chevrolet Corvette, Dodge Viper, Ferrari California/488 GTB, Jaguar F-Type, Lamborghini Huracan, Lexus LC, Lotus Evora, Maserati GT, Mclaren 540/570, Mercedes-Benz-AMG GT/ SL, Nissan GT-R

AU QUOTIDIEN

COLLISION FRONTALE 5/5
COLLISION LATÉRALE 5/5
VENTES DU MODÈLE L'AN DERNIER AU QUÉBEC 167 (+0,0 %) **AU CANADA** 859 (+6,7 %)
DÉPRÉCIATION (%) 19,3 (3 ans)
RAPPELS (2011 à 2016) 7
COTE DE FIABILITÉ 4/5

GARANTIES... ET PLUS

GARANTIE GÉNÉRALE 4 ans/80 000 km
GROUPE MOTOPROPULSEUR 4 ans/80 000 km
PERFORATION 10 ans/kilométrage illimité
ASSISTANCE ROUTIÈRE 4 ans/80 000 km
NOMBRE DE CONCESSIONNAIRES AU QUÉBEC 4 **AU CANADA** 16

NOUVEAUTÉS EN 2017

Adoption de moteurs turbo, sauf versions GTS et GT3. Retouches esthétiques.

RESTE À CHOISIR

Les « intégristes », ceux qui déplorent l'embourgeoisement de la 911, jugeront cette nième mise à jour de « leur » icône contre nature; mais la firme allemande avait-elle d'autres choix que de réduire la cylindrée de ses moteurs pour assurer la pérennité de ce modèle à la personnalité multiple? Aucun, et elle ne s'en porte pas plus mal pour autant.

Éric LeFrançois

TOUR DU PROPRIÉTAIRE > Visuellement, cette 911 ressemble encore et toujours à une 911... Vrai, mais regardez-la plus attentivement. Le bouclier avant est entièrement nouveau et intègre des volets actifs pour mieux fendre l'air. La nuit, la signature lumineuse est aussi différente grâce au raffinement apporté au dessin des phares. De profil, on note la disparition de la cuvette de poignée de porte au profit d'un nouvel ouvrant plus effilé. À l'arrière, on retient la présence de sorties d'air additionnelles.

VIE À BORD > À l'intérieur, l'écran de navigation et la quincaillerie informatique qui se trouve à l'intérieur font peau neuve, et c'est tant mieux. Plus convivial et surtout plus moderne, ce « bloc » d'infodivertissement s'intègre à un tableau qui a peu évolué. Les sièges avant offrent un confort étonnant, mais les deux places aménagées à l'arrière ne conviennent qu'à des enfants en très bas âge. Le minuscule logement aménagé sous le capot fait office de coffre et

+
- BONNE VISIBILITÉ
- FIABILITÉ RASSURANTE
- EFFICACITÉ REDOUTABLE

−
- OPTIONS COÛTEUSES ET DÉCLINAISONS MULTIPLES
- AUTONOMIE LIMITÉE (TURBO)
- PLUS GT QUE SPORT

MENTIONS

CLÉ D'OR | CHOIX VERT | COUP DE CŒUR | RECOMMANDÉ

VERDICT

PLAISIR AU VOLANT
QUALITÉ DE FINITION
CONSOMMATION
RAPPORT QUALITÉ / PRIX
VALEUR DE REVENTE
CONFORT

1 5 10

sa configuration à deux roues motrices contient un volume plus décent que sur les déclinaisons qui en comptent quatre (roues motrices).

TECHNIQUE > Malgré la nécessaire diversification de sa gamme, Porsche demeure profondément attachée à la 911. Cette dernière s'efforce d'évoluer sans en avoir l'air pour élargir le cercle de ses fidèles, mais aussi pour satisfaire à des normes de consommation (et antipollution) de plus en plus sévères. Voilà qui explique le fait que cette quinquagénaire soit dorénavant propulsée par un nouveau moteur. D'une cylindrée de 3 litres, cette mécanique reprend la configuration à plat de ses aïeules, mais y ajoute la magie de la suralimentation par turbocompresseur. À noter que la Turbo (la vraie) demeure fidèle au 3,8-litres.

AU VOLANT > Que ce soit la Carrera ou la Targa, et ce, avec ou sans S, le plaisir est intense, mais de courte durée. Avec ses 365 chevaux, la Carrera se propulse de 0 à 100 km/h en 4,8 secondes et atteint le plafond illégal de 285 km/h en vitesse de pointe. La déclinaison S - plus chère - fait mieux encore, bénéficiant il est vrai de 50 chevaux supplémentaires que d'aucuns pourront exploiter sur les routes publiques. Une 911 Carrera avec ou sans S utilise un accessoire hautement indispensable : un avertisseur sonore peut être programmé par l'ordinateur de bord pour se déclencher dès qu'une certaine vitesse est dépassée. Hormis le timbre un peu faux de ce moteur, les propriétaires des plus récentes 911 n'y verront que du feu. Enfin presque. La 911 se projette toujours dans l'horizon avec autant d'âpreté. Le temps de réponse est pratiquement nul et la souplesse de ce moteur à bas régime (sous 2 500 tr/min) surtout impressionne. Au risque de déplaire aux puristes, la boîte automatique à double embrayage demeure un meilleur choix (performances et consommation) que la manuelle pour épouser les caractéristiques de cette motorisation suralimentée. Sur la route, on ne se lasse pas des sorties de virage lorsqu'on lâche toute la puissance et le couple sur le train arrière. Toujours excitant! Plus docile que jamais, ce coupé (il existe aussi une déclinaison cabriolet ou Targa) vire à plat, réagit franchement et s'avère tellement facile à prendre en mains, y compris en ville grâce à une visibilité remarquable, pour une automobile sportive s'entend. Elle préserve le plaisir de conduire des conducteurs moyens à l'intérieur des limites imposées sur nos routes et se révèle étonnamment agréable à conduire au quotidien. Dans ce cadre, jamais elle ne punit ou ne ridiculise les mains inexpérimentées. Voilà sans doute ce qui chagrine le plus les puristes.

CONCLUSION > À moins de tourner sur un circuit, la 911 se laisse conduire par tout le monde, et c'est sans doute là que réside sa plus grande force. Ce mythe roulant est capable de se trouver bloqué dans la circulation sans surchauffer et d'enfiler les tours d'un circuit fermé sans se fatiguer. C'est cela, le progrès. ■

2e OPINION

Michel Crépault

L'année 2017 marque le moment dans la riche histoire de Porsche où presque toutes les 911 accueillent un turbo, à l'exception de rares livrées telles que la GT3 et la R. La décision s'inscrit dans la tendance de l'heure, amorcée dans le grand public par Ford avec ses moteurs EcoBoost, et qui rejoint désormais les machines de rêve, qui doivent elles aussi respecter l'environnement. Avec le turbo, vous pouvez extraire les performances en écrasant le champignon ou vous pouvez parcourir plusieurs kilomètres avec un seul litre d'essence (j'ai vu en juin une Carrera conserver une moyenne de 7,8 L/100 km !). Bon, ça ne fait pas l'affaire des puristes, mais ça, c'est un autre débat. En attendant, l'icône allemande a modernisé ses engins, sa suspension et son habitacle (bienvenue CarPlay !) pour le plus grand bonheur de quelques heureux élus.

FICHE TECHNIQUE

MOTEUR(S)

(Carrera/S, Carrera 4/4S, Targa 4/4S) H6 3,0 L DACT turbo
PUISSANCE 365 ch à 7 400 tr/min **S** 415 ch à 6 500 tr/min
COUPLE 331 lb-pi à 5 600 tr/min **S** 368 lb-pi à 1 700 tr/min
RAPPORT POIDS/PUISSANCE 3,8 à 4,0 kg/ch
BOÎTE(S) DE VITESSES manuelle à 7 rapports, manuelle robotisée à 7 rapports (en option)
PERFORMANCES 0-100 km/h Coupé/cabrio 2RM man. 4,8 s **robo.** 4,6 s **4RM man.** 4,9 s/5,1 s **robo.** 4,7 s/4,9 s **Targa man.** 5,2 s **robo.** 5,0 s **S/4S/Cabrio S/4S man.** 4,3 s/4,2 s/4,5 s/4,4 s **robo.** 4,1 s/4,0 s/4,3 s/4,2 s **Sport chrono** 3,9 s/3,8 s/4,1 s/4,0 s
REPRISE 80-115 km/h man. 4,6 s **robo.** 2,2 s
VITESSE MAXIMALE Coupé 2RM 289 km/h **4RM** 285 km/h **Cabrio 2RM** 292 km/h **4RM** 282 km/h **Targa man.** 289 km/h **robo.** 287 km/h **S** 308 km/h **4S** 299 km/h **Cabrio S/Targa 4S** 303 km/h
CONSOMMATION (100 km) S 2RM man. ville 12,1 L, route 8,3 L **robo.** ville 10,8 L, route 8,3 L **4RM man.** ville 12,2 L, route 8,5 L **robo.** ville 10,9 L, route 8,5 L (octane 91)
ANNUELLE 2RM man. 1 768 L, 2 387 $ **robo.** 1 632 L, 2 203 $ **4RM man.** 1 785 L, 2 410 $ **robo.** 1 666 L, 1 999 $
ÉMISSIONS DE CO_2 2RM man. 4 066 kg/an **robo.** 3 754 kg/an **4RM man.** 4 105 kg/an **robo.** 3 832 kg/an

(GTS, 4 GTS) H6 3,8 L DACT
PUISSANCE 430 ch à 7 500 tr/min **COUPLE GTS** 325 lb-pi à 5 750 tr/min
RAPPORT POIDS/PUISSANCE 3,4 à 3,5 kg/ch
BOÎTE(S) DE VITESSES manuelle à 7 rapports, manuelle robotisée à 7 rapports (en option)
PERFORMANCES 0-100 km/h man. 4,4 s **robo.** 4,0 s **Cabrio man.** 4,6 s **robo.** 4,2 s
REPRISE 80-115 km/h man. 4,6 s **robo.** 2,2 s
VITESSE MAXIMALE 306 km/h 4 **GTS** 304 km/h

(TURBO, TURBO S) H6 3,8 L DACT biturbo
PUISSANCE 540 ch de 6 400 à 6 500 tr/min **S** 580 ch à 6 500 tr/min
COUPLE 486 lb-pi à 1 950 tr/min (524 lb-pi avec overboost) **S** 516 lb-pi de 2 100 à 4 250 tr/min (553 lb-pi avec overboost)
RAPPORT POIDS/PUISSANCE 2,9 kg/ch **S** 2,7 kg/ch
BOÎTE(S) DE VITESSES manuelle robotisée à 7 rapports
PERFORMANCES 0-100 km/h 3,2 s **Sport chrono** 3,0 s **S** 3,1 s **Sport chrono** 2,9 s
REPRISE 80-115 km/h robo. 1,7 s **S robo.** 1,5 s
VITESSE MAXIMALE 320 km/h **S** 330 km/h
CONSOMMATION (100 km) ville 12,6 L, route 9,9 L (octane 91)
ANNUELLE 1 938 L, 2 616 $ **ÉMISSIONS DE CO_2** 4 457 kg/an

(R, GT3 RS) H6 4,0 L DACT
PUISSANCE 500 ch à 8 250 tr/min **COUPLE** 339 lb-pi à 6 250 tr/min
RAPPORT POIDS/PUISSANCE 3,0 kg/ch **GT3 RS** 2,9 kg/ch
BOÎTE(S) DE VITESSES R manuelle à 6 rapports **GT3 RS** manuelle robotisée à 7 rapports
PERFORMANCES 0-100 km/h 3,8 s **GT3 RS** 3,3 s
VITESSE MAXIMALE 315 km/h **GT3 RS** 310 km/h
CONSOMMATION (100 km) ville 20,0 L, route 9,3 L **GT3 RS** ville 16,3 L route 11,8 L (octane 91)
ANNUELLE 2 533 L, 3 420 $ **GT3 RS** 2 431 L, 3 282 $
ÉMISSIONS DE CO_2 5 826 kg/an **GT3 RS** 5 591 kg/an

AUTRES COMPOSANTS

SÉCURITÉ ACTIVE (certains en option) Freins ABS, assistance au freinage, répartition électronique de la force de freinage, contrôle électronique de la stabilité, antipatinage, phares adaptatifs, suspension adaptative, aide au démarrage en pente
SUSPENSION avant/arrière indépendante **FREINS** avant/arrière disques
DIRECTION à crémaillère, assistée électriquement
PNEUS Carrera/Cabrio/Targa 4 P235/40R19 (av.), P285/35R19 (arr.) **Carrera 4/Cabrio 4** P235/40R19 (av.) P295/35R19 (arr.) **Carrera S/Cabrio S** P245/35R20 (av.) P295/30R20 (arr.) **Carrera 4S/Cabrio 4S/Targa 4S/Turbo/Turbo S/R** P245/35R20 (av.) P305/30R20(arr.) **GT3 RS** P265/35R20 (av.), P325/30R21 (arr.)

DIMENSIONS

EMPATTEMENT 2 450 mm **R/GT3 RS** 2 457 mm
LONGUEUR 4 499 mm **GTS** 4 509 mm **Turbo/Turbo S** 4 506 mm **R/GT3 RS** 4 532 mm **LARGEUR Carrera/S, Cabrio/S** 1808 mm **Carrera 4/4S, Cabrio 4/4S, Targa, GTS, R** 1 852 mm **Turbo/Turbo S/GT3 RS** 1 880 mm
HAUTEUR 1 289 à 1 296 mm **Turbo** 1 297 mm **R** 1 276 mm **GT3 RS** 1 269 mm
POIDS 1 400 kg à 1 675 kg **DIAMÈTRE DE BRAQUAGE** 10,6 m **R/GT3 RS** 11,1 m
COFFRE Carrera/ S 145 L (av.), 205 L (arr.) **Carrera et Targa 4/4S, GT3/GT3 RS** 125 L (av.), 260L (arr.)
RÉSERVOIR DE CARBURANT 64 L **4S/Targa/Turbo/Turbo S** 68 L **option GT3 RS** 90 L

LA COTE VERTE

MOTEUR V6 DE 2,9 L BITURBO
CONSOMMATION (100 km) 8,2 L
CONSOMMATION ANNUELLE 1 394 L, 1 882 $
INDICE D'OCTANE 91
ÉMISSIONS POLLUANTES (CO_2) 3 206 kg/an
(source : Porsche et L'Annuel)

FICHE D'IDENTITÉ

VERSION(S) 4 S, Turbo
TRANSMISSION(S) 4
PORTIÈRES 4 **PLACES** 4
PREMIÈRE GÉNÉRATION 2010
GÉNÉRATION ACTUELLE 2017
CONSTRUCTION Leipzig, Allemagne
COUSSINS GONFABLES 8 (frontaux, latéraux avant, genoux conducteur et passager, rideaux latéraux)
CONCURRENCE Aston Martin Rapide S, Audi A8/S8, Bentley Flying Spur, BMW Série 6 Gran Coupé/Série7, Cadillac CT6, Ferrari GTC4 Lusso, Jaguar XJ, Maserati Ghibli/Quattroporte, Mercedes-Benz CLS/Classe S, Rolls-Royce Wraith

AU QUOTIDIEN

COLLISION FRONTALE nm
COLLISION LATÉRALE nm
VENTES DU MODÈLE L'AN DERNIER
AU QUÉBEC 57 (-8,1 %) **AU CANADA** 341 (-9,1 %)
DÉPRÉCIATION (%) 26,3 (3 ans)
RAPPELS (2011 à 2016) 2
COTE DE FIABILITÉ 4/5

GARANTIES... ET PLUS

GARANTIE GÉNÉRALE 4 ans/80 000 km
GROUPE MOTOPROPULSEUR 4 ans/80 000 km
PERFORATION 12 ans/kilométrage illimité
ASSISTANCE ROUTIÈRE 4 ans/80 000 km
NOMBRE DE CONCESSIONNAIRES
AU QUÉBEC 4 **AU CANADA** 17

NOUVEAUTÉS EN 2017

Nouvelle génération

UNE VÉRITABLE ÉVOLUTION

Lancée en 2009, la berline sport du constructeur allemand a su redéfinir les paramètres d'une catégorie qui mettait peut-être un peu trop d'accent sur le confort douillet de ses occupants. Malheureusement, la Panamera était imparfaite à quelques niveaux, à commencer par cette silhouette qui fait l'objet de nombreux débats encore aujourd'hui. Avec cette nouvelle mouture, Porsche semble avoir trouvé un meilleur équilibre entre le design et l'aspect plaisir de conduite.

Vincent Aubé

TOUR DU PROPRIÉTAIRE > Avec la nouvelle édition 2017 qui arrivera chez nous en début d'année prochaine, Porsche entend séduire un public qui accorde plus d'importance au design automobile. Malgré cette robe plus inspirante, la Panamera demeure reconnaissable en raison de tous ces éléments de design propres à la marque. Assurément, c'est à l'arrière que la majorité du travail a été accompli pour rapprocher la grande berline des sportives du constructeur. Les feux amincis réunis au centre par une fine bande aux diodes électroluminescentes sont une belle touche, tout comme les lettres P-O-R-S-C-H-E placées en relief sous l'aileron qui se déploie à vitesse élevée. L'édition 4S reçoit quatre sorties d'échappement rondes alors qu'elles sont de forme trapézoïdale sur la Turbo. La plus puissante des deux se voit également confier un aileron plus imposant (lorsque déployé) afin de mieux appuyer la voiture sur les autoroutes allemandes sans limites de vitesse. L'autre point qui rapproche la Panamera de la 911, c'est cette fenestration arrondie vers

+
DESIGN RÉUSSI
COMPORTEMENT SPORTIF
QUALITÉ D'EXÉCUTION

−
PRIX ÉLITISTE
BOUTONS TACTILES
SEULEMENT QUATRE PLACES

MENTIONS

CLÉ D'OR | CHOIX VERT | COUP DE CŒUR | RECOMMANDÉ

VERDICT

PLAISIR AU VOLANT
QUALITÉ DE FINITION
CONSOMMATION
RAPPORT QUALITÉ / PRIX
VALEUR DE REVENTE
CONFORT

1 5 10

l'arrière qui s'intègre beaucoup mieux aux ailes bombées de la voiture. Dépendamment de l'angle observé, la Panamera ressemble davantage à une 911 à quatre portières, une impression augmentée par ces arches de roues repoussées aux quatre coins de la berline. Finalement, le bouclier avant se fait plus effacé avec ses phares reconnaissables par leur signature à quatre boutons aux DEL. Le pare-chocs a changé, tout comme la forme du capot, mais règle générale, la nouvelle Panamera, de l'avant du moins, se fait plus évolutive au museau.

VIE À BORD > L'empattement a gagné quelques millimètres pour 2017, ce qui bonifie l'espace à l'intérieur. Malgré ce gain, le coupé-berline ne change pas sa formule pour autant. Il n'y a toujours que quatre places à bord du vaisseau amiral. La première impression confirme que la marque allemande n'a pas perdu la main lorsqu'est venu le temps de ficeler un habitacle. Les cuirs retenus pour habiller ce cockpit sont superbes, tout comme les autres matériaux qui se retrouvent à bord de la voiture (aluminium, fibre de carbone, etc.). Les concepteurs ont opté pour un pavé tactile aux deux rangées de sièges pour remplacer l'armée de boutons. Il s'agit d'une solution plus facile à entretenir, mais qui ne s'avère pas intuitive au quotidien. Et puisque nous sommes à l'ère des applications, vous ne serez pas étonné d'apprendre que la Panamera permet de rester branché via le système Apple CarPlay.

TECHNIQUE > La présentation mondiale a mis en évidence deux variantes qui viendront au Canada : la 4S et la Turbo. Le modèle le plus accessible, la Panamera 4S, hérite d'un nouveau moteur V6 biturbo d'une cylindrée de 2,9 litres. Ce dernier développe une puissance de 434 chevaux et un couple de 469 livres-pieds. L'autre option, plus traditionnelle, ajoute deux cylindres à l'équation. Le V8 biturbo de 4 litres est lui aussi de nouvelle facture, lui qui donne au pied droit 542 pur-sang et 568 livres-pieds de couple. Les deux variantes seront équipées de la transmission intégrale en plus d'être munies de la plus récente version de la boîte à double embrayage PDK comptant 8 rapports. Évidemment, cette unité permet le changement manuel des vitesses au moyen du levier de vitesses ou à l'aide des palettes logées derrière le volant.

AU VOLANT > Il est impossible de commenter sur cet aspect de la voiture au moment de mettre sous presse, la présentation de la voiture n'ayant pas prévu de volet conduite. Mais si on se fie au passé du modèle, la nouvelle voiture ne devrait pas décevoir, les ingénieurs de la marque nous ayant assuré que le châssis révisé autorisait des performances plus relevées, ce qui n'est pas peu dire.

CONCLUSION > Les informations demeurent vagues pour le moment sur les autres variantes à venir, mais vous pouvez compter sur le constructeur pour ajouter d'autres options en cours de route. Porsche doit absolument trouver le moyen de ramener les consommateurs dans ses salles d'exposition. Avec cette deuxième livrée, les chances de voir les chiffres de ventes augmenter sont bonnes, et ce, presque uniquement grâce à la nouvelle silhouette plus séduisante. Pour ce qui est du reste, la Panamera 2017 ne change pas la recette, elle ne fait qu'évoluer… comme les autres modèles de la marque d'ailleurs ! ■

2e OPINION

Luc-Olivier Chamberland

Entièrement redessinée et repensée mécaniquement, la Panamera se révèle tout aussi exceptionnelle que précédemment. Le tout sera simplement meilleur. Le style se veut à l'image de l'histoire de Porsche, évolutif. Il n'y a pas de révolution, juste une superbe mise à jour mettant les traits ciselés de la voiture à l'honneur. Cette fois, le popotin est réussi. Mécaniquement, c'est Porsche. Donc du choix, il y en a et il y en aura encore plus. Il n'y a que du nouveau, dont un V6 de 2,9 litres de 434 chevaux. Après, le V8 de 4 litres de 542 chevaux s'invite. Viendra une collection de possibilités avec autant de versions, dont l'hybridation et même une technologie enfichable.

FICHE TECHNIQUE

MOTEUR(S)

(4S) V6 2,9 L DACT biturbo
PUISSANCE 434 ch de 5 650 à 6 600 tr/min
COUPLE 406 lb-pi de 1 750 à 5 500 tr/min
RAPPORT POIDS/PUISSANCE 4,3 kg/ch
BOÎTE(S) DE VITESSES manuelle robotisée à 8 rapports
PERFORMANCES 0-100 km/h 4,4 s, 4,2 s avec Sport Chrono
REPRISE 80-115 km/h 2,7 s
VITESSE MAXIMALE 289 km/h

(TURBO) V8 4,0 L DACT biturbo
PUISSANCE 542 ch à 5 750 tr/min
COUPLE 568 lb-pi de 1 960 à 4 500 tr/min
RAPPORT POIDS/PUISSANCE 3,7 kg/ch
BOÎTE(S) DE VITESSES manuelle robotisée à 8 rapports
PERFORMANCES 0-100 km/h 3,8 s, 3,6 s avec Sport Chrono
REPRISE 80-115 km/h 2,1 s
VITESSE MAXIMALE 306 km/h

AUTRES COMPOSANTS

SÉCURITÉ ACTIVE (selon version ou certains en option) Freins ABS, assistance au freinage, répartition électronique de la force de freinage, contrôle électronique de la stabilité, antipatinage, suspension pneumatique adaptative, phares adaptatifs, régulateur de vitesse adaptatif, avertisseurs de sortie de voie et d'obstacle latéral, assistance vision nocturne, système d'anticipation de la route 3 km en avant
SUSPENSION avant/arrière indépendante pneumatique à compensation de roulis
FREINS avant/arrière disques
DIRECTION à crémaillère, assistée électriquement, à 4 roues directionnelles
PNEUS 4S P255/45R19 (av) P285/40R19 (arr.)
Turbo P255/40R20 (av.) P295/35R20 (arr.) **option Turbo** 21 po.

DIMENSIONS

EMPATTEMENT 2 950 mm
LONGUEUR 5 050 mm
LARGEUR 1 935 mm
HAUTEUR 1 423 mm
POIDS 4S 1 870 kg **Turbo** 1 995 kg
DIAMÈTRE DE BRAQUAGE 11,9 m
COFFRE 495 L, 1 304 L (sièges abaissés)
RÉSERVOIR DE CARBURANT 90 L

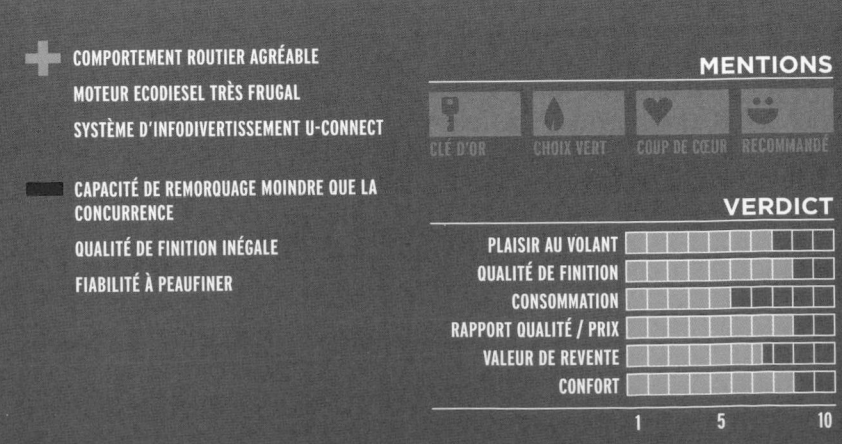

LA COTE VERTE

MOTEUR V6 DE 3,0 L TURBODIESEL
CONSOMMATION (100 km) 2RM ville 11,6 L, route 8,4 L **4RM** ville 12,1 L, route 8,8 L
CONSOMMATION ANNUELLE 2RM 1 734 L, 1 994 $ **4RM** 1 802 L, 2 072 $
INDICE D'OCTANE Diesel
ÉMISSIONS POLLUANTES CO_2 2RM 4 624 kg/an **4RM** 4 811 kg/an
(source : ÉnerGuide)

FICHE D'IDENTITÉ

VERSION(S) ST, SXT, SLT, Outdoorsman, Sport, Rebel, Big Horn, Laramie, Laramie Longhorn, Laramie Limited
TRANSMISSION(S) arrière, 4
PORTIÈRES 2,4 **PLACES** 3 à 6
PREMIÈRE GÉNÉRATION 1981
GÉNÉRATION ACTUELLE 2013
CONSTRUCTION (2 portes) Saltillo, Mexique, (autres) Warren, Michigan, É-U
COUSSINS GONFLABLES 8 (frontaux, latéraux avant, genoux conducteur et passager, rideaux latéraux)
CONCURRENCE Chevrolet Silverado/GMC Sierra, Ford F-150, Nissan Titan, Toyota Tundra

AU QUOTIDIEN

COLLISION FRONTALE 5/5
COLLISION LATÉRALE 5/5
VENTES DU MODÈLE L'AN DERNIER
AU QUÉBEC 12 018 (+20,2 %) **AU CANADA** 91 195 (+3,0 %) (incl. 2500/3500)
DÉPRÉCIATION (%) 38,1 (3 ans)
RAPPELS (2011 à 2016) 25
COTE DE FIABILITÉ 2/5

GARANTIES... ET PLUS

GARANTIE GÉNÉRALE 3 ans/60 000 km
GROUPE MOTOPROPULSEUR 5 ans/100 000 km
PERFORATION 5 ans/160 000 km
ASSISTANCE ROUTIÈRE 5 ans/100 000 km
NOMBRE DE CONCESIONNAIRES
AU QUÉBEC 93 **AU CANADA** 440

NOUVEAUTÉS EN 2017

Abandon du réceptacle de carte SD, radio 8.4 po. requiert l'option contrôle de température auto. (SLT, Otdoosman et Bighorn), nouveaux finis de jantes 20 po., nouvelle peinture deux tons disponible, écran 7 po. et suspension à air de série sur Rebel, abandon de la version HFE 3,6 L avec dispositif arrêt/départ.

LA CAMIONNETTE POUR LE QUOTIDIEN

Difficile de ne pas prendre conscience qu'un combat sans merci oppose les trois grands constructeurs américains dans l'arène des camionnettes pleine grandeur. Les fabricants rivaux mitraillent les consommateurs de publicités vantant les mérites de leurs produits respectifs. La raison de cet effort publicitaire est fort simple : le segment est très profitable. Mais alors, comment le Ram 1500 arrive-t-il à se démarquer dans cet océan d'adjectifs faisant l'éloge de la robustesse ? Avec son approche plus feutrée.

Charles René

TOUR DU PROPRIÉTAIRE > Le Ram 1500 fait dans la provocation avec cette immense calandre mise en évidence par la présence d'un chrome bien voyant. Épinglé bien au centre, il y a le logo de la marque, un bélier prêt à charger. En option, on peut obtenir un dessin de calandre différent, mettant l'accent sur la marque (Ram) écrite dans une énorme police de caractère. Un large capot sculpté surplombe le tout, complété par les ailes surdimensionnées. L'ensemble peut certes paraître macho, mais c'est exactement ce que la concurrence propose pour séduire la clientèle. C'est toutefois bien proportionné. Pour ce qui est de la livrée Rebel, la posture est sinistre, avec l'accent mis sur des éléments de carrosserie noirs.

+
- COMPORTEMENT ROUTIER AGRÉABLE
- MOTEUR ECODIESEL TRÈS FRUGAL
- SYSTÈME D'INFODIVERTISSEMENT U-CONNECT

−
- CAPACITÉ DE REMORQUAGE MOINDRE QUE LA CONCURRENCE
- QUALITÉ DE FINITION INÉGALE
- FIABILITÉ À PEAUFINER

MENTIONS

CLÉ D'OR | CHOIX VERT | COUP DE CŒUR | RECOMMANDÉ

VERDICT

PLAISIR AU VOLANT
QUALITÉ DE FINITION
CONSOMMATION
RAPPORT QUALITÉ / PRIX
VALEUR DE REVENTE
CONFORT

1 5 10

VIE À BORD > À l'instar de l'ensemble des camionnettes pleine grandeur, l'espace intérieur est directement tributaire de l'habitacle choisi. Ram en propose trois pour son modèle 1500 : cabine simple, cabine Quad et cabine d'équipe. Si vous achetez votre 1500 dans l'optique d'en faire une utilisation quotidienne, la cabine dite « d'équipe » est l'option à privilégier. Le volume général est impressionnant, permettant autant de trimbaler des objets de bonne grosseur à l'arrière que de recevoir cinq personnes confortablement. Côté présentation, le constructeur met évidemment l'accent sur l'aspect massif des composantes. L'assemblage n'est pas parfait, mais ce Ram se rattrape sur la qualité des matériaux. Pour les amateurs de technologie, le système d'infodivertissement *U-Connect* reste toujours une référence. Il est facile d'approche, son écran tactile est performant et il est appuyé par d'excellentes chaînes audio.

TECHNIQUE > Ram propose un éventail de trois moteurs avec son Ram 1500. Le moteur de série est le V6 de 3,6 litres Pentastar. Dépendamment de la configuration choisie, il peut tracter jusqu'à 3452 kilos. Un autre V6 EcoDiesel, celui-là de 3 litres et turbodiesel, augmente la capacité de remorquage à 4178 kilos. Le V8 Hemi de 5,7 litres couronne le tout avec une capacité de remorquage maximale de 4827 kilos. Ces chiffres placent le Ram 1500 en retrait en comparaison des Ford F-150, Chevrolet Silverado/GMC Sierra, voire le nouveau Nissan Titan XD. On ne peut cependant leur reprocher quoi que ce soit sur leur prestation. Le V6 turbodiesel est d'ailleurs probablement l'option la plus alléchante à l'égard de la performance, mariant une consommation étonnamment frugale à une bonne capacité de remorquage et une belle onctuosité. Beaucoup plus gourmand, mais tout aussi doux, le V8 Hemi reste le plus nerveux des trois et est beaucoup moins coûteux que l'option EcoDiesel.

AU VOLANT > Là où le Ram 1500 perd en capacité de remorquage, il le gagne en sophistication sur le plan du comportement routier. Sa configuration multibras à l'arrière le rend sans aucun doute le plus agréable de sa horde en conduite quotidienne. L'arrière absorbe beaucoup mieux les bosses, chose qui est d'autant plus observable lorsque la caisse arrière est vide. Cette caractéristique est légèrement altérée par la configuration de la suspension arrière du Rebel, conçue pour le hors-route, sans en faire un problème envahissant. La suspension pneumatique offerte en option sur certaines livrées ajoute une corde à l'arc du modèle lui permettant de s'adapter à différents contextes. La direction se situe également parmi les meilleures du segment, d'une très bonne précision malgré la grosseur du véhicule.

CONCLUSION > Le Ram 1500 est certes une camionnette qui a atteint un beau niveau de maturité. Les moteurs offerts lui permettent d'être très concurrentiel et ses manières sur la route nous font presque oublier que nous sommes au volant d'une camionnette. En contrepartie, on obtient une capacité de remorquage moindre. Ram devra également relever son jeu en matière de fiabilité. ■

2e OPINION

Daniel Rufiange

Le choix de camionnettes pleine grandeur a beau être restreint, on parle d'un des segments où il se vend le plus de véhicules chaque année. Voilà qui témoigne de deux choses : de l'utilité de ce type de produit, puis de l'engouement qu'ils génèrent auprès des consommateurs. Dans le cas du Ram, on a droit à une bibitte drôlement raffinée qui peut à la fois servir l'entrepreneur qui démarre son entreprise ou dorloter une famille lors des sorties mondaines du week-end. Ce qui impressionne le plus à propos de ce Ram, c'est sa capacité à traverser les années sans vieillir. Il est vrai que la division le raffine de façon quasi annuelle, mais quand même, la génération actuelle a été introduite en 2009. L'ombre au tableau ? Le dossier de fiabilité, qui est évalué inférieur à la moyenne de 37 %, selon *Consumer Reports*.

FICHE TECHNIQUE

MOTEUR(S)

(V6) V6 3,6 L DACT
PUISSANCE 305 ch à 6 400 tr/min
COUPLE 269 lb-pi à 4 175 tr/min
RAPPORT POIDS/PUISSANCE 7,3 kg/ch
BOITE(S) DE VITESSES automatique à 8 rapports
PERFORMANCES 0-100 km/h 8,3 s
VITESSE MAXIMALE 170 km/h
CONSOMMATION (100 km) 2RM ville 13,9 L, route 9,5 L
4RM ville 14,6 L, route 10,1 L (octane 89, octane 87 utilisable)
ANNUELLE 2RM 2 023 L, 2 428 $ **4RM** 2 142 L, 2 570 $
ÉMISSIONS DE CO_2 2RM 4 653 kg/an **4RM** 4 927kg/an

(V8) V8 5,7 L ACC
PUISSANCE 395 ch à 5 600 tr/min
COUPLE 410 lb-pi à 3 950 tr/min
RAPPORT POIDS/PUISSANCE 6,5 kg/ch
BOITE(S) DE VITESSES automatique à 6 rapports, automatique à 8 rapports (option)
PERFORMANCES 0-100 km/h 7,2 s
VITESSE MAXIMALE 190 km/h
CONSOMMATION (100 km) 2RM auto.6 ville 17,1 L, route 12,0 L **auto.8** ville 15,8 L, route 10,9 L **4RM auto.6** ville 17,7 L, route 12,7 L **auto.8** 16,2 L, route 11,5 L (octane 89, octane 87 utilisable)
ANNUELLE 2RM auto.6 2 516 L, 3 019 $ **auto.8** ville 2 397 L, 2 876 $ **4RM auto.6** 2 618 L, 3 142 $ **auto.8** 2 397 L, 2 876 $
ÉMISSIONS DE CO_2 2RM auto.6 5 787 kg/an **auto.8** 5 513 kg/an **4RM auto.6** 6 021 kg/an **auto.8** 5 513 kg/an

(DIESEL) V6 3,0 L DACT turbodiesel
PUISSANCE 240 ch à 3 600 tr/min **COUPLE** 420 lb-pi à 2 000 tr/min
RAPPORT POIDS/PUISSANCE 10,0 kg/ch
BOITE(S) DE VITESSES automatique à 8 rapports
PERFORMANCES 0-100 km/h 9,4 s **VITESSE MAXIMALE** ND

AUTRES COMPOSANTS

SÉCURITÉ ACTIVE (certains en option) Freins ABS, assistance au freinage, répartition électronique de la force de freinage, assistance au départ en pente, contrôle électronique de la stabilité et contrôle de louvoiement de la remorque, antipatinage, phares adaptatifs
SUSPENSION avant/arrière indépendante/pont rigide (susp. pneumatique en option)
FREINS avant/arrière disques
DIRECTION à crémaillère, assistée électriquement
PNEUS ST/Tradesman/SLT P265/70R17 **Outdoorsman** P275/70R17 **option Outdoorsman, Laramie, Laramie Longhorn/ de série Sport** P275/60R20 **ensemble R/T** P285/45R22 **Rebel Tout-terrain** 33 po. sur jantes 17 po.

DIMENSIONS

EMPATTEMENT 3 061 à 3 569 mm **LONGUEUR** 5 308 à 5 867 mm
LARGEUR 2 017 mm **HAUTEUR** 1 894 à 1 922 mm
POIDS 2 239 à 2 762 kg **DIAMÈTRE DE BRAQUAGE** 12,0 à 13,9 m
RÉSERVOIR DE CARBURANT boîte courte 98 L **boîte longue** 121 L
CAPACITÉ DE REMORQUAGE 1 632 à 4 827 kg

LA COTE VERTE

MOTEUR V8 DE 5,7 L
CONSOMMATION (100 km) ville 18,5 L, route 11,3 L
CONSOMMATION ANNUELLE 2 601 L, 3 121 $
INDICE D'OCTANE 87
ÉMISSIONS POLLUANTES CO_2 5 982 kg/an
(source : L'Annuel)

FICHE D'IDENTITÉ

VERSION(S) 2500 ST, SLT, Outdoorsman, Power Wagon, Laramie, Laramie Longhorn, Laramie Limited **3500** ST, SLT, Laramie, Laramie Longhorn, Laramie Limited
TRANSMISSION(S) arrière, 4
PORTIÈRES 2, 4 **PLACES** 2 à 6
PREMIÈRE GÉNÉRATION 1981
GÉNÉRATION ACTUELLE 2009
CONSTRUCTION Saltillo, Mexique
COUSSINS GONFLABLES 6 (frontaux, latéraux avant, rideaux latéraux)
CONCURRENCE Chevrolet Silverado HD/GMC Sierra HD, Ford Super Duty, Nissan Titan XD

AU QUOTIDIEN

COLLISION FRONTALE 5/5
COLLISION LATÉRALE 5/5
VENTES DU MODÈLE L'AN DERNIER
AU QUÉBEC 12 018 (+20,2 %) **AU CANADA** 91 195 (+3,0 %) (incl. Ram 1500)
DÉPRÉCIATION (%) 37,9 (3 ans)
RAPPELS (2011 à 2016) 17
COTE DE FIABILITÉ 2/5

GARANTIES... ET PLUS

GARANTIE GÉNÉRALE 3 ans/60 000 km
GROUPE MOTOPROPULSEUR 5 ans/100 000 km
PERFORATION 5 ans/160 000 km
ASSISTANCE ROUTIÈRE 5 ans/100 000 km
NOMBRE DE CONCESIONNAIRES
AU QUÉBEC 93 **AU CANADA** 440

NOUVEAUTÉS EN 2017

Retouches esthétiques au Power Wagon 2500 basées sur le Rebel 1500, nouvel ensemble hors-route, abandon du réceptacle de carte SD.

LE COURAGE, LA LÉGENDE?

En pleine télévision, pendant que GM tente de nous vendre le Wi-Fi 4G et le service OnStar, la voix échaudée de Dan Bigras se charge de nous convaincre des capacités et de la durabilité des camions Ram. Bien évidemment, mieux vaut pour l'exercice imaginer un Dan Bigras en pleine arène de boxe plutôt que derrière un micro, à fredonner les *trois petits cochons*! Remarquez, FCA n'utilise pour l'instant que sa voix. Sinon, on aurait probablement eu recours à Hugo Girard! Cela dit, est-ce que Dan a raison? Peut-on réellement parler de courage, de légende?

Antoine Joubert

TOUR DU PROPRIÉTAIRE > De légende, peut-être pas. Après tout, difficile d'évoquer ce terme lorsque la concurrence a le dessus au chapitre des ventes depuis des décennies. Mais de courage, oui. Car Ram aura certainement eu le courage de ses ambitions, c'est-à-dire d'accaparer d'importantes parts de marché avec son camion HD pendant que certains rivaux s'assoient sur leur réputation. On aura d'ailleurs compris qu'un camion, même conçu à des fins commerciales, doit pouvoir flatter l'ego de son propriétaire. Et ça, le Ram HD le fait très bien. Un look génial, un caractère musclé et une multitude de versions lui auront donc permis de gravir les échelons. On en rajoute même cette année avec l'arrivée d'une édition Power Wagon reprenant le style du Ram Rebel. Cela dit, le Ram HD cumule tranquillement quelques rides. Sa der-

\+ CONSTRUCTION ROBUSTE
PUISSANCE DES MOTEURS
HABITACLE BIEN AMÉNAGÉ
CAPACITÉ DE CHARGE ET DE REMORQUAGE

− MOTEUR HEMI TRÈS GOURMAND
MOTEUR CUMMINS POURRAIT SE FAIRE PLUS DISCRET
BOÎTE AUTOMATIQUE DÉSAVANTAGÉE (FACE À LA BOÎTE ALLISON DE GM)
FIABILITÉ DE LA SUSPENSION PNEUMATIQUE

MENTIONS

CLÉ D'OR | CHOIX VERT | COUP DE CŒUR | **RECOMMANDÉ**

VERDICT

PLAISIR AU VOLANT
QUALITÉ DE FINITION
CONSOMMATION
RAPPORT QUALITÉ / PRIX
VALEUR DE REVENTE
CONFORT

1 5 10

nière refonte esthétique majeure remonte maintenant à huit ans, alors que Ford nous sert cette année un Super Duty flambant neuf (il était temps !). Même Nissan se pointe avec un modèle XD, certes moins costaud, mais qui pourrait très certainement lui arracher quelques ventes.

VIE À BORD > L'âge avancé du Ram HD ne change rien à ses commodités. Son habitacle bien conçu est ultra-confortable, très ergonomique et magnifiquement décoré. Pour du luxe certain, pensez aux modèles Laramie LongHorn ou Laramie Limited, cossus à souhait et qui vous servent une formule soit campagnarde, soit plus contemporaine. Vous avez soif de technologie ? Optez alors pour l'écran tactile de 8,4 pouces avec système Uconnect. Encore à ce jour, l'un des meilleurs systèmes de l'industrie.

TECHNIQUE > Incontestablement, les moteurs HEMI du Ram HD s'acquittent de leurs tâches avec brio. Fiables, costauds et capables de remorquer à peu près n'importe quoi, ils sont cependant très gourmands et nécessitent un entretien périodique plus important que la moyenne. Vous remplacerez par exemple vos seize bougies presque deux fois plus rapidement que sur les moteurs à essence de la concurrence. Sinon, l'option réside dans ce 6-cylindres en ligne turbodiesel de 6,7 litres, fort comme un bœuf et assurément capable d'enterrer la voix d'un Dan Bigras en pleine envolée vocale, même en tournant au ralenti. Certes, ce moteur est plus coûteux, mais il permet au camion de conserver une très forte valeur marchande. Et bien sûr, la consommation de carburant est diminuée d'environ 35 % à 40 %.

AU VOLANT > Le Ram HD est un camion. Un vrai. L'habitacle est certes confortable, voire ouaté, mais le châssis très solide et les suspensions fermes nous font sentir les imperfections de la route plus fortement qu'avec les camions concurrents. En revanche, on possède la meilleure capacité de charge dans la caisse, la meilleure capacité de remorquage (jusqu'à ce que Ford renchérisse...) ainsi qu'un couple qui facilite les travaux lourds quotidiens. Parce qu'on a beau afficher des chiffres dans une publicité, encore faut-il que le camion se montre à la hauteur en toute situation. Hein, Dan! Maintenant, le Ram déçoit par sa boîte vieillissante, qui n'a certainement pas l'efficacité de la boîte Allison de GM, ainsi que par une suspension pneumatique certes géniale, mais qui a montré jusqu'ici de nombreux problèmes de fiabilité.

CONCLUSION > Certains acheteurs ont le bélier tatoué sur le cœur, tandis que pour d'autres, il ne s'agit que d'une déduction fiscale. Maintenant, qu'importe la raison qui vous amène à vous procurer une telle bête, sachez que le Ram HD demeure un outil de choix qui, selon vos besoins, peut souvent éclipser la concurrence. Soyez toutefois prêt à assumer votre choix parce qu'il n'existe actuellement aucun camion affichant ses couleurs de façon aussi outrageuse (avez-vous vu la grosseur des lettres sur le hayon ?)... ■

2e OPINION

Daniel Rufiange

Si les camionnettes pleine grandeur ont la cote en Amérique du Nord, la majorité des modèles écoulés sont regroupés dans la catégorie des demi-tonnes, les modèles 1500 chez Ram. Lorsqu'on passe à la catégorie supérieure, c'est qu'on a des besoins spécifiques, par exemple tracter une imposante remorque. Jadis, les camionnettes ultra-robustes proposaient une expérience routière très rustique. Les choses ont bien changé depuis, les modèles 2500 de Ram utilisant même une suspension pneumatique à l'arrière. En matière de capacité de charge et de remorquage, la fiche technique des gros Ram domine le segment, mais à l'usage, vous ne verrez pas une énorme différence avec ce que propose la concurrence. Au fait, qui a 30 000 livres à remorquer sur une base régulière ?

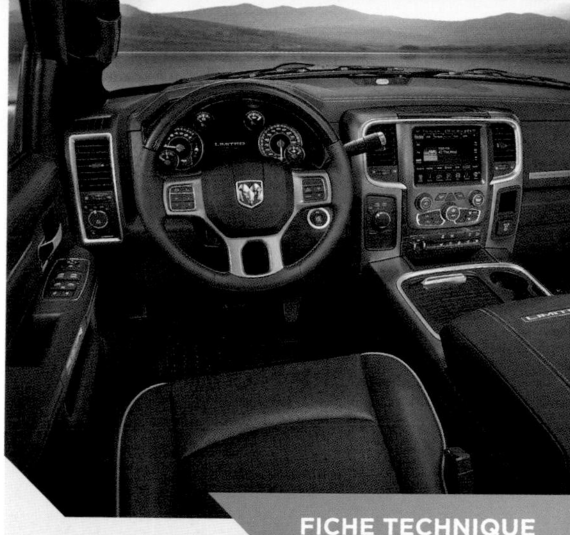

FICHE TECHNIQUE

MOTEUR(S)

(2500, 3500) V8 5,7 L ACC
PUISSANCE 383 ch à 5 600 tr/min
COUPLE 400 lb-pi à 4 000 tr/min
RAPPORT POIDS/PUISSANCE 6,9 kg/ch
BOÎTE(S) DE VITESSES automatique à 6 rapports
PERFORMANCES 0-100 km/h 8,7 s
VITESSE MAXIMALE 160 km/h

(option 2500, 3500) V8 6,4 L ACC
PUISSANCE 410 ch à 5 600 tr/min
COUPLE 429 lb-pi à 4 000 tr/min
RAPPORT POIDS/PUISSANCE 6,8 kg/ch
BOÎTE(S) DE VITESSES automatique à 6 rapports
PERFORMANCES 0-100 km/h 7,9 s
REPRISE 80-115 km/h 5,7 s
VITESSE MAXIMALE 170 km/h
CONSOMMATION (100 km) 20,0 L (octane 87)
ANNUELLE 3 400 L, 4 080 $ **ÉMISSIONS DE CO_2** 7 820 kg/an

(option 2500, 3500) L6 6,7 L ACC turbodiesel
PUISSANCE 2500/3500 350 ch à 2 800 tr/min (boîte man.) 370 ch (boîte auto)
3500 385 ch à 2 800 tr/min (boîte auto. AISIN)
COUPLE 2500/3500 660 lb-pi à 1 500 tr/min (boîte man.) 800 lb-pi à 1 600 tr/min (boîte auto)
3500 900 lb-pi à 1 600 tr/min (boîte auto. AISIN)
RAPPORT POIDS/PUISSANCE 8,0 à 10,1 kg/ch
BOÎTE(S) DE VITESSES manuelle à 6 rapports, automatique à 6 rapports avec mode manuel
PERFORMANCES 0-100 km/h 9,4 s
VITESSE MAXIMALE 170 km/h
CONSOMMATION (100 km) 18,0 L (Diesel)
ANNUELLE 3 060 L, 3 519 $
ÉMISSIONS DE CO_2 7 038 kg/an

AUTRES COMPOSANTS

SÉCURITÉ ACTIVE Freins ABS, assistance au freinage, répartition électronique de la force de freinage, contrôle électronique de la stabilité, antipatinage
SUSPENSION avant/arrière **2RM** indépendante/pont rigide **4RM** pont rigide
FREINS avant/arrière disques
DIRECTION à crémaillère, assistée
PNEUS 2500 ST/SXT P245/70R17 **SLT/Outdoorsman/Laramie** P265/70R17 **Power Wagon** P285/70R17 **3500** P265/70R17 **roues double arrière** P235/80R17

DIMENSIONS

EMPATTEMENT 3 556 à 4 303 mm **LONGUEUR** 5 867 à 6 589 mm
LARGEUR à l'avant 1 734 à 1 765 mm **à l'arrière** 1 732 à 1 925 mm
HAUTEUR 1 862 à 2 005 mm **POIDS** 2 663 kg à 3 897 kg
DIAMÈTRE DE BRAQUAGE 12,7 à 16,2 m
RÉSERVOIR DE CARBURANT boîte courte 121 L **boîte longue** 132 L
CAPACITÉ DE REMORQUAGE 4 173 à 13 608 kg

LA COTE VERTE

MOTEUR L4 DE 3,0 L TURBODIESEL
CONSOMMATION (100 km) ville 12,8 L, route 8,2 L (est.)
CONSOMMATION ANNUELLE 1 819 L, 2 092 $
INDICE D'OCTANE Diesel
ÉMISSIONS POLLUANTES CO_2 4 184 kg/an
(source : L'Annuel)

FICHE D'IDENTITÉ

VERSION(S) Cargo 1500, 2500, 3500, 3 empattements, 2 hauteurs, 3 longueurs **Vitré** 2500
TRANSMISSION(S) avant
PORTIÈRES 5, 6 (option) **PLACES** 2, 1 (option)
PREMIÈRE GÉNÉRATION 2014
GÉNÉRATION ACTUELLE 2014
CONSTRUCTION Saltillo, Mexique
COUSSINS GONFLABLES 6 (frontaux, latéraux, rideaux latéraux)
CONCURRENCE Chevrolet Express/GMC Savana, Ford Transit, Mercedes-Benz Sprinter, Nissan NV

AU QUOTIDIEN

COLLISION FRONTALE ND
COLLISION LATÉRALE ND
VENTES DU MODÈLE L'AN DERNIER
AU QUÉBEC 524 (-26,8 %) **AU CANADA** 2 640 (+3,1 %)
DÉPRÉCIATION (%) 22,3 (3 ANS)
RAPPELS (2011 à 2016) 11
COTE DE FIABILITÉ 2,5/5

GARANTIES... ET PLUS

GARANTIE GÉNÉRALE 3 ans/60 000 km
GROUPE MOTOPROPULSEUR 5 ans/100 000 km
PERFORATION 3 ans/kilométrage illimité
ASSISTANCE ROUTIÈRE 5 ans/100 000 km
NOMBRE DE CONCESSIONNAIRES
AU QUÉBEC 93 **AU CANADA** 440

NOUVEAUTÉS EN 2017

Radio avec fonction mains libres de série, poignées au pilier A, frein de stationnement électrique de série sur versions à diesel, éclairage intérieur amélioré, nouveau site d'information www.rambodybuilder.com

UNE VIS ET UN MARTEAU

Un outil a pour première mission d'être bien adapté à sa fonction principale. Avec un marteau, on frappe sur des clous, avec un tournevis, on visse des vis! Pour les fourgons commerciaux, ce n'est pas différent. On s'attend à ce qu'ils fassent ce pour quoi ils sont conçus. Dans le cas du RAM Promaster, l'outil est excellent pour ce qui est de la gestion de l'aire cargo, mais pour le reste, on dirait bien que l'on essaie de visser des vis avec un marteau!

Luc-Olivier Chamberland

TOUR DU PROPRIÉTAIRE > L'aspect esthétique d'un fourgon commercial est certainement le dernier des soucis d'un entrepreneur. L'allure pour le moins étrange du Promaster nous vient du Fiat Ducato, vendu de l'autre côté de l'Atlantique. Pour qu'il cadre bien dans la gamme, RAM lui a greffé une calandre en croix.

Le point le plus important dans ce segment est la possibilité de configurations. Les besoins étant diversifiés, le Promaster se doit de l'être aussi. Le client aura le choix de cinq types de carrosserie allant du châssis-cabine à la version allongée en plus de trois longueurs d'empattement. Deux hauteurs de toit s'ajoutent à l'équation (2,31 m/2,56 m). L'accès est primordial et RAM a fait ses devoirs. Il est possible d'obtenir deux portes coulissantes latérales, des portes arrière avec un angle d'ouverture de 260 degrés et une hauteur de plancher de 21 pouces.

\+ PLANCHER BAS ET PLAT
NOMBREUSES POSSIBILITÉS DE CONFIGURATION
COMPORTEMENT URBAIN

− TRANSMISSION CATASTROPHIQUE
FIABILITÉ NULLE
POSITION DE CONDUITE

MENTIONS

CLÉ D'OR | CHOIX VERT | COUP DE CŒUR | RECOMMANDÉ

VERDICT

PLAISIR AU VOLANT
QUALITÉ DE FINITION
CONSOMMATION
RAPPORT QUALITÉ / PRIX
VALEUR DE REVENTE
CONFORT

1 5 10

VIE À BORD > La planche de bord est à la limite d'être dysfonctionnelle. Les commandes sont éparpillées sans aucune logique. Plusieurs sont loin ou simplement inaccessibles. La position de conduite est aussi un véritable défi. Le siège du chauffeur ne se règle pas en hauteur et le volant n'est que télescopique. En clair, bonne chance pour trouver une posture convenable.

Alors que la partie avant relève du cauchemar, l'arrière est un terrain de jeu pour entrepreneur. On obtient une vaste superficie plane et des murs presque verticaux. Selon la version, le volume va de 7340 à 13 108 litres. Une collection d'ancrages est incluse et la possibilité de configurer l'aire de travail avec de nombreux accessoires permet de faire tout ce que l'on désire. La capacité de chargement impressionne avec des mesures allant de 3810 à 4330 livres.

TECHNIQUE > RAM offre deux choix de moteurs. Le fameux V6 Pentastar de 3,6 litres possède une puissance de 280 chevaux et un couple de 260 livres-pieds. Il est livrable avec une automatique à 6 rapports optimisés pour la tire ou le chargement. La deuxième option est le 4-cylindres EcoDiesel de 3 litres de 174 chevaux et 295 livres-pieds. Dans son cas, il est livrable avec une boîte manuelle, le choix à retenir, ou encore avec une boîte à 6 rapports automatisés à contrôle électronique qui est une véritable catastrophe. Avec cette option, la conduite devient un cauchemar. À chaque changement de vitesse, on dirait que le moteur « étouffe » avant de recevoir un coup dans le dos une fois que le couple reprend vie. Seule consolation, sa faible consommation : environ 10 litres aux 100 kilomètres, un gros avantage par rapport aux 17 litres aux 100 kilomètres du V6.

AU VOLANT > Les origines européennes du Promaster ne mentent pas lorsque l'on prend place au volant. Étant un véhicule à traction, il obtient un diamètre de braquage extrêmement réduit. Il se faufile en ville mieux que les autres véhicules du segment. Cette réalité aide pour les manœuvres de stationnement. Lorsque l'aire de chargement est vide, les suspensions sautillent. Il suffit de mettre ses outils et quelques produits pour que l'on renoue avec la stabilité. Le freinage devrait être plus puissant, puisqu'une fois chargé, on reste surpris de la longue distance d'arrêt. Étant un fourgon, il pose certains défis côté visibilité. RAM a donc intégré des miroirs à grand angle, et une caméra de recul est disponible en option.

CONCLUSION > Le Promaster n'est pas dépourvu d'avantages, loin de là. Ses prix sont compétitifs et ses multiples possibilités de configuration le rendent intéressant. Malheureusement, la position de conduite est une torture et la boîte automatique du diesel ruine son comportement. Dernier coup de masse... sa fiabilité est loin d'être au beau fixe. ■

2e OPINION

Daniel Rufiange

Le segment des fourgons compte sur quelques joueurs pertinents, ce qui représente une excellente nouvelle pour les consommateurs qui ne sont plus placés devant un fait accompli nommé Sprinter. Outre ce dernier, le Transit de Ford et le NV de Nissan, on retrouve le Ram ProMaster au sein du groupe FCA. Celui-ci est en fait un produit Fiat (Ducato) et lorsqu'on en prend le contrôle, on le réalise illico. Concrètement, la qualité n'est pas celle d'un Sprinter ni même d'un Ford. En revanche, l'approche est différente, notamment cette configuration à traction qui a permis d'abaisser le plancher à l'arrière, au profit de l'espace de chargement. Puis il y a cette conduite qui est différente, voire amusante. Au final, malgré de petits défauts, le ProMaster se classe bien sur le plan des coûts de possession à long terme, un élément de vente intéressant aux yeux des entreprises.

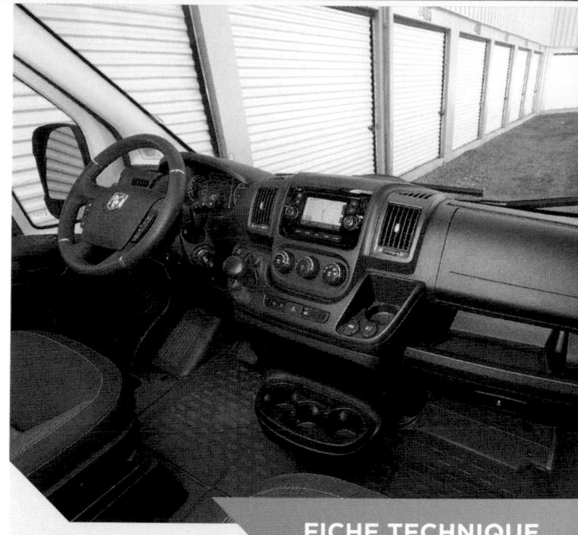

FICHE TECHNIQUE

MOTEUR(S)

(3.6) V6 3,6 L DACT
PUISSANCE 280 ch à 6 400 tr/min
COUPLE 260 lb-pi à 4 175 tr/min
RAPPORT POIDS/PUISSANCE 7,5 à 8,2 kg/ch
BOÎTE(S) DE VITESSES automatique à 6 rapports, avec mode manuel
PERFORMANCES 0-100 km/h 8,6 s
REPRISE 80-115 km/h 7,0 s
FREINAGE 100-0 km/h 49,1 m
NIVEAU SONORE À 100 km/h ND
VITESSE MAXIMALE 160 km/h
CONSOMMATION (100 km) ville 19,5 L, route 12,8 L (est.) (octane 87)
ANNUELLE 2 805 L, 3 646 $
ÉMISSIONS DE CO_2 6 451 kg/an

(DIESEL) L4 3,0 L DACT turbodiesel
PUISSANCE 174 ch à 3 600 tr/min
COUPLE 295 lb-pi à 1 400 tr/min
RAPPORT POIDS/PUISSANCE 12,1 à 13,2 kg/ch
BOÎTE(S) DE VITESSES manuelle à 6 rapports, robotisée à 6 rapports (en option)
PERFORMANCES 0-100 km/h ND
VITESSE MAXIMALE ND

AUTRES COMPOSANTS

SÉCURITÉ ACTIVE Freins ABS, assistance au freinage, répartition électronique de la force de freinage, contrôle de la stabilité électronique, antipatinage, contrôle anti-retournement, aide au départ en pente, contrôle anti-louvoiement
SUSPENSION avant/arrière indépendante/essieu rigide
FREINS avant/arrière disques
DIRECTION à crémaillère, assistée
PNEUS P225/75R16

DIMENSIONS

EMPATTEMENT court 2 997 mm **moyen** 3 454 mm **long** 4 039 mm
LONGUEUR emp. court 4 953 mm **emp. moy.** 5 413 mm **emp. long** 5 994 à 6 350 mm
LARGEUR 2 299 mm (rétro. repliés) 2 489 mm (incl. rétro.)
HAUTEUR Toit bas 2 311 mm **Toit élevé** 2 565 mm
POIDS 1500 2 099 à 2 157 kg **2500** 2 171 à 2 223 kg **3500** 2 237 à 2 300 kg
RÉPARTITION DU POIDS AV/ARR (%) ND
DIAMÈTRE DE BRAQUAGE Emp. court 11,1 m **emp. moy.** 12,5 m **emp. long** 14,3 m
COFFRE emp. court, toit bas 7 340 L **emp. moyen, toit bas** 8 600 L **emp. moyen, toit élevé** 9 996 L **emp. long, toit élevé** 11 893 L **emp. long, carr. longue, toit élevé** 13 108 L
RÉSERVOIR DE CARBURANT 90,8 L
CAPACITÉ DE REMORQUAGE 2 313 kg

LA COTE VERTE

MOTEUR L4 DE 2,4 L
CONSOMMATION (100 km) ville 11,2 L, route 8,1 L
CONSOMMATION ANNUELLE 1 666 L, 1 999 $
INDICE D'OCTANE 87
ÉMISSIONS POLLUANTES CO_2 3 32 kg/an
(source : ÉnerGuide)

FICHE D'IDENTITÉ

VERSION(S) Utilitaire/Tourisme ST, SLT
TRANSMISSION(S) avant
PORTIÈRES 6 **PLACES** 2, 5
PREMIÈRE GÉNÉRATION 2015
GÉNÉRATION ACTUELLE 2015
CONSTRUCTION Bursa, Turquie et Baltimore, Maryland, É-U.
COUSSINS GONFLABLES 7 (Frontaux, genoux conducteur, latéraux avant, rideaux latéraux)
CONCURRENCE Ford Transit Connect, Mercedes-Benz Metris, Nissan NV200/Chevrolet City Express

AU QUOTIDIEN

COLLISION FRONTALE ND
COLLISION LATÉRALE ND
VENTES DU MODÈLE L'AN DERNIER
AU QUÉBEC 404 (nm) **AU CANADA** 2 059 (nm)
DÉPRÉCIATION (%) nm
RAPPELS (2011 à 2016) 2
COTE DE FIABILITÉ 4/5

GARANTIES… ET PLUS

GARANTIE GÉNÉRALE 3 ans/60 000 km
GROUPE MOTOPROPULSEUR 5 ans/100 000 km
PERFORATION 3 ans/kilométrage illimité
ASSISTANCE ROUTIÈRE 5 ans/100 000 km
NOMBRE DE CONCESSIONNAIRES
AU QUÉBEC 93 **AU CANADA** 440

NOUVEAUTÉS EN 2017

Réflecteurs arrière portes ouvertes, système de navigation amélioré, nouveau site d'information www.rambodybuilder.com

PRATIQUE AVANT D'ÊTRE BEAU

Il y a quelques années encore, les PME n'avaient pas beaucoup de choix quand venait le temps de choisir un véhicule de compagnie. Les fourgons étaient vieillots ou de trop grande taille et ne correspondaient pas aux attentes des petits commerces. Ford est ensuite arrivée avec le Transit Connect, qui en est à sa deuxième génération. Nissan a suivi avec le NV200 et son clone chez Chevrolet, le City Express. Chrysler a rejoint le bal avec le ProMaster City. Les PME ont maintenant plusieurs modèles pour répondre à leurs besoins.

Benoit Charette

TOUR DU PROPRIÉTAIRE > Petit frère du grand ProMaster, la version City est basée sur le Fiat Doblo, déjà bien implanté en Europe. Il arrive en deux modèles. La version cargo pour une utilisation commerciale et une version 5 passagers qui ajoute tout simplement une banquette derrière les sièges avant. Contrairement au Transit, qui offre une version passagers avec des fenêtres comme une vraie fourgonnette, le Promaster City conserve sa configuration sans fenêtre à l'arrière, même dans sa version passagers. Disons que la réelle vocation de cette fourgonnette est commerciale, l'intérieur n'est pas pensé pour des passagers à l'arrière.

\+ AGRÉABLE À CONDUIRE
TRÈS SPACIEUX
BIEN ÉQUIPÉ

− BOÎTE AUTOMATIQUE À 9 RAPPORTS
VISIBILITÉ ARRIÈRE
MANQUE DE RAFFINEMENT DANS LA CONDUITE

MENTIONS

CLÉ D'OR | CHOIX VERT | COUP DE CŒUR | **RECOMMANDÉ**

VERDICT

PLAISIR AU VOLANT
QUALITÉ DE FINITION
CONSOMMATION
RAPPORT QUALITÉ / PRIX
VALEUR DE REVENTE nd
CONFORT

1 5 10

VIE À BORD > Offert en versions ST et SLT, le ProMaster City est le plus grand des petits fourgons avec son volume de charge de 3 729 litres. Les portes arrière s'ouvrent à 180 degrés sur un espace qui fait presque six pieds de long. La version passagers contient 2880 litres de chargement avec une banquette supplémentaire pour accueillir trois passagers. Vous avez six points d'ancrage pour immobiliser de manière sécuritaire tout cargo dans le véhicule. Même si vous n'êtes pas à bord d'une berline de luxe, vous pouvez profiter d'un certain confort. Vous avez droit à 7 coussins gonflables, un écran U-Connect de 5 pouces avec système de navigation en option. La position de conduite est agréable et les sièges confortables.

TECHNIQUE > Sous le capot, on trouve un moteur Fiat TigerShark 4 cylindres de 2,4 litres et 178 chevaux associé à une boîte automatique à 9 rapports. Le même groupe motopropulseur que l'on trouve également dans la Chrysler 200. La boîte à 9 rapports n'est pas encore au point et va demander de l'entretien au fil des ans. Toutefois, la conduite se fait en douceur et la puissance est au rendez-vous. Toute cette puissance passe par les roues avant et sa conduite est proche de celle d'une berline intermédiaire.

AU VOLANT > C'est sans doute derrière le volant que le ProMaster marque le plus de points. La position de conduite un peu plus élevée, jumelée à des sièges confortables et à un moteur qui répond bien, rend sa conduite agréable. Agile, le ProMaster City est aussi assez petit pour se faufiler un peu partout en ville. La division Ram a ajouté des tapis un peu plus épais l'an dernier ainsi que des pneus de meilleure qualité, ce qui améliore à la fois l'insonorisation dans le véhicule et limite l'intrusion des bruits de pneus, qui sont plus silencieux.

CONCLUSION > Comme tous les petits fourgons, la raison de vivre du ProMaster City est de proposer une option intelligente, moins coûteuse et plus économique à la pompe que les gros modèles. Ce modèle de la division Ram est celui qui m'a donné la plus belle expérience au volant, mais comme le véhicule est encore jeune sur le marché, difficile de se faire une tête sur la fiabilité. À ce jour, le moteur dans le Transit Connect s'est montré très solide, ce qui n'est pas le cas du moteur 2,4 litres ni surtout de la boîte à 9 rapports, qui a connu de nombreux ratés. Mon cœur balance, mais je vous conseillerais d'attendre que Chrysler ait réglé ses bobos avec cette fameuse transmission avant de prendre votre décision. ■

FICHE TECHNIQUE

MOTEUR(S)

(Tous) L4 2,4 L DACT
PUISSANCE 178 ch à 6 400 tr/min
COUPLE 174 lb-pi à 3 900 tr/min
RAPPORT POIDS/PUISSANCE 9,0 à 9,4 kg/ch
BOÎTE(S) DE VITESSES automatique à 9 rapports
PERFORMANCES 0-100 km/h 9,8 s
REPRISE 80-115 km/h ND
FREINAGE 100-0 km/h ND
NIVEAU SONORE À 100 km/h ND
VITESSE MAXIMALE 185 km/h

AUTRES COMPOSANTS

SÉCURITÉ ACTIVE Freins ABS, assistance au freinage, répartition électronique de la force de freinage, contrôle de la stabilité électronique, antipatinage, aide au départ en pente, système antilouvoiement de remorque
SUSPENSION avant/arrière indépendante
FREINS avant disques, arrière tambours
DIRECTION à crémaillère, assistée
PNEUS P215/55R16

DIMENSIONS

EMPATTEMENT 3 109 mm
LONGUEUR 4 740 mm
LARGEUR 1 831 mm
HAUTEUR 1 880 mm
POIDS Utilitaire 1 610 kg **Tourisme** 1 678 kg
RÉPARTITION DU POIDS AV/ARR (%) ND
DIAMÈTRE DE BRAQUAGE 13,0 m
COFFRE 3 729 L **Tourisme** 2 880 L
RÉSERVOIR DE CARBURANT 61 L
CAPACITÉ DE REMORQUAGE 907 kg (avec ensemble remorquage)

2e OPINION

Daniel Rufiange

Grâce au mariage avec Fiat, on n'a pas eu à travailler trop fort chez Chrysler pour se doter d'une famille de fourgons lorsque le moment est venu de le faire. On a tout simplement fait traverser l'Atlantique à deux produits Fiat, le Ducato (ProMaster) et le Doblo (ProMaster City). Dans ce dernier cas, Ram hérite d'un outil qui pourrait lui permettre de frapper un coup de circuit. Sans être parfait, ce ProMaster City étonne, entre autres dans la conduite, qui s'avère très civilisée, mais aussi et surtout avec sa conception intérieure, qui maximise à la fois le volume de chargement et les espaces de rangement. La qualité de finition et certaines charnières laissent planer un doute, toutefois, mais pour le reste, un outil de travail fort intéressant.

LA COTE VERTE

MOTEUR V12 DE 6,6 L BITURBO
CONSOMMATION (100 km) ville 18,2, route 12,4 L
CONSOMMATION ANNUELLE 2 737 L, 3 695 $
INDICE D'OCTANE 91
ÉMISSIONS POLLUANTES CO_2 6 295 kg/an
(source : ÉnerGuide)

FICHE D'IDENTITÉ

VERSION(S) Ghost, Ghost Black Badge, Ghost EWB, Wraith, Dawn
TRANSMISSION(S) arrière
PORTIÈRES 2, 4 **PLACES** 4, 5
PREMIÈRE GÉNÉRATION 2009 (Ghost) 2014 (Wraith) 2016 (Dawn)
GÉNÉRATION ACTUELLE 2009 (Ghost) 2014 (Wraith) 2016 (Dawn)
CONSTRUCTION Goodwood, Angleterre
COUSSINS GONFLABLES 8 (frontaux, genoux avant, latéraux avant, rideaux latéraux)
CONCURRENCE Aston Martin Rapide S, Bentley Mulsanne/Continental GT/GTC Speed/Flying Spur, Mercedes-Maybach S600/Classe S cabriolet, Porsche Panamera Executive

AU QUOTIDIEN

COLLISION FRONTALE 5/5
COLLISION LATÉRALE 5/5
VENTES DU MODÈLE L'AN DERNIER
AU QUÉBEC ND **AU CANADA** ND
DÉPRÉCIATION (%) 19,5 (3 ans)
RAPPELS (2011 à 2016) 1
COTE DE FIABILITÉ ND

GARANTIES... ET PLUS

GARANTIE GÉNÉRALE 4 ans/kilométrage illimité
GROUPE MOTOPROPULSEUR 4 ans/kilométrage illimité
PERFORATION 4 ans/kilométrage illimité
ASSISTANCE ROUTIÈRE 4 ans/kilométrage illimité
NOMBRE DE CONCESSIONNAIRES
AU QUÉBEC 1 **AU CANADA** 3

NOUVEAUTÉS EN 2017

Version Ghost Black Badge plus puissante.

UN MONDE À PART

Optimiste au point d'évoquer son entrée « dans un nouvel âge d'or », Rolls-Royce – dont la production annuelle atteint aujourd'hui près de 4 000 unités – compte beaucoup sur le trio Ghost/Dawn/Wraith pour prendre de l'altitude et conforter sa position de marque de prestige la plus diffusée dans le monde. Déjà un exploit, considérant que chacune de ses créations vaut le prix d'une maison.

Éric LeFrançois

TOUR DU PROPRIÉTAIRE > Rolls-Royce pratique depuis toujours l'artisanat d'art. Pour s'en convaincre, il suffit de rappeler que pour chaque Ghost assemblée, 25 300 Nissan Micra voient le jour... En effet, l'assemblage d'une Ghost, par exemple, nécessite en moyenne 460 heures de travail. Et quand on a eu la chance d'assister à la construction d'une Rolls, on se dit qu'après tout, à notre époque, un phénomène pareil n'a pas de prix...

VIE À BORD > D'entrée de jeu, les responsables de la marque rappellent que la clientèle « déteste le changement ». Voilà qui explique pourquoi le rafraîchissement de ces modèles est si discret. Sobres, viriles, massives, les carrosseries des Ghost, Dawn et Wraith se mettent confortablement à l'abri de toute influence extérieure, de tout caprice de la mode. À l'intérieur de ces palaces sur roues, les retouches sont toutes aussi nombreuses que discrètes. Une nouveauté ? Pas du tout, et on s'étonne à juste titre que Rolls-Royce accuse un tel retard en matière de sécurité passive. Et ce

+
- AUTO SUR MESURE
- MATÉRIAUX DE TRÈS HAUTE QUALITÉ
- PUISSANCE LARGEMENT « SUFFISANTE »

–
- DIAMÈTRE DE BRAQUAGE
- ENCOMBREMENT SPECTACULAIRE
- RETARD EN MATIÈRE DE SÉCURITÉ ACTIVE

MENTIONS

CLÉ D'OR | CHOIX VERT | COUP DE CŒUR | **RECOMMANDÉ**

VERDICT

PLAISIR AU VOLANT
QUALITÉ DE FINITION
CONSOMMATION
RAPPORT QUALITÉ / PRIX
VALEUR DE REVENTE
CONFORT

1 5 10

n'est pas le seul. En effet, ces Rolls se privent également de capteurs d'angles morts, deux éléments de sécurité que l'on retrouve pourtant sur des autos vendues dix fois moins cher. En revanche, personne ne trouvera à redire sur l'espace dont jouissent tous les passagers. Surtout si le propriétaire a pris soin d'opter pour la version longue (empattement allongé). L'accès et la sortie aux places arrière s'en voient d'ailleurs facilités par l'ouverture antagoniste des portières. Une fois confortablement assis, chaque passager aura le loisir de contempler – comme s'il se trouvait dans un musée – la splendeur des cuirs odorants, l'épaisseur des moquettes et la précision inouïe des accostages.

TECHNIQUE > Pour animer ses impressionnantes et lourdes carrosseries, Rolls-Royce fait appel à un moteur V12 suralimenté de 6,6 litres (d'origine BMW) auquel est rattachée une boîte automatique à 8 rapports. Cette dernière achemine les 563 chevaux et 575 livres-pieds de couple aux (seules) roues arrière. Pas de soucis, l'acheteur visé possède en moyenne cinq autres véhicules dans son garage, dont l'un d'eux doit forcément être plus habile les jours de tempête.

AU VOLANT > Première impression au volant : la jante plutôt fine du volant auquel est reliée une direction plus lourde que pressentie. L'effet-surprise s'estompe très rapidement dès qu'on voit au bout de l'interminable capot les ailes déployées du Spirit of Ecstasy. C'est donc cela, une Rolls. En ville, conduire une Ghost, avec ses 5,39 mètres, ses 2,4 tonnes et son énorme rayon de braquage, est un peu stressant. Alors, pourquoi ne pas confier cette tâche à votre chauffeur? Mais dès que l'horizon se dégage, la Rolls donne le meilleur d'elle-même et peut même se transformer en furie. Il suffit d'appuyer plus fort sur l'accélérateur et les turbos entrent en scène. Inutile d'observer les oscillations de l'aiguille de l'indicateur de suralimentation (appelé ici Power Reserve), on se sent très bien s'enfoncer dans l'épaisseur des sièges. Le V12 propulse sans retenue la fière anglaise à des vitesses inavouables. Mais en vérité, l'atmosphère Rolls-Royce incite davantage à la croisière qu'à la régate. Une Rolls n'apprécie pas qu'on la bouscule et se conduit avec sobriété – sinon avec componction – et une bonne dose d'anticipation pour aborder en toute sérénité les virages serrés et bien doser le freinage. La suspension moelleuse à souhait absorbe en douceur tous les obstacles – quoiqu'une Mercedes Classe S le fasse tout aussi bien – et la conduite sur autoroute se caractérise par une grande décontraction. En dépit des formes anguleuses de la carrosserie, les remous d'air sont négligeables

CONCLUSION > On disait les Rolls-Royce si silencieuses que l'on pouvait entendre le mouvement sec et régulier de la montre encastrée dans son tableau de bord. Hier peut-être, mais plus aujourd'hui. D'ailleurs, les bruits de roulement – en dehors des pneumatiques –, inexistants. On n'en attendait pas moins, sauf peut-être entendre le tic-tac de la montre... ■

2e OPINION

Benoit Charette

Ultime expression du luxe, Rolls-Royce est devenu la vitrine haut de gamme de BMW. À l'image de Volkswagen qui lance ses artisans dans la fabrication de Bentley, on retrouve chez Rolls-Royce des métiers d'un autre siècle pour fabriquer une voiture qui repose sur des valeurs séculaires. C'est en prenant place à bord que l'on réalise ce que cela veut dire de fabriquer une voiture à la main. Cela explique aussi en partie pourquoi une Rolls Royce est si dispendieuse. C'est un yacht pour la route et Rolls-Royce jouit d'une si forte réputation auprès de ses acheteurs que très rarement ces derniers vont même aller voir la compétition, c'est une Rolls ou rien. En prenant en compte que les milliardaires de ce monde se portent plutôt bien, la marque traverse une belle période de croissance.

FICHE TECHNIQUE

MOTEUR(S)

(GHOST, DAWN, GHOST Black Badge) V12 6,6 L DACT biturbo
PUISSANCE 563 ch de 5 250 à 6 000 tr/min **BB** 603 ch à 5 250 tr/min
COUPLE 605 lb-pi de 1 500 à 5 000 tr/min
BB 620 lb-pi de 1 650 à 5 000 tr/min
RAPPORT POIDS/PUISSANCE 4,1 à 4,5 kg/ch
BOÎTE(S) DE VITESSES automatique à 8 rapports
PERFORMANCES 0-100 km/h 5,0 s **EWB** 5,1 s **BB** 4,8 s
REPRISE 80-115 km/h 3,9 s
FREINAGE 100-0 km/h ND
VITESSE MAXIMALE 250 km/h (bridée)
NIVEAU SONORE à 100 km/h Excellent

(WRAITH) V12 6,6 L DACT biturbo
PUISSANCE 624 ch à 5 600 tr/min
COUPLE 590 lb-pi de 1 500 à 5 500 tr/min
RAPPORT POIDS/PUISSANCE 3,9 kg/ch
BOÎTE(S) DE VITESSES automatique à 8 rapports
PERFORMANCES 0-100 km/h 4,6 s
VITESSE MAXIMALE 250 km/h (bridée)
CONSOMMATION (100 km) ville 18,7 L, route 11,8 L (octane 91)
ANNUELLE 2 652 L, 3 845 $
ÉMISSIONS DE CO_2 6 100 kg/an

AUTRES COMPOSANTS

SÉCURITÉ ACTIVE Freins ABS, assistance au freinage, répartition électronique de la force de freinage, contrôle électronique de la stabilité, antipatinage, système d'anticipation de la route par GPS, affichage tête haute, système vision de nuit, phares adaptatifs, avertisseur de sortie de voie
SUSPENSION avant/arrière indépendante
FREINS avant/arrière disques
DIRECTION à crémaillère, assistée
PNEUS P255/50R19 **EWB, Wraith/Dawn/option Ghost** P255/45R20 (av.) P285/40R20 (arr.) **option Dawn** 21 po.

DIMENSIONS

EMPATTEMENT 3 295 mm **EWB** 3 465 mm **Wraith/Dawn** 3 112 mm
LONGUEUR 5 399 mm **EWB** 5 569 mm **Wraith** 5 281 mm **Dawn** 5 285 mm
LARGEUR 1 948 mm **Wraith/Dawn** 1 947 mm
HAUTEUR 1 550 mm **Wraith** 1 507 mm **Dawn** 1 502 mm
POIDS 2 490 kg **EWB** 2 520 kg **Wraith** 2 440 kg **Dawn** 2 560 kg
RÉPARTITION DU POIDS AV/ARR (%) Ghost/EWB 51/49 **Wraith** 50/50
DIAMÈTRE DE BRAQUAGE 13,4 m **EWB** 14,0 m **Wraith/Dawn** 12,7 m
COFFRE 490 L **Wraith** 470 L **Dawn** 396 L
RÉSERVOIR DE CARBURANT 83 L

LA COTE VERTE

MOTEUR L3 DE 0,9 L DACT TURBO
CONSOMMATION (100 km) ville 7,5 L, route 6,1 L
CONSOMMATION ANNUELLE 1 173 L, 1 584 $
INDICE D'OCTANE 91
ÉMISSIONS POLLUANTES CO_2 2 698 kg/an
(source : ÉnerGuide)

FICHE D'IDENTITÉ

VERSION(S) coupé pure **coupé/cabriolet** passion, prime, Brabus
TRANSMISSION(S) arrière
PORTIÈRES 2 **PLACES** 2
PREMIÈRE GÉNÉRATION 2005
GÉNÉRATION ACTUELLE 2016
CONSTRUCTION Hambach, France
COUSSINS GONFLABLES 8 (frontaux, genoux, latéraux, fenêtre)
CONCURRENCE Chevrolet Spark, Fiat 500, Misubishi Mirage, Nissan Micra

AU QUOTIDIEN

COLLISION FRONTALE 5/5
COLLISION LATÉRALE 5/5
VENTES DU MODÈLE L'AN DERNIER
AU QUÉBEC 160 (-53,5 %) **AU CANADA** 716 (-71,9 %)
DÉPRÉCIATION (%) 37,7 (3 ans)
RAPPELS (2011 à 2016) 1
COTE DE FIABILITÉ 4/5

GARANTIES... ET PLUS

GARANTIE GÉNÉRALE 4 ans/80 000 km
GROUPE MOTOPROPULSEUR 4 ans/80 000 km
PERFORATION 5 ans/ kilométrage illimité
ASSISTANCE ROUTIÈRE 4 ans/ kilométrage illimité
NOMBRE DE CONCESSIONNAIRES
AU QUÉBEC 15 **AU CANADA** 57

NOUVEAUTÉS EN 2017

Version cabriolet. Abandon de la smart ed basée sur la génération précédente. Une nouvelle version devrait être sur le marché l'an prochain. Version Brabus avec moteur plus puissant, boîte de vitesses, suspension et direction recalibrées, roues de 17 po. à l'arrière.

TROISIÈME ESSAI

Les années se succèdent et ne se ressemblent pas dans l'industrie automobile. La citadine commercialisée au sein des salles d'exposition du constructeur Mercedes-Benz en est déjà à sa troisième variante depuis son apparition au début des années 2000. Étant parmi nous depuis la fin de 2015 en tant que modèle 2016, la fortwo entame donc sa deuxième année complète sur le continent nord-américain. A-t-elle été bien accueillie cette version 3.0? Les premiers résultats n'ont rien de concluant, les statistiques ne montrant pas un engouement exagéré envers le diminutif modèle. Disons que le prix du carburant favorise surtout les véhicules utilitaires par les temps qui courent. Heureusement, cette microvoiture répond aux besoins d'une clientèle bien précise.

Vincent Aubé

TOUR DU PROPRIÉTAIRE > Une chose est certaine, le gabarit de la petite n'a pas beaucoup changé malgré des dimensions légèrement accrues. Les nouveaux détails de la robe proviennent clairement du prototype forvision, apparu pour la première fois en 2011, avec un peu plus de retenue toutefois. À l'avant, la grille de calandre se fond beaucoup mieux à l'ensemble, un compliment qui s'applique aussi aux blocs optiques imposants. Pour la plupart des livrées arborant une couleur vive, les portions argentées indiquent les limites du squelette qui s'occupera de protéger les occupants en cas de collision, un élément qui fait partie du langage du modèle depuis le

+
- VOITURE UNIQUE SUR LA ROUTE
- PLUS AGRÉABLE À CONDUIRE AU QUOTIDIEN
- AGILE EN MILIEU URBAIN

−
- CONCEPT ÉVOLUTIF
- PAS DE FORFOUR ENCORE (!)
- ESPACE LIMITÉ À BORD

MENTIONS

CLÉ D'OR | **CHOIX VERT** | COUP DE CŒUR | **RECOMMANDÉ**

VERDICT

PLAISIR AU VOLANT
QUALITÉ DE FINITION
CONSOMMATION
RAPPORT QUALITÉ / PRIX
VALEUR DE REVENTE
CONFORT

1 5 10

début. Finalement, à l'arrière, la smart fortwo continue sur sa lancée en permettant à son propriétaire d'avoir accès au coffre lilliputien en soulevant une vitre et en abaissant une portière vers le bas. Sous le plancher du coffre se trouve la mécanique 3 cylindres, à la manière d'une Porsche 911.

VIE À BORD > La mission de cette puce est majoritairement urbaine. C'est ce qui explique sa taille de guêpe, un avantage indéniable pour se sortir des situations corsées en ville. D'ailleurs, je ne comprends toujours pas pourquoi nos instances gouvernementales ne permettent pas aux propriétaires de la smart de se stationner face au trottoir et, ainsi, d'autoriser l'accès à une autre microvoiture ou même une motocyclette. L'espace à bord est compté, mais avec seulement deux sièges, les occupants ne sont pas défavorisés pour autant. Même les personnes de grande taille peuvent prendre place à bord de cette coquille. Mentionnons tout de même que les sièges se font un peu durs, un détail qui rendra les longues balades plus pénibles, surtout avec un empattement aussi court et une suspension un brin ferme. Quant à la planche de bord, elle plaira assurément aux plus technos d'entre nous. Comme par le passé, la fortwo étonne par son originalité.

TECHNIQUE > Par rapport au modèle précédent, la smart fortwo se distingue quelque peu par sa nouvelle motorisation, qui accueille un turbocompresseur de manière à gonfler les performances un tantinet. Le 3-cylindres turbo de 0,9 litre développe donc une puissance plus appropriée de 89 chevaux (au lieu de 71 auparavant) et un couple de 100 livres-pieds (un gain par rapport à 68 dans le passé). Autre particularité depuis sa réintroduction, la fortwo est désormais possible avec une bonne vieille boîte manuelle à 5 rapports. L'autre unité, disponible en option, est une automatique à double embrayage à 6 vitesses qui sera assurément la plus populaire au pays.

AU VOLANT > Au démarrage, la mécanique 3 cylindres fait déjà entendre sa sonorité particulière. Une fois la boîte de transmission enclenchée, la fortwo se démarque des autres citadines par cette unité particulière qui se comporte comme une boîte manuelle. Les changements de rapports sont accompagnés d'un transfert de poids vers l'avant (surtout dans la circulation lourde à basse vitesse), ce qui, à la longue, peut devenir agaçant. La meilleure manière d'atténuer ce détail est de placer le levier de vitesses de la boîte à double embrayage en position manuelle. Non seulement la fortwo se fait un brin plus sportive, mais les transferts de poids semblent moins prononcés. Clairement, la plus récente fortwo est plus dynamique à cause de sa mécanique turbocompressée.

CONCLUSION > L'histoire se poursuit pour la smart fortwo. Malgré un modèle renouvelé, plus intéressant à conduire, la citadine distribuée par Mercedes-Benz peine à attirer les consommateurs dans les salles d'exposition du constructeur à l'étoile d'argent. Disons qu'en jetant un coup d'œil aux concurrentes de la smart, la fortwo se retrouve contre des voitures avec plus d'espace à bord pour un prix moindre. C'est bien beau l'originalité, mais ça ne garantit pas un succès à tout coup. ■

2e OPINION

Michel Crépault

Sa palette de couleurs nous incite à remplir sa boîte à gants de Smarties. L'intérieur du biplace juvénile met de bonne humeur. On reste surpris par les 120 km/h que la puce soutient sans s'essouffler. Le confort a gagné en confiance grâce à un débattement de suspension plus généreux (merci, Renault Twingo). On s'est débarrassé du ridicule effet de « chaise berçante » de la précédente transmission, la nouvelle étant à double embrayage signée Daimler. À cause de kilos supplémentaires pour protéger son intégrité structurale, la Cabrio retarde par rapport au Coupé, mais il faut avoir le chronomètre affûté pour s'en rendre compte. À la pompe, par contre, le 3-cylindres turbo préfère le Super, ce qui contredit un peu la vocation de la smart. Mais, somme toute, un outil de déplacement minimaliste gorgé de plaisirs.

FICHE TECHNIQUE

MOTEUR(S)

(FORTWO) L3 0,9 L DACT turbo
PUISSANCE 89 ch à 5 500 tr/min
COUPLE 100 lb-pi à 2 500 tr/min
RAPPORT POIDS/PUISSANCE 10,6 kg/ch
BOÎTE(S) DE VITESSES manuelle à 5 rapports, manuelle robotisée à 6 rapports en option
PRFORMANCES 0-100 km/h man. 10,7 s **robo.** 11,1 s
REPRISE 80-115 km/h 8,4 s
FREINAGE 100-0 km/h 43,5 m
NIVEAU SONORE À 100 km/h ND
VITESSE MAXIMALE 155 km/h (bridée)

(FORTWO BRABUS) L3 0,9 L DACT turbo
PUISSANCE 107 ch à 5 750 tr/min
COUPLE 125 lb-pi à 2 000 tr/min
RAPPORT POIDS/PUISSANCE 8,8 kg/ch (est.)
BOÎTE(S) DE VITESSES manuelle robotisée à 6 rapports
PRFORMANCES 0-100 km/h 9,5 s
VITESSE MAXIMALE 165 km/h (bridée)

AUTRES COMPOSANTS

SÉCURITÉ ACTIVE (certains selon version) Freins ABS, assistance au freinage, répartition électronique de la force de freinage, contrôle électronique de la stabilité, antipatinage, aide au départ en pente, correcteur de vents latéraux, phares et essuie-glaces automatiques, avertisseur d'impact imminent
SUSPENSION avant/arrière indépendante/semi-indépendante
FREINS avant/arrière disques/tambours
DIRECTION à crémaillère, assistée électriquement
PNEUS P165/65R15 (av.) P185/60R15 (arr.)
option P185/50R16 (av.) P205/45R16 (arr.)
Brabus P185/50R16 (av.) P205/40R17 (arr.)

DIMENSIONS

EMPATTEMENT 1 873 mm
LONGUEUR 2 695 mm
LARGEUR 1 663 mm
HAUTEUR 1 555 mm
POIDS 940 kg
DIAMÈTRE DE BRAQUAGE 6,95 m
COFFRE ND
RÉSERVOIR DE CARBURANT 33 L

LA COTE VERTE

MOTEUR H4 DE 2,0 L HYBRIDE
CONSOMMATION (100 km) ville 7,9 L, route 6,9 L
CONSOMMATION ANNUELLE 1 275 L, 1 530 $
INDICE D'OCTANE 87
ÉMISSIONS POLLUANTES CO_2 2 933 kg/an
(source: ÉnerGuide)

FICHE D'IDENTITÉ

VERSION(S) Touring, Sport, Limited, Hybride
TRANSMISSION(S) 4
PORTIÈRES 5 **PLACES** 5
PREMIÈRE GÉNÉRATION 2013
GÉNÉRATION ACTUELLE 2013
CONSTRUCTION Gunma, Japon
COUSSINS GONFABLES 7 (frontaux, latéraux, genoux conducteur, rideaux latéraux)
CONCURRENCE Chevrolet Trax, Fiat 500X, Honda HR-V, Jeep Compass/ Patriot/Renegade, Mazda CX-3, Mitsubishi RVR, Nissan Juke

AU QUOTIDIEN

COLLISION FRONTALE 4/5
COLLISION LATÉRALE 5/5
VENTES DU MODÈLE L'AN DERNIER
AU QUÉBEC 2 859 (+15,0 %) **AU CANADA** 8 422 (+21,7 %)
DÉPRÉCIATION (%) 27,9 (3 ans)
RAPPELS (2011 à 2016) 4
COTE DE FIABILITÉ 3,5/5

GARANTIES... ET PLUS

GARANTIE GÉNÉRALE 3 ans/60 000 km
GROUPE MOTOPROPULSEUR 5 ans/100 000 km
PERFORATION 5 ans/kilométrage illimité
ASSISTANCE ROUTIÈRE 3 ans/kilométrage illimité
NOMBRE DE CONCESSIONNAIRES
AU QUÉBEC 24 **AU CANADA** 86

NOUVEAUTÉS EN 2017

Aucun changement majeur.

LE MEILLEUR DE DEUX MONDES

Grâce à ses habiles créateurs de publicité, le monde de l'automobile a réduit le sens du mot hybride à un usage unique: la désignation des motorisations mixtes essence/électrique. La langue française, moins obtuse, fournit d'autres usages à cet adjectif et la Subaru Crosstrek l'illustre bien, puisqu'elle est aussi le fruit d'une hybridation. En combinant les qualités d'une auto compacte à hayon avec celles d'un utilitaire plus robuste, son constructeur propose le meilleur de deux mondes.

Luc Gagné

TOUR DU PROPRIÉTAIRE > La Crosstrek s'oppose aux petits utilitaires que sont les HR-V, Trax, CX-3, Renegade et autres du genre. Cela ne l'empêche pas de partager l'architecture d'une auto, la Subaru Impreza à hayon (version 2016), avec une différence cruciale : sa garde au sol presque deux fois plus élevée (220 mm contre 145), qui lui permet de s'attaquer à des obstacles infranchissables pour une Impreza. Pour suggérer un côté ludique, le constructeur a paré la Crosstrek de boucliers avant et arrière plus massifs, de roues de 17 pouces en alliage partiellement noir et de bas de caisse noirs qui, en habillant aussi les arches de roues, leur donnent une allure plus évasée.

VIE À BORD > L'aménagement intérieur rappelle aussi celui de l'Impreza avec un tableau de bord quasi identique réunissant, au centre, un petit écran près du pare-brise pour l'ordinateur de bord, un écran tactile de 6,2 ou 7 pouces au centre pour le système d'infodivertissement et, plus bas, trois molettes rotatives faciles à utiliser pour la ventilation et le chauffage. Cet habitacle accueille confor-

+
- TRANSMISSION INTÉGRALE EFFICACE
- RENDEMENT ÉCOÉNERGÉTIQUE (AUTOMATIQUE)
- INTÉRIEUR POLYVALENT

−
- BOÎTE DE VITESSE MANUELLE PEU RAFFINÉE
- INSONORISATION DE L'HABITACLE PERFECTIBLE
- SEUIL GÊNANT DU COFFRE

MENTIONS

CLÉ D'OR | CHOIX VERT | COUP DE CŒUR | **RECOMMANDÉ**

VERDICT

PLAISIR AU VOLANT
QUALITÉ DE FINITION
CONSOMMATION
RAPPORT QUALITÉ / PRIX
VALEUR DE REVENTE
CONFORT

1 5 10

tablement quatre adultes dans un environnement bien éclairé grâce à une surface vitrée généreuse, chose peu commune dans l'industrie. Il est rehaussé de garnitures à surpiqûres orange et le volant, inclinable et télescopique, dispose de commandes pratiques pour la chaîne audio et la téléphonie. Les sièges baquets sont moulants à souhait et la banquette arrière a des dossiers rabattables asymétriques permettant de moduler le volume du coffre. Le volume de ce dernier est proche de celui d'un HR-V, champion incontesté en la matière dans cette catégorie. Les sièges chauffants, le rideau cache-bagages rétractable et la caméra arrière sont de série.

TECHNIQUE > La Crosstrek partage le 4-cylindres «Boxer» de 2 litres de l'Impreza 2016. Un groupe motopropulseur hybride (essence/électrique) figure également au catalogue. Réservé à une version haut de gamme coûteuse et vendue au compte-goutte, il combine une variante du moteur de 2 litres avec un moteur électrique de 9,9 kW alimenté par une batterie au nickel-hydrure de métal de 0,6 kWh. Légèrement plus puissant, il permettrait de réduire la consommation de carburant d'environ 10 % par rapport à une Crosstrek ordinaire à boîte automatique. Car toutes les versions, sauf l'hybride, sont livrées avec une boîte de vitesse manuelle à 5 rapports avec dispositif antirecul. Cependant, environ 85 % des acheteurs optent, contre un supplément, pour la boîte de vitesse automatique Lineartronic à variation continue. Un choix doublement logique puisqu'elle contribue à réduire la consommation de manière substantielle comparativement à la boîte manuelle, qui n'offre pas un maniement très agréable. Rappelons, enfin, que cette voiture a une transmission intégrale en prise constante.

AU VOLANT > Cette Subaru a une direction précise, qui n'est pas surassistée, et les réglages de sa suspension présentent un compromis intéressant entre fermeté et souplesse, sans induire de roulis excessif. De plus, malgré la garde au sol élevée, on accède à l'habitacle sans difficulté grâce au seuil de porte plutôt bas. La Crosstrek n'est pas une bombe, c'est vrai, mais ce constat gêne sans doute peu l'acheteur typique, qui priorise un véhicule polyvalent et écoénergétique. Cela explique qu'une majorité d'entre eux optent pour la boîte automatique, qui demeure la plus efficace en son genre. Son module de contrôle électronique simule même des changements de rapports pour rassurer ces automobilistes qui ont un besoin viscéral d'entendre cette référence auditive en conduisant. Qui plus est, son mode manuel permet d'exploiter le frein moteur au moment opportun grâce à des palettes fixées au volant (de série).

CONCLUSION > La Crosstrek doit son succès à une conception réussie de passe-partout pratique et à sa transmission intégrale efficace. Une dotation intéressante, un comportement routier agréable, un intérieur spacieux et polyvalent et une consommation raisonnable constituent également des plus-values indéniables. Les prix des différentes versions peuvent cependant paraître moins attrayants que ceux des produits concurrents. Mais lorsqu'on équipe ces rivaux de façon comparable, comme par magie les prix le deviennent également. ■

2e OPINION

Antoine Joubert

La Subaru Outback a tué la Legacy familiale, et la Crosstrek jette en quelque sorte le même sort à l'Impreza à hayon. Évidemment, Subaru ne se débarrassera pas de sa compacte, mais les ventes de ce modèle sont aujourd'hui symboliques par rapport à ce qu'elles ont déjà été. Bien sûr, le côté aventurier de la Crosstrek plaît énormément, lequel combine un look unique avec des capacités hors route et hivernales quasi incomparables. Contrairement à l'Impreza, la Crosstrek demeure cependant inchangée pour 2017. Même recette efficace, qui continue de se démarquer face à une compétition qui ne joue absolument pas les mêmes cartes. Est-ce que Subaru osera avec l'édition 2018 (redessinée) en lui greffant le moteur de la WRX? Et peut-être même une boîte manuelle à 6 rapports? Plusieurs adeptes de la marque en rêvent. Mais en attendant, la Crosstrek demeure encore et toujours un superbe produit.

FICHE TECHNIQUE

MOTEUR(S)

(2.0i) H4 2,0 L DACT
PUISSANCE 148 ch à 6 200 tr/min
COUPLE 145 lb-pi à 4 200 tr/min
RAPPORT POIDS/PUISSANCE 9,5 à 9,6 kg/ch
BOÎTE(S) DE VITESSES manuelle à 5 rapports, automatique à variation continue avec mode manuel et manettes au volant (en option)
PERFORMANCE 0-100 km/h man. 9,8 s **CVT** 10,7 s
REPRISE 80-115 km/h 7,6 s
FREINAGE 100-0 km/h 41,5 m
NIVEAU SONORE À 100 km/h Moyen
VITESSE MAXIMALE 185 km/h
CONSOMMATION (100 km) man. ville 10,2 l, route 7,7 L
CVT ville 9,1 L, route 7,0 L (octane 87)
ANNUELLE man. 1 547 L, 1 856 $ **CVT** 1 377 L, 1 652 $
ÉMISSIONS DE CO_2 man. 3 558 kg/an **CVT** 3 167 kg/an

(HYBRIDE) H4 2,0 L DACT + moteur électrique
PUISSANCE 148 ch à 6 200 tr/min + moteur électrique 13,4 ch, 160 ch total combiné maximum
COUPLE 145 lb-pi à 4 200 tr/min + moteur électrique 48 lb-pi, 163 total combiné maximum
RAPPORT POIDS/PUISSANCE 9,6 kg/ch
BOITE(S) DE VITESSES automatique à variation continue avec mode manuel et manettes au volant
PERFORMANCES 0-100 km/h 10,4 s
REPRISE 80-115 km/h 7,2 s
FREINAGE 100-0 km/h 44,5 m
VITESSE MAXIMALE 185 km/h

AUTRES COMPOSANTS

SÉCURITÉ ACTIVE Freins ABS, assistance au freinage, répartition électronique de la force de freinage, contrôle électronique de la stabilité, antipatinage, phares automatiques, aide au départ en pente (CVT)
SUSPENSION avant/arrière indépendante
FREINS avant/arrière disques
DIRECTION à crémaillère, assistée électriquement
PNEUS P225/55R17

DIMENSIONS

EMPATTEMENT 2 635 mm
LONGUEUR 4 450 mm
LARGEUR 1 780 mm, 1 986 mm (incl. rétro.)
HAUTEUR 1 615 mm
POIDS man. 1 400 kg **CVT** 1 425 kg **Hybride** 1 575 kg
DIAMÈTRE DE BRAQUAGE 10,6 m
COFFRE 632 L, 1 470 L (sièges abaissés) (1 422 L Hybride)
RÉSERVOIR DE CARBURANT 60 L
CAPACITÉ DE REMORQUAGE 680 kg

LA COTE VERTE

MOTEUR H4 DE 2,5 L
CONSOMMATION (100 km) man. ville 10,6 L, route 8,4 L
CVT. ville 9,6 L, route 7,5 L
CONSOMMATION ANNUELLE man. 1 632 L, 1 958 $ **CVT.** 1 479 L, 1 775 $
INDICE D'OCTANE 87
ÉMISSIONS POLLUANTES CO_2 man. 3 754 kg/an **CVT.** 3 402 kg/an
(source : ÉnerGuide)

FICHE D'IDENTITÉ

VERSION(S) 2.5i Base, Commodité, Tourisme, Limited
2.0XT Tourisme, Limited
TRANSMISSION(S) 4
PORTIÈRES 5 **PLACES** 5
PREMIÈRE GÉNÉRATION 1998
GÉNÉRATION ACTUELLE 2014
CONSTRUCTION Gunma, Japon
COUSSINS GONFLABLES 7 (frontaux, genoux conducteur, latéraux avant, rideaux latéraux)
CONCURRENCE Chevrolet Equinox/GMC Terrain, Ford Escape, Dodge Journey, Honda CR-V, Hyundai Tucson, Jeep Cherokee, Kia Sportage, Mazda CX-5, Mitsubishi Outlander, Nissan Rogue, Subaru Outback, Toyota RAV4, Volkswagen Tiguan

AU QUOTIDIEN

COLLISION FRONTALE 4/5
COLLISION LATÉRALE 5/5
VENTES DU MODÈLE L'AN DERNIER
AU QUÉBEC 2 941 (-1,4 %) **AU CANADA** 12 706 (+3,3 %)
DÉPRÉCIATION (%) 31,6 (3 ans)
RAPPELS (2011 à 2016) 6
COTE DE FIABILITÉ 3,5/5

GARANTIES... ET PLUS

GARANTIE GÉNÉRALE 3 ans/60 000 km
GROUPE MOTOPROPULSEUR 5 ans/100 000 km
PERFORATION 5 ans/kilométrage illimité
ASSISTANCE ROUTIÈRE 3 ans/kilométrage illimité
NOMBRE DE CONCESSIONNAIRES
AU QUÉBEC 24 **AU CANADA** 86

NOUVEAUTÉS EN 2017

Retouches esthétiques extérieures et intérieures, nouvelles jantes, nouveaux feux arrière.

PETIT TRAIN VA LOIN

L'année 2017 sera la quatrième, déjà, de l'actuelle génération du Forester. Mine de rien, le nouveau millésime marque aussi le 20e anniversaire du modèle, qui s'est davantage fait remarquer pour ses capacités que pour sa gueule depuis ses débuts. Cela dit, sans avoir les atouts pour remporter un concours de beauté, l'édition actuelle est la plus aboutie de toutes et présente une mine sympa. On a droit à quelques retouches cette année, et des choses intéressantes s'annoncent pour l'avenir de la marque.

Daniel Rufiange

TOUR DU PROPRIÉTAIRE > Si vous magasinez un Forester, ne soyez pas surpris de trouver deux modèles distincts. En fait, chacune des deux versions proposées, 2.5i et 2.0XT, avance des tronches différentes. Les lignes de la première sont d'une timidité consommée alors que celles de la deuxième dégagent plus d'assurance. Dans le premier cas, une boîte manuelle à 6 rapports est livrée de série alors que la boîte à variation continue (CVT) est une option. Seulement, le choix d'habillages est plus limité avec cette version. L'acheteur a donc plus de latitude avec un modèle employant la CVT. Quant aux versions 2.0XT, elles arrivent plus garnies, mais ne reçoivent que la CVT.

+
- CONDUITE RASSURANTE
- ESPACE INTÉRIEUR TRÈS GÉNÉREUX
- TRANSMISSION INTÉGRALE EXEMPLAIRE
- VERSION TURBO PLUS AMUSANTE À CONDUIRE

−
- PRÉSENTATION INTÉRIEURE TERNE
- UN CHÂSSIS PLUS RIGIDE SERAIT SOUHAITABLE
- LIGNES PLUS TIMIDES DE LA VERSION DE BASE

MENTIONS

CLÉ D'OR · CHOIX VERT · COUP DE CŒUR · **RECOMMANDÉ**

VERDICT

PLAISIR AU VOLANT
QUALITÉ DE FINITION
CONSOMMATION
RAPPORT QUALITÉ / PRIX
VALEUR DE REVENTE
CONFORT

1 5 10

VIE À BORD > Si un de vos plaisirs est la contemplation et l'appréciation du design et de l'originalité de la planche de bord de votre véhicule, il faudra magasiner ailleurs. Subaru fait dans la grande simplicité. À défaut d'être tape-à-l'œil, rien n'est cependant négligé sur le plan de la fonctionnalité. D'ailleurs, c'est l'approche qui semble guider les concepteurs de ce produit. Tant à l'extérieur qu'à l'intérieur, on privilégie la forme plutôt que le format. À bord, ça se traduit par un ensemble caractérisé par la praticité. L'espace arrière est hyper logeable et à la deuxième rangée, les occupants peuvent se délier les membres tellement le dégagement est généreux. La visibilité y est aussi excellente.

L'ensemble profite d'une qualité d'assemblage correcte. On demeure seulement déçu du choix de certains matériaux (surfaces plastiques et tapis, entre autres) qui donnent l'impression qu'on a réalisé des économies au rabais.

TECHNIQUE > Deux versions, deux moteurs et, comme nous l'avons vu, deux boîtes de vitesse. En fait, nous pourrions dire trois, car il existe une légère différence entre les boîtes CVT servies d'une variante à l'autre. Celle de la 2.0XT est dite à couple élevé et est dotée du système SI-DRIVE. Ce dernier offre différents modes de conduite, dont un dit intelligent qui ajuste les réactions de la transmission pour donner des réponses promptes ou maximiser l'économie en carburant, selon les demandes du conducteur. Un mode Sport Sharp permet l'exploitation maximale de la mécanique et comprend notamment un dispositif qui simule le passage de 8 rapports.

Disons que ça se prête bien au moteur de cette version, un 4-cylindres de 2 litres qui, avec l'aide d'un turbo, exploite 250 chevaux et 258 livres-pieds de couple. Autrement, on a droit au 4-cylindres de 2,5 litres qui avance 170 chevaux et 174 livres-pieds de couple.

AU VOLANT > Bien franchement, ce dernier moteur suffit à la tâche. On vous dirait bien d'y aller avec le bloc plus puissant pour faciliter le remorquage, mais la capacité de l'un et de l'autre est équivalente à 1500 livres. Du reste, on ne s'émerveille pas au volant, la conduite du Forester offrant une expérience plus neutre qu'engagée. Lorsque les conditions routières deviennent bordéliques, que ce soit en raison d'une accumulation majeure de pluie, de neige ou de glace, la transmission intégrale à prise constante agit comme un grand frère qui nous prend la main pour traverser une intersection. Franchement rassurant! Enfin, côté consommation, on obtient des moyennes qui oscillent autour de 9 ou 10 litres aux 100 kilomètres.

CONCLUSION > Le Forester jouit, année après année, d'une bonne cote auprès des acheteurs, même si les ténors de la catégorie, les Honda CR-V, Ford Escape et compagnie, demeurent plus populaires. En fait, le Forester a ses adeptes qui savent qu'en le choisissant, ils font un achat sûr et tout aussi pertinent. À découvrir si vous ne le connaissiez pas encore. ■

2e OPINION

Charles René

Sans être un produit particulièrement excitant, autant concernant sa présentation que sa prestation sur route, le Forester reste l'une des valeurs sûres de son segment. Le VUS compact dispose sans conteste de la meilleure transmission intégrale de sa catégorie et d'un moteur de série pas très explosif, mais qui sied bien au mandat. La boîte CVT qui lui est arrimée fait aussi du bon boulot et permet de simuler les changements de vitesses sur demande. Son habitacle est bien conçu, il y a beaucoup d'espace pour les jambes autant à l'avant qu'à l'arrière et l'aire de chargement est généreuse. Cette dernière génération affiche en outre une bonne feuille de route lorsqu'on se penche sur la fiabilité.

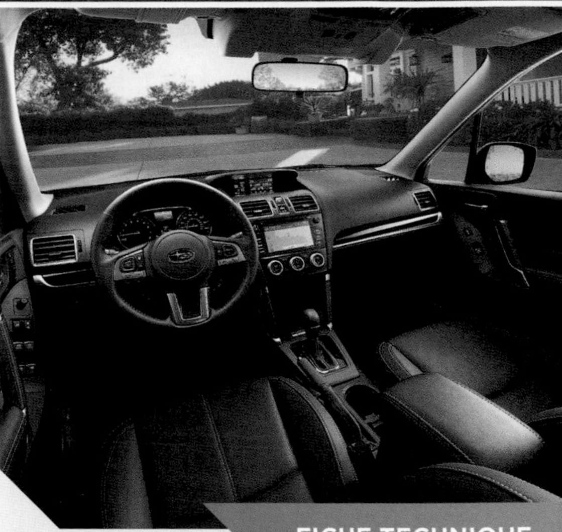

FICHE TECHNIQUE

MOTEUR(S)

(2.5i) H4 2,5 L DACT
PUISSANCE 170 ch à 5 800 tr/min
COUPLE 174 lb-pi à 4 100 tr/min
RAPPORT POIDS/PUISSANCE 8,9 à 9,2 kg/ch
BOITE(S) DE VITESSES base manuelle à 6 rapports, automatique à variation continue (en option) **Commodité/ Limited/option Tourisme** automatique à variation continue avec mode manuel **Tourisme** manuelle à 6 rapports, automatique à variation continue avec mode manuel (en option)
PERFORMANCES 0-100 km/h 9,3 s
FREINAGE 100-0 km/h 37,6 m
VITESSE MAXIMALE 185 km/h

(2.0XT) H4 2,0 L DACT turbo
PUISSANCE 250 ch à 5 600 tr/min
COUPLE 258 lb-pi de 2 000 à 4 800 tr/min
RAPPORT POIDS/PUISSANCE 6,7 kg/ch
BOITE(S) DE VITESSES automatique à variation continue avec mode manuel et manettes au volant
PERFORMANCES 0-100 km/h 6,5 s
REPRISE 80-115 km/h 4,2 s
FREINAGE 100-0 km/h 35,4 m
NIVEAU SONORE À 100 km/h Moyen
VITESSE MAXIMALE 220 km/h
CONSOMMATION (100 km) ville 10,2 L, route 8,5 L (octane 91)
ANNUELLE 1 598 L, 2 157 $
ÉMISSIONS DE CO_2 3 675 kg/an

AUTRES COMPOSANTS

SÉCURITÉ ACTIVE (selon version ou en option) Freins ABS, assistance au freinage, répartition électronique de la force de freinage, contrôle électronique de la stabilité, antipatinage, contrôle d'adhérence en descente, aide en cas de collision imminente, avertisseur d'obstacle latéral, avertisseur de sortie de voie, régulateur de vitesse adaptatif, aide au freinage en cas d'activation simultanée de l'accélérateur et des freins
SUSPENSION avant/arrière indépendante
FREINS avant/arrière disques
DIRECTION à crémaillère, assistée électriquement
PNEUS 2.5i P225/60R17 **2.0XT** P225/55R18

DIMENSIONS

EMPATTEMENT 2 640 mm
LONGUEUR 4 595 mm
LARGEUR 1 795 mm, 2 031 mm (incl. rétro.)
HAUTEUR 1 735 (incl. galerie)
POIDS 2.5i base 1 514 kg **Commodité** 1 538 kg **Tourisme** 1 557 kg **Limited** 1 565 kg **2.0XT Tourisme** 1 668 kg
DIAMÈTRE DE BRAQUAGE 10,6 m
COFFRE 2.5i 974 L, 2 115 L (sièges abaissés)
2.5i toit ouvrant/2.0T 892 L, 1 940 L (sièges abaissés)
RÉSERVOIR DE CARBURANT 60 L
CAPACITÉ DE REMORQUAGE 453 kg, 680 kg (avec remorque à freins)

SUBARU Traction intégrale

LA COTE VERTE

MOTEUR H4 DE 2,0 L
CONSOMMATION (100 km) man. ville 9,2 L, route 6,8 L (est.)
CVT. ville 8,3 L, route 6,2 L (est.)
CONSOMMATION ANNUELLE man. 1 394 L, 1 673 $ **CVT** 1 258 L, 1 510 $
INDICE D'OCTANE 87
ÉMISSIONS POLLUANTES CO_2 man. 3 206 kg/an **CVT** 2 893 kg/an
(source : L'Annuel)

FICHE D'IDENTITÉ

VERSION(S) 4 portes/5 portes Base, Toutisme, Sport, Sport-tech
TRANSMISSION(S) 4
PORTIÈRES 4, 5 **PLACES** 5
PREMIÈRE GÉNÉRATION 1993
GÉNÉRATION ACTUELLE 2017
CONSTRUCTION Lafayette, Indiana, É.-U.
COUSSINS GONFABLES 7 (frontaux, latéraux, genoux conducteur, rideaux latéraux)
CONCURRENCE Chevrolet Cruze, Ford Focus, Honda Civic, Hyundai Elantra, Kia Forte, Mazda3, Mitsubishi Lancer, Nissan Sentra, Toyota Corolla/iM, Volkswagen Golf/Jetta

AU QUOTIDIEN

COLLISION FRONTALE 4/5
COLLISION LATÉRALE 5/5
VENTES DU MODÈLE L'AN DERNIER
AU QUÉBEC 3 547 (+4,3 %) **AU CANADA** 8 319 (+10,7 %)
DÉPRÉCIATION (%) 29,0 (3 ans)
RAPPELS (2011 à 2016) 7
COTE DE FIABILITÉ 3/5

GARANTIES... ET PLUS

GARANTIE GÉNÉRALE 3 ans/60 000 km
GROUPE MOTOPROPULSEUR 5 ans/100 000 km
PERFORATION 5 ans/kilométrage illimité
ASSISTANCE ROUTIÈRE 3 ans/kilométrage illimité
NOMBRE DE CONCESSIONNAIRES
AU QUÉBEC 24 **AU CANADA** 86

NOUVEAUTÉS EN 2017

Nouvelle génération, moteur 2 litres à injection directe

CRIER AU LOUP

Tout le monde a entendu parler de cette vieille fable d'Ésope du garçon qui criait au loup. Ce garçon s'amuse à prétendre qu'il a vu un loup, créant chaque fois la panique et une fausse alarme. Le jour où il voit vraiment un loup, personne ne lui prête attention et le jeune garçon se fait manger. C'est exactement ce que fait Subaru avec ses prototypes depuis quelques années. On nous présente des modèles spectaculaires et une fois que le modèle de production arrive, comme l'Impreza au Salon de l'auto de New York, tout le monde est déçu, car le résultat est loin des attentes. Alors maintenant, il faudra arrêter de croire Subaru lorsqu'elle crie au loup.

Benoit Charette

TOUR DU PROPRIÉTAIRE > Nous nous attendions à quelque chose de plus spectaculaire dans la présentation visuelle. Oui, la ligne se modernise avec une calandre plus stylisée, de nouveaux phares, mais le tout reste un peu trop sage au goût de plusieurs. La version 2017 sera offerte en modèle 4 et 5 portes et le plus gros changement est invisible. En effet, cette Impreza inaugure une nouvelle plate-forme baptisée SGP (pour *Subaru Global Platform*), et le modèle sera construit à l'usine de Lafayette, en Indiana. D'un point de vue structurel, Subaru assure que la rigidité sera supérieure de 70 %. L'empattement est allongé de 25 millimètres et la carrosserie se fait plus longue (+ 40 mm), plus large (+ 37 mm) et plus basse (-10 mm).

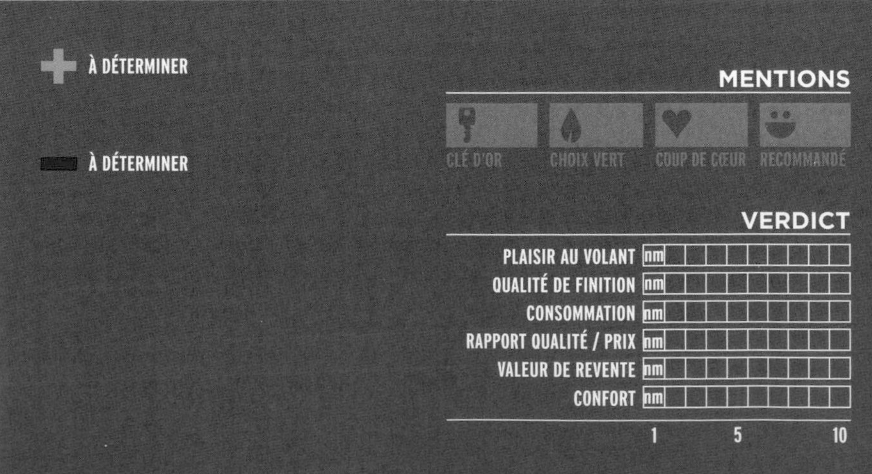

+ À DÉTERMINER
– À DÉTERMINER
MENTIONS
CLÉ D'OR
CHOIX VERT
COUP DE CŒUR
RECOMMANDÉ
VERDICT
PLAISIR AU VOLANT nm
QUALITÉ DE FINITION nm
CONSOMMATION nm
RAPPORT QUALITÉ / PRIX nm
VALEUR DE REVENTE nm
CONFORT nm
1
5
10

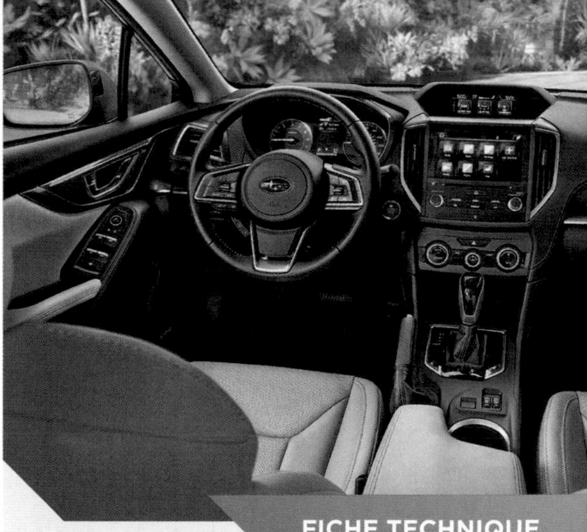

VIE À BORD > Avec un modèle qui prend du volume, les passagers seront plus à l'aise à l'intérieur. Subaru profite également de cette nouvelle génération pour faire une mise à jour technologique. La planche de bord revêt un nouveau style plus sobre et vous aurez droit en option à un système d'infodivertissement avec navigation GPS à activation vocale, écran tactile de 8 pouces, radio AM/FM, lecteur de CD/MP3/AHA/WMA, fonction de messagerie texte SMS, SiriusXM[MC] Traffic, Travel Link et récepteur de radio satellite. Vous pouvez aussi obtenir le système d'aide à la conduite EyeSight, qui combine quatre modes d'assistance électronique de conduite, la fonction de détection d'angles morts et le freinage automatique en marche arrière, qui intègre une technologie conçue pour détecter d'autres véhicules ou objets se trouvant dans la trajectoire du véhicule, envoie des signaux d'alerte ou applique des mesures préventives.

TECHNIQUE > Sous le capot, on demeure en terrain connu. Subaru est toujours le seul constructeur avec Porsche à commercialiser des moteurs à plat. Le 4-cylindres 2 litres troque finalement sa vieillissante injection multipoint pour l'injection directe, qui donne un léger surplus de puissance de 148 à 152 chevaux. Selon la version, ce 4-cylindres pourra être jumelé à une boîte de vitesse manuelle à 6 rapports ou à une boîte automatique à variation continue Lineartronic avec 7 rapports simulés et palettes de changements de rapports au volant. Comme c'est la norme chez Subaru, la transmission intégrale fait partie de la dotation de série.

AU VOLANT > Personne n'a encore conduit cette nouvelle Impreza. Elle arrivera seulement à la fin de l'année, mais cette compacte déjà fort agréable à conduire va s'améliorer avec la présence d'une nouvelle plate-forme plus rigide. La boîte CVT est l'une des plus évoluées et des plus performantes sur le marché et, chose assez rare, il est possible de mettre les mots « conduite sportive » et « boîte CVT » dans la même phrase.

CONCLUSION > La réussite de cette nouvelle Impreza est très importante pour Subaru, qui voit ses ventes grimper de belle manière depuis quelques années. La petite compagnie nippone va franchir le cap du million de ventes annuelles pour la première fois de son histoire d'ici la fin 2016 et l'Impreza est le modèle phare pour continuer dans le même sens. Fiable et toujours le 4x4 le plus abordable du marché, l'Impreza devra chercher à convaincre un peu plus d'un point de vue visuel. Il faut arrêter de donner un coup de crayon tous les quatre ans. Demandez aux concepteurs qui ont visiblement du talent pour les prototypes de dessiner le modèle de série. Les résultats seront sans doute plus spectaculaires. ■

FICHE TECHNIQUE

MOTEUR(S)

(2.0i) H4 2,0 L DACT
PUISSANCE 152 ch à 6 200 tr/min (est.)
COUPLE 145 lb-pi à 4 200 tr/min
RAPPORT POIDS/PUISSANCE man. 8,6 kg/ch **CVT** 8,8 kg/ch (est.)
BOÎTE(S) DE VITESSES manuelle à 5 rapports (?), automatique à variation continue, avec mode manuel (en option)
PERFORMANCE 0-100 km/h man. 9,3 s **CVT** 10,8 s (est.)
REPRISE 80-115 km/h CVT ND
FREINAGE 100-0 km/h ND
NIVEAU SONORE À 100 km/h ND
VITESSE MAXIMALE 195 km/h (est.)

AUTRES COMPOSANTS

SÉCURITÉ ACTIVE Freins ABS, assistance au freinage, répartition électronique de la force de freinage, contrôle électronique de la stabilité, antipatinage, assistance au départ en pente, caméra arrière, avertisseurs d'obstacle latéral et de sortie de voie, freinage d'urgence autonome en reculant, régulateur de vitesse adaptatif avec freinage d'urgence automatique, phares à DEL directionnels.
SUSPENSION avant/arrière indépendante
FREINS avant/arrière disques
DIRECTION à crémaillère, assistée électriquement
PNEUS Base/Premium P195/60R16 **Limited** P205/50R17 **Sport** P205/45R18

DIMENSIONS

EMPATTEMENT 2 670 mm
LONGUEUR 4 portes 4 625 mm 5 portes 4 460 mm
LARGEUR 1 777 mm
HAUTEUR 1 455 mm
POIDS 2.0i man. 1 300 kg (est.) **CVT** 1 330 kg (est.)
RÉPARTITION DU POIDS AV/ARR (%) ND
DIAMÈTRE DE BRAQUAGE ND
COFFRE 4 PORTES ND
RÉSERVOIR DE CARBURANT ND

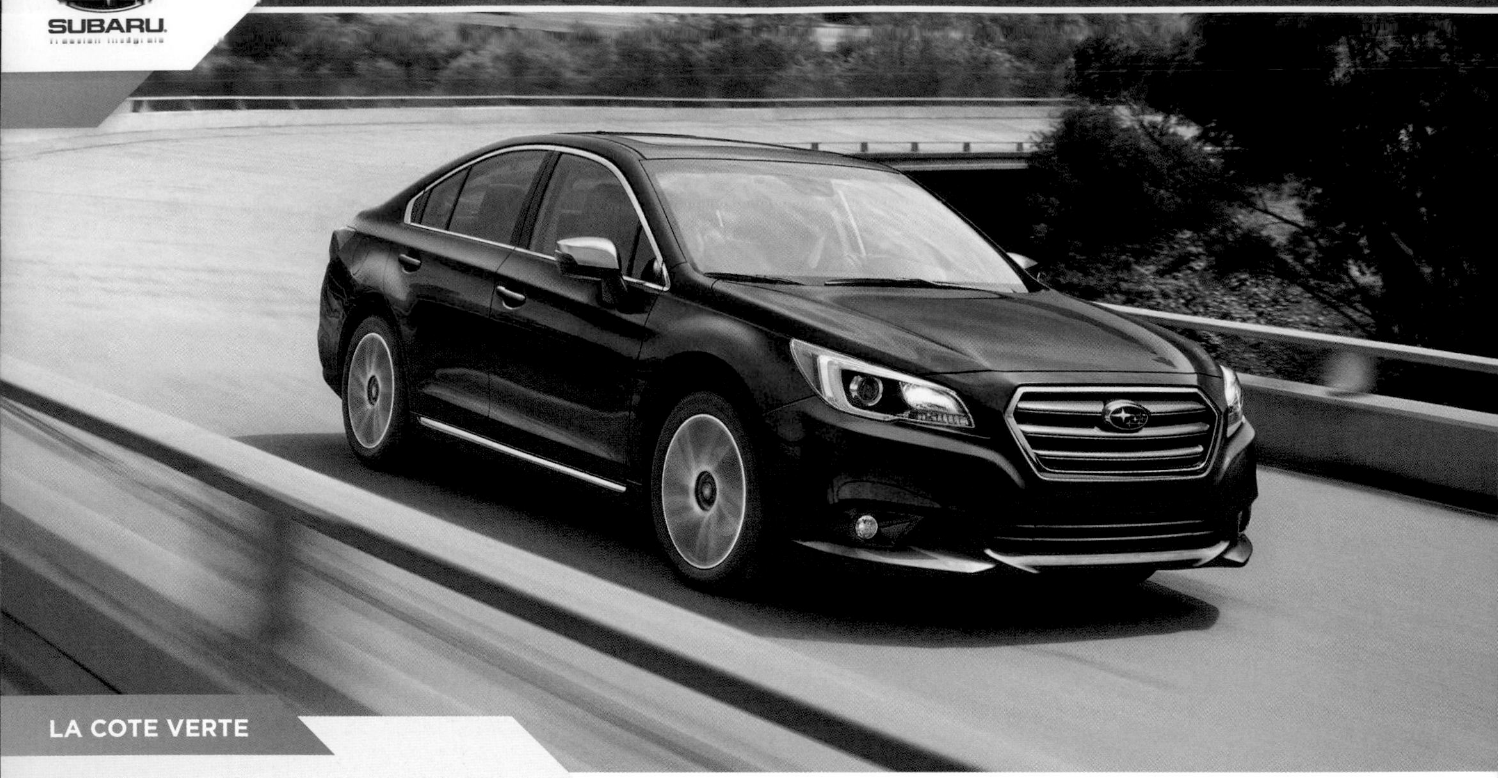

LA COTE VERTE

MOTEUR H4 DE 2,5 L
CONSOMMATION (100 km) man. ville 10,7 L, route 7,8 L
CVT ville 9,0 L, route 6,5 L
CONSOMMATION ANNUELLE man. 1 598 L, 1 918 $ **CVT** 1 343 L, 1 612 $
INDICE D'OCTANE 87
ÉMISSIONS POLLUANTES CO_2 man. 3 675 kg/an **CVT** 3 089 kg/an
(source : ÉnerGuide)

FICHE D'IDENTITÉ

VERSION(S) 2.5i Base, Touring, Sport, Limited **3.6R** Touring, Limited
TRANSMISSION(S) 4
PORTIÈRES 4 **PLACES** 5
PREMIÈRE GÉNÉRATION 1990
GÉNÉRATION ACTUELLE 2015
CONSTRUCTION Lafayette, Indiana, É.-U.
COUSSINS GONFLABLES 8 (frontaux, latéraux avant, coussin des sièges avant, rideaux latéraux)
CONCURRENCE Chevrolet Malibu, Chrysler 200, Ford Fusion, Honda Accord, Hyundai Sonata, Kia Optima, Mazda6, Nissan Altima, Toyota Camry, Volkswagen Passat

AU QUOTIDIEN

COLLISION FRONTALE 5/5
COLLISION LATÉRALE 5/5
VENTES DU MODÈLE L'AN DERNIER
AU QUÉBEC 1 307 (+4,0 %) **AU CANADA** 3 258 (+11,4 %)
DÉPRÉCIATION (%) 28,8 (3 ans)
RAPPELS (2011 à 2016) 14
COTE DE FIABILITÉ 3/5

GARANTIES... ET PLUS

GARANTIE GÉNÉRALE 3 ans/60 000 km
GROUPE MOTOPROPULSEUR 5 ans/100 000 km
PERFORATION 5 ans/kilométrage illimité
ASSISTANCE ROUTIÈRE 3 ans/kilométrage illimité
NOMBRE DE CONCESSIONNAIRES
AU QUÉBEC 24 **AU CANADA** 86

NOUVEAUTÉS EN 2017

Version Sport avec jantes 18 pouces et habillage spécifiques, nouveaux rétroviseurs avec indicateurs intégrés, nouvelle finition du volant, rétroviseur central à bords minces.

RÉFLEXION FAITE

La Legacy est possiblement l'un des meilleurs exemples de l'industrie automobile, comme quoi on ne doit pas se fier aux apparences. Derrière ses lignes banales, ennuyantes, se cache l'une des berlines les plus intéressantes que l'on puisse se procurer pour affronter le climat québécois. Réflexion faite, belle ou pas, c'est toute une voiture!

Luc-Olivier Chamberland

TOUR DU PROPRIÉTAIRE > Qu'on se le dise, la Legacy est tout sauf sexy. La concurrence rivalise de créativité pour arriver avec des lignes séduisantes élancées, mais trop souvent peu pratiques. Chez Subaru, la question de la fonctionnalité prime toujours sur tout le reste. Lors de son introduction, nous avons été déçus, surtout que le prototype qui la précédait était absolument magnifique, presque un fantasme! À la production, la voix de la raison est vite revenue au galop. Comme pour toutes les Subaru, le pavillon de toit est haut pour maximiser la fenestration et obtenir une meilleure visibilité. On intègre quelques éléments chromés pour donner une touche plus classique et des roues au design agréable, mais rien pour s'exciter. Pour 2017, Subaru propose une nouvelle version Sport dans la gamme avec un peu plus d'expression. Elle reçoit des roues de 18 pouces, une calandre et un cadre de fenêtres noires.

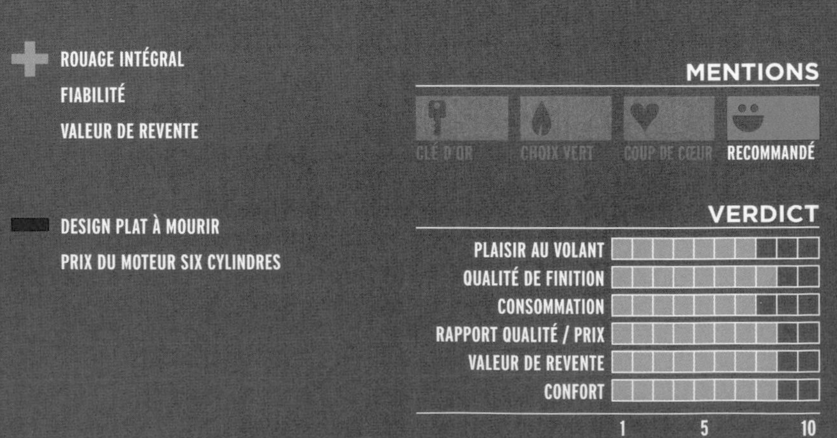

VIE À BORD > À l'image de l'extérieur, l'aspect pratique prime à l'intérieur. On fait une totale négation des courbes pour une présentation rectiligne aux allures des années 90. Encore une fois, Subaru insiste sur la fonctionnalité, on ne doit pas se laisser distraire par une esthétique aguicheuse qui nous éloignerait de notre propre sécurité! L'ergonomie s'en trouve grandement facilitée, l'emplacement des commandes est d'une implacable logique. Le confort est impressionnant : des supports adéquats nous tiennent bien en place. Considérant la hauteur du toit, notre position devient l'une des meilleures du segment, sinon de l'industrie. À l'arrière, c'est un peu plus juste aux jambes, mais dans l'ensemble, sa vocation familiale est bien remplie. Peu importe la version, l'équipement se montre généreux. Les niveaux médians Touring et Sport représentent les valeurs les plus intéressantes pour le consommateur.

TECHNIQUE > Subaru perpétue sa tradition d'offrir des moteurs utilisant une configuration à cylindres à plat de type Boxer. Le choix le plus populaire et le plus logique est le 2,5-litres d'une puissance de 175 chevaux. Il propose un rendement très intéressant et se montre particulièrement économique. Sur ce point, son mariage avec la CVT fait presque des miracles. La consommation peut assez facilement se retrouver sous la barre des 8 litres aux 100 kilomètres. Il s'agit du seul moteur livrable avec une boîte manuelle à 6 rapports. Malheureusement, pour les amateurs de conduite, la version de base en est l'unique bénéficiaire. Pour ceux qui recherchent plus de performance, le H6 de 3,6 litres est reconduit avec sa cavalerie de 256 chevaux. Inchangé depuis des années, il se révèle toujours compétent, mais les surprimes à la caisse et à la pompe se justifient difficilement devant l'excellence du 2,5-litres.

AU VOLANT > Le plaisir de conduire fait partie intégrante de la famille Subaru. La Legacy ne fait pas exception à cette règle. Comme mentionné précédemment, « elle n'a l'air de rien », mais elle peut assez facilement tenir tête aux berlines allemandes en matière de comportement. Solide comme le roc, elle mord le bitume grâce à la qualité de sa transmission intégrale. Le chauffeur bénéficie d'une direction très précise alors que les suspensions maintiennent un bon niveau de sportivité. Dans la civilisation, elle détonne, mais elle brille sur une chaussée enneigée ou sur une route secondaire en terre battue. Pour aider la conduite, Subaru offre le programme EyeSight, qui nous assiste avec une collection de filets de sûreté comme le système antilouvoiement, la détection de collision et plusieurs radars qui nous conscientisent face à notre environnement.

CONCLUSION > Réflexion faite, la Legacy n'est pas la plus excitante à regarder, mais dans l'ensemble, elle est indéniablement l'une des meilleures propositions que l'on puisse trouver dans le segment des intermédiaires. En plus de ses qualités dynamiques, elle nous offre une tranquillité d'esprit grâce à sa grande fiabilité. ■

2e OPINION

Charles René

Comme la plupart des produits Subaru, la Legacy est loin d'être une voiture de laquelle on tombe éperdument amoureux. À l'instar de la Toyota Camry, il faut voir au-delà de cette étiquette « beige » pour apprécier ce produit. Dotée d'une excellente transmission intégrale, une denrée rare dans la catégorie des berlines intermédiaires, elle adopte un comportement sans histoire, mais tout de même rassurant en manœuvre d'urgence. Des deux moteurs, le 4-cylindres est certes le plus intéressant en raison de sa consommation plus modérée que le 6-cylindres. Malgré les améliorations apportées sur les assistances à la conduite et le système d'infodivertissement, on sent que le produit est dû pour une bonne refonte.

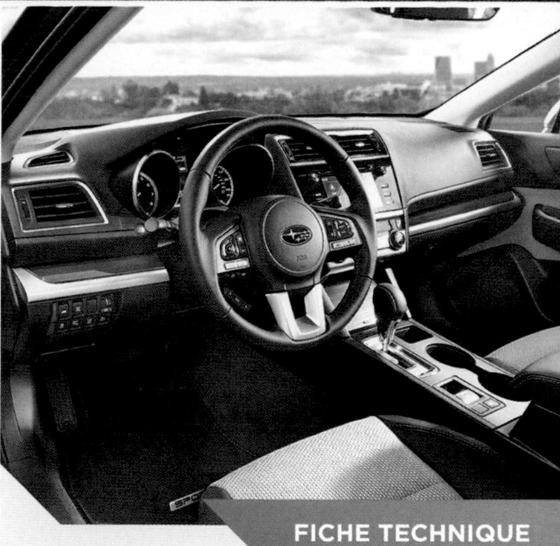

FICHE TECHNIQUE

MOTEUR(S)

(2.5i) H4 2,5 L SACT
PUISSANCE 175 ch à 5 800 tr/min
COUPLE 174 lb-pi à 4 000 tr/min
RAPPORT POIDS/PUISSANCE 9,0 à 9,1 kg/ch
BOÎTE(S) DE VITESSES manuelle à 6 rapports, transmission à variation continue avec mode manuel et manettes au volant en option
PERFORMANCES 0-100 km/h 9,5 s
REPRISE 80-115 km/h 5,9 s
FREINAGE 100-0 km/h 42,7 m
VITESSE MAXIMALE 200 km/h

(3.6R) H6 3,6 L DACT
PUISSANCE 256 ch à 6 000 tr/min
COUPLE 247 lb-pi de 2 000 à 6 000 tr/min
RAPPORT POIDS/PUISSANCE 6,5 à 6,6 kg/ch
BOÎTE(S) DE VITESSES transmission à variation continue avec mode manuel et manettes au volant
PERFORMANCES 0-100 km/h 7,5 s
VITESSE MAXIMALE 230 km/h
CONSOMMATION (100 km) ville 11,9 L, route 8,2 L (octane 87)
ANNUELLE 1 734 L, 2 254 $
ÉMISSIONS DE CO_2 3 988 kg/an

AUTRES COMPOSANTS

SÉCURITÉ ACTIVE (certains en option) Freins ABS, assistance au freinage, répartition électronique de la force de freinage, contrôle électronique de la stabilité, antipatinage, aide au départ en pente et contrôle en descente, régulateur de vitesse adaptatif, assistance en cas d'impact imminent, détecteur de piéton, avertisseur de changement de voie et aide au maintien de voie, phares adaptatifs, phares antibrouillard pivotant avec le volant, assistance au freinage en cas d'utilisation simultanée des freins et de l'accélérateur
SUSPENSION avant/arrière indépendante
FREINS avant/arrière disques
DIRECTION à crémaillère, assistée électriquement
PNEUS 2.5i P225/55R17 **3.6R/option 2.5i Limited** P225/50R18

DIMENSIONS

EMPATTEMENT 2 750 mm
LONGUEUR 4 796 mm
LARGEUR 1 840 mm, 2 066 mm (incl. rétro.) **3.6R** 2 080 mm (incl. rétro.)
HAUTEUR 1 500 mm
POIDS 2.5i 1 567 à 1 598 kg **3.6R** 1 661 à 1 677 kg
DIAMÈTRE DE BRAQUAGE 11,2 m
COFFRE 425 L
RÉSERVOIR DE CARBURANT 70 L

LA COTE VERTE

MOTEUR H4 DE 2,5 L
CONSOMMATION (100 km) man. ville 11,0 L, route 8,2 L
CVT ville 9,4 L, route 7,3 L
CONSOMMATION ANNUELLE man. 1 649 L, 1 979 $ **CVT** 1 445 L, 1 734 $
INDICE D'OCTANE 87
ÉMISSIONS POLLUANTES CO_2 man. 3 793 kg/an **CVT** 3 323 kg/an
(source : ÉnerGuide et Subaru)

FICHE D'IDENTITÉ

VERSION(S) 2.5i Base **2.5i/3.6R** Touring, Limited, Premier
TRANSMISSION(S) 4
PORTIÈRES 5 **PLACES** 5
PREMIÈRE GÉNÉRATION 1994
GÉNÉRATION ACTUELLE 2015
CONSTRUCTION Lafayette, Indiana, É.-U.
COUSSINS GONFABLES 8 (frontaux, latéraux avant, coussin de sièges avant, rideaux latéraux)
CONCURRENCE Audi Allroad, Volkswagen Golf Alltrack.
Concurrence secondaire Chevrolet Equinox/GMC Terrain, Dodge Journey, Honda CR-V, Hyundai Tucson/Santa Fe Sport, Kia Sportage/Sorento, Mazda CX-5, Mitsubishi Outlander, Nissan Rogue, Subaru Forester, Toyota RAV4, Volkswagen Tiguan

AU QUOTIDIEN

COLLISION FRONTALE 5/5 **COLLISION LATÉRALE** 5/5
VENTES DU MODÈLE L'AN DERNIER
AU QUÉBEC 3 580 (+14,2 %) **AU CANADA** 9 992 (+15,0 %)
DÉPRÉCIATION (%) 29,5 (3 ans)
RAPPELS (2011 à 2016) 15
COTE DE FIABILITÉ 3/5

GARANTIES... ET PLUS

GARANTIE GÉNÉRALE 3 ans/60 000 km
GROUPE MOTOPROPULSEUR 5 ans/100 000 km
PERFORATION 5 ans/kilométrage illimité
ASSISTANCE ROUTIÈRE 3 ans/kilométrage illimité
NOMBRE DE CONCESSIONNAIRES AU QUÉBEC 24 **AU CANADA** 86

NOUVEAUTÉS EN 2017

Nouveaux modèles 2.5i et 3.6R Premier avec groupe Technologie et finition modernisée, sécurité préventive évoluée sur certains modèles avec freinage automatique en marche arrière et phares de route assistés, mode X de série sur toutes les versions (contrôle en descente), batterie plus puissante, nouveau système audio sur Touring avec écran 7 pouces, volant chauffant de série sur Limited.

STAR DU COLORADO... ET DU QUÉBEC!

Une courte escale au Colorado m'aura permis de constater cet été que l'Outback non seulement connaît un bon succès chez nous, mais qu'elle est également hyper populaire du côté du Colorado. À un feu de circulation, vous en apercevrez certainement trois ou quatre, accompagnées de deux Forester et d'une Crosstrek. Bref, Subaru possède là-bas une part de marché exceptionnelle, tout comme dans le Maine, le Massachusetts et... le Québec !

Antoine Joubert

TOUR DU PROPRIÉTAIRE > Difficile de parler de révolution avec l'Outback. Chaque année qui passe, les changements sont soit timides, soit inexistants. On peut d'ailleurs attribuer son succès au fait que son design est aussi unique qu'intemporel. La très grande diversité de modèles (onze versions disponibles) permet aussi de rejoindre une clientèle très large, qui ne cherche évidemment pas un style clinquant, mais qui affectionne son côté à la fois raffiné et aventurier. Plus élégante que le modèle de génération précédente, l'Outback n'a ironiquement aucune concurrence directe. Certains évoquaient à tort la Toyota Venza ou encore la coûteuse Volvo XC70 Cross Country (aujourd'hui V90 Cross Country). Toutefois, les acheteurs la comparent davantage à des VUS plus traditionnels, comme le Mitsubishi Outlander ou le Honda CR-V. Et cette année, la Golf Alltrack est sans doute celle qui pourrait lui arracher quelques ventes.

+
- EXCELLENT RAPPORT QUALITÉ-PRIX
- POLYVALENCE DE L'HABITACLE
- COMPORTEMENT ROUTIER, QU'IMPORTE LE CLIMAT
- FIABILITÉ ET SÉCURITÉ
- FAIBLE DÉPRÉCIATION

−
- PUISSANCE MODESTE (4-CYLINDRES)
- FREINAGE DÉCEVANT
- CONSOMMATION D'HUILE PARFOIS ÉLEVÉE (4-CYLINDRES)
- À PROSCRIRE POUR LES AUDIOPHILES (QUALITÉ DU SYSTÈME AUDIO)

MENTIONS

CLÉ D'OR · RECOMMANDÉ

VERDICT

PLAISIR AU VOLANT
QUALITÉ DE FINITION
CONSOMMATION
RAPPORT QUALITÉ / PRIX
VALEUR DE REVENTE
CONFORT

1 5 10

VIE À BORD > Avec une garde au sol de 220 millimètres, l'Outback s'aventure là où s'arrêtent plusieurs VUS. Cela dit, une fois à bord, l'impression de conduire un utilitaire s'estompe complètement. Certes, la position de conduite est élevée par rapport au sol mais semblable à celle de la berline Legacy (sa petite sœur). Ce concept quasi unique est fort agréable et contribue grandement au confort des occupants. Subaru a également réussi à améliorer la présentation intérieure jadis morose de l'Outback pour créer un environnement plus chaleureux et accueillant. Évidemment, une version Limited ou Premier vous offrira plus de luxe et de commodités, mais sachez que l'essentiel est présent, même sur la version de base, ce qui inclut l'incontournable assise chauffante des sièges. Quant à l'espace intérieur, il se compare avantageusement avec celui de plusieurs VUS, notamment en raison d'une découpe optimale des panneaux et de l'ouverture du coffre, permettant d'exploiter plus facilement les quelque 2075 litres de volume cargo.

TECHNIQUE > Bonne nouvelle, Subaru propose cette année une batterie plus puissante, permettant un démarrage plus facile en conditions hivernales. On ajoute également le freinage d'urgence en marche arrière, lequel vient accompagner les capteurs d'obstacles et la caméra de recul. Sur le plan mécanique, rien ne change. Les 4-cylindres et 6-cylindres demeurent donc identiques, faisant toujours équipe avec la boîte Lineartronic à variation continue et l'excellente transmission intégrale à prise constante. On conserve également la boîte manuelle à 6 rapports sur les modèles de base et Touring, permettant à quelques puristes de garder leurs vieilles habitudes. Notez d'ailleurs que cette dernière n'est pas offerte chez nos voisins du Sud.

AU VOLANT > Pour la souplesse, la douceur et la puissance, le 6-cylindres à plat est à considérer. Sa consommation de carburant est désormais raisonnable en raison du mariage avec la boîte CVT, et sa fiabilité est exceptionnelle. Toutefois, ce moteur est passablement lourd, ce qui affecte le comportement routier et l'agilité de la voiture, plus équilibrée avec le 4-cylindres. Relativement économique (9,5 L aux 100 km), ce dernier a hélas la réputation de consommer un peu d'huile, ce qui n'en fait pas un mauvais parti pour autant. Retenez toutefois que le respect assidu des intervalles d'entretien élimine une grande partie des risques de surconsommation. On peut aussi reprocher à l'Outback son manque de puissance aux freins, un problème récurrent chez l'ensemble des modèles de la marque. Cela dit, l'Outback est aujourd'hui plus confortable et raffinée en raison d'une suspension mieux calibrée et d'une meilleure insonorisation.

CONCLUSION > Le succès de l'Outback s'explique facilement. Fiable, polyvalente, confortable et particulièrement appréciable en saison hivernale, elle s'accompagne également d'un faible taux de dépréciation. Pourquoi donc est-elle seule dans son créneau ? Mystère... ■

2e OPINION

Luc-Olivier Chamberland

La Subaru Outback demeure le meilleur moyen d'éviter la tentation de se tourner vers les utilitaires sport. Construite sur la base de la Legacy, elle possède la qualité de la conduite d'une berline ainsi que d'exceptionnelles aptitudes hors route, une parfaite juxtaposition de deux univers! Pour 2017, on introduit une nouvelle version Premier plus équipée, comportant plus d'accessoires et même un peu plus de luxe. Mécaniquement, le 2,5-litres se veut une référence par sa très grande qualité et son rendement. Le 3,6-litres apporte un zeste de puissance enviable, mais le supplément se justifie plus difficilement. L'Outback demeure un coup de cœur. Reste à savoir comment elle prendra l'assaut de Volkswagen avec la Golf Alltrack.

FICHE TECHNIQUE

MOTEUR(S)

(2.5i) H4 2,5 L SACT
PUISSANCE 175 ch à 5 800 tr/min
COUPLE 174 lb-pi à 4 000 tr/min
RAPPORT POIDS/PUISSANCE 9,2 à 9,5 kg/ch
BOÎTE(S) DE VITESSES manuelle à 6 rapports, transmission à variation continue avec mode manuel et manettes au volant (option)
PERFORMANCES 0-100 km/h 9,6 s
REPRISE 80-115 km/h 5,9 s
FREINAGE 100-0 km/h 42,7 m
VITESSE MAXIMALE 200 km/h

(3.6R) H6 3,6 L DACT
PUISSANCE 256 ch à 6 000 tr/min
COUPLE 247 lb-pi de 2 000 à 6 000 tr/min
RAPPORT POIDS/PUISSANCE 6,7 à 6,8 kg/ch
BOÎTE(S) DE VITESSES transmission à variation continue avec mode manuel et manettes au volant
PERFORMANCES 0-100 km/h 7,3 s
VITESSE MAXIMALE 210 km/h
CONSOMMATION (100 km) ville 12,0 L, route 8,7 L (octane 87)
ANNUELLE 1 802 L, 2 162 $
ÉMISSIONS DE CO_2 4 145 kg/an

AUTRES COMPOSANTS

SÉCURITÉ ACTIVE (certains en option) Freins ABS, assistance au freinage, répartition électronique de la force de freinage, contrôle électronique de la stabilité, antipatinage, aide au départ en pente et contrôle en descente, régulateur de vitesse adaptatif, assistance en cas d'impact imminent, détecteur de piéton, avertisseur de changement de voie et assistance au maintien de voie, freinage automatique en marche arrière, phares adaptatifs, phares antibrouillard pivotant avec le volant
SUSPENSION avant/arrière indépendante
FREINS avant/arrière disques
DIRECTION à crémaillère, assistée électriquement
PNEUS P225/65R17 **2.5i Limited/3.6R** P225/60R18

DIMENSIONS

EMPATTEMENT 2 745 mm
LONGUEUR 4 817 mm
LARGEUR 1 840 mm, 2 066 mm (incl. rétro.) **3.6R** 2 080 mm (incl. rétro.)
HAUTEUR 1 680 mm
POIDS **2.5i** 1 614 à 1 665 kg **3.6R** 1 744 kg
DIAMÈTRE DE BRAQUAGE 11,0 m
COFFRE 1 005 L, 2 075 L (sièges abaissés)
RÉSERVOIR DE CARBURANT 70 L
CAPACITÉ DE REMORQUAGE **2.5i** 454 kg, 1 224 kg (remorque avec freins) **3.6R** 454 kg, 1 360 kg (remorque avec freins)

LA COTE VERTE

MOTEUR H4 DE 2,0 L TURBO
CONSOMMATION (100 km) man. ville 11,3 L, route 8,4 L
CVT ville 12,5 L, route 9,5 L
CONSOMMATION ANNUELLE man. 1 700 L, 2 295 $ **CVT** 1 904 L, 2 570 $
INDICE D'OCTANE 91
ÉMISSIONS POLLUANTES CO_2 man. 3 910 kg/an **CVT** 4 379 kg/an
(source: ÉnerGuide)

FICHE D'IDENTITÉ

VERSION(S) WRX/WRX STI Base, Sport, Sport-tech
TRANSMISSION(S) 4
PORTIÈRES 4 **PLACES** 5
PREMIÈRE GÉNÉRATION 2002
GÉNÉRATION ACTUELLE 2015
CONSTRUCTION Gunma, Japon
COUSSINS GONFLABLES 7 (frontaux, latéraux avant, genoux conducteur, rideaux latéraux)
CONCURRENCE Audi S3, Ford Focus ST/RS, Honda Civic Type R, Mini Cooper S/JCW, Volkswagen Golf GTI/R/Jetta GLI

AU QUOTIDIEN

COLLISION FRONTALE 4/5
COLLISION LATÉRALE 5/5
VENTES DU MODÈLE L'AN DERNIER
AU QUÉBEC 971 (+11,7 %) **AU CANADA** 3 107(+17,6 %)
DÉPRÉCIATION (%) 31,0 (3 ans)
RAPPELS (2011 à 2016) 3
COTE DE FIABILITÉ 4/5

GARANTIES... ET PLUS

GARANTIE GÉNÉRALE 3 ans/60 000 km
GROUPE MOTOPROPULSEUR 5 ans/100 000 km
PERFORATION 5 ans/kilométrage illimité
ASSISTANCE ROUTIÈRE 3 ans/kilométrage illimité
NOMBRE DE CONCESSIONNAIRES
AU QUÉBEC 24 **AU CANADA** 86

NOUVEAUTÉS EN 2017

Phares automatiques et détecteurs d'obstacle latéral et arrière maintenant disponibles sur version de base.

COUTEAUX SUISSES

La compacte sportive fait un véritable retour en force par les temps qui courent. Petits et grands constructeurs veulent leur part du gâteau dans ce segment créé dans un but précis: ajouter une touche de dynamisme à l'image de marque de leur gamme. Au-delà des considérations de mise en marché, cette catégorie regroupe nombre de créations citées en référence sur le plan de l'agrément de conduite. Mais comment le duo WRX/WRX STI arrive-t-il à tirer son épingle du jeu ?

Charles René

TOUR DU PROPRIÉTAIRE > C'est sans surprise que l'on constate que Subaru applique ici la formule classique de tuning. Le capot à prise d'air centrale, les jupes de bas de caisse et les roues enveloppées de pneus à flanc mince viennent orner la robe de série de l'Impreza. Le bouclier avant et le pare-chocs arrière sont aussi remodelés pour épicer le dessin de la version de série, dont l'apparence est passablement générique. Le résultat final ne déborde pas d'originalité ni de beauté, mais il réussit à bien cibler la clientèle voulue. Si on dépasse l'aspect purement esthétique, il importe de souligner une belle attention apportée à la visibilité avec la grande surface vitrée. Les WRX et WRX STI ne sont néanmoins toujours pas offertes en carrosserie à hayon, malgré la popularité en chute libre des berlines.

+
- TRANSMISSIONS INTÉGRALES EFFICACES
- AGRÉMENT DE CONDUITE
- VOLUME DE L'HABITACLE

−
- BOÎTES DE VITESSE MANUELLES RÉCALCITRANTES
- CONSOMMATION DE CARBURANT ÉLEVÉE (WRX STI)
- QUALITÉ D'ASSEMBLAGE MOYENNE

MENTIONS

VERDICT

PLAISIR AU VOLANT
QUALITÉ DE FINITION
CONSOMMATION
RAPPORT QUALITÉ / PRIX
VALEUR DE REVENTE
CONFORT

1 5 10

VIE À BORD > Hormis le volant et le bloc d'instrumentation ainsi que la présence de surpiqûres ici et là, l'habitacle des WRX et WRX STI est très semblable à celui de l'Impreza. On dispose donc d'un volume généreux pour les passagers. Les formes plutôt simplistes de sa carrosserie portent ici leurs fruits. Le dessin des sièges diffère également pour les rendre beaucoup plus enveloppants. Si, pour l'ensemble, la qualité des matériaux est bonne, on ne peut en dire autant pour l'assemblage. Quelques minutes derrière le volant suffisent pour entendre les premiers craquements émanant de la planche de bord. Certaines moulures n'étaient pas très bien ajustées dans le véhicule essayé. Sur le plan de la technologie, le système d'infodivertissement est complet, mais manque de rapidité.

TECHNIQUE > Les différences majeures entre les deux modèles se découvrent en levant leur capot. Deux 4-cylindres à plat sont offerts, l'architecture motrice fétiche du constructeur. La WRX mise sur un moteur 2 litres turbocompressé de 268 chevaux. Plus moderne avec son injection directe, il traîne encore une certaine paresse lorsque le turbocompresseur n'est pas en rythme. Ceci est d'autant plus observable en conduite urbaine. Une fois la pression d'air augmentée, la poussée rétablit l'aplomb attendu d'une telle mécanique. Du côté de la WRX STI, le délai de réponse de son 2,5-litres turbo est tout aussi présent, mais une fois ce laps de temps dépassé, on dénote une nervosité encore plus importante. Malgré des mécaniques bien fournies sur le plan de la puissance, ces moteurs ne sont pas appuyés par des boîtes de vitesse manuelles particulièrement abouties. La course de leur levier est trop longue, leur guidage est imprécis, leur embrayage peu progressif. La WRX est disponible avec une boîte CVT qui fait un travail honnête, sans plus.

AU VOLANT > Les WRX et WRX STI s'apprécient une fois les routes sinueuses empruntées. Là, leur suspension rachète leur sécheresse de fort belle façon. L'agilité obtenue est impressionnante et frise le désarmant, particulièrement au volant de la livrée STI. Cette dernière se distingue d'ailleurs de la WRX avec sa servodirection hydraulique encore plus incisive dans sa manière de tailler les virages. Du grand art sur cet aspect. Les WRX inspirent également beaucoup de confiance en raison du brio de leur transmission intégrale. On sent, de pair avec la grande rigidité de leur châssis, un aspect monolithique que pratiquement aucune voiture de leur catégorie n'offre.

CONCLUSION > Grisantes à conduire, mais pas particulièrement originales côté esthétique, les WRX et WRX STI cultivent certes une approche différente avec des transmissions intégrales très efficaces. Elles sont aussi pratiques avec un habitacle et un coffre au volume généreux, surtout pour des compactes. Il faut cependant accepter d'être un peu secoué et de jouer du levier de vitesses pour profiter de ces qualités. ■

2e OPINION

Vincent Aubé

Chez Subaru, l'aspect performance est assuré par le tandem WRX/WRX STI. Si la deuxième s'adresse aux purs et durs avec une quincaillerie conçue pour s'amuser à l'occasion sur un circuit fermé, l'autre, plus docile, s'avère une option plus populaire et peut même être équipée d'une boîte automatique de type CVT. La qualité des matériaux dans l'habitacle n'est certainement pas au niveau des berlines allemandes, mais en ce qui a trait à l'assemblage, Subaru a prouvé au fil des années qu'elle savait construire des voitures durables dans tous les sens du terme. Pour une voiture sport capable d'affronter les pires conditions hivernales, la WRX doit se retrouver sur votre liste.

FICHE TECHNIQUE

MOTEUR(S)

(WRX) H4 2,0 L DACT turbo
PUISSANCE 268 ch à 6 500 tr/min
COUPLE 258 lb-pi de 2 000 à 5 200 tr/min
RAPPORT POIDS/PUISSANCE 5,5 à 5,7 kg/ch
BOÎTE(S) DE VITESSES manuelle à 6 rapports, automatique à variation continue avec mode manuel et manettes au volant
PERFORMANCE 0-100 km/h 5,4 s
REPRISE 80-115 km/h 7,9 s
FREINAGE 100-0 km/h 39,0 m
VITESSE MAXIMALE 240 km/h

(WRX STI) H4 2,5 L DACT turbo
PUISSANCE 305 ch à 6 000 tr/min
COUPLE 290 lb-pi à 4 000 tr/min
RAPPORT POIDS/PUISSANCE 5,0 à 5,1 kg/ch
BOÎTE(S) DE VITESSES manuelle à 6 rapports
PERFORMANCES 0-100 km/h 4,9 s
VITESSE MAXIMALE 264 km/h
CONSOMMATION (100 km) ville 13,8 L, route 10,2 L (octane 91)
ANNUELLE 2 074 L, 2 800 $
ÉMISSIONS DE CO_2 4 770 kg/an

AUTRES COMPOSANTS

SÉCURITÉ ACTIVE (selon version ou certains en option) Freins ABS, assistance au freinage, répartition électronique de la force de freinage, contrôle électronique de la stabilité, antipatinage, assistance au freinage d'urgence, phares automatiques, aide au départ en pente (man.), avertisseur d'obstacle latéral et arrière, assistance au maintien de voie
SUSPENSION avant/arrière indépendante
FREINS avant/arrière disques
DIRECTION à crémaillère, assistée
PNEUS WRX P235/45R17 **WRX STI** P245/40R18

DIMENSIONS

EMPATTEMENT 2 650 mm
LONGUEUR 4 595 mm
LARGEUR 1 795 mm, 2 053 mm (incl. rétro.)
HAUTEUR 1 475 mm
POIDS WRX 1 483 à 1 520 kg **WRX STI** 1 527 à 1 564 kg
DIAMÈTRE DE BRAQUAGE WRX 10,8 m **STI** 11,0 m
COFFRE 340 L
RÉSERVOIR DE CARBURANT 60 L

LA COTE VERTE

MOTEUR ÉLECTRIQUE À COURANT ALTERNATIF
AUTONOMIE MOYENNE 60D 351 km, 416 km avec option 75 kWh **90D** 473 km **P90D** 434 km
CONSOMMATION ÉQUIVALENTE (100 km) 60D ville 2,3 L, route 2,3 L **90D** ville 2,7 L, route 2,6 L **P90D** ville 2,6 L, route 2,4 L
CONSOMMATION ÉQUIVALENTE ANNUELLE 60D 391 L **90D** 459 L **P90D** 425 L
INDICE D'OCTANE NA
ÉMISSIONS POLLUANTES CO_2 0 kg/an
Temps de recharge 60D 240V chargeur simple 8 h/9,5 h, **chargeur double** 4 h/4,5 h, **superchargeur** 1,4 h/1,6 h (donne 270 km d'autonomie par 30 minutes de charge)
(source : ÉnerGuide)

FICHE D'IDENTITÉ

VERSION(S) 60D, 90D, P90D
TRANSMISSION(S) arrière, 4
PORTIÈRES 5 **PLACES** 5, 5+2 (option)
PREMIÈRE GÉNÉRATION 2013
GÉNÉRATION ACTUELLE 2013
CONSTRUCTION Fremont, Californie, É-U.
COUSSINS GONFLABLES 8 (frontaux, genoux avant, latéraux avant, rideaux latéraux)
CONCURRENCE BMW i8 (Audi A7, BMW Série 7, Cadillac CT6, Infiniti Q70, Jaguar XF/XJ, Lexus GS 450h/LS600h, Mercedes-Benz CLS/Classe S)

AU QUOTIDIEN

COLLISION FRONTALE 5/5
COLLISION LATÉRALE 5/5
VENTES DU MODÈLE L'AN DERNIER AU QUÉBEC ND **AU CANADA** ND
DÉPRÉCIATION (%) 14,2 (3 ans)
RAPPELS (2011 à 2016) 2
COTE DE FIABILITÉ 4/5

GARANTIES... ET PLUS

GARANTIE GÉNÉRALE 4 ans/80 000 km
GROUPE MOTOPROPULSEUR 4 ans/80 000 km
BATTERIE S 8 ans/km illimité
PERFORATION 4 ans/80 000 km
ASSISTANCE ROUTIÈRE 3 ans/60 000 km
NOMBRE DE CONCESIONNAIRES AU QUÉBEC 1 **AU CANADA** 6

NOUVEAUTÉS EN 2017

Versions 60 et 60D remplacent les 75 et 75D. Versions 90D et P90D remplacent les 85 et 85D.

SANS LES MAINS

Je suis surpris et choqué que la triste affaire de cet homme qui a perdu la vie au volant de sa Tesla ai fait autant de vague. C'est la preuve que peu importe les circonstances aucun système de conduite autonome ne sera jamais parfait. La vigilance demeure votre meilleur allié au volant. Les gens de Consumer reports, un organisme que je respecte au plus haut point, son passé complètement à côté de la cible en demandant à Tesla de mettre fin au système « Autopilot ». Le problème ne vient pas de la technologie, mais du conducteur. Si le conducteur avait regardé la route, il aurait vu le camion devant lui et ne serait pas mort aujourd'hui. Même avec les systèmes les plus avancés, il faudra garder les mains sur le volant

Benoit Charette

TOUR DU PROPRIÉTAIRE > Au chapitre du style, il n'a pas bougé beaucoup depuis l'arrivée du modèle en 2012. Le patron de Tesla a laissé entendre que le modèle visait un cycle de vie de huit ans, ce qui nous amène en 2020. Cela dit, avec la présentation, plus tôt cette année, du modèle 3, il y a fort à parier que quelques changements esthétiques de mi-parcours sont à prévoir d'ici la fin de l'année. De toute manière, le style est pur, sobre et élégant, sans fioritures. Il serait dommage de gâcher un aussi bon résultat.

\+ SILENCE ET PERFORMANCES
CHÂSSIS DYNAMIQUE
TECHNOLOGIE À BORD
STYLE RÉUSSI

− RECHARGE ET AUTONOMIE TOUJOURS À L'ESPRIT
LIMITATIONS DANS LES LONGS DÉPLACEMENTS
SUSPENSION CLASSIQUE TROP FERME
MASSE IMPORTANTE

MENTIONS

CLÉ D'OR | CHOIX VERT | COUP DE CŒUR | RECOMMANDÉ

VERDICT

PLAISIR AU VOLANT
QUALITÉ DE FINITION
CONSOMMATION
RAPPORT QUALITÉ / PRIX
VALEUR DE REVENTE
CONFORT

1 5 10

VIE À BORD > Même si Tesla a travaillé fort à peaufiner son habitacle initial, qui faisait vraiment bon marché pour une voiture de ce prix, ça pourrait encore être mieux. Considérant le prix, nous sommes en droit de nous attendre à une finition comparable à celle des meilleures berlines européennes. Or les modèles allemands proposent une finition de meilleure qualité. L'écran de 17 pouces et l'instrumentation numérique demeurent le clou du spectacle. Au chapitre de l'espace, vous accueillerez 5 passagers avec deux coffres (745 L à l'arrière et 150 L à l'avant). Un bémol pour les places arrière avec une garde au toit un peu basse et un plancher assez haut qui oblige à avoir les genoux relevés. Un peu désagréable pour les longs trajets.

TECHNIQUE > Depuis l'an dernier, toutes les versions de la Model S sont offertes uniquement en version intégrale et les puissances ont été revues à la baisse. Cela n'enlève rien à la foudroyante poussée de la voiture, mais les ingénieurs ont réalisé que les batteries ne peuvent développer suffisamment de puissance pour exploiter le plein potentiel des moteurs. Ainsi, le modèle P90D qui était annoncé à 762 chevaux en offre en réalité 532 en mode Ludicrous, qui permet un « boost » temporaire de la puissance, et 463 dans une conduite normale. Vous pouvez toujours faire votre 0-100 km/h en 3 secondes. La 90D contient 417 chevaux et la 60 D, 328. Ce qui est le plus important est de connaître l'autonomie. Il y a celles annoncées et celle que vous ferez. La 90D annonce 473 kilomètres d'autonomie, 434 pour la P90D et 386 pour la 60D (416 avec l'option 75 kWh). Si vous conservez vos habitudes de conduite d'une voiture à essence, vous ferez de 75 % à 80 % de l'autonomie annoncée.

AU VOLANT > Le silence de roulement est de toute évidence la première chose qui frappe. Les vibrations provenant des moteurs à essence ou diesel sont aussi complètement absentes. Peu importe le modèle, le moteur répond instantanément à la moindre sollicitation de l'accélérateur. Le centre de gravité très bas permet de tenir la route comme une sportive. Qui plus est, avec une transmission intégrale et des pneus de grande taille et de bonne qualité, la Tesla est exempte de tout roulis. Une chose à considérer toutefois en ce qui concerne la suspension classique : la voiture cogne un peu dur à basse vitesse. Il serait judicieux de choisir la suspension pneumatique, en option, qui offre un bien meilleur confort général.

CONCLUSION > Tesla est synonyme de nouvelles habitudes de conduite. Il faut maintenant conduire de manière plus coulante pour extirper le maximum d'autonomie des batteries, calculer les déplacements en fonction de l'autonomie et connaître les endroits pour brancher le véhicule en souhaitant qu'une autre voiture, parfois non électrique, ne se trouve pas à la seule borne de chargement disponible. La voiture électrique est un monde en développement. Il faut un peu de patience, mais l'avenir est prometteur. ■

2e OPINION

Antoine Joubert

Un automobiliste a perdu la vie au volant d'une Tesla cette année. Pourquoi? Parce qu'il a fait confiance au système AutoPilot, croyant que celui-ci pouvait prendre le contrôle total de sa voiture pendant qu'il vaquait à d'autres occupations. Soyez averti, la voiture 100 % autonome n'est toujours pas commercialisée, et encore moins légale. Cela dit, le fait de faire un battage médiatique autour du seul individu mort au volant d'une Tesla me sidère, surtout en sachant que celle-ci est directement attribuable à la négligence de l'individu. Bien sûr, il est facile de taper sur la tête de ceux qui innovent et qui proposent des technologies de pointe. Or, sans l'audace de certains, l'automobile n'évoluerait pas. Accepteriez-vous de vous défaire de votre iPhone pour revenir à un téléphone à cadran? Si oui, achetez une Toyota Yaris à quatre vitesses. Mais autrement, donnez le droit à l'erreur à ceux qui vous rendent la vie plus agréable.

FICHE TECHNIQUE

MOTEUR(S)

(60D) moteur(s) électrique(s) à courant alternatif
PUISSANCE 259 ch (av. et arr.), 328 ch total maximum (limité par la batterie)
COUPLE 387 lb-pi
RAPPORT POIDS/PUISSANCE 7,0 kg/ch
BOITE(S) DE VITESSES automatique à 1 rapport
PERFORMANCES 0-100 km/h 5,2 s
VITESSE MAXIMALE 210 km/h, 225 km/h avec option 75 kWh
REPRISE 80-115 km/h 3,4 s
FREINAGE 100-0 km/h 43,0 m
NIVEAU SONORE à 100 km/h Excellent

(90D, P90D) moteurs électriques à courant alternatif
PUISSANCE 259 ch (av. et arr.), 417 ch total maximum (limité par la batterie) **P90D** 259 ch (av.), 503 ch, (arr.), 463 ch total maximum, 532 ch en mode Ludicrous (limité par la batterie)
COUPLE 485 lb-pi de 0 à 5 100 tr/min **P90D** 713 lb-pi
RAPPORT POIDS/PUISSANCE 5,3 kg/ch **P90D** 3,3 kg/ch
BOITE(S) DE VITESSES automatique à 1 rapport
PERFORMANCES 0-100 km/h 4,4 s **P90D** 3,3 s, 3,0 s en mode Ludicrous
REPRISE 80-115 km/h 2,8 s
FREINAGE 100-0 km/h 39,6 m
VITESSE MAXIMALE 250 km/h
AUTONOMIE MOYENNE 90D 435 km **P90D** 405 km

AUTRES COMPOSANTS

SÉCURITÉ ACTIVE Freins ABS, assistance au freinage, répartition électronique de la force de freinage, contrôle électronique de la stabilité, antipatinage, régulateur de vitesse adaptatif, phares et essuie-glaces adaptatifs, freinage d'urgence automatique, avertisseur d'obstacle latéral, assistance au maintien de voie, pilotage semi-automatique, phares asservis à la direction
SUSPENSION avant/arrière indépendante adaptative, pneumatique ajustable en option
FREINS avant/arrière disques
DIRECTION à crémaillère, assistée électriquement
PNEUS P245/45R19 **option** P245/35R21

DIMENSIONS

EMPATTEMENT 2 960 mm
LONGUEUR 4 970 mm
LARGEUR 1 964 mm (rétro. repliés), 2 187 mm (incl. rétro.)
HAUTEUR 1 435 mm
POIDS 2 108 à 2 272 kg
RÉPARTITION DU POIDS AV/ARR (%) 48/52
DIAMÈTRE DE BRAQUAGE 11,3 m
COFFRE avant 150 L **arrière** 745 L, 1 645 L (sièges abaissés)
CAPACITÉ DE BATTERIE 60 60 kWh, option 75 kWh **90** 90 kWh

LA COTE VERTE

MOTEUR ÉLECTRIQUE À COURANT ALTERNATIF
AUTONOMIE MOYENNE 60D 321 km **75D** 381 km **90D** 413 km **P90D** 402 km **CONSOMMATION ÉQUIVALENTE (100 km) 60D/75D/90D** ville 2,6 L, route 2,5 L **P90D** ville 2,7 L, route 2,6 L
CONSOMMATION ÉQUIVALENTE ANNUELLE 60D/75D/90D 442 L **P90D** 459 L
INDICE D'OCTANE NA
ÉMISSIONS POLLUANTES CO_2 0 kg/an
Temps de recharge 60D/75D/90D 240V chargeur simple 6,75h/8 h/9,5 h, **chargeur double** 3,5 h/4 h/4,5 h, **superchargeur** 1,2 h/1,4 h/1,6 h (donne 270 km d'autonomie par 30 minutes de charge)
(source : L'Annuel)

FICHE D'IDENTITÉ

VERSION(S) 60D, 75D, 90D, P90D
TRANSMISSION(S) 4
PORTIÈRES 5 **PLACES** 7
PREMIÈRE GÉNÉRATION 2016
GÉNÉRATION ACTUELLE 2016
CONSTRUCTION Fremont, Californie, É-U.
COUSSINS GONFLABLES 8 (frontaux, genoux avant, latéraux avant, rideaux latéraux)
CONCURRENCE aucune directe (Audi Q7 hybride, BMW X5 hybride, Infiniti QX60 hybride, Lexus RX 450h)

AU QUOTIDIEN

COLLISION FRONTALE ND
COLLISION LATÉRALE ND
VENTES DU MODÈLE L'AN DERNIER AU QUÉBEC ND **AU CANADA** ND
DÉPRÉCIATION (%) nm
RAPPELS (2011 à 2016) aucun à ce jour
COTE DE FIABILITÉ ND

GARANTIES... ET PLUS

GARANTIE GÉNÉRALE 4 ans/80 000 km
GROUPE MOTOPROPULSEUR 4 ans/80 000 km
BATTERIE 8 ans/km illimité
PERFORATION 4 ans/80 000 km
ASSISTANCE ROUTIÈRE 3 ans/60 000 km
NOMBRE DE CONCESIONNAIRES AU QUÉBEC 1 **AU CANADA** 6

NOUVEAUTÉS EN 2017

Aucun changement majeur

BIEN PLUS QUE DES PORTES EN FAUCON

Le cerveau est ainsi fait qu'il retient souvent les choses les plus simples. Dans le cas du Tesla Model X, ce sont les portes en faucon qui attirent toute l'attention, mais ce n'est que la pointe de l'iceberg. Tesla nourrit de grandes ambitions avec ses nouveaux modèles, le Model X et, en 2018, la Model 3. Toutefois, il y a des nuages à l'horizon. Des enquêtes sur un accident du système autopilote d'une Model S ont miné la crédibilité de la marque et fait chuter le prix de la compagnie en bourse ou encore les ventes ne sont pas aussi bonnes que prévu. Le fondateur Elon Musk dépense plus d'argent qu'il n'en fait, et cette équation devra changer si Testa veut devenir un constructeur automobile à part entière et non seulement une bonne idée.

Benoit Charette

TOUR DU PROPRIÉTAIRE > Ce n'est toutefois pas le modèle X qui va changer le destin de la marque. Cette tâche incombe au modèle 3. Toutefois, le modèle X a frappé l'imaginaire avec ses fameuses portes en faucon. C'est le trait de caractère qui a fait le plus parler les gens. À l'exception de ses portes, le modèle X est techniquement très proche de

+
- UN STYLE UNIQUE
- UN GRAND SILENCE À BORD
- TENUE DE ROUTE DE BON ALOI

–
- UNE FOURCHETTE DE PRIX SALÉE
- UN INTÉRIEUR QUI LAISSE UN PEU SUR SA FAIM
- DIRECTION SANS VIE

MENTIONS

CLÉ D'OR | CHOIX VERT | COUP DE CŒUR | RECOMMANDÉ

VERDICT

PLAISIR AU VOLANT	nm
QUALITÉ DE FINITION	nm
CONSOMMATION	nm
RAPPORT QUALITÉ / PRIX	nm
VALEUR DE REVENTE	nm
CONFORT	nm

1 5 10

la S. Ils exploitent la même architecture avec plate-forme en aluminium et des batteries placées dans le plancher ainsi que deux moteurs électriques intégrés dans les essieux avant et arrière. L'empattement des deux modèles est aussi très similaire et le modèle X revendique 5 centimètres de plus en longueur, mais 23 centimètres de plus en hauteur et 11 de plus en largeur. Il est donc plus imposant, ce modèle X.

VIE À BORD > À l'intérieur, vous retrouverez la même approche que dans le modèle S. Il y a ce grand écran tactile de 17 pouces qui occupe une grande part de la console centrale. Il y a très peu de boutons, tout passe par l'écran, et le style est simplifié à l'extrême, ce qui donne à la fois l'impression d'être dans une voiture concept et d'avoir un espace plus grand que nature. Une impression encore plus forte en raison de l'énorme pare-brise qui remonte très haut. Si vous allez aux places arrière, le dos des assises est recouvert d'une coque en plastique laqué et tous les sièges, même ceux du deuxième rang, sont électriques. Vous aurez le choix d'une configuration de 5, 6 ou 7 places. Si la finition a fait un bond en avant par rapport à la première génération de la S, nous sommes encore loin des berlines allemandes. Le modèle X est joli, mais il laisse une impression de fragilité sans doute attribuable au dépouillement volontaire. Il manque un côté rassurant, ne serait-ce que dans le son de la porte qui se ferme, et attention à vos doigts avec les portes en faucon. Ça ferme sec.

TECHNIQUE > Vous aurez le choix de quatre différents moyens de propulsion dans la Tesla X. L'offre débute avec la 60D, qui offre une puissance combinée de 328 chevaux avec un couple de 387 livres-pieds. L'autonomie est annoncée à 321 kilomètres, la vitesse maximale à 210 km/h et 6,2 secondes pour franchir la barre des 100 km/h. Se présente ensuite la version 75D, semblable en tout point à la 60D, à l'exception de l'autonomie, qui grimpe à 381 kilomètres. Puis arrive le modèle 90D, celui qui annonce la plus grande autonomie avec 413 kilomètres. La puissance des deux moteurs est à 417 chevaux et 485 livres-pieds de couple. Il vous faudra seulement 5 secondes pour franchir le 0-100 km/h avec une vitesse de pointe de 250 km/h. Finalement, le modèle P90D est le plus puissant de la famille. Il contient 503 chevaux (532 en mode Ludicrous) et 612 livres-pieds de couple (713 en mode Ludicrous). Le passage du 0-100 se fait en 3,4 secondes avec le mode Ludicrous ou 4 secondes en mode ordinaire. L'autonomie est annoncée à 402 kilomètres.

AU VOLANT > La mise en situation est intéressante. Vous touchez la porte et elle s'ouvre vers vous. Les portes en faucon ouvrent très grand, permettant aux passagers arrière de facilement glisser dans le véhicule. Au volant, il faudra s'attendre à des conditions de conduite comparables à celles du modèle S, qui roule sur la même plate-forme. On sent une grande sérénité à l'intérieur, car Tesla a mis l'accent sur une excellente insonorisation dans un modèle qui, par définition, est déjà très silencieux. Le centre de gravité bas donnera de bonnes prestations et fera oublier le poids.

CONCLUSION > Le seul problème Model X réside dans son prix, qui dépasse les 185 000 $ pour un P90D bien équipé. C'est sans doute pourquoi la compagnie a décidé en cours de processus d'introduire une version 60D plus abordable à 75 000 $. Mais attention, avec quelques options bien choisies, vous arriverez tout de même à 100 000 $. Mais l'idée d'avoir enfin pensé à un utilitaire électrique a son mérite. ■

FICHE TECHNIQUE

MOTEUR(S)

(60D,75D) moteurs électriques à courant alternatif
PUISSANCE 259 ch (av.et arr.), 328 ch total maximum (limité par la batterie)
COUPLE 387 lb-pi
RAPPORT POIDS/PUISSANCE 4,9 kg/ch
BOITE(S) DE VITESSES automatique à 1 rapport
PERFORMANCES 0-100 km/h 6,2 s
VITESSE MAXIMALE 210 km/h
REPRISE 80-115 km/h ND
FREINAGE 100-0 km/h 42,4 m

(90D) moteurs électriques à courant alternatif
PUISSANCE 259 ch (av. et arr.), 417 ch total maximum (limité par la batterie)
COUPLE 485 lb-pi
RAPPORT POIDS/PUISSANCE 4,9 kg/ch
BOITE(S) DE VITESSES automatique à 1 rapport
PERFORMANCES 0-10 km/h 5,0 s
VITESSE MAXIMALE 250 km/h
REPRISE 80-115 km/h 2,5 s
FREINAGE 100-0 km/h 42,4 m
NIVEAU SONORE à 100 kmh Très bon

(P90D) moteurs électriques à courant alternatif
PUISSANCE 259 ch (av.), 503 ch (arr.), 532 ch (en mode Ludicrous), 463 ch total maximum (limité par la batterie)
COUPLE 612 lb-pi, 713 lb-pi (en mode Ludicrous)
RAPPORT POIDS/PUISSANCE 3,2 kg/ch
BOITE(S) DE VITESSES automatique à 1 rapport
PERFORMANCES 0-100 km/h 4,0 s, 3,4 s (en mode Ludicrous)
VITESSE MAXIMALE 250 km/h
REPRISE 80-115 km/h 2,5 s
FREINAGE 100-0 km/h 42,4 m

AUTRES COMPOSANTS

SÉCURITÉ ACTIVE Freins ABS, assistance au freinage, répartition électronique de la force de freinage, contrôle électronique de la stabilité, antipatinage, régulateur de vitesse adaptatif, phares et essuie-glaces adaptatifs, freinage d'urgence automatique, avertisseur d'obstacle latéral, assistance au maintien de voie
SUSPENSION avant/arrière indépendante adaptative, pneumatique ajustable en option
FREINS avant/arrière disques
DIRECTION à crémaillère, assistée électriquement
PNEUS P265/45R20 (av.), P275/45R20 (arr.)

DIMENSIONS

EMPATTEMENT 2 965 mm
LONGUEUR 5 037 mm
LARGEUR 2 070 mm (rétro. repliés), 2 271 mm (incl. rétro.)
HAUTEUR 1 684 mm
POIDS 60D 2 198 kg (est.) **75D** 2 295 kg (est.) **90D** 2 390 kg **P90D** 2 441 kg
RÉPARTITION DU POIDS AV/ARR (%) 90D 49/51 **P90D** 48/52
DIAMÈTRE DE BRAQUAGE ND
COFFRE avant 198 L **arrière** 368 L, 1 925 L (sièges abaissés)
CAPACITÉ DE BATTERIE 60D 60 kWh **75D** 75 kWh **90D/P90D** 90 kWh
CAPACITÉ DE REMORQUAGE 2 268 kg

LA COTE VERTE

MOTEUR V6 DE 4,0L
CONSOMMATION (100 km) ville 14,2 L, route 11,1 L
CONSOMMATION ANNUELLE 2 176 L, 2 611 $
INDICE D'OCTANE 87
ÉMISSIONS POLLUANTES CO_2 5 005 kg/an
(source : ÉnerGuide)

FICHE D'IDENTITÉ

VERSION(S) SR5 Trail, Limited, TRD Pro
TRANSMISSION(S) 4
PORTIÈRES 5 **PLACES** 5, 7
PREMIÈRE GÉNÉRATION 1985
GÉNÉRATION ACTUELLE 2010
CONSTRUCTION Toyota City, Japon
COUSSINS GONFABLES 8 (frontaux, latéraux avant, genoux conducteur et passager avant, rideaux latéraux)
CONCURRENCE Ford Explorer, Honda Pilot, Hyundai Santa Fe XL, Jeep Grand Cherokee/Wrangler 4 portes, Kia Sorento, Nissan Pathfinder

AU QUOTIDIEN

COLLISION FRONTALE 4/5
COLLISION LATÉRALE 5/5
VENTES DU MODÈLE L'AN DERNIER
AU QUÉBEC 651 (+83,4 %) **AU CANADA** 5 736 (+42,6 %)
DÉPRÉCIATION (%) 22,4 (3 ans)
RAPPELS (2011 à 2016) aucun à ce jour
COTE DE FIABILITÉ 5/5

GARANTIES... ET PLUS

GARANTIE GÉNÉRALE 3 ans/60 000 km
GROUPE MOTOPROPULSEUR 5 ans/100 000 km
PERFORATION 5 ans/kilométrage illimité
ASSISTANCE ROUTIÈRE 3 ans/60 000 km
NOMBRE DE CONCESSIONNAIRES
AU QUÉBEC 68 **AU CANADA** 248

NOUVEAUTÉS EN 2017

Version TRD Pro

AU RYTHME DU PRIX DE L'ESSENCE

Le 4Runner doit être vu comme un dinosaure dans l'industrie. Les VUS construits à partir d'un châssis en échelle sont devenus des raretés et, sans surprise, la majorité des gens qui les achetaient ont réussi à trouver leur compte ailleurs. Néanmoins, pour certains, l'acquisition de ce type de véhicule demeure prioritaire et c'est pourquoi Toyota persiste et signe, même si on ne parle pas d'un produit à grande diffusion. Reconnu autant pour sa robustesse que pour sa consommation de carburant, le 4Runner ne l'a pas eu facile depuis que le prix du litre d'or noir est allé chatouiller le dollar et demi, mais depuis que les choses se sont stabilisées, oh, autre grande surprise, les ventes ont augmenté. Tout n'est peut-être pas fini pour ce vertébré.

Daniel Rufiange

TOUR DU PROPRIÉTAIRE > Voilà déjà sept ans que le 4Runner est présenté sous sa forme actuelle. On crierait au scandale dans le cas de certains modèles, mais là, le contenu importe davantage que le contenant. La boîte carrée de Toyota propose un faciès aux lignes tranchées, très masculines; pas d'ambiguïté sur la clientèle visée. Pour 2017, une version TRD

\+ CAPACITÉS HORS ROUTE INDÉNIABLES
QUALITÉ DE CONSTRUCTION
FIABILITÉ

\- PAS UNE RÉFÉRENCE EN MATIÈRE DE TENUE DE ROUTE
DES ACTIONS DANS LES PÉTROLIÈRES, ÇA VOUS DIT?
IL N'EST PAS DONNÉ

MENTIONS

CLÉ D'OR | CHOIX VERT | COUP DE CŒUR | **RECOMMANDÉ**

VERDICT

PLAISIR AU VOLANT
QUALITÉ DE FINITION
CONSOMMATION
RAPPORT QUALITÉ / PRIX
VALEUR DE REVENTE
CONFORT

1 5 10

Pro s'ajoute à la proposition et pour ceux qui aiment être remarqués au volant de leurs jouets, voilà une addition qui promet. En gros, cette dernière reçoit quelques décorations TRD de couleur noire, des roues spécifiques, noires aussi, et voit les lettres Toyota être plaquées au centre de la calandre, à la sauce Land Cruiser, une façon pour le constructeur d'honorer son passé glorieux.

VIE À BORD > À l'intérieur, l'âge du 4Runner se fait davantage sentir alors que la présentation a presque des allures... rétro. Là aussi, l'aspect fonctionnel a préséance sur tout le reste. Les matériaux plastiques, par exemple, sont la norme et l'acheteur ne s'en plaindra pas; son véhicule va être sali. La qualité y est, c'est ce qui compte. La position de conduite est élevée et nous donne l'impression de dominer la route. Les sièges sont confortables, mais profiteraient d'un peu plus de soutiens latéraux. Voudrait-on trop séduire les Américains ? Quant au volume de chargement, il peut atteindre les 2 540 litres une fois les sièges arrière repliés. Si l'option des places six et sept vous intéresse, sachez qu'on parle de sièges d'appoint ici; on oublie les longues randonnées.

TECHNIQUE > Une seule mécanique, un V6 de 4 litres et 270 chevaux, est à l'œuvre sous le capot du 4Runner. Sa compétence n'a pas à être remise en cause, mais ceux qui ont connu l'époque où un V8 était utilisé la regrettent certainement. Considérant le poids du 4Runner, on peut le comprendre. Cela dit, la puissance est suffisante; ne manque que la souplesse d'un V8. Sous le 4Runner repose un système à 4 roues motrices traditionnel muni d'une boîte de transfert et d'un différentiel autobloquant. La nouvelle version TRD Pro reçoit pour sa part des ressorts et des amortisseurs plus gros à l'avant cependant que les réglages de la suspension signée Bilstein se veulent plus robustes.

AU VOLANT > Une boîte carrée, un châssis en échelle, une suspension plus ferme que souple et une direction très assistée, voilà qui vous donne quelques indices sur le comportement routier du 4Runner. Disons que sur une route fraîchement nivelée, on s'en tire pas mal. Aussitôt que cette dernière est truffée de nids-de-poule, là, on a l'impression d'être dans une sécheuse. Par contre, lorsqu'on sort des sentiers battus, le 4Runner peut accomplir de petites merveilles et vous mener là où les propriétaires de Jeep Wrangler, de Mercedes-Benz G et de Range Rover ont accès. Pour apprécier le 4Runner, il est impératif de bien comprendre sa vocation.

CONCLUSION > Le 4Runner a beau vieillir, il demeure un produit fort pertinent pour celui qui aime ou a besoin de traverser des terrains inhospitaliers pour atteindre sa zone de chasse favorite ou son havre de paix. Un dinosaure, oui, mais pas encore menacé d'extinction. ■

2e OPINION

Vincent Aubé

L'adjectif increvable lui va plutôt à merveille. Le seul VUS 4x4 traditionnel abordable de la marque est toujours là, et ce, malgré l'invasion de ces multisegments plus modernes, plus confortables et, surtout, plus écoénergétiques. Même si Toyota insiste beaucoup sur sa technologie hybride, ça n'empêche pas le constructeur de poursuivre sa route avec l'un de ses plus anciens modèles. Dans cette catégorie, le 4Runner n'a qu'un seul rival et il est de taille : le Jeep Wrangler. Pourtant, le 4Runner n'a rien à se reprocher, puisqu'il s'agit d'un véhicule très compétent en conduite hors route. Il est un peu moins docile en ville, mais bon, c'est ce qui fait son charme.

FICHE TECHNIQUE

MOTEUR(S)

(SRS Trail, Limited, TRD Pro) V6 4,0 L DACT
PUISSANCE 270 ch à 5 600 tr/min
COUPLE 278 lb-pi à 4 400 tr/min
RAPPORT POIDS/PUISSANCE 7,8 kg/ch
BOÎTE(S) DE VITESSES automatique à 5 rapports
PERFORMANCES 0-100 km/h 10,7 s
REPRISE 80-115 km/h 5,9 s
FREINAGE 100-0 km/h 42,6 m
NIVEAU SONORE À 100 km/h Moyen
VITESSE MAXIMALE 185 km/h

AUTRES COMPOSANTS

SÉCURITÉ ACTIVE (certains en option) Freins ABS, assistance au freinage, répartition électronique de la force de freinage, contrôle électronique de la stabilité, antipatinage, suspension adaptative, assistance au démarrage en pente, assistance en descente, détecteur d'obstacle arrière, aide au freinage en cas d'activation simultanée de l'accélérateur et des freins
SUSPENSION avant/arrière indépendante
FREINS avant/arrière disques
DIRECTION à crémaillère, assistée
PNEUS P265/70R17 **Limited/ option base** P245/60R20

DIMENSIONS

EMPATTEMENT 2 790 mm
LONGUEUR 4 820 mm
LARGEUR 1 925 mm
HAUTEUR 1 780 mm
POIDS 2 111 kg
DIAMÈTRE DE BRAQUAGE 11,4 m
COFFRE 1 311 L, 2 540 L (sièges abaissés)
RÉSERVOIR DE CARBURANT 87 L
CAPACITÉ DE REMORQUAGE 2 268 kg

LA COTE VERTE

MOTEUR H4 DE 2,0 L
CONSOMMATION (100 km) man. ville 10,9 L route 7,9 L
auto. ville 9,6 L route 7,0 L
CONSOMMATION ANNUELLE man. 1 632 L, 2 203 $ **auto.** 1 428 L, 1 928 $
INDICE D'OCTANE 91
ÉMISSIONS POLLUANTES CO_2 man. 3 754 kg/an **auto.** 3 284 kg/an
(source : ÉnerGuide)

FICHE D'IDENTITÉ

VERSION(S) 86 unique **BRZ** Base, Sport-Tech
TRANSMISSION(S) arrière
PORTIÈRES 2 **PLACES** 2+2
PREMIÈRE GÉNÉRATION 2013 **GÉNÉRATION ACTUELLE** 2013
CONSTRUCTION Gunma, Japon
COUSSINS GONFLABLES 6 (frontaux, latéraux avant, rideaux latéraux)
CONCURRENCE Fiat 124, Chevrolet Camaro, Ford Mustang, Hyundai Genesis Coupé/Veloster, Mazda MX-5, Nissan 370Z

AU QUOTIDIEN

COLLISION FRONTALE 4/5 **COLLISION LATÉRALE** 5/5
VENTES DU MODÈLE L'AN DERNIER
AU QUÉBEC 86 251 (-20,3 %) **BRZ** 158 (-25,5 %)
AU CANADA 86 1 329 (-14,8 %) **BRZ** 800 (-13,2 %)
DÉPRÉCIATION (%) 86 27,5 **BRZ** 25,6 (3 ans)
RAPPELS (2011 à 2016) **86** 1 **BRZ** aucun à ce jour
COTE DE FIABILITÉ 5/5

GARANTIES... ET PLUS

GARANTIE GÉNÉRALE 3 ans/60 000 km
GROUPE MOTOPROPULSEUR 5 ans/100 000 km
PERFORATION 5 ans/ kilométrage illimité
ASSISTANCE ROUTIÈRE 3 ans/60 000 km
NOMBRE DE CONCESSIONNAIRES
AU QUÉBEC 86 68 **BRZ** 24 **AU CANADA 86** 248 **BRZ** 86

NOUVEAUTÉS EN 2017

86 La Scion FR-S devient la Toyota 86. Retouches esthétiques extérieures et intérieures, phares et feux à DEL, nouvelles jantes, suspension et boîte de vitesses manuelle recalibrées, moteur plus puissant, aide au départ en pente. **BRZ** Moteur plus puissant, rapport de pont arrière plus court (passe de 4,1 à 4,3), suspension révisée, retouches esthétiques extérieures et intérieures, commandes audio intégrées au volant, « indicateur de performance » au tableau de bord, phares à DEL, nouvel aileron, ensemble de roues haute performance disponible, édition spéciale jaune.

UNE CÉLICA MODERNE

Il aura fallu six ans au géant nippon pour se rendre compte que sa division Scion ne répondait pas aux attentes. Heureusement, tout l'argent investi dans Scion ne s'en va pas aux poubelles. Le coupé FR-S est transféré du côté de Toyota et, du même coup, adopte une nomenclature plus fidèle au modèle qui l'a inspirée : la Toyota Corolla AE86. Les plus âgés d'entre nous se rappelleront la mythique Corolla GT-S comme de la dernière sportive abordable issue de Toyota à envoyer la puissance aux roues arrière. La 86, conçue en collaboration avec Subaru, essaye justement de recréer cet agrément de conduite qui était si cher à Toyota à une autre époque.

Vincent Aubé

TOUR DU PROPRIÉTAIRE > Le changement de nom apporte au moins son lot de nouveautés en 2017 même s'il s'agit d'une discrète refonte. Par exemple, à l'avant, le bouclier est de nouvelle facture avec cette ouverture béante qui se termine par un imposant aileron au ras du sol. Les phares et les clignotants, quant à eux, s'inscrivent dans la tendance du moment en adoptant la technologie aux diodes électroluminescentes, un changement également observé dans les feux de position à l'arrière. Justement, comme c'est souvent le cas avec ce genre de remaniement, le pare-chocs arrière est redessiné. Idem pour les feux. Les roues ont aussi été révisées, tandis que les garnitures d'ailes sont nouvelles. Quant à l'écusson qui prend place au bout du long capot, inutile de vous rappeler qu'il est différent.

+
TENUE DE ROUTE
PLAISIR DE CONDUIRE
ABORDABLE

−
PEU PRATIQUE
UN PEU PLUS DE PUISSANCE S.V.P.
INSONORISATION À REVOIR

MENTIONS

CLÉ D'OR | CHOIX VERT | COUP DE CŒUR | **RECOMMANDÉ**

VERDICT

PLAISIR AU VOLANT
QUALITÉ DE FINITION
CONSOMMATION
RAPPORT QUALITÉ / PRIX
VALEUR DE REVENTE
CONFORT

1 5 10

VIE À BORD > L'unique mission de ce coupé 2+2 est d'accrocher un large sourire au visage de son conducteur. Tout est donc centré sur le siège avant gauche. Oubliez le côté pratique à bord de la 86, cet aspect a été laissé de côté lors de la conception. En revanche, la position de conduite est excellente, les sièges de la première rangée étant enveloppants à souhait et même confortables malgré la rigidité de la caisse. Le volant est lui aussi fort agréable à prendre en main, tandis que le levier de vitesses se trouve à l'endroit idéal pour se faire malmener, dans le cas de la version à boîte manuelle du moins ! Ce passage à Toyota a également permis au coupé d'accueillir de nouveaux matériaux sur la sellerie, les accoudoirs, les panneaux de portières ainsi que le tableau de bord. Si la position de conduite est l'un des points forts de la Toyota 86, c'est une tout autre histoire à l'arrière. Les occupants qui y prennent place doivent accepter de vivre avec ce toit fuyant et l'espace ridicule réservé aux jambes, mais bon, c'est ça un coupé sport, n'est-ce pas ?

TECHNIQUE > L'alliance avec Subaru fait en sorte que la 86 est la seule Toyota à être munie d'une mécanique boxer. Le petit 4-cylindres de 2 litres gagne 5 maigres chevaux-vapeur en 2017 (pour un total de 205). Le couple de cet engin demeure inchangé. La version à boîte manuelle reçoit un rapport d'engrenages modifié qui autorise des accélérations plus franches. Là où excelle la 86, c'est en tenue de route. Les ingénieurs de la marque se sont assurés d'optimiser cet aspect au passage avec une calibration plus ferme de la suspension. Finalement, l'adoption d'un dispositif d'assistance au démarrage en pente (HAC) est un gadget qui peut servir à l'occasion.

AU VOLANT > Depuis les débuts de ce modèle à caractère sport, les principales critiques s'orientent vers la motorisation. Le moteur à plat ne possède pas une puissance à tout casser et c'est encore pire sur le plan du couple. Pour en extirper un maximum de plaisir, il faut accepter de manier le levier de vitesses et de maintenir la mécanique à haut régime. Si ce genre de conduite ne vous intéresse guère, la 86 n'est pas pour vous. C'est justement ce qui fait son charme! L'agilité de la voiture est phénoménale, les dérapages contrôlés sont monnaie courante - et amusants au possible - et la précision de la direction et du levier de vitesses contribue à augmenter le niveau d'adrénaline. La seule autre voiture qui offre une expérience semblable pour un prix équivalent s'appelle Mazda MX-5.

CONCLUSION > La Scion FR-S n'était qu'une version rebaptisée de la Toyota GT 86, vendue ailleurs dans le monde. Pour 2017, la Toyota 86 sera donc encore plus près de sa cousine d'outre-mer. Fera-t-elle mieux au chapitre des ventes? Probablement pas, l'effet de nouveauté étant dissipé depuis un bon moment. Quoi qu'il arrive, cette réincarnation de la GT-S des années 80 prouve que Toyota - n'oublions pas Subaru dans cette équation - est capable de construire des voitures moins « beiges ». ■

2e OPINION

Charles René

Depuis son introduction, le duo Subaru BRZ-Toyota 86 (anciennement Scion FR-S) a été louangé pour l'agrément de conduite qu'il procure, des fleurs que ces modèles méritent amplement. Agiles, légères et surtout construites sur une architecture à propulsion, ces voitures sont un véritable délice lorsque le parcours devient sinueux grâce à leur direction, l'une des meilleures actuellement offertes. Un vrai plaisir, misant sur la simplicité pour séduire et qui devient particulièrement savoureux si vous optez pour la boîte manuelle. Si vous cherchez de la performance pure en ligne droite, ces voitures ne sont cependant pas faites pour vous. Leurs 4-cylindres à plat de 2 litres sont creux et la livraison de la puissance n'est pas entièrement linéaire.

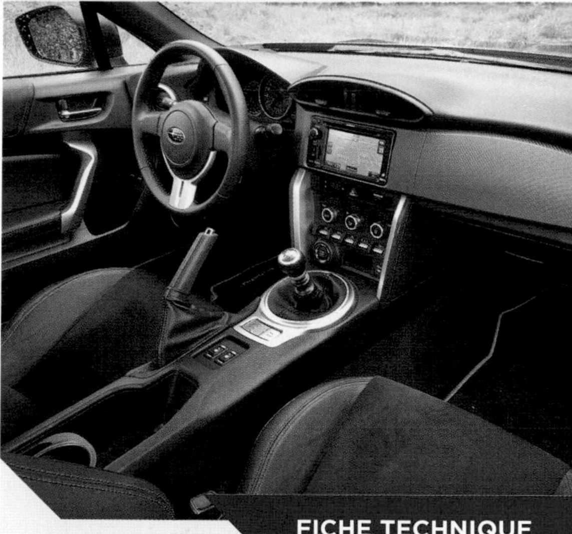

FICHE TECHNIQUE

MOTEUR(S)

(86, BRZ) H4 2,0 L DACT
PUISSANCE 205 ch à 7 000 tr/min, 200ch avec boîte automatique
COUPLE 151 lb-pi de 6 400 à 6 600 tr/min
RAPPORT POIDS/PUISSANCE 86 6,1 à 6,2 kg/ch **BRZ** 6,3 à 6,4 kg/ch
BOÎTE(S) DE VITESSES manuelle à 6 rapports, automatique à 6 rapports avec mode manuel et manettes au volant (en option)
PERFORMANCES 0-100 km/h man. 6,5 s **auto.** 7,4 s
REPRISE 80-115 km/h man. 4,1 s **auto.** 4,3 s
FREINAGE 100-0 km/h 35,7 m
NIVEAU SONORE À 100 km/h Passable
VITESSE MAXIMALE 220 km/h

AUTRES COMPOSANTS

SÉCURITÉ ACTIVE Freins ABS, assistance au freinage, répartition électronique de la force de freinage, contrôle électronique de la stabilité, antipatinage, aide au freinage en cas d'utilisation simultanée de l'accélérateur et des freins, aide au départ en pente
SUSPENSION avant/arrière indépendante
FREINS avant/arrière disques
DIRECTION à crémaillère, assistée électriquement
PNEUS P215/45R17

DIMENSIONS

EMPATTEMENT 2 570 mm
LONGUEUR 4 235 mm
LARGEUR 1 775 mm
HAUTEUR 1 285 mm
POIDS 86 man. 1 251 kg **auto.** 1 273 kg
BRZ Base man. 1 252 kg **Sport-Tech man.** 1 259 kg
Base auto. 1 274 kg **Sport-Tech auto.** 1 280 kg
RÉPARTITION DU POIDS AV/ARR (%) 53/47
DIAMÈTRE DE BRAQUAGE 11,4 m
COFFRE 196 L
RÉSERVOIR DE CARBURANT 50 L

LA COTE VERTE

MOTEUR V6 DE 3,5 L
CONSOMMATION (100 km) ville 11,4 L, route 7,6 L
CONSOMMATION ANNUELLE 1 649 L, 1 979 $
INDICE D'OCTANE 87
ÉMISSIONS POLLUANTES CO_2 3 793 kg/an
(source: ÉnerGuide)

FICHE D'IDENTITÉ

VERSION(S) Touring, Limited
TRANSMISSION(S) avant
PORTIÈRES 4 **PLACES** 5
PREMIÈRE GÉNÉRATION 1994
GÉNÉRATION ACTUELLE 2013
CONSTRUCTION Georgetown, Kentuky, É-U
COUSSINS GONFLABLES 10 (frontaux, latéraux avant et arrière, genoux conducteur et passager, rideaux latéraux)
CONCURRENCE Buick LaCrosse, Chevrolet Impala, Chrysler 300, Dodge Charger, Ford Taurus, Genesis G80, Kia Cadenza, Lexus ES, Nissan Maxima

AU QUOTIDIEN

COLLISION FRONTALE 4/5
COLLISION LATÉRALE 5/5
VENTES DU MODÈLE L'AN DERNIER
AU QUÉBEC 177 (-12,4 %) **AU CANADA** 765 (-23,2 %)
DÉPRÉCIATION (%) 26,2 (3 ans)
RAPPELS (2011 à 2016) 6
COTE DE FIABILITÉ 3,5/5

GARANTIES... ET PLUS

GARANTIE GÉNÉRALE 3 ans/60 000 km
GROUPE MOTOPROPULSEUR 5 ans/100 000 km
PERFORATION 5 ans/kilométrage illimité
ASSISTANCE ROUTIÈRE 3 ans/60 000 km
NOMBRE DE CONCESSIONNAIRES
AU QUÉBEC 68 **AU CANADA** 248

NOUVEAUTÉS EN 2017

Aucun changement majeur

L'IMPORTANCE DE LA MARQUE

Pour plusieurs, l'appartenance à une marque passe devant le confort et l'expérience de conduite. Prenez la Toyota Avalon par exemple, une berline pleine grandeur techniquement identique à la Lexus ES 350. Chez nous, il se vend deux ES pour une Avalon. Au sud de la frontière, les deux cousines enregistrent des ventes similaires. Allez donc savoir pourquoi les consommateurs d'ici préfèrent la berline tatouée d'un « L » au lieu de l'autre.

Vincent Aubé

TOUR DU PROPRIÉTAIRE > Peut-être est-ce à cause du design plus audacieux de la Lexus ES que les acheteurs canadiens lorgnent du côté de Lexus. Pourtant, depuis la refonte apportée à l'Avalon en 2013, force est d'admettre que la division design a réussi à sortir de l'anonymat une berline des plus effacées. La silhouette de berline-coupé n'est pas vilaine et le bouclier avant a même des airs de voiture sport. Cette ouverture béante à l'avant vient s'insérer sous la grille de calandre amincie, tandis que les blocs optiques nous font oublier la réputation de « voiture beige » que l'Avalon traîne depuis ses débuts au milieu des années 90.

VIE À BORD > Là où se joue peut-être la comparaison entre la représentante de Lexus et celle de Toyota, c'est probablement à l'intérieur. Après tout, l'achat d'une berline confortable passe avant tout par l'environnement où le conducteur et ses occupants prennent place, qu'il

+
- ESPACE À L'INTÉRIEUR
- FIABILITÉ
- ÉQUIPEMENT COMPLET

−
- PEU RÉPANDUE
- PAS DE TRANSMISSION INTÉGRALE
- PAS DE VERSION HYBRIDE COMME AUX ÉTATS-UNIS ?

MENTIONS

CLÉ D'OR | CHOIX VERT | COUP DE CŒUR | RECOMMANDÉ

VERDICT

PLAISIR AU VOLANT
QUALITÉ DE FINITION
CONSOMMATION
RAPPORT QUALITÉ / PRIX
VALEUR DE REVENTE
CONFORT

1 5 10

soit question d'un trajet de cinq minutes ou de cinq heures. La qualité des produits Lexus a su acquérir une excellente réputation au fil du temps. Face à sa cousine de plateforme, l'Avalon n'a pas à rougir, le niveau de confort étant à son comble à bord. L'espace pour les passagers des places arrière est plus que généreux, un compliment qui s'applique aussi à l'avant. Les matériaux sont certes moins nobles qu'à bord de la Lexus, mais il n'y a pas de quoi écrire à sa mère. L'ergonomie de la planche de bord est excellente, et ce, malgré la présence de commandes tactiles, et la position de conduite se trouve aisément.

TECHNIQUE > À l'instar de sa grande sœur, l'Avalon se voit encore confier ce valeureux V6 de 3,5 litres utilisé un peu partout au sein des deux divisions voisines. Sous le long capot de la Toyota, le 6-cylindres développe une puissance tout à fait appréciable de 268 chevaux et il est accouplé à une boîte de transmission automatique à 6 rapports. Cette boîte peut même être maniée manuellement avec le levier de vitesses ou avec les palettes dissimulées derrière le volant. Malheureusement, l'Avalon n'offre pas de transmission intégrale comme certaines de ses rivales. La motricité d'une traction suffit même en hiver, mais le fait de proposer un système à quatre roues motrices pourrait certainement aider.

AU VOLANT > La berline nippone a sans contredit été conçue pour procurer le plus grand confort à ses passagers. Sur nos routes usées par le temps, l'Avalon s'occupe de masquer les irrégularités, tandis que la direction hyper assistée facilite les manœuvres de stationnement et même la conduite en ville. Malgré l'énergie de son V6, la berline n'a rien d'une sportive. Pour avaler les kilomètres, par contre, elle n'a pas d'égal. Un comportement à peine plus sportif est obtenu avec le mode Sport qui modifie les réactions de la transmission, mais n'allez surtout pas croire qu'elle peut menacer les berlines sport allemandes. La Toyota Avalon enregistre de bons résultats à la pompe également, l'auteur de ces lignes ayant obtenu une moyenne de 9,5 litres aux 100 kilomètres. Pour un V6, c'est excellent !

CONCLUSION > Ceux et celles qui ne jurent que par le prestige attaché à l'écusson ne remarqueront sûrement pas l'Avalon. Pourtant, au-delà du nom qui se trouve sur le coffre arrière, ce salon japonais s'avère l'un des meilleurs choix de la catégorie. Dotée d'un confort irréprochable et d'une fiabilité à toute épreuve, l'Avalon mérite au moins un essai. En fait, elle mériterait des chiffres de ventes plus importants de ce côté-ci de la frontière. Au risque de me répéter, une transmission intégrale serait tout indiquée pour notre territoire. ■

2e OPINION

Antoine Joubert

Quelques retouches ont été apportées l'an dernier à l'Avalon, qui demeure la meilleure berline pleine grandeur du marché. Une berline construite avec le souci du détail retrouvé chez Lexus et qui propose une motorisation efficace et performante, pour une consommation de carburant inférieure à celle de n'importe quelle rivale. Mais par-dessus tout, il s'agit de la voiture rêvée pour effectuer un trajet Montréal-Floride. Elle s'avère pour moi une référence de l'industrie en matière de confort de roulement. Bien sûr, le marché de ce genre de véhicule est infime, mais il est tout de même dommage que Toyota refuse de nous offrir au Canada la version Hybrid vendue chez nos voisins du Sud, laquelle reprend les éléments mécaniques de la Camry Hybrid. Il s'agirait sans doute du meilleur taxi qui soit parce qu'elle est très spacieuse et également plus abordable qu'une Lexus ES 300h.

FICHE TECHNIQUE

MOTEUR(S)

(TOURING, LIMITED) V6 3,5 L DACT
PUISSANCE 268 ch à 6 200 tr/min
COUPLE 248 lb-pi à 4 700 tr/min
RAPPORT POIDS/PUISSANCE 6,0 kg/ch
BOITE(S) DE VITESSES automatique à 6 rapports avec mode manuel
PERFORMANCES 0-100 km/h 7,5 s
REPRISE 80-115 km/h 5,1 s
FREINAGE 100-0 km/h 38,2 m
NIVEAU SONORE À 100 km/h Bon
VITESSE MAXIMALE 210 km/h

AUTRES COMPOSANTS

SÉCURITÉ ACTIVE Freins ABS, assistance au freinage, répartition électronique de la force de freinage, aide au freinage en cas d'utilisation simultanée de l'accélérateur et des freins, contrôle électronique de la stabilité, antipatinage, avertisseur de présence d'obstacle latéral et arrière, aide au maintien de voie, détecteur de piéton, régulateur de vitesse adaptatif, phares adaptatifs
SUSPENSION avant/arrière indépendante
FREINS avant/arrière disques
DIRECTION à crémaillère, assistée
PNEUS P225/45R18

DIMENSIONS

EMPATTEMENT 2 820 mm
LONGUEUR 4 960 mm
LARGEUR 1 835 mm
HAUTEUR 1 460 mm
POIDS 1 590 kg **Limited** 1 605 kg
RÉPARTITION DU POIDS AV/ARR (%) 61/39
DIAMÈTRE DE BRAQUAGE 11,2 m
COFFRE 453 L
RÉSERVOIR DE CARBURANT 64 L

LA COTE VERTE

MOTEUR L4 DE 2,5 L HYBRIDE
CONSOMMATION (100 km) LE ville 5,5 L, route 6,0 L
XLE/SE ville 5,7 L, route 6,0 L
CONSOMMATION ANNUELLE LE 969 L, 1163 $ **XLE/SE** 1003 L, 1204 $
INDICE D'OCTANE 87
ÉMISSIONS POLLUANTES CO_2 LE 2 229 kg/an **XLE/SE** 2 307 kg/an
(source : ÉnerGuide)

FICHE D'IDENTITÉ

VERSION(S) LE, SE, XLE, XSE **Hybride** LE, SE, XLE
TRANSMISSION(S) avant
PORTIÈRES 4 **PLACES** 5
PREMIÈRE GÉNÉRATION 1983
GÉNÉRATION ACTUELLE 2015
CONSTRUCTION Georgetown, Kentucky, É.-U.
COUSSINS GONFABLES 8 (frontaux, genoux avant, latéraux avant, rideaux latéraux)
CONCURRENCE Chevrolet Malibu, Chrysler 200, Ford Fusion, Honda Accord, Hyundai Sonata, Kia Optima, Lexus CT200h, Mazda6, Nissan Altima, Subaru Legacy, VW Passat

AU QUOTIDIEN

COLLISION FRONTALE 4/5
COLLISION LATÉRALE 5/5
VENTES DU MODÈLE L'AN DERNIER
AU QUÉBEC 4 252 (+32,2 %) **AU CANADA** 16 805 (+4,8 %)
DÉPRÉCIATION (%) 30,4 (3 ans)
RAPPELS (2011 à 2016) 7
COTE DE FIABILITÉ 3,5/5

GARANTIES... ET PLUS

GARANTIE GÉNÉRALE 3 ans/60 000 km
GROUPE MOTOPROPULSEUR 5 ans/100 000 km
COMPOSANTS système hybride 8 ans/160 000 km
PERFORATION 5 ans/kilométrage illimité
ASSISTANCE ROUTIÈRE 3 ans/60 000 km
NOMBRE DE CONCESSIONNAIRES
AU QUÉBEC 68 **AU CANADA** 248

NOUVEAUTÉS EN 2017

Sièges chauffants de série sur SE, avertisseurs d'impact imminent et de sortie de voie, régulateur et phares adaptatifs de série sur XSE V6, nouvelle palette de couleurs.

SANS SURPRISE

N'y allons pas par quatre chemins, la Toyota Camry traîne avec elle l'image d'un produit générique, sans saveur, qu'on achète avec un détachement émotif quasi total. Comme tous jugements à forte connotation, cette idée préconçue mérite d'être nuancée, mais il y a évidemment une part de vrai là-dedans.

Charles René

TOUR DU PROPRIÉTAIRE > Redessinée lors de la transition vers l'année modèle 2015, la Camry affiche dorénavant un design légèrement plus extroverti. La calandre noire couvre une très grande partie du bouclier avant, ajoutant un peu de cossu à la recette. C'est en quelque sorte l'approche Lexus, mais appliquée de manière très consensuelle. Les feux de clignotant placés à la verticale aux extrémités du bouclier complètent tout de même de belle façon. La ligne latérale fait en outre très Camry avec des proportions classiques de berlines intermédiaires. L'arrière est probablement la partie la moins réussie. Non pas qu'il y ait un réel faux pas ici, c'est plutôt l'aspect beaucoup trop anonyme qui déçoit. On a beau être agacé par cette présence pas très assumée, la Camry réussit tout de même à cultiver une image de luxe taillée pour la clientèle ciblée.

VIE À BORD > La personnalité réservée est tout aussi palpable dans la conception de l'habitacle. Cette Camry privilégie les teintes sombres ainsi que le gris pour « agrémenter »

+
- FIABILITÉ
- VOLUME DE L'HABITACLE
- MOTEURS

–
- PERSONNALITÉ ASEPTISÉE
- DESSIN QUELCONQUE DE LA PLANCHE DE BORD
- SYSTÈME DE NAVIGATION RÉSERVÉ AUX LIVRÉES XLE ET XSE

MENTIONS

CLÉ D'OR | CHOIX VERT | COUP DE CŒUR | RECOMMANDÉ

VERDICT

PLAISIR AU VOLANT
QUALITÉ DE FINITION
CONSOMMATION
RAPPORT QUALITÉ / PRIX
VALEUR DE REVENTE
CONFORT

1 5 10

la présentation, qu'importe quel revêtement vous choisissez pour les sièges (hormis la livrée Special Edition). On doit par ailleurs saluer la grande attention apportée à l'ergonomie. Les boutons sont de bonnes dimensions et sont disposés de manière logique, ce qui diminue le risque de distraction. Le système d'infodivertissement suit également cette logique de simplicité. Malgré le fait que l'assemblage soit au niveau des standards de Toyota, il y a une présence trop importante de matières plastiques dures de qualité moyenne. La Honda Accord fait beaucoup mieux sur cette facette. La Camry a en outre toujours été reconnue pour le volume de son habitacle, et cette cuvée ne fait pas exception à cette règle. Vous serez à l'aise autant à l'avant qu'à l'arrière tout en bénéficiant de bons sièges.

TECHNIQUE > Sur l'aspect mécanique de son offre, la Camry se décline en trois versions: 4-cylindres, V6 et hybride. Des trois mécaniques, le 4-cylindres de 2,5 litres qui figure sur la fiche technique du modèle de série est certainement le choix le plus judicieux. Sans conteste l'un des meilleurs 4-cylindres présentement proposés dans le segment, il opère sans troubler le silence de roulement de la berline. Ce qui impressionne surtout de cette mécanique, c'est son flegme. Ce moteur ne semble jamais forcer et livre son couple rapidement et avec douceur. On retrouve cette onctuosité dans le V6, mais ce dernier semble trop puissant pour un châssis tout en consommant évidemment plus de carburant. La livrée hybride est aussi une source sûre, mais exige que vous déboursiez près de 5 000 $ de plus que la déclinaison à 4 cylindres. Si vous parcourez de grandes distances essentiellement en ville, cette somme sera certainement absorbée, mais si ce n'est pas le cas, la version 4 cylindres est certes avantageuse.

AU VOLANT > La Camry se moque des paramètres communément utilisés pour mesurer la performance d'un véhicule. Ce qui l'intéresse, c'est plutôt comment rendre les longs trajets le moins éprouvants possible. Elle accomplit particulièrement bien ce mandat. Les suspensions filtrent bien les aspérités et les bruits extérieurs sont réduits à leur plus simple expression. Lorsqu'on se penche sur son dynamisme, le portrait est évidemment moins attrayant. Assez précise, la direction ne communique a priori rien sur les changements de revêtement. Il faut plutôt déduire à l'observation. Les livrées XSE assaisonnent quelque peu la recette avec des suspensions révisées, mais on ne peut parler ici d'une concurrente des Honda Accord Sport ou Mazda6.

CONCLUSION > Dotée d'une très grande fiabilité et dans l'ensemble bien conçue pour un usage quotidien, la Camry figure encore et toujours parmi les intermédiaires de choix. Toyota devra cependant surveiller ses arrières, car certaines rivales plus modernes et plus intéressantes sur le plan dynamique se rapprochent dangereusement. ■

2e OPINION

Antoine Joubert

Malibu, Fusion, Accord, Sonata et Optima sont parmi les nombreuses berlines qui ciblent la Toyota Camry qui, en dépit de son côté nettement plus nutritif que givré, propose à la clientèle une formule à succès. Ces mêmes rivales comprennent également toutes une version hybride visant directement la Camry du même nom, laquelle connaît un succès magistral. Et pour cause, sa fiabilité et sa frugalité ont fait d'elle une voiture très appréciée d'une clientèle analytique et soucieuse de l'environnement, mais également des chauffeurs de taxis. La Camry est de surcroît l'une des rares berlines du segment à conserver l'offre d'un moteur à 6 cylindres, lequel étonne toujours par sa puissance et son rendement. Évidemment, il ne s'agit pas de la berline la plus excitante en ville. Elle n'a d'ailleurs aucunement la prétention d'être conçue pour épater la galerie. Toutefois, la clientèle apprécie sa fonctionnalité, sa fiabilité, son faible coût de revient et la paix d'esprit d'un modèle indémodable.

FICHE TECHNIQUE

MOTEUR(S)

(LE, SE, XLE) L4 2,5 L DACT
PUISSANCE 178 ch à 6 000 tr/min
COUPLE 170 lb-pi à 4 100 tr/min
RAPPORT POIDS/PUISSANCE 8,2 à 8,4 kg/ch
BOÎTE(S) DE VITESSES automatique à 6 rapports avec mode manuel SE avec manettes au volant
PERFORMANCES 0-100 km/h 8,5 s
VITESSE MAXIMALE 190 km/h
CONSOMMATION (100 km) ville 9,7 L, route 6,9 L (octane 87)
ANNUELLE 1 428 L, 1 856 $ **ÉMISSIONS DE CO_2** 3 281 kg/an

(XLE V6, XSE V6) V6 3,5 L DACT
PUISSANCE 268 ch à 6 200 tr/min
COUPLE 248 lb-pi à 4 700 tr/min
RAPPORT POIDS/PUISSANCE 5,8 kg/ch
BOÎTE(S) DE VITESSES automatique à 6 rapports avec mode manuel SE avec manettes au volant
PERFORMANCES 0-100 km/h 6,3 s
FREINAGE 100-0 km/h 43,9 m
VITESSE MAXIMALE 200 km/h (bridée)
CONSOMMATION (100 km) ville 11,0 L, route 7,7 L (octane 87)
ANNUELLE 1 615 L, 2 100 $ **ÉMISSIONS DE CO_2** 3 706 kg/an

(HYBRIDE) L4 2,5 L DACT à cycle Atkinson+ moteur électrique
PUISSANCE 178 ch à 6 000 tr/min + moteur électrique (200 ch maximum total)
COUPLE 170 lb-pi à 4 100 tr/min (moteur électrique seul 199 lb-pi de 0 à 1 500 tr/min)
RAPPORT POIDS/PUISSANCE 7,9 à 8,0 kg/ch
BOÎTE(S) DE VITESSES automatique à variation continue
PERFORMANCES 0-100 km/h 7,7 s **VITESSE MAXIMALE** 200 km/h

AUTRES COMPOSANTS

SÉCURITÉ ACTIVE (selon version ou certains en otion) Freins ABS, assistance au freinage, répartition électronique de la force de freinage, contrôle électronique de la stabilité, antipatinage, avertisseurs d'obstacle latéral et arrière, assistance au freinage en cas d'utilisation simultanée des freins et de l'accélérateur
SUSPENSION avant/arrière indépendante
FREINS avant/arrière disques
DIRECTION à crémaillère, assistée électriquement
PNEUS LE P215/60R16 **Hybride** P205/65R16 **XLE/ option LE/Hybride** P215/55R17 **SE/XSE** P225/45R18

DIMENSIONS

EMPATTEMENT 2 775 mm
LONGUEUR 4 850 mm
LARGEUR 1 820 mm
HAUTEUR 1 470 mm
POIDS LE 1 467 kg **SE** 1 475 kg **XLE** 1 482 kg **XSE** 1 493 kg **XLE V6** 1 552 kg **XSE V6** 1 560 kg **Hybride** 1 577 à 1 590 kg
DIAMÈTRE DE BRAQUAGE 11,2 m
COFFRE 436 L **Hybride** 370 L
RÉSERVOIR DE CARBURANT 64 L

LA COTE VERTE

MOTEUR L4 DE 1,8 L ECO
CONSOMMATION (100 km) ville 7,7 L, route 5,6 L
CONSOMMATION ANNUELLE 1 156 L, 1 387 $
INDICE D'OCTANE 87
ÉMISSIONS POLLUANTES CO_2 2 659 kg/an
(source : ÉnerGuide)

FICHE D'IDENTITÉ

VERSION(S) CE, LE, LE Eco, SE, XSE
TRANSMISSION(S) avant
PORTIÈRES 4 **PLACES** 5
PREMIÈRE GÉNÉRATION 1966
GÉNÉRATION ACTUELLE 2014
CONSTRUCTION Cambridge, Ontario, Canada
COUSSINS GONFLABLES 8 (frontaux, latéraux avant et arrière, rideaux latéraux)
CONCURRENCE Chevrolet Cruze, Ford Focus, Honda Civic, Hyundai Elantra, Kia Forte, Mazda3, Mitsubishi Lancer, Nissan Sentra, Subaru Impreza, Volkswagen Jetta

AU QUOTIDIEN

COLLISION FRONTALE 5/5
COLLISION LATÉRALE 5/5
VENTES DU MODÈLE L'AN DERNIER
AU QUÉBEC 16 078 (-5,7 %) **AU CANADA** 47 198 (-3,4 %)
DÉPRÉCIATION (%) 30,2 (3 ans)
RAPPELS (2011 à 2016) 1
COTE DE FIABILITÉ 4/5

GARANTIES... ET PLUS

GARANTIE GÉNÉRALE 3 ans/60 000 km
GROUPE MOTOPROPULSEUR 5 ans/100 000 km
PERFORATION 5 ans/kilométrage illimité
ASSISTANCE ROUTIÈRE 3 ans/60 000 km
NOMBRE DE CONCESSIONNAIRES
AU QUÉBEC 68 **AU CANADA** 248

NOUVEAUTÉS EN 2017

Retouches esthétiques, ensemble d'aide à la conduite de série, nouvelle palette de couleurs. Nouvelle version XSE et la version S devient SE. La boîte automatique à variation continue remplace celle à 4 rapports sur la version CE.

BELLE À SA FAÇON

L'an dernier, la Toyota Corolla, la voiture la plus vendue de l'histoire, fêtait ses 50 ans. Depuis 1965, ce sont plus de 40 millions d'exemplaires qui ont été assemblés. Lorsqu'on y pense, c'est phénoménal. Comment expliquer cet immense succès ? Les facteurs sont nombreux, à commencer par le nombre de versions qui se sont succédées au fil des décennies. Il faut aussi compter sur le prix de la voiture, qui a toujours été abordable, ainsi que sur sa fiabilité, aujourd'hui devenue légendaire. Imaginez seulement si elle avait été une référence en matière de beauté et d'agrément de conduite. À combien d'unités en serions-nous aujourd'hui ?

Daniel Rufiange

TOUR DU PROPRIÉTAIRE > Pour 2017, Toyota a décidé de redessiner le faciès de sa petite vedette. Là, désolé, on vient de faire un pas en arrière. Honnêtement, je n'arrive pas à suivre la philosophie de design derrière ces petites voitures et je doute de la marche à suivre. Ce n'est tout simplement pas joli. On avait réussi depuis quelques années, tant bien que mal, à donner un certain caractère à la Corolla. Là, on vient de lui cicatriser le museau et pas à peu près. La Yaris, c'était déjà assez. Le reste demeure un calque de l'année précédente, sauf en ce qui concerne la nomenclature de certaines versions. On retrouve désormais quatre représentantes, de la livrée de base CE à la XSE, en passant par la LE et la SE.

+
- FIABILITÉ
- VALEUR DE REVENTE
- PRÉSENTATION INTÉRIEURE RÉUSSIE

−
- STYLE AVANT TRÈS DOUTEUX
- FREINS À TAMBOUR TOUJOURS DE LA PARTIE À L'ARRIÈRE

MENTIONS

CLÉ D'OR | CHOIX VERT | COUP DE CŒUR | **RECOMMANDÉ**

VERDICT

- PLAISIR AU VOLANT
- QUALITÉ DE FINITION
- CONSOMMATION
- RAPPORT QUALITÉ / PRIX
- VALEUR DE REVENTE
- CONFORT

1 5 10

VIE À BORD > À l'intérieur, de petits correctifs ont été apportés, mais heureusement, pas de nature à détruire le travail accompli depuis quelques années. En fait, je l'ai dit et répété, Toyota a trouvé une recette intéressante pour ses habitacles, et la Corolla en profite pleinement. Ce qu'on a fait pour 2017, c'est rehausser le niveau d'équipement de série, notamment dans les caractéristiques de sécurité. Le groupe Toyota Safety Sense, qui comprend entre autres un système de précollision avec détection des piétons et un avertisseur de sortie de voie avec assistance à la direction, équipe toutes les versions.

L'acheteur appréciera aussi le niveau de confort proposé, de même que l'espace généreux offert aux passagers arrière. Le coffre, spacieux, figure aussi sur la liste des points forts de cette compacte.

TECHNIQUE > Là, on a d'excellentes nouvelles pour vous. Non, Toyota n'a pas réinventé la roue avec une boîte de vitesse révolutionnaire qui réduit de 25 % la consommation de la voiture, mais c'est tout comme. À la suite des neuvaines que je pratique en rafale depuis des années, le constructeur a enfin décidé de retirer la boîte automatique à quatre rapports (oui, ça existait encore) qui était offerte en option. En fait, on ne gagnera peut-être pas 25 % à la consommation, mais certainement 10 %, et peut-être plus. En lieu et place de cette désuétude, la transmission à variation continue qui équipait déjà certaines variantes, tout simplement. Autrement, on vous sert une boîte mécanique à 6 rapports sur les versions de base. Du reste, l'indestructible 4-cylindres de 1,8 litre est toujours d'office. L'élément plus étonnant demeure la présence de freins à tambour à l'arrière; mes voitures anciennes jouissent de cette technologie.

AU VOLANT > Longtemps, la Corolla a figuré sur le palmarès des voitures les plus ennuyeuses à conduire. Sans vous dire qu'en prendre le volant est devenu aussi agréable que de saisir les rênes d'une Mazda3 ou d'une Honda Civic, on ne s'emmerde plus autant en la pilotant. Le châssis a gagné en rigidité au fil des années et la direction est plus communicative qu'avant. Conséquemment, on se plaît davantage que jadis. Cependant, si l'agrément de conduire demeure une priorité, vous feriez mieux de regarder ailleurs.

CONCLUSION > La Corolla est meilleure aujourd'hui qu'elle ne l'a jamais été malgré quelques irritants qui auraient eu pour effet de plomber le modèle s'il œuvrait au sein d'un autre constructeur. Ça vous démontre à quel point la réputation de Toyota est garante de succès. Il est seulement dommage qu'on ait confié à une pâle copie d'Edward Scissorhands le mandat de redessiner l'avant. ■

2e OPINION

Vincent Aubé

Que peut-on rajouter sur cette honnête berline qui roule sa bosse depuis plusieurs années sans faire de vagues ? Qu'elle manque de saveur ? Que sa mécanique manque de punch ? Ces deux commentaires n'ont rien d'étonnant lorsqu'il est question de la berline abordable. Le constructeur s'en moque (un peu), puisque la mission de cette voiture est tout autre. Une Corolla, c'est une berline économique à l'achat et à la pompe, mais c'est également une voiture fiable, durable et dotée d'une valeur de revente intéressante. Il lui manque peut-être cette étincelle dans la conduite, mais à regarder les chiffres de ventes, elle ne se porte pas si mal que ça, la Corolla !

FICHE TECHNIQUE

MOTEUR(S)

(CE, LE, SE) L4 1,8 L DACT
PUISSANCE 132 ch à 6 000 tr/min
COUPLE 128 lb-pi à 4 400 tr/min
RAPPORT POIDS/PUISSANCE 9,6 à 9,8 kg/ch
BOITE(S) DE VITESSES CE manuelle à 6 rapports, automatique à variation continue (en option) **LE** automatique à variation continue **SE** manuelle à 6 rapports, automatique à variation continue avec mode manuel et manettes au volant (en option)
PERFORMANCES 0 à 100 km/h 10,5 s
REPRISE 80-115 km/h 7,5 s
FREINAGE 100-0 km/h 40,0 m
NIVEAU SONORE À 100 km/h Moyen
VITESSE MAXIMALE 185 km/h
CONSOMMATION (100 km) man. ville 8,4 route 6,4 L
CVT ville 8,2 L route 6,2 L (octane 87)
ANNUELLE man. 1 275 L, 1 530 $ **CVT** 1 241 L, 1 489 $
ÉMISSIONS DE CO_2 man. 2 933 kg/an **CVT** 2 854 kg/an

(Eco) L4 1,8L DACT
PUISSANCE 140 ch à 6 100 tr/min
COUPLE 126 lb-pi à 4 000 min
RAPPORT POIDS/PUISSANCE 9,2 kg/ch
BOITE(S) DE VITESSES automatique à variation continue
PERFORMANCES 0-100 km/h 9,5 s
VITESSE MAXIMALE 185 km/h

AUTRES COMPOSANTS

SÉCURITÉ ACTIVE (certains en option ou selon la version) Freins ABS, assistance au freinage, répartition électronique de la force de freinage, contrôle électronique de la stabilité, antipatinage, assistance au freinage en cas d'utilisation simultanée des freins et de l'accélérateur, avertisseur d'impact imminent avec freinage d'urgence automatique, régulateur de vitesse adaptatif, avertisseur et assistance en cas de sortie de voie, phares adaptatifs
SUSPENSION avant indépendante arrière semi-indépendante
FREINS avant disques arrière tambours/ disques (option SE)
DIRECTION à crémaillère, assistée électriquement
PNEUS CE/Eco P195/65R15 **LE/SE/option Eco** P205/55R16 **option SE** P215/45R17

DIMENSIONS

EMPATTEMENT 2 700 mm
LONGUEUR 4 639 mm **S** 4 650 mm
LARGEUR 1 776 mm
HAUTEUR 1 455 mm
POIDS CE man. 1 265 kg **auto.** 1 275 kg **LE** 1 290 kg **S man.** 1 285 kg **CVT** 1 295 kg **Eco** 1 290 à 1 300 kg
DIAMÈTRE DE BRAQUAGE 11,5 m
COFFRE 369 L
RÉSERVOIR DE CARBURANT 50 L

LA COTE VERTE

MOTEUR L4 DE 2,5 L
CONSOMMATION (100 km) man. ville 8,6 L, route 6,6 L
CVT ville 8,3 L route 6,3 L
CONSOMMATION ANNUELLE man. 1 309 L, 1 571 $ **CVT** 1 258 L, 1 510 $
INDICE D'OCTANE 87
ÉMISSIONS POLLUANTES CO_2 man. 3 011 kg/an **CVT** 2 893 kg/an
(source : ÉnerGuide)

FICHE D'IDENTITÉ

VERSION(S) unique
TRANSMISSION(S) avant
PORTIÈRES 5 **PLACES** 5
PREMIÈRE GÉNÉRATION 2016
GÉNÉRATION ACTUELLE 2016
CONSTRUCTION Tsutsumi, Japon
COUSSINS GONFLABLES 8 (frontaux, genoux conducteur, assise siège passager, latéraux avant, rideaux latéraux)
CONCURRENCE Chevrolet Cruze 5 portes, Ford Focus 5 portes, Honda Civic 5 portes, Hyundai Elantra GT, Kia Forte5, Mazda3 Sport, Mitsubishi Lancer Sportback, Subaru Impreza 5 portes, Volkswagen Golf

AU QUOTIDIEN

COLLISION FRONTALE 5/5
COLLISION LATÉRALE 5/5
VENTES DU MODÈLE L'AN DERNIER
AU QUÉBEC 350 (nm) **AU CANADA** 943 (nm)
DÉPRÉCIATION (%) nm
RAPPELS (2011 à 2016) aucun à ce jour
COTE DE FIABILITÉ 5/5

GARANTIES... ET PLUS

GARANTIE GÉNÉRALE 3 ans/60 000 km
GROUPE MOTOPROPULSEUR 5 ans/100 000 km
PERFORATION 5 ans/ kilométrage illimité
ASSISTANCE ROUTIÈRE 3 ans/60 000 km
NOMBRE DE CONCESSIONNAIRES
AU QUÉBEC 68 **AU CANADA** 248

NOUVEAUTÉS EN 2017

La Scion iM devient la Toyota Corolla iM. Sièges avant chauffant, avertisseur d'impact imminent avec freinage d'urgence automatique, avertisseur de sortie de voie et phares adaptatifs de série.

SECOND DÉBUT

Officiellement, l'iM ne remplace pas la Matrix au sein du groupe Toyota. La direction de Toyota estime cependant que ce modèle – qui défend désormais ses couleurs depuis le retrait de Scion - pourrait représenter un succédané à son ancien modèle vedette grâce à la polyvalence que lui procure sa carrosserie cinq portes.

Éric LeFrançois

TOUR DU PROPRIÉTAIRE > Trop consensuel sans doute, mais pas désagréable à regarder pour autant, l'iM puise son inspiration à gauche et à droite. Plusieurs consommateurs ne manqueront pas de relever des similitudes surtout avec la CT 200h de la luxueuse filiale de Toyota, Lexus. Les deux affichent en effet sensiblement les mêmes cotes extérieures, mais l'iM se révèle plus spacieuse pour ses occupants et leurs bagages. Hélas, devant ses concurrentes directes, cette Toyota se trouve à la traîne dans ces deux domaines. D'ailleurs, il suffit de se glisser sur la banquette arrière pour s'en rendre compte. Le dégagement y est compté, tout comme l'espace dévolu aux bagages.

VIE À BORD > Les appliqués « piano noir » contribuent sans doute à enrichir la décoration intérieure, mais ne la rendent pas moins austère pour autant. La finition ne soulève cependant aucune critique et les matériaux utilisés fleurent bon la qualité. Le bloc d'instruments est clair et lisible et les principales commandes se trouvent à la portée des doigts. La position de

\+ SÉRIEUX DE LA CONSTRUCTION
COMPORTEMENT RASSURANT
CVT AGRÉABLE

− EMBRAYAGE ÉPUISANT (MANUELLE)
PERSONNALISATION RESTREINTE
PERFORMANCES LYMPHATIQUES

MENTIONS

CLÉ D'OR | CHOIX VERT | COUP DE CŒUR | **RECOMMANDÉ**

VERDICT

PLAISIR AU VOLANT
QUALITÉ DE FINITION
CONSOMMATION
RAPPORT QUALITÉ / PRIX
VALEUR DE REVENTE nm
CONFORT

1 5 10

conduite, plus basse que celle offerte anciennement par la Matrix, est facile à trouver grâce à de nombreux réglages et à une colonne de direction qui s'articule sur deux axes (profondeur et hauteur). Dans le but de simplifier sa production et de rendre la prise de commandes plus simple pour ses concessionnaires, Toyota cherche à transformer ce handicap en un atout aux yeux de l'acheteur qui n'a, à proprement dit, que deux choix à faire : la boîte de vitesse et la teinte extérieure. En fait, la seule autre option touche la présence d'un système de navigation (7 po).

TECHNIQUE > L'iM repose sur une architecture semblable à celle de la Toyota Auris commercialisée sur d'autres continents. Assemblée au Japon, cette plate-forme contient de très classiques jambes de force de type McPherson à l'avant et une suspension à double triangulation à l'arrière dans le but d'améliorer le comportement dynamique de ce véhicule. D'une cylindrée de 1,8 litre, la motorisation qui l'anime ne comporte aucune avancée technique susceptible de faire trembler la concurrence en ce qui a trait à la consommation, et pas assez de chevaux et de couple pour l'inquiéter non plus lorsque le feu passe au vert. Aucun avantage, donc, sur ces deux fronts. Ce 1,8-litre a en revanche le mérite d'avoir atteint un stade de mise au point (et de fiabilité!) difficile à surpasser.

AU VOLANT > Pas très fougueuse, cette motorisation se trouve liée à une boîte manuelle à 6 rapports décevante. Commande caoutchouteuse, étagement trop long – classique de nos jours – et embrayage difficile à doser par la faute d'une course trop longue. Mieux vaut dépenser la somme exigée et retenir la boîte automatique à variation continue (CVT). Celle-ci compte « 7 rapports virtuels » mimant autant que faire se peut le comportement d'une boîte classique avec convertisseur de couple. Dans le cadre d'une utilisation normale, la plupart des automobilistes ne suspecteront pas la présence de cette boîte entraînée par une courroie. Ils la détecteront (ou démasqueront, c'est selon) seulement au moment des accélérations vives. C'est à cette occasion que l'iM fait moins bonne figure et les manœuvres de dépassement, notamment, exigent une certaine dose d'anticipation, et ce, même en appuyant sur la touche Sport qui l'accompagne. L'autre déception concerne le diamètre de braquage de ce véhicule. Il nécessite de s'y prendre à deux fois pour le garer. Au volant, l'iM est sûre, douce, (très) silencieuse et facile à conduire, mais ne procure pas un agrément de conduite très relevé. La majorité des utilisateurs s'en moqueront sans doute, mais le titre de « sportive » promulgué par la direction de Toyota apparaît ici usurpé. Reste à voir si l'inscription au catalogue de pièces haute performance issues de l'antenne sportive de Toyota (TRD) promises en cours d'année pourra corriger le tir.

CONCLUSION > D'ici là, l'iM représente néanmoins un choix intéressant pour quiconque recherche un véhicule à la fiabilité éprouvée et offrant une expérience d'achat d'une simplicité désarmante. Grâce à l'appui de la machine commerciale bien huilée de Toyota, aucun doute que l'objectif d'écouler annuellement 4000 unités de l'iM apparaît maintenant plus réaliste.

2e OPINION

Antoine Joubert

Corolla est un nom qui vend, tout comme la marque Toyota. Les stratèges du constructeur l'ont cependant compris trop tard, puisque cette voiture d'abord née chez nous sous la bannière Scion se retrouve un an plus tard à l'endroit où elle aurait dû être initialement. Maintenant, il faut savoir que cette Corolla à hayon n'a rien d'une nouveauté (ayant été lancée en 2006 du côté de l'Europe), et qu'en dépit d'une ligne aguichante et d'un aménagement efficace, elle présente quelques signes de vieillesse. À preuve, nous avons battu avec cette voiture un record en matière de distance de freinage lors des tests effectués l'an dernier à RPM, signe d'un système de freins antiblocage inefficace et désuet. Cela n'en fait pas une mauvaise voiture, mais Toyota nous sert hélas du réchauffé, alors que la compétition très féroce y met beaucoup plus d'efforts.

FICHE TECHNIQUE

MOTEUR(S)

(iM) L4 1,8 L DACT
PUISSANCE 137 ch à 6 100 tr/min
COUPLE 126 lb-pi à 4 000 tr/min
RAPPORT POIDS/PUISSANCE 9,7 à 10,0 kg/ch
BOITE(S) DE VITESSES manuelle à 6 rapports, à variation continue avec mode manuel à 7 rapports (en option)
PERFORMANCES 0-100 km/h 9,5 s
REPRISE 80-115 km/h 6,0 s
FREINAGE 100-0 km/h 43,0 m
NIVEAU SONORE À 100 km/h Bon
VITESSE MAXIMALE 180 km/h

AUTRES COMPOSANTS

SÉCURITÉ ACTIVE Freins ABS, assistance au freinage, répartition électronique de la force de freinage, contrôle électronique de la stabilité, antipatinage, aide au freinage en cas d'utilisation simultanée de l'accélérateur et des freins, aide au départ en pente, phares adaptatifs, avertisseur d'impact imminent avec freinage d'urgence automatique, avertisseur de sortie de voie, phares adaptatifs
SUSPENSION avant/arrière indépendante
FREINS avant/arrière disques
DIRECTION à crémaillère, assistée électriquement
PNEUS P225/45R17

DIMENSIONS

EMPATTEMENT 2 600 mm
LONGUEUR 4 330 mm
LARGEUR 1 760 mm
HAUTEUR 1 405 mm
POIDS man. 1 335 kg **CVT** 1 375 kg
RÉPARTITION DU POIDS AV/ARR (%) ND
DIAMÈTRE DE BRAQUAGE 11,4 m
COFFRE 588 L
RÉSERVOIR DE CARBURANT 53 L

LA COTE VERTE

MOTEUR V6 DE 3,5 L HYBRIDE
CONSOMMATION (100 km) ville 8,6 L, route 8,4 L
CONSOMMATION ANNUELLE 1 445 L, 1 734 $
INDICE D'OCTANE 87
ÉMISSIONS POLLUANTES CO_2 3 323 kg/an
(source : ÉnerGuide)

FICHE D'IDENTITÉ

VERSION(S) 2RM LE **4RM** SE **4RM/Hybride 4RM** XLE, Limited
TRANSMISSION(S) avant, 4
PORTIÈRES 5 **PLACES** 7, 8
PREMIÈRE GÉNÉRATION 2001
GÉNÉRATION ACTUELLE 2014
CONSTRUCTION Princeton, Indiana, É-U
COUSSINS GONFABLES 8 (frontaux, latéraux avant, genoux avant, rideaux latéraux)
CONCURRENCE Chevrolet Traverse/GMC Acadia, Dodge Durango, Ford Explorer/Flex, Honda Pilot, Hyundai Santa Fe XL, Kia Sorento, Mazda CX-9, Nissan Pathfinder

AU QUOTIDIEN

COLLISION FRONTALE 4/5
COLLISION LATÉRALE 5/5
VENTES DU MODÈLE L'AN DERNIER
AU QUÉBEC 1 241 (+6,4 %) **AU CANADA** 10 412 (+6,8 %)
DÉPRÉCIATION (%) 22,8 (3 ans)
RAPPELS (2011 à 2016) 5
COTE DE FIABILITÉ 4/5

GARANTIES... ET PLUS

GARANTIE GÉNÉRALE 3 ans/60 000 km
GROUPE MOTOPROPULSEUR 5 ans/100 000 km
COMPOSANTS système hybride 8 ans/160 000 km
PERFORATION 5 ans/kilométrage illimité
ASSISTANCE ROUTIÈRE 3 ans/60 000 km
NOMBRE DE CONCESSIONNAIRES
AU QUÉBEC 68 AU CANADA 247

NOUVEAUTÉS EN 2017

Nouvelle version SE. Retouches esthétiques, nouvelle boîte de vitesses à 8 rapports, moteur plus puissant, système arrêt/départ disponible, ensemble d'aide à la conduite de série, nouvelle palette de couleurs.

VALEUR SÛRE

Les nouveautés chez les utilitaires sport intermédiaires sortent à une cadence qui défie le lancement des séries sur Netflix! Depuis l'arrivée il y a trois ans de la troisième génération du Highlander, la concurrence n'a pas chômé: le Pilot (Honda), l'Explorer (Ford), le Pathfinder (Nissan), le trio Traverse-Acadia-Enclave (GM), le CX-9 (Mazda), tous renouvelés, et j'en passe. Toyota a beau annoncer quelques améliorations pour la cuvée 2017, est-ce assez pour faire face à cette intense compétition?

Alexandre Crépault

TOUR DU PROPRIÉTAIRE > Parmi les changements notables à l'extérieur, on remarque une nouvelle grille, de nouveaux phares DEL et quatre couleurs inédites. Un modèle SE plus sportif, chaussé de 19 pouces et affublé d'une grille noire qui vient s'insérer entre le LE et le XLE arrive aussi. La variante Limited reste au summum avec son toit panoramique et ses touches de chrome. Encore aujourd'hui, on apprécie beaucoup la lunette relevable du Highlander qui permet de rapidement accéder au coffre sans devoir ouvrir le hayon. Surtout, malgré les années qui filent, le Highlander affiche encore aujourd'hui une silhouette à la fois robuste et effilée que l'épreuve du temps n'éreinte pas trop.

VIE À BORD > Voilà un habitacle qui a été dessiné pour bien faire son travail. La planche de bord à étages procure un effet de grandeur, tandis que la tablette de rangement dissimulée

+
- BONNE VALEUR
- TRÈS PRATIQUE
- FACILE À CONDUIRE

−
- MODÈLE HYBRIDE COÛTEUX
- FREINS SENSIBLES (MODÈLE HYBRIDE)
- PAS TRÈS EXCITANT À PILOTER

MENTIONS

CLÉ D'OR | CHOIX VERT | COUP DE CŒUR | **RECOMMANDÉ**

VERDICT

PLAISIR AU VOLANT
QUALITÉ DE FINITION
CONSOMMATION
RAPPORT QUALITÉ / PRIX
VALEUR DE REVENTE
CONFORT

1 5 10

sous les commandes de ventilation s'avère d'une utilité monstre. Les matériaux sont de belle qualité et j'aime particulièrement le modèle lorsque configuré avec un cuir contrastant avec le tableau de bord, ce qui amplifie encore l'impression d'espace. Le nouveau modèle SE reçoit une finition en cuir noir surpiqué de couleur argent qui lui est unique. Avec 8 places au menu (7 sur la version Limited, qui troque la banquette du milieu pour deux sièges capitaine), on pourrait presque croire à un substitut de fourgonnette. Mais la réalité est tout autre. Oubliez l'idée d'asseoir trois occupants, même de petite taille, sur les places arrière. Deux adultes n'y survivent que pour de courts trajets. Et l'espace dans le coffre est quasi inexistant une fois les places arrière occupées.

TECHNIQUE > Le Highlander et le Highlander Hybride reçoivent un duo de mécaniques revues avec un gain de puissance considérable. Le 3,5 litres D-4S à injection directe du modèle à essence produit maintenant 295 chevaux, une hausse de 25 par rapport à l'an dernier, et la puissance est acheminée aux roues grâce à une toute nouvelle boîte de vitesse à 8 rapports. Le modèle hybride, quant à lui, fait désormais courir 292 chevaux, soit 12 de plus que l'an dernier, et envoie sa puissance au moyen d'une transmission E-CVT.

Outre le modèle à essence de base, tous les Highlander sont munis de la transmission intégrale, qui priorise d'abord les roues avant. Au besoin, la puissance est distribuée aux roues arrière. Dans le cas de l'hybride, deux des trois moteurs électriques entraînent respectivement l'un et l'autre des deux essieux. Un mode ECO modifie la réponse de l'accélérateur pour favoriser une meilleure économie de carburant tandis que le mode EV permet de rouler en mode électrique mais seulement sur de courtes distances.

AU VOLANT > Qu'on se le dise tout de suite, le Highlander n'est pas reconnu pour une expérience de conduite qui chatouille les sens. La direction est légère et pas très précise, quoiqu'elle communique tout de même son lot d'informations au conducteur. Le roulis a été réduit au fil des générations, mais de là à dire que le Highlander est aussi solide sur pattes que, disons, le Honda Pilot, serait mentir. Cela dit, la nouvelle variante SE proposera des suspensions calibrées plus fermement, ce qui devrait aider la tenue de route – possiblement aux frais du confort des passagers. En tout et pour tout, on parle d'une expérience facile et sans surprise. Mon seul vrai bémol : la pédale de frein des modèles hybrides, qui est difficile à moduler.

CONCLUSION > Le Highlander n'est peut-être pas le plus à la mode de sa catégorie, mais il se veut encore une proposition honnête qui possède assez de qualités pour faire face à la musique. Néanmoins, il demeure plus approprié pour les acheteurs à la recherche d'un mode de transport pratique et fiable que d'un véhicule dynamique et excitant. ■

2e OPINION

Michel Crépault

Dans une féroce catégorie, le Highlander s'en tire avec honneur, tant que le plaisir de la conduite ne figure pas au sommet de vos critères d'achat. Le V6 est une vigoureuse soie, parfaitement adapté aux tâches du VUS, que ce soit accélérer ou remorquer du gros (même la variante hybride n'est pas gauche à ce chapitre). Le confort à bord prime, puisque les matériaux souples, le rangement et la sophistication de l'instrumentation rehaussent le séjour dans le véhicule. Seul le conducteur ne ressent rien sous son popotin et entre ses mains. S'il se risque dans une courbe, le roulis le rappelle à l'ordre. Quant à la version hybride, bien qu'elle réduise efficacement la consommation, il faut parcourir plusieurs kilomètres annuellement pour récupérer une partie de son investissement.

FICHE TECHNIQUE

MOTEUR(S)

(V6) V6 3,5 L DACT
PUISSANCE 295 ch à 6 200 tr/min
COUPLE 248 lb-pi à 4 700 tr/min
RAPPORT POIDS/PUISSANCE 7,1 à 7,6 kg/ch
BOÎTE(S) DE VITESSES automatique à 8 rapports avec mode manuel
PERFORMANCES 0-100 km/h 7,6 s (est.)
REPRISE 80-115 km/h 5,0 s
FREINAGE 100-0 km/h 45,7 m
NIVEAU SONORE À 100 km/h Bon
VITESSE MAXIMALE 200 km/h
CONSOMMATION (100 km) 2RM ville 12,5 L, route 9,3 L
4RM ville 13,0 L, route 9,8 L (octane 87) (est.)
ANNUELLE 2RM 1 887 L, 2 264 $ **4RM** 1 972 L, 2 366 $
ÉMISSIONS DE CO_2 2RM 4 340 kg/an 4RM 4 536 kg/an

(Hybride) V6 3,5 L DACT + 2 moteurs électriques
PUISSANCE 231 ch + 2 moteurs électriques, 167 ch av., 68 ch arr., 292 ch à 6 200 tr/min (total maximum)
COUPLE 215 lb-pi + 2 moteurs électriques, 247 lb-pi av., 103 lb-pi arr., (total variable selon la charge de la batterie)
RAPPORT POIDS/PUISSANCE 7,7 à 7,9 kg/ch
BOÎTE(S) DE VITESSES automatique à variation continue avec mode manuel
PERFORMANCES 0-100 km/h 8,1s
REPRISE 80-115 km/h 5,5 s
FREINAGE 100-0 km/h 46,0 m
VITESSE MAXIMALE 185 km/h

AUTRES COMPOSANTS

SÉCURITÉ ACTIVE (certains en option) Freins ABS, assistance au freinage, répartition électronique de la force de freinage, contrôle électronique de la stabilité, antipatinage, assistance au démarrage en pente, avertisseurs d'obstacle latéral et arrière, avertisseur et assistance en cas de sortie de voie, avertisseur d'impact imminent avec freinage d'urgence automatique, phares adaptatifs, caméra 360°.
SUSPENSION avant/arrière indépendante
FREINS avant/arrière disques
DIRECTION à crémaillère, assistée électriquement
PNEUS LE P245/60R18 **XLE/Limited/SE** P245/55R19

DIMENSIONS

EMPATTEMENT 2 789 mm
LONGUEUR 4 854 mm
LARGEUR 1 925 mm
HAUTEUR 1 730 mm **V6 XLE/Limited, Hybride** 1 780 mm
POIDS 2RM V6 LE 1 925 kg **4RM LE** 1 995 kg **XLE** 2 035 kg **Limited** 2 045 kg **Hybride LE** 2 170 kg **XLE** 2 190 kg **Limited** 2 205 kg
DIAMÈTRE DE BRAQUAGE 11,8 m **Hybride** 11,9 m
COFFRE 390 L, 1 198 L (sièges arr. abaissés), 2 370 L (sièges abaissés)
RÉSERVOIR DE CARBURANT 72,5 L **Hybride** 65 L
CAPACITÉ DE REMORQUAGE 2 268 kg **Hybride** 1 588 kg

LA COTE VERTE

MOTEUR SYNCHRONE À COURANT ALTERNATIF
AUTONOMIE MOYENNE 480 km
CONSOMMATION ÉQUIVALENTE (100 km) 3,5 L
CONSOMMATION ÉQUIVALENTE ANNUELLE 595 L
COMBUSTIBLE Hydrogène
ÉMISSIONS POLLUANTES CO_2 0 kg/an
(source : Toyota et L'Annuel)

FICHE D'IDENTITÉ

VERSION(S) Unique
TRANSMISSION(S) avant
PORTIÈRES 4 **PLACES** 4
PREMIÈRE GÉNÉRATION 2017
GÉNÉRATION ACTUELLE 2017
CONSTRUCTION Toyota City, Japon
COUSSINS GONFLABLES 8 (frontaux, latéraux avant, genoux conducteur, coussin passager, rideaux latéraux)
CONCURRENCE Aucune directe. (BMW i3, Chevrolet Volt, Hyundai Ionic)

AU QUOTIDIEN

COLLISION FRONTALE nm
COLLISION LATÉRALE nm
VENTES DU MODÈLE L'AN DERNIER
AU QUÉBEC nm **AU CANADA** nm
DÉPRÉCIATION (%) nm
RAPPELS (2011 à 2016) nm
COTE DE FIABILITÉ nm

GARANTIES... ET PLUS

GARANTIE GÉNÉRALE 3 ans/60 000 km
GROUPE MOTOPROPULSEUR 5 ans/100 000 km
BATTERIES 8 ans/160 000 km
PERFORATION 5 ans/kilométrage illimité
ASSISTANCE ROUTIÈRE 3 ans/60 000 km
NOMBRE DE CONCESSIONNAIRES
AU QUÉBEC 68 **AU CANADA** 247

NOUVEAUTÉS EN 2017

Nouveau modèle (disponible aux États-Unis seulement).

BETA OU VHS

Ceux qui sont assez vieux pour avoir souri en lisant le titre se rappellent la guerre entre Beta et VHS pour dominer le monde de la vidéo. C'est finalement VHS qui avait remporté le combat. La Mirai livre le même genre de combat en proposant une autre formule de véhicule électrique qui ne fonctionne pas avec une charge pour des batteries, mais avec une pile à combustible qui, par réaction chimique, transforme l'hydrogène en électricité. Va-t-on assister à une lutte pour savoir qui va tenir le haut du pavé dans le monde des véhicules électriques ? Les voitures à piles ont une longueur d'avance, mais l'hydrogène offre plusieurs avantages, et Toyota mise sur la Mirai, la première voiture à hydrogène commercialisée à l'échelle internationale, pour prendre des parts de marché.

Benoit Charette

TOUR DU PROPRIÉTAIRE > Le moins que l'on puisse dire, c'est que la Mirai ne fait pas l'unanimité au chapitre du style. Elle est assez longue avec 4,89 mètres et son nez est particulièrement laid avec sa calandre pointue et ses larges trappes d'aération nécessaires pour refroidir la pile à combustible à membrane échangeuse de protons. Sa température de fonctionnement doit rester inférieure à 80 °C et exige des radiateurs de grande surface, ce qui explique la partie avant presque défigurée. Le profil et l'arrière s'apparentent beaucoup à ceux

+
- ELLE N'ÉMET QUE DE LA VAPEUR D'EAU
- L'AUTONOMIE DE 500 KM
- LE PLEIN NE PREND QUE 5 MINUTES

−
- PAS DE STATION À HYDROGÈNE
- PAS DISPONIBLE AU CANADA
- RAPPORT PRIX/PRESTATIONS ENCORE ÉLEVÉ

MENTIONS

CLÉ D'OR | CHOIX VERT | COUP DE CŒUR | RECOMMANDÉ

VERDICT

PLAISIR AU VOLANT
QUALITÉ DE FINITION
CONSOMMATION
RAPPORT QUALITÉ / PRIX nd
VALEUR DE REVENTE nd
CONFORT

1 5 10

d'une Prius en raison de ces phares qui ressortent un peu comme une verrue des ailes arrière. Disons simplement, pour être poli, que les responsables du style ont nettement mis la priorité sur la fonction sans trop penser à la forme.

VIE À BORD > L'habitacle s'inspire de celui de la Prius, mais en plus luxueux. Les matériaux sont de meilleure facture et le décor, plus riche. Le dessin de la planche de bord étonne au premier coup d'œil. Il n'y a aucun cadran derrière le volant. Tout se retrouve dans l'espace central. La planche centrale contient des boutons à surface tactile, et la Mirai s'avère prête à affronter les hivers canadiens avec des sièges chauffants avant et arrière, un volant chauffant, un système de navigation et un système audio de qualité. Pour les passagers, il s'agit d'une stricte 4-places. Un gros tunnel central condamne la cinquième place à l'arrière. Le volume du coffre de 450 litres n'est pas modulable, la paroi le séparant de l'habitacle étant occupé par un des réservoirs d'hydrogène et la pile du système hybride.

TECHNIQUE > Sur le plan moteur, la Mirai peut être comparée à une voiture hybride dont le moteur à essence aurait été remplacé par une pile à combustible. Les ingénieurs de Toyota ont repris le système *Hybrid Synergy Drive* utilisé dans la Toyota Camry hybride. La propulsion est donc électrique, alimentée par une batterie nickel-hydrure métallique de 1,6 kWh. Là où on trouve un moteur à essence accouplé à un générateur sur une hybride avec moteur à essence, on a, dans le cas de la Mirai, une pile à combustible. Mais si la technologie est toute différente, le fonctionnement est presque identique. Quand on roule, le tableau de bord affiche un diagramme comme sur une Prius, et selon les besoins, la PAC marche ou ne marche pas, et le courant électrique qu'elle produit recharge la batterie ou est dirigé vers le moteur électrique de propulsion. Il y a bien sûr récupération de l'énergie perdue au freinage. Encapsulée dans un coffre en aluminium renforcé de fibre de carbone, la PAC est installée sous les sièges avant et produit 151 chevaux et 247 livres-pieds de couple en puisant dans les 5 kilos d'hydrogène comprimés sous une pression de 700 bars dans deux réservoirs cylindriques en fibre de carbone placés respectivement sous et derrière la banquette arrière. L'autonomie avec un plein de 5 kilos d'hydrogène est évaluée à 480 kilomètres et il faut environ cinq minutes pour faire le plein. L'hydrogène se combine à l'air, déclenchant une réaction chimique qui produit de l'électricité et de l'eau. L'électricité propulse le véhicule tandis que l'eau - la seule émission de la Mirai - est évacuée par son tuyau d'échappement. La Mirai pèse 1850 kilos (dont une centaine pour les réservoirs d'hydrogène).

AU VOLANT > Comme toutes les voitures électriques, c'est le silence de roulement qui étonne toujours. Toyota a de plus installé du verre acoustique tout autour de la Mirai pour offrir aux passagers un habitacle silencieux et confortable. La Mirai n'a pas de boîte de vitesse et ne laisse transpirer aucun bruit à faire saigner les tympans comme la Prius et son horrible boîte CVT qui devient abrutissante après quelques mois d'utilisation. Même si la Mirai peut faire un 0-100 km en 9,6 secondes et possède un châssis relativement rigide, nous sommes loin d'une sportive. La réserve de puissance est intéressante, mais pas une fois ne m'est venue l'idée de faire une forte accélération pour voir ce dont elle était capable. On fonctionne à l'économie dans la Mirai. Le seul bruit que vous arrivez à déceler est celui du compresseur provenant de la pile à combustible, qui demeure très discret. Sinon, vous avez un complet silence de roulement. Le confort des sièges est bon, le système audio est de qualité et vous avez aussi droit à un

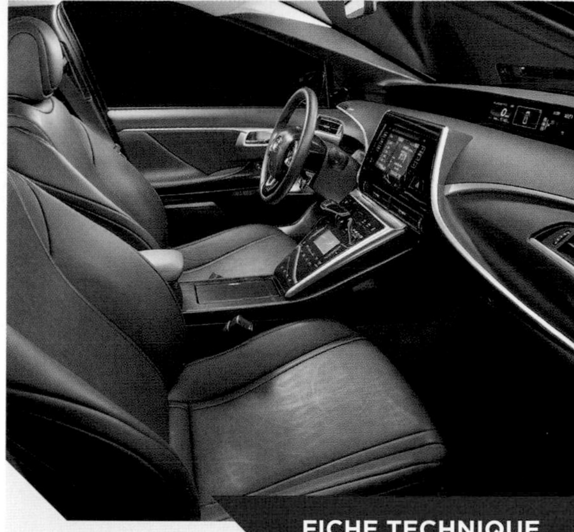

FICHE TECHNIQUE

MOTEUR(S)

(MIRAI) Moteur électrique synchrone à courant alternatif
PUISSANCE 151 ch (113 kW)
COUPLE 247 lb-pi
RAPPORT POIDS/PUISSANCE 12,2 kg/ch
BOÎTE(S) DE VITESSES automatique à 1 rapport
PERFORMANCES 0-100 km/h 9,6 s
REPRISE 80-115 km/h 6,6 s
FREINAGE 100-0 km/h 47,8 m
NIVEAU SONORE À 100 km/h Excellent
VITESSE MAXIMALE 144 km/h

AUTRES COMPOSANTS

SÉCURITÉ ACTIVE Freins ABS, assistance au freinage, répartition électronique de la force de freinage, contrôle électronique de la stabilité, antipatinage, aide au freinage en cas d'activation simultanée de l'accélérateur et des freins, avertisseurs d'obstacle latéral et arrière, de sortie de voie et d'impact imminent
SUSPENSION avant/arrière indépendante
FREINS avant/arrière disques, à récupération d'énergie
DIRECTION à crémaillère, assistée électriquement
PNEUS P215/55R17

DIMENSIONS

EMPATTEMENT 2 779 mm
LONGUEUR 4 890 mm
LARGEUR 1 816 mm
HAUTEUR 1 534 mm
POIDS 1 850 kg
DIAMÈTRE DE BRAQUAGE ND
COFFRE 450 l
RÉSERVOIR DE CARBURANT 122 L
BATTERIES nickel - hydrure métallique
PILE À COMBUSTIBLE à polymère, 115 kW

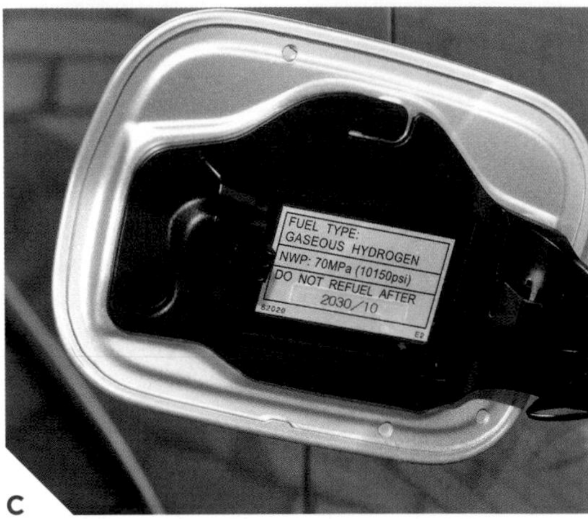

GALERIE

A > La seule émission s'échappant du système de propulsion, c'est de l'eau. Une certaine quantité s'échappe lors de la conduite. Le reste est emmagasiné dans un réservoir, et à l'aide d'un bouton H20 à la gauche du volant, vous viderez complètement ce réservoir, une opération essentielle dans les climats plus froids comme au Canada, afin d'empêcher la glace de se former dans le système.

B > La mécanique se compose d'une pile à combustible, de deux réservoirs pouvant contenir 5 kilos d'hydrogène comprimés à 700 bars, d'un moteur électrique développant 151 chevaux hérité du Lexus RX 450h ainsi que d'une batterie nickel-hydrure métallique en tampon, empruntée à la Camry hybride.

C > Sur le même principe que les réservoirs de propane pour votre BBQ, les réservoirs à hydrogène possèdent une date de péremption. Notre modèle à l'essai pour cet article possédait des réservoirs utilisables jusqu'en octobre 2030.

D > La Mirai est une stricte 4-places. Il aurait sans doute été possible de faire plus pour que la banquette arrière accueille 3 passagers, mais la bosse du tunnel central est bien haute. C'était alors sans doute le bon choix que de privilégier le confort pour 2 personnes, avec un large accoudoir central fixe.

E > Question de rester moderne jusqu'au bout, la Mirai propose des feux de position et de direction aux DEL. Ils sont difficiles à manquer en raison de l'énorme trappe servant à refroidir la pile à combustible et située juste en dessous.

HISTORIQUE

L'histoire des véhicules à hydrogène chez Toyota a débuté en 1996 avec le prototype FCEV (Fuel Cell Electric Vehicle), qui prenait la forme d'un RAV4. Des modèles comme le Highlander ont suivi en 2001, de même que le Fine-N aux allures futuristes dévoilé au Salon de l'auto de Tokyo en 2003. Le Fine-T a suivi au Salon de Tokyo en 2005, puis le FCV plus en 2015, toujours à Tokyo. C'est le premier concept FCV présenté en 2013 qui annonçait la venue de la Mirai.

système de navigation. C'est en fait tout le plaisir d'une voiture électrique avec zéro émission et l'avantage de pouvoir faire le plein en cinq minutes au lieu d'attendre six heures pour les piles. Pour ceux que cela intéresse, le kilo d'hydrogène se vend environ 9 $ en ce moment. Ce qui veut dire que faire le plein vous coûtera 45 $ pour 480 kilomètres d'autonomie.

CONCLUSION > Il faut souligner en terminant que la Mirai n'est pas encore en vente au Canada. Elle est commercialisée du côté du Japon (où elle a amorcé sa carrière) ainsi que dans certains États américains qui possèdent des stations à hydrogène, comme la Californie et certains pays d'Europe comme l'Allemagne, le Danemark et le Royaume-Uni. Au Québec, il existe pour le moment un seul endroit pour faire le plein d'hydrogène et c'est à l'Université du Québec à Trois-Rivières. Toutefois, il y a une lueur d'espoir. Le gouvernement libéral a annoncé au début de l'année 2016 le déploiement de la nouvelle Politique énergétique du Québec 2030 en lien avec les recherches menées à l'UQTR. Il sera possible de voir apparaître davantage de stations multi-carburants (essence, biocarburants, gaz naturel, propane, électricité, hydrogène) en vue d'offrir un plus grand choix aux conducteurs de véhicules électriques et hybrides. Il en va également de même pour la production et l'utilisation efficaces de l'hydrogène pour l'approvisionnement en électricité dans les régions éloignées. Toyota est aussi en pourparlers avec des fournisseurs d'hydrogène pour l'implantation de stations à hydrogène au Québec. Aux États-Unis, la Mirai est disponible en location de 36 mois à 499 $ par mois ou 57 500 $ à l'achat. ■

Toyota RAV4 FCEV 1996

Toyota Highlander FCEV 2001

Toyota Fine-N 2003

Toyota Fine-T 2005

Toyota FCV 2013

Toyota FCV Plus 2015

TOYOTA PRIUS/PRIUS PRIME

www.toyota.ca

LA COTE VERTE

MOTEUR L4 DE 1,8 L HYBRIDE
CONSOMMATION (100 km) ville 4,4 L, route 4,6 L
Prime mode électrique équiv. 1,96 L
CONSOMMATION ANNUELLE 765 L, 918 $ **INDICE D'OCTANE** 87
ÉMISSIONS POLLUANTES CO_2 1 760 kg/an
AUTONOMIE Prime mode électrique 35 km
Temps de recharge Prime 220 V 2,5 heures **110 V** 5,5 heures
(source : ÉnerGuide et Toyota)

FICHE D'IDENTITÉ

VERSION(S) Prius Base, Touring, Technologie **Prime**
TRANSMISSION(S) avant
PORTIÈRES 5 **PLACES** 5
PREMIÈRE GÉNÉRATION 2000
GÉNÉRATION ACTUELLE 2016
CONSTRUCTION Toyota City, Japon
COUSSINS GONFLABLES 8 (frontaux, latéraux avant, genoux conducteur, coussin passager avant, rideaux latéraux)
CONCURRENCE Audi A3 e-tron, Chevrolet Malibu Hybrid, Chevrolet Volt, Ford Fusion Hybride, Honda Accord Hybride, Hyundai Ionic/Sonata hybride, Kia Optima Hybrid, Lexus CT200h, Toyota Camry hybride

AU QUOTIDIEN

COLLISION FRONTALE 5/5
COLLISION LATÉRALE 5/5
VENTES DU MODÈLE L'AN DERNIER
AU QUÉBEC 524 (-14,1 %) **AU CANADA** 1 624 (-14,3 %)
DÉPRÉCIATION (%) 28,9 (3 ans)
RAPPELS (2011 à 2016) 1
COTE DE FIABILITÉ 5/5

GARANTIES... ET PLUS

GARANTIE GÉNÉRALE 3 ans/60 000 km
GROUPE MOTOPROPULSEUR 5 ans/100 000 km
COMPOSANTS système hybride 8 ans/160 000 km
PERFORATION 5 ans/kilométrage illimité
ASSISTANCE ROUTIÈRE 3 ans/60 000 km
NOMBRE DE CONCESSIONNAIRES
AU QUÉBEC 68 **AU CANADA** 248

NOUVEAUTÉS EN 2017

La Prius enfichable, renommée Prius Prime, adopte l'esthétique de la Prius 2016 et offre une autonomie améliorée, nouveaux ensembles d'aide à la conduite.

L'UNE NOUS BRANCHE PLUS QUE L'AUTRE

Modèle avant-gardiste, la Prius quatrième du nom cherche pourtant à rentrer dans les rangs. On se demande bien pourquoi. Le rôle de ce modèle n'était-il pas d'être un précurseur de cette technologie au même titre qu'une Classe S de Mercedes l'est dans le domaine du luxe automobile ? Vue sous cet angle, la nouvelle Prius nous déçoit plus qu'elle ne nous enchante.

Éric LeFrançois

TOUR DU PROPRIÉTAIRE > La quatrième génération se présente toujours sous les traits d'une berline cinq portes aux formes plus seyantes (la partie avant est plutôt réussie) et dont les dimensions tant intérieures qu'extérieures ne sont guère éloignées de celles du modèle qu'elle remplace. À noter que la V (modèle aux apparences d'une familiale) revient inchangée. La nouvelle venue est à peine moins lourde que le modèle qu'elle remplace, klaxonne davantage sa différence sur le plan du style - la partie arrière à tout le moins - et prend certains raccourcis techniques en offrant deux types de batterie (lithium-ion ou nickel hydrure de métal), selon la somme investie par le consommateur.

VIE À BORD > À bord, on apprécie l'habitabilité, la clarté, le silence, le confort général et une plus grande polyvalence. Dans ce domaine, la Prius a fait un prodigieux bond en avant. Le hayon s'ouvre sur une aire de chargement facile d'accès et plus spacieuse qu'autrefois. Cela a été rendu

+

- VERSION PRIME À PRIVILÉGIER
- PROMESSE TENUE EN MATIÈRE DE CONSOMMATION
- VOLUME UTILITAIRE

–

- ESTHÉTIQUE CONTROVERSÉE
- MOINS AVANT-GARDISTE QU'AUTREFOIS (MODÈLE ORDINAIRE)
- AGRÉMENT DE CONDUITE ENCORE FAIBLE

MENTIONS

CLÉ D'OR | CHOIX VERT | COUP DE CŒUR | RECOMMANDÉ

VERDICT

PLAISIR AU VOLANT
QUALITÉ DE FINITION
CONSOMMATION
RAPPORT QUALITÉ / PRIX
VALEUR DE REVENTE
CONFORT

1 5 10

possible en repositionnant la batterie dans l'habitacle, en éliminant la roue de secours et en révisant la suspension arrière. On s'étonne par ailleurs de retrouver - encore - un frein d'urgence traditionnel en lieu et place d'un modèle électrique plus moderne et la possibilité de colorier la console et quelques appliqués en blanc pur. Pas très joli. Cela a sans doute l'avantage d'égayer une présentation autrement bien sombre et de faire oublier la présence de quelques plastiques durs et sonores. Cela dit, le catalogue s'enrichit aussi de nouveaux accessoires, dont un affichage tête haute - une première sur ce modèle - plutôt attrayant. La position de conduite est simple à trouver et le fait d'être assis maintenant plus bas ajoute à la sensation de faire davantage « corps avec l'auto ».

TECHNIQUE > La nouveauté la plus attendue est sans contredit la version Prime à prise rechargeable. Cette dernière est en mesure de parcourir 35 kilomètres en mode tout électrique (dixit Toyota) et offre une autonomie digne d'une motorisation diesel (978 km). Ce modèle se distingue en outre de la version ordinaire par ses équipements plus élaborés mais aussi par sa plus grande légèreté.

AU VOLANT > Avant d'aborder les prestations routières, soulignons que pour la première fois, il est désormais possible de désactiver la fonction antipatinage de la Prius. Une modification qui ne manquera pas de réjouir les propriétaires des générations antérieures qui, trop souvent, se sont retrouvés coincés dans la neige... La nouvelle plate-forme de la Prius offre indéniablement un meilleur ressenti de la route. L'auto se positionne mieux dans les virages, prend moins de roulis. La direction procure aussi une meilleure sensation, même si elle demeure, en position centrale, plutôt inerte. L'auto se prend facilement en main, mais force est de reconnaître que, sur le plan dynamique, elle demeure en retrait par rapport aux intermédiaires offertes sur le marché. La souplesse de la suspension rend la Prius confortable, la tenue de cap apparaît moins aléatoire que sur le modèle précédent et le comportement, plus dynamique, conséquence de son centre de gravité plus bas. On note cependant une meilleure motricité, mais celle-ci est sans doute due à la présence d'aides à la conduite (antipatinage et antidérapage) plus efficaces qui permettent notamment d'atténuer le fort sous-virage (tendance du train avant à tirer tout droit) qui touchait la génération précédente. Le freinage, pour sa part, est apparu plus facile à moduler. Sans être époustouflants, les moteurs, dont l'intervention respective demeure à peine perceptible, permettent des performances de bon niveau. En dépit d'une puissance inférieure au modèle de la génération antérieure, la Prius apparaît tout aussi rapide en raison d'un couple qui se manifeste à un régime de rotation moins élevé qu'auparavant. Mais le plus important demeure la faible consommation.

CONCLUSION > Avec cette quatrième génération, Toyota illustre de manière encore convaincante sa maîtrise de la technologie hybride, mais on en attendait plus. La version Prime nous apparaît autrement plus convaincante. ■

FICHE TECHNIQUE

MOTEUR(S)

(PRIUS, PRIUS PRIME) L4 1,8 L à cycle Atkinson DACT + moteur électrique asynchrone à aimant permanent
PUISSANCE 98 ch à 5 200 tr/min+ moteur électrique 80 ch, 136 ch (total)
COUPLE 105 lb-pi à 4 000 tr/min, 142 lb-pi (total)
RAPPORT POIDS/PUISSANCE 10,3 à 10,4 kg/ch **Prime** ND
BOÎTE(S) DE VITESSES automatique à variation continue
PERFORMANCES 0-100 km/h 10,3 s
REPRISE 80-115 km/h 7,7 s
FREINAGE 100-0 km/h 39,2 m
VITESSE MAXIMALE 185 km/h
NIVEAU SONORE à 100 km/h Bon

AUTRES COMPOSANTS

SÉCURITÉ ACTIVE Freins ABS, assistance au freinage, répartition électronique de la force de freinage, contrôle électronique de la stabilité, antipatinage, aide au freinage en cas d'activation simultanée de l'accélérateur et des freins, avertisseur de collision imminente avec freinage d'urgence automatique, avertisseur et assistance en cas de sortie de voie, avertisseur d'obstacle latéral et arrière, régulateur de vitesse et phares adaptatifs, affichage tête haute
SUSPENSION avant/arrière indépendante/semi-indépendante
FREINS avant/arrière disques, avec récupération d'énergie
DIRECTION à crémaillère, assistée électriquement
PNEUS P195/65R15 **option** P215/45R17

DIMENSIONS

EMPATTEMENT 2 700 mm
LONGUEUR 4 480 mm
LARGEUR 1 745 mm
HAUTEUR 1 490 mm
POIDS 1 380 à 1 397 kg **Prime** ND
DIAMÈTRE DE BRAQUAGE 10,4 m
COFFRE 612 L
RÉSERVOIR DE CARBURANT 45 L **Prime** 43 L
BATTERIES Prius Nikel-hydrure de métal de 1,7 kWh
Prime Lithium-ion de 8,8 kWh

2e OPINION

Luc-Olivier Chamberland

Alors que les produits avec des motorisations alternatives continuent de se multiplier, la Prius reste bien haute au sommet des palmarès. D'ailleurs, peu importe à qui vous demanderez de nommer une voiture hybride, le premier véhicule qui viendra en tête est la Prius. Pour 2017, en plus de la gamme ordinaire, on revient avec une version enfichable, maintenant connue sous l'appellation Prime. Essentiellement, on récupère la mécanique, augmente la taille de la batterie, de son autonomie verte et lui donne un design unique qui fait le pont avec l'audacieuse Mirai à hydrogène. Que l'on opte pour l'hybride ou la version enfichable, on obtient une reine de la faible consommation sous la barre des 5 litres aux 100 kilomètres.

LA COTE VERTE

MOTEUR L4 DE 1,5 L HYBRIDE
CONSOMMATION (100 km) ville 4,5 L, route 5,1 L
CONSOMMATION ANNUELLE 799 L, 959 $
INDICE D'OCTANE 87
ÉMISSIONS POLLUANTES CO_2 1 838 kg/an
(source : ÉnerGuide)

FICHE D'IDENTITÉ

VERSION(S) Base, Technologie
TRANSMISSION(S) avant
PORTIÈRES 5 **PLACES** 5
PREMIÈRE GÉNÉRATION 2013
GÉNÉRATION ACTUELLE 2013
CONSTRUCTION Iwata City, Japon
COUSSINS GONFLABLES 9 (frontaux, latéraux avant, genoux conducteur, coussins sièges avant, rideaux latéraux)
CONCURRENCE Chevrolet Spark/Sonic, Fiat 500, Ford Fiesta, Honda Fit, Hyundai Accent, Kia Rio, Mitsubishi Mirage, Nissan Micra/Nissan Versa Note, smart fortwo, Toyota Yaris

AU QUOTIDIEN

COLLISION FRONTALE 4/5
COLLISION LATÉRALE 4/5
VENTES DU MODÈLE L'AN DERNIER
AU QUÉBEC 1 255 (+15,9 %) **AU CANADA** 3 029 (+9,1 %)
DÉPRÉCIATION (%) 29,1 (3 ans)
RAPPELS (2011 à 2016) aucun à ce jour
COTE DE FIABILITÉ 5/5

GARANTIES... ET PLUS

GARANTIE GÉNÉRALE 3 ans/60 000 km
GROUPE MOTOPROPULSEUR 5 ans/100 000 km
COMPOSANTS système hybride 8 ans/160 000 km
PERFORATION 5 ans/kilométrage illimité
ASSISTANCE ROUTIÈRE 3 ans/60 000 km
NOMBRE DE CONCESSIONNAIRES
AU QUÉBEC 68 **AU CANADA** 248

NOUVEAUTÉS EN 2017

Aucun changement majeur

UN SECRET BIEN GARDÉ

Si je vous posais une question, y répondriez-vous avec franchise ? Oui ? Vraiment ? D'accord. La voici donc. Depuis l'arrivée de la Prius en 2000, vous êtes vous déjà moqué du modèle, des gens qui le conduisent ou de leur façon de le faire ? Non ? Vous m'aviez pourtant promis de ne pas mentir... Plus sérieusement, il s'en dit des âneries sur la Prius 2000. C'est moins le cas aujourd'hui qu'hier, toutefois, car Toyota a gagné son pari avec cette voiture dont la raison d'être est de contribuer au sauvetage de la planète. Avec la variante C, vous pouvez y contribuer sans vous ruiner. Voilà certes l'un des secrets les mieux gardés de l'industrie.

Daniel Rufiange

TOUR DU PROPRIÉTAIRE > De façon générale, la division design de Toyota en arrache. Depuis quelques années, on a au moins le mérite d'essayer et on nous propose des produits plus distincts. Pas nécessairement beaux, mais distincts. C'est le cas de la Prius C, dont la coupe n'est ni jolie ni laide, mais sympa. Surtout, rareté dans l'industrie, on offre une palette de couleurs qui permet à l'acheteur de se reconnaître. C'est vivant!

La Prius C est livrable en deux configurations, soit Base et Technologie. De l'extérieur, des roues de 16 pouces plutôt que de 15, de même que la présence de phares antibrouillard et d'un toit

+
CONSOMMATION INTÉRESSANTE
AGRÉMENT DE CONDUITE FORT RESPECTABLE
VIVE LA DIFFÉRENCE : PRÉSENTATION, COLORIS, ETC.

−
UN PEU BRUYANTE SUR L'AUTOROUTE
PERFORMANCES ANÉMIQUES
VERSION TECHNOLOGIE TROP CHÈRE

MENTIONS

CLÉ D'OR | **CHOIX VERT** | COUP DE CŒUR | **RECOMMANDÉ**

VERDICT

PLAISIR AU VOLANT
QUALITÉ DE FINITION
CONSOMMATION
RAPPORT QUALITÉ / PRIX
VALEUR DE REVENTE
CONFORT

1 5 10

ouvrant permettant de reconnaître d'instinct la deuxième. Concernant la première, elle peut recevoir un groupe d'options qui rend son niveau d'équipement acceptable. J'y reviens.

VIE À BORD > Une fois aux commandes, la première impression est excellente. On s'étonne du niveau de confort des sièges et de l'excellente position de conduite. Quant à la présentation, elle est différente, sans être spectaculaire. Les indicateurs, juchés au centre et haut sur le tableau de bord, contiennent surtout des informations relatives à notre consommation. Il est même possible d'inscrire le prix du carburant afin de pouvoir calculer, en temps réel, combien nous coûtent nos déplacements. La console centrale cache quant à elle un écran tactile dont le principal défaut est le positionnement; on n'y voit rien en plein jour.

On n'a pas ce problème à bord de la version de base, passablement dénudée. En fait, concernant cette dernière, l'ajout du groupe amélioré, qui vous soulagera d'environ 900 $, ajoute la caméra de recul, le régulateur de vitesse, des réglages additionnels pour les sièges et une banquette divisible en proportion 60/40 à l'arrière. Il serait futile de s'en passer.

TECHNIQUE > Ici, la simplicité alors qu'un 4-cylindres à cycle Atkinson de 1,5 litre repose à l'avant. Son travail est épaulé par un moteur électrique. Puissance combinée des deux: 99 chevaux. La boîte de vitesse est de type CVT. Les freins permettent la régénération d'énergie afin de maximiser le rendement énergétique. On trouve des disques à l'avant, mais des tambours à l'arrière. Si cela peut sembler anormal en 2016, il faut savoir que Toyota ne déteste pas cette approche, elle qui l'applique sur l'actuelle génération de Tacoma. Dans le cas de la Prius C, considérant son poids, on ne le remarque même pas, sans compter que ça coûte moins cher.

AU VOLANT > Deux choses à retenir ici. Premièrement, la consommation, la raison principale pour laquelle on achète cette voiture. Toyota promet une moyenne de 4,7 litres aux 100 kilomètres. Lors d'un essai d'environ 600 kilomètres, j'ai obtenu un résultat de 5,2 litres avec une majorité de trajets sur autoroute. Or c'est en ville que l'hybridité est efficace. Là, il est possible de jouer autour des 4 litres. On commence à jaser. Cependant, c'est 2,5 ou 3 litres que l'on veut voir à la prochaine génération de ce modèle. Deuxièmement, la conduite. Sans vous dire que la Prius C peut talonner une MX-5 sur un circuit, on se plaît au volant. Le confort, la direction, la tenue de route, tout est fort acceptable pour une sous-compacte.

CONCLUSION > Indéniablement, la Prius C est une voiture intéressante. Cependant, il en faudra plus sur le plan de la consommation, et ce, dans un avenir rapproché. Pourquoi? Parce qu'une Honda Civic ou une Mazda 3, c'est plus convivial pour le même prix et ça consomme à peine plus. Toyota est sur la bonne voie, mais il va falloir pousser davantage pour demeurer pertinent. ■

2e OPINION

Luc-Olivier Chamberland

La citadine C continue son bout de chemin en 2017. On retrouve une voiture dont la ville, les espaces exigus et la vitesse réduite sont la terre de prédilection. Dans ce contexte, l'hybridation fonctionne à son meilleur. En étant vigilant, on peut rouler en mode électrique sur une base régulière. En incluant une portion d'autoroute, l'avantage de la consommation fond comme neige au soleil en passant au-delà des 5 litres aux 100 kilomètres. Tout n'est pas rose. Elle se présente avec une finition sous les standards habituels de Toyota, le plastique règne en maître et sa grille de tarifs se montre particulièrement élevée pour ce que l'on obtient, même en tenant compte de la technologie hybride.

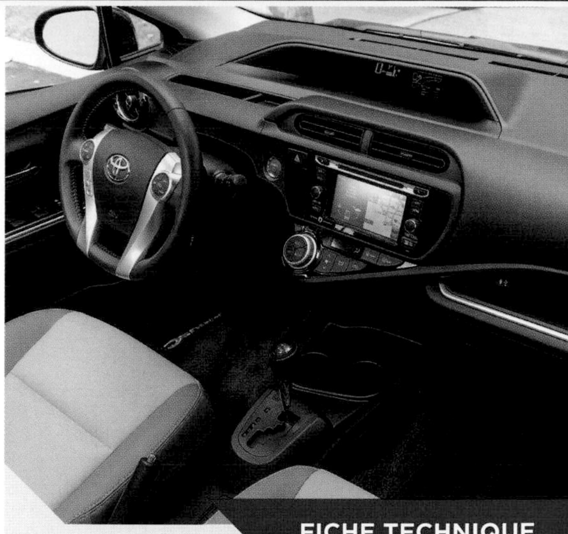

FICHE TECHNIQUE

MOTEUR(S)

(Base, Technologie) L4 1,5 L DACT à cycle Atkinson + moteur électrique
PUISSANCE 72 ch à 4 800 tr/min +60 ch moteur électrique, 99 ch total disponible
COUPLE 82 lb-pi à 4 000 tr/min +125 lb-pi moteur élect.
RAPPORT POIDS/PUISSANCE 11,4 kg/ch
BOÎTE(S) DE VITESSES automatique à variation continue
PERFORMANCES 0-100 km/h 11,0 s
REPRISE 80-115 km/h 7,8 s
FREINAGE 100-0 km/h 37,0 m
NIVEAU SONORE À 100 km/h Passable
VITESSE MAXIMALE 175 km/h

AUTRES COMPOSANTS

SÉCURITÉ ACTIVE Freins ABS, assistance au freinage, répartition électronique de la force de freinage, contrôle électronique de la stabilité, antipatinage, aide au freinage en cas d'activation simultanée de l'accélérateur et des freins
SUSPENSION avant/arrière indépendante/semi-indépendante
FREINS avant/arrière disques/tambours, à régénération d'énergie
DIRECTION à crémaillère, assistée électriquement
PNEUS P175/65R15 **Technologie** P195/50R16

DIMENSIONS

EMPATTEMENT 2 550 mm
LONGUEUR 3 995 mm
LARGEUR 1 695 mm
HAUTEUR 1 445 mm
POIDS 1 134 kg
RÉPARTITION DU POIDS AV/ARR (%) 61/39
DIAMÈTRE DE BRAQUAGE 9,6 m
COFFRE 481 L
RÉSERVOIR DE CARBURANT 36 L

LA COTE VERTE

MOTEUR L4 DE 1,8 L HYBRIDE
CONSOMMATION (100 km) ville 5,4 L, route 5,8 L
CONSOMMATION ANNUELLE 952 L, 1 142 $
INDICE D'OCTANE 87
ÉMISSIONS POLLUANTES CO_2 2 190 kg/an
(source: ÉnerGuide)

FICHE D'IDENTITÉ

VERSION(S) Base, Luxe, Technologie
TRANSMISSION(S) avant
PORTIÈRES 5 **PLACES** 5
PREMIÈRE GÉNÉRATION 2012
GÉNÉRATION ACTUELLE 2012
CONSTRUCTION Toyota City, Japon
COUSSINS GONFLABLES 7 (frontaux, latéraux avant, genoux conducteur, rideaux latéraux)
CONCURRENCE Ford C-Max/transit Conenct, Kia Niro, Lexus CT200h, Mazda5, Mercedes-Benz Classe B

AU QUOTIDIEN

COLLISION FRONTALE 4/5
COLLISION LATÉRALE 4/5
VENTES DU MODÈLE L'AN DERNIER
AU QUÉBEC 772 (+18,8 %) **AU CANADA** 2 497 (+8,9 %)
DÉPRÉCIATION (%) 29,9 (3 ans)
RAPPELS (2011 à 2016) 2
COTE DE FIABILITÉ 4/5

GARANTIES... ET PLUS

GARANTIE GÉNÉRALE 3 ans/60 000 km
GROUPE MOTOPROPULSEUR 5 ans/100 000 km
COMPOSANTS système hybride 8 ans/160 000 km
PERFORATION 5 ans/kilométrage illimité
ASSISTANCE ROUTIÈRE 3 ans/60 000 km
NOMBRE DE CONCESSIONNAIRES
AU QUÉBEC 68 **AU CANADA** 248

NOUVEAUTÉS EN 2017

Nouvelle palette de couleurs

GENTILLE FAMILIALE

La version v, c'est la *station-wagon* du clan Prius. Si elle vous intéresse, c'est d'abord parce que la conduite d'un véhicule hybride ne vous rebute pas et, ensuite, parce que vous ne détesteriez pas profiter d'un habitacle polyvalent. Ça tombe bien, le v tient pour «versatility». Tant qu'à être vert et sauver la planète, aussi bien se récompenser avec de l'espace pour nos bébelles! Mais la Toyota livre-t-elle la marchandise?

Michel Crépault

TOUR DU PROPRIÉTAIRE > La recette n'était pas très compliquée à mettre au point: prenez une Prius ordinaire - la première hybride à avoir foulé le sol canadien, soit dit en passant, en l'année de grâce 2000 - et allongez-lui son toit afin de créer un espace cargo digne de ce nom. À tout mesurer, la v est «plus toute» (longue, large, haute) que la Prius à hayon (bon, d'accord, la v a aussi un hayon, mais vous comprenez ce que je veux dire). Quand les dossiers 60/40 de sa banquette demeurent au garde-à-vous, le compartiment arrière peut avaler 971 litres de vos trésors (contre 612 pour «l'autre»); donnez-vous la peine de les rabattre et vous doublez sa capacité de chargement.

VIE À BORD > Si vous aimez les plastiques plus ou moins durs et pas très jojo, vous allez être servi, la cabine de la v en ruisselle. Et si vous êtes végétarien ou, en tout cas, un apôtre de

\+ MULTISEGMENT PAS VILAIN À REGARDER
HABITACLE POLYVALENT
CONSOMMATION ADÉQUATE

− UNE CONDUITE SANS ÉMOTION
OÙ EST L'ALERTE D'ANGLES MORTS?
AUTONOMIE ÉLECTRIQUE À AMÉLIORER

MENTIONS

CLÉ D'OR · CHOIX VERT · COUP DE CŒUR · RECOMMANDÉ

VERDICT

PLAISIR AU VOLANT
QUALITÉ DE FINITION
CONSOMMATION
RAPPORT QUALITÉ / PRIX
VALEUR DE REVENTE
CONFORT

1 5 10

la non-violence, vous serez content d'apprendre que ce qui ressemble à du cuir sur les sièges et le volant n'en est pas vraiment mais plutôt du SofTex. Toute l'information défile au milieu de la planche de bord sur deux écrans superposés bien éclairés et bien pratiques quand vous avez envie de tout savoir ce qui se passe dans les entrailles de l'hybride. Il faut débourser respectivement 2 000 $ et 6 000 $ pour les groupes d'options Luxe et Technologie, ce dernier incluant entre autres un toit panoramique (mais pas en verre, plutôt une résine plus légère) et un régulateur de vitesse intelligent.

La banquette s'incline et coulisse, ce qui est pratique selon la longueur des jambes à accommoder ou des bagages à entasser derrière. Sous le plancher de la soute se répand une cache secrète tandis que si vous n'utilisez pas le store censé dissimuler votre précieuse cargaison aux yeux des gens trop curieux, vous pouvez le ranger proprement.

TECHNIQUE > Recette connue ici aussi : 4-cylindres 1,8 litre à cycle Atkinson relié à un moteur électrique et à un bloc de batteries nickel-hydrure métallique pour un grand total de 136 chevaux. Ce qu'il manque en couple au moteur à essence à bas régime, le moulin électrique compense. Une transmission à variation continue (CVT) achemine le couple jusqu'aux roues avant. Le conducteur a le choix entre quatre modes : EV (électrique seulement pour une très courte distance ne dépassant pas un kilomètre), Eco, Normal (le choix de la majorité) et Power (on l'essaie, on remarque que les révolutions grimpent et que le moteur hurle davantage, puis on laisse tomber).

AU VOLANT > Le genre de comportement qui se dégage d'une Prius v a été pensé pour son client potentiel, c'est-à-dire quelqu'un qui n'a pas une once d'agressivité dans tout son être. Un conducteur à la personnalité opposée s'entêterait à négocier les virages un couteau entre les dents et découvrirait un roulis trop prononcé et du sous-virage. La clientèle visée, elle, ne se formalisera même pas du fait que la direction à assistance électrique ne communique de toutes façons pas assez d'informations pour corriger quoi que ce soit. Quant au freinage ouaté, caractéristique de la récupération de l'énergie cinétique, on s'habitue. Le 0-100 km/h confirme cette attitude douce avec un chrono de plus de 10 secondes. C'est davantage la consommation moyenne ville/autoroute de 5,7 litres aux 100 kilomètres qui retiendra l'attention du proprio. Une cote correcte mais qu'il serait temps que Toyota améliore, d'où l'arrivée imminente de la Prius Prime enfichable. Bref, on conduit zen et la vie est belle. Avant de mourir d'ennui ou de frustration, les autres font mieux de se tourner vers une Golf Sportwagon.

CONCLUSION > Voilà un produit Toyota - donc fiable - doté d'une technologie qui a fait ses preuves - fiabilité encore - et qui cherche à rejoindre des gens intéressés par un moyen de transport pratique et plutôt vert. Pour la passion, mauvais rayon. ■

2e OPINION

Daniel Rufiange

La Prius n'a plus besoin de présentation. L'image de l'hybridité, c'est elle qui la porte haut et fort. Au fil des calendriers, les générations se sont succédées, puis de nouvelles variantes sont apparues. Cette année, c'est la Prime qui va faire jaser. Quant à la Prius v, cela fait quelque temps qu'elle est parmi nous et, comme toute bonne Toyota, elle brille par son efficacité ET sa discrétion. Sur le plan du rendement, l'économie de carburant est au centre des priorités et on s'en tire bien de ce côté, même si près de 20 ans après l'arrivée de la première Prius, les cotes de consommation devraient être de 3 litres aux 100, pas 5. Pour ce qui est de l'agrément de conduite, tenez vos canettes de Red Bull à proximité; c'est à ce point anesthésiant.

FICHE TECHNIQUE

MOTEUR(S)

(V) L4 1,8 L à cycle Atkinson DACT + moteur électrique asynchrone à aimant permanent
PUISSANCE 98 ch à 5 200 tr/min+ moteur électrique 80 ch, 136 ch (total)
COUPLE 105 lb-pi à 4 000 tr/min, 142 lb-pi (total)
RAPPORT POIDS/PUISSANCE 11,1 kg/ch
BOÎTE(S) DE VITESSES automatique à variation continue
PERFORMANCES 0-100 km/h 10,4 s
REPRISE 80-115 km/h 7,7 s
FREINAGE 100-0 km/h 39,2 m
VITESSE MAXIMALE 175 km/h

AUTRES COMPOSANTS

SÉCURITÉ ACTIVE Freins ABS, assistance au freinage, répartition électronique de la force de freinage, contrôle électronique de la stabilité, antipatinage, aide au freinage en cas d'activation simultanée de l'accélérateur et des freins, aide au départ en pente, régulateur de vitesse adaptatif, phares adaptatifs, avertisseur de collision imminente avec freinage d'urgence automatique
SUSPENSION avant/arrière indépendante/semi-indépendante
FREINS avant/arrière disques
DIRECTION à crémaillère, assistée électriquement
PNEUS P205/60R16 **option** P215/50R17

DIMENSIONS

EMPATTEMENT 2 780 mm
LONGUEUR 4 630 mm
LARGEUR 1 775 mm
HAUTEUR 1 575 mm
POIDS 1 505 kg
DIAMÈTRE DE BRAQUAGE 11,0 m
COFFRE 971 L, 1 906 L (sièges abaissés)
RÉSERVOIR DE CARBURANT 45 L
BATTERIES Nikel-hydrure de métal de 1,7 kWh

TOYOTA RAV4

www.toyota.ca

LA COTE VERTE

MOTEUR L4 DE 2,5 L HYBRIDE
CONSOMMATION (100 km) ville 6,9 L, route 7,6 L
CONSOMMATION ANNUELLE 1 224 L, 1 469 $
INDICE D'OCTANE 87
ÉMISSIONS POLLUANTES CO_2 2 815 kg/an
(source : Énerguide)

FICHE D'IDENTITÉ

VERSION(S) 2RM LE+, XLE **4RM/Hybride** LE+, SE, XLE, Limited
TRANSMISSION(S) avant, 4
PORTIÈRES 5 **PLACES** 5
PREMIÈRE GÉNÉRATION 1997
GÉNÉRATION ACTUELLE 2013
CONSTRUCTION Woodstock, Ontario, Canada
COUSSINS GONFLABLES 8 (frontaux, latéraux avant, genoux conducteur, coussin du siège passager avant, rideaux latéraux)
CONCURRENCE Chevrolet Equinox/GMC Terrain, Dodge Journey, Ford Escape, Honda CR-V, Hyundai Tucson, Jeep Cherokee, Kia Sportage, Mazda CX-5, Mitsubishi Outlander, Nissan Rogue, Subaru Forester/Outback, Volkswagen Tiguan

AU QUOTIDIEN

COLLISION FRONTALE 4/5
COLLISION LATÉRALE 5/5
VENTES DU MODÈLE L'AN DERNIER
AU QUÉBEC 10 361 (+21,4 %) **AU CANADA** 42 246 (+15,3 %)
DÉPRÉCIATION (%) 22,2 (3 ans)
RAPPELS (2011 à 2016) 8
COTE DE FIABILITÉ 3,5/5

GARANTIES... ET PLUS

GARANTIE GÉNÉRALE 3 ans/60 000 km
GROUPE MOTOPROPULSEUR 5 ans/100 000 km
COMPOSANTS système hybride 8 ans/160 000 km
PERFORATION 5 ans/kilométrage illimité
ASSISTANCE ROUTIÈRE 3 ans/60 000 km
NOMBRE DE CONCESIONNAIRES
AU QUÉBEC 68 **AU CANADA** 248

NOUVEAUTÉS EN 2017

Ensemble d'aide à la conduite de série, nouvel ensemble Platine, abandon de la version de base, nouvelle palette de couleurs, nouvelles versions LE+ et SE du RAV4 hybride.

COMME UN GANT

Avec le Honda CR-V, le Ford Escape, le Mazda CX-5 et le Hyundai Tucson, le Toyota RAV4 est celui qu'on inscrit sur une liste d'achat lorsqu'on reluque un VUS de taille compacte. Chaque année, vous êtes nombreux à le choisir, pour sa qualité, sa valeur et sa grande fiabilité. Pour Toyota, c'est de l'argent en banque. L'an dernier, le produit était rafraîchi et une version hybride s'invitait au menu. Conséquemment, le produit est reconduit sans changements majeurs cette année.

Daniel Rufiange

TOUR DU PROPRIÉTAIRE > Je l'avoue, les lignes de cette génération ne m'ont jamais accroché. Le RAV4 a déjà été plus joli, disons. Que voulez-vous : les Japonais et le design automobile, ce n'est jamais gagné d'avance. Les changements apportés l'an dernier, principalement à la grille, ont eu pour effet d'épurer l'ensemble, un geste salutaire. Si seulement il était possible de se rabattre sur des couleurs pimpantes. Malheureusement, les coloris sont fades et dominés par des teintes situées entre le noir et le blanc. Seule la version hybride, proposée dans un bleu éclatant, sort du lot. Quatre habillages à l'index, soit LE+, XLE, SE et Limited. Les deux premiers peuvent être configurés avec ou sans la transmission intégrale. La variante hybride, qui profite de la motricité tous azimuts, se drape des mêmes ensembles.

+
- PLUS AGRÉABLE À CONDUIRE
- CONSOMMATION RAISONNABLE
- HABITACLE SOIGNÉ
- IMPRESSIONNANT DOSSIER DE FIABILITÉ

−
- VERSION HYBRIDE RÉSERVÉE AUX PLUS FORTUNÉS
- SILHOUETTE PEU INSPIRANTE
- VERSION DE BASE DÉNUDÉE
- N'OFFRE PAS LE MEILLEUR RAPPORT QUALITÉ-PRIX DE SA CATÉGORIE

MENTIONS

CLÉ D'OR | CHOIX VERT | COUP DE CŒUR | RECOMMANDÉ

VERDICT

PLAISIR AU VOLANT
QUALITÉ DE FINITION
CONSOMMATION
RAPPORT QUALITÉ / PRIX
VALEUR DE REVENTE
CONFORT

1 5 10

VIE À BORD > Si les stylistes de Toyota peinent à nous offrir un design extérieur accrocheur, ils ont fait des pas de géant à l'intérieur. En fait, à travers la catégorie, la présentation dont bénéficie le RAV4 se démarque. Depuis l'an dernier, le monopole du noir a été interrompu alors qu'une décoration à deux tons (noir et cannelle) peut désormais être choisie. Superbe, en passant. Mieux, le niveau de confort des sièges et la position de conduite sont excellents. Il en va de même pour l'insonorisation. Puis, bonne nouvelle pour ceux qui réfléchissent à la version hybride : cette dernière ne perd que 80 litres d'espace de chargement (2 000 contre 2 080).

TECHNIQUE > On retrouve une seule taille de moteur sous le capot, soit un 4-cylindres de 2,5 litres. Au service des versions non hybrides, il déploie 176 chevaux et 172 livres-pieds de couple; une puissance... correcte. Le bloc de la version hybride diffère, lui qui utilise le cycle Atkinson. Rappelons que ce dernier maximise l'économie de carburant en admettant moins d'air et moins de combustible. Son « défaut » : la perte de puissance. Heureusement, cette dernière est compensée par l'apport en énergie électrique, propre à toute motorisation hybride. Dans les faits, on gagne quelques chevaux avec cette variante et les performances sont plus probantes. Une boîte automatique à 6 rapports est partout, sauf à bord de la mouture hybride à laquelle est collée une boîte à variation continue.

AU VOLANT > Je le mentionnais l'an dernier avant de faire l'essai des modèles 2016 (qui sont arrivés sur le tard), la conduite du RAV4 était ennuyeuse, aseptisée au possible. Bonne nouvelle, Toyota a revu le châssis de son populaire VUS à la fin de 2015 et lui a, du coup, fait faire un grand pas dans la bonne direction. L'expérience est plus sentie derrière le volant et on se plaît davantage aux commandes. De fait, sur ce strict plan, le RAV4 retourne à l'avant-scène. On se calme, toutefois. Le RAV4 n'est pas devenu une bête de piste. Ce qu'il fait toujours de mieux, c'est de nous mener du point A au point B dans le plus grand des conforts, et surtout, en toute quiétude. Le dossier de fiabilité est irréprochable. Enfin, pour la consommation, calculez une différence d'environ 1,5 litre au cent entre la variante hybride et les autres. Le problème, c'est qu'elle n'est offerte que sur des habillages plus complets, plus onéreux. Où est la réelle économie pour le consommateur ?

CONCLUSION > Le RAV4 demeure une valeur sûre qui doit être placée en priorité sur votre liste d'achat si ce segment vous intéresse. L'offre est bonne et variée, toutefois. On vous conseille donc d'essayer plusieurs modèles. L'achat d'un véhicule, c'est comme le choix d'une paire de gants; ça doit nous aller... comme un gant. ■

2e OPINION

Antoine Joubert

Même si elles ne sont que mineures, les retouches esthétiques apportées l'an dernier lui ont fait le plus grand bien. On propose donc depuis 2016 un RAV4 plus élégant, surtout dans ses livrées les plus cossues. L'habitacle est également fort accueillant et, surtout, extrêmement bien aménagé. Les espaces de rangement, les commodités et la modularité des sièges en font l'un des VUS compacts les plus pratiques du marché. Bien sûr, conduire un RAV4 n'est pas très excitant, mais son comportement est honnête et fort équilibré. Le freinage manque un peu de mordant et le contrôle dynamique de stabilité est intrusif, mais la conduite demeure agréable. Mais, seule déception ? La consommation de carburant de la version hybride, à peine inférieure à celle de la version ordinaire. Est-ce que cette technologie aurait atteint ses limites ?

FICHE TECHNIQUE

MOTEUR(S)

(LE, XLE, SE, Limited) L4 2,5 L DACT
PUISSANCE 176 ch à 6 000 tr/min
COUPLE 172 lb-pi à 4 100 tr/min
RAPPORT POIDS/PUISSANCE 2RM 8,8 kg/ch **4RM** 9,2 kg/ch
BOITE(S) DE VITESSES automatique à 6 rapports avec mode manuel
PERFORMANCES 0-100 km/h 9,2 s
REPRISE 80-115 km/h 5,9 s
FREINAGE 100-0 km/h 39,7 m
NIVEAU SONORE À 100 km/h Moyen
VITESSE MAXIMALE 185 km/h
CONSOMMATION (100 km) 2RM ville 10,1 L, route 7,7 L
4RM ville 10,5 L, route 8,2 L (octane 87)
ANNUELLE 2RM 1 530 L, 1 836 $ **4RM** 1 615 L, 1 938 $
ÉMISSIONS DE CO_2 2RM 3 519 kg/an **4RM** 3 714 kg/an

(HYBRIDE) L4 2,5 L DACT à cycle Atkinson + moteur électrique
PUISSANCE 194 ch total
COUPLE 152 lb-pi de 4 400 à 4 900 tr/min
RAPPORT POIDS/PUISSANCE 9,2 kg/ch
BOÎTE(S) DE VITESSES automatique à variation continue avec mode manuel
PERFORMANCES 0-100 km/h 8,6 s
REPRISE 80-115 km/h 5,8 s
FREINAGE 100-0 km/h 39,7 m
VITESSE MAXIMALE 180 km/h (bridée)

AUTRES COMPOSANTS

SÉCURITÉ ACTIVE (certains en option) Freins ABS, assistance au freinage, répartition électronique de la force de freinage, contrôle électronique de la stabilité, aide au freinage en cas d'utilisation simultanée de l'accélérateur et des freins, antipatinage, avertisseurs de sortie de voie, d'obstacle latéral et de collision imminente, régulateur de vitesse et phares adaptatifs
SUSPENSION avant/arrière indépendante
FREINS avant/arrière disques
DIRECTION à crémaillère assistée électriquement
PNEUS P225/65R17 **SE/Limited** P235/55R18

DIMENSIONS

EMPATTEMENT 2 660 mm
LONGUEUR 4 570 mm **Hybride** 4 600 mm
LARGEUR 1 845 mm
HAUTEUR 1 660 mm, 1 705 mm incl. galerie de toit
POIDS 2RM LE 1 545 kg **XLE** 1 560 kg **4RM LE** 1 600 kg
XLE 1 615 kg **Limited** 1 620 kg **Hybride** 1 765 kg **Limited** 1 775 kg
DIAMÈTRE DE BRAQUAGE 10,6 m **Limited** 11,2 m
COFFRE 1 090 L, 2 080 L (sièges abaissés)
Hybride 1 010 L, 2 000 L (sièges abaissés)
RÉSERVOIR DE CARBURANT 60 L **Hybride** 56 L
CAPACITÉ DE REMORQUAGE 680 kg **Hybride** 795 kg

LA COTE VERTE

MOTEUR V8 DE 5,7 L
CONSOMMATION (100 km) ville 18,8 L, route 14,0 L
CONSOMMATION ANNUELLE 2 822 L, 3 386 $
INDICE D'OCTANE 87
ÉMISSIONS POLLUANTES CO_2 6 491 kg/an
(source : ÉnerGuide)

FICHE D'IDENTITÉ

VERSION(S) SR5, Limited, Platinum
TRANSMISSION(S) 4
PORTIÈRES 5 **PLACES** 8, 7 (Platinum)
PREMIÈRE GÉNÉRATION 2001
GÉNÉRATION ACTUELLE 2009
CONSTRUCTION Princetown, Indiana, É-U
COUSSINS GONFABLES 8 (frontaux, latéraux avant, genoux conducteur et passager, rideaux latéraux)
CONCURRENCE Chevrolet Tahoe/GMC Yukon, Ford Expedition, Nissan Armada

AU QUOTIDIEN

COLLISION FRONTALE 5/5
COLLISION LATÉRALE 5/5
VENTES DU MODÈLE L'AN DERNIER
AU QUÉBEC 71 (+6,0 %) **AU CANADA** 663 (-7,0 %)
DÉPRÉCIATION (%) 24,9 (3 ans)
RAPPELS (2011 à 2016) 1
COTE DE FIABILITÉ 5/5

GARANTIES... ET PLUS

GARANTIE GÉNÉRALE 3 ans/60 000 km
GROUPE MOTOPROPULSEUR 5 ans/100 000 km
PERFORATION 5 ans/kilométrage illimité
ASSISTANCE ROUTIÈRE 3 ans/60 000 km
NOMBRE DE CONCESSIONNAIRES
AU QUÉBEC 68 **AU CANADA** 248

NOUVEAUTÉS EN 2017

Aucun changement majeur

UN PEU D'ÉMONDAGE, SVP.

Il a fallu sept ans avant que Toyota redessine une première fois le Sequoia. C'était en 2008, l'année de naissance du modèle actuel. Si on suit cette logique, l'année 2016 aurait dû être celle du grand changement, mais ça n'a pas été le cas. Le Sequoia revient donc tel quel pour une dixième année. En coulisse, on entend parler d'un remplaçant, au plus tôt en 2018, au plus tard en 2020. S'il peut paraître étonnant de voir des plans poindre pour ce véhicule qui peine à se trouver des acheteurs, il faut comprendre qu'il y a une clientèle pour ce genre de produit. Il faut aussi compter sur une autre variante : la concurrence propose des offres similaires. Conséquemment...

Daniel Rufiange

TOUR DU PROPRIÉTAIRE > Dans le segment des VUS pleine grandeur, offrir un véhicule moderne et à la fine pointe ne semble pas une priorité pour les constructeurs. Qu'on regarde partout, les générations de produits se succèdent à un rythme très lent. Le Sequoia est aussi immobile sur le marché que l'arbre auquel il emprunte son nom. Dix ans, c'est une éternité à ce moment-ci de l'histoire où tout évolue à la vitesse grand V. Pour l'acheteur, il n'y a pas d'incitatifs à y aller avec un nouveau modèle. Les versions proposées sont toujours les mêmes, soit SR5, Limited et Platinum. Les ventes, faibles, nous aident à comprendre pourquoi

+
- NIVEAU DE CONFORT
- CAPACITÉ DE REMORQUAGE
- DOSSIER DE FIABILITÉ

−
- MODÈLE VIEILLISSANT, LE MOT EST FAIBLE
- CONSOMMATION GARGANTUESQUE
- TENUE DE ROUTE TRÈS SOMMAIRE
- PROPOSITION DÉPASSÉE EN MATIÈRE D'ÉQUIPEMENT ET D'OPTIONS

MENTIONS

CLÉ D'OR | CHOIX VERT | COUP DE CŒUR | **RECOMMANDÉ**

VERDICT

PLAISIR AU VOLANT
QUALITÉ DE FINITION
CONSOMMATION
RAPPORT QUALITÉ / PRIX
VALEUR DE REVENTE
CONFORT

1 5 10

Toyota ne déploie pas plus d'efforts pour moderniser sa bête. En revanche, une attention de ce côté stimulerait, un tant soit peu, l'intérêt des acheteurs.

VIE À BORD > Les dix ans du Sequoia sont surtout perceptibles lorsqu'on grimpe à l'intérieur. La planche de bord, pour un, montre un design qui a été pensé quelque part au milieu des années 2000. Dépassé. La qualité des matériaux, elle, doit être considérée comme bonne, mais inégale d'une version à l'autre. Surtout, les produits concurrents, plus modernes, font beaucoup d'ombre au Sequoia, un triste constat. Bref, qu'on se grouille le popotin si on veut être pris au sérieux. Heureusement, quelques éléments positifs retiennent l'attention. Le niveau de confort est irréprochable. À l'arrière, l'espace ne manque pas et on peut même profiter, sur la version Platinum, de son propre cinéma maison… à condition que quelqu'un prenne le volant pour nous. Enfin, lorsqu'on décide de libérer de l'espace à l'arrière, on peut obtenir un volume de chargement de 3 400 litres. Il y a des tentes-roulottes qui contiennent moins d'espace; j'exagère à peine.

TECHNIQUE > Justement, si vous avez une tente-roulotte à tracter, ça va être un jeu d'enfant, car le seul moteur offert, un V8 de 5,7 litres, livre des prestations convaincantes. Les 381 chevaux assurent des déplacements tout en douceur et les 401 livres-pieds de couple vous assurent que tout ce que vous allez arrimer à l'arrière va suivre sans coup férir. N'empêche, un regard à la statistique du 0-100 km/h nous fait réaliser que la masse à traîner est monumentale. Une cure minceur pour la prochaine génération, peut-être? Oh, eh oui, vous faites bien d'y penser, la consommation est proportionnelle à l'effort demandé. Au mieux, avec des conditions parfaites, c'est du 16,5 litres aux 100 kilomètres. Imaginez à -20 degrés en hiver, en ville!

AU VOLANT > Vous rappelez-vous le discours des plus vieux sur le confort de leurs vieilles voitures? Ils disaient «ça porte bien». En ce sens, le Sequoia porte effectivement bien, mais poussez-le un peu trop et il vous déportera dans le clos, assurément. La conduite de ce mastodonte exige quelques ajustements. Toute manœuvre doit être calculée, particulièrement au freinage; on ne peut déjouer les lois de la physique. La bonne nouvelle, c'est que les organes Toyota travaillent de manière exemplaire et que côté fiabilité, c'est 5 sur 5.

CONCLUSION > Le Sequoia s'adresse à quelques personnes qui ont des besoins spécifiques en matière d'espace et de capacité de remorquage. Ce n'est pas un mauvais véhicule, mais Toyota tarde tellement à le renouveler qu'il n'est plus le meilleur de son segment. On regarde ailleurs. ■

2e OPINION

Antoine Joubert

Comme si on avait oublié son existence, le Sequoia demeure une fois de plus identique au modèle de l'année précédente. Pas d'évolution ni même d'adaptation esthétique plus moderne comme celle qu'on a apportée à la camionnette Tundra en 2014 (il y a déjà trois ans). On a beau se rabattre sur la fiabilité du produit (qui demeure excellente), la clientèle se fait aussi exigeante quant au contenu et aux capacités du véhicule, nettement inférieurs à ceux de la concurrence. Même le Nissan Armada, considéré comme le dinosaure du segment, se renouvelle cette année, histoire de faire une saine compétition au populaire duo Tahoe/Yukon. On peut donc reléguer le Sequoia au rang de bon dernier, dans un segment encore très populaire en Amérique du Nord. En fait, j'explique même mal comment Toyota a réussi l'an dernier à vendre 71 Sequoia au Québec, soit environ une unité par concession. Sans doute la preuve que notre province regorge de vendeurs de talent…

FICHE TECHNIQUE

MOTEUR(S)

(SR5, LIMITED, PLATINUM) V8 5,7 L DACT
PUISSANCE 381 ch à 5 600 tr/min
COUPLE 401 lb-pi à 3 600 tr/min
RAPPORT POIDS/PUISSANCE 7,1 kg/ch
BOÎTE(S) DE VITESSES automatique à 6 rapports avec mode manuel
PERFORMANCES 0-100 km/h 8,0 s
REPRISE 80-115 km/h 5,1 s
FREINAGE 100-0 km/h 42,0 m
NIVEAU SONORE À 100 km/h Moyen
VITESSE MAXIMALE 200 km/h

AUTRES COMPOSANTS

SÉCURITÉ ACTIVE (selon version ou certains en option) Freins ABS, assistance au freinage, répartition électronique de la force de freinage, contrôle électronique de la stabilité, antipatinage, aide au freinage en cas d'activation simultanée de l'accélérateur et des freins, avertisseur d'obstacle latéral, régulateur de vitesse adaptatif
SUSPENSION avant/arrière indépendante, à amortissement adaptatif sur la version Platinum
FREINS avant/arrière disques
DIRECTION à crémaillère, assistée
PNEUS SR5 P275/65R18 **Limited/Platinum** P275/55R20

DIMENSIONS

EMPATTEMENT 3 100 mm
LONGUEUR 5 210 mm
LARGEUR 2 030 mm
HAUTEUR 1 955 mm
POIDS SR5 2 707 kg **Limited** 2 714 kg **Platinum** 2 721 kg
DIAMÈTRE DE BRAQUAGE 12,5 m
COFFRE 540 L, 1 886 L, 3 400 L (sièges abaissés)
RÉSERVOIR DE CARBURANT 100 L
CAPACITÉ DE REMORQUAGE SR5/Limited 3 221 kg **Platinum** 3 175 kg

LA COTE VERTE

MOTEUR V6 DE 3,5 L
CONSOMMATION (100 km) 2RM ville 12,5 L, route 9,0 L **4RM** ville 13,8 L, route 9,9 L (est.)
CONSOMMATION ANNUELLE 2RM 1 836 L, 2 203 $ **4RM** 2 023 L, 2 428 $
INDICE D'OCTANE 87
ÉMISSIONS POLLUANTES CO_2 2RM 4 223 kg/an **4RM** 4 653 kg/an
(source : L'Annuel)

FICHE D'IDENTITÉ

VERSION(S) 2RM Base, LE, SE, Limited **4RM** LE, XLE, XLE Limited
TRANSMISSION(S) avant, 4
PORTIÈRES 5 **PLACES** 7, 8 (SE/option LE)
PREMIÈRE GÉNÉRATION 1998
GÉNÉRATION ACTUELLE 2011
CONSTRUCTION Georgetown, Kentuky, É-U
COUSSINS GONFABLES 8 (frontaux, latéraux avant, genoux conducteur, coussin siège passager, rideaux latéraux)
CONCURRENCE Chrysler Pacifica/Dodge Grand Caravan, Honda Odyssey, Kia Sedona

AU QUOTIDIEN

COLLISION FRONTALE 4/5
COLLISION LATÉRALE 5/5
VENTES DU MODÈLE L'AN DERNIER
AU QUÉBEC 2 085 (-2,7 %) **AU CANADA** 13 981 (+20,6 %)
DÉPRÉCIATION (%) 25,0 (3 ans)
RAPPELS (2011 à 2016) 7
COTE DE FIABILITÉ 3,5/5

GARANTIES... ET PLUS

GARANTIE GÉNÉRALE 3 ans/60 000 km
GROUPE MOTOPROPULSEUR 5 ans/100 000 km
PERFORATION 5 ans/kilométrage illimité
ASSISTANCE ROUTIÈRE 3 ans/60 000 km
NOMBRE DE CONCESIONNAIRES
AU QUÉBEC 68 **AU CANADA** 248

NOUVEAUTÉS EN 2017

Moteur V6 3,5 litres maintenant à injection directe, boîte de vitesses automatique maintenant à 8 rapports.

UNE RECETTE ÉPROUVÉE

La Toyota Sienna de troisième génération roule sa bosse depuis 2010. Tout comme l'Odyssey, une remplaçante devrait se pointer le bout du nez sous peu, mais très peu d'information circule actuellement. Une variante hybride serait envisageable, mais il ne s'agit que d'une hypothèse. En attendant la relève, la Sienna, récipiendaire d'une cure de jeunesse en 2015, se contente pour 2017 d'une mise à jour mécanique.

Alexandre Crépault

TOUR DU PROPRIÉTAIRE > Si l'idée de passer inaperçu au volant de votre fourgonnette vous sourit, la Sienna est pour vous. Car au sein de son segment, elle est la moins jazzée du lot. Elle n'est pas laide. Je dirais même qu'elle est sobre et élégante avec son nez effilé et sa ceinture de caisse qui file d'une extrémité à l'autre. Soulignons aussi que la Sienna est la *minivan* la plus coûteuse sur le marché, ce qui ne l'a pas empêchée de décrocher le deuxième rang des ventes au Québec en 2015, derrière la Dodge Grand Caravan, bien sûr. Une bonne cote de sécurité, une fiabilité éprouvée, une valeur de revente sûre expliquent en partie ce succès, mais il y a plus...

VIE À BORD > À l'image de la carrosserie, l'intérieur est sobre, surtout versus l'Odyssey. Mais ça sent la qualité à plein nez. La planche de bord rappelle celle d'un autobus et place les

+
- VALEUR SÛRE
- TRANSMISSION INTÉGRALE
- HABITACLE RÉUSSI

–
- ONÉREUSE
- PLUS DISCRÈTE QUE LA CONCURRENCE
- FREINS UN PEU MOCHES

MENTIONS

CLÉ D'OR | CHOIX VERT | COUP DE CŒUR | **RECOMMANDÉ**

VERDICT

PLAISIR AU VOLANT
QUALITÉ DE FINITION
CONSOMMATION
RAPPORT QUALITÉ / PRIX
VALEUR DE REVENTE
CONFORT

1 5 10

commandes à portée de main. Une excellente note à l'écran tactile de 7 pouces, de série sauf sur la version de base. La caméra de recul, la climatisation trizone et les commandes audio au volant, qui comprennent la reconnaissance vocale et la connexion Bluetooth, font aussi partie de l'équipement standard et justifient les dollars supplémentaires.

Un éventail d'accessoires est proposé selon la variante choisie. Le système EasySpeak, qui amplifie la voix des passagers avant au profit des occupants arrière (grâce à un micro et des haut-parleurs), est exclusif à la Sienna. L'idée est bonne, mais l'exécution laisse à désirer. Par contre, pas d'aspirateur central. De plus, j'aurais aimé retrouver un système de divertissement au moins en option sur les versions moins huppées. L'accès, le confort et la polyvalence de l'habitacle sont tous des points forts de la Sienna, qui propose 7 ou 8 places selon le modèle sélectionné. L'option « sièges de type salon », offerte strictement avec le Limited, présente non seulement l'équivalent d'un La-Z-Boy, mais également des glissoires allongées qui facilitent l'accès aux places arrière et accommodent les longues jambes. Contrairement à la Sedona ou à l'Odyssey, les sièges de la deuxième rangée ne peuvent glisser de gauche à droite.

TECHNIQUE > Depuis plusieurs années, la Sienna peut se vanter d'être la seule minifourgonnette à utiliser la transmission intégrale, une option qui pèse probablement plus lourd au Québec. Autrement, cette mouture 2017 reçoit un nouveau V6 de 3,5 litres à injection directe qui produit 296 chevaux, ainsi qu'une nouvelle boîte de vitesse à 8 rapports.

AU VOLANT > Même équipée de l'AWD, je n'ai jamais entendu quelqu'un se plaindre d'un manque de puissance au volant d'une Sienna récente. Avec ses 30 chevaux supplémentaires, on ne pourra qu'apprécier l'extra *oomph*, tant et aussi longtemps que la nouvelle transmission réussira à limiter les dégâts sur le plan de la consommation de carburant. La direction à assistance électrique n'est pas aussi communicative que celle de l'Odyssey, mais la tenue de route demeure extrêmement stable malgré le haut centre de gravité. C'est certain qu'en faisant exprès, le train avant ne manquera pas de vous rappeler que la limite a été atteinte, mais je vois difficilement l'acheteur typique avoir ce genre d'attitude au volant de sa *minivan*. Ceux qui privilégient la tenue de route au confort apprécieront les suspensions plus fermes du modèle SE. Une note mitigée au freinage cependant à cause de la piètre sensation dans la pédale.

CONCLUSION > La Sienna et l'Odyssey adoptent deux approches différentes qui se traduisent par deux fourgonnettes aussi capables l'une que l'autre de combler les petites familles. Laquelle vous choisirez dépendra avant tout de vos préférences personnelles. Et n'oubliez pas la Sedona et la Pacifica, deux autres belles options qui viennent brouiller encore plus les cartes. ■

2e OPINION

Michel Crépault

Une fois qu'on apprend à faire fi du stigmate accolé à la conduite d'une fourgonnette, on peut en apprécier toutes les qualités, en particulier celles de la Sienna, une référence en la matière, l'éternelle rivale d'une autre championne de la catégorie, la Honda Odyssey. Ses vertus: l'espace intérieur, sa polyvalence, son plancher bas accueillant pour humains et bagages. Les nombreuses versions de la Sienna la rendent accessible à l'acheteur soucieux de qualité mais plus serré financièrement. La transmission intégrale, en option, n'est pas à dédaigner non plus, jumelée à un V6 éprouvé, fluide et relativement écoénergétique. Comme l'Odyssey, les places médianes sont lourdes à manipuler, mais l'espace reste modulaire. Beaucoup de plastique mais finition soignée et conduite douce, comme on en rêve pour tout voyage en famille !

FICHE TECHNIQUE

MOTEUR(S)

(V6) V6 3,5 L DACT
PUISSANCE 296 ch à ND tr/min
COUPLE ND
RAPPORT POIDS/PUISSANCE 6,6 à 7,2 kg/ch (est.)
BOÎTE(S) DE VITESSES automatique à 8 rapports avec mode manuel
PERFORMANCES 0-100 km/h 7,7 s (est.)
REPRISE 80-115 km/h 6,3 s
FREINAGE 100-0 km/h 39,7 m
NIVEAU SONORE À 100 km/h Moyen
VITESSE MAXIMALE 185 km/h

AUTRES COMPOSANTS

SÉCURITÉ ACTIVE Freins ABS, assistance au freinage, répartition électronique de la force de freinage, contrôle électronique de la stabilité, antipatinage, avertisseurs d'obstacle latéral et arrière
SUSPENSION avant/arrière indépendante/semi-indépendante
FREINS avant/arrière disques
DIRECTION à crémaillère, assistée électriquement
PNEUS Base/LE P235/60R17 **SE** P235/50R19
Limited/LE 4RM/XLE 4RM P235/55R18

DIMENSIONS

EMPATTEMENT 3 030 mm
LONGUEUR 5 085 mm
LARGEUR 1 985 mm
HAUTEUR Base/LE/XLE 1 795 mm **SE** 1 790 mm **4RM LE/XLE** 1 810 mm
POIDS Base 1 940 kg **LE** 1 965 kg **SE** 1 985 kg **XLE** 2 020 kg
LE 4RM 2 045 kg **XLE 4RM** 2 115 kg
RÉPARTITION DU POIDS AV/ARR (%) 56/44
DIAMÈTRE DE BRAQUAGE 11,3 m **4RM** 11,4 m
COFFRE 1 107 L, 4 248 L (sièges abaissés)
RÉSERVOIR DE CARBURANT 79 L
CAPACITÉ DE REMORQUAGE 1 585 kg

LA COTE VERTE

MOTEUR L4 DE 2,7 L
CONSOMMATION (100 km) 2RM ville 12,0 L, route 10,0 L
4RM ville 12,7 L, route 10,5 L
CONSOMMATION ANNUELLE 2RM 1 887 L, 2 264 $ **4RM** 1 989 L, 2 387 $
INDICE D'OCTANE 87
ÉMISSIONS POLLUANTES CO_2 2RM 4 340 kg/an **4RM** 4 575 kg/an
(source : ÉnerGuide)

FICHE D'IDENTITÉ

VERSION(S) 2RM cabine allongée Base **4RM cabine allongée** SR+, SR5 **cabine double** SR5, TRD Sport, TRD Hors-route, TRD Pro, Limited
TRANSMISSION(S) arrière, 4
PORTIÈRES 4 **PLACES** 4,5
PREMIÈRE GÉNÉRATION 1995
GÉNÉRATION ACTUELLE 2016
CONSTRUCTION San Antonio, Texas, É-U; Baja California, Mexique.
COUSSINS GONFLABLES 6 (frontaux, latéraux avant, rideaux latéraux)
CONCURRENCE Chevrolet Colorado/GMC Canyon, Honda Ridgeline, Nissan Frontier

AU QUOTIDIEN

COLLISION FRONTALE 5/5
COLLISION LATÉRALE 5/5
VENTES DU MODÈLE L'AN DERNIER
AU QUÉBEC 1 714 (+34,2 %) **AU CANADA** 11 772 (+18,0 %)
DÉPRÉCIATION (%) 21,0 (3 ans)
RAPPELS (2011 à 2016) 7
COTE DE FIABILITÉ 4/5

GARANTIES... ET PLUS

GARANTIE GÉNÉRALE 3 ans/60 000 km
GROUPE MOTOPROPULSEUR 5 ans/100 000 km
PERFORATION 5 ans/kilométrage illimité
ASSISTANCE ROUTIÈRE 3 ans/60 000 km
NOMBRE DE CONCESSIONNAIRES
AU QUÉBEC 68 **AU CANADA** 248

NOUVEAUTÉS EN 2017

Nouvelle version cabine double TRD Hors-route boîte courte avec boîte automatique à 6 rapports, version TRD Pro, fenêtre arrière électrique sur cabine double, sièges avant chauffants sur versions SR5

PROFITER DU MOMENTUM

Le segment de la camionnette intermédiaire connaît depuis peu un nouvel essor. Quelques concurrents comme le Colorado/Canyon et le Honda Ridgeline se sont renouvelés, ce qui contribue bien sûr à relancer un marché où tous les joueurs faisaient du surplace depuis trop longtemps. Évidemment, pas question pour Toyota de laisser passer le train sans y sauter à pieds joints. On renouvelait donc l'an dernier une camionnette qui, depuis dix ans, n'avait essentiellement connu aucune modification majeure.

Antoine Joubert

TOUR DU PROPRIÉTAIRE > Le Tacoma vit un succès monstre chez nos voisins du Sud. Les innombrables configurations offertes permettent bien sûr de rejoindre une plus vaste clientèle, mais le marché américain permet aussi de faire des folies et d'oser avec des versions qui ne pourraient être financièrement viables sur le marché canadien. Cela dit, Toyota a compris que la clientèle d'une camionnette intermédiaire diffère complètement de celle d'une pleine grandeur. Voilà pourquoi le constructeur mise fort sur l'attrait aventurier de ce camion, qui se distingue de ses rivaux par une allure drôlement plus costaude, presque militaire. Musclé sous tous les angles, le Tacoma demeure pourtant très semblable à son devancier. On reprend même, dans le cas du modèle à « Cabine Accès », la même cabine que sur le modèle précédent. À noter qu'on propose dans le cas du modèle à cabine double deux longueurs de caisse.

+
- STYLE PROVOCATEUR
- QUALITÉ DE CONSTRUCTION INDÉNIABLE
- CAPACITÉS HORS ROUTE SURPRENANTES
- FIABILITÉ ET VALEUR DE REVENTE

−
- POSITION DE CONDUITE INCONFORTABLE
- PRÉSENTATION INTÉRIEURE TRÈS PLASTIQUE
- MOTEUR 4 CYLINDRES VIEILLISSANT

MENTIONS

CLÉ D'OR | CHOIX VERT | COUP DE CŒUR | **RECOMMANDÉ**

VERDICT

PLAISIR AU VOLANT
QUALITÉ DE FINITION
CONSOMMATION
RAPPORT QUALITÉ / PRIX
VALEUR DE REVENTE
CONFORT

1 5 10

VIE À BORD > Une planche de bord toute nouvelle et nettement plus moderne est intégrée à la cabine du Tacoma, qui propose également beaucoup plus d'équipement. D'ailleurs, question de séduire une clientèle ayant soif d'aventure, on utilise même un support pour caméra GoPro juché au sommet intérieur du pare-brise. Malheureusement, la garde au sol élevée et le manque de dégagement en hauteur de la cabine affectent grandement le confort et la position de conduite, qui n'est certainement pas aussi agréable qu'avec le Chevrolet Colorado ou même le Nissan Frontier. Quant à la banquette arrière, elle n'est guère confortable, mais offre l'avantage d'être rabattable à plat afin d'optimiser le chargement de gros objets.

TECHNIQUE > Conscient que le précédent V6 du Tacoma était particulièrement assoiffé, Toyota a trimé dur pour accoucher d'un V6 aussi puissant que frugal. Évidemment, vous ne retrouverez pas avec ce V6 l'économie de carburant d'une Corolla, mais on parvient désormais à maintenir une moyenne combinée d'à peine 11,5 litres aux 100 kilomètres grâce à l'adoption d'un V6 à cycle Atkinson, aussi très généreux en couple. Ce dernier permet également de remorquer des charges atteignant 2 948 kilos (6 500 livres), et ce, sans que le camion ne souffre. Quant au 4-cylindres, aucune modification ne lui est apportée, ce qui explique sa consommation aujourd'hui aussi élevée qu'avec le V6. Ajoutons que son rendement plutôt ordinaire nous force à lui préférer le V6, beaucoup plus polyvalent.

AU VOLANT > Le confort obtenu à bord de cette camionnette varie beaucoup selon la version choisie. Un modèle TRD Hors Route à cabine allongée nécessitera un abonnement chez un chiropraticien, alors qu'une version Limited à cabine double sera en mesure de vous offrir un confort beaucoup plus douillet. Toutefois, les améliorations effectuées pour renforcer la structure et l'ajout de matériaux isolants augmentent grandement le sentiment de robustesse et le silence de roulement. Un après-midi de pur plaisir passé hors des sentiers battus m'a également permis de constater la solidité et les extraordinaires capacités hors route d'un camion qui, à ce compte, ferait mordre la poussière à toute concurrence.

CONCLUSION > Robuste, costaud et affichant un style totalement assumé, le Tacoma ne joue pas la carte du confort à l'américaine. Pour cela, Toyota affirme offrir un Tundra très « compétitif ». En revanche, si l'objectif est d'obtenir un camion increvable, capable de subir les pires sévices, tout en démontrant une fiabilité sans borne, le Tacoma est imbattable. Et bonne nouvelle, ce dernier s'accompagne du plus faible taux de dépréciation du segment. ■

2e OPINION

Luc-Olivier Chamberland

Le Tacoma résiste, solide comme le roc face à l'offensive de GM avec ses Colorado et Canyon. Il demeure à ce jour l'ultime référence dans l'univers des camionnettes intermédiaires. Ses capacités hors route sont tout simplement démesurées. Dans un tel environnement, on ne se lasse pas de jouer dans la boue. Sur la route, ses qualités deviennent vite des irritants. On conduit un vrai camion, donc le roulement sur pavé est plus inconfortable qu'à bord de ces équivalences de GM. Il n'en demeure pas moins que ses offres mécaniques sont intéressantes, notamment le V6 avec son cycle Atkinson qui réduit un tant soit peu la consommation.

FICHE TECHNIQUE

MOTEUR(S)

(2.7) L4 2,7 L DACT
PUISSANCE 159 ch à 5 200 tr/min
COUPLE 180 lb-pi à 3 800 tr/min
RAPPORT POIDS/PUISSANCE 11,2 à 11,8 kg/ch
BOÎTE(S) DE VITESSES manuelle à 5 rapports, automatique à 6 rapports
PERFORMANCES 0-100 km/h 11,5 s
VITESSE MAXIMALE 165 km/h

(V6) V6 3,5 L DACT à cycle Atkinson
PUISSANCE 278 ch à 6 000 tr/min
COUPLE 265 lb-pi à 4 600 tr/min
RAPPORT POIDS/PUISSANCE 6,9 à 7,1 kg/ch
BOÎTE(S) DE VITESSES automatique à 6 rapports, manuelle à 6 rapports (en option)
PERFORMANCES 0-100 km/h 8,1 s
REPRISE 80-115 km/h 5,2 s
NIVEAU SONORE À 100 km/h passable
VITESSE MAXIMALE 180 km/h (bridée)
CONSOMMATION (100 km) man. ville 13,6 L route 11,2 L **auto.** ville 13,1 L, route 10,5 L (octane 87)
ANNUELLE man. 2 125 L, 2 550 $ **auto.** 2 023 L, 2 428 $
ÉMISSIONS DE CO_2 man. 4 887 kg/an **auto.** 4 653 kg/an

AUTRES COMPOSANTS

SÉCURITÉ ACTIVE Freins ABS, assistance au freinage, répartition électronique de la force de freinage, contrôle électronique de la stabilité, antipatinage, aide au freinage en cas d'activation simultanée de l'accélérateur et des freins, avertisseur d'obstacle latéral et arrière, système de sélection de traction multiterrain, assistance au départ en pente
SUSPENSION avant/arrière indépendante/essieu rigide
FREINS avant/arrière disques/tambours
DIRECTION à crémaillère, assistée
PNEUS P245/75R16, P265/65R17 (option)

DIMENSIONS

EMPATTEMENT 3 235 mm **4x4 cab. dbl.** 3 570 mm
LONGUEUR 5 392 mm **4x4 cab. dbl. auto.** 5 727 mm
LARGEUR 1 889 mm **4X4 V6 man. et Limited** 1 910 mm
HAUTEUR 1 793 mm
POIDS 4X2 1 775 kg **4X4** 1 873 à 1 984 kg
DIAMÈTRE DE BRAQUAGE 12,4 m **cab. dble auto.** 13,4 m
RÉSERVOIR DE CARBURANT 80 L
CAPACITÉ DE REMORQUAGE L4 1 590 kg **V6** 2 721 à 2 948 kg

LA COTE VERTE

MOTEUR V8 DE 4,6 L
CONSOMMATION (100 km) 2RM ville 15,9 L, route 12,3 L
4RM ville 16,9 L, route 12,9 L
CONSOMMATION ANNUELLE 2RM 2 431 L, 2 917 $ **4RM** 2 567 L, 3 080 $
INDICE D'OCTANE 87
ÉMISSIONS POLLUANTES CO_2 2RM 5 591 kg/an **4RM** 5 904 kg/an
(source : ÉnerGuide)

FICHE D'IDENTITÉ

VERSION(S) 2RM cab. rég., cab. double Base, SR5 Plus **4RM cab. rég., cab. double, cab. crewmax** Base, SR5 Plus, TRD Pro, Limited, Platinum
TRANSMISSION(S) arrière, 4
PORTIÈRES 2,4 **PLACES** 2, 3, 5, 6
PREMIÈRE GÉNÉRATION 1999
GÉNÉRATION ACTUELLE 2014
CONSTRUCTION San Antonio, Texas, É-U
COUSSINS GONFABLES 8 (frontaux, latéraux avant, genoux conducteur et passager, rideaux latéraux)
CONCURRENCE Chevrolet Silverado/GMC Sierra, Ford F-150, Nissan Titan, Ram 1500

AU QUOTIDIEN

COLLISION FRONTALE 4/5
COLLISION LATÉRALE 5/5
VENTES DU MODÈLE L'AN DERNIER
AU QUÉBEC 2 345 (+24,0 %) **AU CANADA** 10 829 (+10,9 %)
DÉPRÉCIATION (%) 23,3 (3 ans)
RAPPELS (2011 à 2016) 5
COTE DE FIABILITÉ 3,5/5

GARANTIES... ET PLUS

GARANTIE GÉNÉRALE 3 ans/60 000 km
GROUPE MOTOPROPULSEUR 5 ans/100 000 km
PERFORATION 5 ans/kilométrage illimité
ASSISTANCE ROUTIÈRE 3 ans/60 000 km
NOMBRE DE CONCESSIONNAIRES
AU QUÉBEC 68 **AU CANADA** 248

NOUVEAUTÉS EN 2017

Abandon de la version SR5, les jantes Platinum remplacent les 1794, nouvelle palette de couleurs.

L'ÉTAU SE RESSERRE

On ne peut pas dire que Toyota lâche facilement le morceau. La camionnette Tundra est en service depuis plus d'une décennie déjà et les chiffres de ventes - à l'exception d'une ou deux années plus florissantes en Amérique du Nord - ne semblent pas vouloir décoller. Le monde de la camionnette pleine grandeur appartient aux Trois Grands et cette tendance risque de perdurer pendant un bon moment encore. Avec l'arrivée récente d'une camionnette Nissan Titan entièrement nouvelle, le «pickup» Toyota devra s'ajuster ou, du moins, trouver une manière d'attirer plus de consommateurs dans ses salles de montre.

Vincent Aubé

TOUR DU PROPRIÉTAIRE > L'année modèle 2017 n'en est pas une de changements rocambolesques pour la camionnette pleine grandeur Toyota. Outre l'ajout d'une livrée TRD PRO en 2016, le reste de la gamme demeure fidèle à l'alignement introduit en 2015. Déjà que la refonte apportée à la fin de 2014 avait été jugée timide, ce statu quo ne risque pas d'allonger les files d'attente aux portes des concessions Toyota du continent. Existant en plusieurs types de configurations (cabine simple, cabine allongée et cabine double), le Tundra propose aussi deux longueurs de boîtes de chargement afin de séduire un auditoire aussi vaste que possible. Des livrées de base aux versions les plus cossues, le Tundra sait se différencier par la quantité de chrome qui orne surtout sa portion avant. Quant au TRD PRO, il s'avère probablement le plus attrayant de la gamme avec

\+ ROBUSTE
QUALITÉ D'ASSEMBLAGE
FIABILITÉ

\- CONSOMMATION DE CARBURANT
POURQUOI PAS UNE TROISIÈME MÉCANIQUE ?

MENTIONS

CLÉ D'OR | CHOIX VERT | COUP DE CŒUR | **RECOMMANDÉ**

VERDICT

PLAISIR AU VOLANT
QUALITÉ DE FINITION
CONSOMMATION
RAPPORT QUALITÉ / PRIX
VALEUR DE REVENTE
CONFORT

1 5 10

sa grille de calandre plus rétro et son côté plus « robuste ». Toutefois, malgré cette injection de masculinité, le Ford Raptor n'a pas à s'inquiéter.

VIE À BORD > Le constructeur est réputé pour la qualité générale de ses habitacles. Le Tundra n'échappe pas à cette règle. Les matériaux retenus pour la planche de bord, les panneaux de portières, les accoudoirs et même la sellerie sont de bonne facture. Bien entendu, plus on monte en gamme, plus ceux-ci s'améliorent, mais même avec le prix plancher, le Tundra respire la qualité. Avec sa garde au sol prononcée, la camionnette nipponne oblige les passagers à escalader pour se rendre à bord de la cabine. L'absence de marchepieds sur les versions de base rend cet exercice plus ardu. La planche de bord est facile à utiliser au quotidien, les principales commandes étant de bonne dimension. Toyota n'a pas lésiné sur le confort de sa sellerie, un élément à considérer si vous comptez transporter votre petite famille. À ce sujet, optez pour la cabine CrewMax, beaucoup plus logeable que les autres.

TECHNIQUE > Pendant que les autres joueurs de la catégorie se modernisent, Toyota persiste à offrir le même duo de moteurs V8 à essence qui sont boulonnés sous le capot de la camionnette depuis des lunes. Non pas qu'ils ne sont pas recommandés, mais pour réaliser un coup d'éclat, le constructeur pourrait par exemple présenter une livrée hybride. N'est-il pas le champion de cette technologie? Et il existe certainement d'autres options. Chez FCA par exemple, le V6 EcoDiesel est un modèle de consommation de carburant, tandis que du côté de Ford, le V6 biturbo transforme le Raptor en une bête de conduite hors route. Pendant ce temps, chez Toyota, le calme plat. En entrée de gamme, le V8 de 4,7 litres constitue la solution la plus économe à la pompe, mais le V8, en option, n'est pas à dénigrer non plus, d'autant plus que sa puissance est équivalente à celle des concurrents, tout en affichant une consommation à peine supérieure. D'ailleurs, il serait peut-être temps de revoir le nombre de rapports dans la boîte automatique, n'est-ce pas ?

AU VOLANT > Le Tundra ne se démarque pas beaucoup des autres camionnettes. En fait, sa conduite est plus traditionnelle avec une suspension sautillante (sur chaussée irrégulière) et une direction certainement moins précise que celle constatée ailleurs dans le segment. La consommation de carburant oscille aux alentours des 15 litres aux 100 kilomètres et peut facilement grimper à 20 litres aux 100 kilomètres avec un pied droit exigeant. Mentionnons tout de même la belle sonorité de l'édition TRD PRO avec son échappement double à l'arrière et ses capacités légèrement accrues grâce à sa suspension plus robuste.

CONCLUSION > Avec l'étau qui se resserre autour du Toyota Tundra, son constructeur devra considérer une révision de certaines composantes. En fait, l'ajout d'un troisième choix de mécanique serait plus que bienvenu. La consommation de carburant de la catégorie s'améliore petit à petit, et Toyota devra s'ajuster à ce niveau. La bonne nouvelle, c'est que le Tundra demeure l'un des meilleurs en matière de fiabilité. ■

2e OPINION

Charles René

Il s'est vendu en 2015 tout au plus 10 829 exemplaires du Toyota Tundra sur le marché canadien. C'est pratiquement autant que les ventes mensuelles des Ford Série F. Cette rapide comparaison met en lumière la très faible empreinte du géant japonais dans un segment essentiellement partagé entre les trois grands constructeurs américains. On ne peut certes pas critiquer la qualité même du produit, cité parmi les camionnettes les plus fiables. Le rendement de ses mécaniques est aussi sans reproche. Son V8 de 5,7 litres est doux et puissant. C'est plutôt sur le plan de personnalisation de son offre que le Tundra souffre. Il traîne également de la patte côté capacité de remorquage et comportement routier, ce dernier aspect trahissant son âge avancé.

FICHE TECHNIQUE

MOTEUR(S)

(Cabine Double 2RM/4RM) V8 4,6 L DACT
PUISSANCE 310 ch à 5 600 tr/min
COUPLE 327 lb-pi à 3 400 tr/min
RAPPORT POIDS/PUISSANCE 7,4 à 7,9 kg/ch
BOÎTE(S) DE VITESSES automatique à 6 rapports avec mode manuel
PERFORMANCES 0-100 km/h 9,0 s
REPRISE 80-115 km/h 6,5 s
NIVEAU SONORE À 100 km/h Moyen
VITESSE MAXIMALE 185 km/h

(Autres Modèles) V8 5,7 L DACT
PUISSANCE 381 ch à 5 600 tr/min
COUPLE 401 lb-pi à 3 600 tr/min
RAPPORT POIDS/PUISSANCE 5,8 à 6,8 kg/ch
BOÎTE(S) DE VITESSES automatique à 6 rapports avec mode manuel
PERFORMANCES 0-100 km/h 8,0 s
VITESSE MAXIMALE 200 km/h
CONSOMMATION (100 km) 2RM ville 17,3 L, route 13,0 L
4RM ville 18,2 L, route 14,1 L (octane 87)
ANNUELLE 2RM 2 618 L, 3 142 $ **4RM** 2 771 L, 3 325 $
ÉMISSIONS DE CO_2 2RM 6 021kg/an **4RM** 6 373 kg/an

AUTRES COMPOSANTS

SÉCURITÉ ACTIVE Freins ABS, assistance au freinage, répartition électronique de la force de freinage, contrôle électronique de la stabilité, antipatinage, avertisseurs d'obstacle latéral et arrière
SUSPENSION avant/arrière indépendante/pont rigide
FREINS avant/arrière disques
DIRECTION à crémaillère, assistée
PNEUS P255/70R18, P275/65R18 **Limited** P275/55R20

DIMENSIONS

EMPATTEMENT 3 220 à 4 180 mm
LONGUEUR 5 340 à 6 290 mm
LARGEUR 2 030 mm
HAUTEUR 1 925 à 1 940 mm
POIDS 2 226 kg à 2 561 kg
DIAMÈTRE DE BRAQUAGE 12,0 à 14,9 m
RÉSERVOIR DE CARBURANT 100 L
CAPACITÉ DE REMORQUAGE 3 760 kg à 4 715 kg

LA COTE VERTE

MOTEUR L4 DE 1,5 L
CONSOMMATION (100 km) man. ville 7,7 L route 5,6 L
auto. ville 7,8 L route 6,6 L
CONSOMMATION ANNUELLE man. 1 207 L, 1 448 $ **auto.** 1 241 L, 1 489 $
INDICE D'OCTANE 87
ÉMISSIONS POLLUANTES CO_2 man. 2 776 kg/an **auto.** 2 854 kg/an
(source: ÉnerGuide)

FICHE D'IDENTITÉ

VERSION(S) 3 portes CE **5 portes** CE, LE, SE
TRANSMISSION(S) avant
PORTIÈRES 3, 5 **PLACES** 5
PREMIÈRE GÉNÉRATION 2000 (Echo)
GÉNÉRATION ACTUELLE 2012
CONSTRUCTION Onnaing, France
COUSSINS GONFLABLES 9 (frontaux, latéraux avant, genoux conducteur, coussins sièges conducteur et passager, rideaux latéraux)
CONCURRENCE Chevrolet Sonic, Ford Fiesta, Honda Fit, Hyundai Accent, Kia Rio, Nissan Versa Note

AU QUOTIDIEN

COLLISION FRONTALE 4/5
COLLISION LATÉRALE 5/5
VENTES DU MODÈLE L'AN DERNIER
AU QUÉBEC 4 719 (-8,0 %) **AU CANADA** 8 196 (-3,9 %) (incl. berline)
DÉPRÉCIATION (%) 20,1 (3 ans)
RAPPELS (2011 à 2016) 3
COTE DE FIABILITÉ 4/5

GARANTIES... ET PLUS

GARANTIE GÉNÉRALE 3 ans/60 000 km
GROUPE MOTOPROPULSEUR 5 ans/100 000 km
PERFORATION 5 ans/kilométrage illimité
ASSISTANCE ROUTIÈRE 3 ans/60 000 km
NOMBRE DE CONCESSIONNAIRES
AU QUÉBEC 68 **AU CANADA** 248

NOUVEAUTÉS EN 2017

Ensemble d'aide à la conduite de série, nouveau volant, tachymètre de série sur version CE, nouvelle palette de couleurs

DÉPASSÉE

Si vous avez écouté la saison 17 de RPM, vous vous souvenez sûrement de la véhémence avec laquelle Antoine et Benoit ont fait la critique de la Toyota Yaris berline. Toyota peut toujours blâmer Mazda, cette Yaris est une Mazda2 avec un autre écusson. Reste que, dans le cas de la version à hayon, il n'y a aucun refuge. Telle qu'on la connaît, c'est une désuétude indigne de Toyota. Existant à peu près sous cette forme depuis 2007, elle a beau avoir reçu des « améliorations », dont un « bec de canard » en 2015, elle est complètement dépassée.

Luc-Olivier Chamberland

TOUR DU PROPRIÉTAIRE > La Yaris a été redessinée en 2015, et on peut affirmer que ses designers l'ont balafrée. On essaie de lui insuffler une personnalité avec une allure distinctive, mais le résultat est triste. Pour s'assurer que l'on voie bien le détail au museau, on va même jusqu'à cadrer le tout d'applique de chrome! À l'arrière, on lui donne un « look » à l'européenne avec l'intégration de feux de recul uniques au pare-chocs. Pour le reste, regardez un modèle de 2007, c'est la même chose. La Yaris à hayon offre un avantage singulier avec une deuxième configuration à 3 portes en plus de la version en comportant 5. De l'aveu d'un membre de la direction de Toyota, le modèle à trois portes se veut construit sur mesure pour les services de livraison... Pensez St-Hubert ou Normandin!

+
- QUALITÉ URBAINE
- FIABILITÉ
- PARFAITE POUR LIVRER DES PIZZAS

−
- TECHNOLOGIES DÉSUÈTES
- DESIGN HIDEUX
- INCAPABLE DE JUSTIFIER LES PRIX

MENTIONS

CLÉ D'OR · CHOIX VERT · COUP DE CŒUR · RECOMMANDÉ

VERDICT

PLAISIR AU VOLANT
QUALITÉ DE FINITION
CONSOMMATION
RAPPORT QUALITÉ / PRIX
VALEUR DE REVENTE
CONFORT

1 5 10

VIE À BORD > Étant au bas de l'échelle de l'industrie, elle contient bien peu de choses dans la cabine. Les amateurs de pétrole plastifié seront au paradis. À l'exception de quelques appliques de vinyle peu convaincantes, tout est dur et présenté avec une texture douteuse. Toyota a toutefois eu la sagesse de lui donner une configuration classique. Fini l'époque de l'Echo avec un cadran indicateur central, on revient à la norme. Même si l'on opte pour la version « haut de gamme », on ne se perd pas dans l'équipement. En quelques secondes, on en a fait le tour. Pour l'espace, elle étonne toujours. Les dégagements sont bons pour quatre individus, dans la mesure où personne n'excède les six pieds. Au coffre, c'est une citadine, donc ses 286 litres feront l'affaire et si l'on va au Costco, on doit nécessairement rabattre le dossier arrière.

TECHNIQUE > La vocation urbaine de la Yaris dicte le choix unique de moteur. On obtient un 4-cylindres de 1,5 litre d'une puissance de 106 chevaux. Deux boîtes de vitesse sont possibles. La première, et celle à retenir, est une manuelle à 5 rapports avec un étagement court. Pour la deuxième, Toyota résiste à la tentation d'imposer une CVT. Il faut admettre que ce ne serait pas une mauvaise idée, considérant que l'on obtient à la place une désuète boîte à 4 rapports. En ville, ça passe, mais dès qu'on atteint l'autoroute, c'est une autre histoire. Le moteur monte inutilement en régime et exprime la torture qu'on lui impose.

AU VOLANT > Pour apprécier cette Yaris, on doit rester en ville. On bénéficie d'un diamètre de braquage très court, 9,6 mètres dans les versions de base. Avec la « stylisée » SE, vous perdrez cet avantage en raison de la taille des roues. On passe alors à 11 mètres, soit plus que sur un RAV4. Étant d'une grande simplicité, la direction se montre précise et se manipule avec aisance. La fermeté des suspensions nous brasse à souhait et comme l'empattement est très court, on ressent l'effet « balle de ping-pong » aux moindres imperfections. Les freins ont une tâche facile, puisque la voiture pèse à peine plus de 1000 kilos, mais là encore, ce n'est pas miraculeux. Juxtaposez le tout et vous réaliserez vite que ce n'est pas une expérience qui se fait dans la joie, c'est plutôt déprimant.

CONCLUSION > La Yaris à hayon est tout simplement hors jeu face à la concurrence. Sa conception d'une autre époque, le manque endémique de raffinement, l'expérience de conduite désolante en plus d'une grille de tarifs nettement trop élevée font que l'on est mieux d'aller voir ailleurs, et vite !

2e OPINION

Vincent Aubé

La catégorie des sous-compactes est actuellement en pleine mutation à cause de ces petits multisegments. La Yaris, un peu à l'image de la berline Corolla, fait appel à un groupe motopropulseur un peu vieillot. Pourtant, ce moulin légèrement poussif accomplit sa tâche à merveille, soit celle de briser le moins souvent possible. Les petites Yaris sont reconnues pour leur durabilité et c'est encore le cas aujourd'hui. Et ne vous méprenez pas, la berline Yaris n'a rien à voir avec celle-ci. Il s'agit en fait d'une Mazda2 déguisée en berline Toyota. La berline est sans contredit plus amusante à conduire, mais pour ce qui est de la fiabilité, je mettrais un p'til deux sur cette Yaris à hayon.

FICHE TECHNIQUE

MOTEUR(S)

(CE, LE, SE) L4 1,5 L DACT
PUISSANCE 106 ch à 6 000 tr/min
COUPLE 103 lb-pi à 4 200 tr/min
RAPPORT POIDS/PUISSANCE 9,7 à 9,9 kg/ch
BOÎTE(S) DE VITESSES manuelle à 5 rapports, automatique à 4 rapports (en option)
PERFORMANCES 0-100 km/h 11,1 s
REPRISE 80-115 km/h 8,2 s
FREINAGE 100-0 km/h 37,6 m
NIVEAU SONORE À 100 km/h passable
VITESSE MAXIMALE 180 km/h

AUTRES COMPOSANTS

SÉCURITÉ ACTIVE Freins ABS, assistance au freinage, répartition électronique de la force de freinage, contrôle électronique de la stabilité, antipatinage
SUSPENSION avant/arrière indépendante/ semi-indépendante
FREINS avant/arrière **CE/LE** disques/tambours **SE** disques
DIRECTION à crémaillère, assistée électriquement
PNEUS P175/65R15 **SE** P195/50R16

DIMENSIONS

EMPATTEMENT 2 510 mm
LONGUEUR 3 950 mm **SE** 3 930 mm
LARGEUR 1 695 mm
HAUTEUR 1 510 mm
POIDS man. 1 030 kg **auto.** 1 050 kg
DIAMÈTRE DE BRAQUAGE CE/LE 9,6 m **SE** 11,0 m
COFFRE 286 L
RÉSERVOIR DE CARBURANT 42 L

LA COTE VERTE

MOTEUR L4 DE 1,5 L
CONSOMMATION (100 km) man. ville 7,6 L route 5,7 L
auto. ville 7,2 L route 5,6 L
CONSOMMATION ANNUELLE man. 1 139 L, 1 367 $ **auto.** 1 088 L, 1 306 $
INDICE D'OCTANE 87
ÉMISSIONS POLLUANTES CO_2 man. 2 620 kg/an **auto.** 2 502 kg/an
(source : ÉnerGuide)

FICHE D'IDENTITÉ

VERSION(S) Base, Premium
TRANSMISSION(S) avant
PORTIÈRES 4 **PLACES** 5
PREMIÈRE GÉNÉRATION 2000 (Echo)
GÉNÉRATION ACTUELLE 2016
CONSTRUCTION Salamanca, Mexique
COUSSINS GONFLABLES 9 (frontaux, latéraux avant, genoux conducteur, coussins sièges conducteur et passager, rideaux latéraux)
CONCURRENCE Chevrolet Sonic, Ford Fiesta, Hyundai Accent, Kia Rio, Mitsubishi Mirage G4

AU QUOTIDIEN

COLLISION FRONTALE 4/5
COLLISION LATÉRALE 5/5
VENTES DU MODÈLE L'AN DERNIER
AU QUÉBEC 4 719 (-8,0 %) **AU CANADA** 8 196 (-3,9 %) (incl. Yaris hayon)
DÉPRÉCIATION (%) nm
RAPPELS (2011 à 2016) aucun à ce jour
COTE DE FIABILITÉ nm

GARANTIES... ET PLUS

GARANTIE GÉNÉRALE 3 ans/60 000 km
GROUPE MOTOPROPULSEUR 5 ans/100 000 km
PERFORATION 5 ans/kilométrage illimité
ASSISTANCE ROUTIÈRE 3 ans/60 000 km
NOMBRE DE CONCESSIONNAIRES
AU QUÉBEC 68 **AU CANADA** 248

NOUVEAUTÉS EN 2017

Freinage d'urgence automatique de série

UNE MAZDA DÉGUISÉE EN TOYOTA

Ce n'est pas la première fois qu'un constructeur achète à un autre constructeur des véhicules pour les revendre sous son nom. GM l'a souvent fait. Qu'on se souvienne, par exemple, du Chevrolet Tracker, qui était en fait un Suzuki Vitara. Dans ce cas-ci, Toyota a fait appel à Mazda pour obtenir une sous-compacte servant à remplacer son ancienne berline Yaris, un modèle inscrit au catalogue de la marque jusqu'en 2012. Cette Mazda2, qui n'est même pas offerte par nos concessionnaires Mazda, est donc devenue cette nouvelle berline Yaris.

Luc Gagné

TOUR DU PROPRIÉTAIRE > Assemblée à l'usine mexicaine de Mazda, cette Yaris devait être la Scion iA aux États-Unis, du moins jusqu'à ce que les stratèges de Toyota décident d'éliminer cette marque moribonde. Par rapport à la berline Mazda2, qu'on y produit également pour le Mexique et Puerto Rico, elle se reconnaît à son bouclier avant dont les formes s'harmonisent à celles d'une Yaris à hayon. Elle a également des phares et des feux arrière différents. Au Canada, cette berline se décline en deux versions : de base et Premium, cette dernière se reconnaissant à ses antibrouillards et à ses roues de 16 pouces en alliage d'aluminium.

+
- FINITION SOIGNÉE
- MOTEUR VIF
- CONSOMMATION (BOÎTE AUTOMATIQUE)

–
- SERVODIRECTION PERFECTIBLE
- RÉACTIONS OCCASIONNELLES DE LA SUSPENSION ARRIÈRE
- ÉVENTAIL DE PRIX PEU ATTRAYANT

MENTIONS

CLÉ D'OR | **CHOIX VERT** | COUP DE CŒUR | **RECOMMANDÉ**

VERDICT

PLAISIR AU VOLANT
QUALITÉ DE FINITION
CONSOMMATION
RAPPORT QUALITÉ / PRIX
VALEUR DE REVENTE nm
CONFORT

1 5 10

VIE À BORD > L'intérieur de la berline n'a naturellement rien à voir avec celui de sa contrepartie à 5 portes. Les habitués des produits Mazda le remarquent dès qu'ils aperçoivent l'écran tactile flottant de 7 pouces posé au centre du tableau de bord, une exclusivité de la Yaris Premium. Cette dernière est également dotée de sièges baquets chauffants, un équipement qui ne figure même pas au catalogue de la Yaris à hayon, pas plus d'ailleurs que le démarreur à bouton poussoir, de série pour la berline. Cette « Mazdayota » dispose aussi d'un volant inclinable et télescopique, alors que le volant de la Yaris à hayon n'est qu'inclinable. La berline se démarque par une finition soignée et des matériaux de plus belle qualité. Quant à son coffre, il est aussi volumineux que celui d'une berline Hyundai Accent, un modèle populaire de ce créneau. De plus, en repliant les dossiers asymétriques de sa banquette arrière, il est possible de prolonger la surface de chargement.

TECHNIQUE > En comparant le moteur de ces deux Yaris, on pourrait imaginer qu'elles proviennent d'un seul et même constructeur. Chacune est entraînée par un 4-cylindres de 1,5 litre à calage variable des soupapes et injection multipoint séquentielle, qui livre 106 chevaux et 103 livres-pieds de couple aux roues avant. Mais là s'arrête les similitudes, car le moteur Skyactiv de la berline a un taux de compression plus élevé (12,0 plutôt que 10,5 à 1) et il est jumelé à des boîtes de vitesse plus sophistiquées : deux boîtes à 6 rapports, une manuelle et une automatique. Pour la Yaris à hayon, Toyota se contente d'offrir une manuelle à 5 rapports et une automatique n'en ayant que 4. Qui plus est, la berline consomme moins de carburant que la Yaris à hayon, bien qu'elle soit plus lourde. Avec la boîte automatique, l'écart entre leurs cotes de consommation moyennes respectives atteint même 14 % !

AU VOLANT > Par rapport à la Yaris 5 portes, la berline paraît plus raffinée, par sa finition intérieure, la rigidité exemplaire de son châssis, l'étagement efficace des boîtes de vitesse et la vivacité du moteur. La boîte automatique dispose d'ailleurs d'un mode Sport, qui rend la réponse du moteur encore plus vive qu'en conditions normales. En revanche, la servodirection manque cruellement de précision et l'essieu arrière rigide rend cette voiture sensible aux défauts du revêtement, problème commun à la Yaris à hayon d'ailleurs. Le coffre a aussi une ouverture étroite, surtout à sa base, et courte, en plus d'un seuil élevé, trois écueils qui peuvent compliquer le chargement d'objets lourds ou encombrants.

CONCLUSION > La berline Yaris sert-elle seulement d'option pour les acheteurs aux tendances conservatrices en quête d'une petite berline ? Après tout, malgré sa conception plus raffinée, son habitacle n'offre pas la polyvalence de l'autre Yaris. Une comparaison avec la Toyota Corolla la déprécie encore plus. Dans ce cas, son habitacle s'avère moins spacieux (surtout ses places arrière) et sa mécanique, moins performante que celle de la populaire compacte. Bien entendu, le moteur de la petite berline est plus écoénergétique et son coffre a même un volume utile légèrement supérieur à celui de la Corolla. Mais les prix de ses différentes versions s'apparentent beaucoup trop aux prix des Corolla offrant une dotation comparable. Voilà autant de raisons pour douter de son attrait. ■

2e OPINION

Luc-Olivier Chamberland

Je pourrais résumer mon expérience à celle qu'Antoine et Benoit ont vécue avec la Yaris dans RPM, mais je vais me contenir un peu ! Personnellement, je ne la trouve pas vilaine du tout sur le plan du design. Par contre, je dois joindre ma voix à celle de mes illustres collègues lorsque j'aborde la question du comportement. Bien que ce soit une Mazda sur toute la ligne, on ne sent pas le Vroom-Vroom promis. Cette Yaris est une déception tant côté performances que côté tenue de route. Oui, elle se définit comme une citadine pour les jeunes branchés qui ont peur de sortir de la ville, mais il y a des limites.

FICHE TECHNIQUE

MOTEUR(S)

(Base, Premium) L4 1,5 L DACT
PUISSANCE 106 ch à 6 000 tr/min
COUPLE 103 lb-pi à 4 200 tr/min
RAPPORT POIDS/PUISSANCE 10,2 à 10,3 kg/ch
BOÎTE(S) DE VITESSES manuelle à 6 rapports, automatique à 6 rapports (en option)
PERFORMANCES 0-100 km/h 11,1 s
REPRISE 80-115 km/h 8,2 s
FREINAGE 100-0 km/h 37,6 m
NIVEAU SONORE À 100 km/h passable
VITESSE MAXIMALE 180 km/h

AUTRES COMPOSANTS

SÉCURITÉ ACTIVE Freins ABS, assistance au freinage, répartition électronique de la force de freinage, contrôle électronique de la stabilité, antipatinage
SUSPENSION avant/arrière indépendante/ semi-indépendante
FREINS avant/arrière disques/tambours
DIRECTION à crémaillère, assistée électriquement
PNEUS P185/60R16

DIMENSIONS

EMPATTEMENT 2 570 mm
LONGUEUR 4 361 mm
LARGEUR 1 695 mm
HAUTEUR 1 485 mm
POIDS man. 1 082 kg **auto.** 1 096 kg
DIAMÈTRE DE BRAQUAGE 9,8 m
COFFRE 382 L
RÉSERVOIR DE CARBURANT 44 L

LA COTE VERTE

MOTEUR L4 DE 1,8 L TURBO
CONSOMMATION (100 km) man. ville 9,5 L, route 6,9 L **auto.** ville 9,6 L, route 7,0 L
CONSOMMATION ANNUELLE man. 1 428 L, 1 714 $ **auto.** 1 445 L, 1 734 $
INDICE D'OCTANE 87
ÉMISSIONS POLLUANTES CO_2 man. 3 284 kg/an **auto.** 3 323 kg/an
(source : ÉnerGuide)

FICHE D'IDENTITÉ

VERSION(S) Coupé Denim **Coupé/Cabriolet** Trendline, Classic, Dune, #PinkBeetle (200 unités seulement)
TRANSMISSION(S) avant
PORTIÈRES 3, 2 **PLACES** 4
PREMIÈRE GÉNÉRATION 1998
GÉNÉRATION ACTUELLE 2012
CONSTRUCTION Puebla, Mexique
COUSSINS GONFABLES 4 (frontaux, rideaux latéraux)
CONCURRENCE Coupé : Fiat 500, Honda Civic Coupé, Kia Forte Koup, Mini Cooper, Subaru BRZ/Toyota 86, Volkswagen Golf 3dr
Cabriolet : Fiat 500c/124 Spider, Mini Cooper Cabriolet, Mazda MX-5

AU QUOTIDIEN

COLLISION FRONTALE 4/5
COLLISION LATÉRALE 5/5
VENTES DU MODÈLE L'AN DERNIER
AU QUÉBEC 744 (+7,8%) **AU CANADA** 2 347 (+14,8 %)
DÉPRÉCIATION (%) 34,6 (3 ans)
RAPPELS (2011 à 2016) 9
COTE DE FIABILITÉ 3/5

GARANTIES... ET PLUS

GARANTIE GÉNÉRALE 4 ans/80 000 km
GROUPE MOTOPROPULSEUR 5 ans/100 000 km
PERFORATION 12 ans/kilométrage illimité
ASSISTANCE ROUTIÈRE 4 ans/80 000 km
NOMBRE DE CONCESSIONNAIRES
AU QUÉBEC 43 **AU CANADA** 136

NOUVEAUTÉS EN 2017

Retouches esthétiques intérieures et extérieures avec becquet arrière de série, ensemble avertisseurs de série, version Dune coupé et décapotable, version coupé Denim, édition #PinkBeetle, la version Classic remplace la Comfortline, deux nouvelles couleurs : vert bouteille et argent Reflex.

SAVEURS ET COULEURS

Malgré des ventes décevantes parmi les compactes (il s'est écoulé plus de Chevrolet Volt que de Coccinelle en 2015 au Québec), VW n'a pas encore jeté l'éponge. On peut comprendre le constructeur. Il s'agit après tout d'un modèle mythique, qui doit être traité avec les égards dus à sa légende. Et puis, si BMW a su y faire avec la MINI, un autre véhicule du passé apprêté avec une sauce contemporaine, VW espère toujours dénicher la recette gagnante. Pour 2017, la liste des ingrédients comporte des éditions spéciales.

Michel Crépault

TOUR DU PROPRIÉTAIRE > Souvenez-vous : parce que la Beetle semblait n'intéresser que les femmes, on l'a virilisée un brin. Pour la nouvelle cuvée, on mélange des chromosomes avec une attitude unisexe et on propose des variantes originales. Ainsi, les messieurs apprécieront que le pare-chocs de l'ensemble R-Line soit désormais de série pour toutes les Beetle, de même que l'aileron arrière, même sur la Cabrio (50 % des ventes chez nous, seulement 25 % dans le ROC). La livrée Classic est de retour, mais sonne le glas de la Comfortline, tandis que les versions Denim et Dune méritent un temps de réflexion. En effet, après avoir touché le Cabrio en 2016, au tour du coupé en 2017 de recevoir le traitement Denim, tels la couleur et le tissu dans l'habitacle. Les roues Heritage de 17 pouces sont absolument craquantes. Même les pochettes à l'endos des dossiers avant arborent des coutures rouges semblables à celles de vos jeans. Le Dune, inspiré du prototype montré à Détroit en 2014, joue la carte du « dune buggy » en

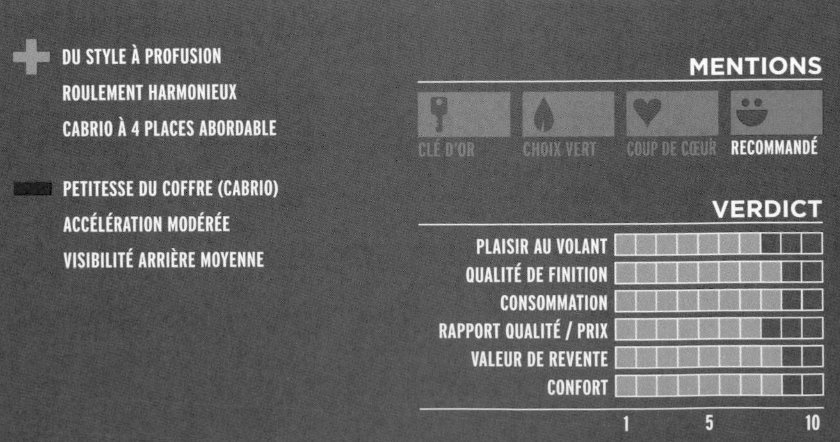

adoptant des contours tout-terrain et des centimètres supplémentaires, d'abord sous les traits d'un coupé, puis d'un Cabrio au printemps 2017. Sans oublier l'édition baptisée #PinkBeetle. Très rose ? Disons magenta. En fait, la teinte *Fresh Fuchsia Metallic* change d'apparence selon la lumière. Mais au moment où vous lirez ces lignes, vous devrez convaincre un particulier de vous céder la sienne, car seulement 200 exemplaires (dont 100 Cabrio) auront été promis au printemps, puis livrés en septembre.

VIE À BORD > Le tableau de bord est germanique par son côté symétrique, mais plus jojo que celui d'une Golf sans tomber dans l'excentricité d'une MINI. Parce que l'écran central élargi propose le CarPlay d'Apple, la navigation via votre iPhone rend caduque l'option offerte par le constructeur. Quand on examine la banquette arrière, on se dit qu'elle est invitante grâce à ses deux places (pas trois) clairement délimitées par des motifs heureux, mais qu'elle conviendra surtout à des culs-de-jatte. Erreur : outre le très bon dégagement pour la tête, vos rotules survivront si l'occupant devant les respecte.

TECHNIQUE > Offre on ne peut plus simplifiée depuis le retrait du 2-litres et du TDI envoyé au purgatoire : pour toutes les Beetle, un 4-cylindres 1,8 litre turbo de 170 chevaux. Le fait que la manuelle se contente de 5 vitesses prouve que la majorité des acheteurs se tourne de toute façon vers la Tiptronic à 6 rapports.

AU VOLANT > La première chose qui fait plaisir quand on conduit la Beetle, c'est sa docilité et sa douceur. L'impression européenne est bien en place, mais enrobée de réactions feutrées qui frôlent la soie. Les accélérations ne sont pas à l'emporte-pièce (calculez pas loin de huit secondes au test du 0-100 km/h, notamment à cause d'une transmission paresseuse), mais elles s'avèrent tout de même suffisantes pour assurer des dépassements sécuritaires. À bord du Cabrio, le toit baissé, ma casquette est restée en place sans que j'aie eu à la brocher, ce qui constitue toujours une preuve probante du succès des concepteurs de l'auto à dompter les turbulences éoliennes.

CONCLUSION > J'aimerais mener une étude de marketing pointue pour comprendre l'écart de popularité entre la Beetle et la MINI. Les deux se comparent non pas en matière de plaisir au volant (à ce chapitre, la MINI domine sans partage) mais en tant qu'objet culte. Les deux véhicules ont du design à revendre, les stylistes ayant sans doute carte blanche pour imaginer des coloris et des accessoires qui font triper. La VW a pour elle une meilleure praticabilité au quotidien et un comportement plus civilisé sur l'asphalte, mais l'autre allemande d'origine britannique projette une personnalité plus affûtée. D'où les nouvelles éditions spéciales de la Coccinelle pour secouer ses ventes léthargiques. ■

FICHE TECHNIQUE

MOTEUR(S)

(Tous) L4 1,8 L DACT turbo
PUISSANCE 170 ch à 6 200 tr/min
COUPLE 184 lb-pi de 1 500 à 4 750 tr/min
RAPPORT POIDS/PUISSANCE 7,9 à 8,6 kg/ch
BOÎTE(S) DE VITESSES manuelle à 5 rapports, automatique à 6 rapports avec mode manuel (en option)
PERFORMANCES 0-100 km/h 7,8 s
VITESSE MAXIMALE 209 km/h (bridée)

AUTRES COMPOSANTS

SÉCURITÉ ACTIVE Freins ABS, assistance au freinage, répartition électronique de la force de freinage, contrôle électronique de la stabilité, antipatinage, assistance en cas d'impact imminent
SUSPENSION avant/arrière indépendante
FREINS avant/arrière disques
DIRECTION à crémaillère, assistée hydrauliquement
PNEUS Trendline/+ P215/60R16 **Classic** P215/55R17

DIMENSIONS

EMPATTEMENT 2 537 mm
LONGUEUR 4 278 mm
LARGEUR 1 808 mm
HAUTEUR 1 486 mm
POIDS man. 1 337 kg **auto.** 1 366 kg **Cabrio auto.** 1 463 kg
DIAMÈTRE DE BRAQUAGE 10,8 m
COFFRE 440 L, 850 L (sièges abaissés) **Cabrio** 200 L
RÉSERVOIR DE CARBURANT 55 L
CAPACITÉ DE REMORQUAGE 386 kg

2e OPINION

Luc-Olivier Chamberland

Inutile de se raconter des histoires, la fin approche pour la Beetle. Après le succès monumental de la première génération « New » en 1998, on arrive en 2012 avec une évolution qui peine à séduire. La mode « rétro » s'efface et la principale victime est la Beetle. Aujourd'hui, pour tenter d'attirer le regard, on multiplie les variations sur le thème comme les modèles Dune ou même Denim. Sans succès, la Beetle plaît de moins en moins. Si la commercialisation commence à faiblir, ce n'est certainement pas en raison de sa qualité. Cette bibitte demeure un exemple d'agrément de conduite et l'on reconnaît l'esprit sportif des produits Volkswagen.

LA COTE VERTE

MOTEUR V6 DE 3,6 L
CONSOMMATION (100 km) ville 14,5 L, route 9,9 L (est.)
CONSOMMATION ANNUELLE 2 108 L, 2 530 $
INDICE D'OCTANE 87
ÉMISSIONS POLLUANTES CO_2 4 848 kg/an
(source : L'Annuel)

FICHE D'IDENTITÉ

VERSION(S) Wolfsburg VR6 4MOTION, R-Line
TRANSMISSION(S) 4
PORTIÈRES 4 **PLACES** 5
PREMIÈRE GÉNÉRATION 1990 (Canada)
GÉNÉRATION ACTUELLE 2009 (Passat CC)
CONSTRUCTION Emden, Allemagne
COUSSINS GONFABLES 6 (frontaux, latéraux avant, rideaux latéraux)
CONCURRENCE Acura TLX, Alfa Romeo Giulia, Audi A4, BMW Série 3/Série 4 Gran Coupé, Buick Regal, Cadillac ATS, Infiniti Q50, Jaguar XE, Lexus IS, Lincoln MKZ, Mercedes-Benz CLA/Classe C, Volvo S60

AU QUOTIDIEN

COLLISION FRONTALE 4/5
COLLISION LATÉRALE 5/5
VENTES DU MODÈLE L'AN DERNIER
AU QUÉBEC 1 665 (-14,0%) **AU CANADA** 5 838 (-22,4%) (incl. Passat)
DÉPRÉCIATION (%) 40,6 (3 ans)
RAPPELS (2011 à 2016) 2
COTE DE FIABILITÉ 4/5

GARANTIES... ET PLUS

GARANTIE GÉNÉRALE 4 ans/80 000 km
GROUPE MOTOPROPULSEUR 5 ans/100 000 km
PERFORATION 12 ans/kilométrage illimité
ASSISTANCE ROUTIÈRE 4 ans/80 000 km
NOMBRE DE CONCESSIONNAIRES
AU QUÉBEC 43 **AU CANADA** 136

NOUVEAUTÉS EN 2017

Édition finale Wolfsburg à 4RM et moteur VR6 en 4 couleurs: blanc, noir, bleu nuit et argent. La production se termine en décembre 2016.

BONSOIR, ELLE EST PARTIE!

La CC est un drôle d'oiseau. Nous l'avons d'abord connue en tant que Passat CC. Puis la berline à l'allure de coupé a obtenu le privilège de brandir seulement ses deux C (pour Comfort Coupe), car la Passat, de son côté, amorçait en 2012 une offensive américaine en devenant dodue et bon marché. La CC devait s'en dissocier. En fait, c'est comme si VW avait continué à assembler la CC pour se souvenir à quoi peut ressembler une intermédiaire svelte et agile...

Michel Crépault

TOUR DU PROPRIÉTAIRE > La dernière génération datait tout de même de 2009 et nous étions convaincus que 2017 allait nous en livrer une nouvelle, surtout après avoir admiré le concept Sport Coupe GTE à Genève en 2015. Surprise : la CC s'apprête plutôt à effectuer son dernier tour de piste. Sa production cessant en décembre 2016, elle ne sera pas de retour en 2018. Alors, pour ses quelques mois de sursis, VW nous a concocté une unique édition Wolfsburg à roues Talladega de 18 pouces qui s'en vient chasser du catalogue les variantes Sportline et Highline usuelles. L'ensemble optionnel R-Line (3700 $) ajoute des jupes latérales et des accents « Black Style » à la grille et aux rétroviseurs. Chose certaine, malgré les années, la CC séduit toujours. Particulièrement son pavillon, qui dépose au-dessus de longs flancs athlétiques un dôme sensuel, conférant une croupe de coupé à un véhicule pourtant bel et bien percé de quatre portières.

+
- SILHOUETTE TOUJOURS PLAISANTE
- VR6 ET 4MOTION
- COMPORTEMENT À LA FOIS SAIN ET SPORTIF

–
- MATÉRIAUX INÉGAUX
- UNE LIVRÉE, UN POINT C'EST TOUT!
- DERNIÈRE ANNÉE...

MENTIONS

CLÉ D'OR | CHOIX VERT | COUP DE CŒUR | **RECOMMANDÉ**

VERDICT

Critère	Note (1-10)
PLAISIR AU VOLANT	8
QUALITÉ DE FINITION	8
CONSOMMATION	7
RAPPORT QUALITÉ / PRIX	8
VALEUR DE REVENTE	8
CONFORT	8

VIE À BORD > Au départ, la CC marie une certaine opulence mais présentée d'une manière qui tient davantage du minimalisme que du tape-à-l'œil. Sans tomber dans l'américanisation de la Passat mais sans non plus éviter l'abondance de plastique, la version Wolfsburg garantit des sièges sport drapés de cuir nappa, un tableau de bord aux garnitures plus huppées et un système de navigation. L'ensemble R-Line ajoute un panneau de toit ouvrant panoramique, un volant sportif et des touches de fibre de carbone.

Contrairement à ce que vous pourriez penser en admirant l'arc du toit, les passagers de la banquette n'ont pas besoin de rentrer la nuque pour protéger leur permanente. En fait, le dégagement tous azimuts étonne. Le plus difficile pour les personnes de grande taille se borne à accéder aux places arrière sans se scalper.

TECHNIQUE > C'est drôle comme la vie change : pour la cuvée 2016, VW avait tassé le VR6 de 3,6 litres FSI, la transmission intégrale 4Motion et la boîte manuelle en faveur du 4-cylindres turbocompressé 2.0T de 200 chevaux associé à la transmission robotisée DSG à 6 rapports, un tandem qui expédiait le couple aux roues avant. Pour son chant du cygne, virage total : retour du VR6 de 280 chevaux (qui, bonne nouvelle, se contente d'essence régulière) et du rouage aux quatre roues. La boîte manuelle, par contre, reste planquée dans sa maison de retraite.

AU VOLANT > Vous savez déjà ce que veut dire une « conduite à l'européenne », c'est-à-dire un châssis qui semble avoir été conçu à l'abri des cratères, une direction à la fois lourde et agile (imaginez un haltérophile qui aurait conservé sa souplesse...) et une telle assurance dans les virages qui fait que plus on enfile de courbes, plus on en redemande. C'est ce genre de comportement que propose la CC, mais sans jamais mettre en péril le bien-être de ses occupants. Autrement dit, comme son acronyme le suggère, nous avons véritablement entre les mains une auto qui se conduit comme un Coupé, mais qui n'oublie jamais son Confort. Comme en plus le système 4Motion se joint au party d'adieu, on se retrouve en bonne compagnie. Et même si le toit chute à l'arrière avec la complicité de gracieux piliers C, la visibilité n'en souffre pas vraiment.

CONCLUSION > Le sort de la CC m'a toujours fait penser à celui de la Mazda6 : deux excellentes voitures mais boudées par le public pour des raisons encore obscures. D'ailleurs, j'ai eu beau éplucher les statistiques de ventes de véhicules au Québec pour 2015, nulle trace de la CC comme telle, puisque ses chiffres sont avalés par ceux de la Passat. J'ai peine à croire que VW ne sortira pas éventuellement une digne remplaçante. En attendant, la chasse aux aubaines est ouverte !

2e OPINION

Antoine Joubert

En mars 2015, Volkswagen dévoilait à Genève la Sport Coupe Concept GTE, une voiture qui, selon toute vraisemblance, était destinée à prendre la relève de l'actuelle CC. Hélas, cette dernière se fait toujours attendre, si bien que Volkswagen continue de nous offrir en 2017 une CC esthétiquement inchangée. En contrepartie, Volkswagen simplifie la gamme cette année en revenant curieusement avec une unique version Wolfsbürg à moteur VR6 et transmission intégrale, laquelle est offerte à prix plus attrayant que jamais. Une formule certes à contre-courant, mais qui permettra de relancer temporairement un modèle en fin de carrière avant que ne vienne la nouvelle génération. En quelques mots, une voiture géniale à conduire, toujours aussi belle qu'à ses premiers jours, qui a certes vieilli, mais qui demeure aussi originale qu'efficace. Son seul gros défaut ? Une consommation de carburant plutôt... voire très élevée...

FICHE TECHNIQUE

MOTEUR(S)

(Wolfsburg) V6 3,6 L DACT
PUISSANCE 280 ch à 6 200 tr/min
COUPLE 265 lb-pi à 2 750 tr/min
RAPPORT POIDS/PUISSANCE 6,2 kg/ch
BOÎTE(S) DE VITESSES automatique à 6 rapports avec mode manuel
PERFORMANCES 0-100 km/h 6,6 s
FREINAGE 100-0 km/h 41,4 m
VITESSE MAXIMALE 209 km/h (bridée)

AUTRES COMPOSANTS

SÉCURITÉ ACTIVE (certains en option) Freins ABS, assistance au freinage, répartition électronique de la force de freinage, contrôle électronique de la stabilité, antipatinage, assistance au départ en pente, assistance en cas d'impact imminent, système d'aide au dépassement, phares automatiques
SUSPENSION avant/arrière indépendante
FREINS avant/arrière disques
DIRECTION à crémaillère, assistée électriquement
PNEUS P235/40R18

DIMENSIONS

EMPATTEMENT 2 711 mm
LONGUEUR 4 802 mm
LARGEUR 1 855 mm
HAUTEUR 1 417 mm
POIDS 1 750 kg
RÉPARTITION DU POIDS AV/ARR (%) 59/41
DIAMÈTRE DE BRAQUAGE 10,9 m
COFFRE 374 L
RÉSERVOIR DE CARBURANT 70 L

LA COTE VERTE

L4 DE 1,8 L TURBO
CONSOMMATION (100 km) man. ville 9,3 L, route 6,4 L
auto. ville 9,3 L, route 6,5 L **CONSOMMATION ANNUELLE man.** 1 360 L, 1 632 $
auto. 1 377 L, 1 652 $ **INDICE D'OCTANE** 87
ÉMISSIONS POLLUANTES CO_2 man. 3 128 kg/an **auto.** 3 167 kg/an
(source : Énerguide)

FICHE D'IDENTITÉ

VERSION(S) 3 Portes Trendline, GTI, GTI Autobahn, R **5 Portes** Trendline, Comfortline, Highline, GTI Performance, GTI Autobahn, R **SportWagen** Trendline, Comfortline, Highline 4MOTION **Alltrack**
TRANSMISSION(S) avant, 4
PORTIÈRES 3, 5 **PLACES** 5
PREMIÈRE GÉNÉRATION 1976
GÉNÉRATION ACTUELLE 2015
CONSTRUCTION Wolfsburg, Allemagne
COUSSINS GONFLABLES 6 (frontaux, latéraux avant, rideaux latéraux)
CONCURRENCE Chevrolet Cruze, Ford Focus, Honda Civic, Hyundai Elantra, Kia Forte/Koup, Mazda3, MINI Cooper /S /JCW/Clubman, Mitsubishi Lancer Sportback, Subaru Impreza/WRX, Toyota Corolla/iM

AU QUOTIDIEN

COLLISION FRONTALE 5/5
COLLISION LATÉRALE 5/5
VENTES DU MODÈLE L'AN DERNIER
AU QUÉBEC 7 882 (+85,0 %) **AU CANADA** 20 515 (+112 %)
DÉPRÉCIATION (%) 34,7 (3 ans)
RAPPELS (2011 à 2016) 12
COTE DE FIABILITÉ 3/5

GARANTIES... ET PLUS

GARANTIE GÉNÉRALE 4 ans/80 000 km
GROUPE MOTOPROPULSEUR 5 ans/100 000 km
PERFORATION 12 ans/kilométrage illimité
ASSISTANCE ROUTIÈRE 4 ans/80 000 km
NOMBRE DE CONCESSIONNAIRES AU QUÉBEC 43 **AU CANADA** 136

NOUVEAUTÉS EN 2017

Ensemble avertisseurs de série. GTI: abandon de la version Performance, ensemble aide à la conduite de série.
SportWagen : 4RM disponible sur toutes les versions à boîte de vitesses automatique. R: interface HMI et avertisseur d'obstacle latéral de série. Ventes de diesel suspendues jusqu'à nouvel ordre.

RETOUR EN FORCE

Renouvelée en 2013... mais en 2015 pour le marché nord-américain (!), la Golf connaît depuis un succès monstre, qui nous ramène aux beaux jours de ce modèle. Il faut dire que pendant quelques années, cette compacte plus onéreuse que la Jetta avait du mal à justifier sa facture. Chez nos voisins du Sud, l'insuccès de la Golf fut tel qu'à une certaine époque, la GTI constituait le modèle le plus populaire de la gamme. C'est donc en revoyant sa stratégie que Volkswagen a su avec sa Golf regagner la faveur du public, rejoignant plus de 20 000 acheteurs canadiens l'an dernier.

Antoine Joubert

TOUR DU PROPRIÉTAIRE > Commençons par les mauvaises nouvelles. Toujours pas de Golf Cabriolet au menu (un jour peut-être...), ni de e-Golf (Golf électrique), laquelle est offerte dans plusieurs États américains. Est-ce que le nouveau projet de loi du gouvernement Trudeau pourrait forcer Volkswagen à nous l'offrir ? Et bien sûr, au moment d'écrire ces lignes, toujours pas de retour officiel du TDI, pour les raisons que vous connaissez. Qu'à cela ne tienne, Volkswagen propose pour 2017 une panoplie invraisemblable de versions, ainsi que trois choix de carrosseries. C'est d'ailleurs parce que Volkswagen ne fait rien comme les autres qu'on persiste toujours à présenter une familiale (SportWagen) ainsi qu'un modèle à 3 portes. Vous pensiez à une Golf ordinaire? Vous aurez donc le choix entre un modèle à hayon à 3 ou 5 portes, ainsi qu'à la familiale. Passez à la GTI,

+
- COMPORTEMENT ROUTIER
- QUALITÉ D'ASSEMBLAGE ET DE FINITION
- POLYVALENCE (SPORTWAGEN)
- GOLF R... WOW !
- TRANSMISSION INTÉGRALE DISPONIBLE (SPORTWAGEN)

−
- BOÎTE MANUELLE À 5 RAPPORTS (SAUF GTI/R)
- CALIBRATION DE L'ABS/ESP À REVOIR (1,8 LITRE)
- TOUJOURS PAS DE E-GOLF AU CANADA
- VERSION HIGHLINE ONÉREUSE

MENTIONS

CLÉ D'OR | CHOIX VERT | COUP DE CŒUR | RECOMMANDÉ

VERDICT

PLAISIR AU VOLANT
QUALITÉ DE FINITION
CONSOMMATION
RAPPORT QUALITÉ / PRIX
VALEUR DE REVENTE
CONFORT

1 5 10

et on élimine l'option de la familiale, alors que la puissante Golf R n'est offerte chez nous qu'en 5 portes. Cela dit, la grande nouveauté au sein de la famille Golf se nomme cette année Alltrack. Très attendue, cette dernière reprend essentiellement le principe de la Subaru Outback, en proposant une robe de Golf SportWagen plus haute sur pattes, ornée d'arches d'ailes et de bas de caisse de couleur contrastante. Avec un traitement esthétique distinctif et, bien sûr, l'ajout de la transmission intégrale (yeah!), Volkswagen compte séduire une toute nouvelle clientèle.

VIE À BORD > Tout comme la ligne extérieure, ne cherchez pas à bord de fioritures excessives et d'élans d'originalité. À ce chapitre, Volkswagen joue une carte contraire à celle de Mazda. La planche de bord est donc simple, efficace et plutôt classique. En revanche, la qualité de finition est impeccable, proposant non seulement des matériaux de belle facture, mais une qualité d'assemblage tout simplement supérieure à la concurrence. Bien entendu, l'équipement y est aujourd'hui très complet, même dans la version Trendline. Voilà sans doute ce qui explique pourquoi cette dernière demeure la plus vendue. Sachez cependant que l'application Apple CarPlay®/ Android Auto® ainsi que la radio satellite, qui étaient offertes de série en 2016, deviennent des éléments en option pour 2017. Volkswagen avait-elle trop gâté sa clientèle? Chose certaine, difficile de justifier l'écart de prix de plus de 37 % qui existe entre une Golf Trendline et un modèle Highline tout équipé. Comme toujours, la Golf propose une excellente position de conduite. Volant inclinable et télescopique, accoudoir coulissant et réglable en hauteur accompagnent donc des sièges donnant beaucoup de latitude sur le plan des réglages afin de convenir à tous les gabarits. Vous mesurez deux mètres, peut-être plus ? La Golf est probablement la compacte qui vous sied le mieux. Quant aux sièges, ils procurent déjà beaucoup de soutien et de confort dans les versions ordinaires. Alors, imaginez ce que vous obtenez avec la GTI ou la Golf R... Un mot sur le volume cargo de la Golf SportWagen (non plus Sportwagon – changement de nomenclature face au modèle 2016), lequel est franchement exceptionnel. À peine inférieur à celui d'un Ford Escape, et de loin supérieur à celui du Tiguan, l'espace s'exploite également très facilement en raison d'une bonne découpe.

TECHNIQUE > Qu'importe la version convoitée, vous aurez droit à la turbocompression. D'emblée, la Golf propose un 4-cylindres de 1,8 litre produisant un couple généreux pour une très faible consommation de carburant. Faible dans le sens de... à peine 6 litres aux 100 kilomètres sur route (lire consommation de 6,1 L aux 100 km enregistrée sur un trajet Montréal-Toronto en plein été). On se rapproche donc dangereusement des cotes de la TDI! À ce 4-cylindres peuvent se jumeler au choix une boîte manuelle à 5 rapports (on en aurait pris un sixième...), une automatique à 6 rapports ou encore une boîte séquentielle à double embrayage (DSG), dans le cas des versions à 4 roues motrices. Cela inclut bien sûr la Golf Alltrack, mais également toutes les versions de la SportWagen, qui peuvent aussi être commandées avec la transmission intégrale 4Motion. Une nouveauté qui risque de plaire à plusieurs acheteurs québécois. Amateur de performance, 220 chevaux

2e OPINION

Luc-Olivier Chamberland

Que la Golf soit livrable ou pas avec une motorisation TDI, elle demeure l'une des meilleures voitures sur le marché concernant son incroyable rapport qualité-prix-agrément-finition. C'est aussi simple que d'avoir l'impression de conduire une Audi A3 avec un rabais de 15 000 $. La Golf continue d'offrir une multitude de variations qui sauront plaire à tout un chacun. On y va de la Golf normale avec son 1,8 litre de 170 chevaux à la dynamique R à 292 chevaux. Une deuxième version familiale s'ajoute avec la gamme Alltrack et sa transmission intégrale de série en plus d'un look aventurier. Il y en a pour tous les goûts et les styles de vie.

FICHE TECHNIQUE

MOTEUR(S)
(GOLF) L4 1,8 L DACT turbo
PUISSANCE 170 ch de 4 800 à 6 200 tr/min **Alltrack** 180 ch
COUPLE 185 lb-pi de 1 600 à 4 200 tr/min
RAPPORT POIDS/PUISSANCE 7,7 à 8,4 kg/ch
BOÎTE(S) DE VITESSES manuelle à 5 rapports, automatique à 6 rapports avec mode manuel (en option), manuelle robotisée à 6 rapports (option 4RM)
PERFORMANCES 0-100 km/h man. 7,5 s **auto.** 7,7 s
FREINAGE 100-0 km/h R 42,9 m
VITESSE MAXIMALE 209 km/h (bride)

(GTI, R) L4 2,0 L DACT turbo
PUISSANCE GTI 220 ch à 4 700 tr/min **R** 292 ch à 5 400 tr/min.
COUPLE GTI 258 lb-pi à 1 500 tr/min **R** 280 lb-pi à 1 800 tr/min
RAPPORT POIDS/PUISSANCE GTI 6,6 à 6,7 kg/ch **R** 5,3 kg/ch
BOÎTE(S) DE VITESSES manuelle à 6 rapports, manuelle robotisée à 6 rapports
PERFORMANCES 0-100 km/h GTI man. 6,5 s **auto.** 6,3 s **R** 5,0 s
REPRISE 80-115 km/h R 3,5 s **FREINAGE 100-0 km/h R** 38,7 m
NIVEAU SONORE À 100 km/h ND **VITESSE MAXIMALE R** 245 km/h
CONSOMMATION (100 km) GTI man. ville 9,4 L, route 6,9 L **robo.** ville 9,5 L, route 7,2 L (octane 87) **R man.** ville 10,9 L route 7,7 L **robo.** ville 10,4 L route 7,9 L (octane 91)
ANNUELLE GTI man. 1 411 L, 1 693 $ **robo.** 1 445 L, 1 734 $ **R man.** 1 598 L, 2 157 $ **robo.** 1 581 L, 2 134 $
ÉMISSIONS POLLUANTES CO_2 GTI man. 3 245 kg/an **robo.** 3 323 kg/an **R man.** 3 675 kg/an **robo.** 3 636 kg/an

AUTRES COMPOSANTS
SÉCURITÉ ACTIVE (certains en option) Freins ABS, assistance au freinage, répartition électronique de la force de freinage, contrôle électronique de la stabilité, antipatinage, régulateur de vitesse adaptatif, assistance en cas d'impact imminent, freinage autonome avec détection de piétons, système de suivi de voie, avertisseur d'obstacle latéral
SUSPENSION avant/arrière indépendante
FREINS avant/arrière disques
DIRECTION à crémaillère, assistée électriquement
PNEUS Tredline P195/65R15 **Comfortline/SportWagen Trendline** P205/55R16 **Highline/ SportWagen Comfortline/GTI** P225/45R17 **SportWagen Highline/GTI Autobahn/option Highline** P225/40R18 R P235/35R19

DIMENSIONS
EMPATTEMENT 2 637 mm **SportWagen** 2 630 mm **GTI** 2 631 mm
LONGUEUR 4 268 mm **SportWagen** 4 562 mm
LARGEUR 3 portes 1 790 mm **5 Portes** 1 799 mm **SportWagen** 1 799 mm
HAUTEUR 1 443 mm **SportWagen** 1 481 mm
POIDS Golf man. 1 318 kg **auto.** 1 345 kg **robo.** 1 393 kg **SportWagen man.** 1 434 kg **GTI man.** 1 378 kg **robo.** 1 403 kg **R** 1 545 kg
RÉPARTITION DU POIDS AV/ARR (%) GTI 61/39 **R** 60/40
DIAMÈTRE DE BRAQUAGE 10,9 m **COFFRE** 460 L, 1 490 L (sièges abaissés) **SportWagen** 860 L, 1 860 L (sièges abaissés)
RÉSERVOIR DE CARBURANT 50 L

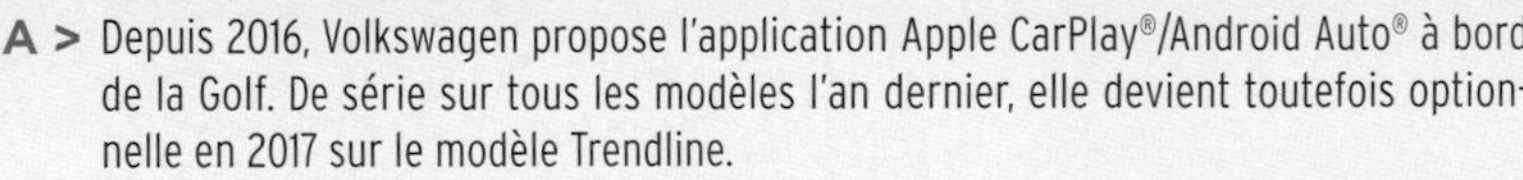

GALERIE

A > Depuis 2016, Volkswagen propose l'application Apple CarPlay®/Android Auto® à bord de la Golf. De série sur tous les modèles l'an dernier, elle devient toutefois optionnelle en 2017 sur le modèle Trendline.

B > En 2016, la Golf R a connu un succès si important que les ventes ont chevauché celle de la Golf GTI, vendue à prix drôlement inférieur. Une seule configuration de la Golf R nous est offerte, soit un modèle cinq portes avec choix de boîte manuelle ou DSG.

C > Sur la Golf R, quatre différents modes de conduite sont proposés, afin de satisfaire l'humeur de son conducteur. Vous aurez le choix entre « Confort », « Sport » et « Race », ainsi qu'à un mode baptisé « Individuel » qui vous permet de régler la voiture selon vos désirs les plus précis.

D > Avec la Golf Alltrack, Volkswagen compte rejoindre une toute nouvelle clientèle, notamment celle qui s'intéresse aux Subaru Crosstrek et Outback. Suspension rehaussée de 20 mm et look plus aventurier ne se mélangent hélas qu'à une version très équipée (équivalent au modèle Highline), ce qui fait grimper la facture de façon considérable.

E > Gigantesque, le volume cargo de la Golf SportWagen atteint 1 860 litres lorsque les sièges sont abaissés. Un volume comparable à celui de plusieurs VUS compacts, plus encombrants et nettement moins amusants à conduire.

vous attendent sous le pied avec la GTI, alors qu'une version plus poussée du même 2-litres vous servira 292 chevaux dans la Golf R. Bien sûr, cette dernière se distingue aussi par sa transmission intégrale, qui peut cette fois faire équipe aussi bien avec la boîte manuelle qu'avec la DSG.

AU VOLANT > Un mot sur la transmission intégrale, le temps de vous dire que son efficacité est énorme. Des essais hivernaux réalisés avec la Golf R m'ont prouvé que cette voiture pouvait accomplir des prouesses sur les pires surfaces hivernales que vous pourriez imaginer. Ajoutez à cela la notion de plaisir, et il devient impossible de ne pas tomber sous le charme. Voilà sans doute pourquoi Volkswagen a vendu cette année presque autant de Golf R que de GTI. Il faut dire que la R impressionne aussi bien par ses performances quasi exotiques que par son confort et son raffinement, deux éléments que les rivales, nommément Focus RS et WRX STi, ne peuvent se vanter d'offrir. Bien sûr, la Golf R a attiré notre attention cette année, ayant fait énormément jaser. Maintenant, la majorité des acheteurs choisissent un modèle plus sobre et qui ne coûte certainement pas 40 000 $. Un modèle certes plus sage et plus rationnel, mais qui propose un comportement routier à faire rougir toute concurrence. Silencieuse, confortable, raffinée et amusante à conduire. Voilà comment je me permets de qualifier la Golf, à laquelle j'attribuerais même le titre de routière. Ma seule déception ? Une boîte manuelle à 5 rapports dont l'étagement est plutôt long et une calibration décevante du système ABS, que nous avons pu constater après un essai réalisé à l'émission RPM.

CONCLUSION > Une augmentation des ventes de près de 100 %, ça ne se voit pas tous les jours. C'est pourtant ce qu'a connu l'an dernier Volkswagen avec sa Golf qui, rappelons-le, voyait de surcroît son moteur TDI retiré du marché en septembre 2015. Certains hauts dirigeants de Wolfsburg se sont foutus non seulement de l'environnement, mais aussi des consommateurs et de tous les employés et concessionnaires qui leur vouaient une confiance aveugle. Malgré cela, la clientèle est demeurée fidèle. Voilà également un élément qui prouve que cette damnée réputation de mauvaise fiabilité a été oubliée, ce qui ne signifie pas pour autant que vous aurez, avec la Golf, l'esprit aussi tranquille qu'avec une Corolla. Maintenant, à vous de voir si l'automobile doit être source de plaisir. Si oui... oubliez la Corolla et pensez Golf. ■

HISTORIQUE

Ce n'est pas d'hier que Volkswagen propose la traction intégrale sur la Golf, comme en témoignent ces quelques images. Toutefois, seules quelques rares versions de performances ont été offertes aux États-Unis, la Golf R 2013 étant la toute première à faire le saut au Canada. Notez également l'existence d'une Golf R Variant (SportWagen) du côté de l'Europe, qui ne risque malheureusement pas de traverser de ce côté-ci de l'Atlantique.

Volkswagen Golf Country 1989

Volkswagen Golf Rallye 1990

Volkswagen Golf Variant 1.9 TDI 4Motion 2000

Volkswagen Golf R32 2002

Volkswagen Golf R Variant 2015

LA COTE VERTE

MOTEUR L4 DE 1,4 L TURBO
CONSOMMATION (100 km) man. ville 8,3 L, route 5,9 L
auto. ville 8,5 L route 6,0 L
CONSOMMATION ANNUELLE man. 1 224 L, 1 469 $ **auto.** 1 241 L, 1 489 $ •
INDICE D'OCTANE 87
ÉMISSIONS POLLUANTES CO_2 man. 2 815 kg/an **auto.** 2 854 kg
(source : ÉnerGuide)

FICHE D'IDENTITÉ

VERSION(S) Jetta Trendline, Trendline+, Comfortline, Comfortline Plus, Highline, Wolfsburg, GLI Autobahn
TRANSMISSION(S) avant
PORTIÈRES 4 **PLACES** 5
PREMIÈRE GÉNÉRATION 1981
GÉNÉRATION ACTUELLE 2011
CONSTRUCTION Puebla, Mexique
COUSSINS GONFABLES 6 (frontaux, latéraux, rideaux latéraux)
CONCURRENCE Acura ILX, Chevrolet Cruze, Ford Focus, Honda Civic, Hyundai Elantra, Kia Forte, Mazda3, Mitsubishi Lancer, Nissan Sentra, Subaru Impreza/WRX, Toyota Corolla.

AU QUOTIDIEN

COLLISION FRONTALE 4/5
COLLISION LATÉRALE 5/5
VENTES DU MODÈLE L'AN DERNIER
AU QUÉBEC 9 224 (-12,5 %) **AU CANADA** 27 719 (-10,7 %)
DÉPRÉCIATION (%) 22,7 (3 ans)
RAPPELS (2011 à 2016) 14
COTE DE FIABILITÉ 3/5

GARANTIES... ET PLUS

GARANTIE GÉNÉRALE 4 ans/80 000 km
GROUPE MOTOPROPULSEUR 5 ans/100 000 km
PERFORATION 12 ans/kilométrage illimité
ASSISTANCE ROUTIÈRE 4 ans/80 000 km
NOMBRE DE CONCESSIONNAIRES
AU QUÉBEC 43 **AU CANADA** 136

NOUVEAUTÉS EN 2017

Abandon de la version hybride. Ensemble avertisseurs et phares de jour à DEL de série sur Comfortline, Wolfsburg et Highline, deux nouvelles couleurs: vert bouteille et argent blanc métallique. Nouvelle Édition spéciale Wolfsburg. Ventes de diesel suspendues jusqu'à nouvel ordre.

EN QUÊTE DE PERSONNALITÉ

En 2010, Volkswagen a décidé, dans un effort pour augmenter ses volumes de ventes, d'américaniser sa Jetta, l'un de ses modèles les plus importants. Si l'on s'attarde strictement aux résultats, la stratégie a eu le succès espéré. Ses ventes ont pratiquement doublé au Canada lors de l'année 2011. La transition vers cette approche plus populiste a néanmoins énormément édulcoré l'identité européenne du modèle, donnant un caractère quelque peu fade à cette Jetta. Au fil des ans, très peu de choses ont changé, ou presque...

Charles René

TOUR DU PROPRIÉTAIRE > La Jetta fait partie de ces voitures qui se fondent dans le parc automobile dans une indifférence manifeste. Berline tricorps très classique, elle revêt un accoutrement d'une banalité fascinante. À l'heure des grosses calandres, des roues surdimensionnées et des jupes basses que revêtent bien des compactes, la Jetta n'en a rien à faire. Mince calandre, porte-à-faux arrière assez long et surface vitrée assez abondante, elle nous rappelle les berlines d'il y a dix ans. Cette approche a cependant un avantage : personne ne peut réellement haïr ce design, si ce n'est pour son manque d'imagination.

VIE À BORD > La prudence de Volkswagen est probablement encore plus marquée dans la confection de cet habitacle. Les teintes foncées se côtoient avec quelques moulures grises

+
- EXCELLENTS MOTEURS
- SYSTÈME D'INFODIVERTISSEMENT MODERNE ET CONVIVIAL
- VOLUME DU COFFRE ARRIÈRE

−
- QUALITÉ DE FINITION ET DES MATÉRIAUX
- DESIGN BANAL
- FAIBLE AGRÉMENT DE CONDUITE (SAUF GLI)

MENTIONS

CLÉ D'OR | CHOIX VERT | COUP DE CŒUR | **RECOMMANDÉ**

VERDICT

PLAISIR AU VOLANT
QUALITÉ DE FINITION
CONSOMMATION
RAPPORT QUALITÉ / PRIX
VALEUR DE REVENTE
CONFORT

1 5 10

pour donner un - faux - sentiment cossu. Du reste, on retient que les plastiques durs sont omniprésents, chose que l'on retrouve de moins en moins chez les compactes, qui laissent place à des matières souples, beaucoup plus agréables au toucher et plus durables. Cette Jetta souffre d'ailleurs encore de problèmes de finition. Certains interstices entre les moulures sont visibles et des craquements se font entendre lorsque la route se fait raboteuse. À l'opposé, le système d'infodivertissement, rapide et intuitif, devrait devenir une référence pour la concurrence. Côté pratique, le volume de l'habitacle est très acceptable et l'ergonomie générale des commandes, excellente. À 440 litres, le volume du coffre arrière est aussi plutôt impressionnant pour une compacte.

TECHNIQUE > Outre le moteur TDI, qui est en sursis en raison du fracassant scandale des moteurs truqués, la Jetta peut être apprêtée de trois différentes manières, toutes avec des 4-cylindres turbo. Le premier, de 1,4 litre de cylindrée et 150 chevaux, est d'une extraordinaire efficacité. Frugal à souhait, il expose un bel aplomb dès la moindre sollicitation, montrant très peu de délais dans l'exécution. Une mécanique qui se situe indéniablement dans les meilleurs moteurs de série de sa catégorie sur le plan du comportement. La boîte automatique qui lui est assignée fait aussi un travail remarquable. Le deuxième, de 1,8 litre, brille tout autant en ajoutant quelques chevaux supplémentaires à l'équation. La GLI trône tout en haut de la hiérarchie avec la nouvelle génération du 2-litres turbocompressé, partagé avec la Golf GTI, une autre référence en matière de souplesse.

AU VOLANT > L'impression de banalité ne s'estompe pas outre mesure derrière le volant. La direction de cette Jetta, du moins la version de série, n'est ni particulièrement communicative ni très précise. Elle se contente de faire le boulot sans trop de conviction en envoyant très peu d'information au conducteur sur le revêtement. La tenue reflète aussi cette philosophie de développement axé sur le confort. Les mouvements restent assez bien contrôlés cependant. La version GLI, quant à elle, est en quelque sorte une Golf GTI plus retenue dans ses réactions. Ses suspensions sont réglées pour permettre un bon degré de confort, tout en permettant à cette Jetta d'être plus joueuse. La Golf GTI reste toutefois beaucoup plus intéressante sur cet aspect.

CONCLUSION > Si Volkswagen veut rester dans la course chez les berlines compactes, la marque ne pourra pas rester les bras croisés bien longtemps encore. La concurrence, coréenne et japonaise, ne cesse d'affûter ses créations pour atteindre un niveau de sophistication très élevé. La Jetta, en contrepartie, semble figée dans le temps. Oui, elle dispose d'arguments sur le plan mécanique, mais on n'achète pas une voiture uniquement pour son moteur, encore moins une compacte... ■

2e OPINION

Antoine Joubert

La Jetta GLI de base n'est plus. On élimine également la version Hybrid du catalogue, un modèle hyper intéressant, mais sur lequel Volkswagen n'a pas cru bon capitaliser. Et pourtant. Pour sa dernière année modèle sous cette forme, Volkswagen ne conserve donc que les Jetta plus populaires, en ajoutant bien sûr une Édition Wolfsbürg, comme on le fait chaque fois qu'une génération est en fin de carrière. Abordable, solide, agréable à conduire et extrêmement spacieuse, la Jetta, il est vrai, a pris quelques rides. Mais elle garde son élégance et se démarque de la concurrence par un comportement routier raffiné et un confort tout simplement supérieur. Même la consommation de carburant impressionne, particulièrement avec le moteur de 1,4 litre, qui permet une autonomie se rapprochant de celle du désormais défunt TDI...

FICHE TECHNIQUE

MOTEUR(S)

(Trendline, Comfortline, Wolfsburg) L4 1,4 L turbo DACT
PUISSANCE 150 ch à 5 000 tr/min **COUPLE** 184 lb-pi à 1 600 tr/min
RAPPORT POIDS/PUISSANCE 8,5 à 8,8 kg/ch (est.)
BOÎTE(S) DE VITESSES manuelle à 5 rapports, automatique à 6 rapports avec mode manuel
PERFORMANCES 0-100 km/h man. 8,6 s
REPRISE 80-115 km/h 6,5 s **FREINAGE 100-0 km/h** 45,5 m
VITESSE MAXIMALE 209 km/h (bridée)

(Highline) L4 1,8 L DACT turbo
PUISSANCE 170 ch à 6 200 tr/min
COUPLE 184 lb-pi de 1 500 à 4 750 tr/min
RAPPORT POIDS/PUISSANCE man. 8,0 kg/ch **auto.** 8,2 kg/ch
BOÎTE(S) DE VITESSES manuelle à 5 rapports, automatique à 6 rapports avec mode manuel (en option)
PERFORMANCES 0-100 km/h 7,6 s
VITESSE MAXIMALE 209 km/h (bridée)
CONSOMMATION (100 km) man. ville 9,4 L route 6,4 L
auto. ville 9,2 route 6,4 L (octane 87)
ANNUELLE man. 1 377 L, 1 652 $ **auto.** 1 360 L, 1 632 $
ÉMISSION DE CO_2 man. 3 167 kg/an **auto.** 3 128 kg/an

(GLI) L4 2,0 L DACT turbo
PUISSANCE 210 ch à 5 300 tr/min **COUPLE** 207 lb-pi à 1 700 tr/min
RAPPORT POIDS/PUISSANCE 6,8 kg/ch
BOÎTE(S) DE VITESSES manuelle à 6 rapports, manuelle robotisée à 6 rapports (en option)
PERFORMANCES 0-100 km/h man. 7,1 s **robo.** 6,9 s
REPRISE 80-115 km/h 4,2 s **FREINAGE 100-0 km/h** 39,0 m
VITESSE MAXIMALE 209 km/h (bridée)
CONSOMMATION (100 km) man. ville 10,1 L route 7,2 L
robo. ville 9,8 L route 7,0 L (octane 87)
ANNUELLE man. 1 496 L, 1 795 $ **robo.** 1 462 L, 1 754 $
ÉMISSION DE CO_2 man. 3 441 kg/an **robo.** 3 363 kg/an

AUTRES COMPOSANTS

SÉCURITÉ ACTIVE Freins ABS, assistance au freinage, répartition électronique de la force de freinage, contrôle électronique de la stabilité, antipatinage, assistance au départ en pente, assistance en cas d'impact imminent
SUSPENSION avant/arrière indépendante
FREINS avant disques, arrière tambours **1.8T Highline/GLI** disques
DIRECTION à crémaillère, assistée électriquement
PNEUS Trendline P195/65R15
Confortline/Highline/Wolfsburg P225/45R17 **GLI** P225/40R18

DIMENSIONS

EMPATTEMENT 2 651 mm **LONGUEUR** 4 628 mm
LARGEUR 1 778 mm **HAUTEUR** 1 453 mm
POIDS 1.4T man 1 270 kg (est.) **1.4T auto.** 1 325 kg (est.)
1.8T man. 1 364 kg **auto.** 1 393 kg **GLI man.** 1 417 kg
DIAMÈTRE DE BRAQUAGE 11,1 m
COFFRE 440 L
RÉSERVOIR DE CARBURANT 55 L

LA COTE VERTE

MOTEUR L4 DE 1,8 L TURBO
CONSOMMATION (100 km) man. ville 9,5 L, route 6,4 L
auto. ville 9,4 L, route 6,3 L
CONSOMMATION ANNUELLE man. 1 377 L, 1 652 $ **auto.** 1 360 L, 1 632 $
INDICE D'OCTANE 87
ÉMISSIONS POLLUANTES CO_2 man. 3 167 kg/an **auto.** 3 128 kg/an
(source : ÉnerGuide)

FICHE D'IDENTITÉ

VERSION(S) 1.8T Trendline+, Comfortline, Highline
3.6L Comfotline, Highline
TRANSMISSION(S) avant
PORTIÈRES 4 **PLACES** 5
PREMIÈRE GÉNÉRATION 1990 (Canada)
GÉNÉRATION ACTUELLE 2012
CONSTRUCTION Chattanooga, Tennessee, É.-U.
COUSSINS GONFLABLES 6 (frontaux, latéraux avant, rideaux latéraux)
CONCURRENCE Chevrolet Malibu, Chrysler 200, Ford Fusion, Honda Accord, Hyundai Sonata, Kia Optima, Mazda6, Nissan Altima, Subaru Legacy, Toyota Camry

AU QUOTIDIEN

COLLISION FRONTALE 5/5
COLLISION LATÉRALE 5/5
VENTES DU MODÈLE L'AN DERNIER
AU QUÉBEC 1 665 (-14,0 %) **AU CANADA** 5 838 (-22,4 %) (incl. CC)
DÉPRÉCIATION (%) 35,3 (3 ans)
RAPPELS (2011 à 2016) 10
COTE DE FIABILITÉ 3/5

GARANTIES... ET PLUS

GARANTIE GÉNÉRALE 4 ans/80 000 km
GROUPE MOTOPROPULSEUR 5 ans/100 000 km
PERFORATION 12 ans/kilométrage illimité
ASSISTANCE ROUTIÈRE 4 ans/80 000 km
NOMBRE DE CONCESSIONNAIRES
AU QUÉBEC 43 **AU CANADA** 136

NOUVEAUTÉS EN 2017

Retouches esthétiques, démarreur à distance, sièges avant chauffants, ensemble avertisseurs et feux à DEL foncés de série. Nouvelle palette de couleur. Abandon des versions Trendline et Execline. Ventes de diesel suspendues jusqu'à nouvel ordre.

ON NE S'EXCITE PAS TROP

La Volkswagen Passat est de ces voitures sur le passage desquelles on ne se retourne pas. Depuis sa refonte en 2011, elle poursuit une carrière honorable mais discrète. La septième génération de ce modèle construit à Chattanooga, dans le Tennessee, aimerait pourtant sortir de sa réserve congénitale, voire – air connu – « susciter de l'émotion », dixit ses promoteurs. La Passat s'est donc mise en frais.

Éric LeFrançois

TOUR DU PROPRIÉTAIRE > Ses mensurations demeurent les mêmes, mais la Passat s'enveloppe d'une carrosserie fortement remodelée, surtout dans sa partie avant. Les ailes, le capot, le carénage et la calandre ont une découpe plus nette et des lignes plus horizontales. À l'arrière, le couvercle du coffre et le pare-chocs ont droit au même traitement.

VIE À BORD > Hélas, ce que cette voiture fait à l'intérieur se voit un peu trop à l'extérieur. Pour offrir davantage d'espace aux passagers arrière – une garde au toit généreuse pour les grands gabarits – et disposer d'un coffre aussi accueillant, il faut une carrosserie dont la partie centrale sera peu ou prou taillée à la serpe, avec des lignes plus géométriques que fuyantes. Or le remodelage de ses formes ne lui permet pas d'échapper à cette dure réalité. D'où cette architecture verticale contrariée et le profil pas vraiment aquilin d'une voiture de facture délibérément traditionnelle qui essaie de se faire passer pour plus imposante qu'elle ne l'est. Les

+
- LA PRÉSENCE D'UNE BOÎTE MANUELLE
- SOUPLESSE DU 1,8-LITRE
- HABITACLE SPACIEUX ET VOLUME UTILITAIRE

–
- MIMIQUE D'UNE BERLINE AMÉRICAINE
- VERSION V6 BEAUCOUP TROP COÛTEUSE
- PERSONNALITÉ TROP « BEIGE »

MENTIONS

CLÉ D'OR | CHOIX VERT | COUP DE CŒUR | **RECOMMANDÉ**

VERDICT

PLAISIR AU VOLANT
QUALITÉ DE FINITION
CONSOMMATION
RAPPORT QUALITÉ / PRIX
VALEUR DE REVENTE
CONFORT

1 5 10

formes du tableau de bord nous ramènent à l'époque où ceux-ci étaient dessinés à l'aide d'une équerre. On y a intégré un bloc d'instrumentation à la fois plus clair et plus lisible. Ici, tout respire. L'ergonomie des commandes ne soulève aucune critique particulière, pas plus que la qualité de la construction. Au chapitre des innovations, la Passat tire un trait sur le passé et se met à la page. Sur le plan de la connectivité, cette Volkswagen fait un important pas en avant, sans pour autant devancer la concurrence dans ce domaine. À cet égard, beaucoup d'acheteurs regretteront la petitesse de l'écran de navigation.

TECHNIQUE > Volkswagen, qui fait du volume intérieur de ses berlines son leitmotiv, est parvenue à préserver cet avantage malgré l'ajout d'un certain nombre de renforts pour satisfaire aux normes de sécurité récemment révisées. Ces retouches structurelles entraînent malheureusement le poids à la hausse.

AU VOLANT > Peut-être n'est-elle pas très excitante au premier abord, mais pas question de sous-estimer cette berline pour autant. Si son allure peut sembler un peu empruntée, la Passat a un comportement routier qui ne manque pas d'arguments pour se faire valoir. Faute de pouvoir accueillir un moteur TDi (turbodiesel) sous son capot, il faut composer avec le 4-cylindres 1,8 litre suralimenté par turbocompresseur. Pas particulièrement véloce, cette mécanique se distingue cependant par sa souplesse (le couple se manifeste dès 1500 tr/min) et par son économie d'utilisation.

La combinaison 1,8-litre et boîte automatique sera privilégiée par la majorité des acheteurs. À l'accélération, ce 1,8-litre paraît plus fougueux, mais le chronomètre est sans appel : il faut près de 8 secondes pour atteindre les 100 km/h à la suite d'un départ arrêté. Pour plus de schnell et pour un rendement plus soyeux, le V6 de 3,6 litres fera l'envie de nombreux consommateurs. Hélas, le prix (à l'achat comme à la pompe) risque de les faire déchanter en moins de 6,3 secondes, temps que met cette version à atteindre les 100 km/h. Chaussée d'une monte pneumatique plus agressive, la version 3,6 litres colle et lit avec plus de précision la route que les modèles d'entrée de gamme (équipés de série de pneus de 16 pouces) inscrits au catalogue. Elle paraît mieux suspendue, plus vive et donne moins libre cours aux mouvements de la caisse. Revers de la médaille, elle est un peu plus sensible aux déformations de la chaussée. Rien d'inconfortable, c'est seulement un peu plus raide et un brin plus sonore en raison des bruits de roulement.

CONCLUSION > La très sage Passat fait du bon vieux principe du « J'en ai pour mon argent » une lecture qui n'est pas tout à fait la même que celle des autres grandes marques généralistes. Acheter cette voiture restera le fruit d'une décision hyper rationnelle, mûrement réfléchie, plutôt que le résultat d'un coup de cœur. Le meilleur compromis se trouve sans doute du côté de la déclinaison Comfortline. ■

2e OPINION

Antoine Joubert

Introduite en 2012, la Passat « américaine » avait déçu par un style trop effacé, dehors comme dedans. En dépit d'un comportement routier intéressant, ses allures de voiture de location avaient fait sursauter plusieurs adeptes de la marque, qui pleuraient déjà la disparition du modèle de précédente génération. Six ans plus tard, Volkswagen a prouvé que l'américanisation de sa Passat était une bonne idée. Les ventes ne sont pas égales à celles des Fusion, Accord et Camry, mais sont presque trois fois plus élevées que celles du modèle antérieur. Ajoutons également que les retouches apportées l'an dernier lui ont fait le plus grand bien, même si celles-ci ne la transforment pas en un bolide diabolique. Bref, la Passat n'est pas la berline la plus excitante en ville, mais sans doute l'une des intermédiaires les plus appréciables pour un Montréal-Toronto.

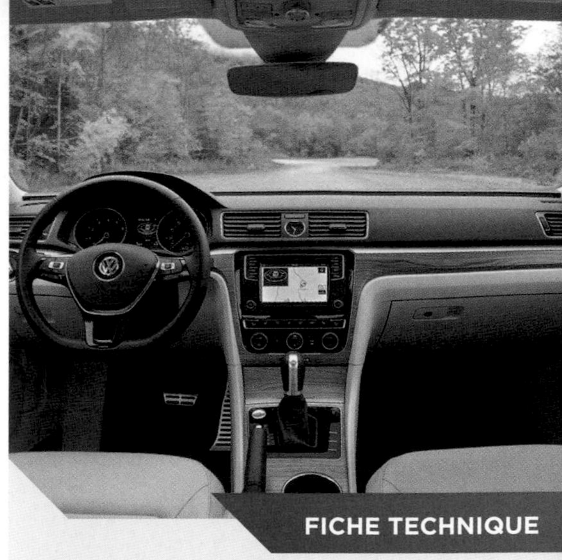

FICHE TECHNIQUE

MOTEUR(S)

(Trendline, Confortline, Highline) L4 1,8 L DACT turbo
PUISSANCE 170 ch à 6 200 tr/min
COUPLE 184 lb-pi de 1 500 à 4 750 tr/min
RAPPORT POIDS/PUISSANCE 8,6 à 8,9 kg/ch
BOÎTE(S) DE VITESSES manuelle à 5 rapports, automatique à 6 rapports avec mode manuel (en option)
PERFORMANCES 0-100 km/h man. 8,0 s **auto.** 8,3 s
VITESSE MAXIMALE 209 km/h

(Confortline, Highline) V6 3,6 L DACT
PUISSANCE 280 ch à 6 200 tr/min
COUPLE 258 lb-pi de 2 500 à 5 000 tr/min
RAPPORT POIDS/PUISSANCE 5,6 kg/ch
BOÎTE(S) DE VITESSES manuelle robotisée à 6 rapports
PERFORMANCES 0-100 km/h 6,3 s
VITESSE MAXIMALE 209 km/h
CONSOMMATION (100 km) ville 11,9 L, route 8,5 L (octane 91)
ANNUELLE 1 768 L, 2 122 $
ÉMISSION DE CO_2 4 066 kg/an

AUTRES COMPOSANTS

SÉCURITÉ ACTIVE Freins ABS, assistance au freinage, répartition électronique de la force de freinage, contrôle électronique de la stabilité, antipatinage, assistance en cas d'impact imminent
SUSPENSION avant/arrière indépendante
FREINS avant/arrière disques
DIRECTION à crémaillère, assistée
PNEUS Trendline+ P215/60R16 **Comfortline** P215/55R17 **Highline** P235/45R18 **option Comfortline** P235/40R19

DIMENSIONS

EMPATTEMENT 2 803 mm
LONGUEUR 4 868 mm
LARGEUR 1 835 mm
HAUTEUR 1 487 mm
POIDS 1,8T man. 1 458 kg **auto.** 1 512 kg **3.6** 1 563 kg
DIAMÈTRE DE BRAQUAGE 11,1 m
COFFRE 450 L
RÉSERVOIR DE CARBURANT 70 L

LA COTE VERTE

MOTEUR L4 DE 2,0 L TURBO
CONSOMMATION (100 km) 2RM man. ville 13,0 L, rout 9,0 L
auto ville 11,5 L, route 9,3 L **4RM auto** ville 11,6 L, route 9,3 L
CONSOMMATION ANNUELLE 2RM man. 1 904 L, 2 570 $
auto 1 785 L, 2 410 $ **4RM auto** 1 802 L, 2 433 $
INDICE D'OCTANE 91
ÉMISSIONS POLLUANTES CO_2 2RM man. 4 379 kg/an
auto 4 105 kg/an **4RM auto** 4 145 kg/an
(source : ÉnerGuide)

FICHE D'IDENTITÉ

VERSION(S) 2RM/4MOTION Trendline
4MOTION Édition Wolfsburg, Comfortline, Highline
TRANSMISSION(S) avant, 4
PORTIÈRES 4 **PLACES** 5
PREMIÈRE GÉNÉRATION 2009
GÉNÉRATION ACTUELLE 2009
CONSTRUCTION Wolfsburg, Allemagne
COUSSINS GONFABLES 6 (frontaux, latéraux avant, rideaux latéraux)
CONCURRENCE Chevrolet Equinox/GMC Terrain, Dodge Journey, Ford Escape, Honda CR-V, Hyundai Tucson, Jeep Cherokee, Kia Sportage, Mazda CX-5, Mitsubishi Outlander, Nissan Rogue, Subaru Forester/Outback, Toyota RAV4

AU QUOTIDIEN

COLLISION FRONTALE4/5
COLLISION LATÉRALE 5/5
VENTES DU MODÈLE L'AN DERNIER
AU QUÉBEC 3 327 (+12,7 %) **AU CANADA** 11 459 (+13,5 %)
DÉPRÉCIATION (%) 21,2 (3 ans)
RAPPELS (2011 à 2016) 6
COTE DE FIABILITÉ 3,5/5

GARANTIES... ET PLUS

GARANTIE GÉNÉRALE 4 ans/80 000 km
GROUPE MOTOPROPULSEUR 5 ans/100 000 km
PERFORATION 12 ans/kilométrage illimité
ASSISTANCE ROUTIÈRE 4 ans/80 000 km
NOMBRE DE CONCESSIONNAIRES
AU QUÉBEC 43 **AU CANADA** 136

NOUVEAUTÉS EN 2017

Version Trendline Plus, version SE remplacée par Édition Wolfsburg, une nouvelle couleur : bleu Pacifique métallique, nouvelles jantes,.

MEILLEURE CHANCE LA PROCHAINE FOIS

Le moment est bien choisi pour dresser l'inventaire des occasions manquées par le Tiguan de Volkswagen. Ce modèle appelé à se renouveler – et à s'américaniser à l'automne 2017 – avait les qualités d'un meneur. Hélas, ses tarifs sont demeurés trop longtemps élevés et la mécanique turbodiesel – dont bénéficiait pourtant la version européenne – n'a jamais été sérieusement poursuivie.

Éric LeFrançois

TOUR DU PROPRIÉTAIRE > Malgré son âge et contrairement à certains de ses concurrents, le Volkswagen Tiguan est un utilitaire doux qui n'en rajoute pas. Ses lignes sont soignées, avec ce qu'il faut de chrome pour faire chic et quelques coups de biseau pour donner du punch aux surfaces latérales. Depuis sa mise en service, le Tiguan n'a guère évolué esthétiquement. Hormis la calandre et les phares désormais sertis d'un filet de perles lumineuses DEL. Ce dernier ajout confère à cette carrosserie empreinte de classicisme une impression de qualité. Techniquement parlant, sa parente la plus proche est incontestablement la Golf (la version actuelle et non la prochaine appelée à apparaître prochainement). Du moins dans sa partie avant, car la partie arrière a été empruntée à la Passat du temps où celle-ci nous venait d'Allemagne. Le Tiguan n'est cependant pas un simple collage de solutions techniques déjà anciennes et il ne se comporte pas non plus comme une Golf grimpée sur des échasses.

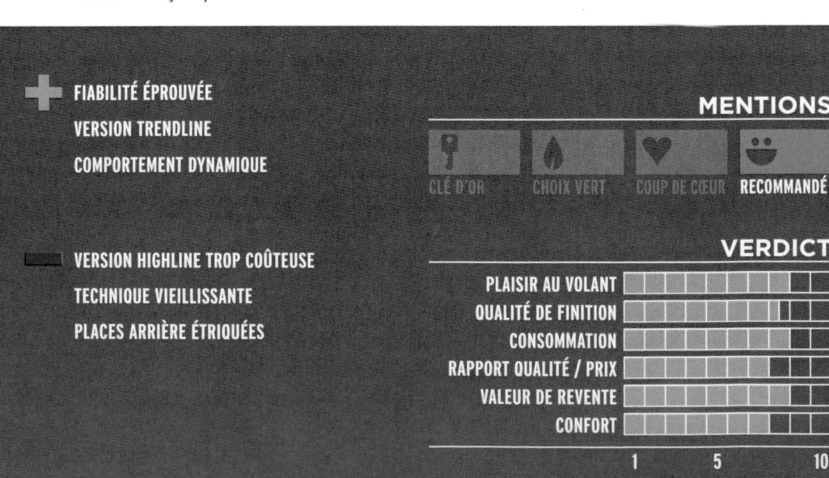

+
FIABILITÉ ÉPROUVÉE
VERSION TRENDLINE
COMPORTEMENT DYNAMIQUE
–
VERSION HIGHLINE TROP COÛTEUSE
TECHNIQUE VIEILLISSANTE
PLACES ARRIÈRE ÉTRIQUÉES
MENTIONS
CLÉ D'OR
CHOIX VERT
COUP DE CŒUR
RECOMMANDÉ
VERDICT
PLAISIR AU VOLANT
QUALITÉ DE FINITION
CONSOMMATION
RAPPORT QUALITÉ / PRIX
VALEUR DE REVENTE
CONFORT
1
5
10

VIE À BORD > À bord, la présentation est assez terne (la future promet de l'être tout autant) et certains plastiques manquent de noblesse, surtout sur la version d'entrée de gamme. La qualité est globalement très bonne, toutefois. On est surpris de constater l'exiguïté des places arrière et la faible surface vitrée qui encourage le recours au toit ouvrant en verre panoramique (une option que je ne vous recommande pas en raison de notre climat) pour ensoleiller tout cela. Un effort de clarté a été consenti avec un tableau de bord grège en partie basse et une sellerie assortie. Les sièges avant apportent le concours attendu, mais au prix d'un confort très germanique, c'est-à-dire assez ferme. La banquette arrière coulisse sur 16 centimètres et son dossier peut s'incliner en plusieurs positions, mais elle ne peut accueillir et transporter confortablement trois personnes sur un long trajet en raison d'une place centrale étriquée et dure. Le volume du coffre est correct pour la catégorie, mais la soute est mal aménagée : l'imposant rebord ne permet pas de glisser les objets dans le coffre, mais impose de les y déposer. Et il est impossible d'obtenir un plancher plat lorsque la banquette arrière est rabattue. La fonctionnalité est donc perfectible malgré la possibilité de rabattre le siège avant droit pour le transport d'objets longs.

AU VOLANT > Le Tiguan vire à plat, freine court, braque bien, et son gabarit le rend très facile à vivre en milieu urbain même si son fort diamètre de braquage ne le rend pas des plus agiles. Sur route aussi, pas grand-chose ne diffère de la conduite de la compacte de VW, hormis, bien sûr, la position surélevée des occupants. La tenue de route se révèle avisée et la maîtrise du roulis très réussie, au prix malheureusement d'un amortissement un peu ferme qui nuit au confort. Le moteur, un 2-litres suralimenté par turbocompresseur, le seul disponible, affiche une belle vivacité, mais nous l'apprécions encore davantage avec la boîte semi-automatique à 6 rapports, qui permet notamment de meilleures cotes de consommation. Sa fluidité diminue la sensation de pesanteur ressentie avec la conduite d'un Tiguan à boîte manuelle (6 rapports, elle aussi), dont la commande s'avère aussi imprécise et caoutchouteuse. Notons cependant que cette dernière n'est proposée qu'aux acheteurs de la livrée Trendline à roues avant motrices. Au final, le Tiguan représente globalement une bonne affaire dans sa version Trendline. Il s'agit d'un véhicule offrant une garantie généreuse par rapport à plusieurs autres marques généralistes et surtout d'une fiabilité éprouvée. Voilà de quoi vous mettre en confiance.

CONCLUSION > À quelques kilomètres de la retraite, le Tiguan retrouve une dernière fois les feux des projecteurs à la faveur de tarifs revus à la baisse. Ce repositionnement de prix ne touche malheureusement pas de façon spectaculaire l'ensemble de la gamme. La version haut de gamme (Highline), par exemple, demeure incroyablement chère, tout comme certains groupes d'accessoires offerts en option. En revanche, le modèle d'entrée (Trendline) représente une belle occasion à saisir. ■

2e OPINION

Daniel Rufiange

Ça fait quelques années qu'on attend le nouveau Tiguan avec impatience et... nous devrons encore compter les pleines lunes. En fait, le nouveau modèle a été présenté en Europe, mais ce n'est pas avant l'an prochain qu'il nous fera l'honneur de débarquer chez nous. Est-ce que ça signifie qu'on doit attendre ? Pas nécessairement. Le produit actuel est toujours intéressant, même s'il faut savoir qu'il entreprend sa neuvième année chez nous. Son « retard » n'est pas perceptible sur le plan de la conduite et à bord, considérant que les changements se font souvent à pas de tortue chez Volkswagen, on ne devrait pas trop perdre au change. Bien sûr, celui appelé à le remplacer lui sera supérieur, donc si la modernité est une priorité pour vous, il vous faudra patienter. Un souhait : un ajustement de prix, de grâce. Une fois équipé, le Tiguan est BEAUCOUP trop cher.

FICHE TECHNIQUE

MOTEUR(S)

(2.0T) L4 2,0 L DACT turbo
PUISSANCE 200 ch de 5 100 à 6 000 tr/min
COUPLE 207 lb-pi de 1 700 à 5 000 tr/min
RAPPORT POIDS/PUISSANCE 2RM 7,7 kg/ch **4RM** 8,1 kg/ch
BOÎTE(S) DE VITESSES manuelle à 6 rapports (Trendline), automatique à 6 rapports avec mode manuel (en option Trendline, de série Édition Wolfsburg, Comfortline, Highline)
PERFORMANCES 0-100 km/h man. 8,1 s **auto.** 8,2 s
REPRISE 80-115 km/h 5,5 s
FREINAGE 100-0 km/h 38,5 m
NIVEAU SONORE À 100 km/h Moyen
VITESSE MAXIMALE 209 km/h (bridée)

AUTRES COMPOSANTS

SÉCURITÉ ACTIVE Freins ABS, assistance au freinage, répartition électronique de la force de freinage, contrôle électronique de la stabilité, antipatinage, assistance en cas d'impact imminent
SUSPENSION avant/arrière indépendante
FREINS avant/arrière disques
DIRECTION à crémaillère, assistée électriquement
PNEUS Trendline P215/65R16 **Édition Wolfsburg** P235/55R17 **Comforline/Highline** P235/50R18 **option Highline** P255/40R19

DIMENSIONS

EMPATTEMENT 2 604 mm
LONGUEUR 4 427 mm
LARGEUR 1 809 mm
HAUTEUR 1 683 mm
POIDS man. 1 539 kg **auto.** 1 544 kg **4MOTION** 1 629 kg
RÉPARTITION DU POIDS AV/ARR (%) 58/42
DIAMÈTRE DE BRAQUAGE 12,0 m
COFFRE 700 L, 1 600 L (sièges abaissés)
RÉSERVOIR DE CARBURANT 64 L
CAPACITÉ DE REMORQUAGE 998 kg

LA COTE VERTE

MOTEUR V6 DE 3,6 L
CONSOMMATION (100 km) ville 13,8 L, route 10,3 L
CONSOMMATION ANNUELLE 2 074 L, 2 489 $
INDICE D'OCTANE 87
ÉMISSIONS POLLUANTES CO_2 4 770 kg/an
(source : ÉnerGuide)

FICHE D'IDENTITÉ

VERSION(S) 3.6 FSI Sportline, Comfortline, Édition Wolfsburg, Execline
TRANSMISSION(S) 4
PORTIÈRES 5 **PLACES** 5
PREMIÈRE GÉNÉRATION 2004
GÉNÉRATION ACTUELLE 2011
CONSTRUCTION Bratislava, Slovaquie
COUSSINS GONFLABLES 6 (frontaux, latéraux avant, rideaux latéraux)
CONCURRENCE Acura MDX, BMW X5, Cadillac XT5, Infiniti QX60/QX70, Jeep Grand Cherokee, Land Rover LR4, Range Rover Sport, Lexus RX, Lincoln MKX, Mercedes-Benz GLE, Porsche Cayenne, Volvo XC90

AU QUOTIDIEN

COLLISION FRONTALE 5/5
COLLISION LATÉRALE 5/5
VENTES DU MODÈLE L'AN DERNIER
AU QUÉBEC 516 (+6,2 %) **AU CANADA** 2 028 (-13,0 %)
DÉPRÉCIATION (%) 21,1 (3 ans)
RAPPELS (2011 à 2016) 1
COTE DE FIABILITÉ 4/5

GARANTIES... ET PLUS

GARANTIE GÉNÉRALE 4 ans/80 000 km
GROUPE MOTOPROPULSEUR 5 ans/100 000 km
PERFORATION 12 ans/kilométrage illimité
ASSISTANCE ROUTIÈRE 4 ans/80 000 km
NOMBRE DE CONCESSIONNAIRES
AU QUÉBEC 43 **AU CANADA** 136

NOUVEAUTÉS EN 2017

Abandon de la version Comfortline, version Highline remplacée par Édition Wolfsburg avec sièges ventilés, fonction maintien en pente de série, déverrouillage et démarrage sans clé (KESSY) de série, nouvelle palette de couleur et nouvelles jantes. Ventes de diesel suspendues jusqu'à nouvel ordre.

VIVEMENT LA TROISIÈME GÉNÉRATION

L'année 2016 fut plutôt ardue pour le groupe Volkswagen au grand complet, mais surtout pour la marque populaire de ce côté-ci de l'Atlantique. Le scandale des motorisations TDI n'a pas seulement été un sujet de discussion d'envergure, il a également nui à la réputation de la marque et peut-être même à l'industrie au grand complet. Du côté du plus imposant véhicule commercialisé par Volkswagen, l'année 2017 sera peut-être moins tranquille que celle qui vient de se terminer grâce à quelques modifications au sein de la gamme composée, au moment d'écrire ces lignes, d'un modèle à une seule motorisation, le V6 TDI ayant été rayé de l'alignement nord-américain.

Vincent Aubé

TOUR DU PROPRIÉTAIRE > Légèrement remanié en 2015, le Touareg demeure fidèle à la silhouette introduite en 2011. Pour 2017, le constructeur ajoute deux nouveaux coloris - rouge malbec métallisé et bleu clair de lune -, tandis que la nomenclature change quelque peu. En effet, les éditions Comfortline et Highline sont supprimées au profit d'une nouvelle version spéciale intitulée Série Wolfsburg. Celle-ci sera reconnaissable par ses écussons exclusifs, notamment. Le constructeur a aussi revu son choix de roues disponibles pour les différents

+
- CONFORT
- CHÂSSIS RIGIDE
- TENUE DE ROUTE

−
- PLUS DE MOTEUR TDI
- MOTEUR V6 GOURMAND
- PRIX DES LIVRÉES SUPÉRIEURES

MENTIONS

CLÉ D'OR · CHOIX VERT · COUP DE CŒUR · **RECOMMANDÉ**

VERDICT

PLAISIR AU VOLANT
QUALITÉ DE FINITION
CONSOMMATION
RAPPORT QUALITÉ / PRIX
VALEUR DE REVENTE
CONFORT

1 5 10

niveaux d'équipements. Pour ce qui est du reste, le Touareg ne change pas vraiment. Il faudra évidemment surveiller l'arrivée du prochain Touareg, qui pourrait adopter une ligne plus agressive, celle présentée par le prototype T-Prime GTE au Salon de Beijing en 2016.

VIE À BORD > À l'intérieur, le statu quo se poursuit... ou presque! La planche de bord demeure la même que celle de l'édition 2011, à l'exception de quelques commandes ici et là. La division canadienne a tout de même bonifié son offre pour cette dernière année du modèle avec l'implantation du frein de stationnement électronique, d'une clé intelligente et de sièges avant ventilés à bord des éditions plus luxueuses. Hiérarchie oblige, le Touareg profite de matériaux plus huppés que dans la Beetle par exemple. L'assemblage est également à noter ici. La position de conduite est excellente, et les principales commandes se trouvent aisément entre les deux occupants. L'espace pour les passagers de la deuxième rangée n'est pas mal non plus, tandis qu'à l'arrière, le coffre respecte la bonne moyenne du segment. Mentionnons tout de même que le seuil de chargement est assez élevé et que la vision arrière pourrait être de plus grande dimension, mais règle générale, le Touareg propose un environnement agréable pour les balades prolongées.

TECHNIQUE > La commercialisation du modèle V6 TDI étant stoppée depuis la fin de 2015, il ne reste plus que l'édition équipée du V6 à essence. Ce bloc, plus gourmand à la pompe, a l'avantage d'être plus puissant (280 ch contre 240 ch pour le TDI), mais doit s'avouer vaincu côté couple (266 lb-pi contre 406 lb-pi). La boîte de vitesse à 8 rapports est la seule option possible au tableau et elle se révèle franchement bien calibrée pour ce VUS. Quant à la transmission intégrale, elle est livrée de série sur toutes les livrées.

AU VOLANT > Sous cette coquille de VUS urbain discret se cache un véhicule passablement plus robuste qu'il n'y paraît. Au même titre que le Jeep Grand Cherokee, le Touareg est capable de s'aventurer en conduite hors route. Mais bon, sa vocation première est de transporter les membres de la famille dans le plus grand confort, une tâche dont il s'acquitte à merveille. L'insonorisation du Touareg est l'une de ses plus grandes qualités, tout comme la douceur de roulement d'ailleurs. Certes, sa mécanique VR6 n'est pas aussi intéressante en matière de consommation, mais elle demeure tout de même bien adaptée à cette plate-forme empruntée au Porsche Cayenne et à l'Audi Q7. Volkswagen osera-t-elle implanter un moteur 4 cylindres turbocompressé dans la génération suivante ? Cela reste à voir.

CONCLUSION > Dans cette échelle de prix, ce n'est pas le choix qui manque. Des écussons plus prestigieux aux versions bien équipées des marques domestiques, la liste est longue. Le Volkswagen Touareg demeure l'un des meilleurs sur le plan de l'agrément de conduite et des capacités, tandis que le niveau de confort est relevé. Bien entendu, le cauchemar TDI risque encore de nuire au succès de ce VUS, mais en attendant la venue du Touareg 3.0, le modèle actuel constitue un choix intéressant dans une marée d'utilitaires aux caractéristiques semblables. ■

2e OPINION

Luc-Olivier Chamberland

Lorsque le scandale Volkswagen a éclaté, tout le monde a parlé abondamment de la Golf et de la Jetta, mais un autre modèle dans la gamme a aussi été frappé de plein fouet. C'est le Touareg. Déjà, Volkswagen peine à vendre quelques centaines d'unités au Canada, car la grande majorité arrivait avec le V6 de 3 litres diesel. Soustrait jusqu'à nouvel ordre du gazole, le Touareg fait encore plus office de figurant dans le segment. Bien qu'il ait perdu l'un de ses précieux avantages, il reste un produit hautement désirable avec son V6 de 3,6 litres de 280 chevaux. Il n'est pas donné, mais la qualité de sa finition et son luxe justifient le prix.

FICHE TECHNIQUE

MOTEUR(S)

(3.6 FSI) V6 3,6 L DACT
PUISSANCE 280 ch à 6 200 tr/min
COUPLE 266 lb-pi de 3 000 à 4 000 tr/min
RAPPORT POIDS/PUISSANCE 7,6 kg/ch
BOÎTE(S) DE VITESSES automatique à 8 rapports avec mode manuel
PERFORMANCES 0-100 km/h 7,7 s
REPRISE 80-115 km/h 6,9 s
VITESSE MAXIMALE 210 km/h
NIVEAU SONORE à 100 km/h Bon

AUTRES COMPOSANTS

SÉCURITÉ ACTIVE Freins ABS, assistance au freinage, répartition électronique de la force de freinage, contrôle électronique de la stabilité, antipatinage, régulateur de vitesse adaptatif, assistance en cas d'impact imminent
SUSPENSION avant/arrière indépendante
FREINS avant/arrière disques
DIRECTION à crémaillère, assistée
PNEUS P255/55R18 **Execline/Wolfsburg/option Comfortline** P275/40R20

DIMENSIONS

EMPATTEMENT 2 893 mm
LONGUEUR 4 795 mm
LARGEUR 1 940 mm
HAUTEUR 1 732 mm
POIDS 2 137 kg
RÉPARTITION DU POIDS AV/ARR (%) 52/48
DIAMÈTRE DE BRAQUAGE 11,9 m
COFFRE 910 L, 1 812 L (sièges abaissés)
RÉSERVOIR DE CARBURANT 100 L
CAPACITÉ DE REMORQUAGE 3 500 kg

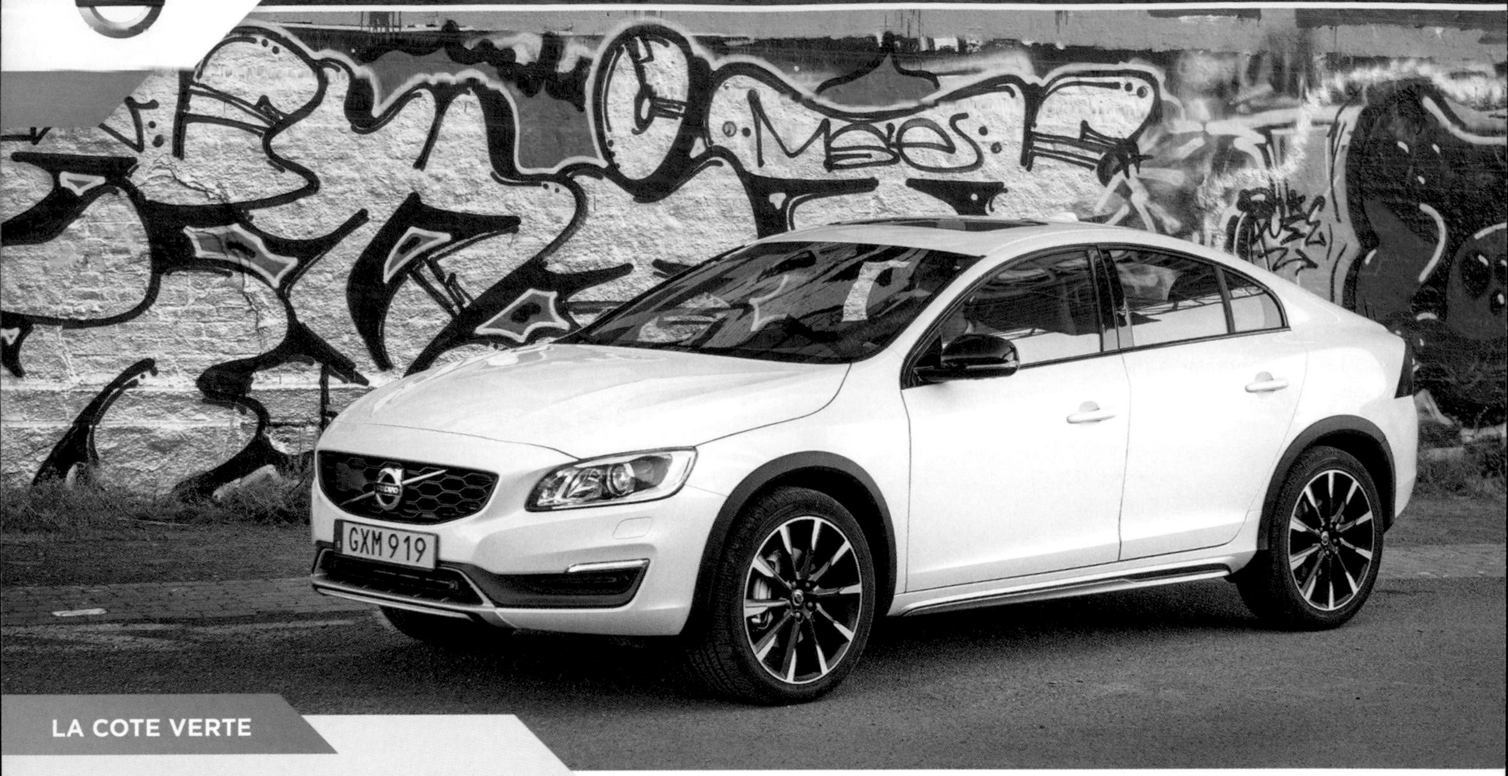

LA COTE VERTE

MOTEUR L4 2,0 L TURBO
CONSOMMATION (100 km) ville 9,6 L, route 6,7 L
CONSOMMATION ANNUELLE 1 411 L, 1 693 $
INDICE D'OCTANE 87
ÉMISSIONS POLLUANTES CO_2 3 245 kg/an
(source : ÉnerGuide)

FICHE D'IDENTITÉ

VERSION(S) 2RM S60/V60 T5 Drive-E, S60 T6 Drive-E **4RM** S60 T5-SE, S60CC T5, S60/V60 T6, S60/V60 T6 Drive-E, S60/V60 T6 R-Design, S60/V60 T6 Drive-E R-Design, S60/V60 T6 Polestar, V60 T5, V60CC T5
TRANSMISSION(S) avant, 4
PORTIÈRES 4, 5 **PLACES** 5
PREMIÈRE GÉNÉRATION 1993 (850)
GÉNÉRATION ACTUELLE S60 2011 **V60** 2015
CONSTRUCTION Torslanda, Suède
COUSSINS GONFLABLES 6 (frontaux, latéraux avant, rideaux latéraux)
CONCURRENCE Acura TLX, Alfa Romeo Giulia, Audi A4/Allroad, BMW Série 3, Buick Regal, Cadillac ATS, Infiniti Q50, Jaguar XE, Mercedes-Benz CLA/Classe C, Volkswagen CC

AU QUOTIDIEN

COLLISION FRONTALE 5/5
COLLISION LATÉRALE 5/5
VENTES DU MODÈLE L'AN DERNIER
AU QUÉBEC 571 (+9,1 %) **AU CANADA** 1 697 (-11,4 %)
DÉPRÉCIATION (%) 29,8 (3 ans)
RAPPELS (2011 à 2016) 10
COTE DE FIABILITÉ 2,5/5

GARANTIES... ET PLUS

GARANTIE GÉNÉRALE 4 ans/80 000 km
GROUPE MOTOPROPULSEUR 4 ans/80 000 km
PERFORATION 12 ans/kilométrage illimité
ASSISTANCE ROUTIÈRE 5ans/kilométrage illimité
NOMBRE DE CONCESSIONNAIRES
AU QUÉBEC 13 **AU CANADA** 36

NOUVEAUTÉS EN 2017

Versions Polestar maintenant avec moteur Drive-E plus puissant.

DERNIER DROIT

La S60 roule tranquillement en direction de la retraite. Cette berline doublée plus récemment d'une familiale a été la première Volvo à ne pas avoir été dessinée à l'aide d'une équerre. Hélas, voilà sans doute son plus grand fait d'armes en carrière.

Éric LeFrançois

TOUR DU PROPRIÉTAIRE > Déterminée à remettre sous les feux des projecteurs, à peu de frais, une berline en fin de carrière, Volvo invite la S60 à chausser des espadrilles (Polestar) ou à jouer le coureur des bois (Cross Country). La S60 Cross Country, présentée comme une solution de rechange originale aux utilitaires qui pullulent sur le marché, a, pour ce motif seulement, raison d'exister. D'autant plus que sa (très) faible diffusion en fera sans doute aussi un objet de convoitise auprès des consommateurs soucieux de se distinguer de la masse. Cela dit, hormis sa garde au sol digne de celle d'un utilitaire pur jus – celle-ci compte 201 millimètres –, ses roues ornées du sigle XC et un discret bandeau noir portant l'inscription « Cross Country » posée au-dessus des sorties d'échappement montrent qu'il s'agit bien d'une S60. Une berline aux proportions toujours élégantes, mais aux dimensions aujourd'hui un peu trop compactes – y compris le volume du coffre – pour rivaliser avec ses rivales, toutes plus modernes.

+ VERSION FAMILIALE PLUS ACCESSIBLE ET PLUS POLYVALENTE
+ FIABILITÉ ÉPROUVÉE
+ CONFORT DE CONDUITE

– MODÈLE EN FIN DE CARRIÈRE
– DYNAMIQUE TROUBLÉE PAR UNE GARDE AU SOL PLUS ÉLEVÉE (CROSS COUNTRY)
– DISPOSITIFS DE SÉCURITÉ ACTIVE OFFERTS EN OPTION

VIE À BORD > À bord, la S60 Cross Country perpétue le savoir-faire et le bon goût Volvo : console flottante et baquets que l'on jurerait moulés sur soi. Garde au sol plus élevée est aussi synonyme de position de conduite surélevée et, sans offrir une vue dominante sur tout ce qui vous entoure, la S60 Cross Country a le mérite de vous mettre ici plus en confiance. Le baquet enveloppant de cette Volvo laisse toutes les possibilités de s'asseoir confortablement – mais de façon un peu trop décontractée en raison d'un manque de support latéral – et sa colonne de direction est réglable aussi bien en hauteur qu'en profondeur. Le tableau de bord incorpore des indicateurs à l'affichage clair et à la lecture facile ainsi qu'un ensemble d'accessoires parfaitement intégrés, comme les commandes on ne peut plus conviviales de la climatisation automatique. En revanche, d'autres commandes exigent une période d'acclimatation, comme les réglages des différents dispositifs au moyen de l'ordinateur de bord, qui s'affiche sur un écran un peu trop petit selon les normes actuelles. En outre, une marque d'origine scandinave ne devrait-elle pas offrir de facto un volant et une banquette arrière chauffants ?

TECHNIQUE > Comment expliquer que les capteurs d'angles morts, le détecteur transversal de circulation en marche arrière et les alertes de stationnement entraînent un déboursé supplémentaire? Et ce n'est pas tout, il faut allonger encore des dollars pour retenir notamment les services d'un régulateur de vitesse intelligent et d'un système d'alerte pour les piétons. Voilà donc des caractéristiques que Volvo, en tant que précurseur d'un certain nombre de ces technologies, devrait carrément offrir gratuitement à sa clientèle. Idem pour l'autre groupe « climatique » d'options.

AU VOLANT > Sur le plan des performances pures, le 5-cylindres en ligne de Volvo donne un rendement adéquat, sans plus. Il existe actuellement sur le marché – et chez Volvo aussi – des mécaniques de plus faible cylindrée assurant des accélérations plus vives, des relances plus musclées et une meilleure consommation que ce 5-cylindres. Que dire de la boîte automatique à 6 rapports qui l'accompagne ? Dans le cadre d'une utilisation normale, celle-ci se révèle exquise et file le parfait bonheur avec le moteur qui l'accompagne. Cependant, dès que le conducteur sort le fouet, elle s'affole. Elle manque alors de vivacité et tire mollement sur ses rapports. La direction – au demeurant d'une belle précision et d'une grande douceur – manque de linéarité. L'autre talon d'Achille de cette Volvo réside dans son fort rayon de braquage, qui rend l'exécution de certaines manœuvres parfois très pénible. En d'autres mots, elle braque mal. Et son train arrière encaisse aussi difficilement les grosses déformations de la chaussée. Imaginez ce que ce sera dans les bosquets et les fossés...

CONCLUSION > La S60 se révèle une routière confortable et agréable à vivre au quotidien, mais qui suinte à grosses gouttes pour trouver le bon rythme sur un parcours tourmenté. S'il fallait choisir, la familiale seule mérite une place dans votre entrée de garage. ■

2e OPINION

Antoine Joubert

Inutile de vous dire qu'après avoir pris le volant des nouvelles Audi A4 et Jaguar XE, cette vieillissante Volvo ne fait plus le poids. Technologiquement dépassée, elle tente de séduire avec une approche distincte, notamment avec sa déclinaison S60 Cross Country qui, honnêtement, a su me séduire en raison d'une approche totalement champ gauche. Maintenant, mon cœur penche davantage vers la V60, élégante et pratique, et offerte en une panoplie de versions. Bien sûr, la nouvelle Audi Allroad déclasse facilement la V60 Cross Country, mais certains éléments comme le confort des sièges demeurent à l'avantage de la firme suédoise. Cela dit, si vous avez le béguin pour ce modèle, soyez fin négociateur, puisque sa dépréciation est aujourd'hui très forte, surtout du côté de la berline.

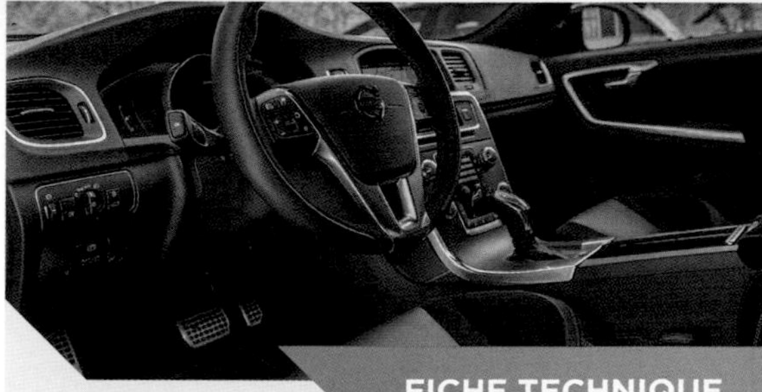

FICHE TECHNIQUE

MOTEUR(S)

(T5 DRIVE-E) L4 2,0 L DACT turbo **PUISSANCE** 240 ch à 5 600 tr/min
COUPLE 258 lb-pi de 1 500 à 4 800tr/min, 280 lb-pi en mode overboost
RAPPORT POIDS/PUISSANCE 6,5 à 6,7 kg/ch
BOÎTE(S) DE VITESSES automatique à 8 rapports avec mode manuel, manettes au volant en option
PERFORMANCES 0-100 km/h 7,2 s **VITESSE MAXIMALE** 210 km/h (bridée)

(T5 AWD) L5 2,5 L DACT turbo **PUISSANCE** 250 ch à 5 400 tr/min
COUPLE 266 lb-pi de 1 800 à 4 200 tr/min
RAPPORT POIDS/PUISSANCE 6,5 kg/ch
BOÎTE(S) DE VITESSES automatique à 6 rapports avec mode manuel, manettes au volant en option
PERFORMANCES 0-100 km/h 7,5 s
VITESSE MAXIMALE 210 km/h (bridée)
CONSOMMATION (100 km) ville 11,6 L, route 8,2 L (octane 87)
ANNUELLE 1 717 L, 2 060 $ **ÉMISSIONS DE CO_2** 3 949 kg/an

(T6 DRIVE-E) L4 2,0 L DACT à turbo et compresseur
PUISSANCE 302 ch à 5 700 tr/min **COUPLE** 295 lb-pi de 2 100 à 4 500 tr/min
RAPPORT POIDS/PUISSANCE 5,2 kg/ch
BOÎTE(S) DE VITESSES automatique à 8 rapports avec mode manuel, manettes au volant en option
PERFORMANCES 0-100 km/h 5,9 s (est.)
VITESSE MAXIMALE 250 km/h (bridée)
CONSOMMATION (100 km) ville 10,6 L, route 7,7 L (octane 91)
ANNUELLE 1 581 L, 1 897 $ **ÉMISSIONS DE CO_2** 3 636 kg/an

(AWD T6, T6 R-DESIGN, POLESTAR) L6 3,0 L DACT turbo
PUISSANCE T6 302 ch à 5 700 tr/min
R-Design 325 ch à 5 400 tr/min **Polestar** 367 ch
COUPLE 295 lb-pi de 2 100 à 4 500 tr/min
R-Design 354 lb-pi de 3 000 à 3 600 tr/min
RAPPORT POIDS/PUISSANCE 5,7 kg/ch
R-Design 5,2 à 5,3 kg/ch **Polestar** 4,6 à 4,7 kg/ch
BOÎTE(S) DE VITESSES automatique à 6 rapports avec mode manuel et manettes au volant **Polestar** à 8 rapports
PERFORMANCES 0-100 km/h 5,9 s **Polestar** 4,7 s
REPRISE 80-115 km/h 4,2 s **FREINAGE 100-0 km/h** 35,7 m
NIVEAU SONORE À 100 km/h Moyen **VITESSE MAXIMALE** 250 km/h (bridée)
CONSOMMATION (100 km) ville 13,0 L, route 9,0 L (octane 87)
ANNUELLE 1 904 L, 2 285 $ **ÉMISSIONS DE CO_2** 4 379 kg/an

AUTRES COMPOSANTS

SÉCURITÉ ACTIVE (certains en option) Freins ABS, assistance au freinage, répartition électronique de la force de freinage, contrôle de la stabilité électronique, antipatinage, détection de piétons et freinage d'urgence automatique, avertisseur de sortie de voie, assistance au maintien de voie, régulateur de vitesse adaptatif, avertisseurs d'obstacle latéral et arrière, phares adaptatifs
SUSPENSION avant/arrière indépendante
FREINS avant/arrière disques, avec récupération d'énergie
DIRECTION à crémaillère, assistée électriquement
PNEUS T5 P215/50R17 **option T5/T6** P235/45R17
T6 P235/40R18 **Polestar** 20 po.

DIMENSIONS

EMPATTEMENT 2 776 mm **LONGUEUR** 4 636 mm **LARGEUR** 1 864 mm
HAUTEUR 1 483 mm **POIDS S60 T5-E** 1 565 kg **T6-E** 1 575 kg
T6 1 737 kg **T6 RDesign** 1 680 kg **V60 T5-E 2RM** 1 600 kg
T5 4RM 1 634 kg **T6 R-Design** 1 719 kg
RÉPARTITION DU POIDS AV/ARR (%) 62/38
DIAMÈTRE DE BRAQUAGE T5 11,3 m **T6** 11,9 m
COFFRE S60 340L **V60** 1 240 L
RÉSERVOIR DE CARBURANT 67 L
CAPACITÉ DE REMOUQUAGE S60 1 588 kg **V60** 1 497 kg

LA COTE VERTE

MOTEUR L4 DE 2,0 L TURBO
CONSOMMATION (100 km) ville 9,9 L, route 6,7 L (est.)
CONSOMMATION ANNUELLE 1 411 L, 1 693 $
INDICE D'OCTANE 87
ÉMISSIONS POLLUANTES CO_2 3 245 kg/an
(source : L'Annuel)

FICHE D'IDENTITÉ

VERSION(S) S90 2RM T5 Momentum, T5 Inscription **4RM T6,** T5 Momentum Inscription, T6 Polestar **V90** V90 **Cross Country**
TRANSMISSION(S) avant, 4
PORTIÈRES 4 **PLACES** 5
PREMIÈRE GÉNÉRATION 1999 (S80)
GÉNÉRATION ACTUELLE 2017
CONSTRUCTION Göteborg, Suède
COUSSINS GONFLABLES 6 (frontaux, latéraux avant, rideaux latéraux)
CONCURRENCE Acura RLX, Audi A6, BMW Série 5, Cadillac CTS, Infiniti Q70, Jaguar XF, Lexus GS, Lincoln Continental, Maserati Ghibli, Mercedes-Benz Classe E

AU QUOTIDIEN

COLLISION FRONTALE nm
COLLISION LATÉRALE nm
VENTES DU MODÈLE L'AN DERNIER
AU QUÉBEC 10 (-9,1 %) **AU CANADA** 62 (-8,8 %) (S80)
DÉPRÉCIATION (%) nm
RAPPELS (2011 à 2016) nm
COTE DE FIABILITÉ nm

GARANTIES… ET PLUS

GARANTIE GÉNÉRALE 4 ans/80 000 km
GROUPE MOTOPROPULSEUR 4 ans/80 000 km
PERFORATION 12 ans/kilométrage illimité
ASSISTANCE ROUTIÈRE 5 ans/kilométrage illimité
NOMBRE DE CONCESSIONNAIRES
AU QUÉBEC 13 **AU CANADA** 36

NOUVEAUTÉS EN 2017

Nouvelle génération. L'appellation S80 fait place à S90 et une version familiale V90 est ajoutée.

LA RENAISSANCE SE POURSUIT

Vous disposez d'un budget confortable afin d'acquérir une automobile agréable pour votre petite famille. Même qu'un certain luxe ne serait pas pour vous déplaire. Vous aimeriez jeter votre dévolu sur un produit européen parce que vous en appréciez le design en général et que le prestige issu des vieux pays vous susurre un petit velours. Or, bonne nouvelle, ce n'est pas le choix d'autos appartenant à cette catégorie qui fait défaut. Le temps de dire « J'ai 70 000 $ à dépenser! », vous voilà avec une sélection de véhicules griffés Mercedes-Benz, BMW, Audi, Jaguar… et Volvo. Pourquoi Volvo ? Ce qui suit va tenter de vous l'expliquer…

Michel Crépault

TOUR DU PROPRIÉTAIRE > Il a fallu cinq ans avant que la Volvo, acquise par la Geely en 2010, nous présente enfin son premier véhicule représentatif de la nouvelle ère amorcée par le groupe sino-scandinave : l'utilitaire XC90. Les louanges ont fusé de partout et les Suédois ont poussé un soupir de soulagement collectif, puisque les Chinois leur avaient à peu près dit : « Tenez, voici les milliards nécessaires pour mener le XC90 à bon port. Si vous réussissez, on vous laisse tranquilles pour la suite des choses. Si vous échouez, on prend le contrôle. » Fils et filles de Viking ont donc pu poursuivre le développement de leur portfolio à leur manière et ça donne aujourd'hui la berline S90 et la familiale V90 afin de compléter la série maîtresse de la

+
- **VISUEL EXTÉRIEUR ET INTÉRIEUR FLATTEUR**
- **CONDUITE SÛRE ET FACILE**
- **CHOIX DE VARIANTES (À VENIR)**

−
- **ÉTRANGES DÉCISIONS PAR RAPPORT À L'ÉQUIPEMENT**
- **DIRECTION ÉLECTRIQUE PARFOIS VAGUE**
- **UNE RÉPUTATION DE FIABILITÉ À REBÂTIR**

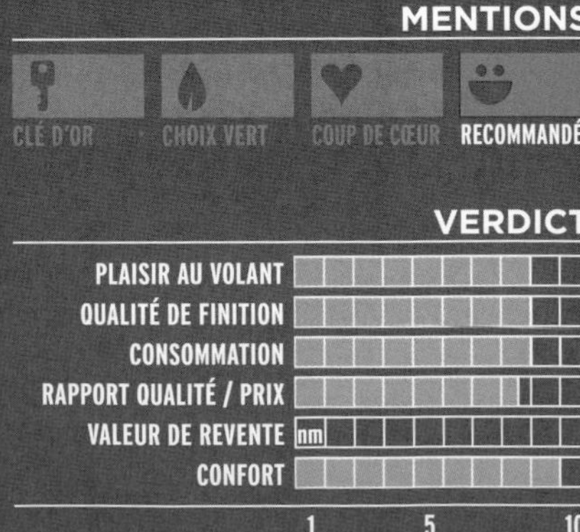

marque. Comme on s'en doute, cette paire d'automobiles partage plusieurs points avec le XC, à commencer par la plateforme SPA (*Scalable Product Architecture*), qui sera également reprise par les prochaines S60/V60, alors que des Volvo plus petites, genre S40/V40, utiliseront la plateforme CMA (*Compact Modular Architecture*). La berline salue la tradition en réinterprétant la grille de la fameuse P1800 de Simon Templar et elle embrasse la modernité en intégrant aux phares le « marteau de Thor » qui caractérise le nouveau visage volvoïen. Jusqu'à la familiale qui respire la sveltesse. Elle s'inspire de ce que les Anglais appellent un « shooting brake », un croisement entre un break et un coupé, un look si réussi qu'il pourrait ramener dans le giron du « station-wagon » les transfuges rendus dans le camp des multisegments. Précisons que la S90 sera disponible dès cet automne sous deux livrées, Momentum et Inscription, tandis que la V90 ne se pointera le pare-chocs qu'au cours du premier trimestre de 2017.

VIE À BORD > La générosité de l'espace à bord est d'abord bien réelle, à commencer par le dégagement en hauteur, qui étonne, d'autant plus que les voitures proposent un toit fuyant. Dans la familiale, plus de 1500 litres de chargement sont à votre disposition. Par ailleurs, le style épuré du décor renforce cette impression de dégagement. Le volant présente peu d'interrupteurs, même pas de palettes. Ses réglages en profondeur et à angles sont toutefois manuels, ce qui est une incongruité pour une auto de ce calibre. Au centre du tableau de bord, un maximum de fonctions se concentre dans l'écran genre iPad dont le maniement s'accommode de balayages tactiles efficaces. Les ingénieurs ont encore fait progresser la sensibilité et l'exactitude du système de reconnaissance vocale. Le concessionnaire vous fera miroiter une demi-douzaine d'ensembles facultatifs et d'options individuelles, par exemple celle qui réchauffe les places extérieures de la banquette et le volant. Je m'étonne cependant que le système Bliss, celui qui détecte les intrus dans les angles morts, exige un supplément. Décision surprenante de la part de la marque qui ne jure que par la sécurité.

TECHNIQUE > En ressuscitant grâce aux yuans de Geely, Volvo a pris du coup une décision cruciale : tous ses futurs produits n'accueilleraient jamais plus gros sous leur capot qu'un 4-cylindres (des trois viendront plus tard, notamment pour la série 40). Les accessoires mécaniques qui pimentent le 2-litres font les variantes. Ainsi, imitant en cela le XC90, les S90/V90 auront droit à plusieurs versions étalées dans le temps. Viendra d'abord la T6, c'est-à-dire équipée d'un turbo et d'un compresseur pour générer 316 chevaux et un couple de 295 livres-pieds, immédiatement suivie d'une déclinaison R-Design aux cosmétiques sportifs. S'ajouteront par la suite la T5 (sans le compresseur), la T8 (hybride enfichable), la Polestar (l'équivalent de M et AMG chez BMW et Mercedes-Benz) et certainement une Cross Country dans le cas de la familiale, à la manière d'une Allroad chez Audi ou d'une Outback chez Subaru. Ne me demandez

2e OPINION

Benoit Charette

Il en aura fallu du temps et un nouveau propriétaire (Geely) pour que Volvo arrive enfin avec une remplaçante à la préhistorique S80. Comme une bonne nouvelle ne vient jamais seule, le modèle 90 offre aussi une vraie familiale, la V90, qui arrivera plus tard le printemps prochain. Dans les deux cas, on retrouve le savoir-faire suédois, encore les maîtres à penser des modèles Volvo. Un luxe sobre, empreint de modestie mais taillé dans des matériaux nobles. La conduite est agréable, feutrée et plus confortable que sportive. J'ai beaucoup apprécié la version V90 pour son espace, son style très réussi, et Volvo a encore la recette des sièges les plus ergonomiques et confortables du marché. Il reste maintenant une côte à remonter pour aller chercher une clientèle qui, depuis longtemps, est allée voir chez les voisins.

FICHE TECHNIQUE

MOTEUR(S)

(T5 4RM) L4 2,0 L DACT Turbo
PUISSANCE 250 ch à 5 600 tr/min
COUPLE 266 lb-pi de 1 800 à 4 200 tr/min
RAPPORT POIDS/PUISSANCE 7,6 kg/ch
BOÎTE(S) DE VITESSES automatique à 8 rapports avec mode manuel, manettes au volant en option
PERFORMANCES 0-100 km/h 7,4 s (est.)
REPRISE 80-115 km/h ND
VITESSE MAXIMALE 209 km/h (bridée)

(T6 4RM) L4 2,0 L DACT Turbo et à compresseur
PUISSANCE 316 ch à 5 700 tr/min
COUPLE 295 lb-pi de 2 200 à 5 400
RAPPORT POIDS/PUISSANCE 6,3 kg/ch
BOÎTE(S) DE VITESSES automatique à 8 rapports avec mode manuel, manettes au volant en option
PERFORMANCES 0-100 km/h 5,9 s
REPRISE 80-115 km/h ND
VITESSE MAXIMALE 209 km/h (bridée)
CONSOMMATION (100 km) ville 11,6 L, route 8,2 L (octane 87)
ANNUELLE 1 683 L, 2 020 $
ÉMISSIONS DE CO_2 3 871 kg/an

AUTRES COMPOSANTS

SÉCURITÉ ACTIVE (certains en option) Freins ABS, assistance au freinage, répartition électronique de la force de freinage, contrôle électronique de la stabilité, antipatinage, système anti-retournement phares adaptatifs, régulateur de vitesse adaptatif, détection de piétons, de cyclistes et d'impact imminent avec freinage d'urgence automatique, avertisseurs de somnolence et de changement de voie avec assistance au maintien de voie
SUSPENSION avant/arrière indépendante/indépendante à ressort transversal, pneumatique en option
FREINS avant/arrière disques, à récupération d'énergie
DIRECTION à crémaillère, assistée électriquement
PNEUS T6 P245/45R18

DIMENSIONS

EMPATTEMENT 2 941 mm
LONGUEUR 4 963 mm
LARGEUR 1 890 mm
HAUTEUR 1 443 mm
POIDS T5 1 895 kg **T6** 1 995 kg (est.)
DIAMÈTRE DE BRAQUAGE 11,8 m
COFFRE 500 L V90 566 L, 1 500 L (sièges abaissés)
RÉSERVOIR DE CARBURANT 60 L
CAPACITÉ DE REMORQUAGE ND

A

B

C

D

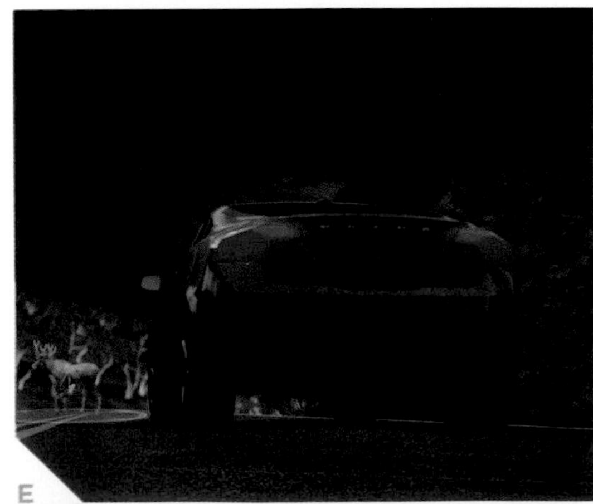

E

GALERIE

A > En donnant aux phares une forme poétiquement surnommée « le marteau de Thor », les designers ont créé une sympathique et originale signature visuelle.

B > Bien que plusieurs autres modèles doivent suivre, la S90 se lance d'abord à l'assaut du continent avec deux versions de la T6, soit Momentum (56 900 $) et Inscription (63 000 $).

C > La modularité 60/40 des dossiers arrière permet à la V90 de jouer à la perfection son rôle de familiale grâce à un volume cargo de plus de 1 500 litres.

D > Outre la nouvelle plateforme SPA, qui délivre rigueur et souplesse, il ne faut pas oublier l'excellence des sièges Volvo, qui continuent de cajoler les colonnes vertébrales.

E > Les S90/V90 2017 se targuent maintenant de pouvoir avertir le conducteur quand un gros animal (chevreuil, orignal, etc.) voudra faire plus ample connaissance.

pas quand, j'ai en déjà sûrement trop dit au goût de Volvo Canada qui, pour l'instant, souhaite braquer les projecteurs sur la T6. D'autre part, même si les S90/V90 seront produites en configuration traction et transmission intégrale, les Canadiens recevront uniquement la seconde pour des raisons météo finalement assez évidentes. Et pas de diesel non plus, du moins, j'imagine, tant que les Américains ne se seront pas remis du scandale VW.

AU VOLANT > Que ce soit le sedan ou le break, vous voilà dans une auto où prime le confort. Le silence à bord est le résultat d'un châssis impérial et d'une isolation des bruits parasites que seul le vent parvient à déjouer un peu à haute vitesse en martelant le pare-brise. Comme les fameux fauteuils Volvo n'ont rien perdu de leur tendresse et que la nouvelle suspension à double fourchette s'acquitte admirablement de sa tâche, les trajets sont sereins (enfin, ce fut le cas sur des routes parfaites en Espagne; chez nous...). Les modes Eco et Confort conviennent d'ailleurs le mieux aux S90/V90. Mais sélectionnez les programmes Sport ou Individuel et le 2-litres ne rechignera pas du tout devant une accélération énergique (le 0-100 km/h en 6,5 secondes) pendant que les autres organes vitaux de l'auto se raffermissent, à commencer par la boîte de vitesse automatique à 8 rapports. La direction électrique se montre parfois trop molle au centre, alors que le freinage affiche une grande sensibilité. Si toutes les rivales peuvent bien être aussi belles, confortables et même plus rapides, Volvo n'est pas prête à leur concéder quoi que ce soit par rapport à la sécurité. Après tout, c'est elle qui a juré que personne ne serait tué ou sérieusement blessé dans l'une de ses voitures d'ici 2020. Et, de fait, les deux améliorations notables par rapport au XC90 nous rapprochent de cette promesse. Tout d'abord, le système de conduite semi-autonome Pilot Assist demeure actif jusqu'à 130 km/h au lieu de 50 pour l'utilitaire. Oui, on peut lâcher le volant des mains et, oui, l'auto parvient seule à rester au centre de la voie, même dans les courbes, mais l'exploit éphémère tient davantage du gadget. Nous sommes encore très loin de l'auto totalement indépendante. Mais il est vrai que le système permet au conducteur de suivre le trafic sans qu'il ait à se soucier d'accélérer ou de freiner, l'auto le faisant pour lui. Enfin, le système qui détectait déjà les passants et les cyclistes ajoute désormais les gros animaux à son répertoire. Un plus, dirais-je, surtout la nuit, car si vous avez besoin d'un radar pour discerner un orignal le jour, c'est surtout d'un rendez-vous chez l'optométriste dont vous avez besoin.

CONCLUSION > Volvo considère que les consommateurs qui s'intéresseront à la S90 peuvent très bien aussi se tourner vers l'Audi A6, la BMW Série 5, la Mercedes-Benz E, la Lexus GS, la Cadillac CTS, l'Infiniti Q70 et la Jaguar XF. Les compétiteurs directs et surtout allemands de la familiale V90 sont moins nombreux mais néanmoins sérieux. Volvo sait qu'elle doit arracher des clients à ces marques. Or les S90/V90 ont la technologie, le confort et la sécurité pour y parvenir. Leur retard se situe dans le marketing. Nul doute que le nouveau proprio mettra les fonds nécessaires maintenant que ses Vikings ont retrouvé leur âme de conquérant. ■

HISTORIQUE

Démêlons d'abord les appellations. En 1996, Volvo change le nom de ses véhicules et la 960 devient la berline S90 et la familiale V90 (de la même façon que la 850 cède la scène aux S70 et V70). Mais à peine deux ans plus tard, on cesse la production des S90 et V90. Les ventes sont misérables (à peine 9000 exemplaires du break dans le monde) et la marque suédoise connaît des difficultés qui serviront de prélude à son acquisition par Ford en 1999. La S80 succède à la S90, la traction à la propulsion. Pas de variante familiale toutefois. Une S80 de deuxième génération se pointe en 2006, puis celle-ci s'efface fin 2015 devant le retour des S90 et V90 financées par le Chinois Geely.

Volvo 960 1995

Volvo 960 1996

Volvo S80 1999

Volvo S 80 2011

Volvo S90 2016

LA COTE VERTE

MOTEUR L4 DE 2,0 L TURBO
CONSOMMATION (100 km) ville 10,3 L, route 7,6 L
CONSOMMATION ANNUELLE 1 547 L, 1 856 $
INDICE D'OCTANE 87
ÉMISSIONS POLLUANTES CO_2 3 558 kg/an
(source : ÉnerGuide)

FICHE D'IDENTITÉ

VERSION(S) 2RM T5 Drive-E Base, Premier
4RM T5 SE **T6 Drive-E** Premier, R-Design
TRANSMISSION(S) avant, 4
PORTIÈRES 5 **PLACES** 5
PREMIÈRE GÉNÉRATION 2 009
GÉNÉRATION ACTUELLE 2 009
CONSTRUCTION Gand, Belgique
COUSSINS GONFLABLES 6 (frontaux, latéraux avant, rideaux latéraux)
CONCURRENCE Acura RDX, Audi Q5, BMW X3/X4, Buick Envision, Infiniti QX50, Jaguar F-Pace, Land Rover Discovery Sport/ Range Rover Evoque, Lexus NX, Lincoln MKC, Mercedes-Benz GLC, Porsche Macan

AU QUOTIDIEN

COLLISION FRONTALE 5/5
COLLISION LATÉRALE 5/5
VENTES DU MODÈLE L'AN DERNIER
AU QUÉBEC 356 (+13,7 %) **AU CANADA** 1 646 (+6,7 %)
DÉPRÉCIATION (%) 25,3 (3 ans)
RAPPELS (2 011 à 2 016) 8
COTE DE FIABILITÉ 3/5

GARANTIES… ET PLUS

GARANTIE GÉNÉRALE 4 ans/80 000 km
GROUPE MOTOPROPULSEUR 4 ans/80 000 km
PERFORATION 12 ans/kilométrage illimité
ASSISTANCE ROUTIÈRE 5 ans/kilométrage illimité
NOMBRE DE CONCESSIONNAIRES
AU QUÉBEC 13 **AU CANADA** 36

NOUVEAUTÉS EN 2017

Aucun changement majeur

DERNIER TOUR DE PISTE

C'est une profonde réorganisation de sa gamme à laquelle procède Volvo présentement, une opération qui va nous faire assister à la disparition de certains produits et à la naissance de nouveaux. Le XC60, qui est toujours le même qu'à ses débuts en 2009, éviterait le couperet et serait même appelé à jouer un rôle légèrement différent au sein de la famille, selon ce que les murs nous confient. En effet, avec l'arrivée prochaine d'un plus petit XC (40 ?), le XC60 prendrait quelques livres et viendrait se camper entre le petit nouveau et le XC90, avec lequel il partagerait ses assises. En attendant, tout n'est pas perdu, car vous pouvez profiter du modèle actuel qui, malgré quelques rides, n'est pas dénué d'intérêt.

Daniel Rufiange

TOUR DU PROPRIÉTAIRE > Le style adopté par Volvo est unique, tant à l'avant qu'à l'arrière, et cela sert très bien le constructeur. Dans un monde où la conformité tue l'originalité, comme la peste éliminait les innocents au Moyen Âge, il fait bon retrouver un véhicule qui réussit à se démarquer, et ce, malgré le fait qu'il entreprenne une neuvième année sur le marché. Sur le plan de l'offre, plutôt que de s'amincir, elle s'est étoffée au fil des calendriers et se veut plus complète que jamais. En tout, cinq vous sont proposées, ces dernières cachant quatre mécaniques différentes. Les plus reconnaissables de toutes demeurent celles décorées de l'ensemble R-Design, porteur de marques distinctives et de roues uniques au modèle.

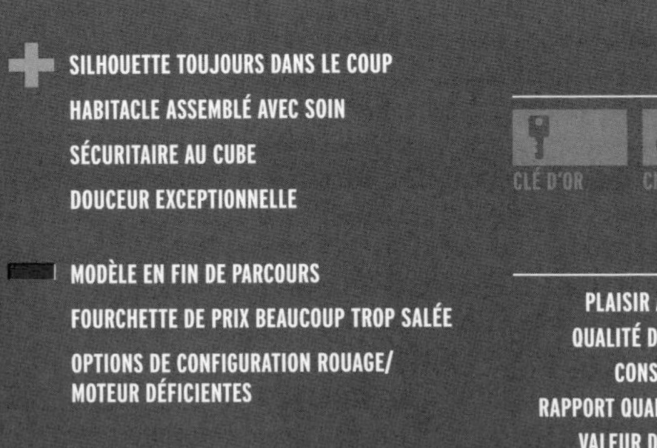

+
- SILHOUETTE TOUJOURS DANS LE COUP
- HABITACLE ASSEMBLÉ AVEC SOIN
- SÉCURITAIRE AU CUBE
- DOUCEUR EXCEPTIONNELLE

−
- MODÈLE EN FIN DE PARCOURS
- FOURCHETTE DE PRIX BEAUCOUP TROP SALÉE
- OPTIONS DE CONFIGURATION ROUAGE/ MOTEUR DÉFICIENTES

MENTIONS

CLÉ D'OR | CHOIX VERT | COUP DE CŒUR | **RECOMMANDÉ**

VERDICT

PLAISIR AU VOLANT
QUALITÉ DE FINITION
CONSOMMATION
RAPPORT QUALITÉ / PRIX
VALEUR DE REVENTE
CONFORT
1 5 10

VIE À BORD > À l'intérieur aussi, l'approche Volvo est différente. Certains aiment, d'autres moins. Ce qu'il faut retenir, c'est que la présentation y est plus épurée que chargée. C'est visible tant à la console centrale que dans l'instrumentation, simple comme bonjour. On apprécie l'approche colorée qu'il est possible de sélectionner à bord, le noir ayant une place trop prépondérante à travers l'industrie. Le niveau de confort est quant à lui princier, les ingénieurs de Volvo ayant passé des heures à travailler pour que tout le monde trouve son aise à bord. En matière de chargement, le XC60 fait bonne figure. Une fois les entourloupettes effectuées pour rabattre les sièges de la deuxième rangée, on libère près de 2000 litres de volume pour l'entassement de matériel. Confortable, doté d'une finition exemplaire et de matériaux nobles, le cocon du XC60 n'a pas trop pris de rides depuis neuf ans.

TECHNIQUE > Comme souligné plus haut, quatre motorisations peuvent animer le XC60. Et l'offre n'est pas simple. Un coup d'œil à la fiche technique vous en convaincra. Commençons par les versions à 4 roues motrices. Elles sont servies par le 6-cylindres de 300 chevaux (325 pour les modèles R-Design) et aussi par un 5-cylindres turbo de 250 chevaux. Dans les deux cas, la boîte de vitesse automatique compte 6 rapports. Les deux mécaniques les plus intéressantes, et plus modernes, sont logées entre les roues des versions à traction (T5 Drive-E et T6 Drive-E). On parle respectivement de prestations de 240 et de 302 chevaux. Mieux, la boîte automatique qui leur est jumelée compte huit rapports. Bravo pour l'offre, mais pas pour le mariage des moteurs et des rouages. Si vous voulez un 4-cylindres plus économique et la transmission intégrale, c'est impossible. Souhaitons que ce faux pas soit corrigé avec le modèle de prochaine génération.

AU VOLANT > Règle générale, lorsqu'un produit approche les 10 ans, on sent sa désuétude aux commandes. Ce n'est pas le cas avec le XC60, qui montre un comportement routier dynamique et dont le niveau de confort n'est rien de moins qu'exceptionnel. Si vous aimez les déplacements sans histoire et marqués par la douceur, vous êtes à la bonne adresse. Enfin, un mot concernant le dossier de fiabilité de ce XC60. Il est considéré comme moyen par *Consumer Reports*. Les problèmes touchent surtout les composantes électroniques et le système audio/multimédia.

CONCLUSION > Malgré son âge, le Volvo XC60 demeure un produit de grande qualité. Je n'hésiterais pas à me le procurer même si son remplaçant va bientôt se pointer. En fait, seul son prix me donne mal au cœur. Dans l'occasion, peut-être... À vous de voir. ■

2e OPINION

Charles René

Avec l'arrivée de la V60, le XC60 est quelque peu pris entre deux chaises. Non pas qu'il s'agit là d'un produit inintéressant, loin de là. C'est plutôt que la V60 offre une formule très pertinente qui croise les qualités dynamiques de la S60 avec un volume de chargement qui s'approche de celui d'un petit multisegment. Au-delà de cette remise en question identitaire, le XC60 montre quelques rides, surtout sur la présentation intérieure. N'empêche que cette simplicité n'est pas désagréable, mais elle mériterait d'être rénovée quelque peu, comme l'a si bien fait le XC90. Le 4-cylindres de série suralimenté est très intéressant autant sur le plan de la consommation que sur celui de la souplesse. Ce moteur, le plus moderne des trois, n'est néanmoins pas offert avec la transmission intégrale.

FICHE TECHNIQUE

MOTEUR(S)

(T5 DRIVE-E) L4 2,0 L DACT turbo
PUISSANCE 240 ch à 5 600 tr/min
COUPLE 258 lb-pi de 1 500 à 4 800tr/min, 280 lb-pi en mode overboost
RAPPORT POIDS/PUISSANCE 7,6 kg/ch
BOÎTE(S) DE VITESSES automatique à 8 rapports avec mode manuel, manettes au volant en option
PERFORMANCES 0-100 km/h 7,2 s **VITESSE MAXIMALE** 210 km/h (bridée)

(T5 AWD-SE) L5 2,5 L DACT turbo
PUISSANCE 250 ch à 5 400 tr/min
COUPLE 196 lb-pi de 1 800 à 4 200 tr/min
RAPPORT POIDS/PUISSANCE 7,7 kg/ch
BOÎTE(S) DE VITESSES automatique à 6 rapports avec mode manuel, manettes au volant en option
PERFORMANCES 0-100 km/h 7,8 s (est.)
VITESSE MAXIMALE 210 km/h (bridée)
CONSOMMATION (100 km) ville 12,5 L, route 9,2 L (octane 87)
ANNUELLE 1 870 L, 2 244 $ **ÉMISSIONS DE CO_2** 4 301 kg/an

(T6 DRIVE-E) L4 2,0 L DACT à turbo et compresseur
PUISSANCE 302 ch à 5 700 tr/min
COUPLE 295 lb-pi de 2 100 à 4 500 tr/min
RAPPORT POIDS/PUISSANCE 6,1 kg/ch
BOÎTE(S) DE VITESSES automatique à 8 rapports avec mode manuel, manettes au volant en option
PERFORMANCES 0-100 km/h 6,6 s (est.) **VITESSE MAXIMALE** 250 km/h (bridée)
CONSOMMATION (100 km) ville 11,0 L, route 8,1 L (octane 91)
ANNUELLE 1 649 L, 2 226 $ **ÉMISSIONS DE CO_2** 3 793 kg/an

(T6 AWD, T6 AWD R-Design) L6 3,0 L DACT turbo
PUISSANCE 300 ch à 5 600 tr/min **R-Design** 325 ch à 6 500 tr/min
COUPLE 325 lb-pi de 2 100 à 4 200 tr/min
R-Design 354 lb-pi de 3 000 à 3 600 tr/min
RAPPORT POIDS/PUISSANCE 6,4 kg/ch **R-Design** 6,1 kg/ch
BOÎTE(S) DE VITESSES automatique à 6 rapports avec mode manuel, manettes au volant en option
PERFORMANCES 0-100 km/h 6,8 s **R-Design** 6,2 s
REPRISE 80-115 km/h R-Design 4,9 s
FREINAGE 100-0 km/h R-Design 38,6 m
NIVEAU SONORE À 100 km/h R-Design Moyen
VITESSE MAXIMALE 250 km/h (bridée)
CONSOMMATION (100 km) ville 13,7 L, route 10,1 L (octane 87)
ANNUELLE 2 040 L, 2 448 $ **ÉMISSIONS DE CO_2** 4 692 kg/an

AUTRES COMPOSANTS

SÉCURITÉ ACTIVE (certains en option) Freins ABS, assistance au freinage, répartition électronique de la force de freinage, contrôle électronique de la stabilité, antipatinage, régulateur de vitesse adaptatif, phares directionnels et adaptatifs, détection de piétons, de cyclistes et d'impact imminent avec freinage d'urgence automatique, avertisseurs d'obstacle arrière, de somnolence et de sortie de voie
SUSPENSION avant/arrière indépendante
FREINS avant/arrière disques
DIRECTION à crémaillère, assistée
PNEUS P235/60R18 **option** P235/55R19 **T6 R-Design** P235/45R20

DIMENSIONS

EMPATTEMENT 2 774 mm **LONGUEUR** 4 627 mm
LARGEUR 1 891 mm **HAUTEUR** 1 713 mm
POIDS T5/T6 1 833 kg **T5 AWD** 1 928 kg **T6 AWD** 1 935 kg
RÉPARTITION DU POIDS AV/ARR (%) 59/41
DIAMÈTRE DE BRAQUAGE 11,7 m
COFFRE 872 L, 1 909 L (sièges abaissés)
RÉSERVOIR DE CARBURANT 70 L
CAPACITÉ DE REMORQUAGE T5 1 588 kg **T6** 2 000 kg

LA COTE VERTE

MOTEUR L5 DE 2,5 L TURBO
CONSOMMATION (100 km) ville 12,5 L, route 9,2 L
CONSOMMATION ANNUELLE 1 870 L, 2 244 $
INDICE D'OCTANE 87
ÉMISSIONS POLLUANTES CO_2 4 301 kg/an
(source : ÉnerGuide)

FICHE D'IDENTITÉ

VERSION(S) T5 AWD Base, Premier
TRANSMISSION(S) 4
PORTIÈRES 5 **PLACES** 5
PREMIÈRE GÉNÉRATION 1 993 (850)
GÉNÉRATION ACTUELLE 2 008
CONSTRUCTION Göteborg, Suède
COUSSINS GONFLABLES 6 (frontaux, latéraux avant, rideaux latéraux)
CONCURRENCE Audi Allroad, Subaru Outback, Volkswagen Alltrack

AU QUOTIDIEN

COLLISION FRONTALE 5/5
COLLISION LATÉRALE 5/5
VENTES DU MODÈLE L'AN DERNIER
AU QUÉBEC 108 (-23,4 %) **AU CANADA** 426 (-16,8 %)
DÉPRÉCIATION (%) 28,5 (3 ans)
RAPPELS (2 011 à 2 016) 5
COTE DE FIABILITÉ 3/5

GARANTIES... ET PLUS

GARANTIE GÉNÉRALE 4 ans/80 000 km
GROUPE MOTOPROPULSEUR 4 ans/80 000 km
PERFORATION 12 ans/kilométrage illimité
ASSISTANCE ROUTIÈRE 5 ans/kilométrage illimité
NOMBRE DE CONCESSIONNAIRES
AU QUÉBEC 13 **AU CANADA** 36

NOUVEAUTÉS EN 2017

Abandon de la version 2RM.

UNE BELLE CARRIÈRE S'ACHÈVE

Ça brasse chez Volvo, c'est le moins qu'on puisse dire. Au cours de la dernière année, quantité d'annonces sont venues nous en apprendre davantage sur le portrait que prendra le portfolio de la compagnie au cours des prochains mois. Sans vous vendre tout le punch, disons que d'ici trois ou quatre ans, le XC90, introduit l'an dernier, sera le véhicule le plus ancien de la famille. Pas mal pour une firme dont on prédisait la disparition il y a quelques années. Et la XC70 là-dedans? Malheureusement, ça sent la fin pour elle, mais heureusement, pas la disparition de la familiale chez Volvo. On s'est simplement résigné à sacrifier certains modèles qui se vendaient moins, dont la XC70. Ils seront remplacés par des nouveaux, revus et renommés pour l'occasion. Dans le cas qui nous intéresse, il faut regarder du côté de la V90.

Daniel Rufiange

TOUR DU PROPRIÉTAIRE > Mine de rien, la XC70 en sera à sa 10e année sur le marché. Généralement, cette réalité est un mauvais présage pour un véhicule. Désuétude des lignes, vétusté de l'habitacle, caractère caduc de la conduite, etc. Il n'y a rien de cela avec la XC70. En fait, Volvo a su la garder au goût du jour avec les années, si bien qu'esthétiquement, elle demeure à la mode; ses lignes ont l'air de tout, sauf d'avoir 10 ans. Mieux encore, on appré-

+
FORMAT PARFAIT
DOUCEUR DE ROULEMENT EXCEPTIONNELLE
PRATIQUE ET POLYVALENTE

−
FOURCHETTE DE PRIX
PEU D'OPTIONS DE CONFIGURATION
CONSOMMATION TROP ÉLEVÉE

MENTIONS

CLÉ D'OR | CHOIX VERT | COUP DE CŒUR | **RECOMMANDÉ**

VERDICT

PLAISIR AU VOLANT
QUALITÉ DE FINITION
CONSOMMATION
RAPPORT QUALITÉ / PRIX
VALEUR DE REVENTE
CONFORT

1 5 10

cie son format, qui se situe entre la voiture et le VUS. Sa garde au sol un tantinet plus élevée lui donne une prestance et ses contours plastifiés trahissent sa véritable vocation, soit celle d'une aventurière prête à se salir.

VIE À BORD > L'âge de la XC70 se fait aussi sentir à bord, mais encore là, Volvo a réussi à garder l'ensemble moderne. Le fait que la firme d'origine suédoise aime nous avancer des habitacles différents aide en ce sens qu'on profite d'un environnement pensé autrement. Le niveau de confort se résume quant à lui en un seul mot : exceptionnel. Les baquets manquent seulement d'un soutien latéral digne de ce nom. Le confort est aussi remarquable à l'arrière et, une fois les sièges repliés, l'espace libéré est supérieur à celui de nombreux prétendus VUS. Un voyage de 10 jours chez nos voisins du Sud en 2014 m'a permis de réaliser à quel point cette voiture est pratique et conviviale.

TECHNIQUE > Les moteurs, eux aussi, ont changé depuis les débuts de la génération actuelle de la XC70. L'offre d'aujourd'hui a cependant été simplifiée à sa plus simple expression, soit un 5-cylindres turbo de 2,5 litres dont la cavalerie se chiffre à 250 chevaux. Ce dernier est jumelé à une boîte automatique à 6 rapports. Le système de transmission intégrale est signé Haldex. Le travail de tous les organes est impeccable, mais la consommation demeure un tantinet élevée en regard des standards d'aujourd'hui. Ce qui est dommage, c'est que Volvo possède une mécanique plus frugale, un 4-cylindres turbo de 240 chevaux, qu'elle installe dans la XC70 au sud de notre frontière. Le hic, c'est que ce dernier n'est proposé qu'avec la configuration à traction. Une Volvo XC70 animée par les roues avant pour le Québec ? Non merci.

AU VOLANT > Si la XC70 est capable de franchir des terrains inhospitaliers, c'est en matière de confort qu'elle se démarque le plus. Cette voiture, croyez-nous, offre l'une des plus incroyables douceurs de roulement à travers l'industrie, notamment lorsqu'on règle le châssis en mode confort. On oublie les prétentions sportives, toutefois. Malgré un châssis sain et une direction précise, le poids de la XC70 se fait sentir lorsqu'on manœuvre de façon à faire bouger les masses.

CONCLUSION > Votre chance de vous procurer une XC70 flambant neuve tire à sa fin. On comprend Volvo d'y mettre fin, compte tenu du recul du modèle au chapitre des ventes. Une fourchette de prix plus intéressante, des rafraîchissements plus fréquents et du marketing adéquat auraient pu changer la donne, mais considérant la réalité de Volvo depuis 10 ans, on comprend, aussi. Merci pour les services rendus. ■

2e OPINION

Luc-Olivier Chamberland

Le chant du cygne est non seulement commencé, il est même terminé. Au moment d'écrire ces lignes, la Volvo XC70, cette familiale d'aventure, n'est plus en production. Reprenant le principe de la Subaru Outback, la XC70 a connu un succès déterminant. Malheureusement, l'arrivée dans la gamme de son frère, le XC60, un véritable VUS, a eu tôt fait de lui enlever de précieuses parts de marché. L'actuelle génération ou, du moins, ce qu'il en reste date d'une autre époque chez Volvo, étant construite sur la base de la S80. Avec l'arrivée de la V90 2017, on sait déjà que dès 2018, la V90 CrossCountry fera un retour. Ce n'est donc qu'une question de temps avant d'obtenir beaucoup mieux.

FICHE TECHNIQUE

MOTEUR(S)

(T5 AWD) L5 2,5 L DACT turbo
PUISSANCE 250 ch à 5 400 tr/min
COUPLE 266 lb-pi de 1 800 à 4 200 tr/min
RAPPORT POIDS/PUISSANCE 7,5 kg/ch
BOÎTE(S) DE VITESSES automatique à 6 rapports avec mode manuel
PERFORMANCES 0-100 km/h 7,5 s (est.)
REPRISE 80-115 km/h ND
FREINAGE 100-0 km/h 40,0 m
NIVEAU SONORE À 100 km/h Moyen
VITESSE MAXIMALE 209 km/h (bridée)

AUTRES COMPOSANTS

SÉCURITÉ ACTIVE (certains en option) Freins ABS, assistance au freinage, répartition électronique de la force de freinage, contrôle électronique de la stabilité, antipatinage, phares adaptatifs, régulateur de vitesse adaptatif, détection de piétons, de cyclistes et d'impact imminent avec freinage d'urgence automatique, avertisseurs de somnolence et de sortie de voie
SUSPENSION avant/arrière indépendante
FREINS avant/arrière disques
DIRECTION à crémaillère, assistée
PNEUS P235/50R18

DIMENSIONS

EMPATTEMENT 2 815 mm
LONGUEUR 4 838 mm
LARGEUR 1 870 mm
HAUTEUR 1 604 mm
POIDS 1 883 kg
DIAMÈTRE DE BRAQUAGE 11,5 m
COFFRE 944 L, 2 042 L (sièges abaissés)
RÉSERVOIR DE CARBURANT 70 L
CAPACITÉ DE REMORQUAGE 1 588 kg

LA COTE VERTE

MOTEUR L4 de 2,0 L à compresseur et turbo, hybride
CONSOMMATION (100 km) ville 10,1 L, route 8,8 L
mode électrique 4,6 L équiv., autonomie moyenne électrique 21 km
CONSOMMATION ANNUELLE 1 615 L, 2 180 $
INDICE D'OCTANE 91
ÉMISSIONS POLLUANTES CO_2 3 714 kg/an
(source : ÉnerGuide)

FICHE D'IDENTITÉ

VERSION(S) T5 Momentum **T6** Momentum, R-Design, Inscription
T8 PHEV R-Design, Inscription, Excellence
TRANSMISSION(S) 4
PORTIÈRES 5 **PLACES** 7, 4
PREMIÈRE GÉNÉRATION 2003
GÉNÉRATION ACTUELLE 2016
CONSTRUCTION Torslanda, Suède
COUSSINS GONFLABLES 7 (frontaux, genoux conducteur, latéraux avant, rideaux latéraux)
CONCURRENCE Acura MDX, Audi Q7, Buick Enclave, Cadillac XT5, Infiniti QX60, Jeep Grand Cherokee, Land Rover LR4, Lexus RX/GX, Lincoln MKX/MKT, Mercedes-Benz GLE/GLS, Porsche Cayenne, Volkswagen Touareg

AU QUOTIDIEN

COLLISION FRONTALE 5/5
COLLISION LATÉRALE 5/5
VENTES DU MODÈLE L'AN DERNIER
AU QUÉBEC 211 (+322 %) **AU CANADA** 957 (+124 %)
DÉPRÉCIATION (%) 37,5 (3 ans)
RAPPELS (2011 à 2016) 4
COTE DE FIABILITÉ 3,5/5

GARANTIES... ET PLUS

GARANTIE GÉNÉRALE 4 ans/80 000 km
GROUPE MOTOPROPULSEUR 4 ans/80 000 km
PERFORATION 12 ans/kilométrage illimité
ASSISTANCE ROUTIÈRE 5 ans/kilométrage illimité
NOMBRE DE CONCESSIONNAIRES AU QUÉBEC 13 **AU CANADA** 36

NOUVEAUTÉS EN 2017

Version Excellence à motorisation T8 pensée pour le confort des passagers arrière avec 2 sièges en cuir à réglage électrique, climatisés et à fonction massage, un réfrigérateur, des porte-goblets chauffants et refroidissants et deux tables escamotables pour apprécier les deux verres de cristal Orrefors fournis.

LE RETOUR DE VOLVO

Il y a deux ans à peine, l'impression d'un avenir incertain pour Volvo en Amérique du Nord était palpable. On écoulait au pays encore moins de véhicules que Porsche, malgré un nombre quatre fois plus élevé de concessionnaires. L'arrivée du très attendu XC90 a donc permis à la suédoise de se sortir la tête de l'eau, les ventes ayant timidement débuté à l'été 2015 pour atteindre un rythme finalement respectable. Aujourd'hui, les concessionnaires peuvent donc respirer. Et le client dans tout ça ? Lui sert-on un véhicule réellement compétitif ?

Antoine Joubert

TOUR DU PROPRIÉTAIRE > Chose certaine, le XC90 a de la gueule. Tel un athlète en tenue de gala, il montre grâce et élégance, tout en nous servant un caractère musclé que la concurrence allemande semble délaisser. Bien sûr, l'imposant faciès et les longs feux verticaux arrière permettent de l'identifier sur-le-champ, ce qui ne l'empêche pas d'être radicalement changé face à son devancier. Nettement plus joli que l'Acura MDX ou que l'Audi Q7, il se décline en trois versions, jouant soit la carte sportive ou l'élégance de haut niveau. À cela s'ajoute une déclinaison hybride enfichable, largement disponible et qui compte pour environ 25 % des ventes.

+
- ÉLÉGANCE, DEHORS COMME DEDANS
- CONFORT DES SIÈGES
- PUISSANCE ET FRUGALITÉ (T8)
- ESPACE INTÉRIEUR

–
- FIABILITÉ À PROUVER
- 4-CYLINDRES UN PEU GROGNON
- ÉCRAN TACTILE QUI DEMANDE ADAPTATION

MENTIONS

CLÉ D'OR | CHOIX VERT | COUP DE CŒUR | **RECOMMANDÉ**

VERDICT

PLAISIR AU VOLANT
QUALITÉ DE FINITION
CONSOMMATION
RAPPORT QUALITÉ / PRIX
VALEUR DE REVENTE
CONFORT

1 5 10

VIE À BORD > Qu'importe la version convoitée, le XC90 vous offrira 7 places assises. Un avantage non négligeable, surtout face à une concurrence qui ne peut certainement pas contenir un espace habitable et cargo aussi généreux. Maintenant, il est impossible de ne pas tomber sous le charme du poste de conduite, qui propose un style ultra-contemporain, des matériaux cossus et un mariage des teintes tout simplement magnifique. À cela s'ajoutent des sièges dont le niveau de confort peut servir de mesure étalon à tout constructeur automobile. Entièrement connecté, le poste de conduite demande adaptation au conducteur, qui doit inévitablement se familiariser avec le dialecte tactile de l'écran central pour accéder aux diverses commandes du véhicule. Ce système est logique et bien pensé, mais diffère de ce qui se trouve ailleurs dans l'industrie.

TECHNIQUE > Le XC90 nous soumet comme seule mécanique un 4-cylindres de 2 litres qui, grâce au mariage de la turbocompression et d'un compresseur volumétrique, produit 320 chevaux. Sans être puissant à outrance, il se tire toujours bien d'affaire, particulièrement en raison d'un couple maximal disponible à tout régime. Cela dit, passer à la version T8 enfichable permet non seulement de réduire sa consommation de carburant, mais également de gagner en puissance. On jumelle au même 4-cylindres une motorisation électrique ajoutant 80 chevaux, laquelle permet de parcourir environ 25 kilomètres en mode 100 % électrique, après une recharge. Sachez cependant qu'en exploitant une bonne partie de la puissance (ou en appuyant à fond), le moteur à combustion viendra prêter main-forte à l'électrique afin que l'énergie de ce dernier soit préservée pour une exploitation optimale. Et la bonne nouvelle, c'est qu'en étant assidu avec la recharge du véhicule, vous pourrez maintenir une moyenne de consommation d'à peine 5,5 à 6 litres aux 100 kilomètres, dépendamment bien sûr de vos besoins en matière de déplacement.

AU VOLANT > Confortable, bien insonorisée et proposant une conduite raffinée, la version T6 ne déçoit en fait que par la sonorité disgracieuse d'un 4-cylindres qui chante parfois fort en accélération. La version T8 permet toutefois de remédier à la situation avec l'apport de la motorisation électrique, qui s'implique dans chacune des accélérations. L'effort requis par le 4-cylindres est donc moindre, ce qui explique par conséquent la sonorité mécanique plus discrète. Vous tomberez également sous le charme du couple généreux de la version T8, qui permet de tenir tête à plusieurs V8 de la concurrence, tout en ne consommant guère plus qu'une Fiat 500. Gardez toutefois en tête que le XC90 n'est pas aussi sportif que ses rivaux germaniques, puisque sa conduite se révèle davantage axée sur le confort et la sécurité.

CONCLUSION > Distinctif, technologiquement impressionnant et magnifique sous tous les angles, le XC90 est un produit réussi. L'enjeu réel se situe plutôt du côté des concessionnaires, qui devront d'une part attirer une clientèle perdue au fil des ans et d'autre part assurer un service à la hauteur... ■

2e OPINION

Luc-Olivier Chamberland

Quel superbe véhicule que cette deuxième génération du Volvo XC90 ! Suivant le rachat de Volvo par l'entreprise chinoise Geely, plusieurs avaient de sérieux doutes quant à l'avenir de la marque. À la lumière des plus récents produits de la gamme 90 (XC90, S90 et V90), on constate que le fait d'avoir un budget illimité donne des résultats d'exception. Le XC90 brille autant par son design élégant que par son luxe tous azimuts et ses motorisations innovatrices. D'ailleurs, la variante T8 offre une mécanique d'avant-plan grâce à l'apport de l'électrification enfichable. De plus, les consommateurs ont un vaste choix de niveau d'équipement, dont la nouvelle version Excellence qui transforme le XC90 en limousine.

FICHE TECHNIQUE

MOTEUR(S)

(T6) L4 2,0 L à compresseur et turbo
PUISSANCE 320 ch à 5 700 tr/min
COUPLE 295 lb-pi de 2 200 à 4 500 tr/min
RAPPORT POIDS/PUISSANCE 6,2 kg/ch
BOITE(S) DE VITESSES automatique à 8 rapports
PERFORMANCES 0 à 100 km/h 6,5 s
NIVEAU SONORE À 100 km/h Bon
VITESSE MAXIMALE 210 km/h (bridée)
CONSOMMATION (100 km) ville 11,5 L, route 9,5 L (octane 91)
ANNUELLE 1 802 L, 2 433 $
ÉMISSIONS POLLUANTES CO_2 4 145 kg/an

(T8) L4 2,0 L à compresseur et turbo + moteur-génératrice avant + moteur électrique arrière
PUISSANCE 320 ch à 5 700 tr/min + moteur électrique avant 46 ch + arrière 80 ch, 403 ch total maximum
COUPLE 295 lb-pi de 2 200 à 4 500 tr/min+ moteur électrique avant 111 lb-pi + arrière 177 lb-pi, 472 lb-pi total max.
RAPPORT POIDS/PUISSANCE 5,9 kg/ch
BOITE(S) DE VITESSES automatique à 8 rapports
PERFORMANCES 0 à 100 km/h 5,6 s
REPRISE 80-115 km/h 4,9 s
FREINAGE 100-0 km/h 43,3 m
VITESSE MAXIMALE 210 km/h (bridée), 120 km/h (mode électrique)

AUTRES COMPOSANTS

SÉCURITÉ ACTIVE (certains en option) Freins ABS, assistance au freinage, répartition électronique de la force de freinage, contrôle électronique de la stabilité et antiretournement, assistance en cas d'impact imminent, régulateur de vitesse adaptatif, avertisseurs d'obstacle latéral, de sortie de voie et de somnolence, caméra 360°
SUSPENSION avant/arrière indépendante, pneumatique en option
FREINS avant/arrière disques
DIRECTION à crémaillère, assistée
PNEUS P235/60R19 **options** P275/45R20, P275/40R21, P275/35R22

DIMENSIONS

EMPATTEMENT 2 984 mm
LONGUEUR 4 950 mm
LARGEUR 2 141 mm (incl.rétro.)
HAUTEUR 1 775 mm
POIDS T6 1 993 kg **T8** 2 340 kg
DIAMÈTRE DE BRAQUAGE 12,5 m
COFFRE 615 L, 2 427 L (sièges abaissés)
RÉSERVOIR DE CARBURANT 71 L **T8** 50 L
BATTERIE T8 Lithium-ion de 9,2 kwh
TEMPS DE RECHARGE 110 V 6 à 12 h
230V 2,5 à 6 h (selon type d'installation)
CAPACITÉ DE REMORQUAGE 2 250 kg

Que vous vouliez obtenir un montant juste pour votre ancien véhicule proposé en échange ou que vous pensiez vous procurer une automobile d'occasion pour vos besoins personnels, la présente liste de prix vous sera d'une grande utilité. Selon les plus récentes données compilées par la Société Trader, vous y trouverez les valeurs estimées pour des véhicules en bonne condition et à différents kilométrages pour les cinq dernières années.

Cette liste ayant été compilée à la veille de l'impression de *L'Annuel de l'Automobile 2017*, les prix qu'elle contient sont les plus récents de l'ensemble de cet ouvrage au moment d'aller sous presse. De plus, ces prix ne comprennent ni les frais de transport et de préparation du véhicule, ni les taxes qui s'appliquent à la vente ou à la location.

Avant d'acheter, procédez à une vérification de l'auto convoitée. Par exemple, personne ne voudrait d'un véhicule dont le sous-châssis est tellement corrodé qu'il menace de se sectionner ! Mais nul besoin d'une situation extrême pour « rentabiliser » le coût du service. Tous les véhicules d'occasion ont des petits bobos, ou simplement des pièces d'usure normale à remplacer. Le fait de le savoir vous permettra de mieux négocier le prix.

N'OUBLIEZ PAS DE CONSULTER :

1- Le dossier d'entretien de l'auto

2- Le RDPRM

3- Le dossier de la SAAQ

4- Le rapport d'historique

5- Le profil du commerçant

... et de toujours prendre le temps de faire un essai routier !

Une inspection préachat coûte environ 100 $, parfois plus. Peu importe le montant demandé, l'essentiel est de confier le mandat à un atelier de confiance qui n'a aucun lien avec le vendeur. Si vous n'en connaissez pas, vous pouvez faire appel à un concessionnaire de la marque du véhicule, à un établissement du réseau de garages recommandés de CAA-Québec, ou à l'un des neuf centres de vérification CAA-Québec répartis à l'échelle de la province.

Ces derniers évaluent l'auto selon plus de 170 points à partir d'une grille détaillée; tout bon atelier devrait d'ailleurs employer ce genre de grille. Exigez de la voir avant de confier les clés de l'auto à un atelier en particulier.

LÉGENDES

4RM = 4 roues motrices | **C.L.** = caisse longue | **cab. all.** = cabine allongée | **t.** = tonne | **emp. all.** = empattement allongé

ACURA

2016 ILX 20 000 km

Description	R.m.	Bv.	L	Prix
4p berline ILX	2	A	2.4	25 900
4p berline ILX Premium	2	A	2.4	28 200
4p berline ILX Tech (Navi)	2	A	2.4	29 500
4p berline ILX A-Spec	2	A	2.4	30 800

2015 ILX 40 000 km

Description	R.m.	Bv.	L	Prix
4p berline ILX	2	A	2.0	19 200
4p berline ILX Premium	2	A	2.0	20 900
4p berline ILX Tech (Navi)	2	A	2.0	22 100
4p berline ILX Dynamic	2	M	2.4	22 100
4p berline ILX Hybrid	2	A	1.5	24 500

2014 ILX 60 000 km

Description	R.m.	Bv.	L	Prix
4p berline ILX	2	A	2.0	16 500
4p berline ILX Premium	2	A	2.0	18 000
4p berline ILX Tech (Navi)	2	A	2.0	18 700
4p berline ILX Dynamic	2	M	2.4	19 100
4p berline ILX Hybrid	2	A	1.5	19 100

2013 ILX 80 000 km

Description	R.m.	Bv.	L	Prix
4p berline ILX	2	A	2.0	13 700
4p berline ILX Premium	2	A	2.0	14 400
4p berline ILX Tech (Navi)	2	A	2.0	15 300
4p berline ILX Dynamic	2	M	2.4	15 000
4p berline ILX Hybrid	2	A	1.5	15 900

2016 MDX 20 000 km

Description	R.m.	Bv.	L	Prix
4p base	A	A	3.5	45 400
4p Navi	A	A	3.5	48 100
4p Tech	A	A	3.5	51 500
4p Elite	A	A	3.5	55 800

2015 MDX 40 000 km

Description	R.m.	Bv.	L	Prix
4p base	A	A	3.5	39 400
4p Navi	A	A	3.5	43 300
4p Tech	A	A	3.5	43 700
4p Elite	A	A	3.5	45 200

2014 MDX 60 000 km

Description	R.m.	Bv.	L	Prix
4p base	A	A	3.5	34 600
4p Navi	A	A	3.5	38 000
4p Tech	A	A	3.5	39 300
4p Elite	A	A	3.5	40 500

2013 MDX 80 000 km

Description	R.m.	Bv.	L	Prix
4p base	A	A	3.7	30 500
4p Tech	A	A	3.7	33 400
4p Elite	A	A	3.7	35 700

2012 MDX 100 000 km

Description	R.m.	Bv.	L	Prix
4p base	A	A	3.7	27 500
4p Tech	A	A	3.7	29 200
4p Elite	A	A	3.7	30 200

2016 RDX 20 000 km

Description	R.m.	Bv.	L	Prix
4p RDX	A	A	3.5	38 900
4p RDX Tech	A	A	3.5	41 700
4p RDX Elite	A	A	3.5	43 300

2015 RDX 40 000 km

Description	R.m.	Bv.	L	Prix
4p RDX	A	A	3.5	31 300
4p RDX Tech	A	A	3.5	33 700

2014 RDX 60 000 km

Description	R.m.	Bv.	L	Prix
4p RDX	A	A	3.5	28 100
4p RDX Tech	A	A	3.5	30 200

2013 RDX 80 000 km

Description	R.m.	Bv.	L	Prix
4p RDX	A	A	3.5	24 200
4p RDX Tech	A	A	3.5	26 200

2012 RDX 100 000 km

Description	R.m.	Bv.	L	Prix
4p 2.3L Base	A	A	2.3	18 900
4p 2.3L Tech	A	A	2.3	19 900

2016 RLX 20 000 km

Description	R.m.	Bv.	L	Prix
4p berline Sport Hybrid Tech	A	A	3.5	59 200
4p berline Sport Hybrid Elite	A	A	3.5	63 400

2015 RLX 40 000 km

Description	R.m.	Bv.	L	Prix
4p berline base	2	A	3.5	35 800
4p berline Tech	2	A	3.5	40 100
4p berline Elite	2	A	3.5	42 400
4p berline Sport Hybrid SH-AWD	A	A	3.5	43 800

2014 RLX 60 000 km

Description	R.m.	Bv.	L	Prix
4p berline base	2	A	3.5	30 500
4p berline Tech	2	A	3.5	33 300
4p berline Elite	2	A	3.5	34 000
4p berline Sport Hybrid SH-AWD	A	A	3.5	35 400

2012 RL 100 000 km

Description	R.m.	Bv.	L	Prix
4p berline 3.7L Elite	A	A	3.7	29 700

2016 TLX 20 000 km

Description	R.m.	Bv.	L	Prix
4p berline base	2	A	2.4	31 500
4p berline Tech (Navi)	2	A	2.4	34 900
4p berline SH-AWD base	A	A	3.5	36 100
4p berline SH-AWD Tech (Navi)	A	A	3.5	39 700
4p berline SH-AWD Elite	A	A	3.5	43 000

2015 TLX 40 000 km

Description	R.m.	Bv.	L	Prix
4p berline base	2	A	2.4	26 300
4p berline Tech (Navi)	2	A	2.4	29 200
4p berline V6 Tech (Navi)	2	A	3.5	31 700
4p berline V6 Elite	2	A	3.5	33 700
4p berline SH-AWD base	A	A	3.5	30 300
4p berline SH-AWD Tech (Navi)	A	A	3.5	33 400
4p berline SH-AWD Elite	A	A	3.5	34 800

2014 TL 60 000 km

Description	R.m.	Bv.	L	Prix
4p berline 3.5L	2	A	3.5	24 900
4p berline 3.5L A-Spec	2	A	3.5	25 700
4p berline 3.5L Tech (Navi)	2	A	3.5	27 000
4p berline 3.7L SH-AWD	A	A	3.7	27 200
4p berline 3.7L A-Spec	A	A	3.7	28 200
4p ber 3.7L SH-AWD Tech (Navi)	A	A	3.7	29 600
4p ber 3.7L SH-AWD Elite (19")	A	A	3.7	31 000

2013 TL 80 000 km

Description	R.m.	Bv.	L	Prix
4p berline 3.5L	2	A	3.5	22 900
4p berline 3.5L Tech (Navi)	2	A	3.5	25 100
4p berline 3.7L SH-AWD	A	A	3.7	25 100
4p ber 3.7L SH-AWD Tech (Navi)	A	A	3.7	26 600
4p ber 3.7L SH-AWD Elite (19")	A	A	3.7	27 500

2012 TL 100 000 km

Description	R.m.	Bv.	L	Prix
4p berline 3.5L	2	A	3.5	19 100
4p berline 3.5L Tech (Navi)	2	A	3.5	21 900
4p berline 3.7L SH-AWD	A	A	3.7	22 500
4p ber 3.7L SH-AWD Tech (Navi)	A	A	3.7	22 800
4p ber 3.7L SH-AWD Elite (19")	A	A	3.7	23 700

2013 TSX 80 000 km

Description	R.m.	Bv.	L	Prix
4p berline 2.4L Premium	2	M	2.4	19 400
4p berline 2.4L Premium	2	A	2.4	20 200
4p berline 2.4L A-Spec	2	M	2.4	20 500
4p berline 2.4L A-Spec	2	A	2.4	20 700
4p berline 2.4L Tech	2	A	2.4	21 800
4p berline 3.5L V6 Tech	2	A	3.5	24 400

2012 TSX 100 000 km

Description	R.m.	Bv.	L	Prix
4p berline 2.4L	2	M	2.4	16 400
4p berline 2.4L	2	A	2.4	17 100
4p berline 2.4L Premium	2	M	2.4	17 300
4p berline 2.4L Premium	2	A	2.4	17 500
4p berline 2.4L Tech	2	A	2.4	18 300
4p berline 3.5L V6 Tech	2	A	3.5	19 800

2013 ZDX 80 000 km

Description	R.m.	Bv.	L	Prix
4p base	A	A	3.7	32 300

2012 ZDX 100 000 km

Description	R.m.	Bv.	L	Prix
4p Tech	A	A	3.7	28 500

ALFA ROMEO

2016 ALFA ROMEO 20 000 km

Description	R.m.	Bv.	L	Prix
2p coupé 4C	2	A	1.7	60 300
2p déc. 4C Spider	2	A	1.7	73 200

2015 ALFA ROMEO 40 000 km

Description	R.m.	Bv.	L	Prix
2p coupé 4C	2	A	1.7	58 300
2p coupé 4C Launch Edition	2	A	1.7	71 200
2p déc. 4C Spider	2	A	1.7	69 400

AUDI

2016 A3 20 000 km

Description	R.m.	Bv.	L	Prix
4p Sportback 2.0 TDI Komfort	2	A	2.0	32 000
4p Sportback 2.0 TDI Progressiv	2	A	2.0	34 600
4p Sportback 2.0 TDI Technik	2	A	2.0	38 100
4p Sportback e-tron 1.4T ultra	2	A	1.4	35 700
4p Sportback e-tron 1.4T Prog.	2	A	1.4	36 700
4p Sportback e-tron 1.4T Technik	2	A	1.4	39 800
4p berline 1.8T Komfort	2	A	1.8	28 100
4p berline 1.8T Progressiv	2	A	1.8	30 900
4p berline 2.0 TDI Komfort	2	A	2.0	31 600
4p berline 2.0 TDI Progressiv	2	A	2.0	34 400
4p berline 2.0 TDI Technik	2	A	2.0	37 900
4p berline Quattro 2.0 T Komfort	A	A	2.0	32 500
4p ber Quattro 2.0 T Progressiv	A	A	2.0	35 300
4p berline Quattro 2.0 T Technik	A	A	2.0	38 800
4p ber S3 Quattro 2.0 T Prog	A	A	2.0	40 800
4p ber S3 Quattro 2.0 T Technik	A	A	2.0	44 000
2p déc. Quattro 2.0 T Komfort	A	A	2.0	38 200
2p déc. Quattro 2.0 T Progressiv	A	A	2.0	40 500
2p déc. Quattro 2.0 T Technik	A	A	2.0	44 000

2015 A3 40 000 km

Description	R.m.	Bv.	L	Prix
4p berline 1.8T Komfort	2	A	1.8	24 500
4p berline 1.8T Progressiv	2	A	1.8	27 100
4p berline 2.0 TDI Komfort	2	A	2.0	27 600
4p berline 2.0 TDI Progressiv	2	A	2.0	30 200
4p berline 2.0 TDI Technik	2	A	2.0	33 300
4p ber Quattro 2.0 T Komfort	A	A	2.0	28 500
4p ber Quattro 2.0 T Progressiv	A	A	2.0	31 000
4p berline Quattro 2.0 T Technik	A	A	2.0	34 100
4p ber S3 Quattro 2.0 T Prog	A	A	2.0	35 200
4p ber S3 Quattro 2.0 T Technik	A	A	2.0	38 000
2p déc. Quattro 2.0 T Komfort	A	A	2.0	33 300
2p déc. Quattro 2.0 T Progressiv	A	A	2.0	35 400
2p déc. Quattro 2.0 T Technik	A	A	2.0	38 600

2013 A3 80 000 km

Description	R.m.	Bv.	L	Prix
4p hayon 2.0 T	2	M	2.0	19 600
4p hayon 2.0 TDI	2	A	2.0	22 300
4p hayon Quattro 2.0 T	A	A	2.0	22 600

2012 A3 100 000 km

Description	R.m.	Bv.	L	Prix
4p hayon 2.0 T	2	M	2.0	17 600
4p hayon 2.0 TDI	2	A	2.0	20 300
4p hayon Quattro 2.0 T	A	A	2.0	20 500

2016 A4 20 000 km

Description	R.m.	Bv.	L	Prix
4p ber Front Trak 2.0 T Komfort +	2	A	2.0	34 400
4p ber Quattro 2.0 T Komfort +	A	M	2.0	36 900
4p ber Quattro 2.0 T Progressiv +	A	M	2.0	40 400
4p ber Quattro 2.0 T Technik +	A	M	2.0	42 100
4p ber S4 Quattro Progressiv +	A	M	3.0	49 800
4p ber S4 Quattro Technik +	A	M	3.0	52 000
4p fam Allroad Quat 2.0T Kom	A	A	2.0	42 500
4p fam. Allroad Quat 2.0 T Progr.	A	A	2.0	46 200
4p f. Allroad Quat 2.0T Technik	A	A	2.0	48 400

2015 A4 40 000 km

Description	R.m.	Bv.	L	Prix
4p ber Front Trak 2.0 T Komfort	2	A	2.0	29 500
4p berline Quattro 2.0 T Komfort	A	M	2.0	31 600
4p ber Quattro 2.0 T Progressiv	A	M	2.0	34 800
4p berline Quattro 2.0 T Technik	A	M	2.0	36 200
4p berline S4 Quattro Progressiv	A	M	3.0	41 300
4p berline S4 Quattro Technik	A	M	3.0	44 400
4p fam. Allroad Quat 2.0 T Kom	A	A	2.0	36 600
4p fam. Allroad Quat 2.0 T Progr.	A	A	2.0	39 900
4p fam. Allroad Quat 2.0T Tech	A	A	2.0	41 700

2014 A4 60 000 km

Description	R.m.	Bv.	L	Prix
4p ber Front Trak 2.0 T Komfort	2	A	2.0	27 300
4p berline Quattro 2.0 T Komfort	A	M	2.0	29 000
4p ber Quattro 2.0 T Progressiv	A	M	2.0	30 200
4p berline Quattro 2.0 T Technik	2	M	2.0	32 300
4p berline S4 Quattro Progressiv	A	M	3.0	37 600
4p berline S4 Quattro Technik	A	M	3.0	41 200
4p fam. Allroad Quat 2.0T Komfort	A	A	2.0	34 000
4p fam. Allroad Quat 2.0 T Progr.	A	A	2.0	36 900
4p fam. Allroad Quat 2.0T Technik	A	A	2.0	38 500

2013 A4 80 000 km

Description	R.m.	Bv.	L	Prix
4p berline Front Trak 2.0 T	2	A	2.0	24 600
4p berline Quattro 2.0 T	A	M	2.0	25 800
4p berline Quattro 2.0 T Premium	A	M	2.0	27 100
4p berline S4 Quattro	A	M	3.0	33 900
4p berline S4 Quattro Premium	A	M	3.0	37 000
4p fam. Allroad Quattro 2.0 T	A	A	2.0	29 500
4p fam. Allroad Quattro 2.0 T Prem.	A	A	2.0	32 800

2012 A4 100 000 km

Description	R.m.	Bv.	L	Prix
4p berline Front Trak 2.0 T	2	A	2.0	22 700
4p berline Quattro 2.0 T	A	M	2.0	23 800
4p berline Quattro 2.0 T Premium	A	M	2.0	26 300
4p berline S4 Quattro	A	M	3.0	31 200
4p berline S4 Quattro Premium	A	M	3.0	32 800
4p fam. Quattro 2.0 T	A	A	2.0	25 800
4p fam. Quattro 2.0 T Premium	A	A	2.0	27 400

2016 A5 20 000 km

Description	R.m.	Bv.	L	Prix
2p coupé Quattro 2.0T Komfort	A	M	2.0	40 100
2p coupé Quattro 2.0T Progres	A	M	2.0	44 200
2p coupé Quattro 2.0T Technik	A	M	2.0	46 500
2p coupé S5 Quattro Progressiv	A	M	3.0	52 200
2p coupé S5 Quattro Technik	A	M	3.0	55 200
2p déc. Quattro 2.0T Progressiv	A	A	2.0	54 600
2p déc. Quattro 2.0T Technik	A	A	2.0	58 300
2p déc. S5 Quattro Progressiv	A	A	3.0	64 000
2p déc. S5 Quattro Technik	A	A	3.0	67 700

2015 A5 40 000 km

Description	R.m.	Bv.	L	Prix
2p coupé Quattro 2.0T Komfort	A	M	2.0	35 500
2p coupé Quattro 2.0T Progres	A	M	2.0	39 000
2p coupé Quattro 2.0T Technik	A	M	2.0	41 100
2p coupé S5 Quattro Progressiv	A	M	3.0	46 300
2p coupé S5 Quattro Technik	A	M	3.0	49 900
2p coupé RS5	A	A	4.2	67 800
2p déc. Quattro 2.0T Progressiv	A	A	2.0	48 400
2p déc. Quattro 2.0T Technik	A	A	2.0	51 900
2p déc. S5 Quattro Progressiv	A	A	3.0	57 000
2p déc. S5 Quattro Technik	A	A	3.0	61 000
2p déc. RS5	A	A	4.2	77 800

2014 A5 60 000 km

Description	R.m.	Bv.	L	Prix
2p coupé Quattro 2.0T Komfort	A	M	2.0	32 900
2p coupé Quattro 2.0T Progres	A	M	2.0	35 800
2p coupé Quattro 2.0T Technik	A	M	2.0	37 500
2p coupé S5 Quattro Progressiv	A	M	3.0	39 700
2p coupé S5 Quattro Technik	A	M	3.0	42 400
2p coupé RS5	A	A	4.2	58 400
2p déc. Quattro 2.0T Progressiv	A	A	2.0	44 400
2p déc. Quattro 2.0T Technik	A	A	2.0	47 400
2p déc. S5 Quattro Progressiv	A	A	3.0	49 100
2p déc. S5 Quattro Technik	A	A	3.0	52 000
2p déc. RS5	A	A	4.2	67 900

2013 A5 80 000 km

Description	R.m.	Bv.	L	Prix
2p coupé Quattro 2.0T Prem	A	M	2.0	31 200
2p coupé Quattro 2.0T Prem +	A	M	2.0	32 600
2p coupé S5 Quattro	A	M	3.0	35 500
2p coupé S5 Quattro Premium	A	M	3.0	38 500
2p coupé RS5	A	A	4.2	54 500
2p déc. Quattro 2.0T Premium	A	A	2.0	39 600
2p déc. Quattro 2.0T Prem. Plus	A	A	2.0	41 200
2p déc. S5 Quattro	A	A	3.0	43 900
2p déc. S5 Quattro Premium	A	A	3.0	46 200
2p déc. RS5	A	A	4.2	59 300

2012 A5 100 000 km

Description	R.m.	Bv.	L	Prix
2p coupé Quattro 2.0T Prem	A	M	2.0	27 600
2p coupé Quattro 2.0T Prem +	A	M	2.0	29 000
2p coupé S5 Quattro	A	M	4.2	34 200
2p coupé S5 Quattro Premium	A	M	4.2	37 900
2p déc. Quattro 2.0T Premium	A	A	2.0	34 900
2p déc. Quattro 2.0T Prem. Plus	A	A	2.0	36 300
2p déc. S5 Quattro	A	A	3.0	39 000
2p déc. S5 Quattro Premium	A	A	3.0	41 300

2016 A6 20 000 km

Description	R.m.	Bv.	L	Prix
4p ber Quattro 2.0T Progressiv	A	A	2.0	51 300
4p berline Quattro 2.0T Technik	A	A	2.0	57 200
4p ber Quattro 3.0T Progressiv	A	A	3.0	57 600
4p berline Quattro 3.0T Technik	A	A	3.0	63 600
4p ber Quattro 3.0 TDI Progres	A	A	3.0	59 800
4p ber Quattro 3.0 TDI Technik	A	A	3.0	65 800
4p berline Quattro S6	A	A	4.0	80 400

2015 A6 40 000 km

Description	R.m.	Bv.	L	Prix
4p ber Quattro 2.0T Progressiv	A	A	2.0	39 700
4p berline Quattro 2.0T Technik	A	A	2.0	44 500
4p ber Quattro 3.0T Progressiv	A	A	3.0	45 100
4p berline Quattro 3.0T Technik	A	A	3.0	49 700
4p ber Quattro 3.0 TDI Progres	A	A	3.0	47 000
4p ber Quattro 3.0 TDI Technik	A	A	3.0	51 400
4p berline Quattro S6	A	A	4.0	62 600

2014 A6 60 000 km

Description	R.m.	Bv.	L	Prix
4p ber Quattro 2.0T Progressiv	A	A	2.0	36 100
4p berline Quattro 2.0T Technik	A	A	2.0	37 100
4p ber Quattro 3.0T Progressiv	A	A	3.0	37 700
4p berline Quattro 3.0T Technik	A	A	3.0	40 600
4p ber Quattro 3.0 TDI Progres	A	A	3.0	42 800
4p ber Quattro 3.0 TDI Technik	A	A	3.0	45 600
4p berline Quattro S6	A	A	4.0	58 100

2013 A6 80 000 km

Description	R.m.	Bv.	L	Prix
4p berline Quattro 2.0T	A	A	2.0	30 900
4p berline Quattro 2.0T Premium	A	A	2.0	33 300
4p berline Quattro 3.0T	A	A	3.0	34 000
4p berline Quattro 3.0T Premium	A	A	3.0	35 200
4p berline Quattro S6	A	A	4.0	47 200

2012 A6 100 000 km

Description	R.m.	Bv.	L	Prix
4p berline Quattro Premium	A	A	3.0	28 900
4p berline Quattro Premium Plus	A	A	3.0	31 300

2016 A7 20 000 km

Description	R.m.	Bv.	L	Prix
4p hayon 3.0T Progressiv	A	A	3.0	67 500
4p hayon 3.0T Technik	A	A	3.0	72 500
4p hayon 3.0T TDI Progressiv	A	A	3.0	69 700
4p hayon 3.0T TDI Technik	A	A	3.0	74 800
4p hayon S7	A	A	4.0	86 800
4p hayon RS7	A	A	4.0	107 800
4p hayon RS7 Performance	A	A	4.0	129 000

2015 A7 40 000 km

Description	R.m.	Bv.	L	Prix
4p hayon 3.0T Progressiv	A	A	3.0	52 900
4p hayon 3.0T Technik	A	A	3.0	58 600
4p hayon 3.0T TDI Progressiv	A	A	3.0	56 500
4p hayon 3.0T TDI Technik	A	A	3.0	60 600
4p hayon S7	A	A	4.0	68 600
4p hayon RS7	A	A	4.0	85 900

2014 A7 60 000 km

Description	R.m.	Bv.	L	Prix
4p hayon 3.0T Progressiv	A	A	3.0	46 800
4p hayon 3.0T Technik (navi)	A	A	3.0	50 600
4p hayon 3.0T TDI Progressiv	A	A	3.0	50 100
4p hayon 3.0T TDI Technik (navi)	A	A	3.0	52 400
4p hayon S7	A	A	4.0	61 800
4p hayon RS7	A	A	4.0	79 900

2013 A7 80 000 km

Description	R.m.	Bv.	L	Prix
4p hayon 3.0T	A	A	3.0	39 000
4p hayon 3.0T Premium (navi)	A	A	3.0	42 000
4p hayon S7	A	A	4.0	50 300

2012 A7 100 000 km

Description	R.m.	Bv.	L	Prix
4p hayon 3.0T Premium	A	A	3.0	36 000
4p hay 3.0T Premium Plus navi	A	A	3.0	38 500

Description	R.m.	Bv.	L	Prix
2016 A8				**20 000 km**
4p berline 3.0T Quattro	A	A	3.0	75 900
4p berline TDI	A	A	3.0	80 700
4p berline 4.0T Quattro	A	A	4.0	92 400
4p berline S8 Plus	A	A	4.0	116 400
4p berline L 4.0T Quattro	A	A	4.0	99 200
4p berline L W12 Quattro	A	A	6.3	146 800
2015 A8				**40 000 km**
4p berline 3.0T Quattro	A	A	3.0	63 600
4p berline TDI	A	A	3.0	67 700
4p berline 4.0T Quattro	A	A	4.0	77 300
4p berline S8	A	A	4.0	93 800
4p berline L 3.0T Quattro	A	A	3.0	69 500
4p berline L TDI	A	A	3.0	73 500
4p berline L 4.0T Quattro	A	A	4.0	83 100
4p berline L W12 Quattro	A	A	6.3	125 400
2014 A8				**60 000 km**
4p berline 3.0T Quattro	A	A	3.0	59 400
4p berline TDI	A	A	3.0	61 600
4p berline 4.0T Quattro Premium	A	A	4.0	68 900
4p berline S8	A	A	4.0	84 000
4p berline L 3.0T Quattro	A	A	3.0	64 500
4p berline L TDI	A	A	3.0	66 600
4p ber L 4.0T Quattro Premium	A	A	4.0	73 700
4p berline L W12 Quattro	A	A	6.3	110 900
2013 A8				**80 000 km**
4p berline 3.0T Quattro	A	A	3.0	49 600
4p berline 4.0T Quattro Premium	A	A	4.0	57 100
4p berline S8	A	A	4.0	67 700
4p berline L 3.0T Quattro	A	A	3.0	53 900
4p ber L 4.0T Quattro Premium	A	A	4.0	61 100
4p berline L W12 Quattro	A	A	6.3	90 000
2012 A8				**100 000 km**
4p berline Quattro	A	A	4.2	39 600
4p berline Quattro Premium	A	A	4.2	40 300
4p berline L Quattro	A	A	4.2	42 500
4p berline L Quattro Premium	A	A	4.2	43 300
4p berline L W12 Quattro	A	A	6.3	62 800
2016 Q3				**20 000 km**
4p 2.0T Komfort	2	A	2.0	30 600
4p 2.0T Progressiv	2	A	2.0	33 000
4p 2.0T Technik	2	A	2.0	36 400
4p 2.0T Komfort Quattro	A	A	2.0	32 900
4p 2.0T Progressiv Quattro	A	A	2.0	35 300
4p 2.0T Technik Quattro	A	A	2.0	38 700
2015 Q3				**40 000 km**
4p 2.0T Progressiv	2	A	2.0	27 500
4p 2.0T Technik	2	A	2.0	29 600
4p 2.0T Progressiv Quattro	A	A	2.0	29 500
4p 2.0T Technik Quattro	A	A	2.0	31 500
2016 Q5				**20 000 km**
4p 2.0T Komfort	A	A	2.0	38 200
4p 2.0T Progressiv	A	A	2.0	40 300
4p 2.0T Technik	A	A	2.0	44 100
4p 3.0 Progressiv	A	A	3.0	42 600
4p 3.0 Technik	A	A	3.0	46 400
4p 3.0 TDI Progressiv	A	A	3.0	44 900
4p 3.0 TDI Technik	A	A	3.0	48 700
4p 2.0T Hybrid	A	A	2.0	51 400
4p SQ5 Progressiv	A	A	3.0	52 800
4p SQ5 Technik	A	A	3.0	54 800
2015 Q5				**40 000 km**
4p 2.0T Komfort	A	A	2.0	34 500
4p 2.0T Progressiv	A	A	2.0	36 500
4p 2.0T Technik	A	A	2.0	39 900
4p 3.0 Progressiv	A	A	3.0	38 600
4p 3.0 Technik	A	A	3.0	42 100
4p 3.0 TDI Progressiv	A	A	3.0	40 700
4p 3.0 TDI Technik	A	A	3.0	44 100
4p 2.0T Hybrid	A	A	2.0	45 400
4p SQ5 Progressiv	A	A	3.0	45 800
4p SQ5 Technik	A	A	3.0	47 500
2014 Q5				**60 000 km**
4p 2.0T Komfort	A	A	2.0	31 300
4p 2.0T Progressiv	A	A	2.0	33 500
4p 2.0T Technik	A	A	2.0	37 000
4p 3.0 Progressiv	A	A	3.0	35 500
4p 3.0 Technik	A	A	3.0	39 000
4p 3.0 TDI Progressiv	A	A	3.0	37 500
4p 3.0 TDI Technik	A	A	3.0	41 000
4p 2.0T Hybrid	A	A	2.0	42 200
4p SQ5 Progressiv	A	A	3.0	42 200
4p SQ5 Technik	A	A	3.0	44 100
2013 Q5				**80 000 km**
4p 2.0T	A	A	2.0	28 600
4p 2.0T Premium (toit)	A	A	2.0	31 000
4p 2.0T Premium Plus	A	A	2.0	34 300

Description	R.m.	Bv.	L	Prix
4p 3.0	A	A	3.0	33 200
4p 3.0 Premium (toit)	A	A	3.0	36 600
4p 2.0T Hybrid	A	A	2.0	39 800
2012 Q5				**100 000 km**
4p 2.0T Premium	A	A	2.0	25 500
4p 2.0T Premium Plus	A	A	2.0	27 100
4p 3.2	A	A	3.2	27 300
4p 3.2 Premium (toit)	A	A	3.2	30 000
2015 Q7				**40 000 km**
4p 3.0 Progressiv	A	A	3.0	48 300
4p 3.0 Vorsprung Edition	A	A	3.0	52 100
4p 3.0 Sport (toit ouvrant)	A	A	3.0	62 000
4p 3.0 TDI Progressiv	A	A	3.0	52 500
4p 3.0 TDI Vorsprung Edition	A	A	3.0	55 400
2014 Q7				**60 000 km**
4p 3.0 Progressiv	A	A	3.0	41 800
4p 3.0 Technik	A	A	3.0	44 600
4p 3.0 Sport (toit ouvrant)	A	A	3.0	51 400
4p 3.0 TDI Progressiv	A	A	3.0	45 400
4p 3.0 TDI Technik	A	A	3.0	49 800
2013 Q7				**80 000 km**
4p 3.0	A	A	3.0	35 700
4p 3.0 Premium	A	A	3.0	36 900
4p 3.0 Sport (toit ouvrant)	A	A	3.0	39 200
4p 3.0 TDI	A	A	3.0	38 800
4p 3.0 TDI Premium	A	A	3.0	39 800
2012 Q7				**100 000 km**
4p 3.0 Premium	A	A	3.0	32 300
4p 3.0 Premium Plus	A	A	3.0	34 300
4p 3.0 Sport (toit ouvrant)	A	A	3.0	37 400
4p 3.0 TDI Premium	A	A	3.0	35 200
4p 3.0 TDI Premium Plus	A	A	3.0	38 400
2015 R8				**10 000 km**
2p coupé 4.2	A	M	4.2	120 000
2p coupé 5.2	A	M	5.2	150 200
2p coupé 5.2 plus	A	M	5.2	167 100
2p déc. Spyder 4.2	A	M	4.2	132 400
2p déc. Spyder 5.2	A	M	5.2	162 700
2014 R8				**15 000 km**
2p coupé 4.2	A	M	4.2	112 300
2p coupé 5.2	A	M	5.2	140 900
2p coupé 5.2 plus	A	M	5.2	156 800
2p déc. Spyder 4.2	A	M	4.2	124 200
2p déc. Spyder 5.2	A	M	5.2	152 600
2012 R8				**25 000 km**
2p coupé 4.2	A	M	4.2	105 400
2p coupé 5.2	A	M	5.2	128 100
2p coupé GT	A	A	5.2	140 600
2p déc. Spyder 4.2	A	M	4.2	116 500
2p déc. Spyder 5.2	A	M	5.2	147 100
2p déc. Spyder GT	A	A	5.2	158 700
2016 TT				**20 000 km**
2p coupé Quattro 2.0T	A	A	2.0	46 500
2p coupé Quattro 2.0T TTS	A	A	2.0	55 900
2p déc. Quattro 2.0T	A	A	2.0	50 200
2015 TT				**40 000 km**
2p coupé Quattro 2.0T	A	A	2.0	38 800
2p coupé Quattro 2.0T S Line C	A	A	2.0	40 000
2p coupé Quattro 2.0T TTS	A	A	2.0	45 900
2p c Quattro 2.0T TTS Comp.	A	A	2.0	47 800
2p déc. Quattro 2.0T	A	A	2.0	41 200
2p déc. Quattro 2.0T S Line C.	A	A	2.0	42 200
2p déc. Quattro 2.0T TTS	A	A	2.0	49 300
2p déc. Quattro 2.0T TTS Comp.	A	A	2.0	51 200
2014 TT				**60 000 km**
2p coupé Quattro 2.0T	A	A	2.0	34 600
2p coupé Quattro 2.0T S Line C.	A	A	2.0	36 200
2p coupé Quattro 2.0T TTS	A	A	2.0	41 700
2p déc. Quattro 2.0T	A	A	2.0	36 700
2p déc. Quattro 2.0T S Line C.	A	A	2.0	38 400
2p déc. Quattro 2.0T TTS	A	A	2.0	44 800
2013 TT				**80 000 km**
2p coupé Quattro 2.0T	A	A	2.0	32 200
2p coupé Quattro 2.0T TTS	A	A	2.0	36 900
2p coupé Quattro 2.5 RS	A	M	2.5	43 900
2p déc. Quattro 2.0T	A	A	2.0	34 200
2p déc. Quattro 2.0T TTS	A	A	2.0	39 800
2012 TT				**100 000 km**
2p coupé Quattro 2.0T	A	A	2.0	29 600
2p coupé Quattro 2.0T TTS	A	A	2.0	34 100
2p coupé Quattro 2.0T RS	A	M	2.5	40 300
2p déc. Quattro 2.0T	A	A	2.0	31 300
2p déc. Quattro 2.0T TTS	A	A	2.0	36 600

BMW

Description	R.m.	Bv.	L	Prix
2016 i3				**20 000 km**
4p i3	2	A	E	40 900
4p i3 (Range Extender)	2	A	E	44 500
2015 i3				**40 000 km**
4p i3	2	A	E	36 600
4p i3 (Range Extender)	2	A	E	39 900
2014 i3				**60 000 km**
4p i3	2	A	E	34 200
4p i3 (Range Extender)	2	A	E	34 500
2016 i8				**20 000 km**
2p i8	A	A	1.5	143 400
2p i8 Pure Impulse	A	A	1.5	146 700
2015 i8				**40 000 km**
2p i8	A	A	1.5	137 000
2p i8 Pure Impulse	A	A	1.5	140 200
2014 i8				**60 000 km**
2p i8	A	A	1.5	127 500
2p i8 Pure Impulse	A	A	1.5	132 500
2016 SERIE 2				**20 000 km**
2p coupé 228i	2	M	2.0	32 300
2p coupé 228i xDrive	2	A	2.0	35 800
2p coupé M235i (cuir)	2	M	3.0	40 600
2p coupé M235i xDrive (cuir)	A	A	3.0	44 000
2p coupé M2	2	M	3.0	55 500
2p déc. 228i xDrive (cuir)	A	A	2.0	40 900
2p déc. M235i (cuir)	2	M	3.0	47 000
2p déc. M235i xDrive (cuir)	2	A	3.0	50 500
2015 SERIE 2				**40 000 km**
2p coupé 228i	2	M	2.0	30 400
2p coupé 228i xDrive	2	A	2.0	33 800
2p coupé M235i (cuir)	2	M	3.0	38 300
2p coupé M235i xDrive (cuir)	A	A	3.0	41 600
2p déc. 228i xDrive (cuir)	A	A	2.0	38 500
2p déc. M235i (cuir)	2	M	3.0	44 300
2014 SERIE 2				**60 000 km**
2p coupé 228i	2	M	2.0	28 600
2p coupé M235i (cuir)	2	M	3.0	36 100
2013 SERIE 1				**80 000 km**
2p coupé 128i	2	M	3.0	23 400
2p coupé 135i	2	M	3.0	28 400
2p déc. 128i	2	M	3.0	27 100
2p déc. 135i	2	M	3.0	32 200
2012 SERIE 1				**100 000 km**
2p coupé 128i	2	M	3.0	20 900
2p coupé 135i	2	M	3.0	25 500
2p déc. 128i	2	M	3.0	24 300
2p déc. 135i	2	M	3.0	29 000
2016 SERIE 3 / 4				**20 000 km**
2p coupé 428i xDrive	A	A	2.0	44 400
2p coupé 435i	2	M	3.0	49 800
2p coupé 435i	2	A	3.0	49 800
2p coupé 435i xDrive	A	M	3.0	50 400
2p coupé 435i xDrive	A	A	3.0	50 400
2p coupé M4	2	M	3.0	68 000
2p coupé M4	2	A	3.0	71 600
4p ber 428i Gran Coupé xDrive	A	A	2.0	44 400
4p ber 435i Gran Coupé xDrive	A	A	3.0	50 400
4p berline 320i xDrive	A	A	2.0	35 800
4p berline 328i xDrive	A	A	2.0	42 000
4p berline 328d xDrive (diesel)	A	A	2.0	43 400
4p berline 340i (cuir)	2	M	3.0	46 700
4p berline 340i (cuir)	2	A	3.0	46 700
4p berline 340i xDrive (cuir)	A	A	3.0	49 100
4p berline M3	2	M	3.0	67 100
4p berline M3	2	A	3.0	70 700
4p hay 328i Gran Turismo xDrive	A	A	2.0	44 100
4p hay 335i Gran Turismo xDrive	A	A	3.0	51 400
4p fam. 328i xDrive Touring	A	A	2.0	43 200
4p fam. 328d xDrive Tour (diesel)	A	A	2.0	44 600
2p déc. 428i xDrive	2	A	2.0	54 300
2p déc. 435i xDrive	2	A	3.0	62 800
2p déc. M4	2	M	3.0	76 700
2p déc. M4	2	A	3.0	80 300
2015 SERIE 3 / 4				**40 000 km**
2p coupé 428i	2	M	2.0	34 700
2p coupé 428i xDrive	A	A	2.0	38 000
2p coupé 435i	2	M	3.0	42 700
2p coupé 435i xDrive	A	M	3.0	43 300
2p coupé M4	2	M	3.0	58 700
2p coupé M4	2	A	3.0	61 800
4p berline 428i Gran Coupé	2	M	2.0	34 700
4p ber 428i Gran Coupé xDrive	A	A	2.0	38 000
4p berline 435i Gran Coupé	2	A	3.0	42 700
4p ber 435i Gran Coupé xDrive	A	A	3.0	43 300
4p berline 320i	2	M	2.0	27 700
4p berline 320i xDrive	A	A	2.0	30 900
4p berline 328i	2	M	2.0	32 400
4p berline ActiveHybrid 3	2	A	3.0	45 500

Description	R.m.	Bv.	L	Prix
4p berline 328i xDrive	A	A	2.0	35 800
4p berline 328d xDrive (diesel)	A	A	2.0	37 000
4p berline 335i (cuir)	2	M	3.0	39 800
4p berline 335i xDrive (cuir)	A	M	3.0	41 800
4p berline M3	2	M	3.0	57 900
4p berline M3	2	A	3.0	61 000
4p hay 328i Gran Turismo xDrive	A	A	2.0	38 000
4p hay 335i Gran Turismo xDrive	A	A	3.0	44 300
4p fam. 328i xDrive Touring	A	A	2.0	37 100
4p fam. 328d xDrive Tour (diesel)	A	A	2.0	38 300
2p déc. 428i (cuir)	2	A	2.0	45 400
2p déc. 428i xDrive	2	A	2.0	46 700
2p déc. 435i (cuir)	2	A	3.0	52 800
2p déc. 435i xDrive	2	A	3.0	54 000
2p déc. M4	2	M	3.0	66 200
2p déc. M4	2	A	3.0	69 400
2014 SERIE 3 / 4				**60 000 km**
2p coupé 428i	2	M	2.0	33 200
2p coupé 428i xDrive	A	A	2.0	36 300
2p coupé 435i	2	M	3.0	40 800
2p coupé 435i xDrive	A	M	3.0	41 400
4p berline 320i	2	M	2.0	26 200
4p berline 320i xDrive	A	A	2.0	29 300
4p berline 328i	2	M	2.0	30 800
4p berline ActiveHybrid 3	2	A	3.0	43 500
4p berline 328i xDrive	A	A	2.0	34 000
4p berline 328d xDrive (diesel)	A	A	2.0	35 300
4p berline 335i (cuir)	2	M	3.0	38 000
4p berline 335i xDrive (cuir)	A	M	3.0	40 000
4p fam. 328i xDrive Touring	A	A	2.0	35 400
4p fam. 328d xDrive Tour (diesel)	A	A	2.0	36 500
4p hay 328i Gran Turismo xDrive	A	A	2.0	36 200
4p hay 335i Gran Turismo xDrive	A	A	3.0	42 500
2p déc. 428i (cuir)	2	M	2.0	42 400
2p déc. 428i xDrive	2	A	2.0	44 100
2p déc. 435i (cuir)	2	M	3.0	50 400
2013 SERIE 3				**80 000 km**
2p coupé 328i	2	M	3.0	28 300
2p coupé 328i xDrive	A	M	3.0	30 100
2p coupé 335i (cuir)	2	M	3.0	34 700
2p coupé 335i xDrive (cuir)	A	M	3.0	35 100
2p coupé 335is (cuir)	2	M	3.0	38 800
2p coupé M3 (cuir)	2	M	4.0	46 900
4p berline 320i	2	M	2.0	22 700
4p berline 320i xDrive	A	A	2.0	25 500
4p berline 328i	2	M	2.0	27 900
4p berline 328i	2	A	2.0	27 900
4p berline ActiveHybrid 3	2	A	3.0	37 800
4p ber 328i xDrive Classic Line	A	A	2.0	25 500
4p berline 328i xDrive	A	A	2.0	29 700
4p berline 335i (cuir)	2	M	3.0	33 000
4p berline 335i (cuir)	2	A	3.0	33 000
4p berline 335i xDrive (cuir)	A	M	3.0	34 900
4p berline 335i xDrive (cuir)	A	A	3.0	34 900
2p déc. 328i	2	M	3.0	37 200
2p déc. 335i (cuir)	2	M	3.0	45 100
2p déc. 335is (cuir)	2	M	3.0	49 200
2p déc. M3 (cuir)	2	M	4.0	54 200
2012 SERIE 3				**100 000 km**
2p coupé 328i	2	M	3.0	23 600
2p coupé 328i xDrive	A	M	3.0	25 100
2p coupé 335i (cuir)	2	M	3.0	28 900
2p coupé 335i xDrive (cuir)	A	M	3.0	29 400
2p coupé 335is (cuir)	2	M	3.0	32 400
2p coupé M3 (cuir)	2	M	4.0	39 400
4p berline 320i	2	M	2.0	18 800
4p berline 328i	2	M	2.0	23 200
4p berline 328i	2	A	2.0	23 200
4p berline 335i (cuir)	2	M	3.0	27 300
4p berline 335i (cuir)	2	A	3.0	27 300
4p fam. 328i xDrive Touring	A	M	3.0	24 400
2p déc. 328i	2	M	3.0	31 100
2p déc. 335i (cuir)	2	M	3.0	37 700
2p déc. 335is (cuir)	2	M	3.0	41 300
2p déc. M3 (cuir)	2	M	4.0	45 400
2016 SERIE 5				**20 000 km**
4p berline 528i xDrive	A	A	2.0	54 700
4p berline 535i xDrive	A	A	3.0	60 600
4p berline 535d xDrive (diesel)	A	A	3.0	62 000
4p berline 550i xDrive	A	A	4.4	74 900
4p berline M5	2	A	4.4	93 300
2015 SERIE 5				**40 000 km**
4p berline 528i	2	A	2.0	45 200
4p berline 528i xDrive	A	A	2.0	47 800
4p berline 535i xDrive	A	A	3.0	53 200
4p berline 535d xDrive (diesel)	A	A	3.0	54 500
4p berline ActiveHybrid 5	2	A	3.0	56 900
4p berline 550i xDrive	A	A	4.4	61 400
4p berline M5	2	A	4.4	81 600

Description	R.m.	Bv.	L	Prix
4p hay 535i Gran Turismo xDrive	A	A	3.0	57 500
4p hay 550i Gran Turismo xDrive	A	A	4.4	65 500
2014 SERIE 5				**60 000 km**
4p berline 528i	2	A	2.0	39 000
4p berline 528i xDrive	A	A	2.0	42 300
4p berline 535i xDrive	A	A	3.0	48 000
4p berline 535d xDrive (diesel)	A	A	3.0	49 100
4p berline ActiveHybrid 5	2	A	3.0	51 300
4p berline 550i xDrive	A	A	4.4	55 400
4p berline M5	2	A	4.4	73 500
4p hay 535i Gran Turismo xDrive	A	A	3.0	51 900
4p hay 550i Gran Turismo xDrive	A	A	4.4	59 300
2013 SERIE 5				**80 000 km**
4p berline 528i	2	A	2.0	34 800
4p berline 528i xDrive	A	A	2.0	36 300
4p berline 535i xDrive	A	A	3.0	41 700
4p berline ActiveHybrid 5	2	A	3.0	44 500
4p berline 550i xDrive	A	A	4.4	48 900
4p berline M5	2	A	4.4	65 700
4p hay 535i Gran Turismo xDrive	A	A	3.0	44 900
4p hay 550i Gran Turismo xDrive	A	A	4.4	51 600
2012 SERIE 5				**100 000 km**
4p berline 528i	2	A	2.0	26 900
4p berline 528i xDrive	A	A	2.0	28 300
4p berline 535i xDrive	A	A	3.0	32 700
4p berline ActiveHybrid 5	2	A	3.0	35 400
4p berline 550i xDrive	A	A	4.4	38 500
4p berline M5	2	A	4.4	48 500
4p hay 535i Gran Turismo xDrive	A	A	3.0	35 400
4p hay 550i Gran Turismo xDrive	A	A	4.4	40 700
2016 SERIE 6				**20 000 km**
2p coupé 650i xDrive	A	A	4.4	90 500
2p coupé 650i xDrive M Sport pk.	A	A	4.4	93 800
2p coupé M6	2	A	4.4	114 000
4p ber 640i xDrive Gran Coupé	A	A	3.0	81 700
4p ber 650i xDrive Gran Coupé	A	A	4.4	91 900
4p berline M6 Gran Coupé	2	A	4.4	117 700
4p ber ALPINA B6 Gran Coupé	A	A	4.4	91 900
2p déc. 650i xDrive	A	A	4.4	100 700
2p déc. 650i xDrive M Sport pkg.	A	A	4.4	103 900
2p déc. M6	2	A	4.4	118 100
2015 SERIE 6				**40 000 km**
2p coupé 650i xDrive	A	A	4.4	73 000
2p coupé 650i xDrive M Sport pk.	A	A	4.4	75 900
2p coupé M6	2	A	4.4	92 600
4p ber 640i xDrive Gran Coupé	A	A	3.0	64 900
4p ber 650i xDrive Gran Coupé	A	A	4.4	73 700
4p berline M6 Gran Coupé	2	A	4.4	94 800
4p ber ALPINA B6 Gran Coupé	A	A	4.4	98 600
2p déc. 650i xDrive	A	A	4.4	81 300
2p déc. 650i xDrive M Sport pkg.	A	A	4.4	84 300
2p déc. M6	2	A	4.4	95 600
2014 SERIE 6				**60 000 km**
2p coupé 650i xDrive	A	A	4.4	65 200
2p coupé 650i xDrive M Sport pk.	A	A	4.4	69 700
2p coupé M6	2	A	4.4	82 600
4p ber 640i xDrive Gran Coupé	A	A	3.0	58 000
4p ber 650i xDrive Gran Coupé	A	A	4.4	65 900
4p berline M6 Gran Coupé	2	A	4.4	84 700
2p déc. 650i xDrive	A	A	4.4	72 600
2p déc. 650i xDrive M Sport pkg.	A	A	4.4	75 300
2p déc. M6	2	A	4.4	85 300
2013 SERIE 6				**80 000 km**
2p coupé 650i xDrive	A	A	4.4	54 700
2p coupé 650i xDrive M Sport pk.	A	A	4.4	58 200
2p coupé M6	2	A	4.4	69 300
4p ber 650i xDrive Gran Coupé	A	A	4.4	55 100
2p déc. 650i xDrive	A	A	4.4	60 800
2p déc. 650i xDrive M Sport pkg.	A	A	4.4	63 000
2p déc. M6	2	A	4.4	71 500
2012 SERIE 6				**100 000 km**
2p coupé 650i xDrive	A	A	4.4	49 500
2p coupé 650i xDrive M Sport pk.	A	A	4.4	51 500
2p déc. 650i	2	M	4.4	52 000
2p déc. 650i M Sport pkg.	2	M	4.4	54 200
2p déc. 650i	2	A	4.4	52 000
2p déc. 650i xDrive	A	A	4.4	53 400
2p déc. 650i xDrive M Sport pkg.	A	A	4.4	55 000
2p déc. M6	2	A	4.4	61 400
2016 SERIE 7				**20 000 km**
4p berline 750i xDrive	A	A	4.4	103 800
4p berline 750Li xDrive	A	A	4.4	107 500
2015 SERIE 7				**40 000 km**
4p berline 740Li xDrive	A	A	3.0	74 700
4p berline 740Ld xDrive (diesel)	A	A	3.0	75 900
4p berline 750i xDrive	A	A	4.4	79 000
4p berline 750Li xDrive	A	A	4.4	85 000
4p berline ALPINA B7	A	A	4.4	110 600
4p berline ALPINA B7 L	A	A	4.4	116 600
4p berline 760Li	2	A	6.0	137 200
4p berline ActiveHybrid 7L	2	A	3.0	100 200
2014 SERIE 7				**60 000 km**
4p berline 740Li xDrive	A	A	3.0	58 700
4p berline 750i xDrive	A	A	4.4	61 800
4p berline 750Li xDrive	A	A	4.4	66 200
4p berline ALPINA B7	A	A	4.4	85 000
4p berline ALPINA B7 L	A	A	4.4	89 500
4p berline 760Li	2	A	6.0	104 600
4p berline ActiveHybrid 7L	2	A	3.0	77 300
2013 SERIE 7				**80 000 km**
4p berline 740Li xDrive	A	A	3.0	51 200
4p berline 750i xDrive	A	A	4.4	52 800
4p berline 750Li xDrive	A	A	4.4	56 800
4p berline ALPINA B7	A	A	4.4	74 200
4p berline ALPINA B7 L	A	A	4.4	78 100
4p berline 760Li	2	A	6.0	90 000
4p berline ActiveHybrid 7L	2	A	3.0	63 500
2012 SERIE 7				**100 000 km**
4p berline 750i xDrive	A	A	4.4	38 000
4p berline 750Li xDrive	A	A	4.4	40 800
4p berline ALPINA B7	A	A	4.4	49 700
4p berline ALPINA B7 L	A	A	4.4	50 600
4p berline 760Li	2	A	6.0	58 800
4p berline ActiveHybrid 7L	2	A	4.4	45 700
2016 SERIE X1				**20 000 km**
4p X1 xDrive 28i	A	A	2.0	34 700
2015 SERIE X1				**40 000 km**
4p X1 xDrive 28i	A	A	2.0	30 700
4p X1 xDrive 35i	A	A	3.0	33 300
2014 SERIE X1				**60 000 km**
4p X1 xDrive 28i	A	A	2.0	26 200
4p X1 xDrive 35i	A	A	3.0	28 300
2013 SERIE X1				**80 000 km**
4p X1 xDrive 28i	A	A	2.0	22 900
4p X1 xDrive 35i	A	A	3.0	24 900
2012 SERIE X1				**100 000 km**
4p X1 xDrive 28i	A	A	2.0	18 900
2016 SERIE X3				**20 000 km**
4p X3 28i xDrive	A	A	2.0	39 800
4p X3 28d xDrive (diesel)	A	A	2.0	41 400
4p X3 35i xDrive	A	A	3.0	45 000
2015 SERIE X3				**40 000 km**
4p X3 28i xDrive	A	A	2.0	35 300
4p X3 28d xDrive (diesel)	A	A	2.0	36 700
4p X3 35i xDrive	A	A	3.0	40 000
2014 SERIE X3				**60 000 km**
4p X3 28i xDrive	A	A	2.0	30 200
4p X3 35i xDrive	A	A	3.0	33 800
2013 SERIE X3				**80 000 km**
4p X3 28i xDrive	A	A	2.0	26 000
4p X3 35i xDrive	A	A	3.0	29 200
2012 SERIE X3				**100 000 km**
4p X3 28i xDrive	A	A	3.0	23 200
4p X3 35i xDrive	A	A	3.0	26 100
2016 SERIE X4				**20 000 km**
4p X4 28i xDrive	A	A	2.0	42 300
4p X4 35i xDrive (cuir)	A	A	3.0	50 200
2015 SERIE X4				**40 000 km**
4p X4 28i xDrive	A	A	2.0	39 500
4p X4 35i xDrive (cuir)	A	A	3.0	47 100
2016 SERIE X5				**20 000 km**
4p X5 35i xDrive	A	A	3.0	59 700
4p X5 35d xDrive (diesel)	A	A	3.0	60 700
4p X5 40e xDrive (hybride)	A	A	2.0	66 900
4p X5 50i xDrive	A	A	4.4	70 900
4p X5 M	A	A	4.4	96 400
2015 SERIE X5				**40 000 km**
4p X5 35i xDrive	A	A	3.0	48 300
4p X5 35d xDrive (diesel)	A	A	3.0	49 600
4p X5 50i xDrive	A	A	4.4	57 900
4p X5 M	A	A	4.4	74 600
2014 SERIE X5				**60 000 km**
4p X5 35i xDrive	A	A	3.0	45 200
4p X5 35d xDrive (diesel)	A	A	3.0	46 200
4p X5 50i xDrive	A	A	4.4	55 700
2013 SERIE X5				**80 000 km**
4p X5 35i xDrive	A	A	3.0	41 300
4p X5 35d xDrive (diesel)	A	A	3.0	43 600
4p X5 50i xDrive	A	A	4.4	51 500
4p X5 M	A	A	4.4	64 600
2012 SERIE X5				**100 000 km**
4p X5 35i xDrive	A	A	3.0	34 100
4p X5 35d xDrive (diesel)	A	A	3.0	35 600
4p X5 50i xDrive	A	A	4.4	40 100
4p X5 M	A	A	4.4	52 800
2016 SERIE X6				**20 000 km**
4p X6 xDrive 35i	A	A	3.0	62 800
4p X6 xDrive 50i	A	A	4.4	76 000
4p X6 M	A	A	4.4	92 500
2015 SERIE X6				**40 000 km**
4p X6 xDrive 35i	A	A	3.0	57 500
4p X6 xDrive 50i	A	A	4.4	69 500
4p X6 M	A	A	4.4	82 500
2014 SERIE X6				**60 000 km**
4p X6 xDrive 35i	A	A	3.0	54 400
4p X6 xDrive 50i	A	A	4.4	67 000
4p X6 M	A	A	4.4	70 800
2013 SERIE X6				**80 000 km**
4p X6 xDrive 35i	A	A	3.0	43 100
4p X6 xDrive 50i	A	A	4.4	53 400
4p X6 M	A	A	4.4	56 900
2012 SERIE X6				**100 000 km**
4p X6 xDrive 35i	A	A	3.0	37 600
4p X6 xDrive 50i	A	A	4.4	41 500
4p X6 M	A	A	4.4	51 100
2016 SERIE Z4				**15 000 km**
2p déc. Z4 28i sDrive	2	M	2.0	50 700
2p déc. Z4 28i sDrive	2	A	2.0	52 300
2p déc. Z4 35i sDrive	2	A	3.0	60 500
2p déc. Z4 35is sDrive	2	A	3.0	70 700
2015 SERIE Z4				**30 000 km**
2p déc. Z4 28i sDrive	2	M	2.0	47 500
2p déc. Z4 28i sDrive	2	A	2.0	49 000
2p déc. Z4 35i sDrive	2	A	3.0	56 000
2p déc. Z4 35is sDrive	2	A	3.0	68 500
2014 SERIE Z4				**45 000 km**
2p déc. Z4 28i sDrive	2	M	2.0	42 700
2p déc. Z4 35i sDrive	2	M	3.0	50 500
2p déc. Z4 35is sDrive	2	A	3.0	61 700
2013 SERIE Z4				**60 000 km**
2p déc. Z4 28i sDrive	2	M	2.0	38 000
2p déc. Z4 35i sDrive	2	M	3.0	45 000
2p déc. Z4 35is sDrive	2	A	3.0	55 000
2012 SERIE Z4				**75 000 km**
2p déc. Z4 28i sDrive	2	M	2.0	34 100
2p déc. Z4 35i sDrive	2	M	3.0	37 900
2p déc. Z4 35is sDrive	2	A	3.0	46 600
BUICK				
2016 ENCLAVE				**20 000 km**
4p Cuir	2	A	3.6	42 000
4p Cuir	A	A	3.6	44 600
4p Premium (navi)	A	A	3.6	46 100
2015 ENCLAVE				**40 000 km**
4p Cuir	2	A	3.6	36 200
4p Cuir	A	A	3.6	36 500
4p Premium (navi)	A	A	3.6	39 800
2014 ENCLAVE				**60 000 km**
4p Convenience	2	A	3.6	29 400
4p Cuir	2	A	3.6	33 100
4p Premium (navi)	2	A	3.6	34 400
4p Convenience	A	A	3.6	31 700
4p Cuir	A	A	3.6	33 500
4p Premium (navi)	A	A	3.6	34 900
2013 ENCLAVE				**80 000 km**
4p Convenience	2	A	3.6	27 100
4p Cuir	2	A	3.6	30 300
4p Premium (navi)	2	A	3.6	31 600
4p Convenience	A	A	3.6	29 000
4p Cuir	A	A	3.6	31 200
4p Premium (navi)	A	A	3.6	33 300
2012 ENCLAVE				**100 000 km**
4p CX	2	A	3.6	21 000
4p CXL (cuir)	2	A	3.6	23 100
4p CX AWD	A	A	3.6	21 200
4p CXL AWD (cuir)	A	A	3.6	23 800
2016 ENCORE				**20 000 km**
4p base	2	A	1.4	24 900
4p Convenience	2	A	1.4	26 400
4p Sport Touring	2	A	1.4	27 600
4p Cuir	2	A	1.4	28 300
4p Premium	2	A	1.4	29 500
4p base AWD	A	A	1.4	26 800
4p Convenience AWD	A	A	1.4	28 300
4p Sport Touring AWD	A	A	1.4	29 500
4p Cuir AWD	A	A	1.4	30 100
4p Premium AWD	A	A	1.4	31 400
2015 ENCORE				**40 000 km**
4p Convenience	2	A	1.4	22 100
4p Cuir	2	A	1.4	24 900
4p Premium	2	A	1.4	26 800
4p Convenience AWD	A	A	1.4	23 800
4p Cuir AWD	A	A	1.4	26 600
4p Premium AWD	A	A	1.4	28 400
2014 ENCORE				**60 000 km**
4p Convenience	2	A	1.4	18 700
4p Cuir	2	A	1.4	20 800
4p Premium	2	A	1.4	22 500
4p Convenience AWD	A	A	1.4	20 000
4p Cuir AWD	A	A	1.4	22 200
4p Premium AWD	A	A	1.4	23 800
2013 ENCORE				**80 000 km**
4p Convenience	2	A	1.4	15 900
4p Cuir	2	A	1.4	17 500
4p Premium	2	A	1.4	18 800
4p Convenience AWD	A	A	1.4	17 100
4p Cuir AWD	A	A	1.4	19 200
4p Premium AWD	A	A	1.4	20 600
2016 ENVISION				**20 000 km**
4p Premium I	A	A	2.0	40 300
4p Premium II	A	A	2.0	43 400
2016 LACROSSE				**20 000 km**
4p berline 3.6L	2	A	3.6	31 200
4p berline 2.4L eAssist	2	A	2.4	31 200
4p berline 2.4L eAssist Cuir	2	A	2.4	33 600
4p berline 3.6L Cuir	2	A	3.6	33 600
4p berline 3.6L Cuir AWD	A	A	3.6	36 400
4p berline 3.6L Premium (cuir)	2	A	3.6	35 500
4p ber 3.6L Premium (cuir) AWD	A	A	3.6	37 700
2015 LACROSSE				**40 000 km**
4p berline 3.6L	2	A	3.6	21 800
4p berline 2.4L eAssist	2	A	2.4	21 800
4p berline 2.4L eAssist Cuir	2	A	2.4	23 500
4p berline 3.6L Cuir	2	A	3.6	23 500
4p berline 3.6L Cuir AWD	A	A	3.6	25 600
4p berline 3.6L Premium (cuir)	2	A	3.6	24 900
4p ber 3.6L Premium (cuir) AWD	A	A	3.6	26 500
2014 LACROSSE				**60 000 km**
4p berline 3.6L	2	A	3.6	19 100
4p berline 2.4L eAssist	2	A	2.4	19 100
4p berline 2.4L eAssist Cuir	2	A	2.4	20 700
4p berline 3.6L Cuir	2	A	3.6	20 700
4p berline 3.6L Cuir AWD	A	A	3.6	22 600
4p berline 3.6L Premium (cuir)	2	A	3.6	22 900
4p ber 3.6L Premium (cuir) AWD	A	A	3.6	23 600
2013 LACROSSE				**80 000 km**
4p berline 3.6L	2	A	3.6	17 000
4p berline 2.4L eAssist	2	A	2.4	17 000
4p berline 2.4L eAssist Luxury	2	A	2.4	18 400
4p berline 3.6L Luxury	2	A	3.6	18 400
4p berline 3.6L Luxury AWD	A	A	3.6	19 500
4p berline 3.6L Ultra Luxury (cuir)	2	A	3.6	21 400
2012 LACROSSE				**100 000 km**
4p berline 3.6L	2	A	3.6	14 400
4p berline 2.4L eAssist	2	A	2.4	14 800
4p ber 2.4L eAssist Convenience	2	A	2.4	14 900
4p berline 3.6L Convenience	2	A	3.6	14 700
4p ber 3.6L Convenience AWD	A	A	3.6	16 600
4p berline 3.6L Ultra Luxury (cuir)	2	A	3.6	17 400
2016 REGAL				**20 000 km**
4p berline 2.4L eAssist	2	A	2.4	30 000
4p berline 2.0L Turbo Premium	2	A	2.0	28 700
4p berline 2.0L GS (navi)	2	A	2.0	35 300
4p berline 2.0L Turbo AWD	A	A	2.0	30 900
4p berline 2.0L GS AWD (navi)	A	A	2.0	37 500
2015 REGAL				**40 000 km**
4p berline 2.4L eAssist	2	A	2.4	21 700
4p berline 2.0L Turbo Premium	2	A	2.0	20 900
4p berline 2.0L GS (navi)	2	M	2.0	25 800
4p berline 2.0L GS (navi)	2	A	2.0	25 800
4p berline 2.0L Turbo AWD	A	A	2.0	22 600
4p berline 2.0L GS AWD (navi)	A	A	2.0	27 400
2014 REGAL				**60 000 km**
4p berline 2.4L eAssist	2	A	2.4	19 000
4p berline 2.0L Turbo Premium	2	A	2.0	18 100
4p berline 2.0L GS	2	M	2.0	22 400
4p berline 2.0L GS	2	A	2.0	22 400
4p berline 2.0L Turbo AWD	A	A	2.0	19 300
4p berline 2.0L GS AWD	A	A	2.0	23 700
2013 REGAL				**80 000 km**
4p berline 2.4L eAssist	2	A	2.4	16 100
4p berline 2.0L Turbo (cuir)	2	M	2.0	16 400

Description	R.m.	Bv.	L	Prix
4p berline 2.0L Turbo (cuir)	2	A	2.0	16 400
4p berline 2.0L GS (cuir)	2	M	2.0	18 400
4p berline 2.0L GS (cuir)	2	A	2.0	18 400
2012 REGAL				**100 000 km**
4p berline 2.4L	2	A	2.4	13 000
4p berline 2.4L eAssist	2	A	2.4	16 200
4p berline 2.0L Turbo (cuir)	2	M	2.0	17 000
4p berline 2.0L Turbo (cuir)	2	A	2.0	17 000
4p berline 2.0L GS (cuir)	2	M	2.0	18 500
2016 VERANO				**20 000 km**
4p berline 2.4L	2	A	2.4	20 100
4p berline 2.4L Cuir	2	A	2.4	24 600
4p berline 2.0L Turbo Cuir	2	A	2.0	27 200
2015 VERANO				**40 000 km**
4p berline 2.4L	2	A	2.4	15 400
4p berline 2.4L Cuir	2	A	2.4	19 400
4p berline 2.0L Turbo Cuir	2	A	2.0	20 300
2014 VERANO				**60 000 km**
4p berline 2.4L	2	A	2.4	13 000
4p berline 2.4L Cuir	2	A	2.4	14 000
4p berline 2.0L Turbo Cuir	2	A	2.0	15 300
2013 VERANO				**80 000 km**
4p berline 2.4L	2	A	2.4	11 900
4p berline 2.4L Cuir	2	A	2.4	13 100
4p berline 2.0L Turbo Cuir	2	A	2.0	13 900
2012 VERANO				**100 000 km**
4p berline 2.4L	2	A	2.4	11 400
4p berline 2.4L Cuir	2	A	2.4	12 200

CADILLAC

Description	R.m.	Bv.	L	Prix
2016 ATS				**20 000 km**
2p coupé 2.0L Turbo	2	M	2.0	36 900
2p coupé 2.0L Turbo Luxury	2	M	2.0	41 600
2p coupé 2.0L Turbo Premium	2	M	2.0	46 800
2p coupé 3.6L Luxury	2	A	3.6	43 600
2p coupé 3.6L Premium	2	A	3.6	48 800
2p coupé 2.0L Turbo AWD	A	A	2.0	39 000
2p coupé 2.0L Turbo Luxury awd	A	A	2.0	43 600
2p coupé 2.0L Turbo Prem AWD	A	A	2.0	47 900
2p coupé 3.6L Luxury AWD	A	A	3.6	45 600
2p coupé 3.6L Premium AWD	A	A	3.6	50 000
2p coupé ATS-V	2	M	3.6	60 000
4p berline 2.5L	2	A	2.5	32 200
4p berline 2.5L Luxury	2	A	2.5	37 100
4p berline 2.0L Turbo	2	M	2.0	33 900
4p berline 2.0L Turbo Luxury	2	M	2.0	38 000
4p berline 3.6L Luxury	2	A	3.6	40 300
4p berline 3.6L Premium	2	A	3.6	47 500
4p berline 2.0L Turbo AWD	A	A	2.0	36 400
4p ber 2.0L Turbo Luxury AWD	A	A	2.0	40 500
4p berline 2.0L Turbo Prem AWD	A	A	2.0	47 700
4p berline 3.6L Luxury AWD	A	A	3.6	42 800
4p berline 3.6L Premium AWD	A	A	3.6	50 000
4p berline ATS-V	2	M	3.6	60 000
2015 ATS				**40 000 km**
2p coupé 2.0L Turbo	2	M	2.0	26 800
2p coupé 2.0L Turbo Luxury	2	M	2.0	29 300
2p coupé 2.0L Turbo Premium	2	M	2.0	31 400
2p coupé 3.6L Luxury	2	A	3.6	31 700
2p coupé 3.6L Premium	2	A	3.6	33 800
2p coupé 2.0L Turbo AWD	A	A	2.0	28 400
2p c 2.0L Turbo Luxury AWD	A	A	2.0	31 700
2p coupé 2.0L Turbo Prem AWD	A	A	2.0	33 100
2p coupé 3.6L Luxury AWD	A	A	3.6	31 900
2p coupé 3.6L Premium AWD	A	A	3.6	34 700
4p berline 2.5L	2	A	2.5	23 400
4p berline 2.5L Luxury	2	A	2.5	27 000
4p berline 2.0L Turbo	2	M	2.0	23 700
4p berline 2.0L Turbo Luxury	2	M	2.0	26 500
4p berline 3.6L Luxury	2	A	3.6	29 400
4p berline 3.6L Premium	2	A	3.6	32 800
4p berline 2.0L Turbo AWD	A	A	2.0	26 400
4p ber 2.0L Turbo Luxury AWD	A	A	2.0	29 500
4p ber 2.0L Turbo Premium AWD	A	A	2.0	32 900
4p berline 3.6L Luxury AWD	A	A	3.6	31 000
4p berline 3.6L Premium AWD	A	A	3.6	34 700
2014 ATS				**60 000 km**
4p berline 2.5L	2	A	2.5	22 100
4p berline 2.5L Luxury	2	A	2.5	25 600
4p berline 2.0L Turbo	2	M	2.0	22 400
4p berline 2.0L Turbo	2	A	2.0	23 300
4p berline 2.0L Turbo Luxury	2	M	2.0	25 400
4p berline 2.0L Turbo Luxury	2	A	2.0	26 100
4p berline 3.6L Luxury	2	A	3.6	27 900
4p berline 3.6L Premium	2	A	3.6	30 700
4p berline 2.0L Turbo AWD	A	A	2.0	25 200
4p ber 2.0L Turbo Luxury AWD	A	A	2.0	28 000
4p berline 3.6L Luxury AWD	A	A	3.6	31 200

Description	R.m.	Bv.	L	Prix
4p berline 3.6L Premium AWD	A	A	3.6	32 500
2013 ATS				**80 000 km**
4p berline 2.5L	2	A	2.5	19 400
4p berline 2.5L Luxury	2	A	2.5	21 100
4p berline 2.0L Turbo	2	M	2.0	19 700
4p berline 2.0L Turbo	2	A	2.0	20 700
4p berline 2.0L Turbo Luxury	2	M	2.0	21 400
4p berline 2.0L Turbo Luxury	2	A	2.0	22 300
4p berline 3.6L Luxury	2	A	3.6	23 900
4p berline 3.6L Premium	2	A	3.6	24 900
4p berline 2.0L Turbo AWD	A	A	2.0	22 100
4p ber 2.0L Turbo Luxury AWD	A	A	2.0	24 700
4p berline 3.6L Luxury AWD	A	A	3.6	25 300
4p berline 3.6L Premium AWD	A	A	3.6	26 900
2016 CT6				**20 000 km**
4p berline 2.0L Turbo	2	A	2.0	54 100
4p berline 2.0L Turbo Luxury	2	A	2.0	58 600
4p berline 3.6L	A	A	3.6	56 200
4p berline 3.6L Luxury	A	A	3.6	60 600
4p berline 3.6L Premium Luxury	A	A	3.6	63 600
4p ber 3.0L Twin Turbo Luxury	A	A	3.0	64 800
4p ber 3.0L Twin Turbo Premium L	A	A	3.0	67 700
4p berline 3.6L Platinum	A	A	3.6	84 200
4p ber 3.0L Twin Turbo Platinum	A	A	3.0	88 300
2016 CTS				**20 000 km**
4p berline 2.0L Turbo	2	A	2.0	43 100
4p berline 2.0L Turbo Luxury	2	A	2.0	47 900
4p ber 2.0L Turbo Performance	2	A	2.0	53 600
4p berline 2.0L Turbo Premium	2	A	2.0	58 100
4p berline 3.6L Luxury	2	A	3.6	50 100
4p berline 3.6L Performance	2	A	3.6	55 600
4p berline 3.6L Premium	2	A	3.6	60 200
4p berline Vsport Twin Turbo	2	A	3.6	68 000
4p berline CTS-V	2	A	6.2	81 600
4p berline 2.0L Turbo AWD	A	A	2.0	45 500
4p ber 2.0L Turbo Luxury AWD	A	A	2.0	50 300
4p ber 2.0L Turbo Perfo AWD	A	A	2.0	55 900
4p ber 2.0L Turbo Premium AWD	A	A	2.0	60 400
4p berline 3.6L AWD Luxury	A	A	3.6	51 800
4p ber 3.6L AWD Performance	A	A	3.6	57 500
4p ber 3.6L AWD Prem (toit/navi)	A	A	3.6	62 000
2015 CTS				**40 000 km**
4p berline 2.0L Turbo	2	A	2.0	36 100
4p berline 2.0L Turbo Luxury	2	A	2.0	38 500
4p ber 2.0L Turbo Performance	2	A	2.0	43 900
4p berline 2.0L Turbo Premium	2	A	2.0	47 500
4p berline 3.6L Luxury	2	A	3.6	40 600
4p berline 3.6L Performance	2	A	3.6	46 000
4p berline 3.6L Premium	2	A	3.6	49 700
4p berline Vsport Twin Turbo	2	A	3.6	54 200
4p berline 2.0L Turbo AWD	A	A	2.0	38 100
4p ber 2.0L Turbo Luxury AWD	A	A	2.0	40 300
4p ber 2.0L Turbo Perfo AWD	A	A	2.0	45 800
4p ber 2.0L Turbo Premium AWD	A	A	2.0	49 400
4p berline 3.6L AWD Luxury	A	A	3.6	42 100
4p ber 3.6L AWD Performance	A	A	3.6	47 500
4p ber 3.6L AWD Prem (toit/navi)	A	A	3.6	51 200
2014 CTS				**60 000 km**
2p coupé 3.6L	2	A	3.6	27 600
2p coupé 3.6L Performance	2	A	3.6	31 800
2p coupé 3.6L Premium (navi)	2	A	3.6	35 400
2p coupé 3.6L AWD	A	A	3.6	29 500
2p coupé 3.6L AWD Perform.	A	A	3.6	33 700
2p coupé 3.6L AWD Prem (navi)	A	A	3.6	37 100
2p coupé CTS-V	2	M	6.2	47 400
2p coupé CTS-V	2	A	6.2	48 600
4p berline 2.0L Turbo	2	A	2.0	32 900
4p berline 2.0L Turbo Luxury	2	A	2.0	35 000
4p ber 2.0L Turbo Performance	2	A	2.0	39 900
4p berline 2.0L Turbo Premium	2	A	2.0	43 400
4p berline 3.6L Luxury	2	A	3.6	36 900
4p berline 3.6L Performance	2	A	3.6	42 200
4p ber 3.6L Premium (toit - navi)	2	A	3.6	45 300
4p berline Vsport Twin Turbo	2	A	3.6	48 500
4p berline 2.0L Turbo AWD	A	A	2.0	34 600
4p ber 2.0L Turbo Luxury AWD	A	A	2.0	36 700
4p ber 2.0L Turbo Perfor AWD	A	A	2.0	41 800
4p ber 2.0L Turbo Premium AWD	A	A	2.0	45 000
4p berline 3.6L AWD Luxury	A	A	3.6	38 300
4p ber 3.6L AWD Performance	A	A	3.6	43 400
4p ber 3.6L AWD Prem (toit/navi)	A	A	3.6	46 700
4p fam. 3.0L Luxury	2	A	3.0	30 900
4p fam. 3.6L Performance	2	A	3.6	33 700
4p fam. 3.6L Premium (toit/navi)	2	A	3.6	39 100
4p fam. 3.0L AWD Luxury	A	A	3.0	32 800
4p fam. 3.6L AWD Performance	A	A	3.6	35 500
4p f 3.6L AWD Prem.(toit/navi)	A	A	3.6	41 000

Description	R.m.	Bv.	L	Prix
2013 CTS				**80 000 km**
2p coupé 3.6L	2	A	3.6	25 400
2p coupé 3.6L Performance	2	A	3.6	29 200
2p coupé 3.6L Premium (navi)	2	A	3.6	33 800
2p coupé 3.6L AWD	A	A	3.6	26 800
2p coupé 3.6L AWD Prem(navi)	A	A	3.6	36 400
2p coupé CTS-V	2	M	6.2	43 700
2p coupé CTS-V	2	A	6.2	44 600
4p berline 3.0L Luxury	2	A	3.0	26 500
4p berline 3.6L Performance	2	A	3.6	30 600
4p berline 3.6L Prem (toit/navi)	2	A	3.6	35 000
4p berline 3.0L AWD	A	A	3.0	28 400
4p ber 3.6L AWD Performance	A	A	3.6	31 900
4p ber 3.6L AWD Prem (toit/navi)	A	A	3.6	36 300
4p berline CTS-V	2	M	6.2	44 100
4p berline CTS-V	2	A	6.2	45 100
4p fam. 3.0L	2	A	3.0	24 700
4p fam. 3.0L Luxury	2	A	3.0	28 500
4p fam. 3.6L Performance	2	A	3.6	30 800
4p fam. 3.6L Premium (toit/navi)	2	A	3.6	36 300
4p fam. 3.0L AWD	A	A	3.0	26 100
4p fam. 3.0L AWD Luxury	A	A	3.0	30 200
4p fam. 3.6L AWD Performance	A	A	3.6	32 600
4p fam. CTS-V	2	M	6.2	45 400
4p fam. CTS-V	2	A	6.2	46 400
2012 CTS				**100 000 km**
2p coupé 3.6L	2	A	3.6	23 100
2p coupé 3.6L Performance	2	M	3.6	26 000
2p coupé 3.6L AWD	A	A	3.6	24 600
2p coupé CTS-V	2	M	6.2	38 200
4p berline 3.0L	2	M	3.0	18 500
4p berline 3.6L Performance	2	M	3.6	26 700
4p berline 3.0L AWD	A	A	3.0	21 800
4p ber 3.6L AWD Performance	A	A	3.6	28 800
4p berline CTS-V	2	M	6.2	36 500
4p fam. 3.0L	2	A	3.0	21 600
4p fam. 3.6L Performance	2	A	3.6	28 400
4p fam. 3.0L AWD	A	A	3.0	23 800
4p fam. 3.6L AWD Performance	A	A	3.6	30 200
4p fam. CTS-V	2	M	6.2	41 800
2016 ELR				**20 000 km**
2p coupé base	2	A	0	67 100
2015 ELR				**40 000 km**
2p coupé base	2	A	0	54 600
2014 ELR				**60 000 km**
2p coupé base	2	A	0	44 500
2016 ESCALADE				**20 000 km**
4p base	A	A	6.2	75 100
4p Luxury	A	A	6.2	80 300
4p Premium	A	A	6.2	84 900
4 Platinum	A	A	6.2	93 000
4p ESV	A	A	6.2	78 200
4p ESV Luxury	A	A	6.2	83 400
4p ESV Premium	A	A	6.2	88 000
4 ESV Platinum	A	A	6.2	96 200
2015 ESCALADE				**40 000 km**
4p base	A	A	6.2	65 900
4p Luxury	A	A	6.2	70 500
4p Premium	A	A	6.2	70 800
4 Platinum	A	A	6.2	77 700
4p ESV	A	A	6.2	68 400
4p ESV Luxury	A	A	6.2	69 300
4p ESV Premium	A	A	6.2	73 300
4 ESV Platinum	A	A	6.2	80 000
2014 ESCALADE				**60 000 km**
4p base	A	A	6.2	56 700
4p Platinum	A	A	6.2	62 400
4p ESV	A	A	6.2	59 400
4p ESV Platinum	A	A	6.2	64 900
2013 ESCALADE				**80 000 km**
4p base	A	A	6.2	45 100
4p Platinum	A	A	6.2	49 500
4p ESV	A	A	6.2	47 300
4p ESV Platinum	A	A	6.2	51 200
4p EXT	A	A	6.2	42 300
4p Hybride	A	A	6.0	48 100
4p Hybride Platinum	A	A	6.0	50 900
2012 ESCALADE				**100 000 km**
4p base	A	A	6.2	40 100
4p Platinum	A	A	6.2	43 500
4p ESV	A	A	6.2	41 900
4p ESV Platinum	A	A	6.2	45 300
4p EXT	A	A	6.2	37 600
4p Hybride	A	A	6.0	41 900
4p Hybride Platinum	A	A	6.0	46 300
2016 SRX				**20 000 km**
4p base	2	A	3.6	37 200

Description	R.m.	Bv.	L	Prix
4p Luxury	2	A	3.6	43 800
4p Luxury AWD	A	A	3.6	46 200
4p Performance AWD	A	A	3.6	47 900
4p Premium AWD	A	A	3.6	48 700
2015 SRX				**40 000 km**
4p base	2	A	3.6	29 500
4p Luxury	2	A	3.6	33 600
4p Luxury AWD	A	A	3.6	35 700
4p Performance AWD	A	A	3.6	38 400
4p Premium AWD	A	A	3.6	38 700
2014 SRX				**60 000 km**
4p base	2	A	3.6	25 800
4p Luxury	2	A	3.6	29 600
4p Luxury AWD	A	A	3.6	31 400
4p Performance AWD	A	A	3.6	33 700
4p Premium AWD	A	A	3.6	34 200
2013 SRX				**80 000 km**
4p base	2	A	3.6	22 200
4p Leather Collection	2	A	3.6	23 800
4p Leather Collection AWD	A	A	3.6	25 600
4p Luxury AWD	A	A	3.6	26 200
4p Performance AWD	A	A	3.6	28 300
4p Premium AWD	A	A	3.6	29 300
2012 SRX				**100 000 km**
4p base	2	A	3.6	20 100
4p Luxury	2	A	3.6	22 100
4p Luxury Performance	2	A	3.6	23 300
4p base AWD	A	A	3.6	21 700
4p Luxury AWD	A	A	3.6	23 600
4p Luxury Performance AWD	A	A	3.6	24 000
4p Premium AWD	A	A	3.6	25 200
2016 XTS				**20 000 km**
4p berline Base	2	A	3.6	45 200
4p berline Luxury	2	A	3.6	48 800
4p berline Premium	2	A	3.6	53 700
4p berline Platinum	2	A	3.6	63 000
4p berline Luxury AWD	A	A	3.6	50 500
4p berline Premium AWD	A	A	3.6	55 500
4p berline Vsport Premium AWD	A	A	3.6	61 100
4p berline Platinum AWD	A	A	3.6	64 800
4p berline Vsport Platinum AWD	A	A	3.6	70 200
4p Limousine Base	2	A	3.6	43 900
4p Corbillard Base	2	A	3.6	43 200
2015 XTS				**40 000 km**
4p berline Base	2	A	3.6	34 500
4p berline Luxury	2	A	3.6	37 500
4p berline Premium	2	A	3.6	40 600
4p berline Platinum	2	A	3.6	46 900
4p berline Luxury AWD	A	A	3.6	39 000
4p berline Premium AWD	A	A	3.6	42 100
4p berline Vsport Premium AWD	A	A	3.6	46 600
4p berline Platinum AWD	A	A	3.6	48 300
4p berline Vsport Platinum AWD	A	A	3.6	52 500
4p Limousine Base	2	A	3.6	33 800
4p Corbillard Base	2	A	3.6	33 000
2014 XTS				**60 000 km**
4p berline Base	2	A	3.6	30 400
4p berline Luxury	2	A	3.6	33 000
4p berline Premium	2	A	3.6	35 900
4p berline Platinum	2	A	3.6	39 200
4p berline Luxury AWD	A	A	3.6	34 100
4p berline Premium AWD	A	A	3.6	37 200
4p berline Vsport Premium AWD	A	A	3.6	41 100
4p berline Platinum AWD	A	A	3.6	42 700
4p berline Vsport Platinum AWD	A	A	3.6	44 000
4p Limousine base	2	A	3.6	29 700
4p Corbillard base	2	A	3.6	28 800
2013 XTS				**80 000 km**
4p berline Base	2	A	3.6	27 400
4p berline Luxury Collection	2	A	3.6	29 200
4p berline Premium Collection	2	A	3.6	31 900
4p berline Platinum Collection	2	A	3.6	33 500
4p ber Luxury Collection AWD	A	A	3.6	30 300
4p ber Premium Collection AWD	A	A	3.6	33 300
4p ber Platinum Collection AWD	A	A	3.6	34 800

CHEVROLET

Description	R.m.	Bv.	L	Prix
2013 AVALANCHE				**80 000 km**
4p 1500 LS	2	A	5.3	26 800
4p 1500 LT	2	A	5.3	27 800
4p 1500 LS	A	A	5.3	29 000
4p 1500 LT	A	A	5.3	29 700
4p 1500 LTZ (cuir)	A	A	5.3	31 900
2012 AVALANCHE				**100 000 km**
4p 1500 LS	2	A	5.3	24 500
4p 1500 LT	2	A	5.3	25 400
4p 1500 LS	A	A	5.3	26 300

Description	R.m.	Bv.	L	Prix
4p 1500 LT	A	A	5.3	27 400
4p 1500 LTZ (cuir)	A	A	5.3	28 400

2016 C/K 1500 SILVERADO — 20 000 km

Description	R.m.	Bv.	L	Prix
cab. rég. WT	2	A	4.3	24 500
cab. rég. LS	2	A	4.3	27 000
cab. rég. LT	2	A	4.3	28 800
cab. all. WT	2	A	4.3	28 300
cab. all. LS	2	A	4.3	30 400
cab. all. LT	2	A	4.3	32 900
cab. all. LTZ (cuir)	2	A	5.3	41 200
crew cab. WT	2	A	4.3	30 600
crew cab. LS	2	A	4.3	33 000
crew cab. LT	2	A	4.3	35 100
crew cab. LTZ (cuir)	2	A	5.3	43 000
cab. rég. WT	4	A	4.3	28 100
cab. rég. LS	4	A	4.3	30 600
cab. rég. LT	4	A	4.3	32 900
cab. all. WT	4	A	4.3	32 200
cab. all. LS	4	A	4.3	34 400
cab. all. LT	4	A	4.3	36 700
cab. all. LTZ (cuir)	4	A	5.3	44 900
crew cab. WT	4	A	4.3	34 000
crew cab. LS	4	A	4.3	36 300
crew cab. LT	4	A	4.3	38 800
crew cab. LTZ (cuir)	4	A	5.3	46 900
crew cab. High Country (cuir)	4	A	5.3	53 200

2015 C/K 1500 SILVERADO — 40 000 km

Description	R.m.	Bv.	L	Prix
cab. rég. WT	2	A	4.3	17 300
cab. rég. LS	2	A	4.3	19 600
cab. rég. LT	2	A	4.3	20 500
cab. all. WT	2	A	4.3	20 100
cab. all. LS	2	A	4.3	22 000
cab. all. LT	2	A	4.3	23 300
cab. all. LTZ (cuir)	2	A	5.3	29 400
crew cab. WT	2	A	4.3	21 600
crew cab. LS	2	A	4.3	23 600
crew cab. LT	2	A	4.3	25 100
crew cab. LTZ (cuir)	2	A	5.3	30 500
cab. rég. WT	4	A	4.3	20 000
cab. rég. LS	4	A	4.3	22 100
cab. rég. LT	4	A	4.3	23 700
cab. all. WT	4	A	4.3	22 900
cab. all. LS	4	A	4.3	24 700
cab. all. LT	4	A	4.3	26 200
cab. all. LTZ (cuir)	4	A	5.3	32 300
crew cab. WT	4	A	4.3	24 200
crew cab. LS	4	A	4.3	26 200
crew cab. LT	4	A	4.3	27 800
crew cab. LTZ (cuir)	4	A	5.3	33 700
crew cab. High Country (cuir)	4	A	5.3	38 400

2014 C/K 1500 SILVERADO — 60 000 km

Description	R.m.	Bv.	L	Prix
cab. rég. WT	2	A	4.3	14 200
cab. rég. LT	2	A	4.3	16 800
cab. all. WT	2	A	4.3	16 300
cab. all. LT	2	A	4.3	19 200
cab. all. LTZ (cuir)	2	A	5.3	23 900
crew cab. WT	2	A	4.3	17 700
crew cab. LT	2	A	4.3	20 300
crew cab. LTZ (cuir)	2	A	5.3	24 900
cab. rég. WT	4	A	4.3	16 100
cab. rég. LT	4	A	4.3	19 300
cab. all. WT	4	A	4.3	18 700
cab. all. LT	4	A	4.3	21 400
cab. all. LTZ (cuir)	4	A	5.3	26 400
crew cab. WT	4	A	4.3	19 700
crew cab. LT	4	A	4.3	22 700
crew cab. LTZ (cuir)	4	A	5.3	27 400
crew cab. High Country (cuir)	4	A	5.3	29 900

2013 C/K 1500 SILVERADO — 80 000 km

Description	R.m.	Bv.	L	Prix
cab. rég. WT	2	A	4.3	12 300
cab. rég. WT	2	A	4.8	12 800
cab. rég. LT	2	A	4.8	14 300
cab. all. WT	2	A	4.3	14 200
cab. all. WT	2	A	4.8	14 400
cab. all. LS	2	A	4.8	15 600
cab. all. LT	2	A	4.8	15 900
cab. all. LTZ (cuir)	2	A	5.3	20 200
crew cab. WT	2	A	4.8	15 200
crew cab. LS	2	A	4.8	16 300
crew cab. LT	2	A	4.8	16 800
crew cab. LTZ (cuir)	2	A	5.3	20 700
crew cab. Hybride	2	A	6.0	22 600
cab. rég. WT	4	A	4.3	14 300
cab. rég. WT	4	A	4.8	16 200
cab. rég. LT	4	A	4.8	16 200
cab. all. WT	4	A	4.8	16 100
cab. all. LS	4	A	4.8	17 600
cab. all. LT	4	A	4.8	18 000
cab. all. LTZ (cuir)	4	A	5.3	22 300
crew cab. WT	4	A	4.8	17 000
crew cab. LS	4	A	4.8	18 100
crew cab. LT	4	A	4.8	18 900
crew cab. LTZ (cuir)	4	A	5.3	22 800
crew cab. Hybride	4	A	6.0	24 800

2012 C/K 1500 SILVERADO — 100 000 km

Description	R.m.	Bv.	L	Prix
cab. rég. WT	2	A	4.3	12 000
cab. rég. WT	2	A	4.8	12 400
cab. rég. LT	2	A	4.8	13 600
cab. all. WT	2	A	4.3	13 300
cab. all. WT	2	A	4.8	13 800
cab. all. LS	2	A	4.8	15 000
cab. all. LT	2	A	4.8	15 500
cab. all. LTZ (cuir)	2	A	5.3	19 600
crew cab. WT	2	A	4.8	14 400
crew cab. LS	2	A	4.8	15 900
crew cab. LT	2	A	4.8	16 100
crew cab. LTZ (cuir)	2	A	5.3	20 300
crew cab. Hybride	2	A	6.0	21 800
cab. rég. WT	4	A	4.3	13 500
cab. rég. WT	4	A	4.8	14 000
cab. rég. LT	4	A	4.8	15 800
cab. all. WT	4	A	4.8	15 700
cab. all. LS	4	A	4.8	16 700
cab. all. LT	4	A	4.8	17 400
cab. all. LTZ (cuir)	4	A	5.3	21 400
crew cab. WT	4	A	4.8	16 200
crew cab. LS	4	A	4.8	17 500
crew cab. LT	4	A	4.8	18 000
crew cab. LTZ (cuir)	4	A	5.3	22 100
crew cab. Hybride	4	A	6.0	24 000

2016 CAMARO — 20 000 km

Description	R.m.	Bv.	L	Prix
2p coupé LT 2.0T	2	M	2.0	25 000
2p coupé LT	2	M	3.6	26 500
2p coupé SS	2	M	6.2	37 800
2p déc. LT 2.0T	2	M	2.0	32 600
2p déc. LT	2	M	3.6	34 100
2p déc. SS	2	M	6.2	44 000

2015 CAMARO — 40 000 km

Description	R.m.	Bv.	L	Prix
2p coupé LS	2	M	3.6	21 200
2p coupé LT	2	M	3.6	22 700
2p coupé SS	2	M	6.2	29 300
2p coupé ZL1 (cuir)	2	M	6.2	45 100
2p coupé Z/28	2	M	7.0	59 200
2p déc. LT	2	M	3.6	27 600
2p déc. SS	2	M	6.2	34 300
2p déc. ZL1 (cuir)	2	M	6.2	49 600

2014 CAMARO — 60 000 km

Description	R.m.	Bv.	L	Prix
2p coupé LS	2	M	3.6	19 300
2p coupé LT	2	M	3.6	20 600
2p coupé SS	2	M	6.2	26 800
2p coupé ZL1 (cuir)	2	M	6.2	38 900
2p coupé Z/28	2	M	7.0	53 000
2p déc. LT	2	M	3.6	25 200
2p déc. SS	2	M	6.2	31 200
2p déc. ZL1 (cuir)	2	M	6.2	42 600

2013 CAMARO — 80 000 km

Description	R.m.	Bv.	L	Prix
2p coupé LS	2	M	3.6	17 400
2p coupé LT	2	M	3.6	18 600
2p coupé SS	2	M	6.2	24 000
2p coupé ZL1 (cuir)	2	M	6.2	35 000
2p déc. LT	2	M	3.6	22 600
2p déc. SS	2	M	6.2	28 100
2p déc. ZL1 (cuir)	2	M	6.2	38 400

2012 CAMARO — 100 000 km

Description	R.m.	Bv.	L	Prix
2p coupé LS	2	M	3.6	16 800
2p coupé LT	2	M	3.6	17 700
2p coupé SS	2	M	6.2	22 900
2p coupé ZL1 (cuir)	2	M	6.2	34 800
2p déc. LT	2	M	3.6	20 700
2p déc. SS	2	M	6.2	25 600

2016 COLORADO — 20 000 km

Description	R.m.	Bv.	L	Prix
cab. all. base	2	M	2.5	17 500
cab. all. WT	2	M	2.5	20 200
cab. all. LT	2	M	2.5	24 300
cab. all. Z71	2	A	2.5	26 500
crew cab. WT	2	A	2.5	22 400
crew cab. LT	2	A	2.5	25 600
crew cab. LT Diesel	2	A	2.8	30 700
crew cab. Z71	2	A	2.5	27 800
crew cab. Z71 Diesel	2	A	2.8	33 100
cab. all. WT	4	A	2.5	24 800
cab. all. LT	4	A	2.5	28 000
cab. all. Z71	4	A	2.5	30 100
crew cab. WT	4	A	3.6	27 100
crew cab. LT	4	A	3.6	30 200
crew cab. LT Diesel	4	A	2.8	34 500
crew cab. Z71	4	A	3.6	32 500
crew cab. Z71 Diesel	4	A	2.8	35 500

2015 COLORADO — 40 000 km

Description	R.m.	Bv.	L	Prix
cab. all. base	2	M	2.5	13 300
cab. all. WT	2	M	2.5	15 400
cab. all. LT	2	M	2.5	18 400
cab. all. Z71	2	A	2.5	20 100
crew cab. WT	2	A	2.5	17 000
crew cab. LT	2	A	2.5	19 500
crew cab. Z71	2	A	2.5	21 100
cab. all. WT	4	A	2.5	18 900
cab. all. LT	4	A	2.5	21 200
cab. all. Z71	4	A	2.5	23 000
crew cab. WT	4	A	3.6	20 600
crew cab. LT	4	A	3.6	23 100
crew cab. Z71	4	A	3.6	24 600

2012 COLORADO — 100 000 km

Description	R.m.	Bv.	L	Prix
cab. rég. LT	2	M	2.9	11 200
cab. all. LT	2	M	2.9	12 500
cab. all. LT V8	2	A	5.3	15 200
crew cab. LT	2	A	2.9	15 200
crew cab. LT V8	2	A	5.3	16 800
cab. rég. LT	4	M	2.9	13 400
cab. all. LT	4	M	2.9	14 300
cab. all. LT V8	4	A	5.3	17 100
crew cab. LT	4	A	3.7	17 900
crew cab. LT V8	4	A	5.3	18 600

2016 CORVETTE STINGRAY — 15 000 km

Description	R.m.	Bv.	L	Prix
2p coupé base 1LT	2	M	6.2	56 900
2p coupé base 2LT	2	M	6.2	61 000
2p coupé base 3LT (navi)	2	M	6.2	66 800
2p coupé Z51 1LT	2	M	6.2	62 200
2p coupé Z51 2LT	2	M	6.2	66 300
2p coupé Z51 3LT (navi)	2	M	6.2	72 100
2p coupé Z06	2	M	6.2	82 300
2p déc. base 1LT	2	M	6.2	61 500
2p déc. base 2LT	2	M	6.2	65 600
2p déc. base 3LT (navi)	2	M	6.2	71 400
2p déc. Z51 1LT	2	M	6.2	66 800
2p déc. Z51 2LT	2	M	6.2	70 900
2p déc. Z51 3LT (navi)	2	M	6.2	76 700
2p déc. Z06	2	M	6.2	86 800

2015 CORVETTE STINGRAY — 30 000 km

Description	R.m.	Bv.	L	Prix
2p coupé base 1LT	2	M	6.2	56 200
2p coupé base 2LT	2	M	6.2	60 300
2p coupé base 3LT (navi)	2	M	6.2	66 400
2p coupé Z51 1LT	2	M	6.2	61 300
2p coupé Z51 2LT	2	M	6.2	65 300
2p coupé Z51 3LT (navi)	2	M	6.2	71 400
2p coupé Z06	2	M	6.2	78 800
2p déc. base 1LT	2	M	6.2	61 300
2p déc. base 2LT	2	M	6.2	65 300
2p déc. base 3LT (navi)	2	M	6.2	70 900
2p déc. Z51 1LT	2	M	6.2	66 200
2p déc. Z51 2LT	2	M	6.2	70 300
2p déc. Z51 3LT (navi)	2	M	6.2	75 800
2p déc. Z06	2	M	6.2	83 700

2014 CORVETTE STINGRAY — 45 000 km

Description	R.m.	Bv.	L	Prix
2p coupé base 1LT	2	M	6.2	48 500
2p coupé base 2LT	2	M	6.2	52 400
2p coupé base 3LT (navi)	2	M	6.2	55 900
2p coupé Z51 1LT	2	M	6.2	53 200
2p coupé Z51 2LT	2	M	6.2	57 200
2p coupé Z51 3LT (navi)	2	M	6.2	60 700
2p déc. base 1LT	2	M	6.2	53 300
2p déc. base 2LT	2	M	6.2	57 300
2p déc. base 3LT (navi)	2	M	6.2	60 800
2p déc. Z51 1LT	2	M	6.2	58 100
2p déc. Z51 2LT	2	M	6.2	62 100
2p déc. Z51 3LT (navi)	2	M	6.2	65 500

2013 CORVETTE — 60 000 km

Description	R.m.	Bv.	L	Prix
2p coupé base	2	M	6.2	47 400
2p coupé Grand Sport	2	M	6.2	53 100
2p coupé Z06	2	M	7.0	68 100
2p coupé Z06 Carbon Édition	2	M	7.0	71 500
2p coupé ZR1	2	M	6.2	92 000
2p déc. base	2	M	6.2	49 400
2p déc. Grand Sport	2	M	6.2	59 300
2p déc. 427 Collector Edition	2	M	7.0	71 300

2012 CORVETTE — 75 000 km

Description	R.m.	Bv.	L	Prix
2p coupé base	2	M	6.2	41 500
2p coupé Grand Sport	2	M	6.2	47 900
2p coupé Z06	2	M	7.0	62 100
2p coupé Z06 Carbon Édition	2	M	7.0	65 100
2p coupé ZR1	2	M	6.2	84 300
2p déc. base	2	M	6.2	44 200
2p déc. Grand Sport	2	M	6.2	54 000

2016 CRUZE/LIMITED — 20 000 km

Description	R.m.	Bv.	L	Prix
4p berline Limited LS	2	M	1.8	13 300
4p berline Limited ECO	2	M	1.4	18 300
4p berline Limited LT Turbo	2	M	1.4	16 800
4p berline Limited LTZ Turbo cuir	2	A	1.4	23 100
4p berline L	2	M	1.4	13 100
4p berline LS	2	M	1.4	15 600
4p berline LT	2	M	1.4	16 500
4p berline Premier (cuir)	2	A	1.4	20 000

2015 CRUZE — 40 000 km

Description	R.m.	Bv.	L	Prix
4p berline LS	2	M	1.8	10 300
4p berline ECO	2	M	1.4	14 400
4p berline LT Turbo	2	M	1.4	13 300
4p berline LTZ Turbo (cuir)	2	A	1.4	18 400
4p berline Diesel (cuir)	2	A	2.0	17 000

2014 CRUZE — 60 000 km

Description	R.m.	Bv.	L	Prix
4p berline LS	2	M	1.8	8 400
4p berline ECO	2	M	1.4	11 300
4p berline LT Turbo	2	M	1.4	10 600
4p berline LTZ Turbo (cuir)	2	A	1.4	14 900
4p berline Diesel (cuir)	2	A	2.0	13 700

2013 CRUZE — 80 000 km

Description	R.m.	Bv.	L	Prix
4p berline LS	2	M	1.8	7 200
4p berline ECO	2	M	1.4	10 700
4p berline LT Turbo	2	M	1.4	9 800
4p berline LTZ Turbo (cuir)	2	A	1.4	12 300

2012 CRUZE — 100 000 km

Description	R.m.	Bv.	L	Prix
4p berline LS	2	M	1.8	6 300
4p berline ECO	2	M	1.4	7 600
4p berline LT Turbo	2	M	1.4	7 400
4p berline LTZ Turbo (cuir)	2	A	1.4	9 100

2016 EQUINOX — 20 000 km

Description	R.m.	Bv.	L	Prix
4p LS	2	A	2.4	23 700
4p LT	2	A	2.4	26 400
4p LTZ (cuir)	2	A	2.4	28 700
4p LS	A	A	2.4	25 700
4p LT	A	A	2.4	28 400
4p LTZ (cuir)	A	A	2.4	30 700

2015 EQUINOX — 40 000 km

Description	R.m.	Bv.	L	Prix
4p LS	2	A	2.4	18 100
4p LT	2	A	2.4	20 400
4p LS	A	A	2.4	19 900
4p LT	A	A	2.4	22 100
4p LTZ (cuir)	A	A	2.4	25 000

2014 EQUINOX — 60 000 km

Description	R.m.	Bv.	L	Prix
4p LS	2	A	2.4	15 100
4p LT	2	A	2.4	16 200
4p LTZ (cuir)	2	A	2.4	19 900
4p LS	A	A	2.4	16 400
4p LT	A	A	2.4	17 700
4p LTZ (cuir)	A	A	2.4	20 800

2013 EQUINOX — 80 000 km

Description	R.m.	Bv.	L	Prix
4p LS	2	A	2.4	13 900
4p LT	2	A	2.4	15 700
4p LTZ (cuir)	2	A	2.4	18 000
4p LS	A	A	2.4	15 100
4p LT	A	A	2.4	16 600
4p LTZ (cuir)	A	A	2.4	19 000

2012 EQUINOX — 100 000 km

Description	R.m.	Bv.	L	Prix
4p LS	2	A	2.4	12 200
4p LT	2	A	2.4	13 500
4p LTZ (cuir)	2	A	2.4	14 400
4p LS	A	A	2.4	13 100
4p LT	A	A	2.4	14 300
4p LTZ (cuir)	A	A	2.4	15 300

2016 CITY EXPRESS — 20 000 km

Description	R.m.	Bv.	L	Prix
cargo Express LS	2	A	2.0	22 900
cargo Express LT	2	A	2.0	24 700

2015 CITY EXPRESS — 40 000 km

Description	R.m.	Bv.	L	Prix
cargo Express LS	2	A	2.0	20 200
cargo Express LT	2	A	2.0	21 600

2014 G10 EXPRESS — 60 000 km

Description	R.m.	Bv.	L	Prix
cargo Express WT	2	A	4.3	19 200
cargo Express WT	2	A	5.3	20 300
cargo Express LT	2	A	5.3	24 100
3p Express LS	2	A	5.3	23 500
3p Express LT	2	A	5.3	24 900
cargo Express WT AWD	A	A	5.3	22 100
cargo Express LT AWD	A	A	5.3	25 900
3p Express LS AWD	A	A	5.3	25 400

Description	R.m.	Bv.	L	Prix
3p Express LT AWD	A	A	5.3	26 600
2013 G10 EXPRESS				**80 000 km**
cargo Express base	2	A	4.3	16 800
cargo Express base	2	A	5.3	17 900
3p Express LS	2	A	5.3	21 000
3p Express LT	2	A	5.3	23 500
cargo Express base AWD	A	A	5.3	19 600
3p Express LS AWD	A	A	5.3	22 600
3p Express LT AWD	A	A	5.3	25 200
2012 G10 EXPRESS				**100 000 km**
cargo Express base	2	A	4.3	14 700
cargo Express base	2	A	5.3	15 800
3p Express LS	2	A	5.3	18 400
3p Express LT	2	A	5.3	20 700
cargo Express base AWD	A	A	5.3	17 100
3p Express LS AWD	A	A	5.3	19 900
3p Express LT AWD	A	A	5.3	22 200
2016 IMPALA				**20 000 km**
4p berline LS	2	A	2.5	24 100
4p berline LT	2	A	2.5	26 800
4p berline LT V6	2	A	3.6	28 200
4p berline LTZ (cuir)	2	A	2.5	31 000
4p berline LTZ V6 (cuir / toit)	2	A	3.6	33 900
2015 IMPALA				**40 000 km**
4p berline LS	2	A	2.5	18 200
4p berline LT	2	A	2.5	20 300
4p berline LT V6	2	A	3.6	21 100
4p berline LTZ (cuir)	2	A	2.5	21 400
4p berline LTZ V6 (cuir / toit)	2	A	3.6	23 400
2014 IMPALA				**60 000 km**
4p berline LS	2	A	2.5	13 100
4p berline LS ECO	2	A	2.4	14 600
4p berline LT	2	A	2.5	14 600
4p berline LT ECO	2	A	2.4	15 100
4p berline LT V6	2	A	3.6	15 700
4p berline LZ (cuir)	2	A	2.5	15 800
4p berline LZ V6 (cuir / toit)	2	A	3.6	17 200
2013 IMPALA				**80 000 km**
4p berline LS	2	A	3.6	12 000
4p berline LS Sport	2	A	3.6	12 600
4p berline LT	2	A	3.6	12 600
4p berline LTZ (cuir)	2	A	3.6	14 500
2012 IMPALA				**100 000 km**
4p berline LS	2	A	3.6	10 000
4p berline LS Sport	2	A	3.6	10 200
4p berline LT	2	A	3.6	10 200
4p berline LTZ (cuir)	2	A	3.6	12 300
2016 MALIBU/LIMITED				**20 000 km**
4p berline Limited LS	2	A	2.5	22 200
4p berline Limited LT	2	A	2.5	23 900
4p berline Limited LTZ (cuir)	2	A	2.5	29 700
4p berline L	2	A	1.5	19 200
4p berline LS	2	A	1.5	21 200
4p berline LT	2	A	1.5	22 200
4p berline Hybride	2	A	1.8	25 900
4p berline Premier (cuir - navi)	2	A	2.0	28 700
2015 MALIBU				**40 000 km**
4p berline LS	2	A	2.5	15 300
4p berline 1LT	2	A	2.5	16 300
4p berline 2LT	2	A	2.5	17 400
4p berline 3LT 2.0L	2	A	2.0	18 600
4p berline LTZ (cuir - toit)	2	A	2.5	20 400
4p berline LTZ 2.0L (cuir - toit)	2	A	2.0	21 500
2014 MALIBU				**60 000 km**
4p berline LS	2	A	2.5	12 300
4p berline 1LT	2	A	2.5	13 200
4p berline 2LT	2	A	2.5	14 100
4p berline 3LT 2.0L	2	A	2.0	15 100
4p berline 1LZ 2.0L (cuir - toit)	2	A	2.0	16 400
2013 MALIBU				**80 000 km**
4p berline LS	2	A	2.5	10 000
4p berline 1LT	2	A	2.5	11 000
4p berline 2LT 2.0L	2	A	2.0	12 400
4p berline ECO 1LT (Hybride)	2	A	2.4	11 600
4p berline LTZ (cuir - toit)	2	A	2.0	13 000
2012 MALIBU				**100 000 km**
4p berline LS	2	A	2.4	8 000
4p berline LT	2	A	2.4	9 100
4p berline LT Platine Edition	2	A	2.4	9 600
4p berline LT V6 Platine Edition	2	A	3.6	9 900
4p berline LTZ (cuir - toit)	2	A	2.4	10 100
4p berline LTZ V6 (cuir - toit)	2	A	3.6	10 100
2014 ORLANDO				**60 000 km**
4p LS	2	M	2.4	10 000
4p LS	2	A	2.4	10 800
4p LT	2	M	2.4	11 400
4p LT	2	A	2.4	12 400
4p LTZ	2	A	2.4	13 400
2013 ORLANDO				**80 000 km**
4p LS	2	M	2.4	8 500
4p LS	2	A	2.4	9 000
4p LT	2	M	2.4	9 600
4p LT	2	A	2.4	10 300
4p LTZ	2	A	2.4	11 800
2012 ORLANDO				**100 000 km**
4p LS	2	M	2.4	6 300
4p LT	2	M	2.4	6 900
4p LT	2	A	2.4	7 500
4p LTZ	2	A	2.4	8 000
2016 SONIC				**20 000 km**
4p hayon LS	2	M	1.8	12 700
4p hayon LT	2	M	1.8	16 500
4p hayon LTZ Turbo	2	A	1.4	20 400
4p hayon RS	2	M	1.4	19 500
4p berline LS	2	M	1.8	12 200
4p berline LT	2	M	1.8	15 600
4p berline LTZ Turbo	2	A	1.4	20 000
4p berline RS	2	M	1.4	19 100
2015 SONIC				**40 000 km**
4p hayon LS	2	M	1.8	8 700
4p hayon LT	2	M	1.8	11 300
4p hayon LTZ Turbo	2	M	1.4	13 500
4p hayon RS	2	M	1.4	15 100
4p berline LS	2	M	1.8	8 400
4p berline LT	2	M	1.8	10 700
4p berline LTZ Turbo	2	M	1.4	13 100
2014 SONIC				**60 000 km**
4p hayon LS	2	M	1.8	6 500
4p hayon LT	2	M	1.8	8 400
4p hayon LTZ Turbo	2	M	1.4	10 100
4p hayon RS	2	M	1.4	11 300
4p berline LS	2	M	1.8	6 200
4p berline LT	2	M	1.8	7 900
4p berline LTZ Turbo	2	M	1.4	9 800
2013 SONIC				**80 000 km**
4p hayon LS	2	M	1.8	5 600
4p hayon LT	2	M	1.8	7 400
4p hayon LTZ Turbo	2	M	1.4	9 000
4p hayon RS	2	M	1.4	10 100
4p berline LS	2	M	1.8	5 400
4p berline LT	2	M	1.8	7 000
4p berline LTZ Turbo	2	M	1.4	9 000
2012 SONIC				**100 000 km**
4p hayon LS	2	M	1.8	5 000
4p hayon LT	2	M	1.8	5 700
4p hayon LTZ Turbo	2	M	1.4	6 800
4p berline LS	2	M	1.8	4 700
4p berline LT	2	M	1.8	5 300
4p berline LTZ Turbo	2	M	1.4	6 600
2016 SPARK				**20 000 km**
4p hayon LS	2	M	1.4	10 200
4p hayon LS (a/c)	2	A	1.4	12 900
4p hayon LT	2	M	1.4	13 500
4p hayon LT	2	A	1.4	14 900
4p hayon 2LT (toit)	2	A	1.4	16 600
4p hayon EV LT (Électrique)	2	A	E	27 900
4p hayon EV 2LT (Électrique)	2	A	E	29 500
2015 SPARK				**40 000 km**
4p hayon LS	2	M	1.2	7 100
4p hayon LT	2	M	1.2	9 700
4p hayon EV LT (Électrique)	2	A	E	14 900
2014 SPARK				**60 000 km**
4p hayon LS	2	M	1.2	6 100
4p hayon LT	2	M	1.2	8 600
4p hayon EV LT (Électrique)	2	A	E	13 800
2013 SPARK				**80 000 km**
4p hayon LS	2	M	1.2	5 000
4p hayon LT	2	M	1.2	6 500
2016 SUBURBAN				**20 000 km**
4p 1500 LS	2	A	5.3	48 200
4p 1500 LT (cuir)	2	A	5.3	54 800
4p 1500 LS	A	A	5.3	51 100
4p 1500 LT (cuir)	A	A	5.3	57 700
4p 1500 LTZ (cuir - navi)	A	A	5.3	64 800
2015 SUBURBAN				**40 000 km**
4p 1500 LS	2	A	5.3	36 000
4p 1500 LT (cuir)	2	A	5.3	41 400
4p 1500 LS	A	A	5.3	38 200
4p 1500 LT (cuir)	A	A	5.3	43 700
4p 1500 LTZ (cuir - navi)	A	A	5.3	49 200
2014 SUBURBAN				**60 000 km**
4p 1500 LS	2	A	5.3	30 800
4p 1500 LT (cuir)	2	A	5.3	34 100
4p 1500 LS	A	A	5.3	32 900
4p 1500 LT (cuir)	A	A	5.3	36 100
4p 1500 LTZ (cuir - navi)	A	A	5.3	42 600
2013 SUBURBAN				**80 000 km**
4p 1500 LS	2	A	5.3	26 700
4p 1500 LT (cuir)	2	A	5.3	29 900
4p 2500 LS	2	A	6.0	27 500
4p 2500 LT (cuir)	2	A	6.0	30 700
4p 1500 LS	A	A	5.3	28 700
4p 1500 LT (cuir)	A	A	5.3	31 700
4p 1500 LTZ (cuir - navi)	A	A	5.3	34 800
4p 2500 LS	A	A	6.0	29 600
4p 2500 LT (cuir)	A	A	6.0	32 700
2012 SUBURBAN				**100 000 km**
4p 1500 LS	2	A	5.3	23 900
4p 1500 LT (cuir)	2	A	5.3	26 600
4p 2500 LS	2	A	6.0	24 700
4p 2500 LT (cuir)	2	A	6.0	27 700
4p 1500 LS	A	A	5.3	25 600
4p 1500 LT (cuir)	A	A	5.3	28 400
4p 1500 LTZ (cuir - navi)	A	A	5.3	32 200
4p 2500 LS	A	A	6.0	26 200
4p 2500 LT (cuir)	A	A	6.0	29 300
2016 TAHOE				**20 000 km**
4p LS	2	A	5.3	45 600
4p LT	2	A	5.3	52 200
4p LS AWD	A	A	5.3	48 500
4p LT AWD	A	A	5.3	55 100
4p LTZ AWD (cuir - navi)	A	A	5.3	62 200
4p Special Service	A	A	5.3	48 500
2015 TAHOE				**40 000 km**
4p LS	2	A	5.3	33 900
4p LT	2	A	5.3	39 400
4p LS AWD	A	A	5.3	36 200
4p LT AWD	A	A	5.3	41 500
4p LTZ AWD (cuir - navi)	A	A	5.3	47 300
4p Special Service	A	A	5.3	36 200
2014 TAHOE				**60 000 km**
4p LS	2	A	5.3	29 600
4p LT	2	A	5.3	32 200
4p LS AWD	A	A	5.3	32 100
4p LT AWD	A	A	5.3	35 000
4p LTZ AWD (cuir - navi)	A	A	5.3	40 700
4p Special Service	A	A	5.3	29 500
2013 TAHOE				**80 000 km**
4p LS	2	A	5.3	25 400
4p LT	2	A	5.3	28 400
4p LT Hybride (cuir)	2	A	6.0	35 500
4p LS AWD	A	A	5.3	27 600
4p LT AWD	A	A	5.3	30 600
4p LT Hybride AWD (cuir)	A	A	6.0	34 200
4p LTZ AWD (cuir - navi)	A	A	5.3	33 200
4p Special Service	A	A	5.3	26 200
2012 TAHOE				**100 000 km**
4p LS	2	A	5.3	21 600
4p LT	2	A	5.3	24 000
4p LT Hybride (cuir)	2	A	6.0	30 300
4p LS AWD	A	A	5.3	23 700
4p LT AWD	A	A	5.3	26 000
4p LT Hybride AWD (cuir)	A	A	6.0	31 600
4p LTZ AWD (cuir - navi)	A	A	5.3	30 900
4p Special Service	A	A	5.3	19 300
2016 TRAVERSE				**20 000 km**
4p LS	2	A	3.6	30 100
4p 1LT (8 pass.)	2	A	3.6	33 300
4p 2LT (7 pass.)	2	A	3.6	36 700
4p LS AWD	A	A	3.6	32 900
4p 1LT AWD (8 pass.)	A	A	3.6	36 100
4p 2LT AWD (7 pass.)	A	A	3.6	39 400
4p LTZ AWD (cuir)	A	A	3.6	45 500
2015 TRAVERSE				**40 000 km**
4p LS	2	A	3.6	22 000
4p 1LT (8 pass.)	2	A	3.6	24 300
4p 2LT (7 pass.)	2	A	3.6	26 700
4p LS AWD	A	A	3.6	23 900
4p 1LT AWD (8 pass.)	A	A	3.6	26 400
4p 2LT AWD (7 pass.)	A	A	3.6	29 000
4p LTZ AWD (cuir)	A	A	3.6	33 300
2014 TRAVERSE				**60 000 km**
4p LS	2	A	3.6	20 200
4p 1LT (8 pass.)	2	A	3.6	22 400
4p 2LT (7 pass.)	2	A	3.6	24 900
4p LTZ (cuir)	2	A	3.6	28 800
4p LS AWD	A	A	3.6	22 400
4p 1LT AWD (8 pass.)	A	A	3.6	24 100
4p 2LT AWD (7 pass.)	A	A	3.6	26 800
4p LTZ AWD (cuir)	A	A	3.6	30 700
2013 TRAVERSE				**80 000 km**
4p LS	2	A	3.6	18 300
4p 1LT (8 pass.)	2	A	3.6	19 800
4p 2LT (7 pass.)	2	A	3.6	22 400
4p LTZ (cuir)	2	A	3.6	24 800
4p LS AWD	A	A	3.6	19 900
4p 1LT AWD (8 pass.)	A	A	3.6	21 300
4p 2LT AWD (7 pass.)	A	A	3.6	23 700
4p LTZ AWD (cuir)	A	A	3.6	26 500
2012 TRAVERSE				**100 000 km**
4p LS	2	A	3.6	17 600
4p 1LT (8 pass.)	2	A	3.6	18 900
4p 2LT (7 pass.)	2	A	3.6	21 200
4p LTZ (cuir)	2	A	3.6	23 000
4p LS AWD	A	A	3.6	19 100
4p 1LT AWD (8 pass.)	A	A	3.6	20 200
4p 2LT AWD (7 pass.)	A	A	3.6	22 800
4p LTZ AWD (cuir)	A	A	3.6	23 800
2016 TRAX				**20 000 km**
4p LS	2	M	1.4	16 900
4p LS	2	A	1.4	18 300
4p LT	2	A	1.4	22 400
4p LTZ	2	A	1.4	25 700
4p LT AWD	A	A	1.4	24 300
4p LTZ AWD	A	A	1.4	27 500
2015 TRAX				**40 000 km**
4p LS	2	M	1.4	14 300
4p LS	2	A	1.4	15 500
4p 1LT	2	A	1.4	18 300
4p 2LT (MyLink Touch)	2	A	1.4	20 400
4p LTZ	2	A	1.4	21 900
4p 1LT AWD	A	A	1.4	20 000
4p 2LT AWD (MyLink Touch)	A	A	1.4	22 000
4p LTZ AWD	A	A	1.4	23 500
2014 TRAX				**60 000 km**
4p LS	2	M	1.4	11 700
4p LS	2	A	1.4	12 700
4p 1LT	2	A	1.4	15 100
4p 2LT (MyLink Touch)	2	A	1.4	17 000
4p LTZ	2	A	1.4	17 200
4p 1LT AWD	A	A	1.4	16 700
4p 2LT AWD (MyLink Touch)	A	A	1.4	17 200
4p LTZ AWD	A	A	1.4	18 700
2013 TRAX				**80 000 km**
4p LS	2	M	1.4	8 900
4p LS	2	A	1.4	9 800
4p 1LT	2	A	1.4	11 500
4p 2LT (MyLink Touch)	2	A	1.4	12 600
4p LTZ	2	A	1.4	13 000
4p 1LT AWD	A	A	1.4	12 500
4p 2LT AWD (MyLink Touch)	A	A	1.4	13 100
4p LTZ AWD	A	A	1.4	14 000
2016 VOLT				**20 000 km**
4p hayon LT	2	A	0	34 300
4p hayon Premier (cuir)	2	A	0	38 100
2015 VOLT				**40 000 km**
4p hayon base	2	A	0	24 400
2014 VOLT				**60 000 km**
4p hayon base	2	A	0	21 000
2013 VOLT				**80 000 km**
4p hayon base	2	A	0	19 700
2012 VOLT				**100 000 km**
4p hayon base	2	A	0	16 800

CHRYSLER

Description	R.m.	Bv.	L	Prix
2016 200				**20 000 km**
4p berline 200 LX	2	A	2.4	18 900
4p berline 200 Limited (cuir)	2	A	2.4	21 800
4p berline 200 Limited V6 (cuir)	2	A	3.6	23 700
4p ber 200 Éd 90e anniversaire	2	A	2.4	24 600
4p ber 200 Éd 90e anniversaire	2	A	3.6	26 500
4p berline 200S	2	A	2.4	23 700
4p berline 200S V6	2	A	3.6	25 400
4p berline 200C (cuir)	2	A	2.4	24 500
4p berline 200C V6 (cuir)	2	A	3.6	26 300
4p berline 200S V6 AWD	A	A	3.6	27 600
4p berline 200C V6 (cuir) AWD	A	A	3.6	28 500
2015 200				**40 000 km**
4p berline 200 LX	2	A	2.4	14 200
4p berline 200 Limited (cuir)	2	A	2.4	15 900
4p berline 200 Limited V6 (cuir)	2	A	3.6	17 200
4p berline 200S	2	A	2.4	17 200
4p berline 200S V6	2	A	3.6	18 600
4p berline 200C (cuir)	2	A	2.4	17 800
4p berline 200C V6 (cuir)	2	A	3.6	19 300
4p berline 200S V6 AWD	A	A	3.6	20 400

Description	R.m.	Bv.	L	Prix
4p berline 200C V6 (cuir) AWD	A	A	3.6	20 800

2014 200 — 60 000 km

Description	R.m.	Bv.	L	Prix
4p berline LX	2	A	2.4	10 200
4p berline LX V6	2	A	3.6	10 800
4p berline Touring	2	A	2.4	12 800
4p berline Touring V6	2	A	3.6	13 400
4p berline Limited (cuir)	2	A	2.4	13 800
4p berline Limited V6 (cuir)	2	A	3.6	14 600
4p berline S (cuir)	2	A	3.6	15 100
2p déc. LX	2	A	2.4	16 100
2p déc. Touring	2	A	3.6	19 800
2p déc. Limited (cuir)	2	A	3.6	21 000
2p déc. S (cuir)	2	A	3.6	21 500

2013 200 — 80 000 km

Description	R.m.	Bv.	L	Prix
4p berline LX	2	A	2.4	8 300
4p berline Touring	2	A	2.4	10 100
4p berline Touring V6	2	A	3.6	10 300
4p berline Limited (cuir)	2	A	2.4	10 600
4p berline Limited V6 (cuir)	2	A	3.6	11 400
4p berline S (cuir)	2	A	3.6	11 800
2p déc. LX	2	A	2.4	12 900
2p déc. Touring	2	A	3.6	16 000
2p déc. Limited (cuir)	2	A	3.6	16 900
2p déc. S (cuir)	2	A	3.6	17 400

2012 200 — 100 000 km

Description	R.m.	Bv.	L	Prix
4p berline LX	2	A	2.4	7 500
4p berline Touring	2	A	2.4	8 700
4p berline Touring V6	2	A	3.6	8 800
4p berline Limited (cuir)	2	A	2.4	9 100
4p berline Limited V6 (cuir)	2	A	3.6	9 500
4p berline S (cuir)	2	A	3.6	11 000
2p déc. LX	2	A	2.4	12 000
2p déc. Touring	2	A	3.6	12 900
2p déc. Limited (cuir)	2	A	3.6	14 900
2p déc. S (cuir)	2	A	3.6	15 400

2016 300 — 20 000 km

Description	R.m.	Bv.	L	Prix
4p berline 300 Touring	2	A	3.6	34 900
4p berline 300 Limited	2	A	3.6	36 900
4p berline 300 S V6	2	A	3.6	37 400
4p berline 300 S V8	2	A	5.7	40 000
4p berline 300C	2	A	3.6	38 300
4p berline 300C V8	2	A	5.7	40 600
4p berline 300C Platinum	2	A	3.6	40 100
4p berline 300C Platinum V8	2	A	5.7	42 400
4p berline 300 Touring AWD	A	A	3.6	36 900
4p berline 300 Limited AWD	A	A	3.6	38 600
4p berline 300 S AWD	A	A	3.6	39 400
4p berline 300C AWD	A	A	3.6	40 300
4p berline 300C Platinum AWD	A	A	3.6	42 100

2015 300 — 40 000 km

Description	R.m.	Bv.	L	Prix
4p berline 300 Touring	2	A	3.6	22 100
4p berline 300 Limited	2	A	3.6	23 500
4p berline 300 S V6	2	A	3.6	23 900
4p berline 300 S V8	2	A	5.7	25 600
4p berline 300C	2	A	3.6	24 600
4p berline 300C V8	2	A	5.7	26 000
4p berline 300C Platinum	2	A	3.6	25 600
4p berline 300C Platinum V8	2	A	5.7	27 300
4p berline 300 Touring AWD	A	A	3.6	23 500
4p berline 300 Limited AWD	A	A	3.6	24 600
4p berline 300 S AWD	A	A	3.6	25 200
4p berline 300C AWD	A	A	3.6	25 800
4p berline 300C Platinum AWD	A	A	3.6	26 900

2014 300 — 60 000 km

Description	R.m.	Bv.	L	Prix
4p berline 300 Touring	2	A	3.6	18 000
4p berline 300 Limited	2	A	3.6	18 700
4p berline 300 S V6	2	A	3.6	20 000
4p berline 300 S V8	2	A	5.7	21 000
4p berline 300C	2	A	3.6	20 700
4p berline 300C V8	2	A	5.7	21 600
4p berline 300C Luxury Série	2	A	3.6	21 800
4p berline 300C Luxury Série V8	2	A	5.7	22 700
4p berline 300 SRT	2	A	6.4	30 600
4p berline 300 Touring AWD	A	A	3.6	19 700
4p berline 300 Limited AWD	A	A	3.6	20 500
4p berline 300 S V6 AWD	A	A	3.6	21 300
4p berline 300 S V8 AWD	A	A	5.7	22 200
4p berline 300C AWD	A	A	3.6	21 800
4p berline 300C V8 AWD	A	A	5.7	22 700
4p ber 300C Luxury Série AWD	A	A	3.6	22 800
4p ber 300C Lux Série V8 AWD	A	A	5.7	23 800

2013 300 — 80 000 km

Description	R.m.	Bv.	L	Prix
4p berline 300 Touring	2	A	3.6	16 500
4p berline 300 Limited (cuir)	2	A	3.6	17 000
4p berline 300 S V6	2	A	3.6	18 600
4p berline 300 S V8 (cuir)	2	A	5.7	19 200
4p berline 300C (cuir)	2	A	3.6	19 200
4p berline 300C V8 (cuir)	2	A	5.7	19 600
4p berline 300 SRT8	2	A	6.4	30 500
4p berline 300 Ltd (cuir) AWD	A	A	3.6	18 800
4p berline 300 S V6 AWD	A	A	3.6	19 600
4p berline 300 S V8 (cuir) AWD	A	A	5.7	20 100
4p berline 300C (cuir) AWD	A	A	3.6	20 000
4p berline 300C V8 (cuir) AWD	A	A	5.7	20 600

2012 300 — 100 000 km

Description	R.m.	Bv.	L	Prix
4p berline 300 Touring	2	A	3.6	14 000
4p berline 300 Limited (cuir)	2	A	3.6	15 300
4p berline 300 S V6	2	A	3.6	15 300
4p berline 300 S V8 (cuir)	2	A	5.7	16 900
4p berline 300C (cuir)	2	A	5.7	16 900
4p berline 300 SRT8	2	A	6.4	28 700
4p berline 300 Ltd (cuir) AWD	A	A	3.6	16 400
4p berline 300 S V6 AWD	A	A	3.6	16 400
4p berline 300 S V8 (cuir) AWD	A	A	5.7	18 300
4p berline 300C (cuir) AWD	A	A	5.7	18 300

2016 TOWN & COUNTRY — 20 000 km

Description	R.m.	Bv.	L	Prix
4p Touring	2	A	3.6	37 700
4p Touring-L (cuir)	2	A	3.6	39 400
4p S (cuir)	2	A	3.6	40 000
4p Premium (cuir)	2	A	3.6	40 700
4p Limited (cuir)	2	A	3.6	42 900

2015 TOWN & COUNTRY — 40 000 km

Description	R.m.	Bv.	L	Prix
4p Touring	2	A	3.6	21 400
4p Touring-L (cuir)	2	A	3.6	21 900
4p S (cuir)	2	A	3.6	24 400
4p Premium (cuir)	2	A	3.6	25 600
4p Limited (cuir)	2	A	3.6	26 200

2014 TOWN & COUNTRY — 60 000 km

Description	R.m.	Bv.	L	Prix
4p Touring	2	A	3.6	18 100
4p Touring-L (cuir)	2	A	3.6	19 100
4p 30e Anniversaire (cuir)	2	A	3.6	20 600
4p Limited (cuir)	2	A	3.6	21 700

2013 TOWN & COUNTRY — 80 000 km

Description	R.m.	Bv.	L	Prix
4p Touring	2	A	3.6	16 800
4p Touring-L (cuir)	2	A	3.6	17 900
4p Limited (cuir)	2	A	3.6	19 400

2012 TOWN & COUNTRY — 100 000 km

Description	R.m.	Bv.	L	Prix
4p Touring	2	A	3.6	15 300
4p Touring-L (cuir)	2	A	3.6	16 100
4p Limited (cuir)	2	A	3.6	16 900

DODGE

2014 AVENGER — 60 000 km

Description	R.m.	Bv.	L	Prix
4p berline SE Valeur Plus	2	A	2.4	7 800
4p berline SXT	2	A	2.4	8 700
4p berline R/T (cuir)	2	A	3.6	11 200

2013 AVENGER — 80 000 km

Description	R.m.	Bv.	L	Prix
4p berline SE Valeur Plus	2	A	2.4	7 300
4p berline SXT	2	A	2.4	8 600
4p berline SXT Plus	2	A	3.6	9 100
4p berline R/T (cuir)	2	A	3.6	10 600

2012 AVENGER — 100 000 km

Description	R.m.	Bv.	L	Prix
4p berline SE Valeur Plus	2	A	2.4	6 300
4p berline SXT	2	A	2.4	7 100
4p berline SXT Plus	2	A	3.6	7 600
4p berline R/T (cuir)	2	A	3.6	8 600

2012 CALIBER — 100 000 km

Description	R.m.	Bv.	L	Prix
4p hayon SE	2	M	2.0	4 500
4p hayon SE Plus	2	M	2.0	4 900
4p hayon SXT	2	M	2.0	5 700
4p hayon SXT Sport Plus	2	M	2.0	6 400

2016 GRAND CARAVAN — 20 000 km

Description	R.m.	Bv.	L	Prix
4p Valeur Plus	2	A	3.6	23 500
4p SE Plus	2	A	3.6	25 000
4p SXT	2	A	3.6	29 200
4p BlackTop	2	A	3.6	31 800
4p Crew	2	A	3.6	32 100
4p R/T (cuir)	2	A	3.6	36 600

2015 GRAND CARAVAN — 40 000 km

Description	R.m.	Bv.	L	Prix
cargo CV RAM utilitaire	2	A	3.6	15 200
4p SE Valeur Plus	2	A	3.6	14 000
4p SXT	2	A	3.6	17 000
4p BlackTop	2	A	3.6	18 600
4p Crew	2	A	3.6	18 800
4p R/T (cuir)	2	A	3.6	20 400

2014 GRAND CARAVAN — 60 000 km

Description	R.m.	Bv.	L	Prix
cargo CV RAM utilitaire	2	A	3.6	12 900
4p SE Valeur Plus	2	A	3.6	12 200
4p SXT Stow N'Go	2	A	3.6	14 100
4p 30e Anniversaire (cuir)	2	A	3.6	15 100
4p Crew	2	A	3.6	15 600
4p R/T (cuir)	2	A	3.6	16 000

2013 GRAND CARAVAN — 80 000 km

Description	R.m.	Bv.	L	Prix
cargo CV RAM utilitaire	2	A	3.6	11 300
4p SE Valeur Plus	2	A	3.6	10 400
4p SXT Stow N'Go	2	A	3.6	12 100
4p Crew	2	A	3.6	13 100
4p R/T (cuir)	2	A	3.6	14 600

2012 GRAND CARAVAN — 100 000 km

Description	R.m.	Bv.	L	Prix
cargo CV RAM utilitaire	2	A	3.6	9 200
4p SE Valeur Plus	2	A	3.6	8 800
4p SXT Stow N'Go	2	A	3.6	9 900
4p Crew	2	A	3.6	11 100
4p R/T (cuir)	2	A	3.6	11 700

2016 CHALLENGER — 20 000 km

Description	R.m.	Bv.	L	Prix
2p coupé SXT	2	A	3.6	27 300
2p coupé SXT Plus	2	A	3.6	31 000
2p coupé R/T	2	A	5.7	34 800
2p coupé R/T Classic	2	A	5.7	36 600
2p coupé Scat Pack	2	A	6.4	43 100
2p coupé SRT 392	2	A	6.4	53 000
2p coupé SRT Hellcat	2	A	6.2	71 400

2015 CHALLENGER — 40 000 km

Description	R.m.	Bv.	L	Prix
2p coupé SXT	2	A	3.6	22 400
2p coupé SXT Plus	2	A	3.6	24 800
2p coupé R/T	2	A	5.7	29 500
2p coupé R/T Classic	2	A	5.7	30 900
2p coupé Scat Pack	2	A	6.4	35 900
2p coupé SRT 392	2	A	6.4	46 100
2p coupé SRT Hellcat	2	A	6.2	57 500

2014 CHALLENGER — 60 000 km

Description	R.m.	Bv.	L	Prix
2p coupé SXT	2	A	3.6	20 400
2p coupé SXT Plus	2	A	3.6	22 800
2p coupé Rallye Redline	2	A	3.6	25 100
2p coupé R/T	2	A	5.7	29 000
2p coupé R/T Classic	2	A	5.7	30 700
2p coupé SRT	2	A	6.4	42 200

2013 CHALLENGER — 80 000 km

Description	R.m.	Bv.	L	Prix
2p coupé SXT	2	A	3.6	18 300
2p coupé SXT Plus	2	A	3.6	20 000
2p coupé R/T	2	A	5.7	25 600
2p coupé R/T Classic	2	A	5.7	27 100
2p coupé SRT8	2	A	6.4	39 400

2012 CHALLENGER — 100 000 km

Description	R.m.	Bv.	L	Prix
2p coupé SXT	2	A	3.6	17 000
2p coupé SXT Plus	2	A	3.6	18 400
2p coupé R/T	2	A	5.7	21 400
2p coupé R/T Classic	2	A	5.7	22 800
2p coupé SRT8 392	2	A	6.4	37 900

2016 CHARGER — 20 000 km

Description	R.m.	Bv.	L	Prix
4p berline SE	2	A	3.6	29 000
4p berline SXT	2	A	3.6	31 700
4p berline R/T	2	A	5.7	35 200
4p berline R/T Scat Pack	2	A	6.4	41 300
4p berline SRT 392	2	A	6.4	52 100
4p berline SRT Hellcat	2	A	6.2	69 900
4p berline SE AWD	A	A	3.6	30 900
4p berline SXT AWD	A	A	3.6	33 600

2015 CHARGER — 40 000 km

Description	R.m.	Bv.	L	Prix
4p berline SE	2	A	3.6	18 700
4p berline SXT	2	A	3.6	20 500
4p berline R/T	2	A	5.7	22 800
4p berline R/T Scat Pack	2	A	6.4	26 900
4p berline SRT 392	2	A	6.4	34 100
4p berline SRT Hellcat	2	A	6.2	52 800
4p berline SE AWD	A	A	3.6	19 900
4p berline SXT AWD	A	A	3.6	21 700

2014 CHARGER — 60 000 km

Description	R.m.	Bv.	L	Prix
4p berline SE	2	A	3.6	15 600
4p berline SXT	2	A	3.6	17 600
4p berline R/T (cuir)	2	A	5.7	20 500
4p berline SRT SuperBee	2	A	6.4	28 900
4p berline SRT	2	A	6.4	32 500
4p berline SXT AWD	A	A	3.6	19 000
4p berline R/T (cuir) AWD	A	A	5.7	21 700

2013 CHARGER — 80 000 km

Description	R.m.	Bv.	L	Prix
4p berline SE	2	A	3.6	13 800
4p berline SXT	2	A	3.6	15 400
4p berline R/T (cuir)	2	A	5.7	17 900
4p berline SRT8 SuperBee	2	A	6.4	26 500
4p berline SRT8	2	A	6.4	29 500
4p berline SXT AWD	A	A	3.6	16 400
4p berline R/T (cuir) AWD	A	A	5.7	19 000

2012 CHARGER — 100 000 km

Description	R.m.	Bv.	L	Prix
4p berline SE	2	A	3.6	11 700
4p berline SXT	2	A	3.6	13 500
4p berline R/T (cuir)	2	A	5.7	15 300
4p berline SRT8 SuperBee	2	A	6.4	23 600
4p berline SRT8	2	A	6.4	27 000
4p berline SXT AWD	A	A	3.6	14 100
4p berline R/T (cuir) AWD	A	A	5.7	16 300

2016 DART — 20 000 km

Description	R.m.	Bv.	L	Prix
4p berline SE	2	M	2.0	14 200
4p berline SXT	2	M	2.4	16 900
4p berline Aero	2	M	1.4	17 900
4p berline GT (cuir)	2	M	2.4	19 700
4p berline Limited (cuir)	2	A	2.4	20 600

2015 DART — 40 000 km

Description	R.m.	Bv.	L	Prix
4p berline SE	2	M	2.0	9 500
4p berline SXT	2	M	2.4	11 600
4p berline Aero	2	M	1.4	12 200
4p berline GT (cuir)	2	M	2.4	13 500
4p berline Limited (cuir)	2	A	2.4	14 300

2014 DART — 60 000 km

Description	R.m.	Bv.	L	Prix
4p berline SE	2	M	2.0	7 700
4p berline SXT	2	M	2.4	9 400
4p berline Aero	2	M	1.4	9 500
4p berline GT (cuir)	2	M	2.4	11 200
4p berline Limited (cuir)	2	A	2.4	11 600

2013 DART — 80 000 km

Description	R.m.	Bv.	L	Prix
4p berline SE	2	M	2.0	6 700
4p berline SXT	2	M	2.0	7 500
4p berline Rallye	2	M	2.0	8 300
4p berline GT (cuir)	2	M	2.4	9 800
4p berline Limited (cuir)	2	A	2.0	9 900

2016 DURANGO — 20 000 km

Description	R.m.	Bv.	L	Prix
4p SXT	4	A	3.6	37 200
4p Limited	4	A	3.6	41 700
4p R/T	4	A	5.7	48 200
4p Citadel	4	A	3.6	48 900
4p Special Service	4	A	3.6	35 000

2015 DURANGO — 40 000 km

Description	R.m.	Bv.	L	Prix
4p SXT	4	A	3.6	28 300
4p Limited	4	A	3.6	31 600
4p R/T	4	A	5.7	35 400
4p Citadel (navi)	4	A	3.6	37 600

2014 DURANGO — 60 000 km

Description	R.m.	Bv.	L	Prix
4p SXT	4	A	3.6	24 100
4p Limited	4	A	3.6	26 600
4p R/T	4	A	5.7	29 600
4p Citadel (navi)	4	A	3.6	31 500

2013 DURANGO — 80 000 km

Description	R.m.	Bv.	L	Prix
4p SXT	4	A	3.6	23 300
4p Crew Plus	4	A	3.6	28 500
4p R/T	4	A	5.7	29 300
4p Citadel (navi)	4	A	3.6	30 600

2012 DURANGO — 100 000 km

Description	R.m.	Bv.	L	Prix
4p SXT	4	A	3.6	19 300
4p Crew Plus	4	A	3.6	23 700
4p R/T	4	A	5.7	24 200
4p Citadel (navi)	4	A	3.6	26 400

2016 JOURNEY — 20 000 km

Description	R.m.	Bv.	L	Prix
4p Valeur Plus	2	A	2.4	17 800
4p SE Plus	2	A	2.4	20 000
4p SXT	2	A	2.4	23 500
4p SXT 3.6L	2	A	3.6	25 300
4p Blacktop	2	A	3.6	26 200
4p Crossroad (cuir)	2	A	3.6	27 200
4p Limited	2	A	3.6	27 300
4p R/T AWD (cuir)	A	A	3.6	30 100
4p Crossroad AWD (cuir)	A	A	3.6	30 800

2015 JOURNEY — 40 000 km

Description	R.m.	Bv.	L	Prix
4p Valeur Plus	2	A	2.4	12 900
4p SE Plus	2	A	2.4	14 600
4p SXT	2	A	2.4	16 600
4p SXT 3.6L	2	A	3.6	17 800
4p Blacktop	2	A	3.6	18 700
4p Crossroad (cuir)	2	A	3.6	19 400
4p Limited	2	A	3.6	19 500
4p R/T AWD (cuir)	A	A	3.6	19 800
4p Crossroad AWD (cuir)	A	A	3.6	20 500

2014 JOURNEY — 60 000 km

Description	R.m.	Bv.	L	Prix
4p Valeur Plus	2	A	2.4	11 000
4p SE Plus	2	A	2.4	11 600
4p SXT	2	A	2.4	13 400
4p SXT 3.6L	2	A	3.6	14 400
4p Crossroad (cuir)	2	A	3.6	15 600
4p Limited	2	A	3.6	15 700

Description	R.m.	Bv.	L	Prix
4p R/T AWD (cuir)	A	A	3.6	16 700
4p Crossroad AWD (cuir)	A	A	3.6	17 500
2013 JOURNEY				**80 000 km**
4p Valeur Plus	2	A	2.4	8 700
4p SE Plus	2	A	2.4	9 600
4p SXT	2	A	2.4	10 900
4p SXT 3.6L	2	A	3.6	11 400
4p Crew	2	A	3.6	12 300
4p R/T AWD (cuir)	A	A	3.6	13 800
2012 JOURNEY				**100 000 km**
4p Valeur Plus	2	A	2.4	7 800
4p SE Plus	2	A	2.4	8 400
4p SXT	2	A	2.4	9 700
4p SXT 3.6L	2	A	3.6	10 100
4p Crew	2	A	3.6	11 100
4p R/T AWD (cuir)	A	A	3.6	12 300
2016 RAM 1500				**20 000 km**
cab. rég. ST	2	A	3.6	27 000
cab. rég. ST	2	A	5.7	26 100
cab. rég. SLT	2	A	3.6	31 300
cab. rég. SLT	2	A	5.7	32 500
cab. rég. Sport	2	A	5.7	36 800
quad cab. ST	2	A	3.6	33 800
quad cab. ST	2	A	5.7	32 900
quad cab. SLT	2	A	3.6	35 600
quad cab. SLT	2	A	5.7	36 800
quad cab. Sport	2	A	5.7	41 100
quad cab. Laramie (cuir)	2	A	5.7	44 800
crew cab. ST	2	A	3.6	35 300
crew cab. ST	2	A	5.7	34 400
crew cab. SLT	2	A	3.6	37 100
crew cab. SLT	2	A	5.7	38 200
crew cab. Sport	2	A	5.7	42 600
crew cab. Laramie (cuir)	2	A	5.7	46 200
crew cab. Laramie Longhorn (cuir)	2	A	5.7	50 700
cab. rég. ST	4	A	3.6	33 100
cab. rég. ST	4	A	5.7	32 200
cab. rég. SLT	4	A	3.6	34 900
cab. rég. SLT	4	A	5.7	36 100
cab. rég. Sport	4	A	5.7	40 400
quad cab. ST	4	A	3.6	36 300
quad cab. ST	4	A	5.7	35 400
quad cab. SLT	4	A	3.6	39 200
quad cab. SLT	4	A	5.7	40 400
quad cab. Sport	4	A	5.7	44 700
quad cab. Laramie (cuir)	4	A	5.7	48 400
crew cab. ST	4	A	3.6	38 900
crew cab. ST	4	A	5.7	38 000
crew cab. SLT	4	A	3.6	40 700
crew cab. SLT	4	A	5.7	41 800
crew cab. Sport	4	A	5.7	46 200
crew cab. Rebel	4	A	3.6	47 100
crew cab. Rebel	4	A	5.7	48 200
crew cab. Laramie (cuir)	4	A	5.7	49 800
crew cab. Laramie Longhorn cuir	4	A	5.7	54 300
2015 RAM 1500				**40 000 km**
cab. rég. ST	2	A	3.6	18 800
cab. rég. ST	2	A	5.7	18 000
cab. rég. SLT	2	A	3.6	22 000
cab. rég. SLT	2	A	5.7	22 900
cab. rég. Sport	2	A	5.7	26 100
quad cab. ST	2	A	3.6	24 000
quad cab. ST	2	A	5.7	23 200
quad cab. SLT	2	A	3.6	25 200
quad cab. SLT	2	A	5.7	26 100
quad cab. Sport	2	A	5.7	29 500
quad cab. Laramie (cuir)	2	A	5.7	32 200
crew cab. ST	2	A	3.6	25 100
crew cab. ST	2	A	5.7	24 300
crew cab. SLT	2	A	3.6	26 300
crew cab. SLT	2	A	5.7	27 200
crew cab. Sport	2	A	5.7	30 500
crew cab. Laramie (cuir)	2	A	5.7	33 300
crew cab. Laramie Longhorn cuir	2	A	5.7	36 700
cab. rég. ST	4	A	3.6	23 600
cab. rég. ST	4	A	5.7	22 700
cab. rég. SLT	4	A	3.6	24 700
cab. rég. SLT	4	A	5.7	25 500
cab. rég. Sport	4	A	5.7	29 000
quad cab. ST	4	A	3.6	25 700
quad cab. ST	4	A	5.7	25 100
quad cab. SLT	4	A	3.6	28 100
quad cab. SLT	4	A	5.7	28 900
quad cab. Sport	4	A	5.7	32 200
quad cab. Laramie (cuir)	4	A	5.7	34 900
crew cab. ST	4	A	3.6	27 700
crew cab. ST	4	A	5.7	27 100
crew cab. SLT	4	A	3.6	29 200
crew cab. SLT	4	A	5.7	29 800

Description	R.m.	Bv.	L	Prix
crew cab. Sport	4	A	5.7	33 300
crew cab. Rebel	4	A	3.6	34 800
crew cab. Laramie (cuir)	4	A	5.7	36 000
crew cab. Laramie Longhorn cuir	4	A	5.7	39 400
2014 RAM 1500				**60 000 km**
cab. rég. ST	2	A	3.6	15 800
cab. rég. ST	2	A	5.7	15 300
cab. rég. SLT	2	A	3.6	18 600
cab. rég. SLT	2	A	5.7	19 300
cab. rég. Sport	2	A	5.7	22 200
quad cab. ST	2	A	3.6	20 100
quad cab. ST	2	A	5.7	19 600
quad cab. SLT	2	A	3.6	21 300
quad cab. SLT	2	A	5.7	21 700
quad cab. Sport	2	A	5.7	24 900
quad cab. Laramie (cuir)	2	A	5.7	27 700
crew cab. ST	2	A	3.6	21 000
crew cab. ST	2	A	5.7	20 300
crew cab. SLT	2	A	3.6	22 200
crew cab. SLT	2	A	5.7	22 900
crew cab. Sport	2	A	5.7	25 900
crew cab. Laramie (cuir)	2	A	5.7	28 800
crew cab. Laramie Longhorn cuir	2	A	5.7	31 400
cab. rég. ST	4	A	3.6	19 800
cab. rég. ST	4	A	5.7	19 300
cab. rég. SLT	4	A	3.6	21 000
cab. rég. SLT	4	A	5.7	21 400
cab. rég. Sport	4	A	5.7	24 700
quad cab. ST	4	A	3.6	21 900
quad cab. ST	4	A	5.7	21 300
quad cab. SLT	4	A	3.6	23 900
quad cab. SLT	4	A	5.7	24 400
quad cab. Sport	4	A	5.7	27 400
quad cab. Laramie (cuir)	4	A	5.7	30 100
crew cab. ST	4	A	3.6	23 400
crew cab. ST	4	A	5.7	22 900
crew cab. SLT	4	A	3.6	24 700
crew cab. SLT	4	A	5.7	25 300
crew cab. Sport	4	A	5.7	28 400
crew cab. Laramie (cuir)	4	A	5.7	30 900
crew cab. Laramie Longhorn cuir	4	A	5.7	33 800
2013 RAM 1500				**80 000 km**
cab. rég. ST	2	A	3.6	14 100
cab. rég. ST	2	A	4.7	13 300
cab. rég. SLT	2	A	3.6	15 800
cab. rég. R/T	2	A	5.7	18 600
quad cab. ST	2	A	3.6	16 900
quad cab. ST	2	A	4.7	16 300
quad cab. SLT	2	A	3.6	17 800
quad cab. SLT	2	A	4.7	17 800
quad cab. Sport	2	A	5.7	20 600
quad cab. Laramie (cuir)	2	A	5.7	22 600
crew cab. ST	2	A	3.6	17 700
crew cab. ST	2	A	4.7	17 000
crew cab. SLT	2	A	3.6	18 800
crew cab. SLT	2	A	4.7	18 900
crew cab. Sport	2	A	5.7	20 600
crew cab. Laramie (cuir)	2	A	5.7	22 600
crew cab. Laramie Longhorn cuir	2	A	5.7	25 100
cab. rég. ST	4	A	3.6	16 600
cab. rég. ST	4	A	4.7	16 800
cab. rég. SLT	4	A	3.6	17 500
cab. rég. SLT	4	A	4.7	16 800
cab. rég. Sport	4	A	5.7	19 600
quad cab. ST	4	A	3.6	19 300
quad cab. ST	4	A	4.7	18 300
quad cab. SLT	4	A	3.6	19 300
quad cab. Sport	4	A	5.7	21 600
quad cab. Laramie (cuir)	4	A	5.7	23 900
crew cab. ST	4	A	3.6	20 100
crew cab. ST	4	A	4.7	19 400
crew cab. SLT	4	A	3.6	20 800
crew cab. Sport	4	A	5.7	22 600
crew cab. Laramie (cuir)	4	A	5.7	24 500
crew cab. Laramie Longhorn cuir	4	A	5.7	27 000
2012 RAM 1500				**100 000 km**
cab. rég. ST	2	A	3.7	12 600
cab. rég. ST	2	A	4.7	13 000
cab. rég. SLT	2	A	4.7	14 100
cab. rég. R/T	2	A	5.7	16 900
quad cab. ST	2	A	3.7	14 800
quad cab. ST	2	A	4.7	15 200
quad cab. SLT	2	A	4.7	16 100
quad cab. Sport	2	A	5.7	18 500
quad cab. Laramie (cuir)	2	A	5.7	20 600
crew cab. ST	2	A	4.7	15 800
crew cab. SLT	2	A	4.7	17 000
crew cab. Sport	2	A	5.7	19 400
crew cab. Laramie (cuir)	2	A	5.7	21 200
crew cab. Laramie Longhorn cuir	2	A	5.7	23 800

Description	R.m.	Bv.	L	Prix
cab. rég. ST	4	A	4.7	14 900
cab. rég. SLT	4	A	4.7	15 800
cab. rég. Sport	4	A	5.7	18 200
quad cab. ST	4	A	4.7	16 800
quad cab. SLT	4	A	4.7	18 000
quad cab. Sport	4	A	5.7	20 500
quad cab. Laramie (cuir)	4	A	5.7	22 100
crew cab. ST	4	A	4.7	17 700
crew cab. SLT	4	A	4.7	18 700
crew cab. Sport	4	A	5.7	21 100
crew cab. Laramie (cuir)	4	A	5.7	23 000
crew cab. Laramie Longhorn cuir	4	A	5.7	25 400
2016 SRT VIPER				**5 000 km**
2p coupé SRT GTC	2	M	8.4	100 700
2p coupé SRT GTS	2	M	8.4	111 700
2p coupé SRT ACR	2	M	8.4	128 300
2015 SRT VIPER				**10 000 km**
2p coupé SRT	2	M	8.4	83 100
2p coupé SRT GT	2	M	8.4	93 500
2p coupé SRT GTS	2	M	8.4	100 200
2014 SRT VIPER				**15 000 km**
2p coupé SRT	2	M	8.4	71 000
2p coupé SRT GTS	2	M	8.4	81 100
2013 SRT VIPER				**20 000 km**
2p coupé SRT	2	M	8.4	68 700
2p coupé SRT GTS	2	M	8.4	78 400
FIAT				
2016 500				**20 000 km**
2p hayon Pop	2	M	1.4	14 600
2p hayon Sport	2	M	1.4	17 400
2p hayon Turbo	2	M	1.4	19 600
2p hayon Lounge (cuir)	2	M	1.4	19 200
2p hayon Abarth	2	M	1.4	22 900
2p déc. 500c Pop	2	M	1.4	18 300
2p déc. 500c Lounge (cuir)	2	M	1.4	22 400
2p déc. 500c Abarth	2	M	1.4	26 600
4p 500L Pop	2	M	1.4	17 900
4p 500L Sport	2	M	1.4	20 600
4p 500L Trekking	2	M	1.4	22 000
4p 500L Lounge (cuir)	2	M	1.4	23 400
4p 500X Pop	2	M	1.4	18 800
4p 500X Sport	2	M	1.4	22 900
4p 500X Trekking	2	M	1.4	23 800
4p 500X Lounge (cuir)	2	A	2.4	26 600
4p 500X Trekking Plus	2	A	2.4	27 000
4p 500X Sport AWD	A	A	2.4	25 900
4p 500X Trekking AWD	A	A	2.4	27 200
4p 500X Lounge (cuir) AWD	A	A	2.4	28 600
4p 500X Trekking Plus cuir AWD	A	A	2.4	29 100
2015 500				**40 000 km**
2p hayon Pop	2	M	1.4	9 800
2p hayon Sport	2	M	1.4	12 100
2p hayon Turbo	2	M	1.4	13 500
2p hayon Lounge (cuir)	2	M	1.4	13 200
2p hayon Abarth	2	M	1.4	15 900
2p déc. 500c Pop	2	M	1.4	12 500
2p déc. 500c Lounge (cuir)	2	M	1.4	15 500
2p déc. 500c Abarth	2	M	1.4	18 700
4p 500L Pop	2	M	1.4	12 500
4p 500L Sport	2	M	1.4	14 700
4p 500L Trekking	2	M	1.4	15 600
4p 500L Lounge (cuir)	2	M	1.4	16 600
2014 500				**60 000 km**
2p hayon Pop	2	M	1.4	8 000
2p hayon Sport	2	M	1.4	9 600
2p hayon Turbo	2	M	1.4	10 800
2p hayon Lounge (cuir)	2	M	1.4	10 500
2p hayon Abarth	2	M	1.4	12 800
2p déc. 500c Pop	2	M	1.4	10 300
2p déc. 500c Lounge (cuir)	2	M	1.4	12 400
2p déc. 500c Abarth	2	M	1.4	14 600
4p 500L Pop	2	M	1.4	10 300
4p 500L Sport	2	M	1.4	12 000
4p 500L Trekking	2	M	1.4	12 500
4p 500L Lounge (cuir)	2	M	1.4	13 600
2013 500				**80 000 km**
2p hayon Pop	2	M	1.4	6 700
2p hayon Sport	2	M	1.4	8 100
2p hayon Turbo	2	M	1.4	9 300
2p hayon Lounge (cuir)	2	M	1.4	8 700
2p hayon Abarth	2	M	1.4	10 700
2p déc. 500c Pop	2	M	1.4	8 800
2p déc. 500c Lounge (cuir)	2	M	1.4	10 100
2p déc. 500c Abarth	2	M	1.4	12 100
2012 500				**100 000 km**
2p hayon Pop	2	M	1.4	5 700
2p hayon Sport	2	M	1.4	6 500

Description	R.m.	Bv.	L	Prix
2p hayon Lounge (cuir)	2	M	1.4	6 800
2p hayon Abarth	2	M	1.4	9 100
2p déc. 500c Pop	2	M	1.4	7 500
2p déc. 500c Lounge (cuir)	2	M	1.4	7 800
FISKER				
2012 KARMA				**100 000 km**
4p berline EcoStandard	2	A	0	59 500
4p berline EcoSport	2	A	0	61 400
4p berline EcoChic	2	A	0	63 100
FORD				
2016 C-MAX				**20 000 km**
4p SE Hybrid	2	A	2.0	22 900
4p SEL Hybrid (cuir)	2	A	2.0	26 500
4p SEL Energi (cuir)	2	A	2.0	28 400
2015 C-MAX				**40 000 km**
4p SE Hybrid	2	A	2.0	18 800
4p SEL Hybrid (cuir)	2	A	2.0	20 900
4p SEL Energi (cuir)	2	A	2.0	22 500
2014 C-MAX				**60 000 km**
4p SE Hybrid	2	A	2.0	16 800
4p SEL Hybrid (cuir)	2	A	2.0	17 800
4p SEL Energi (cuir)	2	A	2.0	19 800
2013 C-MAX				**80 000 km**
4p SE Hybrid	2	A	2.0	16 400
4p SEL Hybrid (cuir)	2	A	2.0	18 300
4p SEL Energi (cuir)	2	A	2.0	20 100
2014 E-150				**60 000 km**
cargo commercial base	2	A	4.6	17 400
cargo commercial allongé	2	A	4.6	17 800
cargo récréatif base	2	A	4.6	18 600
3p Wagon XL	2	A	4.6	20 000
3p Wagon XLT	2	A	4.6	21 400
2013 E-150				**80 000 km**
cargo commercial base	2	A	4.6	14 700
cargo commercial allongé	2	A	4.6	15 300
cargo récréatif base	2	A	4.6	15 700
3p Wagon XL	2	A	4.6	17 100
3p Wagon XLT	2	A	4.6	18 000
2012 E-150				**100 000 km**
cargo commercial base	2	A	4.6	13 400
cargo commercial allongé	2	A	4.6	13 900
cargo récréatif base	2	A	4.6	14 500
3p Wagon XL	2	A	4.6	15 500
3p Wagon XLT	2	A	4.6	16 600
2016 EDGE				**20 000 km**
4p SE	2	A	2.0	28 900
4p SEL	2	A	2.0	31 500
4p Titanium (cuir)	2	A	2.0	35 200
4p SE AWD	A	A	2.0	30 700
4p SEL AWD	A	A	2.0	33 300
4p Titanium AWD (cuir)	A	A	2.0	37 000
4p Sport AWD	A	A	2.7	41 100
2015 EDGE				**40 000 km**
4p SE	2	A	2.0	23 300
4p SEL	2	A	2.0	25 700
4p Titanium (cuir)	2	A	2.0	28 800
4p SE AWD	A	A	2.0	25 000
4p SEL AWD	A	A	2.0	27 300
4p Titanium AWD (cuir)	A	A	2.0	30 400
4p Sport AWD	A	A	2.7	32 200
2014 EDGE				**60 000 km**
4p SE	2	A	3.5	19 600
4p SEL	2	A	3.5	22 000
4p Limited (cuir)	2	A	3.5	24 300
4p SEL AWD	A	A	3.5	23 300
4p Limited AWD (cuir)	A	A	3.5	25 600
4p Sport AWD	A	A	3.7	27 000
2013 EDGE				**80 000 km**
4p SE	2	A	3.5	16 900
4p SEL	2	A	3.5	21 000
4p Limited (cuir)	2	A	3.5	23 400
4p SEL AWD	A	A	3.5	22 600
4p Limited AWD (cuir)	A	A	3.5	23 400
4p Sport AWD	A	A	3.7	25 600
2012 EDGE				**100 000 km**
4p SE	2	A	3.5	14 800
4p SEL	2	A	3.5	17 800
4p Limited (cuir)	2	A	3.5	18 200
4p SEL AWD	A	A	3.5	18 200
4p Limited AWD (cuir)	A	A	3.5	19 300
4p Sport AWD	A	A	3.7	20 700
2016 ESCAPE				**20 000 km**
4p S	2	A	2.5	21 000
4p SE	2	A	1.6	23 400

Description	R.m.	Bv.	L	Prix
4p SE 2.5L	2	A	2.5	22 900
4p SE 2.0L	2	A	2.0	24 300
4p Titanium (cuir)	2	A	2.0	28 800
4p S AWD	2	A	2.0	23 700
4p SE AWD	A	A	1.6	25 400
4p SE 2.0L AWD	A	A	2.0	26 300
4p Titanium AWD (cuir)	A	A	2.0	30 800

2015 ESCAPE — 40 000 km

Description	R.m.	Bv.	L	Prix
4p S	2	A	2.5	15 900
4p SE	2	A	1.6	17 700
4p SE 2.5L	2	A	2.5	17 800
4p SE 2.0L	2	A	2.0	18 400
4p Titanium (cuir)	2	A	2.0	21 300
4p SE AWD	A	A	1.6	19 300
4p SE 2.0L AWD	A	A	2.0	20 000
4p Titanium AWD (cuir)	A	A	2.0	22 100

2014 ESCAPE — 60 000 km

Description	R.m.	Bv.	L	Prix
4p S	2	A	2.5	13 300
4p SE	2	A	1.6	14 800
4p SE 2.0L	2	A	2.0	15 800
4p Titanium (cuir)	2	A	2.0	17 600
4p SE AWD	A	A	1.6	16 000
4p SE 2.0L AWD	A	A	2.0	17 000
4p Titanium AWD (cuir)	A	A	2.0	18 600

2013 ESCAPE — 80 000 km

Description	R.m.	Bv.	L	Prix
4p S	2	A	2.5	11 200
4p SE	2	A	1.6	14 400
4p SE 2.0L	2	A	2.0	15 400
4p SEL (cuir)	2	A	2.0	17 200
4p SE AWD	A	A	1.6	15 700
4p SE 2.0L AWD	A	A	2.0	16 700
4p SEL AWD (cuir)	A	A	2.0	17 300
4p Titanium AWD (cuir)	A	A	2.0	17 700

2012 ESCAPE — 100 000 km

Description	R.m.	Bv.	L	Prix
4p XLT	2	M	2.5	10 000
4p XLT	2	A	2.5	13 100
4p XLT V6	2	A	3.0	14 100
4p Hybride	2	A	2.5	16 800
4p Hybride Limited	2	A	2.5	19 300
4p XLT AWD	A	A	2.5	14 500
4p XLT V6 AWD	A	A	3.0	15 300
4p Limited AWD (cuir)	A	A	2.5	15 600
4p Limited V6 AWD (cuir)	A	A	3.0	17 000
4p Hybride AWD	A	A	2.5	18 200
4p Hybride Limited AWD	A	A	2.5	19 600

2016 EXPEDITION — 20 000 km

Description	R.m.	Bv.	L	Prix
4p XLT	4	A	3.5	47 200
4p Limited (cuir - navi)	4	A	3.5	60 200
4p Platinum (cuir - navi)	4	A	3.5	62 000
4p MAX Limited (cuir - navi)	4	A	3.5	62 500
4p MAX Platinum (cuir - navi)	4	A	3.5	64 300

2015 EXPEDITION — 40 000 km

Description	R.m.	Bv.	L	Prix
4p XLT	4	A	3.5	34 800
4p Limited (cuir - navi)	4	A	3.5	43 300
4p Platinum (cuir - navi)	4	A	3.5	44 800
4p MAX Limited (cuir - navi)	4	A	3.5	45 000
4p MAX Platinum (cuir - navi)	4	A	3.5	46 300

2014 EXPEDITION — 60 000 km

Description	R.m.	Bv.	L	Prix
4p XLT	4	A	5.4	29 900
4p XLT Premium (cuir)	4	A	5.4	34 300
4p Limited (cuir)	4	A	5.4	35 500
4p MAX Limited (cuir)	4	A	5.4	36 900

2013 EXPEDITION — 80 000 km

Description	R.m.	Bv.	L	Prix
4p XLT	4	A	5.4	28 200
4p XLT Premium (cuir)	4	A	5.4	30 600
4p Limited (cuir)	4	A	5.4	31 300
4p MAX Limited (cuir)	4	A	5.4	32 700

2012 EXPEDITION — 100 000 km

Description	R.m.	Bv.	L	Prix
4p XLT	4	A	5.4	25 500
4p XLT Premium (cuir)	4	A	5.4	27 400
4p Limited (cuir)	4	A	5.4	28 300
4p MAX Limited (cuir)	4	A	5.4	28 800

2016 EXPLORER — 20 000 km

Description	R.m.	Bv.	L	Prix
4p base	2	A	3.5	29 400
4p XLT	2	A	3.5	33 000
4p base AWD	A	A	3.5	32 100
4p XLT AWD	A	A	3.5	35 800
4p Limited AWD (cuir)	A	A	3.5	43 100
4p Sport AWD (cuir)	A	A	3.5	45 500
4p Platinum AWD (cuir-navi)	A	A	3.5	52 900

2015 EXPLORER — 40 000 km

Description	R.m.	Bv.	L	Prix
4p base	2	A	3.5	22 500
4p XLT	2	A	3.5	25 700
4p base AWD	A	A	3.5	24 900
4p XLT AWD	A	A	3.5	27 900
4p Limited AWD (cuir)	A	A	3.5	32 200
4p Sport AWD (cuir)	A	A	3.5	35 500

2014 EXPLORER — 60 000 km

Description	R.m.	Bv.	L	Prix
4p base	2	A	3.5	19 000
4p XLT	2	A	3.5	23 200
4p base AWD	A	A	3.5	20 800
4p XLT AWD	A	A	3.5	25 000
4p Limited AWD (cuir)	A	A	3.5	28 900
4p Sport AWD (cuir)	A	A	3.5	31 300

2013 EXPLORER — 80 000 km

Description	R.m.	Bv.	L	Prix
4p base	2	A	3.5	19 100
4p XLT	2	A	3.5	23 200
4p Limited (cuir)	2	A	3.5	26 700
4p base AWD	A	A	3.5	21 200
4p XLT AWD	A	A	3.5	25 300
4p Limited AWD (cuir)	A	A	3.5	28 800
4p Sport AWD (cuir)	A	A	3.5	31 400

2012 EXPLORER — 100 000 km

Description	R.m.	Bv.	L	Prix
4p base	2	A	3.5	17 600
4p XLT	2	A	3.5	21 200
4p Limited (cuir)	2	A	3.5	23 800
4p base AWD	A	A	3.5	19 400
4p XLT AWD	A	A	3.5	22 600
4p Limited AWD (cuir)	A	A	3.5	25 500

2016 F-150 — 20 000 km

Description	R.m.	Bv.	L	Prix
cab. rég. XL benne 6.5'	2	A	3.5	21 800
cab. rég. XLT benne 6.5'	2	A	3.5	28 900
super cab. XL benne 6.5'	2	A	3.5	30 500
super cab. XLT benne 6.5'	2	A	3.5	32 700
super cab. Lariat benne 6.5'	2	A	3.5	44 200
Super Crew Cab XLT benne 5.5'	2	A	3.5	34 100
Super Crew Cab Lariat benne 5.5'	2	A	3.5	45 500
cab. rég. XL	4	A	3.5	29 100
cab. rég. XLT	4	A	3.5	32 900
super cab. XL benne 6.5'	4	A	3.5	34 500
super cab. XLT benne 6.5'	4	A	3.5	36 300
super cab. Lariat benne 6.5'	4	A	3.5	48 100
Super Crew Cab XLT benne 5.5'	4	A	3.5	37 800
Super Crew Cab Lariat ben 5.5'	4	A	3.5	50 200
S Crew Cab King Ranch ben 5.5'	4	A	3.5	58 600
S Crew Cab Platinum benne 5.5'	4	A	3.5	60 900
S Crew Cab Limited benne 5.5'	4	A	3.5	66 900

2015 F-150 — 40 000 km

Description	R.m.	Bv.	L	Prix
cab. rég. XL benne 6.5'	2	A	3.5	13 600
cab. rég. XLT benne 6.5'	2	A	3.5	21 100
super cab. XL benne 6.5'	2	A	3.5	22 200
super cab. XLT benne 6.5'	2	A	3.5	24 100
super cab. Lariat benne 6.5'	2	A	3.5	33 000
Super Crew Cab XLT benne 5.5'	2	A	3.5	25 100
S Crew Cab Lariat benne 5.5'	2	A	3.5	33 900
cab. rég. XL	4	A	3.5	21 300
cab. rég. XLT	4	A	3.5	24 300
super cab. XL benne 6.5'	4	A	3.5	25 200
super cab. XLT benne 6.5'	4	A	3.5	26 600
super cab. Lariat benne 6.5'	4	A	3.5	35 900
Super Crew Cab XL benne 6.5'	4	A	3.5	29 300
Super Crew Cab XLT benne 6.5'	4	A	3.5	29 400
S Crew Cab Lariat benne 6.5'	4	A	3.5	36 900
S Crew Cab King Ranch ben 6.5'	4	A	3.5	44 100
S Crew Cab Platinum benne 6.5'	4	A	3.5	45 600

2014 F-150 — 60 000 km

Description	R.m.	Bv.	L	Prix
cab. rég. XL benne 6.5'	2	A	3.7	11 100
cab. rég. XLT benne 6.5'	2	A	3.7	17 700
cab. rég. FX2 benne 6.5'	2	A	3.5	22 900
super cab. XL benne 6.5'	2	A	3.7	18 800
super cab. XLT benne 6.5'	2	A	3.7	20 300
super cab. FX2 benne 6.5'	2	A	5.0	23 600
super cab. Lariat benne 6.5'	2	A	5.0	26 800
Super Crew Cab XLT benne 6.5'	2	A	5.0	21 900
Super Crew Cab XLT benne 6.5'	2	A	6.2	23 100
Super Crew Cab FX2 benne 6.5'	2	A	5.0	24 900
S Crew Cab Lariat benne 6.5'	2	A	5.0	27 800
cab. rég. XL	4	A	3.7	18 200
cab. rég. XLT	4	A	3.7	21 000
cab. rég. FX4	4	A	3.5	26 200
super cab. XL benne 6.5'	4	A	3.7	21 500
super cab. XLT benne 6.5'	4	A	3.7	22 700
super cab. FX4 benne 6.5'	4	A	5.0	27 200
super cab. Lariat benne 6.5'	4	A	5.0	29 600
s cab. SVT Raptor benne 5.5'	4	A	6.2	33 700
Super Crew Cab XLT benne 6.5'	4	A	5.0	24 600
Super Crew Cab FX4 benne 6.5'	4	A	5.0	28 100
S Crew Cab Lariat benne 6.5'	4	A	5.0	30 500
S Crew Cab King Ranch ben 6.5'	4	A	5.0	36 100
S Crew Cab Platinum ben 6.5'	4	A	5.0	36 300
S Crew Cab Limited benne 6.5'	4	A	6.2	39 300
S Crew Cab SVT Raptor ben 5.5'	4	A	6.2	34 900

2013 F-150 — 80 000 km

Description	R.m.	Bv.	L	Prix
cab. rég. XL benne 6.5'	2	A	3.7	9 200
cab. rég. XLT benne 6.5'	2	A	3.7	14 100
super cab. XL benne 6.5'	2	A	3.7	15 500
super cab. XLT benne 6.5'	2	A	3.7	16 100
super cab. FX2 benne 6.5'	2	A	5.0	19 600
super cab. Lariat benne 6.5'	2	A	5.0	22 300
Super Crew Cab XLT benne 5.5'	2	A	3.7	17 300
S Crew Cab Lariat benne 5.5'	2	A	5.0	22 900
cab. rég. XL	4	A	3.7	14 600
cab. rég. XLT	4	A	3.7	16 700
super cab. XL benne 6.5'	4	A	3.7	17 500
super cab. XLT benne 6.5'	4	A	3.7	18 700
super cab. FX4 benne 6.5'	4	A	5.0	22 600
super cab. Lariat benne 6.5'	4	A	5.0	24 400
S cab. SVT Raptor benne 5.5'	4	A	6.2	28 100
Super Crew Cab XLT benne 6.5'	4	A	5.0	20 000
Super Crew Cab FX4 benne 6.5'	4	A	5.0	23 100
S Crew Cab Lariat benne 6.5'	4	A	5.0	25 200
S Crew Cab King Ranch ben 6.5'	4	A	5.0	30 100
S Crew Cab Platinum ben 6.5'	4	A	5.0	30 300
S Crew Cab SVT Raptor ben 5.5'	4	A	6.2	29 300

2012 F-150 — 100 000 km

Description	R.m.	Bv.	L	Prix
cab. rég. XL benne 6.5'	2	A	3.7	8 400
cab. rég. XLT benne 6.5'	2	A	3.7	12 600
super cab. XL benne 6.5'	2	A	3.7	13 700
super cab. XLT benne 6.5'	2	A	3.7	14 500
super cab. FX2 benne 6.5'	2	A	5.0	15 200
super cab. Lariat benne 6.5'	2	A	5.0	19 600
Super Crew Cab XLT benne 5.5'	2	A	3.7	15 500
S Crew Cab Lariat benne 5.5'	2	A	5.0	20 200
cab. rég. XL	4	A	3.7	13 100
cab. rég. XLT	4	A	3.7	15 300
super cab. XL benne 6.5'	4	A	3.7	15 800
super cab. XLT benne 6.5'	4	A	3.7	16 200
super cab. FX4 benne 6.5'	4	A	5.0	20 000
super cab. Lariat benne 6.5'	4	A	5.0	21 300
s cab. SVT Raptor benne 5.5'	4	A	6.2	24 100
Super Crew Cab XLT benne 6.5'	4	A	5.0	17 700
Super Crew Cab FX4 benne 6.5'	4	A	5.0	20 300
S Crew Cab Lariat benne 6.5'	4	A	5.0	22 200
S Crew Cab King Ranch ben 6.5'	4	A	5.0	26 100
S Crew Cab Platinum ben 6.5'	4	A	5.0	26 400
S Crew Cab SVT Raptor ben 5.5'	4	A	6.2	25 000
S Crew Cab H-Davidson b. 5.5'	4	A	6.2	29 300

2016 FIESTA — 20 000 km

Description	R.m.	Bv.	L	Prix
4p hayon S	2	M	1.6	13 200
4p hayon SE	2	M	1.6	14 100
4p hayon Titanium (cuir)	2	M	1.6	17 600
4p hayon ST	2	M	1.6	22 000
4p berline S	2	M	1.6	13 200
4p berline SE	2	M	1.6	14 100
4p berline Titanium (cuir)	2	M	1.6	17 600

2015 FIESTA — 40 000 km

Description	R.m.	Bv.	L	Prix
4p hayon S	2	M	1.6	9 900
4p hayon SE	2	M	1.6	10 400
4p hayon Titanium (cuir)	2	M	1.6	13 300
4p hayon ST	2	M	1.6	16 600
4p berline S	2	M	1.6	9 900
4p berline SE	2	M	1.6	10 400
4p berline Titanium (cuir)	2	M	1.6	13 300

2014 FIESTA — 60 000 km

Description	R.m.	Bv.	L	Prix
4p hayon S	2	M	1.6	8 700
4p hayon SE	2	M	1.6	10 100
4p hayon Titanium	2	M	1.6	12 200
4p hayon ST	2	M	1.6	15 600
4p berline S	2	M	1.6	8 700
4p berline SE	2	M	1.6	10 100
4p berline Titanium	2	M	1.6	12 200

2013 FIESTA — 80 000 km

Description	R.m.	Bv.	L	Prix
4p hayon S	2	M	1.6	7 300
4p hayon SE	2	M	1.6	8 600
4p hayon Titanium	2	M	1.6	10 300
4p berline S	2	M	1.6	7 300
4p berline SE	2	M	1.6	8 600
4p berline Titanium	2	M	1.6	10 300

2012 FIESTA — 100 000 km

Description	R.m.	Bv.	L	Prix
4p hayon SE	2	M	1.6	6 700
4p hayon SES	2	M	1.6	7 700
4p berline S	2	M	1.6	5 300
4p berline SE	2	M	1.6	6 700
4p berline SEL	2	M	1.6	7 100

2016 FLEX — 20 000 km

Description	R.m.	Bv.	L	Prix
4p SE	2	A	3.5	27 800
4p SEL	2	A	3.5	34 200
4p SEL AWD	A	A	3.5	36 100
4p Limited AWD (cuir)	A	A	3.5	40 500
4p Limited AWD EcoBoost (cuir)	A	A	3.5	46 700

2015 FLEX — 40 000 km

Description	R.m.	Bv.	L	Prix
4p SE	2	A	3.5	22 000
4p SEL	2	A	3.5	27 100
4p SEL AWD	A	A	3.5	28 600
4p Limited AWD (cuir)	A	A	3.6	29 200
4p Limited AWD EcoBoost (cuir)	A	A	3.5	30 300

2014 FLEX — 60 000 km

Description	R.m.	Bv.	L	Prix
4p SE	2	A	3.5	18 400
4p SEL	2	A	3.5	22 400
4p SEL AWD	A	A	3.5	24 000
4p Limited AWD (cuir)	A	A	3.5	25 700
4p Limited AWD EcoBoost (cuir)	A	A	3.5	26 500

2013 FLEX — 80 000 km

Description	R.m.	Bv.	L	Prix
4p SE	2	A	3.5	16 600
4p SEL	2	A	3.5	20 500
4p SEL AWD	A	A	3.5	21 700
4p Limited AWD (cuir)	A	A	3.5	22 100
4p Limited AWD EcoBoost (cuir)	A	A	3.5	23 400

2012 FLEX — 100 000 km

Description	R.m.	Bv.	L	Prix
4p SE	2	A	3.5	14 200
4p SEL	2	A	3.5	16 400
4p Limited (cuir)	2	A	3.5	18 700
4p SEL AWD	A	A	3.5	17 500
4p Limited AWD (cuir)	A	A	3.5	19 700
4p Limited AWD EcoBoost (cuir)	A	A	3.5	20 000
4p Titanium AWD (cuir)	A	A	3.5	20 600

2016 FOCUS — 20 000 km

Description	R.m.	Bv.	L	Prix
4p hayon SE 1.0L	2	M	1.0	16 700
4p hayon SE	2	M	2.0	16 700
4p hayon Titanium	2	A	2.0	23 200
4p hayon ST	2	M	2.0	27 000
4p hayon Electric	2	A	E	28 400
4p hayon RS	A	M	2.3	42 200
4p berline S	2	M	2.0	14 500
4p berline SE 1.0L	2	M	1.0	16 700
4p berline SE	2	M	2.0	16 700
4p berline Titanium	2	A	2.0	23 200

2015 FOCUS — 40 000 km

Description	R.m.	Bv.	L	Prix
4p hayon SE 1.0L	2	M	1.0	13 300
4p hayon SE	2	M	2.0	12 600
4p hayon Titanium	2	M	2.0	16 000
4p hayon ST	2	M	2.0	18 400
4p hayon Electric	2	A	E	20 600
4p berline S	2	M	2.0	10 700
4p berline SE 1.0L	2	M	1.0	13 300
4p berline SE	2	M	2.0	12 600
4p berline Titanium	2	M	2.0	16 000

2014 FOCUS — 60 000 km

Description	R.m.	Bv.	L	Prix
4p hayon SE	2	M	2.0	11 300
4p hayon Titanium	2	M	2.0	13 900
4p hayon ST	2	M	2.0	17 000
4p hayon Electric	2	A	E	19 200
4p berline S	2	M	2.0	9 100
4p berline SE	2	M	2.0	10 800
4p berline Titanium	2	M	2.0	13 300

2013 FOCUS — 80 000 km

Description	R.m.	Bv.	L	Prix
4p hayon SE	2	M	2.0	10 100
4p hayon Titanium	2	M	2.0	13 100
4p hayon ST	2	M	2.0	16 100
4p hayon Electric	2	A	E	18 300
4p berline S	2	M	2.0	8 100
4p berline SE	2	M	2.0	9 500
4p berline Titanium	2	M	2.0	12 700

2012 FOCUS — 100 000 km

Description	R.m.	Bv.	L	Prix
4p hayon SE	2	M	2.0	8 100
4p hayon SEL	2	M	2.0	9 000
4p hayon Titanium	2	A	2.0	10 300
4p berline S	2	M	2.0	6 100
4p berline SE	2	M	2.0	7 100
4p berline SEL	2	M	2.0	9 000
4p berline Titanium	2	A	2.0	10 100

2016 FUSION — 20 000 km

Description	R.m.	Bv.	L	Prix
4p berline S	2	A	2.5	20 100
4p berline SE	2	A	2.5	21 800
4p berline SE 2.0L	2	A	2.0	24 000
4p berline SE 1.5L	2	A	1.5	21 800
4p berline Hybride S	2	A	2.0	25 400
4p berline Hybride SE	2	A	2.0	26 100
4p berline Hybride Titanium (cuir)	2	A	2.0	31 100
4p berline Energi SE Luxury cuir	2	A	2.0	34 400
4p berline Energi Titanium (cuir)	2	A	2.0	36 400
4p berline SE AWD	A	A	2.0	25 900
4p berline Titanium (cuir) AWD	A	A	2.0	30 000

2015 FUSION — 40 000 km

Description	R.m.	Bv.	L	Prix
4p berline S	2	A	2.5	15 100
4p berline SE	2	A	2.5	16 400
4p berline SE 2.0L	2	A	2.0	18 100
4p berline SE 1.5L	2	A	1.5	17 000
4p berline Hybride S	2	A	2.0	19 500
4p berline Hybride SE	2	A	2.0	20 000
4p berline Hybride Titanium (cuir)	2	A	2.0	16 800

Description	R.m.	Bv.	L	Prix
4p berline Energi SE Luxury cuir	2	A	2.0	24 300
4p berline Energi Titanium (cuir)	2	A	2.0	25 800
4p berline SE AWD	A	A	2.0	19 600
4p berline Titanium (cuir) AWD	A	A	2.0	21 900

2014 FUSION — 60 000 km

Description	R.m.	Bv.	L	Prix
4p berline S	2	A	2.5	12 700
4p berline SE	2	A	2.5	14 000
4p berline SE 1.6L	2	M	1.6	14 700
4p berline SE 2.0L	2	A	2.0	14 800
4p berline SE 1.5L	2	A	1.5	15 800
4p berline Hybride S	2	A	2.0	16 400
4p berline Hybride SE	2	A	2.0	17 200
4p berline Hybride Titanium (cuir)	2	A	2.0	19 800
4p berline Energi SE Luxury cuir	2	A	2.0	20 700
4p berline Energi Titanium (cuir)	2	A	2.0	22 100
4p berline SE AWD	A	A	2.0	16 500
4p berline Titanium (cuir) AWD	A	A	2.0	18 800

2013 FUSION — 80 000 km

Description	R.m.	Bv.	L	Prix
4p berline S	2	A	2.5	11 600
4p berline SE	2	A	2.5	12 800
4p berline SE 1.6L	2	M	1.6	13 300
4p berline SE 1.6L	2	A	1.6	13 300
4p berline SE 2.0L	2	A	2.0	13 600
4p berline Hybride SE	2	A	2.0	15 800
4p berline Hybride Titanium (cuir)	2	A	2.0	17 200
4p berline Energi SE Luxury cuir	2	A	2.0	18 000
4p berline Energi Titanium (cuir)	2	A	2.0	19 100
4p berline SE AWD	A	A	2.0	15 200
4p berline Titanium (cuir) AWD	A	A	2.0	17 000

2012 FUSION — 100 000 km

Description	R.m.	Bv.	L	Prix
4p berline S	2	M	2.5	8 900
4p berline SE	2	M	2.5	10 500
4p berline SE V6	2	A	3.0	12 200
4p berline SEL	2	A	2.5	12 100
4p berline SEL V6	2	A	3.0	12 900
4p berline Hybride	2	A	2.5	13 600
4p berline SEL AWD	A	A	3.0	13 200
4p berline Sport AWD	A	A	3.5	14 100

2016 MUSTANG — 20 000 km

Description	R.m.	Bv.	L	Prix
2p coupé V6	2	M	3.7	22 400
2p coupé EcoBoost	2	M	2.3	25 100
2p coupé EcoBoost Prem (cuir)	2	M	2.3	30 200
2p coupé GT	2	M	5.0	33 400
2p coupé GT Premium (cuir)	2	M	5.0	38 500
2p coupé Shelby GT350	2	M	5.2	57 100
2p coupé Shelby GT350R	2	M	5.2	72 600
2p déc. V6	2	M	3.7	27 000
2p déc. EcoBoost Premium (cuir)	2	M	2.3	35 300
2p déc. GT Premium (cuir)	2	M	5.0	43 600

2015 MUSTANG — 40 000 km

Description	R.m.	Bv.	L	Prix
2p coupé V6	2	M	3.7	17 200
2p coupé EcoBoost	2	M	2.3	19 500
2p coupé EcoBoost Prem (cuir)	2	M	2.3	23 400
2p coupé GT	2	M	5.0	25 900
2p coupé GT Premium (cuir)	2	M	5.0	30 000
2p coupé GT Édition 50e	2	M	5.0	37 600
2p déc. V6	2	M	3.7	20 900
2p déc. EcoBoost Premium (cuir)	2	M	2.3	27 500
2p déc. GT Premium (cuir)	2	M	5.0	34 200

2014 MUSTANG — 60 000 km

Description	R.m.	Bv.	L	Prix
2p coupé V6	2	M	3.7	14 600
2p coupé V6 Premium	2	M	3.7	16 400
2p coupé V6 Decor/Club of Ame	2	M	3.7	18 500
2p coupé GT	2	M	5.0	24 600
2p coupé Shelby GT500	2	M	5.8	38 300
2p déc. V6 Premium	2	M	3.7	19 700
2p déc. V6 Decor/Club of Ame	2	M	3.7	21 600
2p déc. GT	2	M	5.0	26 900
2p déc. Shelby GT500	2	M	5.8	41 500

2013 MUSTANG — 80 000 km

Description	R.m.	Bv.	L	Prix
2p coupé V6	2	M	3.7	14 000
2p coupé V6 Premium	2	M	3.7	15 700
2p coupé V6 Pony / Club pack	2	A	3.7	17 600
2p coupé GT	2	M	5.0	23 600
2p coupé Boss 302	2	M	5.0	29 300
2p coupé Shelby GT500	2	M	5.8	37 400
2p déc. V6 Premium	2	M	3.7	18 900
2p déc. V6 Pony / Club package	2	M	3.7	20 600
2p déc. GT	2	M	5.0	25 700
2p déc. Shelby GT500	2	M	5.8	40 500

2012 MUSTANG — 100 000 km

Description	R.m.	Bv.	L	Prix
2p coupé V6	2	M	3.7	12 700
2p coupé V6 Premium	2	M	3.7	14 800
2p coupé GT	2	M	5.0	21 700
2p coupé Boss 302	2	M	5.0	27 500
2p coupé Boss 302 Laguna Seca	2	M	5.0	32 600
2p coupé Shelby GT500	2	M	5.4	34 000
2p déc. V6 Premium	2	M	3.7	17 100
2p déc. GT	2	M	5.0	22 900
2p déc. Shelby GT500	2	M	5.4	36 600

2016 TAURUS — 20 000 km

Description	R.m.	Bv.	L	Prix
4p berline SE	2	A	3.5	27 100
4p berline SEL	2	A	3.5	31 700
4p berline SEL AWD	A	A	3.5	34 000
4p berline Limited AWD (cuir)	A	A	3.5	38 600
4p berline SHO AWD (cuir)	A	A	3.5	43 200

2015 TAURUS — 40 000 km

Description	R.m.	Bv.	L	Prix
4p berline SE	2	A	3.5	19 000
4p berline SEL	2	A	3.5	22 500
4p berline SEL AWD	A	A	3.5	23 400
4p berline Limited AWD (cuir)	A	A	3.5	25 600
4p berline SHO AWD (cuir)	A	A	3.5	27 500

2014 TAURUS — 60 000 km

Description	R.m.	Bv.	L	Prix
4p berline SE	2	A	3.5	16 500
4p berline SEL	2	A	3.5	19 900
4p berline SEL AWD	A	A	3.5	21 200
4p berline Limited AWD (cuir)	A	A	3.5	21 900
4p berline SHO AWD (cuir)	A	A	3.5	23 600

2013 TAURUS — 80 000 km

Description	R.m.	Bv.	L	Prix
4p berline SE	2	A	3.5	14 300
4p berline SEL	2	A	3.5	16 700
4p berline SEL AWD	A	A	3.5	18 200
4p berline Limited AWD (cuir)	A	A	3.5	19 400
4p berline SHO AWD (cuir)	A	A	3.5	22 000

2012 TAURUS — 100 000 km

Description	R.m.	Bv.	L	Prix
4p berline SE	2	A	3.5	12 000
4p berline SEL	2	A	3.5	13 700
4p berline SEL AWD	A	A	3.5	15 200
4p berline Limited AWD (cuir)	A	A	3.5	16 900
4p berline SHO AWD (cuir)	A	A	3.5	19 200

2016 TRANSIT 150 — 20 000 km

Description	R.m.	Bv.	L	Prix
3p Wagon XL 130" WB	2	A	3.7	35 100
3p Wagon XL 130" WB EcoBoost	2	A	3.5	36 600
3p Wagon XLT 130" WB	2	A	3.7	37 200
3p Wagon XLT 130" WB EcoBo.	2	A	3.5	38 900

2015 TRANSIT 150 — 40 000 km

Description	R.m.	Bv.	L	Prix
3p Wagon XL 130" WB	2	A	3.7	28 600
3p Wagon XLT 130" WB	2	A	3.7	30 500

2016 TRANSIT CONNECT — 20 000 km

Description	R.m.	Bv.	L	Prix
cargo commercial XL	2	A	2.5	25 200
cargo commercial XLT	2	A	2.5	26 500
4p tourisme XL	2	A	2.5	26 900
4p tourisme XLT	2	A	2.5	28 200
4p tourisme Titanium (cuir)	2	A	2.5	31 700

2015 TRANSIT CONNECT — 40 000 km

Description	R.m.	Bv.	L	Prix
cargo commercial XL	2	A	2.5	20 900
cargo commercial XLT	2	A	2.5	21 900
4p tourisme XL	2	A	2.5	22 200
4p tourisme XLT	2	A	2.5	23 400
4p tourisme Titanium (cuir)	2	A	2.5	26 300

2014 TRANSIT CONNECT — 60 000 km

Description	R.m.	Bv.	L	Prix
cargo commercial XL	2	A	2.5	18 600
cargo commercial XLT	2	A	2.5	19 300
4p tourisme XL	2	A	2.5	19 700
4p tourisme XLT	2	A	2.5	20 700
4p tourisme Titanium (cuir)	2	A	2.5	23 300

2013 TRANSIT CONNECT — 80 000 km

Description	R.m.	Bv.	L	Prix
cargo commercial XLT	2	A	2.0	15 700
4p tourisme XLT	2	A	2.0	16 100
4p tourisme XLT Premium	2	A	2.0	16 300

2012 TRANSIT CONNECT — 100 000 km

Description	R.m.	Bv.	L	Prix
cargo commercial XLT	2	A	2.0	14 600
4p tourisme XLT	2	A	2.0	15 400
4p tourisme XLT Premium	2	A	2.0	15 500

GMC

2016 ACADIA — 20 000 km

Description	R.m.	Bv.	L	Prix
4p SLE	2	A	3.6	31 800
4p SLT (cuir)	2	A	3.6	39 200
4p SLE AWD	A	A	3.6	34 500
4p SLT AWD (cuir)	A	A	3.6	41 900
4p Denali AWD (cuir)	A	A	3.6	49 700

2015 ACADIA — 40 000 km

Description	R.m.	Bv.	L	Prix
4p SLE	2	A	3.6	23 500
4p SLT (cuir)	2	A	3.6	29 300
4p SLE AWD	A	A	3.6	25 700
4p SLT AWD (cuir)	A	A	3.6	30 900
4p Denali AWD (cuir)	A	A	3.6	36 700

2014 ACADIA — 60 000 km

Description	R.m.	Bv.	L	Prix
4p SLE	2	A	3.6	20 800
4p SLT (cuir)	2	A	3.6	25 600
4p SLE AWD	A	A	3.6	22 600
4p SLT AWD (cuir)	A	A	3.6	27 500
4p Denali AWD (cuir)	A	A	3.6	32 400

2013 ACADIA — 80 000 km

Description	R.m.	Bv.	L	Prix
4p SLE	2	A	3.6	19 700
4p SLT (cuir)	2	A	3.6	23 900
4p SLE AWD	A	A	3.6	21 100
4p SLT AWD (cuir)	A	A	3.6	25 500
4p Denali AWD (cuir)	A	A	3.6	28 900

2012 ACADIA — 100 000 km

Description	R.m.	Bv.	L	Prix
4p SLE	2	A	3.6	17 500
4p SLT (cuir)	2	A	3.6	22 000
4p SLE AWD	A	A	3.6	19 400
4p SLT AWD (cuir)	A	A	3.6	23 400
4p Denali AWD (cuir)	A	A	3.6	25 900

2016 C/K 1500 SIERRA — 20 000 km

Description	R.m.	Bv.	L	Prix
cab. rég. base	2	A	4.3	25 400
cab. rég. SLE	2	A	4.3	30 200
cab. all. base	2	A	4.3	29 200
cab. all. SLE	2	A	4.3	34 000
cab. all. SLT (cuir)	2	A	5.3	41 500
crew cab base	2	A	4.3	31 100
crew cab SLE	2	A	4.3	36 200
crew cab SLT (cuir)	2	A	5.3	43 400
cab. rég. base	4	A	4.3	28 700
cab. rég. SLE	4	A	4.3	34 300
cab. all. base	4	A	4.3	32 700
cab. all. SLE	4	A	4.3	38 100
cab. all. SLT (cuir)	4	A	5.3	45 300
crew cab base	4	A	4.3	34 600
crew cab SLE	4	A	4.3	40 200
crew cab SLT (cuir)	4	A	5.3	47 400
crew cab Denali (cuir)	A	A	5.3	56 200

2015 C/K 1500 SIERRA — 40 000 km

Description	R.m.	Bv.	L	Prix
cab. rég. base	2	A	4.3	17 700
cab. rég. SLE	2	A	4.3	21 200
cab. all. base	2	A	4.3	20 300
cab. all. SLE	2	A	4.3	24 200
cab. all. SLT (cuir)	2	A	5.3	29 600
crew cab base	2	A	4.3	22 000
crew cab SLE	2	A	4.3	25 600
crew cab SLT (cuir)	2	A	5.3	30 800
cab. rég. base	4	A	4.3	20 200
cab. rég. SLE	4	A	4.3	24 500
cab. all. base	4	A	4.3	23 200
cab. all. SLE	4	A	4.3	27 200
cab. all. SLT (cuir)	4	A	5.3	32 500
crew cab base	4	A	4.3	24 600
crew cab SLE	4	A	4.3	28 900
crew cab SLT (cuir)	4	A	5.3	33 900
crew cab Denali (cuir)	A	A	5.3	40 900

2014 C/K 1500 SIERRA — 60 000 km

Description	R.m.	Bv.	L	Prix
cab. rég. base	2	A	4.3	14 300
cab. rég. SLE	2	A	4.3	17 400
cab. all. base	2	A	4.3	16 700
cab. all. SLE	2	A	4.3	19 800
cab. all. SLT (cuir)	2	A	5.3	24 200
crew cab base	2	A	4.3	17 800
crew cab SLE	2	A	4.3	21 000
crew cab SLT (cuir)	2	A	5.3	25 100
cab. rég. base	4	A	4.3	16 400
cab. rég. SLE	4	A	4.3	20 200
cab. all. base	4	A	4.3	19 000
cab. all. SLE	4	A	4.3	22 400
cab. all. SLT (cuir)	4	A	5.3	26 600
crew cab base	4	A	4.3	20 200
crew cab SLE	4	A	4.3	23 600
crew cab SLT (cuir)	4	A	5.3	27 700
crew cab Denali (cuir)	A	A	5.3	33 000

2013 C/K 1500 SIERRA — 80 000 km

Description	R.m.	Bv.	L	Prix
cab. rég. WT	2	A	4.3	12 100
cab. rég. WT	2	A	4.8	12 800
cab. rég. SLE	2	A	4.8	14 300
cab. all. WT	2	A	4.3	14 000
cab. all. WT	2	A	4.8	14 300
cab. all. SL	2	A	4.8	15 300
cab. all. SLE	2	A	4.8	15 800
cab. all. SLT (cuir)	2	A	5.3	19 900
crew cab WT	2	A	4.8	15 100
crew cab SL	2	A	4.8	16 100
crew cab SLE	2	A	4.8	16 600
crew cab SLT (cuir)	2	A	5.3	20 600
crew cab Hybride	2	A	6.0	22 500
cab. rég. WT	4	A	4.3	14 200
cab. rég. WT	4	A	4.8	14 600
cab. rég. SLE	4	A	4.8	16 100
cab. all. WT	4	A	4.8	16 000
cab. all. SL	4	A	4.8	17 300
cab. all. SLE	4	A	4.8	18 000
cab. all. SLT (cuir)	4	A	5.3	22 000
crew cab WT	4	A	4.8	16 800
crew cab SL	4	A	4.8	18 100
crew cab SLE	4	A	4.8	18 700
crew cab SLT (cuir)	4	A	5.3	22 600
crew cab Hybride	4	A	6.0	24 700
crew cab Denali (cuir)	A	A	6.2	27 600

2012 C/K 1500 SIERRA — 100 000 km

Description	R.m.	Bv.	L	Prix
cab. rég. WT	2	A	4.3	11 900
cab. rég. WT	2	A	4.8	12 300
cab. rég. SLE	2	A	4.8	13 700
cab. all. WT	2	A	4.3	13 300
cab. all. WT	2	A	4.8	14 000
cab. all. SL	2	A	4.8	15 000
cab. all. SLE	2	A	4.8	15 500
cab. all. SLT (cuir)	2	A	5.3	19 600
crew cab WT	2	A	4.8	14 400
crew cab SL	2	A	4.8	15 900
crew cab SLE	2	A	4.8	16 100
crew cab SLT (cuir)	2	A	5.3	20 200
crew cab Hybride	2	A	6.0	21 900
cab. rég. WT	4	A	4.3	13 500
cab. rég. WT	4	A	4.8	14 100
cab. rég. SLE	4	A	4.8	15 800
cab. all. WT	4	A	4.8	15 700
cab. all. SL	4	A	4.8	16 700
cab. all. SLE	4	A	4.8	17 300
cab. all. SLT (cuir)	4	A	5.3	21 400
crew cab WT	4	A	4.8	16 200
crew cab SL	4	A	4.8	17 400
crew cab SLE	4	A	4.8	18 100
crew cab SLT (cuir)	4	A	5.3	22 200
crew cab SLT 6.2L (cuir)	4	A	6.2	23 000
crew cab Hybride	4	A	6.0	24 000
crew cab Denali (cuir)	A	A	6.2	27 000

2016 CANYON — 20 000 km

Description	R.m.	Bv.	L	Prix
cab. all. SL	2	M	2.5	18 800
cab. all. base	2	A	2.5	21 500
cab. all. SLE	2	A	2.5	26 300
cab. all. SLT (cuir)	2	A	3.6	30 300
crew cab. base	2	A	2.5	23 700
crew cab. SLE	2	A	2.5	27 600
crew cab. SLE Diesel	2	A	2.8	32 800
crew cab. SLT (cuir)	2	A	3.6	31 600
crew cab. SLT (cuir) Diesel	2	A	2.8	35 600
cab. all. base	4	A	2.5	26 300
cab. all. SLE	4	A	2.5	30 500
cab. all. SLT (cuir)	4	A	3.6	34 200
crew cab. SLE	4	A	3.6	32 800
crew cab. SLE Diesel	2	A	2.8	36 700
crew cab. SLT (cuir)	4	A	3.6	35 600
crew cab. SLT (cuir) Diesel	2	A	2.8	39 500

2015 CANYON — 40 000 km

Description	R.m.	Bv.	L	Prix
cab. all. SL	2	M	2.5	14 200
cab. all. base	2	A	2.5	17 000
cab. all. SLE	2	A	2.5	20 300
cab. all. SLT (cuir)	2	A	2.5	22 400
crew cab. base	2	A	2.5	18 200
crew cab. SLE	2	A	2.5	21 300
crew cab. SLT (cuir)	2	A	2.5	23 600
cab. all. base	4	A	2.5	20 200
cab. all. SLE	4	A	2.5	23 600
cab. all. SLT (cuir)	4	A	2.5	25 600
crew cab. SLE	4	A	3.6	25 500
crew cab. SLT (cuir)	4	A	3.6	27 700

2012 CANYON — 100 000 km

Description	R.m.	Bv.	L	Prix
cab. rég. SLE	2	M	2.9	14 200
cab. all. SLE	2	M	2.9	15 400
cab. all. SLE V8	2	A	5.3	18 900
crew cab. SLE	2	A	2.9	18 900
crew cab. SLE V8	2	A	5.3	20 700
cab. rég. SLE	4	M	2.9	16 400
cab. all. SLE	4	M	2.9	17 700
cab. all. SLE V8	4	A	5.3	21 200
crew cab. SLE	4	A	3.7	21 900
crew cab. SLE V8	4	A	5.3	23 100

2014 G1500 SAVANA — 60 000 km

Description	R.m.	Bv.	L	Prix
cargo WT	2	A	4.3	19 200
cargo WT	2	A	5.3	20 300
cargo LT	2	A	5.3	24 100
cargo WT AWD	A	A	5.3	22 100
cargo LT AWD	A	A	5.3	25 900
3p LS	2	A	5.3	23 500
3p LT	2	A	5.3	24 900
3p LS AWD	A	A	5.3	25 400
3p LT AWD	A	A	5.3	26 600

2013 G1500 SAVANA — 80 000 km

Description	R.m.	Bv.	L	Prix
cargo base	2	A	4.3	16 600
cargo base	2	A	5.3	17 600
cargo base AWD	A	A	5.3	19 300
3p SL	2	A	5.3	20 700
3p SLE	2	A	5.3	23 100
3p SL AWD	A	A	5.3	22 300
3p SLE AWD	A	A	5.3	24 800

2012 G1500 SAVANA — 100 000 km

Description	R.m.	Bv.	L	Prix
cargo base	2	A	4.3	14 700
cargo base	2	A	5.3	15 800
cargo base AWD	A	A	5.3	17 100
3p SL	2	A	5.3	18 400
3p SLE	2	A	5.3	20 700
3p SL AWD	A	A	5.3	19 900
3p SLE AWD	A	A	5.3	22 200

2016 TERRAIN — 20 000 km

Description	R.m.	Bv.	L	Prix
4p SLE	2	A	2.4	25 000
4p SLE V6	2	A	3.6	29 000
4p SLE AWD	A	A	2.4	27 000
4p SLE V6 AWD	A	A	3.6	31 000
4p SLT AWD (cuir)	A	A	2.4	31 500
4p SLT V6 AWD (cuir)	A	A	3.6	33 100
4p Denali AWD (cuir)	A	A	2.4	38 000
4p Denali V6 AWD (cuir)	A	A	3.6	40 000

2015 TERRAIN — 40 000 km

Description	R.m.	Bv.	L	Prix
4p SLE	2	A	2.4	19 600
4p SLE V6	2	A	3.6	22 500
4p SLT (cuir)	2	A	2.4	22 500
4p SLT V6 (cuir)	2	A	3.6	23 800
4p SLE AWD	A	A	2.4	21 000
4p SLE V6 AWD	A	A	3.6	24 100
4p SLT AWD (cuir)	A	A	2.4	24 000
4p SLT V6 AWD (cuir)	A	A	3.6	25 400
4p Denali AWD (cuir)	A	A	2.4	28 300
4p Denali V6 AWD (cuir)	A	A	3.6	29 800

2014 TERRAIN — 60 000 km

Description	R.m.	Bv.	L	Prix
4p SLE	2	A	2.4	16 200
4p SLE V6	2	A	3.6	18 300
4p SLT (cuir)	2	A	2.4	18 600
4p SLT V6 (cuir)	2	A	3.6	19 600
4p Denali (cuir)	2	A	2.4	22 300
4p Denali V6 (cuir)	2	A	3.6	23 500
4p SLE AWD	A	A	2.4	17 600
4p SLE V6 AWD	A	A	3.6	19 700
4p SLT AWD (cuir)	A	A	2.4	19 900
4p SLT V6 AWD (cuir)	A	A	3.6	21 000
4p Denali AWD (cuir)	A	A	2.4	23 000
4p Denali V6 AWD (cuir)	A	A	3.6	24 200

2013 TERRAIN — 80 000 km

Description	R.m.	Bv.	L	Prix
4p SLE	2	A	2.4	15 300
4p SLE V6	2	A	3.6	17 600
4p SLT (cuir)	2	A	2.4	17 600
4p SLT V6 (cuir)	2	A	3.6	18 400
4p Denali (cuir)	2	A	2.4	20 400
4p Denali V6 (cuir)	2	A	3.6	21 500
4p SLE AWD	A	A	2.4	16 400
4p SLE V6 AWD	A	A	3.6	18 700
4p SLT AWD (cuir)	A	A	2.4	18 600
4p SLT V6 AWD (cuir)	A	A	3.6	20 900
4p Denali AWD (cuir)	A	A	2.4	21 500
4p Denali V6 AWD (cuir)	A	A	3.6	22 400

2012 TERRAIN — 100 000 km

Description	R.m.	Bv.	L	Prix
4p SLE	2	A	2.4	12 600
4p SLE V6	2	A	3.0	14 500
4p SLT (cuir)	2	A	2.4	14 400
4p SLT V6 (cuir)	2	A	3.0	15 300
4p SLE AWD	A	A	2.4	13 500
4p SLE V6 AWD	A	A	3.0	15 300
4p SLT AWD (cuir)	A	A	2.4	15 000
4p SLT V6 AWD (cuir)	A	A	3.0	15 900

2016 YUKON / XL — 20 000 km

Description	R.m.	Bv.	L	Prix
4p SLE	2	A	5.3	48 300
4p SLT (cuir)	2	A	5.3	57 400
4p SLE AWD	4	A	5.3	51 300
4p SLT AWD (cuir)	4	A	5.3	60 500
4p Denali AWD (cuir - toit)	A	A	6.2	69 100
4p XL SLE 1500	2	A	5.3	51 100
4p XL SLT 1500 (cuir)	2	A	5.3	60 200
4p XL SLE 1500	4	A	5.3	54 100
4p XL SLT 1500 (cuir)	4	A	5.3	63 300
4p XL Denali 1500 (cuir)	A	A	6.2	71 900

2015 YUKON / XL — 40 000 km

Description	R.m.	Bv.	L	Prix
4p SLE	2	A	5.3	37 000
4p SLT (cuir)	2	A	5.3	44 300
4p SLE AWD	4	A	5.3	39 500
4p SLT AWD (cuir)	4	A	5.3	46 600
4p Denali AWD (cuir - toit)	A	A	6.2	53 700
4p XL SLE 1500	2	A	5.3	39 400
4p XL SLT 1500 (cuir)	2	A	5.3	46 400
4p XL SLE 1500	4	A	5.3	41 700
4p XL SLT 1500 (cuir)	4	A	5.3	48 900
4p XL Denali 1500 (cuir)	A	A	6.2	56 000

2014 YUKON / XL — 60 000 km

Description	R.m.	Bv.	L	Prix
4p SLE	2	A	5.3	29 500
4p SLT (cuir)	2	A	5.3	32 200
4p SLE AWD	4	A	5.3	32 100
4p SLT AWD (cuir)	4	A	5.3	35 000
4p Denali AWD (cuir - toit)	A	A	6.2	42 800
4p XL SLE 1500	2	A	5.3	30 800
4p XL SLT 1500 (cuir)	2	A	5.3	34 200
4p XL SLE 1500	4	A	5.3	33 000
4p XL SLT 1500 (cuir)	4	A	5.3	36 200
4p XL Denali 1500 (cuir)	A	A	6.2	44 800

2013 YUKON / XL — 80 000 km

Description	R.m.	Bv.	L	Prix
4p SLE	2	A	5.3	25 000
4p SLT (cuir)	2	A	5.3	27 700
4p SLT Hybride (cuir - navi)	2	A	6.0	34 900
4p SLE AWD	4	A	5.3	27 000
4p SLT AWD (cuir)	4	A	5.3	30 200
4p Denali AWD (cuir - toit)	A	A	6.2	37 400
4p SLT Hybride AWD (cuir/navi)	4	A	6.0	36 500
4p Denali Hybride AWD (cuir/nav	4	A	6.0	37 900
4p XL SLE 1500	2	A	5.3	26 300
4p XL SLT 1500 (cuir)	2	A	5.3	29 400
4p XL SLE 2500	2	A	6.0	27 000
4p XL SLT 2500 (cuir)	2	A	6.0	30 300
4p XL SLE 1500 AWD	4	A	5.3	28 300
4p XL SLT 1500 AWD (cuir)	4	A	5.3	31 100
4p XL Denali 1500 AWD (cuir)	A	A	6.2	35 700
4p XL SLE 2500 AWD	4	A	6.0	29 100
4p XL SLT 2500 AWD (cuir)	4	A	6.0	32 200

2012 YUKON / XL — 100 000 km

Description	R.m.	Bv.	L	Prix
4p SLE	2	A	5.3	22 600
4p SLT (cuir)	2	A	5.3	25 200
4p SLT Hybride (cuir - navi)	2	A	6.0	31 700
4p SLE AWD	4	A	5.3	24 700
4p SLT AWD (cuir)	4	A	5.3	27 400
4p Denali AWD (cuir - toit)	A	A	6.2	34 000
4p SLT Hybride AWD (cuir/navi)	4	A	6.0	33 200
4p Denali Hybride AWD (cuir/nav	4	A	6.0	37 500
4p XL SLE 1500	2	A	5.3	24 000
4p XL SLT 1500 (cuir)	2	A	5.3	26 700
4p XL SLE 2500	2	A	6.0	24 800
4p XL SLT 2500 (cuir)	2	A	6.0	27 700
4p XL SLE 1500 AWD	4	A	5.3	25 800
4p XL SLT 1500 AWD (cuir)	4	A	5.3	28 400
4p XL Denali 1500 AWD (cuir)	A	A	6.2	35 800
4p XL SLE 2500 AWD	4	A	6.0	26 300
4p XL SLT 2500 AWD (cuir)	4	A	6.0	29 300

HONDA

2016 ACCORD — 20 000 km

Description	R.m.	Bv.	L	Prix
2p coupé EX	2	M	2.4	23 900
2p coupé EX Touring (cuir)	2	M	2.4	27 600
2p coupé EX Touring V6 (cuir)	2	M	3.5	32 000
4p berline LX	2	M	2.4	21 200
4p berline Sport	2	M	2.4	23 600
4p berline EX-L (cuir)	2	A	2.4	26 600
4p berline Touring (cuir)	2	M	2.4	27 600
4p berline EX-L V6 (cuir)	2	A	3.5	29 600
4p berline Touring V6 (cuir)	2	A	3.5	31 900

2015 ACCORD — 40 000 km

Description	R.m.	Bv.	L	Prix
2p coupé EX	2	M	2.4	19 800
2p coupé EX-L Navi (cuir)	2	M	2.4	22 600
2p coupé EX-L V6 Navi (cuir)	2	M	3.5	26 800
4p berline LX	2	M	2.4	17 800
4p berline Sport	2	M	2.4	19 500
4p berline EX-L (cuir)	2	A	2.4	22 200
4p berline Hybrid	2	A	2.0	22 300
4p berline Hybrid Touring (cuir)	2	A	2.0	27 100
4p berline Touring (cuir)	2	M	2.4	23 100
4p berline EX-L V6 (cuir)	2	A	3.5	24 900
4p berline Touring V6 (cuir)	2	A	3.5	26 700

2014 ACCORD/ CROSSTOUR — 60 000 km

Description	R.m.	Bv.	L	Prix
2p coupé EX	2	M	2.4	17 600
2p coupé EX-L Navi (cuir)	2	M	2.4	20 100
2p coupé EX-L V6 Navi (cuir)	2	M	3.5	23 900
4p berline LX	2	M	2.4	15 700
4p berline Sport	2	M	2.4	17 100
4p berline EX-L (cuir)	2	A	2.4	19 600
4p berline Hybrid	2	A	2.0	19 700
4p berline Hybrid Touring (cuir)	2	A	2.0	23 900
4p berline Touring (cuir)	2	M	2.4	20 500
4p berline EX-L V6 (cuir)	2	A	3.5	22 000
4p berline Touring V6 (cuir)	2	A	3.5	23 800
4p hay Crosstour EX-L AWD cuir	A	A	3.5	24 600
4p hay Crosstour EX-L Navi awd	A	A	3.5	25 600

2013 ACCORD/ CROSSTOUR — 80 000 km

Description	R.m.	Bv.	L	Prix
2p coupé EX	2	M	2.4	16 100
2p coupé EX-L Navi (cuir)	2	M	2.4	18 700
2p coupé EX-L V6 Navi (cuir)	2	M	3.5	22 000
2p coupé EX-L V6 Navi (cuir)	2	A	3.5	22 000
2p coupé HFP (cuir)	2	M	3.5	22 300
4p berline LX	2	M	2.4	14 800
4p berline Sport	2	M	2.4	15 500
4p berline EX-L (cuir)	2	A	2.4	17 800
4p berline Touring (cuir)	2	M	2.4	19 000
4p berline EX-L V6 (cuir)	2	A	3.5	20 400
4p berline Touring V6 (cuir)	2	A	3.5	21 900
4p hayon Crosstour EX	2	A	2.4	17 700
4p hayon Crosstour EX-L (cuir)	2	A	2.4	20 200
4p hay Crosstour EX-L AWD cuir	A	A	3.5	21 000
4p hay Crosstour EX-L Navi awd	A	A	3.5	21 300

2012 ACCORD — 100 000 km

Description	R.m.	Bv.	L	Prix
2p coupé EX	2	M	2.4	14 300
2p coupé EX-L Navi (cuir)	2	M	2.4	15 900
2p coupé EX-L V6 Navi (cuir)	2	M	3.5	17 700
2p coupé EX-L V6 Navi (cuir)	2	A	3.5	17 700
2p coupé HFP (cuir)	2	M	3.5	18 900
2p coupé HFP (cuir)	2	A	3.5	18 900
4p berline SE	2	M	2.4	13 300
4p berline EX	2	A	2.4	14 600
4p berline EX-L (cuir)	2	A	2.4	16 100
4p berline EX-L V6 (cuir)	2	A	3.5	17 100
4p hayon Crosstour EX-L (cuir)	2	A	3.5	16 900
4p hay Crosstour EX-L AWD cuir	A	A	3.5	17 400

2016 CIVIC — 20 000 km

Description	R.m.	Bv.	L	Prix
2p coupé LX	2	M	2.0	16 900
2p coupé EX-T (toit ouvrant)	2	A	1.5	21 600
2p coupé Touring (cuir)	2	A	1.5	24 300
4p berline DX	2	M	2.0	13 700
4p berline LX (climatiseur)	2	M	2.0	16 400
4p berline EX (toit ouvrant)	2	M	2.0	19 800
4p berline EX-T 1.5T	2	A	1.5	22 000
4p berline Touring 1.5T (cuir)	2	A	1.5	23 800

2015 CIVIC — 40 000 km

Description	R.m.	Bv.	L	Prix
2p coupé LX	2	M	1.8	14 500
2p coupé EX (toit ouvrant)	2	M	1.8	16 200
2p coupé EX-L Navi (cuir)	2	A	1.8	20 000
2p coupé Si	2	M	2.4	20 800
4p berline DX	2	M	1.8	11 700
4p berline LX (climatiseur)	2	M	1.8	14 200
4p berline EX (toit ouvrant)	2	M	1.8	15 900
4p berline Touring (cuir)	2	A	1.8	19 600
4p berline Hybrid	2	A	1.5	21 000
4p berline Si	2	M	2.4	20 800

2014 CIVIC — 60 000 km

Description	R.m.	Bv.	L	Prix
2p coupé LX	2	M	1.8	12 700
2p coupé EX (toit ouvrant)	2	M	1.8	14 300
2p coupé EX-L Navi (cuir)	2	A	1.8	16 400
2p coupé Si	2	M	2.4	17 000
4p berline DX	2	M	1.8	10 400
4p berline LX (climatiseur)	2	M	1.8	12 300
4p berline EX (toit ouvrant)	2	M	1.8	14 000
4p berline Touring (cuir)	2	A	1.8	16 100
4p berline Hybrid	2	A	1.5	17 300
4p berline Si	2	M	2.4	17 000

2013 CIVIC — 80 000 km

Description	R.m.	Bv.	L	Prix
2p coupé LX	2	M	1.8	11 300
2p coupé EX (toit ouvrant)	2	M	1.8	12 700
2p coupé EX-L Navi (cuir)	2	A	1.8	14 500
2p coupé Si	2	M	2.4	15 300
2p coupé HFP	2	M	2.4	16 100
4p berline DX	2	M	1.8	9 400
4p berline LX (climatiseur)	2	M	1.8	11 000
4p berline EX (toit ouvrant)	2	M	1.8	12 500
4p berline Touring (cuir)	2	A	1.8	14 300
4p berline Si	2	M	2.4	15 300

2012 CIVIC — 100 000 km

Description	R.m.	Bv.	L	Prix
2p coupé LX	2	M	1.8	9 900
2p coupé EX (toit ouvrant)	2	M	1.8	11 100
2p coupé EX-L (cuir)	2	A	1.8	12 400
2p coupé Si	2	M	2.4	14 100
2p coupé HFP	2	M	2.4	14 400
4p berline DX	2	M	1.8	8 100
4p berline LX (climatiseur)	2	M	1.8	9 600
4p berline EX (toit ouvrant)	2	M	1.8	10 800
4p berline EX-L (cuir)	2	A	1.8	12 100
4p berline Hybride	2	A	1.5	13 600
4p berline Si	2	M	2.4	12 900

2016 CR-V — 20 000 km

Description	R.m.	Bv.	L	Prix
4p LX (2RM)	2	A	2.4	23 100
4p LX	A	A	2.4	25 300
4p SE	A	A	2.4	26 800
4p EX (toit)	A	A	2.4	28 600
4p EX-L (cuir)	A	A	2.4	30 500
4p Touring (navi)	A	A	2.4	32 900

2015 CR-V — 40 000 km

Description	R.m.	Bv.	L	Prix
4p LX (2RM)	2	A	2.4	19 600
4p LX	A	A	2.4	21 300
4p SE	A	A	2.4	22 600
4p EX (toit)	A	A	2.4	24 100
4p EX-L (cuir)	A	A	2.4	25 700
4p Touring (navi)	A	A	2.4	27 200

2014 CR-V — 60 000 km

Description	R.m.	Bv.	L	Prix
4p LX	2	A	2.4	18 500
4p EX (toit)	2	A	2.4	20 600
4p LX	A	A	2.4	20 100
4p EX (toit)	A	A	2.4	22 300
4p EX-L (cuir)	A	A	2.4	23 900
4p Touring NAVI (cuir)	A	A	2.4	25 300

2013 CR-V — 80 000 km

Description	R.m.	Bv.	L	Prix
4p LX	2	A	2.4	16 200
4p EX (toit)	2	A	2.4	18 300
4p LX	A	A	2.4	17 800
4p EX (toit)	A	A	2.4	19 700
4p EX-L (cuir)	A	A	2.4	21 000
4p Touring NAVI (cuir)	A	A	2.4	22 500

2012 CR-V — 100 000 km

Description	R.m.	Bv.	L	Prix
4p LX	2	A	2.4	15 500
4p EX (toit)	2	A	2.4	17 300
4p LX	A	A	2.4	16 800
4p EX (toit)	A	A	2.4	17 600
4p EX-L (cuir)	A	A	2.4	19 000
4p Touring NAVI (cuir)	A	A	2.4	20 200

2016 CR-Z — 20 000 km

Description	R.m.	Bv.	L	Prix
2p coupé Premium (cuir)	2	M	1.5	23 200
2p coupé Premium (cuir)	2	A	1.5	24 400

2015 CR-Z — 40 000 km

Description	R.m.	Bv.	L	Prix
2p coupé base	2	M	1.5	17 200
2p coupé base	2	A	1.5	18 400
2p coupé Premium (cuir)	2	M	1.5	19 200
2p coupé Premium (cuir)	2	A	1.5	20 200

2014 CR-Z — 60 000 km

Description	R.m.	Bv.	L	Prix
2p coupé base	2	M	1.5	14 600
2p coupé base	2	A	1.5	15 700
2p coupé Premium (cuir)	2	M	1.5	16 300
2p coupé Premium (cuir)	2	A	1.5	17 100

2013 CR-Z — 80 000 km

Description	R.m.	Bv.	L	Prix
2p coupé base	2	M	1.5	12 900
2p coupé base	2	A	1.5	13 200
2p coupé Premium (cuir)	2	M	1.5	14 300
2p coupé Premium (cuir)	2	A	1.5	15 100

2012 CR-Z — 100 000 km

Description	R.m.	Bv.	L	Prix
2p coupé base	2	M	1.5	10 300
2p coupé base	2	A	1.5	10 800
2p coupé Premium (cuir)	2	M	1.5	11 500
2p coupé Premium (cuir)	2	A	1.5	11 900

2016 FIT — 20 000 km

Description	R.m.	Bv.	L	Prix
4p hayon DX	2	M	1.5	12 600
4p hayon LX (a/c)	2	M	1.5	15 100
4p hayon LX (a/c)	2	A	1.5	16 300
4p hayon EX (toit)	2	M	1.5	16 900
4p hayon EX (toit)	2	A	1.5	18 100
4p hayon EX-L Navi (cuir)	2	M	1.5	18 800
4p hayon EX-L Navi (cuir)	2	A	1.5	20 000

2015 FIT — 40 000 km

Description	R.m.	Bv.	L	Prix
4p hayon DX	2	M	1.5	10 500
4p hayon LX (a/c)	2	M	1.5	12 600
4p hayon LX (a/c)	2	A	1.5	13 800
4p hayon EX (toit)	2	M	1.5	14 200
4p hayon EX (toit)	2	A	1.5	15 300
4p hayon EX-L Navi (cuir)	2	M	1.5	15 800
4p hayon EX-L Navi (cuir)	2	A	1.5	16 800

2014 FIT — 60 000 km

Description	R.m.	Bv.	L	Prix
4p hayon DX	2	M	1.5	9 400
4p hayon DX-A (a/c)	2	M	1.5	10 200
4p hayon DX-A (a/c)	2	A	1.5	11 000
4p hayon LX	2	M	1.5	11 000
4p hayon LX	2	A	1.5	11 700
4p hayon Sport	2	M	1.5	12 300
4p hayon Sport	2	A	1.5	13 100

2013 FIT — 80 000 km

Description	R.m.	Bv.	L	Prix
4p hayon DX	2	M	1.5	8 100
4p hayon DX-A (a/c)	2	M	1.5	9 000
4p hayon DX-A (a/c)	2	A	1.5	9 700
4p hayon LX	2	M	1.5	9 700
4p hayon LX	2	A	1.5	10 200

Description	R.m.	Bv.	L	Prix
4p hayon Sport	2	M	1.5	10 700
4p hayon Sport	2	A	1.5	11 400
2012 FIT				**100 000 km**
4p hayon DX	2	M	1.5	7 700
4p hayon DX-A (a/c)	2	M	1.5	8 200
4p hayon DX-A (a/c)	2	A	1.5	9 100
4p hayon LX	2	M	1.5	9 000
4p hayon LX	2	A	1.5	9 800
4p hayon Sport	2	M	1.5	10 100
4p hayon Sport	2	A	1.5	10 600
2016 HR-V				**20 000 km**
4p LX	2	M	1.8	18 000
4p LX	2	A	1.8	19 200
4p EX	2	M	1.8	20 300
4p EX	2	A	1.8	21 500
4p LX AWD	A	A	1.8	21 300
4p EX AWD	A	A	1.8	23 600
4p EX-L AWD (cuir)	A	A	1.8	26 600
2012 INSIGHT				**100 000 km**
4p hayon LX	2	A	1.3	8 000
2016 ODYSSEY				**20 000 km**
4p LX	2	A	3.5	27 200
4p SE	2	A	3.5	29 100
4p EX	2	A	3.5	31 900
4p EX RES (DVD)	2	A	3.5	33 300
4p EX-L RES (cuir+DVD)	2	A	3.5	38 300
4p EX-L NAVI (cuir)	2	A	3.5	38 300
4p Touring (cuir)	2	A	3.5	43 800
2015 ODYSSEY				**40 000 km**
4p LX	2	A	3.5	23 100
4p SE	2	A	3.5	24 700
4p EX	2	A	3.5	27 200
4p EX RES (DVD)	2	A	3.5	28 300
4p EX-L RES (cuir+DVD)	2	A	3.5	31 600
4p EX-L NAVI (cuir)	2	A	3.5	31 600
4p Touring (cuir)	2	A	3.5	35 300
2014 ODYSSEY				**60 000 km**
4p LX	2	A	3.5	20 400
4p SE	2	A	3.5	21 800
4p EX	2	A	3.5	24 000
4p EX RES (DVD)	2	A	3.5	25 100
4p EX-L RES (cuir+DVD)	2	A	3.5	26 300
4p EX-L NAVI (cuir)	2	A	3.5	26 300
4p Touring (cuir)	2	A	3.5	26 800
2013 ODYSSEY				**80 000 km**
4p LX 7 pass.	2	A	3.5	19 500
4p EX	2	A	3.5	22 100
4p EX RES (DVD)	2	A	3.5	23 200
4p EX-L RES (cuir+DVD)	2	A	3.5	24 600
4p Touring (cuir)	2	A	3.5	25 400
2012 ODYSSEY				**100 000 km**
4p LX 7 pass.	2	A	3.5	17 600
4p EX	2	A	3.5	20 000
4p EX RES (DVD)	2	A	3.5	21 000
4p EX-L RES (cuir+DVD)	2	A	3.5	21 400
4p Touring (cuir)	2	A	3.5	22 000
2016 PILOT				**20 000 km**
4p LX (2RM)	2	A	3.5	31 600
4p LX	A	A	3.5	34 400
4p EX (toit)	A	A	3.5	37 200
4p EX-L	A	A	3.5	39 900
4p EX-L Navi	A	A	3.5	40 800
4p EX-L RES (DVD)	A	A	3.5	40 800
4p Touring (navi / DVD)	A	A	3.5	45 400
2015 PILOT				**40 000 km**
4p LX (2RM)	2	A	3.5	27 100
4p LX	A	A	3.5	29 400
4p SE (toit)	A	A	3.5	30 900
4p EX-L RES (cuir / DVD)	A	A	3.5	32 300
4p Touring (navi)	A	A	3.5	33 600
2014 PILOT				**60 000 km**
4p LX (2RM)	2	A	3.5	25 400
4p LX	A	A	3.5	27 500
4p EX	A	A	3.5	28 800
4p EX-L (cuir / toit)	A	A	3.5	29 600
4p EX-L RES (cuir / DVD)	A	A	3.5	29 700
4p Touring (navi)	A	A	3.5	30 100
2013 PILOT				**80 000 km**
4p LX (2RM)	2	A	3.5	23 000
4p LX	A	A	3.5	25 100
4p EX	A	A	3.5	25 300
4p EX-L (cuir / toit)	A	A	3.5	26 100
4p EX-L RES	A	A	3.5	27 000
4p Touring	A	A	3.5	27 700
2012 PILOT				**100 000 km**
4p LX (2RM)	2	A	3.5	20 500
4p LX	A	A	3.5	22 400
4p EX	A	A	3.5	23 700
4p EX-L (cuir / toit)	A	A	3.5	23 900
4p EX-L RES	A	A	3.5	24 700
4p Touring	A	A	3.5	25 300
2014 RIDGELINE				**60 000 km**
4p DX	4	A	3.5	24 300
4p Sport	4	A	3.5	26 400
4p SE (cuir)	4	A	3.5	27 400
4p Touring (cuir - navi)	4	A	3.5	28 000
2013 RIDGELINE				**80 000 km**
4p DX	4	A	3.5	22 000
4p VP	4	A	3.5	23 300
4p Sport	4	A	3.5	24 000
4p Touring (cuir - navi)	4	A	3.5	24 500
2012 RIDGELINE				**100 000 km**
4p DX	4	A	3.5	20 200
4p VP	4	A	3.5	21 200
4p Sport	4	A	3.5	22 000
4p Touring (cuir - navi)	4	A	3.5	21 900
HYUNDAI				
2016 ACCENT				**20 000 km**
4p hayon L	2	M	1.6	11 700
4p hayon LE	2	A	1.6	13 900
4p hayon GL	2	M	1.6	14 100
4p hayon GL	2	A	1.6	15 300
4p hayon SE (toit)	2	A	1.6	16 200
4p hayon GLS (toit)	2	M	1.6	16 000
4p hayon GLS (toit)	2	A	1.6	17 200
4p berline L	2	M	1.6	11 400
4p berline LE	2	A	1.6	13 600
4p berline GL	2	A	1.6	15 000
4p berline SE (toit)	2	A	1.6	15 900
4p berline GLS (toit)	2	A	1.6	16 800
2015 ACCENT				**40 000 km**
4p hayon L	2	M	1.6	9 100
4p hayon GL	2	M	1.6	11 000
4p hayon GL	2	A	1.6	11 800
4p hayon SE (toit)	2	A	1.6	12 600
4p hayon GLS (toit)	2	M	1.6	12 400
4p hayon GLS (toit)	2	A	1.6	13 200
4p berline L	2	M	1.6	8 900
4p berline GL	2	A	1.6	11 500
4p berline SE (toit)	2	A	1.6	12 300
4p berline GLS (toit)	2	A	1.6	13 100
2014 ACCENT				**60 000 km**
4p hayon L	2	M	1.6	7 300
4p hayon GL	2	M	1.6	9 200
4p hayon GL	2	A	1.6	9 800
4p hayon GLS (toit)	2	M	1.6	10 100
4p hayon GLS (toit)	2	A	1.6	11 000
4p berline L	2	M	1.6	7 300
4p berline L	2	A	1.6	7 800
4p berline GL	2	A	1.6	9 800
4p berline GLS (toit)	2	A	1.6	10 800
2013 ACCENT				**80 000 km**
4p hayon L	2	M	1.6	6 700
4p hayon GL	2	M	1.6	7 900
4p hayon GLS (toit)	2	M	1.6	8 900
4p berline L	2	M	1.6	6 500
4p berline GL	2	M	1.6	7 600
4p berline GLS	2	A	1.6	8 900
2012 ACCENT				**100 000 km**
4p hayon L	2	M	1.6	6 100
4p hayon GL	2	M	1.6	6 800
4p hayon GLS (toit)	2	M	1.6	7 500
4p berline L	2	M	1.6	5 800
4p berline GL	2	M	1.6	6 700
4p berline GLS	2	A	1.6	7 600
2016 ELANTRA				**20 000 km**
4p berline L	2	M	1.8	13 500
4p berline L+	2	A	1.8	15 300
4p berline GL	2	M	1.8	16 000
4p berline Ensemble Sport	2	A	1.8	17 500
4p berline GLS	2	M	2.0	18 200
4p berline Limited (cuir)	2	A	2.0	22 500
4p hayon GT L	2	M	2.0	16 000
4p hayon GT GL	2	M	2.0	17 200
4p hayon GT GLS	2	M	2.0	19 300
4p hayon GT Limited (cuir)	2	A	2.0	24 200
2015 ELANTRA				**40 000 km**
4p berline L	2	M	1.8	10 400
4p berline GL	2	M	1.8	12 200
4p berline Ensemble Sport	2	A	1.8	13 600
4p berline GLS	2	M	2.0	14 100
4p berline Limited (cuir)	2	A	2.0	17 200
4p hayon GT L	2	M	2.0	11 300
4p hayon GT GL	2	M	2.0	12 200
4p hayon GT GL	2	A	2.0	13 000
4p hayon GT GLS	2	M	2.0	13 700
4p hayon GT GLS	2	A	2.0	14 700
4p hayon GT SE (cuir)	2	M	2.0	15 600
4p hayon GT SE (cuir)	2	A	2.0	17 000
2014 ELANTRA				**60 000 km**
2 coupé GL	2	M	2.0	8 700
2 coupé GLS	2	M	2.0	9 900
2 coupé SE (cuir)	2	M	2.0	11 300
4p berline L	2	M	1.8	7 200
4p berline GL	2	M	1.8	8 400
4p berline GLS	2	M	2.0	9 500
4p berline Limited (cuir)	2	A	2.0	11 100
4p hayon GT L	2	M	2.0	8 400
4p hayon GT GL	2	M	2.0	8 900
4p hayon GT GLS	2	M	2.0	10 300
4p hayon GT SE (cuir)	2	M	2.0	11 500
2013 ELANTRA				**80 000 km**
2 coupé GLS	2	M	1.8	8 300
2 coupé SE (cuir)	2	A	1.8	10 600
4p berline L	2	M	1.8	6 400
4p berline GL	2	M	1.8	7 500
4p berline GLS	2	M	1.8	8 300
4p berline Limited (cuir)	2	A	1.8	9 500
4p hayon GT GL	2	M	1.8	8 000
4p hayon GT GLS	2	M	1.8	9 000
4p hayon GT SE (cuir)	2	M	1.8	10 300
2012 ELANTRA				**100 000 km**
4p berline L	2	M	1.8	6 200
4p berline GL	2	M	1.8	7 300
4p berline GLS	2	M	1.8	8 100
4p berline Limited (cuir)	2	A	1.8	9 100
4p hayon Touring L	2	M	2.0	6 200
4p hayon Touring GL	2	M	2.0	7 400
4p hayon Touring GLS	2	M	2.0	8 400
4p hayon Touring GLS Sport	2	M	2.0	9 100
2016 EQUUS				**20 000 km**
4p berline Signature	2	A	5.0	57 800
4p berline Ultimate	2	A	5.0	64 300
2015 EQUUS				**40 000 km**
4p berline Signature	2	A	5.0	44 200
4p berline Ultimate	2	A	5.0	49 300
2014 EQUUS				**60 000 km**
4p berline Signature	2	A	5.0	33 300
4p berline Ultimate	2	A	5.0	37 200
2013 EQUUS				**80 000 km**
4p berline Signature	2	A	5.0	27 900
4p berline Ultimate	2	A	5.0	31 400
2012 EQUUS				**100 000 km**
4p berline Signature	2	A	5.0	23 600
4p berline Ultimate	2	A	5.0	25 900
2016 GENESIS				**20 000 km**
2p coupe 3.8 R-Spec (cuir)	2	M	3.8	24 900
2p coupe 3.8 Premium (cuir)	2	M	3.8	27 400
2p coupe 3.8 Premium (cuir)	2	A	3.8	29 000
2p coupe 3.8 GT (cuir)	2	M	3.8	31 500
2p coupe 3.8 GT (cuir)	2	A	3.8	33 100
4p berline 3.8 Premium	A	A	3.8	36 900
4p berline 3.8 Luxury	A	A	3.8	41 300
4p berline 3.8 Technology	A	A	3.8	45 600
4p berline 5.0 Ultimate	A	A	5.0	53 500
2015 GENESIS				**40 000 km**
2p coupe 3.8 R-Spec (cuir)	2	M	3.8	20 600
2p coupe 3.8 Premium (cuir)	2	M	3.8	22 600
2p coupe 3.8 Premium (cuir)	2	A	3.8	24 100
2p coupe 3.8 GT (cuir)	2	M	3.8	26 400
2p coupe 3.8 GT (cuir)	2	A	3.8	27 700
4p berline 3.8 Premium	A	A	3.8	29 000
4p berline 3.8 Luxury	A	A	3.8	31 600
4p berline 3.8 Technology	A	A	3.8	35 100
4p berline 5.0 Ultimate	A	A	5.0	38 200
2014 GENESIS				**60 000 km**
2p coupe 2.0T	2	M	2.0	16 100
2p coupe 2.0T	2	A	2.0	17 400
2p coupe 2.0T R-Spec (cuir)	2	M	2.0	17 600
2p coupe 2.0T Premium (cuir)	2	M	2.0	19 100
2p coupe 2.0T Premium (cuir)	2	A	2.0	20 400
2p coupe 3.8 GT (cuir)	2	M	3.8	22 900
2p coupe 3.8 GT (cuir)	2	A	3.8	24 100
2013 GENESIS				**80 000 km**
2p coupe 2.0T	2	M	2.0	13 500
2p coupe 2.0T R-Spec (cuir)	2	M	2.0	15 000
2p coupe 2.0T Premium (cuir)	2	M	2.0	15 400
2p coupe 3.8 GT (cuir)	2	M	3.8	19 400
4p berline 3.8	2	A	3.8	16 400
4p berline 3.8 Premium	2	A	3.8	17 000
4p berline 3.8 Technology	2	A	3.8	17 800
4p berline 5.0 R-Spec	2	A	5.0	18 700
2012 GENESIS				**100 000 km**
2p coupe 2.0T	2	M	2.0	12 200
2p coupe 2.0T Premium (cuir)	2	M	2.0	13 700
2p coupe 2.0T GT (cuir)	2	M	2.0	15 500
2p coupe 3.8 (cuir)	2	M	3.8	16 200
2p coupe 3.8 GT (cuir)	2	M	3.8	18 200
4p berline 3.8	2	A	3.8	14 800
4p berline 3.8 Premium	2	A	3.8	15 800
4p berline 3.8 Technology	2	A	3.8	16 500
4p berline 5.0 R-Spec	2	A	5.0	17 300
2016 SANTA FE				**20 000 km**
4p 5 pass. Sport 2.4L	2	A	2.4	24 000
4p 5 pass. Sport 2.4L Premium	2	A	2.4	25 900
4p 5 pass. Sport 2.4L Prem awd	A	A	2.4	27 700
4p 5 pass. Sport 2.0T Prem awd	A	A	2.0	29 800
4p 5 pass. Sport 2.4L Lu cuir awd	A	A	2.4	31 600
4p 5 pass. Sport 2.0T SE cuir awd	A	A	2.0	32 800
4p 5 pass. Sport 2.0T Ltd cuir awd	A	A	2.0	35 900
4p 7 pass. XL 3.3L	2	A	3.3	27 000
4p 7 pass. XL 3.3L Premium awd	A	A	3.3	31 600
4p 7 pass. XL 3.3L Lu cuir AWD	A	A	3.3	36 000
4p 7 pass. XL 3.3L Ltd cuir AWD	A	A	3.3	39 100
2015 SANTA FE				**40 000 km**
4p 5 pass. Sport 2.4L	2	A	2.4	18 400
4p 5 pass. Sport 2.4L Premium	2	A	2.4	19 700
4p 5 pass. Sport 2.4L Prem AWD	A	A	2.4	21 100
4p 5 pass. Sport 2.0T Prem awd	A	A	2.0	22 800
4p 5 pass. Sport 2.4L Lu cuir awd	A	A	2.4	24 200
4p 5 pass. Sport 2.0T SE cuir awd	A	A	2.0	25 000
4p 5 pass. Sport 2.0T Ltd (cuir)	A	A	2.0	27 500
4p 7 pass. XL 3.3L	2	A	3.3	21 400
4p 7 pass. XL 3.3L Prem AWD	A	A	3.3	24 300
4p 7 pass. XL 3.3L Lu cuir AWD	A	A	3.3	27 600
4p 7 pass. XL 3.3L Ltd cuir AWD	A	A	3.3	30 000
2014 SANTA FE				**60 000 km**
4p 5 pass. Sport 2.4L	2	A	2.4	16 900
4p 5 pass. Sport 2.4L Premium	2	A	2.4	18 300
4p 5 pass. Sport 2.4L Prem AWD	A	A	2.4	19 600
4p 5 pass. Sport 2.0T Prem awd	A	A	2.0	21 100
4p 5 pass. Sport 2.4L Lu cuir awd	A	A	2.4	22 100
4p 5 pass. Sport 2.0T SE cuir awd	A	A	2.0	23 000
4p 5 pass. Sport 2.0T Ltd (cuir)	A	A	2.0	25 300
4p 7 pass. XL 3.3L	2	A	3.3	19 900
4p 7 pass. XL 3.3L PremAWD	A	A	3.3	22 800
4p 7 pass. XL 3.3L Lu cuir AWD	A	A	3.3	25 900
4p 7 pass. XL 3.3L Ltd cuir AWD	A	A	3.3	28 300
2013 SANTA FE				**80 000 km**
4p 5 pass. Sport 2.4L	2	A	2.4	15 600
4p 5 pass. Sport 2.4L Premium	2	A	2.4	16 600
4p 5 pass. Sport 2.0T Premium	2	A	2.0	18 200
4p 5 pass. Sport 2.4L Prem AWD	A	A	2.4	18 000
4p 5 pass. Sport 2.0T Prem awd	A	A	2.0	19 300
4p 5 pass. Sport 2.4L Lu cuir awd	A	A	2.4	20 200
4p 5 pass. Sport 2.0T SE cuir awd	A	A	2.0	21 000
4p 5 pass. Sport 2.0T Ltd cuir	A	A	2.0	23 200
4p 7 pass. XL 3.3L	2	A	3.3	17 300
4p 7 pass. XL 3.3L Prem AWD	A	A	3.3	20 800
4p 7 pass. XL 3.3L Lu cuir awd	A	A	3.3	23 400
4p 7 pass. XL 3.3L Ltd cuir AWD	A	A	3.3	24 600
2012 SANTA FE				**100 000 km**
4p 5 pass. GL 2.4L	2	M	2.4	14 100
4p 5 pass. GL 2.4L	2	A	2.4	15 500
4p 5 pass. GL 2.4L Premium	2	A	2.4	16 100
4p 5 pass. GL 3.5L	2	A	3.5	17 200
4p 5 pass. GL 3.5L Sport	2	A	3.5	18 500
4p 5 pass. GL 2.4L Prem AWD	A	A	2.4	17 700
4p 5 pass. GL 3.5L AWD	A	A	3.5	18 400
4p 5 pass. GL 3.5L Sport AWD	A	A	3.5	19 800
4p 5 pass. Limited (cuir)	A	A	3.5	21 400
4p 5 pass. Limited Navigation cuir	A	A	3.5	22 500
2016 SONATA				**20 000 km**
4p berline GL	2	A	2.4	21 800
4p berline GLS	2	A	2.4	24 200
4p berline Sport Tech (navi)	2	A	2.4	27 000
4p berline Limited (cuir navi)	2	A	2.4	30 400
4p berline 2.0T Ultimate	2	A	2.0	31 800
4p berline Hybrid	2	A	2.4	26 300
4p berline Hybrid Limited (cuir)	2	A	2.4	30 100
4p berline Hybrid Ultimate	2	A	2.4	33 500
2015 SONATA				**40 000 km**
4p berline GL	2	A	2.4	16 500
4p berline GLS	2	A	2.4	18 100
4p berline Sport	2	A	2.4	19 600
4p berline Sport Tech (navi)	2	A	2.4	21 000
4p berline Limited (cuir navi)	2	A	2.4	22 500
4p berline 2.0T Sport (cuir)	2	A	2.0	21 500

Description	R.m.	Bv.	L	Prix
4p ber 2.0T Ultimate (cuir navi)	2	A	2.0	23 200
4p berline Hybrid	2	A	2.4	18 800
4p berline Hybrid Limited	2	A	2.4	19 500
4p ber Hybrid Limited Tech (cuir)	2	A	2.4	21 300

2014 SONATA — 60 000 km

Description	R.m.	Bv.	L	Prix
4p berline GL	2	A	2.4	15 600
4p berline GLS	2	A	2.4	17 100
4p berline SE	2	A	2.4	18 700
4p berline Limited (cuir)	2	A	2.4	19 300
4p ber Limited (cuir) Navigation	2	A	2.4	20 900
4p berline 2.0T Limited (cuir)	2	A	2.0	21 100
4p ber 2.0T Ltd (cuir) Navigation	2	A	2.0	22 300
4p berline Hybrid	2	A	2.4	16 600
4p berline Hybrid Limited	2	A	2.4	16 900
4p ber Hybrid Limited Tech (cuir)	2	A	2.4	18 800

2013 SONATA — 80 000 km

Description	R.m.	Bv.	L	Prix
4p berline GL	2	A	2.4	13 100
4p berline GLS	2	A	2.4	14 100
4p berline SE	2	A	2.4	14 600
4p berline Limited (cuir)	2	A	2.4	15 800
4p ber Limited (cuir) Navigation	2	A	2.4	17 200
4p berline 2.0T Limited (cuir)	2	A	2.0	17 500
4p ber 2.0T Ltd (cuir) Navigation	2	A	2.0	18 300
4p berline Hybrid	2	A	2.4	14 500
4p berline Hybrid Limited	2	A	2.4	15 100
4p ber Hybrid Limited Tech (cuir)	2	A	2.4	16 000

2012 SONATA — 100 000 km

Description	R.m.	Bv.	L	Prix
4p berline GL	2	M	2.4	11 200
4p berline GL	2	A	2.4	12 000
4p berline GLS	2	A	2.4	13 500
4p berline Limited (cuir)	2	A	2.4	15 000
4p ber Limited (cuir) Navigation	2	A	2.4	16 200
4p berline 2.0T	2	A	2.0	14 700
4p berline 2.0T Limited (cuir)	2	A	2.0	16 600
4p ber 2.0T Ltd (cuir) Navigation	2	A	2.0	16 900
4p berline Hybrid	2	A	2.4	13 900
4p berline Hybrid Premium	2	A	2.4	14 700

2016 TUCSON — 20 000 km

Description	R.m.	Bv.	L	Prix
4p 2.0L base	2	M	2.0	21 400
4p 2.0L Premium	2	A	2.0	23 600
4p 2.0L Premium AWD	A	A	2.0	25 700
4p 2.0L Luxury AWD	A	A	2.0	29 500
4p 1.6T Premium AWD	A	A	1.6	27 800
4p 1.6T Limited AWD	A	A	1.6	32 700
4p 1.6T Ultimate AWD	A	A	1.6	35 400

2015 TUCSON — 40 000 km

Description	R.m.	Bv.	L	Prix
4p GL	2	M	2.0	15 500
4p GL	2	A	2.0	17 000
4p GLS	2	A	2.4	19 600
4p GL AWD	A	A	2.0	18 500
4p GLS AWD	A	A	2.4	20 400
4p Limited AWD (cuir)	A	A	2.4	23 000

2014 TUCSON — 60 000 km

Description	R.m.	Bv.	L	Prix
4p GL	2	M	2.0	14 500
4p GL	2	A	2.0	16 400
4p GLS	2	A	2.4	18 900
4p GL AWD	A	A	2.0	17 900
4p GLS AWD	A	A	2.4	19 000
4p Limited AWD (cuir)	A	A	2.4	20 400

2013 TUCSON — 80 000 km

Description	R.m.	Bv.	L	Prix
4p L	2	M	2.0	13 400
4p L	2	A	2.0	15 200
4p GL	2	A	2.4	16 600
4p GLS	2	A	2.4	17 800
4p GL AWD	A	A	2.4	17 500
4p GLS AWD	A	A	2.4	17 800
4p Limited AWD (cuir)	A	A	2.4	19 000
4p Limited Navigation AWD (cuir)	A	A	2.4	19 100

2012 TUCSON — 100 000 km

Description	R.m.	Bv.	L	Prix
4p L	2	M	2.0	12 100
4p L	2	A	2.0	14 100
4p GL	2	A	2.4	15 100
4p GLS	2	A	2.4	16 700
4p GL AWD	A	A	2.4	16 500
4p GLS AWD	A	A	2.4	16 800
4p Limited AWD (cuir)	A	A	2.4	17 000
4p Limited Navigation AWD (cuir)	A	A	2.4	17 500

2016 VELOSTER — 20 000 km

Description	R.m.	Bv.	L	Prix
3p hayon base	2	M	1.6	16 100
3p hayon base	2	A	1.6	17 400
3p hayon SE	2	M	1.6	17 600
3p hayon SE	2	A	1.6	18 900
3p hayon Tech (toit/navi)	2	M	1.6	21 300
3p hayon Tech (toit/navi)	2	A	1.6	22 600
3p hayon Turbo (cuir)	2	M	1.6	24 000
3p hayon Turbo (cuir)	2	A	1.6	25 400
3p hayon Turbo (cuir) Rallye Ed	2	M	1.6	24 000

2015 VELOSTER — 40 000 km

Description	R.m.	Bv.	L	Prix
3p hayon base	2	M	1.6	11 700
3p hayon base	2	A	1.6	12 900
3p hayon SE	2	M	1.6	13 000
3p hayon SE	2	A	1.6	13 700
3p hayon Tech (toit/navi)	2	M	1.6	15 600
3p hayon Tech (toit/navi)	2	A	1.6	16 600
3p hayon Turbo (cuir)	2	M	1.6	17 700
3p hayon Turbo (cuir)	2	A	1.6	18 700

2014 VELOSTER — 60 000 km

Description	R.m.	Bv.	L	Prix
3p hayon base	2	M	1.6	10 700
3p hayon base	2	A	1.6	11 500
3p hayon Tech (toit/navi)	2	M	1.6	13 100
3p hayon Tech (toit/navi)	2	A	1.6	13 700
3p hayon Turbo (cuir)	2	M	1.6	14 600
3p hayon Turbo (cuir)	2	A	1.6	15 500

2013 VELOSTER — 80 000 km

Description	R.m.	Bv.	L	Prix
3p hayon base	2	M	1.6	9 600
3p hayon base	2	A	1.6	10 200
3p hayon Tech (toit/navi)	2	M	1.6	11 400
3p hayon Tech (toit/navi)	2	A	1.6	12 200
3p hayon Turbo (cuir)	2	M	1.6	12 900
3p hayon Turbo (cuir)	2	A	1.6	13 700

2012 VELOSTER — 100 000 km

Description	R.m.	Bv.	L	Prix
3p hayon base	2	M	1.6	9 000
3p hayon base	2	A	1.6	9 800
3p hayon Tech (toit/navi)	2	M	1.6	9 900
3p hayon Tech (toit/navi)	2	A	1.6	10 900

2012 VERACRUZ — 100 000 km

Description	R.m.	Bv.	L	Prix
4p GL	2	A	3.8	11 700
4p GL Premium AWD	A	A	3.8	12 500
4p GLS	A	A	3.8	13 300

INFINITI

2016 QX50 — 20 000 km

Description	R.m.	Bv.	L	Prix
4p QX50	A	A	3.7	33 900

2015 QX50 — 40 000 km

Description	R.m.	Bv.	L	Prix
4p QX50	A	A	3.7	27 500

2014 QX50 — 60 000 km

Description	R.m.	Bv.	L	Prix
4p QX50 Journey	A	A	3.7	24 700
4p QX50 Premium (navi)	A	A	3.7	27 600

2013 EX — 80 000 km

Description	R.m.	Bv.	L	Prix
4p EX37	A	A	3.7	21 100
4p EX37 Premium (toit)	A	A	3.7	23 400

2012 EX — 100 000 km

Description	R.m.	Bv.	L	Prix
4p EX35	A	A	3.5	20 200
4p EX35 Premium (toit)	A	A	3.5	21 600

2016 QX70 — 20 000 km

Description	R.m.	Bv.	L	Prix
4p QX70	A	A	3.7	48 500
4p QX70 Sport	A	A	3.7	54 600

2015 QX70 — 40 000 km

Description	R.m.	Bv.	L	Prix
4p QX70	A	A	3.7	41 500
4p QX70 Sport	A	A	3.7	46 800

2014 QX70 — 60 000 km

Description	R.m.	Bv.	L	Prix
4p QX70 Premium	A	A	3.7	34 400
4p QX70 Deluxe Touring	A	A	3.7	40 600
4p QX70 V8	A	A	5.0	41 700
4p QX70 V8 Sport	A	A	5.0	42 800

2013 FX — 80 000 km

Description	R.m.	Bv.	L	Prix
4p FX37 Premium	A	A	3.7	31 900
4p FX37 Limited	A	A	3.7	34 200
4p FX50	A	A	5.0	35 100
4p FX50 Sport	A	A	5.0	36 000

2012 FX — 100 000 km

Description	R.m.	Bv.	L	Prix
4p FX35	A	A	3.5	29 300
4p FX35 Navigation Pkg	A	A	3.5	30 500
4p FX50	A	A	5.0	31 600
4p FX50 Sport Pkg	A	A	5.0	33 100

2016 Q50 / 60 — 20 000 km

Description	R.m.	Bv.	L	Prix
4p berline Q50 2.0T AWD	A	A	2.0	34 900
4p berline Q50 3.0T AWD	A	A	3.0	40 300
4p berline Q50 Red Sport AWD	A	A	3.0	48 100
4p berline Q50 Hybrid AWD	A	A	3.5	49 800

2015 Q50 / 60 — 40 000 km

Description	R.m.	Bv.	L	Prix
2p coupé Q60 Sport M6	2	M	3.7	36 200
2p coupé Q60 Sport Limited M6	2	M	3.7	38 300
2p coupé Q60 Sport AWD	A	A	3.7	37 200
2p coupé Q60 Sport Ltd AWD	A	A	3.7	40 300
4p berline Q50 base	2	A	3.7	28 900
4p berline Q50 Sport	2	A	3.7	38 000
4p berline Q50 AWD	A	A	3.7	30 900
4p berline Q50 Sport AWD	A	A	3.7	36 900
4p berline Q50 Hybrid AWD	A	A	3.5	38 400
2p déc. Q60 Sport	2	M	3.7	45 600
2p déc. Q60 Sport	2	A	3.7	45 600
2p déc. Q60 Premier Edition	2	A	3.7	48 300
2p déc. Q60 IPL	2	M	3.7	49 000
2p déc. Q60 IPL	2	A	3.7	49 800

2014 Q50 / 60 — 60 000 km

Description	R.m.	Bv.	L	Prix
2p coupé Q60 Premium	2	A	3.7	30 700
2p coupé Q60S Sport M6	2	M	3.7	32 300
2p coupé Q60 Premium AWD	A	A	3.7	32 300
2p coupé Q60 Sport AWD	A	A	3.7	33 700
4p berline Q50 base	2	A	3.7	24 400
4p berline Q50 Sport	2	A	3.7	31 600
4p berline Q50 Premium AWD	A	A	3.7	28 500
4p berline Q50 Sport AWD	A	A	3.7	31 200
4p berline Q50 Hybrid Premium	2	A	3.5	30 800
4p ber Q50 Hybrid Premium AWD	A	A	3.5	32 600
2p déc. Q60 Sport	2	M	3.7	38 500
2p déc. Q60 Sport	2	A	3.7	38 500
2p déc. Q60 Premier Edition	2	A	3.7	40 900
2p déc. Q60 IPL	2	M	3.7	44 700
2p déc. Q60 IPL	2	A	3.7	44 700

2013 G — 80 000 km

Description	R.m.	Bv.	L	Prix
2p coupé G37 base	2	A	3.7	27 200
2p coupé G37 Sport M6	2	M	3.7	28 500
2p coupé G37 IPL	2	M	3.7	33 300
2p coupé G37 IPL	2	A	3.7	33 300
2p coupé G37x AWD	A	A	3.7	28 500
2p coupé G37x Sport AWD	A	A	3.7	30 100
4p berline G37 Sport M6	2	M	3.7	25 500
4p berline G37x Luxury AWD	A	A	3.7	24 200
4p berline G37x Sport AWD	A	A	3.7	26 400
2p déc. G37 Sport M6	2	M	3.7	34 100
2p déc. G37 Sport	2	A	3.7	34 100
2p déc. G37 Premier Edition	2	A	3.7	36 200
2p déc. G37 IPL	2	A	3.7	39 400

2012 G — 100 000 km

Description	R.m.	Bv.	L	Prix
2p coupé G37 base	2	A	3.7	24 900
2p coupé G37 Sport M6	2	M	3.7	26 000
2p coupé G37 IPL	2	M	3.7	30 800
2p coupé G37 IPL	2	A	3.7	30 800
2p coupé G37x AWD	A	A	3.7	26 000
2p coupé G37x Sport AWD	A	A	3.7	27 600
4p berline G25 base	2	A	2.5	19 100
4p berline G25x AWD	A	A	2.5	21 200
4p berline G37 Sport M6	2	M	3.7	23 300
4p berline G37x AWD	A	A	3.7	22 900
4p berline G37x Sport AWD	A	A	3.7	24 600
2p déc. G37 Sport M6	2	M	3.7	31 200
2p déc. G37 Sport	2	A	3.7	31 200
2p déc. G37 Premier Edition	2	A	3.7	33 000

2016 QX60 — 20 000 km

Description	R.m.	Bv.	L	Prix
4p QX60 AWD	A	A	3.5	42 200
4p QX60 AWD Premium (Navi)	A	A	3.5	47 200
4p QX60 Hybrid AWD	A	A	2.5	50 500

2015 QX60 — 40 000 km

Description	R.m.	Bv.	L	Prix
4p QX60	2	A	3.5	33 500
4p QX60 AWD	A	A	3.5	37 600
4p QX60 AWD Premium (Navi)	A	A	3.5	39 500
4p QX60 Hybrid AWD	A	A	2.5	43 800

2014 QX60 — 60 000 km

Description	R.m.	Bv.	L	Prix
4p QX60	2	A	3.5	30 700
4p QX60 AWD	A	A	3.5	32 500
4p QX60 AWD Premium (Navi)	A	A	3.5	36 100
4p QX60 Hybrid Premium AWD	A	A	2.5	37 400

2013 JX — 80 000 km

Description	R.m.	Bv.	L	Prix
4p JX35	A	A	3.5	28 300
4p JX35 Premium (Navi)	A	A	3.5	30 500

2016 Q70 — 20 000 km

Description	R.m.	Bv.	L	Prix
4p berline Q70 3.7 AWD	A	A	3.7	51 700
4p berline Q70 3.7 Sport AWD	A	A	3.7	57 100
4p berline Q70L 3.7 AWD	A	A	3.7	58 100
4p berline Q70L 5.6 AWD	A	A	5.6	61 100

2015 Q70 — 40 000 km

Description	R.m.	Bv.	L	Prix
4p berline Q70 Hybrid	2	A	3.5	47 800
4p berline Q70 3.7 AWD	A	A	3.7	43 100
4p berline Q70 3.7 Sport AWD	A	A	3.7	46 700
4p berline Q70L 5.6 AWD	A	A	5.6	49 000

2014 Q70 — 60 000 km

Description	R.m.	Bv.	L	Prix
4p berline Q70 Hybrid	2	A	3.5	41 100
4p ber Q70 3.7 Premium AWD	A	A	3.7	36 100
4p berline Q70 3.7 Sport AWD	A	A	3.7	40 200
4p ber Q70 5.6 Premium AWD	A	A	5.6	43 300
4p berline Q70 5.6 Sport AWD	A	A	5.6	43 600

2013 M — 80 000 km

Description	R.m.	Bv.	L	Prix
4p berline M35h (Hybride)	2	A	3.5	34 300
4p berline M37	2	A	3.7	26 100
4p berline M37 Sport (Navigation)	2	A	3.7	33 500
4p berline M37x AWD	A	A	3.7	27 400
4p berline M56 Premium	2	A	5.6	33 600
4p berline M56 Sport (Navigation)	2	A	5.6	36 200
4p berline M56x AWD	A	A	5.6	34 000

2012 M — 100 000 km

Description	R.m.	Bv.	L	Prix
4p berline M37	2	A	3.7	26 300
4p berline M37 Sport (Navigation)	2	A	3.7	31 000
4p berline M37x AWD	A	A	3.7	27 600
4p berline M56	2	A	5.6	31 200
4p berline M Hybrid	2	A	3.5	31 500
4p berline M56 Sport (Navigation)	2	A	5.6	33 700
4p berline M56x AWD	A	A	5.6	32 200

2016 QX80 — 20 000 km

Description	R.m.	Bv.	L	Prix
4p 7 & 8 pass. base	A	A	5.6	67 700
4p 7 pass. Limited	A	A	5.6	84 400

2015 QX80 — 40 000 km

Description	R.m.	Bv.	L	Prix
4p 7 & 8 pass. base	A	A	5.6	60 000
4p 7 & 8 pass. Technologie Pkg.	A	A	5.6	64 800

2014 QX80 — 60 000 km

Description	R.m.	Bv.	L	Prix
4p 7 & 8 pass. base	A	A	5.6	49 000
4p 7 & 8 pass. Technologie Pkg.	A	A	5.6	53 100

2013 QX56 — 80 000 km

Description	R.m.	Bv.	L	Prix
4p 7 & 8 pass. base	A	A	5.6	44 300
4p 7 & 8 pass. Technologie Pkg.	A	A	5.6	46 200

2012 QX56 — 100 000 km

Description	R.m.	Bv.	L	Prix
4p 7 & 8 pass. base	A	A	5.6	40 700
4p 7 & 8 pass. Technologie Pkg.	A	A	5.6	43 300

JAGUAR

2016 F-TYPE — 15 000 km

Description	R.m.	Bv.	L	Prix
2p coupé F-TYPE	2	A	3.0	70 300
2p coupé F-TYPE S	2	A	3.0	80 400
2p coupé F-TYPE S AWD	A	A	3.0	87 800
2p coupé F-TYPE R V8 awd cuir	A	A	5.0	107 100
2p déc. F-TYPE	2	A	3.0	73 100
2p déc. F-TYPE S	2	A	3.0	83 200
2p déc. F-TYPE S AWD	A	A	3.0	90 500
2p déc. F-TYPE R V8 AWD cuir	A	A	5.0	109 900

2015 F-TYPE — 30 000 km

Description	R.m.	Bv.	L	Prix
2p coupé F-TYPE	2	A	3.0	60 100
2p coupé F-TYPE S	2	A	3.0	70 100
2p coupé F-TYPE R V8 (cuir)	2	A	5.0	87 400
2p déc. F-TYPE	2	A	3.0	63 400
2p déc. F-TYPE S	2	A	3.0	73 500
2p déc. F-TYPE S V8 (cuir)	2	A	5.0	80 100

2014 F-TYPE — 45 000 km

Description	R.m.	Bv.	L	Prix
2p déc. F-TYPE	2	A	3.0	55 600
2p déc. F-TYPE S	2	A	3.0	64 500
2p déc. F-TYPE S V8 (cuir)	2	A	5.0	70 500

2016 XF — 20 000 km

Description	R.m.	Bv.	L	Prix
4p berline XF Premium	A	A	3.0	55 500
4p berline XF Prestige	A	A	3.0	60 100
4p berline XF R-Sport	A	A	3.0	63 300
4p berline XF S	A	A	5.0	66 100

2015 XF — 40 000 km

Description	R.m.	Bv.	L	Prix
4p berline XF	2	A	2.0	35 900
4p berline XF Luxury	2	A	2.0	36 800
4p berline XF AWD	A	A	3.0	44 000
4p berline XF Luxury AWD	A	A	3.0	48 500
4p berline XF Sport AWD	A	A	3.0	49 500
4p berline XFR	2	A	5.0	61 400
4p berline XFR-S	2	A	5.0	69 700

2014 XF — 60 000 km

Description	R.m.	Bv.	L	Prix
4p berline XF	2	A	2.0	33 800
4p berline XF AWD	A	A	3.0	41 600
4p berline Portfolio	2	A	2.0	38 900
4p berline XFR	2	A	5.0	57 400
4p berline XFR-S	2	A	5.0	65 500

2013 XF — 80 000 km

Description	R.m.	Bv.	L	Prix
4p berline XF	2	A	2.0	30 300
4p berline XF AWD	A	A	3.0	34 000
4p berline Portfolio	2	A	2.0	36 200
4p berline XFR	2	A	5.0	47 300
4p berline XFR-S	2	A	5.0	51 200

2012 XF — 100 000 km

Description	R.m.	Bv.	L	Prix
4p berline XF	2	A	5.0	28 200
4p berline Portfolio	2	A	5.0	30 400
4p berline XFR	2	A	5.0	36 400

2016 XJ — 20 000 km

Description	R.m.	Bv.	L	Prix
4p berline XJ R-Sport AWD	A	A	3.0	81 300
4p berline XJ AWD Portfolio	A	A	3.0	84 300
4p berline XJL AWD Portfolio	A	A	3.0	87 800
4p berline XJR	2	A	5.0	109 400
4p berline XJR L	2	A	5.0	112 100

2015 XJ — 40 000 km

Description	R.m.	Bv.	L	Prix
4p berline XJ AWD	A	A	3.0	60 300
4p berline XJL AWD Portfolio	A	A	3.0	65 200
4p berline XJ Supercharged	2	A	5.0	69 600
4p berline XJL Supercharged	2	A	5.0	71 500

Description	R.m.	Bv.	L	Prix
4p berline XJR	2	A	5.0	78 000
4p berline XJR L	2	A	5.0	79 800
2014 XJ				**60 000 km**
4p berline XJ AWD	A	A	3.0	52 000
4p berline XJL AWD Portfolio	A	A	3.0	56 200
4p berline XJ Supercharged	2	A	5.0	60 100
4p berline XJL Supercharged	2	A	5.0	61 800
4p berline XJR	2	A	5.0	67 300
4p berline XJR L	2	A	5.0	69 000
2013 XJ				**80 000 km**
4p berline XJ AWD	A	A	3.0	39 500
4p berline XJL AWD Portfolio	A	A	3.0	43 400
4p berline XJ Supercharged	2	A	5.0	46 700
4p berline XJL Supercharged	2	A	5.0	47 800
4p berline XJ Supersport	2	A	5.0	53 400
4p berline XJL Supersport	2	A	5.0	56 000
2012 XJ				**100 000 km**
4p berline XJ	2	A	5.0	31 500
4p berline XJL Portfolio	2	A	5.0	37 100
4p berline XJ Supercharged	2	A	5.0	41 200
4p berline XJL Supercharged	2	A	5.0	42 500
4p berline XJ Supersport	2	A	5.0	45 500
4p berline XJL Supersport	2	A	5.0	47 900
2015 XK				**30 000 km**
2p coupé XKR	2	A	5.0	78 500
2p coupé XKR-S	2	A	5.0	96 100
2p déc. XKR	2	A	5.0	83 600
2p déc. XKR-S	2	A	5.0	101 200
2014 XK				**45 000 km**
2p coupé XK	2	A	5.0	68 600
2p coupé XKR	2	A	5.0	76 100
2p coupé XKR-S	2	A	5.0	93 400
2p déc. XK	2	A	5.0	73 600
2p déc. XKR	2	A	5.0	81 000
2p déc. XKR-S	2	A	5.0	98 100
2013 XK				**60 000 km**
2p coupé XK	2	A	5.0	58 300
2p coupé XKR	2	A	5.0	64 400
2p coupé XKR-S	2	A	5.0	79 200
2p déc. XK	2	A	5.0	62 400
2p déc. XKR	2	A	5.0	68 500
2p déc. XKR-S	2	A	5.0	83 100
2012 XK				**75 000 km**
2p coupé XK	2	A	5.0	50 600
2p coupé XKR	2	A	5.0	60 800
2p coupé XKR-S	2	A	5.0	68 900
2p déc. XK	2	A	5.0	58 800
2p déc. XKR	2	A	5.0	63 500
2p déc. XKR-S	2	A	5.0	69 100
JEEP				
2016 CHEROKEE				**20 000 km**
4p Sport	2	A	2.4	22 000
4p Sport V6	2	A	3.2	23 500
4p North	2	A	2.4	25 400
4p North V6	2	A	3.2	26 900
4p Limited (cuir)	2	A	2.4	28 600
4p Limited V6 (cuir)	2	A	3.2	30 100
4p Sport 4x4	4	A	2.4	24 000
4p Sport V6 4x4	4	A	3.2	25 500
4p North 4x4	4	A	2.4	27 400
4p North V6 4x4	4	A	3.2	28 900
4p Trailhawk 4x4	4	A	2.4	29 500
4p Trailhawk V6 4x4	4	A	3.2	31 000
4p Limited 4x4 (cuir)	4	A	2.4	30 600
4p Limited V6 4x4 (cuir)	4	A	3.2	32 100
2015 CHEROKEE				**40 000 km**
4p Sport	2	A	2.4	17 400
4p Sport V6	2	A	3.2	18 600
4p North	2	A	2.4	20 100
4p North V6	2	A	3.2	21 200
4p Limited (cuir)	2	A	2.4	22 700
4p Limited V6 (cuir)	2	A	3.2	24 000
4p Sport 4x4	4	A	2.4	19 100
4p Sport V6 4x4	4	A	3.2	20 400
4p North 4x4	4	A	2.4	21 700
4p North V6 4x4	4	A	3.2	22 700
4p Trailhawk 4x4	4	A	2.4	23 400
4p Trailhawk V6 4x4	4	A	3.2	24 700
4p Limited 4x4 (cuir)	4	A	2.4	24 600
4p Limited V6 4x4 (cuir)	4	A	3.2	25 700
2014 CHEROKEE				**60 000 km**
4p Sport	2	A	2.4	14 300
4p Sport V6	2	A	3.2	15 200
4p North	2	A	2.4	16 300
4p North V6	2	A	3.2	17 100
4p Limited (cuir)	2	A	2.4	18 600
4p Limited V6 (cuir)	2	A	3.2	19 300
4p Sport 4x4	4	A	2.4	15 900
4p Sport V6 4x4	4	A	3.2	16 500
4p North 4x4	4	A	2.4	18 600
4p North V6 4x4	4	A	3.2	19 300
4p Trailhawk 4x4	4	A	2.4	19 000
4p Trailhawk V6 4x4	4	A	3.2	19 800
4p Limited 4x4 (cuir)	4	A	2.4	20 000
4p Limited V6 4x4 (cuir)	4	A	3.2	21 000
2016 COMPASS				**20 000 km**
4p Sport	2	M	2.0	16 900
4p Sport	2	A	2.4	18 500
4p North 2.0L (gr. électrique)	2	A	2.4	24 700
4p High Altitude (cuir)	2	A	2.0	25 400
4p Sport AWD	A	M	2.4	21 200
4p North AWD (gr.électrique)	A	A	2.4	26 900
4p High Altitude (cuir)	A	A	2.4	27 800
2015 COMPASS				**40 000 km**
4p Sport	2	M	2.4	12 700
4p North (groupe électrique)	2	M	2.4	16 100
4p High Altitude (cuir)	2	A	2.4	17 100
4p Sport AWD	A	M	2.4	15 000
4p North AWD (gr.électrique)	A	M	2.4	17 400
4p High Altitude AWD (cuir)	A	A	2.4	19 900
2014 COMPASS				**60 000 km**
4p Sport	2	M	2.4	10 500
4p North (groupe électrique)	2	M	2.4	12 900
4p Limited (cuir)	2	A	2.4	13 500
4p Sport AWD	A	M	2.4	11 800
4p North AWD (gr.électrique)	A	M	2.4	13 700
4p Limited AWD (cuir)	A	A	2.4	15 000
2013 COMPASS				**80 000 km**
4p Sport	2	M	2.4	9 000
4p North (groupe électrique)	2	M	2.4	10 800
4p Limited (cuir)	2	M	2.4	12 200
4p Sport AWD	A	M	2.4	10 400
4p North AWD (gr.électrique)	A	M	2.4	12 100
4p Limited AWD (cuir)	A	M	2.4	12 500
2012 COMPASS				**100 000 km**
4p Sport	2	M	2.4	8 200
4p North (groupe électrique)	2	M	2.4	9 400
4p Limited (cuir)	2	M	2.4	10 700
4p Sport AWD	A	M	2.4	9 000
4p North AWD (gr.électrique)	A	M	2.4	10 600
4p Limited AWD (cuir)	A	M	2.4	11 000
2016 GRAND CHEROKEE				**20 000 km**
4p Laredo V6	4	A	3.6	36 700
4p Limited V6	4	A	3.6	44 100
4p Limited	4	A	5.7	46 200
4p Overland V6	4	A	3.6	51 900
4p Overland	4	A	5.7	53 900
4p Overland Diesel	4	A	3.0	58 300
4p Summit V6	4	A	3.6	56 400
4p Summit	4	A	5.7	58 300
4p Summit Diesel	4	A	3.0	62 800
4p SRT	4	A	6.4	61 900
2015 GRAND CHEROKEE				**40 000 km**
4p Laredo V6	4	A	3.6	30 300
4p Limited V6	4	A	3.6	36 600
4p Limited	4	A	5.7	38 400
4p Overland V6	4	A	3.6	45 200
4p Overland	4	A	5.7	45 900
4p Overland Diesel	4	A	3.0	50 000
4p Summit V6	4	A	3.6	49 100
4p Summit	4	A	5.7	50 000
4p Summit Diesel	4	A	3.0	53 100
4p SRT	4	A	6.4	49 800
2014 GRAND CHEROKEE				**60 000 km**
4p Laredo V6	4	A	3.6	26 800
4p Limited V6	4	A	3.6	32 000
4p Limited	4	A	5.7	33 500
4p Overland V6	4	A	3.6	37 600
4p Overland	4	A	5.7	38 900
4p Overland Diesel	4	A	3.0	42 500
4p Summit V6	4	A	3.6	41 000
4p Summit	4	A	5.7	42 500
4p Summit Diesel	4	A	3.0	46 000
4p SRT	4	A	6.4	43 000
2013 GRAND CHEROKEE				**80 000 km**
4p Laredo E V6	4	A	3.6	25 400
4p Laredo X V6 (cuir)	4	A	3.6	29 200
4p Laredo X (cuir)	4	A	5.7	30 700
4p Limited V6 (cuir)	4	A	3.6	31 500
4p Limited (cuir)	4	A	5.7	33 000
4p Overland V6 (cuir)	4	A	3.6	32 900
4p Overland (cuir)	4	A	5.7	34 500
4p SRT8	4	A	6.4	36 100
2012 GRAND CHEROKEE				**100 000 km**
4p Laredo E V6	4	A	3.6	22 200
4p Laredo X V6 (cuir)	4	A	3.6	24 000
4p Laredo X (cuir)	4	A	5.7	25 100
4p Limited V6 (cuir)	4	A	3.6	28 000
4p Limited (cuir)	4	A	5.7	29 000
4p Overland V6 (cuir)	4	A	3.6	30 800
4p Overland (cuir)	4	A	5.7	32 200
4p SRT8	4	A	6.4	35 900
2012 LIBERTY				**100 000 km**
4p Sport	4	A	3.7	11 300
4p North	4	A	3.7	11 700
4p Limited Jet (cuir / roues20")	4	A	3.7	12 300
4p Limited (cuir)	4	A	3.7	12 500
2016 PATRIOT				**20 000 km**
4p Sport	2	M	2.4	16 200
4p North (groupe électrique)	2	A	2.4	22 300
4p High Altitude (cuir)	2	A	2.0	22 900
4p Sport AWD	A	M	2.4	20 200
4p North AWD (groupe élec)	A	A	2.4	24 400
4p High Altitude AWD (cuir)	A	A	2.4	25 200
2015 PATRIOT				**40 000 km**
4p Sport	2	M	2.4	11 900
4p North (groupe électrique)	2	M	2.4	14 900
4p Sport AWD	A	M	2.4	14 200
4p North AWD (groupe élec)	A	M	2.4	16 200
4p Limited AWD (cuir)	A	A	2.4	18 500
2014 PATRIOT				**60 000 km**
4p Sport	2	M	2.4	10 400
4p North (groupe électrique)	2	M	2.4	12 800
4p Limited (cuir)	2	A	2.4	14 700
4p Sport AWD	A	M	2.4	11 700
4p North AWD (groupe élec)	A	M	2.4	14 400
4p Limited AWD (cuir)	A	A	2.4	15 400
2013 PATRIOT				**80 000 km**
4p Sport	2	M	2.4	8 500
4p North (groupe électrique)	2	M	2.4	10 400
4p Limited (cuir)	2	M	2.4	11 900
4p Sport AWD	A	M	2.4	10 000
4p North AWD (groupe élec)	A	M	2.4	11 400
4p Limited AWD (cuir)	A	M	2.4	12 300
2012 PATRIOT				**100 000 km**
4p Sport	2	M	2.4	7 700
4p North (groupe électrique)	2	M	2.4	9 200
4p Limited (cuir)	2	M	2.4	10 400
4p Sport AWD	A	M	2.4	8 600
4p North AWD (groupe élec)	A	M	2.4	10 400
4p Limited AWD (cuir)	A	M	2.4	10 800
2016 RENEGADE				**20 000 km**
4p Sport	2	M	1.4	17 900
4p Sport	2	A	2.4	19 200
4p North	2	M	1.4	23 400
4p North	2	A	2.4	24 700
4p Sport AWD	4	M	1.4	23 400
4p Sport AWD	4	A	2.4	24 700
4p North AWD	4	M	1.4	24 800
4p North AWD	4	A	2.4	26 100
4p Trailhawk AWD	4	A	2.4	28 000
4p Limited (cuir) AWD	4	A	2.4	28 900
2015 RENEGADE				**40 000 km**
4p Sport	2	M	1.4	14 200
4p Sport	2	A	2.4	15 300
4p North	2	M	1.4	18 600
4p North	2	A	2.4	19 900
4p Sport AWD	4	M	1.4	18 600
4p Sport AWD	4	A	2.4	19 900
4p North AWD	4	M	1.4	19 900
4p North AWD	4	A	2.4	20 900
4p Trailhawk AWD	4	A	2.4	22 400
4p Limited (cuir) AWD	4	A	2.4	23 300
2016 WRANGLER				**20 000 km**
2p Sport	4	M	3.6	21 200
2p Sport S	4	M	3.6	25 900
2p Sahara	4	M	3.6	30 000
2p Rubicon	4	M	3.6	32 500
4p Unlimited Sport S	4	M	3.6	28 500
4p Unlimited Sahara	4	M	3.6	31 900
4p Unlimited Rubicon	4	M	3.6	34 700
2015 WRANGLER				**40 000 km**
2p Sport	4	M	3.6	16 000
2p Sport S	4	M	3.6	19 900
2p Sahara	4	M	3.6	23 400
2p Rubicon	4	M	3.6	25 400
4p Unlimited Sport S	4	M	3.6	22 000
4p Unlimited Sahara	4	M	3.6	25 100
4p Unlimited Rubicon	4	M	3.6	27 200
2014 WRANGLER				**60 000 km**
2p Sport	4	M	3.6	15 500
2p Sahara	4	M	3.6	21 300
2p Rubicon	4	M	3.6	23 600
4p Unlimited Sport	4	M	3.6	20 200
4p Unlimited Sahara	4	M	3.6	23 100
4p Unlimited Rubicon	4	M	3.6	25 100
2013 WRANGLER				**80 000 km**
2p Sport	4	M	3.6	14 500
2p Sahara	4	M	3.6	19 400
2p Rubicon	4	M	3.6	21 600
4p Unlimited Sport	4	M	3.6	18 100
4p Unlimited Sahara	4	M	3.6	20 900
4p Unlimited Rubicon	4	M	3.6	22 800
2012 WRANGLER				**100 000 km**
2p Sport	4	M	3.6	12 800
2p Sahara	4	M	3.6	16 800
2p Rubicon	4	M	3.6	18 300
4p Unlimited Sport	4	M	3.6	15 700
4p Unlimited Sahara	4	M	3.6	18 300
4p Unlimited Rubicon	4	M	3.6	19 200
KIA				
2016 CADENZA				**20 000 km**
4p base	2	A	3.3	34 000
4p Premium (toit)	2	A	3.3	37 600
4p Tech (toit/navi)	2	A	3.3	40 900
2015 CADENZA				**40 000 km**
4p base	2	A	3.3	26 700
4p Premium (toit/navi)	2	A	3.3	27 600
2014 CADENZA				**60 000 km**
4p base	2	A	3.3	20 400
4p Premium (toit/navi)	2	A	3.3	22 300
2016 FORTE				**20 000 km**
2p coupe Koup 2.0L EX	2	M	2.0	18 600
2p coupe Koup 1.6L SX (cuir)	2	M	1.6	20 600
2p coupe Koup 1.6L SX Lux navi	2	A	1.6	25 500
4p berline 1.8L LX	2	M	1.8	13 700
4p berline 1.8L LX+ (climatiseur)	2	A	1.8	17 500
4p berline 2.0L EX	2	M	2.0	18 300
4p berline 2.0L SX (cuir - navi)	2	A	2.0	23 600
4p hayon Forte5 2.0L LX+	2	M	2.0	16 900
4p hayon Forte5 2.0L EX	2	A	2.0	19 700
4p hayon Forte5 1.6L SX (cuir)	2	M	1.6	21 300
4p hayon Forte5 1.6L SX Luxury	2	A	1.6	25 500
2015 FORTE				**40 000 km**
2p coupe Koup 2.0L EX	2	M	2.0	14 000
2p coupe Koup 1.6L SX (cuir)	2	M	1.6	15 800
2p coupe Koup 1.6L SX Lux navi	2	A	1.6	19 100
4p berline 1.8L LX	2	M	1.8	10 200
4p berline 1.8L LX+ (climatiseur)	2	A	1.8	13 100
4p berline 2.0L EX	2	M	2.0	13 700
4p berline 2.0L SX (cuir - navi)	2	A	2.0	17 800
4p hayon Forte5 2.0L LX+	2	M	2.0	12 500
4p hayon Forte5 2.0L EX	2	A	2.0	14 800
4p hayon Forte5 1.6L SX (cuir)	2	M	1.6	15 800
4p hayon Forte5 1.6L SX Luxury	2	A	1.6	19 100
2014 FORTE				**60 000 km**
2p coupe Koup 2.0L EX	2	M	2.0	11 100
2p coupe Koup 1.6L SX (cuir)	2	M	1.6	12 600
2p coupe Koup 1.6L SX Lux navi	2	A	1.6	15 200
4p berline 1.8L LX	2	M	1.8	8 000
4p berline 1.8L LX+ (climatiseur)	2	A	1.8	10 300
4p berline 2.0L EX	2	M	2.0	10 800
4p berline 2.0L SX (cuir - navi)	2	A	2.0	13 800
4p hayon Forte5 2.0L LX+	2	M	2.0	10 100
4p hayon Forte5 1.6L SX (cuir)	2	M	1.6	12 600
4p hayon Forte5 1.6L SX Luxury	2	A	1.6	15 300
2013 FORTE				**80 000 km**
2p coupe Koup 2.0L EX	2	M	2.0	10 000
2p coupe Koup 2.4L SX (cuir)	2	M	2.4	12 000
2p coupe Koup 2.4L SX Lux navi	2	M	2.4	13 500
4p berline 2.0L LX	2	M	2.0	8 400
4p berline 2.0L LX (climatiseur)	2	A	2.0	9 800
4p berline 2.0L EX	2	M	2.0	9 800
4p berline 2.4L SX	2	M	2.4	11 600
4p berline 2.4L SX Luxury (navi)	2	A	2.4	14 000
4p hayon Forte5 2.0L LX	2	M	2.0	8 900
4p hayon Forte5 2.0L LX (a/c)	2	A	2.0	10 200
4p hayon Forte5 2.0L EX	2	M	2.0	10 100
4p hayon Forte5 2.4L SX (cuir)	2	M	2.4	12 100
4p hayon Forte5 2.4L SX Luxury	2	A	2.4	14 200
2012 FORTE				**100 000 km**
2p coupe Koup 2.0L EX	2	M	2.0	9 900
2p coupe Koup 2.4L SX (cuir)	2	M	2.4	11 600
2p coupe Koup 2.4L SX Lux navi	2	M	2.4	12 900
4p berline 2.0L LX	2	M	2.0	8 200
4p berline 2.0L LX (climatiseur)	2	A	2.0	9 700
4p berline 2.0L EX	2	M	2.0	9 600
4p berline 2.4L SX	2	M	2.4	11 400
4p berline 2.4L SX Luxury (navi)	2	A	2.4	13 500

Description	R.m.	Bv.	L	Prix
4p hayon Forte5 2.0L LX	2	M	2.0	8 500
4p hayon Forte5 2.0L LX (a/c)	2	A	2.0	10 100
4p hayon Forte5 2.0L EX	2	M	2.0	10 000
4p hayon Forte5 2.4L SX (cuir)	2	M	2.4	11 600
4p hayon Forte5 2.4L SX Luxury	2	A	2.4	14 100

2016 K900 — 20 000 km

Description	R.m.	Bv.	L	Prix
4p berline base	2	A	3.8	45 000
4p berline Premium	2	A	3.8	55 400
4p berline Elite V8	2	A	5.0	63 600

2015 K900 — 40 000 km

Description	R.m.	Bv.	L	Prix
4p berline base	2	A	3.8	35 200
4p berline Premium	2	A	3.8	41 800
4p berline Elite V8	2	A	5.0	49 600

2016 OPTIMA — 20 000 km

Description	R.m.	Bv.	L	Prix
4p berline LX	2	A	2.4	20 100
4p berline LX+	2	A	2.4	22 100
4p berline LX Turbo ECO	2	A	2.0	23 600
4p berline EX (toit - cuir)	2	A	2.4	25 500
4p berline EX Tech (cuir - navi)	2	A	2.4	27 600
4p berline SX Turbo	2	A	2.0	30 500
4p berline SXL Turbo	2	A	2.0	32 800
4p berline Hybride LX	2	A	2.4	26 100
4p berline Hybride EX (toit)	2	A	2.4	29 300
4p ber Hybride EX Luxury (Navi)	2	A	2.4	32 000

2015 OPTIMA — 40 000 km

Description	R.m.	Bv.	L	Prix
4p berline LX	2	A	2.4	15 900
4p berline LX (toit)	2	A	2.4	16 900
4p berline EX (cuir)	2	A	2.4	17 800
4p berline EX (toit - cuir)	2	A	2.4	18 800
4p berline EX Luxury (navi)	2	A	2.4	20 700
4p berline SX (cuir)	2	A	2.4	21 600
4p berline SX Turbo	2	A	2.0	22 900
4p berline Hybride LX	2	A	2.4	17 900
4p berline Hybride EX (toit)	2	A	2.4	20 200
4p ber Hybride EX Luxury (Navi)	2	A	2.4	22 100

2014 OPTIMA — 60 000 km

Description	R.m.	Bv.	L	Prix
4p berline LX	2	A	2.4	13 000
4p berline LX (toit)	2	A	2.4	13 800
4p berline EX (cuir)	2	A	2.4	14 700
4p berline EX (toit - cuir)	2	A	2.4	15 500
4p berline EX Luxury (navi)	2	A	2.4	17 800
4p berline SX (cuir)	2	A	2.4	17 900
4p berline SX Turbo	2	A	2.0	19 000
4p berline Hybride LX	2	A	2.4	14 800
4p berline Hybride EX (toit)	2	A	2.4	16 600
4p ber Hybride EX Luxury (Navi)	2	A	2.4	17 900

2013 OPTIMA — 80 000 km

Description	R.m.	Bv.	L	Prix
4p berline LX	2	M	2.4	9 600
4p berline LX	2	A	2.4	10 600
4p berline LX+ (toit)	2	A	2.4	11 300
4p berline EX (cuir)	2	A	2.4	11 800
4p berline EX Turbo (cuir)	2	A	2.0	12 900
4p berline EX+ (cuir / toit)	2	A	2.4	12 500
4p berline EX Luxury (+18" roues)	2	A	2.4	13 700
4p berline EX Luxury Navigation	2	A	2.4	14 600
4p berline EX+ Turbo (cuir / toit)	2	A	2.0	13 600
4p berline SX Turbo	2	A	2.0	15 300
4p berline Hybride	2	A	2.4	12 100
4p berline Hybride Premium (cuir / toit)	2	A	2.4	14 900

2012 OPTIMA — 100 000 km

Description	R.m.	Bv.	L	Prix
4p berline LX	2	M	2.4	9 100
4p berline LX	2	A	2.4	9 800
4p berline LX+ (toit)	2	A	2.4	10 300
4p berline EX (cuir)	2	A	2.4	10 800
4p berline EX Turbo (cuir)	2	A	2.0	11 600
4p berline EX+ (cuir / toit)	2	A	2.4	11 600
4p ber EX Luxury (+18" roues)	2	A	2.4	11 800
4p berline EX Luxury Navigation	2	A	2.4	12 500
4p berline EX+ Turbo (cuir / toit)	2	A	2.0	13 000
4p berline SX Turbo	2	A	2.0	13 100
4p berline Hybride	2	A	2.4	10 700
4p ber Hybride Premium (cuir/toit)	2	A	2.4	12 400

2016 RIO — 20 000 km

Description	R.m.	Bv.	L	Prix
4p berline LX	2	M	1.6	11 700
4p berline LX + (a/c)	2	M	1.6	13 000
4p berline LX + ECO (a/c)	2	A	1.6	14 900
4p berline EX	2	M	1.6	15 200
4p berline EX (toit ouvrant)	2	A	1.6	16 100
4p berline SX (cuir)	2	A	1.6	17 000
4p hayon 5 portes LX	2	M	1.6	12 000
4p hayon 5 portes LX+ (a/c)	2	M	1.6	13 400
4p hayon 5 portes LX + ECO a/c	2	A	1.6	15 200
4p hayon 5 portes EX	2	M	1.6	15 600
4p hayon 5 portes SX (cuir)	2	M	1.6	16 200

2015 RIO — 40 000 km

Description	R.m.	Bv.	L	Prix
4p berline LX	2	M	1.6	8 900
4p berline LX + (a/c)	2	M	1.6	10 000
4p berline LX + ECO (a/c)	2	A	1.6	11 200
4p berline EX	2	M	1.6	11 600
4p berline EX (toit ouvrant)	2	A	1.6	12 300
4p berline SX (cuir)	2	A	1.6	13 100
4p hayon 5 portes LX	2	M	1.6	9 000
4p hayon 5 portes LX+ (a/c)	2	M	1.6	10 300
4p hayon 5 portes LX + ECO a/c	2	A	1.6	11 600
4p hayon 5 portes EX	2	M	1.6	11 900
4p hayon 5 portes SX (cuir)	2	M	1.6	12 400

2014 RIO — 60 000 km

Description	R.m.	Bv.	L	Prix
4p berline LX	2	M	1.6	7 500
4p berline LX + (a/c)	2	M	1.6	8 500
4p berline LX + ECO (a/c)	2	A	1.6	9 800
4p berline EX	2	M	1.6	10 100
4p berline EX (toit ouvrant)	2	A	1.6	10 700
4p berline SX (cuir)	2	A	1.6	11 200
4p hayon 5 portes LX	2	M	1.6	7 700
4p hayon 5 portes LX+ (a/c)	2	M	1.6	8 600
4p hayon 5 portes LX + ECO a/c	2	A	1.6	10 000
4p hayon 5 portes EX	2	M	1.6	10 200
4p hayon 5 portes SX (cuir)	2	M	1.6	10 700

2013 RIO — 80 000 km

Description	R.m.	Bv.	L	Prix
4p berline LX	2	M	1.6	6 800
4p berline LX + (a/c)	2	M	1.6	7 700
4p berline EX	2	M	1.6	8 900
4p berline SX (cuir)	2	A	1.6	10 800
4p hayon 5 portes LX	2	M	1.6	6 900
4p hayon 5 portes LX+ (a/c)	2	M	1.6	8 000
4p hayon 5 portes EX	2	M	1.6	9 100
4p hayon 5 portes SX (cuir)	2	M	1.6	10 200

2012 RIO — 100 000 km

Description	R.m.	Bv.	L	Prix
4p berline LX	2	M	1.6	6 300
4p berline LX + (a/c)	2	M	1.6	7 300
4p berline EX	2	M	1.6	8 000
4p berline SX (cuir)	2	A	1.6	9 600
4p hayon 5 portes LX	2	M	1.6	6 600
4p hayon 5 portes LX+ (a/c)	2	M	1.6	7 600
4p hayon 5 portes EX	2	M	1.6	8 300
4p hayon 5 portes SX (cuir)	2	A	1.6	10 000

2016 RONDO — 20 000 km

Description	R.m.	Bv.	L	Prix
4p 5 pass. LX	2	M	2.0	18 200
4p 5 pass. LX Value	2	A	2.0	20 000
4p 5 pass. LX	2	A	2.0	20 600
4p 7 pass. LX	2	A	2.0	21 800
4p 5 pass. EX (cuir)	2	A	2.0	23 200
4p 7 pass. EX (cuir)	2	A	2.0	24 400
4p 7 pass. EX Luxury (cuir)	2	A	2.0	25 300
4p 7 pass. EX Luxury (toit-navi)	2	A	2.0	27 800

2015 RONDO — 40 000 km

Description	R.m.	Bv.	L	Prix
4p 5 pass. LX	2	M	2.0	14 800
4p 5 pass. LX Value	2	A	2.0	16 200
4p 7 pass. LX Value	2	A	2.0	17 100
4p 5 pass. LX	2	A	2.0	16 700
4p 7 pass. LX	2	A	2.0	17 600
4p 5 pass. EX Value	2	A	2.0	18 200
4p 7 pass. EX Value	2	A	2.0	19 100
4p 5 pass. EX (cuir)	2	A	2.0	19 000
4p 7 pass. EX (cuir)	2	A	2.0	19 100
4p 7 pass. EX Luxury (cuir)	2	A	2.0	19 800
4p 7 pass. EX Luxury (toit-navi)	2	A	2.0	21 600

2014 RONDO — 60 000 km

Description	R.m.	Bv.	L	Prix
4p 5 pass. LX	2	M	2.0	11 700
4p 5 pass. LX	2	A	2.0	13 100
4p 7 pass. LX	2	A	2.0	13 700
4p 5 pass. EX	2	A	2.0	14 900
4p 7 pass. EX	2	A	2.0	15 500
4p 7 pass. EX Luxury (cuir)	2	A	2.0	16 200
4p 7 pass. EX Luxury (cuir/navi)	2	A	2.0	16 900

2012 RONDO — 100 000 km

Description	R.m.	Bv.	L	Prix
4p 5 pass. LX	2	A	2.4	10 500
4p 5 pass. LX (a/c)	2	A	2.4	11 000
4p 5 pass. EX	2	A	2.4	11 800
4p 7 pass. EX	2	A	2.4	12 500
4p 7 pass. EX Premium (cuir)	2	A	2.4	13 400
4p 5 pass. EX V6	2	A	2.7	12 600
4p 7 pass. EX V6	2	A	2.7	13 200
4p 7 pass. EX V6 Luxury (cuir)	2	A	2.7	14 000
4p 7 pass. EX V6 Lux NAVI cuir	2	A	2.7	14 500

2016 SEDONA — 20 000 km

Description	R.m.	Bv.	L	Prix
4p L	2	A	3.3	24 500
4p LX	2	A	3.3	26 800
4p LX+	2	A	3.3	29 000
4p SX	2	A	3.3	31 900
4p SX+ (cuir)	2	A	3.3	32 300
4p SXL (cuir - toit)	2	A	3.3	36 900
4p SXL+ (cuir - navi)	2	A	3.3	41 500

2015 SEDONA — 40 000 km

Description	R.m.	Bv.	L	Prix
4p L	2	A	3.3	20 000
4p LX	2	A	3.3	22 000
4p LX+	2	A	3.3	23 800
4p SX	2	A	3.3	26 100
4p SX+ (cuir)	2	A	3.3	26 500
4p SXL (cuir - toit)	2	A	3.3	27 000
4p SXL+ (cuir - navi)	2	A	3.3	28 100

2014 SEDONA — 60 000 km

Description	R.m.	Bv.	L	Prix
4p LX base	2	A	3.5	17 100
4p LX Commodité	2	A	3.5	18 300
4p EX	2	A	3.5	21 500
4p EX Gr. Luxe (cuir)	2	A	3.5	23 500

2012 SEDONA — 100 000 km

Description	R.m.	Bv.	L	Prix
4p LX base	2	A	3.5	12 700
4p LX Commodité	2	A	3.5	13 700
4p EX	2	A	3.5	15 800
4p EX Gr. Électrique	2	A	3.5	15 900
4p EX Gr. Luxe (cuir)	2	A	3.5	16 400
4 EX Gr. Luxe NAVI (cuir)	2	A	3.5	16 800

2016 SORENTO — 20 000 km

Description	R.m.	Bv.	L	Prix
4p 5 pass. LX (2RM)	2	A	2.4	24 300
4p 5 pass. LX+ (2RM)	2	A	2.0	27 200
4p 5 pass. LX	4	A	2.4	26 100
4p 5 pass. LX+	4	A	2.0	29 100
4p 7 pass. LX+ V6	4	A	3.3	30 200
4p 5 pass. EX (cuir)	4	A	2.0	31 700
4p 7 pass. EX V6 (cuir)	4	A	3.3	32 800
4p 7 pass. EX+ V6 (cuir+toit)	4	A	3.3	33 900
4p 5 pass. SX (cuir)	4	A	2.0	37 700
4p 7 pass. SX V6 (cuir)	4	A	3.3	38 700
4p 7 pass. SX+ V6 (cuir - Navi)	4	A	3.3	42 000

2015 SORENTO — 40 000 km

Description	R.m.	Bv.	L	Prix
4p LX	2	A	2.4	19 200
4p LX V6	2	A	3.3	21 300
4p LX	4	A	2.4	20 800
4p LX Premium (cuir)	4	A	2.4	22 900
4p LX V6	4	A	3.3	22 800
4p LX V6 7 passagers	4	A	3.3	23 800
4p EX V6 (cuir)	4	A	3.3	24 900
4p EX V6 (cuir+toit)	4	A	3.3	25 700
4p SX V6 (cuir)	4	A	3.3	29 700
4p SX V6 7 passagers (cuir)	4	A	3.3	30 600

2014 SORENTO — 60 000 km

Description	R.m.	Bv.	L	Prix
4p LX	2	A	2.4	16 700
4p LX V6	2	A	3.3	18 600
4p LX	4	A	2.4	18 100
4p LX Premium (cuir)	4	A	2.4	20 100
4p LX V6	4	A	3.3	20 000
4p LX V6 7 passagers	4	A	3.3	20 800
4p EX V6 (cuir)	4	A	3.3	21 600
4p EX V6 (cuir+toit)	4	A	3.3	22 600
4p SX V6 (cuir)	4	A	3.3	25 900
4p SX V6 7 passagers (cuir)	4	A	3.3	26 700

2013 SORENTO — 80 000 km

Description	R.m.	Bv.	L	Prix
4p LX	2	A	2.4	15 500
4p LX V6	2	A	3.5	17 000
4p LX	A	A	2.4	16 600
4p EX (cuir)	A	A	2.4	18 900
4p LX V6	A	A	3.5	18 200
4p EX V6 (cuir)	A	A	3.5	20 000
4p EX V6 (cuir+toit)	A	A	3.5	20 800
4p EX V6 Luxury (cuir)	A	A	3.5	22 800
4p SX V6 (cuir)	A	A	3.5	24 200

2012 SORENTO — 100 000 km

Description	R.m.	Bv.	L	Prix
4p LX	2	A	2.4	14 000
4p LX V6	2	A	3.5	15 200
4p LX	A	A	2.4	14 900
4p EX (cuir)	A	A	2.4	16 700
4p LX V6	A	A	3.5	16 200
4p EX V6 (cuir)	A	A	3.5	17 200
4p EX V6 (cuir+toit)	A	A	3.5	18 100
4p EX V6 Luxury (cuir)	A	A	3.5	18 900
4p SX V6 (cuir)	A	A	3.5	20 200

2016 SOUL — 20 000 km

Description	R.m.	Bv.	L	Prix
4p hayon 1.6L LX	2	M	1.6	14 800
4p hayon 1.6L LX+	2	M	1.6	16 500
4p hayon 1.6L LX (A/C)	2	A	1.6	17 300
4p hayon 2.0L EX	2	A	2.0	18 500
4p hayon 2.0L EX+	2	A	2.0	19 700
4p hayon 2.0L EX ECO	2	A	2.0	20 200
4p hayon 2.0L SX (cuir)	2	A	2.0	21 100
4p hayon 2.0L SX Lux (cuir/navi)	2	A	2.0	24 300
4p hayon EV (Électrique)	2	A	E	31 200
4p hayon EV Luxury (Électrique)	2	A	E	34 000

2015 SOUL — 40 000 km

Description	R.m.	Bv.	L	Prix
4p hayon 1.6L LX	2	M	1.6	12 000
4p hayon 1.6L LX (A/C)	2	A	1.6	14 300
4p hayon 2.0L LX+	2	M	2.0	13 500
4p hayon 2.0L EX	2	A	2.0	15 300
4p hayon 2.0L EX+	2	A	2.0	16 100
4p hayon 2.0L LX ECO	2	A	2.0	16 600
4p hayon 2.0L SX (cuir)	2	A	2.0	17 300
4p hayon 2.0L SX Lux (cuir/navi)	2	A	2.0	19 200
4p hayon EV (Électrique)	2	A	E	21 300
4p hayon EV Luxury (Électrique)	2	A	E	23 300

2014 SOUL — 60 000 km

Description	R.m.	Bv.	L	Prix
4p hayon 1.6L LX	2	M	1.6	10 900
4p hayon 1.6L LX (A/C)	2	A	1.6	12 700
4p hayon 2.0L LX+	2	M	2.0	12 000
4p hayon 2.0L EX	2	A	2.0	13 900
4p hayon 2.0L EX+	2	A	2.0	14 600
4p hayon 2.0L EX ECO	2	A	2.0	14 900
4p hayon 2.0L SX (cuir)	2	A	2.0	15 600
4p hayon 2.0L SX Lux (cuir/navi)	2	A	2.0	16 600

2013 SOUL — 80 000 km

Description	R.m.	Bv.	L	Prix
4p hayon 1.6L	2	M	1.6	10 000
4p hayon 1.6L (A/C)	2	A	1.6	11 400
4p hayon 2.0L 2u	2	M	2.0	11 400
4p hayon 2.0L 2u	2	A	2.0	12 200
4p hayon 2.0L 4u	2	A	2.0	14 000
4p hayon 2.0L 4u Retro	2	A	2.0	14 500
4p hayon 2.0L 4u Burner	2	A	2.0	14 800
4p hayon 2.0L 4u Luxury (cuir)	2	A	2.0	15 600

2012 SOUL — 100 000 km

Description	R.m.	Bv.	L	Prix
4p hayon 1.6L	2	M	1.6	9 200
4p hayon 1.6L (A/C)	2	A	1.6	10 600
4p hayon 2.0L 2u	2	M	2.0	10 600
4p hayon 2.0L 2u	2	A	2.0	11 100
4p hayon 2.0L 4u	2	A	2.0	11 500
4p hayon 2.0L 4u Retro	2	A	2.0	12 100
4p hayon 2.0L 4u Burner	2	A	2.0	12 400
4p hayon 2.0L 4u Luxury (cuir)	2	A	2.0	13 100

2016 SPORTAGE — 20 000 km

Description	R.m.	Bv.	L	Prix
4p LX	2	M	2.4	20 200
4p LX	2	A	2.4	22 200
4p EX	2	A	2.4	25 200
4p LX	A	A	2.4	24 300
4p EX	A	A	2.4	27 400
4p EX Luxury (cuir)	A	A	2.4	31 100
4p EX Luxury Navigation (cuir)	A	A	2.4	32 900
4p SX (cuir)	A	A	2.0	29 100
4p SX Luxury (cuir)	A	A	2.0	34 400

2015 SPORTAGE — 40 000 km

Description	R.m.	Bv.	L	Prix
4p LX	2	M	2.4	16 300
4p LX	2	A	2.4	17 900
4p EX	2	A	2.4	20 300
4p LX	A	A	2.4	19 600
4p EX	A	A	2.4	22 100
4p EX Luxury (cuir)	A	A	2.4	25 100
4p EX Luxury Navigation (cuir)	A	A	2.4	26 400
4p SX (cuir)	A	A	2.0	23 500
4p SX Luxury (cuir)	A	A	2.0	26 700

2014 SPORTAGE — 60 000 km

Description	R.m.	Bv.	L	Prix
4p LX	2	M	2.4	14 700
4p LX	2	A	2.4	16 300
4p EX	2	A	2.4	18 000
4p LX	A	A	2.4	17 600
4p EX	A	A	2.4	19 500
4p EX Luxury (cuir)	A	A	2.4	22 500
4p EX Luxury Navigation (cuir)	A	A	2.4	22 500
4p SX (cuir)	A	A	2.0	20 700
4p SX Luxury (cuir)	A	A	2.0	23 600

2013 SPORTAGE — 80 000 km

Description	R.m.	Bv.	L	Prix
4p LX	2	M	2.4	12 300
4p LX	2	A	2.4	14 100
4p EX	2	A	2.4	15 400
4p LX	A	A	2.4	15 200
4p EX	A	A	2.4	17 200
4p EX Luxury (cuir)	A	A	2.4	19 600
4p EX Luxury Navigation (cuir)	A	A	2.4	19 500
4p SX (cuir)	A	A	2.0	20 800

2012 SPORTAGE — 100 000 km

Description	R.m.	Bv.	L	Prix
4p LX	2	M	2.4	11 400
4p LX	2	A	2.4	12 700
4p EX	2	A	2.4	14 400
4p LX	A	A	2.4	14 300
4p EX	A	A	2.4	15 200
4p EX Luxury (cuir)	A	A	2.4	15 700
4p EX Luxury Navigation (cuir)	A	A	2.4	16 500
4p SX (cuir)	A	A	2.0	16 400
4p SX Navigation (cuir)	A	A	2.0	16 700

LAND ROVER

2016 DISCOVERY SPORT — 20 000 km

Description	R.m.	Bv.	L	Prix
4p SE	A	A	2.0	37 400
4p HSE	A	A	2.0	42 000

Description	R.m.	Bv.	L	Prix
4p HSE Luxury (navi)	A	A	2.0	45 300
2015 DISCOVERY SPORT				**40 000 km**
4p SE	A	A	2.0	34 000
4p HSE	A	A	2.0	38 200
4p HSE Luxury	A	A	2.0	39 900
2015 LR2				**40 000 km**
4p LR2	A	A	2.0	32 100
4p SE	A	A	2.0	35 800
4p HSE	A	A	2.0	36 700
4p HSE Luxury	A	A	2.0	37 600
2014 LR2				**60 000 km**
4p LR2	A	A	2.0	29 000
4p SE	A	A	2.0	32 300
4p HSE	A	A	2.0	33 200
4p HSE Luxury	A	A	2.0	34 000
2013 LR2				**80 000 km**
4p LR2	A	A	2.0	26 200
4p SE	A	A	2.0	29 400
4p HSE	A	A	2.0	29 900
4p HSE Luxury	A	A	2.0	30 700
2012 LR2				**100 000 km**
4p LR2	A	A	3.2	23 500
4p HSE	A	A	3.2	25 000
4p HSE Luxury	A	A	3.2	25 700
2016 LR4				**20 000 km**
4p V6	A	A	3.0	54 200
4p V6 HSE	A	A	3.0	58 800
4p V6 HSE LUX	A	A	3.0	66 100
2015 LR4				**40 000 km**
4p V6	A	A	3.0	45 900
4p V6 HSE	A	A	3.0	48 200
4p V6 HSE LUX	A	A	3.0	50 900
2014 LR4				**60 000 km**
4p V6	A	A	3.0	43 000
4p V6 HSE	A	A	3.0	44 300
4p V6 HSE LUX	A	A	3.0	46 400
2013 LR4				**80 000 km**
4p V8	A	A	5.0	37 100
4p V8 HSE	A	A	5.0	38 200
4p V8 HSE LUX	A	A	5.0	40 200
2012 LR4				**100 000 km**
4p V8	A	A	5.0	31 600
4p V8 HSE	A	A	5.0	32 400
4p V8 HSE LUX	A	A	5.0	33 900
2016 RANGE ROVER				**20 000 km**
4p Sport SE V6	4	A	3.0	68 900
4p Sport Td6 HSE diesel	4	A	3.0	75 300
4p Sport Supercharged	4	A	5.0	80 200
4p Sport Autobiography Dynamic	4	A	5.0	93 000
4p Sport SVR	4	A	5.0	114 000
4p Td6 HSE diesel	4	A	3.0	98 800
4p Supercharged	4	A	5.0	106 200
4p Autobiography	4	A	5.0	138 800
4p Supercharged (Allongée)	4	A	5.0	110 800
4p Autobiography (Allongée)	4	A	5.0	143 400
4p SV Autobiography (Allongée)	4	A	5.0	173 400
2015 RANGE ROVER				**40 000 km**
4p Sport SE V6	4	A	3.0	63 000
4p Sport HSE V6	4	A	3.0	66 900
4p Sport Supercharged	4	A	5.0	73 500
4p Sport Autobiography	4	A	5.0	83 600
4p Sport SVR	4	A	5.0	95 300
4p V6 Supercharged	4	A	3.0	84 300
4p V6 Supercharged HSE	4	A	3.0	87 700
4p Supercharged	4	A	5.0	92 100
4p Autobiography	4	A	5.0	104 100
4p Supercharged (Allongée)	4	A	5.0	93 300
4p Autobiography (Allongée)	4	A	5.0	107 700
2014 RANGE ROVER				**60 000 km**
4p Sport SE V6	4	A	3.0	52 800
4p Sport HSE V6	4	A	3.0	56 500
4p Sport Supercharged	4	A	5.0	62 300
4p Sport Autobiography	4	A	5.0	71 700
4p V6 Supercharged	4	A	3.0	67 100
4p V6 Supercharged HSE	4	A	3.0	71 000
4p Supercharged	4	A	5.0	77 000
4p Autobiography	4	A	5.0	84 900
4p Supercharged (Allongée)	4	A	5.0	79 400
4p Autobiography (Allongée)	4	A	5.0	86 100
2013 RANGE ROVER				**80 000 km**
4p Sport HSE	4	A	5.0	54 100
4p Sport HSE Luxury	4	A	5.0	57 000
4p Sport Supercharged	4	A	5.0	62 700
4p Sport Autobiography	4	A	5.0	70 800
4p Supercharged	4	A	5.0	76 300

Description	R.m.	Bv.	L	Prix
4p Autobiography	4	A	5.0	80 100
2012 RANGE ROVER				**100 000 km**
4p Sport HSE	4	A	5.0	47 200
4p Sport HSE Luxury	4	A	5.0	49 000
4p Sport Supercharged	4	A	5.0	54 900
4p Sport Autobiography	4	A	5.0	59 200
4p HSE	4	A	5.0	61 100
4p HSE Luxury	4	A	5.0	61 800
4p Supercharged	4	A	5.0	63 500
4p Autobiography	4	A	5.0	66 600
2016 RANGE ROVER EVOQUE				**20 000 km**
4p SE	A	A	2.0	45 000
4p HSE	A	A	2.0	51 000
4p HSE Dynamic	A	A	2.0	54 200
4p Autobiography	A	A	2.0	57 900
2015 RANGE ROVER EVOQUE				**40 000 km**
2p Coupé Pure Plus	A	A	2.0	44 700
2p Coupé Dynamic	A	A	2.0	52 000
2p Coupé Prestige	A	A	2.0	52 400
2p Coupé Autobiography	A	A	2.0	52 400
4p Pure	A	A	2.0	39 800
4p Pure City	A	A	2.0	41 700
4p Pure Plus	A	A	2.0	43 700
4p Dynamic	A	A	2.0	51 100
4p Prestige	A	A	2.0	51 400
4p Autobiography	A	A	2.0	51 800
2014 RANGE ROVER EVOQUE				**60 000 km**
2p Coupé Pure Plus	A	A	2.0	40 400
2p Coupé Dynamic	A	A	2.0	44 900
2p Coupé Prestige	A	A	2.0	45 200
4p Pure	A	A	2.0	36 200
4p Pure City	A	A	2.0	37 900
4p Pure Plus	A	A	2.0	39 700
4p Dynamic	A	A	2.0	44 000
4p Prestige	A	A	2.0	44 400
2013 RANGE ROVER EVOQUE				**80 000 km**
2p Coupé Pure	A	A	2.0	39 300
2p Coupé Dynamic	A	A	2.0	40 600
4p Pure	A	A	2.0	35 000
4p Dynamic	A	A	2.0	40 000
4p Prestige	A	A	2.0	40 300
2012 RANGE ROVER EVOQUE				**100 000 km**
2p Coupé Pure	A	A	2.0	35 300
2p Coupé Dynamic	A	A	2.0	37 000
4p Pure	A	A	2.0	31 800
4p Dynamic	A	A	2.0	38 200
4p Prestige	A	A	2.0	38 500

LEXUS

Description	R.m.	Bv.	L	Prix
2016 CT				**20 000 km**
4p hayon CT 200h	2	A	1.8	28 100
4p hayon CT 200h Touring (toit)	2	A	1.8	31 100
4p hayon CT 200h Executive cuir	2	A	1.8	35 700
4p hayon CT 200h F-Sport Série 1	2	A	1.8	33 800
4p hayon CT 200h F-Sport Série 2	2	A	1.8	36 400
2015 CT				**40 000 km**
4p hayon CT 200h	2	A	1.8	25 200
4p hayon CT 200h Touring (toit)	2	A	1.8	28 100
4p hayon CT 200h Premium cuir	2	A	1.8	30 900
4p hayon CT 200h Navigation	2	A	1.8	31 200
4p hayon CT 200h F-Sport (cuir)	2	A	1.8	31 900
2014 CT				**60 000 km**
4p hayon CT 200h	2	A	1.8	21 900
4p hayon CT 200h Touring (toit)	2	A	1.8	24 100
4p hayon CT 200h Premium cuir	2	A	1.8	26 700
4p hayon CT 200h F-Sport (cuir)	2	A	1.8	27 300
4p hayon CT 200h Techno (navi)	2	A	1.8	27 900
2013 CT				**80 000 km**
4p hayon CT 200h	2	A	1.8	19 400
4p hayon CT 200h Touring (toit)	2	A	1.8	20 800
4p hayon CT 200h Premium cuir	2	A	1.8	22 700
4p hayon CT 200h F-Sport (cuir)	2	A	1.8	23 300
4p hayon CT 200h Techno (navi)	2	A	1.8	23 800
2012 CT				**100 000 km**
4p hayon CT 200h	2	A	1.8	15 400
4p hayon CT 200h Touring (toit)	2	A	1.8	16 500
4p hayon CT 200h Premium cuir	2	A	1.8	18 100
4p hayon CT 200h F-Sport (cuir)	2	A	1.8	18 400
4p hayon CT 200h Techno (navi)	2	A	1.8	18 900
2016 ES				**20 000 km**
4p berline ES 350	2	A	3.5	37 100
4p berline ES 350 Touring	2	A	3.5	41 400

Description	R.m.	Bv.	L	Prix
4p berline ES 350 Executive	2	A	3.5	47 200
4p berline ES 300h	2	A	2.5	39 900
4p berline ES 300h Touring	2	A	2.5	44 200
4p berline ES 300h Executive	2	A	2.5	48 800
2015 ES				**40 000 km**
4p berline ES 350	2	A	3.5	32 300
4p berline ES 350 Touring	2	A	3.5	35 000
4p berline ES 350 Technology	2	A	3.5	37 100
4p berline ES 350 Executive	2	A	3.5	38 800
4p berline ES 300h	2	A	2.5	34 300
4p berline ES 300h Touring	2	A	2.5	36 200
4p berline ES 300h Technology	2	A	2.5	37 700
4p berline ES 300h Executive	2	A	2.5	40 000
2014 ES				**60 000 km**
4p berline ES 350	2	A	3.5	27 700
4p berline ES 350 Premium	2	A	3.5	28 900
4p berline ES 350 Cuir & Navi	2	A	3.5	31 000
4p berline ES 350 Touring	2	A	3.5	32 900
4p berline ES 350 Technology	2	A	3.5	33 800
4p berline ES 300h	2	A	2.5	30 900
4p berline ES 300h Navigation	2	A	2.5	32 100
4p berline ES 300h Groupe Cuir	2	A	2.5	33 400
4p berline ES 300h Technology	2	A	2.5	34 800
2013 ES				**80 000 km**
4p berline ES 350	2	A	3.5	24 000
4p berline ES 350 Premium	2	A	3.5	25 200
4p berline ES 350 Cuir & Navi	2	A	3.5	26 900
4p berline ES 350 Touring	2	A	3.5	29 700
4p berline ES 350 Technology	2	A	3.5	30 200
4p berline ES 300h	2	A	2.5	26 700
4p berline ES 300h Navigation	2	A	2.5	27 800
4p berline ES 300h Groupe Cuir	2	A	2.5	29 900
4p berline ES 300h Technology	2	A	2.5	30 200
2012 ES				**100 000 km**
4p berline ES 350	2	A	3.5	21 900
4p berline ES 350 Premium	2	A	3.5	23 900
4p berline ES 350 Ultra Premium	2	A	3.5	25 200
2016 GS				**20 000 km**
4p berline GS 350 AWD	A	A	3.5	49 300
4p ber GS 350 Premium AWD	A	A	3.5	53 300
4p b GS 350 F-Sport Serie2 awd	A	A	3.5	60 600
4p ber GS 350 Executive AWD	A	A	3.5	61 300
4p berline GS 450h Hybride	2	A	3.5	66 200
4p berline GS F	2	A	5.0	83 500
2015 GS				**40 000 km**
4p berline GS 350 AWD	A	A	3.5	43 800
4p berline GS 350 F-Sport AWD	A	A	3.5	47 100
4p berline GS 350 Luxury AWD	A	A	3.5	47 900
4p b GS 350 F-Sport Serie2 awd	A	A	3.5	49 100
4p ber GS 350 Executive AWD	A	A	3.5	49 900
4p berline GS 450h Hybride	2	A	3.5	56 100
2014 GS				**60 000 km**
4p berline GS 350	2	A	3.5	36 600
4p berline GS 350 AWD	A	A	3.5	38 600
4p berline GS 450h Hybride	2	A	3.5	40 900
2013 GS				**80 000 km**
4p berline GS 350	2	A	3.5	28 900
4p berline GS 350 AWD	A	A	3.5	30 700
4p berline GS 450h Hybride	2	A	3.5	31 300
2016 GX				**20 000 km**
4p GX 460	A	A	4.6	62 800
4p GX 460 Technology	A	A	4.6	65 700
4p GX 460 Executive (DVD)	A	A	4.6	70 200
2015 GX				**40 000 km**
4p GX 460	A	A	4.6	47 800
4p GX 460 Premium (navi)	A	A	4.6	51 900
4p GX 460 Ultra Premium	A	A	4.6	53 600
2014 GX				**60 000 km**
4p GX 460	A	A	4.6	42 800
4p GX 460 Premium (navi)	A	A	4.6	46 600
4p GX 460 Ultra Premium	A	A	4.6	48 300
2013 GX				**80 000 km**
4p GX 460 Executive	A	A	4.6	38 400
4p GX 460 Ultra Premium	A	A	4.6	40 800
2012 GX				**100 000 km**
4p GX 460 Premium	A	A	4.6	35 200
4p GX 460 Ultra Premium	A	A	4.6	36 700
2016 IS				**20 000 km**
4p berline IS 200t	2	A	2.0	35 100
4p berline IS 200t F Sport	2	A	2.0	38 800
4p berline IS 300 AWD	A	A	3.5	37 400
4p berline IS 300 AWD F Sport	A	A	3.5	41 100
4p berline IS 350 AWD	A	A	3.5	45 300
4p berline IS 350 AWD F Sport	A	A	3.5	49 000
2015 IS				**40 000 km**
4p berline IS 250	2	A	2.5	30 800

Description	R.m.	Bv.	L	Prix
4p berline IS 250 AWD	A	A	2.5	33 000
4p berline IS 350	2	A	3.5	41 400
4p berline IS 350 AWD	A	A	3.5	38 800
2p déc. IS 250 C (cuir)	2	A	2.5	42 000
2p déc. IS 350 C (cuir)	2	A	3.5	46 400
2014 IS				**60 000 km**
4p berline IS 250	2	A	2.5	26 000
4p berline IS 250 AWD	A	A	2.5	28 100
4p berline IS 350	2	A	3.5	31 300
4p berline IS 350 AWD	A	A	3.5	31 000
4p berline IS F (cuir)	2	A	5.0	52 800
2p déc. IS 250 C (cuir)	2	A	2.5	36 100
2p déc. IS 350 C (cuir)	2	A	3.5	39 000
2013 IS				**80 000 km**
4p berline IS 250	2	A	2.5	23 200
4p berline IS 250 AWD	A	A	2.5	25 900
4p berline IS 350 (cuir)	2	A	3.5	34 200
4p berline IS 350 AWD (cuir)	A	A	3.5	30 800
4p berline IS F (cuir)	2	A	5.0	47 300
2p déc. IS 250 C (cuir)	2	A	2.5	32 900
2p déc. IS 350 C (cuir)	2	A	3.5	35 300
2012 IS				**100 000 km**
4p berline IS 250	2	M	2.5	20 900
4p berline IS 250	2	A	2.5	21 900
4p berline IS 250 AWD	A	A	2.5	24 100
4p berline IS 350 (cuir)	2	A	3.5	32 200
4p berline IS 350 AWD (cuir)	A	A	3.5	28 800
4p berline IS F (cuir)	2	A	5.0	44 100
2p déc. IS 250 C (cuir)	2	M	2.5	30 700
2p déc. IS 250 C (cuir)	2	A	2.5	30 600
2p déc. IS 350 C (cuir)	2	A	3.5	33 000
2016 LS				**20 000 km**
4p berline LS 460 AWD	A	A	4.6	84 100
4p berline LS 460 AWD F Sport	A	A	4.6	92 000
4p ber LS 460 AWD Technology	A	A	4.6	92 000
4p berline LS 460L AWD	A	A	4.6	117 100
4p berline LS 600h L Hybrid	A	A	5.0	134 400
2015 LS				**40 000 km**
4p berline LS 460 AWD	A	A	4.6	64 600
4p berline LS 460 AWD F Sport	A	A	4.6	71 100
4p ber LS 460 AWD Technology	A	A	4.6	71 100
4p berline LS 460L AWD	A	A	4.6	74 000
4p ber LS 460L AWD Executive	A	A	4.6	89 700
4p berline LS 600h L Hybrid	A	A	5.0	89 400
4p berl LS 600h L Hybrid Exec	A	A	5.0	99 300
2014 LS				**60 000 km**
4p berline LS 460	2	A	4.6	54 200
4p berline LS 460 F Sport	2	A	4.6	59 700
4p berline LS 460 AWD	A	A	4.6	56 300
4p berline LS 460 AWD F Sport	A	A	4.6	61 000
4p ber LS 460 AWD Technology	A	A	4.6	62 300
4p berline LS 460L AWD	A	A	4.6	64 900
4p ber LS 460L AWD Executive	A	A	4.6	76 200
4p berline LS 600h L Hybrid	A	A	5.0	76 000
4p ber LS 600h L Hybrid Exec	A	A	5.0	86 400
2013 LS				**80 000 km**
4p berline LS 460	2	A	4.6	47 400
4p berline LS 460 F Sport	2	A	4.6	52 000
4p berline LS 460 AWD	A	A	4.6	49 100
4p ber LS 460 AWD Technology	A	A	4.6	55 600
4p berline LS 460L AWD	A	A	4.6	56 200
4p ber LS 460L AWD Executive	A	A	4.6	63 700
4p berline LS 600h L Hybrid	A	A	5.0	65 900
4p ber LS 600h L Hybrid Exec	A	A	5.0	66 700
2012 LS				**100 000 km**
4p berline LS 460	2	A	4.6	40 500
4p berline LS 460 Sport	2	A	4.6	46 200
4p berline LS 460 AWD	A	A	4.6	41 700
4p ber LS 460 AWD Technology	A	A	4.6	46 200
4p berline LS 460L AWD	A	A	4.6	46 900
4p ber LS 460L AWD Executive	A	A	4.6	48 300
4p berline LS 600h L Hybrid	A	A	5.0	50 600
4p ber LS 600h L Hybrid Exec	A	A	5.0	53 800
2016 LX				**20 000 km**
4p LX 570	A	A	5.7	91 800
2015 LX				**40 000 km**
4p LX 570	A	A	5.7	75 400
2014 LX				**60 000 km**
4p LX 570	A	A	5.7	61 800
2013 LX				**80 000 km**
4p LX 570	A	A	5.7	47 000
4p LX 570 Ultra Premium	A	A	5.7	49 700
2016 NX				**20 000 km**
4p NX 200t	A	A	2.0	37 600
4p NX 200t Premium	A	A	2.0	40 800
4p NX 200t Luxury	A	A	2.0	45 900
4p NX 200t F Sport	A	A	2.0	43 600

Description	R.m.	Bv.	L	Prix
4p NX 200t Executive	A	A	2.0	48 400
4p NX 300h Hybride	A	A	2.5	48 100
4p NX 300h Hybride Executive	A	A	2.5	54 200
2015 NX				**40 000 km**
4p NX 200t	A	A	2.0	34 600
4p NX 200t Premium	A	A	2.0	37 600
4p NX 200t Luxury	A	A	2.0	42 600
4p NX 200t F Sport	A	A	2.0	42 800
4p NX 200t Executive	A	A	2.0	43 400
4p NX 300h Hybride (cuir)	A	A	2.5	47 200
2016 RC				**20 000 km**
2p coupé RC 350	A	A	3.5	52 600
2p coupé RC 350 F Sport	A	A	3.5	55 600
2p coupé RC-F	2	A	5.0	75 100
2p coupé RC-F Performance	2	A	5.0	81 900
2015 RC				**40 000 km**
2p coupé RC 350 AWD	A	A	3.5	46 000
2p coupé RC 350	2	A	3.5	48 600
2p coupé RC-F	2	A	5.0	67 200
2p coupé RC-F Performance	2	A	5.0	73 400
2016 RX				**20 000 km**
4p RX 350	A	A	3.5	47 000
4p RX 350 F Sport Serie2	A	A	3.5	54 800
4p RX 450h Hybride	A	A	3.5	60 000
4p RX 450h Hyb F Sport Serie3	A	A	3.5	66 500
2015 RX				**40 000 km**
4p RX 350 SportDesign	A	A	3.5	41 500
4p RX 350 F Sport	A	A	3.5	47 000
4p RX 450h Hybride SportDesign	A	A	3.5	48 500
2014 RX				**60 000 km**
4p RX 350	A	A	3.5	36 200
4p RX 350 F Sport (cuir)	A	A	3.5	42 400
4p RX 450h Hybride (cuir)	A	A	3.5	46 400
2013 RX				**80 000 km**
4p RX 350	A	A	3.5	30 000
4p RX 350 F Sport (cuir)	A	A	3.5	36 500
4p RX 450h Hybride (cuir)	A	A	3.5	35 800
2012 RX				**100 000 km**
4p RX 350	A	A	3.5	26 100
4p RX 450h Hybride (cuir)	A	A	3.5	29 900
LINCOLN				
2016 MKC				**20 000 km**
4p 2.0L AWD	A	A	2.0	35 700
4p 2.3L AWD	A	A	2.3	44 900
2015 MKC				**40 000 km**
4p 2.0L AWD	A	A	2.0	30 500
4p 2.3L AWD	A	A	2.3	33 700
2016 MKS				**20 000 km**
4p berline AWD	A	A	3.7	42 100
4p berline EcoBoost AWD	A	A	3.5	47 400
2015 MKS				**40 000 km**
4p berline AWD	A	A	3.7	31 200
4p berline EcoBoost AWD	A	A	3.5	32 900
2014 MKS				**60 000 km**
4p berline AWD	A	A	3.7	27 200
4p berline EcoBoost AWD	A	A	3.5	29 100
2013 MKS				**80 000 km**
4p berline AWD	A	A	3.7	22 700
4p berline EcoBoost AWD	A	A	3.5	24 300
2012 MKS				**100 000 km**
4p berline base	2	A	3.7	20 900
4p berline AWD	A	A	3.7	22 100
4p berline EcoBoost AWD	A	A	3.5	22 600
2016 MKT				**20 000 km**
4p 3.5L EcoBoost	A	A	3.5	45 800
4p 3.5L Elite (Navi)	A	A	3.5	46 600
2015 MKT				**40 000 km**
4p 3.5L EcoBoost	A	A	3.5	36 200
4p 3.5L Elite (Navi)	A	A	3.5	37 500
2014 MKT				**60 000 km**
4p 3.5L	A	A	3.5	31 700
4p 3.5L Elite (Navi)	A	A	3.5	33 100
2013 MKT				**80 000 km**
4p 3.5L	A	A	3.5	27 700
4p 3.5L Elite (Navi)	A	A	3.5	29 000
2012 MKT				**100 000 km**
4p 3.7L	A	A	3.7	23 600
4p 3.5L EcoBoost	A	A	3.5	25 200
2016 MKX				**20 000 km**
4p Select AWD	A	A	3.7	41 200
4p Reserve AWD	A	A	3.7	45 900
4p Reserve EcoBoost AWD	A	A	2.7	48 600
2015 MKX				**40 000 km**
4p base AWD	A	A	3.7	34 300
4p Limited Edition AWD	A	A	3.7	35 600
2014 MKX				**60 000 km**
4p base AWD	A	A	3.7	32 200
4p Limited Edition AWD	A	A	3.7	33 400
2013 MKX				**80 000 km**
4p base AWD	A	A	3.7	25 200
4p Limited Edition AWD	A	A	3.7	26 100
2012 MKX				**100 000 km**
4p base AWD	A	A	3.7	20 700
4p Limited Edition AWD	A	A	3.7	21 200
2016 MKZ				**20 000 km**
4p berline base	2	A	2.0	34 400
4p berline Hybride	2	A	2.0	34 400
4p berline EcoBoost AWD	A	A	2.0	35 300
4p berline V6 AWD	A	A	3.7	36 400
2015 MKZ				**40 000 km**
4p berline base	2	A	2.0	28 000
4p berline Hybride	2	A	2.0	28 000
4p berline AWD	A	A	3.7	29 500
2014 MKZ				**60 000 km**
4p berline base	2	A	2.0	22 200
4p berline Hybride	2	A	2.0	22 200
4p berline AWD	A	A	3.7	22 600
4p berline EcoBoost AWD	A	A	3.5	25 400
2013 MKZ				**80 000 km**
4p berline base	2	A	2.0	19 100
4p berline Hybride	2	A	2.0	19 100
4p berline AWD	A	A	3.7	20 200
2012 MKZ				**100 000 km**
4p berline base	2	A	3.5	14 800
4p berline Hybride	2	A	2.5	16 400
4p berline AWD	A	A	3.5	15 900
2016 NAVIGATOR				**20 000 km**
4p 4x4	4	A	3.5	69 500
4p 4x4 Ultra	4	A	3.5	76 200
4p L 4x4	4	A	3.5	72 300
4p L 4x4 Ultra	4	A	3.5	78 900
2015 NAVIGATOR				**40 000 km**
4p 4x4	4	A	3.5	53 500
4p 4x4 Ultra	4	A	3.5	55 300
4p L 4x4	4	A	3.5	55 700
4p L 4x4 Ultra	4	A	3.5	57 400
2014 NAVIGATOR				**60 000 km**
4p 4x4	4	A	5.4	46 600
4p L 4x4	4	A	5.4	47 200
4p Limousine (conversion)	2	A	5.4	38 800
2013 NAVIGATOR				**80 000 km**
4p 4x4	4	A	5.4	37 200
4p L 4x4	4	A	5.4	37 700
4p Limousine (conversion)	2	A	5.4	30 900
2012 NAVIGATOR				**100 000 km**
4p 4x4	4	A	5.4	31 200
4p L 4x4	4	A	5.4	32 700
4p Limousine (conversion)	2	A	5.4	25 800
LOTUS				
2016 LOTUS				**5 000 km**
2p coupé Evora 400	2	M	3.5	110 200
2015 LOTUS				**10 000 km**
2p coupé Evora S	2	M	3.5	84 000
2014 LOTUS				**15 000 km**
2p coupé Evora	2	M	3.5	65 500
2p coupé Evora S	2	M	3.5	76 000
2013 LOTUS				**20 000 km**
2p coupé Evora	2	M	3.5	59 500
2p coupé Evora S	2	M	3.5	69 000
2012 LOTUS				**25 000 km**
2p coupé Evora	2	M	3.5	56 800
2p coupé Evora S	2	M	3.5	65 900
2p coupé Evora S GP Edition	2	M	3.5	77 600
MAZDA				
2016 CX-3				**20 000 km**
4p GX	2	A	2.0	18 000
4p GS	2	A	2.0	21 300
4p GX AWD	A	A	2.0	19 900
4p GS AWD	A	A	2.0	23 100
4p GT AWD (cuir)	A	A	2.0	25 700
2016 CX-5				**20 000 km**
4p GX	2	M	2.0	20 200
4p GX	2	A	2.0	23 100
4p GS	2	A	2.5	25 900
4p GX AWD	A	A	2.0	24 900
4p GS AWD	A	A	2.5	27 700
4p GT AWD (cuir)	A	A	2.5	31 100
2015 CX-5				**40 000 km**
4p GX	2	M	2.0	16 800
4p GX	2	A	2.0	17 800
4p GS	2	A	2.5	21 400
4p GX AWD	A	A	2.0	20 700
4p GS AWD	A	A	2.5	21 500
4p GT AWD (cuir)	A	A	2.5	23 400
2014 CX-5				**60 000 km**
4p GX	2	M	2.0	14 100
4p GX	2	A	2.0	14 900
4p GS	2	A	2.5	17 800
4p GX AWD	A	A	2.0	17 300
4p GS AWD	A	A	2.5	18 200
4p GT AWD (cuir)	A	A	2.5	19 600
2013 CX-5				**80 000 km**
4p GX	2	M	2.0	12 300
4p GX	2	A	2.0	13 000
4p GS	2	A	2.0	15 300
4p GX AWD	A	A	2.0	15 100
4p GS AWD	A	A	2.0	15 800
4p GT AWD (cuir)	A	A	2.0	16 700
2016 CX-9				**20 000 km**
4p 7 pass. CX-9 GS	2	A	2.5	30 700
4p 7 pass. CX-9 GS AWD	A	A	2.5	32 900
4p 7 pass. CX-9 GS-L AWD cuir	A	A	2.5	36 100
4p 7 pass. CX-9 GT AWD (cuir)	A	A	2.5	38 500
4p 7 pass. CX-9 Sign AWD cuir	A	A	2.5	42 500
2015 CX-9				**40 000 km**
4p 7 pass. CX-9 GS	2	A	3.7	25 000
4p 7 pass. CX-9 GS AWD	A	A	3.7	27 300
4p 7 pass. CX-9 GT AWD (cuir)	A	A	3.7	29 100
2014 CX-9				**60 000 km**
4p 7 pass. CX-9 GS	2	A	3.7	21 900
4p 7 pass. CX-9 GS AWD	A	A	3.7	24 200
4p 7 pass. CX-9 GT AWD (cuir)	A	A	3.7	26 000
2013 CX-9				**80 000 km**
4p 7 pass. CX-9 GS	2	A	3.7	18 200
4p 7 pass. CX-9 GS AWD	A	A	3.7	19 400
4p 7 pass. CX-9 GT AWD (cuir)	A	A	3.7	21 200
2012 CX-7 / CX-9				**100 000 km**
4p CX-7 GX	2	A	2.5	13 500
4p CX-7 GS AWD	A	A	2.3	15 500
4p CX-7 GT AWD (cuir)	A	A	2.3	18 200
4p 7 pass. CX-9 GS	2	A	3.7	18 000
4p 7 pass. CX-9 GS AWD	A	A	3.7	18 800
4p 7 pass. CX-9 GT AWD (cuir)	A	A	3.7	19 100
2014 MAZDA2				**60 000 km**
4p hayon GX	2	M	1.5	7 800
4p hayon GS	2	M	1.5	9 600
2013 MAZDA2				**80 000 km**
4p hayon GX	2	M	1.5	6 600
4p hayon GS	2	M	1.5	7 500
2012 MAZDA2				**100 000 km**
4p hayon GX	2	M	1.5	5 900
4p hayon GS	2	M	1.5	6 900
2016 MAZDA3				**20 000 km**
4p berline G	2	M	2.0	13 300
4p berline GX	2	M	2.0	15 900
4p berline GS	2	M	2.0	17 300
4p berline GT	2	M	2.5	22 300
4p berline GT	2	A	2.5	24 300
4p hayon GX Sport	2	M	2.0	16 800
4p hayon GS Sport	2	M	2.0	18 200
4p hayon GT Sport	2	M	2.5	23 200
4p hayon GT Sport	2	A	2.5	25 200
2015 MAZDA3				**40 000 km**
4p berline GX	2	M	2.0	10 700
4p berline GX (a/c)	2	A	2.0	11 500
4p berline GS	2	M	2.0	13 300
4p berline GT	2	M	2.5	17 900
4p berline GT	2	A	2.5	17 900
4p hayon GX Sport	2	M	2.0	11 300
4p hayon GS Sport	2	M	2.0	14 100
4p hayon GT Sport	2	M	2.5	18 600
4p hayon GT Sport	2	A	2.5	18 600
2014 MAZDA3				**60 000 km**
4p berline GX	2	M	2.0	9 000
4p berline GS	2	M	2.0	11 200
4p berline GT	2	A	2.5	15 100
4p hayon GX Sport	2	M	2.0	9 500
4p hayon GS Sport	2	M	2.0	11 700
4p hayon GT Sport	2	A	2.5	15 600
2013 MAZDA3				**80 000 km**
4p berline GX	2	M	2.0	7 100
4p berline GS-SKY	2	M	2.0	9 100
4p berline GT (cuir)	2	M	2.5	11 300
4p hayon GX Sport	2	M	2.0	7 900
4p hayon GS-SKY Sport	2	M	2.0	9 600
4p hayon GT Sport (cuir)	2	M	2.5	11 800
4p hayon MazdaSpeed 3	2	M	2.3	14 500
2012 MAZDA3				**100 000 km**
4p berline GX	2	M	2.0	6 300
4p berline GS-SKY	2	M	2.0	7 800
4p berline GT (cuir)	2	M	2.5	10 100
4p hayon GX Sport	2	M	2.0	6 800
4p hayon GS Sport	2	M	2.5	8 100
4p hayon GT Sport (cuir)	2	M	2.5	10 700
4p hayon MazdaSpeed 3	2	M	2.3	12 300
2016 MAZDA5				**20 000 km**
4p GS	2	M	2.5	19 200
4p GT (cuir)	2	M	2.5	23 700
2015 MAZDA5				**40 000 km**
4p GS	2	M	2.5	14 900
4p GT (cuir)	2	M	2.5	17 500
2014 MAZDA5				**60 000 km**
4p GS	2	M	2.5	12 400
4p GT	2	M	2.5	13 800
2013 MAZDA5				**80 000 km**
4p GS	2	M	2.5	10 200
4p GT	2	M	2.5	11 400
2012 MAZDA5				**100 000 km**
4p GS	2	M	2.5	9 400
4p GT	2	M	2.5	10 000
2016 MAZDA6				**20 000 km**
4p berline GX	2	M	2.5	21 700
4p berline GX	2	A	2.5	22 900
4p berline GS	2	M	2.5	24 800
4p berline GS	2	A	2.5	24 800
4p berline GT (cuir)	2	M	2.5	28 400
4p berline GT (cuir)	2	A	2.5	28 400
2015 MAZDA6				**40 000 km**
4p berline GX	2	M	2.5	17 100
4p berline GX	2	A	2.5	18 100
4p berline GS	2	M	2.5	19 500
4p berline GS	2	A	2.5	19 500
4p berline GT (cuir)	2	M	2.5	22 100
4p berline GT (cuir)	2	A	2.5	22 100
2014 MAZDA6				**60 000 km**
4p berline GX	2	M	2.5	13 900
4p berline GX	2	A	2.5	14 900
4p berline GS	2	M	2.5	16 300
4p berline GS	2	A	2.5	16 300
4p berline GT (cuir)	2	M	2.5	18 300
4p berline GT (cuir)	2	A	2.5	18 300
2013 MAZDA6				**80 000 km**
4p berline GS-I4	2	M	2.5	11 700
4p berline GS-L I4 (cuir)	2	M	2.5	13 100
4p berline GT-I4 (cuir)	2	M	2.5	14 600
4p berline GS-V6	2	A	3.7	15 800
4p berline GT-V6 (cuir)	2	A	3.7	16 400
2012 MAZDA6				**100 000 km**
4p berline GS-I4	2	M	2.5	10 300
4p berline GS-L I4 (cuir)	2	M	2.5	11 300
4p berline GT-I4 (cuir)	2	M	2.5	12 800
4p berline GS-V6	2	A	3.7	13 700
4p berline GT-V6 (cuir)	2	A	3.7	14 900
2016 MX-5				**15 000 km**
2p déc. GX	2	M	2.0	28 300
2p déc. GX	2	A	2.0	28 300
2p déc. GS	2	M	2.0	31 500
2p déc. GS	2	A	2.0	31 500
2p déc. GT (cuir)	2	M	2.0	35 100
2p déc. GT (cuir)	2	A	2.0	35 100
2015 MX-5				**30 000 km**
2p déc. GX	2	M	2.0	19 700
2p déc. GS Toit rétract.	2	M	2.0	23 200
2p déc. GT Toit rétract. (cuir)	2	M	2.0	26 100
2p déc. GT 25e Ann. (cuir)	2	M	2.0	26 700
2014 MX-5				**45 000 km**
2p déc. GX	2	M	2.0	18 600
2p déc. GS Toit rétract.	2	M	2.0	22 200
2p déc. GT Toit rétract. (cuir)	2	M	2.0	23 300
2013 MX-5				**60 000 km**
2p déc. GX	2	M	2.0	16 500
2p déc. GS Toit rétract.	2	M	2.0	19 700
2p déc. GT Toit rétract. (cuir)	2	M	2.0	22 200
2012 MX-5				**75 000 km**
2p déc. GX	2	M	2.0	14 800
2p déc. SV Toit rétract. (cuir)	2	M	2.0	16 400

Description	R.m.	Bv.	L	Prix
2p déc. GS Toit rétract.	2	M	2.0	17 200
2p déc. GT Toit rétract. (cuir)	2	M	2.0	19 400
MERCEDES-BENZ				
2016 AMG GT				**5 000 km**
2p coupé AMG GT S	2	A	4.0	136 900
2p coupé AMG GT S Edition 1	2	A	4.0	146 900
2016 CLASSE B				**20 000 km**
4p hayon B250 Sports Tourer	2	A	2.0	28 200
4p hayon B250 Sports Tourer 4MATIC	A	A	2.0	30 300
2015 CLASSE B				**40 000 km**
4p hayon B250 Sports Tourer	2	A	2.0	24 300
4p hayon B250 S Tourer 4MATIC	A	A	2.0	26 000
2014 CLASSE B				**60 000 km**
4p hayon B250 Sports Tourer	2	A	2.0	21 200
2013 CLASSE B				**80 000 km**
4p hayon B250	2	A	2.0	16 600
2016 CLASSE C				**20 000 km**
4p berline C300 4MATIC	A	A	2.0	39 300
4p berline C450 AMG 4MATIC	A	A	3.0	50 400
4p berline AMG C63	2	A	4.0	67 800
4p berline AMG C63 S	2	A	4.0	76 000
4p fam. C300d 4MATIC	A	A	2.1	41 300
2015 CLASSE C				**40 000 km**
2p coupé C250 Avantgarde	2	A	1.8	36 000
2p coupé C350 Avantgarde	2	A	3.5	41 200
2p c C350 4MATIC Avantgarde	A	A	3.5	42 300
2p coupé AMG C63 Edition 507	2	A	6.2	57 100
4p berline C300 4MATIC	A	A	2.0	34 800
4p berline C400 4MATIC	A	A	3.0	38 700
4p berline AMG C63	2	A	4.0	55 300
4p berline AMG C63 S	2	A	4.0	61 900
2014 CLASSE C				**60 000 km**
2p coupé C250 Avantgarde	2	A	1.8	31 900
2p coupé C350 Avantgarde	2	A	3.5	36 200
2p c C350 4MATIC Avantgarde	A	A	3.5	39 200
2p coupé C63 AMG Edition 507	2	A	6.2	51 400
4p berline C250 Avantgarde	2	A	1.8	28 100
4p berline C350 Avantgarde	2	A	3.5	33 000
4p berline C63 AMG Edition 507	2	A	6.2	49 900
4p ber C300 4MATIC Avantgarde	A	A	3.0	30 100
4p ber C350 4MATIC Avantgarde	A	A	3.5	35 900
2013 CLASSE C				**80 000 km**
2p coupé C250 (toit)	2	A	1.8	27 400
2p coupé C350	2	A	3.5	28 500
2p coupé C350 4MATIC	A	A	3.5	29 300
2p coupé C63 AMG	2	A	6.2	43 600
4p berline C250	2	A	1.8	25 100
4p berline C350	2	A	3.5	27 800
4p berline C63 AMG	2	A	6.2	41 900
4p berline C300 4MATIC	A	A	3.0	26 900
4p berline C350 4MATIC	A	A	3.5	29 700
2012 CLASSE C				**100 000 km**
2p coupé C250 (toit)	2	A	1.8	23 800
2p coupé C350	2	A	3.5	24 900
2p coupé C350 4MATIC	A	A	3.5	25 700
2p coupé C63 AMG	2	A	6.2	38 200
4p berline C250	2	A	1.8	22 000
4p berline C350	2	A	3.5	25 200
4p berline C63 AMG	2	A	6.2	37 000
4p berline C250 4MATIC	A	A	2.5	23 800
4p berline C300 4MATIC	A	A	3.0	24 600
4p berline C350 4MATIC	A	A	3.5	28 300
2016 CLA				**20 000 km**
4p CLA250	2	A	2.0	31 500
4p CLA250 4MATIC	A	A	2.0	33 500
4p AMG CLA45 4MATIC	A	A	2.0	46 700
2015 CLASSE CLA				**40 000 km**
4p CLA250	2	A	2.0	27 900
4p CLA250 4MATIC	A	A	2.0	29 700
4p CLA45 AMG 4MATIC	A	A	2.0	37 300
2014 CLASSE CLA				**60 000 km**
4p CLA250	2	A	2.0	26 000
4p CLA250 Édition 1	2	A	2.0	33 400
4p CLA250 4MATIC	A	A	2.0	27 800
4p CLA45 AMG 4MATIC	A	A	2.0	35 000
4p CLA45 AMG 4MATIC Éd. 1	A	A	2.0	37 500
2016 CLS				**20 000 km**
4p berline CLS 400 4MATIC	A	A	3.0	69 900
4p berline CLS 550 4MATIC	A	A	4.7	80 300
4p berline AMG CLS 63 S	2	A	5.5	114 800
2015 CLASSE CLS				**40 000 km**
4p berline CLS 400 4MATIC	A	A	3.0	62 000
4p berline CLS 550 4MATIC	A	A	4.7	71 000
4p berline CLS 63 S AMG	2	A	5.5	91 400
2014 CLASSE CLS				**60 000 km**
4p berline CLS 550 4MATIC	A	A	4.7	58 000
4p berline CLS 63 AMG	2	A	5.5	77 700
4p berline CLS 63 S AMG	2	A	5.5	81 200
2013 CLASSE CLS				**80 000 km**
4p berline CLS 550 4MATIC	A	A	4.7	50 200
4p berline CLS 63 AMG	2	A	5.5	61 700
2012 CLASSE CLS				**100 000 km**
4p berline CLS 550 4MATIC	A	A	4.7	41 000
4p berline CLS 63 AMG	2	A	5.5	47 900
2016 CLASSE E				**20 000 km**
2p coupé E400 4MATIC	A	A	3.0	58 300
2p coupé E550	2	A	4.7	67 500
2p déc. E400	2	A	3.0	64 600
2p déc. E550	2	A	4.7	74 000
4p b E250 BlueTEC 4MATIC	A	A	2.1	58 300
4p ber E300 4MATIC Avantgarde	A	A	3.5	59 300
4p ber E400 4MATIC Avantgarde	A	A	3.0	66 100
4p ber E550 4MATIC Avantgarde	A	A	4.7	72 400
4p ber AMG E63 S Avantgarde	A	A	5.5	103 700
4p fam E400 4MATIC Avantgarde	A	A	3.0	69 800
4p fam. AMG E63 S Avantgarde	A	A	5.5	106 000
2015 CLASSE E				**40 000 km**
2p coupé E400 4MATIC	A	A	3.0	47 700
2p coupé E550	2	A	4.7	55 400
2p déc. E400	2	A	3.0	52 700
2p déc. E550	2	A	4.7	60 600
4p ber E250 BlueTEC 4MATIC	A	A	2.1	44 100
4p berline E300 4MATIC	A	A	3.5	44 900
4p berline E400 4MATIC	A	A	3.0	50 800
4p berline E550 4MATIC	A	A	4.7	56 900
4p berline E63 S AMG	A	A	5.5	78 000
4p fam. E400 4MATIC	A	A	3.0	54 100
4p fam. E63 S AMG	A	A	5.5	80 000
2014 CLASSE E				**60 000 km**
2p coupé E350	2	A	3.5	41 600
2p coupé E350 4MATIC	A	A	3.5	42 200
2p coupé E550	2	A	4.7	49 700
2p déc. E350	2	A	3.5	46 900
2p déc. E550	2	A	4.7	54 500
4p berline E250 BlueTEC	2	A	2.1	38 600
4p berline E300 4MATIC	A	A	3.5	39 400
4p berline E350 4MATIC	A	A	3.5	44 900
4p berline E550 4MATIC	A	A	4.7	50 900
4p berline E63 AMG	A	A	5.5	69 700
4p berline E63 S AMG	A	A	5.5	74 600
4p fam. E350 4MATIC	A	A	3.5	47 800
4p fam. E63 AMG	A	A	5.5	71 700
4p fam. E63 S AMG	A	A	5.5	76 400
2013 CLASSE E				**80 000 km**
2p coupé E350	2	A	3.5	37 800
2p coupé E350 4MATIC	A	A	3.5	38 300
2p coupé E550	2	A	4.6	45 200
2p déc. E350	2	A	3.5	42 700
2p déc. E550	2	A	4.6	49 400
4p berline E300 4MATIC	A	A	3.5	35 900
4p berline E350 BlueTEC	2	A	3.0	40 400
4p berline E350 4MATIC	A	A	3.5	40 900
4p berline E550 4MATIC	A	A	4.6	46 300
4p berline E63 AMG	2	A	5.5	62 000
4p fam. E350 4MATIC	A	A	3.5	43 500
4p fam. E63 AMG	2	A	5.5	63 600
2012 CLASSE E				**100 000 km**
2p coupé E350	2	A	3.5	31 800
2p coupé E350 4MATIC	A	A	3.5	32 500
2p coupé E550	2	A	4.6	37 900
2p déc. E350	2	A	3.5	36 100
2p déc. E550	2	A	4.6	41 800
4p berline E300 4MATIC	A	A	3.5	29 800
4p berline E350 BlueTEC	2	A	3.0	32 700
4p berline E350 4MATIC	A	A	3.5	33 000
4p berline E550 4MATIC	A	A	4.6	39 000
4p berline E63 AMG	2	A	5.5	52 400
4p fam. E350 4MATIC	A	A	3.5	35 300
4p fam. E63 AMG	2	A	5.5	53 900
2016 CLASSE G				**20 000 km**
4p G550	A	A	4.0	116 000
4p AMG G63	A	A	5.5	139 500
4p AMG G65	A	A	6.0	228 100
2015 CLASSE G				**40 000 km**
4p G550	A	A	5.5	107 100
4p G63 AMG	A	A	5.5	133 700
2014 CLASSE G				**60 000 km**
4p G550	A	A	5.5	104 200
4p G63 AMG	A	A	5.5	128 600
2013 CLASSE G				**80 000 km**
4p G550	A	A	5.5	100 300
4p G63 AMG	A	A	5.5	123 500
2012 CLASSE G				**100 000 km**
4p G550	A	A	5.5	88 400
2016 GL				**20 000 km**
4p GL350 BlueTEC	A	A	3.0	72 300
4p GL450	A	A	3.0	73 300
4p GL550 (cuir)	A	A	4.7	93 100
4p AMG GL63	A	A	5.5	118 800
2015 CLASSE GL				**40 000 km**
4p GL350 BlueTEC	A	A	3.0	66 200
4p GL450	A	A	3.0	67 100
4p GL550 (cuir)	A	A	4.7	82 800
4p GL63 AMG	A	A	5.5	101 400
2014 CLASSE GL				**60 000 km**
4p GL350 BlueTEC	A	A	3.0	57 600
4p GL450	A	A	4.7	59 400
4p GL550 (cuir / navi)	A	A	4.7	66 800
4p GL63 AMG	A	A	5.5	91 100
2013 CLASSE GL				**80 000 km**
4p GL350 BlueTEC	A	A	3.0	49 400
4p GL450	A	A	4.7	51 000
4p GL550 (cuir / navi)	A	A	4.7	56 400
4p GL63 AMG	A	A	5.5	67 800
2012 CLASSE GL				**100 000 km**
4p GL350 BlueTEC AvantGarde	A	A	3.0	41 800
4p GL550 Grand Edition	A	A	5.5	43 800
2016 CLASSE GLA				**20 000 km**
4p GLA250	A	A	2.0	34 000
4p GLA45 AMG	A	A	2.0	46 600
2015 CLASSE GLA				**40 000 km**
4p GLA250	A	A	2.0	31 800
4p GLA250 Édition 1	A	A	2.0	34 600
4p GLA45 AMG	A	A	2.0	41 900
4p GLA45 AMG Édition 1	A	A	2.0	44 500
2016 GLC				**20 000 km**
4p GLC300 4MATIC	A	A	2.0	40 400
2015 CLASSE GLK				**40 000 km**
4p GLK250 BlueTEC AvantGarde	A	A	2.1	35 600
4p GLK350 AvantGarde	A	A	3.5	37 200
2014 CLASSE GLK				**60 000 km**
4p GLK250 BlueTEC	A	A	2.1	31 200
4p GLK350	A	A	3.5	32 800
2013 CLASSE GLK				**80 000 km**
4p GLK250 BlueTEC	A	A	2.1	26 900
4p GLK350	A	A	3.5	27 500
2012 CLASSE GLK				**100 000 km**
4p GLK350	2	A	3.5	23 800
4p GLK350 4MATIC	A	A	3.5	24 900
2016 CLASSE GLE				**20 000 km**
4p GLE350d Coupe (diesel)	A	A	3.0	65 500
4p GLE450 AMG Coupe	A	A	3.0	70 400
4p AMG GLE63 S Coupe	A	A	5.5	106 200
4p GLE350d (diesel)	A	A	3.0	57 100
4p GLE400	A	A	3.0	57 700
4p GLE550	A	A	4.7	73 600
4p AMG GLE63 S	A	A	5.5	103 600
2015 CLASSE M				**40 000 km**
4p ML350 BlueTEC	A	A	3.0	49 600
4p ML400	A	A	3.0	50 200
4p ML550 (cuir)	A	A	4.7	63 500
4p ML63 AMG (cuir - navi)	A	A	5.5	78 900
2014 CLASSE M				**60 000 km**
4p ML350	A	A	3.5	43 500
4p ML350 BlueTEC	A	A	3.0	44 700
4p ML550 (cuir)	A	A	4.7	57 400
4p ML63 AMG (cuir - navi)	A	A	5.5	71 100
2013 CLASSE M				**80 000 km**
4p ML350	A	A	3.5	40 200
4p ML350 BlueTEC	A	A	3.0	41 200
4p ML550 (cuir)	A	A	4.7	52 500
4p ML63 AMG (cuir - navi)	A	A	5.5	59 500
2012 CLASSE M				**100 000 km**
4p ML350	A	A	3.5	34 700
4p ML350 BlueTEC	A	A	3.0	35 600
4p ML550 (cuir)	A	A	4.7	42 200
4p ML63 AMG (cuir - navi)	A	A	5.5	46 300
2013 CLASSE R				**80 000 km**
4p R350	A	A	3.5	36 100
4p R350 BlueTEC	A	A	3.0	36 900
2012 CLASSE R				**100 000 km**
4p R350	A	A	3.5	30 400
4p R350 BlueTEC	A	A	3.0	30 800
2016 CLASSE S				**20 000 km**
2p coupé S550 4MATIC	A	A	4.7	138 200
2p coupé AMG S63 4MATIC	A	A	5.5	163 000
2p coupé AMG S65	2	A	6.0	240 500
4p berline S400 4MATIC	A	A	3.0	93 400
4p ber S550 4MATIC (empatt. c)	A	A	4.7	100 800
4p berline S550 4MATIC	A	A	4.7	108 900
4p berline S600	2	A	5.5	189 000
4p berline AMG S63 4MATIC	A	A	5.5	145 600
4p berline AMG S65	2	A	6.0	230 800
4p berline Maybach S600	2	A	6.0	211 700
2015 CLASSE S				**40 000 km**
2p coupé S550 4MATIC	A	A	4.7	114 000
2p coupé S63 AMG 4MATIC	A	A	5.5	135 300
2p coupé S65 AMG	2	A	6.0	189 700
4p berline S400 4MATIC	A	A	3.0	77 700
4p ber S550 4MATIC (empatt.c)	A	A	4.7	83 900
4p berline S550 4MATIC	A	A	4.7	90 600
4p berline S600	2	A	5.5	153 500
4p berline S63 AMG 4MATIC	2	A	5.5	120 900
4p berline S65 AMG	2	A	6.0	181 900
2014 CLASSE S / CL				**60 000 km**
2p coupé CL550 4MATIC	A	A	4.7	79 100
2p coupé CL600	2	A	5.5	110 200
2p coupé CL63 AMG	2	A	5.5	94 500
2p coupé CL65 AMG	2	A	6.0	129 000
4p ber S550 4MATIC (empatt.c)	A	A	4.7	61 600
4p berline S550 4MATIC	A	A	4.7	66 600
4p berline S63 AMG 4MATIC	A	A	5.5	87 900
2013 CLASSE S / CL				**80 000 km**
2p coupé CL550 4MATIC	A	A	4.7	59 800
2p coupé CL600	2	A	5.5	86 000
2p coupé CL63 AMG	2	A	5.5	71 700
2p coupé CL65 AMG	2	A	6.0	100 800
4p berline S400 Hybride	2	A	3.5	47 100
4p ber S350 BlueTEC 4MATIC	A	A	3.0	48 000
4p ber S550 4MATIC (empatt.c)	A	A	4.7	48 000
4p berline S550 4MATIC	A	A	4.7	51 800
4p berline S600	2	A	5.5	86 100
4p berline S63 AMG	2	A	5.5	66 500
4p berline S65 AMG	2	A	6.0	97 800
2012 CLASSE S / CL				**100 000 km**
2p coupé CL550 4MATIC	A	A	4.7	51 400
2p coupé CL600	2	A	5.5	74 200
2p coupé CL63 AMG	2	A	5.5	61 500
2p coupé CL65 AMG	2	A	6.0	79 200
4p berline S400 Hybride	2	A	3.5	40 600
4p ber S350 BlueTEC 4MATIC	A	A	3.0	41 200
4p ber S550 4MATIC (empatt.c)	A	A	4.7	41 200
4p berline S550 4MATIC	A	A	4.7	44 700
4p berline S600	2	A	5.5	74 500
4p berline S63 AMG	2	A	5.5	51 900
4p berline S65 AMG	2	A	6.0	76 900
2016 SL				**20 000 km**
2p déc. SL550	2	A	4.7	113 600
2p déc. SL63 AMG	2	A	5.5	150 000
2p déc. SL65 AMG	2	A	6.0	224 400
2015 CLASSE SL				**40 000 km**
2p déc. SL550	2	A	4.7	90 400
2p déc. SL63 AMG	2	A	5.5	119 500
2p déc. SL65 AMG	2	A	6.0	173 300
2014 CLASSE SL				**60 000 km**
2p déc. SL550	2	A	4.7	83 600
2p déc. SL63 AMG	2	A	5.5	108 100
2p déc. SL65 AMG	2	A	6.0	160 200
2013 CLASSE SL				**80 000 km**
2p déc. SL550	2	A	4.7	75 400
2p déc. SL63 AMG	2	A	5.5	97 100
2p déc. SL65 AMG	2	A	6.0	136 600
2012 CLASSE SL				**100 000 km**
2p déc. SL550	2	A	5.5	70 000
2p déc. SL63 AMG	2	A	6.2	84 600
2016 CLASSE SLK				**20 000 km**
2p déc. SLK300	2	A	2.0	52 500
2p déc. SLK350	2	A	3.5	61 800
2p déc. AMG SLK55	2	A	5.5	74 600
2015 CLASSE SLK				**40 000 km**
2p déc. SLK250	2	M	1.8	44 600
2p déc. SLK250	2	A	1.8	45 900
2p déc. SLK350	2	A	3.5	57 700
2p déc. SLK55 AMG	2	A	5.5	69 800
2014 CLASSE SLK				**60 000 km**
2p déc. SLK250	2	M	1.8	41 500
2p déc. SLK250	2	A	1.8	42 800
2p déc. SLK350	2	A	3.5	53 700
2p déc. SLK55 AMG	2	A	5.5	64 800
2013 CLASSE SLK				**80 000 km**
2p déc. SLK250	2	M	1.8	39 400
2p déc. SLK250	2	A	1.8	40 500

Description	R.m.	Bv.	L	Prix
2p déc. SLK350	2	A	3.5	50 600
2p déc. SLK55 AMG	2	A	5.5	61 000

2012 CLASSE SLK 100 000 km

Description	R.m.	Bv.	L	Prix
2p déc. SLK250	2	M	1.8	37 300
2p déc. SLK250	2	A	1.8	37 900
2p déc. SLK350	2	A	3.5	45 200
2p déc. SLK55 AMG	2	A	5.5	52 100

2016 METRIS 20 000 km

Description	R.m.	Bv.	L	Prix
Cargo van base	2	A	2.0	30 200
3p Wagon Combi base	2	A	2.0	33 900

MINI

2016 COOPER 20 000 km

Description	R.m.	Bv.	L	Prix
2p hayon Cooper	2	M	1.5	18 800
2p hayon S	2	M	2.0	22 700
2p hayon John Cooper Works	2	M	2.0	29 600
4p hayon Cooper	2	M	1.5	19 900
4p hayon S	2	M	2.0	23 800
2p hayon Paceman S ALL4	A	M	1.6	27 700
2p h Paceman J Cooper Works	A	M	1.6	35 400
3p Clubman	2	M	1.5	22 200
3p Clubman S	2	M	2.0	25 600
4p hayon Countryman S ALL4	A	M	1.6	26 600
4p h Countryman J.Cooper Works	A	M	1.6	34 400
2p déc. Cooper	2	M	1.5	24 500
2p déc. S	2	M	2.0	28 700
2p déc. John Cooper Works	2	M	2.0	35 500

2015 COOPER 40 000 km

Description	R.m.	Bv.	L	Prix
2p hayon Cooper	2	M	1.5	15 600
2p hayon S	2	M	2.0	19 200
2p hayon John Cooper Works	2	M	2.0	25 300
4p hayon Cooper	2	M	1.5	16 600
4p hayon S	2	M	2.0	20 000
2p coupé S	2	M	1.6	22 600
2p coupé John Cooper Works	2	M	1.6	28 400
2p hayon Paceman S ALL4	A	M	1.6	23 600
2p h Paceman J Cooper Works	A	M	1.6	30 200
4p hayon Countryman S ALL4	A	M	1.6	22 600
4p h Countryman J.Cooper Works	A	M	1.6	29 400
2p roadster S	2	M	1.6	24 000
2p roadster John Cooper Works	2	M	1.6	29 600
2p déc. Cooper	2	M	1.6	21 000
2p déc. S	2	M	1.6	24 300
2p déc. John Cooper Works	2	M	1.6	31 300

2014 COOPER 60 000 km

Description	R.m.	Bv.	L	Prix
2p hayon Cooper	2	M	1.5	13 500
2p hayon S	2	M	2.0	16 700
2p coupé Cooper	2	M	1.6	16 900
2p coupé S	2	M	1.6	20 500
2p coupé John Cooper Works	2	M	1.6	25 700
2p hayon Paceman	2	M	1.6	17 500
2p hayon Paceman S ALL4	A	M	1.6	20 500
2p h Paceman J Cooper Works	A	M	1.6	26 500
3p Clubman	2	M	1.6	16 300
3p Clubman S	2	M	1.6	19 700
3p Clubman John Cooper Works	2	M	1.6	25 700
4p hayon Countryman	2	M	1.6	16 700
4p hayon Countryman S ALL4	A	M	1.6	19 700
4p h Countryman J.Cooper Works	A	M	1.6	25 700
2p roadster Cooper	2	M	1.6	19 200
2p roadster S	2	M	1.6	21 800
2p roadster John Cooper Works	2	M	1.6	26 600
2p déc. Cooper	2	M	1.6	19 500
2p déc. S	2	M	1.6	22 800
2p déc. John Cooper Works	2	M	1.6	28 800

2013 COOPER 80 000 km

Description	R.m.	Bv.	L	Prix
2p hayon Cooper	2	M	1.6	11 900
2p hayon S	2	M	1.6	14 600
2p hayon John Cooper Works	2	M	1.6	18 900
2p hayon John Cooper Works GP	2	M	1.6	22 500
2p coupé Cooper	2	M	1.6	13 000
2p coupé S	2	M	1.6	15 700
2p coupé John Cooper Works	2	M	1.6	19 700
2p coupé John Cooper Works GP	2	M	1.6	22 500
2p hayon Paceman	2	M	1.6	13 500
2p hayon Paceman S ALL4	A	M	1.6	15 700
2p coupé Paceman J Cooper W	A	M	1.6	20 200
3p Clubman	2	M	1.6	12 400
3p Clubman S	2	M	1.6	15 100
3p Clubman John Cooper Works	2	M	1.6	19 700
3p cargo Clubvan	2	M	1.6	11 800
4p hayon Countryman	2	M	1.6	12 600
4p hayon Countryman S ALL4	A	M	1.6	15 100
4p h Countryman J.Cooper W	A	M	1.6	19 700
2p roadster Cooper	2	M	1.6	14 600
2p roadster S	2	M	1.6	16 700
2p roadster John Cooper Works	2	M	1.6	20 300
2p déc. Cooper	2	M	1.6	15 000
2p déc. S	2	M	1.6	17 400
2p déc. John Cooper Works	2	M	1.6	22 200

2012 COOPER 100 000 km

Description	R.m.	Bv.	L	Prix
2p hayon Classic	2	M	1.6	9 900
2p hayon Cooper	2	M	1.6	10 700
2p hayon S	2	M	1.6	13 200
2p hayon John Cooper Works	2	M	1.6	17 200
2p coupé Cooper	2	M	1.6	11 700
2p coupé S	2	M	1.6	14 300
2p coupé John Cooper Works	2	M	1.6	17 900
3p Clubman Classic	2	M	1.6	10 400
3p Clubman	2	M	1.6	11 300
3p Clubman S	2	M	1.6	13 900
3p Clubman John Cooper Works	2	M	1.6	17 900
4p hayon Countryman	2	M	1.6	12 000
4p hayon Countryman S	2	M	1.6	14 300
4p hayon Countryman S ALL4	A	M	1.6	15 000
2p roadster Cooper	2	M	1.6	13 200
2p roadster S	2	M	1.6	15 100
2p roadster John Cooper Works	2	M	1.6	18 400
2p déc. Cooper	2	M	1.6	13 400
2p déc. S	2	M	1.6	15 400
2p déc. John Cooper Works	2	M	1.6	20 000

MITSUBISHI

2012 ECLIPSE 100 000 km

Description	R.m.	Bv.	L	Prix
2p hayon GS	2	M	2.4	9 700
2p hayon GT-P (cuir)	2	M	3.8	13 300
2p déc. GS Spyder	2	M	2.4	12 300
2p déc. GT-P Spyder (cuir)	2	M	3.8	14 600

2016 I-MIEV 20 000 km

Description	R.m.	Bv.	L	Prix
4p hayon ES	2	A	E	22 500
4p hayon ES Groupe Navigation	2	A	E	24 200

2014 I-MIEV 60 000 km

Description	R.m.	Bv.	L	Prix
4p hayon ES	2	A	E	15 000

2013 I-MIEV 80 000 km

Description	R.m.	Bv.	L	Prix
4p hayon ES	2	A	E	12 000
4p hayon SE	2	A	E	12 600

2012 I-MIEV 100 000 km

Description	R.m.	Bv.	L	Prix
4p hayon base	2	A	E	10 200
4p hayon Premium (navigation)	2	A	E	11 300

2016 LANCER 20 000 km

Description	R.m.	Bv.	L	Prix
4p berline DE	2	M	2.0	12 800
4p berline ES	2	M	2.0	15 100
4p berline SE Limited Edition	2	M	2.0	17 400
4p berline GTS	2	M	2.4	20 200
4p berline ES AWC (AWD)	A	A	2.4	18 300
4p ber SE AWC Limited Ed AWD	A	A	2.4	20 600
4p berline GTS AWC (AWD)	A	A	2.4	22 900
4p hayon Sportback SE	2	M	2.0	17 200
4p h Sportback SE Limited Ed	2	M	2.0	18 000
4p hayon Sportback GT	2	M	2.0	21 700

2015 LANCER 40 000 km

Description	R.m.	Bv.	L	Prix
4p berline DE	2	M	2.0	10 900
4p berline SE	2	M	2.0	14 300
4p berline SE Limited Edition	2	M	2.0	14 900
4p berline SE AWC (AWD)	A	A	2.4	17 400
4p ber SE AWC Limited Ed AWD	A	A	2.4	17 800
4p berline GT	2	M	2.0	18 300
4p berline GT AWC (AWD)	A	A	2.4	21 400
4p berline Ralliart	A	A	2.0	24 900
4p berline Evolution GSR	A	M	2.0	32 500
4p berline Evolution MR	A	A	2.0	40 400
4p hayon Sportback SE	2	M	2.0	14 700
4p h Sportback SE Limited Ed	2	M	2.0	15 300
4p hayon Sportback GT	2	M	2.0	18 400

2014 LANCER 60 000 km

Description	R.m.	Bv.	L	Prix
4p berline DE	2	M	2.0	9 000
4p berline SE	2	M	2.0	11 800
4p berline Limited Edition	2	M	2.0	12 400
4p berline SE AWC (AWD)	A	A	2.4	14 300
4p berline GT	2	M	2.0	15 100
4p berline GT AWC (AWD)	A	A	2.4	17 500
4p berline Ralliart	A	A	2.0	20 500
4p berline Evolution GSR	A	M	2.0	27 000
4p berline Evolution MR	A	A	2.0	33 600
4p hayon Sportback SE	2	M	2.0	12 300
4p hayon Sportback GT	2	M	2.0	15 200

2013 LANCER 80 000 km

Description	R.m.	Bv.	L	Prix
4p berline DE	2	M	2.0	8 000
4p berline SE	2	M	2.0	10 000
4p berline 10e Anniversaire Ed.	2	M	2.0	10 600
4p berline SE AWC (AWD)	A	A	2.4	12 400
4p berline GT	2	M	2.0	12 900
4p berline GT AWC (AWD)	A	A	2.4	15 300
4p berline Ralliart	A	A	2.0	17 300
4p berline Evolution GSR	A	M	2.0	23 300
4p berline Evolution MR	A	A	2.0	28 900
4p hayon Sportback SE	2	M	2.0	10 400
4p hayon Sportback GT	2	M	2.0	13 000

2012 LANCER 100 000 km

Description	R.m.	Bv.	L	Prix
4p berline DE	2	M	2.0	7 300
4p berline SE	2	M	2.0	9 100
4p berline SE AWC (AWD)	A	A	2.4	10 900
4p berline GT	2	M	2.0	11 500
4p berline Ralliart	A	A	2.0	15 500
4p berline Evolution GSR	A	M	2.0	20 600
4p berline Evolution MR	A	A	2.0	25 900
4p hayon Sportback SE	2	M	2.0	9 500
4p hayon Sportback GT	2	M	2.0	11 700

2015 MIRAGE 40 000 km

Description	R.m.	Bv.	L	Prix
4p ES	2	M	1.2	8 000
4p SE	2	M	1.2	10 300

2014 MIRAGE 60 000 km

Description	R.m.	Bv.	L	Prix
4p ES	2	M	1.2	6 300
4p SE	2	M	1.2	8 000

2016 OUTLANDER 20 000 km

Description	R.m.	Bv.	L	Prix
4p ES	2	A	2.4	22 900
4p ES AWC	A	A	2.4	24 800
4p SE AWC	A	A	3.0	27 700
4p GT S-AWC (cuir / toit)	A	A	3.0	32 600

2015 OUTLANDER 40 000 km

Description	R.m.	Bv.	L	Prix
4p ES	2	A	2.4	18 800
4p ES AWC	A	A	2.4	20 300
4p SE AWC	A	A	3.0	22 700
4p GT S-AWC (cuir / toit)	A	A	3.0	26 400

2014 OUTLANDER 60 000 km

Description	R.m.	Bv.	L	Prix
4p ES	2	A	2.4	15 800
4p ES AWC	A	A	2.4	17 100
4p SE AWC	A	A	3.0	18 900
4p GT S-AWC (cuir / toit)	A	A	3.0	22 100

2013 OUTLANDER 80 000 km

Description	R.m.	Bv.	L	Prix
4p ES	2	A	2.4	14 200
4p ES	A	A	2.4	15 300
4p LS	A	A	3.0	16 800
4p XLS S-AWC (cuir / toit)	A	A	3.0	18 900

2012 OUTLANDER 100 000 km

Description	R.m.	Bv.	L	Prix
4p ES	2	A	2.4	12 400
4p ES	A	A	2.4	13 700
4p LS	A	A	3.0	14 500
4p XLS S-AWC (cuir / toit)	A	A	3.0	15 900

2016 RVR 20 000 km

Description	R.m.	Bv.	L	Prix
4p ES	2	M	2.0	17 400
4p SE	2	M	2.0	19 900
4p SE	2	A	2.0	21 100
4p SE AWD	4	A	2.0	23 200
4p SE AWD 2.4L Limited Edition	4	A	2.4	24 300
4p GT AWD 2.4L	4	A	2.4	26 300

2015 RVR 40 000 km

Description	R.m.	Bv.	L	Prix
4p ES	2	M	2.0	14 900
4p SE	2	M	2.0	16 700
4p SE	2	A	2.0	17 700
4p SE AWD	4	A	2.0	19 500
4p SE AWD Limited Edition	4	A	2.0	20 200
4p SE AWD 2.4L Limited Edition	4	A	2.4	20 300
4p GT AWD	4	A	2.0	22 000
4p GT AWD 2.4L	4	A	2.4	22 300

2014 RVR 60 000 km

Description	R.m.	Bv.	L	Prix
4p ES	2	M	2.0	13 200
4p SE	2	M	2.0	14 800
4p SE	2	A	2.0	15 700
4p SE AWD	4	A	2.0	17 300
4p SE AWD Limited Edition	4	A	2.0	17 600
4p GT AWD	4	A	2.0	18 300
4p GT AWD Premium (cuir)	4	A	2.0	19 400
4p GT AWD Navigation (cuir)	4	A	2.0	20 300

2013 RVR 80 000 km

Description	R.m.	Bv.	L	Prix
4p ES	2	M	2.0	11 800
4p SE	2	M	2.0	13 200
4p SE	2	A	2.0	13 900
4p SE AWD	4	A	2.0	14 600
4p SE AWD 10e Anniversaire	4	A	2.0	15 500
4p GT AWD	4	A	2.0	16 100
4p GT AWD Premium (cuir)	4	A	2.0	17 300

2012 RVR 100 000 km

Description	R.m.	Bv.	L	Prix
4p ES	2	M	2.0	9 700
4p SE	2	M	2.0	10 900
4p SE	2	A	2.0	11 300
4p SE AWD	4	A	2.0	12 100
4p GT AWD	4	A	2.0	13 600
4p GT AWD Premium (cuir)	4	A	2.0	14 500

NISSAN

2016 370Z 20 000 km

Description	R.m.	Bv.	L	Prix
2p hayon base	2	M	3.7	26 600
2p hayon Touring	2	M	3.7	35 800
2p hayon Touring Sport	2	M	3.7	39 500
2p hayon Touring Sport	2	A	3.7	40 900
2p hayon Nismo	2	M	3.7	43 200
2p déc. Roadster Touring	2	M	3.7	44 500
2p déc. Roadster Touring Sport	2	M	3.7	48 200
2p déc. Roadster Touring Sport	2	A	3.7	49 600

2015 370Z 40 000 km

Description	R.m.	Bv.	L	Prix
2p hayon Touring	2	M	3.7	29 700
2p hayon Touring Sport	2	M	3.7	32 700
2p hayon Touring Sport	2	A	3.7	33 800
2p hayon Nismo	2	M	3.7	35 700
2p déc. Roadster Touring	2	M	3.7	36 800
2p déc. Roadster Touring Sport	2	M	3.7	40 000
2p déc. Roadster Touring Sport	2	A	3.7	41 000

2014 370Z 60 000 km

Description	R.m.	Bv.	L	Prix
2p hayon Touring	2	M	3.7	27 500
2p hayon Touring Sport (navi)	2	A	3.7	30 300
2p déc. Roadster Touring	2	M	3.7	32 900
2p déc. Roadster Sport (navi)	2	A	3.7	36 200

2013 370Z 80 000 km

Description	R.m.	Bv.	L	Prix
2p hayon Touring	2	M	3.7	27 300
2p déc. Roadster	2	M	3.7	31 500

2012 370Z 100 000 km

Description	R.m.	Bv.	L	Prix
2p hayon Touring	2	M	3.7	24 700
2p hayon Édition NISMO	2	M	3.7	27 700
2p déc. Roadster	2	M	3.7	28 900

2016 ALTIMA 20 000 km

Description	R.m.	Bv.	L	Prix
4p berline 2.5	2	A	2.5	20 900
4p berline 2.5 S	2	A	2.5	22 000
4p berline 2.5 SV	2	A	2.5	23 800
4p berline 2.5 SL Tech (toit/cuir)	2	A	2.5	26 300
4p berline 3.5 SL Tech (+ nav)	2	A	3.5	30 400

2015 ALTIMA 40 000 km

Description	R.m.	Bv.	L	Prix
4p berline 2.5	2	A	2.5	15 700
4p berline 2.5 S	2	A	2.5	16 600
4p berline 2.5 SV	2	A	2.5	17 600
4p berline 2.5 SL (toit + cuir)	2	A	2.5	19 500
4p berline 3.5 SL (toit/cuir/navi)	2	A	3.5	22 700

2014 ALTIMA 60 000 km

Description	R.m.	Bv.	L	Prix
4p berline 2.5	2	A	2.5	14 200
4p berline 2.5 S	2	A	2.5	14 900
4p berline 2.5 SV	2	A	2.5	15 700
4p berline 2.5 SL (toit + cuir)	2	A	2.5	17 300
4p berline 3.5 SL (toit/cuir/navi)	2	A	3.5	19 200

2013 ALTIMA 80 000 km

Description	R.m.	Bv.	L	Prix
2p coupé 2.5 S	2	A	2.5	12 300
4p berline 2.5	2	A	2.5	9 900
4p berline 2.5 S	2	A	2.5	10 300
4p berline 2.5 SV	2	A	2.5	11 300
4p berline 2.5 SL (toit + cuir)	2	A	2.5	12 400
4p berline 3.5 SV	2	A	3.5	12 500
4p berline 3.5 SL (toit + cuir)	2	A	3.5	13 900

2012 ALTIMA 100 000 km

Description	R.m.	Bv.	L	Prix
2p coupé 2.5 S	2	M	2.5	10 700
2p coupé 3.5 SR (toit + cuir)	2	M	3.5	14 100
4p berline 2.5 S	2	M	2.5	9 100
4p berline 2.5 SL (toit + cuir)	2	A	2.5	12 300
4p berline 3.5 S	2	A	3.5	11 100
4p berline 3.5 SR	2	A	3.5	12 700

2015 ARMADA 40 000 km

Description	R.m.	Bv.	L	Prix
4p 8 pass. Platinum Edition	4	A	5.6	46 200
4p 8 pass. Platinum Reserve Ed	4	A	5.6	48 100

2014 ARMADA 60 000 km

Description	R.m.	Bv.	L	Prix
4p 8 pass. Platinum Edition	4	A	5.6	40 700
4p 8 pass. Platinum Reserve Ed	4	A	5.6	42 200

2013 ARMADA 80 000 km

Description	R.m.	Bv.	L	Prix
4p 8 pass. Platinum Edition	4	A	5.6	35 600
4p 8 pass. Platinum Reserve Ed	4	A	5.6	36 200

2012 ARMADA 100 000 km

Description	R.m.	Bv.	L	Prix
4p 7 pass. Platinum Edition	4	A	5.6	29 800

2013 CUBE 80 000 km

Description	R.m.	Bv.	L	Prix
4p 1.8S	2	M	1.8	9 300
4p 1.8S	2	A	1.8	10 300
4p 1.8SL	2	A	1.8	11 100
4p 1.8SL Technology (Navi)	2	A	1.8	11 800

2012 CUBE 100 000 km

Description	R.m.	Bv.	L	Prix
4p 1.8S	2	M	1.8	8 000
4p 1.8S	2	A	1.8	8 700
4p 1.8SL	2	A	1.8	9 500
4p 1.8SL Technology (Navi)	2	A	1.8	10 100

2016 FRONTIER 20 000 km

Description	R.m.	Bv.	L	Prix
King cab. S	2	M	2.5	20 300
King cab. S Valeur Plus	2	A	2.5	22 000
King cab. SV	2	A	4.0	21 600

Description	R.m.	Bv.	L	Prix
King cab. SV	4	A	4.0	24 700
King cab. SV Premium	4	A	4.0	26 700
King cab. PRO-4X	4	M	4.0	27 500
King cab. PRO-4X	4	A	4.0	28 800
crew cab. SV	4	A	4.0	28 200
crew cab. SV Premium	4	A	4.0	30 200
crew cab. PRO-4X	4	A	4.0	32 200
crew cab. PRO-4X (Cuir)	4	A	4.0	33 400
crew cab. SL	4	A	4.0	34 300
2015 FRONTIER				**40 000 km**
King cab. S	2	M	2.5	16 100
King cab. S Valeur Plus	2	A	2.5	17 600
King cab. SV	2	A	4.0	17 200
King cab. SV	4	A	4.0	19 900
King cab. SV Premium	4	A	4.0	21 500
King cab. PRO-4X	4	M	4.0	22 100
King cab. PRO-4X	4	A	4.0	23 200
crew cab. SV	4	A	4.0	22 700
crew cab. SV Premium	4	A	4.0	24 600
crew cab. PRO-4X	4	A	4.0	25 900
crew cab. PRO-4X (Cuir)	4	A	4.0	27 100
crew cab. SL	4	A	4.0	27 800
2014 FRONTIER				**60 000 km**
King cab. S	2	M	2.5	13 300
King cab. S Valeur Plus	2	A	2.5	15 400
King cab. SV	2	A	4.0	15 100
crew cab. SV	2	A	4.0	17 700
King cab. SV	4	A	4.0	17 400
King cab. SV Premium	4	A	4.0	18 800
King cab. PRO-4X	4	M	4.0	19 200
King cab. PRO-4X	4	A	4.0	20 200
crew cab. SV	4	A	4.0	20 000
crew cab. SV Premium	4	A	4.0	21 400
crew cab. PRO-4X	4	A	4.0	22 800
crew cab. PRO-4X (Cuir)	4	A	4.0	23 700
crew cab. SL	4	A	4.0	24 500
2013 FRONTIER				**80 000 km**
King cab. S	2	M	2.5	11 000
King cab. S Valeur Plus	2	A	2.5	11 900
King cab. SV	2	A	4.0	12 700
crew cab. SV	2	A	4.0	14 900
King cab. SV	4	M	4.0	14 000
King cab. SV	4	A	4.0	14 700
King cab PRO-4X	4	M	4.0	16 300
King cab. PRO-4X	4	A	4.0	17 000
crew cab. SV	4	M	4.0	16 100
crew cab. SV	4	A	4.0	16 900
crew cab. PRO-4X	4	A	4.0	19 100
crew cab. PRO-4X (Cuir)	4	A	4.0	20 100
crew cab. SL	4	A	4.0	20 600
2012 FRONTIER				**100 000 km**
King cab. S	2	M	2.5	10 100
King cab. S	2	A	2.5	10 600
King cab. SV	2	A	4.0	12 200
crew cab. SV	2	A	4.0	13 600
King cab. SV	4	M	4.0	12 900
King cab. SV	4	A	4.0	13 400
King cab. PRO-4X	4	M	4.0	14 200
King cab. PRO-4X	4	A	4.0	15 000
crew cab. SV	4	M	4.0	14 500
crew cab. SV	4	A	4.0	15 300
crew cab. PRO-4X	4	A	4.0	16 700
crew cab. PRO-4X (Cuir)	4	M	4.0	16 900
crew cab. SL	4	A	4.0	17 900
2016 GT-R				**15 000 km**
2p coupé Premium	A	A	3.8	100 200
2p coupé Black Edition	A	A	3.8	108 900
2p coupé NISMO	A	A	3.8	158 000
2015 GT-R				**30 000 km**
2p coupé Premium	A	A	3.8	91 900
2p coupé Black Edition	A	A	3.8	100 100
2014 GT-R				**45 000 km**
2p coupé Premium	A	A	3.8	85 300
2p coupé Black Edition	A	A	3.8	90 300
2013 GT-R				**60 000 km**
2p coupé Premium	A	A	3.8	80 200
2p coupé Black Edition	A	A	3.8	81 600
2012 GT-R				**75 000 km**
2p coupé Black Edition	A	A	3.8	76 200
2016 JUKE				**20 000 km**
4p SV	2	M	1.6	18 000
4p SV	2	A	1.6	19 200
4p NISMO RS	2	M	1.6	25 500
4p SV AWD	A	A	1.6	21 200
4p SL (cuir - toit) AWD	A	A	1.6	26 800
4p NISMO AWD	A	A	1.6	25 700
4p NISMO RS AWD	A	A	1.6	28 400
2015 JUKE				**40 000 km**
4p SV	2	M	1.6	15 700
4p SV	2	A	1.6	16 600
4p NISMO	2	M	1.6	19 700
4p NISMO RS	2	M	1.6	22 500
4p SV AWD	A	A	1.6	18 500
4p SL (cuir - toit) AWD	A	A	1.6	23 600
4p NISMO AWD	A	A	1.6	22 700
4p NISMO RS AWD	A	A	1.6	24 500
2014 JUKE				**60 000 km**
4p SV	2	M	1.6	14 700
4p SV	2	A	1.6	15 600
4p NISMO	2	M	1.6	19 000
4p NISMO RS	2	M	1.6	20 500
4p SV AWD	A	A	1.6	17 300
4p SL (cuir - toit) AWD	A	A	1.6	21 200
4p NISMO AWD	A	A	1.6	20 600
2013 JUKE				**80 000 km**
4p SV	2	M	1.6	12 500
4p SL (toit)	2	M	1.6	15 000
4p NISMO	2	M	1.6	15 800
4p SV AWD	A	A	1.6	14 800
4p SL (toit) AWD	A	A	1.6	16 400
4p NISMO AWD	A	A	1.6	18 000
2012 JUKE				**100 000 km**
4p SV	2	M	1.6	10 500
4p SL (toit)	2	M	1.6	12 800
4p SV AWD	A	A	1.6	12 500
4p SL (toit) AWD	A	A	1.6	13 800
2016 LEAF				**20 000 km**
4p hayon S	2	A	E	29 100
4p hayon SV	2	A	E	33 400
4p hayon SL	2	A	E	36 300
2015 LEAF				**40 000 km**
4p hayon S	2	A	E	21 400
4p hayon SV	2	A	E	22 600
4p hayon SL	2	A	E	24 000
2014 LEAF				**60 000 km**
4p hayon S	2	A	E	18 000
4p hayon SV	2	A	E	19 500
4p hayon SL	2	A	E	20 100
2013 LEAF				**80 000 km**
4p hayon S	2	A	E	15 900
4p hayon SV	2	A	E	16 100
4p hayon SL	2	A	E	16 700
2012 LEAF				**100 000 km**
4p hayon SV	2	A	E	14 900
4p hayon SL	2	A	E	15 600
2016 MAXIMA				**20 000 km**
4p berline SV	2	A	3.5	32 000
4p berline SL (toit)	2	A	3.5	34 800
4p berline SR (jantes 19")	2	A	3.5	36 800
4p berline Platinum	2	A	3.5	38 800
2014 MAXIMA				**60 000 km**
4p berline SV	2	A	3.5	18 100
4p berline SV Sport Navigation	2	A	3.5	20 200
4p ber SV Premium Navigation	2	A	3.5	20 500
2013 MAXIMA				**80 000 km**
4p berline SV	2	A	3.5	15 300
4p berline SV Premium	2	A	3.5	17 100
2012 MAXIMA				**100 000 km**
4p berline SV	2	A	3.5	14 900
4p berline SV Premium	2	A	3.5	16 600
2016 MICRA				**20 000 km**
4p hayon S	2	M	1.6	8 200
4p hayon S (a/c)	2	A	1.6	11 400
4p hayon SV	2	M	1.6	11 700
4p hayon SV	2	A	1.6	12 700
4p hayon SR	2	M	1.6	13 700
4p hayon SR	2	A	1.6	14 600
2015 MICRA				**40 000 km**
4p hayon S	2	M	1.6	6 400
4p hayon S (a/c)	2	A	1.6	8 700
4p hayon SV	2	M	1.6	9 100
4p hayon SV	2	A	1.6	9 900
4p hayon Krom	2	M	1.6	10 400
4p hayon SR	2	M	1.6	10 400
4p hayon SR	2	A	1.6	11 200
2016 MURANO				**20 000 km**
4p S	2	A	3.5	26 600
4p SV (toit)	2	A	3.5	30 300
4p SV (toit) AWD	A	A	3.5	32 100
4p SL (cuir / toit) AWD	A	A	3.5	35 200
4p Platinum (Jantes 20") AWD	A	A	3.5	39 000
2015 MURANO				**40 000 km**
4p S	2	A	3.5	23 700
4p SV (toit)	2	A	3.5	26 200
4p SV (toit) AWD	A	A	3.5	27 800
4p SL (cuir / toit) AWD	A	A	3.5	28 000
4p Platinum (Jantes 20") AWD	A	A	3.5	29 700
2014 MURANO				**60 000 km**
4p S	A	A	3.5	20 500
4p SV (toit)	A	A	3.5	23 900
4p SL (cuir / toit)	A	A	3.5	26 200
4p Platinum (Navi)	A	A	3.5	26 700
2p déc. CrossCabriolet	A	A	3.5	29 000
2013 MURANO				**80 000 km**
4p S	A	A	3.5	17 700
4p SV (toit)	A	A	3.5	20 600
4p SL (cuir / toit)	A	A	3.5	22 500
4p LE (+ 20"mags)	A	A	3.5	23 100
4p LE Platinum (Navi)	A	A	3.5	24 600
2p déc. CrossCabriolet	A	A	3.5	27 700
2012 MURANO				**100 000 km**
4p S	A	A	3.5	15 100
4p SV (toit)	A	A	3.5	17 600
4p SL (cuir / toit)	A	A	3.5	19 200
4p LE (+ 20"mags)	A	A	3.5	20 900
4p LE Technology (Navi)	A	A	3.5	21 900
2p déc. CrossCabriolet	A	A	3.5	24 200
2016 PATHFINDER				**20 000 km**
4p S	2	A	3.5	27 700
4p S	4	A	3.5	30 300
4p SV	4	A	3.5	33 700
4p SL (cuir)	4	A	3.5	36 500
4p SL Tech (navi / cuir)	4	A	3.5	39 500
4p Platinum (cuir)	4	A	3.5	42 200
2015 PATHFINDER				**40 000 km**
4p S	2	A	3.5	24 200
4p S	4	A	3.5	25 800
4p SV	4	A	3.5	29 300
4p SL (cuir)	4	A	3.5	31 500
4p SL Tech (navi / cuir)	4	A	3.5	33 000
4p Platinum (cuir)	4	A	3.5	34 100
4p Hybrid SV	4	A	2.5	32 700
4p Hybrid Platinum	4	A	2.5	37 100
2014 PATHFINDER				**60 000 km**
4p S	2	A	3.5	21 800
4p SL (cuir)	2	A	3.5	26 100
4p S	4	A	3.5	23 400
4p SV	4	A	3.5	25 800
4p SL (cuir)	4	A	3.5	27 600
4p SL Tech (navi / cuir)	4	A	3.5	29 100
4p Platinum (cuir)	4	A	3.5	30 300
4p Platinum Premium (toit/dvd)	4	A	3.5	31 300
4p Hybrid SV	4	A	2.5	28 900
4p Hybrid Platinum Premium toit	4	A	2.5	32 400
2013 PATHFINDER				**80 000 km**
4p S	2	A	3.5	19 900
4p SL (cuir)	2	A	3.5	24 100
4p S	4	A	3.5	21 400
4p SV	4	A	3.5	22 500
4p SL (cuir)	4	A	3.5	24 100
4p Platinum (cuir)	4	A	3.5	25 700
2012 PATHFINDER				**100 000 km**
4p S	4	A	4.0	17 500
4p SV	4	A	4.0	19 800
4p LE (cuir)	A	A	4.0	22 200
2013 QUEST				**80 000 km**
4p 3.5 S	2	A	3.5	18 500
4p 3.5 SV	2	A	3.5	22 300
4p 3.5 SL (cuir)	2	A	3.5	23 200
4p 3.5 LE (cuir / Navi)	2	A	3.5	24 100
2012 QUEST				**100 000 km**
4p 3.5 S	2	A	3.5	15 100
4p 3.5 SV	2	A	3.5	18 000
4p 3.5 SL (cuir)	2	A	3.5	19 900
4p 3.5 LE (cuir / Navi)	2	A	3.5	20 600
2016 ROGUE				**20 000 km**
4p S	2	A	2.5	21 700
4p SV Special Edition	2	A	2.5	24 300
4p S AWD	A	A	2.5	23 500
4p SV Special Edition AWD	A	A	2.5	26 200
4p SV AWD	A	A	2.5	27 100
4p SL Premium AWD (cuir/toit)	A	A	2.5	31 400
2015 ROGUE				**40 000 km**
4p S	2	A	2.5	17 300
4p SV	2	A	2.5	20 400
4p S AWD	A	A	2.5	19 100
4p SV AWD	A	A	2.5	21 900
4p SV Tech AWD (navi)	A	A	2.5	22 800
4p SL AWD (cuir)	A	A	2.5	22 500
4p SL Premium AWD (cuir/navi)	A	A	2.5	23 800
2014 ROGUE				**60 000 km**
4p S	2	A	2.5	15 100
4p SV	2	A	2.5	17 300
4p SV Tech (navi)	2	A	2.5	18 600
4p S AWD	A	A	2.5	16 600
4p SV AWD	A	A	2.5	18 600
4p SV Tech AWD (navi)	A	A	2.5	19 500
4p SL AWD (cuir)	A	A	2.5	19 400
4p SL Premium AWD (cuir/navi)	A	A	2.5	20 300
2013 ROGUE				**80 000 km**
4p S	2	A	2.5	13 700
4p SE (toit)	2	A	2.5	14 600
4p SV	2	A	2.5	15 400
4p S AWD	A	A	2.5	15 400
4p SE AWD (toit)	A	A	2.5	15 700
4p SV AWD	A	A	2.5	16 600
4p SL AWD (cuir)	A	A	2.5	16 700
2012 ROGUE				**100 000 km**
4p S	2	A	2.5	11 400
4p SV	2	A	2.5	13 100
4p S AWD	A	A	2.5	13 100
4p SV AWD	A	A	2.5	13 400
4p SL AWD (cuir)	A	A	2.5	15 200
2016 SENTRA				**20 000 km**
4p berline S	2	M	1.8	13 600
4p berline S (a/c)	2	A	1.8	16 500
4p berline SV	2	M	1.8	16 200
4p berline SV	2	A	1.8	17 400
4p berline SV Luxury (toit)	2	A	1.8	19 600
4p berline SR	2	A	1.8	19 800
4p berline SR Premium (toit/navi)	2	A	1.8	22 300
4p berline SL (cuir - navi)	2	A	1.8	22 900
2015 SENTRA				**40 000 km**
4p berline S	2	M	1.8	9 600
4p berline S Plus (a/c)	2	A	1.8	11 600
4p berline SV	2	M	1.8	11 400
4p berline SV	2	A	1.8	12 400
4p berline SV Luxury (toit)	2	A	1.8	14 000
4p berline SR	2	A	1.8	14 300
4p berline SR Premium (toit/navi)	2	A	1.8	15 200
4p berline SL (cuir - navi)	2	A	1.8	14 500
2014 SENTRA				**60 000 km**
4p berline S	2	M	1.8	8 000
4p berline S Plus (a/c)	2	A	1.8	9 700
4p berline SV	2	M	1.8	9 700
4p berline SV	2	A	1.8	10 500
4p berline SV Luxury (toit)	2	A	1.8	11 800
4p berline SR	2	A	1.8	11 100
4p berline SR Premium (toit/navi)	2	A	1.8	12 100
4p berline SL (cuir - navi)	2	A	1.8	12 500
2013 SENTRA				**80 000 km**
4p berline S	2	M	1.8	7 800
4p berline SV	2	M	1.8	9 200
4p berline SR	2	A	1.8	10 400
4p berline SL (cuir + navi)	2	A	1.8	11 600
2012 SENTRA				**100 000 km**
4p berline 2.0	2	M	2.0	6 300
4p berline 2.0 S	2	M	2.0	8 000
4p berline 2.0 SL (cuir)	2	A	2.0	9 500
4p berline 2.5 SE-R	2	A	2.5	9 000
4p berline 2.5 SE-R Spec V	2	M	2.5	9 600
2016 TITAN XD				**20 000 km**
Crew Cab S	4	A	5.0	47 200
Crew Cab SV	4	A	5.0	50 800
Crew Cab SV Premium (navi)	4	A	5.0	57 000
Crew Cab PRO-4X	4	A	5.0	57 800
Crew Cab PRO-4X Luxury (cuir)	4	A	5.0	65 000
Crew Cab SL (cuir)	4	A	5.0	63 600
Crew Cab Platinum	4	A	5.0	67 000
2015 TITAN				**40 000 km**
King cab. SV	4	A	5.6	32 500
King cab. PRO-4X	4	A	5.6	34 000
Crew Cab S	4	A	5.6	30 800
Crew Cab SV	4	A	5.6	34 800
Crew Cab PRO-4X	4	A	5.6	36 200
Crew Cab SL (cuir)	4	A	5.6	38 800
2014 TITAN				**60 000 km**
King cab. S	2	A	5.6	23 500
King cab. SV	2	A	5.6	26 900
King cab. SV	4	A	5.6	29 300
King cab. PRO-4X	4	A	5.6	30 700
Crew Cab S	4	A	5.6	27 800
Crew Cab SV	4	A	5.6	31 300
Crew Cab PRO-4X	4	A	5.6	32 500
Crew Cab SL (cuir)	4	A	5.6	33 500
2013 TITAN				**80 000 km**
King cab. S	2	A	5.6	19 400

Description	R.m.	Bv.	L	Prix
King cab. SV	2	A	5.6	22 400
King cab. SV	4	A	5.6	24 200
King cab. PRO-4X	4	A	5.6	25 500
King cab. SL (cuir)	4	A	5.6	28 200
Crew Cab S	4	A	5.6	23 200
Crew Cab SV	4	A	5.6	26 000
Crew Cab PRO-4X	4	A	5.6	27 000
Crew Cab SL (cuir)	4	A	5.6	29 000
2012 TITAN				**100 000 km**
King cab. S	2	A	5.6	17 000
King cab. SV	2	A	5.6	18 900
King cab. SV	4	A	5.6	20 800
King cab. PRO-4X	4	A	5.6	21 900
King cab. SL (cuir)	4	A	5.6	23 900
Crew Cab S	4	A	5.6	20 000
Crew Cab SV	4	A	5.6	22 200
Crew Cab PRO-4X	4	A	5.6	23 300
Crew Cab SL (cuir)	4	A	5.6	24 800
2016 VERSA NOTE				**20 000 km**
4p hayon 1.6S	2	M	1.6	12 200
4p hayon 1.6S	2	A	1.6	13 300
4p hayon 1.6SV	2	M	1.6	13 900
4p hayon 1.6SV	2	A	1.6	15 100
4p hayon 1.6SL	2	A	1.6	17 200
4p hayon 1.6SR	2	A	1.6	16 200
2015 VERSA NOTE				**40 000 km**
4p hayon 1.6S	2	M	1.6	9 300
4p hayon 1.6S	2	A	1.6	10 000
4p hayon 1.6SV	2	M	1.6	10 500
4p hayon 1.6SV	2	A	1.6	11 300
4p hayon 1.6SL	2	M	1.6	11 700
4p hayon 1.6SL	2	A	1.6	12 800
4p hayon 1.6SR	2	A	1.6	12 300
2014 VERSA				**60 000 km**
4p hayon Versa Note 1.6S	2	M	1.6	8 400
4p hayon Versa Note 1.6SV	2	M	1.6	9 300
4p hayon Versa Note 1.6SL	2	M	1.6	10 800
4p berline 1.6S	2	M	1.6	7 200
4p berline 1.6SV	2	M	1.6	9 200
4p berline 1.6SL	2	A	1.6	10 900
2013 VERSA				**80 000 km**
4p berline 1.6S	2	M	1.6	6 300
4p berline 1.6SV	2	M	1.6	7 600
4p berline 1.6SL	2	A	1.6	9 300
2012 VERSA				**100 000 km**
4p hayon 1.8S	2	M	1.8	5 200
4p hayon 1.8SL	2	M	1.8	6 900
4p berline 1.6S	2	M	1.6	4 400
4p berline 1.6SV	2	M	1.6	5 100
4p berline 1.6SL	2	A	1.6	6 100
2015 XTERRA				**40 000 km**
4p S	4	A	4.0	24 700
4p PRO-4X	4	M	4.0	26 300
4p PRO-4X	4	A	4.0	27 200
2014 XTERRA				**60 000 km**
4p S	4	A	4.0	21 400
4p PRO-4X	4	M	4.0	22 700
4p PRO-4X	4	A	4.0	23 800
2013 XTERRA				**80 000 km**
4p S	4	M	4.0	18 200
4p S	4	A	4.0	18 900
4p PRO-4X	4	M	4.0	19 600
4p PRO-4X	4	A	4.0	20 500
2012 XTERRA				**100 000 km**
4p S	4	M	4.0	16 600
4p S	4	A	4.0	17 300
4p PRO-4X	4	M	4.0	18 100
4p PRO-4X	4	A	4.0	18 900
4p SV	4	A	4.0	18 800
PORSCHE				
2016 911				**15 000 km**
2p coupé Carrera	2	M	3.4	93 000
2p coupé Carrera Black Edition	2	M	3.4	92 200
2p coupé Carrera S	2	M	3.8	107 700
2p coupé Carrera GTS	2	M	3.8	118 900
2p coupé Carrera 4	A	M	3.4	100 300
2p coupé Carrera 4 Black Edition	A	M	3.4	98 500
2p coupé Carrera 4S	A	M	3.8	115 000
2p coupé Carrera 4 GTS	2	M	3.8	125 900
2p coupé Targa 4	A	M	3.4	113 200
2p coupé Targa 4S	A	M	3.8	127 900
2p coupé GT3	2	A	3.8	135 900
2p coupé GT3 RS	2	A	4.0	183 600
2p coupé Turbo	A	A	3.8	166 300
2p coupé Turbo S	A	A	3.8	190 800
2p déc. Carrera	2	M	3.4	105 900
2p déc. Carrera Black Edition	2	M	3.4	102 400
2p déc. Carrera S	2	M	3.8	120 600
2p déc. Carrera GTS	2	M	3.8	131 400
2p déc. Carrera 4	A	M	3.4	113 200
2p déc. Carrera 4 Black Edition	A	M	3.4	108 800
2p déc. Carrera 4S	A	M	3.8	127 900
2p déc. Carrera 4 GTS	A	M	3.8	138 400
2p déc. Turbo	A	A	3.8	179 100
2p déc. Turbo S	A	A	3.8	209 500
2015 911				**30 000 km**
2p coupé Carrera	2	M	3.4	83 100
2p coupé Carrera S	2	M	3.8	97 700
2p coupé Carrera GTS	2	M	3.8	113 000
2p coupé Carrera 4	A	M	3.4	89 800
2p coupé Carrera 4S	A	M	3.8	104 400
2p coupé Carrera 4 GTS	2	M	3.8	119 700
2p coupé Targa 4	A	M	3.4	100 300
2p coupé Targa 4S	A	M	3.8	114 900
2p coupé GT3	2	A	3.8	129 100
2p coupé Turbo	A	A	3.8	149 700
2p coupé Turbo S	A	A	3.8	181 300
2p déc. Carrera	2	M	3.4	95 000
2p déc. Carrera S	2	M	3.8	109 500
2p déc. Carrera GTS	2	M	3.8	124 800
2p déc. Carrera 4	A	M	3.4	101 700
2p déc. Carrera 4S	A	M	3.8	116 300
2p déc. Carrera 4 GTS	A	M	3.8	131 500
2p déc. Turbo	A	A	3.8	161 700
2p déc. Turbo S	A	A	3.8	193 100
2014 911				**45 000 km**
2p coupé Carrera	2	M	3.4	76 600
2p coupé Carrera S	2	M	3.8	90 000
2p coupé Édition 50e Anniver.	2	M	3.8	113 400
2p coupé Carrera 4	A	M	3.4	83 000
2p coupé Carrera 4S	A	M	3.8	96 300
2p coupé Targa 4	A	M	3.4	92 300
2p coupé Targa 4S	A	M	3.8	105 700
2p coupé GT3	2	A	3.8	119 100
2p coupé Turbo	A	A	3.8	125 800
2p coupé Turbo S	A	A	3.8	147 200
2p déc. Carrera	2	M	3.4	87 700
2p déc. Carrera S	2	M	3.8	101 000
2p déc. Carrera 4	A	M	3.4	93 900
2p déc. Carrera 4S	A	M	3.8	107 300
2p déc. Turbo	A	A	3.8	147 200
2p déc. Turbo S	A	A	3.8	177 700
2013 911				**60 000 km**
2p coupé Carrera	2	M	3.4	69 200
2p coupé Carrera S	2	M	3.8	81 400
2p coupé Carrera 4	A	M	3.4	76 800
2p coupé Carrera 4S	A	M	3.8	89 300
2p coupé Turbo	A	M	3.8	110 700
2p coupé Turbo S	A	A	3.8	129 500
2p coupé Edition 918 Spyder	A	A	3.8	129 500
2p déc. Carrera	2	M	3.4	79 100
2p déc. Carrera S	2	M	3.8	91 300
2p déc. Carrera 4	A	M	3.4	87 100
2p déc. Carrera 4S	A	M	3.8	99 400
2p déc. Turbo	A	M	3.8	120 100
2p déc. Turbo S	A	A	3.8	138 800
2p déc. Edition 918 Spyder	A	A	3.8	138 800
2012 911				**75 000 km**
2p coupé Carrera	2	M	3.6	64 000
2p coupé New Carrera (991)	2	M	3.4	66 600
2p coupé Black Edition	2	M	3.6	65 900
2p coupé Carrera S	2	M	3.8	74 800
2p coupé New Carrera S (991)	2	M	3.8	74 400
2p coupé Carrera GTS	2	M	3.8	83 800
2p coupé GT3 RS 4.0	2	M	4.0	113 700
2p coupé Carrera 4	A	M	3.6	69 200
2p coupé Carrera 4S	A	M	3.8	79 900
2p coupé Targa 4	A	M	3.6	76 000
2p coupé Targa 4S	A	M	3.8	86 500
2p coupé Turbo	A	M	3.8	106 500
2p coupé Turbo S	A	A	3.8	118 400
2p déc. Carrera	2	M	3.6	73 200
2p déc. New Carrera (991)	2	M	3.4	76 100
2p déc. Black Edition	2	M	3.6	74 100
2p déc. Carrera S	2	M	3.8	83 700
2p déc. New Carrera S (991)	2	M	3.8	87 800
2p déc. Carrera GTS	2	M	3.8	90 900
2p déc. Carrera 4	A	M	3.6	78 400
2p déc. Carrera 4S	A	M	3.8	89 000
2p déc. Turbo	A	M	3.8	115 400
2p déc. Turbo S	A	A	3.8	126 900
2016 BOXSTER				**15 000 km**
2p déc. base	2	M	2.7	55 400
2p déc. Black Edition	2	M	2.7	63 000
2p déc. S	2	M	3.4	68 300
2p déc. GTS	2	M	3.4	79 800
2p déc. Spyder	2	M	3.8	88 000
2015 BOXSTER				**30 000 km**
2p déc. base	2	M	2.7	52 000
2p déc. S	2	M	3.4	64 200
2p déc. GTS	2	M	3.4	74 800
2014 BOXSTER				**45 000 km**
2p déc. base	2	M	2.7	48 800
2p déc. S	2	M	3.4	60 400
2013 BOXSTER				**60 000 km**
2p déc. base	2	M	2.7	46 300
2p déc. S	2	M	3.4	57 300
2012 BOXSTER				**75 000 km**
2p déc. base	2	M	2.9	42 000
2p déc. S	2	M	3.4	51 400
2p déc. Spyder	2	M	3.4	54 200
2p déc. Black Edition	2	M	3.4	57 300
2016 CAYENNE				**20 000 km**
4p V6	A	A	3.0	63 000
4p S E-Hybrid	A	A	3.0	82 300
4p Diesel	A	A	3.0	67 400
4p S	A	A	3.6	79 300
4p GTS	A	A	4.8	101 800
4p Turbo	A	A	4.8	122 000
4p Turbo S	A	A	4.8	168 200
2015 CAYENNE				**40 000 km**
4p S E-Hybrid	A	A	3.0	73 500
4p Diesel	A	A	3.0	60 200
4p S	A	A	3.6	70 600
4p Turbo	A	A	4.8	98 100
2014 CAYENNE				**60 000 km**
4p V6	A	M	3.6	43 700
4p V6	A	A	3.6	46 300
4p V6 Platinum Edition	A	A	3.6	55 100
4p S	A	A	4.8	57 600
4p S Hybride	A	A	3.0	61 300
4p Diesel	A	A	3.0	49 900
4p Diesel Platinum Edition	A	A	3.0	58 100
4p GTS	A	A	4.8	72 700
4p Turbo	A	A	4.8	90 200
4p Turbo S	A	A	4.8	111 100
2013 CAYENNE				**80 000 km**
4p V6	A	M	3.6	40 200
4p V6	A	A	3.6	42 800
4p S	A	A	4.8	53 200
4p S Hybride	A	A	3.0	56 700
4p Diesel	A	A	3.0	46 000
4p GTS	A	A	4.8	61 300
4p Turbo	A	A	4.8	69 400
2012 CAYENNE				**100 000 km**
4p V6	A	M	3.6	35 700
4p V6	A	A	3.6	38 200
4p S	A	A	4.8	45 800
4p S Hybride	A	A	3.0	49 000
4p Turbo	A	A	4.8	58 500
2016 CAYMAN				**15 000 km**
2p coupé Base	2	M	2.7	55 900
2p coupé Black Edition	2	M	2.7	63 100
2p coupé S	2	M	3.4	68 400
2p coupé GTS	2	M	3.4	80 500
2p coupé GT4	2	M	3.8	90 700
2015 CAYMAN				**30 000 km**
2p coupé Base	2	M	2.7	53 700
2p coupé S	2	M	3.4	65 500
2p coupé GTS	2	M	3.4	77 300
2014 CAYMAN				**45 000 km**
2p coupé Base	2	M	2.7	51 400
2p coupé S	2	M	3.4	62 800
2012 CAYMAN				**75 000 km**
2p coupé Base	2	M	2.9	47 800
2p coupé S	2	M	3.4	57 600
2p coupé R	2	M	3.4	61 300
2p coupé Black Edition	2	M	3.4	62 500
2016 MACAN				**20 000 km**
4p S	A	A	3.0	53 500
4p Turbo (navi)	A	A	3.6	77 900
2015 MACAN				**40 000 km**
4p S	A	A	3.0	49 100
4p Turbo (navi)	A	A	3.6	74 800
2016 PANAMERA				**20 000 km**
4p berline 3.6L	2	A	3.6	81 300
4p berline 3.6L Edition	2	A	3.6	83 300
4p berline S	2	A	3.0	97 100
4p berline S E-Hybrid	2	A	3.0	97 100
4p berline 4 3.6L	A	A	3.6	86 200
4p berline 4 3.6L Edition	A	A	3.6	87 800
4p berline 4S	A	A	3.0	102 500
4p berline 4S Executive	A	A	3.0	131 100
4p berline GTS	A	A	4.8	118 000
4p berline Turbo	A	A	4.8	147 600
4p berline Turbo Executive	A	A	4.8	168 400
4p berline Turbo S	A	A	4.8	188 500
4p berline Turbo S Executive	A	A	4.8	209 800
2015 PANAMERA				**40 000 km**
4p berline 3.6L	2	A	3.6	72 700
4p berline S	2	A	3.0	86 800
4p berline S E-Hybrid	2	A	3.0	89 600
4p berline 4 3.6L	A	A	3.6	77 100
4p berline 4S	A	A	3.0	91 600
4p berline 4S Executive	A	A	3.0	117 200
4p berline GTS	A	A	4.8	105 500
4p berline Turbo	A	A	4.8	131 900
4p berline Turbo Executive	A	A	4.8	137 200
4p berline Turbo S	A	A	4.8	146 100
4p berline Turbo S Executive	A	A	4.8	162 400
2014 PANAMERA				**60 000 km**
4p berline 3.6L	2	A	3.6	65 000
4p berline S	2	A	3.0	77 600
4p berline S E-Hybrid	2	A	3.0	82 600
4p berline 4 3.6L	A	A	3.6	68 800
4p berline 4S	A	A	3.0	81 800
4p berline 4S Executive	A	A	3.0	104 800
4p berline GTS	A	A	4.8	94 400
4p berline Turbo	A	A	4.8	113 300
4p berline Turbo Executive	A	A	4.8	122 800
4p berline Turbo S	A	A	4.8	131 400
4p berline Turbo S Executive	A	A	4.8	140 500
2013 PANAMERA				**80 000 km**
4p berline V6	2	A	3.6	61 800
4p berline V6 Platinum Edition	2	A	3.6	64 900
4p berline S	2	A	4.8	73 800
4p berline S Hybrid	2	A	3.0	77 800
4p berline 4 V6	A	A	3.6	65 600
4p berline 4 V6 Platinum Edition	2	A	3.6	68 600
4p berline 4S	A	A	4.8	77 900
4p berline GTS	A	A	4.8	80 500
4p berline Turbo	A	A	4.8	93 800
4p berline Turbo S	A	A	4.8	108 100
2012 PANAMERA				**100 000 km**
4p berline V6	2	A	3.6	54 900
4p berline S	2	A	4.8	64 800
4p berline S Hybrid	2	A	3.0	62 900
4p berline 4 V6	A	A	3.6	58 200
4p berline 4S	A	A	4.8	68 300
4p berline GTS	A	A	4.8	74 400
4p berline Turbo	A	A	4.8	82 200
4p berline Turbo S	A	A	4.8	90 000
SCION				
2016 FR-S				**20 000 km**
2p coupé base	2	M	2.0	24 300
2p coupé base	2	A	2.0	25 400
2p coupé Release Series 2.0	2	M	2.0	28 400
2p coupé Release Series 2.0	2	A	2.0	29 400
2015 FR-S				**40 000 km**
2p coupé base	2	M	2.0	20 700
2p coupé Release Series 1.0	2	M	2.0	23 800
2014 FR-S				**60 000 km**
2p coupé base	2	M	2.0	18 400
2p coupé Série Monogram	2	M	2.0	19 900
2013 FR-S				**80 000 km**
2p coupé base	2	M	2.0	16 000
2016 IM				**20 000 km**
4p hayon base	2	M	1.8	18 100
4p hayon base	2	A	1.8	18 800
2015 IQ				**40 000 km**
2p coupé base	2	A	1.3	12 400
2014 IQ				**60 000 km**
2p coupé base	2	A	1.3	9 900
2p coupé Édition 10	2	A	1.3	11 500
2013 IQ				**80 000 km**
2p coupé base	2	A	1.3	8 900
2012 IQ				**100 000 km**
2p coupé base	2	A	1.3	6 800
2016 TC				**20 000 km**
2p coupé base	2	M	2.5	19 100
2015 TC				**40 000 km**
2p coupé base	2	M	2.5	15 000
2p coupé Release Series 9.0	2	M	2.5	17 500
2014 TC				**60 000 km**
2p coupé base	2	M	2.5	12 500

Description	R.m.	Bv.	L	Prix
2p coupé Édition 10	2	M	2.5	14 100
2013 TC				**80 000 km**
2p coupé base	2	M	2.5	11 300
2p coupé Release Series 8.0	2	M	2.5	13 200
2012 TC				**100 000 km**
2p coupé base	2	M	2.5	10 500
2015 XB				**40 000 km**
4p base	2	M	2.4	14 900
2014 XB				**60 000 km**
4p base	2	M	2.4	12 400
4p Édition 10	2	M	2.4	14 200
2013 XB				**80 000 km**
4p base	2	M	2.4	10 600
2012 XB				**100 000 km**
4p base	2	M	2.4	8 600
2014 XD				**60 000 km**
4p hayon base	2	M	1.8	10 900
4p hayon Édition 10	2	M	1.8	12 600
2013 XD				**80 000 km**
4p hayon base	2	M	1.8	9 900
4p hayon base	2	A	1.8	10 700
2012 XD				**100 000 km**
4p hayon base	2	M	1.8	8 300

SMART

Description	R.m.	Bv.	L	Prix
2016 FORTWO				**20 000 km**
2p coupé Pure	2	M	1.0	14 900
2p coupé Passion	2	M	1.0	16 300
2p coupé Prime (cuir)	2	M	1.0	18 200
2p coupé EV (électrique)	2	A	E	23 800
2p cabriolet EV (électrique)	2	A	E	26 600
2015 FORTWO				**40 000 km**
2p coupé Pure	2	A	1.0	8 400
2p coupé Passion	2	A	1.0	10 500
2p coupé EV (électrique)	2	A	E	14 400
2p cabriolet Passion	2	A	1.0	12 400
2p cabriolet EV (électrique)	2	A	E	15 000
2014 FORTWO				**60 000 km**
2p coupé Pure	2	A	1.0	6 800
2p coupé Passion	2	A	1.0	8 400
2p coupé Brabus (cuir)	2	A	1.0	10 300
2p coupé EV (électrique)	2	A	E	13 600
2p cabriolet Passion	2	A	1.0	10 200
2p cabriolet Brabus (cuir)	2	A	1.0	12 000
2p cabriolet EV (électrique)	2	A	E	14 300
2013 FORTWO				**80 000 km**
2p coupé Pure	2	A	1.0	5 400
2p coupé Passion	2	A	1.0	6 700
2p coupé Brabus (cuir)	2	A	1.0	8 300
2p coupé EV (électrique)	2	A	E	10 400
2p cabriolet Passion	2	A	1.0	8 100
2p cabriolet Brabus (cuir)	2	A	1.0	9 600
2p cabriolet EV (électrique)	2	A	E	10 900
2012 FORTWO				**100 000 km**
2p coupé Pure	2	A	1.0	4 200
2p coupé Passion	2	A	1.0	5 000
2p coupé Brabus (cuir)	2	A	1.0	6 500
2p cabriolet Passion	2	A	1.0	6 500
2p cabriolet Brabus (cuir)	2	A	1.0	7 500

SUBARU

Description	R.m.	Bv.	L	Prix
2016 BRZ				**20 000 km**
2p coupé base	2	M	2.0	24 200
2p coupé base	2	A	2.0	25 300
2p coupé Sport-tech (cuir)	2	M	2.0	26 000
2p coupé Sport-tech (cuir)	2	A	2.0	27 100
2p coupé Hikari Edition (cuir)	2	M	2.0	27 000
2015 BRZ				**40 000 km**
2p coupé base	2	M	2.0	21 300
2p coupé base	2	A	2.0	22 200
2p coupé Sport-tech (cuir)	2	M	2.0	22 900
2p coupé Sport-tech (cuir)	2	A	2.0	23 900
2p coupé Édition Aozora	2	M	2.0	24 500
2014 BRZ				**60 000 km**
2p coupé base	2	M	2.0	19 200
2p coupé base	2	A	2.0	20 200
2p coupé Sport-tech (cuir)	2	M	2.0	20 800
2p coupé Sport-tech (cuir)	2	A	2.0	21 800
2013 BRZ				**80 000 km**
2p coupé base	2	M	2.0	15 600
2p coupé base	2	A	2.0	16 300
2p coupé Sport-tech (cuir)	2	M	2.0	16 800
2p coupé Sport-tech (cuir)	2	A	2.0	17 600
2016 FORESTER				**20 000 km**
4p 2.5i	A	M	2.5	22 900
4p 2.5i	A	A	2.5	24 100
4p 2.5i Convenience	A	A	2.5	25 500
4p 2.5i Convenience PZEV	A	A	2.5	26 100

Description	R.m.	Bv.	L	Prix
4p 2.5i Touring	A	M	2.5	26 600
4p 2.5i Touring	A	A	2.5	27 800
4p 2.5i Touring EyeSight	A	A	2.5	28 900
4p 2.5i Limited (cuir)	A	A	2.5	30 800
4p 2.5i Limited (cuir) EyeSight	A	A	2.5	31 900
4p 2.0XT Touring	A	A	2.0	29 800
4p 2.0XT Limited (cuir)	A	A	2.0	32 900
4p 2.0XT Limited (cuir) EyeSight	A	A	2.0	34 000
2015 FORESTER				**40 000 km**
4p 2.5i	A	M	2.5	18 800
4p 2.5i	A	A	2.5	19 700
4p 2.5i Convenience	A	A	2.5	20 800
4p 2.5i Convenience PZEV	A	A	2.5	21 300
4p 2.5i Touring	A	M	2.5	21 700
4p 2.5i Touring	A	A	2.5	22 600
4p 2.5i Touring EyeSight	A	A	2.5	23 700
4p 2.5i Limited (cuir)	A	A	2.5	24 000
4p 2.5i Limited (cuir) EyeSight	A	A	2.5	25 000
4p 2.0XT Touring	A	A	2.0	24 500
4p 2.0XT Limited (cuir)	A	A	2.0	25 700
4p 2.0XT Limited (cuir) EyeSight	A	A	2.0	26 600
2014 FORESTER				**60 000 km**
4p 2.5i	A	M	2.5	16 400
4p 2.5i	A	A	2.5	17 400
4p 2.5i Convenience	A	A	2.5	18 500
4p 2.5i Convenience PZEV	A	A	2.5	19 000
4p 2.5i Touring	A	M	2.5	19 200
4p 2.5i Touring	A	A	2.5	20 100
4p 2.5i Limited (cuir)	A	A	2.5	21 400
4p 2.5i Limited (cuir) EyeSight	A	A	2.5	22 300
4p 2.0XT Touring	A	A	2.0	20 800
4p 2.0XT Limited (cuir)	A	A	2.0	22 200
4p 2.0XT Limited (cuir) EyeSight	A	A	2.0	23 600
2013 FORESTER				**80 000 km**
4p 2.5X	A	M	2.5	15 800
4p 2.5X	A	A	2.5	16 700
4p 2.5X Convenience	A	A	2.5	17 500
4p 2.5X Convenience PZEV	A	A	2.5	18 000
4p 2.5X Touring	A	M	2.5	18 000
4p 2.5X Touring	A	A	2.5	18 700
4p 2.5X Limited (cuir)	A	A	2.5	19 600
4p 2.5XT Limited (cuir)	A	A	2.5	20 800
2012 FORESTER				**100 000 km**
4p 2.5X	A	M	2.5	13 900
4p 2.5X	A	A	2.5	14 500
4p 2.5X Convenience	A	A	2.5	15 200
4p 2.5X Convenience PZEV	A	A	2.5	15 600
4p 2.5X Touring	A	M	2.5	15 600
4p 2.5X Touring	A	A	2.5	16 100
4p 2.5X Limited (cuir)	A	A	2.5	17 000
4p 2.5XT Limited (cuir)	A	A	2.5	18 300
2016 IMPREZA				**20 000 km**
4p berline 2.0 i	A	M	2.0	17 400
4p berline 2.0 i Touring	A	M	2.0	19 000
4p berline 2.0 i Sport	A	M	2.0	21 000
4p berline 2.0 i Limited (cuir)	A	M	2.0	23 800
4p berline WRX turbo	A	M	2.0	26 600
4p berline WRX Sport turbo	A	M	2.0	29 200
4p berline WRX Sport-tech turbo	A	A	2.0	32 200
4p berline WRX STi turbo	A	M	2.5	34 000
4p berline WRX STi Sport turbo	A	M	2.5	36 500
4p ber WRX STi Hikari Ed turbo	A	M	2.5	37 600
4p ber WRX STi Sport-tech turbo	A	M	2.5	40 800
4p hayon 2.0 i	A	M	2.0	18 200
4p hayon 2.0 i Touring	A	M	2.0	19 800
4p hayon 2.0 i Sport	A	M	2.0	21 800
4p hayon 2.0 i Limited (cuir)	A	M	2.0	24 700
4p hayon Crosstrek Touring	A	M	2.0	22 000
4p hayon Crosstrek Sport	A	M	2.0	23 800
4p hayon Crosstrek Limited (cuir)	A	M	2.0	26 000
4p hayon Crosstrek Hybrid	A	A	2.0	27 100
2015 IMPREZA				**40 000 km**
4p berline 2.0 i	A	M	2.0	13 900
4p berline 2.0 i Touring	A	M	2.0	15 200
4p berline 2.0 i Sport	A	M	2.0	16 600
4p berline 2.0 i Limited (cuir)	A	M	2.0	19 000
4p berline WRX turbo	A	M	2.0	21 200
4p berline WRX Sport turbo	A	M	2.0	23 200
4p berline WRX Sport-tech turbo	A	A	2.0	25 400
4p berline WRX STi turbo	A	M	2.5	27 200
4p berline WRX STi Sport turbo	A	M	2.5	29 200
4p ber WRX STi Sport-tech turbo	A	M	2.5	32 500
4p hayon 2.0 i	A	M	2.0	14 600
4p hayon 2.0 i Touring	A	M	2.0	15 800
4p hayon 2.0 i Sport	A	M	2.0	17 400
4p hayon 2.0 i Limited (cuir)	A	M	2.0	19 800
4p hayon XV Crosstrek Touring	A	M	2.0	17 100
4p hayon XV Crosstrek Sport	A	M	2.0	18 600
4p hayon XV Crosstrek Ltd (cuir)	A	M	2.0	20 700
4p hayon XV Crosstrek Hybrid	A	A	2.0	21 300
2014 IMPREZA				**60 000 km**
4p berline 2.0 i	A	M	2.0	12 700

Description	R.m.	Bv.	L	Prix
4p berline 2.0 i Touring	A	M	2.0	13 700
4p berline 2.0 i Sport	A	M	2.0	15 300
4p berline 2.0 i Limited (cuir)	A	M	2.0	17 400
4p berline WRX turbo	A	M	2.5	21 000
4p berline WRX Limited turbo	A	M	2.5	22 300
4p berline WRX STi turbo	A	M	2.5	24 100
4p ber WRX STi turbo Tsurugi Ed	A	M	2.5	25 100
4p hayon 2.0 i	A	M	2.0	13 300
4p hayon 2.0 i Touring	A	M	2.0	14 300
4p hayon 2.0 i Sport	A	M	2.0	15 700
4p hayon 2.0 i Limited (cuir)	A	M	2.0	17 900
4p hayon XV Crosstrek Touring	A	M	2.0	15 600
4p hayon XV Crosstrek Sport	A	M	2.0	17 100
4p hayon XV Crosstrek Ltd (cuir)	A	M	2.0	18 700
4p hayon XV Crosstrek Hybrid	A	A	2.0	19 500
4p hayon WRX turbo	A	M	2.5	21 700
4p hayon WRX Limited turbo cuir	A	M	2.5	22 800
4p hayon WRX STi turbo	A	M	2.5	24 500
4p h WRX STi turbo Sport-tech	A	M	2.5	25 900
2013 IMPREZA				**80 000 km**
4p berline 2.0 i	A	M	2.0	12 500
4p berline 2.0 i Touring	A	M	2.0	13 600
4p berline 2.0 i Sport	A	M	2.0	15 000
4p berline 2.0 i Limited (cuir)	A	M	2.0	17 200
4p berline WRX turbo	A	M	2.5	20 900
4p berline WRX Limited turbo	A	M	2.5	22 900
4p berline WRX STi turbo	A	M	2.5	23 700
4p ber WRX STi turbo Sport-tech	A	M	2.5	25 100
4p hayon 2.0 i	A	M	2.0	13 200
4p hayon 2.0 i Touring	A	M	2.0	14 200
4p hayon 2.0 i Sport	A	M	2.0	15 700
4p hayon 2.0 i Limited (cuir)	A	M	2.0	17 700
4p hayon XV Crosstrek Touring	A	M	2.0	15 400
4p hayon XV Crosstrek Sport	A	M	2.0	16 800
4p hayon XV Crosstrek Ltd (cuir)	A	M	2.0	18 600
4p hayon WRX turbo	A	M	2.5	21 400
4p hayon WRX Limited turbo cuir	A	M	2.5	23 500
4p hayon WRX STi turbo	A	M	2.5	24 200
4p h WRX STi turbo Sport-tech	A	M	2.5	24 600
2012 IMPREZA				**100 000 km**
4p berline 2.0 i	A	M	2.0	11 600
4p berline 2.0 i Touring	A	M	2.0	12 900
4p berline 2.0 i Sport	A	M	2.0	14 100
4p berline 2.0 i Limited (cuir)	A	M	2.0	15 400
4p berline WRX turbo	A	M	2.5	19 600
4p berline WRX Limited turbo	A	M	2.5	20 800
4p berline WRX STi turbo	A	M	2.5	21 300
4p ber WRX STi turbo Sport-tech	A	M	2.5	22 200
4p hayon 2.0 i	A	M	2.0	12 100
4p hayon 2.0 i Touring	A	A	2.0	13 400
4p hayon 2.0 i Sport	A	M	2.0	14 700
4p hayon 2.0 i Limited (cuir)	A	M	2.0	16 000
4p hayon WRX turbo	A	M	2.5	20 400
4p hayon WRX Limited turbo cuir	A	M	2.5	21 300
4p hayon WRX STi turbo	A	M	2.5	21 900
4p h WRX STi turbo Sport-tech	A	M	2.5	22 700
2016 LEGACY				**20 000 km**
4p berline 2.5 i	A	M	2.5	20 600
4p berline 2.5 i	A	A	2.5	21 800
4p berline 2.5 i PZEV	A	A	2.5	22 500
4p berline 2.5 i Touring	A	M	2.5	23 400
4p berline 2.5 i Touring	A	A	2.5	24 600
4p berline 2.5 i Touring EyeSight	A	A	2.5	25 700
4p berline 2.5 i Limited (cuir)	A	A	2.5	27 800
4p ber 2.5 i Limited EyeSight cuir	A	A	2.5	28 900
4p berline 3.6 R Touring	A	A	3.6	27 300
4p berline 3.6 R Limited (cuir)	A	A	3.6	30 600
4p ber 3.6 R Ltd EyeSight cuir	A	A	3.6	31 700
4p fam. Outback 2.5i	A	M	2.5	24 800
4p fam. Outback 2.5i	A	A	2.5	26 000
4p fam. Outback PZEV	A	A	2.5	26 600
4p fam. Outback 2.5i Touring	A	M	2.5	27 700
4p fam. Outback 2.5i Touring	A	A	2.5	28 900
4p f Outback 2.5i Tour EyeSight	A	A	2.5	30 000
4p fam. Outback 2.5i Limited cuir	A	A	2.5	32 100
4p f Outback 2.5i Ltd EyeSight	A	A	2.5	33 200
4p fam. Outback 3.6 R Touring	A	A	3.6	31 700
4p fam. Outback 3.6 R Ltd cuir	A	A	3.6	34 900
4p f Outback 3.6 R Ltd EyeSight	A	A	3.6	36 000
2015 LEGACY				**40 000 km**
4p berline 2.5 i	A	M	2.5	16 300
4p berline 2.5 i	A	A	2.5	17 400
4p berline 2.5 i PZEV	A	A	2.5	18 000
4p berline 2.5 i Touring	A	M	2.5	18 700
4p berline 2.5 i Touring	A	A	2.5	19 800
4p berline 2.5 i Touring EyeSight	A	A	2.5	20 600
4p berline 2.5 i Limited (cuir)	A	A	2.5	22 100
4p ber 2.5 i Limited EyeSight cuir	A	A	2.5	23 100
4p berline 3.6 R Touring	A	A	3.6	21 800
4p berline 3.6 R Limited (cuir)	A	A	3.6	24 500
4p ber 3.6 R Ltd EyeSight cuir	A	A	3.6	25 300
4p fam. Outback 2.5i	A	M	2.5	19 800
4p fam. Outback 2.5i	A	A	2.5	20 800

Description	R.m.	Bv.	L	Prix
4p fam. Outback PZEV	A	A	2.5	21 200
4p fam. Outback 2.5i Touring	A	M	2.5	22 100
4p fam. Outback 2.5i Touring	A	A	2.5	23 200
4p f Outback 2.5i Tour EyeSight	A	A	2.5	24 200
4p fam. Outback 2.5i Ltd (cuir)	A	A	2.5	25 600
4p f Outback 2.5i Ltd EyeSight	A	A	2.5	26 500
4p fam. Outback 3.6 R Touring	A	A	3.6	25 400
4p fam. Outback 3.6 R Ltd (cuir)	A	A	3.6	27 900
4p f Outback 3.6 R Ltd EyeSight	A	A	3.6	28 900
2014 LEGACY				**60 000 km**
4p berline 2.5 i	A	M	2.5	14 800
4p berline 2.5 i	A	A	2.5	15 600
4p berline 2.5 i Convenience	A	A	2.5	16 700
4p ber 2.5 i Convenience PZEV	A	A	2.5	17 100
4p berline 2.5 i Touring	A	M	2.5	17 400
4p berline 2.5 i Touring	A	A	2.5	18 500
4p berline 2.5 i Limited (cuir)	A	A	2.5	20 900
4p ber 2.5 i Limited EyeSight cuir	A	A	2.5	21 900
4p berline 3.6 R Ltd EyeSight cuir	A	A	3.6	23 300
4p f Outback 2.5i Convenience	A	M	2.5	18 200
4p f Outback 2.5i Convenience	A	A	2.5	19 000
4p fam. Outback PZEV	A	A	2.5	19 600
4p fam. Outback 2.5i Touring	A	M	2.5	19 900
4p fam. Outback 2.5i Touring	A	A	2.5	20 900
4p fam. Outback 2.5i Limited cuir	A	A	2.5	23 300
4p f Outback 2.5i Ltd EyeSight	A	A	2.5	24 500
4p fam. Outback 3.6 R	A	A	3.6	22 300
4p f Outback 3.6 R Limited (cuir)	A	A	3.6	24 900
4p f Outback 3.6 R Ltd EyeSight	A	A	3.6	25 900
2013 LEGACY				**80 000 km**
4p berline 2.5 i	A	M	2.5	14 100
4p berline 2.5 i	A	A	2.5	14 900
4p berline 2.5 i Convenience	A	A	2.5	15 500
4p ber 2.5 i Convenience PZEV	A	A	2.5	16 000
4p berline 2.5 i Touring	A	M	2.5	16 400
4p berline 2.5 i Touring	A	A	2.5	17 300
4p berline 2.5 i Limited (cuir)	A	A	2.5	19 800
4p berline 3.6 R Limited (cuir)	A	A	3.6	21 100
4p f Outback 2.5i Convenience	A	M	2.5	17 200
4p fOutback 2.5i Convenience	A	A	2.5	18 000
4p fam. Outback PZEV	A	A	2.5	18 400
4p fam. Outback 2.5i Touring	A	M	2.5	18 700
4p fam. Outback 2.5i Touring	A	A	2.5	19 800
4p fam. Outback 2.5i Limited cuir	A	A	2.5	22 100
4p fam. Outback 3.6 R	A	A	3.6	21 000
4p fam. Outback 3.6 R Ltd (cuir)	A	A	3.6	22 800
2012 LEGACY				**100 000 km**
4p berline 2.5 i	A	M	2.5	12 600
4p berline 2.5 i	A	A	2.5	13 500
4p berline 2.5 i Convenience	A	A	2.5	14 100
4p ber 2.5 i Convenience PZEV	A	A	2.5	14 500
4p berline 2.5 i Touring	A	M	2.5	14 900
4p berline 2.5 i Touring	A	A	2.5	15 600
4p berline 2.5 i Limited (cuir)	A	A	2.5	18 000
4p berline 3.6 R Limited (cuir)	A	A	3.6	19 400
4p berline 2.5 GT (cuir navi.)	A	M	2.5	20 300
4p f Outback 2.5i Convenience	A	M	2.5	15 600
4p f Outback 2.5i Convenience	A	A	2.5	16 100
4p fam. Outback PZEV	A	A	2.5	16 500
4p fam. Outback 2.5i Touring	A	M	2.5	16 900
4p fam. Outback 2.5i Touring	A	A	2.5	17 900
4p fam. Outback 2.5i Limited cuir	A	A	2.5	19 900
4p fam. Outback 3.6 R	A	A	3.6	19 400
4p f Outback 3.6 R Limited cuir	A	A	3.6	20 700
2014 TRIBECA				**60 000 km**
4p 7 pass. base	A	A	3.6	20 500
4p 7 pass. Limited	A	A	3.6	22 900
4p 7 pass. Premier (Navigation)	A	A	3.6	24 100
2013 TRIBECA				**80 000 km**
4p 7 pass. base	A	A	3.6	18 900
4p 7 pass. Limited	A	A	3.6	20 700
4p 7 pass. Premier (Navigation)	A	A	3.6	21 900
2012 TRIBECA				**100 000 km**
4p 7 pass. base	A	A	3.6	16 300
4p 7 pass. Limited	A	A	3.6	18 300
4p 7 pass. Premier (Navigation)	A	A	3.6	19 500

SUZUKI

Description	R.m.	Bv.	L	Prix
2013 GRAND VITARA				**80 000 km**
4p Urban	4	A	2.4	11 900
4p JX	4	A	2.4	12 300
4p JLX	4	A	2.4	12 900
4p JLX-L (cuir)	4	A	2.4	13 400
2012 GRAND VITARA				**100 000 km**
4p Urban	4	A	2.4	10 200
4p JX	4	A	2.4	10 600
4p JLX	4	A	2.4	11 300
4p JLX-L (cuir)	4	A	2.4	11 900
2013 KIZASHI				**80 000 km**
4p berline S	A	A	2.4	11 400

Description	R.m.	Bv.	L	Prix
4p berline SX	A	A	2.4	12 100
4p berline Sport (cuir)	A	A	2.4	13 100

2012 KIZASHI 100 000 km

Description	R.m.	Bv.	L	Prix
4p berline S	A	A	2.4	10 100
4p berline SX	A	A	2.4	10 400
4p berline Sport (cuir)	A	A	2.4	11 300

2013 SX4 80 000 km

Description	R.m.	Bv.	L	Prix
4p hayon JA	2	M	2.0	7 800
4p hayon JX	2	A	2.0	9 000
4p hayon JA AWD	A	M	2.0	9 200
4p hayon JX AWD	A	M	2.0	9 900
4p hayon JLX AWD	A	A	2.0	10 500
4p berline JE	2	M	2.0	6 300
4p berline JA	2	M	2.0	7 800
4p berline Sport	2	M	2.0	8 800

2012 SX4 100 000 km

Description	R.m.	Bv.	L	Prix
4p hayon JA	2	M	2.0	6 700
4p hayon JX	2	A	2.0	7 900
4p hayon JX AWD	A	M	2.0	8 100
4p hayon JLX AWD	A	A	2.0	9 100
4p berline JA	2	M	2.0	6 700
4p berline Sport	2	M	2.0	7 400

TESLA

2016 TESLA 20 000 km

Description	R.m.	Bv.	L	Prix
4p berline Model S 60	2	A	E	81 400
4p berline Model S 60D AWD	A	A	E	85 400
4p berline Model S 70	2	A	E	86 000
4p berline Model S 70D AWD	A	A	E	91 700
4p berline Model S 75	2	A	E	90 700
4p berline Model S 75D AWD	A	A	E	93 700
4p berline Model S 85D AWD	A	A	E	97 700
4p b Model S P85D AWD Perfor.	A	A	E	116 400
4p berline Model S 90D AWD	A	A	E	103 300
4p b Model S P90D AWD Perfor.	A	A	E	126 400

2015 TESLA 40 000 km

Description	R.m.	Bv.	L	Prix
4p berline Model S 70D AWD	A	A	E	79 100
4p berline Model S 85	2	A	E	86 800
4p berline Model S 85D AWD	A	A	E	91 600
4p b Model S P85D AWD Perfor.	A	A	E	108 700

2014 TESLA 60 000 km

Description	R.m.	Bv.	L	Prix
4p berline Model S 60 kWh	2	A	E	67 800
4p berline Model S 85 kWh	2	A	E	77 300
4p b Model S P85 kWh Perform.	2	A	E	90 300

2013 TESLA 80 000 km

Description	R.m.	Bv.	L	Prix
4p berline Model S 60 kWh	2	A	E	62 900
4p berline Model S 85 kWh	2	A	E	72 400
4p b Model S P85 kWh Perform.	2	A	E	85 400

TOYOTA

2016 4RUNNER 20 000 km

Description	R.m.	Bv.	L	Prix
4p SR-5 V6	4	A	4.0	39 300
4p SR-5 V6 Trail Edition	4	A	4.0	41 100
4p Limited V6 Navigation (cuir)	4	A	4.0	44 400

2015 4RUNNER 40 000 km

Description	R.m.	Bv.	L	Prix
4p SR-5 V6	4	A	4.0	31 700
4p SR-5 V6 Upgrade (cuir)	4	A	4.0	35 200
4p SR-5 V6 Trail Edition	4	A	4.0	37 200
4p Limited V6 Navigation (cuir)	4	A	4.0	40 800

2014 4RUNNER 60 000 km

Description	R.m.	Bv.	L	Prix
4p SR-5 V6	4	A	4.0	29 300
4p SR-5 V6 Upgrade (cuir)	4	A	4.0	32 500
4p SR-5 V6 Trail Edition	4	A	4.0	33 400
4p Limited V6 Navigation (cuir)	4	A	4.0	34 500

2013 4RUNNER 80 000 km

Description	R.m.	Bv.	L	Prix
4p SR-5 V6	4	A	4.0	28 500
4p SR-5 V6 Upgrade (cuir)	4	A	4.0	33 400
4p SR-5 V6 Trail Edition	4	A	4.0	34 400
4p Limited V6 Navigation (cuir)	4	A	4.0	36 500

2012 4RUNNER 100 000 km

Description	R.m.	Bv.	L	Prix
4p SR-5 V6	4	A	4.0	24 400
4p SR-5 V6 Upgrade (cuir)	4	A	4.0	29 300
4p SR-5 V6 Trail Edition	4	A	4.0	30 200
4p Limited V6 Navigation (cuir)	4	A	4.0	30 800

2016 AVALON 20 000 km

Description	R.m.	Bv.	L	Prix
4p berline Touring	2	A	3.5	34 900
4p berline Limited	2	A	3.5	39 300

2015 AVALON 40 000 km

Description	R.m.	Bv.	L	Prix
4p berline XLE	2	A	3.5	30 400
4p berline Limited	2	A	3.5	32 200
4p berline Limited Premium	2	A	3.5	34 700

2014 AVALON 60 000 km

Description	R.m.	Bv.	L	Prix
4p berline XLE	2	A	3.5	25 400
4p berline Limited	2	A	3.5	26 900
4p berline Limited Premium	2	A	3.5	28 900

2013 AVALON 80 000 km

Description	R.m.	Bv.	L	Prix
4p berline XLE	2	A	3.5	21 100
4p berline Limited	2	A	3.5	22 300
4p berline Limited Premium	2	A	3.5	24 100

2012 AVALON 100 000 km

Description	R.m.	Bv.	L	Prix
4p berline XLS	2	A	3.5	18 900

2016 CAMRY 20 000 km

Description	R.m.	Bv.	L	Prix
4p berline LE	2	A	2.5	21 500
4p berline SE	2	A	2.5	22 500
4p berline XSE (cuir)	2	A	2.5	25 300
4p berline XLE	2	A	2.5	27 800
4p berline XSE V6 (cuir)	2	A	3.5	30 500
4p berline XLE V6	2	A	3.5	32 000
4p berline Hybride LE	2	A	2.5	25 800
4p berline Hybride SE	2	A	2.5	27 900
4p berline Hybride XLE (cuir)	2	A	2.5	32 100

2015 CAMRY 40 000 km

Description	R.m.	Bv.	L	Prix
4p berline LE	2	A	2.5	17 700
4p berline SE	2	A	2.5	18 800
4p berline XSE (cuir)	2	A	2.5	21 100
4p berline XLE	2	A	2.5	22 600
4p berline XSE V6 (cuir)	2	A	3.5	24 900
4p berline XLE V6	2	A	3.5	25 500
4p berline Hybride LE	2	A	2.5	21 300
4p berline Hybride SE	2	A	2.5	22 400
4p berline Hybride XLE (cuir)	2	A	2.5	25 400

2014 CAMRY 60 000 km

Description	R.m.	Bv.	L	Prix
4p berline LE	2	A	2.5	15 300
4p berline SE	2	A	2.5	17 500
4p berline SE V6	2	A	3.5	19 400
4p berline XLE (cuir)	2	A	2.5	19 800
4p berline XLE V6 (cuir)	2	A	3.5	21 700
4p berline Hybride LE	2	A	2.5	18 100
4p berline Hybride XLE	2	A	2.5	19 000

2013 CAMRY 80 000 km

Description	R.m.	Bv.	L	Prix
4p berline LE	2	A	2.5	13 400
4p berline SE	2	A	2.5	15 600
4p berline SE V6	2	A	3.5	17 100
4p berline XLE (cuir)	2	A	2.5	17 700
4p berline XLE V6 (cuir)	2	A	3.5	19 500
4p berline Hybride LE	2	A	2.5	15 700
4p berline Hybride XLE	2	A	2.5	16 900

2012 CAMRY 100 000 km

Description	R.m.	Bv.	L	Prix
4p berline LE	2	A	2.5	12 600
4p berline SE	2	A	2.5	14 400
4p berline SE V6	2	A	3.5	16 000
4p berline XLE (cuir)	2	A	2.5	16 100
4p berline XLE V6 (cuir)	2	A	3.5	17 400
4p berline Hybride	2	A	2.5	14 400
4p berline Hybride XLE	2	A	2.5	15 700

2016 COROLLA 20 000 km

Description	R.m.	Bv.	L	Prix
4p berline CE	2	M	1.8	13 700
4p berline CE	2	A	1.8	14 500
4p berline S	2	M	1.8	17 200
4p berline S	2	A	1.8	18 100
4p berline S Tech (Navi - Toit)	2	M	1.8	21 700
4p berline LE	2	A	1.8	17 500
4p berline LE ECO	2	A	1.8	18 200

2015 COROLLA 40 000 km

Description	R.m.	Bv.	L	Prix
4p berline CE	2	M	1.8	11 000
4p berline CE (a/c)	2	A	1.8	11 500
4p berline S	2	M	1.8	13 600
4p berline S	2	A	1.8	14 100
4p berline S Édition 50e	2	M	1.8	14 700
4p berline S Édition 50e	2	A	1.8	15 500
4p berline LE	2	A	1.8	13 700
4p berline LE ECO	2	A	1.8	14 200
4p ber LE ECO Tech (Navi/Toit)	2	A	1.8	16 700

2014 COROLLA 60 000 km

Description	R.m.	Bv.	L	Prix
4p berline CE	2	M	1.8	9 500
4p berline CE (a/c)	2	A	1.8	10 000
4p berline S	2	M	1.8	11 700
4p berline S	2	A	1.8	12 400
4p berline LE	2	A	1.8	11 900
4p berline LE ECO	2	A	1.8	12 400

2013 COROLLA 80 000 km

Description	R.m.	Bv.	L	Prix
4p berline CE	2	M	1.8	8 900
4p berline CE commodité (A/C)	2	M	1.8	9 900
4p berline S	2	M	1.8	12 200
4p berline LE (toit)	2	A	1.8	12 100
4p berline LE Premium (toit/navi)	2	A	1.8	12 500

2012 COROLLA 100 000 km

Description	R.m.	Bv.	L	Prix
4p berline CE	2	M	1.8	8 100
4p berline CE commodité (A/C)	2	M	1.8	8 900
4p berline S	2	M	1.8	10 900
4p berline LE (toit)	2	A	1.8	11 200
4p berline XRS (cuir-toit)	2	M	2.4	11 600

2014 FJ CRUISER 60 000 km

Description	R.m.	Bv.	L	Prix
4p base	A	M	4.0	25 000
4p base	4	A	4.0	25 800
4p Groupe Off Road	A	M	4.0	28 500
4p Groupe Off Road	4	A	4.0	30 000
4p Groupe Urbain (JBL audio)	4	A	4.0	28 800

2013 FJ CRUISER 80 000 km

Description	R.m.	Bv.	L	Prix
4p base	A	M	4.0	22 200
4p base	4	A	4.0	22 800
4p Groupe Off Road	A	M	4.0	25 100
4p Groupe Off Road	4	A	4.0	25 900
4p Groupe Urbain (JBL audio)	4	A	4.0	26 400

2012 FJ CRUISER 100 000 km

Description	R.m.	Bv.	L	Prix
4p base	A	M	4.0	20 400
4p base	4	A	4.0	21 000
4p Groupe Off Road	A	M	4.0	23 400
4p Groupe Off Road	4	A	4.0	23 900
4p Groupe Urbain (JBL audio)	4	A	4.0	24 200

2016 HIGHLANDER 20 000 km

Description	R.m.	Bv.	L	Prix
4p LE 2RM	2	A	3.5	29 700
4p LE 2RM Commodité	A	A	3.5	32 400
4p LE	A	A	3.5	32 000
4p LE Commodité	A	A	3.5	34 700
4p XLE (cuir)	A	A	3.5	37 400
4p Limited (cuir)	A	A	3.5	42 200
4p Hybride LE	A	A	3.5	41 100
4p Hybride XLE (cuir)	A	A	3.5	43 400
4p Hybride Limited (cuir)	A	A	3.5	49 600

2015 HIGHLANDER 40 000 km

Description	R.m.	Bv.	L	Prix
4p LE 2RM	2	A	3.5	25 200
4p LE 2RM Commodité	2	A	3.5	27 700
4p LE	A	A	3.5	27 400
4p LE Commodité	A	A	3.5	29 800
4p XLE (cuir)	A	A	3.5	32 200
4p Limited (cuir)	A	A	3.5	36 400
4p Hybride LE	A	A	3.5	35 200
4p Hybride XLE (cuir)	A	A	3.5	37 200
4p Hybride Limited (cuir)	A	A	3.5	42 600

2014 HIGHLANDER 60 000 km

Description	R.m.	Bv.	L	Prix
4p LE 2RM	2	A	3.5	23 500
4p LE 2RM Commodité	2	A	3.5	25 700
4p LE	A	A	3.5	25 500
4p LE Commodité	A	A	3.5	27 600
4p XLE (cuir)	A	A	3.5	29 800
4p Limited (cuir)	A	A	3.5	33 900
4p Hybride LE	A	A	3.5	32 700
4p Hybride XLE (cuir)	A	A	3.5	34 700
4p Hybride Limited (cuir)	A	A	3.5	39 700

2013 HIGHLANDER 80 000 km

Description	R.m.	Bv.	L	Prix
4p 2.7L	2	A	2.7	21 200
4p V6	A	A	3.5	24 400
4p V6 Cuir	A	A	3.5	26 100
4p V6 Sport	A	A	3.5	27 300
4p Limited (cuir)	A	A	3.5	30 800
4p Hybride	A	A	3.5	29 600
4p Hybride Confort (cuir)	A	A	3.5	34 100
4p Hybride Limited (cuir)	A	A	3.5	36 000

2012 HIGHLANDER 100 000 km

Description	R.m.	Bv.	L	Prix
4p 2.7L	2	A	2.7	18 800
4p V6	A	A	3.5	21 400
4p V6 Cuir	A	A	3.5	23 000
4p V6 Sport	A	A	3.5	24 000
4p Limited (cuir)	A	A	3.5	26 200
4p Hybride	A	A	3.5	25 900
4p Hybride Confort (cuir)	A	A	3.5	27 000
4p Hybride Limited (cuir)	A	A	3.5	27 700

2014 MATRIX 60 000 km

Description	R.m.	Bv.	L	Prix
4p hayon base	2	M	1.8	14 100
4p hayon base Gr. commodité a/c	2	M	1.8	15 800
4p hayon Touring (toit)	2	M	1.8	16 700
4p hayon Groupe S	2	M	1.8	18 000

2013 MATRIX 80 000 km

Description	R.m.	Bv.	L	Prix
4p hayon base	2	M	1.8	12 400
4p hayon base Gr. commodité a/c	2	M	1.8	15 000
4p hayon Groupe S (toit)	2	M	1.8	17 000
4p hayon XRS	2	M	2.4	18 300
4p hayon base AWD	A	A	2.4	18 700
4p hayon Groupe S (toit) AWD	A	A	2.4	20 700

2012 MATRIX 100 000 km

Description	R.m.	Bv.	L	Prix
4p hayon base	2	M	1.8	10 700
4p hayon base Gr. commodité a/c	2	M	1.8	13 000
4p hayon Groupe S (toit)	2	M	1.8	15 400
4p hayon XRS	2	M	2.4	16 000
4p hayon base AWD	A	A	2.4	16 000
4p hayon Groupe S (toit) AWD	A	A	2.4	18 100

2016 PRIUS 20 000 km

Description	R.m.	Bv.	L	Prix
4p hayon Prius C	2	A	1.5	17 500
4p hayon Prius	2	A	1.8	21 000
4p hayon Prius Tech (navi-toit)	2	A	1.8	23 900
4p hayon Prius V	2	A	1.8	23 800
4p hayon Prius V Tech (navi)	2	A	1.8	29 000

2015 PRIUS 40 000 km

Description	R.m.	Bv.	L	Prix
4p hayon Prius C	2	A	1.5	14 800
4p hayon Prius	2	A	1.8	18 700
4p hayon Prius Tech (navi-toit)	2	A	1.8	24 700
4p hayon Prius branchable	2	A	1.8	25 900
4p hayon Prius branc Tech navi	2	A	1.8	28 600
4p hayon Prius V	2	A	1.8	20 000
4p hayon Prius V Tour+Tech navi	2	A	1.8	23 700

2014 PRIUS 60 000 km

Description	R.m.	Bv.	L	Prix
4p hayon Prius C	2	A	1.5	12 500
4p hayon Prius	2	A	1.8	16 300
4p hayon Prius Tech (navi-toit)	2	A	1.8	21 600
4p hayon Prius branchable	2	A	1.8	22 800
4p hayon Prius branc Tech navi	2	A	1.8	24 100
4p hayon Prius V	2	A	1.8	17 300
4p hayon Prius V Tour Tech navi	2	A	1.8	23 100

2013 PRIUS 80 000 km

Description	R.m.	Bv.	L	Prix
4p hayon Prius C	2	A	1.5	10 700
4p hayon Prius	2	A	1.8	13 800
4p hayon Prius Tech (navi-toit)	2	A	1.8	18 300
4p hayon Prius branchable	2	A	1.8	19 600
4p hayon Prius branc Tech navi	2	A	1.8	21 000
4p hayon Prius V	2	A	1.8	14 800
4p hayon Prius V Tour+Tech navi	2	A	1.8	19 100

2012 PRIUS 100 000 km

Description	R.m.	Bv.	L	Prix
4p hayon Prius C	2	A	1.5	10 600
4p hayon Prius	2	A	1.8	13 100
4p hayon Prius V	2	A	1.8	13 800

2016 RAV4 20 000 km

Description	R.m.	Bv.	L	Prix
4p LE	2	A	2.5	22 000
4p XLE (toit)	2	A	2.5	26 100
4p LE AWD	A	A	2.5	24 100
4p XLE AWD (toit)	A	A	2.5	28 100
4p SE AWD	A	A	2.5	30 800
4p Limited AWD	A	A	2.5	33 500
4p XLE Hybride AWD (toit)	A	A	2.5	30 600
4p Limited Hybride AWD	A	A	2.5	34 000

2015 RAV4 40 000 km

Description	R.m.	Bv.	L	Prix
4p LE	2	A	2.5	20 000
4p XLE (toit)	2	A	2.5	23 800
4p LE AWD	A	A	2.5	22 000
4p XLE AWD (toit)	A	A	2.5	24 900
4p Limited AWD	A	A	2.5	25 700

2014 RAV4 60 000 km

Description	R.m.	Bv.	L	Prix
4p LE	2	A	2.5	18 100
4p XLE (toit)	2	A	2.5	21 100
4p LE AWD	A	A	2.5	19 800
4p XLE AWD (toit)	A	A	2.5	22 300
4p Limited AWD	A	A	2.5	22 900

2013 RAV4 80 000 km

Description	R.m.	Bv.	L	Prix
4p LE	2	A	2.5	17 200
4p XLE (toit)	2	A	2.5	19 600
4p LE AWD	A	A	2.5	19 000
4p XLE AWD (toit)	A	A	2.5	20 600
4p Limited AWD	A	A	2.5	21 200

2012 RAV4 100 000 km

Description	R.m.	Bv.	L	Prix
4p base 2.5L	2	A	2.5	14 600
4p Sport 2.5L	2	A	2.5	16 900
4p Limited 2.5L	2	A	2.5	18 300
4p base 2.5L AWD	A	A	2.5	16 200
4p Sport 2.5L AWD	A	A	2.5	18 400
4p Limited 2.5L AWD	A	A	2.5	18 200
4p base V6 AWD	A	A	3.5	18 000
4p Sport V6 AWD	A	A	3.5	18 200
4p Limited V6 AWD	A	A	3.5	18 900

2016 SEQUOIA 20 000 km

Description	R.m.	Bv.	L	Prix
4p SR5 5.7L	4	A	5.7	49 900
4p Limited 5.7L	4	A	5.7	56 000
4p Platinum	4	A	5.7	59 800

2015 SEQUOIA 40 000 km

Description	R.m.	Bv.	L	Prix
4p SR5 5.7L	4	A	5.7	43 200
4p Limited 5.7L	4	A	5.7	48 600
4p Platinum	4	A	5.7	52 100

2014 SEQUOIA 60 000 km

Description	R.m.	Bv.	L	Prix
4p SR5 5.7L	4	A	5.7	38 500
4p Limited 5.7L	4	A	5.7	43 300
4p Limited Technology (DVD)	4	A	5.7	45 900
4p Platinum	4	A	5.7	46 600

2013 SEQUOIA 80 000 km

Description	R.m.	Bv.	L	Prix
4p SR5 5.7L	4	A	5.7	33 200
4p Limited 5.7L	4	A	5.7	39 400
4p Limited Technology (DVD)	4	A	5.7	42 400
4p Platinum	4	A	5.7	43 500

2012 SEQUOIA 100 000 km

Description	R.m.	Bv.	L	Prix
4p SR5 4.6L	4	A	4.6	32 200
4p Limited 5.7L	4	A	5.7	38 500
4p Limited Technology (DVD)	4	A	5.7	39 700
4p Platinum	4	A	5.7	40 100

2016 SIENNA 20 000 km

Description	R.m.	Bv.	L	Prix
4p 7 pass. base	2	A	3.5	28 000
4p 8 pass. LE	2	A	3.5	31 000
4p 8 pass. SE	2	A	3.5	34 200
4p 8 pass. SE Tech.	2	A	3.5	39 100
4p 7 pass. Limited (cuir)	2	A	3.5	41 900
4p 7 pass. LE AWD	A	A	3.5	33 600
4p 7 pass. XLE (cuir) AWD	A	A	3.5	37 800
4p 7 pass. XLE Limited AWD cuir	A	A	3.5	44 500

2015 SIENNA 40 000 km

Description	R.m.	Bv.	L	Prix
4p 7 pass. base	2	A	3.5	23 700
4p 8 pass. LE	2	A	3.5	26 400
4p 8 pass. SE	2	A	3.5	29 200
4p 8 pass. SE Tech.	2	A	3.5	33 500
4p 7 pass. Limited (cuir)	2	A	3.5	34 900
4p 7 pass. LE AWD	A	A	3.5	28 600
4p 7 pass. XLE (cuir) AWD	A	A	3.5	32 300

Description	R.m.	Bv.	L	Prix
4p 7 pass. XLE Limited AWD cuir	A	A	3.5	35 900

2014 SIENNA 60 000 km

Description	R.m.	Bv.	L	Prix
4p 7 pass. base	2	A	3.5	20 800
4p 8 pass. LE	2	A	3.5	24 100
4p 8 pass. SE	2	A	3.5	26 900
4p 7 pass. XLE (cuir)	2	A	3.5	28 800
4p 7 pass. XLE Limited (cuir)	2	A	3.5	31 200
4p 7 pass. LE AWD	A	A	3.5	26 200
4p 7 pass. XLE (cuir) AWD	A	A	3.5	30 000
4p 7 pass. XLE Limited AWD cuir	A	A	3.5	32 500

2013 SIENNA 80 000 km

Description	R.m.	Bv.	L	Prix
4p 7 pass. LE 2.7L	2	A	2.7	18 800
4p 7 pass. V6	2	A	3.5	19 600
4p 8 pass. LE	2	A	3.5	22 400
4p 8 pass. SE	2	A	3.5	25 300
4p 7 pass. XLE (cuir)	2	A	3.5	27 100
4p 7 pass. XLE Limited (cuir)	2	A	3.5	30 100
4p 7 pass. LE AWD	A	A	3.5	24 200
4p 7 pass. XLE (cuir) AWD	A	A	3.5	28 200
4p 7 pass. XLE Limited AWD cuir	A	A	3.5	28 600

2012 SIENNA 100 000 km

Description	R.m.	Bv.	L	Prix
4p 7 pass. LE 2.7L	2	A	2.7	16 900
4p 7 pass. V6	2	A	3.5	17 600
4p 8 pass. LE	2	A	3.5	19 900
4p 8 pass. SE	2	A	3.5	22 600
4p 7 pass. XLE (cuir)	2	A	3.5	23 800
4p 7 pass. XLE Limited (cuir)	2	A	3.5	25 000
4p 7 pass. LE AWD	A	A	3.5	21 700
4p 7 pass. XLE (cuir) AWD	A	A	3.5	24 200
4p 7 pass. XLE Limited AWD cuir	A	A	3.5	25 200

2016 TACOMA 20 000 km

Description	R.m.	Bv.	L	Prix
Access Cab SR+ (2RM)	2	A	2.7	24 800
Access Cab SR+	4	M	2.7	27 800
Access Cab SR5	4	A	2.7	30 100
Access Cab V6 SR5	4	A	3.5	31 600
Access Cab V6 Off Road TRD	4	M	3.5	32 900
Double Cab V6 Sport TRD	4	M	3.5	32 600
Double Cab V6 SR5	4	A	3.5	32 700
Double Cab V6 SR5 Sport TRD	4	A	3.5	34 900
Double Cab Limited (cuir)	4	A	3.5	39 700

2015 TACOMA 40 000 km

Description	R.m.	Bv.	L	Prix
Access Cab base	2	M	2.7	18 700
Access Cab SR5	2	M	2.7	19 800
Access Cab base	4	M	2.7	22 800
Access Cab SR5	4	M	2.7	23 800
Access Cab V6	4	M	4.0	22 700
Access Cab V6 SR5	4	M	4.0	24 700
Access Cab V6 Off Road TRD	4	M	4.0	26 900
Double Cab V6	4	M	4.0	24 000
Double Cab V6 SR5	4	M	4.0	26 000
Double Cab V6 SR5 benne all.	4	A	4.0	27 200
Double Cab V6 Sport TRD	4	M	4.0	28 100
Double Cab V6 Sport TRD b all.	4	A	4.0	29 300
Double Cab Limited (cuir)	4	A	4.0	32 000

2014 TACOMA 60 000 km

Description	R.m.	Bv.	L	Prix
Access Cab base	2	M	2.7	16 600
Access Cab SR5	2	M	2.7	18 700
Access Cab base	4	M	2.7	20 400
Access Cab SR5	4	M	2.7	22 100
Access Cab V6	4	M	4.0	21 100
Access Cab V6 SR5	4	M	4.0	23 100
Access Cab V6 Off Road TRD	4	M	4.0	25 100
Double Cab V6	4	M	4.0	22 300
Double Cab V6 benne allongée	4	A	4.0	23 800
Double Cab V6 SR5	4	M	4.0	24 300
Double Cab V6 SR5 benne all.	4	A	4.0	25 400
Double Cab V6 Sport TRD	4	M	4.0	26 100
Double Cab V6 Sport TRD b. all.	4	A	4.0	27 500
Double Cab Limited (cuir)	4	A	4.0	29 700

2013 TACOMA 80 000 km

Description	R.m.	Bv.	L	Prix
Access Cab base	2	M	2.7	15 300
Access Cab SR5	2	M	2.7	16 700
Access Cab base	4	M	2.7	18 400
Access Cab SR5	4	M	2.7	19 700
Access Cab V6	4	M	4.0	18 800
Access Cab V6 SR5	4	M	4.0	20 500
Access Cab V6 Off Road TRD	4	M	4.0	22 500
Double Cab V6	4	M	4.0	19 800
Double Cab V6 benne allongée	4	A	4.0	20 900
Double Cab V6 SR5	4	M	4.0	21 700
Double Cab V6 SR5 benne all.	4	A	4.0	22 900
Double Cab V6 Sport TRD	4	M	4.0	23 800
Double Cab V6 Sport TRD b. all.	4	A	4.0	24 900
Double Cab Limited (cuir)	4	A	4.0	27 000

2012 TACOMA 100 000 km

Description	R.m.	Bv.	L	Prix
Access Cab base	2	M	2.7	14 300
Access Cab SR5	2	M	2.7	15 500
Access Cab base	4	M	2.7	17 200
Access Cab SR5	4	M	2.7	18 500
Access Cab V6	4	M	4.0	17 500
Access Cab V6 SR5	4	M	4.0	19 100
Access Cab V6 Off Road TRD	4	M	4.0	20 800
Double Cab V6	4	M	4.0	18 600
Double Cab V6 benne allongée	4	A	4.0	19 600
Double Cab V6 SR5	4	M	4.0	20 300
Double Cab V6 SR5 benne all.	4	A	4.0	21 200
Double Cab V6 Sport TRD	4	M	4.0	22 100
Double Cab V6 Sport TRD b. all.	4	A	4.0	23 000

2016 TUNDRA 20 000 km

Description	R.m.	Bv.	L	Prix
cab. rég. base	2	A	5.7	25 700
cab. rég. SR5	2	A	5.7	27 800
Double Cab SR5	2	A	4.6	30 500
cab. rég. base (benne all.)	4	A	5.7	29 600
Double Cab SR5 4.6L	4	A	4.6	32 900
Double Cab SR5	4	A	5.7	35 000
Double Cab SR5 (benne all.)	4	A	5.7	36 800
Double Cab Limited (cuir)	4	A	5.7	46 000
CrewMax SR5	4	A	5.7	38 100
CrewMax Limited (cuir)	4	A	5.7	47 800
CrewMax Platinum (cuir)	4	A	5.7	51 300

2015 TUNDRA 40 000 km

Description	R.m.	Bv.	L	Prix
cab. rég. base	2	A	5.7	21 700
cab. rég. SR5	2	A	5.7	23 600
Double Cab SR5	2	A	4.6	26 500
cab. rég. base (benne all.)	4	A	5.7	25 200
Double Cab SR5 4.6L	4	A	4.6	28 600
Double Cab SR5	4	A	5.7	30 100
Double Cab SR5 (benne all.)	4	A	5.7	31 700
Double Cab Limited (cuir)	4	A	5.7	37 500
CrewMax SR5	4	A	5.7	32 700
CrewMax Limited (cuir)	4	A	5.7	39 100
CrewMax Platinum (cuir)	4	A	5.7	43 200

2014 TUNDRA 60 000 km

Description	R.m.	Bv.	L	Prix
cab. rég. base	2	A	5.7	19 500
cab. rég. SR5	2	A	5.7	21 200
Double Cab SR5	2	A	4.6	22 600
cab. rég. base (benne all.)	4	A	5.7	22 700
Double Cab SR5 4.6L	4	A	4.6	25 700
Double Cab SR5	4	A	5.7	27 100
Double Cab SR5 (benne all.)	4	A	5.7	27 300
Double Cab Limited (cuir)	4	A	5.7	33 900
CrewMax SR5	4	A	5.7	29 600
CrewMax Limited (cuir)	4	A	5.7	34 800
CrewMax Platinum (cuir)	4	A	5.7	39 000

2013 TUNDRA 80 000 km

Description	R.m.	Bv.	L	Prix
cab. rég. base	2	A	5.7	18 300
cab. rég. SR5	2	A	5.7	20 200
Double Cab SR5	2	A	4.6	22 700
Double Cab SR5 (benne all.)	2	A	5.7	26 100
cab. rég. base (benne all.)	4	A	5.7	21 000
Double Cab SR5 4.6L	4	A	4.6	25 600
Double Cab SR5	4	A	5.7	26 500
Double Cab SR5 (benne all.)	4	A	5.7	29 100
Double Cab Limited (cuir)	4	A	5.7	31 800
CrewMax SR5	4	A	5.7	30 100
CrewMax Platinum (cuir)	4	A	5.7	32 300

2012 TUNDRA 100 000 km

Description	R.m.	Bv.	L	Prix
cab. rég. base	2	A	5.7	17 400
cab. rég. SR5	2	A	5.7	19 200
Double Cab SR5	2	A	4.6	21 400
Double Cab SR5 (benne all.)	2	A	5.7	24 700
cab. rég. base (benne all.)	4	A	5.7	19 900
Double Cab SR5 4.6L	4	A	4.6	24 400
Double Cab SR5	4	A	5.7	25 300
Double Cab SR5 (benne all.)	4	A	5.7	26 400
Double Cab Limited (cuir)	4	A	5.7	26 900
CrewMax SR5	4	A	5.7	26 400
CrewMax Limited (cuir)	4	A	5.7	28 700

2016 VENZA 20 000 km

Description	R.m.	Bv.	L	Prix
4p base	2	A	2.7	26 800
4p base AWD	A	A	2.7	28 500
4p V6 AWD	A	A	3.5	30 100

2015 VENZA 40 000 km

Description	R.m.	Bv.	L	Prix
4p base	2	A	2.7	22 900
4p V6	2	A	3.5	24 500
4p base AWD	A	A	2.7	24 500
4p V6 AWD	A	A	3.5	25 900

2014 VENZA 60 000 km

Description	R.m.	Bv.	L	Prix
4p base	2	A	2.7	21 200
4p V6	2	A	3.5	22 800
4p base AWD	A	A	2.7	22 700
4p V6 AWD	A	A	3.5	23 900

2013 VENZA 80 000 km

Description	R.m.	Bv.	L	Prix
4p base	2	A	2.7	19 000
4p V6	2	A	3.5	20 000
4p base AWD	A	A	2.7	20 100
4p V6 AWD	A	A	3.5	21 300

2012 VENZA 100 000 km

Description	R.m.	Bv.	L	Prix
4p base	2	A	2.7	16 600
4p V6	2	A	3.5	17 500
4p base AWD	A	A	2.7	17 500
4p V6 AWD	A	A	3.5	18 300

2016 YARIS 20 000 km

Description	R.m.	Bv.	L	Prix
2p hayon CE	2	M	1.5	12 300
2p hayon CE	2	A	1.5	13 200
4p hayon LE	2	M	1.5	13 600
4p hayon LE	2	A	1.5	14 500
4p hayon SE	2	M	1.5	15 200
4p hayon SE	2	A	1.5	16 100
4p berline base	2	M	1.5	14 300
4p berline base	2	A	1.5	15 400
4p berline Premium	2	A	1.5	17 200

2015 YARIS 40 000 km

Description	R.m.	Bv.	L	Prix
2p hayon CE	2	M	1.5	11 100
2p hayon CE	2	A	1.5	11 900
4p hayon LE	2	M	1.5	12 300
4p hayon LE	2	A	1.5	13 000
4p hayon SE	2	M	1.5	13 700
4p hayon SE	2	A	1.5	14 600

2014 YARIS 60 000 km

Description	R.m.	Bv.	L	Prix
2p hayon CE	2	M	1.5	10 100
4p hayon LE	2	M	1.5	10 500
4p hayon SE	2	M	1.5	13 900

2013 YARIS 80 000 km

Description	R.m.	Bv.	L	Prix
2p hayon CE	2	M	1.5	9 300
4p hayon LE	2	M	1.5	9 800
4p hayon SE	2	M	1.5	12 800

2012 YARIS 100 000 km

Description	R.m.	Bv.	L	Prix
2p hayon CE	2	M	1.5	7 800
4p hayon LE	2	M	1.5	8 400
4p hayon SE	2	M	1.5	10 600
4p berline base	2	M	1.5	8 100

VOLKSWAGEN

2016 CC 20 000 km

Description	R.m.	Bv.	L	Prix
4p berline CC 2.0T Sportline	2	A	2.0	35 600
4p berline CC 2.0T Highline	2	A	2.0	39 300

2015 CC 40 000 km

Description	R.m.	Bv.	L	Prix
4p berline CC 2.0T Sportline	2	M	2.0	21 200
4p berline CC 2.0T Highline	2	M	2.0	24 100
4p ber CC 3.6 4Motion Highline	A	A	3.6	26 900

2014 CC 60 000 km

Description	R.m.	Bv.	L	Prix
4p berline CC 2.0T Sportline	2	M	2.0	17 700
4p berline CC 2.0T Highline	2	M	2.0	20 000
4p ber CC 3.6 4Motion Highline	A	A	3.6	21 800

2013 CC 80 000 km

Description	R.m.	Bv.	L	Prix
4p berline CC 2.0T Sportline	2	M	2.0	16 800
4p berline CC 2.0T Highline	2	M	2.0	18 800
4p ber CC 3.6 4Motion Highline	A	A	3.6	19 800

2012 CC 100 000 km

Description	R.m.	Bv.	L	Prix
4p berline CC 2.0T Sportline	2	M	2.0	13 800
4p berline CC 2.0T Highline	2	M	2.0	16 600
4p ber CC 3.6 4Motion Highline	A	A	3.6	17 400

2015 EOS 40 000 km

Description	R.m.	Bv.	L	Prix
2p déc. Wolfsburg Edition	2	A	2.0	33 500
2p déc. Wolfsburg Edition Tech.	2	A	2.0	35 700

2014 EOS 60 000 km

Description	R.m.	Bv.	L	Prix
2p déc. Comfortline	2	A	2.0	28 800
2p déc. Highline (Cuir)	2	A	2.0	31 600

2013 EOS 80 000 km

Description	R.m.	Bv.	L	Prix
2p déc. Comfortline	2	A	2.0	23 700
2p déc. Highline (Cuir)	2	A	2.0	25 500

2012 EOS 100 000 km

Description	R.m.	Bv.	L	Prix
2p déc. Comfortline	2	A	2.0	20 600
2p déc. Highline (Cuir)	2	A	2.0	22 300

2016 GOLF 20 000 km

Description	R.m.	Bv.	L	Prix
2p hayon 1.8 TSI Trendline	2	M	1.8	16 500
4p hayon 1.8 TSI Trendline	2	M	1.8	18 200
4p hayon 1.8 TSI Comfortline	2	M	1.8	20 800
4p hayon 1.8 TSI Highline (cuir)	2	M	1.8	26 100
4p hayon 2.0 TDI Trendline	2	M	2.0	21 100
4p hayon 2.0 TDI Comfortline	2	M	2.0	23 100
4p hayon 2.0 TDI Highline (cuir)	2	M	2.0	28 400
2p hayon GTI 2.0T	2	M	2.0	25 300
2p hayon GTI 2.0T Autobahn	2	M	2.0	29 400
4p hayon GTI 2.0T Autobahn	2	M	2.0	30 300
2p hayon GTI 2.0T Performance	2	M	2.0	33 200
4p hayon GTI 2.0T Performance	2	M	2.0	34 000
4p hayon R 4Motion	A	M	2.0	35 800
4p fam Sportwa 1.8 TSI Trendline	2	M	1.8	20 000
4p fam Sportwa 1.8 TSI Comfort.	2	M	1.8	22 500
4p fam Sportwa 1.8 TSI Highline	2	M	1.8	28 300
4p fam Sportwa 2.0 TDI Trendline	2	M	2.0	22 300
4p fam Sportwa 2.0 TDI Comfort.	2	M	2.0	24 700
4p fam Sportwa 2.0 TDI Highline	2	M	2.0	30 400

2015 GOLF 40 000 km

Description	R.m.	Bv.	L	Prix
2p hayon 1.8 TSI Trendline	2	M	1.8	12 100
4p hayon 1.8 TSI Trendline	2	M	1.8	12 900
4p hayon 1.8 TSI Comfortline	2	M	1.8	15 100
4p hayon 1.8 TSI Highline (cuir)	2	M	1.8	18 900
4p hayon 2.0 TDI Trendline	2	M	2.0	15 200
4p hayon 2.0 TDI Comfortline	2	M	2.0	16 600
4p hayon 2.0 TDI Highline (cuir)	2	M	2.0	20 600
2p hayon GTI 2.0T	2	M	2.0	18 600
2p hayon GTI 2.0T Autobahn	2	M	2.0	21 200
4p hayon GTI 2.0T Autobahn	2	M	2.0	21 900
2p hayon GTI 2.0T Performance	2	M	2.0	25 000
4p hayon GTI 2.0T Performance	2	M	2.0	25 700
4p f Sportwagon 1.8 tsi Trendline	2	M	1.8	16 100
4p f Sportwagon 1.8 TSI Comfort.	2	M	1.8	17 600
4p f Sportwagon 1.8 TSI Highline	2	M	1.8	22 100
4p f Sportwagon 2.0 tdi Trendline	2	M	2.0	17 900
4p f Sportwagon 2.0 TDI Comfort.	2	M	2.0	19 400
4p f Sportwagon 2.0 TDI Highline	2	M	2.0	23 900

2014 GOLF 60 000 km

Description	R.m.	Bv.	L	Prix
4p fam. 2.5 Trendline	2	M	2.5	14 000
4p fam. 2.5 Comfortline	2	M	2.5	15 200
4p fam. 2.5 Wolfsburg Edition	2	M	2.5	16 500
4p fam. TDI Trendline	2	M	2.0	15 900
4p fam. TDI Comfortline	2	M	2.0	16 900
4p fam. TDI Highline (cuir)	2	M	2.0	19 300
4p fam. TDI Wolfsburg Edition	2	M	2.0	17 900

2013 GOLF 80 000 km

Description	R.m.	Bv.	L	Prix
2p hayon 2.5 Trendline	2	M	2.5	10 800
4p hayon 2.5 Trendline	2	M	2.5	11 700
4p hayon 2.5 Comfortline	2	M	2.5	12 600
4p hayon 2.5 Wolfsburg Edition	2	M	2.5	13 200
4p hayon 2.5 Highline (cuir)	2	M	2.5	13 700
4p hayon TDI Comfortline	2	M	2.0	13 800
4p hayon TDI Wolfsburg Edition	2	M	2.0	15 000
4p hayon TDI Highline (cuir)	2	M	2.0	15 100
2p hayon GTI 2.0T	2	M	2.0	16 200
4p hayon GTI 2.0T	2	M	2.0	16 800
4p hayon GTI 2.0T Wolfsburg Ed	2	M	2.0	18 200
4p hayon R 4Motion	A	M	2.0	22 200
4p fam. 2.5 Trendline	2	M	2.5	12 600
4p fam. 2.5 Comfortline	2	M	2.5	13 300
4p fam. 2.5 Sportline	2	M	2.5	15 400
4p fam. TDI Comfortline	2	M	2.0	15 100
4p fam. TDI Highline (cuir)	2	M	2.0	17 400

2012 GOLF 100 000 km

Description	R.m.	Bv.	L	Prix
2p hayon 2.5 Trendline	2	M	2.5	10 200
2p hayon 2.5 Sportline	2	M	2.5	12 900
4p hayon 2.5 Trendline	2	M	2.5	11 000
4p hayon 2.5 Comfortline	2	M	2.5	12 000
4p hayon 2.5 Sportline	2	M	2.5	14 000
4p hayon 2.5 Highline (cuir)	2	M	2.5	15 200
4p hayon TDI Comfortline	2	M	2.0	14 000
4p hayon TDI Highline (cuir)	2	M	2.0	16 500
2p hayon GTI 2.0T	2	M	2.0	16 500
4p hayon GTI 2.0T	2	M	2.0	17 000
4p hayon R 4Motion	A	M	2.0	22 500
4p fam. 2.5 Trendline	2	M	2.5	12 900
4p fam. 2.5 Comfortline	2	M	2.5	13 400
4p fam. TDI Comfortline	2	M	2.0	15 200
4p fam. TDI Highline (cuir)	2	M	2.0	17 800

2016 JETTA 20 000 km

Description	R.m.	Bv.	L	Prix
4p berline 1.4 TSI Trendline	2	M	1.4	13 700
4p berline 1.4 TSI Trendline+ a/c	2	M	1.4	16 300
4p berline 1.4 TSI Comfortline	2	M	1.4	19 800
4p ber 1.8 TSI Highline (cuir/toit)	2	A	1.8	24 800
4p berline TDI Trendline+ (A/C)	2	M	2.0	21 000
4p berline TDI Comfortline	2	M	2.0	21 900
4p berline TDI Highline (cuir/toit)	2	M	2.0	25 600
4p berline Hybrid Turbo	2	A	1.4	32 900
4p berline GLI 2.0T	2	M	2.0	26 000
4p berline GLI 2.0T Autobahn	2	M	2.0	31 000

2015 JETTA 40 000 km

Description	R.m.	Bv.	L	Prix
4p berline 2.0L Trendline	2	M	2.0	11 000
4p berline 2.0L Trendline+ (A/C)	2	M	2.0	13 300
4p berline 1.8 TSI Trendline+ a/c	2	M	1.8	15 700
4p berline 1.8 TSI Comfortline	2	M	1.8	17 500
4p ber 1.8 TSI Highline (cuir/toit)	2	M	1.8	20 000
4p berline TDI Trendline+ (A/C)	2	M	2.0	18 300
4p berline TDI Comfortline	2	M	2.0	19 500
4p berline TDI Highline (cuir/toit)	2	M	2.0	21 700
4p berline Hybrid Turbo	2	A	1.4	28 600
4p berline GLI 2.0T	2	M	2.0	22 400
4p berline GLI 2.0T Autobahn	2	M	2.0	25 400

2014 JETTA 60 000 km

Description	R.m.	Bv.	L	Prix
4p berline 2.0L Trendline	2	M	2.0	10 400
4p berline 2.0L Trendline+ (a/c)	2	M	2.0	11 800
4p berline 2.0L Comfortline	2	M	2.0	14 300
4p berline 1.8 TSI Comfortline	2	M	1.8	15 700
4p ber 1.8 TSI Highline (cuir/toit)	2	M	1.8	18 300
4p berline TDI Trendline+ (A/C)	2	M	2.0	15 800
4p berline TDI Comfortline	2	M	2.0	17 400
4p berline TDI Highline (cuir/toit)	2	M	2.0	19 900
4p berline Hybrid Turbo Trendline	2	A	1.4	20 400
4p ber Hybrid Turbo Comfortline	2	A	1.4	22 400

Description	R.m.	Bv.	L	Prix
4p ber Hybrid Turbo Highline (c/t)	2	A	1.4	25 500
4p berline GLI 2.0T	2	M	2.0	20 200
4p berline GLI 2.0T Édition 30	2	M	2.0	22 200

2013 JETTA 80 000 km

Description	R.m.	Bv.	L	Prix
4p berline 2.0L Trendline	2	M	2.0	9 400
4p berline 2.0L Trendline+ (A/C)	2	M	2.0	10 400
4p berline 2.0L Comfortline	2	M	2.0	11 200
4p berline TDI Comfortline	2	M	2.0	14 600
4p berline TDI Highline (cuir/toit)	2	M	2.0	16 600
4p berline Hybrid Turbo Trendline	2	A	1.4	17 000
4p ber Hybrid Turbo Comfortline	2	A	1.4	18 700
4p ber Hybrid Turbo Highline (c/t)	2	A	1.4	20 000
4p berline 2.5 Comfortline	2	M	2.5	12 800
4p berline 2.5 Sportline	2	M	2.5	14 400
4p berline 2.5 Highline (cuir/toit)	2	M	2.5	15 200
4p berline GLI 2.0T	2	M	2.0	16 900

2012 JETTA 100 000 km

Description	R.m.	Bv.	L	Prix
4p berline 2.0L Trendline	2	M	2.0	9 000
4p berline 2.0L Trendline+ (A/C)	2	M	2.0	9 800
4p berline 2.0L Comfortline	2	M	2.0	10 600
4p berline TDI Comfortline	2	M	2.0	13 800
4p berline TDI Highline (cuir/toit)	2	M	2.0	15 700
4p berline 2.5 Comfortline	2	M	2.5	11 900
4p berline 2.5 Sportline	2	M	2.5	13 600
4p berline 2.5 Highline (cuir/toit)	2	M	2.5	14 300
4p berline GLI 2.0T	2	M	2.0	15 800

2016 BEETLE 20 000 km

Description	R.m.	Bv.	L	Prix
2p hayon 1.8 TSI Trendline	2	M	1.8	17 400
2p hayon 1.8 TSI Classic	2	M	1.8	19 200
2p hayon 1.8 TSI Comfortline	2	M	1.8	21 100
2p hayon 1.8 TSI Dune	2	A	1.8	23 800
2p déc. 1.8 TSI Trendline+	2	A	1.8	23 700
2p déc. 1.8 TSI Classic	2	A	1.8	25 300
2p déc. 1.8 TSI Denim Edition	2	A	1.8	26 100
2p déc. 1.8 TSI Comfortline	2	A	1.8	27 100

2015 BEETLE 40 000 km

Description	R.m.	Bv.	L	Prix
2p hayon 1.8 TSI Trendline	2	M	1.8	14 500
2p hayon 1.8 TSI Classic	2	M	1.8	15 900
2p hayon 1.8 TSI Comfortline	2	M	1.8	17 600
2p hayon 1.8 TSI Sportline	2	M	1.8	22 500
2p hayon 2.0L TDI Comfortline	2	M	2.0	19 400
2p hayon 2.0T Sportline (Cuir)	2	M	2.0	22 500
2p déc. 1.8 TSI Trendline+	2	A	1.8	19 800
2p déc. 1.8 TSI Comfortline	2	A	1.8	22 500
2p déc. 2.0T Sportline (Cuir)	2	M	2.0	26 400

2014 BEETLE 60 000 km

Description	R.m.	Bv.	L	Prix
2p hayon 2.5L Comfortline	2	M	2.5	13 300
2p hayon 1.8 TSI Comfortline	2	M	1.8	13 300
2p hayon 1.8 TSI Highline	2	M	1.8	15 000
2p hayon 2.0L TDI Comfortline	2	M	2.0	14 700
2p hayon 2.0L TDI Highline	2	M	2.0	16 100
2p hayon 2.5L Highline	2	M	2.5	15 000
2p hayon 2.0T Sportline (Cuir)	2	M	2.0	18 400
2p hayon 2.0T GSR (Cuir)	2	M	2.0	20 200
2p déc. 2.5L Comfortline	2	A	2.5	17 400
2p déc. 2.5L Highline	2	A	2.5	19 500
2p déc. 1.8 TSI Comfortline	2	A	1.8	17 400
2p déc. 1.8 TSI Highline (cuir)	2	A	1.8	19 500
2p déc. 2.0T Sportline (Cuir)	2	M	2.0	22 400

2013 BEETLE 80 000 km

Description	R.m.	Bv.	L	Prix
2p hayon 2.5L Comfortline	2	M	2.5	12 600
2p hayon 2.0L TDI Comfortline	2	M	2.0	14 000
2p hayon 2.0L TDI Highline	2	M	2.0	15 500
2p hayon 2.5L Highline	2	M	2.5	14 100
2p hayon 2.5L Fender Edition	2	M	2.5	15 800
2p hayon 2.0T Sportline (Cuir)	2	M	2.0	16 900
2p hayon 2.0T Super Beetle cuir	2	M	2.0	19 600
2p déc. 2.5L Comfortline	2	A	2.5	16 900
2p déc. 2.5L Highline	2	A	2.5	18 800

2012 BEETLE 100 000 km

Description	R.m.	Bv.	L	Prix
2p hayon 2.5L Comfortline	2	M	2.5	10 800
2p hayon 2.5L Premiere Édition	2	A	2.5	12 300
2p hayon 2.5L Highline	2	M	2.5	12 300
2p hayon 2.0T Sportline (Cuir)	2	M	2.0	14 200

2016 PASSAT 20 000 km

Description	R.m.	Bv.	L	Prix
4p berline 1.8T Trendline	2	M	1.8	20 400
4p berline 1.8T Trendline+	2	M	1.8	22 600
4p berline 1.8T Comfortline toit	2	A	1.8	26 000
4p ber 1.8T Highline (cuir/toit)	2	A	1.8	30 100
4p ber 3.6L Execline (cuir/Navi)	2	A	3.6	34 200

2015 PASSAT 40 000 km

Description	R.m.	Bv.	L	Prix
4p berline 1.8T Trendline	2	M	1.8	16 800
4p ber 1.8T Comfortline (toit)	2	M	1.8	19 000
4p berline 1.8T Highline (cuir/toit)	2	M	1.8	22 200
4p berline TDI Trendline	2	M	2.0	18 800
4p berline TDI Comfortline (toit)	2	M	2.0	20 800
4p berline TDI Highline (cuir/toit)	2	M	2.0	24 300
4p berline 3.6L Comfortline (toit)	2	A	3.6	22 200
4p berline 3.6L Highline (cuir/toit)	2	A	3.6	25 400

2014 PASSAT 60 000 km

Description	R.m.	Bv.	L	Prix
4p berline 2.5L Trendline	2	M	2.5	14 100
4p berline 2.5L Comfortline (toit)	2	M	2.5	15 500
4p berline 2.5L Highline (cuir/toit)	2	M	2.5	18 500
4p berline 1.8T Trendline	2	M	1.8	14 100
4p berline 1.8T Comfortline (toit)	2	M	1.8	15 500
4p berline 1.8T Highline (cuir/toit)	2	M	1.8	18 500
4p berline TDI Trendline	2	M	2.0	15 800
4p berline TDI Comfortline (toit)	2	M	2.0	17 100
4p berline TDI Highline (cuir/toit)	2	M	2.0	20 300
4p berline 3.6L Comfortline (toit)	2	A	3.6	18 300
4p berline 3.6L Highline (cuir/toit)	2	A	3.6	21 400

2013 PASSAT 80 000 km

Description	R.m.	Bv.	L	Prix
4p berline 2.5L Trendline	2	M	2.5	13 300
4p berline 2.5L Comfortline (toit)	2	M	2.5	15 700
4p berline 2.5L Highline (cuir/toit)	2	M	2.5	17 800
4p berline TDI Trendline	2	M	2.0	14 900
4p berline TDI Comfortline (toit)	2	M	2.0	17 100
4p berline TDI Highline (cuir/toit)	2	M	2.0	19 100
4p berline 3.6L Comfortline (toit)	2	A	3.6	19 000
4p berline 3.6L Highline (cuir/toit)	2	A	3.6	21 200

2012 PASSAT 100 000 km

Description	R.m.	Bv.	L	Prix
4p berline 2.5L Trendline	2	M	2.5	10 900
4p berline 2.5L Comfortline (toit)	2	M	2.5	13 000
4p berline 2.5L Highline (cuir/toit)	2	M	2.5	14 700
4p berline TDI Trendline+	2	M	2.0	12 800
4p berline TDI Comfortline (toit)	2	M	2.0	14 300
4p berline TDI Highline (cuir/toit)	2	M	2.0	15 900
4p berline 3.6L Comfortline (toit)	2	A	3.6	15 800
4p berline 3.6L Highline (cuir/toit)	2	A	3.6	17 800

2012 ROUTAN 100 000 km

Description	R.m.	Bv.	L	Prix
4p Trendline	2	A	3.6	11 600
4p Comfortline	2	A	3.6	12 600
4p Highline (cuir)	2	A	3.6	14 100

2016 TIGUAN 20 000 km

Description	R.m.	Bv.	L	Prix
4p 2.0T Trendline	2	M	2.0	22 000
4p 2.0T Trendline	2	A	2.0	23 300
4p 2.0T Special Edition 4Motion	A	A	2.0	26 600
4p 2.0T Comfortline 4Motion	A	A	2.0	30 300
4p 2.0T Highline 4Motion	A	A	2.0	33 000
4p 2.0T R-Line 4Motion	A	A	2.0	35 800

2015 TIGUAN 40 000 km

Description	R.m.	Bv.	L	Prix
4p 2.0T Trendline	2	M	2.0	19 400
4p 2.0T Trendline	2	A	2.0	20 500
4p 2.0T Comfortline	2	A	2.0	25 500
4p 2.0T Trendline 4Motion	A	A	2.0	22 500
4p 2.0T Comfortline 4Motion	A	A	2.0	27 200
4p 2.0T Highline 4Motion	A	A	2.0	30 300
4p 2.0T R-Line 4Motion	A	A	2.0	32 700

2014 TIGUAN 60 000 km

Description	R.m.	Bv.	L	Prix
4p 2.0T Trendline	2	M	2.0	17 600
4p 2.0T Trendline	2	A	2.0	18 600
4p 2.0T Comfortline	2	A	2.0	22 200
4p 2.0T Trendline 4Motion	A	A	2.0	20 400
4p 2.0T Comfortline 4Motion	A	A	2.0	23 900
4p 2.0T Highline 4Motion	A	A	2.0	25 000
4p 2.0T R-Line 4Motion	A	A	2.0	26 300

2013 TIGUAN 80 000 km

Description	R.m.	Bv.	L	Prix
4p 2.0T Trendline	2	M	2.0	16 400
4p 2.0T Trendline	2	A	2.0	17 200
4p 2.0T Comfortline	2	M	2.0	18 600
4p 2.0T Comfortline	2	A	2.0	19 400
4p 2.0T Trendline 4Motion	A	A	2.0	18 600
4p 2.0T Comfortline 4Motion	A	A	2.0	19 900
4p 2.0T Highline 4Motion	A	A	2.0	21 200
4p 2.0T R-Line 4Motion	A	A	2.0	22 700

2012 TIGUAN 100 000 km

Description	R.m.	Bv.	L	Prix
4p 2.0T Trendline	2	M	2.0	14 400
4p 2.0T Trendline	2	A	2.0	15 400
4p 2.0T Comfortline	2	M	2.0	16 500
4p 2.0T Comfortline	2	A	2.0	17 300
4p 2.0T Trendline 4Motion	A	A	2.0	16 500
4p 2.0T Comfortline 4Motion	A	A	2.0	17 700
4p 2.0T Highline 4Motion	A	A	2.0	19 100

2016 TOUAREG 20 000 km

Description	R.m.	Bv.	L	Prix
4 3.6L Sportline	A	A	3.6	45 700
4p 3.6L Comfortline	A	A	3.6	49 500
4p 3.6L Highline (cuir)	A	A	3.6	53 000
4p 3.6L Execline (cuir)	A	A	3.6	57 800
4 3.0 TDI Sportline	A	A	3.0	49 600
4p 3.0 TDI Comfortline	A	A	3.0	53 400
4p 3.0 TDI Highline (cuir)	A	A	3.0	57 000
4p 3.0 TDI Execline (cuir)	A	A	3.0	61 800

2015 TOUAREG 40 000 km

Description	R.m.	Bv.	L	Prix
4p 3.6L Sportline	A	A	3.6	41 100
4p 3.6L Comfortline	A	A	3.6	42 200
4p 3.6L Highline (cuir)	A	A	3.6	47 400
4p 3.6L Execline (cuir)	A	A	3.6	50 700
4 3.0 TDI Sportline	A	A	3.0	44 800
4p 3.0 TDI Comfortline	A	A	3.0	45 900
4p 3.0 TDI Highline (cuir)	A	A	3.0	51 200
4p 3.0 TDI Execline (cuir)	A	A	3.0	54 400

2014 TOUAREG 60 000 km

Description	R.m.	Bv.	L	Prix
4p 3.6L Comfortline	A	A	3.6	39 200
4p 3.6L Highline (cuir)	A	A	3.6	44 100
4p 3.6L Execline (cuir)	A	A	3.6	47 100
4p 3.0 TDI Comfortline	A	A	3.0	42 700
4p 3.0 TDI Highline (cuir)	A	A	3.0	47 600
4p 3.0 TDI Execline (cuir)	A	A	3.0	50 500

2013 TOUAREG 80 000 km

Description	R.m.	Bv.	L	Prix
4p 3.6L Comfortline	A	A	3.6	35 300
4p 3.6L Highline (cuir)	A	A	3.6	39 000
4p 3.6L Execline (cuir)	A	A	3.6	42 600
4p 3.0 TDI Comfortline	A	A	3.0	38 800
4p 3.0 TDI Highline (cuir)	A	A	3.0	43 100
4p 3.0 TDI Execline (cuir)	A	A	3.0	46 200

2012 TOUAREG 100 000 km

Description	R.m.	Bv.	L	Prix
4p 3.6L Comfortline	A	A	3.6	31 800
4p 3.6L Highline (cuir)	A	A	3.6	35 300
4p 3.6L Execline (cuir)	A	A	3.6	35 900
4p 3.0 TDI Comfortline	A	A	3.0	34 900
4p 3.0 TDI Highline (cuir)	A	A	3.0	36 500
4p 3.0 TDI Execline (cuir)	A	A	3.0	37 800

VOLVO

2013 30 80 000 km

Description	R.m.	Bv.	L	Prix
2p hayon C T5	2	M	2.5	14 300
2p hay C T5 Platinum (toit/navi)	2	M	2.5	17 600
2p hayon C T5 R-Design (cuir)	2	M	2.5	18 400
2p hay C T5 R-Design Platinum	2	M	2.5	19 800

2012 30 100 000 km

Description	R.m.	Bv.	L	Prix
2p hayon C T5	2	M	2.5	12 600
2p hay C T5 Platinum (toit/navi)	2	M	2.5	13 400
2p hayon C T5 R-Design (cuir)	2	M	2.5	14 300
2p hay C T5 R-Design Platinum	2	M	2.5	15 400

2016 60 20 000 km

Description	R.m.	Bv.	L	Prix
4p berline S T5 Drive-E	2	A	2.0	34 300
4p berline S T6 Drive-E	2	A	2.0	37 000
4p berline S T5 AWD Special Ed	A	A	2.5	45 900
4p ber S T5 Cross Country AWD	A	A	2.5	44 900
4p berline S T6 AWD	A	A	3.0	41 200
4p berline S T6 AWD Drive-E	A	A	2.0	41 900
4p berline S T6 R-Design AWD	A	A	3.0	45 700
4p b S T6 R-Design awd Drive-E	A	A	2.0	46 500
4p berline S T6 Polestar AWD	A	A	3.0	59 200
4p fam. V T5 Drive-E	2	A	2.0	36 000
4p fam. V T5 AWD	A	A	2.5	38 000
4p f V T5 Cross Country AWD	A	A	2.5	39 600
4p fam. V T6 AWD	A	A	3.0	42 000
4p fam. V T6 AWD Drive-E	A	A	2.0	42 700
4p fam. V T6 R-Design AWD	A	A	3.0	46 600
4p f. V T6 R-Design awd Drive-E	A	A	2.0	47 400
4p fam. V T6 Polestar AWD	A	A	3.0	60 900

2015 60 40 000 km

Description	R.m.	Bv.	L	Prix
4p berline S T5	2	A	2.0	29 000
4p berline S T6	2	A	2.0	33 000
4p berline S T5 AWD	A	A	2.5	30 600
4p berline S T6 AWD	A	A	3.0	34 700
4p berline S T6 R-Design AWD	A	A	3.0	36 200
4p fam. V T5	2	A	2.0	30 600
4p fam. V T5 AWD	A	A	2.0	32 500
4p fam. V T5 2.5 AWD	A	A	2.5	31 900
4p f. V T5 Cross Country AWD	A	A	2.5	33 900
4p fam. V T6 AWD	A	A	3.0	34 500
4p fam. V T6 R-Design AWD	A	A	3.0	37 000

2014 60 60 000 km

Description	R.m.	Bv.	L	Prix
4p berline S T5	2	A	2.5	26 800
4p berline S T5 AWD	A	A	2.5	28 600
4p berline S T6 AWD	A	A	3.0	31 300
4p berline S T6 R-Design AWD	A	A	3.0	32 400

2013 60 80 000 km

Description	R.m.	Bv.	L	Prix
4p berline S T5	2	A	2.5	21 700
4p berline S T5 AWD	A	A	2.5	23 200
4p berline S T6 AWD	A	A	3.0	24 600
4p berline S T6 R-Design AWD	A	A	3.0	25 700

2012 60 100 000 km

Description	R.m.	Bv.	L	Prix
4p berline S T5	2	A	2.5	21 100
4p berline S T6 AWD	A	A	3.0	23 700
4p berline S T6 R-Design AWD	A	A	3.0	25 600

2016 XC 70 20 000 km

Description	R.m.	Bv.	L	Prix
4p fam. XC T5 Drive-E	2	A	2.0	38 300
4p f. XC T5 Premier Drive-E cuir	2	A	2.0	41 700
4p fam. XC T5 AWD	A	A	3.0	40 400
4p fam. XC T5 Premier AWD	A	A	3.0	43 800

2015 XC 70 40 000 km

Description	R.m.	Bv.	L	Prix
4p fam. XC T5	2	A	2.0	33 900
4p fam. XC T5 Premium (cuir)	2	A	2.0	37 200
4p f. XC T5 Platinum (cuir/navi)	2	A	2.0	39 900
4p fam. XC T6 AWD	A	A	3.0	39 100
4p f. XC T6 Premier Plus AWD	A	A	3.0	39 300
4p f. XC T6 Platinum (navi) AWD	A	A	3.0	40 500

2014 XC 70 60 000 km

Description	R.m.	Bv.	L	Prix
4p fam. XC 3.2 AWD	A	A	3.2	29 900
4p f XC 3.2 Premier cuir AWD	A	A	3.2	31 700
4p fam. XC T6 (cuir) AWD	A	A	3.0	31 900

2013 70 80 000 km

Description	R.m.	Bv.	L	Prix
2p déc. C T5	2	A	2.5	27 500
4p fam. XC 3.2 AWD	A	A	3.2	22 200
4p f. XC 3.2 Premier cuir AWD	A	A	3.2	23 800
4p fam. XC T6 (cuir) AWD	A	A	3.0	24 600

2012 70 100 000 km

Description	R.m.	Bv.	L	Prix
2p déc. C T5	2	A	2.5	28 100
4p fam. XC 3.2 AWD	A	A	3.2	21 600
4p f. XC 3.2 Premier cuir AWD	A	A	3.2	22 800
4p fam. XC T6 (cuir) AWD	A	A	3.0	23 000

2016 80 20 000 km

Description	R.m.	Bv.	L	Prix
4p berline S T5	2	A	2.0	45 400
4p berline S T5 Platinum	2	A	2.0	47 000

2015 80 40 000 km

Description	R.m.	Bv.	L	Prix
4p berline S T5	2	A	2.0	35 200
4p berline S T6 AWD	A	A	3.0	38 000

2014 80 60 000 km

Description	R.m.	Bv.	L	Prix
4p berline S 3.2	2	A	3.2	30 000
4p berline S T6 AWD	A	A	3.0	32 500

2013 80 80 000 km

Description	R.m.	Bv.	L	Prix
4p berline S 3.2	2	A	3.2	26 200
4p berline S T6 AWD	A	A	3.0	28 300

2012 80 100 000 km

Description	R.m.	Bv.	L	Prix
4p berline S 3.2	2	A	3.2	23 600
4p berline S T6 AWD	A	A	3.0	26 800

2016 XC 60 20 000 km

Description	R.m.	Bv.	L	Prix
4p T5 Drive-E	2	A	2.0	37 300
4p T5 Premier (cuir) Drive-E	2	A	2.0	41 100
4p T6 Drive-E	2	A	2.0	42 300
4p T5 AWD	A	A	2.5	39 300
4p T5 AWD Special Edition	A	A	2.5	50 500
4p T6 AWD	A	A	3.0	44 300
4p T6 AWD Drive-E	A	A	2.0	45 000
4p T6 R-Design AWD	A	A	3.0	50 500
4p T6 R-Design AWD Drive-E	A	A	2.0	51 200

2015 XC 60 40 000 km

Description	R.m.	Bv.	L	Prix
4p T5	2	A	2.0	31 500
4p T5 Premier (cuir)	2	A	2.0	34 900
4p T6	2	A	2.0	36 000
4p T5 AWD	A	A	2.5	33 700
4p 3.2 AWD	A	A	3.2	33 200
4p T6 AWD	A	A	3.0	36 700
4p T6 R-Design AWD	A	A	3.0	38 900

2014 XC 60 60 000 km

Description	R.m.	Bv.	L	Prix
4p 3.2	2	A	3.2	28 800
4p 3.2 Premier (cuir)	2	A	3.2	31 900
4p 3.2 AWD	A	A	3.2	30 500
4p T6 AWD	A	A	3.0	33 700
4p T6 R-Design AWD	A	A	3.0	37 100

2013 XC 60 80 000 km

Description	R.m.	Bv.	L	Prix
4p 3.2	2	A	3.2	23 800
4p 3.2 Premier (cuir)	2	A	3.2	26 400
4p 3.2 AWD	A	A	3.2	25 400
4p T6	A	A	3.0	27 200
4p T6 R-Design	A	A	3.0	27 300

2012 XC 60 100 000 km

Description	R.m.	Bv.	L	Prix
4p 3.2	2	A	3.2	20 300
4p 3.2 Premier (cuir)	2	A	3.2	23 400
4p 3.2 AWD	A	A	3.2	23 000
4p T6	A	A	3.0	23 500
4p T6 R-Design	A	A	3.0	24 800

2016 XC 90 20 000 km

Description	R.m.	Bv.	L	Prix
4p XC T6 Momentum	A	A	2.0	53 700
4p XC T6 R-Design	A	A	2.0	57 800
4p XC T6 Inscription	A	A	2.0	59 300
4p XC Hybrid T8 R-Design	A	A	2.0	65 100
4p XC Hybrid T8 Inscription	A	A	2.0	66 600

2014 XC 90 60 000 km

Description	R.m.	Bv.	L	Prix
4p XC 3.2	A	A	3.2	30 800
4p XC 3.2 Premium Plus (toit)	A	A	3.2	33 200
4p XC 3.2 R-Design	A	A	3.2	34 000

2013 XC 90 80 000 km

Description	R.m.	Bv.	L	Prix
4p XC 3.2	A	A	3.2	24 800
4p XC 3.2 Premium Plus (cuir)	A	A	3.2	27 400
4p XC 3.2 R-Design (cuir)	A	A	3.2	28 500

2012 XC 90 100 000 km

Description	R.m.	Bv.	L	Prix
4p XC 3.2	A	A	3.2	21 500
4p XC 3.2 Premium Plus (cuir)	A	A	3.2	22 700
4p XC 3.2 R-Design (cuir)	A	A	3.2	23 500

MODÈLES 2017

Cette liste ayant été compilée à la veille de l'impression de *L'Annuel de l'Automobile 2017*, les prix qu'elle contient sont les plus récents de l'ensemble de cet ouvrage. Toutefois, au moment d'aller sous presse, certains prix 2017 n'avaient toujours pas encore été annoncés. Le cas échéant, en guise de référence, nous avons choisi d'indiquer les prix des modèles 2016 et de les identifier par un astérisque. Dans tous les cas, ces prix ont été obtenus des fabricants et ils étaient en vigueur le 30 juillet 2016.

LÉGENDES

4RM = 4 roues motrices | **C.L.** = caisse longue | **cab. all.** = cabine allongée | **t.** = tonne | **emp. all.** = empattement long

- > **Tous les prix inscrits avec un astérisque* identifient des modèles 2016.**
- > **Mise à jour des données faites le 30 juillet 2016 – PR**
- > **NOTE – Ces prix ne comprennent ni les frais de transport et de préparation du véhicule, ni les taxes qui s'appliquent à la vente ou à la location.**

ACURA	
ILX	29 590 $
ILX Premium	32 090 $
ILX Tech	33 590 $
ILX A-Spec	34 990 $
NSX	189 900$
RLX Sport Hybrid Tech*	64 490 $
RLX Sport Hybrid Elite*	69 990 $
TLX*	35 290 $
TLX Tech*	38 990 $
TLX SH-AWD*	40 290 $
TLX V6 Tech*	44 190 $
TLX V6 Elite*	47 790 $

ACURA • Camions	
MDX	53 690 $
MDX Tech	60 190 $
MDX Elite	65 790 $
RDX	42 190 $
RDX Tech	45 190 $
RDX Elite	46 790 $

ALFA ROMEO	
4C*	64 495 $
4C Spyder*	76 495 $
Giulia / Quadrifoglio	ND

ASTON MARTIN	
DB11	ND
Rapide S*	218 600 $
Vanquish*	304 805 $
Vanquish Carbon*	320 705 $
Vanquish Volante*	325 652 $
Vanquish Volante Carbon*	341 552 $
V8 Vantage GT*	109 400 $
V8 Vantage*	128 100 $
V8 Vantage S*	141 900 $
V8 Vantage GT Roadster*	124 900 $
V8 Vantage Roadster*	143 100 $
V8 Vantage S Roadster*	156 900 $
V12 Vantage S*	194 700 $
V12 Vantage S Roadster*	209 700 $

AUDI	
A3 e-tron 1.4T	39 900 $
A3 e-tron 1.4T Technik	44 600 $
A3 1.8T	34 700 $
A3 2.0T Konfort	31 600 $
A3 2.0T Konfort quattro	36 400 $
A3 2.0T Progressiv quattro	39 500 $
A3 2.0T Technik quattro	43 300 $
A3 2.0T Progressiv cabriolet	45 100 $
A3 2.0T Technik cabriolet	48 900 $
A4 2.0T quattro Konfort	43 200 $
A4 2.0T quattro Technik	50 600 $
A4 2.0T Allroad quattro	47 300 $
A4 2.0T Allroad quattro Technik	53 700 $
A5 2.0T	44 700 $
A5 cabriolet	60 400 $
A6 2.0T	58 400 $
A6 3.0	65 250 $
A6 3.0 Competition	77 650 $
A6 3.0 TDI	67 700 $
A7 3.0 quattro	75 950 $

A7 3.0 quattro Competition	95 900 $
A7 TDI	78 400 $
A8 3.0	86 150 $
A8 4.0	104 600 $
A8 TDI*	90 600 $
A8 L 4.0	112 200 $
R8 5.2	184 000 $
R8 4.2 Spyder*	132 400 $
R8 5.2 V10 Plus	213 900 $
S3	45 400 $
S4*	55 200 $
S5	57 800 $
S5 Dynamic	63 200 $
S5 cabriolet	70 700 $
S6	90 850 $
S7	97 250 $
RS7 Performance	143 100 $
S8 Plus	135 500 $
TT 2.0T quattro	52 400 $
TT 2.0T roadster quattro	56 400 $
TTS 2.0T quattro	62 700 $
TTS 2.0T roadster quattro*	65 100 $

AUDI • Camions

Q3	34 600 $
Q3 quattro	37 100 $
Q5 2.0	43 800 $
Q5 3.0	48 600 $
Q5 TDI*	49 900 $
Q5 Hybrid*	57 000 $
SQ5 3.0	58 500 $
Q7 3.0	65 200 $
Q7 3.0 Technik	73 500 $
Q7 TDI*	63 200 $

BENTLEY

Continental GT V8*	234 190 $
Continental GT V8 S*	254 305 $
Continental GT 6.0L*	253 660 $
Continental GT Speed*	283 690 $
Continental GT3-R	ND
Continental GTC V8*	257 180 $
Continental GTC V8 S*	273 460 $
Continental GTC 6.0L*	278 740 $
Continental GTC Speed*	317 225 $
Continental Flying Spur V8*	248 585 $
Continental Flying Spur 6.0L*	268 950 $
Mulsanne*	372 885 $
Mulsanne Speed*	406 120 $

BENTLEY • Camions

Bentayga	266 090$

BMW

228i coupé*	36 200 $
M235i coupé*	45 200 $
M235i coupé xDrive*	48 950 $
M235i cabriolet*	52 200 $
M235i cabriolet xDrive*	55 950 $
320i xDrive	40 990 $
330i xDrive*	47 500 $
328d xDrive	44 000 $
330i xDrive	47 500$
330e Hybride	51 900$
340i	52 550 $
340i xDrive	55 250 $
330i Gran Turismo xDrive	50 140 $
340i Gran Turismo xDrive	58 140 $
330i xDrive Touring	49 000 $
328d xDrive Touring	45 500 $
430i xDrive coupe	50 950 $
440i coupe	56 350 $
440i xDrive coupe	57 050 $
430i xDrive Gran Coupé	50 950 $
440i xDrive Gran Coupé	57 050 $
430i cabriolet xDrive	61 250 $
440i cabriolet xDrive	70 550 $
528i xDrive*	60 500 $
535i xDrive*	67 000 $
535d Diesel xDrive*	68 500 $
550i xDrive*	82 500 $
650i coupé xDrive	100 500 $
650i cabriolet xDrive	111 500 $
640i xDrive Gran Coupé	90 900 $
650i xDrive Gran Coupé	102 000 $
Alpina B6 Gran Coupé	135 100 $
740 Le xDrive*	107 300 $
740 Ld Diesel xDrive*	101 600 $
750i xDrive	113 900 $
750 Li xDrive	117 900 $
Active Hybride 7L*	133 700 $
760 Li*	182 600 $
Alpina B7	155 900 $
Alpina B7 L	163 800 $
M3 sedan	75 500 $
M4 coupé	76 500 $
M4 cabriolet	86 000 $
i3	46 900 $
i8	149 800 $
M5*	102 500 $
M6 coupé	125 000 $
M6 cabriolet	130 500 $
M6 Gran Coupé	130 000 $
Z4 sDrive 28i*	56 200 $
Z4 sDrive 35i*	66 900 $
Z4 sDrive 35is*	77 900 $

BMW • Camions

X1 28i xDrive	39 500 $
X3 28i xDrive	45 950 $
X3 35i xDrive	51 250 $
X3 28d xDrive	45 950 $
X4 28i xDrive	48 700 $
X4 M40i xDrive	60 700 $
X5 35i xDrive*	66 000 $
X5 35d Diesel xDrive*	67 500 $
X5 50i xDrive*	78 200 $
X5 M*	105 900 $
X6 35i xDrive*	69 400 $
X6 50i xDrive*	83 700 $
X6 M*	108 200 $

BUICK

LaCrosse	35 345 $
LaCrosse Essence	42 390 $
LaCrosse Premium	44 950 $
LaCrosse Premium 4RM	47 400 $
Regal 2.4L*	35 095 $
Regal Premium II	37 695 $
Regal Sport Touring*	33 295 $
Regal 4RM	36 195 $
Regal Premium II 4RM	40 195 $
Regal GS	41 095 $
Regal GS 4RM	43 595 $
Verano	24 190 $
Verano Groupe cuir	29 340 $

BUICK • Camions

Enclave Cuir	48 935 $
Enclave Cuir 4RM	51 935 $
Enclave Premium 4RM	56 435 $
Encore Preferred	28 505 $
Encore Sport Touring	31 415 $
Encore Essence	32 150 $
Encore Preferred 4RM	30 505 $
Encore Sport Touring 4RM	33 415 $
Encore Premium 4RM	35 475 $
Envision Convenience	39 995 $
Envision Cuir	43 695 $
Envision Premium II	49 565 $

CADILLAC

ATS Coupé 2.0L Turbo	41 490 $
ATS Coupé 3.6L	48 735 $
ATS Coupé 2.0L Turbo 4RM	43 690 $
ATS Coupé 3.6L 4RM	50 935 $
ATS-V Coupé	68 305 $
ATS 2.5L	36 360 $
ATS 2.0L Turbo	38 165 $
ATS 3.6L	45 105 $
ATS 2.0L Turbo 4RM	40 890 $
ATS 3.6L 4RM	47 830 $
ATS 3.6L 4RM Premium	51 270 $
ATS-V	66 000 $
CTS 2.0L	49 405 $
CTS 3.6L	57 055 $
CTS 2.0L 4RM	52 030 $
CTS 3.6L 4RM Luxury Collection	59 075 $
CTS 3.6L Vsport	76 940 $
CTS-V	92 135 $
CT6 2.0L Turbo	61 695 $
CT6 3.6L 4RM	64 020 $
CT6 3.0L Twin Turbo 4RM	73 555 $
CT6 3.6L 4RM Platinum	95 070 $
CT6 3.0L Twin Turbo 4RM Platinum	99 670 $
XTS	50 715 $
XTS Platinum	70 040 $
XTS 4RM	56 425 $
XTS Platinum 4RM	71 985 $
XTS Vsport Platinum 4RM	77 840 $

CADILLAC • Camions

Escalade 4RM	84 145 $
Escalade Platinum 4RM	103 745 $
Escalade ESV 4RM	87 620 $
Escalade ESV Platinum 4RM	107 220 $
XT5 V6	45 100 $
XT5 V6 4RM	52 120 $
XT5 Platinum 4RM	68 595 $

CHEVROLET

Bolt	ND
Camaro LT 2.0L	28 595 $
Camaro LT 3.6L	30 240 $
Camaro SS	42 500 $
Camaro LT cabriolet 2.0L	36 500 $
Camaro LT cabriolet 3.6L	43 600 $
Camaro SS cabriolet	48 955 $
Camaro Z/28*	77 400 $
Corvette Stingray	64 395 $
Corvette Stingray Z51	70 145 $
Corvette Stingray cabriolet	69 395 $
Corvette Stingray cabriolet Z51	75 145 $
Corvette Stingray Grand Sport	ND
Corvette Stingray Grand Sport cabriolet	ND
Corvette Stingray Z06	92 745 $
Corvette Stingray Z06 cabriolet	97 645 $
Cruze L	15 995 $
Cruze LS	18 845 $
Cruze Diesel*	25 295 $
Cruze LT	19 845 $
Cruze Premier	23 895 $
Cruze LT 5p	20 595 $
Cruze Premier 5p	24 645 $
Impala LS 2.5L	29 295 $
Impala LS 3.6L	30 795 $
Impala LT 2.5L	32 495 $
Impala LT 3.6L	33 995 $
Impala LTZ 3.6L	40 495 $
Malibu L	21 745 $
Malibu LS	24 245 $
Malibu LT	25 245 $
Malibu Hybride	28 850 $
Malibu Premier 2.0L	32 045 $
Sonic LS	14 395 $
Sonic LT	18 045 $
Sonic LT 5p	18 945 $
Sonic Premier 5p*	23 195 $
Sonic RS 5p*	23 195 $
Spark LS	9 995 $
Spark LT	14 195 $
Spark 2LT	18 195 $
Spark EV*	31 445 $
Volt	38 390 $
Volt Premier	42 490 $

CHEVROLET • Camions

City Express cargo	25 995 $
City Express cargo LT	27 925 $
Colorado WT cab All*	19 900 $
Colorado LT cab All*	27 400 $
Colorado Z71 cab All*.	29 700 $
Colorado WT cab All*	23 050 $
Colorado WT crew Cab*	25 450 $
Colorado LT crew Cab*	28 800 $
Colorado Z71 crew Cab*	31 150 $
Colorado WT cab All.4RM*	28 050 $
Colorado LT cab All.4RM*	31 400 $
Colorado Z71 cab All.4RM*	33 700 $
Colorado WT crew Cab 4RM*	30 550 $
Colorado LT crew Cab 4RM*	33 900 $
Colorado Z71 crew Cab 4RM*	35 950 $
Equinox LS	27 170 $
Equinox LT	30 170 $
Equinox Premier	32 670 $
Equinox LS 4RM	29 370 $
Equinox LT 4RM	32 370 $
Equinox LT V6 4RM	34 095 $
Equinox Premier 4RM	34 870 $
Equinox Premier V6 4RM	36 595 $
Express 2500 LS Passagers	43 265 $
Express 2500 LT Passagers	45 660 $
Express 3500 LS Passagers	42 250 $
Express 3500 LT Passagers	44 100 $
Express 3500 LS Passagers emp. Long	45 060 $
Express 3500 LT Passagers emp. Long	45 985 $
Express 2500 Cargo	37 775 $
Express 2500 Cargo emp. Long	39 115 $
Express 3500 Cargo	38 255 $
Express 3500 Cargo emp. Long	39 340 $
Silverado 1500 WT	29 505 $
Silverado 1500 LT	34 240 $
Silverado 1500 WT cab. All	33 805 $
Silverado 1500 LS cab. all	33 500 $
Silverado 1500 LT cab. All	36 115 $
Silverado 1500 LTZ cab. All	47 680 $
Silverado 1500 WT Crew Cab	36 155 $
Silverado 1500 LT Crew Cab	41 190 $
Silverado 1500 LTZ Crew Cab	49 730 $
Silverado 1500 4RM WT	33 105 $
Silverado 1500 4RM LS	35 880 $
Silverado 1500 4RM LT	38 440 $
Silverado 1500 4RM WT cab. All.	37 705 $
Silverado 1500 4RM LS cab. All	40 115 $
Silverado 1500 4RM LT cab. All	42 740 $
Silverado 1500 4RM LTZ cab. All	51 815 $
Silverado 1500 4RM WT Crew Cab	39 955 $
Silverado 1500 4RM LT Crew Cab	45 290 $
Silverado 1500 4RM LTZ Crew Cab	54 065 $
Silverado 1500 4RM High Country Crew Cab	61 245 $
Suburban 1500 LS	56 815 $
Suburban 1500 LT	64 235 $
Suburban 1500 LS 4RM	60 115 $
Suburban 1500 LT 4RM	67 535 $
Suburban 1500 Premier 4RM	75 485 $
Tahoe LS	53 790 $
Tahoe LT	61 210 $
Tahoe LS 4RM	57 090 $
Tahoe LT 4RM	64 510 $

Tahoe Premier 4RM	72 460 $
Traverse LS	34 530 $
Traverse LT	37 985 $
Traverse LS 4RM	37 530 $
Traverse LT 4RM	40 985 $
Traverse Premier 4RM	51 170 $
Trax LS	19 795 $
Trax LT	25 760 $
Trax Premier	29 295 $
Trax LT 4RM	27 760 $
Trax Premier 4RM	31 295 $

CHRYSLER

200 LX	25 595 $
200 Limited	28 995 $
200 S	30 995 $
200 C	31 995 $
200 S 4RM	35 495 $
300 Touring*	38 995 $
300 Touring 4RM*	41 195 $
300 Limited*	41 190 $
300 S V6*	41 695 $
300 S V6 4RM*	43 895 $
300 S V8*	44 545 $
300c*	42 695 $
300c V8*	45 195 $
300c 4RM*	44 895 $
300C Platinum 4RM*	46 895 $

CHRYSLER • Camions

Pacifica Touring-L	43 995 $
Pacifica Touring-L Plus	46 995 $
Pacifica Limited	52 995 $

DODGE

Challenger SXT*	30 795 $
Challenger R/T*	38 895 $
Challenger Scat Pack*	47 895 $
Challenger SRT 392*	56 495 $
Challenger SRT Hellcat*	74 945 $
Charger Se*	34 295 $
Charger SXT*	37 395 $
Charger R/t*	41 395 $
Charger R/t Scat Pack *	48 395 $
Charger Srt 392*	54 995 $
Charger Srt Hellcat*	75 445 $
Charger Se 4RM*	36 495 $
Charger SXT 4RM*	39 595 $
Dart SE*	16 495 $
Dart SXT*	19 495 $
Dart Aero*	21 990 $
Dart Limited*	23 495 $
Dart GT 2.4L*	22 495 $
Viper SRT GTC	117 995 $
Viper SRT GTS	129 995 $
Viper SRT ACR	147 995 $
DODGE • Camions	
Durango SXT	43 695 $
Durango GT	48 695 $
Durango GT 5.7L	51 095 $
Durango R/T	55 995 $
Durango Citadel	56 695 $
Durango Citadel 5.7L	59 095 $
Grand Caravan SE	28 995 $
Grand Caravan Crew	38 795 $
Grand Caravan GT	43 995 $
Journey SE	22 695 $
Journey SXT	29 295 $
Journey Crossroad	33 495 $
Journey GT 4RM	36 695 $
Journey Crossroad 4RM	37 595 $

FERRARI

488 GTB*	348 000 $
488 Spyder*	358 800 $
LaFerrari	ND
GTC4Lusso	334 800 $
F12 Berlinetta*	379 866 $
California T*	289 000 $

FIAT

124 Spider Classica	33 495 $
124 Spider Lusso	36 495 $
124 Spider Abarth	37 995 $
500 Pop	18 995 $
500 Sport*	19 995 $
500 Sport Turbo*	22 395 $
500 Lounge	23 995 $
500 Abarth	27 995 $
500c Pop Cabrio	22 995 $
500c Lounge Cabrio	27 395 $
500c Abarth Cabrio	31 995 $
500L Sport	24 495 $
500L Trekking	26 495 $
500L Lounge	27 995 $
500X Pop*	21 495 $
500X Sport*	25 995 $
500X Trekking*	26 995 $
500X Sport 4RM*	29 190 $
500X Trekking 4RM*	30 690 $
500X Lounge 4RM*	32 190 $

FORD

Fiesta S 5p*	15 399 $
Fiesta SE 5p*	16 399 $
Fiesta Titanium 5p*	20 249 $
Fiesta ST 5p*	24 999 $
Fiesta S sedan*	15 399 $
Fiesta SE sedan*	16 399 $
Fiesta Titanium sedan*	20 249 $
Focus SE 5p*	19 249 $
Focus Titanium 5p*	26 299 $
Focus ST 5p*	30 399 $
Focus S sedan*	16 849 $
Focus SE sedan*	19 249 $
Focus Titanium sedan*	26 299 $
Focus Electric*	31 999 $
Fusion S	23 688 $
Fusion SE	25 588 $
Fusion SE 1.5L	26 488 $
Fusion SE 2.0L 4RM	29 988 $
Fusion Titanium 4RM	34 488 $
Fusion Platinum Sport 4RM	42 288 $
Fusion Sport V6 4RM	42 288 $
Fusion S Hybride	28 888 $
Fusion SE Hybride	29 588 $
Fusion Titanium Hybride	34 988 $
Fusion Platinum Hybride	41 988 $
Fusion SE Luxury Energi (branchable)	35 088 $
Fusion Titanium Energi (branchable)	37 288 $
Fusion Platinum Energi (branchable)	45 088 $
Ford GT	Est.US 400 000 $
Mustang V6	26 398 $
Mustang Ecoboost	29 398 $
Mustang Ecoboost Premium	34 898 $
Mustang V6 cabriolet	31 398 $
Mustang Ecoboost Premium cabriolet	40 448 $
Mustang GT	38 398 $
Mustang GT Premium cabriolet	49 448 $
Mustang Shelby GT 350	73 678 $
Taurus SE*	30 499 $
Taurus SEL*	35 499 $
Taurus SEL 4RM*	37 999 $
Taurus Limited 4RM*	42 999 $
Taurus SHO 4RM*	47 999 $

FORD • Camions

C-Max Energi SEL*	35 499 $
C-Max Hybride SE*	25 999 $
C-Max Hybride SEL*	29 849 $
Edge SE*	31 499 $
Edge SEL*	35 299 $
Edge Titanium*	39 299 $
Edge SE 4RM*	34 499 $
Edge SEL 4RM*	37 299 $
Edge Titanium 4RM*	41 299 $
Edge Sport 4RM*	45 799 $
Escape S	25 099 $
Escape SE	27 599 $
Escape Titanium	33 799 $
Escape SE 1.5L 4RM	29 799 $
Escape SE 4RM	30 799 $
Escape Titanium 4RM	35 999 $
Expedition XLT	53 699 $
Expedition Limited	67 799 $
Expedition MAX Limited	70 799 $
Expedition MAX Platinum	72 799 $
Explorer	33 999 $
Explorer XLT	38 199 $
Explorer 4RM	36 999 $
Explorer XLT 4RM	41 199 $
Explorer Limited 4RM	48899 $
Explorer Sport 4RM	52 499 $
Explorer Platinum	59 599 $
F-150 XL*	21 399 $
F-150 XLT*	32 399 $
F-150 XL 4RM*	32 699 $
F-150 XLT 4RM*	36 899 $
F-150 SuperCab XL*	33 899 $
F-150 SuperCab XLT*	36 399 $
F-150 SuperCab XL 4RM*	38 399 $
F-150 SuperCab XLT 4RM*	40 399 $
F-150 SuperCab SVT Raptor 4RM	ND
F-150 SuperCrew XLT*	38 199 $
F-150 SuperCrew XLT 4RM*	44 249 $
F-150 SuperCrew Lariat*	50 799 $
F-150 SuperCrew SVT Raptor 4RM	ND
F-150 SuperCrew Lariat 4RM*	55 199 $
F-150 SuperCrew King Ranch 4RM*	65 899 $
F-150 SuperCrew Lariat Platinum 4RM*	67 899 $
F-150 SuperCrew Limited 4RM*	75 499 $
Flex SE*	31 299 $
Flex SEL*	38 299 $
Flex SEL 4RM*	40 299 $
Flex Limited 4RM*	45 099 $
Flex Limited EcoBoost 4RM*	51 899 $
Transit-150 cargo	36 099 $
Transit-250 cargo	37 599 $
Transit-350 cargo	39 099 $
Transit-150 passagers	41 599 $
Transit-350 passagers	45 599 $
Transit Connect fourgon XL	28 999 $
Transit Connect fourgon XLT	30 399 $
Transit Connect tourisme XL	31 299 $
Transit Connect tourisme XLT	33 199 $
Transit Connect tourisme Titanium	37 699 $

GENESIS

G80 (Hyundai Genesis)*	63 900 $
G90 (Hyundai Equus)*	43 600 $

GMC

Acadia SLE	34 995 $
Acadia SLE V6	40 555 $
Acadia SLT	45 460 $
Acadia SLE 4RM	37 995 $
Acadia SLE V6 4RM	43 555 $
Acadia SLT 4RM	47 295 $
Acadia Denali 4RM	54 695 $
Canyon SL cab All*	20 600 $
Canyon base cab All*.	23 750 $
Canyon SLE cab All*	29 050 $
Canyon SLT cab All*	32 000 $
Canyon base crew Cab*	26 200 $
Canyon SLE crew Cab*	30 450 $
Canyon SLT crew Cab*	33 450 $
Canyon base cab All.4RM*	28 950 $
Canyon SLE cab All.4RM*	33 600 $
Canyon SLT cab All.4RM*	36 250 $
Canyon SLE crew Cab 4RM*	36 100 $
Canyon SLT crew Cab 4RM*	39 100 $
Savana 2500 LS	44 710 $
Savana 2500 LT	47 105 $
Savana 2500 fourgon	37 775 $
Savana 2500 fourgon emp. Long	39 115 $
Savana 3500 LS	42 250 $
Savana 3500 LT	44 100 $
Savana 3500 LS emp. Long	45 060 $
Savana 3500 LT emp. Long	45 985 $
Savana 3500 fourgon	38 255 $
Savana 3500 fourgon emp. Long	39 340 $
Terrain SLE	28 590 $
Terrain SLE V6	32 965 $
Terrain SLE 4RM	30 790 $
Terrain SLE V6 4RM	35 165 $
Terrain SLT 4RM	35 750 $
Terrain SLT V6 4RM	37 475 $
Terrain Denali 4RM	42 740 $
Terrain Denali V6 4RM	44 905 $
Sierra 1500 base	30 140 $
Sierra 1500 SLE	35 430 $
Sierra 1500 base cab. All.	34 440 $
Sierra 1500 SLE cab. All	39 730 $
Sierra 1500 SLT cab. All	48 130 $
Sierra 1500 base Crew Cab	36 790 $
Sierra 1500 SLE Crew Cab	42 380 $
Sierra 1500 SLT Crew Cab	50 180 $
Sierra 1500 4RM base	33 740 $
Sierra 1500 4RM SLE	40 040 $
Sierra 1500 4RM base cab. All	38 340 $
Sierra 1500 4RM SLE cab. All	44 340 $
Sierra 1500 4RM SLT cab. All	52 330 $
Sierra 1500 4RM Crew Cab	40 590 $
Sierra 1500 4RM SLE Crew Cab	46 890 $
Sierra 1500 4RM SLT Crew Cab	54 580 $
Sierra 1500 4RM Denali Crew Cab	64 625 $
Yukon SLE	54 995 $
Yukon SLT	64 970 $
Yukon SLE 4RM	58 295 $
Yukon SLT 4RM	68 270 $
Yukon Denali 4RM	77 660 $
Yukon XL SLE	58 120 $
Yukon XL SLT	68 095 $
Yukon XL SLE 4RM	61 420 $
Yukon XL SLT 4RM	71 395 $
Yukon XL Denali 4RM	80 785 $

HONDA

Accord LX*	24 150 $
Accord Sport*	26 690 $
Accord EX-L*	29 990 $
Accord Touring*	31 090 $
Accord EX-L V6*	33 270 $
Accord V6 Touring*	35 790 $
Accord Hybride	ND
Accord coupé EX*	27 090 $
Accord coupé EX Touring *	31 090 $
Accord coupé EX Touring V6*	35 830 $
Civic DX*	15 990 $
Civic LX*	20 190 $
Civic EX*	22 590 $
Civic EX-T 1.5T*	25 350 $
Civic Touring 1.5T*	26 990 $
Civic Si 5p*	ND
Civic Hybride*	24 990 $
Civic coupé LX*	19 455 $
Civic coupé EX-T*	24 555 $
Civic coupé Touring*	27 555 $

Fit DX*	14 730 $
Fit LX*	17 530 $
Fit EX*	20 730 $
Fit EX-L Navi*	21 530 $

HONDA • Camions

CR-V LX 2RM*	26 190 $
CR-V LX*	28 550 $
CR-V SE	30 190 $
CR-V EX*	32 190 $
CR-V EX-L*	34 190 $
CR-V Touring*	36 900 $
HR-V LX*	20 690 $
HR-V EX*	23 190 $
HR-V LX 4RM*	24 290 $
HR-V EX 4RM*	26 790 $
HR-V EX-L 4RM*	29 990 $
Odyssey LX*	30 690 $
Odyssey SE*	32 740 $
Odyssey EX*	35 740 $
Odyssey EX-L NAVI*	42 750 $
Odyssey Touring*	48 750 $
Pilot LX 2RM*	35 490 $
Pilot LX Honda Sensing*	39 490 $
Pilot EX*	41 490 $
Pilot EX-L*	44 490 $
Pilot Touring*	50 490 $
Ridgeline LX	36 590 $
Ridgeline Sport	39 590 $
Ridgeline EX-L	42 590 $
Ridgeline Touring	47 090 $
Ridgeline Black Edition	48 590 $

HYUNDAI

Accent L*	13 449 $
Accent GL*	17 349 $
Accent GLS*	19 399 $
Accent 5p L*	13 799 $
Accent 5p GL*	16 449 $
Accent 5p GLS*	18 499 $
Elantra L	15 999 $
Elantra LE	18 499 $
Elantra GL	20 349 $
Elantra GLS	22 699 $
Elantra Limited	26 249 $
Elantra Limited Ultimate	28 799 $
Elantra GT L*	18 449 $
Elantra GT GL*	19 749 $
Elantra GT GLS*	22 049 $
Elantra GT Limited*	27 099 $
Ioniq	ND
Sonata GL*	24 749 $
Sonata GLS*	27 349 $
Sonata Limited*	34 099 $
Sonata Hybride*	29 649 $
Sonata Hybride Ultimate*	37 499 $
Sonata 2.0T Ultimate*	35 699 $
Veloster*	18 599 $
Veloster Tech*	24 249 $
Veloster Turbo*	27 199 $

HYUNDAI • Camions

Santa Fe Sport 2.4L	28 599 $
Santa Fe Sport 2.4L Premium	31 099 $
Santa Fe Sport 2.4L Premium 4RM	33 099 $
Santa Fe Sport 2.4T SE 4RM	34 899 $
Santa Fe Sport 2.0T SE 4RM	37 299 $
Santa Fe Sport 2.4T Luxury 4RM	37 899 $
Santa Fe Sport Limited 2.0T 4RM	41 299 $
Santa Fe Sport Ultimate 2.0T 4RM	44 599 $
Santa Fe XL 2RM	32 199 $
Santa Fe XL Premium	37 049 $
Santa Fe XL Luxury	42 199 $
Santa Fe XL Limited	44 399 $
Santa Fe XL Ultimate	48 099 $
Tucson base*	24 399 $
Tucson Premium*	26 699 $
Tucson Premium 4RM*	28 999 $
Tucson Luxury 4RM*	33 099 $
Tucson Premium 1.6 4RM*	31 299 $
Tucson Limited 1.6 4RM*	36 649 $
Tucson Ultimate 1.6 4RM*	39 599 $

INFINITI

Q60 coupé 2.0T	ND
Q60 coupé 3.0T Sport	ND
Q60 coupé 3.0T Red Sport	ND
Q50 2.0T*	39 900 $
Q50 3.0T*	45 900$
Q50 Red Sport *	54 600 $
Q50 Hybride*	56 400 $
Q70 4RM*	57 300 $
Q70 Sport 4RM*	63 200 $
Q70L 3.7 4RM*	64 300 $
Q70L 5.6 4RM*	68 400 $
INFINITI • Camions	
QX30	ND
QX50*	37 900 $
QX60 4RM*	45 900 $
QX60 Premium 4RM*	50 900 $
QX60 Hybride 4RM*	54 900 $
QX70	53 800 $
QX70 Sport	60 450 $
QX80*	73 650 $

JAGUAR

F-Type	78 500 $
F-Type S	89 500 $
F-Type S 4RM	97 500 $
F-Type R V8 4RM	118 500 $
F-Type SVR V8 4RM	142 000 $
F-Type cabriolet	81 500 $
F-Type S cabriolet	92 500 $
F-Type S 4RM cabriolet	100 500 $
F-Type R V8 4RM cabriolet	121 500 $
F-Type SVR V8 4RM cabriolet	145 000 $
XE 2.0L Diesel Premium	45 000 $
XE 2.0L Diesel R-Sport	54 000 $
XE 3.0L V6 SC Premium	48 500 $
XE 3.0L V6 SC R-Sport	57 500 $
XF 20d Diesel	60 000 $
XF 20d Prestige Diesel	67 000 $
XF 20d R-Sport Diesel	68 500 $
XF 35t	62 000 $
XF 35t Prestige	67 000 $
XF 35t R-Sport	70 500 $
XF S	74 000 $
XJ R-Sport 4RM*	92 000 $
XJ Portfolio 4RM*	96 000 $
XJL Portfolio 4RM*	99 000 $
XJR*	121 000 $
XJR L*	124 000 $

JAGUAR• Camions

F-Pace 20d Premium Diesel	49 900 $
F-Pace 20d Prestige Diesel	54 400 $
F-Pace 20d R-Sport Diesel	59 900 $
F-Pace 35t Premium	53 900 $
F-Pace 35t R-Sport	63 900 $
F-Pace S	66 400 $
F-Pace First Edition	78 900 $
F-Pace	77 500 $

JEEP

Compass Sport	20 795 $
Compass Sport 4RM	25 395 $
Compass North	24 095 $
Compass North 4RM	30 290 $
Compass High Altitude	28 490 $
Compass High Altitude 4RM	33 090 $
Cherokee Sport	27 195 $
Cherokee North	30 895 $
Cherokee Limited	34 395 $
Cherokee Sport 4RM	30 990 $
Cherokee North 4RM	34 690 $
Cherokee Trailhawk 4RM	35 395 $
Cherokee Limited 4RM	38 190 $
Cherokee Overland 4RM	45 095 $
Grand Cherokee Laredo*	42 395 $
Grand Cherokee Limited*	50 695 $
Grand Cherokee Limited V8*	52 995 $
Grand Cherokee Overland*	59 495 $
Grand Cherokee Overland Diesel*	66 640 $
Grand Cherokee Summit*	64 495 $
Grand Cherokee Summit Diesel *	71 640 $
Grand Cherokee SRT*	70 695 $
Patriot Sport	19 795 $
Patriot Sport 4RM	24 395 $
Patriot North	22 395 $
Patriot North 4RM	27 095 $
Patriot High Altitude 4RM	31 790 $
Renegade Sport*	20 495 $
Renegade North*	26 495 $
Renegade Sport 4RM*	26 495 $
Renegade North 4RM*	27 995 $
Renegade Trailhawk 4RM*	31 495 $
Renegade Limited 4RM*	32 495 $
Wrangler Sport*	25 995 $
Wrangler Sahara*	36 095 $
Wrangler Rubicon*	39 095 $
Wrangler Unlimited Sport S*	34 495 $
Wrangler Unlimited Sahara*	38 495 $
Wrangler Unlimited Rubicon*	41 495 $

KIA

Cadenza*	37 995 $
Cadenza Tech*	45 595 $
Forte Koup EX 2.0L*	21 295 $
Forte Koup SX 1.6L*	24 195 $
Forte Koup SX Luxury 1.6L*	28 795 $
Forte LX 1.8L*	15 995 $
Forte EX 2.0L*	20 995 $
Forte SX 2.0L*	26 695 $
Forte5 LX 2.0L*	19 495 $
Forte5 EX 2.0L*	22 495 $
Forte5 SX 1.6L*	24 195 $
Forte5 SX Luxury 1.6L*	28 795 $
K900 Premium	61 295 $
K900 Elite V8	70 195 $
Optima LX*	23 495 $
Optima EX*	29 395 $
Optima EX Tech*	31 795 $
Optima Turbo SX*	34 995 $
Optima Turbo SXL*	37 595 $
Optima Hybride*	30 095 $
Optima Hybride EX Luxury*	36 695 $
Rio LX	14595 $
Rio EX SE	17995 $
Rio SX	20 695 $
Rio 5p LX	14 995 $
Rio 5p EX SE	18 395 $
Rio 5p SX	21 095 $
Rondo LX*	21 495 $
Rondo EX*	27 195 $
Rondo EX Luxury*	32 295 $
Soul 1.6L LX*	17 195 $
Soul 2.0L EX*	21 195 $
Soul 2.0L SX*	23 995 $
Soul 2.0L SX Luxury*	27 495 $
Soul EV*	34 995 $
Soul EV Luxury*	37 995 $

KIA • Camions

Niro Hybride	ND
Sedona L*	27 695 $
Sedona LX*	30 195 $
Sedona SX*	35 795 $
Sedona SXL+*	46 195 $
Sorento LX	27 695 $
Sorento LX 4RM	29 895 $
Sorento EX V6 4RM	37 095 $
Sorento SX 2.0L 4RM	42 495 $
Sorento SX V6 4RM	43 595 $
Sorento SX 2.0L 4RM	42 495 $
Sorento SX+ V6 4RM	47 095 $
Sportage LX	24 795 $
Sportage LX 4RM	26 995 $
Sportage EX	27 795 $
Sportage EX 4RM	29 795 $
Sportage EX Tech 4RM	36 995 $
Sportage SX Turbo 4RM	39 395 $

LAMBORGHINI

Aventador LP700-4	460 790 $
Aventador LP750-4 SV*	550 990 $
Aventador LP700-4 Roadster	505 630 $
Huracan LP580-2	233 495 $
Huracan LP610-4	279 895 $
Huracan LP610-4 Avio	284 045 $
Huracan LP610-4 Roadster	309 985 $

LAND ROVER

Discovery Sport SE	42 790 $
Discovery Sport HSE Luxury	50 990 $
LR4*	59 990 $
LR4 HSE*	64 990 $
Range Rover Evoque	49 990 $
Range Rover Evoque HSE Dynamic	61 190 $
Range Rover Evoque HSE Dynamic cabriolet	64 990 $
Range Rover Sport V6 SE*	75 990 $
Range Rover Sport HSE Diesel*	82 990 $
Range Rover Sport V8 Compresseur*	92 990 $
Range Rover Supercharged*	116 490 $
Range Rover HSE Diesel*	108 490 $
Range Rover Supercharged LWB*	121 490 $
Range Rover Supercharged Autobiography LWB*	156 990 $
Range Rover Supercharged SV Autobiography LWB*	219 990 $

LEXUS

CT 200h*	31 650 $
ES 350*	41400 $
ES 300h*	44 500 $
GS 350 4RM*	56 550 $
GS 450h*	75 500 $
GS F*	95 000 $
IS 200t*	39 250 $
IS 300 4RM*	41 700 $
IS 350 4RM*	51 900 $
IS 350 F Sport 4RM*	55 950 $
LC 500 / 500h	ND
LS 460 4RM*	92 550 $
LS 460 Tech 4RM*	101 050 $
LS 460L 4RM*	128 350 $
LS 600h L Hybride*	147 200 $
RC 350 4RM*	58 250 $
RC F*	82 750 $
RC F Performance*	90 150 $
SC	ND

LEXUS • Camions

GX 460*	69 350 $
GX 460 Executive*	77 400 $
LX 570*	104 300 $
NX 200t*	41 950 $
NX 300h Hybride*	53 350 $
RX 350*	53 950 $
RX 350 F Sport Serie2*	62 700 $

RX 450h Hybride*	68 550 $
RX 350 F Sport*	58 900 $

LINCOLN

MKZ Select 4RM	42 000 $
MKZ Reserve 4RM	46 000 $
MKZ Reserve 3.0L 4RM	50 500 $
MKZ Hybride	42 000 $
MKZ Hybride Reserve	46 000 $
Continental Select	57 000 $
Continental Reserve	60 500 $
Continental Reserve 3.0L	63 500 $

LINCOLN • Camions

MKC	43 000 $
MKC 2.3L	48 000 $
MKX*	45 890 $
MKT EcoBoost*	50 660 $
Navigator	78 000 $
Navigator L	81 000 $

LOTUS

Evora 400	95 909 $

MASERATI

Ghibli*	83 800 $
Ghibli S Q4*	92 950 $
GranTurismo Sport*	152 600 $
GranTurismo MC*	172 950 $
GranTurismo MC Centennial Edition*	189 900 $
GranTurismo cabriolet*	167 450 $
GranTurismo Sport cabriolet*	172 650 $
GranTurismo MC cabriolet*	184 900 $
GranTurismo MC Centennial Edition cabriolet*	199 900 $
Quattroporte S Q4*	121 400 $
Quattroporte GTS*	161 400 $
MASERATI • Camions	
Levante	88 900 $
Levante S	98 600 $

MAZDA

Mazda3 G*	15 550 $
Mazda3 GX*	18 350 $
Mazda3 GS*	19 850 $
Mazda3 GT*	25 350 $
Mazda3 Sport GX*	19 350 $
Mazda3 Sport GS*	20 850 $
Mazda3 Sport GT*	25 350 $
Mazda5 GS*	21 995 $
Mazda5 GT*	26 795 $
Mazda6 GX*	24 695 $
Mazda6 GS*	27 995 $
Mazda6 GT*	32 895 $
MX-5 GX*	31 900 $
MX-5 GS*	35 300 $
MX-5 GT*	39 200 $
MX-5 RF	ND

MAZDA • Camions

CX-3 GX	20 695 $
CX-3 GS	22 695 $
CX-3 GX 4RM	22 695 $
CX-3 GS 4RM	24 695 $
CX-3 GT 4RM	28 995 $
CX-5 GX*	22 995 $
CX-5 GS*	29 245 $
CX-5 GX 4RM*	28 195 $
CX-5 GT 4RM*	34 895 $
CX-9 GS 2RM*	35 300 $
CX-9 GS 4RM*	37 800 $
CX-9 GS-L 4RM*	41 500 $
CX-9 GT 4RM*	45 500 $
CX-9 Signature 4RM*	50 100 $

MCLAREN

540C*	196 500 $
570S*	219 750 $
570 GT	ND
650 S*	258 900 $
650 S Spider*	305 500 $
675LT*	US 349 500 $
675LT Spider	ND

MERCEDES-BENZ

AMG GT	133 600 $
AMG GT S	150 700 $
B250 Sports Tourer*	31 700 $
B250 Sports Tourer 4MATIC*	34 000 $
C300 Coupe 4MATIC	48 100 $
C63 AMG Coupe*	76 600 $
C63 AMG*	74 800 $
C300 4MATIC*	43 800 $
C300d 4MATIC*	46 200 $
C450 AMG Sport 4MATIC*	55 900 $
CLA 250*	35 300 $
CLA 250 4MATIC *	37 500 $
CLA 45 AMG 4MATIC*	51 800 $
CLS400 4MATIC*	77 100 $
CLS550 4MATIC *	88 400 $
CLS63 S AMG*	125 900 $
E250 BlueTEC 4MATIC*	59 500 $
E300 4MATIC	61 200 $
E400 4MATIC	68 300 $
E550 4MATIC*	75 600 $
E400 4MATIC familiale*	72 800 $
E63 AMG S 4MATIC familiale*	113 500 $
E400 Coupe*	64 500 $
E550 Coupe*	74 500 $
E63 AMG S 4MATIC*	110 600 $
E400 cabriolet*	71 300 $
E550 cabriolet*	81 500 $
S550 4MATIC Coupe*	151 300 $
S550 cabriolet	164 300 $
S63 AMG Coupe	179 100 $
S65 AMG Coupe	263 700 $
S63 AMG cabriolet	193 600 $
S65 AMG cabriolet	273 200 $
S400 4MATIC*	102 600 $
S550 4MATIC*	110 700 $
S550 L 4MATIC*	119 500 $
S600*	206 500 $
Maybach S600	231 200 $
S63 AMG*	159 400 $
S65 AMG*	252 000 $
SL450	104 900 $
SL550	126 000 $
SL63 AMG	165 200 $
SL65 AMG	244 400 $
SLC300	58 800 $
SLC43 AMG	70 900 $

MERCEDES-BENZ • Camions

G550*	127 200 $
G63 AMG*	152 700 $
G65 AMG*	249 000 $
GLA250*	38 000 $
GLA45 AMG*	51 700 $
GLC300*	44 950 $
GLE350d diesel Coupe*	72 300 $
GLE63 S AMG Coupe*	116 550 $
GLE350d diesel*	63 200 $
GLE400*	63 800 $
GLE550*	81 100 $
GLE 63 S AMG*	113 700 $
GLS450	82 900 $
GLS550	104 300 $
GLS63 AMG	132 900 $
Metris fourgon*	33 900 $
Metris passagers Combi*	37 900 $
Sprinter 2500 fourgon*	41 900 $
Sprinter 2500 fourgon 4RM*	51 900 $
Sprinter 2500 passagers*	49 500 $
Sprinter 2500 passagers 4RM*	59 500 $
Sprinter 3500 fourgon*	46 900 $
Sprinter 3500 fourgon 4RM*	56 900 $

MINI

Cooper	21 990 $
Cooper 4p	23 240 $
Cooper S	26 240 $
Cooper S 4p	27 490 $
Cooper John Cooper Works	33 740 $
Cooper Clubman	26 990 $
Cooper S Clubman ALL4	29 990 $
Cooper John Cooper Works Clubman*	38 400 $
Cooper cabriolet	27 990 $
Cooper S cabriolet	32 240 $
Cooper John Cooper Works cabriolet	39 740 $
Cooper Countryman S ALL4*	29 950 $
Cooper Countryman John Cooper Works ALL4*	38 500 $
Cooper Paceman S ALL4*	31 200 $
Cooper Paceman John Cooper Works ALL4*	39 600 $

MITSUBISHI

i-MiEV ES	27 998 $
Lancer ES	17 998 $
Lancer SE Limited Edition	20 698 $
Lancer SE Limited Edition AWC 4RM	24 198 $
Lancer GTS	23 298 $
Lancer GTS AWC 4RM	26 298 $
Lancer Sportback SE LTD	21 198 $
Lancer Sportback GT	24 698 $
Mirage G4 ES	14 498 $
Mirage G4 SEL	18 298 $
Mirage ES 5p	12 698 $
Mirage SE 5p	17 398 $
Mirage SEL 5p	18 298 $

MITSUBISHI • Camions

Outlander ES*	25 998 $
Outlander ES 4RM*	27 998 $
Outlander SE 4RM*	31 198 $
Outlander GT 4RM*	36 498 $
RVR ES*	19 998 $
RVR SE*	22 698 $
RVR SE 4RM*	26 298 $
RVR GT 4RM*	29 698 $

NISSAN

370Z	29 998 $
370Z Nismo	47 998 $
370Z Roadster	49 498 $
370Z Roadster Sport Touring	54 998 $
Altima 2.5S*	23 798 $
Altima 2.5 SV*	26 998 $
Altima 2.5 SL*	29 698 $
Altima 3.5 SL*	34 148 $
GT-R Premium	125 000 $
GT-R Black Edition*	119 500 $
GT-R Nismo*	179 900 $
Leaf S*	32 698 $
Leaf SV*	37 398 $
Leaf SL*	40 548 $
Maxima 3.5 S	34 400 $
Maxima 3.5 SV	36 500 $
Maxima 3.5 SL	39 600 $
Maxima 3.5 Platinum	43 900 $
Micra S*	9 998 $
Micra SV*	13 848 $
Micra SR*	15 988 $
Sentra 1.8 S*	15 898 $
Sentra 1.8 SV*	18 698 $
Sentra 1.8 SR*	22 598 $
Sentra 1.8 SL*	25 998 $
Versa Note 1.6 S*	14 298 $
Versa Note 1.6 SV*	16 198 $
Versa Note 1.6 SL*	19 748 $
Versa Note 1.6 SR*	18 698 $

NISSAN • Camions

Armada SL / Platinum	ND
Frontier S King Cab*	23 148 $
Frontier SV V6 King Cab*	24 613 $
Frontier SV King Cab 4RM*	27 963 $
Frontier PRO-4X V6 King Cab 4RM*	30 958 $
Frontier SV V6 Crew Cab 4RM*	31 763 $
Frontier PRO-4X V6 Crew Cab 4RM*	36 108 $
Frontier SL V6 Crew Cab 4RM*	38 348 $
Juke SV*	20 698 $
Juke SV 4RM*	24 178 $
Juke SL 4RM*	30 178 $
Juke NISMO RS*	28 798 $
Juke NISMO 4RM*	28 978 $
Juke NISMO RS 4RM*	31 998 $
Murano S*	29 998 $
Murano SV*	33 998 $
Murano SV 4RM*	35 998 $
Murano SL 4RM*	39 398 $
Murano Platinum 4RM*	43 498 $
NV 200*	23 448 $
NV 1500 V6*	34 048 $
NV 2500 V6*	35 348 $
NV 2500 S V8*	36 198 $
NV 2500 V8 High Roof*	38 898 $
NV 3500 V8*	37 498 $
NV 3500 V8 High Roof*	40 198 $
NV 3500 Passagers*	43 348 $
NV 3500 V8 Passagers*	44 748 $
Pathfinder S 2RM	31 598 $
Pathfinder S	34 398 $
Pathfinder SV	38 098 $
Pathfinder SL	41 198 $
Pathfinder Platinum	47 398 $
Rogue S*	24 648 $
Rogue SV Special Ed.*	27 548 $
Rogue S 4RM*	26 648 $
Rogue SV Special Ed 4RM*	29 548 $
Rogue SL Premium 4RM*	35 248 $
Titan XD Crew Cab S 4RM*	52 400 $
Titan XD Crew Cab SV 4RM*	56 300 $
Titan XD Crew Cab PRO 4X 4RM*	63 950 $
Titan XD Crew Cab SL 4RM*	70 250 $
Titan XD Crew Cab Platinum 4RM*	73 900 $

PORSCHE

718 Boxster	63 900 $
718 Boxster S	78 000 $
Boxster GTS*	85 100 $
Boxster Spyder*	93 700 $
718 Cayman	61 500 $
718 Cayman S	75 600 $
Cayman GTS*	85 800 $
Cayman GT4*	96 500 $
Panamera 2*	89 500 $
Panamera 4*	94 800 $
Panamera S*	106 600 $
Panamera S e-Hybride*	113 300 $
Panamera 4S	114 300 $
Panamera GTS*	129 400 $
Panamera Turbo	167 700 $
Panamera Turbo S*	206 000 $
911 Carrera	102 200 $
911 Carrera 4	110 100 $
911 Carrera S	118 200 $
911 Carrera GTS*	130 300 $
911 Carrera 4 GTS*	137 900 $
911 Carrera 4S	126 100 $

911 GT3*	148 800 $
911 GT3 RS*	200 700 $
911 R	211 000 $
911 Carrera cabriolet	116 200 $
911 Carrera 4 cabriolet	124 100 $
911 Carrera S cabriolet	132 200 $
911 Carrera 4S cabriolet	140 100 $
911 Carrera GTS cabriolet*	143 900 $
911 Carrera 4 GTS cabriolet*	151 500 $
911 Targa 4	124 100 $
911 Targa 4S	140 100 $
911 Targa 4 GTS	151 500 $
911 Turbo	181 800 $
911 Turbo S	214 800 $
911 Turbo cabriolet	195 800 $
911 Turbo S cabriolet	228 800 $
PORSCHE • Camions	
Cayenne V6	68 900 $
Cayenne Diesel*	72 000 $
Cayenne S*	86 100 $
Cayenne S E-Hybride*	89 400 $
Cayenne GTS*	110 100 $
Cayenne Turbo*	131 500 $
Cayenne Turbo S*	180 700 $
Macan S	59 200 $
Macan GTS	73 100 $
Macan Turbo	85 800 $

RAM • Camions

Ram 1500 St	31 095 $
Ram 1500 Slt	36 895 $
Ram 1500 St 4RM*	37 895 $
Ram 1500 Sport 4RM*	46 995 $
Ram 1500 Slt 4RM*	40 895 $
Ram 1500 Quad Cab St	38 895 $
Ram 1500 Quad Cab St 4RM*	41 895 $
Ram 1500 Quad Cab Slt	41 995 $
Ram 1500 Quad Cab Slt 4RM*	45 995 $
Ram 1500 Quad Cab Laramie	51 995 $
Ram 1500 Quad Cab Laramie 4RM*	55 995 $
Ram 1500 Crew Cab ST	40 595 $
Ram 1500 Crew Cab Slt	43 695 $
Ram 1500 Crew Cab ST 4rm*	44 595 $
Ram 1500 Crew Cab Slt 4rm*	47 095 $
Ram 1500 Crew Cab Laramie	53 695 $
Ram 1500 Crew Cab Laramie Longhorn	58 695 $
Ram 1500 Crew Cab Laramie 4RM*	57 695 $
Ram 1500 Crew Cab Laramie Longhorn 4RM*	62 695 $
Ram 1500 Crew Cab Rebel 4RM*	54 695 $
Ram ProMaster City	29 995 $
Ram ProMaster City Passagers	30 995 $
Ram ProMaster 1500	33 995 $
Ram ProMaster 1500 Diesel	40 995 $
Ram ProMaster 2500	37 995 $
Ram ProMaster 2500 Diesel	43 995 $
Ram ProMaster 2500 Passagers	39 995 $
Ram ProMaster 2500 Diesel Passagers	45 995 $
Ram ProMaster 3500	39 995 $
Ram ProMaster 3500 Diesel	45 995 $

ROLLS-ROYCE

Dawn*	339 450 $
Ghost*	337 165 $
Ghost LWB*	393 070 $
Phantom*	498 678 $
Phantom Coupe*	536 526 $
Phantom LWB*	587 720 $
Phantom Drophead Coupé*	587 223 $
Wraith*	383 258 $

SMART

Fortwo pure*	17 300 $
Fortwo passion*	18 800 $
Fortwo prime*	20 900 $
Fortwo EV (électrique)*	26 990 $
Fortwo cabriolet passion	21 800 $
Fortwo cabriolet prime	23 900 $
Fortwo cabriolet EV (électrique)*	29 990 $

SUBARU

BRZ*	27 395 $
BRZ Sport-tech*	29 395 $
Impreza 2.0i*	19 995 $
Impreza 2.0i Touring*	21 695 $
Impreza 2.0i Sport*	23 895 $
Impreza 2.0i Limited*	26 995 $
Impreza 2.0i 5 portes*	20 895 $
Impreza 2.0i Touring 5 portes*	22 595 $
Impreza 2.0i Sport 5 portes*	24 795 $
Impreza 2.0i Limited 5 portes*	27 795 $
Impreza WRX	29 995 $
Impreza WRX Sport-tech	36 095 $
Impreza WRX STI	37 995 $
Impreza WRX STI Sport-Tech	45 395 $
Legacy 2.5i	23 495 $
Legacy PZEV	25 495 $
Legacy 2.5i Touring	26 595 $
Legacy 2.5i Limited	31 395 $
Legacy 3.6R Touring	30 895 $
Legacy 3.6R Limited	34 395 $
Outback 2.5i	27 995 $
Outback PZEV	29 995 $
Outback 2.5i Touring	31 295 $
Outback 2.5i Limited	36 095 $
Outback 3.6R	35 595 $
Outback 3.6R Limited	39 095 $
Outback 3.6R Premier	41 595 $

SUBARU • Camions

Forester 2.5i	25 995 $
Forester 2.5i Touring	30 495 $
Forester 2.5i Limited	35 795 $
Forester 2.0XT Touring	33 995 $
Forester 2.0XT Limited	37 995 $
XV Crosstrek Touring*	24 995 $
XV Crosstrek Sport*	26 995 $
XV Crosstrek Limited*	29 395 $
XV Crosstrek Hybride*	30 495 $

TESLA

Model 3	US 35 000 $
Model S 60 (60kWh)*	86 000 $
Model S 60D 4RM (60kWh)*	92 600 $
Model S 75 (75kWh)*	97 300 $
Model S 75D 4RM (75kWh)*	103 900 $
Model S 90D 4RM (90kWh)*	116 800 $
Model S P90D 4RM (90Wh)*	143 200 $
Model X 75D (75kWh)*	106 000 $
Model X 90D (90kWh)*	121 900 $
Model X P90D (90kWh)*	150 100 $

TOYOTA

86 (Scion FR-S)	27 490 $
Avalon Touring*	38 990 $
Avalon Limited*	43 770 $
Camry LE	24 970 $
Camry SE	26 580 $
Camry XLE	31 805 $
Camry XSE V6	35 495 $
Camry XLE V6	36 520 $
Camry Hybride LE	29 550 $
Camry Hybride XLE	36 450 $
CH-R	ND
Corolla CE*	15 995 $
Corolla S*	19 780 $
Corolla LE*	20 140 $
Corolla LE ECO*	20 890 $
IM* (Scion)	21 165 $
Prius*	25 995 $
Prius C*	28 415 $
Prius V	28 875 $
Yaris Hatchback CE 3p*	14 545 $
Yaris Hatchback LE 5p*	15 965 $
Yaris Hatchback SE 5p*	17 665 $
Yaris Sedan*	16 995 $

TOYOTA • Camions

4Runner SR5 V6*	43 790 $
4Runner SR5 V6 Trail Edition*	45 710 $
4Runner SR5 V6 Limited*	49 295 $
Highlander V6 2RM*	33 355 $
Highlander V6*	35 855 $
Highlander Limited*	46 980 $
Highlander Hybride*	45 755 $
Highlander Hybride Limited*	54 960 $
RAV4 LE 2RM*	24 990 $
RAV4 XLE 2RM*	29 500 $
RAV4 LE*	27 255 $
RAV4 XLE*	31 650 $
RAV4 Limited*	37 500 $
RAV4 XLE Hybride*	34 465 $
RAV4 XLE Limited Hybride*	38 265 $
Sequoia SR5*	55 310 $
Sequoia Limited*	61 950 $
Sequoia Platinum*	70 215 $
Sienna V6*	31 475 $
Sienna LE V6*	34 755 $
Sienna SE V6*	38 280 $
Sienna XLE Limited*	46 665 $
Sienna 4RM LE*	37 590 $
Sienna 4RM XLE*	42 175 $
Sienna 4RM XLE Limited*	49 500 $
Tacoma Access Cab*	27 995 $
Tacoma Access Cab SR+ 4RM*	31 285 $
Tacoma Access Cab V6 SR5 4RM*	35 425 $
Tacoma Doublecab V6 4RM*	30 120 $
Tacoma Doublecab V6 SR5 4RM*	32 495 $
Tacoma Doublecab V6 SR5 SportTRD 4RM*	38 990 $
Tacoma Doublecab V6 Limited TRD 4RM*	44 275 $
Tundra 5.7L*	29 035 $
Tundra Double Cab SR5 4.6L*	34 290 $
Tundra 4RM 5.7L*	33 295 $
Tundra 4RM Double Cab SR5 4.6L*	36 850 $
Tundra 4RM Double Cab SR5 5.7L*	39 120 $
Tundra 4RM Double Cab Limited 5.7L*	51 055 $
Tundra 4RM CrewMax*	42 495 $
Tundra 4RM CrewMax Limited*	53 000 $
Tundra 4RM CrewMax Platinum*	56 845 $
Venza*	30 265 $
Venza 4RM*	32 065 $
Venza Limited 4RM*	39 050 $
Venza V6 4RM*	33 820 $
Venza V6 4RM Limited*	40 805 $

VOLKSWAGEN

Beetle 1.8L	19 990 $
Beetle 1.8L Classic	21 990 $
Beetle 1.8L Dune	26 990 $
Beetle 2.0L TDI*	24 675 $
Beetle 1.8L Trendline Cabriolet	26 850 $
Beetle 1.8L Classic Cabriolet	28 550 $
CC*	36 375 $
CC V6 4Motion Wolfsburg Edition	41 990 $
Golf 1.8L	18 995 $
Golf 2.0L TDI*	23 095 $
Golf 1.8L familiale Sportwagen	22 895 $
Golf 2.0L TDI familiale Sportwagen*	25 295 $
Golf 1.8L familiale Sportwagen 4MOTION	ND
Golf 1.8L familiale Alltrack 4MOTION	ND
Golf R	39 995 $
GTI 3p	28 595 $
GTI 5p Autobahn	33 995 $
Jetta 1.4L	15 995 $
Jetta 1.8L Highline	27 995 $
Jetta 2.0L TDI*	23 890 $
Jetta Hybride Turbo*	36 490 $
Jetta GLI 2.0T Autobahn	34 795 $
Passat 1.8L	25 695 $
Passat 2.0L TDI*	26 575 $
Passat 3.6L V6*	30 575 $
VOLKSWAGEN • Camions	
Tiguan	24 990 $
Tiguan 4Motion	33 998 $
Touareg 3.6L V6	50 975 $
Touareg 3.0L TDI*	53 975 $

VOLVO

S60 T5	38 800 $
S60 T5 Premier	42 050 $
S60 T5 4RM 2.5	52 350 $
S60 T6 4RM	47 350 $
S60 T6 4RM R-Design	52 300 $
S60 T6 Polestar 4RM	67 050 $
S60 T5 Cross Country Platinum 4RM	50 700 $
V60 T5	40 600 $
V60 T5 4RM	42 400 $
V60 T6 4RM	48 200 $
V60 T6 4RM R-Design	3 300 $
V60 T6 Polestar 4RM	69 000 $
V60 T5 Cross Country 4RM	45 200 $
V60 T5 Cross Country Premier 4RM	47 700 $
S90 T6 Momentum	56 900 $
S90 T6 R-Design	61 400 $
S90 T6 Inscription	63 000 $
XC70 T5*	42 800 $
XC70 T5 4RM*45 500 $	

VOLVO • Camions

XC60 T5	42 000 $
XC60 T5 Platinum	46 450 $
XC60 T5 4RM Special Edition	57 850 $
XC60 T6 Premier 4RM	50 800 $
XC60 T6 R-Design 4RM	57 650 $
XC90 T5 Momentum	55 650 $
XC90 T6 Momentum	61 300 $
XC90 T6 R-Design	65 850 $
XC90 T6 Inscription	67 450 $
XC90 T8 R-Design Hybrid	77 650 $
XC90 T8 Excellence	118 900 $
XC90 T8 Inscription Hybrid	79 250 $
XC90 T8 Excellence Hybrid	118 900 $